LANGENSCHEIDT'S
POCKET
DICTIONARIES

# LANGENSCHEIDT'S POCKET ENGLISH DICTIONARY

## ENGLISH-POLISH
## POLISH-ENGLISH

BY

TADEUSZ GRZEBIENIOWSKI

LANGENSCHEIDT

# CONTENTS



## ENGLISH-POLISH PART



## POLISH-ENGLISH PART




*Printed in Germany*

# PREFACE

This "Pocket English Dictionary" is a revised and enlarged version of the "Concise English-Polish and Polish-English Dictionary", first published 1958.

The dictionary is meant to be used in all walks of life and at school. In its two parts it contains more than 50,000 vocabulary entries and phrases.

In addition to the vocabulary this dictionary contains a list of irregular English verbs and lists of geographical names, proper names, famous names and well-known characters in literature, abbreviations, weights and measures (American and British).

In order to help the learner to use a word in a sentence particular attention has been drawn to syntactic information within the entry in the dictionary.

# ADVICE TO THE USER

## 1. Headwords

The headwords are printed in bold faced type in strictly alphabetical order. They are labelled by pertinent abbreviations indicating their grammatical categories to which they belong. Some other symbols denote the respective branches of learning or the special walks of life.

In case an English word is invariable in form irrespective of its grammatical category e.g. **love** (as a noun) = m i ł o ś ć and **love** (as a verb) = k o c h a ć its Polish equivalents are arranged, within the same entry, according to the grammatical order, e.g.:

**hand** [hænd] *s* r ę k a, d ł o ń...; *vt* (*także* ~ **in**) w r ę c z y ć...

If the English headword is followed by several Polish equivalents it is the basic meaning or etymologically the earliest one that comes first. E.g.:

**gath·er** [ˈgæðə(r)] *vt vi* z b i e r a ć (s i ę); w n i o s k o w a ć; (*o rzece*) w z b i e r a ć; (*o wrzodzie*) n a b i e r a ć; n a r a s t a ć

If the basic meaning of an English headword has become obsolete, its Polish equivalent comes last. E.g.:

**dis·com·fit** [dɪˈskʌmfɪt] *vt* z m i e s z a ć; u d a r e m n i ć; † p o b i ć

# WSKAZÓWKI DLA KORZYSTAJĄCYCH ZE SŁOWNIKA

## 1. Hasła

Wyrazy hasłowe podano pismem półgrubym w ścisłym porządku alfabetycznym. Opatrzono je odpowiednimi skrótami sygnalizującymi ich przynależność do poszczególnych części mowy lub do specjalnych dziedzin życia.

Jeżeli wyraz hasłowy występuje w charakterze różnych części mowy identycznych pod względem formy (jak np. **the love i to love**), podano go w jednym artykule hasłowym z polskimi odpowiednikami uszeregowanymi według ustalonej w gramatyce kolejności, np.:

Jeżeli wyraz hasłowy ma kilka odpowiedników polskich, na pierwszym miejscu podano znaczenie bliższe lub pierwotne, a potem, kolejno, znaczenie dalsze lub pochodne, np.:

Gdy wyraz hasłowy jest rzadko używany w swym pierwotnym znaczeniu podstawowym, pierwszeństwo w kolejności polskich odpowiedników przyznano znaczeniom późniejszym, pochodnym, nowożytnym, np.:

Homonyms are grouped under separate entries and marked with successive Arabic ciphers, e.g.:

Homonimy podano w osobnych hasłach oznaczonych kolejnymi cyframi arabskimi, np.:

**grave 1.** [greɪv] *s* grób
**grave 2.** [greɪv] *adj* poważny, ważny

Since the present dictionary is concise considerable amount of words has been left out. Many English derivatives and compounds which follow a clear pattern of derivation and combination have not been included. For this reason e.g. the noun **disappointment** has been left out as it is derived from the verb **to disappoint**; owing to the information about the grammatical function of the suffix -ment (see p. 9) the reader will not fail to make out the meaning of the substantival derivative if he knows the meaning of the basic form. Another example: two words **moon** księżyc and **light** światło make up a uniform compound **moonlight** światło księżyca. Still some compounds had to be included because of difference in meaning or pronunciation, e.g.:

Ze względu na zwięzłość słownika pominięto poważną ilość wyrazów złożonych i pochodnych, łatwych do zrozumienia na podstawie pewnego ustalonego schematu. Poznawszy typ wyrazu i jego części składowe można łatwo odgadnąć znaczenie formy złożonej, np. wyraz **moonlight** składa się z części **moon** = księżyc i **light** = światło. Znalazłszy znaczenie tych oddzielnych wyrazów tworzymy całość znaczeniową „światło księżyca". Podobnie jak rzeczownik **disappointment** rozczarowanie jest wynikiem połączenia czasownika **to disappoint** rozczarować z przyrostkiem **-ment**.

W słowniku zamieszczono jednak wyrazy złożone, odrębne pod względem wymowy albo znaczenia, np.:

**half·pen·ny** [ˈheɪpnɪ] *s* (*pl* **halfpence** [ˈheɪpəns]) pół pensa

while the two separate components of the above word are pronounced **half** [haf] and **penny** [ˈpenɪ], **pence** [pens].

które wymawia się inaczej niż oddzielne części składowe **half** [haf] i **penny** [ˈpenɪ], **pence** [pens]

If the headword within the same entry belongs to diverse grammatical categories, they are marked off by means of a semicolon, and labelled by a pertinent grammatical abbreviation, e.g.:

Jeżeli wyraz hasłowy pełni różne funkcje gramatyczne, oddzielono je średnikiem oraz oznaczono odpowiednim kwalifikatorem gramatycznym, np.:

**af·ter·noon** [ˈaftəˈnun] *s* popołudnie; *adj attr* popołudniowy...

**stand** [stænd] ... *vt* s t a ć; s t a w i a ć s i ę; ... *vt* s t a w i a ć; w y t r z y m y w a ć...; *s* m i e j s c e, s t a n o w i s k o...

With reference to prefixes and suffixes as elements of the English vocabulary and word-formation, they ought to be given in a very rough outline:

W odniesieniu do przedrostków i przyrostków należy ogólnikowo zwrócić uwagę na ich rolę w zakresie słownictwa i słowotwórstwa angielskiego:

**in- un-** are prefixed to some words, especially to adjectives to express negation. E.g.:

**in-** i **un-** zmieniają wyraz, nadając mu charakter przeczący, np.:

**com·pre·hen·si·ble** ... z r o z u m i a ł y ...
**in·com·pre·hen·si·ble** ... n i e z r o z u m i a ł y ...
**be·com·ing** ... s t o s o w n y ...
**un·be·com·ing** ... n i e s t o s o w n y ...

The prefix **un-** precede some words to express reversal or deprivation. E.g.:

Przedrostek **un-** oznacza również odwrócenie lub pozbawienie, np.:

**bind** ... w i ą z a ć ...
**unbind** ... r o z w i ą z a ć ...
**mask** ... m a s k o w a ć ...
**unmask** ... d e m a s k o w a ć

**re-** is employed in the sense of "again" or "back". E.g.:

**re-** nadaje wyrazowi sens, jaki można wyrazić słowami „znowu", „z powrotem", np.:

**re·pay** ... s p ł a c i ć ⟨z w r ó c i ć⟩ p i e n i ą d z e ...
**re·ar·range** ... n a n o w o u p o r z ą d k o w a ć, p r z e g r u p o w a ć ...

**post-** is prefixed to some words to express time or order of succession in the sense of "after", "afterwards", "subsequently". E.g.:

**post-** nadaje wyrazowi sens następstwa w czasie lub kolejności, np.:

**post-grad·u·ate** ... *s* s t u d e n t k o n t y n u u j ą c y n a u k ę p o u z y s k a n i u s t o p n i a u n i w e r s y t e c k i e g o. ...
**post-war** ... p o w o j e n n y

**pre-** relates to time or order of succession in the sense of "before", "previous to", "earlier than". The

**pre-** nadaje wyrazowi sens, jaki można wyrazić słowami: „uprzednio", „wcześniej". Wyrazy z przed-

prefix **pre-**, and **post-** are usually hyphened. E.g.:

rostkiem **pre-** i **post-** pisze się zwykle z łącznikiem, np.:

**pre-war** ... p r z e d w o j e n n y
**prefabricate** ... p r e f a b r y k o - w a ć

Some adverbs or prepositions, like **under** and **over**, are sometimes used as quasiprefixes. E.g.

Role przedrostków mogą pełnić przyimki lub przysłówki, np. **over-**, **under-**:

**o·ver·eat** ... **oneself** p r z e j e ś ć s i ę
**un·der·feed** ... n i e d o s t a t e c z - n i e (s i ę) o d ż y w i a ć

So, owing to the information about the grammatical function of the above prefixes, the reader will not fail to make out the meaning of the derivatives if he knows the meaning of the basic forms.

The suffixes are lexical elements which form some parts of speech from other parts of speech. E.g. the suffix **-able**, added to verbs, forms new adjectives: **love** k o - c h a ć + **-able** results in **lovable** d a j ą c y s i ę k o c h a ć, m i ł y. Another example: **bear** n o s i ć, z n o s i ć + **-able** = **bearable** z n o - ś n y.

The list of suffixes given below, duly tabulated, shows clearly how new words are formed by means of some suffixes.

Tego rodzaju wyrazy pochodne należy więc rozumieć w oparciu o ich formy podstawowe i szukać w odpowiednim miejscu słownika.

Przyrostki powodują zazwyczaj przejście danego wyrazu do innej kategorii gramatycznej. Np. przyrostek **-able** dodany do czasownika, tworzy nowy przymiotnik: **love** k o c h a ć + **-able** daje w rezultacie przymiotnik **lovable** d a - j ą c y s i ę k o c h a ć, m i ł y. Inny przykład: **bear** n o s i ć, z n o s i ć + **-able** = **bearable** z n o - ś n y.

Niżej podajemy tablicę najważniejszych przyrostków wraz z przykładami ilustrującymi:

| Przyrostek | Wyraz pierwotny | Wyraz pochodny |
|---|---|---|
| *-able* | **love** kochać | **lov*able*** godny miłości, miły |
| *-ful* | **power** potęga | **power*ful*** potężny |
| *-hood* | **false** fałszywy | **false*hood*** fałszywość |
| *-ible* | **digest** trawić | **digest*ible*** strawny |
| *-ish* | **child** dziecko | **child*ish*** dziecinny |
| *-less* | **hope** nadzieja | **hope*less*** beznadziejny |
| *-ment* | **disappoint** rozczarować | **disappoint*ment*** rozczarowanie |
| *-ness* | **clever** zręczny, zdolny | **clever*ness*** zręczność, zdolność |
| *-ship* | **comrade** kolega | **comrade*ship*** koleżeństwo |

Owing to the above key the reader will be able to make out the meaning of a new word, not included in the present dictionary.

Dzięki powyższym przykładom czytelnik będzie mógł bez trudności zrozumieć znaczenie nowego wyrazu, który nie został zamieszczony w niniejszym słowniku.

### Nouns

Many English nouns denoting persons have been rendered in Polish as masculine only, e.g. **teacher** n a u c z y c i e l; the feminine equivalent n a u c z y c i e l k a is not given.

Regular plurals have not, as a matter of course, been included. It is only the irregular plural forms that have been inserted, as well as those that might seem questionable (given in round brackets). E.g.:

### Hasła rzeczownikowe

Znaczna część rzeczowników angielskich ma jednakową formę dla rodzaju męskiego i żeńskiego, np. **teacher** n a u c z y c i e l, n a u c z y c i e l k a. Dla uproszczenia polskie odpowiedniki podano tylko w formie rodzaju męskiego.

Tylko regularne formy liczby mnogiej zostały pominięte. Formy nieregularne, lub nasuwające wątpliwości, podano w nawiasach okrągłych, np.:

**goose** [gus] *s* (*pl* **geese** [gis]) g ę ś
**a·nal·y·sis** [ə`næləsɪs] *s* (*pl* **analyses** [ə`næləsiz]) a n a l i z a; ...

### Adjectives

The degrees of comparison have been duly entered within the respective irregular adjectives.

Adjectives used only as attributes or as predicatives are provided with the labels *attr* and *praed* respectively.

### Hasła przymiotnikowe

Przy przymiotnikach stopniowanych nieregularnie podano formy stopnia wyższego i najwyższego.

Przymiotniki, które można użyć tylko przydawkowo lub tylko orzecznikowo oznaczone są odpowiednio skrótami *attr* i *praed.*

### Verbs

The basic forms of the regular verbs, ending in **-ed, -ed, (-d, -d)**, are omitted. As far as the irregular verbs are concerned, three successive main forms have been singled out: infinitive, past tense (preterite) and past participle. The asterisk*, placed before the entry, refers to the list of irregular verbs, e.g.:

### Hasła czasownikowe

Pominięto podstawowe formy gramatyczne czasowników, które tworzą się regularnie przez dodanie końcówki **-ed** lub **-d.** Nieregularne formy czasowników podano bezpośrednio po transkrypcji wyrazu hasłowego; na pierwszym miejscu podano formę czasu przeszłego, na drugim — imiesłów czasu przeszłego. Ponadto opatrzono całe hasło gwiazdką, odsyłającą do spisu czasowników z odmianą nieregularną, np.:

*see 1. [si], **saw** [sɔ], **seen** [sin]
*vt vi* widzieć

The syntactic function of the verb in a sentence, as exemplified in the present dictionary, is given within round brackets immediately after its Polish equivalent, e.g.:

Różnice w składni czasowników zaznaczamy przy pomocy odpowiednich zaimków i przyimków, w nawiasach okrągłych, tuż po polskim odpowiedniku, np.:

**agree** [əˋgri] *vi* zgadzać się **(to sth** na coś**)**; układać się, umawiać się, porozumiewać się **(on, upon sth** w sprawie czegoś**)** ...
**re·act** [riˋækt] *vi* reagować
**de·pend** [dɪˋpend] *vi* zależeć **(on sb, sth** od kogoś, czegoś**)**, ...

If the English verb is transitive while its Polish equivalent is intransitive, or vice versa, then grammatical information is a necessity. E.g.:

Przykłady użycia związków składniowych stosuje się zarówno w przypadku, gdy czasownik angielski jest przechodni, a jego polski odpowiednik nieprzechodni, jak i odwrotnie. Np.:

**ap·proach** [əˋprəutʃ] *vt* zbliżać się, podchodzić **(sb, sth** do kogoś, do czegoś**)**; ...
**so·lic·it** [səˋlɪsɪt] *vt* ubiegać się **(sth** o coś**)**, usilnie prosić **(sb for sth, sth from sb** kogoś o coś**)**

## 2. Phonetic Transcription

The successive headwords are followed by the phonetic script, each particular English word being transcribed and placed within square brackets. The symbols used here are those of the International Phonetic Association, based on the recent editions of British dictionaries (*A Concise Pronouncing Dictionary of British and American English* by J. Windsor Lewis and *Oxford Advanced Learner's Dictionary of Current English* by A.S. Hornby).

## 2. Transkrypcja

Przy każdym wyrazie hasłowm podano w nawiasie kwadratowym jego transkrypcję fonetyczną. Zastosowano symbole ogólnie przyjętej transkrypcji międzynarodowej, w oparciu o najnowsze wydania słowników brytyjskich (J. Windsor Lewis *A Concise Pronouncing Dictionary of British and American English* i A.S. Hornby *Oxford Advanced Learner's Dictionary of Current English*).

## Phonetic transcription

## Transkrypcja fonetyczna

| znak graficzny dźwięku | zbliżony polski odpowiednik | przykład użycia i wymowa |
|---|---|---|
| **samogłoski** | | |
| i | i | eat [it] |
| ɪ | y | sit [sɪt] |
| e | e | bed [bed] |
| æ | a/e | bad [bæd] |
| ɑ | a (*długie*) | half [hɑf] |
| o | o (*krótkie*) | not [not] |
| ɔ | o (*długie*) | law [lɔ] |
| ʊ | u (*krótkie*) | put [pʊt] |
| u | u (*długie*) | food [fud] |
| ʌ | a (*krótkie*) | luck [lʌk] |
| ɜ | e (*długie*) | first [fɜst] |
| ə | e (*zanikowe*) | ago [əˈgəʊ] |
| **dwugłoski** | | |
| eɪ | ei (*łączne*) | late [leɪt] |
| əʊ | eu (*łączne*) | stone [stəʊn] |
| ɑɪ | ai (*łączne*) | nice [nɑɪs] |
| ɑʊ | au (*łączne*) | loud [lɑʊd] |
| ɔɪ | oi (*łączne*) | point [pɔɪnt] |
| ɪə | ie (*łączne*) | fear [fɪə(r)] |
| eə | e[a] | hair [heə(r)] |
| ʊə | u[e] | your [jʊə(r)] |
| **niektóre spółgłoski** | | |
| tʃ | cz | chin [tʃɪn] |
| dʒ | dż | just [dʒʌst] |
| v | w | voice [vɔɪs] |
| θ | — | thing [θɪŋ] |
| ð | — | then [ðen] |
| ʃ | sz | sharp [ʃɑp] |
| ʒ | ż | vision [ˈvɪʒn] |
| m̩ | m (*sylabotwórcze*) | government [ˈgʌvm̩ənt] |
| n̩ | n (*sylabotwórcze*) | happening [ˈhæpn̩ɪŋ] |
| l̩ | l (*sylabotwórcze*) | settling [ˈsetl̩ɪŋ] |
| r̩ | r (*sylabotwórcze*) | measuring [ˈmeʒr̩ɪŋ] |
| ŋ | n (*nosowe*) | sing [sɪŋ] |
| w | ł | wet [wet] |
| (r) | r | *bryt.* wymawia się, gdy następujące słowo zaczyna się od samogłoski; *am.* wymawia się zawsze |

## 3. Spelling

The spelling used throughout the present Dictionary is that of Great Britain and most English-speaking countries except America. Some slight modifications noticeable in the American spelling are as follows:

## 3. Pisownia

W słowniku niniejszym zastosowano przyjętą powszechnie w Wielkiej Brytanii i w innych krajach mówiących po angielsku, z wyjątkiem Ameryki, pisownię brytyjską. Najważniejsze odchylenia pisowni amerykańskiej od brytyjskiej przedstawiają się następująco:

| Końcówki brytyjskie<br>British endings | Końcówki amerykańskie<br>American endings |
|---|---|
| *-our* | *-or* |
| fav*our*, hon*our* | fav*or*, hon*or* |
| *-or,* | *-er* |
| conquer*or*, carburett*or* | conquer*er*, carburett*er* |
| *-re* | *-er* |
| cent*re*, theat*re* | cent*er*, theat*er* |
| *-ce* | *-se* |
| preten*ce*, licen*ce* | preten*se*, licen*se* |

Double consonants in final unstressed syllables are reduced in America to single ones:

W nieakcentowanej zgłosce końcowej podwójna spółgłoska przed -ed i -ing ulega redukcji do pojedynczej:

| Pisownia brytyjska<br>British | Pisownia amerykańska<br>American |
|---|---|
| trave*l* | trave*l* |
| trave*ll*ed | trave*l*ed |
| trave*ll*ing | trave*l*ing |

But if the last syllable is short and stressed, the final consonant must be doubled both in Britain and in America:

Natomiast końcowa spółgłoska krótkiej, akcentowanej sylaby musi ulec podwojeniu zarówno w pisowni brytyjskiej, jak i amerykańskiej:

**fit, fitted, fitting**
**drop, dropped, dropping**
**repel, repelled, repelling**

Some slight variants found both in Britain and in America, e.g. **cosy** or **cozy**, **gipsy** or **gypsy** are, as a rule, provided with the explanatory sign (=).

Pewne oboczne formy ortograficzne, spotykane zarówno w pisowni brytyjskiej, jak i amerykańskiej, takie jak np. **cosy** albo **cozy**, **gipsy** albo **gypsy** itd., oznaczone są znakiem równości (=).

## ABBREVIATIONS

## SKRÓTY

*adj* — przymiotnik adjective
*adv* — przysłówek adverb
*am.* — amerykański American
*anat.* — anatomia anatomy
*arch.* — architektura architecture
*astr.* — astronomia astronomy
*attr* — przydawka, przydawkowy attribute, attributive
*bank.* — bankowość banking
*biol.* — biologia biology
*bot.* — botanika botany
*bryt.* — brytyjski British
*chem.* — chemia chemistry
*comp* — stopień wyższy comparative (degree)
*conj* — spójnik conjunction
*dent.* — dentystyka dentistry
*dial.* — dialekt dialect
*dod.* — znaczenie dodatnie positive (meaning)
*dosł.* — dosłownie literally
*druk.* — drukarstwo printing
*elektr.* — elektryczność electricity
*f* — (rodzaj) żeński feminine (gender)
*filat.*[1] — filatelistyka philately
*film* — film film
*filoz.* — filozofia philosophy
*fin.* — finansowość finances
*fiz.* — fizyka physics
*fot.* — fotografia photography
*fut* — czas przyszły future tense
*genit* — dopełniacz genitive
*geogr.* — geografia geography
*geol.* — geologia geology
*górn.* — górnictwo mining
*gram.* — gramatyka grammar
*handl.* — handlowy commercial (term)
*hist.* — historia history
*imp* — forma nieosobowa impersonal form
*inf* — bezokolicznik infinitive
*int* — wykrzyknik interjection
*interrog* — pytajnik, pytający interrogation, interrogative
*kin.* — kinematografia cinematography

| | | |
|---|---|---|
| *kolej.* | — kolejnictwo | railway system |
| *lit.* | — literatura, wyraz literacki | literature, literary expression |
| *lotn.* | — lotnictwo | aviation |
| *łac.* | — wyraz łaciński | Latin word |
| *m* | — (rodzaj) męski | neuter (gender) |
| *mal.* | — malarstwo | painting |
| *mat.* | — matematyka | mathematics |
| *med.* | — medycyna | medicine |
| *miner.* | — mineralogia | mineralogy |
| *mors.* | — morski | marine (term) |
| *muz.* | — muzyka | music |
| *n* | — (rodzaj) nijaki | neuter (gender) |
| *neg.* | — forma przecząca | negative form |
| *nieodm.* | — wyraz nieodmienny | indeclinable (unconjugated) word |
| *num* | — liczebnik | numeral |
| *p* | — czas przeszły | past tense, preterite |
| *part.* | — partykuła | particle |
| *pieszcz.* | — pieszczotliwy | term of endearment |
| *pl* | — liczba mnoga | plural |
| *poet.* | — wyraz poetycki | word used in poetry |
| *polit.* | — polityka | politics, policy |
| *por.* | — porównaj | compare |
| *pot.* | — wyraz potoczny | colloquialism |
| *pp* | — imiesłów czasu przeszłego | past participle |
| *p praes* | — imiesłów czasu teraźniejszego | present participle |
| *praed* | — orzecznik, orzecznikowy | predicative |
| *praef* | — przedrostek | prefix |
| *praep* | — przyimek | preposition |
| *praes* | — czas teraźniejszy | present tense |
| *prawn.* | — termin prawniczy | law term |
| *pron* | — zaimek | pronoun |
| *przen.* | — przenośnie | metaphorically |
| *reg.* | — regularny | regular |
| *rel.* | — religia | religion |
| *rów.* | — również | also |
| *s* | — rzeczownik | substantive |
| sb, sb's | — ktoś, kogoś | somebody, somebody's |
| *sing* | — liczba pojedyncza | singular |
| *skr.* | — skrót | abbreviation |
| *s pl* | — rzeczownik w liczbie mnogiej | noun plural |
| *sport* | — sport | sport, sports |
| sth | — coś | something |
| *suf* | — przyrostek | suffix |
| *sup* | — stopień najwyższy | superlative (degree) |
| *szk.* | — (wyraz) szkolny | school (word) |
| *teatr* | — teatr | theatre |
| *techn.* | — technika | technics |
| *uj.* | — ujemny | pejorative |

*uż.* — używany used
*v* — czasownik verb
*v aux* — czasownik posiłkowy auxiliary verb
*vi* — czasownik nieprzechodni intransitive verb
*v imp* — czasownik nieosobowy impersonal verb
*vr* — czasownik zwrotny reflexive verb
*vt* — czasownik przechodni transitive verb
*wojsk.* — termin wojskowy military term
*wyj.* — wyjątek exception
*zam.* — zamiast instead of
*zbior.* — wyraz zbiorowy collective word
*zdrob.* — wyraz zdrobniały diminutive word
*znacz.* — znaczenie meaning
*zob.* — zobacz see
*zool.* — zoologia zoology
*zw.* — zwykle usually

## THE ENGLISH ALPHABET
## ALFABET ANGIELSKI

a [eɪ]
b [bi]
c [si]
d [di]
e [i]
f [ef]
g [dʒi]
h [eɪtʃ]
i [aɪ]
j [dʒeɪ]
k [keɪ]
l [el]
m [em]
n [en]
o [əu]
p [pi]
q [kju]
r [ɑ(r)]
s [es]
t [ti]
u [ju]
v [vi]
w [ˈdʌbḷju]
x [eks]
y [waɪ]
z [zed, *am.* zi]

## EXPLANATORY SIGNS

## ZNAKI OBJAŚNIAJĄCE

| | | |
|---|---|---|
| ˋ | The grave stress mark denotes that the following syllable bears the primary stress. | Pochylony w lewo znak akcentu (w formie transkrybowanej wyrazu hasłowego) poprzedza główną akcentowaną sylabę. |
| ˊ | The acute stress mark denotes that the following syllable bears a secondary stress, weaker than the primary. | Pochylony w prawo znak akcentu wskazuje na to, że następująca po nim sylaba posiada akcent poboczny, słabszy od głównego. |
| · | The dot is a sign of syllable separation. Thus it shows how to divide the word. | Kropka objaśnia zasady dzielenia wyrazów zgodnie z przepisami ortografii angielskiej. |
| * | The asterisk, placed before the verb, refers to the list of irregular verbs (p. 419). | Gwiazdka przy czasownikach nieregularnych odsyła do tabeli czasowników z odmianą nieregularną (str. 419). |
| [ ] | Square brackets enclose the phonetic transcription of the headword. | W nawiasach kwadratowych umieszczono transkrypcję fonetyczną wyrazów hasłowych. |
| ( ) | Round brackets enclose the explanatory informations, irregular forms of the headwords, words and letters which can be omitted. | W nawiasach okrągłych umieszczono objaśnienia, nieregularne formy wyrazu hasłowego, wyrazy i litery, które mogą być opuszczone. |
| ⟨ ⟩ | Angular brackets enclose words and parts of the expressions which are interchangeable. | W nawiasach trójkątnych umieszczono wymienne wyrazy lub człony związków frazeologicznych. |
| = | Equation sign refers the reader to the entry containing the desired equivalents. | Znak równania odsyła użytkownika do hasła, w którym znajdzie potrzebne mu odpowiedniki. |

| | | |
|---|---|---|
| † | Archaism. | Krzyżykiem oznaczono wyrazy przestarzałe. |
| ~ | The tilde replaces the headword. | Tylda zastępuje w zwrotach hasło. |
| 1., 2. ... | The Arabic ciphers denote the sequence of headwords having the same spelling, but differing in etymology and meaning. | Cyfry arabskie po hasłach objaśniają odrębność znaczenia i pochodzenia wyrazów o tej samej pisowni, podanych jako osobne hasła. |
| ; | The semicolon is used to denote a distinct shade of difference in the meaning of two or more equivalents of the headword and to separate particular items of grammatical information and grammatical categories. | Średnik oddziela odpowiedniki o całkowicie różnych znaczeniach, związki frazeologiczne oraz objaśnienia i kategorie gramatyczne. |
| , | The comma is used to separate equivalents close in meaning. | Przecinek oddziela odpowiedniki bliskie pod względem znaczeniowym. |

# ENGLISH - POLISH

# a

**A, a 1.** [eɪ] pierwsza litera alfabetu angielskiego

**a 2.** [ə, eɪ] *przedimek* ⟨*rodzajnik*⟩ *nieokreślony* (*przed spółgłoską*)

**a·back** [ə`bæk] *adv* wstecz, do tyłu, z tyłu, na uboczu; **taken ~** zaskoczony

**ab·a·cus** [`æbəkəs] *s* (*pl* **abaci** [`æbəsaɪ] *lub* **abacuses** [`æbəkəsɪz]) liczydło

**a·ban·don 1.** [ə`bændən] *vt* opuścić, zaniechać; zrezygnować; *vr* **~ oneself to sth** oddać się, poddać się (jakiemuś uczuciu)

**a·ban·don 2.** [ə`bændən] *s* żywiołowość

**a·ban·don·ment** [ə`bændənmənt] *s* opuszczenie, porzucenie; zaniedbanie; rezygnacja

**a·bash** [ə`bæʃ] *vt* zawstydzić, zmieszać

**a·bate** [ə`beɪt] *vt* opuścić, obniżyć; zmniejszyć; *vi* opaść; osłabnąć; zmniejszyć się

**ab·ba·cy** [`æbəsɪ] *s* opactwo, godność opata

**ab·bess** [`æbes] *s* przełożona klasztoru, ksieni

**ab·bey** [`æbɪ] *s* opactwo (klasztor *lub* kościół przyklasztorny)

**ab·bot** [`æbət] *s* opat

**ab·bre·vi·ate** [ə`brivɪeɪt] *vt* skracać

**ab·bre·vi·a·tion** [ə'brivɪ`eɪʃən] *s* skrót, skrócenie

**ABC** ['eɪ bi `si] *s* alfabet; podstawy wiedzy, nauki

**ab·di·cate** [`æbdɪkeɪt] *vt* rezygnować (**the office** z urzędu); abdykować (**the throne** z tronu)

**ab·di·ca·tion** ['æbdɪ`keɪʃn] *s* zrzeczenie się, abdykacja (**of the throne, office** z tronu, urzędu)

**ab·do·men** [`æbdəmən] *s* brzuch

**ab·duct** [æb`dʌkt] *vt* uprowadzić, porwać

**ab·duc·tion** [æb`dʌkʃn] *s* uprowadzenie, porwanie

**ab·er·ra·tion** ['æbə`reɪʃn] *s* zboczenie (z właściwej drogi), odchylenie; aberracja, odchylenie od stanu normalnego

**a·bet** [ə`bet] *vt* podjudzać, podżegać, współdziałać (w przestępstwie)

**a·bey·ance** [ə`beɪəns] *s* stan zawieszenia, niepewności

**ab·hor** [əb`hɔ(r)] *vt* czuć wstręt, żywić nienawiść (**sb, sth** do kogoś, do czegoś)

***a·bide** [ə`baɪd], **a·bode, a·bode** [ə`bəud] *vt* wytrzymywać, znosić; oczekiwać; *vi* pozostawać, przebywać; **~ by sth** dotrzymywać czegoś, trzymać się czegoś

**a·bid·ing** [ə`baɪdɪŋ] *adj* trwały, stały

**a·bil·i·ty** [ə`bɪlətɪ] *s* zdolność; *pl* **abilities** talent, uzdolnienie; **to the best of my ~** ⟨**abilities**⟩ jak potrafię najlepiej, w granicach moich możliwości

**ab·ject** [`æbdʒekt] *adj* podły, nikczemny, godny pogardy; nędzny; nieszczęsny

**ab·jure** [əb`dʒuə(r)] *vt* wyrzec się (**sth** czegoś)

**a·blaze** [ə`bleɪz] *adv adj praed* w płomieniach; płonący

**a·ble** ['eɪbl] *adj* zdolny, zręczny, nadający się; **to be ~** móc, być w stanie, potrafić

**a·ble-bod·ied** ['eɪbl'bodɪd] *adj* silny, zdrowy

**ab·nor·mal** [əb'nɔml] *adj* anormalny, nieprawidłowy

**a·board** [ə'bɔd] *adv i praep* na statku, na pokładzie, na pokład; *am. także* w wozie, w pociągu, do pociągu

**a·bode** 1. *zob.* **abide**

**a·bode** 2. [ə'bəud] *s* miejsce pobytu, siedziba; **to take up one's ~** zamieszkać

**a·bol·ish** [ə'bolɪʃ] *vt* znieść, usunąć, skasować, obalić

**ab·o·li·tion** ['æbə'lɪʃn] *s* zniesienie, usunięcie, obalenie; *am.* zniesienie niewolnictwa

**A-bomb** ['eɪ bom] *s* (= **atomic bomb**) bomba atomowa

**a·bom·i·na·ble** [ə'bomɪnəbl] *adj* wstrętny, obrzydliwy

**a·bom·i·nate** [ə'bomɪneɪt] *vt* czuć wstręt (**sth** do czegoś), brzydzić się (**sth** czymś)

**a·bom·i·na·tion** [ə'bomɪ'neɪʃn] *s* wstręt, obrzydzenie, odraza; przedmiot wstrętu

**ab·o·rig·i·nal** ['æbə'rɪdʒnl] *adj* pierwotny, początkowy; *s* pierwotny mieszkaniec

**ab·o·rig·i·nes** ['æbə'rɪdʒɪniz] *s pl* tubylcy, pierwotni mieszkańcy

**a·bor·tion** [ə'bɔʃn] *s* poronienie; *przen.* nieudane dzieło

**a·bor·tive** [ə'bɔtɪv] *adj* poroniony; nieudany

**a·bound** [ə'baund] *vi* obfitować (**in, with sth** w coś); **he ~s in courage** jest pełen odwagi

**about** [ə'baut] *adv* dookoła, wokół, tu i tam; mniej więcej, około; **to be ~ to do sth** mieć (zamiar) coś zrobić, zabierać się do zrobienia czegoś; *praep* przy, dookoła; odnośnie do, w sprawie; **I have no money ~ me** nie mam przy sobie pieniędzy; **what ~ leaving?** a może byśmy wyszli?

**a·bove** [ə'bʌv] *adv* w górze, powyżej; *praep* nad, ponad; *adj attr* powyższy, wyżej wymieniony

**a·breast** [ə'brest] *adv* w jednym rzędzie, obok, ramię przy ramieniu; **to keep ~ of** dotrzymywać kroku, stać na poziomie

**a·bridge** [ə'brɪdʒ] *vt* skrócić, streścić

**a·broad** [ə'brɔd] *adv* za granicą, za granicę; na zewnątrz, poza dom(em), szeroko i daleko; **there is a rumour ~** rozchodzi się pogłoska

**ab·rupt** [ə'brʌpt] *adj* oderwany; nagły, niespodziewany; (*o wzniesieniu*) stromy; szorstki (np. ton), opryskliwy

**ab·scess** ['æbses] *s* (*pl* **~es** ['æbsesɪz]) wrzód

**ab·sence** ['æbsns] *s* nieobecność, brak; **~ of mind** roztargnienie

**ab·sent** ['æbsnt] *adj* nieobecny, brakujący; *vr* **~** [əb'sent] **oneself** być nieobecnym; **~ oneself from school** być nieobecnym w szkole

**ab·sent·ee** ['æbsn'ti] *s* osoba nieobecna; osoba mieszkająca poza domem ⟨krajem⟩

**ab·sent-mind·ed** ['æbsnt'maɪndɪd] *adj* roztargniony

**ab·so·lute** ['æbsəlut] *adj* absolutny, bezwarunkowy, bezwzględny; nieograniczony; stanowczy; *s* absolut

**ab·so·lute·ly** ['æbsəlutlɪ] *adv* absolutnie, bezwarunkowo, bezwzględnie; stanowczo; *int* na pewno!, oczywiście!

**ab·so·lu·tion** ['æbsə'luʃn] *s rel.* rozgrzeszenie; darowanie winy

**ab·so·lut·ism** ['æbsə'lutɪzm] *s* absolutyzm

**ab·solve** [əb'zolv] *vt* zwolnić (**sb from sth** kogoś od czegoś), darować (**sb from sth** komuś coś); rozgrzeszyć

**ab·sorb** [əb'sɔb] *vt* absorbować, wysysać, pochłaniać; **he is ~ed in tennis** pochłania go tenis

**ab·sorp·tion** [əb'sɔpʃn] *s* wchłonięcie; zaabsorbowanie (**in sth** czymś)

**ab·stain** [əb`steɪn] *vi* powstrzymywać się (**from sth** od czegoś)
**ab·stain·er** [əb`steɪnə(r)] *s* abstynent
**ab·sti·nence** [`æbstɪnəns] *s* wstrzemięźliwość, trzeźwość
**ab·stract** [`æbstrækt] *adj* abstrakcyjny, oderwany; niejasny, mętny; *s* wyciąg, skrót; *vt* [əb`strækt] odrywać, odciągać, odejmować
**ab·strac·tion** [əb`strækʃn] *s* abstrakcja, abstrahowanie, oddzielenie; roztargnienie
**ab·surd** [əb`s3d] *adj* niedorzeczny, absurdalny, głupi; wzbudzający śmiech
**ab·sur·di·ty** [əb`s3dətɪ] *s* niedorzeczność
**a·bun·dance** [ə`bʌndəns] *s* obfitość
**a·bun·dant** [ə`bʌndənt] *adj* obfity
**a·buse** [ə`bjus] *s* nadużycie; obraza, zniesławienie; *vt* [ə`bjuz] nadużywać; obrażać, zniesławiać
**a·bu·sive** [ə`bjusɪv] *adj* obrażający, obraźliwy, obelżywy
**a·bys·mal** [ə`bɪzml] *adj* bezdenny
**a·byss** [ə`bɪs] *s* przepaść, otchłań
**a·ca·cia** [ə`keɪʃə] *s* akacja
**ac·a·dem·ic** [ˈækə`demɪk] *adj* akademicki; teoretyczny; *s* akademik, uczony
**a·ca·de·mi·cian** [əˈkædə`mɪʃn] *s* członek akademii
**a·cad·e·my** [ə`kædəmɪ] *s* akademia, zakład naukowy, uczelnia
**ac·cede** [ək`sid] *vi* przystąpić, dołączyć się; zgodzić się, przystać (**to sth** na coś); wstąpić (**to the throne** na tron); objąć (**to a post** stanowisko)
**ac·cel·er·ate** [ək`seləreɪt] *vt vi* przyspieszyć
**ac·cel·er·a·tor** [ək`seləreɪtə(r)] *s* akcelerator, przyspieszacz
**ac·cent** [`æksnt] *s* akcent, przycisk; sposób wymawiania; *vt* [æk`sent] akcentować, kłaść nacisk, podkreślać
**ac·cen·tu·ate** [ək`sentʃueɪt] *vt* akcentować, podkreślać, uwypuklać
**ac·cept** [ək`sept] *vt vi* przyjmować, zgadzać się; akceptować (np. weksel)
**ac·cept·a·ble** [ək`septəbl] *adj* do przyjęcia; znośny, zadowalający; pożądany
**ac·cept·ance** [ək`septəns] *s* (chętne) przyjęcie; zgoda (**of sth** na coś), uznanie; *handl.* akcept
**ac·cess** [`ækses] *s* dostęp, dojście, dojazd; **easy of ~** łatwo dostępny; **~ to power** dojście do władzy; *attr* dojazdowy; **good ~ roads** dobre drogi dojazdowe
**ac·ces·si·ble** [ək`sesəbl] *adj* dostępny; przystępny
**ac·ces·sion** [æk`seʃn] *s* przystąpienie; zgoda (**to sth** na coś); dojście (**to power** do władzy); objęcie (**to the throne** tronu, **to an office** urzędu)
**ac·ces·so·ry** [ək`sesərɪ] *adj praed* dodatkowy; *s* wspólnik przestępstwa; *pl* **accessories** akcesoria, dodatki, wyposażenie
**ac·ci·dent** [`æksɪdnt] *s* wypadek, nieszczęśliwy wypadek; przypadek, traf; **by ~** przypadkowo; **to meet with an ~** ulec wypadkowi
**ac·ci·den·tal** [ˈæksɪ`dentl] *adj* przypadkowy; nieistotny; **~ death** śmierć na skutek nieszczęśliwego wypadku
**ac·claim** [ə`kleɪm] *vt* aklamować, przyjmować z uznaniem; oklaskiwać
**ac·cla·ma·tion** [ˈæklə`meɪʃn] *s* aklamacja, poklask; **to carry by ~** uchwalać przez aklamację
**ac·cli·mate** [ə`klaɪmeɪt] *am.* = **acclimatize**
**ac·cli·ma·tion** [ˈæklaɪ`meɪʃn] *am.* = **acclimatization**
**ac·cli·ma·ti·za·tion** [əˈklaɪmətaɪ`zeɪʃn] *s* aklimatyzacja
**ac·cli·ma·tize** [ə`klaɪmətaɪz] *vt vi* aklimatyzować (się)
**ac·com·mo·date** [ə`komədeɪt] *vt* dostosować; zaopatrzyć (**with sth** w coś); ulokować, zakwaterować
**ac·com·mo·dat·ing** [ə`komədeɪtɪŋ] *adj* zgodny, kompromisowy; uprzejmy, usłużny

**ac·com·mo·da·tion** [ə'komə'deɪʃn] *s* dostosowanie; zaopatrzenie; wygoda; kwatera, pomieszczenie, nocleg

**ac·com·pa·ni·ment** [ə'kʌmpnɪmənt] *s* okoliczność towarzysząca, dodatek; *muz.* akompaniament

**ac·com·pa·ny** [ə'kʌmpnɪ] *vt* towarzyszyć; wtórować; *muz.* akompaniować

**ac·com·plice** [ə'kʌmplɪs] *s* wspólnik (przestępstwa), współwinny

**ac·com·plish** [ə'kʌmplɪʃ] *vt* wykończyć, wykonać, spełnić

**ac·com·plished** [ə'kʌmplɪʃt] *adj* skończony, doskonały; dobrze wychowany ⟨ułożony⟩, wykształcony

**ac·com·plish·ment** [ə'kʌmplɪʃmənt] *s* wykonanie, wykończenie; majstersztyk; *pl* **~s** wykształcenie; walory towarzyskie, polor

**ac·cord** [ə'kɔd] *s* zgoda, harmonia; *muz.* akord; **with one ~** jednomyślnie, jednogłośnie; **in ~ with...** zgodnie z...; **of one's own ~** dobrowolnie, samorzutnie; *vt* uzgodnić (**to sth** z czymś); dać, przyznać, użyczyć; przyzwolić; *vi* harmonizować; zgadzać się (**with sth** z czymś)

**ac·cord·ance** [ə'kɔdns] *s* zgodność, zgoda; **in ~ with sth** zgodnie z czymś, stosownie do czegoś

**ac·cord·ing** [ə'kɔdɪŋ] *praep w zwrocie*: **~ to** według, zgodnie z; *conj w zwrocie*: **~ as** według tego ⟨w miarę⟩, jak

**ac·cord·ing·ly** [ə'kɔdɪŋlɪ] *adv* zgodnie z tym, stosownie do tego; odpowiednio; zatem

**ac·cor·di·on** [ə'kɔdɪən] *s muz.* akordeon, harmonia (instrument)

**ac·cost** [ə'kost] *vt* zwrócić się, zbliżyć się (**sb** do kogoś), zagadnąć

**ac·count** [ə'kaunt] *s* rachunek, konto; obliczenie; sprawozdanie, relacja; *pl* **~s** księgi (rachunkowe); księgowość; porachunki; **balance of ~s** zamknięcie rachunków handlowych, bilans handlowy; **current ~** rachunek bieżący; **to keep ~s** prowadzić książki handlowe; **to leave out of ~** nie uwzględniać, nie brać pod uwagę; **to make ~ of sth** przywiązywać wagę do czegoś; **to take into ~** brać pod uwagę, uwzględniać; **to turn to ~** obrócić na korzyść; **to give ~ of** zrelacjonować, wyjaśnić; **of great ~** wiele znaczący; **of no ~** bez znaczenia; **on all ~s** pod każdym względem; **on ~ of** na rachunek; ze względu na, z powodu; **on no ~** za żadną cenę, w żadnym wypadku; *vt* obliczać; **he ~s himself clever** on uważa się za zdolnego; *vi* zdawać sprawę (**on sth** z czegoś); wytłumaczyć (**for sth** coś); odpowiadać (**for sth** za coś); wyliczać się (**for sth** z czegoś)

**ac·count·a·ble** [ə'kauntəbl] *adj* odpowiedzialny (**to sb** przed kimś, **for sth** za coś); (*o fakcie*) dający się wytłumaczyć

**ac·count·an·cy** [ə'kauntənsɪ] *s* księgowość, rachunkowość

**ac·count·ant** [ə'kauntənt] *s* księgowy, prowadzący rachunki, rachmistrz

**ac·cre·dit** [ə'kredɪt] *vt* upełnomocnić, akredytować; przypisać (**sb with sth** komuś coś)

**ac·crue** [ə'kru] *vi* (*o dochodach*) narastać; płynąć (**from sth** z czegoś)

**ac·cu·mu·late** [ə'kjumjuleɪt] *vt* gromadzić, akumulować; *vi* gromadzić się, narastać

**ac·cu·mu·la·tion** [ə'kjumju'leɪʃn] *s* nagromadzenie, akumulacja; **primary ⟨primitive⟩ ~** akumulacja pierwotna

**ac·cu·ra·cy** ['ækjərəsɪ] *s* dokładność, ścisłość; punktualność

**ac·cu·rate** ['ækjərət] *adj* dokładny, ścisły; punktualny

**ac·cu·sa·tion** ['ækju'zeɪʃn] *s* oskarżenie, skarga; **to bring an ~** wystąpić z oskarżeniem

**ac·cu·sa·tive** [ə'kjuzətɪv] *s gram.* biernik

**ac·cuse** [ə'kjuz] *vt* oskarżać (**sb of sth** kogoś o coś), winić

**ac·cus·tom** [əˈkʌstəm] *vt* przyzwyczajać; **to become ‹to get› ~ed** przyzwyczajać się
**ace** [eɪs] *s* (*w kartach i przen.*) as; **within an ~ of** o włos od
**ache** [eɪk] *s* (ciągły) ból; *vi* boleć
**a·chieve** [əˈtʃiv] *vt* osiągnąć (z trudem), zdobyć, dokonać
**a·chieve·ment** [əˈtʃivmənt] *s* osiągnięcie, dokonanie; zdobycz; **this is impossible of ~** tego się nie da osiągnąć
**a·cid** [ˈæsɪd] *s* kwas; *adj* kwaśny, kwasowy; ostry (w smaku); żrący; *przen.* zgryźliwy; **the ~ test** próba na kwasowość; *przen.* próba ogniowa
**ac·knowl·edge** [əkˈnolɪdʒ] *vt* uznawać, przyznawać; potwierdzać; wyrażać podziękowanie (**sth** za coś)
**ac·knowl·edg·ment** [əkˈnolɪdʒmənt] *s* uznanie, przyznanie; potwierdzenie; podziękowanie; **in ~ of** w dowód uznania ‹wdzięczności›
**a·corn** [ˈeɪkon] *s* żołądź
**a·cous·tic** [əˈkustɪk] *adj* akustyczny
**a·cous·tics** [əˈkustɪks] *s* akustyka
**ac·quaint** [əˈkweɪnt] *vt* zaznajomić; donieść (**sb with sth** komuś o czymś); **to ~ oneself, to get ‹become› ~ed** zaznajomić się (**with sb, sth** z kimś, z czymś); poznać (**with sb, sth** kogoś, coś)
**ac·quaint·ance** [əˈkweɪntəns] *s* znajomość; znajomy (człowiek); **to make the ~** poznać, poznać się, zaznajomić się (**with sb, sth** z kimś, czymś); **I made his ~, I made ~ with him** zawarłem z nim znajomość
**ac·qui·esce** [ˈækwiˈes] *vi* pogodzić się (**in sth** z czymś), przystać (**in sth** na coś)
**ac·qui·es·cence** [ˈækwɪˈesns] *s* zgoda, przyzwolenie
**ac·quire** [əˈkwaɪə(r)] *vt* nabywać, osiągać, zdobywać; przyswajać sobie
**ac·quire·ment** [əˈkwaɪəmənt] *s* nabycie, osiągnięcie; sprawność (nabyta); *pl* **~s** nabyte rzeczy, nabyta wiedza, umiejętność
**ac·qui·si·tion** [ˈækwɪˈzɪʃn] *s* nabycie; zdobywanie; nabytek, dorobek
**ac·qui·si·tive** [əˈkwɪzətɪv] *adj* żądny zysku, zachłanny
**ac·quit** [əˈkwɪt] *vt* uwolnić, zwolnić; spłacić, uiścić; uniewinnić (**of a crime** od zbrodni); *vr* **~ oneself** wywiązać się (**of sth** z czegoś)
**ac·qui·tal** [əˈkwɪtl] *s* zwolnienie; uniewinnienie
**a·cre** [ˈeɪkə(r)] *s* akr (miara powierzchni); † pole, rola; **God's ~** cmentarz
**ac·rid** [ˈækrɪd] *adj* ostry, żrący; cierpki; gryzący; *przen.* zjadliwy
**ac·ri·mo·ny** [ˈækrɪmənɪ] *s* zjadliwość, szorstkość (słów, postępowania); *przen.* gorycz
**ac·ro·bat** [ˈækrəbæt] *s* akrobata
**ac·ro·bat·ic** [ˈækrəˈbætɪk] *adj* akrobatyczny
**ac·ro·bat·ics** [ˈækrəˈbætɪks] *s* akrobatyka
**a·cross** [əˈkros] *praep* przez, w poprzek, po; **to come ~ sth** natknąć się na coś, trafić na coś przypadkiem; *adv* na krzyż; wszerz, na szerokość; po drugiej stronie; na przełaj; **with arms ~** ze skrzyżowanymi ramionami
**act** [ækt] *s* czyn; uczynek; czynność; akt; ustawa; dokument; *teatr* akt; **in the ~ of** w trakcie; *vi* działać, czynić, postępować, zachowywać się; występować, grać (na scenie); **to ~ upon sth** kierować się czymś, postępować według czegoś; *vt* odgrywać, grać (rolę); udawać
**action** [ˈækʃn] *s* akcja; działanie; czyn; ruch; sprawa (sądowa); *wojsk.* bitwa; **to take ‹to bring› an ~** wytoczyć sprawę (**against sb** komuś)
**ac·tive** [ˈæktɪv] *adj* aktywny, czynny, żywy; realny, rzeczywisty

**ac·tiv·i·ty** [æk`tɪvətɪ] *s* czynność, działalność, aktywność; *pl* **activities** zajęcie, praca, sfera działalności

**ac·tor** [`æktə(r)] *s* aktor

**ac·tress** [`æktrɪs] *s* aktorka

**ac·tu·al** [`æktʃuəl] *adj* rzeczywisty, faktyczny; bieżący

**ac·tu·al·ize** [`æktʃuəlaɪz] *vt* wprowadzać w czyn, realizować, przedstawiać realistycznie

**ac·tu·ate** [`æktʃueɪt] *vt* wprawiać w ruch; podniecać, ożywiać; wpływać **(sth** na coś)

**ac·u·men** [ə`kjumən] *s* bystrość (umysłu)

**a·cute** [ə`kjut] *adj* ostry; bystry; przenikliwy; dotkliwy

**ad** [æd] *s pot.* = **advertisement**

**ad·age** [`ædɪdʒ] *s* przysłowie, powiedzenie

**ad·a·mant** [`ædəmənt] *s* coś twardego (np. kamień); *adj praed* niewzruszony

**ad·a·man·tine** [ˏædə`mæntaɪn] *adj* twardy, nieugięty

**a·dapt** [ə`dæpt] *vt* dostosować, przystosować, adaptować; przerobić

**add** [æd] *vt vi* dodawać; dołączać; powiększać; wzbogacać **(to sth** coś); **to ~ up** dodawać, sumować

**ad·der** [`ædə(r)] *s* żmija

**ad·dict** [ə`dɪkt] *vr* **~ oneself** oddawać się **(to sth** czemuś), uprawiać **(to sth** coś); *vt* **to be ~ed to sth** uprawiać ‹robić› coś nałogowo; *s* [`ædɪkt] nałogowiec; **drug ~** narkoman

**ad·dic·tion** [ə`dɪkʃn] *s* nałóg

**ad·di·tion** [ə`dɪʃn] *s* dodatek; dodawanie; **in ~** dodatkowo, również, ponadto

**ad·di·tion·al** [ə`dɪʃnl] *adj* dodatkowy, dalszy

**ad·dress** [ə`dres] *s* adres; przemówienie; odezwa; *vt* zwracać się

**ad·dres·see** [ˏædre`si] *s* adresat

**ad·duce** [ə`djus] *vt* przytaczać, cytować

**ad·e·quate** [`ædɪkwət] *adj* odpowiedni, stosowny, trafny

**ad·here** [əd`hɪə(r)] *vi* przylegać; trzymać się, dotrzymywać **(to sth** czegoś), usilnie popierać **(to sb, sth** kogoś, coś)

**ad·her·ent** [əd`hɪərnt] *s* zwolennik, stronnik; *adj* ignący; przynależny

**ad·he·sion** [əd`hiʒn] *s* przyleganie; przynależność; poparcie

**ad·he·sive** [əd`hisɪv] *adj* przylegający, przyczepny; **~ tape** przylepiec

**ad·ja·cent** [ə`dʒeɪsnt] *adj* przyległy, sąsiedni

**ad·jec·tive** [`ædʒɪktɪv] *s gram.* przymiotnik

**ad·join** [ə`dʒɔɪn] *vt* przyłączyć, dołączyć; *vi* przylegać

**ad·journ** [ə`dʒɜn] *vt* odroczyć; zawiesić; *vi pot.* przenieść się (na inne miejsce)

**ad·judge** [ə`dʒʌdʒ] *vt* zasądzić; przyznać

**ad·just** [ə`dʒʌst] *vt* uporządkować, uzgodnić, dostosować; załatwić (spór)

**ad·min·is·ter** [əd`mɪnɪstə(r)] *vt* administrować, zarządzać; sprawować; wymierzać (sprawiedliwość); podawać (lekarstwo)

**admin·is·tra·tion** [əd'mɪnɪ`streɪʃn] *s* administracja, zarząd; wymiar (sprawiedliwości); podawanie (lekarstwa); *am.* rząd

**ad·mi·ra·ble** [`ædmrəbl] *adj* godny podziwu, wspaniały

**ad·mi·ral** [`ædmr̩l] *s* admirał

**ad·mi·ral·ty** [`ædmr̩ltɪ] *s* admiralicja (ministerstwo marynarki); gmach admiralicji

**ad·mi·ra·tion** [ˏædmə`reɪʃn] *s* podziw; przedmiot podziwu

**ad·mire** [əd`maɪə(r)] *vt* podziwiać

**ad·mis·si·ble** [əd`mɪsəbl] *adj* dopuszczalny

**ad·mis·sion** [əd`mɪʃn] *adj* dopuszczanie; wstęp, dostęp; przyznanie; **~ free** wstęp wolny

**ad·mit** [əd`mɪt] *vt vi* dopuścić, przyjąć; przyznać (się); zezwolić **(of sth** na coś)

**ad·mit·tance** [əd`mɪtns] *s* dopuszczenie; dostęp; przyjęcie; **no ~** wstęp wzbroniony

**ad·mon·ish** [əd`monɪʃ] *vt* upominać; ostrzegać (**against, of sth** przed czymś)

**ad·mo·ni·tion** ['ædmə`nɪʃn] *s* upomnienie; ostrzeżenie

**a·do** [ə`du] *s* hałas, wrzawa; rwetes; kłopot

**ad·o·les·cence** ['ædə`lesns] *s* młodość, wiek dojrzewania

**ad·o·les·cent** ['ædə`lesnt] *s* młodzieniec, dziewczyna; *adj* młodzieńczy

**a·dopt** [ə`dopt] *vt* adoptować; przysposabiać; przyswajać (sobie), przyjmować

**a·dop·tion** [ə`dopʃn] *s* adopcja

**a·dop·tive** [ə`doptɪv] *adj* przybrany; łatwo przyjmujący

**a·dor·a·ble** [ə`dərəbl] *adj* godny uwielbienia

**a·dor·a·tion** ['ædə`reɪʃn] *s* adoracja, uwielbienie

**a·dore** [ə`də(r)] *vt* uwielbiać, czcić; *pot.* bardzo lubić

**a·dorn** [ə`dən] *vt* zdobić, upiększać; być ozdobą (**sth** czegoś)

**a·drift** [ə`drɪft] *adv* na falach, na fale; *przen.* **to turn ~** rzucić na los szczęścia, wyrzucić na bruk

**a·dult** [`ædʌlt] *adj* dorosły, dojrzały, pełnoletni; *s* dojrzały ⟨dorosły⟩ człowiek

**a·dul·ter·ate** [ə`dʌltəreɪt] *vt* podrabiać, fałszować (*zw.* napoje, żywność)

**a·dul·ter·y** [ə`dʌltərɪ] *s* cudzołóstwo

**ad·vance** [əd`vans] *vt* posuwać naprzód; poprawiać, udoskonalać; płacić z góry; pożyczać; przedstawiać, zgłaszać (np. wniosek); podwyższać (np. cenę); *vi* posuwać się naprzód, robić postępy; (*o cenach*) iść w górę; *s* postęp, posuwanie się naprzód; udoskonalenie; awans; wniosek; zaliczka, pożyczka; podwyższenie (np. ceny); *pl* **~s** uprzejmości, zaloty; **in ~** z góry; na przedzie; **to be in ~** wyprzedzać (**of sb, sth** kogoś, coś), przekraczać; *adj attr* przedni, okazowy

**ad·vanced** [əd`vanst] *zob.* **advance** *v*; *adj* wysunięty naprzód; zaawansowany; postępowy; **~ in years** podeszły wiekiem

**ad·vance·ment** [əd`vansmənt] *s* posunięcie naprzód, postęp; zaliczka; awans

**ad·van·tage** [əd`vantɪdʒ] *s* korzyść, pożytek; przewaga; **to have an ~** górować (**over sb** nad kimś); **to take ~** wykorzystać (**of sth** coś); nadużyć, wykorzystać (**of sb** kogoś); **to turn to ~** obrócić na korzyść; **to ~** korzystnie; **to the best ~** najkorzystniej

**ad·ven·ture** [əd`ventʃə(r)] *s* przygoda; ryzyko; *vt* ryzykować (**sth** coś); narażać (**sb** kogoś); *vi* ryzykować, odważyć się (**upon sth** na coś)

**ad·ven·tur·er** [əd`ventʃərə(r)] *s* poszukiwacz przygód; ryzykant

**ad·verb** [`ædvɜb] *s gram.* przysłówek

**ad·ver·sa·ry** [`ædvəsərɪ] *s* przeciwnik

**ad·verse** [`ædvɜs] *adj* przeciwny, wrogi, nie sprzyjający

**ad·ver·si·ty** [əd`vɜsətɪ] *s* zły los, nieszczęście, bieda

**ad·ver·tise** [`ædvətaɪz] *vt* zawiadamiać, ogłaszać; reklamować, anonsować; *vi* poszukiwać za pomocą ogłoszenia (**for sb, sth** kogoś, czegoś)

**ad·ver·tise·ment** [əd`vɜtɪsmənt] *s* ogłoszenie, reklama

**advice** [əd`vaɪs] *s* rada; *am. handl.* zawiadomienie, nota; **a piece of ~** rada; **to take sb's ~** posłuchać czyjejś rady

**ad·vis·a·ble** [əd`vaɪzəbl] *adj* godny polecenia, wskazany, pożyteczny, rozsądny

**ad·vise** [əd`vaɪz] *vt* radzić (**sb** komuś); *handl.* zawiadamiać

**ad·vis·er** [əd`vaɪzə(r)] *s* radca, doradca

**ad·vo·cate** [`ædvəkət] *s* adwokat, obrońca; *vt* [`ædvəkeɪt] podtrzymywać, bronić, występować w obronie (**sth** czegoś), przemawiać (**sth** za czymś)

**aer·ate** [ˋeəreɪt] *vt* przewietrzyć

**aer·i·al** [ˋeərɪəl] *s* antena; *adj* powietrzny; napowietrzny; *przen.* nierzeczywisty, bezcielesny

**aer·o·drome** [ˋeərədrəum] *s* lotnisko

**aer·o·naut** [ˋeərənɔt] *s* aeronauta

**aer·o·plane** [ˋeərəpleɪn] *s* samolot

**aes·thete** [ˋisθit] *s* esteta

**aes·thet·ic** [ˈisˋθetɪk] *adj* estetyczny

**aes·thet·ics** [ˈisˋθetɪks] *s* estetyka

**a·far** [əˋfɑ(r)] *adv w zwrotach*: **~ off** w oddali; **from ~** z dala

**af·fa·bil·i·ty** [ˈæfəˋbɪlətɪ] *s* uprzejmość

**af·fa·ble** [ˋæfəbl] *adj* uprzejmy

**af·fair** [əˋfeə(r)] *s* sprawa, interes; miłostka; *pl* **~s** sprawy (np. państwowe)

**af·fect 1.** [əˋfekt] *vt* wzruszyć; dotknąć; oddziaływać, wpływać (**sb, sth** na kogoś, na coś); **to ~ one's health** odbić się na czyimś zdrowiu

**af·fect 2.** [əˋfekt] *vt* udawać (**sb, sth** kogoś, coś), pozować (**sb** na kogoś); przybierać pozory <cechy> (**sth** czegoś)

**af·fec·ta·tion** [ˈæfekˋteɪʃn] *s* afektacja, poza, udawanie

**af·fect·ed** [əˋfektɪd] *zob.* **affect** 1., 2.; *adj* afektowany; usposobiony; dotknięty

**af·fec·tion** [əˋfekʃn] *s* przywiązanie, uczucie, sentyment, miłość

**af·fi·da·vit** [ˈæfɪˋdeɪvɪt] *s* pisemna deklaracja pod przysięgą

**af·fil·i·ate** [əˋfɪlɪeɪt] *vt* przyjąć na członka; łączyć, przyłączyć; **~d society** filia

**af·fin·i·ty** [əˋfɪnətɪ] *s* pokrewieństwo, powinowactwo; sympatia

**af·firm** [əˋfɜm] *vt vi* potwierdzać, zapewniać; twierdzić

**af·fir·ma·tion** [ˈæfəˋmeɪʃn] *s* twierdzenie, zapewnienie

**af·fir·ma·tive** [əˋfɜmətɪv] *adj* twierdzący, pozytywny

**af·fix** [əˋfɪks] *vt* przytwierdzić, przyczepić, przybić; dołączyć

**af·flict** [əˋflɪkt] *vt* gnębić, dręczyć; dotknąć (chorobą); **~ed with sth** chory na coś

**af·flic·tion** [əˋflɪkʃn] *s* przygnębienie; nieszczęście; cierpienie; choroba

**af·flu·ence** [ˋæfluəns] *s* obfitość, bogactwo; zgromadzenie; natłok

**af·flu·ent** [ˋæfluənt] *adj* dostatni; zasobny (**in sth** w coś); *s* dopływ (rzeki)

**af·ford** [əˋfɔd] *vt* dostarczyć, użyczyć, dać; zdobyć się, pozwolić sobie (**sth** na coś); **I can ~ it** stać mnie na to

**af·front** [əˋfrʌnt] *vt* obrażać; *s* obraza, afront

**a·field** [əˋfild] *adv* w pole, w polu; daleko

**a·flame** [əˋfleɪm] *adv adj praed* w płomieniach; płonący; *przen.* w podnieceniu

**a·float** [əˋfləut] *adv adj praed* na falach, na wodzie; w powietrzu; płynący; unoszący się; *przen.* w obiegu

**a·foot** [əˋfut] *adv adj praed* pieszo, na nogach

**a·fore·said** [əˋfɔ sed] *adj* wyżej wspomniany

**a·fraid** [əˋfreɪd] *adj praed* przestraszony; **to be ~ of sth** bać się czegoś; **I'm ~ I can't do it** przykro mi, ale nie mogę tego zrobić

**a·fresh** [əˋfreʃ] *adv* na nowo

**af·ter** [ˋɑftə(r)] *praep* po; za; według; o; **~ all** mimo wszystko, a jednak; *adv* potem, następnie; w tyle; z tyłu; *conj* kiedy, skoro, po tym, jak; *adj attr* następny, późniejszy; tylny

**af·ter·math** [ˋɑftəmæθ] *s* pokłosie; *przen.* żniwo, następstwa

**af·ter·noon** [ˋɑftəˋnun] *s* popołudnie; *adj attr* popołudniowy; **~ tea** podwieczorek

**af·ter·thought** [ˋɑftəθɔt] *s* refleksja

**af·ter·ward(s)** [ˋɑftəwəd(z)] *adv* następnie, później

**a·gain** [əˋgen] *adv* znowu, jeszcze raz; prócz tego, również; z drugiej strony; ~ and ~ raz po raz; never ~ nigdy więcej; as much ~ drugie tyle

**a·gainst** [ə`genst] *praep* przeciw; wbrew; o; na

**a·gate** [`ægət] *s* agat

**age** [eɪdʒ] *s* wiek; epoka, czasy; **what is your ~?** ile masz lat? **to come of ~** osiągnąć pełnoletność; **of ~** pełnoletni; **under ~** niepełnoletni; *vi* starzeć się; *vt* postarzać; **~d seventy years** w wieku lat siedemdziesięciu

**aged** [`eɪdʒɪd] *adj* stary, sędziwy

**age·long** [`eɪdʒloŋ] *adj* odwieczny; długotrwały

**a·gen·cy** [`eɪdʒənsɪ] *s* działanie, środek działania, siła działająca; agencja; **by ⟨through⟩ the ~ of sb, sth** za pośrednictwem kogoś, czegoś

**a·gen·da** [ə`dʒeŋdə] *s pl* plan zajęć, terminarz; porządek dnia

**a·gent** [`eɪdʒənt] *s* agent, pośrednik; siła działająca, czynnik

**ag·gra·vate** [`ægrəveɪt] *vt* obciążyć, utrudnić, pogorszyć; rozdrażnić

**ag·gra·va·tion** [ˈægrə`veɪʃn] *s* obciążenie, utrudnienie, pogorszenie; rozdrażnienie, gniew

**ag·gre·gate** [`ægrɪgeɪt] *vt vi* gromadzić (się), łączyć, tworzyć całość; wynosić, liczyć w sumie; *s* [`ægrɪgət] agregat; masa; całość, łączna liczba; *adj* łączny, zbiorowy

**ag·gres·sion** [ə`greʃn] *s* napaść, agresja

**ag·gres·sive** [ə`gresɪv] *adj* napastliwy, agresywny, zaczepny

**ag·gres·sor** [ə`gresə(r)] *s* napastnik, agresor

**ag·grieve** [ə`griv] *vt* zmartwić, przygnębić; skrzywdzić

**a·ghast** [ə`gast] *adj praed* przerażony, oszołomiony, osłupiały

**a·gi·le** [`ædʒaɪl] *adj* zwinny, ruchliwy, obrotny

**ag·i·tate** [`ædʒɪteɪt] *vt* poruszać, niepokoić, podniecać, podburzać; denerwować, roztrząsać, dyskutować (gwałtownie); *vi* agitować

**ag·i·ta·tion** [ˈædʒɪ`teɪʃn] *s* poruszenie; podniecenie; roztrząsanie, dyskusja (gwałtowna); agitacja

**ago** [ə`gəu] *adv*: **long ~** dawno temu; **two years ~** dwa lata temu

**ag·o·nize** [`ægənaɪz] *vt* męczyć, dręczyć; *vi* przeżywać śmiertelne męki, wić się w bólach

**a·go·ny** [`ægənɪ] *s* gwałtowny ból, cierpienie; udręka, męczarnia; rozpaczliwa walka; agonia; **~ column** lista ofiar (ogłoszona w prasie)

**a·gra·ri·an** [ə`greərɪən] *adj* agrarny, rolny

**a·gree** [ə`gri] *vi* zgadzać się **(to sth** na coś); układać się, umawiać się, porozumiewać się **(on, upon sth** w sprawie czegoś); odpowiadać **(with sth** czemuś); służyć; **this food does not ~ with me** to jedzenie mi nie służy; *vt* uzgadniać, ustalać, umawiać; **on the ~d day** w umówionym dniu; **~d!** zgoda!

**a·gree·a·ble** [ə`griəbl] *adj* przyjemny, miły; zgodny **(to sth** z czymś)

**a·gree·ment** [ə`grimənt] *s* zgoda; umowa, układ; **in ~ with...** zgodnie z...

**ag·ri·cul·tu·ral** [ˈægrɪ`kʌltʃərl] *adj* rolniczy, rolny

**ag·ri·cul·ture** [`ægrɪkʌltʃə(r)] *s* rolnictwo

**ag·ro·no·mic** [ˈægrə`nomɪk] *adj* agronomiczny

**ag·ro·no·my** [ə`gronəmɪ] *s* agronomia

**a·ground** [ə`graund] *adv* na mieliźnie, na mieliznę; **to run ⟨to go⟩ ~** osiąść na mieliźnie

**a·gue** [`eɪgju] *s* febra, dreszcze

**a·head** [ə`hed] *adv* przed siebie, naprzód; na przedzie; dalej; **to be ⟨to get⟩ ~ of sb** wyprzedzać kogoś; **the task ~ of us** zadanie, które nas czeka; **to go ~** robić postępy; kontynuować

**aid** [eɪd] *s* pomoc; pomocnik; zasiłek; **teaching ~s** pomoce naukowe; **first ~** pierwsza pomoc;

**~ station** punkt pomocy lekarskiej; *vt* pomagać (**sb** komuś)
**aide-de-camp** ['eɪd də 'kõ] *s* adiutant
**ail** [eɪl] *vt* boleć, dolegać; **what ~s him?** co mu jest?; *vi* cierpieć, chorować
**aileron** ['eɪləron] *s lotn.* lotka
**ail·ment** ['eɪlmənt] *s* niedomaganie, dolegliwość, choroba
**aim** [eɪm] *vi* celować, mierzyć; mieć na celu; dążyć (**at sth** do czegoś); *vt* mierzyć, rzucać; kierować (uwagę); *s* cel, zamiar; **to take ~** celować (**at sth** do czegoś)
**ain't** [eɪnt] *pot.* = **am not, is not, are not** *zob.* **be**
**air 1.** [eə(r)] *s* powietrze; **by ~** drogą powietrzną; **on the ~** nadany przez radio; **to take the ~** przejść się; **~ force** siły lotnicze; **~ ministry** ministerstwo lotnictwa; *vt* wietrzyć; suszyć (na wietrze)
**air 2.** [eə(r)] *s* aria, pieśń
**air 3.** [eə(r)] *s* wygląd, mina; zachowanie; *zw. pl* **~s** poza; **to give oneself ~s** pozować; pysznić się
**air-con·di·tion·ing** ['eəkən'dɪʃnɪŋ] *s* klimatyzacja
**air·craft** ['eəkraft] *s* samolot; *zbior.* lotnictwo
**air·craft-car·ri·er** ['eəkraft kærɪə(r)] *s* lotniskowiec
**air·drome** ['eədrəum] *s am.* = **aerodrome**
**air·i·ly** ['eərəlɪ] *adv* impertynencko; lekko, beztrosko
**air-lift** ['eəlɪft] *s* transport powietrzny
**air-line** ['eəlaɪn] *s* linia lotnicza
**air-lin·er** ['eəlaɪnə(r)] *s* regularnie kursujący samolot komunikacyjny
**air-mail** ['eəmeɪl] *s* poczta lotnicza
**air-man** ['eəmən] *s* lotnik
**air·plane** ['eəpleɪn] *s am.* = **aeroplane**
**air·port** ['eəpɔt] *s* lotnisko
**air·proof** ['eəpruf] *adj* hermetyczny, szczelny
**air-raid** ['eəreɪd] *s* nalot lotniczy
**air-route** ['eərut] *s* linia lotnicza
**air·screw** ['eəskru] *s* śmigło
**air·shel·ter** ['eəʃeltə(r)] *s* schron przeciwlotniczy
**air·ship** ['eəʃɪp] *s* statek powietrzny
**air-tight** ['eətaɪt] *adj* szczelny, hermetyczny
**air·way** ['eəweɪ] *s* linia lotnicza; *górn.* wentyl
**air·wor·thy** ['eəwɜðɪ] *adj (o samolocie)* zdolny do latania
**air·y** ['eərɪ] *adj* przewiewny, lekki; *(o człowieku)* próżny, beztroski
**a·jar** [ə'dʒa(r)] *adj praed (o drzwiach, bramie)* półotwarty
**a·kin** [ə'kɪn] *adj praed* krewny; podobny
**a·lac·ri·ty** [ə'lækrətɪ] *s* żwawość, gotowość
**a·larm** [ə'lam] *s* alarm; strach, popłoch, oszołomienie; **to take ~** ulec panice; *vt* alarmować, niepokoić
**a·larm-clock** [ə'lamklok] *s* budzik
**a·las** [ə'læs] *int* niestety!
**al·bum** ['ælbəm] *s* album
**al·bu·men** ['ælbjumen] *s biol. chem.* białko
**al·che·my** ['ælkəmɪ] *s* alchemia
**al·co·hol** ['ælkəhol] *s* alkohol, napój alkoholowy
**al·co·hol·ic** ['ælkə'holɪk] *adj* alkoholowy; *s* alkoholik
**al·der·man** ['ɔldəmən] *s* radny miejski
**ale** [eɪl] *s* jasne piwo
**a·lert** [ə'lɜt] *adj* czujny; żwawy; *s zw. lotn.* alarm; pogotowie; **on the ~** na straży, w pogotowiu
**al·ge·bra** ['ældʒɪbrə] *s* algebra
**a·li·as** ['eɪlɪəs] *adv* inaczej; *s* przybrane nazwisko
**al·i·bi** ['ælɪbaɪ] *s* alibi
**al·ien** ['eɪlɪən] *adj* obcy; cudzoziemski; *s* cudzoziemiec
**al·ien·ate** ['eɪlɪəneɪt] *vt* przenieść

(majątek na kogoś); odstręczyć, zrazić; oderwać

**al·ien·a·tion** [ˌeɪlɪəˈneɪʃn] *s* alienacja; wyobcowanie

**a·light** [əˈlaɪt] *vi* schodzić, zstępować; spadać; wysiadać; (*o samolocie, ptaku*) lądować z powietrza

**a·lign** [əˈlaɪn] *vt* ustawiać w rząd, szeregować; *vi wojsk.* równać

**a·like** [əˈlaɪk] *adj praed* podobny, jednakowy; *adv* podobnie, jednakowo; zarówno

**a·li·men·ta·ry** [ˌælɪˈmentrɪ] *adj* odżywczy; spożywczy; żywiący, utrzymujący; **the ~ canal** przewód pokarmowy

**a·li·mo·ny** [ˈælɪmənɪ] *s* alimenty

**a·live** [əˈlaɪv] *adj praed* żywy; żwawy; pełen życia; **to be ~ to sth** być wrażliwym na coś ⟨świadomym czegoś⟩

**al·ka·li** [ˈælkəlaɪ] *s chem.* zasada; *pl* **~s** alkalia

**al·ka·line** [ˈælkəlaɪn] *adj chem.* alkaliczny

**all** [ɔl] *adj i pron* wszystek, cały, całkowity, każdy, wszelki; **after ~** mimo wszystko; ostatecznie; **~ but** prawie że, nieomal; **~ in ~** całkowicie, razem wziąwszy; **~ of us** my wszyscy; **at ~** w ogóle; **before ~** przede wszystkim; **for ~ that** mimo wszystko; **in ~** w całości, ogółem; **most of ~** najbardziej, przede wszystkim; **not at ~** wcale nie, nie ma za co (dziękować); **once for ~** raz na zawsze; *s* wszystko, całość; *adv* całkowicie, w pełni; **~ right** wszystko w porządku, dobrze; **~ the same** wszystko jedno; mimo wszystko; **~ the better** tym lepiej; **~ over** wszędzie, na całej przestrzeni; **it is ~ over with him** koniec z nim; **~ told** w sumie, wszystko razem

**al·lay** [əˈleɪ] *vt* uśmierzyć, uspokoić, złagodzić, osłabić

**al·lege** [əˈledʒ] *vt* twierdzić (bez dowodów; przytaczać, powoływać się (**sth** na coś)

**al·leged** [əˈledʒd] *adj* rzekomy, domniemany

**al·le·giance** [əˈlidʒəns] *s* wierność, lojalność; *hist.* poddaństwo

**al·le·gor·i·cal** [ˌælɪˈgorɪkl] *adj* alegoryczny

**al·le·go·ry** [ˈælɪgərɪ] *s* alegoria

**al·ler·gy** [ˈælədʒɪ] *s* alergia (**to sth** na coś)

**al·le·vi·ate** [əˈlivɪeɪt] *vt* ulżyć, złagodzić; zaspokoić

**al·ley** [ˈælɪ] *s* aleja; uliczka; przejście; **blind ~** ślepy zaułek

**al·li·ance** [əˈlaɪəns] *s* przymierze; związek; pokrewieństwo

**al·lied** [ˈælaɪd] *adj* sprzymierzony; pokrewny, bliski

**al·li·ga·tor** [ˈælɪgeɪtə(r)] *s* aligator

**al·lit·er·a·tion** [əˌlɪtəˈreɪʃn] *s* aliteracja

**al·lo·cate** [ˈæləkeɪt] *vt* przydzielić; wyznaczyć

**al·lot** [əˈlot] *vt* przydzielić, przyznać; wyznaczyć; rozdzielić; rozparcelować

**al·lot·ment** [əˈlotmənt] *s* przydział; cząstka; kawałek gruntu, działka

**al·low** [əˈlaʊ] *vt* pozwalać; przyznawać; przeznaczać, uznawać; *vi* **~ of sth** dopuszczać do czegoś, zgadzać się na coś; **~ for sth** brać coś pod uwagę

**al·low·ance** [əˈlaʊəns] *s* przydział, racja; (przyznany) fundusz, dotacja; renta; bonifikata; kieszonkowe; tolerowanie, pozwolenie; **family ~** dodatek rodzinny; **to make ~s for sth** brać coś pod uwagę

**al·loy** [əˈlɔɪ] *vt* mieszać (metale); *s* [ˈælɔɪ] stop; próba (np. złota)

**al·lude** [əˈlud] *vi* robić aluzję (**to sth** do czegoś)

**al·lure** [əˈljʊə(r)] *vt* nęcić, uwodzić

**al·lu·sion** [əˈluʒn] *s* aluzja, przytyk

**al·ly** [əˈlaɪ] *vt* połączyć, sprzymierzyć; skoligacić; *vi* połączyć się, być sprzymierzonym; *s* [ˈælaɪ] sprzymierzeniec

**al·ma·nac** [ˈɔlmənæk] *s* almanach, kalendarz

**al·might·y** [ɔl`maɪtɪ] *adj* wszechpotężny, wszechmocny
**al·mond** [`amənd] *s* migdał
**al·most** [`ɔlməust] *adv* prawie
**alms** [amz] *s sing i pl* jałmużna
**a·loft** [ə`loft] *adv* w górę, w górze
**a·lone** [ə`ləun] *adj praed* sam, sam jeden; **to let sb, sth ~** pozostawić kogoś, coś w spokoju; *adv* tylko, jedynie; **let ~** zwłaszcza, a co dopiero
**a·long** [ə`loŋ] *praep* wzdłuż; **all ~** na całą długość, przez cały czas; **~ the street** ulicą; **~ with** razem, wspólnie, wraz z; *adv* naprzód, dalej; **come ~!** chodź tu!; **to take ~** zabrać
**a·long·side** [ə'loŋ`saɪd] *adv* w jednym rzędzie, obok; *praep* wzdłuż, obok, przy
**a·loof** [ə`luf] *adv* z dala; na uboczu
**a·loud** [ə`laud] *adv* głośno, na głos
**al·pha·bet** [`ælfəbət] *s* alfabet
**al·pha·bet·i·cal** ['ælfə`betɪkl] *adj* alfabetyczny
**al·pine** [`ælpaɪn] *adj* alpejski; górski
**al·pi·nist** [`ælpɪnɪst] *s* alpinista
**al·read·y** ['ɔl`redɪ] *adv* już; poprzednio
**al·so** [`ɔlsəu] *adv* także, również
**al·tar** [`ɔltə(r)] *s* ołtarz
**al·ter** [`ɔltə(r)] *vt vi* zmieniać (się)
**al·ter·a·tion** ['ɔltə`reɪʃn] *s* zmiana
**al·ter·nate 1.** [ɔl`tɜnət] *adj* co drugi, kolejny, odbywający się na zmianę
**al·ter·nate 2.** [`ɔltəneɪt] *vt* zmieniać kolejno, robić coś na zmianę; *vi* następować kolejno, zmieniać się
**al·ter·na·tive** [ɔl`tɜnətɪv] *s* alternatywa; *adj* alternatywny
**al·though** [ɔl`ðəu] *conj* chociaż, mimo że
**al·ti·tude** [`æltɪtjud] *s* wysokość
**al·to** [`æltəu] *s muz.* alt
**al·to·geth·er** ['ɔltə`geðə(r)] *adv* całkowicie, w pełni; ogółem
**al·tru·ism** [`æltruɪzm] *s* altruizm
**al·um** [`æləm] *s* ałun
**al·um·nus** [ə`lʌmnəs] *s* (*pl* **alumni** [ə`lʌmnaɪ]) wychowanek, absolwent
**al·ways** [`ɔlwɪz] *adv* zawsze, ciągle
**am** *zob.* **be**
**a·mal·ga·mate** [ə`mælgəmeɪt] *vt vi* łączyć (się), jednoczyć (się)
**a·mass** [ə`mæs] *vt* zbierać, gromadzić
**am·a·teur** [`æmətə(r)] *s* amator
**a·maze** [ə`meɪz] *vt* zdumieć
**a·maze·ment** [ə`meɪzmənt] *s* zdumienie
**amaz·ing** [ə`meɪzɪŋ] *ppraes i adj* zdumiewający
**am·bas·sa·dor** [æm`bæsədə(r)] *s* ambasador; minister pełnomocny; poseł (**to France** we Francji; **in Paris** w Paryżu)
**am·ber** [`æmbə(r)] *s* bursztyn
**am·bi·gu·i·ty** ['æmbɪ`gjuətɪ] *s* dwuznaczność, dwuznacznik, niejasność
**am·big·u·ous** [æm`bɪgjuəs] *adj* dwuznaczny, niejasny
**am·bi·tion** [æm`bɪʃn] *s* ambicja
**am·bi·tious** [æm`bɪʃəs] *adj* ambitny
**am·bu·lance** [`æmbjuləns] *s* karetka pogotowia; szpital polowy
**am·bush** [`æmbuʃ] *s* zasadzka; *vt* napadać z zasadzki; robić zasadzkę, czyhać (**sb** na kogoś)
**a·mel·io·rate** [ə`miliəreɪt] *vt vi* poprawiać (się), polepszać (się)
**a·men** ['a`men] *nieodm.* amen
**a·me·na·bi·li·ty** [əminə`bɪlətɪ] *s* odpowiedzialność sądowa; uległość, powolność
**a·me·na·ble** [ə`minəbl] *adj* odpowiedzialny (wobec prawa); uległy, powolny; dostępny
**a·mend** [ə`mend] *vt* poprawiać, usprawniać, wnosić poprawki; *vi* poprawiać się; *s pl* **~s** zadośćuczynienie, kompensata; **to make ~s for sth** zrekompensować coś; naprawić coś (np. krzywdę)
**a·mend·ment** [ə`mendmənt] *s* poprawa, naprawa; *prawn.* poprawka, nowela

**A·mer·i·can** [ə`merıkən] *s* Amerykanin; *adj* amerykański

**a·mi·a·bi·li·ty** [ˌeımıə`bılətı] *s* uprzejmość, miłe obejście

**a·mi·a·ble** [`eımıəbl] *adj* miły, uprzejmy

**a·mi·ca·ble** [`æmıkəbl] *adj* przyjacielski; polubowny

**a·mid** [ə`mıd], **a·midst** [ə`mıdst] *praep* pomiędzy, pośród

**a·miss** [ə`mıs] *adv* fałszywie, błędnie, nieodpowiednio; **to come ~** przybyć nie w porę; **sth is ~ with him** z nim jest coś nie w porządku; **to take ~** brać za złe

**am·i·ty** [`æmətı] *s* przyjaźń; **a treaty of ~** układ o przyjaźni

**am·mo·nia** [ə`məunıə] *s* amoniak

**am·mu·ni·tion** [ˌæmju`nıʃn] *s* amunicja

**am·nes·ty** [`æmnəstı] *s* amnestia; *vt* udzielić amnestii

**a·moe·ba** [ə`mibə] *s zool.* ameba

**a·mok** [ə`mok] *adv* = **amuck**

**a·mong** [ə`mʌŋ], **a·mongst** [ə`mʌŋst] *praep* między, wśród

**am·o·rous** [`æmərəs] *adj* zakochany; *pot.* kochliwy

**a·mor·phous** [ə`mɔfəs] *adj* bezpostaciowy, bezkształtny

**a·mount** [ə`maunt] *vi* stanowić (sumę), wynosić; równać się **(to sth** czemuś); **the bill ~s to £100** rachunek wynosi 100 funtów; **this ~s to nothing** nic z tego nie wychodzi; *s* suma, ilość; wartość, znaczenie, wynik

**am·phib·ian** [æm`fıbıən] *s* zwierzę ziemnowodne; *lotn. wojsk.* amfibia

**am·phi·the·a·tre** [`æmfıθıətə(r)] *s* amfiteatr

**am·ple** [`æmpl] *adj* obszerny, obfity; wystarczający, dostatni; rozłożysty

**am·pli·fy** [`æmplıfaı] *vt* rozszerzać, powiększać; *elektr.* wzmacniać; *vi* rozwodzić się **(on sth** nad czymś**)**

**am·pli·tude** [`æmplıtjud] *s* zasięg; obfitość; *fiz.* amplituda

**am·pu·tate** [`æmpjuteıt] *vt* amputować

**a·muck** [ə`mʌk] *adv* w szale; **to run ~** wpaść w szał

**a·muse** [ə`mjuz] *vt* zabawiać

**a·muse·ment** [ə`mjuzmənt] *s* rozrywka, zabawa

**an** [ən, æn] *przedimek* ⟨*rodzajnik*⟩ *nieokreślony* (*przed samogłoską*); *zob.* a

**a·nach·ro·nic** [ˌænə`kronık], **a·nach·ro·nis·tic** [əˌnækrə`nıstık] *adj* anachroniczny

**a·nach·ro·nism** [ə`nækrənızm] *s* anachronizm

**a·nae·mi·a, a·ne·mi·a** [ə`nimıə] *s* anemia, niedokrwistość

**an·aes·the·sia** [ˌænıs`θizıə] *s* anestezja, znieczulenie

**an·aes·thet·ic** [ˌænıs`θetık] *adj* znieczulający; *s* środek znieczulający

**a·nal·o·gous** [ə`næləgəs] *adj* analogiczny

**a·nal·o·gy** [ə`nælədʒı] *s* analogia

**an·a·lyse** [`ænəlaız] *vt* analizować

**a·nal·y·sis** [ə`næləsıs] *s* (*pl* **analyses** [ə`næləsiz]) analiza; *gram.* rozbiór

**an·a·lyze** [`ænəlaız] *vt am.* = **analyse**

**a·narch·ic(al)** [æ`nakık(l)] *adj* anarchiczny

**an·ar·chy** [`ænəkı] *s* anarchia

**a·nath·e·ma** [ə`næθəmə] *s* klątwa

**an·a·tom·ic(al)** [ˌænə`tomık(l)] *adj* anatomiczny

**a·nat·o·my** [ə`nætəmı] *s* anatomia

**an·ces·tor** [`ænsıstə(r)] *s* przodek, antenat

**an·ces·tral** [æn`sestrl] *adj* dziedziczny, rodowy

**an·ces·try** [`ænsıstrı] *s zbior.* przodkowie; ród

**an·chor** [`æŋkə(r)] *s* kotwica; *vt* zakotwiczyć; *vi* stać na kotwicy

**an·chor·age** [`æŋkərıdʒ] *s* miejsce zakotwiczenia; kotwiczne (opłata)

**an·chor·ite** [`æŋkəraıt] *s* pustelnik

**an·cient** [`eınʃnt] *adj* dawny, stary, starożytny; wiekowy

**and** [ænd, ənd, ən] *conj* i, a; z;

**for hours** ~ **hours** całymi godzinami; **better** ~ **better** coraz lepiej

**an·ec·dote** [`ænɪkdəut] *s* anegdota

**a·new** [ə`nju] *adv* na nowo, powtórnie; inaczej

**an·gel** [`eɪndʒl] *s* anioł

**an·gel·ic** [æn`dʒelɪk] *adj* anielski

**an·ger** [`æŋgə(r)] *s* gniew; *vt* gniewać, złościć

**an·gi·na** [æn`dʒaɪnə] *s* angina

**an·gle 1.** [`æŋgl] *s* kąt; *przen.* punkt widzenia

**an·gle 2.** [`æŋgl] *vi* łowić ryby na wędkę

**an·gler** [`æŋglə(r)] *s* wędkarz

**An·gli·can** [`æŋglɪkən] *adj* anglikański; *s* anglikanin

**An·glo-Sax·on** [ˌæŋgləu `sæksn] *s* Anglosas; *adj* anglosaski

**an·gry** [`æŋgrɪ] *adj* zagniewany; gniewny; **to be** ~ **with sb** ⟨**at sth**⟩ gniewać się na kogoś ⟨na coś⟩; **to get** ~ rozgniewać się

**an·guish** [`æŋgwɪʃ] *s* lęk, męka, ból

**an·gu·lar** [`æŋgjulə(r)] *adj* kątowy; narożny; kanciasty; kościsty

**an·i·line** [`ænɪlin] *s chem.* anilina

**an·i·mal** [`ænəml] *s* zwierzę, stworzenie; *adj* zwierzęcy; zmysłowy

**an·i·mate** [`ænɪmeɪt] *vt* ożywiać; pobudzać; *adj* [`ænɪmət] ożywiony, żywy, żwawy

**an·i·ma·tion** [ˌænɪ`meɪʃn] *s* ożywienie

**an·i·mos·i·ty** [ˌænɪ`mosətɪ] *s* animozja, niechęć, uraza

**ani·seed** [`ænɪsid] *s* anyżek

**an·kle** [`æŋkl] *s* kostka (u nogi)

**an·nal·ist** [`ænəlɪst] *s* kronikarz

**an·nals** [`ænlz] *s pl* rocznik, kronika

**an·nex** [`ænəks] *s* (*także* **annexe**) aneks, dodatek; przybudówka; *vt* [ə`neks] dołączyć, przyłączyć; anektować

**an·nex·a·tion** [ˌænek`seɪʃn] *s* przyłączenie; aneksja

**an·ni·hi·late** [ə`naɪəleɪt] *vt* niszczyć, unicestwiać

**an·ni·ver·sa·ry** [ˌænɪ`vɜsrɪ] *s* rocznica

**Anno Dom·ini** [ˌænəu `domɪnaɪ] roku pańskiego; naszej ery

**an·no·tate** [`ænəteɪt] *vt* objaśniać, komentować

**an·no·ta·tion** [ˌænə`teɪʃn] *s* adnotacja, uwaga, komentarz

**an·nounce** [ə`nauns] *vt* zapowiadać, ogłaszać, zawiadamiać

**an·nounce·ment** [ə`naunsmənt] *s* zawiadomienie, zapowiedź, ogłoszenie, komunikat

**an·noun·cer** [ə`naunsə(r)] *s* konferansjer; **radio** ~ spiker

**an·noy** [ə`nɔɪ] *vt* dokuczać, niepokoić, drażnić

**an·noy·ance** [ə`nɔɪəns] *s* utrapienie, udręka; dokuczanie, złośliwość; **to subject sb to** ~ dokuczać komuś

**an·noyed** [ə`nɔɪd] *zob.* **annoy**; *adj* zagniewany, rozdrażniony; **to be** ~ **with sb** gniewać się na kogoś; **to get** ~ **at sth** zmartwić, zirytować się czymś

**an·nu·al** [`ænjuəl] *adj* roczny, coroczny; *s* rocznik

**an·nu·i·ty** [ə`njuətɪ] *s* roczna suma; renta; **life** ~ renta dożywotnia

**an·nul** [ə`nʌl] *vt* anulować, unieważniać

**an·nun·ci·a·tion** [əˌnʌnsɪ`eɪʃn] *s* oznajmienie; *rel.* zwiastowanie

**a·nom·a·lous** [ə`noməles] *adj* nienormalny, anormalny, nieprawidłowy

**a·nom·a·ly** [ə`noməlɪ] *s* anomalia

**a·non·y·mous** [ə`nonɪməs] *adj* anonimowy; ~ **letter** anonim

**an·oth·er** [ə`nʌðə(r)] *adj i pron* inny, drugi, jeszcze jeden; **in** ~ **way** inaczej; ~ **two hours** jeszcze dwie godziny

**an·swer** [`ansə(r)] *s* odpowiedź (**to sth** na coś); rozwiązanie; *vt* odpowiadać (**sth** na coś); spełniać, zaspokajać (życzenie); służyć (celowi); *vi* być odpowiedzialnym (**for sth to sb** za coś przed kimś); odpowiadać (**to sth** na coś)

**an·swer·a·ble** [`ansərəbl] *adj* odpo-

wiedzialny (**for sth to sb** za coś przed kimś)
**ant** [ænt] *s* mrówka
**a'nt** [ɑnt] = am not, are not; *zob.* **be**
**an·tag·o·nism** [æn`tægənɪzm] *s* antagonizm
**an·tag·o·nize** [ˈæn`tægənɑɪz] *vt* sprzeciwiać się, przeciwdziałać; wzbudzać wrogość
**ant·arc·tic** [ˈæn`tɑktɪk] *adj* antarktyczny; *s* **the Antarctic** Anktarktyda
**ant-eat·er** [`ænt itə(r)] *s zool.* mrówkojad
**an·te·ce·dent** [ˈæntɪ`sidnt] *adj* poprzedzający (**to sth** coś), poprzedni; *s* poprzedzająca okoliczność; *gram.* poprzednik
**an·te-cham·ber** [`æntɪ tʃeɪmbə(r)] *s* przedpokój; poczekalnia
**an·te·date** [ˈæntɪ`deɪt] *vt* antydatować
**an·te·lope** [`æntɪləup] *s* antylopa
**an·ten·na** [æn`tenə] *s* (*pl* **antennae** [æn`teni]) antena; *zool.* czułek
**an·te·ri·or** [æn`tɪərɪə(r)] *adj* poprzedzający (**to sth** coś); wcześniejszy (**to sth** od czegoś), poprzedni
**an·te·room** [`æntɪ rum] *s* przedpokój; poczekalnia
**an·them** [`ænθəm] *s* hymn
**anthill** [`ænthɪl] *s* mrowisko
**an·thol·o·gy** [ˈæn`θolədʒɪ] *s* antologia
**an·thro·pol·o·gy** [ˈænθrə`polədʒɪ] *s* antropologia
**an·ti-air·craft** [ˈæntɪ `eəkrɑft] *adj attr* przeciwlotniczy; *s* artyleria przeciwlotnicza, działo przeciwlotnicze
**an·tibi·o·tic** [ˈæntɪbɑɪ`otɪk] *s* antybiotyk
**anti·body** [`æntɪbodɪ] *s* przeciwciało
**an·tic** [`æntɪk] *s zw. pl* **~s** błazenada
**an·ti·ci·pate** [ˈæn`tɪsɪpeɪt] *vt* antycypować, uprzedzać; przewidywać; przyspieszać
**an·ti·ci·pat·ed** [æn`tɪsɪpeɪtɪd] *zob.* anticipate; *adj* przedterminowy; *handl.* wykupiony przed terminem
**an·ti·ci·pa·tion** [æn'tɪsɪ`peɪʃn] *s* uprzedzanie, przewidywanie; przyspieszenie; zapłata z góry, zaliczka; **in ~** z góry; *handl.* przedterminowo
**an·ti·dote** [`æntɪdəut] *s* antidotum, odtrutka
**an·tip·a·thy** [æn`tɪpəθɪ] *s* antypatia
**an·ti·qua·ry** [`æntɪkwərɪ] *s* antykwariusz, zbieracz antyków
**an·ti·quat·ed** [`æntɪkweɪtɪd] *adj* przestarzały
**an·tique** [ˈæn`tik] *adj* starożytny, antyczny; staroświecki; *s* sztuka starożytna; antyk
**an·tiq·ui·ty** [æn`tɪkwətɪ] *s* starożytność; antyk
**an·ti-Sem·ite** [ˈænti `simɑɪt] *s* antysemita
**an·tith·e·sis** [æn`tɪθəsɪs] *s* antyteza
**ant·ler** [`æntlə(r)] *s* róg (np. jelenia)
**an·vil** [`ænvɪl] *s* kowadło
**anx·i·e·ty** [æŋg`zɑɪətɪ] *s* niepokój, trwoga (**for, about sth** o coś); troska; dążenie, pożądanie
**anx·ious** [`æŋkʃəs] *adj* niespokojny, pełen troski (**for, about sth** o coś); pożądający, pragnący (**for, about sth** czegoś)
**an·y** [`enɪ] *pron* jaki, jakiś, jakikolwiek; wszelki; każdy; którykolwiek; **not ~** żaden; *adv* nieco, trochę, jeszcze; **~ farther** trochę dalej; **not ~ farther** ani trochę dalej; **it is not ~ good** to się na nic nie przyda
**an·y·bod·y** [`enɪbodɪ] *pron* ktokolwiek, ktoś; każdy
**an·y·how** [`enɪhɑu] *adv* jakkolwiek, w jakikolwiek sposób; byle jak; w każdym razie; **not ... ~** w żaden sposób
**an·y·one** [`enɪwʌn] *pron* = **anybody**
**an·y·thing** [`enɪθɪŋ] *pron* cokolwiek, coś; wszystko; *z przeczeniem*: nic
**an·y·way** [`enɪweɪ] *adv* = **anyhow**
**an·y·where** [`enɪweə(r)] *adv* gdzie-

kolwiek, gdzieś; wszędzie; *z przeczeniem*: nigdzie

**a·part** [ə`pat] *adv* oddzielnie, na boku, na bok; osobno; w odległości; ~ **from** pomijając, abstrahując, niezależnie od, oprócz; **to get** ~ oddzielić; **to set** ~ odłożyć; **to take** ~ rozkładać, rozbierać na części

**a·part·heid** [ə`patheɪt] *s* segregacja rasowa (w Afryce), apartheid

**a·part·ment** [ə`patmənt] *s* pokój, mieszkanie; *am.* ~ **house** dom mieszkalny (czynszowy), kamienica

**ap·a·thet·ic** [ˏæpə`θetɪk] *adj* apatyczny, obojętny

**ap·a·thy** [`æpəθɪ] *s* apatia, obojętność

**ape** [eɪp] *s* małpa (człekokształtna); *vt* małpować

**ap·er·ture** [`æpətʃə(r)] *s* otwór, szczelina

**a·pex** [`eɪpeks] *s* (*pl* ~**es** [`eɪpeksɪz] *lub* **apices** [`eɪpɪsiz]) szczyt, punkt szczytowy

**a·piece** [ə`pis] *adv* za sztukę; na każdego, na głowę

**a·pol·o·gize** [ə`polədʒaɪz] *vi* usprawiedliwiać się (**to sb for sth** przed kimś z czegoś), przepraszać

**a·pol·o·gy** [ə`polədʒɪ] *s* usprawiedliwienie, przeproszenie; obrona

**ap·o·plex·y** [`æpəpleksɪ] *s* apopleksja

**a·pos·tle** [ə`posl] *s* apostoł; wyznawca

**a·pos·tro·phe** [ə`postrəfɪ] *s* apostrof; apostrofa, zwrot

**ap·pal** [ə`pɔl] *vt* trwożyć, przerażać

**ap·pa·ra·tus** [ˏæpə`reɪtəs] *s* (*pl* ~ *lub* ~**es** [ˏæpə`reɪtəsɪz]) aparat, przyrząd, urządzenie; (*w organizmie*) narząd

**ap·par·ent** [ə`pærnt] *adj* widoczny, oczywisty; pozorny

**ap·pa·ri·tion** [ˏæpə`rɪʃn] *s* pojawienie się (widma, upiora itp.)

**ap·peal** [ə`pil] *vi* apelować, zwracać się, wzywać, usilnie prosić (**to sb for sth** kogoś o coś); nęcić, pociągać; oddziaływać (**to sb** na kogoś); *s* apel, wezwanie; odwołanie, apelacja; zainteresowanie, pociąg; **popular** ~ popularność; **sex** ~ atrakcyjność, powab (płci); **an** ~ **to a higher court** apelacja do sądu wyższej instancji; **an** ~ **from a decision** odwołanie od (czyjejś) decyzji; **to make an** ~ **for help** prosić ⟨błagać⟩ o pomoc

**ap·pear** [ə`pɪə(r)] *vi* zjawiać się, pokazywać się; występować; wydawać się, zdawać się; okazywać się

**ap·pear·ance** [ə`pɪərns] *s* wygląd zewnętrzny; zjawienie się; wystąpienie; pozór; **at first** ~ na pierwszy rzut oka; **to keep up** ~**s** zachowywać pozory

**ap·pease** [ə`piz] *vt* uspokoić, uśmierzyć, złagodzić; uciszyć; zaspokoić

**ap·pease·ment** [ə`pizmənt] *s* uspokojenie, uśmierzenie, złagodzenie; **policy of** ~ polityka łagodzenia (sporów międzynarodowych)

**ap·pel·la·tion** [ˏæpə`leɪʃn] *s* nazwa, termin

**ap·pend** [ə`pend] *vt* dołączyć, dodać

**ap·pen·dage** [ə`pendɪdʒ] *s* dodatek, uzupełnienie

**ap·pen·di·ci·tis** [əˏpendə`saɪtɪs] *s* *med.* zapalenie wyrostka robaczkowego

**ap·pen·dix** [ə`pendɪks] *s* (*pl* ~**es** [ə`pendɪksɪz] *lub* **appendices** [ə`pendɪsiz]) dodatek, uzupełnienie; *anat.* wyrostek robaczkowy

**ap·per·tain** [ˏæpə`teɪn] *vi* należeć, odnosić się

**ap·pe·tite** [`æpətaɪt] *s* apetyt (**for sth** na coś)

**ap·pe·tiz·er** [`æpətaɪzə(r)] *s* zakąska, małe danie

**ap·pe·tiz·ing** [`æpətaɪzɪŋ] *adj* apetyczny

**ap·plaud** [ə`plɔd] *vt* oklaskiwać; przyklasnąć; *vi* klaskać

**ap·plause** [ə`plɔz] *s* aplauz, oklaski; pochwała
**ap·ple** [`æpl] *s* jabłko; ~ **of the eye** źrenica; *przen.* oczko w głowie
**ap·pli·ance** [ə`plaɪəns] *s* zastosowanie, użycie; narzędzie, instrument; *pl* ~**s** przybory
**ap·pli·ca·ble** [`æplɪkəbl] *adj* dający się zastosować, stosowny
**ap·pli·cant** [`æplɪkənt] *s* petent; kandydat
**ap·pli·ca·tion** [ˈæpli`keɪʃn] *s* aplikacja; podanie; zastosowanie, użycie; uwaga; pilność; ~ **form** formularz (podaniowy)
**ap·ply** [ə`plaɪ] *vt* stosować, używać; poświęcać (uwagę, trud); *vi* zwracać się (**to sb for sth** do kogoś o coś), starać się (**for sth** o coś); dać się zastosować, odnosić się; oddawać się (**to sth** czemuś); *vr* ~ **oneself** przykładać się (**to sth** do czegoś)
**ap·point** [ə`pɔɪnt] *vt* wyznaczać; mianować; określać; zarządzić; umawiać
**ap·point·ment** [ə`pɔɪntmənt] *s* wyznaczenie; nominacja; określenie; zarządzenie; stanowisko, posada; umowa; umówione spotkanie; **to keep an** ~ przyjść na spotkanie; **to make an** ~ umówić się na spotkanie
**ap·po·site** [`æpəzɪt] *adj* stosowny, trafny
**ap·po·si·tion** [ˈæpə`zɪʃn] *s* przyłożenie, zastosowanie; *gram.* dopowiedzenie
**ap·praise** [ə`preɪz] *vt* szacować, cenić
**ap·pre·ci·a·ble** [ə`priʃəbl] *adj* godny zauważenia, znaczny
**ap·pre·ci·ate** [ə`priʃɪeɪt] *vt* ocenić, oszacować; uznawać, wysoko sobie cenić; dziękować, być wdzięcznym (**sth** za coś); *am.* podnieść wartość; *vi* zyskiwać na wartości
**ap·pre·ci·a·tion** [əˈpriʃɪ`eɪʃn] *s* ocena; uznanie; wdzięczność, podziękowanie; *am.* podwyższenie ⟨wzrost⟩ ceny
**ap·pre·hend** [ˈæprɪ`hend] *vt* rozumieć, pojmować; obawiać się; chwycić, pojmać
**ap·pre·hen·sion** [ˈæprɪ`henʃn] *s* pojętność, rozumienie; obawa; ujęcie, pojmanie; **beyond** ~ nie do pojęcia
**ap·pre·hen·sive** [ˈæprɪ`hensɪv] *adj* pojętny, bystry, rozumiejący (**of sth** coś); bojaźliwy, niespokojny (**for sb, of sth** o kogoś, o coś)
**ap·pren·tice** [ə`prentɪs] *s* uczeń, terminator, nowicjusz; *vt* oddać do terminu, na naukę
**ap·pren·tice·ship** [ə`prentɪsʃɪp] *s* terminowanie, nauka (rzemiosła), praktyka (w zawodzie)
**ap·proach** [ə`prəutʃ] *vt* zbliżać się, podchodzić (**sb, sth** do kogoś, do czegoś); zagadnąć (**sb** kogoś); *vi* zbliżać się, nadchodzić, być bliskim; *s* zbliżenie, podejście; dostęp, wejście, wjazd; **easy of** ~ łatwo dostępny
**ap·pro·ba·tion** [ˈæprə`beɪʃn] *s* aprobata, uznanie
**ap·pro·pri·ate** [ə`prəuprɪət] *adj* odpowiedni, stosowny; *vt* [ə`prəuprɪeɪt] przywłaszczać sobie; przypisywać sobie; użyć, przeznaczyć (**to sth** na coś); wyasygnować
**ap·pro·pri·a·te·ness** [ə`prəuprɪətnɪs] *s* stosowność, odpowiedniość; **with** ~ stosownie, trafnie, właściwie
**ap·pro·pri·a·tion** [əˈprəuprɪ`eɪʃn] *s* przywłaszczenie; asygnowanie (*zw.* kredytów)
**ap·prov·al** [ə`pruvl] *s* uznanie, aprobata; *handl.* **on** ~ na próbę
**ap·prove** [ə`pruv] *vt vi* aprobować, uznawać (**sth, of sth** coś)
**ap·prox·i·mate** [ə`proksɪmeɪt] *vi* zbliżać (się), podchodzić (**to sb, sth** do kogoś, do czegoś); *vt* zbliżać; *adj* [ə`proksɪmət] przybliżony
**ap·pur·ten·ance** [ə`pɜtɪnəns] *s* przynależność; *pl* ~**s** akcesoria
**a·pri·cot** [`eɪprɪkot] *s* morela
**A·pril** [`eɪprl] *s* kwiecień
**a·pron** [`eɪprən] *s* fartuch; płyta lotniskowa

**apt** [æpt] *adj* odpowiedni; skłonny; zdolny; nadający się (**for sth** do czegoś)
**ap·ti·tude** [ˋæptɪtjud] *s* stosowność; skłonność; zdolność
**a·qua·ri·um** [əˋkweərɪəm] *s* akwarium
**aq·uat·ic** [əˋkwætɪk] *adj* (*o zwierzętach, roślinach, sportach*) wodny
**Ar·ab** [ˋærəb] *s* Arab; (*koń*) arab
**A·ra·bian** [əˋreɪbɪən] *adj* arabski; *s* Arab
**A·ra·bic** [ˋærəbɪk] *adj* arabski; *s* język arabski
**a·ra·ble** [ˋærəbl] *adj* orny
**ar·bi·ter** [ˋɑbɪtə(r)] *s* arbiter, rozjemca
**ar·bi·tral** [ˋɑbɪtrəl] *adj* polubowny
**ar·bi·tra·ry** [ˋɑbɪtrərɪ] *adj* arbitralny; dowolny, samowolny
**ar·bi·trate** [ˋɑbɪtreɪt] *vi* być sędzią polubownym; *vt* załatwić polubownie, rozstrzygnąć
**ar·bi·tra·tion** [ˌɑbɪˋtreɪʃn] *s* arbitraż, postępowanie rozjemcze
**arc** [ɑk] *s mat.* łuk; ~ **light** światło łukowe
**arch 1.** [ɑtʃ] *s arch.* łuk, sklepienie; *vt vi* wyginać (się) w łuk; nadawać ⟨przybierać⟩ formę łuku
**arch 2.** [ɑtʃ] *adj* wisusowski, łobuzerski
**arch 3.** [ɑtʃ] *praef* arcy-; archi-
**ar·chae·ol·o·gy** [ˌɑkɪˋolədʒɪ] *s* archeologia
**ar·cha·ic** [ˌɑˋkeɪɪk] *adj* archaiczny
**ar·cha·ism** [ˌɑˋkeɪɪzm] *s* archaizm
**ar·chan·gel** [ˌɑkˋeɪndʒl] *s* archanioł
**arch·bish·op** [ˌɑtʃˋbɪʃəp] *s* arcybiskup
**arch·duke** [ˌɑtʃˋdjuk] *s* arcyksiążę
**arch·er** [ˋɑtʃə(r)] *s* łucznik
**arch·er·y** [ˋɑtʃərɪ] *s* łucznictwo
**ar·chi·pel·a·go** [ˌɑkɪˋpeləgəu] *s* archipelag
**ar·chi·tect** [ˋɑkɪtekt] *s* architekt
**ar·chi·tec·ture** [ˋɑkɪtektʃə(r)] *s* architektura
**ar·chives** [ˋɑkaɪvz] *s pl* archiwum
**arc·tic** [ˋɑktɪk] *adj* arktyczny; *s* **the Arctic** Arktyka
**ar·dent** [ˋɑdnt] *adj* płonący, gorący; zapalony, żarliwy
**ar·dour** [ˋɑdə(r)] *s* żar; żarliwość, zapał
**ar·du·ous** [ˋɑdjuəs] *adj* męczący, trudny; (*o skale itp.*) stromy
**are** [ɑ(r)] *zob.* **be**
**a·re·a** [ˋeərɪə] *s* przestrzeń, powierzchnia, płaszczyzna, plac; zakres; okolica; strefa
**a·re·na** [əˋrinə] *s* arena
**aren't** [ɑnt] = **are not**; *zob.* **be**
**ar·gen·tine** [ˋɑdʒəntaɪn] *adj* srebrny, srebrzysty
**Ar·gen·tin·e·an** [ˌɑdʒənˋtɪnɪən] *adj* argentyński; *s* Argentyńczyk
**ar·gue** [ˋɑgju] *vt* roztrząsać; uzasadniać, argumentować; wnioskować; wmawiać (**sb into sth** komuś coś), przekonywać (**sb into sth** kogoś o czymś); perswadować (**sb out of sth** komuś coś); *vi* argumentować (**for sth** za czymś, **against sth** przeciw czemuś); sprzeczać się (**about, for sth** o coś)
**ar·gu·ment** [ˋɑgjumənt] *s* argument, dowód; dyskusja, sprzeczka; teza
**aria** [ˋɑrɪə] *s muz.* aria
**ar·id** [ˋærɪd] *adj* suchy, jałowy
**a·right** [əˋraɪt] *adv* słusznie, prawidłowo, dobrze
***a·rise** [əˋraɪz], **arose** [əˋrəuz], **arisen** [əˋrɪzn] *vi* wstawać, powstawać; ukazywać się, wyłaniać się; wynikać
**ar·is·toc·ra·cy** [ˌærɪˋstokrəsɪ] *s* arystokracja
**ar·is·to·crat** [ˋærɪstəkræt] *s* arystokrata
**a·rith·me·tic** [əˋrɪθmətɪk] *s* arytmetyka
**ark** [ɑk] *s* arka
**arm 1.** [ɑm] *s* ramię; ręka; poręcz krzesła, oparcie; konar; ~ **of the sea** odnoga morska; **~-in-~** ramię w ramię, pod rękę
**arm 2.** [ɑm] *s* (*zw. pl* **~s**) broń; **in ~s** pod bronią; **to bear ~s** odbywać służbę wojskową; **a call**

to ~s powołanie do służby wojskowej; *vt vi* zbroić (się)
**ar·ma·ment** [`aməmənt] *s* uzbrojenie, zbrojenie; *pl* ~s zbrojenia; ~ race wyścig zbrojeń
**arm·chair** [`amtʃeə(r)] *s* fotel
**arm·ful** [`amful] *s* naręcze
**ar·mi·stice** [`amıstıs] *s* zawieszenie broni, rozejm
**ar·mour** [`amə(r)] *s* zbroja, pancerz; *vt* opancerzyć
**ar·mour·ed** [`aməd] *adj* pancerny; zbrojony (np. beton)
**ar·mour·y** [`amərı] *s* magazyn broni, arsenał; *am.* fabryka broni
**arms** [amz] *s pl* herb
**ar·my** [`amı] *s* wojsko; the ~ armia; join the ~ pójść do wojska
**a·ro·ma** [ə`rəumə] *s* aromat
**ar·o·mat·ic** [ˌærəu`mætık] *adj* aromatyczny
**a·rose** *zob.* arise
**a·round** [ə`raund] *adv i praep* naokoło, dookoła; na wszystkie strony; *am.* tu i tam
**a·rouse** [ə`rauz] *vt* wzbudzać, podniecać, aktywizować; budzić (ze snu)
**ar·raign** [ə`reın] *vt* pozwać do sądu, oskarżyć
**ar·range** [ə`reındʒ] *vt* urządzać, porządkować, układać; umawiać, ustalać; załatwiać, łagodzić (np. spór); *vi* układać się, umawiać się
**ar·range·ment** [ə`reındʒmənt] *s* urządzenie; układ, umowa; uporządkowanie; *zw. pl* ~s plany, przygotowania
**ar·ray** [ə`reı] *vt* stroić; ustawiać w szeregi (bojowe); *s* strój; szyk bojowy; procesja
**ar·rears** [ə`rıəz] *s pl* zaległości; długi
**ar·rest** [ə`rest] *vt* aresztować; zatrzymywać; przykuwać (uwagę); *s* areszt, zatrzymanie; zahamowanie, wstrzymanie
**ar·ri·val** [ə`raıvl] *s* przybycie, dojście (at, in sth do czegoś); przybysz; rzecz, która nadeszła
**ar·rive** [ə`raıv] *vi* przybyć, dojść (at, in sth do czegoś); osiągnąć (at sth coś)
**ar·ro·gance** [`ærəgəns] *s* arogancja
**ar·ro·gant** [`ærəgənt] *adj* arogancki
**ar·row** [`ærəu] *s* strzała, strzałka
**ar·se·nic** [`asnık] *s chem.* arsen; arszenik
**ar·son** [`asn] *s* podpalenie (akt zbrodniczy)
**art** [at] *s* sztuka; zręczność; chytrość; *pl* ~s nauki humanistyczne
**ar·te·ry** [`atərı] *s anat.* arteria
**art·ful** [`atfl] *adj* pomysłowy; zręczny; chytry
**ar·thrit·ic** [a`θrıtık] *adj* artretyczny
**ar·thri·tis** [a`θraıtıs] *s* artretyzm
**ar·ti·cle** [`atıkl] *s* artykuł; rozdział, punkt; paragraf; przedmiot; *gram.* rodzajnik, przedimek
**ar·tic·u·late** [a`tıkjuleıt] *vt vi* artykułować, (wyraźnie) wymawiać; *adj* [a`tıkjulət] artykułowany; jasno wyrażony ⟨wyrażający się⟩
**ar·tic·u·la·tion** [aˌtıkju`leıʃn] *s* artykulacja, wymawianie
**ar·ti·fice** [`atıfıs] *s* sztuka, sztuczka; zręczność; chytrość; pomysł, podstęp
**ar·ti·fi·cial** [ˌatı`fıʃl] *adj* sztuczny
**ar·til·ler·y** [a`tılərı] *s* artyleria
**ar·ti·san** [ˌatı`zæn] *s* rzemieślnik
**ar·tist** [`atıst] *s* artysta
**ar·tis·tic** [a`tıstık] *adj* artystyczny
**art·less** [`atləs] *adj* prosty, niewyszukany; naturalny; niedoświadczony
**Ar·y·an** [`eərıən] *adj* aryjski; *s* Aryjczyk
**as** [æz, əz] *adv* jak; jako; za; *conj* ponieważ, skoro; jak; jako; kiedy, (podczas) gdy; chociaż; w miarę, jak; as ... as tak ... jak, równie ... jak; **as far as** aż do, o ile; **as for** co się tyczy; co do; **as if, as though** jak gdyby: **as it is** faktycznie, rzeczywiście; **as it were** że tak powiem; **as a rule** z reguły, zasadniczo; **as much ⟨many⟩ as** aż tyle; **as soon as** skoro tylko; **as to** co się tyczy, odnośnie do; **as well** również;

także; **as well as** równie dobrze, jak również; **as yet** jak dotąd; **so ... as tak ... jak** (*zw. w przeczeniu* **not so ... as** nie tak ... jak); **so as** (*przed inf*) tak, ażeby ⟨że⟩; **be so good as to tell me** bądź łaskaw powiedzieć mi

**as·cend** [ə`send] *vi* wznosić się, iść w górę; wspinać się; *vt* wstąpić (**the throne** na tron)

**as·cend·an·cy** [ə`sendənsɪ] *s* przewaga; władza

**as·cend·ant** [ə`sendənt] *s*: **to be in the ~** mieć przewagę, górować

**as·cen·sion** [ə`senʃn] *s* unoszenie się ku górze; wstąpienie (**to the throne** na tron); *rel.* **the Ascension** Wniebowstąpienie

**as·cent** [ə`sent] *s* wznoszenie (się); wchodzenie (na górę), wspinanie się (na szczyt)

**as·cer·tain** [ˈæsə`teɪn] *vt* ustalić, stwierdzić

**as·cet·ic** [ə`setɪk] *adj* ascetyczny; *s* asceta

**as·cribe** [ə`skraɪb] *vt* przypisywać

**a·sep·tic** [æ`septɪk] *adj* aseptyczny; *s* środek aseptyczny

**ash 1.** [æʃ] *s* (*zw. pl* **~es** [`æʃɪz]) popiół

**ash 2.** [æʃ] *s* jesion

**a·shamed** [ə`ʃeɪmd] *adj praed* zawstydzony; **to be ~** wstydzić się (**of sth** czegoś, **for sth** z powodu czegoś)

**ash-bin** [`æʃ bɪn], **ash-can** [`æʃ kæn] *s am.* skrzynia ⟨wiadro⟩ na popiół ⟨na śmieci⟩

**ash·en 1.** [`æʃn] *adj* jesionowy

**ash·en 2.** [`æʃn] *adj* popielaty

**a·shore** [ə`ʃɔ(r)] *adv* na brzeg, na brzegu, na ląd, na lądzie; **to run ⟨to be driven⟩ ~** osiąść na mieliźnie

**ash-tray** [`æʃ treɪ] *s* popielniczka

**A·si·at·ic** [ˈeɪʃɪ`ætɪk] *adj* azjatycki; *s* Azjata

**a·side** [ə`saɪd] *adj* na bok, na boku; **to put ~** odkładać

**ask** [ɑsk] *vt* pytać, prosić, upraszać (**sb** kogoś, **sth** o coś); żądać (**sth** czegoś); **to ~ a question** zadać pytanie; *vi* prosić (**for sth** o coś), pytać (**for sb, sth** o kogoś, o coś); pytać, dowiadywać się (**about ⟨after⟩ sb, sth** o kogoś, o coś); **to ~ to dinner** prosić na obiad; *pot.* **to ~ for trouble** szukać kłopotu

**a·skance** [ə`skæns] *adv* ukosem, na ukos; w bok; **to look ~** spoglądać podejrzliwie

**askew** [ə`skju] *adv* krzywo

**a·slant** [ə`slɑnt] *adv* skośnie, na ukos

**a·sleep** [ə`slip] *adj praed i adv* śpiący, pogrążony we śnie; (*o nogach*) zdrętwiały; **to be ~** spać; **to fall ~** zasnąć

**as·par·a·gus** [ə`spærəgəs] *s* szparag

**as·pect** [`æspekt] *s* aspekt; wygląd; widok; zapatrywanie; wzgląd; *gram.* strona; postać (czasownika)

**as·pen** [`æspən] *s bot.* osika

**as·phalt** [`æsfælt] *s* asfalt

**as·pir·ant** [`æspɪrənt] *s* aspirant, kandydat

**aspi·ra·tion** [ˈæspə`reɪʃn] *s* aspiracja, dążenie (**after, for sth** do czegoś)

**a·spire** [ə`spaɪə(r)] *vi* aspirować, dążyć (**after, at, to sth** do czegoś)

**as·pi·rin** [`æsprɪn] *s* aspiryna

**ass** [æs] *s* osioł

**as·sail** [ə`seɪl] *vt* napadać, atakować

**as·sail·ant** [ə`seɪlənt] *s* napastnik

**as·sas·sin** [ə`sæsɪn] *s* morderca, skrytobójca

**as·sas·si·nate** [ə`sæsɪneɪt] *vt* mordować (skrytobójczo)

**as·sault** [ə`sɔlt] *s* napad, atak; pobicie; *vt* napaść (nagle), zaatakować; pobić

**as·say** [ə`seɪ] *s* badanie, próba (np. metali); *vt* badać, robić próbę

**as·sem·ble** [ə`sembl] *vt* gromadzić, zbierać; składać, montować; *vi* gromadzić się, zbierać się

**as·sem·bly** [ə`semblɪ] *s* zebranie, zgromadzenie; zbiórka; montaż
**as·sent** [ə`sent] *vi* zgadzać się, przyzwalać (to sth na coś); *s* zgoda, przyzwolenie
**as·sert** [ə`sɜt] *vt* potwierdzać; bronić (np. sprawy); twierdzić; *vr* ~ **oneself** bronić swych praw; żądać zbyt wiele; wywyższać się
**as·ser·tion** [ə`sɜʃn] *s* twierdzenie (stanowcze); obrona (swych praw)
**as·sess** [ə`ses] *vt* szacować, taksować; nakładać (np. podatek)
**as·sess·ment** [ə`sesmənt] *s* oszacowanie; opodatkowanie; podatek, danina
**as·sess·or** [ə`sesə(r)] *s* asesor; urzędnik podatkowy
**as·set** [`æset] *s* rzecz wartościowa, zabezpieczenie; *pl* ~**s** aktywa; własność
**as·sid·u·ous** [ə`sɪdjuəs] *adj* wytrwały, pilny, pieczołowity
**as·sign** [ə`saɪn] *vt* wyznaczać; ustalać, określać; przydzielać, przypisywać
**as·sig·na·tion** [ˌæsɪg`neɪʃn] *s* wyznaczenie; ustalenie; przydział, asygnacja
**as·sim·i·late** [ə`sɪməleɪt] *vt vi* asymilować (się), upodabniać (się)
**as·sist** [ə`sɪst] *vt* asystować; pomagać; *vi* być obecnym
**as·sist·ance** [ə`sɪstəns] *s* asysta; pomoc, poparcie; obecność
**as·sist·ant** [ə`sɪstənt] *s* pomocnik, asystent; ~ **master** nauczyciel szkoły średniej; ~ **manager** wicedyrektor; ~ **professor** docent; **shop** ~ ekspedient; *adj* pomocniczy
**as·siz·es** [ə`saɪzɪz] *s pl* okresowa sesja sądu
**as·so·ci·ate** [ə`səuʃɪeɪt] *vt* łączyć, wiązać, kojarzyć; *vi* obcować, współdziałać, łączyć się; *s* [ə`səuʃɪət] towarzysz, współuczestnik; *adj* związany; dołączony
**as·so·ci·a·tion** [əˌsəuʃɪ`eɪʃn] *s* stowarzyszenie, zrzeszenie; skojarzenie; obcowanie; *sport* ~ **football** gra w okrągłą piłkę nożną (w odróżnieniu od rugby)
**as·sort·ment** [ə`sɔtmənt] *s* asortyment, dobór
**as·sume** [ə`sjum] *vt* przyjmować; brać na siebie; obejmować (np. urząd); przybierać; przypuszczać, zakładać; udawać
**as·sump·tion** [ə`sʌmpʃn] *s* przyjęcie; objęcie; przypuszczenie, założenie; udawanie; zarozumialstwo; *rel.* Wniebowzięcie
**as·sur·ance** [ə`ʃuərns] *s* zapewnienie; pewność (siebie); *bryt.* ubezpieczenie
**as·sure** [ə`ʃuə(r)] *vt* zapewniać; *bryt.* ubezpieczać; **to rest** ~**d** być spokojnym
**as·ter·isk** [`æstərɪsk] *s druk.* gwiazdka, odsyłacz
**a·stern** [ə`stɜn] *adv* w tyle okrętu
**asth·ma** [`æsmə] *s* astma
**a·ston·ish** [ə`stonɪʃ] *vt* zdziwić, zdumieć
**a·stound** [ə`staund] *vt* zdumiewać
**a·stray** [ə`streɪ] *adj praed adv dosł. i przen.* zabłąkany; **to go** ~ zabłąkać się; **to lead** ~ wywieść na manowce
**as·trol·o·gy** [ə`strolədʒɪ] *s* astrologia
**as·tro·naut** [`æstrənɔt] *s* astronauta
**as·tron·o·my** [ə`stronəmɪ] *s* astronomia
**as·tute** [ə`stjut] *adj* chytry; bystry
**a·sun·der** [ə`sʌndə(r)] *adv* oddzielnie; w kawałkach; na kawałki; w różne strony
**a·sy·lum** [ə`saɪləm] *s* azyl; przytułek; † (*także*: **lunatic** ~) zakład dla obłąkanych
**at** [æt, ət] *praep na oznaczenie miejsca*: przy, u, na, w; **at school** w szkole; **at sea** na morzu; *na oznaczenie czasu*: w, o, na; **at nine o'clock** o godzinie dziewiątej; *na oznaczenie sposobu, celu, stanu, ceny*: na, za, z, po, w; **at once** natychmiast; **at last** w końcu; nareszcie; **at least** przynajmniej

**ate** *zob.* **eat**
**atel·ier** [æ`teliei] *s* atelier
**a·the·ism** [`eiθiizm] *s* ateizm
**a·the·ist** [`eiθiist] *s* ateista
**a·the·is·tic** ['eiθi`istik] *adj* ateistyczny
**ath·lete** [`æθlit] *s* zapaśnik, sportowiec
**ath·let·ic** [æθ`letik] *adj* sportowy; wysportowany; mocny, silny
**ath·let·ics** [æθ`letiks] *s* sport; atletyka
**At·lan·tic** [ət`læntik] *adj* atlantycki; *s* Atlantyk
**at·las** [`ætləs] *s* atlas
**at·mos·phere** [`ætməsfiə(r)] *s fiz. i przen.* atmosfera
**at·mos·pher·ic** ['ætməs`ferik] *adj* atmosferyczny
**at·om** [`ætəm] *s* atom; *przen.* odrobina
**a·tom·ic** [ə`tomik] *adj* atomowy
**a·tone** [ə`təun] *vi* odpokutować; rekompensować (**for sth** coś), zadośćuczynić
**a·tro·cious** [ə`trəuʃəs] *adj* okrutny; okropny
**a·troc·i·ty** [ə`trosəti] *s* okrucieństwo; okropność
**at·tach** [ə`tætʃ] *vt* przywiązać, przymocować; dołączać; przydzielać; *prawn.* zająć (np. własność); *vi* być przywiązanym ⟨dołączonym⟩
**at·tach·ment** [ə`tætʃmənt] *s* przywiązanie, więź (uczuciowa); dodatek, załącznik
**at·tack** [ə`tæk] *vt* atakować; *s* atak
**at·tain** [ə`tein] *vt vi* osiągnąć, zdobyć, dojść (**sth, to sth, at sth** do czegoś)
**at·tain·ment** [ə`teinmənt] *s* osiągnięcie; zdobycie; *pl* ~**s** wiadomości, sprawność, zdolności
**at·tempt** [ə`tempt] *vt* próbować, usiłować; *s* próba, usiłowanie
**at·tend** [ə`tend] *vt* towarzyszyć (**sb** komuś); uczęszczać (**school** do szkoły, **lectures** na wykłady); służyć pomocą (**sb** komuś); pielęgnować; leczyć; obsługiwać; być obecnym (**a meeting** na zebraniu); *vi* usługiwać (**on, upon, to sb** komuś), obsługiwać (**to sb, sth** kogoś, coś); uważać (**to sth** na coś), pilnować (**to sth** czegoś); przykładać się (**to sth** do czegoś)
**at·tend·ance** [ə`tendəns] *s* uwaga, baczenie; obsługa; pomoc, opieka; obecność, frekwencja; towarzyszenie
**at·tend·ant** [ə`tendənt] *adj* towarzyszący; *s* towarzysz; osoba obsługująca; pomocnik, asystent; sługa
**at·ten·tion** [ə`tenʃn] *s* uwaga; opieka; grzeczność; *pl* ~**s** atencja; **to pay** ~ zwracać uwagę (**to sth** na coś); **to call sb's** ~ zwrócić czyjąś uwagę (**to sth** na coś); ~**!** baczność!; uwaga!
**at·ten·tive** [ə`tentiv] *adj* uważny; troskliwy; uprzejmy
**at·ten·u·ate** [ə`tenjueit] *vt* łagodzić; pomniejszać, osłabiać
**at·test** [ə`test] *vt* stwierdzać, zaświadczać; zaprzysięgać; *vi* świadczyć (**to sth** o czymś)
**at·tes·ta·tion** ['ætes`teiʃn] *s* zaświadczenie; świadectwo; zaprzysiężenie
**at·tic** [`ætik] *s* poddasze, mansarda
**at·tire** [ə`taiə(r)] *vt* ubierać; zdobić; *s* ubiór, strój; ozdoba
**at·ti·tude** [`ætitjud] *s* postawa, stanowisko, stosunek
**at·tor·ney** [ə`tзni] *s* obrońca, adwokat, rzecznik, pełnomocnik; **letter ⟨power⟩ of** ~ pełnomocnictwo; **Attorney General** prokurator królewski
**at·tract** [ə`trækt] *vt* przyciągać, pociągać
**at·trac·tion** [ə`trækʃn] *s* atrakcja; pociąg; atrakcyjność; przyciąganie
**at·tract·ive** [ə`træktiv] *adj* atrakcyjny, pociągający; przyciągający
**at·trib·ute** [ə`tribjut] *vt* przypisy-

wać; *s* [`ætrɪbjut] atrybut, właściwość; *gram.* przydawka
**at·tri·tion** [ə`trɪʃn] *s* tarcie; zużycie; zdarcie
**at·tune** [ə`tjun] *vt* stroić, dostroić; zharmonizować (**to sth** z czymś)
**au·burn** [`ɔbən] *adj* kasztanowaty
**auc·tion** [`ɔkʃn] *s* aukcja, licytacja; *vt* sprzedawać na licytacji
**auc·tion·eer** [ˌɔkʃə`nɪə(r)] *s* licytator; *vi* prowadzić licytację
**au·da·cious** [ɔ`deɪʃəs] *adj* śmiały, zuchwały
**au·dac·i·ty** [ɔ`dæsətɪ] *s* śmiałość, zuchwalstwo
**au·di·ble** [`ɔdəbl] *adj* słyszalny
**au·di·ence** [`ɔdɪəns] *s* publiczność, słuchacze; audiencja
**au·dit** [`ɔdɪt] *s* kontrola rachunków; *vt* kontrolować rachunki
**aug·ment** [ɔg`ment] *vt vi* powiększać (się)
**aug·men·ta·tion** [ˌɔgmen`teɪʃn] *s* powiększenie, wzrost
**Au·gust 1.** [`ɔgəst] *s* sierpień
**au·gust 2.** [ɔ`gʌst] *adj* dostojny, majestatyczny
**aunt** [ɑnt] *s* ciotka
**aunt·ie** [`ɑntɪ] *s* ciocia
**aus·pi·ces** [`ɔspɪsɪz] *s pl* piecza, patronat; **under the ~ of** pod auspicjami
**aus·pi·cious** [ɔ`spɪʃəs] *adj* dobrze wróżący, pomyślny
**aus·tere** [ɔ`stɪə(r)] *adj* surowy, srogi; prosty; szorstki
**aus·ter·i·ty** [ɔ`sterətɪ] *s* surowość, prostota; szorstkość
**Aus·tra·lian** [ɔ`streɪlɪən] *adj* australijski; *s* Australijczyk
**Aus·tri·an** [`ɔstrɪən] *adj* austriacki; *s* Austriak
**au·then·tic** [ɔ`θentɪk] *adj* autentyczny
**au·then·ti·cate** [ɔ`θentɪkeɪt] *vt* poświadczać, nadawać ważność
**au·then·ti·ci·ty** [ˌɔθen`tɪsətɪ] *s* autentyczność
**au·thor** [`ɔθə(r)] *s* autor
**au·thor·i·ty** [ɔ`θorətɪ] *s* autorytet, władza; upoważnienie; wiarygodne świadectwo; źródło; *pl* **authorities** władze
**au·thor·i·za·tion** [ˌɔθəraɪ`zeɪʃn] *s* autoryzacja, upoważnienie
**au·thor·ize** [`ɔθəraɪz] *vt* autoryzować, upoważniać
**au·thor·ship** [`ɔθəʃɪp] *s* autorstwo
**au·to** [`ɔtəu] *s am. pot.* auto, samochód
**au·to·bi·og·ra·phy** [ˌɔtəbaɪ`ogrəfɪ] *s* autobiografia
**au·toc·ra·cy** [ɔ`tokrəsɪ] *s* samowładztwo, autokracja
**au·to·gi·ro** [ˌɔtəu`dʒaɪərəu] *s* = **autogyro**
**au·to·graph** [`ɔtəgrɑf] *s* autograf
**au·to·gy·ro** [ˌɔtəu`dʒaɪərəu] *s* autożyro
**au·to·mat** [`ɔtəmæt] *s am.* bar samoobsługowy
**au·to·mat·ic** [ˌɔtə`mætɪk] *adj* automatyczny, mechaniczny
**au·to·ma·tion** [ˌɔtə`meɪʃn] *s* automatyzacja
**au·tom·a·ton** [ˌɔ`tomətən] *s* (*pl* **automata** [ˌɔ`tomətə]) automat
**au·to·mo·bile** [`ɔtəməbil] *s am.* samochód
**au·ton·o·mous** [ɔ`tonəməs] *adj* autonomiczny
**au·ton·o·my** [ɔ`tonəmɪ] *s* autonomia
**au·tumn** [`ɔtəm] *s* jesień; *adj attr* jesienny
**au·tum·nal** [ɔ`tʌmnl] *adj* jesienny
**aux·il·ia·ry** [ɔg`zɪlɪərɪ] *adj* pomocniczy; **~ verb** czasownik posiłkowy
**a·vail** [ə`veɪl] *vt* przynosić korzyść, pomagać; *vi* przedstawiać wartość, mieć znaczenie; *vr* **~ oneself** korzystać (**of sth** z czegoś); *s* korzyść, pożytek; **of no ~** bezużyteczny; **without ~** bez korzyści, bez powodzenia
**a·vail·a·ble** [ə`veɪləbl] *adj* do wykorzystania, dostępny, osiągalny
**av·a·lanche** [`ævəlɑnʃ] *s dosł. i przen.* lawina
**av·a·rice** [`ævərɪs] *s* skąpstwo
**av·a·ri·cious** [ˌævə`rɪʃəs] *adj* skąpy

**a·venge** [ə`vendʒ] *vt* pomścić

**av·e·nue** [`ævənju] *s* aleja, szeroka ulica

**av·er·age** [`ævərɪdʒ] *s mat.* przeciętna; przeciętność; **on** ⟨**at**⟩ **an** ~ przeciętnie; *adj* przeciętny; *vt* wynosić przeciętnie; znajdować przeciętną

**a·verse** [ə`v3s] *adj* przeciwny; **to be** ~ **to sth** czuć niechęć ⟨odrazę⟩ do czegoś

**a·ver·sion** [ə`v3ʃn] *s* odraza, niechęć

**a·vert** [ə`v3t] *vt* odwrócić; zapobiec (**sth** czemuś)

**a·vi·a·tion** [ˈeɪvɪ`eɪʃn] *s* lotnictwo

**a·vi·a·tor** [`eɪvɪeɪtə(r)] *s* lotnik

**av·id** [`ævɪd] *adj* chciwy (**for, of sth** czegoś)

**a·void** [ə`vɔɪd] *vt* unikać

**a·void·ance** [ə`vɔɪdəns] *s* unikanie, uchylanie się

**av·oir·du·pois** [ˈævədə`pɔɪz] *s* angielski układ jednostek wagi

**a·vow** [ə`vaʊ] *vt* otwarcie przyznawać (się), wyznawać

**a·vow·al** [ə`vaʊəl] *s* przyznanie się (**of sth** do czegoś), wyznanie (winy)

**a·wait** [ə`weɪt] *vt* oczekiwać, czekać

***a·wake 1.** [ə`weɪk], **awoke, awoke** [ə`wəuk] *vt dosł. i przen.* budzić; *vi* budzić się; uświadomić sobie (**to sth** coś)

**a·wake 2.** [ə`weɪk] *adj praed* czuwający, obudzony; świadomy (**to sth** czegoś)

**a·wak·en** [ə`weɪkən] = **awake 1.**

**a·ward** [ə`wɔd] *vt* przyznawać, przysądzać; *s* przyznana nagroda; wyrok (w wyniku arbitrażu)

**a·ware** [ə`weə(r)] *adj praed* świadomy, poinformowany; **to be** ~ uświadamiać sobie (**of sth** coś)

**a·way** [ə`weɪ] *adv* hen, na uboczu; poza (domem); *am.* **right** ~ natychmiast; **far and** ~ o wiele, znacznie; **to make** ⟨**to do**⟩ ~ pozbyć się (**with sth** czegoś); **two miles** ~ o dwie mile; ~ **with it!** precz z tym!

**awe** [ɔ] *s* strach, trwoga; *vt* napawać trwogą

**aw·ful** [`ɔfl] *adj* straszny, okropny

**a·while** [ə`waɪl] *adj* krótko, chwilowo

**awk·ward** [`ɔkwəd] *adj* niezgrabny; niezdarny; zażenowany; niewygodny; przykry; kłopotliwy

**awl** [ɔl] *s* szydło

**awn·ing** [`ɔnɪŋ] *s* dach płócienny, markiza

**a·woke** *zob.* **awake 1.**

**a·wry** [ə`raɪ] *adj praed* przekręcony, przekrzywiony, opaczny; *adv* krzywo, na opak

**ax, axe** [æks] *s* siekiera

**ax·is** [`æksɪs] *s* (*pl* **axes** [`æksiz]) *mat. polit.* oś

**ax·le** [`æksl] *s* oś (np. u wozu)

**ay, aye** [aɪ] *int* tak!; *s* głos „za"; **the** ~**s have it** większość głosów jest za (wnioskiem)

**az·ure** [`æʒə(r)] *s* lazur; *adj* błękitny, lazurowy

# b

**bab·ble** [`bæbl] *vt vi* paplać, gadać; *s* paplanina, gadanie

**babe** [beɪb] *s* dzieciątko, niemowlę

**ba·by** [`beɪbɪ] *s* niemowlę, dzidzia

**ba·by·hood** [`beɪbɪhud] *s* niemowlęctwo

**ba·by-sit·ter** [`beɪbɪ sɪtə(r)] *s* osoba wynajmowana na kilka godzin do opieki nad dzieckiem

**bach·e·lor** [ˋbætʃələ(r)] *s* posiadacz pierwszego stopnia uniwersyteckiego; kawaler, nieżonaty

**ba·cil·lus** [bəˋsɪləs] *s* (*pl* **bacilli** [bəˋsɪlaɪ]) bakcyl

**back** [bæk] *s* tył, odwrotna strona; plecy; grzbiet; *sport* obrońca; **at the ~** z tyłu; **to be on one's ~** chorować obłożnie; **to put one's ~ into sth** ciężko nad czymś pracować; *adj* tylny; zaległy; odwrotny; powrotny; *adv* w tyle, z tyłu; z powrotem; do tyłu; **to go ~ on one's word** cofnąć słowo, obietnicę; *vt* popierać; cofać (np. auto); (*w grze*) stawiać (**sth** na coś); *fin.* indosować; **~ up** stawiać (w grze); popierać (**sb** kogoś); *vi* cofać się, iść do tyłu; **~ out** wycofać się, wykręcić się (**of sth** z czegoś)

**back-bench** [ˋbækbentʃ] *s* ława w Izbie Gmin dla mniej wybitnych członków partii rządzącej

**back·bite** [ˋbækbaɪt] *vt* oczerniać, obmawiać

**back·bone** [ˋbækbəun] *s* kręgosłup

**back·door** [bæk ˋdɔ(r)] *s* tylne drzwi; tajne wyjście; *adj attr* tajemniczy, skryty; zakulisowy

**back·ground** [ˋbækgraund] *s* dalszy plan; tło (*także* polityczne, społeczne); pochodzenie, przeszłość

**back·hand** [ˋbækhænd] *s sport* (*w tenisie*) bekhend

**back·ing** [ˋbækɪŋ] *s* poparcie; podpora; *handl.* pokrycie (w złocie)

**back·pay·ment** [ˋbækpeɪmənt] *s* wypłata zaległości

**back·slide** [ˈbækˋslaɪd] *vi* sprzeniewierzyć się (zasadzie), zgrzeszyć (ponownie)

**back·stairs** [ˈbækˋsteəz] *s pl* tylne schody; tajne schody; *adj attr* skryty, podstępny

**back·ward** [ˋbækwəd] *adj* tylny, położony w tyle; zacofany; opieszały; **~(s)** *adv* w tył, ku tyłowi, z powrotem, wstecz

**back·woods** [ˋbækwudz] *s pl* dziewicze lasy, ostępy

**ba·con** [ˋbeɪkən] *s* boczek, słonina, bekon

**bac·te·ri·um** [bækˋtɪərɪəm] *s* (*pl* **bacteria** [bækˋtɪərɪə]) bakteria; zarazek

**bad** [bæd] *adj* (*comp* **worse** [wɜs], *sup* **worst** [wɜst]) zły, w złym stanie; niezdrowy; bezwartościowy; przykry; lichy; dokuczliwy; (*o dziecku*) niegrzeczny; **a ~ headache** silny ból głowy; **a ~ need** gwałtowna potrzeba; **to be ~ at sth** nie umieć czegoś, nie orientować się w czymś; **to be taken ~** zachorować; **to go ~** zepsuć się

**bade** *zob.* **bid**

**badge** [bædʒ] *s* oznaka, odznaka; symbol

**badg·er** [ˋbædʒə(r)] *s* borsuk

**badg·er·dog** [ˋbædʒədog] *s* jamnik

**bad·ly** [ˋbædlɪ] *adv* źle; bardzo; **need** gwałtowna potrzeba; **to be ~ off** być biednym; **to need ~** gwałtownie potrzebować

**baf·fle** [ˋbæfl] *vt* udaremniać, krzyżować (plany); łudzić; wprawiać w zakłopotanie

**bag** [bæg] *s* worek; torba (papierowa); torebka (damska); *vt* włożyć do worka, zapakować; *pot.* buchnąć, zwędzić; *vi* wydymać się; (*o ubraniu*) wisieć jak worek

**bag·ful** [ˋbægfl] *s* pełny worek (czegoś)

**bag·gage** [ˋbægɪdʒ] *s* bagaż

**bag·pipes** [ˋbægpaɪps] *s pl muz.* dudy

**bail** [beɪl] *s* kaucja, poręka; poręczyciel; zakładnik; **to go ⟨to stand⟩ ~** ręczyć (**for sth** za coś); **on ~** za kaucją; *vt* **~ sb (out)** zwolnić za kaucją, uzyskać zwolnienie za kaucją

**bail·iff** [ˋbeɪlɪf] *s* funkcjonariusz sądowy podległy szeryfowi; komornik; administrator majątku ziemskiego

**bait** [beɪt] *s* przynęta, pokusa; popas; *vt* nęcić; łapać na przynętę; drażnić, szczuć; karmić i poić (konie); *vi* popasać

**baize** [beɪz] *s* sukno
**bake** [beɪk] *vt vi* piec (się); wypalać (się)
**ba·ker** [`beɪkə(r)] *s* piekarz; **~'s dozen** trzynaście; **to give a ~'s dozen** dać dodatkowo, dołożyć
**ba·ke·ry** [`beɪkərɪ] *s* piekarnia
**bal·ance** [`bæləns] *s* waga; równowaga; saldo; bilans; **~ of payments** ⟨**accounts**⟩ bilans płatniczy; **~ of trade** bilans handlowy; **to strike a ~** zestawić bilans; *vt* ważyć; równoważyć; bilansować, wyprowadzać saldo; *vi* zachowywać równowagę; balansować; ważyć się; wahać się
**bal·co·ny** [`bælkənɪ] *s* balkon
**bald** [bɔld] *adj* łysy; *przen.* jawny, jasny, prosty; jałowy; istny, wierutny (np. kłamstwo, bzdura)
**bald-head** [`bɔldhed] *s* (człowiek) łysy; *pot.* łysek
**bald·ly** [`bɔldlɪ] *adv* prosto z mostu, otwarcie
**bale 1.** [beɪl] *s* bela (sukna, papieru)
**bale 2.** [beɪl] *s* nieszczęście, zguba
**bale·ful** [`beɪlfl] *adj* nieszczęsny, zgubny
**balk 1.** [bɔk] *s* belka; przeszkoda; niepowodzenie; *vt* zatrzymać; udaremnić; pominąć, zlekceważyć; *vi* (*o koniu*) opierać się (przed przeszkodą)
**ball 1.** [bɔl] *s* piłka; kula, kulka; kłębek; **~ of the eye** gałka oczna
**ball 2.** [bɔl] *s* bal
**bal·lad** [`bæləd] *s* ballada
**bal·last** [`bæləst] *s* balast; równowaga psychiczna; *vt* obciążyć balastem; doprowadzać do równowagi
**ball-bear·ing** [ˈbɔl`beərɪŋ] *s techn.* łożysko kulkowe
**bal·let** [`bæleɪ] *s* balet
**bal·loon** [bə`lun] *s* balon; *vi* nadymać się jak balon
**bal·lot** [`bælət] *s* kartka do głosowania; tajne głosowanie; *vi* tajnie głosować
**bal·lot-box** [`bælətbɔks] *s* urna wyborcza
**ball-(point-)pen** [ˈbɔl(pɔɪnt) `pen] *s* długopis
**balm** [bɑm] *s* balsam; środek łagodzący; *przen.* pociecha
**balm·y** [`bɑmɪ] *adj* balsamiczny; łagodzący
**bal·us·trade** [ˈbælə`streɪd] *s* balustrada
**bam·boo** [ˈbæm`bu] *s* bambus
**bam·boozle** [bæm`buzl] *vt* okpić, *pot.* nabrać
**ban** [bæn] *vt* publicznie zakazać, zabronić; przekląć, rzucić klątwę; *s* publiczny zakaz, potępienie (przez opinię publiczną); klątwa; banicja
**ba·nal** [bə`nal] *adj* banalny
**ba·nal·ity** [bə`nælətɪ] *s* banał
**ba·na·na** [bə`nɑnə] *s* banan
**band 1.** [bænd] *s* wstążka, taśma; opaska; pasmo; *vt* obwiązywać (wstążką, taśmą)
**band 2.** [bænd] *s* grupa, gromada; banda; orkiestra; *vt vi* grupować (się), zrzeszać (się)
**band·age** [`bændɪdʒ] *s* bandaż; *vt* bandażować
**ban·dit** [`bændɪt] *s* bandyta
**band·mas·ter** [`bænd mɑstə(r)] *s* kapelmistrz
**bands·man** [`bændzmən] *s* muzyk
**ban·dy 1.** [`bændɪ] *vt* przerzucać, odrzucać; wymieniać (słowa, ciosy)
**ban·dy 2.** [`bændɪ] *adj* (*o nogach*) krzywy
**bane** [beɪn] *s* jad, trucizna; zguba
**bang** [bæŋ] *s* głośne uderzenie; trzask; huk; *vt* zatrzasnąć; *vi* trzasnąć; huknąć; *adv* gwałtownie; z hukiem; *pot.* w sam raz, właśnie; *int* **~!** bęc!
**ban·ish** [`bænɪʃ] *vt* skazać na banicję, wygnać, wydalić, usunąć; pozbyć się (strachu)
**ban·ish·ment** [`bænɪʃmənt] *s* wygnanie, banicja
**ban·jo** [ˈbæn`dʒəʊ] *s muz.* banjo
**bank 1.** [bæŋk] *s* wał, nasyp; brzeg; ławica piaszczysta; zaspa śnieżna

**bank** 2. [bæŋk] *s* bank; *adj attr* bankowy; *vt* składać w banku; *vi* trzymać pieniądze w banku
**bank·er** [ˋbæŋkə(r)] *s* bankier
**bank-hol·i·day** [ˈbæŋk ˋholədɪ] *s* jeden z czterech dni w roku dodatkowo wolnych od pracy (poza niedzielami i świętami)
**bank·ing** [ˋbæŋkɪŋ] *s* bankowość
**bank-note** [ˋbæŋknəut] *s* banknot
**bank·rupt** [ˋbæŋkrʌpt] *s* bankrut; *adj* zbankrutowany
**bank·rupt·cy** [ˋbæŋkrəptsɪ] *s* bankructwo
**ban·ner** [ˋbænə(r)] *s* sztandar, chorągiew, transparent
**banns** [bænz] *s pl* zapowiedzi (przedślubne)
**ban·quet** [ˋbæŋkwɪt] *s* bankiet
**ban·ter** [ˋbæntə(r)] *vt* drażnić, nabierać, żartować sobie (sb z kogoś); *vi* przekomarzać się; *s* żarty, przekomarzanie
**bap·tism** [ˋbæptɪzm] *s* chrzest
**bap·tize** [bæpˋtaɪz] *vt* chrzcić
**bar** [bɑ(r)] *s* belka, sztaba, pręt, listwa; bariera; rogatka; zapora, przeszkoda; rygiel, zasuwa; *muz.* takt; trybunał sądowy; ława oskarżonych; adwokatura, palestra; bufet z wyszynkiem, bar; *pl* **~s** krata; *vt* zagradzać, odgradzać, przeszkadzać, hamować; ryglować; wykluczać; *praep pot.* oprócz, z wyjątkiem
**bar·ba·ri·an** [bɑˋbeərɪən] *adj* barbarzyński; *s* barbarzyńca
**bar·bar·i·ty** [bɑˋbærətɪ] *s* barbarzyństwo
**bar·ba·rous** [ˋbɑbərəs] *adj* barbarzyński
**bar·be·cue** [ˋbɑbɪkju] *s* rożen
**barbed** [bɑbd] *adj* (*o drucie*) kolczasty
**bar·ber** [ˋbɑbə(r)] *s* fryzjer
**bare** [beə(r)] *adj* goły, nagi, obnażony; otwarty, jasny; jedyny; pozbawiony (**of sth** czegoś); **to lay ~** odsłonić; *vt* obnażać, odsłaniać
**bare·foot** [ˋbeəfut] *adj* bosy; *adv* boso
**bare·foot·ed** [ˈbeəˋfutɪd] *adj* bosy
**bare·head·ed** [ˈbeəˋhedɪd] *adj* z odkrytą ⟨gołą⟩ głową
**bare·ly** [ˋbeəlɪ] *adv* ledwo, tylko
**bar·gain** [ˋbɑgɪn] *s* interes, transakcja; okazyjne kupno; **into the ~** na dodatek; **to strike a ~** ubić interes, dobić targu; *vi* robić interesy; targować się; umawiać się; spodziewać się (**for sth** czegoś)
**barge** [bɑdʒ] *s* barka
**bark** 1. [bɑk] *s* kora; *vt* odzierać z kory
**bark** 2. [bɑk] *vi* szczekać; *s* szczekanie
**bar·ley** [ˋbɑlɪ] *s* jęczmień
**bar·maid** [ˋbɑmeɪd] *s* bufetowa, barmanka
**bar·man** [ˋbɑmən] *s* bufetowy, barman
**barn** [bɑn] *s* stodoła
**ba·rom·e·ter** [bəˋromɪtə(r)] *s* barometr
**bar·on** [ˋbærən] *s* baron
**bar·on·et** [ˋbærənɪt] *s* baronet
**bar·rack** [ˋbærək] *s* (*zw. pl* **~s**) barak(i), koszary
**bar·rage** [ˋbærɑʒ] *s* zapora, grobla; *wojsk.* ogień zaporowy
**bar·rel** [ˋbærl] *s* beczułka; rura; lufa; *techn.* cylinder, walec
**bar·ren** [ˋbærən] *adj* jałowy, suchy; bezużyteczny
**bar·ri·cade** [ˋbærəkeɪd] *s* barykada; *vt* [ˈbærəˋkeɪd] barykadować
**bar·ri·er** [ˋbærɪə(r)] *s* bariera, zapora; przeszkoda
**bar·ring** [ˋbɑrɪŋ] *praep pot.* oprócz, wyjąwszy
**bar·ris·ter** [ˋbærɪstə(r)] *s* adwokat
**bar·row** 1. [ˋbærəu] *s* taczki
**bar·row** 2. [ˋbærəu] *s* kopiec, kurhan
**bar·ter** [ˋbɑtə(r)] *s* handel wymienny; *vt vi* wymieniać towary, handlować
**base** 1. [beɪs] *s* baza, podstawa; *chem.* zasada; *vt* opierać, gruntować, bazować
**base** 2. [beɪs] *adj* podły; niski

**base·ball** [ˈbeɪsbɔl] *s sport* baseball

**base·less** [ˈbeɪslɪs] *adj* bezpodstawny

**base·ment** [ˈbeɪsmənt] *s* fundament; suterena

**bash·ful** [ˈbæʃfl] *adj* bojaźliwy, wstydliwy, nieśmiały

**ba·sic** [ˈbeɪsɪk] *adj* podstawowy, zasadniczy; ~ **English** uproszczony język angielski do użytku międzynarodowego

**ba·sin** [ˈbeɪsn] *s* miska, miednica; basen; rezerwuar

**ba·sis** [ˈbeɪsɪs] *s* (*pl* **bases** [ˈbeɪsiz]) baza, podstawa; zasada; podłoże

**bask** [bɑsk] *vi* wygrzewać się (na słońcu)

**bas·ket** [ˈbɑskɪt] *s* kosz

**bas·ket-ball** [ˈbɑskɪt bɔl] *s* koszykówka

**bas·ket-work** [ˈbɑskɪt wɜk] *s* plecionka

**bass** [beɪs] *s muz.* bas

**bas·soon** [bəˈsun] *s muz.* fagot

**bas·tard** [ˈbæstəd] *s* bastard, dziecko nieślubne, bękart

**bat 1.** [bæt] *s zool.* nietoperz

**bat 2.** [bæt] *s* kij (w krykiecie)

**batch** [bætʃ] *s* wypiek (chleba); partia, paczka, grupa

**bath** [bɑθ] *s* (*pl* **~s** [bɑðz]) kąpiel (w łazience); wanna, łazienka; *pl* **~s** łaźnia

**bathe** [beɪð] *vt vi* kąpać (się); *s* kąpiel (morska, rzeczna)

**bath·room** [ˈbɑθrum] *s* łazienka

**bath·tub** [ˈbɑθtʌb] *s* wanna

**bat·on** [ˈbætõ] *s* batuta, pałeczka; buława

**bat·ter** [ˈbætə(r)] *vi* gwałtownie stukać, walić (**at sth** w coś); *vt* druzgotać, tłuc

**bat·te·ry** [ˈbætrɪ] *s* bateria; akumulator; pobicie; uderzenie

**bat·tle** [ˈbætl] *s* bitwa; *vi* walczyć

**bat·tle-field** [ˈbætl fild] *s* pole bitwy

**bat·tle·ship** [ˈbætl ʃɪp] *s* okręt wojenny (ciężko uzbrojony)

**bat·tue** [bæˈtju] *s* nagonka (myśliwska)

**bawl** [bɔl] *vi vt* wykrzykiwać, wrzeszczeć; *s* wrzask

**bay 1.** [beɪ] *s bot.* wawrzyn, laur

**bay 2.** [beɪ] *s* zatoka

**bay 3.** [beɪ] *s* wnęka; wykusz

**bay 4.** [beɪ] *s* ujadanie; wycie; osaczenie; **to be ⟨stand⟩ at ~** być przypartym do muru ⟨osaczonym⟩; **to bring to ~** zapędzić w kozi róg; przycisnąć (kogoś) do muru; **to keep at ~** trzymać w szachu; *vi* wyć, ujadać

**bay 5.** [beɪ] *adj* (*o koniu*) gniady

**bay·o·net** [ˈbeɪənɪt] *s* bagnet

**ba·zaar** [bəˈzɑ(r)] *s* wschodni targ; bazar; wenta dobroczynna

***be** [bi], **am** [æm, əm], **is** [ɪz], **are** [ɑ(r)], **was** [woz], **were** [wɜ(r)], **been** [bin] *v aux* być; *w połączeniu z pp tworzy stronę bierną*: **it is done** to jest zrobione; *w połączeniu z ppraes tworzy Continuous Form*: **I am reading** czytam; *w połączeniu z inf oznacza powinność*: **I am to tell you** powinienem ⟨mam⟩ ci powiedzieć; *w połączeniu z przysłówkiem* **there** = być, znajdować się: **there are people in the street** na ulicy są ludzie; *w połączeniu z niektórymi przymiotnikami oznacza odpowiednią czynność*: **to be late** spóźnić się; *vi* być, istnieć; pozostawać, trwać; mieć się, czuć się; kosztować; (*o pogłosce*) krążyć; (*o chorobie*) panować; **how are you?** jak się masz?; **I am better** czuję się lepiej; **how much is this?** ile to kosztuje?; **be about** być czynnym; być w ruchu; być zajętym; **be off** odchodzić, odjeżdżać; **be over** minąć

**beach** [bitʃ] *s* brzeg (płaski), plaża

**bea·con** [ˈbikən] *s* sygnał ogniowy ⟨świetlny⟩; latarnia morska; boja; znak drogowy; sygnał radiowy

**bead** [bid] *s* paciorek, koralik; kropla (np. potu); *pl* **~s** różaniec

**beak** [bik] *s* dziób (ptaka)

**beak·er** [`bikə(r)] *s* plastykowy kubek; *chem.* zlewka

**beam** 1. [bɪm] *s* promień; radosny uśmiech; *techn.* (*radio*) fala kierunkowa, zasięg; *vi* promieniować, świecić; radośnie się uśmiechać

**beam** 2. [bim] *s* belka

**beam·ing** [`bimɪŋ] *adj* promienny, lśniący; radosny

**beam·y** [`bimɪ] *adj* promienny; (*o statku*) masywny, szeroki

**bean** [bin] *s* (*zw. pl* **~s**) fasola; **broad ~s** bób

**bear** 1. [beə(r)] *s* niedźwiedź

***bear** 2. [beə(r)], **bore** [bɔ(r)], **borne** [bɔn] *vt* nosić; znosić; (*zw. pp* **born** [bɔn]) rodzić; unieść, utrzymać (ciężar); przynosić, dawać (owoce, procent); być opatrzonym (podpisem, pieczątką); **to be born** urodzić się; *vi* ciążyć, uciskać; mieć znaczenie; odnosić się (**on sth** do czegoś); **~ down** przezwyciężyć, pokonać; **~ out** potwierdzać; **~ through** przeprowadzić; **~ up** podpierać; wytrzymać, trzymać się; **~ with** znosić cierpliwie, godzić się (z czymś); **to ~ company** dotrzymywać towarzystwa; **to ~ resemblance** wykazywać podobieństwo; **to ~ witness** świadczyć; **to ~ in mind** mieć na myśli; **to bring to ~** spowodować działanie, użyć, zastosować; *vr* **~ oneself** zachowywać się

**bear·able** [`beərəbl] *adj* znośny

**beard** [bɪəd] *s* broda; zarost

**bear·er** [`beərə(r)] *s* posiadacz (np. paszportu); okaziciel (np. czeku)

**bear·ing** [`beərɪŋ] *s* wytrzymałość; postawa, zachowanie, postępowanie; aspekt (sprawy); kierunek; godło; *techn.* łożysko; *pl* **~s** położenie geograficzne; szerokość geograficzna

**beast** [bist] *s* zwierzę, bydlę, bestia

**beast·ly** [`bistlɪ] *adj* zwierzęcy; brutalny; wstrętny; *adv* brutalnie; *pot.* wściekle

***beat** [bit], **beat** [bit], **beaten** [`bitn] *vt* bić, uderzać, stukać; tłuc; kuć, obrabiać (metal); pobić (wroga, rekord); wybijać (takt); *vi* (*o sercu, wietrze*) walić, łomotać, tłuc się; (*o pulsie*) bić; (*o burzy*) szaleć; walić (**at sth** w coś); **~ away** odpędzić; **~ back** odbić; odeprzeć (atak); **~ down** złożyć (zboże); (*o słońcu*) prażyć; **~ off** odbić; odpędzić; **~ out** wybić, wyrąbać, wymłócić, wydeptać; **~ up** ubić; **to ~ the retreat** trąbić na odwrót; **to ~ the streets** chodzić po ulicach; *s* uderzenie, bicie; chód (zegara); obchód, rewir (policjanta); *muz.* takt, wybijanie taktu

**beat·en** [`bitn] *zob.* **beat**; *adj* wybity; wymęczony; zużyty; oklepany, powszechnie znany; *techn.* obrobiony; (*o szlaku*) utarty

**be·at·i·fy** [bɪ`ætɪfaɪ] *vt* uczynić szczęśliwym; beatyfikować

**beat·ing** [`bitɪŋ] *s* bicie, *pot.* lanie

**beau·ti·ful** [`bjutəfl] *adj* piękny

**beau·ti·fy** [`bjutəfaɪ] *vt* upiększyć

**beau·ty** [`bjutɪ] *s* piękność; piękno

**bea·ver** [`bivə(r)] *s* bóbr

**be·came** *zob.* **become**

**be·cause** [bɪ`koz] *conj* ponieważ; *praep* **~ of** z powodu

**beck·on** [`bekən] *vt vi* skinąć (**sb, to sb** na kogoś); wabić, nęcić; *s* skinienie

***be·come** [bɪ`kʌm], **be·came** [bɪ`keɪm], **be·come** [bɪ`kʌm] *vi* zostać (czymś), stać się; **what has ~ of him?** co się z nim stało?; *vt* wypadać, licować; być do twarzy, pasować; **it does not ~ you to do this** nie wypada ci tego robić

**be·com·ing** [bɪ`kʌmɪŋ] *zob.* **become**; *adj* stosowny, właściwy; twarzowy (np. strój)

**bed** [bed] *s* łóżko; grzęda; warstwa; *techn.* łożysko; **to make the ~** posłać łóżko; *vt* kłaść do łóżka; układać, składać; osadzać

**bed·clothes** [`bedkləuðz] *s pl* pościel
**bed·lam** [`bedləm] *s* wrzawa, zamieszanie, *pot.* dom wariatów
**bed·rid·den** [`bedrɪdn] *adj* złożony chorobą
**bed·room** [`bedrum] *s* sypialnia
**bed·side** [`bedsaɪd] *s w zwrocie*: **at sb's ~** przy łóżku chorego
**bed·spread** [`bedspred] *s* kapa (na łóżko)
**bed·stead** [`bedsted] *s* łóżko (bez materaca i pościeli)
**bed·time** [`bedtaɪm] *s* pora snu
**bee** [bi] *s* pszczoła; *przen.* **to have a ~ in one's bonnet** mieć bzika
**beech** [bitʃ] *s* buk
**beef** [bif] *s* wołowina
**beef·eat·er** [`bif itə(r)] *s* strażnik zamku londyńskiego
**beef·steak** [`bifsteɪk] *s* befsztyk
**beef·tea** [`bif ti] *s* bulion wołowy
**bee·hive** [`bihaɪv] *s* ul
**been** *zob.* **be**
**beer** [bɪə(r)] *s* piwo
**beet** [bit] *s* burak
**beet·le** [`bitl] *s* chrząszcz, żuk
**beet·root** [`bit-rut] *s* burak ćwikłowy
***be·fall** [bɪ`fɔl], **be·fell** [bɪ`fel], **be·fall·en** [bɪ`fɔlən] *vt vi* wydarzyć się, zdarzyć się (**sb** komuś)
**be·fit** [bɪ`fɪt] *vt* pasować, być odpowiednim
**be·fore** [bɪ`fɔ(r)] *praep* przed; **~ long** wkrótce; **~ now** już przedtem; *adv* z przodu; przedtem, dawniej; *conj* zanim
**be·fore·hand** [bɪ`fɔhænd] *adv* z góry, naprzód; **to be ~ with sb** wyprzedzać kogoś; **to be ~ with sth** załatwić coś przed terminem
**beg** [beg] *vt vi* prosić (**sth of** ⟨**from**⟩ **sb** kogoś o coś); żebrać; **to ~ leave (to do sth)** prosić o pozwolenie (zrobienia czegoś); **I ~ your pardon** przepraszam; **I ~ to inform you** pozwalam sobie pana poinformować
**be·gan** *zob.* **begin**
***be·get** [bɪ`get], **begot** [bɪ`gɔt], **begotten** [bɪ`gɔtn] *vt* płodzić, tworzyć
**beg·gar** [`begə(r)] *s* żebrak
**beg·gar·ly** [`begəlɪ] *adj* żebraczy, dziadowski
***be·gin** [bɪ`gɪn], **began** [bɪ`gæn], **begun** [bɪ`gʌn] *vt vi* zaczynać (się); **to ~ with** na początek, przede wszystkim
**be·gin·ner** [bɪ`gɪnə(r)] *s* początkujący, nowicjusz
**be·gin·ning** [bɪ`gɪnɪŋ] *s* początek
**be·gone** [bɪ`gɔn] *int* precz!, wynoś się!
**be·got, be·got·ten** *zob.* **beget**
**be·grudge** [bɪ`grʌdʒ] *vt* zazdrościć; skąpić (**sb sth** komuś czegoś)
**be·guile** [bɪ`gaɪl] *vt* oszukiwać, mamić; skracać ⟨przyjemnie spędzać⟩ czas; zabawiać (kogoś)
**be·gun** *zob.* **begin**
**be·half** [bɪ`haf] *s* korzyść, sprawa; **in ⟨on⟩ sb's ~** na czyjąś korzyść, w czyjejś sprawie; **on ~ of sb** w czyimś imieniu
**be·have** [bɪ`heɪv] *vi* zachowywać (się), postępować (**towards sb** w stosunku do kogoś); dobrze się zachowywać; *vr* **~ oneself** dobrze się zachowywać
**be·hav·iour** [bɪ`heɪvɪə(r)] *s* zachowanie, postępowanie
**be·head** [bɪ`hed] *vt* pozbawić głowy, ściąć głowę (**sb** komuś)
**be·held** *zob.* **behold**
**be·hind** [bɪ`haɪnd] *praep* za, poza; **~ time** z opóźnieniem; **~ the times** zacofany, przestarzały; *adv* z tyłu, do tyłu, wstecz; **to be ~** zalegać, być opóźnionym; **to leave ~** zostawić za sobą
**be·hind·hand** [bɪ`haɪndhænd] *adv* w tyle, z opóźnieniem; *adj* opóźniony, zaległy
***be·hold** [bɪ`həuld], **beheld, beheld** [bɪ`held] *vt* spostrzegać, oglądać
**be·hold·er** [bɪ`həuldə(r)] *s* widz
**be·hove** [bɪ`həuv], *am.* **be·hoove** [bɪ`huv] *vt imp* wypadać, być właściwym, koniecznym; **it ~s you (to do sth)** wypada ci (coś zrobić); trzeba (abyś coś zrobił)

**beige** [beɪʒ] *s* beż; *adj* beżowy
**be·ing** [ˈbiɪŋ] *s* istnienie, istota
**be·lat·ed** [bɪˈleɪtɪd] *adj* opóźniony
**belch** [beltʃ] *vt* wypluwać, gwałtownie wyrzucać; *vi* wybuchać, zionąć; czkać; *s* wybuch
**bel·fry** [ˈbelfrɪ] *s* dzwonnica
**Bel·gian** [ˈbeldʒən] *adj* belgijski; *s* Belg
**be·lief** [bɪˈlif] *s* wiara; przekonanie, zdanie (na jakiś temat)
**be·lieve** [bɪˈliv] *vt vi* wierzyć (**sb** komuś, **sth** czemuś, **in sth** w coś); myśleć, sądzić; **to make ~** udawać; pozorować
**be·lit·tle** [bɪˈlɪtl] *vt* pomniejszać
**bell** [bel] *s* dzwon, dzwonek
**belles-let·tres** [ˈbel ˈletr] *s* beletrystyka
**bel·li·cose** [ˈbelɪkəus] *adj* wojowniczy
**bel·lig·er·ent** [bəˈlidʒərənt] *adj* prowadzący wojnę; *s* państwo prowadzące ⟨strona prowadząca⟩ wojnę
**bel·low** [ˈbeləu] *vi* ryczeć
**bel·ly** [ˈbelɪ] *s* brzuch
**be·long** [bɪˈloŋ] *vi* należeć; tyczyć się; być rodem, pochodzić (**to a place** z danej miejscowości)
**be·long·ings** [bɪˈloŋɪŋz] *s pl* rzeczy; dobytek, własność
**be·lov·ed** [bɪˈlʌvɪd] *adj* umiłowany, ukochany
**be·low** [bɪˈləu] *praep* pod; *adv* niżej, poniżej
**belt** [belt] *s* pasek; pas; strefa; *vt* opasać, przymocować pasem
**be·moan** [bɪˈməun] *vt* opłakiwać
**bench** [bentʃ] *s* ława, ławka; sąd, trybunał
***bend** [bend], **bent, bent** [bent] *vt vi* zginać (się), uginać (się), pochylać (się), skręcać; *s* zgięcie; kolanko; zagłębienie; zakręt (drogi)
**be·neath** [bɪˈniθ] *praep* pod, poniżej; *adv* niżej, w dole, na dół
**ben·e·dic·tion** [ˈbenɪˈdɪkʃn] *s* błogosławieństwo
**ben·e·fac·tor** [ˈbenɪfæktə(r)] *s* dobroczyńca
**be·nef·i·cent** [bɪˈnefɪsnt] *adj* dobroczynny
**ben·e·fi·cial** [ˈbenɪˈfɪʃl] *adj* pożyteczny, korzystny
**ben·e·fit** [ˈbenɪfɪt] *s* dobrodziejstwo; korzyść; benefis; zasiłek (dla bezrobotnych itp.); *vt* przynosić korzyść, pomagać; *vi* ciągnąć korzyść, korzystać (**by** ⟨**from**⟩ **sth** z czegoś)
**be·nev·o·lence** [bɪˈnevələns] *s* życzliwość, dobroczynność
**be·nev·o·lent** [bɪˈnevələnt] *adj* życzliwy, dobroczynny
**bent** 1. *zob.* **bend**
**bent** 2. [bent] *s* wygięcie, nagięcie; skłonność, zamiłowanie (**for sth** do czegoś); napięcie łuku; wielki wysiłek; *adj* zgięty, wygięty; skłonny, zdecydowany (**on sth** na coś)
**be·numb** [bɪˈnʌm] *vt* spowodować odrętwienie; oszołomić; sparaliżować; **~ed by cold** zdrętwiały z zimna
**ben·zene** [ˈbenzin] *s chem.* benzen
**ben·zine** [ˈbenzin] *s* benzyna
**be·queath** [bɪˈkwið] *vt* zapisać w testamencie, przekazać
**be·quest** [bɪˈkwest] *s* zapis (w testamencie); spuścizna
***be·reave** [bɪˈriv], **bereft** [bɪˈreft], **bereaved** [bɪˈrivd] *vt* pozbawić (**of sth** czegoś); osierocić, osamotnić
**be·ret** [ˈbereɪt] *s* beret
**ber·ry** [ˈberɪ] *s* jagoda
**berth** [bɜθ] *s* łóżko (w wagonie), koja (na statku); miejsce zakotwiczenia statku; *przen.* **to give a wide ~** trzymać się z dala
***be·seech** [bɪˈsitʃ], **besought, besought** [bɪˈsɔt] *vt* błagać, zaklinać
***be·set, beset, beset** [bɪˈset] *vt* oblegać, otoczyć, osaczyć; napastować
**be·set·ting** [bɪˈsetɪŋ] *zob.* **beset**; *adj* dręczący; nałogowy
**be·side** [bɪˈsaɪd] *praep* obok; poza, oprócz; w porównaniu z

**be·sides** [bɪ'saɪdz] *adv* oprócz tego, poza tym; *praep* oprócz, poza

**be·siege** [bɪ'sidʒ] *vt* oblegać; nagabywać

**be·smear** [bɪ'smɪə(r)] *vt* zasmarować, zababrać

**be·sought** *zob.* **beseech**

***be·speak** [bɪ'spik], **bespoke** [bɪ'spəuk], **bespoken** [bɪ'spəukn] *vt* świadczyć (**sth** o czymś)

**be·spoke** [bɪ'spəuk] *zob.* **bespeak**; *adj* zrobiony ⟨robiący⟩ na zamówienie

**best** [best] *adj* (*sup od* **good**) najlepszy; ~ **man** drużba; *adv* (*sup od* **well**) najlepiej; *s* najlepsza rzecz; to, co najlepsze; **to make the ~ of sth** wyciągać z czegoś wszelkie możliwe korzyści; **at ~** w najlepszym razie; **to do the ~ one can** zrobić, co tylko można; **to the ~ of my power** ⟨**my ability**⟩ najlepiej jak mogę ⟨jak potrafię⟩

**bes·tial** ['bestɪəl] *adj* zwierzęcy

**be·stir** [bɪ'stɜ(r)] *vt* ruszać, wprawiać w ruch; *vr* ~ **oneself** zwijać się, krzątać się

**be·stow** [bɪ'stəu] *vt* nadać; użyczyć; okazać (**sth upon sb** komuś coś)

**best-sell·er** ['best 'selə(r)] *s* bestseller

***bet, bet, bet** [bet] *vt* zakładać się; **I ~ you a pound** zakładam się z tobą o funta; *vi* stawiać (**on, upon sth** na coś); *s* zakład; **to make** ⟨**to hold**⟩ **a ~** zakładać się; **you ~!** no chyba!

**be·to·ken** [bɪ'təukən] *vt* oznaczać, zapowiadać, wskazywać

**be·tray** [bɪ'treɪ] *vt* zdradzać; oszukiwać; ujawniać

**be·tray·al** [bɪ'treɪəl] *s* zdrada

**be·troth** [bɪ'trəuð] *vt* zaręczyć; *zw. w stronie biernej*: **to be ~ed** być zaręczonym (**to sb** z kimś)

**be·troth·al** [bɪ'trəuðəl] *s* zaręczyny

**bet·ter** ['betə(r)] *adj* (*comp od* **good**) lepszy; (*comp od* **well**) zdrowszy, będący w lepszym stanie; *adv* (*comp od* **well**) lepiej; **to be ~** czuć się lepiej, być zdrowszym; **to be ~ off** być w lepszej sytuacji materialnej; **~ and ~** coraz lepiej; **all the ~** tym lepiej; **you had ~ go** lepiej byś poszedł sobie; *s* lepsza rzecz, korzyść; przewaga; **for the ~** na lepsze; **to get the ~ of sb** wziąć górę nad kimś; **his ~** lepszy od niego (mądrzejszy, mocniejszy itp.); *vt* poprawić, ulepszyć

**be·tween** [bɪ'twin] *praep* między; *adv* pośrodku, w środek

**bev·el** ['bevl] *s* skos, kant; *adj* skośny; *vt* ścinać skośnie

**bev·er·age** ['bevṛɪdʒ] *s* napój

**bev·y** ['bevɪ] *s* stado (ptaków); gromoda, grono (osób)

**be·wail** [bɪ'weɪl] *vt* opłakiwać

**be·ware** [bɪ'weə(r)] *vi* (*tylko w inf i imp*) strzec się, mieć się na baczności (**of sth** przed czymś)

**be·wil·der** [bɪ'wɪldə(r)] *vt* wprawić w zakłopotanie, zmieszać, zbić z tropu

**be·witch** [bɪ'wɪtʃ] *vt* zaczarować

**be·yond** [bɪ'jond] *praep* za, poza, po tamtej stronie; nad, ponad; **~ measure** nad miarę; **~ belief** nie do uwierzenia; **~ hope** bez nadziei, beznadziejny; *adv* dalej, hen, tam daleko

**bi·as** ['baɪəs] *s* ukos; skłonność, zamiłowanie; kierunek, pochylenie; uprzedzenie; *vt* ściąć ukośnie; skłonić, nachylić; wywrzeć ujemny wpływ; uprzedzić, źle usposobić

**Bi·ble** ['baɪbl] *s* Biblia

**bib·li·cal** ['bɪblɪkl] *adj* biblijny

**bib·li·og·ra·phy** ['bɪblɪ'ogrəfɪ] *s* bibliografia

**bick·er** ['bɪkə(r)] *vi* sprzeczać się (**about sth** o coś)

**bi·cy·cle** ['baɪsəkl] *s* rower; *vi* jeździć rowerem

***bid** [bɪd], **bade** [beɪd], **bidden** ['bɪdn], *lub* **bid, bid** [bɪd] *vt* kazać; wzywać; proponować; życzyć; licytować; podać cenę; **he bade me come** kazał mi przyjść; **to ~ sb good-bye** żegnać się z kimś; **to ~ welcome** witać; **to ~ joy** życzyć szczęścia; *vi* oferować cenę (na licytacji); **~ up** podbić cenę; zapowiadać; **to ~ fair** dobrze się zapowiadać, zanosić; *s* oferta, cena oferowana na licytacji; (*w kartach*) zapowiedź; licytacja; **no ~** (*w kartach*) pas; **to make a ~** zabiegać (**for sth** o coś)

**bid·der** [`bɪdə(r)] *s* podający cenę na licytacji; **the highest ~** oferujący najwyższą cenę

**bid·ding** [`bɪdɪŋ] *zob.* **bid**; *s* rozkaz; zaproszenie; licytacja (w kartach)

**bier** [bɪə(r)] *s* mary, karawan

**big** [bɪg] *adj* duży, gruby, obszerny; ważny; **~ with consequences** brzemienny w następstwa ⟨w skutki⟩

**big·a·my** [`bɪgəmɪ] *s* bigamia

**bike** [baɪk] *s pot.* rower

**bi·lat·er·al** [baɪ`lætrl] *adj* dwustronny

**bile** [baɪl] *s* żółć; *przen.* gorycz; zgryźliwość

**bil·ious** [`bɪlɪəs] *adj* żółciowy; zgryźliwy

**bill 1.** [bɪl] *s* dziób

**bill 2.** [bɪl] *s* projekt ustawy; rachunek; poświadczenie, kwit; przekaz; afisz; program; *am.* banknot; (*także* **~ of exchange**) trata, weksel; lista; deklaracja; **~ of fare** jadłospis; *vt* rozklejać afisze; ogłaszać

**bil·let** [`bɪlɪt] *s* kwatera; nakaz kwaterunkowy; *vt* zakwaterować

**bil·liards** [`bɪlɪədz] *s pl* bilard

**bil·lion** [`bɪlɪən] *s bryt.* bilion; *am.* miliard

**bil·low** [`bɪləu] *s* duża fala, bałwan; *vi* falować, (*o falach*) piętrzyć się

**bi-month·ly** ['baɪ`mʌnθlɪ] *adj* dwumiesięczny; dwutygodniowy; *adv* co dwa miesiące; co dwa tygodnie; *s* dwumiesięcznik; dwutygodnik

**bin** [bɪn] *s* skrzynia, paka

***bind** [baɪnd], **bound, bound** [baund] *vt* wiązać, przywiązywać; oprawiać (książki); (*zw.* **~ up**) bandażować; (*zw.* **~ over**) zobowiązać do stawiennictwa w sądzie; *vi* (*o cemencie*) wiązać się, (*o śniegu*) lepić się; *vr* **~ oneself** zobowiązać się

**bind·er** [`baɪndə(r)] *s* wiązanie, opaska; snopowiązałka

**bind·ing** [`baɪndɪŋ] *s* wiązanie; opatrunek; oprawa (książki)

**bi·og·ra·phy** [baɪ`ogrəfɪ] *s* biografia

**bi·ol·o·gy** [baɪ`olədʒɪ] *s* biologia

**bi·ped** [`baɪ-ped] *s* dwunożne stworzenie

**birch** [bɜtʃ] *s* brzoza

**bird** [bɜd] *s* ptak; **~'s-eye view** widok z lotu ptaka

**birth** [bɜθ] *s* urodzenie, narodziny, rozwiązanie; pochodzenie; **to give ~** urodzić, stworzyć; **by ~** z urodzenia, z pochodzenia

**birth-con·trol** [`bɜθ kəntrəul] *s* regulacja urodzeń

**birth·day** [`bɜθdeɪ] *s* narodziny, urodziny; rocznica urodzin

**birth-rate** [`bɜθ reɪt] *s* liczba urodzeń, przyrost naturalny

**bis·cuit** [`bɪskɪt] *s* biskwit, herbatnik

**bish·op** [`bɪʃəp] *s* biskup; laufer, goniec (w szachach)

**bit 1.** *zob.* **bite**

**bit 2.** [bɪt] s kąsek; kawałek; odrobina; **a ~** nieco, trochę; **~ by ~** po trochu, stopniowo; **a good ~** sporo; **not a ~** ani trochę; **a ~ at a time** stopniowo

**bit 3.** [bɪt] *s* wędzidło; ostrze (narzędzia)

**bitch** [bɪtʃ] *s* suka

***bite** [baɪt], **bit** [bɪt], **bitten** [`bɪtn] *lub* **bit** *vt vi* gryźć, kąsać, dziobać; szczypać; docinać; (*o bólu*) piec; *s* ukąszenie; kęs; *pot.* zakąska

**bit·ter** [`bɪtə(r)] *adj* gorzki; zawzięty; (*o mrozie*) przenikliwy

**bi·tu·men** [`bɪtʃumən] *s chem.* bitum

**bi·week·ly** ['baɪ`wiklɪ] *adj* dwutygodniowy; *s* dwutygodnik

**bi·zarre** [bɪˋzɑ(r)] *adj* dziwaczny
**blab** [blæb] *vt vi* paplać, gadać
**black** [blæk] *adj* czarny; ponury; czarnoskóry; a ~ eye podbite oko; *s* czerń; czarny kolor; *przen.* Murzyn; *vt* czernić; ~ out zaciemnić; zamazać
**black·ber·ry** [ˋblækbərɪ] *s bot.* jeżyna
**black·board** [ˋblækbɔd] *s* tablica (szkolna)
**black·en** [ˋblækən] *vt* czernić; oczerniać; *vi* czernieć
**black·guard** [ˋblægɑd] *s* łajdak; *adj attr* łajdacki, podły
**black·head** [ˋblækhed] *s* wągier (na skórze)
**black·ing** [ˋblækɪŋ] *s* czarna pasta (do butów)
**black·leg** [ˋblækleg] *s* łamistrajk; *am.* szuler, oszust
**black·mail** [ˋblækmeɪl] *s* szantaż; *vt* szantażować
**black-out** [ˋblækaut] *s* zaciemnienie, zgaszenie świateł
**black·smith** [ˋblæksmɪθ] *s* kowal
**blad·der** [ˋblædə(r)] *s* pęcherz
**blade** [bleɪd] *s* ostrze; miecz; liść, źdźbło; płaska część (np. wiosła)
**blame** [bleɪm] *vt* ganić, łajać; *s* nagana; wina
**blame·less** [ˋbleɪmləs] *adj* nienaganny
**blanch** [blɑntʃ] *vt* bielić; *vi* blednąć
**bland** [blænd] *adj* miły, łagodny; schlebiający
**bland·ish** [ˋblændɪʃ] *vt* schlebiać, pieścić
**blank** [blæŋk] *adj* pusty, nie zapisany; biały, blady; ślepy (nabój); biały (wiersz); (*o twarzy*) bez wyrazu, obojętny, bezmyślny; zaskoczony, zmieszany; *s* puste ⟨nie zapisane⟩ miejsce; pustka, próżnia
**blank·et** [ˋblæŋkɪt] *s* koc (wełniany), derka; pokrycie
**blare** [bleə(r)] *vt vi* huczeć, trąbić; wrzasnąć; *s* huk, trąbienie
**blas·pheme** [blæsˋfim] *vt vi* bluźnić
**blast** [blɑst] *s* silny podmuch wiatru, prąd powietrza; zadęcie (na trąbie); wybuch; nagła choroba, zaraza; *vt* wysadzić w powietrze; zniszczyć, zgubić
**blast-fur·nace** [ˋblɑst fɜnɪs] *s* piec hutniczy
**bla·tant** [ˋbleɪtnt] *adj* krzykliwy; rażący
**blaze 1.** [bleɪz] *vi* płonąć; świecić; ~ **up** buchnąć płomieniem; *s* płomień, błysk, wybuch; blask
**blaze 2.** [bleɪz] *vt* rozgłaszać
**blaz·er** [ˋbleɪzə(r)] *s* blezer; kurtka
**bleach** [blitʃ] *vt* bielić, pozbawić koloru; ufarbować (włosy); *vi* bieleć
**bleak** [blik] *adj* ponury, pustynny, smutny
**bleat** [blit] *vi vt* (*o owcy, kozie*) beczeć; *przen.* bąkać, mamrotać
***bleed** [blid], **bled, bled** [bled] *vi dosł. i przen.* krwawić; *vt* puszczać krew
**blem·ish** [ˋblemɪʃ] *vt* splamić; zniekształcić; skazić; *s* plama, skaza, błąd
***blend** [blend], **blent, blent** [blent] *vt vi* mieszać (się), łączyć (się), zlewać (się); *s* mieszanina, mieszanka
**bless** [bles] *vt* błogosławić
**bless·ing** [ˋblesɪŋ] *s* błogosławieństwo; dobrodziejstwo
**blew** *zob.* **blow**
**blight** [blaɪt] *vt* niszczyć, tłumić, udaremniać; *s* śnieć (na zbożu); zaraza; zniszczenie
**blind** [blaɪnd] *adj* ślepy; *vt* oślepić; *s* zasłona (okienna)
**blind·fold** [ˋblaɪndfəuld] *adj i adv* z zawiązanymi oczami; *vt* zawiązać oczy
**blink** [blɪŋk] *vi vt* mrugać; mrużyć; przymykać oczy (**sth** na coś); *s* mruganie; mrużenie (oczu)
**bliss** [blɪs] *s* radość, błogość, błogostan
**blis·ter** [ˋblɪstə(r)] *s* pęcherzyk

**blithe** [blaɪð] *adj poet.* radosny, wesoły

**blitz** [blɪts] *s* błyskawiczna wojna; nalot; *vt* niszczyć błyskawiczną wojną; dokonać nalotu

**bliz·zard** [`blɪzəd] *s* burza śnieżna

**bloat** [bləut] *vt vi* nadymać (się), nabrzmiewać

**blob** [blob] *s* kropelka (np. farby); plamka

**bloc** [blok] *s polit.* blok

**block** [blok] *s* blok, kloc; duży budynek, grupa domów; przeszkoda, zapora; *druk.* ~ **letters** wersaliki

**block·ade** [blo`keɪd] *s* blokada

**block·head** [`blokhed] *s* bałwan, tuman

**blond** [blond] *adj (o włosach)* jasny; *s* blondyn

**blonde** [blond] *s* blondynka

**blood** [blʌd] *s* krew; natura; pokrewieństwo; pochodzenie

**blood·hound** [`blʌdhaund] *s* pies gończy, ogar

**blood·shed** [`blʌdʃed] *s* przelew krwi

**bloodshot** [`blʌdʃot] *adj (o oczach)* nabiegły krwią

**blood-sucker** ['blʌd sʌkə(r)] *s dosł. i przen.* pijawka

**blood·thirst·y** [`blʌd θɜstɪ] *adj* żądny krwi

**blood-ves·sel** [`blʌd vesl] *s* naczynie krwionośne

**blood·y** [`blʌdɪ] *adj* krwawy; *wulg.* przeklęty, cholerny

**bloom** [blum] *vi* kwitnąć; *s* kwiecie, kwiat

**bloom·er** [`blumə(r)] *s pot.* gafa

**bloom·ing** [`blumɪŋ] *adj* kwitnący; *wulg.* przeklęty, cholerny

**blos·som** [`blosəm] *s* kwiecie, kwiat; *vi* kwitnąć

**blot** [blot] *s* plama, skaza; *vt* plamić; ~ **out** wykreślić, usunąć, zatrzeć

**blotch** [blotʃ] *s* plama, skaza; krosta, wrzód

**blot·ting-pad** [`blotɪŋ pæd] *s* bibularz

**blot·ting-pa·per** [`blotɪŋ peɪpə(r)] *s* bibuła

**blouse** [blauz] *s* bluza, bluzka

**blow 1.** [bləu] *s* uderzenie, cios; **at a** ~ za jednym uderzeniem, naraz; **to strike a** ~ zadać cios

***blow 2.** [bləu], **blew** [blu], **blown** [bləun] *vi* dąć, wiać; *vt* nadmuchać; rozwiewać; ~ **out** zgasić; ~ **over** przeminąć, pójść w zapomnienie; ~ **up** wysadzić w powietrze

***blow 3.** [bləu], **blew** [blu], **blown** [bləun] *vi* kwitnąć

**blown** *zob.* **blow 2.** *i* **3.**

**bludg·eon** [`blʌdʒən] *s* pałka

**blue** [blu] *adj* błękitny; *pot.* przygnębiony, smutny; **true** ~ wierny swym zasadom; **once in a** ~ **moon** rzadko, od święta; *s* błękit; błękitna farba

**blue-jacket** [`bludʒækɪt] *s* marynarz (floty wojennej)

**blue·print** [`blu-prɪnt] *s druk.* światłodruk

**bluff 1.** [blʌf] *s* stromy brzeg, stroma skała; *adj* stromy; szorstki, obcesowy

**bluff 2.** [blʌf] *s* oszustwo, nabieranie, zastraszenie,. blaga, blef; *vt vi* blagować, zastraszać, blefować

**blu·ish** [`bluɪʃ] *adj* niebieskawy

**blun·der** [`blʌndə(r)] *s* błąd; *vi* popełnić błąd <gafę>

**blunt** [blʌnt] *adj* tępy, stępiony; ciężko myślący; nieokrzesany; prosty, niewymuszony; *vt* stępić

**blur** [blɜ(r)] *s* plama; niejasność; *vt* splamić, zamazać, zamącić, zatrzeć

**blurb** [blɜb] *s* notka na obwolucie (książki)

**blurt** [blɜt] *vt (zw.* ~ **out**) wygadać, zdradzić (sekret)

**blush** [blʌʃ] *vi* rumienić się; *s* rumieniec

**blus·ter** [`blʌstə(r)] *vi* rozbijać się, szaleć, huczeć; *s* hałaśliwość, huk, wrzask

**boar** [bɔ(r)] *s* dzik; knur

**board** [bɔd] *s* deska; utrzymanie, wyżywienie; ciało obradujące;

władza naczelna, rada, komisja; tablica do naklejania ogłoszeń; karton, tektura; pokład; burta; *pl* ~s deski sceniczne; ~ of trade ministerstwo handlu; *vt* szalować, okładać deskami; stołować; wchodzić na pokład statku, do pociągu, tramwaju itp; *vi* stołować się

**board·er** [`bɔdə(r)] *s* pensjonariusz

**board·ing-house** [`bɔdɪŋ haus] *s* pensjonat

**board·ing-school** [`bɔdɪŋ skul] *s* szkoła z internatem

**boast** [bəust] *s* samochwalstwo; *vt vi* wychwalać się, przechwalać się; chwalić się, szczycić się (sth, of sth, about sth czymś)

**boat** [bəut] *s* łódź, statek; by ~ łodzią, statkiem; *vi* płynąć łodzią

**boat-race** [`bəutreɪs] *s* wyścigi wioślarskie, regaty

**boat·swain** [`bəusn] *s mors.* bosman

**boat-train** [`bəuttreɪn] *s* pociąg mający połączenie ze statkiem

**bob 1.** [bob] *s* wisiorek; krótko strzyżone włosy kobiece; drganie; podskok; *vi* kiwać się; drgać; podskakiwać; *vt* krótko strzyc

**bob 2.** [bob] *s* (*pl* ~) *pot.* szyling

**bob·bin** [`bobɪn] *s* szpulka

**bob·by** [`bobɪ] *s pot.* policjant

**bob·sleigh** [`bobsleɪ] *s sport* bobslej

**bode 1.** *zob.* bide

**bode 2.** [bəud] *vt* wróżyć, zapowiadać

**bod·ice** [`bodɪs] *s* stanik (sukni)

**bod·ily** [`bodḷɪ] *adj* cielesny, fizyczny; *adv* fizycznie; osobiście; gremialnie; w całości

**bod·y** [`bodɪ] *s* ciało; oddział, grupa ludzi; ogół, zasadnicza część; *mot.* karoseria

**bod·y-guard** [`bodɪ gad] *s* straż przyboczna

**bog** [bog] *s* bagno

**bog·ey, bo·gy** [`bəugɪ] *s* szatan, straszydło, strach

**bo·gus** [`bəugəs] *adj* fałszywy, oszukańczy

**boil** [bɔɪl] *vi* gotować się, wrzeć, kipieć; *vt* gotować; ~ing point temperatura wrzenia

**boil·er** [`bɔɪlə(r)] *s* kocioł

**bois·ter·ous** [`bɔɪstərəs] *adj* hałaśliwy, burzliwy

**bold** [bəuld] *adj* śmiały, zuchwały; wyraźny, rzucający się w oczy; to make ~ ośmielić się

**Bol·she·vik** [`bolʃəvɪk] *s* bolszewik; *adj* bolszewicki

**bol·ster** [`bəulstə(r)] *s* podgłówek

**bolt 1.** [bəult] *s* zasuwa, rygiel; *vt* zamknąć na zasuwę, zaryglować

**bolt 2.** [bəult] *s* piorun; grom; nagły skok, wypad; ucieczka; *vi* gwałtownie rzucić się, skoczyć

**bolt 3.** [bəult] *vt* pytlować

**bolt·er** [`bəultə(r)] *s* pytel, sito

**bomb** [bom] *s* bomba; *vt* obrzucić bombami

**bom·bard** [bom`bad] *vt* bombardować

**bom·bast** [`bombæst] *s* napuszony styl

**bomb·er** [`bomə(r)] *s* bombowiec; bombardier

**bomb·shell** [`bomʃel] *s* bomba; *przen.* rewelacja, niespodziewana wiadomość

**bon·bon** [`bonbon] *s* cukierek

**bond** [bond] *s* więź; zobowiązanie; obligacja

**bond·age** [`bondɪdʒ] *s* niewolnictwo

**bond·hold·er** [`bond həuldə(r)] *s* posiadacz obligacji, akcjonariusz

**bonds·man** [`bondzmən] *s* niewolnik

**bone** [bəun] *s* kość, ość

**bon·fire** [`bonfaɪə(r)] *s* ognisko

**bon·net** [`bonɪt] *s* czapka (damska), czepek (dziecinny); *mot.* maska (samochodu)

**bon·ny** [`bonɪ] *adj dial.* piękny; miły; krzepki

**bo·nus** [`bəunəs] *s* premia; dodatek

**bon·y** [`bəunɪ] *adj* kościsty

**book** [buk] *s* książka, księga, książeczka; *vt* księgować, zapisywać, rejestrować; kupować bilet w przedsprzedaży, rezerwować miejsce (np. w pociągu, teatrze)

**book·bind·er** [ˈbuk baɪndə(r)] *s* introligator
**book·case** [ˈbukkeɪs] *s* szafa na książki, biblioteka; regał
**book·ing-of·fice** [ˈbukɪŋ ofɪs] *s* kasa biletowa
**book·ish** [ˈbukɪʃ] *adj* książkowy, naukowy
**book-keep·er** [ˈbuk kipə(r)] *s* księgowy, buchalter
**book-keep·ing** [ˈbuk kipɪŋ] *s* księgowość, buchalteria
**book·let** [ˈbuklət] *s* książeczka
**book-mak·er** [ˈbukmeɪkə(r)] *s* bukmacher
**book·mark** [ˈbukmak] *s* zakładka (do książki)
**book·sel·ler** [ˈbukselə(r)] *s* księgarz
**book·shelf** [ˈbukʃelf] *s* półka na książki
**book·shop** [ˈbukʃop] *s* księgarnia
**book·stall** [ˈbukstɔl] *s* kiosk z książkami
**book·stand** [ˈbukstænd] *s* półka na książki, regał
**book·store** [ˈbukstɔ(r)] *s am.* księgarnia
**boom** [bum] *s* dźwięk; huk; nagła zwyżka kursów ⟨cen⟩; ożywienie gospodarcze; *vi vt* huczeć; podbijać ceny; szybko zwyżkować; dorabiać się, rozkwitać
**boom·e·rang** [ˈbuməræŋ] *s* bumerang
**boon** [bun] *s* dar, łaska, błogosławieństwo
**boor** [buə(r)] *s* prostak, gbur
**boor·ish** [ˈbuərɪʃ] *adj* prostacki, gburowaty
**boost** [bust] *vt* forsować przez reklamę, podnosić wartość ⟨znaczenie⟩
**boost·er** [ˈbustə(r)] *s* propagator
**boot** [but] *s* but
**boot·black** [ˈbutblæk] *s* czyścibut
**booth** [buð] *s* budka (z desek); kabina; stragan, kiosk; *am.* budka telefoniczna
**boot·leg·ger** [ˈbutlegər] *s am.* przemytnik alkoholu (w okresie prohibicji)
**boot-polish** [ˈbut polɪʃ] *s* pasta do butów
**boots** [buts] *s* posługacz (hotelowy), czyścibut
**boot·y** [ˈbutɪ] *s* łup, zdobycz
**bor·der** [ˈbɔdə(r)] *s* granica; brzeg; krawędź; rąbek; *vt* ograniczać, otaczać; obrębiać; *vi* graniczyć, sąsiadować (**on sth** z czymś)
**bor·der-land** [ˈbɔdəlænd] *s* kresy, pogranicze
**bore 1.** [bɔ(r)] *s* otwór, wydrążenie; *vt* wiercić, drążyć
**bore 2.** [bɔ(r)] *s* nudziarstwo, nuda; nudziarz; *vt* nudzić
**bore 3.** *zob.* **bear**
**bore·dom** [ˈbɔdəm] *s* nuda, znudzenie
**born, borne** *zob.* **bear 2.**
**bor·ough** [ˈbʌrə] *s* miasteczko; *am.* miasto o pełnym samorządzie; *bryt.* królewskie wolne miasto; miasto wysyłające posłów do parlamentu; dzielnica Londynu (np. **the Borough of Hampstead**)
**bor·row** [ˈborəu] *vt vi* pożyczać (od kogoś), zapożyczać się
**bos·om** [ˈbuzəm] *s* łono
**boss** [bos] *s pot.* szef, kierownik; *vi vt* rządzić (się), dominować
**bot·a·ny** [ˈbotənɪ] *s* botanika
**both** [bəuθ] *pron i adj* oba, obaj, obie, oboje; ~ **of them** oni obydwaj; ~ **(the) books** obydwie książki; *adv conj*, ~ **... and** zarówno ..., jak i ...; nie tylko ..., ale i ...; ~ **he and his brother** zarówno on, jak i jego brat; ~ **good and cheap** nie tylko dobre, ale i tanie
**both·er** [ˈboðə(r)] *vt* niepokoić, dręczyć; zanudzać; *vi* kłopotać, martwić się (**about sth** o coś), zawracać sobie głowę; *s* kłopot, udręka, zawracanie głowy
**bot·tle** [ˈbotl] *s* butelka; *vt* butelkować
**bot·tom** [ˈbotəm] *s* dno, grunt; dół, spód; fundament, podstawa; siedzenie; ~ **up** do góry dnem; **at (the)** ~ w gruncie rzeczy; *vt vi*

*dosł. i przen.* sięgnąć dna; zgłębić

**bough** [bau] *s* konar

**bought** *zob.* **buy**

**boul·der** [`bəuldə(r)] *s* głaz

**bounce** [bauns] *vi vt* podskakiwać; odbijać (się); wpadać, wypadać (jak bomba); *am. pot.* wyrzucać (np. z posady, z lokalu); *s* uderzenie; odbicie (się), odskok; chełpliwość

**bound** 1. [baund] *s* granica; *vt* ograniczać, być granicą

**bound** 2. [baund] *s* skok; odbicie (się); *vi* skakać, odbijać (się)

**bound** 3. [baund] *adj* skierowany (do), przeznaczony (do), odjeżdżający, udający się (do); (*o statku*) płynący (do)

**bound** 4. *zob.* **bind**

**bound·a·ry** [`baundrı] *s* granica

**boun·ti·ful** [`bauntıfl] *adj* hojny

**bount·y** [`bauntı] *s* hojność; dar; premia

**bou·quet** [bu`keı] *s* bukiet

**bour·geois** [`buəʒwa] *s* należący do burżuazji; *pot.* burżuj; *adj* burżuazyjny

**bour·geoi·sie** ['buəʒwa`zi] *s* burżuazja

**bow** 1. [bəu] *s* łuk; smyczek; kabłąk; tęcza; kokarda, muszka

**bow** 2. [bau] *s* ukłon; *vt* zginać, naginać, pochylać; *vi* kłaniać się; zginać się, uginać się

**bow** 3. [bau] *s* dziób (łodzi, statku, samolotu)

**bow·el** [`bauəl] *s* jelito, kiszka; *pl* ~s wnętrzności

**bow·er** [`bauə(r)] *s* altana; *lit.* buduar

**bowl** 1. [bəul] *s* czara, miska, waza

**bowl** 2. [bəul] *s* kula do gry w kręgle; *pl* ~s gra w kręgle; *vt vi* toczyć, rzucać kulę (w grze)

**bowl·er** [`bəulə(r)] *s* melonik

**bow·string** [`bəustrıŋ] *s* cięciwa (łuku)

**bow-tie** ['bəu `taı] *s* muszka

**box** 1. [boks] *s* pudełko, skrzynia; kasetka; buda, budka; loża; kabina; boks (w stajni, w garażu); *vt* pakować, wkładać

**box** 2. [boks] *s* uderzenie (dłonią); *vt* uderzać, boksować; *vi* boksować się

**box·er** [`boksə(r)] *s* bokser, pięściarz

**box·ing** [`boksıŋ] *s* boks, pięściarstwo

**Box·ing Day** [`boksıŋ deı] *s* święto obchodzone w Anglii w pierwszy powszedni dzień tygodnia po Bożym Narodzeniu

**box-of·fice** [`boks ofıs] *s* kasa (w teatrze, kinie itp.)

**boy** [bɔı] *s* chłopiec; boy, chłopiec do posług

**boy·cott** [`bɔıkot] *s* bojkot; *vt* bojkotować

**boy·hood** [`bɔıhud] *s* chłopięctwo, lata chłopięce

**boy·ish** [`bɔııʃ] *adj* chłopięcy

**bra** [bra] *s pot.* stanik

**brace** [breıs] *s* klamra; wiązadło; podpora; para (dwie sztuki); *pl* ~s [`breısız] *bryt.* szelki; *vt* przytwierdzać; spinać; wiązać; podpierać; wzmacniać, krzepić; *vr* ~ **oneself up** zbierać siły

**brace·let** [`breıslət] *s* bransoleta

**brack·et** [`brækıt] *s* konsola; podpórka; kinkiet; (*zw. pl* ~s) nawias

**brag** [bræg] *vt vi* chełpić, przechwalać (się); *s* chełpliwość, przechwałki

**brag·gart** [`brægət] *s* samochwał

**braid** [breıd] *s* splot; warkocz; wstążka; lamówka; *vt* splatać; obszyć lamówką

**brain** [breın] *s* (*także pl* ~s) mózg; umysł; rozum; **to have sth on the** ~ mieć bzika na punkcie czegoś; **to rack one's** ~**s (about sth)** łamać sobie głowę (nad czymś)

**brake** [breık] *s* hamulec; *vt vi* hamować

**bran** [bræn] *s zbior.* otręby

**branch** [brantʃ] *s* gałąź; odgałęzienie; filia; *vi* (*także* ~ **away** ⟨**forth, off, out**⟩) rozgałęziać się, odgałęziać się

**brand** [brænd] *s* głownia; znak

firmowy; piętno; gatunek; *vt* piętnować, znakować
**bran·dish** [`brændɪʃ] *vt* wymachiwać, potrząsać
**brand-new** ['brænd `nju] *adj* nowiuteńki
**bran·dy** [`brændɪ] *s* brandy (wódka z wina)
**brass** [brɑs] *s* mosiądz; ~ **band** orkiestra dęta
**bras·sière** [`bræzɪə(r)] *s* biustonosz
**brat** [bræt] *s pot.* bachor
**brave** [breɪv] *adj* śmiały, dzielny; † wspaniały; *vt* stawiać czoło
**brav·er·y** [`breɪvərɪ] *s* dzielność, męstwo
**brawl** [brɔl] *s* awantura, burda; szum (wody); *vi* awanturować się; (*o wodzie*) szumieć
**brawn·y** [`brɔnɪ] *adj* muskularny, krzepki
**bra·zen** [`breɪzn] *adj* mosiężny, spiżowy; bezczelny
**Bra·zil·ian** [brə`zɪlɪən] *s* Brazylijczyk; *adj* brazylijski
**breach** [britʃ] *s* złamanie, zerwanie; wyrwa, wyłom; naruszenie, przekroczenie
**bread** [bred] *s* chleb; **to earn one's** ~ zarabiać na życie; ~ **and butter** [`bred n`bʌtə(r)] chleb z masłem, *przen.* środki utrzymania
**breadth** [bretθ] *s* szerokość; **to a hair's** ~ o włos
**bread·win·ner** [`bred wɪnə(r)] *s* żywiciel
***break** [breɪk], **broke** [brəuk], **broken** [`brəukən] *vt vi* łamać (się), rozrywać (się); przerywać (się); kruszyć (się), tłuc (się); niszczyć, rujnować; rozpoczynać (się); (*o dniu*) świtać; (*o pogodzie*) zmieniać się; naruszać (całość, przepisy); zbankrutować; zerwać przyjaźń (**with sb** z kimś); ~ **away** oddzielić się, oderwać się, uciec; ~ **down** załamać (się), przełamać, zniszczyć, zburzyć; zepsuć (się); ~ **in** włamać (się), wtargnąć; wtrącić się; ~ **into** włamać się; ~ **into tears** wybuchnąć płaczem; ~ **off** odłamać (się); przerwać; zaniechać; ustać; ~ **out** wybuchnąć; ~ **through** przedrzeć (się); ~ **up** rozbić (się); przerwać; rozwiązać; zamknąć (się); zlikwidować; ustać; rozpocząć wakacje (szkolne); rozejść się (np. o uczestnikach zebrania); **to** ~ **loose** uwolnić się, zerwać pęta; **to** ~ **the news** zakomunikować; **to** ~ **the record** pobić rekord; **to** ~ **the way** torować drogę; *s* złamanie, przełamanie; rozbicie; wyłom; luka; przerwa; wybuch; zmiana; ~ **of day** świt
**break·age** [`breɪkɪdʒ] *s* złamanie, rozbicie; *zbior.* rzeczy połamane ⟨potłuczone⟩
**break·down** [`breɪkdaun] *s* załamanie się; rozstrój nerwowy; zniszczenie; upadek, klęska; awaria, defekt, wypadek
**break·er** [`breɪkə(r)] *s techn.* łamacz; fala przybrzeżna
**break·fast** [`brekfəst] *s* śniadanie; *vi* jeść śniadanie
**break-through** [`breɪkθru] *s* wyłom, przerwa
**break-up** [`breɪk ʌp] *s* rozpadnięcie się, załamanie się, upadek; koniec nauki, początek wakacji
**break·water** [`breɪkwɔtə(r)] *s* falochron
**breast** [brest] *s* pierś
**breath** [breθ] *s* dech, oddech; **in one** ~ jednym tchem; **out of** ~ zadyszany; **to take** ~ zaczerpnąć tchu
**breathe** [brið] *vt vi* oddychać; odetchnąć; (*także* ~ **in**) wdychać; (*także* ~ **out**) wydychać; szeptać; **to** ~ **one's last** wydać ostatnie tchnienie
**bred** *zob.* **breed**
**breech·es** [`brɪtʃɪz] *s pl* bryczesy, spodnie
***breed** [brid], **bred**, **bred** [bred] *vt vi* płodzić, rodzić; rozmnażać

(się); wychowywać; hodować; *s* pochodzenie; rasa; chów

**breed·ing** [`bridɪŋ] *s* hodowla, chów; wychowanie

**breeze** [briz] *s* lekki wiatr, bryza

**breez·y** [`brizɪ] *adj* wietrzny; odświeżający, rześki; wesoły

**breth·ren** [`breðrən] *s pl* bracia (np. klasztorni)

**brev·i·ty** [`brevətɪ] *s* krótkość, zwięzłość

**brew** [bru] *vt dosł. i przen.* warzyć, gotować; *vi w zwrocie:* **to be ~ing** wisieć w powietrzu, grozić; *s* odwar, napar

**brew·er·y** [`bruərɪ] *s* browar

**bri·ar, bri·er** 1. [`braɪə(r)] *s* dzika róża

**bri·ar, bri·er** 2. [`braɪə(r)] *s* wrzosiec; fajka z korzenia wrzośca

**bribe** [braɪb] *s* łapówka; *vt* dać łapówkę, przekupić

**brib·er·y** [`braɪbərɪ] *s* przekupstwo

**brick** [brɪk] *s* cegła; kawałek (np. mydła); *pot.* morowy chłop

**brick·lay·er** [`brɪkleɪə(r)] *s* murarz

**bri·dal** [`braɪdl] *s* wesele, ślub; *adj attr* weselny, ślubny

**bride** [braɪd] *s* panna młoda

**bride·groom** [`braɪdgrum] *s* pan młody, nowożeniec

**bridge** 1. [brɪdʒ] *s* most; *przen.* pomost; *vt* połączyć mostem, przerzucić most ⟨pomost⟩ **(sth** przez coś)

**bridge** 2. [brɪdʒ] *s* brydż

**bridge·head** [`brɪdʒhed] *s wojsk.* przyczółek

**bri·dle** [`braɪdl] *s* uzda, cugle; *vt* okiełznać; *przen.* opanować

**brief** 1. [brif] *adj* krótki, zwięzły; **to be ~** mówić zwięźle, streszczać się; **in ~** słowem

**brief** 2. [brif] *s* streszczenie skargi sądowej; (*o adwokacie*) **to hold ~ for sb** prowadzić czyjąś sprawę

**brief·case** [`brifkeɪs] *s* teka, aktówka

**brief·ing** [`brifɪŋ] *s* odprawa; instrukcja

**bri·gade** [brɪ`geɪd] *s* brygada

**brig·a·dier** [ˌbrɪgə`dɪə(r)] *s* brygadier

**brig·and** [`brɪgənd] *s* rozbójnik

**bright** [braɪt] *adj* jasny, promienny; błyszczący; wesoły, żwawy; bystry, inteligentny

**bright·en** [`braɪtn] *vt vi* (*także* **~ up**) rozjaśnić (się); ożywić (się); rozweselić (się)

**bril·liant** [`brɪlɪənt] *adj* lśniący; wspaniały; znakomity

**brim** [brɪm] *s* krawędź, brzeg; rondo (kapelusza)

**brine** [braɪn] *s* solanka

***bring** [brɪŋ], **brought, brought** [brɔt] *vt* przynosić; przyprowadzać; przywozić; wnosić (np. skargę); powodować; **~ about** dokonać; wywołać (skutek); **~ back** przypomnieć; **~ down** opuścić; osłabić; powalić; zestrzelić; upokorzyć; obniżyć (np. ceny); **~ forth** wydać na świat; ujawnić; wywołać; **~ forward** przedstawić; wysunąć; **~ (sth) home** uświadomić (coś); unaocznić (coś); **~ in** wnieść, włożyć, wprowadzić; **~ on** sprowadzić, wywołać, spowodować; **~ out** wykryć, wydobyć (na światło dzienne); wydać (książkę); wystawić (sztukę); wyjaśnić; **~ together** złączyć, zetknąć; **~ under** pokonać, opanować; **~ up** wychować; poruszyć (temat); **to ~ to light** odkryć

**brink** [brɪŋk] *s* brzeg, krawędź

**brisk** [brɪsk] *adj* żywy, żwawy; rześki; *vt vi* (*także* **~ up**) ożywić (się)

**bris·tle** [`brɪsl] *s* szczecina; *vi* jeżyć się; sierdzić się; *vt* nastroszyć

**Brit·ish** [`brɪtɪʃ] *adj* brytyjski; *s pl* **the ~** Anglicy

**Brit·ish·er** [`brɪtɪʃə(r)] *s* Brytyjczyk

**Brit·on** [`brɪtɪn] *s lit.* Brytyjczyk

**brit·tle** [`brɪtl] *adj* kruchy

**broach** [brəutʃ] *vt* otworzyć, przedziurawić; poruszyć (temat)

**broad** [brɔd] *adj* szeroki, obszerny; (*o aluzji itp.*) wyraźny; (*o regule*) ogólny; pikantny, sprośny, rubaszny (np. dowcip)

**broad·axe** [ˋbrɔdæks] *s* siekiera

**broad·cast** [ˋbrɔdkast] *s* transmisja radiowa, audycja; *vt vi* transmitować, nadawać (przez radio); rozsypywać, rozsiewać; szerzyć (np. wiadomości)

**broad·en** [ˋbrɔdn] *vt vi* rozszerzać (się)

**broad-mind·ed** [ˈbrɔd ˋmaɪndɪd] *adj* (*o człowieku*) tolerancyjny

**broad-shoul·der·ed** [ˈbrɔd ˋʃəuldəd] *adj* barczysty

**broil** 1. [brɔɪl] *vt vi* piec, smażyć (się)

**broil** 2. [brɔɪl] *s* hałas, awantura

**broke** 1. *zob.* **break**

**broke** 2. [brəuk] *adj pot.* zrujnowany, zbankrutowany, bez grosza; **to go ~** zbankrutować

**bro·ken** *zob.* **break**

**bro·ken-down** [ˋbrəukən daun] *adj* wyczerpany; zrujnowany; schorowany; załamany (duchowo); (*o maszynie*) zużyty; uszkodzony

**brok·en-heart·ed** [ˈbrəukən ˋhatɪd] *adj* zrozpaczony, załamany

**bro·ker** [ˋbrəukə(r)] *s* makler, pośrednik

**bro·ker·age** [ˋbrəukərɪdʒ] *s* pośrednictwo; *handl.* prowizja

**bro·mine** [ˋbrəumin] *s chem.* brom

**bron·chi** [ˋbroŋkaɪ] *s pl anat.* oskrzela

**bron·chi·tis** [broŋˋkaɪtɪs] *s med.* bronchit

**bronze** [bronz] *s* brąz, spiż

**brooch** [brəutʃ] *s* broszka

**brood** [brud] *s* wyląg; potomstwo; plemię; *vi* wylęgać; *przen.* rozmyślać

**brook** 1. [bruk] *s* potok, strumyk

**brook** 2. [bruk] *vt* znosić, cierpieć

**broom** [brum] *s* miotła

**broth** [broθ] *s* rosół, bulion

**broth·er** [ˋbrʌðə(r)] *s* brat

**broth·er·hood** [ˋbrʌðəhud] *s* braterstwo, stowarzyszenie

**broth·er-in-law** [ˋbrʌðər ɪn lɔ] *s* szwagier

**brought** *zob.* **bring**

**brow** [brau] *s* brew; czoło

**brown** [braun] *adj* brunatny, brązowy

**brown·ie** [ˋbraunɪ] *s* krasnoludek, duszek; harcerka z grupy zuchów

**browse** [brauz] *vi* paść się; *vt* skubać (trawę); *przen.* czytać dla rozrywki, przeglądać (książkę)

**bruise** [bruz] *vt vi* potłuc (się), nabić guza, zadrasnąć, zranić się; *s* stłuczenie, siniak

**bru·nette** [bruˋnet] *s* brunetka

**brunt** [brʌnt] *s* główne natarcie, najsilniejszy cios; **to bear the ~** przyjąć ciężar uderzenia, wytrzymać główne natarcie

**brush** [brʌʃ] *s* szczotka, pędzel; krzaki, zarośla; *vt* szczotkować, pędzlować, czyścić szczotką; **~ aside** odsunąć; **~ away** sczyścić; **~ up** wygładzić, odświeżyć

**brusque** [brusk] *adj* obcesowy, szorstki

**Brus·sels-sprouts** [ˈbrʌslz ˋsprauts] *s pl* brukselka

**bru·tal** [ˋbrutl] *adj* brutalny

**bru·tal·i·ty** [bruˋtælətɪ] *s* brutalność

**brute** [brut] *s* bydlę; brutal; *adj* bydlęcy; brutalny

**bub·ble** [ˋbʌbl] *s* balonik, bańka (np. mydlana); *vi* kipieć, bulgotać

**buc·ca·neer** [ˈbʌkəˋnɪə(r)] *s* pirat, korsarz; *vi* uprawiać korsarstwo

**buck** 1. [bʌk] *s* kozioł; jeleń; samiec (zwierzyny płowej); dandys; elegant

**buck** 2. [bʌk] *s am. pot.* dolar

**buck·et** [ˋbʌkɪt] *s* wiadro

**buck·le** [ˋbʌkl] *s* klamerka, sprzączka; *vt* spinać; *vi* zapinać się

**buck·wheat** [ˋbʌkwit] *s* gryka

**bud** [bʌd] *s* pączek; *vi* (*także* **to be in ~**) pączkować

**budge** [bʌdʒ] *vi* poruszyć (się); *vt* *zw. w zdaniach przeczących:* **I can't budge him** nie mogę go ruszyć

**budg·et** [ˋbʌdʒɪt] *s* budżet; *vi* robić budżet, planować wydatki

**buf·fa·lo** [ˋbʌfləu] *s* bawół

**buff·er** [ˋbʌfə(r)] *s* bufor

**buf·fet 1.** [ˋbʌfɪt] *s* kułak; *dosł. i przen.* cios; *vt* okładać kułakami, uderzać

**buf·fet 2.** [ˋbufeɪ] *s* kredens; bufet

**buf·foon** [bəˋfun] *s* bufon, błazen

**bug** [bʌg] *s* pluskwa; *am.* insekt

**bug·bear** [ˋbʌgbeə(r)] *s* straszydło

**bu·gle** [ˋbjugl] *s* róg, trąbka; *vi* trąbić

***build** [bɪld], **built, built** [bɪlt] *vt vi* budować, tworzyć; ~ **up** rozbudować; wzmocnić; rozwinąć; *s* konstrukcja, kształt, budowa

**build·er** [ˋbɪldə(r)] *s* budowniczy

**build·ing** [ˋbɪldɪŋ] *s* budynek

**built** *zob.* **build**

**bulb** [bʌlb] *s* cebulka; żarówka

**Bul·gar·i·an** [bʌlˋgeərɪən] *adj* bułgarski; *s* Bułgar

**bulge** [ˋbʌldʒ] *s* nabrzmienie, wypukłość, wydęcie; *vi* nabrzmiewać, pęcznieć, wydymać (się); *vt* nadymać; napychać

**bulk** [bʌlk] *s* wielkość, objętość, masa (*zw.* duża); większa ⟨główna⟩ część

**bulk·y** [ˋbʌlkɪ] *adj* duży, masywny; nieporęczny

**bull 1.** [bul] *s* byk

**bull 2.** [bul] *s* bulla

**bull 3.** [bul] *s* (*także* **Irish** ~) nonsens

**bull·dog** [ˋbuldog] *s* buldog; pedel (woźny)

**bull·doz·er** [ˋbuldəuzə(r)] *s* buldożer, spychacz

**bul·let** [ˋbulɪt] *s* kula, pocisk

**bul·le·tin** [ˋbulətɪn] *s* biuletyn

**bul·lion** [ˋbulɪən] *s* złoto ⟨srebro⟩ w sztabach

**bul·lock** [ˋbulək] *s* wół

**bull's-eye** [ˋbulz aɪ] *s* okrągłe okienko; bulaj; środek tarczy strzelniczej

**bul·ly** [ˋbulɪ] *s* osobnik terroryzujący słabszych; zbir; *vt* terroryzować, znęcać się

**bul·rush** [ˋbulrʌʃ] *s* sitowie

**bul·wark** [ˋbulwək] *s* wał ochronny, przedmurze, osłona

**bump** [bʌmp] *vt vi* gwałtownie uderzyć (**sth, against sth** o coś); wpadać (**sb, sth** *lub* **into sb, sth** na kogoś, na coś); toczyć się z hałasem; *s* uderzenie, wstrząs; guz; *pot.* ~ **of locality** zmysł orientacyjny

**bump·er** [ˋbʌmpə(r)] *s* pełna szklanka ⟨pełny kielich⟩ wina; *mot.* zderzak

**bump·kin** [ˋbʌmpkɪn] *s* gamoń, fujara

**bump·tious** [ˋbʌmpʃəs] *adj* zarozumiały, nadęty

**bun** [bʌn] *s* słodka bułka

**bunch** [bʌntʃ] *s* wiązka, pęk, bukiet

**bun·dle** [ˋbʌndl] *s* wiązka; tłumok; pęk; plik; *vt vi* wiązać, zwijać (się); bezładnie pakować, wciskać; wyprawiać (**sb** kogoś); (*zw.* ~ **off**) uchodzić w pośpiechu

**bun·ga·low** [ˋbʌŋgələu] *s* domek (*zw.* parterowy z werandą)

**bun·gle** [ˋbʌŋgl] *vt vi* partaczyć; *s* partactwo

**bunk** [bʌŋk] *s* łóżko (w pociągu), koja

**buoy** [bɔɪ] *s* boja; *vt* (*zw.* ~ **up**) utrzymywać na powierzchni; *przen.* podnosić na duchu

**buoy·ant** [ˋbɔɪənt] *adj* pływający, pławny; radosny; podniecający, pokrzepiający

**bur·den** [ˋb3dn] *s* ciężar, brzemię; istota (sprawy, myśli itp.); *vt* obciążyć

**bur·den·some** [ˋb3dnsəm] *adj* uciążliwy

**bu·reau** [ˋbjuərəu] *s* biuro, urząd; *bryt.* biurko

**bu·reau·cra·cy** [bjuəˋrokrəsɪ] *s* biurokracja

**burg** [b3g] *s am. pot.* miasteczko

**bur·glar** [`b3glə(r)] *s* włamywacz
**bur·i·al** [`berɪəl] *s* pogrzeb
**bur·i·al-ground** [`berɪəl graund] *s* cmentarz
**bur·lesque** [b3`lesk] *s* burleska; *adj attr* burleskowy, komiczny
***burn** [b3n], **~t, ~t** [b3nt] *lub* **~ed, ~ed** [b3nd] *vt vi* palić (się), zapalać, płonąć; sparzyć (się); opalać (się)
**burn·er** [`b3nə(r)] *s* palnik
**burnt** *zob.* **burn**
**bur·row** [`bʌrəu] *s* nora, jama; *vt* kopać norę; *vi* ukrywać się w norze
**bur·sar** [`b3sə(r)] *s* kwestor; *szk.* stypendysta
**bur·sa·ry** [`b3sərɪ] *s* kwestura; *szk.* stypendium
***burst, burst, burst** [b3st] *vi* pękać, trzaskać; wybuchać; *vt* spowodować pęknięcie, rozsadzić, rozerwać; **to ~ with laughing, to ~ into laughter** wybuchnąć śmiechem; **~ in** wpaść; **~ out** wybuchnąć; *s* pęknięcie, wybuch
**bur·y** [`berɪ] *vt* grzebać, chować
**bus** [bʌs] *s* autobus
**bush** [buʃ] *s* krzak, gąszcz; busz
**bush·el** [`buʃl] *s* buszel (miara pojemności)
**bush·y** [`buʃɪ] *adj* pokryty krzakami; krzaczasty
**busi·ness** [`bɪznəs] *s* interes(y); zajęcie; obowiązek; sprawa; zawód; przedsiębiorstwo handlowe; **~ hours** godziny zajęć ⟨urzędowe⟩; **it is none of my ~** to nie moja sprawa; **mind your own ~** pilnuj swoich spraw; **on ~** w interesie, w sprawie; służbowo
**busi·ness·man** [`bɪznəsmən] *s* kupiec, przemysłowiec; człowiek interesu
**bust** [bʌst] *s* popiersie; biust
**bus·tle** [`bʌsl] *vi* krzątać się, uwijać się; *vt* popędzać do roboty; *s* krzątanina, bieganina
**bus·y** [`bɪzɪ] *adj* zajęty, czynny, ruchliwy, mający dużo roboty; **I am ~ writing a letter** zajęty jestem pisaniem listu; *vr* **~ oneself** krzątać się; być zajętym **(about, over, with sth** czymś)
**bus·y·bod·y** [`bɪzɪ'bodɪ] *s* wścibski człowiek
**but** [bʌt, bət] *conj* ale, lecz; jednak; poza tym, że; jak tylko; **I cannot ~ laugh** nic mi nie pozostaje, jak tylko się śmiać, mogę tylko się śmiać; **~ yet** jednakże, niemniej jednak; **there was no one ~ laughed** nie było nikogo, kto by się nie śmiał; **I never utter a word ~ I think first** nigdy nie powiem słowa, zanim nie pomyślę; **he would have failed ~ that I helped him** on by przepadł, gdybym mu nie pomógł; *praep* oprócz, poza; **all ~ me** wszyscy oprócz mnie ⟨poza mną⟩; **the last ~ one** przedostatni; **anywhere ~ here** gdziekolwiek, tylko nie tu; **~ for** bez; **~ for him** bez niego, gdyby nie on; **~ for that** gdyby nie to; **~ then** ale za to; *adv* dopiero, tylko; **~ now** dopiero teraz, dopiero co; **I have seen him ~ once** widziałem go tylko raz; **all ~** prawie; **he all ~ died of hunger** o mało co nie umarł z głodu
**butch·er** [`butʃə(r)] *s* rzeźnik; **~'s shop** sklep rzeźniczy; *vt* mordować, zarzynać
**butch·er·y** [`butʃərɪ] *s* rzeźnia; rzeź, masakra
**but·ler** [`bʌtlə(r)] *s* szef służby
**butt 1.** [bʌt] *s* tępy koniec (broni, narzędzia); niedopałek (papierosa, cygara)
**butt 2.** [bʌt] *s* tarcza strzelnicza; cel (kpin, pośmiewiska)
**butt 3.** [bʌt] *vi vt* uderzać głową **(at, against sth** o coś), bóść; **~ in** wtrącać się
**butt 4.** [bʌt] *s* beczka
**but·ter** [`bʌtə(r)] *s* masło; *vt* smarować masłem
**but·ter·cup** [`bʌtəkʌp] *s bot.* jaskier
**but·ter·fly** [`bʌtəflaɪ] *s zool.* motyl

**but·ter·milk** [ˋbʌtəmɪlk] *s* maślanka
**but·tock** [ˋbʌtək] *s* pośladek; *pl* **~s** zad (konia); siedzenie (człowieka)
**but·ton** [ˋbʌtn] *s* guzik; *vt vi* (*zw.* **~ up**) zapinać (się)
**but·ton·hole** [ˋbʌtnhəul] *s* dziurka od guzika; butonierka; *vt przen. pot.* nudzić, wiercić dziurę w brzuchu
**but·tress** [ˋbʌtrəs] *s* podpora; *vt* podtrzymywać
***buy** [baɪ], **bought, bought** [bɔt] *vt* kupować; **~ off** opłacać; **~ up** wykupić (towar)
**buy·er** [ˋbaɪə(r)] *s* nabywca
**buzz** [bʌz] *s* brzęczenie; gwar; *vi* brzęczeć, buczeć
**buzz·er** [ˋbʌzə(r)] *s elektr.* brzęczyk; *pot.* syrena (fabryczna)
**by** [baɪ] *praep* przy, u, obok; nad; przez; do; po, za; **by the door** przy drzwiach; **by the sea** nad morzem; **by Warsaw** przez Warszawę; **by moonlight** przy świetle księżyca; **by 5 o'clock** najdalej do godziny 5; **by then** do tego czasu; **by metres** na metry; **paid by the week** opłacany za tydzień ⟨tygodniowo⟩; **one by one** jeden za drugim; **older by 10 years** starszy o 10 lat; **by day** w ciągu ⟨za⟩ dnia; **by night** w nocy, nocą; **by name** z nazwiska; **by hearsay** ze słyszenia; **by myself, all by myself** ja sam, sam (jeden); **by train, by bus, by land, by sea etc.** (podróżować) pociągiem, autobusem, lądem, morzem itp.; **by steam, by electricity etc.** (poruszany) parą, elektrycznością itp.; **by letter, by phone etc.** (komunikować) listownie, telefonicznie itp.; **by hand etc.** ręką, ręcznie itp.; **step by step** krok za krokiem; **by degrees** stopniowo; **by chance** przypadkiem; **by heart** na pamięć; **by right** prawnie, sprawiedliwie; **by far** o wiele; **little by little** po trochu; *adv* obok, mimo; **near by, hard by** tuż obok; **by the way, by the by** przy okazji, przy tej sposobności, mimochodem; **by and by** wkrótce, niebawem
**bye-bye** [ˈbaɪ ˋbaɪ] *int pot.* do widzenia!
**by-elec·tion** [ˋbaɪ ɪlekʃn] *s* wybory uzupełniające
**by·gone** [ˋbaɪgon] *adj* miniony
**by-law** [ˋbaɪ lɔ] *s* rozporządzenie ⟨przepisy⟩ lokalne
**by-pass** [ˋbaɪ pas] *s* objazd, droga objazdowa; *vt* objeżdżać, omijać
**by·path** [ˋbaɪ paθ] *s* boczna droga
**by-prod·uct** [ˋbaɪ prodʌkt] *s* produkt uboczny
**by-stand·er** [ˋbaɪ stændə(r)] *s* widz, świadek
**by·way** [ˋbaɪ weɪ] *s* boczna droga
**by·word** [ˋbaɪ wɜd] *s* powiedzonko, przysłowie; pośmiewisko
**By·zan·tine** [bɪˋzæntaɪn] *adj* bizantyjski

# C

**cab** [kæb] *s* dorożka, taksówka
**cab·a·ret** [ˋkæbəreɪ] *s* kabaret
**cab·bage** [ˋkæbɪdʒ] *s* kapusta
**cab·in** [ˋkæbɪn] *s* kabina, kajuta; chata
**cab·i·net** [ˋkæbɪnət] *s* gabinet; serwantka, szafka; *polit.* gabinet
**ca·ble** [ˋkeɪbl] *s* kabel; kablogram; *vt vi* depeszować
**cab·man** [ˋkæbmən] *s* taksówkarz

**cack·le** [ˋkækl] *vi* gdakać; rechotać

**cad** [kæd] *s* cham, łajdak

**ca·det** [kəˋdet] *s* kadet; ~ **corps** szkolne przysposobienie wojskowe

**cadre** [ˋkɑdər] *s wojsk.* kadra

**ca·fé** [ˋkæfeɪ] *s* kawiarnia, bar

**caf·e·te·ri·a** [ˈkæfɪˋtɪərɪə] *s* bar samoobsługowy

**cage** [keɪdʒ] *s* klatka; winda (w kopalni); *vt* zamknąć w klatce

**cais·son** [ˋkeɪsn] *s wojsk.* jaszcz; *techn.* keson

**ca·jole** [kəˋdʒəul] *vt* przypochlebiać, uwodzić, pochlebstwami skłaniać do czegoś

**cake** [keɪk] *s* ciasto, ciastko; kawałek (np. mydła); tabliczka (np. czekolady)

**ca·lam·i·ty** [kəˋlæmətɪ] *s* klęska, plaga

**cal·ci·um** [ˋkælsɪəm] *s chem.* wapń

**cal·cu·late** [ˋkælkjuleɪt] *vt vi* obliczać; liczyć (**on, upon sth** na coś)

**cal·cu·la·tion** [ˈkælkjuˋleɪʃən] *s* obliczenie, kalkulacja

**cal·en·dar** [ˋkælɪndə(r)] *s* kalendarz

**calf** 1. [kɑf] *s* (*pl* **calves** [kɑvz]) cielę; skóra cielęca

**calf** 2. [kɑf] *s* (*pl* **calves** [kɑvz]) łydka

**cal·i·bre**, *am.* **cal·i·ber** [ˋkælɪbə(r)] *s* kaliber

**cal·i·co** [ˋkælɪkəu] *s* rodzaj perkalu

**calk** [kɔlk] *vt* kalkować

**call** [kɔl] *vi* wołać; odezwać się; budzić; (*także* ~ **up**) telefonować; wstąpić, odwiedzać (**on sb** kogoś); przybyć, przyjść (**for sb, for sth** po kogoś, po coś, **at sb's house** do czyjegoś domu); wymagać, wzywać: żądać, domagać się (**for sth** czegoś); *vt* zawołać, przywołać, powołać, wywoływać; wezwać, zwołać; nazwać; **to be** ~**ed for** do odebrania na żądanie, (*na listach*) poste restante; ~ **back** odwołać; ~ **forth** wywołać; ~ **in question** zakwestionować; ~ **into being** powołać do życia; ~ **into play** wprowadzić w grę; ~ **off** odwołać; ~ **out** wywołać, wyzwać; ~ **over** odczytywać listę (obecności); **to** ~ **sb's attention** zwrócić czyjąś uwagę (**to sth** na coś); **to** ~ **sb to account** zażądać od kogoś rachunku, pociągnąć kogoś do odpowiedzialności; **to** ~ **the roll** odczytywać listę nazwisk; ~ **up** przypominać, przywodzić na pamięć; powołać do wojska; **to** ~ **sb names** przezywać, wymyślać; **to** ~ **to mind** przypomnieć (sobie); *s* wołanie; krzyk; wezwanie, zew; rozmowa telefoniczna; wiadomość; wizyta; powołanie; apel; powód, potrzeba; **there is no** ~ **for worry** nie ma powodu do zmartwienia; **at** ⟨**within**⟩ ~ do usług, na wezwanie, pod ręką

**call·er** [ˋkɔlə(r)] *s* odwiedzający, gość

**call·ing** [ˋkɔlɪŋ] *s* wołanie; powołanie; zawód, zajęcie

**cal·los·i·ty** [kæˋlɔsətɪ] *s* stwardnienie, zrogowacenie skóry

**cal·lous** [ˋkæləs] *adj* twardy, stwardniały; zatwardziały; gruboskórny; nieczuły

**cal·low** [ˋkæləu] *adj* nieopierzony; *przen.* młody, niedoświadczony

**calm** [kɑm] *adj* cichy, spokojny; *s* spokój, cisza; *vt vi* (*także* ~ **down**) uspokoić, uciszyć (się)

**cal·or·ie, cal·or·y** [ˋkælərɪ] *s* kaloria

**ca·lum·ni·ate** [kəˋlʌmnɪeɪt] *vt* oczerniać, spotwarzać

**cal·um·ny** [ˋkæləmnɪ] *s* oszczerstwo, potwarz

**calves** *zob.* **calf**

**came** *zob.* **come**

**cam·el** [ˋkæml] *s zool.* wielbłąd

**cam·er·a** [ˋkæmrə] *s* aparat fotograficzny

**cam·er·a-man** [ˋkæmrəmæn] *s* fotoreporter; kinooperator

**cam·ou·flage** [ˋkæməflɑʒ] *s* maskowanie; *vt* maskować

**camp** [kæmp] *s* obóz, kemping, obozowisko; *vi* (*zw.* **~ out**) obozować, mieszkać w namiocie

**cam·paign** [kæmˋpeɪn] *s* kampania; *vi* prowadzić kampanię

**cam·phor** [ˋkæmfə(r)] *s* kamfora

**camp·ing** [ˋkæmpɪŋ] *s* kemping, obozowanie; **to go ~** wybrać się na kemping; **~ equipment** sprzęt turystyczny

**cam·pus** [ˋkæmpəs] *s* teren szkoły ⟨uniwersytetu⟩

**can 1.** [kæn, kən] *v aux* (*p* **could** [kud]) móc, potrafić, umieć; **I ~ speak French** znam (język) francuski; mówię po francusku; **I ~ see** widzę; **I ~ hear** słyszę; **that ~'t be true!** to niemożliwe!

**can 2.** [kæn] *s* kanister; *am.* puszka do konserw; *vt am.* robić konserwę

**Ca·na·dian** [kəˋneɪdɪən] *adj* kanadyjski; *s* Kanadyjczyk

**ca·nal** [kəˋnæl] *s* kanał; kanalik; przewód (np. pokarmowy)

**can·apé** [ˋkænəpeɪ] *s* kanapka (z serem itp.)

**ca·nard** [kæˋnɑd] *s* kaczka dziennikarska, plotka

**ca·na·ry** [kəˋneərɪ] *s* kanarek.

**can·can** [ˋkænkæn] *s* kankan

**can·cel** [ˋkænsl] *vt* kasować, unieważniać, skreślać; odwoływać; stemplować (np. znaczki); **~ out** *mat.* skracać (np. ułamek); **to ~ an indicator ⟨a flasher⟩** wyłączyć kierunkowskaz

**can·cer** [ˋkænsə(r)] *s med.* rak

**can·did** [ˋkændɪd] *adj* szczery, prostolinijny, uczciwy

**can·di·date** [ˋkændɪdət] *s* kandydat

**can·di·da·ture** [ˋkændɪdətʃə(r)] *s* kandydatura

**can·dle** [ˋkændl] *s* świeca

**can·dle-pow·er** [ˋkændlpauə(r)] *s fiz.* świeca (jednostka miary światła)

**can·dle·stick** [ˋkændlstɪk] *s* lichtarz, świecznik

**can·dour** [ˋkændə(r)] *s* szczerość, uczciwość

**can·dy** [ˋkændɪ] *s* twardy cukierek; *zbior.* słodycze; *am.* cukierek nadziewany; *vt* kandyzować

**cane** [keɪn] *s* trzcina; laska; pałka; *vt* chłostać

**ca·nine** [ˋkænaɪn] *adj* psi; **~ tooth** kieł

**can·ker** [ˋkæŋkə(r)] *s* wrzód; *przen.* niszczycielski wpływ, zguba; *vt* zżerać; niszczyć, gubić; *vi* niszczeć

**canned** [kænd] *zob.* **can 2.**; *adj* konserwowy

**can·ni·bal** [ˋkænəbl] *s* kanibal, ludożerca; *adj* ludożerczy

**can·non** [ˋkænən] *s* działo, armata; *przen.* **~ fodder** mięso armatnie

**can·non·ade** [ˏkænəˋneɪd] *s* kanonada; *vt* ostrzeliwać z dział

**can·not** [ˋkænət] *forma przecząca od* **can 1.**

**can·ny** [ˋkænɪ] *adj* sprytny, chytry; ostrożny

**ca·noe** [kəˋnu] *s* czółno (z kory drzewa lub wydrążonego pnia); *vi* płynąć czółnem

**can·on 1.** [ˋkænən] *s rel. muz. druk.* kanon; kryterium

**can·on 2.** [ˋkænən] *s* kanonik

**can·o·py** [ˋkænəpɪ] *s* baldachim; sklepienie

**can't** [kɑnt] = **cannot**

**cant** [kænt] *s* obłuda, hipokryzja; żargon

**can·teen** [kænˋtin] *s* kantyna, stołówka; menażka

**can·vas** [ˋkænvəs] *s* płótno żaglowe, płótno malarskie; obraz olejny

**can·vass** [ˋkænvəs] *vt vi* badać, roztrząsać; ubiegać się (**for sth** o coś); kaptować, zjednywać sobie; przygotowywać wybory, zabiegać (**for votes** o głosy wyborcze); *s* badanie; prowadzenie kampanii wyborczej; obliczanie głosów

**can·yon** [ˋkænjən] *s* kanion

**caou·tchouc** [`kautʃuk] *s* kauczuk
**cap** [kæp] *s* czapka; wieko, pokrywa; kapsel; *vt* nakładać czapkę, wieko, kapsel itp.; ukłonić się (**sb** komuś)
**ca·pa·bil·i·ty** [ˌkeɪpəˈbɪlətɪ] *s* zdolność
**ca·pa·ble** [`keɪpəbl] *adj* zdolny, nadający się (**of sth** do czegoś), podatny (**of sth** na coś); uzdolniony
**ca·pa·cious** [kə`peɪʃəs] *adj* pojemny
**ca·pac·i·ty** [kə`pæsətɪ] *s* zdolność (**for sth** do czegoś); pojemność; nośność; charakter; kompetencja
**cape 1.** [keɪp] *s* peleryna
**cape 2.** [keɪp] *s* przylądek
**ca·per** [`keɪpə(r)] *vi* podskakiwać, fikać koziołki; *s* podskok, sus
**cap·i·tal** [`kæpɪtl] *adj* główny; wybitny, duży; wspaniały, kapitalny; stołeczny; ~ **letter** duża litera; ~ **punishment** kara śmierci; *s* stolica; kapitał; duża litera
**cap·i·tal·ism** [`kæpɪtḷɪzm] *s* kapitalizm
**cap·i·tal·ist** [`kæpɪtḷɪst] *s* kapitalista
**cap·i·tal·is·tic** [`kæpɪtḷɪstɪk] *adj* kapitalistyczny
**ca·pit·u·late** [kə`pɪtʃuleɪt] *vi* kapitulować
**ca·pit·u·la·tion** [kəˌpɪtʃu`leɪʃn] *s* kapitulacja
**ca·pon** [`keɪpən] *s* kapłon
**ca·price** [kə`pris] *s* kaprys
**ca·pri·cious** [kə`prɪʃəs] *adj* kapryśny
**cap·size** [kæp`saɪz] *vt vi* (*o statku, łódce itp.*) wywrócić (się)
**cap·tain** [`kæptɪn] *s* kapitan; dowódca, naczelnik
**cap·tion** [`kæpʃn] *s* tytuł, napis, podpis
**cap·ti·vate** [`kæptɪveɪt] *vt* pojmać; zniewolić; urzec
**cap·tive** [`kæptɪv] *adj* pojmany, uwięziony; *s* jeniec
**cap·tiv·i·ty** [kæp`tɪvətɪ] *s* niewola
**cap·ture** [`kæptʃə(r)] *vt* pojmać, zawładnąć; *s* zawładnięcie; zdobycz
**car** [kɑ(r)] *s* wóz; samochód; wagon
**car·a·mel** [`kærəml] *s* karmel; karmelek
**car·at** [`kærət] *s* karat
**car·a·van** [`kærəvæn] *s* karawana; przyczepa mieszkalna do samochodu
**car·bon** [`kɑbən] *s chem.* węgiel (pierwiastek); kalka (maszynowa)
**car·bon-pa·per** [`kɑbən peɪpə(r)] *s* kalka
**car·bu·ret·tor** [ˌkɑbju`retə(r)] *s* gaźnik
**car·cass** [`kɑkəs] *s* ciało zabitego zwierzęcia; ścierwo; szkielet (np. budynku)
**card** [kɑd] *s* karta, kartka; bilet
**card·board** [`kɑdbɔd] *s* tektura, karton
**car·di·ac** [`kɑdɪæk] *adj* sercowy; *s* środek nasercowy
**car·di·nal** [`kɑdnl] *adj* główny, podstawowy; **four** ~ **points** cztery strony świata; *s* kardynał
**care** [keə(r)] *s* troska; opieka; dozór; ostrożność; niepokój; staranność; (*w adresie*) ~ **of** (*zw. skr.* **c/o**) „z listami, na adres, do rąk"; **to take** ~ dbać (**of sb, sth** o kogoś, o coś), uważać (na kogoś, na coś); strzec się (kogoś, czegoś); *vi* troszczyć się, dbać (**for sb, for sth** o kogoś, o coś), być przywiązanym, lubić (kogoś, coś); **do you** ~? zależy ci na tym?
**ca·reer** [kə`rɪə(r)] *s* kariera; losy, kolej życia; bieg, galop
**care-free** [`keəfri] *adj* beztroski
**care·ful** [`keəfl] *adj* troskliwy; ostrożny
**care·less** [`keələs] *adj* beztroski, niedbały; niechlujny
**ca·ress** [kə`res] *vt* pieścić; *s* pieszczota
**care·tak·er** [`keəteɪkə(r)] *s* dozorca, stróż
**care·worn** [`keəwɔn] *adj* zgnębiony troskami
**car·go** [`kɑgəu] *s* ładunek (statku)

**car·i·ca·ture** [ˈkærɪkəˈtʃuə(r)] *s* karykatura; *vt* karykaturować

**car·ies** [ˈkeərɪz] *s* próchnica zębów

**car·na·tion** [kaˈneɪʃn] *s bot.* g(w)oździk; różowy kolor

**car·ni·val** [ˈkanɪvl] *s* karnawał

**car·ol** [ˈkærl] *s* kolęda; *vi* kolędować

**ca·rol·ler** [ˈkærlə(r)] *s* kolędnik

**ca·rou·sal** [kəˈrauzl] *s* hulanka, pijatyka

**ca·rouse** [kəˈrauz] *vi* hulać

**ca·rouser** [kəˈrauzə(r)] *s* hulaka

**carp** [kap] *s zool.* karp

**car·pen·ter** [ˈkapɪntə(r)] *s* stolarz; cieśla

**car·pet** [ˈkapɪt] *s* dywan

**car·riage** [ˈkærɪdʒ] *s* wóz; powóz; wagon; podwozie; przewóz; postawa, zachowanie

**car·ri·er** [ˈkærɪə(r)] *s* roznosiciel; posłaniec; tragarz; nosiciel (zarazków); transportowiec; bagażnik; *chem.* nośnik; *pl* **~s** firma transportowa

**car·ri·on** [ˈkærɪən] *s* padlina

**car·rot** [ˈkærət] *s* marchew

**car·ry** [ˈkærɪ] *vt* nosić, przenosić; wozić; dostarczać; doprowadzić; przeprowadzić (np. uchwałę); *vi* (*o broni*) nieść; (*o głosie*) rozlegać się; **~ about** ⟨**along**⟩ nosić ze sobą; **~ away** uprowadzić, porwać; **~ off** uprowadzić, zabrać; zdobyć (np. nagrodę); **~ on** prowadzić dalej, kontynuować; **~ out** wykonać, przeprowadzić; **~ over** przenosić; **~ through** przeprowadzić, doprowadzić do końca; **to ~ into effect** wprowadzić w czyn; *przen.* **to ~ the day** wziąć górę; **to ~ weight** mieć wagę ⟨znaczenie⟩

**cart** [kat] *s* wóz, fura

**car·tel** [kaˈtel] *s ekon.* kartel

**car·ter** [ˈkatə(r)] *s* woźnica

**cart·load** [ˈkatləud] *s* ładunek wozu

**car·ton** [ˈkatn] *s* karton

**car·toon** [kaˈtun] *s* karykatura; rycina, szkic

**car·toon-film** [kaˈtun fɪlm] *s* film rysunkowy

**car·tridge** [ˈka-trɪdʒ] *s* nabój; **blank ~** ślepy nabój

**carve** [kav] *vt* krajać, wyrzynać; rzeźbić

**carv·er** [ˈkavə(r)] *s* snycerz, rzeźbiarz; krajczy

**case 1.** [keɪs] *s* wypadek; przypadek; położenie; sprawa (np. sądowa); **in ~ of** w przypadku; **in any ~** w każdym bądź razie; **to have no ~** nie mieć podstaw

**case 2.** [keɪs] *s* pudełko; skrzynia; walizka; futerał; **dressing ~** neseser

**case·ment** [ˈkeɪsmənt] *s* okno kwaterowe

**cash** [kæʃ] *s* gotówka; zapłata; *pot.* pieniądze; **in ~** gotówką; **~ down** płatne przy odbiorze; **out of ~** bez gotówki; *vt* spieniężyć; opłacić; inkasować

**cash-book** [ˈkæʃbuk] *s* księga kasowa

**cash·ier** [kəˈʃɪə(r)] *s* kasjer

**cas·ing** [ˈkeɪsɪŋ] *s* oprawa; pokrowiec; powłoka; obudowa

**casino** [kəˈsinəu] *s* kasyno

**cask** [kask] *s* beczułka

**cas·ket** [ˈkaskɪt] *s* kasetka, szkatułka; *am.* trumna

***cast, cast, cast** [kast] *vt* rzucać; zarzucać (sieci); *techn.* odlewać; *sport* powalić (przeciwnika); **~ away** odrzucić; **~ down** ściągnąć, spuścić; przygnębić; **~ off** odrzucić; **~ out** wyrzucić, wypędzić; **~ up** obliczyć; **to ~ a vote** oddać głos; *s* rzut; odlew; *teatr* obsada

**cast·a·way** [ˈkastəweɪ] *adj* odrzucony, wyrzucony; *s* wyrzutek; rozbitek

**caste** [kast] *s* kasta

**cast-iron** [ˈkast aɪən] *s* żeliwo; *adj attr* żeliwny; *przen.* twardy, niewzruszony

**cas·tle** [ˈkasl] *s* zamek; wieża (w szachach); *przen.* **~s in the air**

zamki na lodzie; *vi* robić roszadę (w szachach)
**cas·tor-oil** [ˈkɑstər ˋɔɪl] *s* olej rycynowy
**cas·trate** [kæˋstreɪt] *vt* kastrować; *s* kastrat; rzezaniec
**cas·u·al** [ˋkæʒuəl] *adj* przypadkowy, doraźny, dorywczy; sezonowy (pracownik); niedbały; zdawkowy; banalny
**cas·u·al·ty** [ˋkæʒuəltɪ] *s* nieszczęśliwy wypadek; ofiara wypadku; *pl* casualties straty w ludziach
**cat** [kæt] *s* kot
**cat·a·clysm** [ˋkætəklɪzm] *s* kataklizm
**cat·a·logue** [ˋkætəlog] *s* katalog; *vt* katalogować
**cat·a·lys·er** [ˋkætl̩aɪzə(r)] *s* katalizator
**ca·tas·tro·phe** [kəˋtæstrəfɪ] *s* katastrofa
***catch** [kætʃ], **caught, caught** [kɔt] *vt* łapać; łowić; ująć; pojąć, zrozumieć, dosłyszeć; zahaczyć, zaczepić; trafić, uderzyć; nabawić się (choroby); zarazić się (chorobą); *vi* chwytać się, czepiać się (**at sth** czegoś); **~ sb up** dogonić kogoś; **~ up with sb** dogonić kogoś, dorównać komuś; **to ~ cold** zaziębić się; **to ~ fire** zapalić się, stanąć w płomieniach; **to ~ hold** pochwycić (**of sth** coś); **to ~ sight** zobaczyć (**of sth** coś); *s* chwyt; uchwyt; łapanie; połów; łup
**catch·ing** [ˋkætʃɪŋ] *adj* zaraźliwy
**catch·word** [ˋkætʃwɜd] *s* hasło; slogan
**catchy** [ˋkætʃɪ] *adj* pociągający; zwodniczy
**cat·e·gor·i·cal** [ˈkætɪˋgorɪkl] *adj* kategoryczny
**cat·e·go·ry** [ˋkætɪgərɪ] *s* kategoria
**ca·ter** [ˋkeɪtə(r)] *vi* dostarczać żywności ⟨rozrywki⟩ (**for sb** komuś); obsługiwać (**for sb** kogoś)
**ca·ter·er** [ˋkeɪtərə(r)] *s* dostawca artykułów spożywczych
**cat·er·pil·lar** [ˋkætəpɪlə(r)] *s zool. techn.* gąsienica
**ca·the·dral** [kəˋθidrl] *s* katedra
**cath·o·lic** [ˋkæθl̩ɪk] *adj* uniwersalny, powszechny; liberalny; katolicki; *s* **Catholic** katolik
**cat·kin** [ˋkætkɪn] *s* bazia, kotek
**cat·tle** [ˋkætl] *s* bydło rogate
**Cau·ca·sian** [kɔˋkeɪzɪən] *adj* kaukaski; *s* mieszkaniec Kaukazu
**caught** *zob.* **catch**
**caul·dron** [ˋkɔldrən] *s* kocioł
**cau·li·flow·er** [ˋkolɪflauə(r)] *s* kalafior
**caus·al** [ˋkɔzl] *adj* przyczynowy
**cause** [kɔz] *s* przyczyna; powód (**of sth** czegoś, **for sth** do czegoś); sprawa, proces; *vt* powodować
**cause·way** [ˋkɔzweɪ] *s* droga na grobli; grobla
**caus·tic** [ˋkɔstɪk] *s* żrący; zjadliwy, kostyczny
**cau·tion** [ˋkɔʃn] *s* ostrożność; przezorność; ostrzeżenie; uwaga; *vt* ostrzegać
**cau·tious** [ˋkɔʃəs] *adj* ostrożny, rozważny, uważny
**cav·a·lier** [ˈkævəˋlɪə(r)] *s* kawalerzysta; rojalista; kawaler, amant; *adj* swobodny; szarmancki; nonszalancki
**cav·al·ry** [ˋkævlrɪ] *s* kawaleria
**cave** [keɪv] *s* pieczara, jaskinia; *vt* drążyć; *vi* zapadać się
**cav·ern** [ˋkævən] *s* jaskinia, jama
**cav·i·ar** [ˋkævɪɑ(r)] *s* kawior
**cav·il** [ˋkævl] *vi* czepiać się (**at sb, sth** kogoś, czegoś), ganić (**at sb, sth** kogoś, coś); *s* złośliwa uwaga
**cav·i·ty** [ˋkævətɪ] *s* wydrążenie; *dent.* dziura
**caw** [kɔ] *vi* krakać; *s* krakanie
**cease** [sis] *vi* przestawać, ustawać; *vt* przerwać, zaprzestać, skończyć
**cease·less** [ˋsisləs] *adj* nieustanny
**ce·dar** [ˋsidə(r)] *s* cedr
**cede** [sid] *vt* ustąpić, odstąpić, cedować
**ceil·ing** [ˋsilɪŋ] *s* sufit
**cel·e·brate** [ˋseləbreɪt] *vt* świętować, obchodzić (np. uroczystość), sławić

**cel·e·brat·ed** ['seləbreɪtɪd] *adj* sławny, powszechnie znany
**ce·leb·ri·ty** [sə'lebrətɪ] *s* znakomitość, sława
**ce·les·tial** [sə'lestɪəl] *adj* niebiański, boski
**cel·i·ba·cy** ['selɪbəsɪ] *s* celibat
**cel·i·bate** ['selɪbət] *adj* bezżenny; *s* osoba żyjąca w celibacie
**cell** [sel] *s* cela, komórka; *elektr.* bateria
**cel·lar** ['selə(r)] *s* piwnica
**cel·lo** ['tʃeləʊ] *s* wiolonczela
**Celt** [kelt, *am.* selt] *s* Celt
**Cel·tic** ['keltɪk, *am.* 'seltik] *adj* celtycki
**ce·ment** [sɪ'ment] *s* cement; *vt* cementować; *przen.* utwierdzać
**cem·e·ter·y** ['semətrɪ] *s* cmentarz
**cen·sor** ['sensə(r)] *s* cenzor; *vt* cenzurować
**cen·sor·ship** ['sensəʃɪp] *s* cenzura
**cen·sure** ['senʃə(r)] *s* osąd, nagana, krytyka; *vt* ganić, krytykować, potępiać
**cen·sus** ['sensəs] *s* spis ludności
**cent** [sent] *s am.* cent (1/100 dolara); **per ~** od sta, na sto; **at 5 per ~** na 5 procent
**cen·te·na·ri·an** [ˌsentə'neərɪən] *adj* stuletni; *s* stuletni starzec
**cen·te·na·ry** [sen'tinərɪ] *s* stulecie; *adj* stuletni
**cen·ter** ['sentər] *am.* = **centre**
**cen·ti·grade** ['sentɪgreɪd] *adj* stustopniowy; **100° ~** 100 stopni Celsjusza
**cen·ti·me·tre** ['sentɪmitə(r)] *s* centymetr
**cen·tral** ['sentrl] *adj* centralny, główny, śródmiejski
**cen·tral·ize** ['sentrəlaɪz] *vt* centralizować
**cen·tre** ['sentə(r)] *s* centrum, ośrodek; **~ of gravity** środek ciężkości; *vt vi* umieszczać w środku; skupiać (się), koncentrować (się)
**cen·trif·u·gal** [sen'trɪfjugl] *adj* odśrodkowy
**cen·trip·e·tal** [sen'trɪpɪtl] *adj* dośrodkowy
**cen·tu·ry** ['sentʃərɪ] *s* stulecie, wiek
**ce·ram·ic** [sɪ'ræmɪk] *adj* ceramiczny
**ce·ram·ics** [sɪ'ræmɪks] *s* ceramika
**ce·re·al** ['sɪərɪəl] *adj* zbożowy; *s* (*zw. pl* ~s) roślina zbożowa
**cer·e·bral** ['serəbrl] *adj* mózgowy
**cer·e·mo·ni·al** [ˌserə'məunɪəl] *adj* ceremonialny; *s* ceremoniał, obrządek
**cer·e·mo·ny** ['serəmənɪ] *s* ceremonia, uroczystość
**cer·tain** ['s3tn] *adj* pewny; określony; przekonany; niejaki, pewien; **for ~** na pewno; **to make ~** ustalić, upewnić się; **he is ~ to come on** na pewno przyjdzie
**cer·tain·ly** ['s3tnlɪ] *adv* na pewno, bezwarunkowo; *int* **~!** oczywiście!; **~ not!** nie!, nie ma mowy!
**cer·tain·ty** ['s3tntɪ] *s* pewność
**cer·tif·i·cate** [sə'tɪfɪkət] *s* zaświadczenie, świadectwo
**cer·ti·fy** ['s3tɪfaɪ] *vt vi* zaświadczać, poświadczać
**cer·ti·tude** ['s3tɪtjud] *s* pewność
**ces·sa·tion** [se'seɪʃn] *s* przerwa, ustanie; wygaśnięcie (terminu)
**chafe** [tʃeɪf] *vt vi* trzeć (się), drażnić, jątrzyć (się)
**chafer** ['tʃeɪfə(r)] *s* chrabąszcz
**chaff** [tʃɑf] *s* sieczka, plewy; żarty, kpiny; *vt* żartować, droczyć się
**cha·grin** ['ʃægrɪn] *s* zmartwienie; *vt* martwić się
**chain** [tʃeɪn] *s dosł. i przen.* łańcuch; łańcuszek; *vt* przymocować łańcuchem; skuć; *przen.* uwiązać
**chair** [tʃeə(r)] *s* krzesło, fotel; katedra; krzesło ⟨miejsce, funkcja⟩ przewodniczącego; **to be in the ~** przewodniczyć
**chair·man** ['tʃeəmən] *s* przewodniczący, prezes

**chaise** [ʃeɪz] *s* lekki powóz, bryczka

**chalk** [tʃɔk] *s* kreda; kredka; *vt* znaczyć kredą; szkicować

**chal·lenge** [ˈtʃæləndʒ] *s* wyzwanie; wezwanie; próba sił; *vt* wyzywać; wzywać

**cham·ber** [ˈtʃeɪmbə(r)] *s* sala, pokój; izba; komora; ~ **music** muzyka kameralna

**cham·ber·lain** [ˈtʃeɪmbəlɪn] *s* szambelan

**cham·ber·maid** [ˈtʃeɪmbəmeɪd] *s* pokojówka

**cha·me·le·on** [kəˈmiliən] *s* kameleon

**cham·ois-leath·er** [ˈʃæmɪ leðə(r)] *s* ircha

**cham·pagne** [ʃæmˈpeɪn] *s* szampan

**cham·pi·gnon** [tʃæmˈpɪnɪən] *s bot.* pieczarka

**cham·pi·on** [ˈtʃæmpɪən] *s sport* mistrz, rekordzista; orędownik

**chance** [tʃɑns] *s* traf, przypadek; możność, okazja; szansa; ryzyko; **by** ~ przypadkowo; **to give sb a** ~ dać komuś szansę; **to take one's** ~ próbować, ryzykować; *adj attr* przypadkowy; *vi* zdarzać się; natknąć się (**on, upon sb, sth** na kogoś, na coś); *vt* ryzykować

**chan·cel·ler·y** [ˈtʃɑnslrɪ] *s* urząd kanclerza; biuro ambasady

**chan·cel·lor** [ˈtʃɑnslə(r)] *s* kanclerz; rektor (uniwersytetu); **Chancellor of the Exchequer** minister finansów; **Lord Chancellor** sędzia najwyższy

**chan·cer·y** [ˈtʃɑnsərɪ] *s* rejestr publiczny; **Chancery** Sąd Lorda Kanclerza

**chan·de·lier** [ˌʃændəˈlɪə(r)] *s* kandelabr

**chan·dler** [ˈtʃɑndlə(r)] *s* drobny kupiec, kramarz

**change** 1. [tʃeɪndʒ] *s* zmiana; wymiana; przemiana; przesiadka; drobne pieniądze, reszta; **small** ~ drobne; **for a** ~ dla urozmaicenia, na odmianę; *vt vi* zmieniać (się), wymieniać; odmieniać (się); przebierać się; przesiadać się; **to** ~ **hands** zmieniać właściciela: **to** ~ **one's mind** rozmyślić się

**Change** 2. [tʃeɪndʒ] *s* (*także* **Exchange, Stock Exchange**) giełda

**change·a·ble** [ˈtʃeɪndʒəbl] *adj* zmienny

**chan·nel** [ˈtʃænl] *s* kanał (*zw.* morski); koryto (rzeki); kanalik; *przen.* droga, sposób; **English Channel** kanał La Manche

**chant** [tʃɑnt] *s* pieśń (*zw.* kościelna); *vt vi* śpiewać (pieśni, psalmy)

**cha·os** [ˈkeɪɒs] *s* chaos

**cha·ot·ic** [keɪˈɒtɪk] *adj* chaotyczny

**chap** [tʃæp] *s pot.* facet, gość, człowiek

**chap·el** [ˈtʃæpl] *s* kaplica

**chap·lain** [ˈtʃæplɪn] *s* kapelan

**chap·ter** [ˈtʃæptə(r)] *s* rozdział (np. książki, życia)

**char·ac·ter** [ˈkærɪktə(r)] *s* charakter; postać, rola; osobistość; dobre ⟨złe⟩ imię, reputacja; cecha charakterystyczna; litera; dziwak; *pot.* indywiduum, typ

**char·ac·ter·is·tic** [ˌkærɪktəˈrɪstɪk] *adj* charakterystyczny, znamienny; *s* rys charakterystyczny

**char·ac·ter·ize** [ˈkærɪktəraɪz] *vt* charakteryzować, cechować; scharakteryzować, opisać (**sb, sth** kogoś, coś)

**cha·rade** [ʃəˈrɑd] *s* szarada

**char·coal** [ˈtʃɑkəʊl] *s* węgiel drzewny

**charge** [tʃɑdʒ] *s* obciążenie, ciężar; ładunek; zarzut, oskarżenie; obowiązek, powinność, opieka; atak, szarża; nabój; koszt, opłata; **on a** ~ **of** pod zarzutem (**sth** czegoś); **at a** ~ **of** za opłatą; **to be in** ~ opiekować się, zarządzać (**of sth** czymś); **to take** ~ zająć się (**of sth** czymś); **free of** ~ bezpłatny; *vt* obciążać; ładować; oskarżać (**with sth** o coś); polecić, powierzyć (**sb with sth** komuś

coś); policzyć, pobrać (kwotę); *vi* cenić, podawać cenę; atakować; **how much do you ~ for it?** ile za to żądasz?
**char·i·ot** [`tʃærɪət] *s* rydwan, wóz
**char·i·ta·ble** [`tʃærɪtəbl] *adj* dobroczynny, miłosierny
**char·i·ty** [`tʃærətɪ] *s* dobroczynność, miłosierdzie; jałmużna
**charm** [tʃɑm] *s* czar, wdzięk, urok; *vt vi* czarować, urzekać
**chart** [tʃɑt] *s* mapa morska; wykres
**char·ter** [`tʃɑtə(r)] *s* karta; statut; przywilej; patent; *vt* nadać patent; przyznać (prawo, przywilej); frachtować (statek)
**char·wom·an** [`tʃɑwumən] *s* posługaczka, sprzątaczka
**chase** 1. [tʃeɪs] *s* pogoń; polowanie; *vt* gonić, ścigać; polować (**sth** na coś)
**chase** 2. [tʃeɪs] *s* lufa; rowek; oprawa, ramka
**chase** 3. [tʃeɪs] *vt* cyzelować
**chasm** [`kæzm] *s* rozpadlina, przepaść, otchłań
**chas·sis** [`ʃæsɪ] *s mot.* podwozie
**chaste** [tʃeɪst] *adj* niewinny, cnotliwy, czysty; prosty, bez ornamentów
**chas·ten** [`tʃeɪsn] *vt* oczyszczać; doświadczać, karać
**chas·tise** [tʃæ`staɪz] *vt* karać; poskramiać; chłostać, smagać
**chas·tise·ment** [tʃæ`staɪzmənt] *s* kara; chłosta
**chas·ti·ty** [`tʃæstətɪ] *s* czystość, niewinność
**chat** [tʃæt] *s* swobodna rozmowa, pogawędka; *vi* gawędzić, pogadać
**chat·tels** [`tʃætlz] *s pl* ruchomości; (*zw.* **goods and ~**) mienie, dobytek
**chat·ter** [`tʃætə(r)] *vi* świergotać, szczebiotać; paplać, trajkotać; szczękać; *s* szczebiot; paplanina; szczęk
**chat·ter·box** [`tʃætəboks] *s pot.* gaduła, trajkotka
**chauf·feur** [`ʃəufə(r)] *s* szofer
**chau·vin·ism** [`ʃəuvɪnɪzm] *s* szowinizm
**cheap** [tʃip] *adj* tani, marny, bezwartościowy; *adv* tanio
**cheap·en** [`tʃipən] *vt* obniżyć cenę; *vi* potanieć
**cheat** [tʃit] *vt vi* oszukiwać; *s* oszustwo; oszust
**check** [tʃek] *vt* wstrzymywać, hamować; trzymać w szachu; kontrolować, sprawdzać; *am.* oddać na przechowanie za pokwitowaniem, nadać (np. bagaż); **~ in** zameldować się (w hotelu); **~ out** wymeldować się; *s* zatrzymanie, zahamowanie; szach; kontrola; żeton; pokwitowanie; numerek (w szatni itp); *am.* czek; rachunek
**check·er** [`tʃekə(r)] *s am.* = chequer
**check·mate** [`tʃekmeɪt] *s* mat; *vt* dać mata; *przen.* udaremnić (zamiary); unicestwić
**cheek** [tʃik] *s* policzek; *przen.* bezczelność, zuchwalstwo
**cheek·y** [`tʃikɪ] *adj* bezczelny, zuchwały
**cheer** [tʃɪə(r)] *s* (*zw. pl* **~s**) radosne okrzyki, oklaski; radość; samopoczucie; jedzenie, dobry posiłek; **to be of good ~** być dobrej myśli; **what ~?** jak się czujesz?; *vt* rozweselać, zachęcać, dodawać otuchy; (*także* **~ up**) przyjmować z aplauzem, robić owację; *vi* wiwatować; (*zw.* **~ up**) nabierać otuchy; **~ up!** głowa do góry!; rozchmurz się!
**cheer·ful** [`tʃɪəfl] *adj* radosny, pogodny, zadowolony
**cheer·less** [`tʃɪələs] *adj* posępny, ponury, smutny
**cheer·y** [`tʃɪərɪ] *adj* pełen radości, wesoły
**cheese** [tʃiz] *s* ser
**chem·i·cal** [`kemɪkl] *adj* chemiczny; *s pl* **~s** chemikalia
**chem·ist** [`kemɪst] *s* chemik; *bryt.* aptekarz; **~'s shop** apteka
**chem·is·try** [`kemɪstrɪ] *s* chemia

**cheque** [tʃek] *s bryt.* czek
**cheq·uer** [`tʃekə(r)] *s* szachownica; deseń w kratkę; *vt* kratkować
**cher·ish** [`tʃerɪʃ] *vt* lubić, pielęgnować, żywić (np. uczucie, nadzieję)
**cher·ry** [`tʃerɪ] *s* wiśnia, czereśnia; ~ **brandy** wiśniówka
**chess** [tʃes] *s* szachy
**chess-board** [`tʃesbɔd] *s* szachownica
**chest** [tʃest] *s* skrzynia, kufer; klatka piersiowa, pierś
**chest·nut** [`tʃesnʌt] *s* kasztan
**chew** [tʃu] *vt vi* żuć
**chew·ing-gum** [`tʃuɪŋ gʌm] *s* guma do żucia
**chick·en** [`tʃɪkɪn] *s* kurczę
**chick·en-pox** [`tʃɪkɪnpoks] *s med.* wietrzna ospa
**chic·o·ry** [`tʃɪkərɪ] *s* cykoria
***chide** [tʃaɪd], **chid** [tʃɪd], **chidden** [`tʃɪdn] *vt* ganić, łajać, besztać
**chief** [tʃif] *s* szef, wódz, głowa; *adj* główny, naczelny
**chief·tain** [`tʃiftən] *s* wódz, herszt
**child** [tʃaɪld] *s* (*pl* **children** [`tʃɪl drn]) dziecko
**child·birth** [`tʃaɪldbɜθ] *s* poród
**child·hood** [`tʃaɪldhud] *s* dzieciństwo
**child·ish** [`tʃaɪldɪʃ] *adj* dziecinny
**chil·dren** *zob.* **child**
**chill** [tʃɪl] *s* chłód; dreszcz; **to catch a** ~ dostać dreszczy, przeziębić się; **to take the** ~ **off** podgrzać; *adj* chłodny, przejmujący dreszczem; *vt* chłodzić, studzić; *vi* stygnąć, oziębiać się
**chill·y** [`tʃɪlɪ] *adj* chłodny, przejmujący dreszczem
**chime** [tʃaɪm] *s* kurant; harmonia, zgoda; (*zw. pl* ~**s**) dźwięk dzwonów; *vt vi* dzwonić, wydzwaniać; **to** ~ **in with** harmonizować z
**chim·ney** [`tʃɪmnɪ] *s* komin
**chim·ney-sweep·er** [`tʃɪmnɪ swipə(r)] *s* kominiarz
**chim·pan·zee** [ˈtʃɪmpæn`zi] *s* szympans
**chin** [tʃɪn] *s* podbródek, broda
**chi·na** [`tʃaɪnə] *s* porcelana
**china-town** [`tʃaɪnə taun] *s* chińska dzielnica (miasta)
**Chi·nese** [tʃaɪ`niz] *s* Chińczyk; *adj* chiński
**chink** 1. [tʃɪŋk] *s* brzęk; *vt vi* brzęczeć, dźwięczeć, pobrzękiwać
**chink** 2. [tʃɪŋk] *s* szpara, szczelina; *vi* pękać; *vt* uszczelniać
**chip** [tʃɪp] *s* wiór, drzazga, skrawek; *pl* ~**s** frytki; *vt vi* strugać; łupać; kruszyć (się); szczerbić (się)
**chirp** [tʃɜp], **chir·rup** [`tʃɪrəp] *vt vi* świergotać; *s* świergot
**chis·el** [`tʃɪzl] *s* dłuto; *vt* dłutować; rzeźbić (dłutem)
**chiv·al·rous** [`ʃɪvlrəs] *adj* rycerski
**chiv·al·ry** [`ʃɪvlrɪ] *s* rycerstwo, rycerskość
**chlo·ride** [`klɔraɪd] *s chem.* chlorek
**chlo·rine** [`klɔrɪn] *s chem.* chlor
**chlo·ro·form** [`klorəfɔm] *s* chloroform
**chock-full** [ˈtʃok `ful] *adj pot.* wypełniony po brzegi
**choc·o·late** [`tʃoklət] *s* czekolada; *adj* czekoladowy
**choice** [tʃɔɪs] *s* wybór; chęć; dobór; rzecz wybrana; *adj* wyborowy, wybrany
**choir** [`kwaɪə(r)] *s* chór (zespół śpiewaczy i chór kościelny)
**choke** [tʃəuk] *vt vi* dusić (się); głuszyć, tłumić; (*także* ~ **up**) zatykać; *s* duszenie (się), dławienie (się)
**chol·e·ra** [`kolərə] *s* cholera
***choose** [tʃuz], **chose** [tʃəuz], **chosen** [`tʃəuzn] *vt* wybierać, obierać; *vi* mieć wybór; woleć; **if you** ~ jeżeli masz ochotę; **when you** ~ kiedy zechcesz
**chop** [tʃop] *vt* krajać, siekać, rąbać; ~ **off** odciąć, odrąbać; ~ **through** przeciąć, przerąbać; *s* cięcie, rąbanie; płat; zraz; kotlet
**chop·per** [`tʃopə(r)] *s* tasak

**cho·ral** [ˋkɔrl] *adj* chóralny
**chord** [kɔd] *s* struna; cięciwa; akord
**cho·rus** [ˋkɔrəs] *s* chór; **in** ~ chórem
**chose, cho·sen** *zob.* **choose**
**Christ** [kraɪst] *s rel.* Chrystus
**chris·ten** [ˋkrɪsn] *vt* chrzcić
**Chris·tian** [ˋkrɪstʃən] *adj* chrześcijański; *s* chrześcijanin
**Christ·mas** [ˋkrɪsməs] *s* Boże Narodzenie; ~ **Eve** Wigilia; ~ **tree** choinka
**chron·ic** [ˋkronɪk] *adj* chroniczny
**chron·i·cle** [ˋkronɪkl] *s* kronika
**chron·o·log·i·cal** [ˏkronəˋlodʒɪkl] *adj* chronologiczny
**chro·nol·o·gy** [krəˋnolədʒɪ] *s* chronologia
**chrys·a·lis** [ˋkrɪsəlɪs] *s* poczwarka
**chub·by** [ˋtʃʌbɪ] *adj* pucołowaty
**chuck** 1. [tʃʌk] *vt* cisnąć, rzucić; ~ **out** wyrzucić, *pot.* wylać
**chuck** 2. [tʃʌk] *vi* gdakać; zwoływać ptactwo domowe; cmokać (na konia); *s* maleństwo, kurczątko
**chuck·le** [ˋtʃʌkl] *s* chichot; *vi* chichotać
**chum** [tʃʌm] *s* serdeczny kolega; *pot.* kumpel; *vi* przyjaźnić się, być w zażyłych stosunkach
**chunk** [tʃʌŋk] *s* kawał (np. chleba); kloc, bryła
**church** [tʃ3tʃ] *s* kościół
**church·yard** [ˋtʃ3tʃjad] *s* dziedziniec kościelny; cmentarz przy kościele
**churl** [tʃ3l] *s* gbur, grubianin, sknera
**churn** [tʃ3n] *s* maślnica; *vt vi* robić masło; wzburzyć (się)
**cic·a·trice** [ˋsɪkətrɪs], *med.* **cic·atrix** [ˋsɪkətrɪks] *s* blizna
**ci·der** [ˋsaɪdə(r)] *s* cydr, jabłecznik
**cigar** [sɪˋga(r)] *s* cygaro
**cig·a·rette** [ˏsɪgəˋret] *s* papieros
**cig·a·rette-case** [ˏsɪgəˋret keɪs] *s* papierośnica
**cig·a·rette-holder** [ˏsɪgəˋret həuldə(r)] *s* cygarniczka
**cin·der** [ˋsɪndə(r)] *s* (*zw. pl* ~**s**) popiół, żużel
**Cin·der·el·la** [ˏsɪndəˋrelə] *s* Kopciuszek
**cin·e·ma** [ˋsɪnəmə] *s* kino
**cin·na·mon** [ˋsɪnəmən] *s* cynamon
**ci·pher** [ˋsaɪfə(r)] *s* cyfra; zero; szyfr; *vi* rachować; *vt* zaszyfrować
**cir·cle** [ˋs3kl] *s dosł. i przen.* koło; krąg, obwód; *teatr* **upper** ~ balkon I piętra; *vt* okrążać, otaczać; *vi* krążyć
**cir·cuit** [ˋs3kɪt] *s* obwód, linia okrężna; obieg; objazd; **short** ~ krótkie spięcie
**cir·cu·i·tous** [s3ˋkjuɪtəs] *adj* okólny, okrężny
**cir·cu·lar** [ˋs3kjulə(r)] *adj* kolisty; okólny; *s* okólnik
**cir·cu·late** [ˋs3kjuleɪt] *vt* puszczać w obieg; *vi* krążyć; **circulating medium** płatniczy środek obiegowy
**cir·cu·la·tion** [ˏs3kjuˋleɪʃn] *s* krążenie, obieg
**cir·cum·fer·ence** [s3ˋkʌmfərns] *s* obwód
**cir·cum·nav·i·gate** [ˏs3kəmˋnævɪgeɪt] *vt* objechać morzem dookoła, opłynąć
**cir·cum·scribe** [ˋs3kəmskraɪb] *vt* opisać, określić; ograniczyć
**cir·cum·spect** [ˋs3kəmspekt] *adj* ostrożny, rozważny
**cir·cum·spec·tion** [ˏs3kəmˋspekʃn] *s* ostrożność, rozwaga
**cir·cum·stance** [ˋs3kəmstəns] *s zw. pl* ~**s** okoliczności, stosunki, położenie; **under no** ~**s** pod żadnym warunkiem
**cir·cum·stan·tial** [ˏs3kəmˋstænʃl] *adj* szczegółowy; okolicznościowy; poszlakowy
**cir·cus** [ˋs3kəs] *s* cyrk; okrągły plac (u zbiegu ulic)
**cis·tern** [ˋsɪstən] *s* cysterna
**cit·a·del** [ˋsɪtədl] *s* cytadela
**ci·ta·tion** [saɪˋteɪʃn] *s* cytat

**cite** [saɪt] *vt* cytować; wzywać (do sądu)
**cit·i·zen** [ˋsɪtɪzn] *s* obywatel
**cit·i·zen·ship** [ˋsɪtɪznʃɪp] *s* obywatelstwo
**cit·y** [ˋsɪtɪ] *s* (wielkie) miasto; ~ **council** rada miejska; **the City** City (śródmieście Londynu będące centrum handlu i finansów); **City man** handlowiec i finansista z City
**civ·ic** [ˋsɪvɪk] *adj* obywatelski
**civ·il** [ˋsɪvl] *adj* cywilny, obywatelski; ~ **servant** urzędnik państwowy; ~ **service** służba ⟨administracja⟩ państwowa; ~ **war** wojna domowa
**ci·vil·ian** [səˋvɪlɪən] *adj* cywilny; *s* cywil
**ci·vil·i·ty** [səˋvɪlətɪ] *s* uprzejmość
**civ·il·i·za·tion** [ˌsɪvḷaɪˋzeɪʃn] *s* cywilizacja
**civ·il·ize** [ˋsɪvḷaɪz] *vt* cywilizować
**clack** [klæk] *s* trzask, szczęk; *vi* trzaskać, szczękać
**clad** *zob.* **clothe**
**claim** [kleɪm] *vt* żądać, zgłaszać pretensje (**sth** do czegoś); twierdzić; *s* żądanie (**to sth** czegoś), pretensja, roszczenie; twierdzenie; **to lay** ~ zgłaszać pretensję (**to sth** do czegoś)
**claim·ant** [ˋkleɪmənt] *s* pretendent
**clair·voy·ance** [kleəˋvɔɪəns] *s* jasnowidztwo
**clam·ber** [ˋklæmbə(r)] *vi* wspinać się, gramolić się
**clam·my** [ˋklæmɪ] *adj* lepki, wilgotny
**clam·or·ous** [ˋklæmərəs] *adj* krzykliwy, hałaśliwy
**clam·our** [ˋklæmə(r)] *s* krzyk, hałas; *vi* krzyczeć, wrzeszczeć
**clamp** 1. [klæmp] *s* kleszcze; imadło; klamra; *vt* zaciskać, spajać
**clamp** 2. [klæmp] *s* ciężkie stąpanie; *vi* ciężko stąpać
**clamp** 3. [klæmp] *s* sterta, kupa
**clan** [klæn] *s* klan
**clan·des·tine** [klænˋdestɪn] *adj* tajny, potajemny
**clang** [klæŋ] *s* dźwięk (metalu), szczęk; *vt vi* dźwięczeć, pobrzękiwać
**clap** [klæp] *vt vi* trzaskać; klaskać; klepać; *s* trzask; klepanie; klaskanie; grzmot; huk
**clap·trap** [ˋklæptræp] *s zbior.* czcza gadanina, frazesy
**claque** [klæk] *s* klaka
**clar·i·fy** [ˋklærɪfaɪ] *vt vi* wyjaśnić (się); oczyszczać (się), klarować (się)
**clar·i·net** [ˌklærɪˋnet] *s muz.* klarnet
**clar·i·on** [ˋklærɪən] *s* trąbka; sygnał
**clar·i·ty** [ˋklærətɪ] *s* jasność, czystość, klarowność; przejrzystość (np. stylu)
**clash** [klæʃ] *s* trzask, brzęk; zderzenie, kolizja; niezgodność; konflikt; potyczka; *vt* trzasnąć, uderzyć; *vi* brzęknąć; zderzyć się, zetrzeć się; kolidować
**clasp** [klɑsp] *vt* zamykać, spinać, zwierać; chwytać, obejmować; *s* objęcie, uścisk; zapinka, zatrzask, klamra
**clasp-knife** [ˋklɑspnaɪf] *s* nóż składany, scyzoryk
**class** [klɑs] *s* klasa (szkolna, społeczna itp.); lekcja, kurs; ~ **war** walka klasowa; *vt* klasyfikować
**class-con·scious·ness** [ˋklɑs konʃəs nəs] *adj* świadomość klasowa
**clas·sic** [ˋklæsɪk] *adj* klasyczny; *s* klasyk
**clas·si·cal** [ˋklæsɪkl] = **classic** *adj*
**clas·si·cism** [ˋklæsɪsɪzm] *s* klasycyzm
**clas·si·fy** [ˋklæsɪfaɪ] *vt* klasyfikować, sortować
**class·less** [ˋklɑsləs] *adj* bezklasowy
**class·mate** [ˋklɑsmeɪt] *s* kolega szkolny
**class·room** [ˋklɑsrum] *s* klasa, sala szkolna
**clat·ter** [ˋklætə(r)] *vt vi* stukać, brzęczeć; robić hałas; *s* stukot, klekot, brzęk; gwar
**clause** [klɔz] *s* klauzula, warunek; *gram.* zdanie
**claw** [klɔ] *s* pazur, szpon; łapa z

pazurami; kleszcze (np. raka); *vt* drapać; chwytać w szpony
**clay** [kleɪ] *s* glina
**clean** [klin] *adj* czysty, wyraźny; gładki; całkowity; przyzwoity, lojalny; *vt* czyścić; ~ **up** porządkować, sprzątać
**clean·li·ness** [`klenlɪnəs] *s* schludność; czystość
**clean·ly 1.** [`klenlɪ] *adj* schludny, dbający o czystość
**clean·ly 2.** [`klinlɪ] *adv* czysto
**clean·ness** [`klinnəs] *s* czystość
**cleanse** [klenz] *vt dosł. i przen.* oczyszczać
**clear** [klɪə(r)] *adj* jasny, wyraźny; całkowity, pełny; czysty (np. zysk, sumienie); wolny (**of sth** od czegoś); bystry, przenikliwy; **all** ~ droga wolna; alarm odwołany; *adv* jasno, wyraźnie; całkiem; czysto; z dala; **to get** ~ **off** wyjść na czysto, uwolnić się, pozbyć się; **to keep** ~ trzymać się z dala (**of sth** od czegoś); **to stand** ~ stać z dala, na uboczu; *vt* wyjaśniać, objaśniać, usprawiedliwiać, klarować; czyścić, sprzątać; zwalniać, opróżniać, opuszczać; trzebić (las); spłacać, rozliczać, wyrównywać (długi, rachunki); ~ **away** usunąć; ~ **off** wyprzedać; ~ **out** uprzątnąć, wyrzucić; ~ **up** wyjaśnić; sprzątnąć; *vi* wyjaśniać się; rozchmurzać się; *pot.* ~ **out** <**off**> wynieść się; (*o pogodzie*) ~ **up** przejaśniać się
**clear·ance** [`klɪərns] *s* zwolnienie; oczyszczenie; wyprzedaż; rozliczenie, wyrównanie kont; odprawa celna
**clear·ing** [`klɪərɪŋ] *s* karczowisko; polana; rozrachunek (bankowy)
**clear-sight·ed** ['klɪə `saɪtɪd] *adj* wnikliwy; pewny
**cleav·age** [`klivɪdʒ] *s* rozszczepienie; szczelina; rozłam
***cleave 1.** [kliv], **cleft** [kleft] *lub* **clove** [kləuv], **cleft** [kleft] *lub* **cloven** [`kləuvn] *vt vi* rozszczepiać (się), rozcinać, pękać
**cleave 2.** [kliv] *vi* trzymać się (**to sb, sth** kogoś, czegoś), być wiernym
**clef** [klef] *s muz.* klucz
**cleft 1.** *zob.* **cleave 1.**
**cleft 2.** [kleft] *s* szczelina, rozpadlina
**clem·en·cy** [`klemənsɪ] *s* łagodność; łaska; łaskawość
**clench** [klentʃ] *vt* ścisnąć, zacisnąć, zewrzeć; zaklepać; *vi* zewrzeć się; zacisnąć się
**cler·gy** [`klɜdʒɪ] *s* duchowieństwo, kler
**cler·gy·man** [`klɜdʒɪmən] *s* duchowny
**cler·i·cal** [`klerɪkl] *adj* duchowny; klerykalny; urzędniczy; biurowy; ~ **error** błąd pisarski <maszynowy>
**clerk** [klɑk] *s* urzędnik, kancelista, biuralista
**clev·er** [`klevə(r)] *adj* sprytny; zdolny, utalentowany; zręczny
**clever·ness** [`klevənəs] *s* zręczność; zdolność; inteligencja
**clew** [klu] *s* = **clue**; *vt* zwijać w kłębek; *mors.* zwijać żagiel
**cli·ché** [`kliʃeɪ] *s* banał, komunał; *druk.* klisza
**click** [klɪk] *s* szczęknięcie, trzask; *vt vi* szczęknąć, trzasnąć
**cli·ent** [`klaɪənt] *s* klient
**cliff** [klɪf] *s* stroma ściana skalna, urwisko
**cli·mate** [`klaɪmɪt] *s dosł. i przen.* klimat
**cli·mat·ic** ['klaɪ`mætɪk] *adj* klimatyczny
**cli·max** [`klaɪmæks] *s* punkt kulminacyjny
**climb** [klaɪm] *vi* wspinać się, piąć się; *vt* wchodzić (**the stairs** po schodach); włazić (**a tree** na drzewo); *s* wspinaczka; wzniesienie (terenu)
**climb·er** [`klaɪmə(r)] *s* amator wspinaczki, alpinista; *przen.* karierowicz
**clinch** [klɪntʃ] *vt* = **clench**; *s* nit; zaczep
***cling** [klɪŋ], **clung, clung** [klʌŋ]

*vi* trzymać się kurczowo, chwytać się, czepiać się (**to sth** czegoś)
**clin·ic** [ˋklɪnɪk] *s* klinika
**clink** [klɪŋk] *vt vi* dźwięczeć, dzwonić; *s* brzęk, dzwonienie
**clink·er** [ˋklɪŋkə(r)] *s* klinkier
**clip 1.** [klɪp] *s* sprzączka; uchwyt; spinacz; klips; *vt* spinać, przytwierdzać
**clip 2.** [klɪp] *vt* obcinać, strzyc; *s* strzyżenie, obcięcie
**clip·pers** [ˋklɪpəz] *s pl* nożyce; szczypce; maszynka do strzyżenia
**clip·ping** [ˋklɪpɪŋ] *s* strzyżenie; wycinek (np. z prasy)
**clique** [klik] *s* klika
**cloak** [kləuk] *s* płaszcz, peleryna; *przen.* płaszczyk; *vt* okrywać płaszczem; *przen.* ukrywać pod płaszczykiem
**cloak-room** [ˋkləuk ˋrum] *s* garderoba, szatnia (np. w teatrze)
**clock** [klok] *s* zegar; *zob.* **o'clock**
**clock·wise** [ˋklokwaɪz] *adv* zgodnie z ruchem wskazówek zegara
**clock·work** [ˋklokwɜk] *s* mechanizm zegara
**clod** [klod] *s* grudka, bryła
**clog** [klog] *s* kłoda, kloc; *przen.* brzemię; zawada, przeszkoda; *pl* **~s** pęta; *vt* pętać; zawadzać; zatykać; *vi* zatykać się
**clois·ter** [ˋklɔɪstə(r)] *s* klasztor; krużganek (kryty)
**close 1.** [kləus] *adj* zamknięty; bliski; ścisły; zwarty, zbity; duszny; (*o uwadze*) napięty; gruntowny, szczegółowy; *adv* blisko, tuż obok (**to sb, sth** kogoś, czegoś); ściśle; dokładnie; **~ by** tuż obok, tuż tuż; **~ on** prawie; **~ on 70 years** prawie 70 lat; *s* ogrodzony teren, dziedziniec
**close 2.** [kləuz] *vt vi* zamykać (się); kończyć (się); zewrzeć (się); *s* koniec; zamknięcie; **to bring to a ~** doprowadzać do końca; **to draw to a ~** zbliżać się do końca
**close·ly** [ˋkləuslɪ] *adv* z bliska; dokładnie; ściśle
**close-up** [ˋkləusʌp] *s* zbliżenie; zdjęcie z bliska
**clo·sure** [ˋkləuʒə(r)] *s* zamknięcie, zakończenie
**clot** [klot] *s* grudka; *med.* skrzep; *vi* krzepnąć
**cloth** [kloθ] *s* (*pl* **~s** [kloθs]) sukno, materiał; ścierka; obrus
***clothe** [kləuð], **~d, ~d** [kləuðd] *lub* † **clad, clad** [klæd] *vt* ubierać, odziewać
**clothes** [kləuðz] *s pl* ubranie, odzież, ubiór
**cloth·ing** [ˋkləuðɪŋ] *s* odzież
**cloud** [klaud] *s dosł.* *i przen.* chmura; obłok; *vt* zachmurzyć, zaciemnić; *vi* **~ over ⟨up⟩** zachmurzyć się
**cloud·y** [ˋklaudɪ] *adj* chmurny
**clove 1.** [kləuv] *s* goździk (korzenny); ząbek (czosnku)
**clove 2.** *zob.* **cleave 1.**
**clov·en** *zob.* **cleave 1.**; *adj* rozszczepiony na dwoje
**clo·ver** [ˋkləuvə(r)] *s bot.* koniczyna
**clown** [klaun] *s* klown, błazen; gbur
**cloy** [klɔɪ] *vt* przesycić
**club** [klʌb] *s* maczuga, pałka; kij; koło, klub; (*w kartach*) trefl; *vt* bić pałką; *vi* łączyć się, zrzeszać się; **~ together** zrobić składkę
**cluck** [klʌk] *vi* gdakać; *s* gdakanie
**clue** [klu] *s* klucz (np. do zagadki); wątek; trop; kłębek
**clump** [klʌmp] *s* grupa; kępa (np. drzew); masa, bryła; ciężki chód; *vi* zbijać się w masę ⟨w bryłę⟩; ciężko stąpać
**clum·sy** [ˋklʌmzɪ] *adj* niezgrabny; nietaktowny
**clung** *zob.* **cling**
**clus·ter** [ˋklʌstə(r)] *s* grono, kiść; wiązka; gromadka; kępka
**clutch** [klʌtʃ] *s* chwyt, uścisk; szpon; *techn.* sprzęgło; *vt* pochwycić, ścisnąć w dłoni; *vi* chwytać się (**at sth** czegoś)

**clut·ter** [ˋklʌtə(r)] *s* zamieszanie, nieład; rozgardiasz; *vi* robić bałagan, zamieszanie; krzątać się (hałaśliwie); *vt* zawalać, zarzucać, zaśmiecać
**coach** [kəutʃ] *s* powóz, kareta; osobowy wagon kolejowy; autokar; korepetytor; *sport.* trener; *vt* udzielać korepetycji, uczyć; *sport* trenować
**coach·man** [ˋkəutʃmən] *s* stangret
**co·ag·u·late** [ˈkəuˋægjuleɪt] *vi* krzepnąć, tężeć, ścinać się
**coal** [kəul] *s* węgiel
**co·a·li·tion** [ˈkəuəˋlɪʃn] *s* koalicja
**coal-mine** [ˋkəul maɪn], **coal-pit** [ˋkəul pɪt] *s* kopalnia węgla
**coarse** [kɔs] *adj* szorstki, gruby; prostacki, ordynarny, pospolity
**coast** [kəust] *s* wybrzeże; *vi* pływać, kursować wzdłuż wybrzeża
**coast·al** [ˋkəustl] *adj* przybrzeżny, nadbrzeżny
**coat** [kəut] *s* marynarka; żakiet; płaszcz, palto; mundur; warstwa, powłoka; skóra, sierść; ~ of mail kolczuga; *vt* pokrywać, powlekać
**coat·ing** [ˋkəutɪŋ] *s* powłoka, warstwa
**coax** [kəuks] *vt* skłonić pochlebstwem, namówić; przymilać, przypochlebiać się
**cob·ble** 1. [ˋkobl] *s* okrągły kamień, brukowiec; *pot.* koci łeb; *vt* brukować
**cob·ble** 2. [ˋkobl] *vt* łatać (*zw.* obuwie)
**co·bra** [ˋkəubrə] *s* kobra
**cob·web** [ˋkobweb] *s* pajęczyna
**co·caine** [kəuˋkeɪn] *s* kokaina
**cock** [kok] *s* kogut; samiec (ptaków); kurek; *vt* podnieść, zadzierać (np. głowę)
**cock·ade** [koˋkeɪd] *s* kokarda
**cock·ney** [ˋkoknɪ] *s* londyńczyk (z proletariatu); gwara londyńska
**cock·pit** [ˋkokpɪt] *s* kabina pilota (w samolocie); arena
**cock·roach** [ˋkokrəutʃ] *s* karaluch
**cock·sure** [ˈkokˋʃuə(r)] *adj* pewny siebie, zarozumiały
**cock·tail** [ˋkokteɪl] *s* koktajl
**coco, cocoa** 1. [ˋkəukəu] *s* kokos
**co·coa** 2. [ˋkəukəu] *s* kakao
**co·co·nut** [ˋkəukənʌt] *s* orzech kokosowy
**co·coon** [kəˋkun] *s* kokon, oprzęd
**cod** [kod] *s* dorsz
**code** [kəud] *s* kodeks; kod, szyfr; *vt* szyfrować
**cod·fish** [ˋkodfɪʃ] *s* = **cod**
**cod·i·fy** [ˋkəudɪfaɪ] *vt* kodyfikować
**cod-liv·er oil** [ˈkod lɪvər ˋɔɪl] *s* tran
**co·ed·u·ca·tion** [ˈkəu ˈedʒuˋkeɪʃn] *s* koedukacja
**co·erce** [kəuˋɜs] *vt* zmuszać, wymuszać, zniewalać
**co·er·cion** [kəuˋɜʃn] *s* przymus, bezwzględne traktowanie, zmuszanie
**co·er·cive** [kəuˋɜsɪv] *adj* przymusowy, bezwzględny
**co·e·val** [kəuˋivl] *adj* współczesny; będący w tym samym wieku; *s* rówieśnik
**co-ex·ist·ence** [ˈkəuɪgˋzɪstəns] *s* współistnienie
**co-ex·ist·ent** [ˈkəuɪgˋzɪstənt] *adj* współistniejący
**cof·fee** [ˋkofɪ] *s* kawa
**cof·fee-hous** [ˋkofɪ haus] *s* kawiarnia
**cof·fer** [ˋkofə(r)] *s* kufer, skrzynia, kaseta; *pl* the ~s skarbiec, fundusze
**cof·fin** [ˋkofɪn] *s* trumna
**cog** [kog] *s techn.* ząb, zębatka
**co·gent** [ˋkəudʒənt] *adj* przekonywający
**co·gnac** [ˋkonjæk] *s* koniak
**cog·nate** [ˋkogneɪt] *adj* pokrewny, bliski
**cog·ni·zance** [ˋkognɪzns] *s* wiedza, wiadomość, świadomość; kompetencja; to take ~ zaznajomić się (of sth z czymś)
**co·gni·zant** [ˋkognɪznt] *adj* wiedzący, świadomy; kompetentny (of sth w czymś)

**cog-wheel** [`kog wil] *s techn.* koło zębate
**co·here** [kəu`hiə(r)] *vi (o faktach, argumentach)* zgadzać się ze sobą
**co·her·ence** [kəu`hıərns] *s* zwartość, spoistość; zgoda; łączność
**co·he·sion** [kəu`hiʒn] *s fiz.* kohezja; spoistość
**coif·fure** [kwɑ`fjuə(r)] *s* fryzura
**coil** [kɔıl] *vt vi* zwijać (się); *s* zwój; szpulka; spirala
**coin** [kɔın[ *s* pieniądz, moneta; *vt* bić (pieniądze); kuć; *przen.* ukuć (nowy wyraz)
**coin·age** [`kɔınıdʒ] *s* bicie monety; wybita moneta; system monetarny; wytwór, wymysł; wprowadzanie do języka nowych słów; nowy wyraz
**co·in·cide** ['kəuın`sɑıd] *vi* zbiegać się; pokrywać się
**co·in·ci·dence** [kəu`ınsıdəns] *s* zbieżność; zbieg okoliczności
**coke 1.** [kəuk] *s* koks; *vt* koksować
**coke 2.** [kəuk] *s pot.* coca-cola
**col·an·der** [`kʌləndə(r)] *s* cedzak
**cold** [kəuld] *adj* zimny, chłodny, oziębły; **I am ~** jest mi zimno; **in ~ blood** z zimną krwią; *s* zimno, chłód; przeziębienie; *(także* **~ in the head)** katar; **to have a ~** być przeziębionym
**cold-blood·ed** ['kəuld `blʌdıd] *adj* zimnokrwisty; *przen.* działający z zimną krwią, bezlitosny; popełniony na zimno, okrutny
**col·lab·o·rate** [kə`læbəreıt] *vi* kolaborować
**col·lab·o·ra·tion** [kə'læbə`reıʃn] *s* kolaboracja
**col·lab·o·ra·tor** [kə'læbə`reıtə(r)] *s* współpracownik; *uj.* kolaborant
**col·lapse** [kə`læps] *vi* runąć, zwalić się; załamać się; opaść z sił; *s* upadek sił, omdlenie; załamanie nerwowe; zawalenie się, katastrofa
**col·lar** [`kolə(r)] *s* kołnierz; naszyjnik; chomąto; obroża; *vt* chwycić za kołnierz; nałożyć chomąto, obrożę; złapać, zatrzymać
**col·league** [`kolig] *s* kolega (z pracy), współpracownik
**col·lect** [kə`lekt] *vt vi* zbierać (się), gromadzić (się); inkasować; podejmować; kolekcjonować; *vr* **~ oneself** opanować się, skupić się
**col·lec·tion** [kə`lekʃn] *s* zbiór, zbiórka; inkaso; podjęcie, odbiór; pobór (podatków); kolekcja
**col·lec·tive** [kə`lektıv] *adj* zbiorowy; **~ farm** spółdzielnia produkcyjna; **~ property** własność kolektywna
**col·lec·tiv·ize** [kə`lektıvɑız] *vt* kolektywizować
**col·lec·tor** [kə`lektə(r)] *s* poborca, inkasent; kolekcjoner
**col·lege** [`kolıdʒ] *s* kolegium; uczelnia, szkoła wyższa; gimnazjum; szkoła średnia
**col·le·gi·ate** [kə`lidʒıət] *adj* kolegialny; akademicki
**col·lide** [kə`lɑıd] *vi* zderzyć się; kolidować
**col·lier** [`kolıə(r)] *s* górnik (w kopalni węgla); statek węglowy
**col·lier·y** [`koljərı] *s* kopalnia węgla
**col·lision** [kə`lıʒn] *s* kolizja, zderzenie
**col·lo·qui·al** [kə`ləukwıəl] *adj* kolokwialny, potoczny
**col·lo·quy** [`koləkwı] *s* rozmowa
**col·lu·sion** [kə`luʒn] *s* konszachty, zmowa
**co·lon** [`kəulən] *s* dwukropek
**colo·nel** [`kɜnl] *s* pułkownik
**co·loni·al** [kə`ləunıəl] *adj* kolonialny; *s* mieszkaniec kolonii
**col·o·nist** [`kolənıst] *s* kolonista, osadnik
**col·o·nize** [`kolənɑız] *vt* kolonizować
**col·o·ny** [`kolənı] *s* kolonia
**co·los·sal** [kə`losl] *adj* kolosalny
**col·our** [`kʌlə(r)] *s* barwa, kolor; farba, barwnik; zabarwienie, koloryt; rumieniec; *pl* **~s** chorągiew; odznaki (społeczne, szkolne

itp.); ~ bar dyskryminacja rasowa; to put false ~s przedstawiać w fałszywym świetle; to give <to lend> ~ koloryzować, nadawać pozór prawdopodobieństwa; to join ~s wstąpić do wojska; under ~ of pod pozorem; *vt vi* barwić (się); koloryzować; pozorować

**col·oured** [ˋkʌləd] *zob.* **colour** *v*; *adj* zabarwiony; barwny; ~ **man** człowiek rasy kolorowej

**colt** 1. [kəult] *s* źrebię; *pot.* młokos

**Colt** 2. [kəult] *s* kolt (rewolwer)

**col·umn** [ˋkoləm] *s* kolumna, słup; szpalta, dział (gazety)

**comb** [kəum] *s* grzebień; *vt* czesać; *przen.* przeszukiwać

**com·bat** [ˋkombæt] *s* bój, walka; *vt* zwalczać; *vi* walczyć

**com·bat·ant** [ˋkombətənt] *adj* walczący; *s* kombatant

**com·bi·na·tion** [ˌkombiˋneɪʃn] *s* kombinacja; zrzeszenie, związek; *pl* ~s kombinacja (damska)

**com·bine** [kəmˋbaɪn] *vt vi* kombinować, wiązać; zrzeszać (się), łączyć (się); *chem.* wiązać (się); *s* [ˋkombaɪn] kartel; kombajn

**com·bus·ti·ble** [kəmˋbʌstəbl] *adj* palny; *s* (*zw. pl* ~s) materiał łatwopalny

**com·bus·tion** [kəmˋbʌstʃən] *s* spalanie; **internal** ~ **engine** silnik spalinowy

***come** [kʌm], **came** [keɪm], **come** [kʌm] *vi* przyjść, przyjechać; przybyć; stawać się; nadchodzić, zbliżać się; wypadać, przypadać; pochodzić; wynosić; wychodzić; dojść do czegoś, w końcu coś zrobić; **it ~s to 10 pounds** to wynosi 10 funtów; **nothing will ~ of it, this will ~ to nothing** nic z tego nie wyjdzie; **to ~ to believe** dojść do przekonania; ~ **about** zdarzyć się, stać się; ~ **across sth** natknąć się na coś; ~ **at sth** osiągnąć coś; dostać się do czegoś; ~ **by sth** przechodzić obok czegoś; nabyć, kupić coś; ~ **in** wejść; ~ **into force** nabrać mocy; ~ **into sight** ukazać się; ~ **of** wynikać; ~ **of age** dojść do pełnoletności; ~ **off** odejść; oderwać się; dojść do skutku; zdarzyć się; odbyć się; ~ **on** nadchodzić; ~ **out** wychodzić; ukazywać się w druku; wyjść na jaw; ~ **over** przyjść, przybyć; ~ **up** podchodzić; wspinać się; (*o roślinach*) wyrastać; natknąć się, natrafić na coś; doganiać (**with sb** kogoś); ~ **up to sb's expectations** odpowiadać czyimś oczekiwaniom; ~ **up to the mark** stanąć na wysokości zadania <na odpowiednim poziomie>; ~ **upon sb, sth** natknąć się, wpaść na kogoś, na coś; **life to** ~ życie przyszłe; **to ~ to pass** zdarzyć się; **he came to be a wreck** doszło do tego, że stał się wykolejeńcem; **to ~ unbuttoned** rozpiąć się; **to ~ unlaced** rozsznurować się; **to ~ unsewn** rozpruć się

**co·me·di·an** [kəˋmidɪən] *s* komediant; komik; autor komedii

**com·e·dy** [ˋkomədɪ] *s* komedia

**come·ly** [ˋkʌmlɪ] *adj* powabny; miły

**com·er** [ˋkʌmə(r)] *s* przybysz

**com·et** [ˋkomɪt] *s* kometa

**com·fort** [ˋkʌmfət] *s* komfort, wygoda; otucha, pociecha, ulga; *vt* pocieszać, dodawać otuchy, przynosić ulgę

**com·fort·a·ble** [ˋkʌmftəbl] *adj* wygodny; zadowolony, o dobrym samopoczuciu

**com·ic** [ˋkomɪk] *adj* komiczny; komediowy; *s pl* ~s komiks, historyjka obrazkowa

**com·i·cal** [ˋkomɪkl] *adj* komiczny, zabawny

**com·ing** [ˋkʌmɪŋ] *zob.* **come**; *adj* przyszły, nadchodzący; dobrze zapowiadający się, obiecujący; *s* nadejście, przybycie; nastanie

**com·ma** [ˋkomə] *s* przecinek; **inverted** ~s cudzysłów

**com·mand** [kə'mand] *vt* rozkazywać, komenderować, dowodzić; rozporządzać; panować, górować (**sb, sth** nad kimś, nad czymś); wzbudzać; wymagać, domagać się (**sth** czegoś); *s* komenda, dowództwo, rozkaz; panowanie (**of sth** nad czymś), opanowanie; władanie; zlecenie; **to be in ~ of sth** mieć władzę nad czymś; **to have a full ~ of English** biegle władać językiem angielskim; **at ~** na rozkaz; do rozporządzenia

**com·man·dant** ['komən'dænt] *s* komendant

**com·mand·er** [kə'mandə(r)] *s* komendant, dowódca; komandor (orderu)

**com·mand·er-in-chief** [kə'mandər ın tʃıf] *s* głównodowodzący, wódz naczelny

**com·mand·ment** [kə'mandmənt] *s* przykazanie (boskie)

**com·man·do** [kə'mandəu] *s wojsk.* jednostka bojowa (szturmowo--desantowa); komandos (żołnierz tej jednostki)

**com·mem·o·rate** [kə'meməreıt] *vt* upamiętniać; czcić (pamięć); obchodzić (rocznicę)

**com·mence** [kə'mens] *vt vi* zaczynać (się)

**com·mend** [kə'mend] *vt* polecać, zalecać, powierzać

**com·ment** ['koment] *s* komentarz, uwaga; *vi* komentować (**on, upon sth** coś), wypowiadać się

**com·men·ta·ry** ['koməntrı] *s* komentarz, przypisy

**com·merce** ['komɜs] *s* handel

**com·mer·cial** [kə'mɜʃl] *adj* handlowy; **~ traveller** komiwojażer

**com·mis·sa·ri·at** ['komı'sarıət] *s* intendentura; zaopatrzenie (wojska)

**com·mis·sary** ['komısrı] *s* delegat; komisarz; intendent

**com·mis·sion** [kə'mıʃn] *s* zlecenie, rozkaz; pełnomocnictwo; delegacja; komisja; urząd; prowizja; patent oficerski; **a person in ~** osoba delegowana (z mandatem); **to sell on ~** sprzedawać komisowo (na prowizję); *vt* zlecić; upełnomocnić; delegować; mianować

**com·mis·sion·er** [kə'mıʃnə(r)] *s* pełnomocnik, mandatariusz; komisarz; członek komisji

**com·mit** [kə'mıt] *vt* popełnić; powierzyć; przekazać, odesłać; zobowiązać; angażować; *vr* **~ oneself** angażować się, wdawać się (**to sth** w coś)

**com·mit·ment** [kə'mıtmənt] *s* popełnienie; przekazanie, odesłanie; zobowiązanie, zaangażowanie

**com·mit·tee** [kə'mıtı] *s* komitet, komisja

**com·mod·i·ty** [kə'modətı] *s* towar, artykuł

**com·mo·dore** ['komədɔ(r)] *s* komandor

**com·mon** ['komən] *adj* wspólny; gminny; publiczny; codzienny, zwykły, pospolity; ogólny, powszechny; **~ law** prawo zwyczajowe; **~ sense** zdrowy rozsądek; *s* rzecz wspólna; wspólna łąka, wspólne pastwisko; **in ~** wspólnie; **out of the ~** niezwykły

**com·mon·er** ['komənə(r)] *s* szary obywatel, członek gminu; członek Izby Gmin

**com·mon·place** ['komənpleıs] *s* komunał; *adj* banalny, pospolity

**com·mons** ['komənz] *s pl* † lud, gmin; **House of Commons** Izba Gmin

**com·mon·wealth** ['komənwelθ] *s* dobro publiczne; republika; wspólnota

**com·mo·tion** [kə'məuʃn] *s* poruszenie, tumult; rozruchy

**com·mu·nal** ['komjunl] *adj* gminny, komunalny

**com·mune** ['komjun] *s* komuna, gmina

**com·mu·ni·cate** [kə'mjunıkeıt] *vt vi* komunikować (się)

**com·mu·ni·ca·tion** [kə'mjunı'keıʃn] *s* komunikacja, łączność; udzielanie informacji; kontakt, styczność

**com·mun·ion** [kə`mjunɪən] *s* wspólnota; łączność (duchowa); *rel.* komunia

**com·mu·ni·qué** [kə`mjunɪkeɪ] *s* komunikat

**com·mu·nism** [`komjunɪzm] *s* komunizm

**com·mu·nist** [`komjunɪst] *s* komunista; *adj* komunistyczny

**com·mu·ni·ty** [kə`mjunətɪ] *s* społeczność; wspólnota; gmina (np. religijna)

**com·mute** [kə`mjut] *vt vi* zamienić; *prawn.* złagodzić (karę); *am.* dojeżdżać do pracy (z biletem okresowym)

**com·pact** [kəm`pækt] *adj* zbity, gęsty, zwarty; *vt* **stłoczyć**, zbić, zgęścić; *s* [`kompækt] umowa, ugoda; puderniczka

**com·pan·ion** [kəm`pænɪən] *s* towarzysz; podręcznik

**com·pan·ion·ship** [kəm`pænɪənʃɪp] *s* towarzystwo, towarzyszenie

**com·pa·ny** [`kʌmpənɪ] *s* towarzystwo; kompania; *handl.* spółka; **to keep sb ~** dotrzymywać komuś towarzystwa; **to part ~ with sb** zerwać z kimś stosunki

**com·pa·ra·ble** [`komprəbl] *adj* porównywalny; stosunkowy

**com·par·a·tive** [kəm`pærətɪv] *adj* porównawczy; *s gram.* stopień wyższy

**com·pare** [kəm`peə(r)] *vt* porównywać, zestawiać; *vi* dorównywać (**with sb** komuś), dać się porównać; *s w zwrocie:* **beyond ⟨without, past⟩ ~** bez porównania; niezrównanie

**com·par·i·son** [kəm`pærɪsn] *s* porównanie

**com·part·ment** [kəm`pɑtmənt] *s* przedział; przegroda

**com·pass** [`kʌmpəs] *s* obręb, zasięg, zakres, granica; kompas; koło; *pl* **~es** cyrkiel; *vt* obejmować, otaczać; okrążać; osiągać

**com·pas·sion** [kəm`pæʃn] *s* współczucie, litość

**com·pas·sion·ate** [kəm`pæʃn̩ət] *adj* współczujący, litościwy

**com·pat·i·ble** [kəm`pætəbl] *adj* dający się pogodzić, zgodny

**com·pel** [kom`pel] *vt* zmuszać, wymuszać

**com·part·ment** [kəm`pɑtmənt] *s* skrót, streszczenie

**com·pen·sate** [`kompənseɪt] *vt vi* kompensować, wynagradzać

**com·pete** [kəm`pit] *vi* współzawodniczyć, konkurować; ubiegać się (**for sth** o coś)

**com·pe·tence** [`kompɪtəns] *s* kompetencja; zadowalająca sytuacja (materialna), zamożność

**com·pe·ti·tion** [ˌkompə`tɪʃn] *s* konkurs; zawody; współzawodnictwo; *handl.* konkurencja

**com·pet·i·tive** [kəm`petətɪv] *adj* konkursowy; konkurencyjny

**com·pet·i·tor** [kəm`petɪtə(r)] *s* konkurent; biorący udział w konkursie; współzawodnik

**com·pile** [kəm`paɪl] *vt* kompilować, zestawiać, opracowywać

**com·pla·cence** [kəm`pleɪsns], **com·pla·cen·cy** [kəm`pleɪsnsɪ] *s* zadowolenie; samozadowolenie

**com·plain** [kəm`pleɪn] *vi* skarżyć się, narzekać (**to sb about ⟨of⟩ sb, sth** przed kimś na kogoś, na coś)

**com·plaint** [kəm`pleɪnt] *s* skarga, narzekanie; bolączka, dolegliwość

**com·plai·sance** [kəm`pleɪzns] *s* uprzejmość, usłużność

**com·ple·ment** [`komplɪmənt] *s* uzupełnienie; *gram.* dopełnienie; *vt* uzupełniać

**com·ple·men·ta·ry** [ˌkomplə`mentrɪ] *adj* uzupełniający

**com·plete** [kəm`plit] *adj* kompletny, zupełny; skończony; *vt* kompletować; kończyć; wypełniać

**com·ple·tion** [kəm`pliʃn] *s* wypełnienie, uzupełnienie; zakończenie

**com·plex** [`kompleks] *adj* skomplikowany, zawiły; złożony; *s* kompleks

**com·plex·ion** [kəm`plekʃn] *s* cera, płeć; wygląd

**com·plex·i·ty** [kəm`pleksətɪ] *s* złożoność, zawiłość; gmatwanina

**com·pli·ance** [kəm`plaɪəns] *s* zgoda, kompromisowość, zgodność; uległość; **in ~ with your wishes** zgodnie z pańskimi ‹waszymi› życzeniami

**com·pli·cate** [`komplɪkeɪt] *vt* komplikować; wikłać, gmatwać

**com·pli·ca·tion** [ˌkomplɪ`keɪʃn] *s* komplikacja

**com·plic·i·ty** [kəm`plɪsətɪ] *s* współudział (w przestępstwie)

**comp·li·ment** [`komplɪmənt] *s* komplement; *pl* **~s** pozdrowienia, ukłony; **to pay one's ~s** przesyłać pozdrowienia, składać uszanowanie; *vt* [`komplɪment] prawić komplementy; pozdrawiać; gratulować (**sb on, upon sth** komuś czegoś)

**com·ply** [kəm`plaɪ] *vi* zgadzać się, stosować się (**with sth** do czegoś); spełnić (**with a request** prośbę)

**com·po·nent** [kəm`pəunənt] *adj* wchodzący w skład, składowy; *s* część składowa, składnik

**com·pose** [kəm`pəuz] *vt* (*także druk.*) składać; stanowić; układać; łagodzić, uspokajać; tworzyć; komponować

**com·posed** [kəm`pəuzd] *adj* opanowany, skupiony, poważny

**com·pos·er** [kəm`pəuzə(r)] *s* kompozytor

**com·pos·ite** [`kompəzɪt] *adj* złożony; *s bot.* roślina złożona

**com·po·si·tion** [ˌkompə`zɪʃn] *s* skład; układ; kompozycja; utwór; wypracowanie; mieszanina; usposobienie

**com·pos·i·tor** [kəm`pozɪtə(r)] *s* zecer

**com·post** [`kompost] *s* kompost

**com·po·sure** [kəm`pəuʒə(r)] *s* opanowanie, spokój

**com·pote** [`kompəut] *s* kompot

**com·pound 1.** [`kompaund] *adj* złożony; mieszany; skomplikowany; *s* rzecz złożona, preparat; *gram.* wyraz złożony; *chem.* związek; *vt* [kəm`paund] składać, mieszać, łączyć

**com·pound 2.** [`kompaund] *s* ogrodzony teren domu, fabryki itp.

**com·pre·hend** [ˌkomprɪ`hend] *vt* obejmować; zawierać; pojmować, rozumieć

**com·pre·hen·si·ble** [ˌkomprɪ`hensəbl] *adj* zrozumiały; dający się objąć rozumem

**com·pre·hen·sion** [ˌkomprɪ`henʃn] *s* zrozumienie, pojmowanie; zasięg

**com·pre·hen·sive** [ˌkomprɪ`hensɪv] *adj* obszerny, wyczerpujący; pojemny; pojętny; wszechstronny; **~ school** szkoła ogólnokształcąca

**com·press** [kəm`pres] *vt* ściskać, zgęszczać; streszczać; *s* [`kompres] kompres; *med.* tampon

**com·pres·sion** [kəm`preʃn] *s* ściśnięcie, zgęszczenie; sprężenie; zwięzłość

**com·prise** [kəm`praɪz] *vt* obejmować, zawierać

**com·pro·mise** [`komprəmaɪz] *s* kompromis, ugoda; *vi vt* iść na ustępstwa (**on, upon sth** w sprawie czegoś), kompromisowo załatwiać; kompromitować; narażać

**com·pul·sion** [kəm`pʌlʃn] *s* przymus

**com·pul·so·ry** [kəm`pʌlsṛɪ] *adj* przymusowy

**com·punc·tion** [kəm`pʌŋkʃn] *s* skrucha; skrupuły

**com·pu·ta·tion** [ˌkompju`teɪʃn] *s* obliczenie

**com·pute** [kəm`pjut] *vt* obliczać

**com·put·er** [kəm`pjutə(r)] *s* elektroniczna maszyna cyfrowa, komputer

**com·rade** [`komreɪd] *s* towarzysz, kolega

**com·rade·ship** [`komreɪdʃɪp] *s* koleżeństwo; braterstwo

**con** [kon] *praep łac.* = **contra** przeciw; *s pl* **~s** głosy przeciw; *zob.* **pro**

**con·cave** [ˋkoŋkeɪv] *adj* wklęsły; *s* wklęsłość
**con·ceal** [kənˋsil] *vt* ukrywać, taić
**con·ceal·ment** [kənˋsilmənt] *s* ukrycie, zatajenie
**con·cede** [kənˋsid] *vi* ustąpić; *vt* przyznać, uznać; przyzwolić
**con·ceit** [kənˋsit] *s* próżność, zarozumiałość; mniemanie; † koncept
**con·ceit·ed** [kənˋsitɪd] *adj* próżny, zarozumiały
**con·ceiv·a·ble** [kənˋsivəbl] *adj* możliwy do pomyślenia ⟨wyobrażenia, zrozumienia⟩
**con·ceive** [kənˋsiv] *vt vi* począć dziecko, zajść w ciążę; pojąć; wpaść na pomysł; wyobrazić sobie; ująć (w formę).
**con·cen·trate** [ˋkonsntreɪt] *vt vi* koncentrować (się), skupiać (się); stężać
**con·cen·tra·tion** [ˏkonsnˋtreɪʃn] *s* koncentracja, skupienie (się); stężenie
**con·cept** [ˋkonsept] *s* pojęcie; myśl, pomysł
**con·cep·tion** [kənˋsepʃn] *s* poczęcie (dziecka), zajście w ciążę; koncepcja; pojęcie
**con·cern** [kənˋsɜn] *vt* dotyczyć; interesować, zajmować (się); niepokoić się, powodować się troską; **to be ~ed** troszczyć się, być zainteresowanym (**about sth** czymś); mieć do czynienia (**with sth** z czymś); **I am not ~ed in it** to mnie nie dotyczy, nie mam z tym nic wspólnego; **as ~s** co się tyczy; **my life is ~ed** chodzi o moje życie; *vr* **~ oneself with ⟨in, about⟩ sb, sth** interesować się kimś, czymś; troszczyć się o kogoś, o coś; *s* zainteresowanie; związek; udział; stosunek; znaczenie; niepokój, troska; sprawa; *handl.* koncern; **it's no ~ of mine** to nie moja sprawa
**con·cern·ing** [kənˋsɜnɪŋ] *praep* odnośnie do, co do, co się tyczy; w sprawie
**con·cert** [ˋkonsət] *s* koncert; zgoda, porozumienie; *vt* [kənˋsɜt] wspólnie planować, układać (np. plan)
**con·ces·sion** [kənˋseʃn] *s* koncesja; ustępstwo; przyzwolenie
**con·cil·i·ate** [kənˋsɪlɪeɪt] *vt* pojednać, pogodzić; zjednać sobie
**con·cil·i·a·tion** [kənˏsɪlɪˋeɪʃn] *s* pojednanie, pogodzenie
**con·cil·i·a·to·ry** [kənˋsɪlɪətrɪ] *adj* pojednawczy
**con·cise** [kənˋsaɪs] *adj* zwięzły
**con·clude** [kənˋklud] *vt vi* kończyć (się); zawierać; wnioskować; zdecydować
**con·clu·sion** [kənˋkluʒn] *s* zakończenie; zawarcie (traktatu); wniosek, wynik
**con·clu·sive** [kənˋklusɪv] *adj* końcowy; przekonywający; decydujący; rozstrzygający
**con·coct** [kənˋkokt] *vt* sporządzić, skombinować; wymyślić
**con·cord** [ˋkoŋkɔd] *s* zgoda, ugoda, jedność
**con·cord·ance** [kənˋkɔdns] *s* zgoda, harmonia
**con·course** [ˋkoŋkɔs] *s* zbiegowisko, tłum; zbieg (ulic itp.); skupienie
**con·crete 1.** [ˋkoŋkrit] *adj* konkretny; betonowy; *s* konkret; beton
**con·crete 2.** [ˋkoŋkrit] *vi* zgęszczać (się), tworzyć masę, tężeć
**con·cur** [kənˋkɜ(r)] *vi* zbiegać się; zgadzać się; współdziałać
**con·cur·rence** [kənˋkʌrns] *s* zbieg (okoliczności), zbieżność; współdziałanie, zgoda
**con·demn** [kənˋdem] *vt* potępiać; skazywać
**con·dem·na·tion** [ˏkondəmˋneɪʃn] *s* potępienie; skazanie
**con·den·sa·tion** [ˏkondenˋseɪʃn] *s* zgęszczenie, kondensacja; zwięzłość
**con·dense** [kənˋdens] *vt vi* zgęszczać (się), kondensować (się); streścić
**con·de·scend** [ˏkondɪˋsend] *vi* zniżyć się; raczyć, być łaskawym
**con·di·ment** [ˋkondɪmənt] *s* przyprawa

**con·di·tion** [kən`dɪʃn] *s* **położenie**; stan; warunek; *pl* **~s** otoczenie; warunki; **on ~** pod warunkiem, że, jeśli; *vt* warunkować; uzależniać; doprowadzać do odpowiedniego stanu; klimatyzować; *med.* **~ed reflex** odruch warunkowy

**con·di·tion·al** [kən`dɪʃnl] *adj* warunkowy; zależny (**on sth** od czegoś); *gram.* warunkowy; *s gram.* tryb warunkowy

**con·dole** [kən`dəul] *vi* współczuć; składać wyrazy współczucia (**with sb on, upon sth** komuś z powodu czegoś)

**con·do·lence** [kən`dəuləns] *s* współczucie, wyrazy współczucia

**con·duce** [kən`djus] *vi* doprowadzić; przyczynić się, sprzyjać

**con·ducive** [kən`djusɪv] *adj* prowadzący; sprzyjający

**con·duct** [kən`dʌkt] *vt vi* prowadzić, kierować; dowodzić; dyrygować; *vr* **~ oneself** prowadzić się, zachowywać się; *s* [`kondʌkt] prowadzenie (się), sprawowanie; kierownictwo

**con·duc·tor** [kən`dʌktə(r)] *s* konduktor; kierownik; dyrygent; (*także fiz.*) przewodnik

**con·duit** [`kondɪt] *s* przewód, kanał, rura; *elektr.* rura izolacyjna

**cone** [kəun] *s* stożek; szyszka

**con·fab·u·late** [kən`fæbjuleɪt] *vi* gawędzić

**con·fec·tion** [kən`fekʃn] *s* cukierek; konfekcja (damska); *zbior.* słodycze; konfitury

**con·fec·tion·er** [kən`fekʃnə(r)] *s* cukiernik

**con·fec·tion·e·ry** [kən`fekʃnrɪ] *s* fabryka cukierków; cukiernia; *zbior.* wyroby cukiernicze

**con·fed·er·a·cy** [kən`fedrəsɪ] *s* konfederacja; spisek

**con·fed·er·ate** [kən`fedr̩ət] *adj* sprzymierzony; *s* sprzymierzeniec, konfederat; *vi* [kən`fedəreɪt] sprzymierzać się; spiskować

**con·fer** [kən`f3(r)] *vt* nadawać (**sth on sb** coś komuś); *vi* konferować

**con·fer·ence** [`konfrns] *s* konferencja, narada; zjazd

**con·fess** [kən`fes] *vt vi* wyznawać; przyznawać się; spowiadać (się)

**con·fes·sion** [kən`feʃn] *s* wyznanie; przyznanie się; spowiedź

**con·fes·sor** [kən`fesə(r)] *s* spowiednik; wyznawca

**con·fi·dant** [ˌkonfɪ`dænt] *s* powiernik

**con·fide** [kən`faɪd] *vi* dowierzać, ufać (**in sb** komuś); zwierzać się (**to sb** komuś); *vt* powierzać; zwierzać się (**sth** z czegoś)

**con·fi·dence** [`konfɪdəns] *s* zaufanie; poufność; zwierzenie; pewność siebie; przeświadczenie

**con·fi·dent** [`konfɪdənt] *adj* ufny; przekonany, pewny; pewny siebie; *s* powiernik

**con·fi·den·tial** [ˌkonfɪ`denʃl] *adj* poufny; zaufany

**con·fine** [kən`faɪn] *vt* ograniczać; zamykać (w więzieniu); **~d to bed** złożony chorobą; *s* [`konfaɪn] (*zw. pl* **~s**) granica

**con·fine·ment** [kən`faɪnmənt] *s* ograniczenie; odosobnienie; zamknięcie (w więzieniu); poród; obłożna choroba

**con·firm** [kən`f3m] *vt* potwierdzać, zatwierdzać; wzmacniać, utwierdzać; *rel.* konfirmować

**con·fir·ma·tion** [ˌkonfə`meɪʃn] *s* potwierdzenie, zatwierdzenie; wzmocnienie; *rel.* konfirmacja, bierzmowanie

**con·firmed** [kən`f3md] *zob.* **confirm**; *adj* zatwardziały, stały, uporczywy; nałogowy

**con·fis·cate** [`konfɪskeɪt] *vt* konfiskować

**con·fla·gra·tion** [ˌkonflə`greɪʃn] *s* pożar

**con·flict** [`konflɪkt] *s* starcie, konflikt, kolizja; *vi* [kən`flɪkt] ścierać się, walczyć; nie zgadzać się, kolidować

**con·form** [kən`fɔm] *vt vi* dostosować (się), upodobnić (się), uzgodnić

**con·form·i·ty** [kən`fəmətı] *s* dostosowanie, zgodność; **in ~** zgodnie

**con·found** [kən`faund] *vt* pomieszać, poplątać; zaskoczyć; konfundować; burzyć, niszczyć; **~ it!** do diabła!

**con·front** [kən`frʌnt] *vt* stawać naprzeciw (twarzą w twarz); konfrontować; porównywać; stawać w obliczu; stawiać czoło; stanąć (sb przed kimś); **to be ~ed with ⟨by⟩ sb, sth** stanąć przed kimś, czymś ⟨wobec kogoś, czegoś⟩

**con·fuse** [kən`fjuz] *vt* mieszać, plątać; zmieszać, zażenować

**con·fu·sion** [kən`fjuʒn] *s* zamieszanie, chaos, nieporządek; zmieszanie, zażenowanie

**con·fute** [kən`fjut] *vt* zbijać (argument); przekonać kogoś, że się myli

**con·geal** [kən`dʒil] *vt* zamrozić, ściąć; *vi* zamarznąć; krzepnąć, ścinać się

**con·ge·nial** [kən`dʒinıəl] *adj* pokrewny, bliski duchem, sympatyczny; odpowiedni

**con·gen·i·tal** [kən`dʒenıtl] *adj* wrodzony, przyrodzony

**con·ges·tion** [kən`dʒestʃən] *s* skupienie, zatłoczenie; przeciążenie; przekrwienie

**con·grat·u·late** [kən`grætʃuleıt] *vt* gratulować (**sb on, upon sth** komuś czegoś)

**con·grat·u·la·tion** [kən'grætʃu`leıʃn] *s* (*zw. pl* **~s**) gratulacje

**con·gre·gate** [`koŋgrıgeıt] *vt vi* gromadzić (się), skupiać (się)

**con·gre·ga·tion** ['koŋgrı`geıʃn] *s* zgromadzenie, kongregacja; *zbior.* parafia

**con·gress** [`koŋgres] *s* kongres; *am.* **Congress** Kongres

**con·gress·man** [`koŋgresmən] *s am.* członek Kongresu

**con·ic(al)** [`konık(l)] *adj* stożkowy, stożkowaty

**coni·fer** [`konıfə(r)] *n* drzewo iglaste

**co·nif·er·ous** [kəu`nıfərəs] *adj bot.* (*o drzewie*) iglasty

**con·jec·tur·al** [kən`dʒektʃərl] *adj* przypuszczalny, domniemany

**con·jec·ture** [kən`dʒektʃə(r)] *s* przypuszczenie, domniemanie, domysł; *vt vi* przypuszczać, domyślać się, stawiać hipotezę

**con·ju·gal** [`kondʒugl] *adj* małżeński

**con·ju·gate** [`kondʒu`geıt] *vt gram.* koniugować; *vi* zespalać się

**con·ju·ga·tion** ['kondʒu`geıʃn] *s* zespolenie; *gram.* koniugacja

**con·junc·tion** [kən`dʒʌŋkʃn] *s* związek; *gram.* spójnik

**con·junc·tive** [kən`dʒʌŋktıv] *adj* łączący; *gram.* spójnikowy; *s gram.* spójnik

**con·junc·ture** [kən`dʒʌŋktʃə(r)] *s* zbieg okoliczności; stan rzeczy, koniunktura

**con·jure 1.** [kən`dʒuə(r)] *vt* zaklinać, błagać

**con·jure 2.** [`kʌndʒə(r)] *vt vi* uprawiać czarnoksięstwo, czarować; **~ up** wywoływać (duchy), wyczarować (w wyobraźni)

**con·jur·er** [`kʌndʒərə(r)] *s* czarnoksiężnik, magik

**con·nect** [kə`nekt] *vt vi* łączyć (się), wiązać (się); stykać (się)

**con·nect·ed** [kə`nektıd] *zob.* **connect**; *adj* połączony, związany; pokrewny, powinowaty; **well ~** dobrze ustosunkowany

**con·nec·tion, con·nex·ion** [kə`nekʃn] *s* związek, koneksja; (*także elektr.*) kontakt; pokrewieństwo; znajomości; klientela; połączenie (kolejowe itp.); **in this ~** w związku z tym

**con·ni·vance** [kə`naıvəns] *s* przyzwolenie; pobłażanie, tolerowanie

**con·nive** [kə`naıv] *vi* przyzwalać, patrzeć przez palce (**at sth** na coś); brać cichy udział (**at sth** w czymś)

**con·nois·seur** ['konɪ'sɜ(r)] *s* znawca, koneser

**con·quer** ['koŋkə(r)] *vt* zdobyć, pokonać, zwyciężyć, podbić

**con·quer·or** ['koŋkərə(r)] *s* zdobywca

**con·quest** ['koŋkwest] *s* zdobycie, podbój, zwycięstwo

**con·science** ['konʃns] *s* sumienie

**con·sci·en·tious** ['konʃɪ'enʃəs] *adj* sumienny

**con·scious** ['konʃəs] *adj* świadomy; przytomny

**con·scious·ness** ['konʃəsnəs] *s* świadomość; przytomność

**con·script** ['konskrɪpt] *s* poborowy, rekrut; *adj* poborowy; *vt* [kən'skrɪpt] brać do wojska

**con·scrip·tion** [kən'skrɪpʃn] *s* pobór; obowiązek służby wojskowej

**con·se·crate** ['konsɪkreɪt] *vt* poświęcać, konsekrować

**con·se·cu·tion** ['konsɪ'kjuʃn] *s* następstwo

**con·sec·u·tive** [kən'sekjutɪv] *adj* kolejny, następny z rzędu; *gram.* skutkowy

**con·sent** [kən'sent] *vi* zgadzać się (**to sth** na coś); *s* zgoda; **with one ~, by general ~** jednomyślnie

**con·se·quence** ['konsɪkwəns] *s* następstwo, wynik; konsekwencja; wniosek; znaczenie, doniosłość

**con·se·quent** ['konsɪkwent] *adj* wynikający, będący następstwem (**on, upon sth** czegoś); konsekwentny; późniejszy; *s* skutek, wynik, rezultat

**con·se·quen·tial** ['konsɪ'kwenʃl] *adj* wynikający, logicznie uzasadniony; mający wysokie mniemanie o sobie

**con·ser·va·tion** ['konsə'veɪʃn] *s* ochrona, konserwacja; rezerwat

**con·serv·a·tive** [kən'sɜvətɪv] *adj* konserwatywny; *s* konserwatysta

**con·ser·va·toire** [kən'sɜvətwa(r)] *s* konserwatorium

**con·serv·a·to·ry** [kən'sɜvətrɪ] *s* konserwatorium; cieplarnia

**con·serve** [kən'sɜv] *vt* przechowywać, konserwować; *s pl* **~s** konserwy owocowe

**con·sid·er** [kən'sɪdə(r)] *vt vi* rozpatrywać, rozważać, brać pod uwagę; poczytywać, uważać (**sb sth** kogoś za coś); szanować, mieć wzgląd

**con·sid·er·a·ble** [kən'sɪdrəbl] *adj* znaczny

**con·sid·er·ate** [kən'sɪdr̩ət] *adj* uważny, myślący; pełen względów, delikatny

**con·sid·er·a·tion** [kən'sɪdə'reɪʃn] *s* rozważanie, rozwaga; wgląd; uwaga; wynagrodzenie; uznanie, szacunek; znaczenie; wzgląd; **in ~** ze względu (**of sth** na coś); **to take into ~** uwzględnić

**con·sid·er·ing** [kən'sɪdr̩ɪŋ] *praep* zważywszy, z uwagi, ze względu (**sth** na coś)

**con·sign** [kən'saɪn] *vt* przekazywać, powierzać, wydawać; przesyłać

**con·sign·ment** [kən'saɪnmənt] *s* powierzenie, przekazanie, wydanie; przesyłka, wysyłka; *handl.* przesyłka konsygnowana

**con·sist** [kən'sɪst] *vi* składać się, być złożonym (**of sth** z czegoś); polegać (**in sth** na czymś)

**con·sist·ence** [kən'sɪstəns], **con·sist·en·cy** [kən'sɪstənsɪ] *s* gęstość, zwartość, konsystencja; zgodność; konsekwencja, stanowczość

**con·sist·ent** [kən'sɪstənt] *adj* zwarty; zgodny; konsekwentny

**con·so·la·tion** ['konsə'leɪʃn] *s* pocieszenie

**con·sole** [kən'səul] *vt* pocieszać; *s* ['konsəul] konsola

**con·sol·i·date** [kən'solɪdeɪt] *vt vi* konsolidować, utwierdzać (się); jednoczyć (się)

**con·so·nance** ['konsənəns] *s* harmonia, zgodność

**con·so·nant** ['konsənənt] *adj* harmonijny, zgodny; *s gram.* spółgłoska

**con·sort** ['konsɔt] *s* współmałżonek; **prince ~** książę małżonek

**con·spic·u·ous** [kən`spɪkjuəs] *adj* widoczny, okazały; wybitny
**con·spir·a·cy** [kən`spɪrəsɪ] *s* spisek, konspiracja
**con·spire** [kən`spaɪə(r)] *vi vt* spiskować, sprzysięgać się; knuć
**con·sta·ble** [`kʌnstəbl] *s* policjant; konstabl
**con·stan·cy** [`konstənsɪ] *s* stałość, trwałość, wytrwałość; wierność
**con·stant** [`konstənt] *adj* stały, trwały, wytrwały; wierny
**con·stel·la·tion** [ˈkonstə`leɪʃn] *s* konstelacja, gwiazdozbiór
**con·ster·na·tion** [ˈkonstə`neɪʃn] *s* przerażenie
**con·sti·pa·tion** [ˈkonstɪ`peɪʃn] *s* obstrukcja, *pot.* zatwardzenie
**con·stit·u·en·cy** [kən`stɪtʃuənsɪ] *s* wyborcy; okręg wyborczy; klientela, abonenci
**con·stit·u·ent** [kən`stɪtʃuənt] *adj* składowy; ustawodawczy; *s* element, część składowa; wyborca
**con·sti·tute** [`konstɪtjut] *vt* stanowić, tworzyć; ustanawiać, konstytuować; mianować; **to be so ~d that ...** mieć taką naturę, że...; **to be weakly ~d** mieć wątły organizm
**con·sti·tu·tion** [ˈkonstɪ`tjuʃn] *s* konstytucja; skład; budowa (fizyczna); struktura psychiczna; ustanowienie
**con·strain** [kən`streɪn] *vt* zmuszać; krępować, ograniczać
**con·straint** [kən`streɪnt] *s* przemoc, przymus; skrępowanie, ograniczenie
**con·strict** [kən`strɪkt] *vt* ściągać, zwężać, zaciskać, dusić
**con·struct** [kən`strʌkt] *vt* konstruować, budować
**con·struc·tion** [kən`strʌkʃn] *s* konstrukcja, budowa; budowla
**con·struc·tive** [kən`strʌktɪv] *adj* konstruktywny, twórczy; konstrukcyjny
**con·strue** [kən`stru] *vt* objaśniać, interpretować; *gram.* robić rozbiór (zdania); *vi* (*o zdaniu*) mieć dobrą ⟨złą⟩ składnię
**con·sul** [`konsl] *s* konsul
**con·sul·ate** [`konsjulət] *s* konsulat
**con·sult** [kən`sʌlt] *vt* radzić się (**sb** kogoś); brać pod uwagę, rozważać; **to ~ a dictionary** sięgać do słownika; *vi* naradzać się
**con·sume** [kən`sjum] *vt vi* spożywać; zużywać (się); niszczyć, trawić; marnować (się); spalać (się)
**con·sum·er** [kən`sjumə(r)] *s* spożywca, konsument; **~(s') goods** artykuły konsumpcyjne
**con·sum·mate** [`konsəmeɪt] *vt* dokonywać, dopełniać; kończyć; *adj* [kən`sʌmət] doskonały; zupełny; skończony
**con·sum·ma·tion** [ˈkonsə`meɪʃn] *s* dokonanie, dopełnienie; uwieńczenie
**con·sump·tion** [kən`sʌmpʃn] *s* spożycie; zużycie; zniszczenie, strawienie; *med.* gruźlica
**con·sump·tive** [kən`sʌmptɪv] *adj* niszczący; gruźliczy; *s* gruźlik
**con·tact** [`kontækt] *s* kontakt, styczność; **to come into ~, to make ~** kontaktować się; *vt vi* zetknąć (się), kontaktować (się) (**sb** z kimś)
**con·ta·gion** [kən`teɪdʒən] *s dosł. i przen.* zaraza, zakażenie
**con·ta·gious** [kən`teɪdʒəs] *adj* zakaźny, zaraźliwy
**con·tain** [kən`teɪn] *vt* zawierać; mieścić; powstrzymywać; *vr* **~ oneself** panować nad sobą
**con·tain·er** [kən`teɪnə(r)] *s* zbiornik, pojemnik, kontener, skrzynia, bak
**con·tam·i·nate** [kən`tæmɪneɪt] *vt* zanieczyścić, splugawić, zakazić; wywrzeć zły wpływ
**con·tem·plate** [`kontəmpleɪt] *vt vi* oglądać; rozmyślać; mieć na myśli; zamierzać
**con·tem·po·ra·ry** [kən`tempr̩ɪ] *adj* współczesny; dzisiejszy; *s* współcześnie żyjący; rówieśnik
**con·tempt** [kən`tempt] *s* pogarda, lekceważenie; obraza

**con·tempt·i·ble** [kən`temptəbl] *adj* zasługujący na pogardę; podły
**con·tempt·u·ous** [kən`temptʃuəs] *adj* pogardliwy; gardzący
**con·tend** [kon`tend] *vi* spierać się; rywalizować; ubiegać się (**for sth** o coś), walczyć; twierdzić
**con·tent** 1. [kən`tent] *s* zadowolenie; *adj* zadowolony; *vt* zadowalać
**con·tent** 2. [`kontent] *s* zawartość; istota; (*zw. pl* **~s**) treść (książki itp.); **table of ~s** spis rzeczy
**con·tent·ed** [kən`tentɪd] *zob.* **content** 1.; *adj* zadowolony
**con·ten·tion** [kən`tenʃn] *s* spór, sprzeczka; walka, rywalizacja; twierdzenie, argument (w sporze)
**con·tent·ment** [kən`tentmənt] *s* zadowolenie
**con·test** [kən`test] *vt vi* spierać się, rywalizować; ubiegać się; kwestionować; *s* [`kontest] spór; rywalizacja; zawody, konkurs
**con·text** [`kontekst] *s* kontekst
**con·ti·gu·i·ty** [ˌkontɪ`gjuətɪ] *s* przyleganie, bliskość
**con·tig·u·ous** [kən`tɪgjuəs] *adj* przyległy, sąsiedni
**con·ti·nence** [`kontɪnəns] *s* wstrzemięźliwość
**con·ti·nent** 1. [`kontɪnənt] *s* kontynent
**con·ti·nent** 2. [`kontɪnənt] *adj* wstrzemięźliwy
**con·tin·gen·cy** [kən`tɪndʒənsɪ] *s* przypadkowość, ewentualność; nieprzewidziany wydatek
**con·tin·gent** [kən`tɪndʒənt] *adj* przypadkowy, ewentualny; warunkowy, uwarunkowany; *s* kontyngent; ewentualność, przypadek
**con·tin·u·al** [kən`tɪnjuəl] *adj* ciągły, powtarzający się, ustawiczny
**con·tin·u·ance** [kən`tɪnjuəns] *s* trwanie, ciągłość; dalszy ciąg
**con·tin·u·a·tion** [kənˌtɪnju`eɪʃn] *s* kontynuacja, ciąg dalszy
**con·tin·ue** [kən`tɪnju] *vt* kontynuować, dalej coś robić, prowadzić; **to be ~d** ciąg dalszy nastąpi; *vi* trwać nadal, ciągnąć się dalej, pozostawać w dalszym ciągu
**con·tin·u·ous** [kən`tɪnjuəs] *adj* dalej trwający, nieprzerwany, trwały, stały
**con·tort** [kən`tɔt] *vt* skrzywić; zwichnąć
**con·tour** [`kontuə(r)] *s* zarys, kontur; *geogr.* **~ line** poziomica
**con·tra·band** [`kontrəbænd] *s* kontrabanda, przemyt
**con·tra·cep·tive** [ˌkontrə`septɪv] *s* środek antykoncepcyjny; *adj* antykoncepcyjny
**con·tract** [`kontrækt] *s* umowa, kontrakt; *vt vi* [kən`trækt] kontraktować; zobowiązywać się; zawierać (umowę, przyjaźń itp.); ściągnąć (się), skurczyć (się); zaciągnąć (dług); nabawić się (np. choroby)
**con·trac·tor** [kən`træktə(r)] *s* kontrahent; przedsiębiorca; dostawca
**con·tra·dict** [ˌkontrə`dɪkt] *vt* zaprzeczać (**sth** czemuś); być w sprzeczności (**sth** z czymś); przeczyć (**sb** komuś)
**con·tra·dic·tion** [ˌkontrə`dɪkʃn] *s* zaprzeczenie; sprzeciw; sprzeczność
**con·tra·dic·to·ry** [ˌkontrə`dɪktərɪ] *adj* przeczący, sprzeczny, przeciwstawny
**con·tra·dis·tinc·tion** [ˌkontrədɪ`stɪŋkʃn] *s* przeciwieństwo, odróżnienie (przez kontrast)
**con·tra·ry** [`kontrərɪ] *adj* sprzeczny, przeciwny; niepomyślny; *s* przeciwieństwo; **on the ~** przeciwnie, na odwrót; *adv* wbrew, przeciwnie, w przeciwieństwie
**con·trast** [`kontrɑst] *s* kontrast; *vt vi* [kən`trɑst] kontrastować, przeciwstawiać
**con·trib·ute** [kən`trɪbjut] *vt vi* wnieść udział ⟨wkład⟩; dołożyć się; **to ~ money etc. to sth** przyczynić się finansowo itp. do czegoś; **to ~ to a magazine** współpracować z czasopismem, pisać (artykuły) do czasopisma

**con·tri·bu·tion** ['kontrɪ'bjuʃn] *s* przyczynek, wkład, współudział; datek; współpraca (z pismem), artykuł w piśmie; kontrybucja, odszkodowanie wojenne

**con·trite** [kon'traɪt] *adj* skruszony

**con·tri·tion** [kən'trɪʃn] *s* skrucha

**con·tri·vance** [kən'traɪvəns] *s* pomysł, plan; pomysłowość; wynalazek; urządzenie

**con·trive** [kən'traɪv] *vt vi* wymyślić, obmyśleć; zaplanować; wynaleźć; doprowadzić do czegoś, uskutecznić; zrobić coś pomyślnie, zdołać

**con·trol** [kən'trəul] *vt* kontrolować; regulować; rządzić, kierować, zarządzać, nadzorować; wstrzymywać; panować (**sth** nad czymś); sterować; *s* nadzór, kontrola; władza, kierownictwo; kierowanie, sterowanie; regulowanie; panowanie; *pl* **~s** *techn.* sterownica; przyrządy do sterowania; *adj attr* sterujący, regulujący; kontrolny

**con·tro·ver·sial** ['kontrə'vɜʃl] *adj* sporny, polemiczny, kontrowersyjny

**con·tro·ver·sy** ['kontrəvɜsɪ] *s* spór, polemika, kontrowersja

**con·tu·me·ly** ['kontjumlɪ] *s* obelżywe traktowanie, obelga

**con·tu·sion** [kən'tjuʒn] *s* kontuzja; stłuczenie

**con·va·lesce** ['konvə'les] *vi* przychodzić do zdrowia

**con·va·les·cence** ['konvə'lesns] *s* rekonwalescencja

**con·vene** [kən'vin] *vt vi* zwoływać, wzywać; zbierać (się)

**con·ve·nience** [kən'vinɪəns] *s* wygoda; *pl* **~s** komfort; **at your ~** kiedy ⟨jak⟩ ci będzie wygodnie; **marriage of ~** małżeństwo z rozsądku

**con·ve·nient** [kən'vinɪənt] *adj* wygodny, dogodny

**con·ven·tion** [kən'venʃn] *s* umowa; zebranie; zwyczaj; konwencja; *pl* **~s** konwenanse

**con·ven·tion·al** [kən'venʃnl] *adj* umowny, zwyczajowy; konwencjonalny; stereotypowy

**con·verge** [kən'vɜdʒ] *vi* zbiegać się (w jednym punkcie); *vt* skupiać

**con·ver·sant** [kən'vɜsnt] *adj* dobrze znający (**with sth** coś), dobrze poinformowany (**with sth** o czymś), biegły

**con·ver·sa·tion** ['konvə'seɪʃn] *s* rozmowa, konwersacja

**con·verse 1.** [kən'vɜs] *vi* rozmawiać

**con·verse 2.** ['konvɜs] *adj* odwrotny, odwrócony; *s* odwrócenie. odwrotność

**con·ver·sion** [kən'vɜʃn] *s* konwersja; przemiana; nawrócenie; odwrócenie

**con·vert** [kən'vɜt] *vt* zmieniać, przemienić; sprzeniewierzyć; nawracać; konwertować; *s* ['konvɜt] konwertyta, nawrócony

**con·vex** ['konveks] *adj* wypukły

**con·vey** [kən'veɪ] *vt* przewozić, przesyłać, przekazywać; komunikować

**con·vey·ance** [kən'veɪəns] *s* przewóz, przenoszenie, przekazanie; doprowadzenie; komunikowanie; uzmysławianie; pojazd

**con·vict** [kən'vɪkt] *vt* przekonywać (**of sth** o czymś); udowadniać (**sb of sth** komuś coś); uznać sądownie winnym (**of sth** czegoś); *s* ['konvɪkt] skazaniec

**con·vic·tion** [kən'vɪkʃn] *s* przekonanie; zasądzenie, osądzenie, udowodnienie winy

**con·vince** [kən'vɪns] *vt* przekonać (**of sth** o czymś)

**con·viv·i·al** [kən'vɪvɪəl] *adj* towarzyski, wesoły

**con·vo·ca·tion** ['konvə'keɪʃn] *s* zwołanie; zebranie

**con·voke** [kən'vəuk] *vt* zwoływać, zbierać

**con·voy** ['konvɔɪ] *s* konwój, konwojowanie; *vt* [kən'vɔɪ] konwojować

**con·vulse** [kən'vʌls] *vt* wstrząsać; przyprawiać o konwulsje

**con·vul·sion** [kən`vʌlʃn] *s* konwulsja; wstrząs
**coo** [ku] *vt vi* gruchać; gaworzyć
**cook** [kuk] *vt vi* gotować (się); *przen.* fałszować; *s* kucharz
**cook·er·y** [`kukərɪ] *s* sztuka kulinarna
**cool** [kul] *adj* chłodny; oziębły; *s* chłód; *vt vi* chłodzić (się), studzić (się); ~ **down** ostygnąć; *przen.* ochłonąć
**coo·lie, coo·ly** [`kulɪ] *s* kulis
**cool·ness** [`kulnəs] *s* chłód; *przen.* zimna krew
**coop** [kup] *s* kojec
**co-op,** *am.* **coop** [`kəu op] *s pot.* kooperatywa
**coop·er** [`kupə(r)] *s* bednarz
**co-op·er·ate,** *am.* **co·op·er·ate** [kəu `opəreɪt] *vi* współdziałać, współpracować
**co-op·er·a·tion,** *am.* **co·op·er·a·tion** [kəu ʼopə`reɪʃn] *s* współdziałanie, kooperacja
**co-op·er·a·tive** [kəu `opṛətɪv] *adj* współdziałający, chętny do współdziałania; spółdzielczy; *s* (*także* ~ **society**) spółdzielnia; (*także* ~ **shop**) sklep spółdzielczy
**co-opt** [kəu `opt] *vt* kooptować
**co-or·di·nate** [ʼkəu `ɔdəneɪt] *vt* koordynować; *adj* [ʼkəu `ɔdnət] równorzędny; *gram.* współrzędny
**cop** [kop] *s pot.* policjant
**co-part·ner** [ʼkəu `patnə(r)] *s* wspólnik, udziałowiec
**cope** [kəup] *vi* zmagać się, borykać się; radzić sobie, podołać
**co·pi·ous** [`kəupɪəs] *adj* obfity; płodny
**cop·per** [`kopə(r)] *s* miedź; miedziak
**cop·pice** [`kopɪs] *s* zarośla, lasek, zagajnik
**cop·u·late** [`kopjuleɪt] *vi* spółkować
**cop·y** [`kopɪ] *s* kopia; egzemplarz; rękopis, maszynopis; **rough** ~ brudnopis; **fair** ⟨**clean**⟩ ~ czystopis; *vt vi* kopiować, przepisywać; naśladować
**cop·y-book** [`kopɪbuk] *s* (szkolny) zeszyt do ćwiczeń
**cop·y·right** [`kopɪraɪt] *s* prawo autorskie; *vt* zastrzec sobie prawo autorskie
**cor·al** [`korl] *s* koral
**cord** [kɔd] *s* sznur, sznurek, lina; **vocal** ~ struna głosowa
**cord·age** [`kɔdɪdʒ] *s* liny; *mors.* olinowanie
**cord·ial** [`kɔdɪəl] *adj* serdeczny; *s* środek nasercowy
**cor·di·al·i·ty** [ʼkɔdɪ`ælətɪ] *s* serdeczność
**cor·du·roy** [`kɔdərɔɪ] *s* sztruks; *pl* ~**s** spodnie sztruksowe
**core** [kɔ(r)] *s* rdzeń, jądro; sedno; ogryzek (owocu); *przen.* serce, dusza
**cork** [kɔk] *s* korek; *vt* korkować
**cork·screw** [`kɔkskru] *s* korkociąg
**corn** 1. [kɔn] *s* ziarno, zboże; *am.* kukurydza
**corn** 2. [kɔn] *s* nagniotek, odcisk
**cor·ner** [`kɔnə(r)] *s* róg, węgieł; kąt; moment krytyczny; *mat.* wierzchołek; *adj attr* narożny; *vt* zapędzić w kąt, przyprzeć do muru
**cor·ner-stone** [`kɔnəstəun] *s* kamień węgielny
**corn·flower** [`kɔnflauə(r)]*s* bławatek
**cor·nice** [`kɔnɪs] *s* gzyms
**cor·ol·la·ry** [kə`rolərɪ] *s* wniosek; wynik
**cor·o·ner** [`korənə(r)] *s* sędzia śledczy
**cor·po·ral** 1. [`kɔprl] *adj* cielesny
**cor·po·ral** 2. [`kɔprl] *s* kapral
**cor·po·ra·tion** [ʼkɔpə`reɪʃn] *s* korporacja; *handl.* towarzystwo, spółka
**cor·por·e·al** [kɔ`pɔrɪəl] *adj* cielesny, materialny
**corps** [kɔ(r)] *s wojsk.* korpus; zespół
**corpse** [kɔps] *s* zwłoki, trup
**cor·pu·lent** [`kɔpjulənt] *adj* korpulentny, otyły
**cor·pus·cle** [`kɔpʌsl] *s biol.* ciałko
**cor·rect** [kə`rekt] *adj* poprawny,

prawidłowy; *vt* poprawiać, robić korektę; karać

**cor·rec·tion** [kə`rekʃn] *s* poprawka, poprawa; korekta; naprawa

**cor·re·la·tion** ['korı`leıʃn] *s* korelacja, współzależność

**cor·re·spond** ['korıs`pond] *vi* odpowiadać, być odpowiednim, zgadzać się; korespondować

**cor·re·spond·ence** ['korı`spondəns] *s* zgodność; korespondencja

**cor·ri·dor** [`korıdɔ(r)] *s* korytarz

**cor·ri·gi·ble** [`kɔrıdʒəbl] *adj* dający się poprawić

**cor·rob·o·rate** [kə`robəreıt] *vt* potwierdzić

**cor·rob·o·ra·tion** [kə'robə`reıʃn] *s* potwierdzenie

**cor·rode** [kə`rəud] *vt* żerać, nadgryzać; *vi* niszczeć (na skutek korozji)

**cor·ro·sion** [kə`rəuʒn] *s* korozja

**cor·rupt** [kə`rʌpt] *adj* zepsuty, skorumpowany, sprzedajny; *vt vi* korumpować, psuć (się)

**cor·rup·tion** [kə`rʌpʃn] *s* zepsucie, korupcja; rozkład; sprzedajność

**cor·set** [`kɔsıt] *s* gorset

**cos·met·ic** [koz`metık] *adj* kosmetyczny; *s* kosmetyk; *pl* **~s** kosmetyki, kosmetyka

**cos·mic** [`kozmık] *adj* kosmiczny

**cos·mo·naut** [`kozmənɔt] *s* kosmonauta

**cos·mo·pol·i·tan** ['kozmə`polıtən] *adj* kosmopolityczny; *s* kosmopolita

**cos·mo·pol·ite** [koz`mopəlaıt] *s* kosmopolita

**cos·mo·pol·i·tism** ['kozmə`polıtızm] *s* kosmopolityzm

**cos·mos** [`kozmos] *s* kosmos

***cost** [kost] **cost, cost** [kost] *vi* kosztować; *s* koszt; **at the ~** za cenę; **at all ~s** za wszelką cenę

**cost·ly** [`kostlı] *adj* kosztowny; wspaniały, doskonały

**cos·tume** [`kostjum] *s* kostium, strój

**co·sy** [`kəuzı] *adj* przytulny, wygodny

**cot 1.** [kot] *s* lekkie łóżko (polowe, dziecięce); koja (na statku)

**cot 2.** [kot] *s* szopa, szałas; *poet.* chata

**co·te·rie** [`kəutərı] *s* koteria

**cot·tage** [`kotıdʒ] *s* domek, chata; **~ piano** pianino

**cot·tag·er** [`kotıdʒə(r)] *s* właściciel ⟨posiadacz własnego⟩ domku; wieśniak

**cot·ton** [`kotn] *s* bawełna, wyrób bawełniany; wata

**cot·ton-wool** ['kotn`wul] *s* wata

**couch** [kautʃ] *s* kanapa, tapczan; legowisko; *vi* leżeć w ukryciu, czaić się; *vt* wyrażać, formułować

**cough** [kof] *s* kaszel; *vi* kaszleć; *vt* **~ out** ⟨**up**⟩ wykrztusić, wykaszleć

**could** *zob* **can 1.**

**coun·cil** [`kaunsl] *s* rada (jako zespół); narada

**coun·cil·lor** [`kaunslə(r)] *s* członek rady, radny

**coun·sel** [`kaunsl] *s* rada, porada; narada; radca, doradca, rzecznik, adwokat; *vt* radzić

**coun·sel·lor** [`kaunslə(r)] *s* radca, adwokat

**count 1.** [kaunt] *vt vi* rachować, liczyć (się); uważać za; być uważanym za; **~ on** ⟨**upon**⟩ **sb, sth** liczyć na kogoś, coś; **~ out** odliczyć; nie brać w rachubę; (*w boksie*) wyliczyć, uznać za pokonanego; *s* rachunek, rachuba

**count 2.** [kaunt] *s* hrabia (nie angielski)

**count·able** [`kauntəbl] *adj* obliczalny, dający się policzyć

**coun·te·nance** [`kauntınəns] *s* wyraz twarzy, twarz, fizjonomia; opanowanie; kontenans; zachęta, poparcie; **to put out of ~** zdetonować, stropić; *vt* popierać zachęcać

**coun·ter 1.** [`kauntə(r)] *s* lada, kontuar; kantor; prowadzący rachunki; liczman; żeton

**coun·ter** 2. [`kauntə(r)] *adj* przeciwny, przeciwległy, przeciwstawny; *adv* przeciwnie, w przeciwnym kierunku; *vt vi* sprzeciwiać się, przeciwdziałać, krzyżować (plany); odparować (cios), kontrować
**coun·ter·act** ['kauntə`rækt] *vt* przeciwdziałać
**coun·ter-at·tack** [`kauntər ətæk] *s* kontratak
**coun·ter·bal·ance** [`kauntəbæləns] *s* przeciwwaga; *vt* ['kauntə`bæləns] równoważyć
**coun·ter·feit** [`kauntəfɪt] *s* podrobienie, fałszerstwo, imitacja; *adj* podrobiony, fałszywy; *vt* podrabiać, fałszować; udawać
**coun·ter·mand** ['kauntə`mand] *vt* odwołać (np. zamówienie, rozkaz); *s* odwołanie
**coun·ter·pane** [`kauntəpeɪn] *s* kołdra
**coun·ter·part** [`kauntəpat] *s* odpowiednik, pendant; kopia, duplikat
**coun·ter·point** [`kauntəpɔɪnt] *s muz.* kontrapunkt
**coun·ter·poise** [`kauntəpɔɪz] *s* przeciwwaga; równowaga; *vt* równoważyć, wyrównywać
**coun·ter-rev·o·lu·tion** ['kauntə 'revə `luʃn] *s* kontrrewolucja
**coun·ter-rev·o·lu·tion·a·ry** [`kauntə 'revə`luʃŋərɪ] *adj* kontrrewolucyjny; *s* kontrrewolucjonista
**coun·ter·weight** [`kauntəweɪt] *s* przeciwwaga
**count·ess** [`kauntɪs] *s* hrabina
**count·less** [`kauntləs] *adj* niezliczony
**coun·try** [`kʌntrɪ] *s* kraj; ojczyzna; wieś; prowincja; teren; **~ gentleman** obywatel ziemski; **to go into the ~** wyjechać na wieś; **to go to the ~** przeprowadzić powszechne wybory
**coun·try·man** [`kʌntrɪmən] *s* wieśniak; rodak
**coun·try·side** [`kʌntrɪsaɪd] *s* okolica, krajobraz
**coun·ty** [`kauntɪ] *s* hrabstwo; *am.* okręg administracyjny; **~ town** stolica hrabstwa; *am.* główne miasto okręgu administracyjnego
**coup** [ku] *s* wyczyn, mistrzowskie posunięcie; **~ d'état** ['ku deɪ`ta] zamach stanu
**cou·ple** [`kʌpl] *s* para (np. małżeńska); **a ~ of** parę, kilka; *vt vi* łączyć (się) parami, kojarzyć (się); *techn.* sprzęgać, sczepiać, spajać, lutować
**cou·plet** [`kʌplət] *s* dwuwiersz
**cou·pling** [`kʌplɪŋ] *s techn.* złącze
**cou·pon** [`kupən] *s* kupon, odcinek, talon
**cour·age** [`kʌrɪdʒ] *s* odwaga, męstwo
**cou·ra·geous** [kə`reɪdʒəs] *adj* odważny, mężny
**course** [kɔs] *s* kurs; bieg; ciąg; tok, przebieg; bieżnia, tor; danie (na stole); **in due ~** we właściwym czasie; **of ~** oczywiście; **a matter of ~** rzecz oczywista
**court** [kɔt] *s* dwór; dziedziniec, plac; izba sądowa, sąd; pałac; sala, hala; *sport* boisko, kort; zaloty; *vt* zalecać się (**sb** do kogoś); szukać (**sth** czegoś); zabiegać (sth o coś)
**cour·te·ous** [`kɜtɪəs] *adj* grzeczny, uprzejmy
**cour·te·sy** [`kɜtəsɪ] *s* grzeczność, uprzejmość
**cour·ti·er** [`kɔtɪə(r)] *s* dworzanin
**court·ly** [`kɔtlɪ] *adj* dworski, wytworny
**court-mar·tial** ['kɔt `maʃl] *s* sąd wojenny; *vt* postawić przed sądem wojennym
**court·ship** [`kɔtʃɪp] *s* zaloty
**court·yard** [`kɔtjad] *s* dziedziniec, podwórze
**cous·in** [`kʌzn] *s* kuzyn; **first ~** brat stryjeczny, siostra stryjeczna; brat cioteczny, siostra cioteczna; **second ~** dalszy krewny

**cov·e·nant** [ˈkʌvn̩ənt] *s* umowa, przymierze, związek, pakt
**cov·er** [ˈkʌvə(r)] *vt* pokrywać; przykryć, nakryć, okryć; ukryć, osłaniać; *s* pokrycie, przykrywka; okładka; narzuta; nakrycie; ochrona, osłona; *przen.* płaszczyk
**cov·er·ing** [ˈkʌvərɪŋ] *s* przykrycie; osłona
**cov·er·let** [ˈkʌvələt] *s* przykrycie, kołdra, kapa
**cov·ert** [ˈkʌvət] *adj* ukryty, potajemny; ukradkowy; *s* schronienie, legowisko
**cov·et** [ˈkʌvɪt] *vt* pożądać
**cov·et·ous** [ˈkʌvətəs] *adj* pożądliwy; zawistny
**cow 1.** [kau] *s* krowa; samica (różnych ssaków)
**cow 2.** [kau] *vt* straszyć
**coward** [ˈkauəd] *s* tchórz
**cow·ard·ice** [ˈkauədɪs] *s* tchórzostwo
**cow·ard·ly** [ˈkauədlɪ] *adj* tchórzliwy
**cow·boy** [ˈkaubɔɪ] *s* pastuch; *am.* kowboj
**cow·er** [ˈkauə(r)] *vi* przysiąść, przycupnąć
**cox·comb** [ˈkokskəum] *s* fircyk; pyszałek
**cox·swain** [ˈkoksn] *s* sternik
**coy** [kɔɪ] *adj* nieśmiały, wstydliwy; zaciszny
**co·zy** [ˈkəuzɪ] *adj* = **cosy**
**crab** [kræb] *s* krab; *astr.* **Crab** Rak
**crack** [kræk] *vt vi* trzaskać, roztrzaskać; trzeszczeć; pękać; spowodować pęknięcie; łupać; *s* trzask; uderzenie; pęknięcie; szczelina, rysa; *adj attr pot.* wspaniały, pierwszorzędny; *wojsk.* szturmowy
**cracked** [krækt] *pp i adj* potrzaskany; *przen.* zwariowany
**crack·er** [ˈkrækə(r)] *s* petarda; (*zw. pl* ~s) dziadek do orzechów; *pl* ~s krakersy
**crack·le** [ˈkrækl] *vi* skrzypieć, trzaskać; *s* trzaski; skrzypienie
**cra·dle** [ˈkreɪdl] *s* kołyska; *przen.* kolebka; *vt* kłaść do kołyski, kołysać; *przen.* wychowywać niemowlę
**craft** [kraft] *s* zręczność, biegłość; przebiegłość; rzemiosło; cech; (*pl* ~) statek, samolot (*zw. zbior.* statki, samoloty)
**crafts·man** [ˈkraftsmən] *s* rzemieślnik
**craft·y** [ˈkraftɪ] *adj* sprytny, zręczny; przebiegły, podstępny
**crag** [kræg] *s* skała (urwista)
**cram** [kræm] *vt vi* przepełnić, tłoczyć (się), zapchać (się); *pot.* (*o uczeniu się*) kuć
**cramp** [kræmp] *s* kurcz; *techn.* klamra, imadło; *przen.* hamulec, ograniczenie; *vt* wywołać kurcz; zwierać; *przen.* krępować, ograniczać
**crane** [kreɪn] *s zool.* żuraw; *techn.* dźwig, żuraw
**crank**[1] [kræŋk] *s* korba
**crank**[2] [kræŋk] *s* dziwak; dziwactwo
**crape** [kreɪp] *s* krepa
**crash** [kræʃ] *s* trzask, łomot; gwałtowny upadek; nagłe zderzenie, katastrofa, kraksa; krach, bankructwo; *vi* trzasnąć, huknąć; spaść z hukiem, rozbić się, ulec katastrofie; *vt* zgnieść, rozbić, zniszczyć
**cra·ter** [ˈkreɪtə(r)] *s* krater, lej
**crave** [kreɪv] *vt vi* pragnąć, pożądać (sth, for sth czegoś); usilnie prosić (sth o coś)
**cra·ven** [ˈkreɪvn] *s* tchórz, nikczemnik; *adj* tchórzliwy, nikczemny
**craw·fish** [ˈkrɔfɪʃ] = **crayfish**
**crawl** [krɔl] *vi* pełzać, czołgać się; *s* pełzanie; pływanie kraulem
**cray·fish** [ˈkreɪfɪʃ] *s* rak; langusta
**cray·on** [ˈkreɪən] *s* kredka, pastel; *vt* malować kredką, pastelami; szkicować

**craze** [kreɪz] *vi* szaleć; *vt* doprowadzać do szału; *s* szaleństwo, szał
**cra·zy** [`kreɪzɪ] *adj* szalony, zwariowany
**creak** [krik] *vi* skrzypieć, trzeszczeć; *s* skrzypienie, trzeszczenie
**cream** [krim] *s* śmietana; krem; pasta; *przen.* śmietanka; *adj attr* kremowy; *vt* zbierać śmietankę
**cream·y** [`krimɪ] *adj* śmietankowy, kremowy
**crease** [kris] *s* fałda, zmarszczka; kant (spodni); *vt vi* marszczyć (się), miąć (się)
**cre·ate** [kri`eɪt] *vt* tworzyć, stwarzać; kreować; wywołać
**cre·a·tion** [kri`eɪʃn] *s* tworzenie, stworzenie; kreacja
**cre·a·tive** [kri`eɪtɪv] *adj* twórczy
**cre·a·tor** [kri`eɪtə(r)] *s* twórca, stwórca
**crea·ture** [`kritʃə(r)] *s* stworzenie, stwór; kreatura; twór
**crèche** [kreɪʃ] *s* żłobek (dla dzieci)
**cre·dence** [`kridəns] *s* wiara, zaufanie
**cre·den·tials** [krɪ`denʃlz] *s pl* listy uwierzytelniające
**cred·i·ble** [`kredəbl] *adj* wiarygodny
**cred·it** [`kredɪt] *s* kredyt; zaufanie; uznanie, pochwała; honor; zaszczyt; *handl.* **letter of ~** akredytywa; *vt* kredytować; ufać; przypisywać **(sb with sth** komuś coś); *handl.* uznawać rachunek
**cred·it·a·ble** [`kredɪtəbl] *adj* zaszczytny, chlubny
**cred·i·tor** [`kredɪtə(r)] *s* wierzyciel
**cre·du·li·ty** [krə`djulətɪ] *s* łatwowierność
**cre·du·lous** [`kredjuləs] *adj* łatwowierny
**creed** [krid] *s* wiara; wyznanie wiary, credo
**creek** [krik] *s* zatoczka; *am.* rzeczka
***creep** [krip], **crept, crept** [krept] *vi* czołgać się, pełzać; wkradać się; (*o roślinach*) piąć się; (*o skórze*) cierpnąć; **my flesh ~s** ciarki mnie przechodzą
**creep·er** [`kripə(r)] *s bot.* pnącze; *pot.* lizus
**creep·y** [`kripɪ] *adj* pełzający; wywołujący ⟨mający⟩ ciarki
**cre·ma·tion** [krɪ`meɪʃn] *s* palenie zwłok, kremacja
**crem·a·to·ri·um** [ˌkremə`tɔrɪəm] *s* (*pl* **crematoria** [ˌkremə`tɔrɪə]) krematorium
**crept** *zob* **creep**
**cres·cent** [`kresnt] *s* sierp księżyca, półksiężyc; *adj* rosnący; mający kształt półksiężyca
**crest** [krest] *s* grzebień (np. koguta), czub, grzywa; grzbiet (fali, góry itp.); herb
**crev·ice** [`krevɪs] *s* szczelina, rysa
**crew 1.** [kru] *s* załoga, ekipa
**crew 2.** *zob.* **crow 2.**
**crib 1.** [krɪb] *s* żłób; łóżko dziecięce; *vt* zamknąć
**crib 2.** [krɪb] *s* plagiat; *pot.* ściągaczka; *vt vi pot.* ściągać (ćwiczenia szkolne itp.)
**crick** [krɪk] *s* bolesny skurcz; kurcz (np. w karku)
**crick·et 1.** [`krɪkɪt] *s* świerszcz
**crick·et 2.** [`krɪkɪt] *s sport* krykiet
**crime** [kraɪm] *s* zbrodnia
**crim·i·nal** [`krɪmənl] *adj* zbrodniczy, kryminalny; *s* zbrodniarz
**crim·son** [`krɪmzn] *s* karmazyn, purpura; *adj* karmazynowy; *vt vi* barwić (się) na karmazyn; *przen.* rumienić się
**cringe** [krɪndʒ] *vi* kulić się; nisko się kłaniać, płaszczyć się **(to sb** przed kimś); *s* uniżoność, płaszczenie się
**crin·kle** [`krɪŋkl] *s* fałda, zmarszczka; *vt vi* marszczyć (się), fałdować (się), zwijać (się)
**crip·ple** [`krɪpl] *s* kaleka, inwalida; *vt* przyprawiać o kalectwo; paraliżować; uszkadzać
**cri·sis** [`kraɪsɪs] *s* (*pl* **crises** [`kraɪsiz]) kryzys
**crisp** [krɪsp], **crisp·y** [`krɪspɪ] *adj* kędzierzawy; kruchy; (*o powietrzu*) orzeźwiający; żywy, jędrny

(np. styl); *vt vi* zwijać (się), skręcać (się); stawać się kruchym
**cri·te·ri·on** [kraɪˈtɪərɪən] *s* (*pl* **criteria** [kraɪˈtɪərɪə]) kryterium
**crit·ic** [ˈkrɪtɪk] *s* krytyk; recenzent
**crit·i·cal** [ˈkrɪtɪkl] *adj* krytyczny
**crit·i·cism** [ˈkrɪtɪsɪzm] *s* krytyka; krytycyzm; recenzja, ocena
**crit·i·cize** [ˈkrɪtɪsaɪz] *vt* krytykować; recenzować
**cri·tique** [krɪˈtik] *s* krytyka; recenzja
**croak** [krəuk] *vi* (*o żabach*) rechotać; (*o wronach*) krakać; *pot.* zdechnąć, wykitować; *s* rechot, krakanie
**cro·chet** [ˈkrəuʃeɪ] *s* robota szydełkowa; *vt vi* szydełkować
**crock·er·y** [ˈkrokərɪ] *s zbior.* naczynia (gliniane, fajansowe itp.)
**croc·o·dile** [ˈkrokədaɪl] *s zool.* krokodyl
**cro·ny** [ˈkrəunɪ] *s pot.* bliski przyjaciel, kompan
**crook** [kruk] *s* hak; zagięcie; kij (pasterski); *pot.* oszust; **by hook or by ~** wszelkimi sposobami; *vt vi* skrzywić (się), zgiąć (się)
**crook·ed** 1. [krukt] *pp zob.* **crook** *v*
**crook·ed** 2. [ˈkrukɪd] *adj* kręty, krzywy, zgięty; nieuczciwy, przewrotny
**crop** [krop] *s* urodzaj, zbiór, plon; masa, stos; krótko ostrzyżone włosy; *vt* ścinać, strzyc; skubać; zbierać (plon); uprawiać, siać, sadzić; *vi* obrodzić, dawać plon; **~ up** zjawić się nagle
**cross** [kros] *s dosł. i przen.* krzyż; skrzyżowanie; *adj* krzyżowy; poprzeczny; przecinający (się), krzyżujący (się); niepomyślny, przeciwny; zły, rozgniewany; **to be ~** gniewać się (**with sb** na kogoś); *vt* krzyżować (ręce, rasy, plany itd.); przecinać; przejść (**sth** przez coś); przejechać (**sth** przez coś); przechodzić, przeprawić się na drugą stronę; przekreślić; udaremnić; **~ off, out** skreślić, wykreślić; *vr* **~ oneself** przeżegnać się; *vi* krzyżować się, przecinać się; rozmijać się
**cross-bar** [ˈkrosbɑ(r)] *s* poprzeczka
**cross·breed** [ˈkrosbrid] *vt* krzyżować (gatunki, rasy); *s* krzyżówka (ras, gatunków); mieszaniec
**cross-coun·try** [ˈkrosˈkʌntrɪ] *adj attr i adv* na przełaj
**cross-ex·am·i·na·tion** [ˈkros ɪgˈzæmɪˈneɪʃn] *s* badanie (sądowe) za pomocą krzyżowych pytań
**cross-ex·am·ine** [ˈkros ɪgˈzæmɪn] *vt* badać za pomocą krzyżowych pytań
**cross·ing** [ˈkrosɪŋ] *s* skrzyżowanie; przejście przez ulicę; przepłynięcie przez morze; przeprawa
**cross-ref·er·ence** [ˈkros ˈrefrns] *s* odsyłacz
**cross-roads** [ˈkrosrəudz] *s pl* skrzyżowanie dróg, rozdroże; *dosł. i przen.* rozstaje
**cross-sec·tion** [ˈkros ˈsekʃn] *s* przekrój
**cross-word** [ˈkroswɜd] *s* (*także* **~ puzzle**) krzyżówka
**crotch** [krotʃ] *s anat.* krocze; rozwidlenie; drzewo rozwidlone
**crotch·et** [ˈkrotʃɪt] *s* hak; kaprys; dziwactwo; *muz.* ćwierćnuta
**crouch** [krautʃ] *vi* przysiąść, skulić się, kucnąć; *s* kucnięcie, skulenie się
**crow** 1. [krəu] *s* wrona, gawron
**crow** 2. [krəu] *vi* piać; triumfować (**over sb** nad kimś)
**crow·bar** [ˈkrəubɑ(r)] *s* łom, drąg żelazny
**crowd** [kraud] *s* tłum, tłok; stos (rzeczy); *vt vi* tłoczyć (się), pchać (się), zapchać
**crown** [kraun] *s* korona; wieniec; szczyt; ciemię; *vt* koronować, wieńczyć
**cru·cial** [ˈkruʃl] *adj* decydujący, krytyczny
**cru·ci·ble** [ˈkrusəbl] *s* tygiel; *przen.* ciężka próba
**cru·ci·fy** [ˈkrusɪfaɪ] *vt* ukrzyżować
**crude** [krud] *adj* surowy, niedojrzały; nie obrobiony; nieokrzesany, szorstki, brutalny
**cru·el** [ˈkruļ] *adj* okrutny

**cru·el·ty** [`kruļtı] *s* okrucieństwo
**cru·et** [`kruıt] *s* flaszeczka (na ocet, oliwę itp.)
**cruise** [kruz] *vi* (*zw. o statku*) krążyć; *s* krążenie po morzu, podróż morska, rejs
**cruis·er** [`kruzə(r)] *s* krążownik
**crumb** [krʌm] *s* okruszyna; *przen.* odrobina; *vt* kruszyć
**crum·ble** [`krʌmbl] *vt vi* kruszyć (się), rozpadać się
**crumb·y** [`krʌmı] *adj* pulchny
**crum·ple** [`krʌmpl] *vt vi* miąć (się), marszczyć (się), gnieść (się)
**crunch** [krʌntʃ] *vt* gryźć, chrupać; *vi* chrzęścić, skrzypieć; *s* chrupanie; chrzest, skrzypienie
**cru·sade** [kru`seıd] *s hist.* wojna krzyżowa, krucjata (*także przen.*); *vi* uczestniczyć w wyprawie krzyżowej
**crush** [krʌʃ] *vt vi* gnieść (się), miażdżyć; niszczyć; tłoczyć (się); *s* tłok, ścisk; kruszenie, miażdżenie
**crust** [krʌst] *s* skórka (np. na chlebie); skorupa; strup; osad; *vt vi* pokrywać (się) skorupą, zaskorupiać (się)
**crutch** [krʌtʃ] *s* kula (dla kaleki)
**cry** [kraı] *vi* krzyczeć; płakać; *s* krzyk; wołanie; hasło; płacz
**crys·tal** [`krıstl] *s* kryształ; *adj* kryształowy; krystaliczny
**crys·tal·lize** [`krıstəlaız] *vt vi* krystalizować (się)
**cub** [kʌb] *s* szczenię, młode (u zwierząt)
**cube** [kjub] *s* sześcian; kostka (lodu, cukru); *vt mat.* podnosić do sześcianu
**cu·bic** [`kjubık] *adj* sześcienny, kubiczny
**cuck·oo** [`kuku] *s* kukułka
**cu·cum·ber** [`kjukʌmbə(r)] *s* ogórek
**cud·dle** [`kʌdl] *vt vi* tulić (się)
**cudg·el** [`kʌdʒl] *s* pałka, maczuga; *vt* okładać pałką
**cue 1.** [kju] *s* kij bilardowy
**cue 2.** [kju] *s* napomknienie, wskazówka; *teatr* replika
**cuff 1.** [kʌf] *s* mankiet
**cuff 2.** [kʌf] *s* uderzenie dłonią ⟨pięścią⟩; kułak; *vt* uderzyć pięścią ⟨dłonią⟩
**cu·li·na·ry** [`kʌlınṛı] *adj* kulinarny
**cull** [kʌl] *vt* zbierać, zrywać (kwiaty itp.); przebierać
**cul·mi·nate** [`kʌlmıneıt] *vi* osiągać szczyt
**cul·pa·ble** [`kʌlpəbl] *adj* winny; karygodny
**cul·prit** [`kʌlprıt] *s* winowajca; podsądny
**cult** [kʌlt] *s* kult, cześć
**cul·ti·vate** [`kʌltıveıt] *vt dosł. i przen.* kultywować, uprawiać
**cul·ti·vat·ed** [`kʌltıveıtıd] *zob.* **cultivate**; *adj* kulturalny, wytworny, wyrobiony
**cul·tur·al** [`kʌltʃərl] *adj* kulturalny
**cul·ture** [`kʌltʃə(r)] *s* kultura; uprawa; hodowla
**cul·tured** [`kʌltʃəd] *adj* kulturalny, wykształcony
**cum·ber** [`kʌmbə(r)] *vt* obciążać; zawadzać; krępować
**cum·ber·some** [`kʌmbəsəm] *adj* uciążliwy, nieporęczny
**cum·min, cum·in** [`kʌmın] *s* kmin(ek)
**cu·mu·late** [`kjumjuleıt] *vt vi* gromadzić (się), kumulować (się)
**cu·mu·la·tive** [`kjumjuleıtıv] *adj* kumulacyjny, skumulowany, łączny
**cun·ning** [`kʌnıŋ] *adj* podstępny, chytry; sprytny; zręczny; *s* chytrość; spryt; zręczność
**cup** [kʌp] *s* filiżanka; kubek; kielich; (*także sport*) puchar
**cup·board** [`kʌbəd] *s* kredens; szafka
**cup-fi·nal** [ˌkʌp `faınl] *s sport* finał(y) (np. mistrzostw)
**cu·pid·i·ty** [kju`pıdətı] *s* chciwość, zachłanność
**cu·po·la** [`kjupələ] *s* kopuła
**cur** [kɜ(r)] *s* kundel; *przen.* łajdak
**curate** [`kjuərət] *s* wikary
**cu·ra·tor** [kju`reıtə(r)] *s* opiekun; kustosz

**curb·stone** [ˋkɜbstəun] *s* = kerbstone

**curd** [kɜd] *s* (*zw. pl* ~s) twaróg; zsiadłe mleko

**cur·dle** [ˋkɜdl] *vt vi* ścinać (się); (*o mleku*) zsiadać się; (*o krwi*) krzepnąć; *przen.* ścinać krew w żyłach

**cure** [kjuə(r)] *vt* leczyć; wędzić, konserwować; wulkanizować; *s* kuracja; lekarstwo; wyleczenie; konserwowanie; wulkanizacja

**cur·few** [ˋkɜfju] *s* godzina policyjna; *hist.* dzwon wieczorny

**cu·ri·os·i·ty** [ˌkjuəriˋosətɪ] *s* ciekawość; ciekawostka, osobliwość; unikat

**cu·ri·ous** [ˋkjuərɪəs] *adj* ciekawy; osobliwy

**curl** [kɜl] *s* zwój, skręt; lok, pukiel; *vt vi* kręcić (się), zwijać (się); fryzować; falować

**curl·y** [ˋkɜlɪ] *adj* kędzierzawy, (*o włosach, o wodzie*) falujący

**cur·rant** [ˋkʌrənt] *s* porzeczka; rodzynek

**cur·ren·cy** [ˋkʌrənsɪ] *s* obieg; powszechne użycie (wyrazów); panowanie (poglądów); waluta

**cur·rent** [ˋkʌrənt] *adj* bieżący; obiegowy; powszechny; aktualny; *s* prąd; strumień; bieg; *elektr.* **alternating ~ (AC)** prąd zmienny; **direct ~ (DC)** prąd stały

**cur·ric·u·lum** [kəˋrɪkjuləm] *s* (*pl* **curricula** [kəˋrɪkjulə]) program (nauki)

**curse** [kɜs] *s* przekleństwo; klątwa; *vt vi* przeklinać, kląć

**cur·so·ry** [ˋkɜsərɪ] *adj* pobieżny, powierzchowny

**curt** [kɜt] *adj* krótki, zwięzły; szorstki

**cur·tail** [kɜˋteɪl] *vt* skracać, obcinać, uszczuplać

**cur·tain** [ˋkɜtn] *s* kurtyna, zasłona, firanka, kotara

**curt·s(e)y** [ˋkɜtsɪ] *s* dyg

**curve** [kɜv] *s* krzywa; wygięcie; zakręt; *vt vi* krzywić (się), zginać (się), zakręcać

**cush·ion** [ˋkuʃn] *s* poduszka (na kanapę); podkładka, wyściółka

**cus·tard** [ˋkʌstəd] *s* krem (deserowy)

**cus·to·dy** [ˋkʌstədɪ] *s* ochrona, opieka; areszt

**cus·tom** [ˋkʌstəm] *s* zwyczaj; nawyk; stałe kupowanie (w jednym sklepie); *pl* ~s cło; *pl* **Customs** urząd celny

**cus·tom·a·ry** [ˋkʌstəmərɪ] *adj* zwyczajowy; zwyczajny

**cus·tom·er** [ˋkʌstəmə(r)] *s* klient

**cus·tom-house** [ˋkʌstəmhaus] *s* urząd celny

***cut** [kʌt], **cut, cut** [kʌt] *vt* krajać, ciąć, przecinać, ścinać; rąbać; skracać; obniżać, redukować (ceny, płace itp.); kosić, strzyc; ignorować; *vi* ciąć, dać się krajać; **~ down** obciąć, ściąć; **~ in, into** wtrącić się; wtargnąć; **~ off** odciąć, wyłączyć; przerwać; **~ out** wyciąć; opuścić; odrzucić; przestać (palić, pić itp.); **~ up** pokrajać, posiekać; **to ~ open** rozciąć; **to ~ short** przerwać; *pot.* **to ~ and run** szybko uciec, zwiać; *s* cięcie; krój; rana cięta, szrama; obcięcie, obniżenie (ceny, płacy itp.); odcięty kawałek (np. mięsa); **short ~** najkrótsza droga (na przełaj), skrót

**cute** [kjut] *adj* bystry, zdolny, sprytny; *am.* miły, pociągający

**cut·let** [ˋkʌtlət] *s* kotlet

**cut·ter** [ˋkʌtə(r)] *s* przecinacz, przykrawacz; krojczy; kamieniarz; przyrząd do krajania; *mors.* kuter

**cut-throat** [ˋkʌtθrəut] *s* morderca, bandyta; *adj* bandycki; morderczy

**cy·a·nide** [ˋsaɪənaɪd] *s* cyjanek

**cy·cle** [ˋsaɪkl] *s* cykl; rower; *vi* jeździć rowerem

**cy·cling** [ˋsaɪklɪŋ] *s* kolarstwo

**cy·clist** [ˋsaɪklɪst] *s* kolarz

**cy·clone** [ˋsaɪkləun] *s* cyklon

**cy·clo·pae·di·a** [ˌsaɪkləuˋpidɪə] *s* encyklopedia

**cyl·in·der** [ˋsɪlɪndə(r)] *s* walec, wałek; *techn.* cylinder
**cym·bal** [ˋsɪmbl] *s muz.* czynel
**cyn·ic** [ˋsɪnɪk] *adj* cyniczny; *s* cynik
**cyn·i·cal** [ˋsɪnɪkl] *adj* cyniczny
**cyn·i·cism** [ˋsɪnɪsɪzm] *s* cynizm
**cy·press** [ˋsaɪprəs] *s* cyprys
**czar** [zɑ(r)] *s* car
**Czech** [tʃek] *adj* czeski; *s* Czech

# d

**D, d** [di] czwarta litera alfabetu angielskiego; *skr.* **penny, pence**
**dab** [dæb] *vt vi* lekko uderzać dłonią, dotknąć, przytknąć, musnąć, przyłożyć; *s* lekkie uderzenie, dotknięcie, muśnięcie
**dab·ble** [ˋdæbl] *vi* pluskać się; babrać się; interesować się powierzchownie (**in, at sth** czymś); *vt* moczyć; chlapać
**dad** [dæd], **dad·dy** [ˋdædɪ] *s* tatko, tatuś
**daf·fo·dil** [ˋdæfədɪl] *s bot.* żółty narcyz, żonkil
**dag·ger** [ˋdægə(r)] *s* sztylet; *vt* zasztyletować
**dai·ly** [ˋdeɪlɪ] *adj* dzienny, codzienny; *adv* dziennie, codziennie; *s* dziennik, gazeta
**dain·ty** [ˋdeɪntɪ] *adj* wykwintny; delikatny; filigranowy; wybredny; *s* przysmak, frykas; *pl* **dainties** łakocie
**dair·y** [ˋdeərɪ] *s* mleczarnia; gospodarstwo mleczne
**dai·sy** [ˋdeɪzɪ] *s bot.* stokrotka
**dal·ly** [ˋdælɪ] *vi* próżnować, zabawiać się głupstwami; figlować, igrać
**dam** [dæm] *s* tama, grobla; *vt* zagrodzić, przegrodzić tamą
**dam·age** [ˋdæmɪdʒ] *s* szkoda, uszkodzenie; *pl* **~s** odszkodowanie; *vt* uszkodzić, popsuć; zaszkodzić (**sb** komuś)
**damn** [dæm] *vt* potępiać, przeklinać; ganić
**damned** [dæmd] *pp i adj pot. uj.* przeklęty, cholerny; *adv pot. uj.* cholernie, wściekle, diabelnie
**damp** [dæmp] *adj* wilgotny, parny; *s* wilgoć; *przen.* przygnębienie; *vt* zwilżyć; stłumić; **~ down** przytłumić; zniechęcić
**dance** [dɑns] *vt vi* tańczyć; *s* taniec; zabawa, bal
**danc·er** [ˋdɑnsə(r)] *s* tancerz
**danc·ing** [ˋdɑnsɪŋ] *s* taniec; dansing; *adj attr* taneczny
**dan·de·li·on** [ˋdændɪlaɪən] *s bot.* mlecz
**dan·druff** [ˋdændrʌf] *s* łupież
**dan·dy** [ˋdændɪ] *s* elegant, strojniś
**Dane** [deɪn] *s* Duńczyk
**dan·ger** [ˋdeɪndʒə(r)] *s* niebezpieczeństwo
**dan·ger·ous** [ˋdeɪndʒərəs] *adj* niebezpieczny
**dan·gle** [ˋdæŋgl] *vt vi* huśtać (się), dyndać; nadskakiwać (**about** ⟨**after, around**⟩ **sb** komuś); nęcić (**sth before sb** kogoś czymś)
**Dan·ish** [ˋdeɪnɪʃ] *adj* duński; *s* język duński
**dap·per** [ˋdæpə(r)] *adj* żywy, zwinny; elegancko ubrany; fertyczny
**dap·ple** [ˋdæpl] *adj* cętkowany, łaciaty; *vt* nakrapiać (farbą), cętkować
***dare** [deə(r)], **dared** [deəd] *lub* † **durst** [dɜst], **dared** [deəd] *vt vi* śmieć, odważyć się, stawiać czoło, odważnie podjąć się czegoś; wyzwać; **I ~ say** śmiem twierdzić, sądzę; **I ~ swear** założę się; **I ~ you to say it again!** tylko spróbuj powiedzieć to jeszcze raz!

**dare-dev·il** [ˋdeə devl] *s* śmiałek; *adj attr* odważny do szaleństwa
**dar·ing** [ˋdeərıŋ] *adj* śmiały, odważny; *s* śmiałość, odwaga
**dark** [dak] *adj* ciemny; ponury; ukryty; **it is growing ~** robi się ciemno; **to keep sth ~** trzymać coś w tajemnicy; *s* ciemność, zmrok
**dark·en** [ˋdakən] *vi vt* ciemnieć, zaciemniać (się); zasępiać (się)
**dark·ness** [ˋdaknəs] *s* ciemność; ciemnota
**dar·ling** [ˋdalıŋ] *s* ukochany, ulubieniec, *pieszcz.* kochanie; *adj* drogi, kochany
**darn** [dan] *vt* cerować
**dart** [dat] *s* żądło; strzałka; nagły ruch, zryw; *vt vi* rzucić (się), cisnąć
**dash** [dæʃ] *vt* rzucić, cisnąć; roztrzaskać; spryskać, ochlapać; zniweczyć; zmieszać (coś z czymś); wprawić w zakłopotanie, zmieszać (kogoś); *vi* uderzyć się; rzucić się; przebiec; **~ off** szybko nakreślić; **~ out** wykreślić; wybiec; *s* cios; atak, napaść; werwa; plusk; domieszka; barwna plamka; *druk.* myślnik; **to make a ~** rzucić się (**at sb, sth** na kogoś, coś)
**data** *zob.* **datum**
**date** 1. [deıt] *s* data; *am.* spotkanie (umówione), *pot.* randka; **to ~** do tej pory, po dzień dzisiejszy; **out of ~** przestarzały, niemodny; **up to ~** nowoczesny, modny; *vt vi* datować (się)
**date** 2. [deıt] *s* daktyl
**dat·er** [ˋdeıtə(r)] *s* datownik
**da·tive** [ˋdeıtıv] *s gram.* celownik
**da·tum** [ˋdeıtəm] *s* (*pl* **data** [ˋdeıtə]) dany fakt ⟨szczegół itp.⟩; *zw. pl* **data** dane
**daub** [dɔb] *vt* mazać, bazgrać; oblepiać; pokrywać; *s* smar, plama; *pot.* bohomaz
**daugh·ter** [ˋdɔtə(r)] *s* córka
**daugh·ter-in-law** [ˋdɔtr ın lɔ] *s* synowa
**daunt** [dɔnt] *vt* zastraszyć, nastraszyć; zrazić
**daw·dle** [ˋdɔdl] *vi* mitrężyć, marnować czas, guzdrać się; *vt* **~ away** marnować (czas)
**dawn** [dɔn] *s* świt; *vi* świtać
**day** [deı] *s* dzień; doba; **~ off** dzień wolny (od pracy); **work by the ~** praca na dniówki; **by ~** za dnia; **~ by ~** dzień w dzień; **the ~ before yesterday** przedwczoraj; **the ~ after** nazajutrz; **the other ~** kilka dni temu; **this ~ week** od dziś za tydzień
**day·break** [ˋdeıbreık] *s* brzask
**day·light** [ˋdeılaıt] *s* światło dzienne
**day-nurs·er·y** [ˋdeı nɜsərı] *s* żłobek (dla dzieci)
**day·time** [ˋdeıtaım] *s* (biały) dzień
**daze** [ˋdeız] *vt* oszałamiać, ogłupiać
**daz·zle** [ˋdæzl] *vt* oślepić (blaskiem), olśnić
**dead** [ded] *adj* zmarły, *dosł. i przen.* martwy; całkowity, bezwzględny, pewny; głuchy, obojętny (**to sth** na coś); **~ certainty** zupełna pewność; **~ hours** głucha noc; **~ loss** kompletna strata; **to be ~** nie funkcjonować; **to come to a ~ stop** nagle zatrzymać się; *adv* całkowicie, kompletnie; **~ drunk** kompletnie pijany; **~ tired** śmiertelnie zmęczony; *s* martwota; *w zwrotach*: **in the ~ of night** w głęboką noc; **in the ~ of winter** w pełni zimy; *pl* **the ~** zmarli
**dead·lock** [ˋdedlɔk] *s* zastój, impas, martwy punkt
**dead·ly** [ˋdedlı] *adj* śmiertelny; *adv* śmiertelnie
**deaf** [def] *adj* głuchy; **~ and dumb** głuchoniemy; **to turn a ~ ear** nie słuchać (**to sb, sth** kogoś, czegoś)
**deaf·en** [ˋdefn] *vt* ogłuszać
**deaf-mute** [ˈdefˋmjut] *s* głuchoniemy
***deal** [dil], **dealt, dealt** [delt] *vt*

dzielić; rozdawać (dary, karty), (*także* ~ out) wydzielać; zadawać (cios); *vi* załatwiać (with sth coś), mieć do czynienia, rozprawiać się (with sb z kimś); handlować (in sth czymś); postępować (by ⟨with⟩ sb z kimś), traktować (by ⟨with⟩ sb kogoś); zajmować się (with sth czymś); dotyczyć (with sth czegoś); *s* interes, sprawa; postępowanie; rozdanie kart; część; a good ⟨great⟩ ~ wielka ilość, dużo

**deal·er** [ˋdilə(r)] *s* kupiec, handlarz; rozdający karty (w grze); plain ~ człowiek szczery ⟨prostolinijny⟩

**dean** [din] *s* dziekan

**dear** [dɪə(r)] *adj* drogi; *adv* drogo; *int* ~ me! oh ~! Boże mój!, czyżby?, ojej!

**dearth** [dɜθ] *s* niedostatek; drożyzna

**death** [deθ] *s* śmierć

**death-rate** [ˋdeθreɪt] *s* śmiertelność

**de·bar** [dɪˋbɑ(r)] *vt* wykluczyć, odsunąć; zakazać

**de·bark** [dɪˋbɑk] = disembark

**de·bar·ka·tion** [ˏdibɑˋkeɪʃn] *s* wyładowanie (towaru); wysadzenie na ląd; wylądowanie

**de·base** [dɪˋbeɪs] *vt* obniżać (wartość); poniżać

**de·bate** [dɪˋbeɪt] *vt vi* omawiać, obmyślać, debatować (sth, on sth nad czymś); *s* debata, dyskusja

**de·bauch** [dɪˋbɔtʃ] *vt* psuć, deprawować; *s* rozpusta

**de·bauch·er·y** [dɪˋbɔtʃərɪ] *s* rozpusta, rozwiązłość

**de·ben·ture** [dɪˋbentʃə(r)] *s* obligacja

**de·bil·i·tate** [dɪˋbɪlɪteɪt] *vt* podciąć siły, osłabić

**de·bil·i·ty** [dɪˋbɪlətɪ] *s* niemoc, osłabienie

**deb·it** [ˋdebɪt] *s* strona rachunku „winien"; *vt* obciążyć (rachunek) kwotą

**de·bris** [ˋdeɪbri] *s zbior.* gruzy, rumowisko

**debt** [det] *s* dług

**debt·or** [ˋdetə(r)] *s* dłużnik

**de·bunk** [dɪˋbʌnk] *vt pot.* odbrązawiać, demaskować

**de·but** [ˋdeɪbju] *s* debiut

**dec·ade** [ˋdekeɪd] *s* dekada; dziesiątka

**dec·a·dence** [ˋdekədəns] *s* dekadencja, upadek

**de·cant·er** [dɪˋkæntə(r)] *s* karafka

**de·cay** [dɪˋkeɪ] *vi* gnić, rozpadać się, niszczeć; podupadać; *s* upadek, schyłek; gnicie, rozkład

**de·cease** [dɪˋsis] *vi* umierać; *s* zgon

**de·ceased** [dɪˋsist] *adj* zmarły; *s* nieboszczyk

**de·ceit** [dɪˋsit] *s* fałsz, oszustwo

**de·ceive** [dɪˋsiv] *vt* zwodzić, oszukiwać

**De·cem·ber** [dɪˋsembə(r)] *s* grudzień

**de·cen·cy** [ˋdisnsɪ] *s* przyzwoitość

**de·cent** [ˋdisnt] *adj dosł. i przen.* przyzwoity; a ~ income przyzwoity dochód

**de·cep·tion** [dɪˋsepʃn] *s* oszukaństwo; okłamanie

**de·cep·tive** [dɪˋseptɪv] *adj* zwodniczy, oszukańczy

**de·cide** [dɪˋsaɪd] *vt* rozstrzygać, decydować (sth o czymś); *vi* postanawiać, decydować się (on sth na coś)

**de·cid·ed** [dɪˋsaɪdɪd] *pp i adj* zdecydowany; stanowczy; bezsporny

**de·cid·u·ous** [dɪˋsɪdʒuəs] *adj* (*o drzewie*) liściasty

**de·ci·mal** [ˋdesɪml] *adj* dziesiętny

**de·ci·pher** [dɪˋsaɪfə(r)] *vi* odcyfrować; rozwiązać (zagadkę)

**de·ci·sion** [dɪˋsɪʒn] *s* decyzja; zdecydowanie

**de·ci·sive** [dɪˋsaɪsɪv] *adj* decydujący; stanowczy

**deck** [dek] *vt* pokrywać; zdobić; *s* pokład; piętro (w tramwaju, autobusie)

**de·claim** [dɪˋkleɪm] *vt* deklamować

**de·cla·ma·tion** [ˏdekləˋmeɪʃn] *s* deklamacja

**dec·la·ra·tion** [ˏdekləˋreɪʃn] *s* deklaracja; wypowiedzenie

**de·clare** [dɪ`kleə(r)] *vt vi* oznajmiać, deklarować (się), oświadczać (się); wypowiadać (wojnę); zgłaszać (do oclenia)
**de·clen·sion** [dɪ`klenʃn] *s* odchylenie; upadek; *gram.* deklinacja
**de·cline** [dɪ`klaɪn] *vi* opaść, obniżać się; zmarnieć; chylić się ku upadkowi, podupadać; *vt* schylać; uchylać; odrzucać (prośbę, wniosek); *gram.* deklinować; *s* upadek; zanik; schyłek
**de·cliv·i·ty** [dɪ`klɪvətɪ] *s* pochyłość
**de·com·pose** ['dikəm`pəuz] *vt vi* rozkładać (się)
**dec·o·rate** [`dekəreɪt] *vt* dekorować (*także* kogoś orderem); malować (pokój)
**de·co·ra·tor** [`dekəreɪtə(r)] *s* dekorator; malarz pokojowy
**de·co·rous** [`dekərəs] *adj* przyzwoity, odpowiedni, stosowny
**de·coy** [dɪ`kɔɪ] *vt* wabić; wciągać w pułapkę; *s* [`dikɔɪ] przynęta; pułapka
**de·crease** [dɪ`kris] *vt vi* zmniejszać (się), obniżać (się), ubywać; *s* [`dikris] ubytek, pomniejszenie
**de·cree** [dɪ`kri] *s* dekret, rozporządzenie, wyrok, postanowienie; zarządzenie; *vt* postanawiać, dekretować, zarządzać; (*o losie*) zrządzić
**de·crep·it** [dɪ`krepɪt] *adj* rozpadający się; (*o człowieku*) zgrzybiały
**de·cry** [dɪ`kraɪ] *vt* popsuć opinię, oczernić
**ded·i·cate** [`dedɪkeɪt] *vt* dedykować, poświęcać
**ded·i·ca·tion** ['dedɪ`keɪʃn] *s* dedykacja; poświęcenie
**de·duce** [dɪ`djus] *vt* wyprowadzać; wnioskować
**de·duct** [dɪ`dʌkt] *vt* odliczać, odciągać, odejmować, potrącać
**de·duc·tion** [dɪ`dʌkʃn] *s* dedukcja; wniosek; odliczenie, potrącenie; rabat
**deed** [did] *s* dzieło, czyn, uczynek; akt (prawny), dokument
**deem** [dim] *vt vi* uważać, sądzić
**deep** [dip] *adj* głęboki; pochłonięty (**in sth** czymś); *s* głębia; *adv* głęboko
**deep·en** [`dipən] *vt vi* pogłębiać (się)
**deer** [dɪə(r)] *s* jeleń, łania itp; *zbior.* zwierzyna płowa
**def·a·ma·tion** ['defə`meɪʃn] *s* zniesławienie
**de·fame** [dɪ`feɪm] *vt* zniesławiać
**de·fault** [dɪ`fɔlt] *s* uchybienie (np. obowiązkom), zaniedbanie; brak; nieobecność; *prawn.* niestawiennictwo; **by ~** z powodu nieobecności, zaocznie; *vi* zaniedbać; uchybić; nie dotrzymać zobowiązania; nie stawić się w sądzie; *vt* skazać zaocznie
**de·feat** [dɪ`fit] *s* porażka; zniszczenie; *prawn.* anulowanie, kasacja; *vt* pokonać, pobić, zniszczyć; udaremnić; *prawn.* anulować, skasować
**de·fect** [dɪ`fekt] *s* brak, wada, defekt
**de·fec·tive** [dɪ`fektɪv] *adj* wadliwy; *gram.* ułomny
**de·fence**, *am.* **de·fense** [dɪ`fens] *s* obrona; *prawn.* strona pozwana; obrońca
**de·fend** [dɪ`fend] *vt* bronić
**de·fend·ant** [dɪ`fendənt] *s prawn.* pozwany
**de·fense** = **defence**
**de·fen·sive** [dɪ`fensɪv] *adj* obronny; *s* defensywa; **on the ~** w defensywie
**de·fer 1.** [dɪ`fɜ(r)] *vt* odwlekać, odkładać
**de·fer 2.** [dɪ`fɜ(r)] *vi* ustępować, ulegać (przez szacunek); mieć wzgląd (**to sth** na coś)
**def·er·ence** [`defrəns] *s* szacunek, respekt; uleganie
**de·fi·ance** [dɪ`faɪəns] *s* wyzwanie; opór
**de·fi·ant** [dɪ`faɪənt] *adj* wyzywający; oporny
**de·fi·cien·cy** [dɪ`fɪʃnsɪ] *s* brak, niedostatek, niedobór; słabość
**de·fi·cient** [dɪ`fɪʃnt] *adj* niedosta-

teczny, wykazujący brak ⟨niedobór⟩
**def·i·cit** [`defəsɪt] *s* deficyt; niedobór
**de·file** 1. [dɪ`faɪl] *vt* zanieczyszczać; profanować
**de·file** 2. [`difaɪl] *vi* defilować; *s* wąwóz; przełęcz
**de·fine** [dɪ`faɪn] *vt* określać, definiować
**def·i·nite** [`defn̩ɪt] *adj* określony; stanowczy
**de·fi·ni·tion** [ˈdefəˈnɪʃn] *s* definicja, określenie
**de·fin·i·tive** [dɪ`fɪnətɪv] *adj* definitywny, stanowczy
**de·fla·tion** [dɪ`fleɪʃn] *s* wypuszczenie powietrza; *fin.* deflacja
**de·form** [dɪ`fɔm] *vt* zniekształcać; szpecić
**de·form·i·ty** [dɪ`fɔmətɪ] *vt* zniekształcenie; kalectwo; brzydota
**de·fraud** [dɪ`frɔd] *vt* oszukiwać; nieuczciwie pozbawić (**sb of sth** kogoś czegoś)
**de·fray** [dɪ`freɪ] *vt* opłacać, pokrywać koszty
**de·frost** [dɪ`frost] *vt vi* odmrażać (się); rozmrażać (się)
**deft** [deft] *adj* zwinny, zgrabny, zręczny
**de·funct** [dɪ`fʌŋkt] *adj* zmarły; nieistniejący, zlikwidowany
**de·fy** [dɪ`faɪ] *vt* przeciwstawiać się, opierać się (**sb, sth** komuś, czemuś); wyzywać; **to ~ description** nie dać się opisać; być nie do opisania
**de·gen·er·a·cy** [dɪ`dʒenərəsɪ] *s* zwyrodnienie, degeneracja
**de·gen·er·ate** [dɪ`dʒenərət] *adj* zwyrodniały; zdegenerowany; *s* zwyrodnialec; degenerat; *vi* [dɪ`dʒenəreɪt] wyrodnieć, degenerować się
**deg·ra·da·tion** [ˈdegrəˈdeɪʃn] *s* degradacja; poniżenie, upodlenie
**de·grade** [dɪ`greɪd] *vt vi* degradować (się); poniżać (się), upadlać; nikczemnieć
**de·gree** [dɪ`gri] *s* stopień; **by ~s** stopniowo
**deign** [deɪn] *vi* raczyć (coś zrobić)
**de·i·ty** [`deɪətɪ] *s* bóstwo
**de·ject** [dɪ`dʒekt] *vt* zniechęcić, przygnębić
**de·jec·tion** [dɪ`dʒekʃn] *s* zniechęcenie, przygnębienie
**de·lay** [dɪ`leɪ] *vt* zwlekać; *vt* odkładać; wstrzymywać; *s* zwłoka
**del·e·gate** [`delɪgeɪt] *vt* delegować; zlecać, udzielać; *s* [`delɪgət] delegat
**del·e·ga·tion** [ˈdelɪ`geɪʃn] *s* delegacja
**de·lib·er·ate** [dɪ`lɪbəreɪt] *vi* rozmyślać, naradzać się (**on ⟨upon⟩ sth** nad czymś); *vt* rozważać (**sth** coś); *adj* [dɪ`lɪbr̩ət] rozmyślny; rozważny
**de·lib·er·a·tion** [dɪˈlɪbəˈreɪʃn] *s* rozważanie; narada; przezorność, rozwaga
**del·i·ca·cy** [`delɪkəsɪ] *s* delikatność; wrażliwość; delikates
**del·i·cate** [`delɪkət] *adj* delikatny, czuły; wątły
**de·li·cious** [dɪ`lɪʃəs] *adj* rozkoszny, wyborny
**de·light** [dɪ`laɪt] *vt vi* radować (się), zachwycać (się), rozkoszować się (**in sth** czymś); **to be ~ed** być zachwyconym, mieć wielką przyjemność (**at ⟨with⟩ sth** w czymś); *s* rozkosz, radość
**de·light·ful** [dɪ`laɪtfl] *adj* rozkoszny, czarujący
**de·lin·e·ate** [dɪ`lɪnɪeɪt] *vt* naszkicować, nakreślić
**de·lin·quen·cy** [dɪ`lɪŋkwənsɪ] *s* zaniedbanie obowiązku; przestępczość; wykroczenie
**del·in·quent** [dɪ`lɪŋkwənt] *s* delikwent; winowajca; przestępca; *adj* winny zaniedbania obowiązków; przestępczy
**de·lir·i·ous** [dɪ`lɪrɪəs] *adj* majaczący
**de·liv·er** [dɪ`lɪvə(r)] *vt* uwolnić, wybawić; przekazać, doręczyć, oddać, dostarczyć; wygłosić (mowę); wymierzyć (cios); wydać (rozkaz, bitwę); pomóc przy po-

rodzie, odebrać (dziecko); **to be ~ed of a child urodzić dziecko**
**de·liv·er·y** [dɪ`lɪvr̩ɪ] *s* doręczenie, oddanie, wydanie, dostawa; wygłoszenie (mowy); poród
**de·lude** [dɪ`lud] *vt* łudzić, zwodzić, oszukiwać
**del·uge** [`deljudʒ] *s dosł. i przen.* potop
**de·lu·sion** [dɪ`luʒn] *s* złuda, złudzenie
**dem·a·gog·ic** [ˏdemə`godʒɪk] *adj* demagogiczny
**dem·a·gogue** [`deməgog] *s* demagog
**de·mand** [dɪ`mɑnd] *vt* żądać; wymagać; pytać; *s* żądanie; wymaganie; zapotrzebowanie, popyt (**for sth** na coś)
**de·mean·our** [dɪ`minə(r)] *s* zachowanie (się), postawa
**dem·i·john** [`demɪdʒon] *s* gąsior, butla
**de·mil·i·ta·rize** [ˏdi`mɪlɪtəraɪz] *vt* demilitaryzować
**de·mo·bi·lize** [dɪ`məubl̩aɪz] *vt* demobilizować
**de·moc·ra·cy** [dɪ`mokrəsɪ] *s* demokracja
**dem·o·crat·ic** [ˏdemə`krætɪk] *adj* demokratyczny
**de·mol·ish** [dɪ`molɪʃ] *vt* burzyć, demolować; obalać
**dem·o·li·tion** [ˏdemə`lɪʃn] *s* zburzenie, rozbiórka; obalenie
**de·mon** [`dimən] *s* demon
**dem·on·strate** [`demənstreɪt] *vt vi* wykazywać, udowadniać; demonstrować
**dem·on·stra·tion** [ˏdemən`streɪʃn] *s* przeprowadzenie dowodu; demonstracja
**de·mon·stra·tive** [di`monstrətɪv] *adj* demonstracyjny; udowadniający; *gram.* wskazujący (zaimek)
**de·mor·al·i·za·tion** [diˏmorl̩aɪ`zeɪʃn] *s* demoralizacja, zdeprawowanie
**den** [den] *s* pieczara, nora, jaskinia; *przen.* schronienie
**de·na·tur·ate** [di`neɪtʃəreɪt], **de·na··ture** [di`neɪtʃə(r)] *vt* denaturować, skażać
**de·na·tured** [ˏdɪ`neɪtʃəd] *adj* skażony (np. alkohol)
**de·ni·al** [dɪ`naɪl] *s* zaprzeczenie, odmowa
**den·im** [`denɪm] *s* teksas; *pl* **~s** *pot.* dżinsy
**den·i·zen** [`denɪzn] *s* mieszkaniec
**de·nom·i·nate** [dɪ`nomɪneɪt] *vt* nazwać; określić
**de·nom·i·na·tion** [dɪˏnomɪ`neɪʃn] *s* nazwa; określenie; *rel.* wyznanie; jednostka (wagi itp.)
**de·note** [dɪ`nəut] *vt* oznaczać
**de·nounce** [dɪ`nauns] *vt* denuncjować, donosić, oskarżać; wypowiadać (np. umowę)
**dense** [dens] *adj* gęsty; spoisty
**den·si·ty** [`densətɪ] *s* gęstość; spoistość
**den·tal** [`dentl] *adj* zębowy, dentystyczny; *gram.* (*o głosce*) zębowy
**den·ti·frice** [`dentɪfrɪs] *s* pasta ⟨proszek⟩ do zębów
**den·tist** [`dentɪst] *s* dentysta
**den·ture** [`dentʃə(r)] *s* sztuczna szczęka, proteza
**de·nude** [dɪ`njud] *vt* obnażyć, ogołocić
**de·nun·ci·a·tion** [dɪˏnʌnsɪ`eɪʃn] *s* denuncjacja; oskarżenie; wypowiedzenie (np. umowy)
**de·ny** [dɪ`naɪ] *vt* zaprzeczyć; odmówić; wyprzeć się (**sb, sth** kogoś, czegoś)
**de·part** [dɪ`pɑt] *vi* wyruszać, odjeżdżać; odstąpić (**from sth** od czegoś); odbiegać (od tematu itp.)
**de·part·ment** [dɪ`pɑtmənt] *s* departament; wydział, katedra; oddział; *am.* ministerstwo; **~ store** dom towarowy
**de·par·ture** [dɪ`pɑtʃə(r)] *s* odstępstwo; odejście, odjazd; **point of ~** punkt wyjścia
**de·pend** [dɪ`pend] *vi* zależeć (**on sb, sth** od kogoś, czegoś); liczyć, polegać (**on sb, sth** na kimś, czymś)
**de·pend·ence** [dɪ`pendəns] *s* zależność; zaufanie

**de·pend·en·cy** [dɪˋpendənsɪ] *s* zależność; podległe terytorium; przyległość
**de·pend·ent** [dɪˋpendənt] *adj* zależny (**on sb, sth** od kogoś, czegoś), podlegający; *s* człowiek zależny od kogoś ⟨będący na czyimś utrzymaniu⟩; służący
**de·pict** [dɪˋpɪkt] *vt* malować, opisywać
**de·plor·a·ble** [dɪˋplɔrəbl] *adj* godny pożałowania
**de·plore** [dɪˋplɔ(r)] *vt* opłakiwać; wyrazić żal
**de·port** [dɪˋpɔt] *vt* deportować; *vr* ~ **oneself** zachowywać się
**de·pose** [dɪˋpəuz] *vt* usuwać, składać (z tronu, urzędu); *vi* składać zeznanie
**de·pos·it** [dɪˋpozɪt] *s* depozyt; zastaw, kaucja; osad; złoże; *vt* deponować; składać; *chem.* strącać
**dep·o·si·tion** [ˈdepəˋzɪʃn] *s* zeznanie; złożenie (z tronu, urzędu)
**de·pos·i·tor** [dɪˋpozɪtə(r)] *s* depozytor
**de·pot** [ˋdepəu] *s* skład; *am.* [ˋdi pəu] dworzec (kolejowy, autobusowy)
**de·prave** [dɪˋpreɪv] *vt* deprawować
**dep·re·cate** [ˋdeprəkeɪt] *vt* potępiać, dezaprobować, ganić; odżegnywać się (**sth** od czegoś)
**de·pre·ci·ate** [dɪˋpriʃɪeɪt] *vt vi* deprecjonować (się)
**de·press** [dɪˋpres] *vt* tłumić, hamować; gnębić, przygnębiać; obniżać; naciskać
**de·pres·sion** [dɪˋpreʃn] *s* depresja, przygnębienie; obniżenie; zastój, kryzys
**de·priv·al** [dɪˋpraɪvl] *s* pozbawienie; złożenie (z urzędu)
**dep·ri·va·tion** [ˈdeprɪˋveɪʃn] = **deprival**
**de·prive** [dɪˋpraɪv] *vt* pozbawiać (**sb of sth** kogoś czegoś); złożyć (z urzędu)
**depth** [depθ] *s* głębokość, głąb, głębia
**dep·u·ta·tion** [ˈdepjuˋteɪʃn] *s* deputacja
**dep·u·ty** [ˋdepjutɪ] *s* delegat; zastępca, wice-
**de·rail** [dɪˋreɪl] *vt vi* wykoleić (się)
**de·range** [dɪˋreɪndʒ] *vt* wprowadzać nieład, psuć, dezorganizować; doprowadzać do obłędu
**de·ranged** [dɪˋreɪndʒd] *pp i adj* umysłowo chory
**de·range·ment** [dɪˋreɪndʒmənt] *s* nieporządek; rozstrój (żołądka); obłęd
**der·e·lict** [ˋderəlɪkt] *adj* opuszczony, bezpański; niedbały
**de·ride** [dɪˋraɪd] *vt* wyśmiewać, szydzić
**de·ri·sion** [dɪˋrɪʒn] *s* wyśmiewanie, wyszydzanie
**de·ri·sive** [dɪˋraɪsɪv] *adj* kpiący, szyderczy
**der·i·va·tion** [ˈderɪˋveɪʃn] *s* pochodzenie; *gram.* derywacja
**de·rive** [dɪˋraɪv] *vt* dobywać, czerpać, wyprowadzać; *vi* pochodzić
**der·o·gate** [ˋderəgeɪt] *vi* pomniejszać (**from sth** coś), przynosić ujmę
**de·rog·a·to·ry** [dɪˋrogətrɪ] *adj* pomniejszający (**from sth** coś), przynoszący ujmę
**de·scend** [dɪˋsend] *vi* schodzić; spapać; wyprowadzać; *vi* pochodzić wywodzić się; *vt* zejść (**a hill etc.** z góry itp.)
**de·scend·ant** [dɪˋsendənt] *s* potomek
**de·scent** [dɪˋsent] *s* zejście, zstąpienie; stok; spadek; pochodzenie
**de·scribe** [dɪˋskraɪb] *vt* opisywać, określić
**de·scrip·tion** [dɪˋskrɪpʃn] *s* opis
**de·scrip·tive** [dɪˋskrɪptɪv] *adj* opisowy; ~ **geometry** geometria wykreślna
**des·e·crate** [ˋdesəkreɪt] *vt* profanować, plugawić
**des·ert 1.** [ˋdezət] *s* pustynia; *adj attr* pustynny
**de·sert 2.** [dɪˋzɜt] *vt* opuszczać; *vi* dezerterować
**de·ser·tion** [dɪˋzɜʃn] *s* opuszczenie; dezercja

**de·serve** [dɪ`zɜv] *vt vi* zasłużyć (sobie, się)
**de·sign** [dɪ`zaɪn] *s* plan; zamiar; cel; wzór; szkic; *vt* planować, zamierzać; przeznaczać; projektować; szkicować; rysować
**de·sig·nate** [`dezɪgneɪt] *vt* desygnować, wyznaczać
**de·sign·ed·ly** [dɪ`zaɪnɪdlɪ] *adv* umyślnie, celowo
**de·sign·er** [dɪ`zaɪnə(r)] *s* rysownik, kreślarz; projektant
**de·sir·a·ble** [dɪ`zaɪərəbl] *adj* pożądany; pociągający
**de·sire** [dɪ`zaɪə(r)] *s* pragnienie, życzenie; żądza; *vt* pragnąć, życzyć sobie, pożądać
**de·sir·ous** [dɪ`zaɪərəs] *adj* pragnący; **to be ~ of sth** pragnąć czegoś
**de·sist** [dɪ`zɪst] *vi* zaniechać, zaprzestać (**from sth** czegoś)
**desk** [desk] *s* pulpit; biurko; (*w szkole*) ławka
**des·o·late** [`desəleɪt] *vt* pustoszyć, niszczyć; trapić; *adj* [`desələt] opustoszały; samotny; niepocieszony, stroskany
**des·o·la·tion** [/desə`leɪʃn] *s* spustoszenie; pustka; osamotnienie; strapienie
**de·spair** [dɪ`speə(r)] *s* rozpacz; *vi* rozpaczać, tracić nadzieję (**of sth** na coś)
**des·patch** [dɪ`spætʃ] *vt s* = **dispatch**
**des·pe·rate** [`despṛət] *adj* rozpaczliwy, beznadziejny; zdesperowany
**des·per·a·tion** [/despə`reɪʃn] *s* rozpacz
**des·pi·ca·ble** [dɪ`spɪkəbl] *adj* godny pogardy, podły
**de·spise** [dɪ`spaɪz] *vt* pogardzać
**de·spite** [dɪ`spaɪt] *praep* mimo, wbrew
**de·spond·ent** [dɪ`spondənt] *adj* przygnębiony, zniechęcony
**des·pot** [`despot] *s* despota
**des·sert** [dɪ`zɜt] *s* deser
**des·ti·na·tion** [/destɪ`neɪʃn] *s* cel, przeznaczenie, miejsce przeznaczenia, adres
**des·tine** [`destɪn] *vt* przeznaczać
**des·ti·ny** [`destɪnɪ] *s* przeznaczenie
**des·ti·tute** [`destɪtjut] *adj* cierpiący na brak (czegoś); pozbawiony środków do życia; ogołocony
**des·ti·tu·tion** [/destɪ`tjuʃn] *s* nędza
**de·stroy** [dɪ`strɔɪ] *vt* niszczyć, burzyć
**de·stroy·er** [dɪ`strɔɪə(r)] *s mors.* niszczyciel; † kontrtorpedowiec
**de·struc·tion** [dɪ`strʌkʃn] *s* zniszczenie, zburzenie; zabicie
**de·struc·tive** [dɪ`strʌktɪv] *adj* niszczycielski; destrukcyjny, zgubny
**des·ul·to·ry** [`desltərɪ] *adj* przypadkowy, bezładny, chaotyczny
**de·tach** [dɪ`tætʃ] *vt* oddzielać, odłączać, odrywać; odkomenderować
**de·tach·ment** [dɪ`tætʃmənt] *s* oddzielenie; odłączenie, oderwanie; oddział; odosobnienie; bezstronność; *wojsk.* **on ~** odkomenderowany
**de·tail** [`diteɪl] *s* szczegół; **in ~** szczegółowo
**de·tain** [dɪ`teɪn] *vt* zatrzymywać; wstrzymywać; trzymać w areszcie
**de·tect** [dɪ`tekt] *vt* odkrywać; wykrywać
**de·tec·tion** [dɪ`tekʃn] *s* odkrycie; wykrycie
**de·tec·tive** [dɪ`tektɪv] *adj* wywiadowczy; detektywistyczny; *s* detektyw
**de·ten·tion** [dɪ`tenʃn] *s* zatrzymanie, wstrzymanie; areszt
**de·ter** [dɪ`tɜ(r)] *vt* odstraszać, powstrzymywać (**from sth** od czegoś)
**de·te·ri·o·rate** [dɪ`tɪərɪəreɪt] *vt vi* zepsuć (się), pogorszyć (się); deprecjonować; tracić na wartości; podupaść
**de·ter·mi·nant** [dɪ`tɜmɪnənt] *s mat.* wyznacznik; *adj* decydujący, miarodajny
**de·ter·mi·na·tion** [dɪ/tɜmɪ`neɪʃn] *s*

określenie; postanowienie; zdecydowanie

**de·ter·mine** [dɪ`tɜmɪn] *vt vi* określać, ograniczać; decydować (się); postanawiać (**on sth** coś); rozstrzygać; skłaniać (się) (**to do sth** do zrobienia czegoś); **~d** zdecydowany (**on sth** na coś)

**de·test** [dɪ`test] *vt* nienawidzić ⟨nie cierpieć⟩ (**sb, sth** kogoś, czegoś)

**de·test·a·ble** [dɪ`testəbl] *adj* nienawistny, wstrętny

**de·throne** [dɪ`θrəun] *vt* detronizować

**det·o·nate** [`detəneɪt] *vt* wywoływać detonację; *vi* eksplodować

**det·o·na·tion** [ˈdetə`neɪʃn] *s* detonacja

**de·tract** [dɪ`trækt] *vt vi* odciągać; pomniejszać (**from sth** coś); szkodzić (**from sb's reputation** czyjejś reputacji)

**det·ri·ment** [`detrɪmənt] *s* szkoda; **to the ~ of sb** ze szkodą ⟨z krzywdą⟩ dla kogoś

**det·ri·men·tal** [ˈdetrɪ`mentl] *adj* szkodliwy

**deuce 1.** [djus] *s* diabeł, licho

**deuce 2.** [djus] *s* dwójka (w kartach itp.); *sport (w tenisie)* równowaga

**dev·as·tate** [`devəsteɪt] *vt* pustoszyć, dewastować

**de·ve·lop** [dɪ`veləp] *vt vi* rozwijać (się); rozrastać się; nabawić się (choroby); popaść (w nałóg, zwyczaj); *fot.* wywoływać

**de·vel·op·ment** [dɪ`veləpmənt] *s* rozwój; *fot.* wywoływanie

**de·vi·ate** [`divɪeɪt] *vi* zboczyć, odchylić się

**de·vice** [dɪ`vaɪs] *s* plan, pomysł; urządzenie, przyrząd; dewiza; godło

**dev·il** [`devl] *s* diabeł

**de·vi·ous** [`divɪəs] *adj* okrężny; *dosł. i przen.* kręty

**de·vise** [dɪ`vaɪz] *vt* wymyślić, wynaleźć

**de·void** [dɪ`vɔɪd] *adj* próżny, pozbawiony (**of sth** czegoś)

**de·volve** [dɪ`volv] *vt* przenosić, przekazać (prawa, odpowiedzialność itp.)

**de·vote** [dɪ`vəut] *vt* poświęcać, oddawać się (czemuś)

**de·vot·ed** [dɪ`vəutɪd] *pp i adj* poświęcony, poświęcający się, oddany

**de·vo·tion** [dɪ`vəuʃn] *s* poświęcenie, oddanie (się); religijność; *pl* **~s** modlitwy

**de·vour** [dɪ`vauə(r)] *vt* pożerać

**de·vout** [dɪ`vaut] *adj* pobożny; szczery

**dew** [dju] *s* rosa

**dex·ter·i·ty** [ˈdek`sterətɪ] *s* zręczność

**dex·ter·ous, dex·trous** [`dekstrəs] *adj* zręczny

**di·a·bol·ic(al)** [ˈdaɪə`bolɪk(l)] *adj* diabelski, diaboliczny

**di·ag·nose** [ˈdaɪəg`nəuz] *vt* rozpoznać (chorobę)

**di·ag·no·sis** [ˈdaɪəg`nəusɪs] *s* (*pl* **diagnoses** [ˈdaɪəg`nəusiz]) diagnoza

**di·ag·o·nal** [daɪ`ægənl] *adj* przekątny; *s* przekątna

**di·a·gram** [`daɪəgræm] *s* diagram, wykres

**di·al** [`daɪl] *s* tarcza; zegar słoneczny; *vt* nakręcać numer (na tarczy telefonu)

**di·a·lect** [`daɪəlekt] *s* dialekt

**di·a·lec·tic·al** [ˈdaɪə`lektɪkl] *adj* dialektyczny; **~ materialism** materializm dialektyczny

**di·a·lec·tics** [ˈdaɪə`lektɪks] *s* dialektyka

**di·a·logue** [`daɪəlog] *s* dialog

**di·am·e·ter** [daɪ`æmɪtə(r)] *s* średnica

**di·a·mond** [`daɪəmənd] *s* diament; karo (w kartach)

**di·a·phragm** [`daɪəfræm] *s* przegroda; *anat.* przepona; *fot. fiz.* przesłona

**di·ar·rhoe·a** [ˈdaɪə`rɪə] *s med.* biegunka

**di·a·ry** [`daɪərɪ] *s* dziennik, pamiętnik

**dice** *zob.* **die 2.**
**dic·tate** [dɪk`teɪt] *vt vi* dyktować; narzucać; rozkazywać; *s* nakaz (np. sumienia)
**dic·ta·tion** [dɪk`teɪʃn] *s* dyktando; dyktat
**dic·ta·tor** [ˈdɪk`teɪtə(r)] *s* dyktator
**dic·ta·tor·ship** [ˈdɪk`teɪtəʃɪp] *s* dyktatura; **~ of the proletariat** dyktatura proletariatu
**dic·tion** [`dɪkʃn] *s* dykcja; wysławianie się
**dic·tion·a·ry** [`dɪkʃnrɪ] *s* słownik
**did** *zob.* **do**
**di·dac·tic** [dɪ`dæktɪk] *adj* dydaktyczny
**di·dac·tics** [dɪ`dæktɪks] *s* dydaktyka
**die 1.** [daɪ] *vi* umierać; **~ away** ⟨**down**⟩ zamierać, zanikać; **~ out** wymierać, wygasać
**die 2.** [daɪ] *s* (*pl* **dice** [daɪs]) kość do gry; *techn.* (*pl* **dies** [daɪz]) sztanca, matryca
**diet 1.** [`daɪət] *s* dieta; *vr* **~ oneself** być na diecie
**diet 2.** [`daɪət] *s* sejm, parlament; sesja
**di·e·ta·ry** [`daɪətrɪ] *adj* dietetyczny; *s* wyżywienie
**di·e·tet·ic** [ˈdɪə`tetɪk] *adj* dietetyczny
**dif·fer** [`dɪfə(r)] *vi* różnić się (**from sb, sth** od kogoś, czegoś); być innego zdania, nie zgadzać się
**dif·fer·ence** [`dɪfrns] *s* różnica; spór
**dif·fer·ent** [`dɪfrnt] *adj* różny, odmienny
**dif·fer·en·ti·ate** [ˈdɪfə`renʃɪeɪt] *vt vi* różnicować (się), różnić się; odróżniać; *mat.* różniczkować
**dif·fi·cult** [`dɪfɪklt] *adj* trudny
**dif·fi·cul·ty** [`dɪfɪkltɪ] *s* trudność
**dif·fi·dent** [`dɪfɪdənt] *adj* nie dowierzający własnym umiejętnościom; bojaźliwy
**dif·fuse** [dɪ`fjuz] *vt vi* rozlewać, rozsiewać; rozprzestrzeniać (się), rozpowszechniać (się); *fiz.* przenikać; rozpraszać (się); *adj* [dɪ `fjus] rozprzestrzeniony; rozlany; rozsiany; (*o stylu*) rozwlekły; *fiz.* rozproszony
**dif·fu·sion** [dɪ`fjuʒn] *s* rozlanie; rozproszenie (się); rozpowszechnianie (się); rozwlekłość (stylu); *fiz.* dyfuzja
***dig** [dɪg], **dug, dug** [dʌg] *vt vi* kopać, ryć, wryć się; wbić; grzebać (**for sth** w poszukiwaniu czegoś); ciężko nad czymś pracować, przeprowadzać badania
**di·gest 1.** [daɪ`dʒest] *vt* trawić; *przen.* obmyślić; streścić; pojąć; porządkować, klasyfikować; *vi* być strawnym
**di·gest 2.** [`daɪdʒəst] *s* zbiór; wybór; wyciąg; streszczenie; kompendium
**di·gest·i·ble** [daɪ`dʒestəbl] *adj* strawny
**di·ges·tion** [daɪ`dʒestʃn] *s* trawienie
**di·ges·tive** [daɪ`dʒestɪv] *adj anat.* trawienny; (*o potrawie itp.*) strawny
**dig·it** [`dɪdʒɪt] *s* cyfra; *anat.* palec
**dig·ni·fied** [`dɪgnɪfaɪd] *adj* godny, pełen godności
**dig·ni·ty** [`dɪgnətɪ] *s* godność
**di·gress** [daɪ`gres] *vi* odbiegać (od tematu); zbaczać (z drogi)
**di·gres·sion** [daɪ`greʃn] *s* dygresja
**dike** [daɪk] *s* tama; przekop
**dil·i·gence** [`dɪlɪdʒəns] *s* pilność
**dil·i·gent** [`dɪlɪdʒənt] *adj* pilny
**dill** [dɪl] *s bot.* koper
**di·lute** [daɪ`ljut] *vt* rozcieńczać; *adj* rozcieńczony
**di·lu·tion** [daɪ`ljuʃn] *s* rozcieńczenie; roztwór
**dim** [dɪm] *adj* przyćmiony; mętny; wyblakły; niejasny; matowy; *vt vi* przyćmiewać; zaciemniać (się), zamazać (się)
**dime** [daɪm] *s am.* moneta 10-centowa
**di·men·sion** [dɪ`menʃn] *s* wymiar, rozmiar
**di·min·ish** [dɪ`mɪnɪʃ] *vt vi* zmniejszać (się), pomniejszać (się), obniżać (się)
**dim·i·nu·tion** [dɪmɪ`njuʃn] *s* zmniej-

szanie, pomniejszenie; redukcja; obniżka
**din** [dɪn] *s* łoskot, hałas; *vt* ogłuszać; *vi* hałasować
**dine** [daɪn] *vi* jeść obiad
**din·gy** [ˈdɪndʒɪ] *adj* niechlujny, brudny; mętny; ciemny
**din·ing·car** [ˈdaɪnɪŋ ka(r)] *s* wagon restauracyjny
**din·ing-room** [ˈdaɪnɪŋ rum] *s* jadalnia
**din·ner** [ˈdɪnə(r)] *s* obiad (główny posiłek dnia, *zw.* wieczorem)
**din·ner-jack·et** [ˈdɪnə dʒækɪt] *s* smoking
**dip** [dɪp] *vt vi* zanurzać (się), zamoczyć (się); pochylać (się); opadać; *s* kąpiel, nurkowanie; zanurzenie; opadnięcie, pochylenie
**di·plo·ma** [dɪˈpləumə] *s* dyplom
**di·plo·ma·cy** [dɪˈpləuməsɪ] *s* dyplomacja
**dip·lo·mat** [ˈdɪpləmæt] *s* dyplomata
**dip·lo·mat·ic** [ˈdɪpləˈmætɪk] *adj* dyplomatyczny
**di·plo·ma·tist** [dɪˈpləumətɪst] *s* dyplomata
**dire** [ˈdaɪə(r)] *adj* straszny, okropny
**di·rect** [dɪˈrekt] *adj* prosty, bezpośredni; *elektr.* ~ current prąd stały; *vt* kierować, zarządzać; wskazać; zlecić; adresować; *muz.* dyrygować
**di·rec·tion** [dɪˈrekʃn] *s* kierunek; kierownictwo; zarządzanie; adres; instrukcja, wskazówka
**di·rect·ly** [dɪˈrektlɪ] *adv* prosto, wprost; bezpośrednio; zaraz, wkrótce; *conj* skoro tylko
**di·rec·tor** [dɪˈrektə(r)] *s* dyrektor, kierownik, zarządca; *muz.* dyrygent; reżyser
**di·rec·to·ry** [dɪˈrektṛɪ] *s* książka adresowa ⟨telefoniczna itp.⟩; *am.* zarząd, dyrekcja
**dir·i·gi·ble** [ˈdɪrɪdʒəbl] *adj* sterowny, ze sterem; *s* sterowiec
**dirt** [dɜt] *s* brud; błoto
**dirt-cheap** [ˈdɜtˈtʃip] *adj pot.* śmiesznie tani
**dirt·y** [ˈdɜtɪ] *adj* brudny; *przen.* podły, wstrętny
**dis·a·bil·i·ty** [ˈdɪsəˈbɪlətɪ] *s* niezdolność, niemożność; inwalidztwo
**dis·a·ble** [dɪsˈeɪbl] *vt* uczynić niezdolnym, pozbawić sił, obezwładnić; uszkodzić; *prawn.* ubezwłasnowolnić; **~d soldier** inwalida wojenny
**dis·ad·van·tage** [ˈdɪsədˈvantɪdʒ] *s* wada; niekorzyść; niekorzystne położenie; szkoda
**dis·af·fect** [ˈdɪsəˈfekt] *vt* zrażać, odpychać
**dis·af·fec·tion** [ˈdɪsəˈfekʃn] *s* niezadowolenie, niechęć
**dis·a·gree** [ˈdɪsəˈgri] *vi* nie zgadzać się; nie odpowiadać; (*o potrawie itp.*) nie służyć
**dis·a·gree·a·ble** [ˈdɪsəˈgrɪəbl] *adj* nieprzyjemny
**dis·a·gree·ment** [ˈdɪsəˈgrimənt] *s* niezgoda; niezgodność
**dis·al·low** [ˈdɪsəˈlau] *vt* nie pozwalać; nie aprobować
**dis·ap·pear** [ˈdɪsəˈpɪə(r)] *vi* znikać; zginąć
**dis·ap·pear·ance** [ˈdɪsəˈpɪərns] *s* zniknięcie; zginięcie
**dis·ap·point** [ˈdɪsəˈpɔɪnt] *vt* rozczarować, zawieść; **to be ~ed** zawieść się (**in sb, sth** na kimś, na czymś); być rozczarowanym, doznać zawodu (**at sth** w czymś)
**dis·ap·point·ment** [ˈdɪsəˈpɔɪntmənt] *s* rozczarowanie, zawód
**dis·ap·prov·al** [ˈdɪsəˈpruvl] *s* dezaprobata
**dis·ap·prove** [ˈdɪsəˈpruv] *vt vi* dezaprobować, nie pochwalać
**dis·arm** [dɪsˈam] *vt vi* rozbroić (się)
**dis·ap·pear·ance** [ˈdɪsəˈpɪərns] *s* rozbrojenie
**dis·ar·range** [ˈdɪsəˈreɪndʒ] *vt* wprowadzać nieład, rozprzęgać
**dis·ar·ray** [ˈdɪsəˈreɪ] *vt* wprowadzać zamieszanie, dezorganizować; *s* zamęt, nieład
**dis·as·ter** [dɪˈzastə(r)] *s* nieszczęście, klęska

**dis·as·trous** [dɪ`zastrəs] *adj* nieszczęsny, zgubny
**dis·a·vow** [ˈdɪsəˋvau] *vt* wyrzec, wyprzeć się
**dis·band** [dɪs`bænd] *vt vi* rozpuścić, rozproszyć (się), rozejść się
**dis·be·lief** [ˈdɪsbɪ`lif] *s* niewiara
**dis·be·lieve** [ˈdɪsbɪ`liv] *vt vi* nie wierzyć, nie dowierzać
**dis·bur·den** [dɪs`bɜdn] *vt* odciążyć, uwolnić od ciężaru
**dis·burse** [dɪs`bɜs] *vt* wypłacić, wyłożyć (pieniądze)
**disc** [dɪsk] *s* = disk
**dis·card** [dɪ`skad] *vt* odsunąć; odrzucić, zarzucić
**dis·cern** [dɪ`sɜn] *vt* rozróżniać; spostrzegać
**dis·cern·ment** [dɪ`sɜnmənt] *s* zdolność rozróżnienia; bystrość (umysłu), wnikliwość
**dis·charge** [dɪs`tʃadʒ] *vt vi* wyładowywać; wypuszczać; wydzielać; spełniać (obowiązki); zwalniać; spłacać; wystrzelić; odbarwić; *s* [`dɪstʃadʒ] wyładowanie; zwolnienie; spełnienie (obowiązku); wydzielanie; wystrzał; spłata
**dis·ci·ple** [dɪ`saɪpl] *s* uczeń
**dis·ci·pline** [`dɪsəplɪn] *s* dyscyplina; kara; *vt* utrzymywać w karności, ćwiczyć; karać
**dis·claim** [dɪ`skleɪm] *vt* wypierać się; zrzekać się (**sth** czegoś)
**dis·close** [dɪ`skləuz] *vt* odsłaniać, odkrywać, ujawniać
**dis·clo·sure** [dɪ`skləuʒə(r)] *s* odsłonięcie, odkrycie, ujawnienie
**dis·col·our** [dɪ`skʌlə(r)] *vt vi* odbarwić (się)
**dis·com·fit** [dɪ`skʌmfɪt] *vt* zmieszać; udaremnić; † pobić
**dis·com·fort** [dɪ`skʌmfət] *s* niewygoda; złe samopoczucie; niepokój
**dis·con·cert** [ˈdɪskən`sɜt] *vt* wyprowadzić z równowagi; zdenerwować, zmieszać; udaremnić
**dis·con·nect** [ˈdɪskə`nekt] *vt* rozłączyć, odłączyć
**dis·con·nect·ed** [ˈdɪskə`nektɪd] *pp i adj* pozbawiony związku, chaotyczny
**dis·con·tent** [ˈdɪskən`tent] *s* niezadowolenie; *adj* niezadowolony; *vt* budzić niezadowolenie (**sb** w kimś)
**dis·con·tin·ue** [ˈdɪskən`tɪnju] *vt* przestać, przerwać; *vi* ustać, skończyć się
**dis·cord** [`dɪskɔd] *s* niezgoda, dysharmonia; *muz.* dysonans
**dis·count** [`dɪskaunt] *s bank.* dyskonto; *vt* [dɪ`skaunt] dyskontować
**dis·cour·age** [dɪ`skʌrɪdʒ] *vt* zniechęcić (**sb from sth** kogoś do czegoś)
**dis·course** [`dɪskɔs] *s* mowa; rozprawa; rozmowa; *vt* [dɪ`skɔs] rozprawiać, rozmawiać
**dis·cov·er** [dɪ`skʌvə(r)] *vt* odkrywać
**dis·cov·er·y** [dɪ`skʌvrɪ] *s* odkrycie; wynalazek
**dis·cred·it** [dɪ`skredɪt] *s* zła sława; niedowierzanie, nieufność; *vt* dyskredytować; nie ufać, nie dawać wiary
**dis·creet** [dɪ`skrit] *adj* dyskretny; roztropny
**dis·crep·an·cy** [dɪ`skrepənsɪ] *s* rozbieżność, niezgodność
**dis·cre·tion** [dɪ`skreʃn] *s* dyskrecja, takt; oględność, rozsądek; własne uznanie, wolna wola; **at sb's ~** zależnie od czyjegoś uznania
**dis·crim·i·nate** [dɪ`skrɪmɪneɪt] *vt* rozróżniać; dyskryminować
**dis·crim·i·nat·ing** [dɪ`skrɪmɪneɪtɪŋ] *adj* bystry, spostrzegawczy; szczególny
**dis·crim·i·na·tion** [dɪˈskrɪmɪ`neɪʃn] *s* dyskryminacja; rozróżnienie, rozeznanie; roztropność
**dis·cus** [`dɪskəs] *s sport.* dysk
**dis·cuss** [dɪ`skʌs] *vt* dyskutować (**sth** nad czymś), roztrząsać, omawiać
**dis·cus·sion** [dɪ`skʌʃn] *s* dyskusja, omówienie

**dis·dain** [dɪs`deɪn] *vt* pogardzać; *s* pogarda
**dis·ease** [dɪ`ziz] *s* choroba
**dis·em·bark** ['dɪsɪm`bɑk] *vt* wyładować, wysadzać na ląd; *vi* wysiadać ze statku
**dis·en·chant** ['dɪsɪn`tʃɑnt] *vt* rozczarować; odczarować
**dis·en·gage** ['dɪsɪn`geɪdʒ] *vt vi* uwolnić (się), odłączyć (się), rozluźniać (się)
**dis·en·tan·gle** ['dɪsɪn`tæŋgl] *vt vi* rozwikłać (się), rozplątać (się)
**dis·es·tab·lish** ['dɪsɪ`stæblɪʃ] *vt* oddzielić (kościół od państwa)
**dis·fa·vour** [dɪs`feɪvə(r)] *s* niełaska; *vt* nieprzychylnie traktować
**dis·fig·ure** [dɪs`fɪgə(r)] *vt* zniekształcić, szpecić
**dis·fran·chise** [dɪs`fræntʃaɪz] *vt* pozbawić praw obywatelskich (*zw.* prawa głosowania)
**dis·grace** [dɪs`greɪs] *s* hańba; niełaska; *vt* okryć hańbą; pozbawić łaski
**dis·guise** [dɪs`gaɪz] *s* przebranie; udawanie, maska; *vt* przebierać; maskować
**dis·gust** [dɪs`gʌst] *s* wstręt; *vt* napełniać wstrętem; **to be ~ed** czuć wstręt (**with sth** do czegoś)
**dish** [dɪʃ] *s* półmisek; danie
**dis·har·mo·ny** [dɪs`hɑmənɪ] *s dosł. i przen.* dysharmonia
**dis·heart·en** [dɪs`hɑtn] *vt* zniechęcić, odebrać odwagę
**dis·hon·est** [dɪs`onɪst] *adj* nieuczciwy
**dis·hon·our** [dɪs`onə(r)] *s* hańba; niehonorowanie (np. czeku); *vt* hańbić; nie honorować (czeku)
**dis·hon·our·a·ble** [dɪs`onṛəbl] *adj* bez honoru; haniebny
**dis·il·lu·sion** ['dɪsɪ`luʒn] *s* rozczarowanie; *vt* rozczarować
**dis·in·cli·na·tion** ['dɪs'ɪnklɪ`neɪʃn] *s* niechęć
**dis·in·cline** ['dɪsɪn`klaɪn] *vt* odstręczać; **to be ~d** nie mieć chęci, nie być skłonnym
**dis·in·fect** ['dɪsɪn`fekt] *vt* dezynfekować
**dis·in·her·it** ['dɪsɪn`herɪt] *vt* wydziedziczyć
**dis·in·te·grate** [dɪs`ɪntɪgreɪt] *vt vi* rozkładać (się), rozdrabniać, rozpadać się
**dis·in·ter·est·ed** [dɪs`ɪntrəstɪd] *adj* bezinteresowny, bezstronny
**dis·join** ['dɪs`dʒoɪn] *vt vi* rozłączyć (się)
**dis·joint** ['dɪs`dʒoɪnt] *vt* zwichnąć, wywichnąć; rozłączyć; zakłócić (rytm)
**disk** [dɪsk] *s* tarcza (np. słońca); krążek; płyta (gramofonowa)
**dis·like** [dɪs`laɪk] *vt* nie lubić; *s* niechęć, antypatia
**dis·lo·cate** [`dɪsləkeɪt] *vt* przesunąć, przemieścić; zwichnąć; zaburzyć
**dis·lo·ca·tion** ['dɪslə`keɪʃn] *s* przesunięcie, przemieszczenie; zaburzenie; zwichnięcie
**dis·lodge** [dɪs`lodʒ] *vt* usunąć; wysiedlić; wyprzeć (nieprzyjaciela)
**dis·loy·al** [dɪs`loɪḷ] *adj* nielojalny, niewierny
**dis·mal** [`dɪzml] *adj* ponury, przygnębiający
**dis·man·tle** [dɪs`mæntl] *vt* ogołocić, pozbawić (np. części); zdemontować
**dis·may** [dɪs`meɪ] *vt* przerażać; konsternować; *s* przerażenie, konsternacja
**dis·mem·ber** [dɪs`membə(r)] *vt* rozczłonkować, rozebrać na części
**dis·miss** [dɪs`mɪs] *vt* pozbyć się; odsunąć; zwolnić; porzucić
**dis·mis·sal** [dɪs`mɪsl] *s* odsunięcie; porzucenie; zwolnienie, odprawa, dymisja
**dis·mount** ['dɪs`maunt] *vi* zsiadać z konia; *vt* demontować; wysadzać (np. z siodła)
**dis·o·be·dient** ['dɪsə`bidɪənt] *adj* nieposłuszny
**dis·o·bey** ['dɪsə`beɪ] *vt* nie słuchać (**sb** kogoś), naruszać (przepisy);

*vi* sprzeciwiać się (komuś, rozkazom)

**dis·or·der** [dɪs`ɔdə(r)] *s* nieporządek; zamieszki; *med.* zaburzenie; *vt* wprowadzić nieporządek; rozstroić

**dis·or·der·ly** [dɪs`ɔdəlɪ] *adj* nieporządny; zakłócający porządek (publiczny); niesforny; rozwiązły

**dis·own** [dɪs`əun] *vt* nie uznawać, wypierać się

**dis·par·age** [dɪ`spærɪdʒ] *vt* ujemnie wyrażać się (**sb, sth** o kimś, czymś), dyskredytować, uwłaczać

**dis·par·i·ty** [dɪ`spærətɪ] *s* nierówność, różnica

**dis·pas·sion·ate** [dɪ`spæʃŋət] *adj* beznamiętny; bezstronny, obiektywny

**dis·patch** [dɪ`spætʃ] *vt* wysłać; załatwić; *s* przesyłka, ekspedycja; załatwienie; pośpiech

**dis·pel** [dɪ`spel] *vt* rozpędzić, rozproszyć, rozwiać

**dis·pen·sa·ry** [dɪ`spensərɪ] *s* apteka; przychodnia

**dis·pense** [dɪ`spens] *vt* wydawać, rozdzielać; wymierzać (sprawiedliwość); zwalniać, udzielać dyspensy; (*o lekarstwach*) sporządzać i wydawać; *vi* obchodzić się (**with sth** bez czegoś)

**dis·perse** [dɪ`spɜs] *vt vi* rozpędzić; rozproszyć (się); rozsypać (się), rozsiać; rozbiec się

**dis·per·sion** [dɪ`spɜʃn] *s* rozproszenie (się); rozejście się; *fiz.* rozszczepienie, dyspersja; rozrzut

**dis·place** [dɪ`spleɪs] *vt* przenieść, przesunąć, przełożyć, przestawić; usuwać, wypierać; zastępować; **~d person** wysiedleniec, uchodźca

**dis·place·ment** [dɪ`spleɪsmənt] *s* przemieszczenie, przesunięcie; zastąpienie, wyparcie; *mors.* wyporność

**dis·play** [dɪ`spleɪ] *vt* rozwinąć, ujawnić, wystawić na pokaz, pokazać; *s* pokaz, wystawa; manifestowanie, popis

**dis·please** [dɪ`spliz] *vt* nie podobać się (**sb** komuś), urazić, narazić się (**sb** komuś)

**dis·pleas·ure** [dɪ`spleʒə(r)] *s* niezadowolenie, gniew

**dis·po·sal** [dɪ`spəuzl] *s* rozporządzanie (**of sth** czymś); rozkład; pozbycie się; usunięcie; **at sb's ~** do czyjejś dyspozycji

**dis·pose** [dɪ`spəuz] *vt vi* rozkładać; rozporządzać, dysponować (**sth** ⟨**of sth**⟩ czymś); usuwać, pozbywać się (**of sth** czegoś); rozprawić się (**of sb, sth** z kimś, czymś); skłonić (**sb to sth** kogoś do czegoś)

**dis·po·si·tion** [ˈdɪspə`zɪʃn] *s* rozmieszczenie, rozkład; dyspozycja; usposobienie, skłonność; zarządzenie

**dis·pos·sess** [ˈdɪspə`zes] *vt* wywłaszczyć

**dis·pro·por·tion·ate** [ˈdɪsprə`pɔʃŋət] *adj* nieproporcjonalny

**dis·prove** [ˈdɪ`spruv] *vt* zbijać, obalać (twierdzenie, zarzuty)

**dis·pu·ta·ble** [dɪ`spjutəbl] *adj* sporny

**dis·pute** [dɪ`spjut] *vt vi* rozprawiać, dyskutować (**sth** ⟨**about, on sth**⟩ nad czymś); kwestionować; walczyć (**sth** o coś); spierać się, kłócić się; *s* [`dɪspjut] spór, dysputa, dyskusja; kłótnia

**dis·qual·i·fy** [dɪ`skwolɪfaɪ] *vt* dyskwalifikować

**dis·qui·et** [dɪ`skwaɪət] *adj* niespokojny; *s* niepokój; *vt* niepokoić

**dis·re·gard** [ˈdɪsrɪ`gad] *vt* lekceważyć, nie zważać (**sth** na coś); *s* lekceważenie

**dis·rep·u·ta·ble** [dɪs`repjutəbl] *adj* haniebny, niecny; (*o człowieku*) mający złą opinię; (*o ubraniu itp.*) nędzny, zdarty, zniszczony

**dis·re·pute** [ˈdɪsrɪ`pjut] *s* zła reputacja, niesława

**dis·rupt** [ˈdɪs`rʌpt] *vt* rozrywać, rozwalić

**dis·sat·is·fac·tion** [ˈdɪˈsætɪs`fækʃn] *s* niezadowolenie

**dis·sat·is·fy** [dɪ`sætɪsfaɪ] *vt* wywołać niezadowolenie (**sb** u kogoś)
**dis·sem·ble** [dɪ`sembl] *vt vi* ukrywać; udawać
**dis·sem·i·nate** [dɪ`semɪneɪt] *vt* rozsiewać
**dis·sen·sion** [dɪ`senʃn] *s* niezgoda
**dis·sent** [dɪ`sent] *vi* nie zgadzać się, mieć odmienne poglądy; *s* różnica zdań ⟨poglądów⟩; herezja
**dis·sent·er** [di`sentə(r)] *s* dysydent, heretyk
**dis·sim·i·lar** [`dɪ`sɪmḷə(r)] *adj* niepodobny
**dis·sim·u·late** [dɪ`sɪmjʊleɪt] *vt vi* maskować (się), ukrywać; udawać
**dis·si·pate** [`dɪsɪpeɪt] *vt vi* rozpraszać (się); marnować (się), trwonić
**dis·so·ci·ate** [dɪ`səʊʃɪeɪt] *vt* rozdzielać, rozłączać; *vr* ~ **oneself** zrywać związek
**dis·sol·u·ble** [dɪ`soljʊbl] *adj* rozpuszczalny; (*o związku itd.*) rozerwalny
**dis·so·lute** [`dɪsəljut] *adj* rozwiązły
**dis·so·lu·tion** [ˌdɪsə`luʃn] *s* rozkład; rozwiązanie (np. spółki)
**dis·solve** [dɪ`zolv] *vt vi* rozpuszczać (się); rozkładać (się); rozwiązywać (się); zrywać; zanikać
**dis·suade** [dɪ`sweɪd] *vt* odradzać (**sb from sth** komuś coś)
**dis·taff** [`dɪstaf] *s* kądziel; **on the** ~ **side** po kądzieli
**dis·tance** [`dɪstəns] *s* odległość; *dosł. i przen.* dystans; *vt* dystansować; oddalać
**dis·tant** [`dɪstənt] *adj* odległy
**dis·taste** [dɪ`steɪst] *s* niesmak, wstręt (**for sth** do czegoś)
**dis·tend** [dɪ`stend] *vt vi* rozciągać (się); rozdymać (się)
**dis·til** [dɪ`stɪl] *vt vi* destylować (się); sączyć (się)
**dis·tinct** [dɪ`stɪŋkt] *adj* różny; wyraźny, dobitny
**dis·tinc·tion** [dɪ`stɪŋkʃn] *s* odróżnienie; różnica, wyróżnienie (się), odznaczenie
**dis·tinc·tive** [dɪ`stɪŋktɪv] *adj* odróżniający; wyraźny, znamienny
**dis·tin·guish** [dɪ`stɪŋgwɪʃ] *vt* odróżniać, rozróżniać; wyróżniać; *vr* ~ **oneself** odznaczać się
**dis·tin·guished** [dɪ`stɪŋgwɪʃt] *adj* wybitny, znakomity; dystyngowany
**dis·tort** [dɪ`stɔt] *vt* przekręcać, zniekształcać
**dis·tract** [dɪ`strækt] *vt* odciągać, odrywać (uwagę), rozpraszać; oszałamiać
**dis·tract·ed** [dɪ`strækt ɪd] *adj* roztargniony
**dis·trac·tion** [dɪ`strækʃn] *s* roztargnienie; rozrywka; rozterka
**dis·tress** [dɪ`stres] *s* nieszczęście, niedola, strapienie; bieda; krytyczna sytuacja; *vt* unieszczęśliwiać; trapić
**dis·trib·ute** [dɪ`strɪbjut] *vt* rozdzielać, rozprowadzać, rozmieszczać
**dis·tri·bu·tion** [ˌdɪstrɪ`bjuʃn] *s* rozdział, rozkład, dystrybucja
**dis·trib·u·tor** [dɪ`strɪbjutə(r)] *s* rozdzielca; *handl.* rozprowadzający; *elektr.* rozdzielacz
**dis·trict** [`dɪstrɪkt] *s* okręg, obwód; dzielnica; okolica
**dis·trust** [dɪ`strʌst] *vt* nie dowierzać; *s* nieufność
**dis·turb** [dɪ`stɜb] *vt* niepokoić, przeszkadzać; zakłócać
**dis·turb·ance** [dɪ`stɜbəns] *s* zaburzenie, zakłócenie; niepokój
**dis·u·nite** [ˌdɪsju`naɪt] *vt vi* rozłączać (się), rozdzielać (się)
**dis·use** [dis`jus] *s* nieużywanie; zarzucenie; odzwyczajenie; **to fall** ⟨**come**⟩ **into** ~ wyjść z użycia; *vt* [dɪs`juz] zarzucić, zaprzestać (używania)
**ditch** [dɪtʃ] *s* rów, kanał
**dit·ty** [`dɪtɪ] *s* piosenka
**di·va·gate** [`daɪvəgeɪt] *vi* błąkać się; odbiegać od tematu
**dive** [daɪv] *vi* zanurzyć (się), pogrążyć (się); *pot.* dać nura; nurkować; *lotn.* pikować; *s* nurkowanie, skok do wody
**div·er** [`daɪvə(r)] *s* nurek

**di·verge** [daɪ`vɜdʒ] *vi* odbiegać, rozbiegać się
**di·verse** [daɪ`vɜs] *adj* rozmaity; odmienny
**di·ver·si·fy** ['daɪ`vɜsɪfaɪ] *vt* urozmaicać
**di·ver·sion** [daɪ`vɜʃn] *s* odchylenie, odwrócenie; objazd; rozrywka; *wojsk.* dywersja
**di·ver·si·ty** ['daɪ`vɜsətɪ] *s* rozmaitość; urozmaicenie
**di·vert** ['daɪ`vɜt] *vt* odchylać, odciągać; zmieniać kierunek; zabawiać; odwracać uwagę
**di·vest** [daɪ`vest] *vt* rozbierać (**of sth** z czegoś); pozbawiać (**of sth** czegoś)
**di·vide** [dɪ`vaɪd] *vt vi* dzielić (się); *s geogr.* dział wód
**div·i·dend** [`dɪvɪdend] *s fin.* dywidenda; *mat.* dzielna
**div·i·na·tion** ['dɪvɪ`neɪʃn] *s* wróżenie; wróżba
**di·vine** 1. [dɪ`vaɪn] *vt* przepowiadać; domyślać się, zgadywać; *vi* wróżyć
**di·vine** 2. [dɪ`vaɪn] *adj* boski; *s* duchowny
**di·vin·i·ty** [dɪ`vɪnətɪ] *s* bóstwo; boskość; teologia
**di·vis·i·ble** [dɪ`vɪzəbl] *adj* podzielny
**di·vi·sion** [dɪ`vɪʒn] *s* podział; dział; przegroda; niezgoda; *mat.* dzielenie; *wojsk.* dywizja; *polit.* głosowanie (w parlamencie)
**di·vi·sor** [dɪ`vaɪzə(r)] *s mat.* dzielnik
**di·vorce** [dɪ`vɔs] *s* rozwód; *vt* rozwieść; *vi* rozwieść się (**sb** z kimś)
**diz·zy** [`dɪzɪ] *adj* zawrotny, oszałamiający; cierpiący na zawrót głowy
**do** [du], **did** [dɪd], **done** [dʌn], *3 pers sing praes* **does** [dʌz] *vt vi* robić, czynić, sporządzać, wykonywać; skończyć; mieć się, czuć się; wystarczyć, ujść; *pot.* zwiedzać; odgrywać (rolę); nabierać, oszukiwać; pełnić (obowiązek); przynosić (np. zaszczyt); załatwić; przyznawać (np. rację); uporządkować; przebywać (odległość); **do away** usunąć, znieść (**with sth** coś); **do up** zapakować; uporządkować; przyrządzić; wykończyć; **do without sth** obejść się bez czegoś; **do with sth** zadowolić się (czymś); **to be done for** ⟨**up**⟩ być wykończonym, być zmordowanym; **to be doing well** prosperować, rozwijać się, cieszyć się powodzeniem; **to be doing badly** nie mieć powodzenia; **how do you do?** dzień dobry, miło mi poznać; *v aux tworzy formę pytającą i przeczącą w czasach Present Simple i Simple Past*: **do you like him?** czy lubisz go?; **I did not like him** nie lubiłam go; *zastępuje orzeczenie*: **you play better than he does** grasz lepiej od niego; **do you smoke? — I do** ⟨**I don't**⟩ czy palisz? ~ tak, palę ⟨nie, nie palę⟩; *w zdaniach pytających*: **you don't like her, do you?** nie lubisz jej, prawda?; **you like her, don't you?** lubisz ją, nieprawdaż?; *oznacza emfazę*: **I did go** przecież ⟨jednak⟩ poszedłem; **do come!** bardzo proszę, przyjdź!
**do·cile** [`dəʊsaɪl] *adj* uległy, posłuszny; łagodny; pojętny
**do·cil·i·ty** [dəʊ`sɪlətɪ] *s* uległość, posłuszeństwo; pojętność
**dock** 1. [dok] *s* dok; *vt* umieścić w doku, dokować
**dock** 2. [dok] *s* ława oskarżonych
**dock** 3. [dok] *vt* obcinać; kasować; ~ **a horse** ⟨**a dog**⟩ przycinać ogon koniowi ⟨psu⟩
**dock·er** [`dokə(r)] *s* robotnik portowy
**dock·yard** [`dokjɑd] *s* stocznia
**doc·tor** [`doktə(r)] *s* doktor
**doc·u·ment** [`dokjumənt] *s* dokument
**dodge** [dodʒ] *vt vi* wymijać; używać wykrętów; wymykać się; *s* wykręt; sztuczka; unik
**dodg·er** [`dodʒə(r)] *s* krętacz, spryciarz
**does** *zob.* **do**
**dog** [dog] *s* pies; *vt* tropić, śledzić
**dog-cheap** [`dogtʃip] *adj i adv pot.* tani ⟨tanio⟩ jak barszcz

**dog·ged** [ˈdogɪd] *adj* uparty, zawzięty
**dog·ma** [ˈdogmə] *s* dogmat
**dog·mat·ic** [dogˈmætɪk] *adj* dogmatyczny
**do·ing** [ˈduɪŋ] *ppraes i s* sprawa, sprawka; czyn, trud; *pl* **~s** poczynania
**dole** [dəul] *s* część, cząstka; zasiłek (dla bezrobotnych), zapomoga; † los; **to be on the ~** pobierać zasiłek; *vt* (*zw.* **~ out**) wydzielać
**doll** [dol] *s* lalka
**dol·lar** [ˈdolə(r)] *s* dolar
**do·main** [dəuˈmeɪn] *s* domena; posiadłość, majątek ziemski
**dome** [dəum] *s* kopuła; sklepienie
**do·mes·tic** [dəˈmestɪk] *adj* domowy; wewnętrzny; krajowy, rodzimy; *s* służący
**do·mes·ti·cate** [dəˈmestɪkeɪt] *vt* oswajać; cywilizować; przywiązywać do domu
**dom·i·cile** [ˈdomɪsaɪl] *s* miejsce zamieszkania
**dom·i·nant** [ˈdomɪnənt] *adj* panujący, dominujący
**dom·i·nate** [ˈdomɪneɪt] *vt vi* panować; górować (**sb, sth** ⟨**over sb, sth**⟩ nad kimś, czymś)
**dom·i·neer** [ˌdomɪˈnɪə(r)] *vi* tyranizować, okazywać swą władzę
**do·min·ion** [dəˈmɪnɪən] *s* władza; dominium
**dom·i·no** [ˈdomɪnəu] *s* domino; *pl* **~es** gra w domino
**do·na·tion** [dəuˈneɪʃn] *s* dar
**done** *zob.* **do**
**don·key** [ˈdoŋkɪ] *s* osioł
**doom** [dum] *s* los, przeznaczenie; † *prawn.* wyrok; *vt lit.* skazać, osądzać
**door** [dɔ(r)] *s* drzwi; **within ~s** w domu; **out of ~s** poza domem, na dworze
**door·keep·er** [ˈdɔ kipə(r)] *s* dozorca, portier
**door·way** [ˈdɔweɪ] *s* brama, wejście
**dope** [dəup] *s* smar; lakier; narkotyk; *vt* narkotyzować; dawać środek podniecający
**dor·mant** [ˈdɔmənt] *adj* śpiący; bezczynny; w stanie zawieszenia
**dor·mi·to·ry** [ˈdɔmɪtrɪ] *s* sala sypialna; *am.* bursa
**dose** [dəus] *s* doza, dawka; *vt* dawkować
**dot** [dot] *s* kropka; *vt* stawiać kropkę; kropkować; usiać (**with sth** czymś)
**doub·le** [ˈdʌbl] *adj* podwójny, dwojaki, dwoisty; *s* podwójna ilość; sobowtór; dublet; *sport* gra podwójna, debel; *vt* podwoić, złożyć we dwoje; *teatr* dublować; (*w kartach*) kontrować; *vi* podwoić (się); **to ~ up** zgiąć (się), złożyć (się); *adv* podwójnie; we dwoje (jechać, spać itd.); **~ as long** dwa razy taki długi
**doub·le-bass** [ˌdʌblˈbeɪs] *s muz.* kontrabas
**doub·le-deal·er** [ˌdʌblˈdilə(r)] *s* człowiek dwulicowy, krętacz
**doub·le-mean·ing** [ˌdʌblˈminɪŋ] *adj* dwuznaczny; *s* dwuznacznik
**doubt** [daut] *s* wątpliwość; **out of ~, without** ⟨**beyond, no**⟩ **~** bez wątpienia; *vt vi* wątpić (**sth** w coś; **of** ⟨**about**⟩ **sth** o czymś)
**doubt·ful** [ˈdautfl] *adj* wątpliwy; niepewny, niezdecydowany; podejrzany
**dough** [dəu] *s* ciasto
**dove** [dʌv] *s* gołąb
**dove·cot** [ˈdʌvkət] *s* gołębnik
**dow·a·ger** [ˈdauɪdʒə(r)] *s* wdowa (dziedzicząca tytuł lub dobra)
**dow·dy** [ˈdaudɪ] *adj* (*zw. o kobiecie*) o zaniedbanym wyglądzie, niemodnie ubrana
**down** 1. [daun] *adv* w dole, w dół, nisko; **~ to** aż po; **to be ~** być powalonym, leżeć; być na liście; opaść; zawziąć się (**on sb** na kogoś); być przygnębionym; *praep* w dół, na dół; po, z, wzdłuż; *adj* w dół, na dół; skierowany w dół; **~ train** pociąg ze stolicy na pro-

wincję; *vt pot.* rozłożyć, położyć (przeciwnika); zrzucić, strącić; ~ **tools** zastrajkować

**down** 2. [daun] *s* pagórkowata, nie zalesiona okolica; wydma

**down** 3. [daun] *s* puch; meszek

**down·cast** [ˈdaunkast] *adj* przygnębiony

**down·fall** [ˈdaunfɔl] *s* upadek; zguba

**down·hill** [ˈdaunˈhɪl] *adv* z góry na dół; *s* [ˈdaunhɪl] pochyłość, spadek

**down·pour** [ˈdaunpɔ] *s* ulewa

**down·right** [ˈdaunraɪt] *adj* całkowity; szczery, otwarty; istny; oczywisty; *adv* całkowicie, w pełni; otwarcie; po prostu

**down·stairs** [ˈdaunˈsteəz] *adv* w dół, na dół, ze schodów; na dole podeptany; *przen.* uciskany

**down·trod·den** [ˈdaunˈtrodn] *adj* podeptany; *przen.* uciskany

**down·ward** [ˈdaunwəd] *adv* ku dołowi, w dół; *adj attr* skierowany ⟨poruszający się⟩ w dół, na dół

**down·wards** = **downward** *adv*

**dow·ry** [ˈdauərɪ] *s* posag; talent

**doze** [dəuz] *vi* drzemać; *s* drzemka

**doz·en** [ˈdʌzn] *s* tuzin; **baker's** ~ trzynaście

**drab** [dræb] *adj* bury, brudnoszary; bezbarwny; monotonny, nudny; *s* bury kolor; bure sukno; monotonia, nuda

**draft** [draft] *s* rysunek, szkic; projekt; *handl.* trata; ciągnięcie; *wojsk.* oddział wyborowy; *am.* pobór; **beast of** ~ zwierzę pociągowe; *vt* szkicować; projektować; *wojsk.* odkomenderować

**drafts·man** [ˈdraftsmən] *s* rysownik, kreślarz

**drag** [dræg] *vt vi* wlec (się), ciągnąć (się)

**drag·on** [ˈdrægən] *s* smok

**drag·on·fly** [ˈdrægənflaɪ] *s zool.* ważka

**drain** [dreɪn] *vt* suszyć, drenować, odprowadzać wodę; *vi* (*także* ~ **away**) wyciekać; *s* dren, ściek, rów odwadniający; *med.* sączek

**dra·ma** [ˈdramə] *s* dramat

**dra·ma·tic** [drəˈmætɪk] *adj* dramatyczny

**dram·a·tist** [ˈdræmətɪst] *s* dramaturg

**drank** *zob.* **drink**

**drape** [dreɪp] *vt vi* drapować (się)

**dra·per·y** [ˈdreɪpərɪ] *s zbior.* materiały tekstylne; handel tekstyliami; draperia

**dras·tic** [ˈdræstɪk] *adj* drastyczny; silnie działający, drakoński

**draught** [draft] *s* **przeciąg; ciąg;** łyk; rysunek (= **draft**); połów, zarzucenie sieci; *pl* ~**s** warcaby

**draughts·man** 1. *zob.* **draftsman**

**draughts·man** 2. [ˈdraftsmən] *s* pionek w warcabach

***draw** [drɔ], **drew** [dru], **drawn** [drɔn] *vt vi* ciągnąć, przyciągać, ściągać, nadciągać; otrzymywać; czerpać; pobierać; (*o ziołach, herbacie*) zaparzać, naciągać; rysować; ~ **away** odbierać; odciągać; oddalać się; ~ **back** cofać (się); ~ **forth** wywoływać; ~ **in** wciągać; ~ **near** zbliżać się; ~ **off** ściągać; wycofywać się; ~ **on** naciągać; przyciągać; nadchodzić; ~ **out** wyciągać, wydobywać; wydłużać (się); sporządzić (*np.* plan); ~ **round** gromadzić się dookoła; ~ **up** podciągnąć; zestawić; sformułować; ustawić (się) w szeregu; zatrzymać (się), stanąć

**draw·back** [ˈdrɔbæk] *s* przeszkoda; wada, ujemna strona; *handl.* cło zwrotne

**draw·bridge** [ˈdrɔbrɪdʒ] *s* most zwodzony

**draw·er** [ˈdrɔə(r)] *s* rysownik; *handl.* trasant; [drɔ(r)] szuflada; **chest of** ~**s** komoda; *pl* ~**s** [drɔz] kalesony, majtki

**draw·ing** [ˈdrɔɪŋ] *s* rysunek; lekcja rysunków

**draw·ing-room** [ˋdrɔɪŋrum] *s* salon
**drawl** [drɔl] *vt vi* przeciągać, cedzić (słowa)
**drawn** *zob.* **draw**
**dread** [dred] *s* strach; *adj* straszny; *vt* bać się
**dread·ful** [ˋdredfl] *adj* straszny
**dread·nought** [ˋdrednɔt] *s mors.* pancernik
***dream** [drim], **dreamt, dreamt** [dremt] *lub* **dreamed, dreamed** [drimd] *vt vi* marzyć, śnić, widzieć we śnie; *s* sen, marzenie
**dreamt** *zob.* **dream**
**drear·y** [ˋdrɪərɪ] *adj* mroczny, ponury
**dregs** [dregz] *s pl* odpadki; *dosł. i przen.* męty, osad
**drench** [drentʃ] *vt* przemoczyć
**dress** [dres] *vt vi* ubierać (się); stroić, ozdabiać; przyrządzać; opatrzyć (ranę); zdobić; oporządzać; włożyć strój wieczorowy; ~ **up** wystroić (się); *s* ubranie, strój; **evening** ~ smoking, suknia wieczorowa; **full** ~ strój uroczysty; frak; ~ **coat** frak
**dress·ing** [ˋdresɪŋ] *s* ubieranie się, toaleta; przyprawa (sos, farsz itp.); oporządzenie; dekoracja; opatrunek
**dress·ing-case** [ˋdresɪŋkeɪs] *s* neseser
**dress·ing-gown** [ˋdresɪŋgaun] *s* szlafrok
**dress·ing-sta·tion** [ˋdresɪŋ steɪʃn] *s* punkt opatrunkowy
**dress·ing-ta·ble** [ˋdresɪŋteɪbl] *s* toaleta (mebel)
**dress·ma·ker** [ˋdresmeɪkə(r)] *s* krawiec damski
**dress·y** [ˋdresɪ] *adj* wystrojony; lubiący się stroić; szykowny
**drew** *zob.* **draw**
**drib·ble** [ˋdrɪbl] *vi* kapać; ślinić się; *vt* odcedzić
**drift** [drɪft] *s* prąd; *mors.* dryf; unoszenie się z prądem; zaspa; zawierucha; dążność; bieg (wypadków); tok (myśli); *vt vi* nieść; nawiać, nanieść; dążyć; *mors.* dryfować; unosić się bezwładnie; zmierzać
**drill 1.** [drɪl] *s* świder; *wojsk.* musztra; *vt vi* świdrować; drylować, musztrować (się), ćwiczyć (się), odbywać ćwiczenie
**drill 2.** [drɪl] *s* bruzda; siewnik; *vt* siać (rzędami)
**drill 3.** [drɪl] *s* drelich
***drink** [drɪŋk], **drank** [dræŋk], **drunk** [drʌŋk] *vt vi* pić; ~ **up** ⟨**off**⟩ wypić; *s* napój, picie, kieliszek trunku; **soft** ~ napój bezalkoholowy; **strong** ~ trunek; **to have a** ~ napić się
**drip** [drɪp] *vi* kapać; ociekać
***drive** [draɪv], **drove** [drəuv], **driven** [ˋdrɪvn] *vt vi* pędzić, jechać; popędzać, zagnać; wprawiać w ruch; wieźć; powozić, kierować; wbijać; doprowadzać; zmierzać (**at sth** do czegoś); ~ **sb mad** doprowadzić kogoś do szału; *przen.* ~ **sth home to sb** przekonać, uzmysłowić coś komuś; ~ **in** wpędzić; wbić; *s* jazda, przejażdżka; napęd, energia; nagonka; wjazd, dojazd, droga dojazdowa; *am.* akcja, kampania
**driv·el** [ˋdrɪvl] *vi* ślinić się; pleść głupstwa; *s* ślina cieknąca z ust; gadanie od rzeczy
**driv·en** *zob.* **drive**
**driv·er** [ˋdraɪvə(r)] *s* woźnica; kierowca; maszynista; poganiacz
**driz·zle** [ˋdrɪzl] *vi* mżyć; *s* drobny deszcz, mżawka
**droll** [drəul] *adj* zabawny, dziwaczny
**drone 1.** [drəun] *vt vi* buczeć, brzęczeć; mruczeć; *s* truteń; warkot, brzęczenie
**droop** [drup] *vi* opadać, obwisać; omdlewać
**drop** [drɔp] *vi* kapać; spaść, padać; opadać; cichnąć, słabnąć; ustać; ~ **into a habit** popaść w nałóg; *vt* spuścić, opuścić; upuścić, zrzucić; zniżać; podrzucić, odwieźć (kogoś, coś); zaprzestać; ~ **asleep** zasnąć; *pot.* ~ **in** wpaść,

odwiedzić (on sb kogoś); ~ **off** ⟨**away**⟩ odpadać, zmniejszać się; zasnąć; zamierać; ~ **out** zniknąć, wycofać się; usunąć; wypuścić; *s* kropla; obniżenie, spadek; zniżka (cen); *pl* ~**s** cukierki, dropsy
**drought** [draut] *s* posucha
**drove** *zob.* **drive**
**drown** [draun] *vt* topić; *vi* tonąć
**drowse** [drauz] *vi* drzemać; *vt* usypiać; *s* drzemka
**drow·sy** [`drauzɪ] *adj* senny, ospały, usypiający
**drub** [drʌb] *vt* poturbować, wygrzmocić
**drudge** [drʌdʒ] *vi* ciężko pracować, harować; *s przen.* wół roboczy
**drudg·er·y** [`drʌdʒərɪ] *s* ciężka, niewdzięczna praca, harówka
**drug** [drʌg] *s* lek, lekarstwo; narkotyk; *vt* narkotyzować
**drug·gist** [`drʌgɪst] *s* aptekarz
**drug-store** [`drʌgstɔ(r)] *s am.* drogeria (z działem sprzedaży lekarstw, kosmetyków, czasopism i napojów chłodzących)
**drum** [drʌm] *s* bęben; werbel; *vi* bębnić
**drum·mer** [`drʌmə(r)] *s* dobosz
**drunk 1.** *zob.* **drink**
**drunk 2.** [drʌŋk] *adj praed* pijany
**drunk·ard** [`drʌŋkəd] *s* pijak
**drunk·en** [`drʌŋkən] *adj attr* pijany
**dry** [draɪ] *adj* suchy, uschnięty; oschły; bezalkoholowy; *vt* suszyć; wycierać; *vi* schnąć ~ **up** wysuszyć; wyschnąć
**dry-clean·ing** ['draɪ`klinɪŋ] *s* pranie chemiczne
**du·al** [`djuḷ] *adj* dwoisty, podwójny
**dub 1.** [dʌb] *vt* pasować na rycerza; nazywać (**sb sth** kogoś czymś); przezywać
**dub 2.** [dʌb] *vt kin.* dubbingować
**du·bi·ous** [`djubɪəs] *adj* wątpliwy, dwuznaczny; niepewny
**duch·ess** [`dʌtʃɪs] *s* księżna
**duch·y** [`dʌtʃɪ] *s* księstwo
**duck 1.** [dʌk] *s zool.* kaczka
**duck 2.** [dʌk] *vt vi* zanurzyć (się), dać nurka; zgiąć się, zrobić unik
**duct** [dʌkt] *s* kanał, przewód
**dud** [dʌd] *s* niewypał; *pl* ~**s** ciuchy, łachy
**due** [dju] *adj* należny; dłużny, zobowiązany; spowodowany (**to sth** czymś); spodziewany; odpowiedni; *handl.* płatny; *s* należność, opłata
**du·el** [`djuḷ] *s* pojedynek
**dug** *zob.* **dig**
**dug-out** [`dʌg aut] *s wojsk.* ziemianka, schron
**duke** [djuk] *s* książę
**dul·ci·mer** [`dʌlsɪmə(r)] *s muz.* cymbały
**dull** [dʌl] *adj* mętny; nudny; tępy; matowy; posępny; stłumiony; *vt* stępić; stłumić; *vi* stępieć; zmatowieć
**du·ly** [`djulɪ] *adv* należycie, słusznie; w porę
**dumb** [dʌm] *adj* niemy; ~ **show** pantomima; **to strike sb** ~ wprawić kogoś w osłupienie
**dumb·found** [dʌm`faund] *vt* ogłuszyć, oszołomić; odebrać mowę
**dum·my** [`dʌmɪ] *s* manekin; statysta, figurant; imitacja, makieta; pozór; smoczek; *adj attr* podrobiony, udany, naśladujący
**dump** [dʌmp] *vt* zrzucać, zsypywać; wywalać; *handl.* zbywać towar na zasadzie dumpingu; *s* stos; hałda; śmietnik
**dum·ping** [`dʌmpɪŋ] *s handl.* dumping
**dump·y** [`dʌmpɪ] *adj* przysadkowaty, pękaty
**dunce** [dʌns] *s* (*o uczniu*) osioł, nieuk
**dune** [djun] *s* wydma piaszczysta
**dung** [dʌŋ] *s* gnój, nawóz
**dun·geon** [`dʌndʒən] *s* wieża; loch, ciemnica
**dupe** [djup] *s* ofiara oszustwa; *pot.* dudek, naiwniaczek; *vt* oszukać, okpić
**du·pli·cate** [`djuplɪkət] *adj* podwój-

ny; *s* duplikat; *vt* [ˋdjuplɪkeɪt] kopiować, odbijać, powielać
**du·pli·ca·tor** [ˋdjuplɪkeɪtə(r)] *s* powielacz
**du·plic·i·ty** [djuˋplɪsətɪ] *s* dwulicowość
**du·ra·ble** [ˋdjuərəbl] *adj* trwały; stały
**du·ra·tion** [djuˋreɪʃn] *s* czas trwania
**dur·ing** [ˋdjuərɪŋ] *praep* podczas, przez, za
**dusk** [dʌsk] *s* zmierzch
**dusk·y** [ˋdʌski] *adj* ciemny
**dust** [dʌst] *s* pył, kurz, proch; *vt* zakurzyć, posypać prochem; czyścić z kurzu, z prochu, ścierać
**dust·bin** [ˋdʌstbɪn] *s* skrzynia na śmieci
**dust·y** [ˋdʌstɪ] *adj* zakurzony; nudny; niejasny, mglisty
**Dutch** [dʌtʃ] *adj* holenderski; język holenderski
**Dutch·man** [ˋdʌtʃmən] *s* (*pl* **Dutchmen** [ˋdʌtʃmən]) Holender
**du·ti·a·ble** [ˋdjutɪəbl] *adj* podlegający ocleniu
**du·ti·ful** [ˋdjutɪfl] *adj* obowiązkowy, sumienny; pełen szacunku, uległy
**du·ty** [ˋdjutɪ] *s* obowiązek, powinność; służba; należność podatkowa; cło; **off ~** po służbie; **on ~** na służbie, na dyżurze
**dwarf** [dwɔf] *s* karzeł; *adj attr* karłowaty; *vt* powstrzymać wzrost; pomniejszyć
***dwell** [dwel], **dwelt, dwelt** [dwelt] *vi* mieszkać; zatrzymywać się; rozwodzić się (**on sth** nad czymś); kłaść nacisk
**dwell·er** [ˋdwelə(r)] *s* mieszkaniec
**dwell·ing** [ˋdwelɪŋ] *s* mieszkanie
**dwelt** *zob.* **dwell**
**dwin·dle** [ˋdwɪndl] *vi* zanikać, zmniejszać się
**dye** [daɪ] *s* barwa, farba; *vt vi* barwić (się), farbować (się)
**dye-stuff** [ˋdaɪstʌf] *s* barwnik
**dy·ing** *zob.* **die**
**dyke = dike**
**dy·nam·ic** [daɪˋnæmɪk] *adj* dynamiczny; *s pl* **~s** dynamika
**dy·na·mite** [ˋdaɪnəmaɪt] *s* dynamit; *vt* wysadzać dynamitem
**dy·nas·tic** [dɪˋnæstɪk] *adj* dynastyczny
**dyn·as·ty** [ˋdɪnəstɪ] *s* dynastia

# e

**each** [itʃ] *adj pron* każdy; **~ other** nawzajem
**ea·ger** [ˋigə(r)] *adj* żądny (**for** ⟨**after**⟩ **sth** czegoś); skory, gorliwy; (*o pragnieniu itp.*) gorący; **to be ~ to do sth** bardzo pragnąć coś zrobić
**ea·gle** [ˋigl] *s* orzeł
**ear** [ɪə(r)] *s* ucho
**earl** [ɜl] *s* hrabia (tylko angielski)
**ear·ly** [ˋɜlɪ] *adj* wczesny; *adv* wcześnie
**ear·mark** [ˋɪəmak] *s* (*u zwierząt domowych*) piętno, kolczyk; *przen.* znak (rozpoznawczy); *vt* znaczyć, znakować; *przen.* przeznaczać
**earn** [ɜn] *vt* zarabiać; zasługiwać
**ear·nest** [ˋɜnɪst] *adj* poważny; szczery; gorliwy; *s w zwrocie*: **in ~** na serio, poważnie
**earn·ing** [ˋɜnɪŋ] *s* zarobek, dochód
**ear-phone** [ˋɪəfəʊn] *s* słuchawka
**ear-ring** [ˋɪərɪŋ] *s* kolczyk
**earth** [ɜθ] *s* ziemia; świat, kula ziemska; **what on ~!** cóż to znowu?; *elektr.* uziemienie; *vt vi* za-

kopać ⟨zagrzebać⟩ (się) w ziemi; okopać; *elektr.* uziemić
**earth·en** [ˋɜθn] *adj* ziemny; gliniany
**earth·en·ware** [ˋɜθnweə(r)] *s zbior.* wyroby garncarskie
**earth·ly** [ˋɜθlɪ] *adj* ziemski
**earth·quake** [ˋɜθkweɪk] *s* trzęsienie ziemi; wstrząs
**earth·work** [ˋɜθwɜk] *s* robota ziemna; nasyp
**ease** [iz] *s* lekkość, swoboda; wygoda; **at ~** spokojnie, wygodnie; **at ~!** *wojsk.* spocznij!; **ill at ~** niedobrze, nieswojo; *vt* łagodzić; uspokajać; uwalniać
**ea·sel** [ˋizl] *s* sztaluga
**eas·i·ness** [ˋizɪnəs] *s* lekkość, wygoda, swoboda; beztroska
**east** [ist] *s* wschód; *adj* wschodni; *adv* na wschód, na wschodzie
**East·er** [ˋistə(r)] *s* Wielkanoc
**east·ern** [ˋistən] *adj* wschodni
**east·ward** [ˋistwəd] *adj* wschodni, zwrócony ku wschodowi; *adv* (*także* **~s**) ku wschodowi, na wschód
**eas·y** [ˋizɪ] *adj* łatwy; swobodny; wygodny; spokojny; **~ of access** łatwo dostępny; *adv* łatwo; lekko; swobodnie
**eas·y-chair** [ˋizɪtʃeə(r)] *s* fotel
***eat** [it], **ate** [et], **eaten** [ˋitn] *vt vi* jeść; **~ up** zjeść, pożreć, pochłonąć
**eat·a·ble** [ˋitəbl] *adj* jadalny; *s pl* **~s** artykuły spożywcze, prowiant
**eat·en** *zob.* **eat**
**eaves** [ivz] *s pl* okap
**eaves·drop** [ˋivzdrop] *vi* podsłuchiwać
**ebb** [eb] *s* odpływ (morza); ubytek (np. sił); *vi* (*o morzu*) odpływać; słabnąć, ubywać
**eb·on·y** [ˋebənɪ] *s* heban
**ec·cen·tric** [ɪkˋsentrɪk] *adj* ekscentryczny, dziwaczny; *s* dziwak, ekscentryk
**ec·cle·si·as·tic** [ɪˈkliziˋæstɪk] *adj* kościelny, duchowny; *s* osoba duchowna, duchowny
**ech·o** [ˋekəʊ] *s* echo; *vt vi* odbijać się echem; powtarzać (**sb, sth** za kimś, czymś)
**e·clipse** [ɪˋklɪps] *s* zaćmienie; przyćmienie; *vt* zaćmiewać
**e·co·nom·ic** [ˈikəˋnomɪk] *adj* ekonomiczny
**e·co·nom·i·cal** [ˈikəˋnomɪkl] *adj* ekonomiczny, oszczędny
**e·co·nom·ics** [ˈikəˋnomɪks] *s* ekonomia, ekonomika
**e·con·o·mist** [ɪˋkonəmɪst] *s* ekonomista
**e·con·o·mize** [ɪˋkonəmaɪz] *vt vi* oszczędzać, oszczędnie gospodarować
**e·con·o·my** [ɪˋkonəmɪ] *s* ekonomia, gospodarka; organizacja; struktura; oszczędność
**ec·sta·sy** [ˋekstəsɪ] *s* ekstaza, zachwyt
**ec·stat·ic** [ɪkˋstætɪk] *adj* ekstatyczny, pełen zachwytu
**ed·dy** [ˋedɪ] *s* wir; *vi* wirować
**E·den** [ˋidn] *s* raj
**edge** [edʒ] *s* brzeg, krawędź, kant; ostrze; *vt* ostrzyć, toczyć; obsadzać; obszywać; **to ~ one's way** przeciskać się; wśliznąć się
**edg·ing** [ˋedʒɪŋ] *s* brzeg, rąbek
**ed·i·ble** [ˋedəbl] *adj* jadalny
**e·dict** [ˋidɪkt] *s* edykt
**ed·i·fice** [ˋedɪfɪs] *s* gmach
**ed·i·fy** [ˋedɪfaɪ] *vt* oddziaływać (moralnie, budująco), pouczać
**ed·it** [ˋedɪt] *vt* wydawać; redagować
**e·di·tion** [ɪˋdɪʃn] *s* wydanie; nakład
**ed·i·tor** [ˋedɪtə(r)] *s* wydawca; redaktor
**ed·i·tor·i·al** [ˈedɪˋtɔrɪəl] *adj* wydawniczy; redakcyjny; *s* artykuł wstępny (od redakcji)
**ed·u·cate** [ˋedʒʊkeɪt] *vt* wychowywać; kształcić
**ed·u·ca·tion** [ˈedʒʊˋkeɪʃn] *s* wykształcenie, nauka; oświata; wychowanie; szkolenie
**ed·u·ca·tion·al** [ˈedʒʊˋkeɪʃnl] *adj*

wychowawczy, oświatowy, kształcący
**eel** [il] *s* węgorz
**ef·face** [ɪ`feɪs] *vt* ścierać, zacierać, zmazywać; *przen.* przyćmiewać
**ef·fect** [ɪ`fekt] *s* wynik, skutek; efekt; oddziaływanie; *pl* **~s** dobytek, ruchomości; papiery wartościowe; **in ~** rzeczywiście; **to no ~** bezskutecznie; **to give ⟨to bring to, to carry into⟩ ~** dokonać, uskutecznić, wprowadzić w życie; *vt* spowodować, wykonać, spełnić
**ef·fec·tive** [ɪ`fektɪv] *adj* efektywny; efektowny; *am.* mający moc prawną, obowiązujący
**ef·fem·i·nate** [ɪ`femɪnət] *adj* zniewieściały
**ef·fer·vesce** [ˏefə`ves] *vt* musować, pienić się; (*o człowieku*) tryskać (życiem)
**ef·fi·ca·cious** [ˏefɪ`keɪʃəs] *adj* skuteczny
**ef·fi·ca·cy** [`efɪkəsɪ] *s* skuteczność
**ef·fi·cien·cy** [ɪ`fɪʃnsɪ] *s* wydajność, sprawność; skuteczność
**ef·fi·cient** [ɪ`fɪʃnt] *adj* wydajny, sprawny; skuteczny
**ef·figy** [`efɪdʒɪ] *s* podobizna, wizerunek
**ef·fort** [`efət] *s* wysiłek; próba
**ef·front·er·y** [ɪ`frʌntərɪ] *s* bezczelność
**ef·fu·sion** [ɪ`fjuʒn] *s* wylew; wydzielanie; *pl* **~s** *przen.* wynurzenia
**egg** [eg] *s* jajko
**e·go** [`egəu] *s* jaźń
**e·go·ism** [`egəuɪzm] *s* egoizm
**e·go·ist** [`egəuɪst] *s* egoista
**e·go·tism** [`egətɪzm] *s* egotyzm
**E·gyp·tian** [ɪ`dʒɪpʃn] *adj* egipski; *s* Egipcjanin
**ei·der·down** [`aɪdədaun] *s* puch; kołdra puchowa
**eight** [eɪt] *num* osiem; *s* ósemka
**eight·een** [ˏeɪ`tin] *num* osiemnaście; *s* osiemnastka
**eight·eenth** [ˏeɪ`tinθ] *adj* osiemnasty
**eighth** [eɪtθ] *adj* ósmy
**eight·i·eth** [`eɪtɪəθ] *adj* osiemdziesiąty
**eight·y** [`eɪtɪ] *num* osiemdziesiąt; *s* osiemdziesiątka
**ei·ther** [`aɪðə(r)], *am.* [`iðər] *adj pron* jeden lub drugi, jeden z dwóch, każdy z dwóch; obaj, obie, oboje; którykolwiek z dwóch; *conj* **~ ... or albo ..., albo**; *z przeczeniem*: ani ..., ani; *adv z przeczeniem*: też (nie)
**e·jac·u·late** [ɪ`dʒækjuleɪt] *vt* wytrysnąć; wykrzyknąć, wydać (okrzyk)
**e·ject** [ɪ`dʒekt] *vt* wyrzucić, wydzielić; usunąć, wydalić
**eke** [ik] *vt* (*zw.* **~ out**) sztukować, nadrabiać, uzupełniać
**e·lab·o·rate** [ɪ`læbəreɪt] *vt* wypracować; *adj* [ɪ`læbrət] wypracowany; wymyślny, wyszukany
**e·lapse** [ɪ`læps] *vi* (*o czasie*) upływać, mijać
**e·las·tic** [ɪ`læstɪk] *adj* elastyczny; gumowy; *s* guma (np. do pończoch)
**el·bow** [`elbəu] *s* łokieć; *vt* popychać, szturchać łokciem; **~ sb out** wypchnąć kogoś
**eld·er** [`eldə(r)] *adj* starszy
**el·der·ly** [`eldəlɪ] *adj* podstarzały
**eld·est** [`eldɪst] *adj* najstarszy (w rodzinie)
**e·lect** [ɪ`lekt] *vt* wybierać; *adj* wybrany, nowo obrany
**e·lec·tion** [ɪ`lekʃn] *s* wybór, wybory; **general ~** wybory powszechne
**e·lec·tion·eer** [ɪˏlekʃən`ɪə(r)] *vi* agitować, przeprowadzać kampanię wyborczą
**e·lec·tor** [ɪ`lektə(r)] *s* wyborca
**e·lec·tor·ate** [`ɪlektṛət] *s zbior.* wyborcy
**e·lec·tric(al)** [ɪ`lektrɪk(l)] *adj* elektryczny
**e·lec·tri·cian** [ɪˏlek`trɪʃn] *s* elektrotechnik

**e·lec·tric·i·ty** [ɪˈlekˋtrɪsətɪ] *s* elektryczność
**e·lec·tri·fi·ca·tion** [ɪˈlektrɪfɪˋkeɪʃn] *s* elektryfikacja
**e·lec·tri·fy** [ɪˋlektrɪfaɪ] *vt* elektryfikować
**e·lec·tro·cute** [ɪˋlektrəkjut] *vt* uśmiercić na krześle elektrycznym; śmiertelnie porazić prądem
**e·lec·trol·y·sis** [ɪˈlekˋtroləsɪs] *s* elektroliza
**e·lec·tro·plate** [ɪˋlektrəupleɪt] *vt* platerować, galwanizować; *s zbior.* platery
**el·e·gance** [ˋelɪgəns] *s* elegancja
**el·e·gi·ac** [ˈelɪˋdʒaɪək] *adj* elegijny
**el·e·gy** [ˋelədʒɪ] *s* elegia
**el·e·ment** [ˋeləmənt] *s* element; żywioł; składnik; *chem.* pierwiastek
**el·e·men·tal** [ˈeləˋmentl] *adj* żywiołowy; podstawowy
**el·e·men·ta·ry** [ˈeləˋmentrɪ] *adj* elementarny; podstawowy
**el·e·phant** [ˋeləfnt] *s* słoń
**el·e·vate** [ˋeləveɪt] *vt* podnieść, podwyższyć, dźwignąć
**el·e·va·tion** [ˈeləˋveɪʃn] *s* podniesienie, wzniesienie, wysokość; dostojeństwo
**el·e·va·tor** [ˋeləveɪtə(r)] *s* elewator; *am.* winda
**e·lev·en** [ɪˋlevn] *num* jedenaście; *s* jedenastka
**e·lev·enth** [ɪˋlevnθ] *adj* jedenasty
**elf** [elf] *s* (*pl* **elves** [elvz]) elf
**e·lic·it** [ɪˋlɪsɪt] *vt* ujawniać, wydobywać, wyciągać na światło dzienne; wywoływać
**el·i·gi·ble** [ˋelɪdʒəbl] *adj* wybieralny; godny wyboru, odpowiedni
**e·lim·i·nate** [ɪˋlɪmɪneɪt] *vt* eliminować, usuwać, wykluczać, znieść
**e·lim·i·na·tion** [ɪˈlɪmɪˋneɪʃn] *s* eliminacja, usunięcie, wykluczenie, zniesienie
**elk** [elk] *s* łoś
**elm** [elm] *s bot.* wiąz
**el·o·cu·tion** [ˈeləˋkjuʃn] *s* wysławianie się, dykcja
**e·lon·gate** [ˋɪloŋgeɪt] *vt vi* wydłużyć (się)
**el·o·quence** [ˋeləkwəns] *s* elokwencja, krasomówstwo
**else** [els] *adv* prócz tego, ponadto, jeszcze (inny); **or ~** bo inaczej; **sb ~** ktoś inny; **sth ~** coś innego
**else·where** [ˈelsˋweə(r)] *adv* gdzie indziej
**e·lu·ci·date** [ɪˋlusɪdeɪt] *vt* wyświetlić, wyjaśnić
**e·lude** [ɪˋlud] *vt* wymijać, obejść (np. prawo); ujść (**sth** czemuś)
**e·lu·sive** [ɪˋlusɪv] *adj* nieuchwytny, wykrętny
**elves** *zob.* **elf**
**e·ma·ci·ate** [ɪˋmeɪʃɪeɪt] *vt* wyniszczyć (fizycznie), wycieńczyć
**em·a·nate** [ˋeməneɪt] *vi* emanować, promieniować; wyłaniać się; pochodzić (**from sth** od czegoś)
**e·man·ci·pate** [ɪˋmænsɪpeɪt] *vt* emancypować, wyzwolić
**e·mas·cu·late** [ɪˋmæskjuleɪt] *vt* wykastrować; zniewieścić; wyjałowić; *adj* [ɪˋmæskjulət] zniewieściały; wyjałowiony
**em·balm** [ɪmˋbɑm] *vt* balsamować; nasycać aromatem
**em·bank·ment** [ɪmˋbæŋkmənt] *s* wał, tama; nabrzeże, bulwar
**em·bar·go** [ɪmˋbɑgəu] *s* embargo, zakaz
**em·bark** [ɪmˋbɑk] *vt* ładować na statek; brać na pokład; *vi* wsiadać na statek; *przen.* przedsięwziąć (**on** ⟨**upon**⟩ **sth** coś); wdać się (**in sth** w coś)
**em·bar·ka·tion** [ˈembɑˋkeɪʃn] *s* ładowanie ⟨wsiadanie⟩ na statek
**em·bar·rass** [ɪmˋbærəs] *vt* wprawić w zakłopotanie; sprawić kłopot; przeszkadzać; krępować
**em·bas·sy** [ˋembəsɪ] *s* ambasada; misja
**em·bed** [ɪmˋbed] *vt* osadzić, wryć, wkopać, wbić; wyłożyć (np. cementem)
**em·bel·lish** [ɪmˋbelɪʃ] *vt* upiększyć

**em·bers** [`embəz] *s pl* żarzące się węgle; *przen.* zgliszcza
**em·bez·zle** [ɪm`bezl] *vt* sprzeniewierzyć
**em·bit·ter** [ɪm`bɪtə(r)] *vt* rozgoryczyć; zatruć (życie); rozjątrzyć
**em·blem** [`embləm] *s* emblemat
**em·bod·i·ment** [ɪm`bodɪmənt] *s* ucieleśnienie, wcielenie
**em·bod·y** [ɪm`bodɪ] *vt* ucieleśniać; urzeczywistniać; wcielać; formułować, wyrażać (w słowach, czynach); zawierać
**em·boss** [ɪm`bos] *vt* wytłaczać; wykuwać; zdobić płaskorzeźbą
**em·brace** [ɪm`breɪs] *vt vi* obejmować (się), uścisnąć (się); ogarniać; zawierać; przyjmować (np. światopogląd); *s* uścisk, objęcie
**em·broi·der** [ɪm`brɔɪdə(r)] *vt* haftować; *przen.* upiększać
**em·broi·de·ry** [ɪm`brɔɪdərɪ] *s* haft; *przen.* upiększenie
**em·broil** [ɪm`brɔɪl] *vt* powikłać; uwikłać
**em·bry·o** [`embrɪəu] *s* embrion
**e·mend** [ɪ`mend] *vt* poprawiać (tekst)
**em·er·ald** [`emərld] *s* szmaragd
**e·merge** [ɪ`mɜdʒ] *vi* wynurzać się, wyłaniać się, ukazywać się
**e·mer·gence** [ɪ`mɜdʒəns] *s* pojawienie się, powstanie
**e·mer·gen·cy** [ɪ`mɜdʒənsɪ] *s* stan wyjątkowy, krytyczne położenie, gwałtowna potrzeba; ~ **exit** wyjście zapasowe (np. na wypadek pożaru)
**em·i·grant** [`emɪgrənt] *s* emigrant
**em·i·grate** [`emɪgreɪt] *vi* emigrować
**emigré** [`emɪgreɪ] *s* emigrant polityczny
**em·i·nence** [`emɪnəns] *s* wysokie położenie, wzniesienie; eminencja; wybitność, znakomitość
**em·i·nent** [`emɪnənt] *adj* wybitny, znakomity, sławny
**em·is·sa·ry** [`emɪsṛɪ] *s* emisariusz
**e·mis·sion** [ɪ`mɪʃn] *s* emisja; wydzielanie, wysyłanie
**e·mit** [ɪ`mɪt] *vt* emitować; wydzielać, wysyłać
**e·mo·tion** [ɪ`məuʃn] *s* wzruszenie, uczucie
**e·mo·ti·onal** [ɪ`məuʃnl] *adj* emocjonalny
**em·per·or** [`empərə(r)] *s* cesarz, imperator
**em·pha·sis** [`emfəsɪs] *s* nacisk, uwydatnienie, emfaza
**em·pha·size** [`emfəsaɪz] *vt* podkreślać, kłaść nacisk
**em·phat·ic** [ɪm`fætɪk] *adj* emfatyczny; dobitny; wymówiony z naciskiem; kategoryczny; wymowny
**em·pire** [`empaɪə(r)] *s* imperium, cesarstwo
**em·ploy** [ɪm`plɔɪ] *vt* zatrudniać; używać
**em·ploy·ee** [ˈemplɔɪ`i] *s* pracownik
**em·ploy·er** [ɪm`plɪɔə(r)] *s* pracodawca, szef
**em·ploy·ment** [ɪm`plɔɪmənt] *s* zajęcie, zatrudnienie; zastosowanie, użycie
**em·pow·er** [ɪm`pauə(r)] *vt* dać władzę, upoważnić
**em·press** [`emprəs] *s* cesarzowa
**emp·ty** [`emptɪ] *adj* pusty, czczy, próżny; *vt vi* opróżnić (się)
**em·u·late** [`emjuleɪt] *vt* rywalizować (sb z kimś)
**en·a·ble** [ɪ`neɪbl] *vt* dać możność, umożliwić
**en·act** [ɪ`nækt] *vt* ustanowić (dekret)
**en·act·ment** [ɪ`næktmənt] *s* przeprowadzenie ustawy; zarządzenie, dekret
**en·am·el** [ɪ`næml] *s* emalia; lakier; *vt* emaliować; lakierować
**en·camp** [ɪn`kæmp] *vt* rozkładać obozem; *vi* rozłożyć się obozem, obozować
**en·camp·ment** [ɪn`kæmpmənt] *s* rozłożenie się obozem; obozowisko
**en·cash** [ɪn`kæʃ] *vt* spieniężyć (czek), zrealizować (weksel); inkasować

**en·chain** [ɪn`tʃeɪn] *vt* zakuć w łańcuchy, uwiązać na łańcuchu; *przen.* ujarzmić
**en·chant** [ɪn`tʃɑnt] *vt* oczarować; zaczarować
**en·cir·cle** [ɪn`s3kl] *vt* okrążyć, otoczyć
**en·close** [ɪn`kləuz] *vt* ogrodzić, otoczyć; zawierać; załączyć
**en·clo·sure** [ɪn`kləuʒə(r)] *s* ogrodzenie, ogrodzone miejsce; załącznik
**en·com·pass** [ɪn`kʌmpəs] *vt* otaczać, obejmować; zawierać
**en·core** [`oŋkɔ(r)] *int* bis!; *s* bis, bisowanie; *vt vi* bisować
**en·coun·ter** [ɪn`kauntə(r)] *vt* natknąć się (**sb** na kogoś); *s* spotkanie; starcie, potyczka
**en·cour·age** [ɪn`kʌrɪdʒ] *vt* zachęcać; popierać; dodawać odwagi
**en·croach** [ɪn`krəutʃ] *vi* wdzierać się, wkraczać (**on** ⟨**upon**⟩ **sth** do czegoś); bezprawnie naruszać (**on** ⟨**upon**⟩ **sth** coś)
**en·crust** [ɪn`krʌst] *vt* inkrustować; *vi* zaskorupić się
**en·cum·ber** [ɪn`kʌmbə(r)] *vt* zawalić, zatłoczyć; obciążyć; utrudnić, zawadzać
**en·cy·clo·pae·di·a** [ɪn'saɪklə`pidɪə] *s* encyklopedia
**end** [end] *s* koniec; kres; cel; **~ on** rzędem; **on ~** pionowo, sztorcem; z rzędu; **to no ~** bezcelowo; **to be at an ~** być skończonym; **to bring to an ~** położyć kres; **to serve an ~** odpowiadać celowi; **to the ~ that** w tym celu, aby; *vt* kończyć; **~ off** ⟨**up**⟩ zakończyć; *vi* kończyć się (**in sth** czymś)
**en·dan·ger** [ɪn`deɪndʒə(r)] *vt* narażać na niebezpieczeństwo
**en·dear** [ɪn`dɪə(r)] *vt* uczynić drogim (**to sb** dla kogoś); zdobyć czyjeś serce
**en·deav·our** [ɪn`devə(r)] *vi* usiłować, starać się; dążyć (**after sth** do czegoś); *s* dążenie, staranie, zabiegi
**end·ing** [`endɪŋ] *s* zakończenie; *gram.* końcówka
**end·less** [`endləs] *adj* nie kończący się, ustawiczny
**en·dorse** [ɪn`dɔs] *vt* potwierdzić, podpisać się (**sth** pod czymś); zaaprobować; *handl.* indosować
**en·dow** [ɪn`dau] *vt* wyposażyć, zaopatrzyć (**with sth** w coś); obdarzyć; ufundować
**en·dow·ment** [ɪn`daumənt] *s* wyposażenie, dotacja; *pl* **~s** zdolności
**en·dur·ance** [ɪn`djuərns] *s* wytrzymałość, cierpliwość; **past** ⟨**beyond**⟩ **~** nie do zniesienia
**en·dure** [ɪn`djuə(r)] *vt* znosić, cierpieć, wytrzymywać; *vi* przetrwać
**en·dur·ing** [ɪn`djuərɪŋ] *adj* trwały; wytrzymały
**en·e·my** [`enəmɪ] *s* wróg, przeciwnik
**en·er·gy** [`enədʒɪ] *s* energia
**en·er·vate** [`enəveɪt] *vt* osłabić
**en·fee·ble** [ɪn`fibl] *vt* osłabić
**en·fold** [ɪn`fəuld] *vt* otulić, zawinąć; objąć
**en·force** [ɪn`fɔs] *vt* narzucić pod przymusem (**sth on sb** coś komuś); ustawowo wprowadzić w życie
**en·fran·chise** [ɪn`fræntʃaɪz] *vt* obdarzyć prawami (obywatelskimi, wyborczymi); wyzwolić; uwłaszczyć
**en·gage** [ɪn`geɪdʒ] *vt vi* angażować (się); zobowiązywać (się); zajmować (się); najmować, przyjmować do pracy; *wojsk.* nawiązać walkę, atakować; **to be ~d** mieć zajęcie, pracować, krzątać się (**in sth** koło czegoś); **to become ~d** zaręczyć się (**to sb** z kimś)
**en·gage·ment** [ɪn`geɪdʒmənt] *s* zobowiązanie; obietnica; umowa; przyjęcie do pracy; najęcie, zatrudnienie; zaręczyny; *wojsk.* rozpoczęcie bitwy
**en·gag·ing** [ɪn`geɪdʒɪŋ] *adj* ujmujący, miły
**en·gen·der** [ɪn`dʒendə(r)] *vt* rodzić; powodować

**en·gine** [ˈendʒɪn] *s* maszyna; lokomotywa; silnik

**en·gine-driv·er** [ˈendʒɪn draɪvə(r)] *s* maszynista

**en·gi·neer** [ˌendʒɪˈnɪə(r)] *s* mechanik; technik; inżynier; *wojsk.* saper; *am.* maszynista; *vt* budować (drogi, mosty), montować; planować, projektować; *pot.* kombinować

**en·gi·neer·ing** [ˌendʒɪˈnɪərɪŋ] *s* inżyniera; mechanika; technika; *pot. pl* ~s kombinacje, machinacje

**Eng·lish** [ˈɪŋglɪʃ] *adj* angielski; *s* język angielski; *pl* **the** ~ Anglicy

**Eng·lish·man** [ˈɪŋglɪʃmən] *s* (*pl* **Englishmen** [ˈɪŋglɪʃmən]) Anglik

**Eng·lish·wom·an** [ˈɪŋglɪʃwumən] *s* (*pl* **Englishwomen** [ˈɪŋglɪʃwɪmɪn]) Angielka

**en·grave** [ɪnˈgreɪv] *vt* ryć, grawerować

**en·grav·ing** [ɪnˈgreɪvɪŋ] *s* grawerowanie; sztych

**en·gross** [ɪnˈgrəus] *vt handl.* zmonopolizować; wykupić hurtem; opanować, pochłonąć; odpisać (dokument) dużymi literami

**en·gulf** [ɪnˈgʌlf] *vt* pochłonąć

**en·hance** [ɪnˈhans] *vt* powiększyć, podwyższyć, uwydatnić

**e·nig·ma** [ɪˈnɪgmə] *s* zagadka

**e·nig·mat·ic** [ˌenɪgˈmætɪk] *adj* zagadkowy

**en·join** [ɪnˈdʒɔɪn] *vt* nakazać; gorąco polecać (**sth on sb** coś komuś)

**en·joy** [ɪnˈdʒɔɪ] *vt* znajdować przyjemność, zasmakować (**sth** w czymś); mieć, cieszyć się (np. **good health** dobrym zdrowiem); korzystać (**sth** z czegoś); *vr* ~ **oneself** dobrze się bawić

**en·joy·a·ble** [ɪnˈdʒɔɪəbl] *adj* przyjemny, rozkoszny

**en·joy·ment** [ɪnˈdʒɔɪmənt] *s* przyjemność, uciecha; korzystanie (**of sth** z czegoś)

**en·large** [ɪnˈladʒ] *vt vi* powiększać (się); rozszerzać (się); rozwodzić się (**on** ⟨**upon**⟩ **sth** nad czymś)

**en·light·en** [ɪnˈlaɪtn] *vt* oświecać, uświadamiać, objaśniać

**en·light·en·ment** [ɪnˈlaɪtnmənt] *s* oświecenie

**en·list** [ɪnˈlɪst] *vt* zwerbować; zjednać sobie; *vi* zaciągnąć się do wojska

**en·li·ven** [ɪnˈlaɪvn] *vt* ożywić

**en·mi·ty** [ˈenmətɪ] *s* wrogość

**en·noble** [ɪˈnəubl] *vt* uszlachetnić; nobilitować

**e·nor·mi·ty** [ɪˈnɔmətɪ] *s* potworność; ogrom, ogromne rozmiary

**e·nor·mous** [ɪˈnɔməs] *adj* ogromny

**en·ough** [ɪˈnʌf] *adv* dość, dosyć; **be good** ~ **to ...** bądź tak dobry i ...; **to be stupid** ~ **to ...** być na tyle głupim, aby ...

**en·quire, en·quir·y** = **inquire, inquiry**

**en·rage** [ɪnˈreɪdʒ] *vt* doprowadzić do wściekłości

**en·rich** [ɪnˈrɪtʃ] *vt* wzbogacić; ulepszyć; ozdobić

**en·rol(l)** [ɪnˈrəul] *vt* zarejestrować; wciągnąć na listę członków; zwerbować; *vi* zapisać się (np. na kurs); zaciągnąć się (np. do wojska)

**en·shrine** [ɪnˈʃraɪn] *vt* zamknąć w sanktuarium; przechowywać pieczołowicie ⟨ze czcią⟩

**en·sign** [ˈensaɪn] *s* oznaka, insygnia, odznaka; chorągiew; *mors.* bandera; † *wojsk.* chorąży

**en·slave** [ɪnˈsleɪv] *vt* zrobić niewolnikiem, ujarzmić

**en·snare** [ɪnˈsneə(r)] *vt dosł.* i *przen.* chwycić w sidła

**en·sue** [ɪnˈsju] *vi* nastąpić, wyniknąć

**en·sure** [ɪnˈʃuə(r)] *vt* zapewnić; zabezpieczyć

**en·tail** [ɪnˈteɪl] *vt* pociągnąć za sobą, powodować; wymagać (**sth on sb** czegoś od kogoś)

**en·tan·gle** [ɪnˈtæŋgl] *vt* uwikłać, zaplątać; usidlić

**en·tente** [õˈtõt] *s polit.* porozumienie

**en·ter** [ˈentə(r)] *vt vi* wchodzić, wkraczać, wjechać; wstępować (**sth** ⟨**into sth**⟩ do czegoś, np. **a school** ⟨**university**⟩ do szkoły ⟨na uniwersytet⟩); wpisywać (się); zgłaszać (się); przeniknąć; przystępować (**on** ⟨**upon**⟩ **sth** do czegoś, np. **upon one's duties** do obowiązków); ~ **into a contract** zawierać umowę; ~ **a protest** zgłosić protest
**en·ter·ic** [enˈterɪk] *adj* jelitowy; ~ **(fever)** tyfus brzuszny
**en·ter·prise** [ˈentəpraɪz] *s* przedsięwzięcie, inicjatywa; *handl.* przedsiębiorstwo
**en·ter·pris·ing** [ˈentəpraɪzɪŋ] *adj* przedsiębiorczy
**en·ter·tain** [ˌentəˈteɪn] *vt* zabawiać; przyjmować (gości); żywić (uczucie, nadzieję); podtrzymywać, utrzymywać (np. korespondencję); *vi* prowadzić życie towarzyskie
**en·ter·tain·ment** [ˌentəˈteɪnmənt] *s* rozrywka; przedstawienie (rozrywkowe); przyjęcie, uczta
**en·throne** [ɪnˈθrəun] *vt* osadzić na tronie
**en·thu·si·asm** [ɪnˈθjuzɪæzm] *s* entuzjazm
**en·thu·si·as·tic** [ɪnˌθjuzɪˈæstɪk] *adj* zachwycony, entuzjastyczny, zapalony; **to be** ~ zachwycać się (**about** ⟨**over**⟩ **sth** czymś)
**en·tice** [ɪnˈtaɪs] *vt* uwodzić, nęcić, kusić
**en·tice·ment** [ɪnˈtaɪsmənt] *s* ponęta; urok; wabienie
**en·tire** [ɪnˈtaɪə(r)] *adj* cały, całkowity
**en·tire·ly** [ɪnˈtaɪəlɪ] *adv* całkowicie, wyłącznie
**en·ti·tle** [ɪnˈtaɪtl] *vt* tytułować; upoważniać; mianować
**en·ti·ty** [ˈentətɪ] *s* jednostka, wyodrębniona całość; istnienie, byt; rzecz realnie istniejąca
**en·trails** [ˈentreɪlz] *s pl* wnętrzności
**en·train** [enˈtreɪn] *vt* ładować do pociągu (*zw.* wojsko); *vi* (*zw. o wojsku*) wsiadać do pociągu
**en·trance 1.** [ˈentrns] *s* wejście, wjazd; wstęp, **dostęp**
**en·trance 2.** [ɪnˈtrans] *vt* wprowadzać w trans; zachwycić
**en·trap** [ɪnˈtræp] *vt* schwytać w pułapkę, usidlić
**en·treat** [ɪnˈtrit] *vt vi* błagać
**en·treat·y** [ɪnˈtritɪ] *s* błaganie
**en·trench** [ɪnˈtrentʃ] *vt wojsk.* okopać, umocnić okopami
**en·trust** [ɪnˈtrʌst] *vt* powierzyć
**en·try** [ˈentrɪ] *s* wstęp, wjazd, wejście; hasło (w słowniku); notatka; pozycja (w księdze, spisie)
**en·twine** [ɪnˈtwaɪn] *vt* oplatać, owijać; splatać
**e·nu·mer·ate** [ɪˈnjuməreɪt] *vt* wyliczać
**e·nun·ci·ate** [ɪˈnʌnsɪeɪt] *vt* wypowiedzieć, oświadczyć, głosić
**en·ve·lop** [ɪnˈveləp] *vt* owinąć; objąć; *wojsk.* otoczyć
**en·ve·lope** [ˈenvələup] *s* koperta; otoczka
**en·vi·able** [ˈenvɪəbl] *adj* godny pozazdroszczenia
**en·vi·ous** [ˈenvɪəs] *adj* zazdrosny, zawistny (**of sb, sth** o kogoś, coś)
**en·vi·ron** [ɪnˈvaɪərn] *vt* otaczać
**en·vi·ron·ment** [ɪnˈvaɪərnmənt] *s* otoczenie, środowisko
**en·vi·rons** [ˈenvɪrənz] *s pl* okolice
**en·vis·age** [ɪnˈvɪzɪdʒ] *vt* patrzeć w oczy, stać w obliczu (**sth** czegoś); rozpatrywać
**en·voy** [ˈenvɔɪ] *s* poseł pełnomocny; wysłannik (dyplomatyczny)
**en·vy** [ˈenvɪ] *s* zazdrość, zawiść; przedmiot zazdrości; *vt* zazdrościć
**en·wrap** [ɪnˈræp] *vt* zawijać, owijać; *przen.* pogrążyć
**e·phem·er·al** [ɪˈfemərl] *adj* efemeryczny
**ep·ic** [ˈepɪk] *adj* epicki; *s* epos, poemat epicki; *pot.* długa powieść; długi film przygodowy
**ep·i·dem·ic** [epɪˈdemɪk] *adj* epidemiczny; *s* epidemia

**e·pis·co·pal** [ɪ`pɪskəpl] *adj* episkopalny, biskupi
**ep·i·sode** [`epɪsəud] *s* epizod
**e·pit·o·me** [ɪ`pɪtəmɪ] *s* skrót, wyciąg, streszczenie
**e·poch** [`ipok] *s* epoka
**e·qual** [`ikwl] *adj* równy; **to be ~** równać się; dorównywać; stać na wysokości zadania; *s* człowiek równy innemu; **he has no ~s** on nie ma sobie równych; **to live as ~s** żyć jak równy z równym; *vt* równać się; dorównywać (sb komuś); **not to be ~led** nie do porównania, niezrównany
**e·qual·i·ty** [ɪ`kwolətɪ] *s* równość
**e·qual·ize** [`ikwəlaɪz] *vt* wyrównywać
**e·qua·nim·i·ty** [ˏekwə`nɪmətɪ] *s* równowaga ducha
**e·qua·tion** [ɪ`kweɪʃn] *s* wyrównanie; *mat.* równanie
**e·qua·tor** [ɪ`kweɪtə(r)] *s* równik
**e·ques·tri·an** [ɪ`kwestrɪən] *adj* konny; *s* jeździec
**e·quil·i·brist** [ɪ`kwɪlɪbrɪst] *s* ekwilibrysta
**e·qui·lib·ri·um** [ˏikwɪ`lɪbrɪəm] *s* równowaga
**e·qui·nox** [`ikwɪnoks] *s* zrównanie dnia z nocą
**e·quip** [ɪ`kwɪp] *vt* zaopatrzyć, wyposażyć (**with sth** w coś)
**eq·ui·ta·ble** [`ekwɪtəbl] *adj* sprawiedliwy, słuszny, bezstronny
**eq·ui·ty** [`ekwətɪ] *s* sprawiedliwość, słuszność
**e·quiv·a·lent** [ɪ`kwɪvələnt] *adj* równoważny, równowartościowy; *s* równoważnik, równowartość
**e·quiv·o·cal** [ɪ`kwɪvəkl] *adj* dwuznaczny; podejrzany
**e·ra** [`ɪərə] *s* era
**e·rad·i·cate** [ɪ`rædɪkeɪt] *vt* wykorzenić
**e·rase** [ɪ`reɪz] *vt* zeskrobać, zetrzeć (gumą); wymazać
**e·raser** [ɪ`reɪzə(r)] *s* guma (do wycierania); nożyk (do zeskrobywania)
**ere** [ɪə(r)] *praep lit.* przed; *adv* † wcześniej; *conj* † zanim; **~ long** wkrótce; **~ now** już przedtem
**e·rect** [ɪ`rekt] *adj* prosty, wyprostowany; *vt* wyprostować; wznieść, zbudować
**e·rot·ic** [ɪ`rotɪk] *adj* erotyczny; *s lit.* erotyk
**err** [ɜ(r)] *vi* błądzić, mylić się
**er·rand** [`erənd] *s* sprawunek; zlecenie; **to run ~s** chodzić na posyłki
**er·rant** [`erənt] *adj* błądzący; błędny; wędrowny
**er·ra·ta** = **erratum**
**er·rat·ic** [ɪ`rætɪk] *adj* wędrujący; niepewny; kapryśny, nieobliczalny; *geol.* narzutowy
**er·ra·tum** [e`ratəm] *s* (*pl* **errata** [e`ratə]) błąd drukarski
**er·ro·neous** [ɪ`rəunɪəs] *adj* mylny, błędny
**er·ror** [`erə(r)] *s* omyłka, błąd
**er·u·dite** [`erudaɪt] *adj* (*o człowieku*) uczony, wykształcony; *s* erudyta
**er·u·di·tion** [ˏeru`dɪʃn] *s* erudycja
**e·rup·tion** [ɪ`rʌpʃn] *s* wybuch; *med.* wysypka
**es·ca·la·tor** [`eskəleɪtə(r)] *s* schody ruchome
**es·ca·pade** [ˏeskə`peɪd] *s* eskapada
**es·cape** [ɪ`skeɪp] *vt vi* umknąć; ujść, uciec; uniknąć; ulatniać się; *s* ucieczka; wyciek; ujście; ratunek (przed śmiercią, chorobą), ocalenie; **to make one's ~** wymknąć się, uciec
**es·cort** [`eskɔt] *s* eskorta, straż; mężczyzna towarzyszący kobiecie; *vt* [ɪ`skɔt] eskortować; towarzyszyć
**es·pe·cial** [ɪ`speʃl] *adj* specjalny, osobliwy
**es·pi·o·nage** [`espɪənaʒ] *s* szpiegostwo
**es·pouse** [ɪ`spauz] *vt* poślubić; zostać orędownikiem (**sth** czegoś)
**es·py** [ɪ`spaɪ] *vt* spostrzec; wyśledzić
**es·quire** [ɪ`skwaɪə(r)] *s* dawny szlachecki tytuł w Anglii, obec-

nie w adresach tytuł grzecznościowy (*skr.* **Esq.**)
**es·say** [ˋeseɪ] *s* szkic; próba; esej; wypracowanie szkolne; *vi vt* [ɪˋseɪ] próbować; poddawać próbie
**es·sence** [ˋesns] *s* istota, sedno; esencja, wyciąg
**es·sen·tial** [ɪˋsenʃl] *adj* istotny, zasadniczy; niezbędny; *s pl* **~s** rzeczy niezbędne; zasady, podstawy
**es·tab·lish** [ɪˋstæblɪʃ] *vt* założyć; ustanowić, ustalić; *vr* **~ oneself** osiedlić się, urządzić się
**es·tab·lish·ment** [ɪˋstæblɪʃmənt] *s* urządzenie, założenie, ustanowienie; instytucja, zakład
**es·tate** [ɪˋsteɪt] *s* stan; majątek, własność, posiadłość ziemska; **real ~** nieruchomość
**es·teem** [ɪˋstim] *vt* cenić, szanować; doceniać; poczytywać ⟨uważać⟩ (**sth** za coś); *s* szacunek
**es·ti·mate** [ˋestɪmeɪt] *vt* szacować; *s* [ˋestɪmət] szacunek, ocena
**es·ti·ma·tion** [ˏestɪˋmeɪʃn] *s* ocena, oszacowanie; osąd, opinia
**es·trange** [ɪˋstreɪndʒ] *vt* zrazić sobie, odsunąć od siebie, odstręczyć; *prawn.* odseparować
**es·trange·ment** [ɪˋstreɪndʒmənt] *s* oddalenie się (dwóch osób od siebie), oziębienie stosunków; *prawn.* separacja
**es·tu·a·ry** [ˋestʃuərɪ] *s* ujście (wielkiej rzeki)
**etch** [etʃ] *vt vi* ryć (w metalu), trawić (metal)
**etch·ing** [ˋetʃɪŋ] *s* grawerowanie; akwaforta
**e·ter·nal** [ɪˋtɜnl] *adj* wieczny
**e·ter·ni·ty** [ɪˋtɜnətɪ] *s* wieczność
**e·ther** [ˋiθə(r)] *s* eter
**eth·i·c(al)** [ˋeθɪk(l)] *adj* etyczny
**eth·ics** [ˋeθɪks] *s* etyka
**et·y·mol·o·gy** [ˏetɪˋmolədʒɪ] *s* etymologia
**eu·gen·ic** [juˋdʒenɪk] *adj* eugeniczny
**eu·gen·ics** [juˋdʒenɪks] *s* eugenika
**eu·lo·gize** [ˋjulədʒaɪz] *vt* chwalić, sławić
**eu·lo·gy** [ˋjulədʒɪ] *s* pochwalna mowa, pochwała
**Eu·ro·pe·an** [ˏjuərəˋpɪən] *adj* europejski; *s* Europejczyk
**e·vac·u·ate** [ɪˋvækjueɪt] *vt* wypróżniać; ewakuować
**e·vade** [ɪˋveɪd] *vt* unikać; uchylać się (**sth** od czegoś); obchodzić (np. ustawę)
**e·val·u·ate** [ɪˋvæljueɪt] *vt* szacować
**e·van·gel·ic(al)** [ˏivænˋdʒelɪk(l)] *adj* ewangeliczny; ewangelicki; *s* ewangelik
**e·vap·o·rate** [ɪˋvæpəreɪt] *vt* odparować; *vi* parować, ulatniać się
**e·va·sion** [ɪˋveɪʒn] *s* unikanie; uchylanie się (**of sth** od czegoś); obchodzenie (np. ustawy), omijanie (np. prawdy); wykręt
**eve** [iv] *s* wigilia; przeddzień
**e·ven 1.** [ˋivn] *adj* równy, gładki; *vt* (*także* **to ~ out**) wyrównywać, wygładzać; *adv* równo; właśnie; nawet
**e·ven 2.** [ˋivn] *s poet.* wieczór
**eve·ning** [ˋivnɪŋ] *s* wieczór; **this ~** dziś wieczór; **in the ~** wieczorem; **on Sunday ~** w niedzielę wieczór
**e·vent** [ɪˋvent] *s* zdarzenie, wydarzenie; wypadek, przypadek
**e·ven·tu·al** [ɪˋventʃuəl] *adj* ewentualny, możliwy; ostateczny
**e·ven·tu·al·ly** [ɪˋventʃulɪ] *adv* ostatecznie, w końcu
**ev·er** [ˋevə(r)] *adv* zawsze; kiedyś; kiedykolwiek; **~ so much** bardzo; **~ so long** wieki całe; **for ~** na zawsze; **hardly ~** bardzo rzadko; prawie nigdy; **as ~ I can** jak tylko mogę; **what ~ do you mean?** co u licha masz na myśli?
**ev·er·green** [ˋevəgrin] *adj* wiecznie zielony; *s* wiecznie zielone drzewo ⟨zielona roślina⟩
**ev·er·last·ing** [ˏevəˋlastɪŋ] *adj* wieczny, wiekuisty; stały
**eve·ry** [ˋevrɪ] *adj* każdy, wszelki; **~ day** codziennie; **~ other** co drugi; **~ ten minutes** co dziesięć minut

**eve·ry·bod·y** [ˋevrɪbodɪ] *pron* każdy, wszyscy

**eve·ry·day** [ˋevrɪdeɪ] *adj attr* codzienny; pospolity

**eve·ry·one** [ˋevrɪwʌn] *pron* każdy, wszyscy

**eve·ry·thing** [ˋevrɪθɪŋ] *pron* wszystko

**eve·ry·way** [ˋevrɪweɪ] *adv* na wszystkie sposoby; pod każdym względem

**eve·ry·where** [ˋevrɪweə(r)] *adv* wszędzie

**e·vict** [ɪˋvɪkt] *vt* wyrzucać; wysiedlać, eksmitować

**e·vic·tion** [ɪˋvɪkʃn] *s* wysiedlenie, eksmisja

**ev·i·dence** [ˋevɪdəns] *s* oczywistość; dowód, materiał dowodowy; zeznanie; świadectwo; *vt vi* unaocznić; dowodzić; świadczyć

**ev·i·dent** [ˋevɪdənt] *adj* oczywisty, jawny

**ev·i·dential** [ˊevɪˋdenʃl] *adj* dowodowy; świadczący (**of sth** o czymś)

**e·vil** [ivl] *adj* zły; nieszczęsny; *s* zło

**e·vince** [ɪˋvɪns] *vt* przejawiać, ujawniać

**e·vis·cer·ate** [ɪˋvɪsəreɪt] *vt* patroszyć; *przen.* wyjałowić

**e·voke** [ɪˋvəuk] *vt* wywoływać

**e·vo·lu·tion** [ˊivəˋluʃn] *s* ewolucja, rozwój

**e·volve** [ɪˋvolv] *vt vi* rozwijać (się); wydzielać (się), wypływać

**ex·a·cer·bate** [ɪgˋzæsəbeɪt] *vt* rozjątrzyć; pogorszyć

**ex·act** [ɪgˋzækt] *adj* ścisły, dokładny; *vt* egzekwować, wymagać, wymuszać

**ex·ac·tion** [ɪgˋzækʃn] *s* wymaganie (nadmierne), wymuszanie; ściąganie (np. podatków)

**ex·act·i·tude** [ɪgˋzæktɪtjud] *s* dokładność, ścisłość

**ex·ag·ger·ate** [ɪgˋzædʒəreɪt] *vt vi* przesadzać

**ex·alt** [ɪgˋzolt] *vt* wywyższać, wynosić (ponad innych); wychwalać

**ex·al·ta·tion** [ˊegzolˋteɪʃn] *s* wywyższanie; zachwyt; egzaltacja

**ex·am** [ɪgˋzæm] *s pot.* = **examination**

**ex·am·i·na·tion** [ɪgˊzæmɪˋneɪʃn] *s* egzamin; badanie (np. lekarskie); przesłuchanie (np. sądowe); kontrola; **to pass an ~** zdać egzamin; **to take ⟨to sit for⟩ an ~** przystępować do egzaminu, zdawać egzamin

**ex·am·ine** [ɪgˋzæmɪn] *vt* egzaminować; badać; kontrolować; przesłuchiwać

**ex·am·in·er** [ɪgˋzæmɪnə(r)] *s* egzaminator; inspektor

**ex·am·ple** [ɪgˋzampl] *s* przykład, wzór; **for ~** na przykład; **to set an ~** dać przykład

**ex·as·per·ate** [ɪgˋzaspəreɪt] *vt* rozdrażniać, irytować

**ex·ca·vate** [ˋekskəveɪt] *vt* wykopywać; prowadzić wykopaliska

**ex·ca·va·tion** [ˊekskəˋveɪʃn] *s* wykopywanie; prace wykopaliskowe

**ex·ca·va·tor** [ˋekskəveɪtə(r)] *s* ekskawator, koparka

**ex·ceed** [ɪkˋsid] *vt* przewyższać, przekraczać

**ex·ceed·ing** [ɪkˋsidɪŋ] *adj* nadzwyczajny, niezmierny

**ex·cel** [ɪkˋsel] *vt* przewyższać; *vi* wyróżniać się, wybijać się (**in ⟨at⟩ sth** w czymś)

**ex·cel·lence** [ˋeksļəns] *s* wspaniałość, doskonałość; wyższość

**Ex·cel·len·cy** [ˋeksļənsɪ] *s* Ekscelencja

**ex·cel·lent** [ˋeksļənt] *adj* wspaniały, doskonały

**ex·cept** [ɪkˋsept] *praep* wyjąwszy, poza, oprócz; **~ for** pomijając, abstrahując od; *vt* wyłączyć, wykluczyć; zastrzec; *vi* sprzeciwiać się, stawiać zarzuty (**against sth** czemuś)

**ex·cept·ing** [ɪkˋseptɪŋ] *praep* wyjąwszy, oprócz

**ex·cep·tion** [ɪkˋsepʃn] *s* wyjątek; zarzut, sprzeciw

**ex·cep·tion·al** [ɪk`sepʃnl] *adj* wyjątkowy

**ex·cess** [ɪk`ses] *s* eksces; przekroczenie; nadwyżka; nadmiar, brak umiaru; **in ~ of** ponad, więcej niż

**ex·cess·ive** [ɪk`sesɪv] *adj* nadmierny; nieumiarkowany

**ex·change** [ɪks`tʃeɪndʒ] *s* wymiana; giełda; kurs (na giełdzie); centrala telefoniczna; **foreign ~** waluta obca, dewizy; *zob.* **bill**; *vt* wymieniać (**sth for sth** coś na coś)

**ex·cheq·uer** [ɪks`tʃekə(r)] *s* skarb państwa; *bryt.* **the Exchequer** ministerstwo finansów

**ex·cise** [`eksaɪz] *s* akcyza

**ex·cit·a·ble** [ɪk`saɪtəbl] *adj* pobudliwy

**ex·cite** [ɪk`saɪt] *vt* podniecać, pobudzać; wzniecać; **to get ~d** denerwować się

**ex·cite·ment** [ɪk`saɪtmənt] *s* podniecenie, zdenerwowanie

**ex·claim** [ɪk`skleɪm] *vt vi* zawołać, wykrzyknąć

**ex·cla·ma·tion** [ˌeksklə`meɪʃn] *s* okrzyk; **mark ⟨point⟩ of ~** wykrzyknik

**ex·clude** [ɪk`sklud] *vt* wykluczyć, wyłączyć

**ex·clu·sion** [ɪk`sklu3n] *s* wykluczenie, wyłączenie

**ex·clu·sive** [ɪk`sklusɪv] *adj* wyłączny; ekskluzywny; *am.* wyborowy; **~ of** wyłączając

**ex·cur·sion** [ɪk`skɜʃn] *s* wycieczka

**ex·cuse** [ɪk`skjus] *s* wymówka, usprawiedliwienie; *vt* [ɪk`skjuz] wybaczać, usprawiedliwiać; uwalniać (**from sth od czegoś**); **~ me** przepraszam

**ex·e·cra·ble** [`eksɪkrəbl] *adj* przeklęty, wstrętny

**ex·e·cute** [`eksɪkjut] *vt* wykonać; stracić (skazańca)

**ex·e·cu·tion** [ˌeksɪ`kjuʃn] *s* wykonanie; spustoszenie; egzekucja

**ex·e·cu·tion·er** [ˌeksɪ`kjuʃnə(r)] *s* kat

**ex·ec·u·tive** [ɪg`zekjutɪv] *adj* wykonawczy; *s* egzekutywa; wykonawca; *am.* urzędnik (na kierowniczym stanowisku)

**ex·ec·u·tor** [`eksɪkjutə(r)] *s* wykonawca; [ɪg`zekjutə(r)] wykonawca testamentu

**ex·em·pla·ry** [ɪg`zemplərɪ] *adj* wzorowy; przykładowy

**ex·em·pli·fy** [ɪg`zemplɪfaɪ] *vt* ilustrować na przykładzie; być przykładem (**sth** czegoś)

**ex·empt** [ɪg`zempt] *adj* wolny, zwolniony; *vt* zwolnić (**from sth** od czegoś)

**ex·emp·tion** [ɪg`zempʃn] *s* zwolnienie (**from sth** od czegoś)

**ex·er·cise** [`eksəsaɪz] *s* ćwiczenie; zadanie (np. w podręczniku); posługiwanie się, użycie; wykonywanie, pełnienie (np. obowiązków), praktykowanie; *vt vi* ćwiczyć; używać; wykonywać, pełnić, praktykować; wywierać (np. wpływ)

**ex·er·cise-book** [`eksəsaɪzbuk] *s* zeszyt (do ćwiczeń szkolnych)

**ex·ert** [ɪg`zɜt] *vt* wytężać (siły); wywierać (np. nacisk); stosować; *vr* **~ oneself** wysilać się (**for sth** nad czymś)

**ex·er·tion** [ɪg`zɜʃn] *s* wysiłek, natężenie; stosowanie, użycie

**ex·ha·la·tion** [ˌekshə`leɪʃn] *s* wydychanie; parowanie; wyziew; wybuch (gniewu)

**ex·hale** [eks`heɪl] *vt vi* parować; wydychać; wydzielać (się); dać upust

**ex·haust** [ɪg`zɔst] *vt* wyczerpać; wypróżnić; *s* wylot; wydech, wyziew

**ex·haus·tion** [ɪg`zɔstʃn] *s* wyczerpanie, opróżnienie

**ex·haus·tive** [ɪg`zɔstɪv] *adj* wyczerpujący

**ex·hib·it** [ɪg`zɪbɪt] *vt* pokazywać, wystawiać, eksponować; przedkładać; *s* eksponat; wystawa, pokaz

**ex·hi·bi·tion** [ˌeksɪˋbɪʃn] *s* pokaz; wystawa; stypendium (studenckie)
**ex·hi·bi·tion·er** [ˌeksɪˋbɪʃnə(r)] *s* stypendysta
**ex·hib·i·tor** [ɪgˋzɪbɪtə(r)] *s* wystawca
**ex·hil·a·rate** [ɪgˋzɪləreɪt] *vt* rozweselić, ożywiać
**ex·hort** [ɪgˋzɔt] *vt* upominać; namawiać; popierać
**ex·hor·ta·tion** [ˌeksɔˋteɪʃn] *s* upomnienie; namowa; *rel.* egzorta
**ex·hu·ma·tion** [ˌeksjuˋmeɪʃn] *s* ekshumacja
**ex·hume** [ɪgˋzjum] *vt* ekshumować
**ex·i·gence** [ˌekˋsɪdʒəns] *s* wymaganie; gwałtowna potrzeba, krytyczne położenie
**ex·i·gent** [ˌekˋsɪdʒənt] *adj* wymagający; naglący
**ex·ig·u·ous** [egˋzɪgjuəs] *adj* nikły, znikomy
**ex·ile** [ˋegzaɪl] *s* wygnanie; emigrant, wygnaniec; *vt* skazać na wygnanie
**ex·ist** [ɪgˋzɪst] *vi* istnieć, znajdować się; egzystować, żyć
**ex·ist·ence** [ɪgˋzɪstəns] *s* istnienie, byt; **to come into** ~ zacząć istnieć, powstać
**ex·it** [ˋeksɪt] *vi 3 pers sing łac.* (*o aktorze*) wychodzi; *s* wyjście; ujście
**ex·on·er·ate** [ɪgˋzonəreɪt] *vt* usprawiedliwić, uniewinnić, uwolnić (od winy, obowiązku)
**ex·or·bi·tant** [ɪgˋzɔbɪtənt] *adj* nadmierny, wygórowany
**ex·ot·ic** [ɪgˋzotɪk] *adj* egzotyczny
**ex·pand** [ɪkˋspænd] *vt vi* rozszerzać (się), rozprzestrzeniać (się); rozwijać (się)
**ex·panse** [ɪkˋspæns] *s* przestrzeń, obszar
**ex·pan·sion** [ɪkˋspænʃn] *s* ekspansja, rozszerzanie (się); rozwój; rozrost
**ex·pan·sive** [ɪkˋspænsɪv] *adj* ekspansywny; rozszerzalny; obszerny
**ex·pa·tri·ate** [eksˋpætrɪeɪt] *vt* wygnać z kraju
**ex·pect** [ɪkˋspekt] *vt* oczekiwać, spodziewać się; przypuszczać, sądzić
**ex·pec·ta·tion** [ˌekspekˋteɪʃn] *s* oczekiwanie, nadzieja; prawdopodobieństwo
**ex·pe·di·ent** [ɪkˋspidɪənt] *adj* celowy, stosowny; korzystny; *s* środek, sposób, wybieg
**ex·pe·di·tion** [ˌekspɪˋdɪʃn] *s* wyprawa, ekspedycja; zręczność, szybkość (w działaniu)
**ex·pe·di·tious** [ˌekspɪˋdɪʃəs] *adj* sprawny, szybki (w działaniu)
**ex·pel** [ɪkˋspel] *vt* wypędzić, wyrzucić
**ex·pend** [ɪkˋspend] *vt* wydawać (pieniądze); zużywać; ~ **care** dokładać starań
**ex·pend·i·ture** [ɪkˋspendɪtʃə(r)] *s* wydatkowanie, wydatek; zużycie
**ex·pense** [ɪkˋspens] *s* koszt, wydatek; **at the** ~ **of** kosztem
**ex·pen·sive** [ɪkˋspensɪv] *adj* drogi, kosztowny
**ex·pe·ri·ence** [ɪkˋspɪərɪəns] *s* doświadczenie, przeżycie; *vt* doświadczać, przeżywać
**ex·per·i·ment** [ɪkˋsperɪmənt] *s* doświadczenie, eksperyment; *vi* [ɪkˋsperɪment] eksperymentować, robić doświadczenia
**ex·pert** [ˋekspɜt] *s* ekspert, rzeczoznawca; *adj* biegły
**ex·pi·ate** [ˋekspɪeɪt] *vt* pokutować (sth za coś)
**ex·pi·ra·tion** [ˌekspɪˋreɪʃn] *s* upływ; wygaśnięcie (np. terminu); zgon
**ex·pire** [ɪkˋspaɪə(r)] *vi* wydychać; upływać; wygasać; umrzeć
**ex·plain** [ɪkˋspleɪn] *vt* wyjaśniać, tłumaczyć
**ex·pla·na·tion** [ˌekspləˋneɪʃn] *s* wyjaśnienie, wytłumaczenie
**ex·plan·a·tory** [ɪkˋsplænətrɪ] *adj* wyjaśniający
**ex·plic·it** [ɪkˋsplɪsɪt] *adj* wyraźny, jasno postawiony, kategoryczny; szczery

**ex·plode** [ɪk`spləud] *vi* wybuchnąć, eksplodować; *vt* wysadzać w powietrze; *przen.* obalać (np. teorię)
**ex·ploit 1.** [ɪk`splɔɪt] *vt* wyzyskiwać; eksploatować
**ex·ploit 2.** [`eksplɔɪt] *s* wyczyn; czyn bohaterski
**ex·plo·ra·tion** [ˌeksplə`reɪʃn] *s* badanie, eksploracja
**ex·plore** [ɪk`splɔ(r)] *vt vi* badać, poszukiwać
**ex·plor·er** [ɪk`splɔrə(r)] *s* badacz, odkrywca
**ex·plo·sion** [ɪk`spləuʒn] *s* wybuch
**ex·plo·sive** [ɪk`spləusɪv] *adj* wybuchowy; *s* materiał wybuchowy
**ex·po·nent** [ɪk`spəunənt] *s* wyraziciel; przedstawiciel; *mat.* wykładnik potęgowy
**ex·port** [`ekspɔt] *s* wywóz; *vt* [ɪk`spɔt] eksportować
**ex·pose** [ɪk`spəuz] *vt* wystawiać; narażać; demaskować; *fot.* naświetlać
**ex·po·si·tion** [ˌekspə`zɪʃn] *s* wystawienie; *am.* wystawa; wykład, wyjaśnienie; *fot.* naświetlanie; porzucenie (dziecka)
**ex·pos·tu·late** [ɪk`spostʃuleɪt] *vi* robić wyrzuty (**with sb** komuś, **about** ⟨**on**⟩ **sth** z powodu czegoś)
**ex·pos·tu·la·tion** [ɪkˌspostʃu`leɪʃn] *s* robienie wyrzutów, wymówki
**ex·po·sure** [ɪk`spəuʒə(r)] *s* wystawienie, wystawa; odsłonięcie, zdemaskowanie; *fot.* czas naświetlania; porzucenie (dziecka)
**ex·pound** [ɪk`spaund] *vt* wytłumaczyć, wyjaśnić
**ex·press** [ɪk`spres] *adj* wyraźny; specjalny; terminowy, szybki; pospieszny (pociąg); *s* specjalny posłaniec; pociąg pospieszny; list ekspresowy; *adv* pospiesznie, ekspresem; umyślnie, specjalnie; *vt* wyciskać; wyrażać; *vr* ~ **oneself** wypowiedzieć się
**ex·pres·sion** [ɪk`spreʃn] *s* wyrażenie, wyraz; wyrażanie się; wyciskanie
**ex·pres·sive** [ɪk`spresɪv] *adj* wyrazisty; wyrażający (**of sth** coś)
**ex·pro·pri·ate** [eks`prəuprɪeɪt] *vt* wywłaszczać; zagarnąć (czyjąś własność)
**ex·pul·sion** [ɪk`spʌlʃn] *s* wypędzenie, wydalenie
**ex·punge** [ɪk`spʌndʒ] *vt* wykreślić, skasować
**ex·pur·gate** [`ekspəgeɪt] *vt* oczyścić, okroić (np. tekst książki), przeprowadzić czystkę
**ex·qui·site** [ek`skwɪzɪt] *adj* wyborny; wytworny
**ex·tant** [ˌek`stænt] *adj* jeszcze istniejący, zachowany (np. dokument, książka)
**ex·ta·sy** *s* = **ecstasy**
**ex·tem·po·rize** [ek`stempəraɪz] *vt vi* improwizować
**ex·tend** [ɪk`stend] *vt vi* rozciągać (się); rozszerzać (się); przedłużać (się); rozwijać (się); okazywać, wyrażać
**ex·ten·sion** [ɪk`stenʃn] *s* rozciągnięcie, rozszerzenie (się), przedłużenie (się); rozwinięcie, rozwój; dobudówka; **university** ~ popularne eksternistyczne kursy uniwersyteckie; ~ **(telephone)** (numer, telefon) wewnętrzny
**ex·ten·sive** [ɪk`stensɪv] *adj* rozległy, obszerny
**ex·tent** [ɪk`stent] *s* rozciągłość; rozmiar, zasięg; **to some** ~ w pewnej mierze, do pewnego stopnia
**ex·ten·u·ate** [ɪk`stenjueɪt] *vt* pomniejszać, osłabiać, łagodzić
**ex·te·ri·or** [ek`stɪərɪə(r)] *adj* zewnętrzny; *s* strona zewnętrzna; powierzchowność
**ex·ter·mi·nate** [ɪk`stɜmɪneɪt] *vt* niszczyć, tępić
**ex·ter·mi·na·tion** [ɪkˌstɜmɪ`neɪʃn] *s* zniszczenie, zagłada
**ex·ter·nal** [ek`stɜnl] *adj* zewnętrzny; zagraniczny
**ex·ter·ri·to·ri·al** [ˌeksˌterɪ`tɔrɪəl] *adj* eksterytorialny

**ex·tinct** [ɪk`stɪŋkt] *adj* wygasły, wymarły
**ex·tinc·tion** [ɪk`stɪŋkʃn] *s* wygaszenie; wygaśnięcie; wymarcie, zanik; wytępienie, skasowanie
**ex·tin·guish** [ɪk`stɪŋgwɪʃ] *vt* gasić; niszczyć; kasować; unicestwiać
**ex·tin·guish·er** [ɪk`stɪŋgwɪʃə(r)] *s* gaśnica
**ex·tir·pate** [`ekstəpeɪt] *vt* wykorzenić, wytrzebić, wytępić
**ex·tol** [ɪk`stəul] *vt* wynosić (ponad innych), wychwalać
**ex·tort** [ɪk`stɔt] *vt* wymuszać; wydzierać
**ex·tor·tion** [ɪk`stɔʃn] *s* wymuszenie
**ex·tra** 1. [`ekstrə] *adj* oddzielny, specjalny, dodatkowy, nadzwyczajny; *adv* ponad (normę); oddzielnie, specjalnie, dodatkowo; *s* dodatek, dopłata
**ex·tra-** 2. [`ekstrə] *praef* poza-
**ex·tract** [ɪk`strækt] *vt* wyciągać; wydobywać; *chem.* ekstrahować; *s* [`ekstrækt] wyciąg, ekstrakt; wyjątek (z książki)
**ex·trac·tion** [ɪk`strækʃn] *s* wyjęcie, wydobycie, wyciągnięcie; pochodzenie
**ex·tra·di·tion** [ˏekstrə`dɪʃn] *s* ekstradycja
**ex·traor·di·na·ry** [ɪk`strɔdnrɪ] *adj* nadzwyczajny, niezwykły
**ex·trav·a·gant** [ɪk`strævəgənt] *adj* ekstrawagancki; przesadny; nadmierny; rozrzutny
**ex·treme** [ɪk`strim] *adj* krańcowy, skrajny, ostateczny; *s* kraniec; krańcowość, skrajność, ostateczność
**ex·treme·ly** [ɪk`strimlɪ] *adv* niezmiernie; nadzwyczajnie
**ex·trem·ist** [ɪk`strimɪst] *s* ekstremista
**ex·trem·i·ty** [ɪk`stremətɪ] *s* koniec; skrajność; ostateczność; skrajna nędza; krytyczne położenie; *anat.* kończyna
**ex·tri·cate** [`ekstrɪkeɪt] *vt* wyplątać; *chem.* wyzwolić
**ex·u·ber·ance** [ɪg`zjubərəns] *s* obfitość, bogactwo
**ex·ult** [ɪg`zʌlt] *vi* radować się, triumfować
**ex·ult·ant** [ɪg`zʌltənt] *adj* pełen radości, triumfujący
**ex-voto** [ˏeks `vəutəu] *s rel.* wotum
**eye** [aɪ] *s* oko; ucho igielne; oczko, otworek; **to keep an ~** pilnować (on sb kogoś), mieć na oku; *vt* wpatrywać się (sb, sth w kogoś, coś), mierzyć wzrokiem
**eye·ball** [`aɪbɔl] *s* gałka oczna
**eye·brow** [`aɪbrau] *s* brew
**eye·glass** [`aɪglas] *s* monokl; *techn.* okular; *pl* ~es [`aɪglasɪz] binokle
**eye·lid** [`aɪlɪd] *s* powieka
**eye-piece** [`aɪpis] *s* okular
**eye·sore** [`aɪsɔ(r)] *s* ohyda, obrzydliwość

# f

**fa·ble** [`feɪbl] *s* bajka
**fab·ric** [`fæbrɪk] *s* wyrób; tkanina; budowla, gmach; konstrukcja, struktura
**fab·ri·cate** [`fæbrɪkeɪt] *vt* fabrykować, wytwarzać; zmyślić
**fab·u·lous** [`fæbjuləs] *adj* bajeczny, baśniowy
**face** [feɪs] *s* twarz; mina; wygląd; powierzchnia; przednia strona; tarcza (zegara); *przen.* śmiałość, czelność; **~ value** wartość nominalna; **in the ~ of** wobec, w obliczu (czegoś); wbrew; **to pull a ~** robić grymas; wykrzywiać się; **to put on a ~** zrobić odpowied-

nią minę; **to set one's ~ against sth** przeciwstawić się czemuś; *vt* obrócić się twarzą, spoglądać twarzą w twarz, znajdować się naprzeciw (sb kogoś); stawiać czoło (sth czemuś); **to be ~d with** natknąć się (np. **difficulties** na trudności); **~ the risk** być narażonym na ryzyko, liczyć się z ryzykiem; *vi* **~ up** stawiać czoło (to sth czemuś)

**fa·ce·tious** [fə`siʃəs] *adj* zabawny, żartobliwy

**fa·cil·i·tate** [fə`sılıteıt] *vt* ułatwić

**fa·cil·i·ty** [fə`sılətı] *s* łatwość; zręczność; *pl* **facilities** korzyści, ułatwienia, udogodnienia

**fac·sim·i·le** [fæk`sıməlı] *s* kopia, odpis

**fact** [fækt] *s* fakt; **a matter of ~** rzecz naturalna, oczywisty fakt; **as a matter of ⟨in point of⟩ ~** w istocie rzeczy, ściśle mówiąc; **in ~** faktycznie

**fac·tion** [`fækʃn] *s* frakcja, odłam; klika

**fac·tious** [`fækʃəs] *adj* frakcyjny

**fac·ti·tious** [fæk`tıʃəs] *adj* sztuczny, nieoryginalny

**fac·tor** [`fæktə(r)] *s* czynnik; agent (handlowy); *mat.* mnożnik

**fac·to·ry** [`fæktŗı] *s* fabryka; faktoria

**fac·tu·al** [`fæktʃuəl] *adj* faktyczny

**fac·ul·ty** [`fækltı] *s* talent, uzdolnienie; fakultet; *am.* grono profesorskie

**fad** [fæd] *s* fantazja, kaprys, chwilowa moda

**fade** [feıd] *vi* blednąć, więdnąć, zanikać, blaknąć; **~ away** zanikać, marnieć

**fag** [fæg] *s* ciężka praca, *pot.* harówka; ciężko pracujący; (*w szkołach angielskich*) uczeń usługujący starszym kolegom; *vi* ciężko pracować; usługiwać; *vt* używać do posług; męczyć, eksploatować

**fag-end** [`fæg end] *s* ogryzek; niedopałek

**fag·got** [`fægət] *s* wiązka, pęk (chrustu itp.)

**fail** [feıl] *vi* nie zdołać; nie udać się; zaniedbać, nie uczynić; zawieść; brakować; zbankrutować; zepsuć się; zanikać, słabnąć, zamierać; **not to ~** nie omieszkać; **he ~ed to pass the examination** nie udało mu się zdać egzaminu; **he ~ed in the examination** nie zdał egzaminu; **he never ~s to come in time** nie zdarza mu się nie przyjść na czas; *vt* zrobić zawód (sb komuś); **his memory ~s him** pamięć go zawodzi; *s w zwrocie:* **without ~** na pewno, niechybnie

**fail·ing** [`feılıŋ] *s* brak, słabość, ułomność, wada; *praep* w braku; bez; **~ his assistance** bez jego pomocy

**fail·ure** [`feılјə(r)] *s* uchybienie, zaniedbanie; fiasko, niepowodzenie; niewypłacalność, bankructwo; wada, defekt, brak; bankrut życiowy; **to be a ~ as a writer** okazać się kiepskim pisarzem

**faint** [feınt] *adj* słaby; lekki, nikły; blady, niewyraźny; *s* omdlenie; *vi* (*także* **~ away**) mdleć, słabnąć

**fair 1.** [feə(r)] *adj* jasny; blond; sprawiedliwy, prawy, uczciwy; odpowiedni, możliwy, dostateczny; czysty, bez skazy; (*o morzu*) spokojny; (*o stopniu*) dostateczny; **~ copy** czystopis; **~ play** uczciwa gra; uczciwe ⟨honorowe⟩ postępowanie; *adv* uczciwie, otwarcie; czysto; delikatnie; **to bid ~** dobrze się zapowiadać; **to write ~** przepisać na czysto

**fair 2.** [feə(r)] *s* jarmark; targi (międzynarodowe)

**fair·y** [`feərı] *adj* czarodziejski, bajeczny; *s* czarodziejka, wieszczka

**fair·y·land** [`feərılænd] *s* kraina czarów

**fair·y-tale** [ˈfeərɪteɪl] *s* bajka

**faith** [feɪθ] *s* wiara; ufność; **to keep ~** dotrzymywać słowa (**with sb** komuś)

**faith·ful** [ˈfeɪθfl] *adj* wierny; uczciwy, sumienny

**faith·less** [ˈfeɪθləs] *adj* wiarołomny, niewierny

**fake** [feɪk] *s* fałszerstwo, oszustwo; *pot.* kant; *vt* fałszować, podrabiać; zmyślać

**fal·con** [ˈfɔlkən] *s* sokół

***fall** [fɔl], **fell** [fel], **fallen** [ˈfɔlən] *vi* padać; wpadać; opadać; upaść, runąć; podupadać, marnieć; przypadać, zdarzać się; **~ away** odpadać; **~ back** upaść do tyłu; *wojsk.* cofać się; uciekać się (**on** ⟨**upon**⟩ **sth** do czegoś; **~ down** upaść; zwalić się; **~ in** zapaść się; natknąć się (**with sb** na kogoś); zgodzić się (**with sth** na coś); dostosować się (**with sth** do czegoś); **~ off** odpadać; ubywać, zanikać; **~ out** wypadać; **~ through** przepadać, kończyć się fiaskiem; **to ~ asleep** zasnąć; **to ~ due** zapadać; (*o terminie płatności*) przypadać; **to ~ dumb** oniemieć; **to ~ ill** zachorować; **to ~ in love** zakochać się (**with sb** w kimś); **to ~ short** nie wystarczać, brakować; nie dopisać; nie osiągać (**of sth** czegoś); zawieść (**of expectations** nadzieje); *s* upadek; zwalenie się; opadanie; spadek; opad; (*zw. pl* **~s**) wodospad; *am.* jesień

**fal·la·cy** [ˈfæləsɪ] *s* złudzenie, złuda; błąd, błędne rozumowanie

**fall·en** *zob.* **fall**; *adj* upadły; poległy; leżący

**fal·low** [ˈfæləu] *adj* ugorowy; *s* ugór

**false** [fɔls] *adj* fałszywy; kłamliwy; zdradliwy; obłudny

**false·hood** [ˈfɔlshud] *s* kłamstwo, nieprawda; kłamliwość

**fal·si·fy** [ˈfɔlsɪfaɪ] *vt* fałszować; zawodzić (nadzieje itp.)

**fal·ter** [ˈfɔltə(r)] *vi* chwiać się; drżeć; jąkać się, mamrotać

**fame** [feɪm] *s* sława; wieść

**fa·mil·iar** [fəˈmɪlɪə(r)] *adj* dobrze zaznajomiony, obeznany; dobrze znany; spoufalony

**fa·mil·i·ar·i·ty** [fəˌmɪlɪˈærətɪ] *s* poufałość, zażyłość; znajomość, obeznanie

**fa·mil·iar·ize** [fəˈmɪlɪəraɪz] *vt* zaznajamiać, popularyzować

**fam·i·ly** [ˈfæmḷɪ] *s* rodzina; *adj attr* rodzinny; **in a ~ way** poufale; **in the ~ way** (*o kobiecie*) w ciąży

**fam·ine** [ˈfæmɪn] *s* głód; brak

**fa·mous** [ˈfeɪməs] *adj* sławny

**fan** 1. [fæn] *s* wachlarz; wentylator; *vt* wachlować, owiewać; rozniecać

**fan** 2. [fæn] *s pot.* entuzjasta; *sport* kibic

**fa·nat·ic(al)** [fəˈnætɪk(l)] *adj* fanatyczny; *s* fanatyk

**fan·ci·ful** [ˈfænsɪfl] *adj* fantastyczny; fantazyjny; dziwaczny; kapryśny

**fan·cy** [ˈfænsɪ] *s* fantazja, upodobanie, kaprys; **to take a ~** upodobać sobie (**to sth** coś); *adj attr* fantastyczny; fantazyjny, ekstrawagancki; **~ articles** galanteria; **~ ball** bal kostiumowy; **~ dress** strój na bal kostiumowy; **~ work** robótki ręczne (np. haftowanie); *vt* wyobrażać sobie, roić sobie; upodobać sobie

**fang** [fæŋ] *s* jadowity ząb (węża); kieł (*zw.* psi)

**fan·tas·tic** [fænˈtæstɪk] *adj* fantastyczny

**fan·ta·sy** [ˈfæntəsɪ] *s* fantazja, wyobraźnia; kaprys

**far** [fɑ(r)] *adj* (*comp* **farther** [ˈfɑðə(r)] *lub* **further** [ˈfɜðə(r)], *sup* **farthest** [ˈfɑðɪst] *lub* **furthest** [ˈfɜðɪst]) daleki; *adv* daleko; **~ from it** bynajmniej, *pot.* gdzie tam!; **as ~ as** aż do; o ile; **by ~** o wiele, znacznie; **in so ~ as** o tyle, że; **so** ⟨**thus**⟩ **~** dotąd, dotychczas, na razie

**farce** [fɑs] *s* farsa

**fare** [feə(r)] *s* opłata za podróż; pasażer; jedzenie, wikt; **bill of ~** jadłospis; *vi* podróżować; czuć się, mieć się; **how do you ~?, how does it ~ with you?** jak ci się powodzi?
**fare·well** [ˈfeəˈwel] *s* pożegnanie; *int* żegnaj(cie)!; *adj attr* pożegnalny
**farm** [fɑm] *s* gospodarstwo wiejskie; *vt vi* uprawiać ziemię, prowadzić gospodarstwo rolne; dzierżawić (ziemię)
**farm·er** [ˈfɑmə(r)] *s* rolnik, farmer; dzierżawca
**farm-hand** [ˈfɑmhænd] *s* robotnik rolny
**farm·yard** [ˈfɑmjɑd] *s* podwórko gospodarskie
**far-off** [ˈfɑr ˈɔf] *adj attr* odległy
**far-sight·ed** [ˈfɑˈsɑɪtɪd] *adj* dalekowzroczny
**far·ther** *zob.* **far**
**far·thest** *zob.* **far**
**far·thing** [ˈfɑðɪŋ] *s* ćwierć pensa; *przen.* grosz
**fas·ci·nate** [ˈfæsɪneɪt] *vt* czarować, urzekać, fascynować
**fas·ci·na·tion** [ˈfæsɪˈneɪʃn] *s* oczarowanie, urzeczenie, fascynacja
**fas·cism** [ˈfæʃɪzm] *s* faszyzm
**fas·cist** [ˈfæʃɪst] *s* faszysta
**fash·ion** [ˈfæʃn] *s* moda; styl; wzór; zwyczaj; fason; **after the ~ of** na wzór; **out of ~** niemodny; *vt* kształtować, urabiać, modelować
**fash·ion·a·ble** [ˈfæʃnəbl] *adj* modny, wytworny
**fast 1.** [fɑst] *adj* szybki; mocny, trwały; przymocowany; **to make ~** umocować; **the watch is ~** zegarek się spieszy; *adv* szybko; mocno, trwale
**fast 2.** [fɑst] *s* post; *vi* pościć
**fast·en** [ˈfɑsn] *vt vi* przymocować (się); zamknąć (się); chwycić się (**on ⟨upon⟩ sth** czegoś); spinać (się), wiązać (się)
**fast·en·er** [ˈfɑsnə(r)] *s* zszywka (do papieru; spinacz; zatrzask; klamra; suwak; zasuwa
**fas·tid·i·ous** [fəˈstɪdɪəs] *adj* grymaśny, wybredny (**about sth** w czymś)
**fat** [fæt] *adj* tłusty; gruby; tuczny; *s* sadło, tłuszcz; *vi* tyć; *vt* tuczyć
**fa·tal** [ˈfeɪtl] *adj* fatalny, zgubny; nieuchronny
**fa·tal·i·ty** [fəˈtælətɪ] *s* fatalność; nieszczęśliwy wypadek, nieszczęście; zgubny wpływ
**fate** [feɪt] *s* fatum, przeznaczenie, los
**fate·ful** [ˈfeɪtfl] *adj* fatalny, nieszczęsny; proroczy; nieuchronny
**fa·ther** [ˈfɑðə(r)] *s* ojciec
**fa·ther-in-law** [ˈfɑðr ɪn lɔ] *s* (*pl* **~s-in-law** [ˈfɑðəz ɪn lɔ]) teść
**fa·ther·land** [ˈfɑðəlænd] *s* kraj ojczysty, ojczyzna
**fa·ther·ly** [ˈfɑðəlɪ] *adj* ojcowski; *adv* po ojcowsku
**fath·om** [ˈfæðəm] *s* sążeń (miara głębokości lub objętości); *vt* mierzyć głębokość; *przen.* zgłębiać
**fath·om·less** [ˈfæðəmləs] *adj* niezmierzony, bezdenny
**fa·tigue** [fəˈtig] *s* znużenie; trud; *vt* nużyć, męczyć
**fat·ten** [ˈfætn] *vt* tuczyć; użyźniać; *vi* tyć
**fat·ty** [ˈfætɪ] *adj chem* tłuszczowy; oleisty, tłusty; *s* tłuścioch
**fault** [fɔlt] *s* brak, wada; uchybienie; omyłka; wina; **to find ~** krytykować (**with sb, sth** kogoś, coś)
**fault·less** [ˈfɔltləs] *adj* bezbłędny, nienaganny, bez zarzutu
**fault·y** [ˈfɔltɪ] *adj* wadliwy, błędny
**fau·na** [ˈfɔnə] *s* fauna
**fa·vour** [ˈfeɪvə(r)] *s* łaska, łaskawość, przychylność; przysługa, uprzejmość; **in ~** na korzyść, na rzecz; **out of ~** w niełasce; *vt* sprzyjać, faworyzować; zaszczycać
**fa·vour·a·ble** [ˈfeɪvr̩əbl] *adj* życzliwy, przychylny, sprzyjający

**fa·vour·ite** [ˈfeɪvr̩ɪt] *adj* ulubiony; *s* ulubieniec

**fear** [fɪə(r)] *s* strach, obawa; *vt* bać się, obawiać się

**fear·ful** [ˈfɪəfl] *adj* straszny; bojaźliwy

**fea·si·ble** [ˈfizəbl] *adj* wykonalny, możliwy

**feast** [fist] *s* uczta; uroczystość; *vi* ucztować; obchodzić uroczystość; *vt* gościć, częstować

**feat** [fit] *s* wyczyn, czyn (bohaterski)

**feath·er** [ˈfeðə(r)] *s* pióro (ptasie); *vt* upierzyć, stroić w pióra; *vi* opierzyć się

**feath·er-weight** [ˈfeðəweɪt] *s sport* waga piórkowa

**fea·ture** [ˈfitʃə(r)] *s* rys, cecha, znamię; osobliwość, właściwość; ~ **film** film długometrażowy; *vt* znamionować, cechować; uwydatniać; opisywać; grać jedną z głównych ról (w filmie)

**Feb·ru·ar·y** [ˈfebruərɪ] *s* luty

**fed** *zob.* **feed**

**fed·er·al** [ˈfedrl] *adj* związkowy, federalny

**fed·er·ate** [ˈfedrət] *adj* federacyjny; *vt vi* [ˈfedəreɪt] jednoczyć (się)

**fed·er·a·tion** [ˌfedəˈreɪʃn] *s* federacja

**fed·er·a·tive** [ˈfedrtɪv] *adj* federalny, związkowy

**fee** [fi] *s* zapłata; opłata; honorarium; wpisowe

**fee·ble** [ˈfibl] *adj* słaby

***feed** [fid], **fed**, **fed** [fed] *vt vi* karmić (się), żywić się; paść (się); zasilać; ~ **up** tuczyć; **to be fed up** mieć dość (**with sth** czegoś), mieć powyżej uszu; *s* pokarm, pasza; *techn.* zasilanie

***feel** [fil], **felt**, **felt** [felt] *vt vi* czuć (się), odczuwać; dotykać, macać; dawać się odczuć; wydawać się, robić wrażenie; szukać po omacku (**for** ⟨**after, about**⟩ **sth** czegoś); współczuć (**for sb** komuś); ~ **like** skłaniać się, mieć ochotę; wyglądać na coś; **I don't** ~ **like dancing** nie mam ochoty tańczyć; ~ **one's way** iść po omacku; *s* czucie, odczucie, dotyk

**feel·ing** [ˈfilɪŋ] *s* czucie, dotyk; uczucie, wrażenie; emocja

**feet** *zob.* **foot**

**feign** [feɪn] *vt* udawać

**fe·lic·i·tate** [fəˈlɪsɪteɪt] *vt* gratulować (**sb on** ⟨**upon**⟩ **sth** komuś czegoś)

**fe·lic·i·ty** [fəˈlɪsətɪ] *s* błogość, szczęście; trafność (zwrotu); trafny zwrot ⟨wyraz⟩

**fell** 1. *zob.* **fall**

**fell** 2. [fel] *vt* wyrąbać (drzewo), powalić

**fel·low** [ˈfeləʊ] *s* towarzysz, kolega; człowiek równy komuś ⟨podobny do kogoś⟩; rzecz (np. skarpetka) do pary; członek (towarzystwa naukowego, kolegium uniwersyteckiego); *pot.* gość, typ, facet; ~ **citizen** współobywatel; ~ **creature** bliźni; ~ **soldier** towarzysz broni; ~ **worker** towarzysz pracy

**fel·low·ship** [ˈfeləʊʃɪp] *s* towarzystwo, koleżeństwo; wspólnota, współudział; korporacja, bractwo; członkostwo (towarzystwa naukowego itp.)

**fel·on** [ˈfelən] *s* przestępca

**felt** 1. *zob.* **feel**

**felt** 2. [felt] *s* wojłok; filc

**fe·male** [ˈfimeɪl] *adj* żeński, kobiecy, płci żeńskiej; *zool.* samiczy; *s* kobieta, niewiasta; *zool.* samica

**fem·i·nine** [ˈfemənɪn] *adj* żeński (rodzaj, rym), niewieści, kobiecy

**fen** [fen] *s* bagno, trzęsawisko

**fence** [fens] *s* ogrodzenie, płot; *sport* szermierka; *przen.* **to sit on the** ~ zachować neutralność, nie angażować się; *vt* ogrodzić; *vi* fechtować się, uprawiać szermierkę

**fend·er** [ˈfendə(r)] *s* zderzak; błotnik; krata przed kominkiem; zasłona

**fen·land** [ˈfenlænd] *s* bagnista okolica

**fer·ment** [ˈfɜmənt] *s* ferment; *vt* [fəˈment] poddawać fermentacji, wywoływać ferment; *vi* fermentować, burzyć się

**fern** [fɜn] *s bot.* paproć

**fe·ro·cious** [fəˈrəuʃəs] *adj* srogi, dziki

**fe·roc·i·ty** [fəˈrosətɪ] *s* srogość, dzikość

**fer·ro-con·crete** [ˈferəu ˈkoŋkrit] *s* żelazobeton

**fer·ry** [ˈferɪ] *s* prom; *vt vi* przeprawiać (się) ⟨przewozić⟩ promem ⟨łodzią⟩; *lotn.* dostawiać drogą powietrzną

**fer·ry-boat** [ˈferɪbəut] *s* prom

**fer·ry·man** [ˈferɪmən] *s* przewoźnik

**fer·tile** [ˈfɜtaɪl] *adj* żyzny, płodny

**fer·til·i·ty** [fəˈtɪlətɪ] *s* żyzność, płodność

**fer·til·ize** [ˈfɜtɪlaɪz] *vt* użyźniać; nawozić; zapładniać

**fer·til·iz·er** [ˈfɜtɪlaɪzə(r)] *s* nawóz

**fer·vent** [ˈfɜvənt] *adj* żarliwy, gorący

**fer·vour** [ˈfɜvə(r)] *s* żarliwość, namiętność

**fes·ter** [ˈfestə(r)] *vi* ropieć; gnić; jątrzyć się; *vt* powodować gnicie ⟨ropienie⟩; *s* ropień

**fes·ti·val** [ˈfestɪvl] *adj* świąteczny; *s* święto, uroczystość; festiwal

**fes·tive** [ˈfestɪv] *adj* uroczysty; wesoły

**fes·tiv·i·ty** [feˈstɪvətɪ] *s* uroczystość; wesołość, zabawa

**fetch** [fetʃ] *vt* pójść po coś, przynieść, przywieźć; uzyskać (kwotę), osiągać (cenę); wzruszać, oddziaływać na wyobraźnię; rozdrażnić; *vi* dotrzeć, dobrnąć

**fet·ter** [ˈfetə(r)] *vt* skuć, spętać, związać; *s pl* ~**s** pęta, kajdany, więzy

**feud** 1. [fjud] *s* waśń rodowa

**feud** 2. [fjud] *s* lenno

**feu·dal** [ˈfjudl] *adj* feudalny

**feu·dal·ism** [ˈfjudlɪzm] *s* feudalizm

**fe·ver** [ˈfivə(r)] *s* gorączka; rozgorączkowanie

**few** [fju] *adj i pron* mało, niewiele; **a** ~ nieco, kilku

**fi·bre** [ˈfaɪbə(r)] *s* włókno; natura, struktura

**fi·brous** [ˈfaɪbrəs] *adj* włóknisty

**fickle** [ˈfɪkl] *adj* zmienny; płochy

**fic·tion** [ˈfɪkʃn] *s* fikcja, wymysł; beletrystyka

**fic·ti·tious** [fɪkˈtɪʃəs] *adj* fikcyjny, zmyślony

**fid·dle** [ˈfɪdl] *s pot.* skrzypki; *vt vi* grać na skrzypkach, rzępolić; ~ **away** spędzać czas na niczym

**fid·dler** [ˈfɪdlə(r)] *s* skrzypek, grajek

**fid·dle·stick** [ˈfɪdlstɪk] *s* smyczek; *pl* ~**s** *pot.* bzdury

**fi·del·i·ty** [fɪˈdelətɪ] *s* wierność

**fid·get** [ˈfɪdʒɪt] *vt vi* denerwować (się), wiercić się; *s* człowiek niespokojny, *pot.* wiercipięta; *pl* ~**s** niespokojne ruchy, zdenerwowanie

**field** [fild] *s* pole; boisko; teren; domena

**fiend** [find] *s* diabeł; fanatyk

**fierce** [fɪəs] *adj* srogi; dziki; zagorzały; gwałtowny

**fi·er·y** [ˈfaɪərɪ] *adj* ognisty, płomienny; porywczy

**fif·teen** [ˈfɪfˈtin] *num* piętnaście; *s* piętnastka

**fif·teenth** [ˈfɪfˈtinθ] *adj* piętnasty

**fifth** [fɪfθ] *adj* piąty

**fif·ti·eth** [ˈfɪftɪəθ] *adj* pięćdziesiąty

**fif·ty** [ˈfɪftɪ] *num* pięćdziesiąt; *s* pięćdziesiątka

**fig** 1. [fɪg] *s bot.* figa

**fig** 2. [fɪg] *s pot.* strój; samopoczucie

***fight** [faɪt], **fought, fought** [fɔt] *vt vi* walczyć, zwalczać; ~ **back**

odeprzeć, zwalczyć; ~ out rozstrzygnąć drogą walki; *s* walka, bitwa

**fight·er** ['faɪtə(r)] *s* żołnierz; bojownik; *lotn.* myśliwiec

**fig·ur·a·tive** ['fɪgjurətɪv] *adj* obrazowy; przenośny; symboliczny

**fig·ure** ['fɪgə(r)] *s* figura, kształt; wykres; obraz, rycina; posąg; postać; liczba, cyfra; *vt vi* tworzyć, kształtować, przedstawiać; figurować; obliczać, oceniać; ~ **out** wypracować; wyliczyć; zrozumieć; ~ **up** policzyć, zsumować

**file** 1. [faɪl] *s* kartoteka, akta; klasyfikator; rocznik (pisma); plik papierów; *vt* układać papiery; rejestrować; trzymać kartotekę

**file** 2. [faɪl] *s* pilnik; *vt* piłować

**file** 3. [faɪl] *s* rząd; **in** ~ rzędem, gęsiego; *vi* iść w rzędzie

**fil·ial** ['fɪlɪəl] *adj* synowski

**fil·i·gree** ['fɪlɪgri] *s* filigran; *adj attr* filigranowy

**fill** [fɪl] *vt vi* napełniać (się); spełniać, pełnić; wykonywać; ~ **in** wypełniać; ~ **out** zapełniać (się); wydymać (się), pęcznieć; ~ **up** napełnić (się); *s* pełna ilość; ładunek, porcja; **to eat one's** ~ najeść się do syta

**fill·ing** ['fɪlɪŋ] *s* materiał wypełniający; plomba; zapas (np. benzyny); ładunek; farsz

**fill·ing-sta·tion** ['fɪlɪŋ steɪʃn] *s* stacja benzynowa

**fil·lip** ['fɪlɪp] *s* prztyczek; bodziec; *vt* dać prztyczka; pobudzić, przyspieszyć

**film** [fɪlm] *s* film; błona; powłoka; bielmo; *vt vi* filmować; pokrywać (się) emulsją

**fil·ter** ['fɪltə(r)] *s* filtr, sączek; *vt vi* filtrować, sączyć (się)

**filth** [fɪlθ] *s* brud, plugastwo; sprośność

**filth·y** ['fɪlθɪ] *adj* brudny, plugawy; sprośny

**fil·trate** ['fɪltreɪt] *vt vi* filtrować, sączyć (się); *s* przesącz

**fi·nal** ['faɪnl] *adj* końcowy, ostateczny; *s* finał; **in** ~ w końcu

**fi·nance** ['faɪnæns] *s* (*także pl* ~s) finanse; *vt* finansować

**fi·nan·cial** ['faɪ'nænʃl] *adj* finansowy

**fi·nan·cier** ['faɪ'nænsɪə(r)] *s* finansista

***find** [faɪnd], **found, found** [faund] *vt* znajdować, odkrywać; natrafiać, zastać; konstatować, stwierdzać, orzekać; ~ **sb guilty** uznać kogoś winnym; *s* odkrycie; rzecz znaleziona

**find·ing** ['faɪndɪŋ] *s* odkrycie; rzecz znaleziona; *pl* ~**s** wyniki, wnioski, dane

**fine** 1. [faɪn] *adj* piękny; delikatny, wytworny; czysty, oczyszczony; precyzyjny; *pot.* świetny; *adv* pięknie, dobrze

**fine** 2. [faɪn] *s* grzywna, kara pieniężna; **in** ~ ostatecznie, koniec końców; *vt* ukarać grzywną

**fin·ger** ['fɪŋgə(r)] *s* palec (u ręki); *vt* dotykać palcami, macać

**fin·ger-print** ['fɪŋgəprɪnt] *s* odcisk palca

**fin·ish** ['fɪnɪʃ] *vt vi* kończyć (się), przestać; ~ **off** wykończyć; ~ **up** dokończyć, doprowadzić do końca; *s* zakończenie, koniec; wykończenie; *sport* finisz; *techn.* apretura

**fi·nite** ['faɪnaɪt] *adj* ograniczony; *mat.* skończony; *gram.* określony

**Finn** [fɪn] *s* Fin

**Fin·nish** ['fɪnɪʃ] *adj* fiński; *s* język fiński

**fir** [fɜ(r)] *s bot.* jodła; ~ **branch** jedlina

**fire** ['faɪə(r)] *s* ogień, pożar, żar; zapał; **to be on** ~ płonąć; **to catch** ⟨**take**⟩ ~ zapalić się; **to set on** ~, **to set** ~ **to** podpalić; *vt vi* zapalić (się), płonąć; wybuchnąć; strzelać, dać ognia; wzniecić; *pot.* wyrzucić (z posady); ~ off wystrzelić; ~ up wybuchnąć (gniewem)

**fire-arm** [`faɪəram] *s* (*zw. pl* ~s) broń palna

**fire-brand** [`faɪəbrænd] *s* głownia, zarzewie; podżegacz

**fire-bri·gade** [`faɪə brɪgeɪd] *s* straż pożarna

**fire-en·gine** [`faɪərendʒɪn] *s* wóz straży pożarnej, sikawka

**fire-ex·tin·guish·er** [`faɪər ɪkstɪŋgwɪʃə(r)] *s* gaśnica

**fire·man** [`faɪəmən] *s* strażak; palacz

**fire-place** [`faɪəpleɪs] *s* kominek; palenisko

**fire·proof** [`faɪəpruf] *adj* ogniotrwały

**fire·side** [`faɪəsaɪd] *s* miejsce przy kominku; *przen.* ognisko domowe

**fire·work** [`faɪəwɜk] *s* fajerwerk; *pl* ~s sztuczne ognie

**firm 1.** [fɜm] *s* firma, przedsiębiorstwo

**firm 2.** [fɜm] *adj* mocny, trwały; jędrny; energiczny; stały; stanowczy; *vt* umocnić, osadzić

**fir·ma·ment** [`fɜməmənt] *s* firmament

**first** [fɜst] *num adj* pierwszy; ~ floor *bryt.* pierwsze piętro, *am.* parter; ~ name imię chrzestne; ~ night premiera; ~ thing przede wszystkim, zaraz; *s* (*o człowieku, rzeczy*) pierwszy; at (the) ~ najpierw, na początku; from ~ to last od początku do końca; *adv* najpierw, początkowo, po pierwsze; ~ of all przede wszystkim

**first·ly** [`fɜstlɪ] *adv* po pierwsze, najpierw

**first-rate** ['fɜst`reɪt] *adj* pierwszorzędny, pierwszej kategorii

**fish** [fɪʃ] *s* (*pl* ~es, *zbior.* the ~) ryba; *vt vi* łowić ryby; poławiać; *przen.* polować, czyhać (for sth na coś)

**fish-bone** [`fɪʃbəun] *s* ość

**fish·er** [`fɪʃə(r)], **fish·er·man** [`fɪʃəmən] *s* rybak

**fish·ing** [`fɪʃɪŋ] *s* rybołówstwo; wędkarstwo; połów

**fish·ing-rod** [`fɪʃɪŋrod] *s* wędka

**fish·mon·ger** [`fɪʃmʌŋgə(r)] *s* handlarz rybami

**fist** [fɪst] *s* pięść

**fit 1.** [fɪt] *adj* odpowiedni, nadający się, zdatny (for sth do czegoś); w dobrej formie; zdolny, gotów; to feel ~ czuć się na siłach; to keep ~ zachowywać dobrą kondycję; *vt* dostosować, dopasować; pasować, być dostosowanym; (*o ubraniu*) leżeć; być stosownym; zaopatrzyć, wyposażyć; *vi* nadawać się, mieć kwalifikacje (into ‹for› sth do czegoś); ~ in wprawiać; pasować; uzgadniać; ~ on nakładać, przypasowywać, przymierzać (ubranie); ~ out zaopatrzyć, wyekwipować (with sth w coś); *s* dostosowanie, dopasowanie; krój (ubrania)

**fit 2.** [fɪt] *s* atak (np. choroby), przystęp (np. złego humoru)

**fit·ful** [`fɪtfl] *adj* spazmatyczny; kapryśny

**fit-out** [`fɪtaut] *s* wyposażenie, ekwipunek

**fit·ter** [`fɪtə(r)] *s* monter, mechanik

**fit·ting** [`fɪtɪŋ] *s* zmontowanie, zainstalowanie; wyposażenie, oprawa; *pl* ~s instalacje; armatura; przybory, części składowe

**five** [faɪv] *num* pięć; ~ o'clock (tea) podwieczorek; *s* piątka

**fix** [fɪks] *vt* przymocować; wyznaczyć, ustalić; utkwić (wzrok); założyć (np. siedzibę); wbić; wpoić; naprawić, uporządkować; urządzić, przygotować; *am.* załatwić; *fot. techn.* utrwalić; *vi* skrzepnąć; zdecydować się (on ‹upon› sth na coś); ~ up urządzić; wygładzić, uporządkować; *s* kłopot, położenie bez wyjścia

**flab·by** [`flæbɪ] *adj* zwiotczały; słaby

**flag 1.** [flæg] *s* flaga, bandera

**flag 2.** [flæg] *s* płyta chodnikowa; *vt* wykładać płytami

**flag** 3. [flæg] *vi* zwisać, opadać; słabnąć

**flag·el·late** [ˈflædʒɪleɪt] *vt* biczować

**fla·grant** [ˈfleɪgrənt] *adj* rażący, skandaliczny; (*zw. o przestępcy*) notoryczny

**flag·ship** [ˈflægʃɪp] *s* okręt admiralski

**flag-staff** [ˈflægstɑf] *s* drzewce (flagi)

**flail** [fleɪl] *s* cep

**flake** [fleɪk] *s* płatek; łuska; *vt vi* łuszczyć (się); (*o śniegu itd.*) sypać płatkami

**flame** [fleɪm] *s* płomień; *vi* płonąć; ~ **out** zapłonąć (gniewem); ~ **up** spłonąć rumieńcem

**flank** [flæŋk] *s* bok; skrzydło, *wojsk.* flanka; *vt wojsk.* strzec flanki, oskrzydlać; znajdować się z boku (czegoś)

**flan·nel** [ˈflænl] *s* flanela; *s pl* ~**s** ubranie flanelowe

**flap** [flæp] *vi* trzepotać (skrzydłami); *vt* klapnąć, trzepnąć; *s* lekkie uderzenie, klaps; trzepot; klapa, klapka

**flare** [fleə(r)] *vi* migotać, błyskać; *s* błysk, światło migające; sygnał świetlny; wybuch (płomienia, gniewu)

**flash** [flæʃ] *vi vt* błysnąć, błyszczeć, świecić; sygnalizować światłem; mignąć, przemknąć; nadawać (np. przez radio); *s* błysk, przebłysk (np. talentu)

**flash·light** [ˈflæʃlaɪt] *s* światło sygnalizacyjne; latarka elektryczna; *fot.* flesz

**flask** [flɑsk] *s* flaszka (kieszonkowa); butla; *chem.* kolba

**flat** [flæt] *adj* płaski; płytki; nudny, monotonny; stanowczy; *s* płaszczyzna; równina; nizina; mielizna; mieszkanie, apartament; *muz.* bemol; **the** ~ **of the hand** dłoń; **block of** ~**s** blok mieszkalny

**flat-i·ron** [ˈflætaɪən] *s* żelazko do prasowania

**flat·ten** [ˈflætn] *vt vi* spłaszczyć (się), wyrównać

**flat·ter** [ˈflætə(r)] *vt* pochlebiać

**flat·ter·y** [ˈflætərɪ] *s* pochlebstwo

**flaunt** [flɔnt] *vt vi* wystawiać na pokaz; dumnie powiewać; paradować; pysznić się (**sth** czymś)

**fla·vour** [ˈfleɪvə(r)] *s* zapach; posmak, smak; *vt* nadawać posmak, przyprawiać; *vi* mieć posmak, trącić (**of sth** czymś)

**flaw** [flɔ] *s* szczelina; rysa; skaza, wada; *vt vi* rozszczepiać (się), rysować się, pękać; uszkodzić

**flax** [flæks] *s bot.* len

**flax·en** [ˈflæksn] *adj* lniany; płowy, słomkowy (kolor)

**flea** [fli] *s* pchła

**fleck** [flek] *s* plamka, cętka; *vt* pokrywać plamkami, cętkować

**fled** *zob.* **flee**

**fledg(e)·ling** [ˈfledʒlɪŋ] *s* świeżo opierzony ptak; *przen.* żółtodziób

***flee** [fli], **fled, fled** [fled] *vi vt* uciekać, omijać, unikać

**fleece** [flis] *s* runo; *vt* strzyc (owcę); *przen.* oskubać (kogoś), ograbić

**fleet** 1. [flit] *s* flota

**fleet** 2. [flit] *vi poet.* mknąć

**Flem·ish** [ˈflemɪʃ] *adj* flamandzki

**flesh** [fleʃ] *s* mięso, ciało

**flesh·y** [ˈfleʃɪ] *adj* mięsisty, tłusty

**flew** *zob.* **fly** 2.

**flex·i·ble** [ˈfleksəbl] *adj* elastyczny, giętki

**flex·ion** [ˈflekʃn] *s* zgięcie; *gram.* fleksja

**flick·er** [ˈflɪkə(r)] *vi* migotać; drgać; *s* migotanie; drganie

**fli·er** [ˈflaɪə(r)] *s* lotnik

**flight** 1. [flaɪt] *s* lot, przelot; wzlot; bieg; stado (ptaków); eskadra (samolotów); ~ **of stairs** kondygnacja schodów

**flight** 2. [flaɪt] *s* ucieczka

**flim·sy** [ˈflɪmzɪ] *adj* cienki, słaby, kruchy; błahy

**flinch** [flɪntʃ] *vi* cofać się, uchylać się

***fling** [flɪŋ], **flung, flung** [flʌŋ] *vt vi* rzucać (się), ciskać, miotać; **to** ~ **open** gwałtownie otworzyć

**flint** [flɪnt] *s* krzemień; kamień (do zapalniczki)
**flip·pant** [ˈflɪpənt] *adj* niepoważny, swobodny, nonszalancki, lekceważący
**flirt** [flɜt] *vi vt* flirtować; machać; przytyknąć; *s* flirciarz, kokietka
**flir·ta·tion** [flɜˈteɪʃn] *s* flirt
**flit** [flɪt] *vi* przelatywać, przemknąć; *pot.* przeprowadzać (się)
**flitch** [flɪtʃ] *s* połeć (np. słoniny)
**float** [fləut] *vi* płynąć, bujać ⟨unosić się⟩ (na wodzie, w powietrzu); (*o pogłosce*) rozchodzić się; *vt* spławiać, nieść (po wodzie); puszczać w obieg; rozpisać (pożyczkę); wprowadzać (w życie); *s* coś unoszącego się na powierzchni wody (pływak u wędki, tratwa itp.)
**float·a·tion** *s* = **flotation**
**flock 1.** [flok] *s* kłak, kosmyk
**flock 2.** [flok] *s* stado; *przen.* tłum; *vi* gromadzić się tłumnie, tłoczyć się
**floe** [fləu] *s* pole lodowe, kra
**flog** [flog] *vt* chłostać, smagać
**flood** [flʌd] *s* powódź, potop, zalew; wylew; przypływ; *przen.* potok (łez itp.); *vt* zalać, zatopić; *vi* wezbrać, wylać
**flood·light** [ˈflʌdlaɪt] *s* snop światła, światło reflektorów; *vt* oświetlić reflektorami
**floor** [flɔ(r)] *s* podłoga; piętro
**flo·ra** [ˈflɔrə] *s* flora
**flor·id** [ˈflorɪd] *adj* kwiecisty; ozdobny
**flor·ist** [ˈflorɪst] *s* sprzedawca kwiatów
**flo·ta·tion** [fləuˈteɪʃn] *s* unoszenie się; spławianie; uruchomienie (przedsiębiorstwa)
**flot·sam** [ˈflotsəm] *s* pływające po morzu szczątki rozbitego statku; *zob.* **jetsam**
**flounce 1.** [flauns] *vi* miotać ⟨rzucać⟩ się; *s* miotanie się; żachnięcie
**flounce 2.** [flauns] *s* falbana
**floun·der** [ˈflaundə(r)] *vi* brnąć, potykać się
**flour** [flauə(r)] *s* mąka
**flour·ish** [ˈflʌrɪʃ] *vi* kwitnąć; prosperować; być w rozkwicie; brzmieć; *vt* wymachiwać; zdobić (ornamentem); *s* fanfara; ozdoba
**flow** [fləu] *vi* płynąć, spływać, wypływać; (*o krwi*) krążyć; (*o włosach*) falować; *s* płynięcie, przepływ; prąd; przypływ (morza); potok
**flow·er** [ˈflauə(r)] *s* kwiat; *vi* kwitnąć; *vt* zdobić kwiatami
**flow·er·y** [ˈflauərɪ] *adj* kwiecisty
**flown** *zob.* **fly 2.**
**flu** [flu] *s pot.* grypa
**fluc·tu·ate** [ˈflʌktʃueɪt] *vi* wahać się
**flue 1.** [flu] *s* komin
**flue 2.** = **flu**
**flu·en·cy** [ˈfluənsɪ] *s* płynność, biegłość
**flu·ent** [ˈfluənt] *adj* płynny, biegły
**fluff** [flʌf] *s* puch
**fluff·y** [ˈflʌfɪ] *adj* puszysty
**flu·id** [ˈfluɪd] *adj* płynny; *s* płyn
**flung** *zob.* **fling**
**flur·ry** [ˈflʌrɪ] *s* wichura; *am.* ulewa; podniecenie, poruszenie, nerwowy pośpiech; *vt* podniecić, poruszyć, zdenerwować
**flush** [flʌʃ] *vi vt* trysnąć; (*o krwi*) napłynąć do twarzy; zaczerwienić się, zarumienić się; rozpłomienić (się); spłukiwać, zalewać; *adj* wezbrany; opływający (of sth w coś); obfity; równy, na tym samym poziomie; *s* strumień; napływ; wybuch; rozkwit; podniecenie; rumieniec
**flus·ter** [ˈflʌstə(r)] *vt vi* denerwować (się), wzburzyć (się); *s* podniecenie, wzburzenie
**flute** [flut] *s muz.* flet
**flut·ter** [ˈflʌtə(r)] *vt vi* trzepotać (się); machać; drgać; dygotać; niepokoić (się); *s* trzepot; drganie; niepokój, podniecenie
**flux** [flʌks] *s dosł. i przen.* potok, strumień; prąd, bieg wody; przypływ; ciągłe zmiany, płynność

**fly** 1. [flaɪ] *s* mucha

***fly** 2. [flaɪ], **flew** [flu], **flown** [fləun] *vi vt* latać, lecieć, fruwać; pospieszyć; uciekać; powiewać; puszczać (np. latawca); **~ into a passion** wpaść w pasję; **~ open** nagle się otworzyć; *s* lot; klapa; rozporek

**fly·er** [`flaɪə(r)] *s* lotnik

**fly·ing-boat** [`flaɪɪŋbəut] *s* wodnopłatowiec, hydroplan

**fly-pa·per** [`flaɪ peɪpə(r)] *s* lep na muchy

**foal** [fəul] *s* źrebię

**foam** [fəum] *s* piana; *vi* pienić się

**foam·y** [`fəumɪ] *adj* pienisty, spieniony

**fo·cus** [`fəukəs] *s* (*pl* **foci** [`fəusaɪ] *lub* **~es** [`fəukəsɪz]) *fiz.* ognisko; siedlisko, centrum, skupienie; *vt vi* ogniskować (się), skupiać (się)

**fod·der** [`fodə(r)] *s* pasza; *vt* karmić (bydło)

**foe** [fəu] *s* wróg

**fog** [fog] *s* mgła; *vt* zamglić

**fo·gey** [`fəugɪ] *s* (*zw.* **old ~**) człowiek staroświecki

**fog·gy** [`fogɪ] *adj* mglisty

**fog-horn** [`foghɔn] *s* okrętowa syrena (mgłowa)

**fo·gy** *s* = **fogey**

**foi·ble** [`fɔɪbl] *s* słabostka

**foist** [fɔɪst] *vt* podsunąć (skrycie), podrzucić

**fold** 1. [fəuld] *s dosł. i przen.* owczarnia

**fold** 2. [fəuld] *s* zagięcie, fałda, zakładka; *vt vi* składać (się), zaginać (się); zawijać; tulić

**fold·er** [`fəuldə(r)] *s* teczka; broszurka, ulotka (np. reklamowa), folder

**fold·ing** [`fəuldɪŋ] *adj* składany, przystosowany do składania

**fo·li·age** [`fəulɪɪdʒ] *s* liście, listowie

**folk** [fəuk] *s zbior.* ludzie; lud, naród; *adj attr* ludowy

**folk·lore** [`fəuklɔ(r)] *s* folklor

**fol·low** [`foləu] *vt vi* następować, iść (**sb** za kimś); śledzić; wykonywać ⟨uprawiać⟩ (**a profession** zawód); podążać (**a path** ścieżką, **sb's thought** za czyjąś myślą); wynikać; być zwolennikiem; stosować się (**sth** do czegoś); słuchać, rozumieć (**sb** kogoś); **~ in sb's footsteps** iść w czyjeś ślady; **~ out** doprowadzić do końca; **~ up** uporczywie coś robić, nie ustawać (w czymś)

**fol·low·er** [`foləuə(r)] *s* zwolennik; uczeń; członek świty

**fol·ly** [`folɪ] *s* szaleństwo

**fo·ment** [fə`ment] *vt* podżegać, podsycać; *med.* nagrzewać

**fond** [fond] *adj* czuły; miły; zamiłowany; **to be ~** lubić (**of sb, sth** kogoś, coś)

**fon·dle** [`fondl] *vt vi* pieścić (się)

**fond·ness** [`fondnəs] *s* czułość; zamiłowanie (**for sth** do czegoś)

**font** [font] *s* chrzcielnica

**food** [fud] *s* żywność, pokarm, wyżywienie, jedzenie

**food-stuff** [`fudstʌf] *s* artykuły spożywcze

**fool** [ful] *s* głupiec, wariat; *vi* błaznować, wygłupiać się; *vt* robić błazna (**sb** z kogoś); okpić; wyłudzać (**sb out of sth** coś od kogoś)

**fool·ish** [`fulɪʃ] *adj* głupi

**fools·cap** [`fulskæp] *s* papier kancelaryjny

**foot** [fut] *s* (*pl* **feet** [fit]) stopa; noga; spód, dół; stopa (miara długości); **on ~** piechotą, pieszo

**foot·ball** [`futbɔl] *s* piłka nożna, futbol; piłka futbolowa

**foot·hold** [`futhəuld] *s* oparcie dla stóp; *przen.* mocna podstawa

**foot·ing** [`futɪŋ] *s* oparcie dla stóp; ostoja, punkt oparcia;. poziom; stopa (wojenna, pokojowa); wzajemny stosunek; **on a friendly ~** na przyjacielskiej stopie, w przyjaznych stosunkach

**foot·man** [`futmən] *s* lokaj

**foot·mark** [`futmak] *s* ślad (stopy)

**foot·note** [`futnəut] *s* odnośnik

**foot·path** [`futpaθ] *s* ścieżka; chodnik

**foot·print** [`futprɪnt] *s* = **footmark**

**foot·wear** [ˋfutweə] *s* obuwie
**for** [fɔ(r), fə(r)] *praep* dla; za; zamiast; jako; na; z powodu; przez; do; z; po; co do; mimo, wbrew; jak na; ~ **all that** mimo wszystko; ~ **ever,** ~ **good** na zawsze, na dobre; ~ **instance** ⟨**example**⟩ na przykład; ~ **5 miles** na przestrzeni 5 mil; ~ **years** przez całe lata; **what** ~? na co?, po co?; *conj* ponieważ, gdyż, bowiem
**for·age** [ˋforɪdʒ] *s* furaż; furażowanie; *vt vi* furażować; grabić
**for·bade** *zob.* **forbid**
**forbear** 1. [ˋfɔbeə(r)] *s* przodek, antenat
***for·bear** 2. [fəˋbeə(r)], **forbore** [fɔˋbɔ(r)], **forborne** [fɔˋbɔn] *vt vi* znosić cierpliwie, pobłażać; powstrzymać się (**sth** ⟨**doing sth, from sth**⟩ od czegoś)
***for·bid** [fəˋbɪd], **forbade** [fəˋbeɪd], **forbidden** [fəˋbɪdn] *vt* zakazywać, zabraniać, nie pozwalać
**for·bore, for·borne** *zob.* **forbear** 2.
**force** [fɔs] *s* siła, moc, przemoc; *pl* ~**s** siły zbrojne; *vt* forsować, brać siłą; zmuszać, wymuszać; narzucać
**forced** [fɔst] *adj* przymusowy; wymuszony; forsowny
**for·ci·ble** [ˋfɔsəbl] *adj* gwałtowny; przymusowy; mocny; przekonywający
**ford** [fɔd] *s* bród; *vt* przejść w bród
**fore** [fɔ(r)] *s* przód, przednia część; **to the** ~ ku przodowi, na przedzie, na widoku, (*o pieniądzach*) pod ręką; *adj* przedni
**fore·arm** [ˋfɔram] *s* przedramię
**fore·bear** = **forbear 1.**
**fore·bode** [fɔˋbəud] *vt* przewidywać, przeczuwać; zapowiadać, wróżyć
***fore·cast** [fɔˋkast], ~, ~ *lub* ~**ed**, ~**ed** [fɔˋkastɪd] *vt* przewidywać, zapowiadać; *s* [ˋfɔkast] przewidywanie, prognoza
**fore·fa·ther** [ˋfɔfaðə(r)] *s* przodek, antenat
**fore·fin·ger** [ˋfɔfɪŋgə(r)] *s* palec wskazujący
***fore·go** 1. [fɔˋgəu], **forewent** [fɔˋwent], **foregone** [fɔˋgon] *vt* poprzedzać
**fore·go** 2. = **forgo**
**fore·go·ing** [fɔˋgəuɪŋ] *adj* poprzedni, powyższy
**fore·gone** [fɔˋgon] *pp i adj* z góry powzięty, przesądzony; *adj attr* [ˋfɔgon] **a** ~ **conclusion** wiadomy wniosek, nieunikniony wynik
**fore·ground** [ˋfɔgraund] *s* przedni plan
**fore·head** [ˋforɪd] *s* czoło
**for·eign** [ˋforɪn] *adj* obcy, cudzoziemski, zagraniczny; **Foreign Office** ministerstwo spraw zagranicznych; **Foreign Secretary** minister spraw zagranicznych
**for·eign·er** [ˋforɪnə(r)] *s* obcokrajowiec, cudzoziemiec
**fore·land** [ˋfɔlənd] *s* przylądek
**fore·man** [ˋfɔmən] *s* nadzorca, brygadzista; *prawn.* starszy ławy przysięgłych
**fore·most** [ˋfɔməust] *adj* przedni, najważniejszy, pierwszy, czołowy
**fore·noon** [ˋfɔnun] *s* przedpołudnie
**fore·run·ner** [ˋfɔrʌnə(r)] *s* prekursor, zwiastun
***fore·see** [fɔˋsi], **foresaw** [fɔˋsɔ], **foreseen** [fɔˋsin] *vt* przewidywać
**fore·seen** *zob.* **foresee**
**fore·shad·ow** [fɔˋʃædəu] *vt* zapowiadać
**fore·sight** [ˋfɔsaɪt] *s* przewidywanie; przezorność
**for·est** [ˋforɪst] *s* las; *vt* zalesiać
**fore·stall** [fɔˋstɔl] *vt* wyprzedzić, ubiec
**for·est·er** [ˋforɪstə(r)] *s* leśniczy
***fore·tell** [fɔˋtel], **foretold, foretold** [fɔˋtəuld] *vt* przepowiadać, wróżyć
**for·ev·er** [fəˋrevə(r)] *adv* na zawsze, wciąż
**fore·went** *zob.* **forego**
**fore·word** [ˋfɔwɜd] *s* wstęp, przedmowa

**for·feit** [`fɔfɪt] *vt* stracić, zaprzepaścić; *s* grzywna; utrata przez konfiskatę, przepadek (mienia); zastaw, fant
**for·feit·ure** [`fɔfɪtʃə(r)] *s* utrata; grzywna; konfiskata
**for·gave** *zob.* **forgive**
**forge** [fɔdʒ] *s* kuźnia; piec hutniczy; *vt* kuć; fałszować, podrabiać; zmyślać
**for·ger** [`fɔdʒə(r)] *s* fałszerz
**for·ger·y** [`fɔdʒərɪ] *s* fałszerstwo
***for·get** [fə`get], **forgot** [fə`got], **forgotten** [fə`gotn] *vt vi* zapominać; opuszczać, pomijać
**for·get·ful** [fə`getfl] *adj* zapominający, niepomny, nie zważający (**of sth** na coś); *pot.* zapominalski
**for·get-me-not** [fə`get mɪ not] *s bot.* niezapominajka
***for·give** [fə`gɪv], **forgave** [fə`geɪv], **forgiven** [fə`gɪvn] *vt* przebaczać, odpuszczać, darować
***for·go** [fə`gəu], **forwent** [fə`went], **forgone** [fə`gon] *vt* zrzec się; powstrzymać się (**sth** od czegoś); obejść się (**sth** bez czegoś)
**for·got** *zob.* **forget**
**for·got·ten** *zob.* **forget**
**fork** [fɔk] *s* widelec; widły; rozwidlenie; *vt* rozwidlać się
**for·lorn** [fə`lɔn] *adj* opuszczony; stracony; beznadziejny; ~ **hope** oddział szturmowy skazany na stracenie; z góry stracona sprawa
**form** [fɔm] *s* forma, kształt; formalność; formularz; ławka; klasa; *vt vi* formować (się), tworzyć (się); urabiać (np. opinię)
**for·mal** [`fɔml] *adj* formalny; oficjalny; zewnętrzny
**for·mal·i·ty** [fɔ`mælətɪ] *s* formalność; etykieta, ceremonialność
**for·ma·tion** [fɔ`meɪʃn] *s* formowanie ⟨kształtowanie, tworzenie, wytwarzanie⟩ się; budowa, powstawanie; *wojsk. geol.* formacja
**for·mer** [`fɔmə(r)] *adj* poprzedni, pierwszy (z dwu); dawny, były
**for·mi·da·ble** [`fɔmɪdəbl] *adj* straszny, groźny
**for·mu·la** [`fɔmjulə] *s* (*pl* **formulae** [`fɔmjuli] *lub* **formulas** [`fɔmjuləz]) formułka; przepis; *mat. chem.* wzór
**for·mu·late** [`fɔmjuleɪt] *vt* formułować
***for·sake** [fə`seɪk], **forsook** [fə`suk], **forsaken** [fə`seɪkn] *vt* opuszczać, porzucać
**forth** [fɔθ] *adv* naprzód; **and so** ~ i tak dalej
**forth·com·ing** [fɔθ`kʌmɪŋ] *adj* zbliżający się, mający się ukazać
**forth·right** [`fɔθraɪt] *adj* prosty; szczery; *adv* prosto, otwarcie; szczerze; natychmiast
**forth·with** [fɔθ`wɪð] *adv* bezzwłocznie
**for·ti·eth** [`fɔtɪəθ] *adj* czterdziesty
**for·ti·fy** [`fɔtɪfaɪ] *vt* wzmacniać, pokrzepiać; popierać; fortyfikować
**for·ti·tude** [`fɔtɪtjud] *s* męstwo, hart ducha
**fort·night** [`fɔtnaɪt] *s* dwa tygodnie
**fort·night·ly** [`fɔtnaɪtlɪ] *adj* dwutygodniowy; *adv* co dwa tygodnie; *s* dwutygodnik
**for·tress** [`fɔtrəs] *s* forteca
**for·tu·nate** [`fɔtʃunət] *adj* szczęśliwy, pomyślny
**fortune** [`fɔtʃən] *s* los, szczęście, przypadek; majątek; **by** ~ przypadkowo
**for·tune-tel·ler** [`fɔtʃən telə(r)] *s* wróżbita
**for·ty** [`fɔtɪ] *num* czterdzieści; *s* czterdziestka
**for·ward** [`fɔwəd] *adj* przedni; skierowany do przodu; przedwczesny; wczesny; gotów, chętny; postępowy; pewny siebie, arogancki; *adv* (*także* ~**s**) naprzód, dalej; z góry; **to come** ~ wystąpić; zgłosić się; *vt* przyspieszać; popierać; wysyłać, ekspediować; *s sport* napastnik
**for·wards** *zob.* **forward** *adv*

**for·went** *zob.* **forgo**
**fos·sil** [`fosl] *adj* skamieniały; *s* skamieniałość
**fos·ter** [`fostə(r)] *vt* pielęgnować; żywić (np. nadzieję); podniecać, podsycać
**fos·ter-broth·er** [`fostə brʌðə(r)] *s* mleczny brat
**fos·ter-child** [`fostə tʃaɪld] *s* przybrane dziecko
**fos·ter-fath·er** [`fostə faðə(r)] *s* wychowawca, opiekun
**fos·ter-moth·er** [`fostə mʌðə(r)] *s* mamka, piastunka
**fought** *zob.* **fight**
**foul** [faul] *adj* zgniły; cuchnący; plugawy, wstrętny; sprośny; *sport* nieprzepisowy; nieuczciwy, niehonorowy; ~ **copy** brulion; *s* nieuczciwe postępowanie; *sport* faul; *vt vi* brudzić (się), kalać; zatkać; zderzyć się
**found** 1. *zob.* **find**
**found** 2. [faund] *vt* zakładać; opierać (np. na faktach)
**found** 3. [faund] *vt* odlewać, topić (metal)
**foun·da·tion** [faun`deɪʃn] *s* podstawa, fundament; założenie; fundacja
**found·er** 1. [`faundə(r)] *s* założyciel
**found·er** 2. [`faundə(r)] *s* giser, odlewnik
**found·er** 3. [`faundə(r)] *vi* zatonąć; zawalić się, zapaść się; *vt* zatopić
**found·ling** [`faundlɪŋ] *s* podrzutek
**found·ry** [`faundrɪ] *s* odlewnia
**fount** [faunt] *s* źródło; zbiornik
**foun·tain** [`fauntɪn] *s* fontanna; *przen.* źródło; zbiornik
**foun·tain-pen** [`fauntɪnpen] *s* pióro wieczne
**four** [fɔ(r)] *num* cztery; *s* czwórka; **on all ~s** na czworakach
**four·fold** [`fɔfəuld] *adj* czterokrotny; *adv* czterokrotnie
**four·teen** [ˈfɔ`tin] *num* czternaście; *s* czternastka
**four·teenth** [ˈfɔ`tinθ] *adj* czternasty
**fourth** [fɔθ] *adj* czwarty
**fowl** [faul] *s* ptak (domowy, dziki); *zbior.* drób, ptactwo
**fox** [foks] *s* lis
**frac·tion** [`frækʃn] *s* ułamek; frakcja
**frac·ture** [`fræktʃə(r)] *s* złamanie; *vt vi* złamać (się), pęknąć
**frag·ile** [`frædʒaɪl] *adj* kruchy, łamliwy; wątły
**frag·ment** [`frægmənt] *s* fragment
**fra·grance** [`freɪgrəns] *s* zapach
**frail** [freɪl] *adj* kruchy, łamliwy; wątły; przelotny
**frame** [freɪm] *s* rama, oprawa; struktura, szkielet, zrąb; system, porządek; *vt* oprawiać w ramę; tworzyć, kształtować; konstruować; dostosowywać
**frame-work** [`freɪmwɜk] *s* praca ramowa; zrąb, struktura
**fran·chise** [`fræntʃaɪz] *s* prawo wyborcze; przywilej; *am.* koncesja
**frank** [fræŋk] *adj* otwarty, szczery
**fran·tic** [`fræntɪk] *adj* szalony, zapamiętały
**fra·ter·nal** [frə`tɜnl] *adj* braterski, bratni
**fra·ter·ni·ty** [frə`tɜnətɪ] *s* braterstwo; bractwo
**frat·er·nize** [`frætənaɪz] *vi* bratać się
**fraud** [frɔd] *s* oszustwo; oszust
**fraught** [frɔt] *adj* naładowany, pełny, brzemienny
**fray** [freɪ] *vt vi* strzępić (się)
**freak** [frik] *s* kaprys, wybryk (*także* natury); fenomen
**freck·le** [frekl] *s* pieg, plamka; *vt vi* pokryć (się) plamkami, piegami
**free** [fri] *adj* wolny; hojny; niezależny, swobodny; bezpłatny; *vt* uwolnić, wyzwolić
**free·dom** [`fridəm] *s* wolność; swoboda; prawo (**of sth** do czegoś); ~ **of a city** honorowe obywatelstwo miasta
***freeze** [friz], **froze** [frəuz], **frozen**

[frəuzn] *vi* marznąć, zamarzać; *vt* zamrażać
**freez·er** [`frizə(r)] *s* chłodnia, zamrażalnia; zamrażarka
**freez·ing-point** [`frizıŋpɔınt] *s* punkt zamarzania
**freight** [freıt] *s* fracht; przewóz; ładunek; *vt* frachtować; ładować (na statek); obciążać; przewozić
**freight-train** [freıt treın] *s am.* pociąg towarowy
**French** [frentʃ] *adj* francuski; *s* język francuski
**French·man** [`frentʃmən] *s* (*pl* **Frenchmen** [`frentʃmən]) Francuz
**fren·zy** [`frenzı] *s* szaleństwo
**fre·quen·cy** [`frikwənsı] *s* częstość; częstotliwość
**fre·quent** [`frikwənt] *adj* częsty; *vt* [frı`kwent] uczęszczać; nawiedzać, odwiedzać, bywać
**fresh** [freʃ] *adj* świeży, nowy; rześki; ~ **water** słodka woda; *adv* świeżo, niedawno
**fret** [fret] *vt vi* denerwować (się); gryźć (się), wgryzać się
**fret·ful** [`fretfl] *adj* drażliwy, nerwowy
**fri·a·ble** [`fraıəbl] *adj* miałki, kruchy
**fri·ar** [`fraıə(r)] *s* mnich
**fric·tion** [`frıkʃn] *s* tarcie, nacieranie
**Fri·day** [`fraıdı] *s* piątek
**fried** *zob.* **fry** 1.
**friend** [frend] *s* przyjaciel, kolega; **to be ~s with sb** przyjaźnić się z kimś
**friend·ly** [`frendlı] *adj* przyjazny, przychylny; ~ **society** towarzystwo wzajemnej pomocy
**friend·ship** [`frendʃıp] *s* przyjaźń
**fright** [fraıt] *s* strach; **to take ~** przestraszyć się (**at sth** czegoś)
**fright·en** [`fraıtn] *vt* straszyć, nastraszyć; ~ **away** ⟨**off**⟩ odstraszyć
**fright·ful** [`fraıtfl] *adj* straszny
**frig·id** [`frıdʒıd] *adj* zimny, chłodny; *przen.* oziębły
**frill** [frıl] *s* falbanka, kryza; *vt* zdobić kryzą; plisować
**fringe** [frındʒ] *s* frędzla; grzywka; rąbek, skraj; peryferie; *vt* ozdabiać frędzlami; obrębiać; *vi* graniczyć (**upon sth** z czymś)
**frit·ter** [`frıtə(r)] *vt* rozdrabniać, marnować (np. czas na drobiazgi)
**fri·vol·i·ty** [frı`volətı] *s* lekkomyślność; błahość, błahostka
**friv·o·lous** [`frıvələs] *adj* frywolny; lekkomyślny; błahy
**fro** [frəu] *adv w zwrocie*: **to and ~** tam i z powrotem
**frock** [frok] *s* suknia, sukienka; habit
**frock-coat** [ʹfrok`kəut] *s* surdut
**frog** [frog] *s zool.* żaba
**frog·man** [`frogmən] *s* płetwonurek
**frol·ic** [`frolık] *s* swawola, zabawa; figiel; *adj* (*także* **~some**) swawolny, figlarny; *vi* swawolić, dokazywać
**from** [from, frəm] *praep* od, z
**front** [frʌnt] *s* front, czoło, przód; **in ~ of** przed; **to have the ~** mieć czelność; *adj attr* frontowy, przedni, czołowy; *vi* stać frontem; *vt* stawiać czoło
**fron·tier** [`frʌntıə(r)] *s* granica
**frost** [frost] *s* mróz
**frost·y** [`frostı] *adj* mroźny, lodowaty
**froth** [froθ] *s* piana; *vi* pienić się
**frown** [fraun] *vi* marszczyć brwi; krzywo patrzeć (**at** ⟨**on**⟩ **sb** na kogoś); *s* kose spojrzenie, wyraz niezadowolenia
**froze** *zob.* **freeze**
**fru·gal** [`frugl] *adj* oszczędny (**of sth** w czymś); (*o jedzeniu*) skromny
**fruit** [frut] *s* owoc, płód; *zbior.* owoce
**fruit·ful** [`frutfl] *adj* owocny; płodny
**frus·trate** [frʌ`streıt] *vt* zniweczyć; udaremnić
**fry** 1. [fraı] *vt vi* smażyć (się)
**fry** 2. [fraı] *s zbior.* drobne rybki, narybek; *przen.* dzieciarnia
**fry·ing-pan** [`fraııŋpæn] *s* patelnia
**fu·el** [`fjuļ] *s* opał, paliwo

**fu·gi·tive** [`fjudʒətɪv] *adj* zbiegły; przelotny; *s* zbieg
**ful·crum** [`fʌlkrəm] *s* (*pl* **fulcra** [`fʌlkrə]) punkt podparcia ⟨obrotu, zawieszenia⟩
**ful·fil** [fulʼfɪl] *vt* spełnić
**full** [ful] *adj* pełny; najedzony; obfity; kompletny; **~ up** przepełniony, pełny po brzegi; **~ stop** kropka; *s* pełnia; **in ~** w całości; **to the ~** w całej pełni
**fum·ble** [`fʌmbl] *vi* szperać, grzebać, gmerać (**at** ⟨**in, with**⟩ **sth** w czymś); *vt pot.* partaczyć
**fume** [fjum] *s* dym (gryzący); wybuch (gniewu); *vi* dymić; złościć się
**fun** [fʌn] *s* wesołość, zabawa; **to make ~** żartować sobie (**of sb, sth** z kogoś, czegoś)
**func·tion** [`fʌŋkʃn] *s* funkcja, czynność; *vi* funkcjonować, działać
**func·tion·a·ry** [`fʌŋkʃn̩ərɪ] *s* funkcjonariusz
**fund** [fʌnd] *s* fundusz zapomogowy; zapas, zasób
**fun·da·men·tal** [ʼfʌndə`mentl] *adj* podstawowy; *s* podstawa, zasada
**fu·ner·al** [`fjunrəl] *adj* pogrzebowy, żałobny; *s* pogrzeb
**fun·gus** [`fʌŋgəs] *s* (*pl* **fungi** [`fʌn dʒaɪ]) grzyb
**fu·nic·u·lar** [fju`nɪkjulə(r)] *adj* (*o kolejce*) linowy
**fun·nel** [`fʌnl] *s* lejek; komin (statku ⟨maszyny parowej⟩)
**fun·ny** [`fʌnɪ] *adj* zabawny, wesoły, śmieszny; dziwny
**fur** [fɜ(r)] *s* futro, sierść
**fu·ri·ous** [`fjuərɪəs] *adj* wściekły, szalony
**fur·nace** [`fɜnɪs] *s* piec (do celów przemysłowych); **blast ~** piec hutniczy
**fur·nish** [`fɜnɪʃ] *vt* zaopatrywać (**with sth** w coś); dostarczać; meblować
**fur·ni·ture** [`fɜnɪtʃə(r)] *s zbior.* meble, wyposażenie; **a piece of ~** mebel
**fu·ro·re** [fju`rɔrɪ] *s* furora
**fur·ri·er** [`fʌrɪə(r)] *s* kuśnierz
**fur·row** [`fʌrəu] *s* bruzda; zmarszczka; *vt* robić bruzdy; żłobić
**fur·ther 1.** *zob.* **far**
**fur·ther 2.** [`fɜðə(r)] *vt* popierać
**fur·ther·more** [ʼfɜðə`mɔ(r)] *adv* co więcej, ponadto
**fur·thest** [`fɜðɪst] *zob.* **far**
**fur·tive** [`fɜtɪv] *adj* ukradkowy, potajemny
**fu·ry** [`fjuərɪ] *s* szał, furia; siła (burzy)
**fuse** [fjuz] *vt vi* stopić (się), roztapiać (się), stapiać (się); *s* zapalnik, lont; *elektr.* bezpiecznik
**fu·se·lage** [`fjuzlɑʒ] *s lotn.* kadłub (samolotu)
**fu·sion** [`fjuʒn] *s* fuzja, zlanie (się), stopienie (się)
**fuss** [fʌs] *s* hałas, rwetes; krzątanina; *vt vi* robić hałas, awanturować się; wiercić się; niepokoić (się); zabiegać (**over** ⟨**around**⟩ **sb, sth** koło kogoś, czegoś)
**fuss·y** [`fʌsɪ] *adj* hałaśliwy, niespokojny; kapryśny; drobiazgowy
**fust·y** [`fʌstɪ] *adj* stęchły; zacofany; przestarzały
**fu·tile** [`fjutaɪl] *adj* daremny; błahy
**fu·ture** [`fjutʃə(r)] *adj* przyszły; *s* przyszłość; *gram.* czas przyszły
**fu·tu·ri·ty** [fju`tjuərətɪ] *s* przyszłość
**fuze** = **fuse**

# g

**gab·ble** [`gæbl] *vi* bełkotać, mamrotać; *s* bełkot
**ga·ble** [`geɪbl] *s* szczyt (ściany)
**gad·fly** [`gædflaɪ] *s* giez
**gag** [gæg] *vt* kneblować usta; *s* knebel
**gage 1.** [geɪdʒ] *s* rękojmia; *vt* zastawiać; ręczyć (**sth** czymś)
**gage 2.** = **gauge**
**gai·e·ty** [`geɪətɪ] *s* wesołość
**gai·ly** [`geɪlɪ] *adv* wesoło
**gain** [geɪn] *s* zysk; zarobek; wzrost; korzyść; *vt vi* zyskać; zarobić; wyprzedzić; (*o zegarku*) spieszyć się; zdobyć, osiągnąć; ~ **ground** *przen.* robić postępy; ~ **over** przeciągnąć na swoją stronę; ~ **the upper hand** wziąć górę
**gain·ing** [`geɪnɪŋ] *s* (*zw. pl* ~s) zysk, dochody
***gain·say** [ˈgeɪn`seɪ], **gainsaid, gainsaid** [ˈgeɪn`sed] *vt* przeczyć, oponować
**gait** [geɪt] *s* chód
**gai·ter** [`geɪtə(r)] *s* (*zw. pl* ~s) kamasz(e)
**ga·la** [`galə] *s* gala; *adj attr* galowy
**gale** [geɪl] *s* wichura, sztorm
**gall 1.** [gɔl] *s* żółć; *przen.* gorycz
**gall 2.** [gɔl] *s* otarcie skóry, odparzenie; *vt* ocierać, odparzyć (skórę); drażnić
**gal·lant** [`gælənt] *adj* dzielny, rycerski; wspaniały; szarmancki, wytworny; *s* galant; elegant
**gal·lant·ry** [`gæləntrɪ] *s* dzielność, rycerskość; szarmanckie postępowanie, galanteria, wytworność
**gal·ler·y** [`gælərɪ] *s* galeria; korytarz, pasaż
**gal·ley** [`gælɪ] *s* galeria; *pl* ~s (*także przen.*) galery, ciężkie roboty
**gal·lon** [`gælən] *s* galon (*bryt.* = = 4,54 l; *am.* = 3,78 l)
**gal·lop** [`gæləp] *vi* galopować; *s* galop
**gal·lows** [`gæləuz] *s* szubienica
**ga·loot** [gə`lut] *s pot.* niedołęga, safanduła
**ga·losh** [gə`lɔʃ] *s* kalosz
**gal·va·nize** [`gælvənaɪz] *vt* galwanizować
**gam·ble** [`gæmbl] *vi* uprawiać hazard; ryzykować; *s* hazard; ryzyko
**gam·bol** [`gæmbl] *vi* podskakiwać, swawolić; *s* wesoły podskok; *pl* ~s koziołki
**game** [geɪm] *s* gra; rozrywka, zabawa; *sport* rozgrywka, partia; zwierzyna, dziczyzna; *pl* ~s zawody
**game·ster** [`geɪmstə(r)] *s* gracz, karciarz
**gam·mon 1.** [`gæmən] *s* szynka (wędzona)
**gam·mon 2.** [`gæmən] *s pot.* blaga, nabieranie, oszustwo; *vt vi* oszukiwać; bzdurzyć; udawać
**gam·ut** [`gæmət] *s muz. przen.* skala, zakres
**gang** [gæŋ] *s* grupa (ludzi), drużyna; ekipa; szajka, banda
**gang-board** [`gæŋbɔd] *s mors.* pomost, kładka
**gan·grene** [`gæŋgrin] *s* gangrena; *vt* gangrenować; *vi* ulegać gangrenie
**gang·ster** [`gæŋgstə(r)] *s* gangster
**gang·way** [`gæŋweɪ] *s* przejście (między rzędami krzeseł itp.); *mors.* schodnia
**gaol** [dʒeɪl] *s* więzienie
**gaol·er** [`dʒeɪlə(r)] *s* dozorca więzienny
**gap** [gæp] *s* luka, wyrwa, przerwa; odstęp; *przen.* przepaść
**gape** [geɪp] *vi* ziewać; gapić się, rozdziawiać usta; ziać, stać otworem; rozłazić się
**ga·rage** [`gærɑʒ] *s* garaż; *vt* garażować
**garb** [gab] *s* odzież, strój; *vt* odziewać, ubierać, stroić

**gar·bage** [ˋgabɪdʒ] *s zbior.* odpadki, śmieci
**gar·den** [ˋgadn] *s* ogród; *vi* pracować w ogrodzie
**gar·den·er** [ˋgadnə(r)] *s* ogrodnik
**gar·den-par·ty** [ˋgadnpatɪ] *s* przyjęcie na świeżym powietrzu
**gar·gle** [ˋgagl] *vt vi* płukać gardło
**gar·ish** [ˋgærɪʃ] *adj* jaskrawy, krzykliwy
**gar·land** [ˋgaləndj *s* girlanda; wieniec
**gar·lic** [ˋgalɪk] *s* czosnek
**gar·ment** [ˋgamənt] *s* artykuł odzieżowy; *pl* ~s odzież
**gar·ner** [ˋganə(r)] *s* spichrz; zbiór; *vt* przechowywać, gromadzić
**garnish** [ˋganɪʃ] *vt* zdobić; garnirować; *s* ozdoba; przybranie
**gar·ret** [ˋgærət] *s* poddasze, mansarda, strych
**gar·ri·son** [ˋgærɪsn] *s wojsk.* garnizon
**gar·ter** [ˋgatə(r)] *s* podwiązka
**gas** [gæs] *s* gaz, *am. pot.* benzyna; *vt* zagazować, zatruć gazem
**gas·me·ter** [ˋgæsmitə(r)] *s* gazomierz
**gas·o·line** [ˋgæsəlin] *s* gazolina; *am.* benzyna
**gasp** [gasp] *vi* ciężko dyszeć, łapać oddech; stracić oddech; *s* ciężki oddech, dyszenie, łapanie tchu
**gas-range** [ˋgæs reɪndʒ], **gas-stove** [ˋgæs stəuv] *s* kuchenka gazowa
**gate** [geɪt] *s* brama, wrota, furtka; zasuwa; tama
**gate·way** [ˋgeɪtweɪ] *s* brama wejściowa, wjazd, furtka
**gath·er** [ˋgæðə(r)] *vt vi* zbierać (się); wnioskować; (*o rzece*) wzbierać; (*o wrzodzie*) nabierać; narastać
**gath·er·ing** [ˋgæðərɪŋ] *s* zebranie; gromada; zbiór; *med.* ropień
**gaud·y** [ˋgɔdɪ] *adj* (*o barwie*) jaskrawy; (*o stroju*) krzykliwy; pompatyczny; wystrojony, paradny
**gauge** [geɪdʒ] *s* przyrząd pomiarowy; miara; skala; rozmiar, wymiar; kaliber; szerokość toru; sprawdzian; *vt* mierzyć; szacować
**gaunt** [gɔnt] *adj* chudy, nędzny; ponury
**gaunt·let** [ˋgɔntlət] *s* rękawica
**gauze** [gɔz] *s* gaza; siatka druciana; mgiełka
**gave** *zob.* **give**
**gawk** [gɔk] *s* ciemięga, gamoń
**gay** [geɪ] *adj* wesoły; (*o barwie*) żywy
**gaze** [geɪz] *vi* uporczywie patrzeć, gapić się (**at sth** na coś); *s* spojrzenie, uporczywy wzrok
**ga·zette** [gəˋzet] *s* dziennik urzędowy
**gaz·et·teer** [ˈgæzəˋtɪə(r)] *s* słownik nazw geograficznych; *am.* dziennikarz
**gear** [gɪə(r)] *s* przekładnia; mechanizm; bieg (w aucie); *zbior.* narzędzia, przybory; uprząż; **in ~** włączony, w ruchu, na biegu; **out of ~** wyłączony, nie działający; popsuty; *vt vi* włączyć (się); zazębić (się)
**gear-box** [ˋgɪəboks] *s* skrzynka biegów
**gear-wheel** [ˋgɪəwil] *s* koło zębate
**geese** *zob.* **goose**
**gem** [dʒem] *s* klejnot
**gen·der** [ˋdʒendə(r)] *s gram.* rodzaj
**gen·e·al·o·gy** [ˈdʒinɪˋælədʒɪ] *s* genealogia
**gen·e·ra** *zob.* **genus**
**gen·er·al** [ˋdʒenrl] *adj* ogólny; powszechny; główny; ogólnikowy; *s* generał
**gen·er·al·ize** [ˋdʒenrəlaɪz] *vt* uogólniać; upowszechniać
**gen·er·ate** [ˋdʒenəreɪt] *vt* rodzić, wytwarzać; powodować
**gen·er·a·tion** [ˈdʒenəˋreɪʃn] *s* pokolenie; wytwarzanie; powstawanie
**gen·er·os·i·ty** [ˈdʒenəˋrosətɪ] *s* szlachetność; wielkoduszność; szczodrość
**gen·er·ous** [ˋdʒenrəs] *adj* szlachetny; wielkoduszny; szczodry
**ge·net·ics** [dʒɪˋnetɪks] *s* genetyka
**ge·nial** [ˋdʒinɪəl] *adj* radosny; mi-

ły; uprzejmy; towarzyski; (*o powietrzu*) łagodny
**gen·i·tive** [`dʒenətɪv] *s gram.* dopełniacz
**ge·nius** [`dʒinɪəs] *s* (*pl* **~es** [`dʒinɪəsɪz]) geniusz, człowiek genialny; (*tylko sing*) zdolność; talent; (*pl* **genii** [`dʒinɪaɪ]) duch, demon
**gen·o·cide** [`dʒenəsaɪd] *s* ludobójstwo
**gen·til·i·ty** [dʒen`tɪlətɪ] *s* szlacheckie urodzenie; dobre maniery; (*ironicznie*) „lepsze" towarzystwo
**gen·tle** [`dʒentl] *adj* delikatny, łagodny; szlachetny; szlachecki
**gen·tle·man** [`dʒentlmən] *s* (*pl* **gentlemen** [`dʒentlmən] dżentelmen; szlachcic; pan; mężczyzna
**gen·tle·wom·an** [`dʒentlwumən] *s* (*pl* **gentlewomen** [`dʒentlwɪmɪn]) dama, szlachcianka, kobieta z towarzystwa
**gen·try** [`dʒentrɪ] *s* szlachta, ziemiaństwo
**gen·u·ine** [`dʒenjuɪn] *adj* prawdziwy; oryginalny; autentyczny; szczery
**ge·nus** [`dʒinəs] *s* (*pl* **genera** [`dʒenərə]) (*zw. biol.*) rodzaj, klasa
**ge·od·e·sy** [dʒɪ`odəsɪ] *s* geodezja
**ge·o·graph·ic(al)** [ˌdʒɪə`græfɪk(l)] *adj* geograficzny
**ge·og·ra·phy** [dʒɪ`ogrəfɪ] *s* geografia
**ge·o·log·ic(al)** [ˌdʒɪə`lodʒɪk(l)] *adj* geologiczny
**ge·ol·o·gy** [dʒɪ`olədʒɪ] *s* geologia
**ge·o·met·ric(al)** [ˌdʒɪə`metrɪk(l)] *adj* geometryczny
**ge·om·e·try** [dʒɪ`omətrɪ] *s* geometria
**germ** [dʒ3m] *s* zarodek, zalążek; zarazek
**Ger·man** [`dʒ3mən] *adj* niemiecki; *s* Niemiec; język niemiecki
**ger·mi·nate** [`dʒ3mɪneɪt] *vi* kiełkować; *vt* powodować kiełkowanie
**ger·on·tol·og·y** [ˌdʒeron`tolədʒɪ] *s* gerontologia
**ges·tic·u·late** [dʒɪ`stɪkjuleɪt] *vt* gestykulować
**ges·ture** [`dʒestʃə(r)] *s* gest
***get** [get], **got, got** [got] *vt vi* dostać, otrzymać; nabyć, zdobyć, wziąć; przynieść, podać, dostarczyć; dostać się, dojść; stać się; wpływać, zmuszać, nakłaniać; **I cannot ~ him to do his work** nie mogę go zmusić do pracy; **he got the engine to move** puścił silnik w ruch; **I got my hair cut** dałem sobie ostrzyc włosy; **I got my work finished** skończyłem pracę; uporałem się ze swoją pracą; **he got his leg broken** złamał sobie nogę; **to ~ sth ready** przygotować coś; **I have got** *pot.* = **I have; have you got a watch?** czy masz zegarek?; **I have got to** = **I must; it has got to be done** to musi być zrobione; *z bezokolicznikiem*: **to ~ to know** dowiedzieć się; **to ~ to like** polubić; *z imiesłowem biernym*: **to ~ married** ożenić się, wyjść za mąż; **to ~ dressed** ubrać się; *z rzeczownikiem*: **to ~ rid** uwolnić się, pozbyć się (**of sth** czegoś); *z przymiotnikiem*: **to ~ old** zestarzeć się; **to ~ ready** przygotować (się); **it's ~ting late** robi się późno; *z przyimkami i przysłówkami*: **~ about** chodzić, poruszać się (z miejsca na miejsce); (*o wiadomościach*; *także* **~ abroad**) rozchodzić się; **~ across** przeprawić się (na drugą stronę); znaleźć zrozumienie ⟨oddźwięk⟩ (**to sb** u kogoś); **~ ahead** posuwać się naprzód, robić postępy; **~ along** posuwać (się), robić postępy; współżyć; dawać sobie radę; **~ away** usunąć (się), oddalić się, umknąć; **~ back** wracać; otrzymać z powrotem; **~ down** ściągać (na dół), opuszczać (się); schodzić; dobierać ⟨zabierać⟩ się (**to sth** do czegoś); **~ in** wejść, wjechać, dostać się (do wnętrza); wnieść, wprowadzić, wcisnąć; zbierać, zwozić (plony); **~ off**

schodzić, złazić; wysiadać; zdejmować; usuwać (się); wyruszyć; wysłać, wyprawić; wymknąć się; ~ **on** nakładać; posuwać (się) naprzód; mieć powodzenie; robić postępy; współżyć; **easy to ~ on with** łatwy w pożyciu; ~ **out** wydostać ⟨wydobyć⟩ (się); wyjść, wysiąść; wyprowadzić, wyciągnąć, wyrwać ⟨wykręcić⟩ (się); ~ **over** przenieść; pokonać, przemóc; ukończyć, załatwić (**sth** coś); przejść na drugą stronę; ~ **through** przedostać się; przeprowadzić; skończyć, uporać się (**with sth** z czymś); zdać (egzamin); połączyć się (telefonicznie); ~ **together** zebrać (się), zejść się; ~ **under** pokonać, opanować; ~ **up** podnieść (się), wstać; doprowadzić do porządku, urządzić; ubrać; dojść, dotrzeć; wystawić (sztukę w teatrze)

**gew·gaw** [`gju gɔ] *s* błyskotka

**gey·ser** [`gizə(r)] *s geol.* gejzer; piecyk gazowy (do grzania wody)

**ghast·ly** [`gɑstlɪ] *adj* straszny, upiorny; *adv* strasznie, upiornie

**gher·kin** [`gɜkɪn] *s* korniszon

**ghost** [gəust] *s* duch, cień, widmo

**gi·ant** [`dʒɑɪənt] *s* olbrzym; *adj attr* olbrzymi

**gib·bet** [`dʒɪbɪt] *s* szubienica; śmierć na szubienicy

**gibe** [dʒɑɪb] *vi* kpić (**at sb** z kogoś); *s* kpina

**gid·di·ness** [`gɪdɪnəs] *s* zawrót głowy; roztrzepanie; lekkomyślność

**gid·dy** [`gɪdɪ] *adj* zawrotny; oszołomiony; roztrzepany; lekkomyślny; **to feel ~** mieć zawrót głowy

**gift** [gɪft] *s* prezent, dar; uzdolnienie (**for sth** do czegoś)

**gift·ed** [`gɪftɪd] *adj* utalentowany

**gi·gan·tic** [dʒɑɪ`gæntɪk] *adj* olbrzymi

**gig·gle** [`gɪgl] *vi* chichotać; *s* chichot

**gild** 1. = **guild**

**gild** 2. [gɪld] *vt* złocić, pozłacać

**gilt** [gɪlt] *s* pozłota; *adj* pozłacany

**gin** [dʒɪn] *s* dżyn

**gin·ger** [`dʒɪndʒə(r)] *s* imbir

**gip·sy** [`dʒɪpsɪ] *s* Cygan

**gi·raffe** [dʒɪ`rɑf] *s* żyrafa

***gird** [gɜd], **~ed**, **~ed** [`gɜdɪd] *lub* **girt**, **girt** [gɜt] *s* opasać, otoczyć

**gir·dle** [`gɜdl] *s* pas; *vt* opasać

**girl** [gɜl] *s* dziewczynka, dziewczyna, *pot.* kobieta; **Girl Guide** harcerka

**girt** [gɜt] *zob.* **gird**; *s* obwód; *vt* mierzyć obwód

**gist** [dʒɪst] *s* istota rzeczy, sens

***give** [gɪv], **gave** [geɪv], **~n** [`gɪvn] *vt* dawać; oddawać, poświęcać; *vi* ustąpić, poddać się; rozpaść się; *z rzeczownikami*: **to ~ ground** cofać się, ustępować; **to ~ a guess** zgadywać; **to ~ a look** spojrzeć; **to ~ offence** obrazić; **to ~ pain** sprawiać ból; **to ~ rise** dać początek; **to ~ way** ustąpić; *z przysłówkami*: ~ **away** wydawać, zdradzać; oddawać, rozdawać; ~ **forth** wydawać, wydzielać; ~ **in** wręczać, podawać; poddać się, ustępować, ulegać; ~ **off** wydzielać, wydawać; ~ **out** wydawać, rozdawać; ogłaszać, rozgłaszać; (*o zapasie*) wyczerpywać się; ~ **over** przekazać, przesłać; zaprzestać, zaniechać; ~ **up** opuścić; zaniechać; zrezygnować; oddać (się)

**giv·en** *zob.* **give**

**gla·cial** [`gleɪʃl] *adj* lodowy, lodowaty; *geol.* lodowcowy

**gla·cier** [`glæsɪə(r)] *s* lodowiec

**glad** [glæd] *adj* rad; radosny, wesoły; **I am ~ to see you** cieszę się, że cię widzę

**glad·den** [`glædn] *vt* radować, weselić

**glade** [gleɪd] *s* przesieka, polana

**gladi·olus** [ˌglædɪ`əuləs] *s bot.* gladiolus, mieczyk

**glam·our** [`glæmə(r)] *s* blask, urok, świetność

**glance** [glɑns] *vi* spoglądać (**at sth** na coś); *s* spojrzenie; **to take ⟨cast⟩ a ~** spojrzeć (**at sth** na coś)

**gland** [glænd] *s* gruczoł

**glare** [gleə(r)] *vi* błyszczeć, jasno świecić, razić; patrzeć (z blaskiem w oczach, ze złością); *s* blask; dzikie ⟨piorunujące⟩ spojrzenie; uporczywy wzrok

**glass** [glɑs] *s* szkło; szklanka; przedmiot ze szkła; *pl* ~**es** okulary

**glass·ful** [`glɑsfl] *s* szklanka (pełna czegoś)

**glass·house** [`glɑshaus] *s* cieplarnia; szklarnia

**glass-works** [`glɑs wɜks] *s pl* huta szkła

**glaze** [gleɪz] *s* szkliwo; emalia; glazura; *vt vi* szklić (się); pokrywać (się) emalią ⟨glazurą⟩; glazurować; ~**d frost** gołoledź

**gla·zier** [`gleɪzɪə(r)] *s* szklarz

**gleam** [glim] *vi* połyskiwać, migotać, błyszczeć; *s* błysk, promień, blask

**glean** [glin] *vt vi* zbierać (kłosy); *przen.* skrzętnie zbierać, starannie wybierać

**glee** [gli] *s* radość, wesołość

**glen** [glen] *s* dolina (górska)

**glib** [glɪb] *adj* gładki, (*o mowie*) płynny

**glide** [glaɪd] *vi* ślizgać się, sunąć; szybować; (*o czasie*) upływać; *s* ślizganie się; *lotn.* szybowanie, ślizg; *gram.* głoska przejściowa

**glid·er** [`glaɪdər()] *s lotn.* szybowiec

**glim·mer** [`glɪmə(r)] *vi* migotać; *s* migotanie, światełko

**glimpse** [glɪmps] *vi* ujrzeć w przelocie (at ⟨on⟩ sth coś); *s* przelotne spojrzenie; **to catch a** ~ ujrzeć w przelocie (**of sth** coś)

**glit·ter** [`glɪtə(r)] *vi* lśnić, błyszczeć, połyskiwać; *s* blask, połysk

**gloat** [gləut] *vi* napawać się, nasycać wzrok (**over** ⟨**on**⟩ **sth** widokiem czegoś)

**globe** [gləub] *s* glob; kula (ziemska); globus; klosz

**glob·al** [`gləubl] *adj* ogólny, globalny; ogólnoświatowy

**gloom** [glum] *s* mrok; *przen.* smutek, przygnębienie; *vt vi* zaciemniać (się); *przen.* posępnieć

**gloom·y** [`glumɪ] *adj* mroczny; *przen.* posępny

**glor·i·fy** [`glɔrɪfaɪ] *vt* sławić, gloryfikować

**glo·ri·ous** [`glɔrɪəs] *adj* sławny, chlubny; wspaniały

**glo·ry** [`glɔrɪ] *s* sława, chluba; wspaniałość; *vi* chlubić się (**in sth** czymś)

**gloss 1.** [glos] *s* połysk; blichtr; *vt* nadawać połysk; *przen.* upiększać

**gloss 2.** [glos] *s* glosa, objaśnienie

**glos·sa·ry** [`glosərɪ] *s* glosariusz

**gloss·y** [`glosɪ] *adj* lśniący, połyskujący; gładki

**glove** [glʌv] *s* rękawiczka

**glow** [gləu] *vi* płonąć, żarzyć się; promieniować; *s* żar; jasność; żarliwość

**glow-worm** [`gləuwɜm] *s* robaczek świętojański

**glue** [glu] *s* klej; *vt* kleić

**glum** [glʌm] *adj* ponury

**glut** [glʌt] *vt* nasycić, napełnić do syta; przesycić; *s* nasycenie, przesyt

**glu·ti·nous** [`glutɪnəs] *adj* kleisty

**glut·ton** [`glʌtn] *s* żarłok

**glut·ton·y** [`glʌtnɪ] *s* żarłoczność, obżarstwo

**gnash** [næʃ] *vt* zgrzytać

**gnat** [næt] *s* komar

**gnaw** [nɔ] *vt vi* gryźć, ogryzać; wgryzać się

**gnome** [nəum] *s* gnom

***go** [gəu], **went** [went], **gone** [gon], *3 pers sing praes* **goes** [gəuz] *vi* iść, pójść, chodzić, poruszać się, jechać; udać się; pójść sobie, przepaść, zniknąć; stać się, przeobrazić się; obchodzić się (**without sth** bez czegoś); **to let go** puścić; **to go to make** stanowić, składać się (**sth** na coś); *z przymiotnikami*: **to go bad** zepsuć się; **to go mad** zwariować; **to go red** poczerwienieć; **to go wrong**

spotkać się z niepowodzeniem, nie udać się; zepsuć się; *z przysłówkami i przyimkami:* **go about** krążyć, chodzić tu i tam; przystąpić, zabierać się (**sth** do czegoś); **go after** starać się, ubiegać się o coś; **go ahead** posuwać się naprzód; dalej coś robić; zaczynać; **go along** iść ⟨posuwać się⟩ naprzód; **go asunder** rozpaść się; **go back** wrócić; cofnąć (**on one's word** swoje słowo); **go down** schodzić; opadać; zmniejszać się; (*o słońcu*) zachodzić; **go in** wchodzić; zabierać się (**for sth** do czegoś); uprawiać, zajmować się (**for sth** czymś); zasiadać (**for an exam** do egzaminu); **go off** odejść; (*o broni*) wystrzelić; przeminąć; wypaść, (*o przedstawieniu, zawodach itp.*) udać się; **go on** posuwać się naprzód; kontynuować (**with sth** coś, **doing sth** robienie czegoś); trwać; dziać się; zachowywać się; **go out** wyjechać, wyjść; kończyć się; niknąć, gasnąć; **go over** przejść na drugą stronę; przejrzeć, zbadać, powtórzyć (**sth** coś); **go through** (*o uchwale itp.*) przejść; dobrnąć do końca (**with sth** czegoś); **go under** ulec; zginąć; zniknąć; zatonąć; **go up** podejść; wejść na górę; podnieść się; **to go up in flames** spłonąć; *s* ruch; werwa, życie; próba; posunięcie; **to have a go** spróbować (**at sth** czegoś)

**goad** [gəud] *vt* kłuć; dawać bodźca, popędzać, pobudzać; *s* bodziec

**goal** [gəul] *s* cel; *sport* gol, bramka

**goal-keep·er** [ˋgəulkipə(r)] *s sport* bramkarz

**goat** [gəut] *s* koza, kozioł

**go-be·tween** [ˋgəu bɪtwin] *s* pośrednik

**god** [god] *s* bóg, bóstwo; **God** Bóg

**god·daugh·ter** [ˋgoddɔtə(r)] *s* chrześniaczka

**god·dess** [ˋgodɪs] *s* bogini

**god·fath·er** [ˋgodfaðə(r)] *s* ojciec chrzestny

**god·moth·er** [ˋgodmʌðə(r)] *s* matka chrzestna

**god·send** [ˋgodsend] *s* niespodzianka, „dar niebios"

**god·son** [ˋgodsʌn] *s* chrześniak

**goes** *zob.* **go**

**gog·gle** [ˋgogl] *vi* wytrzeszczać oczy; *s pl* **~s** gogle

**gold** [gəuld] *s* złoto; *attr* złoty

**gold-dig·ger** [ˋgəulddɪgə(r)] *s* poszukiwacz złota

**gold·en** [ˋgəuldn] *adj* złoty; złocisty

**gold-field** [ˋgəuldfild] *s* pole złotodajne, złoże złota

**gold-mine** [ˋgəuldmaɪn] *s* kopalnia złota

**gold·smith** [ˋgəuldsmɪθ] *s* złotnik

**golf** [golf] *s* (*gra*) golf

**gone** *zob.* **go**

**good** [gud] *adj* dobry (*comp* **better** [ˋbetə(r)] lepszy, *sup* **best** [best] najlepszy); (*o dzieciach*) grzeczny; (*o dokumencie*) ważny; spory; właściwy; **~ at sth** biegły w czymś, zdolny do czegoś; **to make ~** naprawić; wyrównać; wynagrodzić; (*przy powitaniu*) **~ morning, ~ afternoon** dzień dobry; **~ evening** dobry wieczór; **~ night** dobranoc; *s* dobro; *pl* **~s** dobra, własność; towary; **~s train** pociąg towarowy; **~s van** wóz dostawczy; **for ~** na dobre, na zawsze; **to be some ~** na coś się przydać; **to be no ~** nie przydać się na nic; **what's the ~ of it?** na co się to przyda?

**good-bye** [ˈgudˋbaɪ] *int* do widzenia!

**good-look·ing** [ˈgudˋlukɪŋ] *adj* przystojny

**good·ly** [ˋgudlɪ] *adj* piękny; spory, niemały

**good-na·tured** [ˈgudˋneɪtʃəd] *adj* dobroduszny

**good·ness** [ˋgudnəs] *s* dobroć; **~ gracious!, my ~!** *int* mój Boże!

**goods** *zob.* **good**

**good·will** ['gud'wɪl] *s* dobra wola; *handl.* majątek i reputacja firmy
**goose** [gus] *s* (*pl* geese [gis]) gęś
**goose·ber·ry** ['guzbrɪ] *s* agrest
**gore** [gɔ(r)] *vt* bóść
**gorge** [gɔdʒ] *s* czeluść, parów; † gardło; *vt vi pot.* żarłocznie jeść
**gor·geous** ['gɔdʒəs] *adj* wspaniały, okazały
**gos·pel** ['gospl] *s* ewangelia
**gos·sa·mer** ['gosəmə(r)] *s* babie lato, pajęczyna
**gos·sip** ['gosɪp] *s* plotka; plotkarstwo; plotkarz, plotkarka; *vi* plotkować
**got** *zob.* **get**
**Goth·ic** ['goθɪk] *adj* gotycki; gocki; *s* gotyk; pismo gotyckie; język gocki
**got·ten** ['gotn] *am. pp* od **get**
**gourd** [guəd] *s* tykwa
**gout** [gaut] *s* podagra
**gov·ern** ['gʌvn] *vt vi* rządzić, sprawować rządy, panować (*także* nad sobą ⟨uczuciami⟩)
**gov·ern·ment** ['gʌvṃənt] *s* rząd, władze; gubernia, prowincja
**gov·er·nor** ['gʌvṇə(r)] *s* gubernator; dyrektor naczelny; naczelnik; członek zarządu
**gown** [gaun] *s* suknia, toga
**grab** [græb] *vt* porywać, chwytać; grabić
**grace** [greɪs] *s* gracja, wdzięk; łaska, łaskawość; *vt* zdobić; zaszczycać
**grace·ful** ['greɪsfl] *adj* pełen wdzięku, powabny; łaskawy
**gra·cious** ['greɪʃəs] *adj* łaskawy; good ~! mój Boże!
**grade** [greɪd] *s* stopień; gatunek; ranga, szczebel służbowy; *am.* klasa (w szkole podstawowej)
**grad·u·al** ['grædʒuəl] *adj* stopniowy
**grad·u·ate** ['grædʒueɪt] *vt* stopniować; oznaczać stopniami, znaczyć według skali; nadawać stopień naukowy; *vi* stopniowo przechodzić (w coś); otrzymać stopień naukowy; *s* ['grædʒuət] absolwent wyższej uczelni ze stopniem naukowym
**grad·u·a·tion** [/grædʒu'eɪʃn] *s* stopniowanie; ukończenie studiów ze stopniem naukowym
**graft 1.** [grɑft] *vt* szczepić; *s bot.* szczep; *med.* przeszczep
**graft 2.** [grɑft] *s* wymuszenie, nieuczciwy zysk, łapówka; *vi* nieuczciwie zdobywać pieniądze (wymuszeniem, przekupstwem itp.)
**grain** [greɪn] *s* ziarno; *zbior.* zboże
**gram·mar** ['græmə(r)] *s* gramatyka
**gram·mar-school** ['græməskul] *s bryt.* szkoła średnia
**gramo·phone** ['græməfəun] *s* gramofon
**gran·a·ry** ['grænərɪ] *s* spichlerz
**grand** [grænd] *adj* wielki; wytworny, wspaniały; uroczysty; główny; ~ **piano** fortepian
**grand·child** ['græntʃaɪld] *s* wnuk, wnuczka
**gran·deur** ['grændʒə(r)] *s* wielkość, majestatyczność
**grand·fath·er** ['grændfɑðə(r)] *s* dziadek
**gran·di·ose** ['grændɪəus] *adj* wspaniały, majestatyczny
**grand·moth·er** ['grændmʌðə(r)] *s* babka
**gran·ite** ['grænɪt] *s* granit
**grant** [grɑnt] *vt* użyczać; spełniać (prośbę); nadawać (własność); przyznawać (rację); *s* akt łaski; dar, darowizna; subwencja; **to take for ~ed** przyjąć za rzecz oczywistą, przesądzić
**gran·u·lar** ['grænjulə(r)] *adj* ziarnisty
**gran·u·late** ['grænjuleɪt] *vt vi* granulować (się), nadawać ⟨przybierać⟩ postać ziarnistą
**grape** [greɪp] *s* winogrono
**grape·fruit** ['greɪpfrut] *s* grejpfrut
**graph** [græf] *s* wykres
**graph·ic** ['græfɪk] *adj* graficzny
**graph·ite** ['græfaɪt] *s* grafit

**grap·ple** [ˋgræpl] *vt* zahaczyć; *vi* chwycić; zmagać się; *s* chwyt; walka wręcz, zmaganie
**grasp** [grɑsp] *vt* uchwycić, ścisnąć, mocno objąć; pojąć; zrozumieć; *vi* chwytać się (**at sth** czegoś); *s* chwyt, uścisk; władza; pojmowanie; zasięg (ręki)
**grasp·ing** [ˋgrɑspɪŋ] *adj* chciwy, zachłanny
**grass** [grɑs] *s* trawa; ~ **widow** słomiana wdowa; ~ **widower** słomiany wdowiec; (*w napisie*) **keep off the** ~ nie deptać trawników
**grass·hop·per** [ˋgrɑshopə(r)] *s* konik polny
**grass-snake** [ˋgrɑs sneɪk] *s zool.* zaskroniec
**grate 1.** [greɪt] *s* krata; ruszt, palenisko; *vt* zakratować
**grate 2.** [greɪt] *vt* skrobać, ucierać (na tarce); skrzypieć, zgrzytać
**grate·ful** [ˋgreɪtfl] *adj* wdzięczny; miły
**grat·i·fi·ca·tion** [ˈgrætɪfɪˋkeɪʃn] *s* wynagrodzenie; zadośćuczynienie; zadowolenie
**grat·i·fy** [ˋgrætɪfaɪ] *vt* wynagrodzić; zadośćuczynić; zadowolić
**grat·ing** [ˋgreɪtɪŋ] *ppraes i s* okratowanie
**gra·tis** [ˋgreɪtɪs] *adv* darmo, bezpłatnie
**grat·i·tude** [ˋgrætɪtjud] *s* wdzięczność
**gra·tu·i·tous** [grəˋtjuɪtəs] *adj* bezpłatny; dobrowolny; bezpodstawny
**gra·tu·i·ty** [grəˋtjuətɪ] *s* wynagrodzenie, napiwek
**grave 1.** [greɪv] *s* grób
**grave 2.** [greɪv] *adj* poważny; ważny
**grav·el** [ˋgrævl] *s* żwir
**grave·stone** [ˋgreɪvstəun] *s* płyta nagrobna; nagrobek
**grave·yard** [ˋgreɪvjɑd] *s* cmentarz
**grav·i·ta·tion** [ˈgrævɪˋteɪʃn] *s* ciążenie
**grav·i·ty** [ˋgrævətɪ] *s* waga, powaga; *fiz.* ciężkość, ciężar (gatunkowy); przyciąganie ziemskie; **specific** ~ ciężar właściwy; **centre of** ~ środek ciężkości
**gra·vy** [ˋgreɪvɪ] *s* sos od pieczeni
**gray** = **grey**
**graze 1.** [greɪz] *vt vi* paść (się)
**graze 2.** [greɪz] *vt* lekko dotknąć, musnąć; drasnąć
**grease** [gris] *s* tłuszcz; smar; *vt* tłuścić; smarować
**greas·y** [ˋgrisɪ] *adj* tłusty; zatłuszczony; brudny; wstrętny
**great** [greɪt] *adj* wielki, duży; *pot.* wspaniały; ~ **in** ⟨**on**⟩ **sth** zamiłowany w czymś; ~ **at sth** uzdolniony do czegoś
**greed** [grid] *s* chciwość, żądza (władzy)
**greed·y** [ˋgridɪ] *adj* chciwy; żarłoczny
**Greek** [grik] *adj* grecki; *s* Grek; język grecki
**green** [grin] *adj* zielony; niedojrzały; *przen.* niedoświadczony; *s* zieleń, łąka; *pl* ~s warzywa; *vt vi* zielenić się, pokrywać (się) zielenią
**green·horn** [ˋgrinhɔn] *s pot.* żółtodziób, nowicjusz
**green·house** [ˋgrinhaus] *s* cieplarnia
**greet** [grit] *vt* witać, kłaniać się, pozdrawiać
**greet·ing** [ˋgritɪŋ] *ppraes i s* przywitanie, pozdrowienie
**gre·nade** [grɪˋneɪd] *s wojsk.* granat
**grew** *zob.* **grow**
**grey** [greɪ] *adj* szary, siwy; *s* szary kolor
**grey·hound** [ˋgreɪhaund] *s zool.* chart
**grid** [grɪd] *s* ruszt; krata; *elektr. geogr.* siatka; sieć wysokiego napięcia
**grief** [grif] *s* zmartwienie; żal; nieszczęście; **to come to** ~ spotkać się z nieszczęściem ⟨niepowodzeniem⟩, źle się skończyć
**griev·ance** [ˋgrivns] *s* skarga, powód do skargi, krzywda
**grieve** [griv] *vt vi* martwić (się), sprawiać ⟨odczuwać⟩ przykrość

**griev·ous** [ˋgrivəs] *adj* krzywdzący; bolesny, przykry
**grill** [grɪl] *s* krata, ruszt; mięso z rusztu; bufet; *vt vi* smażyć (się) na ruszcie
**grim** [grɪm] *adj* ponury; srogi, nieubłagany
**gri·mace** [grɪˋmeɪs] *s* grymas; *vi* robić grymasy
**grime** [graɪm] *s* brud; *vt* brudzić, brukać
**grim·y** [ˋgraɪmɪ] *adj* brudny
**grin** [grɪn] *vi* szczerzyć zęby, uśmiechać się (szeroko); *s* (szeroki) uśmiech, szczerzenie zębów
***grind** [graɪnd], **ground, ground** [graund] *vt* mleć, ucierać, miażdżyć; ostrzyć; szlifować; toczyć; *vi* dać się zemleć; *pot.* wkuwać; harować
**grind·stone** [ˋgraɪndstəun] *s* kamień szlifierski
**grip** [grɪp] *vt* chwycić (dłonią), ująć; ścisnąć; opanować; działać (**sb** na kogoś); *s* chwyt; ujęcie; uścisk; *przen.* władza, szpony; opanowanie, oddziaływanie
**grit** [grɪt] *s* piasek, żwir; *przen.* ustanowczość, wytrwałość
**griz·zled** [ˋgrɪzld] *adj* posiwiały
**griz·zly** [ˋgrɪzlɪ] *s zool.* grizzly
**groan** [grəun] *vi* jęczeć; *s* jęk
**groats** [grəuts] *s pl* krupy, kasza
**gro·cer** [ˋgrəusə(r)] *s* właściciel sklepu spożywczego ⟨kolonialnego⟩
**gro·cer·y** [ˋgrəusrɪ] *s* sklep z towarami spożywczymi ⟨kolonialnymi⟩
**groom** [grum] *s* stajenny; szambelan; pan młody
**groove** [gruv] *s* rowek, bruzda; wpust; *przen.* szablon, rutyna; *vt* żłobić
**grope** [grəup] *vt vi* szukać ⟨iść⟩ po omacku
**gross** [grəus] *adj* gruby, duży; ordynarny; całkowity; *handl.* brutto; *s* gros (= 12 tuzinów); **in ⟨by⟩ the ~** hurtem, ogółem
**gro·tesque** [grəuˋtesk] *adj* groteskowy; *s* groteska
**ground** 1. *zob.* **grind**
**ground** 2. [graund] *s* podstawa, podłoże; grunt, ziemia; dno (morza); tło; teren, plac; **~ floor** parter; *vt* gruntować; opierać; uczyć (podstaw); *elektr.* uziemić
**group** [grup] *s* grupa; *vt vi* grupować (się)
**grove** [grəuv] *s* gaj, lasek
**grov·el** [ˋgrovl] *vi* pełzać, płaszczyć się
***grow** [grəu], **grew** [gru], **grown** [grəun] *vi* rosnąć, wzrastać; stawać się; wzmagać się; *vt* hodować, sadzić; zapuszczać (np. brodę); **to ~ old** starzeć się; **it is ~ing dark** ściemnia się; **~ up** wyrastać, dorastać, dojrzewać
**growl** [graul] *vi* warczeć, mruczeć, burczeć; *s* warczenie, pomruk
**grown-up** [ˋgrəunʌp] *adj* dorosły; *s* dorosły człowiek
**growth** [grəuθ] *s* rośnięcie; wzrost; rozwój; hodowla; porost; narośl
**grub** [grʌb] *vt vi* ryć, grzebać; karczować; *s* robak, czerw
**grudge** [grʌdʒ] *s* złość, niechęć, uraza; *vt* czuć urazę, zazdrościć; skąpić, żałować (**sb, sth** komuś czegoś); **to bear sb a ~** czuć urazę do kogoś
**gru·el** [ˋgruļ] *s* kaszka, kleik
**grue·some** [ˋgrusəm] *adj* straszny, budzący zgrozę
**grum·ble** [ˋgrʌmbl] *vt vi* szemrać, gderać, narzekać (**at sb, sth** na kogoś, coś)
**grum·bler** [ˋgrʌmblə(r)] *s* gderacz, zrzęda
**grunt** [grʌnt] *vt vi* chrząkać; *s* chrząkanie
**guar·an·tee** [ˏgærənˋti] *s* poręczyciel; gwarancja; *vt* gwarantować, ręczyć
**guar·an·ty** [ˋgærəntɪ] *s prawn.* = guarantee
**guard** [gad] *s* straż, warta; baczność; stróż, wartownik, strażnik; ochrona, osłona; *bryt.* konduktor

(kolejowy); *pl* ~s gwardia; *vt* pilnować, osłaniać, ochraniać; *vi* strzec się; zabezpieczać się (**against sth** przed czymś)
**guard·i·an** [`gadıən] *s* opiekun, stróż
**gue·ril·la** [gə`rılə] *s* partyzantka; partyzant
**guess** [ges] *vt vi* zgadywać; przypuszczać, domyślać się, sądzić; *s* zgadywanie; przypuszczenie, domysł; **to give** ⟨**make**⟩ **a** ~ zgadnąć; **at** ~ na chybił trafił, na oko
**guest** [gest] *s* gość
**guid·ance** [`gaıdns] *s* kierownictwo; informacja
**guide** [gaıd] *s* kierownik; (*także o książce*) przewodnik; poradnik; doradca; *vt* kierować, prowadzić
**guild** [gıld] *s* gildia, cech
**guile** [gaıl] *s* podstęp, oszustwo
**guile·less** [`gaılləs] *adj* otwarty, szczery
**guil·lo·tine** [ˈgılə`tin] *s* gilotyna
**guilt·y** [`gıltı] *adj* winny; ~ **conscience** nieczyste sumienie
**guin·ea** [`gını] *s* gwinea (= 21 szylingów)
**gui·tar** [gı`ta(r)] *s* gitara
**gulf** [gʌlf] *s* zatoka; otchłań; wir
**gull** [gʌl] *s* mewa
**gul·let** [`gʌlıt] *s* przełyk; gardziel
**gul·li·ble** [`gʌləbl] *adj* naiwny, łatwowierny
**gul·ly** [`gʌlı] *s* ściek, kanał; żleb
**gulp** [gʌlp] *vt* chłeptać, łykać (*także* łzy); powstrzymywać (łzy); *s* łyk; **at one** ~ jednym haustem
**gum 1.** [gʌm] *s* dziąsło
**gum 2.** [gʌm] *s* guma; klej roślinny; *vt* lepić, gumować
**gun** [gʌn] *s* działo; strzelba, karabin; rewolwer; strzelec
**gun·boat** [`gʌnbəut] *s wojsk.* kanonierka
**gun·ner** [`gʌnə(r)] *s* kanonier
**gun·pow·der** [`gʌnpaudə(r)] *s* proch strzelniczy
**gur·gle** [`g3gl] *vi* bulgotać; *s* bulgotanie
**gush** [gʌʃ] *vi* wylewać, tryskać; *s* wylew, wytrysk
**gust** [gʌst] *s* poryw wiatru; gwałtowna ulewa; *przen.* wybuch uczucia
**gut** [gʌt] *pl* ~s wnętrzności, jelita; *pot.* odwaga, energia
**gut·ter** [`gʌtə(r)] *s* ściek, rynna
**gut·ter·snipe** [`gʌtəsnaıp] *s* dziecko ulicy
**gut·tur·al** [`gʌtərl] *adj* gardłowy (dźwięk)
**guy** [gaı] *s* kukła, straszydło; *am. pot.* typ, facet
**gym·na·si·um** [dʒım`neızıəm] *s* sala gimnastyczna
**gym·nas·tic** [dʒım`næstık] *adj* gimnastyczny; *s pl* ~s gimnastyka
**gynae·colo·gist** [ˈgaını`kolədʒıst] *s* ginekolog
**gyp·sy** [`dʒıpsı] *s* = **gipsy**

# h

**hab·er·dash·er** [`hæbədæʃə(r)] *s* kupiec pasmanteryjny i galanteryjny
**hab·it** [`hæbıt] *s* zwyczaj; nawyk, przyzwyczajenie; nałóg; budowa ciała; habit (zakonny); † (*zw.* ~ **of mind**) usposobienie; **to be in the** ~ **of** mieć zwyczaj ⟨nałóg⟩; **to fall** ⟨**get**⟩ **into the** ~ **of** popaść w nawyk ⟨nałóg⟩; **to break off the** ~ odzwyczaić się; *vt* odziewać

**hab·i·ta·tion** [ˌhæbɪˈteɪʃn] *s* mieszkanie, zamieszkiwanie; miejsce zamieszkania

**ha·bit·u·al** [həˈbɪtʃuəl] *adj* zwykły, zwyczajny; nałogowy; notoryczny

**hack** 1. [hæk] *s* oskard, kilof; cięcie; *vt* ciosać, rąbać, siekać

**hack** 2. [hæk] *s* koń wynajęty; szkapa; *przen. pot.* wyrobnik, murzyn; **~ writer** pismak; *vt* wynajmować; banalizować; *vi* pracować jak wyrobnik

**hack·ney** [ˈhæknɪ] *s* koń wynajęty; dorożka; *vt* banalizować, pospolitować

**hack·neyed** [ˈhæknɪd] *pp i adj* oklepany, banalny, szablonowy

**had** *zob.* **have**

**hadn't** [hædnt] = **had not;** *zob.* **have**

**haem·or·rhage** [ˈhemərɪdʒ] *s* krwawienie, krwotok

**hag** [hæg] *s* wiedźma; jędza

**hag·gard** [ˈhægəd] *adj* wynędzniały, wychudzony; (*o wzroku*) nieprzytomny

**hail** 1. [heɪl] *s* grad; *vi* (*o gradzie*) padać

**hail** 2. [heɪl] *vt* witać; wołać; obwołać; *vi* pochodzić, przybywać (skądś); *s* powitanie

**hair** [heə] *s* włos; *zbior.* włosy

**hair·cut** [ˈheəkʌt] *s* strzyżenie

**hair·dress·er** [ˈheədresə(r)] *s* fryzjer

**hair·y** [ˈheərɪ] *adj* włochaty, owłosiony

**hale** [heɪl] *adj* (*zw.* **~ and hearty**) (*o starszych ludziach*) czerstwy, krzepki

**half** [hɑf] *s* (*pl* **halves** [hɑvz]) połowa; **one and a ~** półtora; **to go halves** dzielić się (z kimś) na pół; *adj* pół; **~ a mile** pół mili; *adv* na pół, po połowie

**half-back** [ˈhɑfbæk] *s sport.* obrońca, pomocnik

**half-broth·er** [ˈhɑfbrʌðə(r)] *s* przyrodni brat

**half-crown** [ˈhɑfkraun] *s* półkoronówka (= dwa i pół szylinga)

**half-heart·ed** [ˈhɑfhɑtɪd] *adj* niezdecydowany, bez zapału

**half·pen·ny** [ˈheɪpnɪ] *s* (*pl* **halfpence** [ˈheɪpəns]) pół pensa

**half-sis·ter** [ˈhɑfsɪstə(r)] *s* przyrodnia siostra

**half-time** [ˈhɑfˈtaɪm] *s* system pracy na pół dniówki; **~ worker** półetatowy pracownik

**half-way** [ˈhɑfˈweɪ] *adv* w połowie drogi; *adj attr* znajdujący się w połowie drogi; *przen.* połowiczny

**hall** [hɔl] *s* hall; sala; hala; westybul; dwór, gmach

**hall·mark** [ˈhɔlmɑk] *s* stempel probierczy; *przen.* znamię

**hal·lo!** [həˈləu] *int* halo!; cześć!, czołem!

**hal·low** [ˈhæləu] *vt* święcić, poświęcać

**hal·lu·ci·na·tion** [həˌlusɪˈneɪʃn] *s* halucynacja

**ha·lo** [ˈheɪləu] *s* aureola; obwódka

**halt** [hɔlt] *vt vi* zatrzymać (się); wahać się; † chromać; *s* zatrzymanie się, postój

**hal·ter** [ˈhɔltə(r)] *s* stryczek; postronek

**halves** *zob.* **half**

**ham** [hæm] *s* szynka

**ham·burg·er** [ˈhæmbɜgə(r)] *s* mielony kotlet wołowy (*zw.* podawany w przekrojonej bułce)

**ham·let** [ˈhæmlət] *s* wioska

**ham·mer** [ˈhæmə(r)] *s* młot, młotek; *vt* bić młotem, kuć, wbijać; *przen.* zadać klęskę; *vi* walić <tłuc> (**at sth** w coś)

**ham·mock** [ˈhæmək] *s* hamak

**ham·per** [ˈhæmpə(r)] *vt* przeszkadzać, hamować, krępować

**hand** [hænd] *s* ręka, dłoń; pracownik; *pl* **~s** siły robocze, obsługa; załoga; pismo; **legible ~** czytelne pismo; **at ~** pod ręką; blisko; wkrótce; **by ~** ręcznie; **in ~** w posiadaniu; w robocie; pod kontrolą; **on ~** w ręku; w posiadaniu; **on all ~s** ze wszystkich stron; **on the one** <**other**> **~** z jednej <drugiej> strony; **out of**

~ z miejsca, bezzwłocznie; poza kontrolą; **to be a good ~ at sth** umieć coś dobrze zrobić; **to bear ⟨lend, give⟩ sb a ~** przyjść komuś z pomocą; **to get sth off one's ~s** pozbyć się czegoś; uwolnić się od czegoś; **to have a ~ in sth** maczać palce w czymś; **to live from ~ to mouth** żyć z dnia na dzień; **to shake ~s** ściskać dłoń (na powitanie); *vt* (*także* **~ in**) włączyć; **~ on** podać dalej; **~ out** wydać, wypłacić; **~ over** przekazać, dostarczyć

**hand-bag** [ˋhændbæg] *s* torebka damska

**hand·bill** [ˋhændbɪl] *s* ulotka

**hand·book** [ˋhændbʊk] *s* podręcznik; poradnik

**hand·cuff** [ˋhændkʌf] *s zw. pl* **~s** kajdany; *vt* zakuć w kajdany

**hand·ful** [ˋhændful] *s* garść (pełna czegoś); garstka (np. osób)

**hand·i·cap** [ˋhændɪkæp] *s* zawada, przeszkoda, obciążenie; *sport* handicap; *vt sport* dodatkowo obciążać (zawodnika), (obciążeniem) wyrównywać szanse (zawodników); przeszkadzać, utrudniać (**sb** komuś); upośledzać, stawiać w gorszym położeniu

**hand·i·craft** [ˋhændɪkrɑft] *s* rękodzieło; rzemiosło

**hand·i·work** [ˋhændɪwɜk] *s* robota ręczna

**hand·ker·chief** [ˋhæŋkətʃif] *s* chustka (*także* na szyję); chusteczka (do nosa)

**han·dle** [ˋhændl] *vt* trzymać w ręku, dotykać ręką ⟨palcami⟩ (**sth** czegoś); obracać, manipulować (**sth** czymś); kierować (**sth** czymś); mieć do czynienia, traktować, obchodzić się (**sb, sth** z kimś, czymś); załatwiać (np. **orders** zamówienia); handlować (**sth** czymś); *s* rączka, rękojeść, uchwyt, trzonek; klamka (u drzwi); ucho (garnka itp.)

**han·dle-bar** [ˋhændlbɑ(r)] *s* kierownica (roweru)

**hand-made** [ˈhændˋmeɪd] *adj* ręcznie zrobiony ⟨wykonany⟩

**hand·rail** [ˋhændreɪl] *s* poręcz

**hand·some** [ˋhænsəm] *adj* ładny, przystojny; hojny

**hand·work** [ˋhændwɜk] *s* praca ręczna ⟨fizyczna⟩

**hand·writ·ing** [ˋhændraɪtɪŋ] *s* charakter pisma, pismo

**hand·y** [ˋhændɪ] *adj* będący pod ręką; podręczny; zręczny, sprytny; wygodny, poręczny

***hang** [hæŋ], **hung, hung** [hʌŋ] (*gdy mowa o egzekucji, samobójstwie*: **hanged, hanged** [hæŋd]) *vt* wieszać, zwieszać; *vi* wisieć, zwisać; zależeć (**on sb, sth** od kogoś, czegoś); **~ about** ⟨*am. także* **around**⟩ trzymać się w pobliżu, wałęsać się, *pot.* obijać się; **~ back** wahać się, ociągać się; **~ on** uporczywie trzymać się, czepiać się (**to sth** czegoś); **~ out** zwisać na zewnątrz, wychylać się; wywieszać; **~ together** trzymać się razem; **~ up** powiesić, zawiesić; wstrzymać (np. plan)

**hang·er** [ˋhæŋə(r)] *s* wieszak, wieszadło

**hang·er-on** [ˈhæŋər ˋon] *s* (*pl* **~s-on**) pochlebca, pieczeniarz; intruz

**hang·ing** [ˋhæŋɪŋ] *s* (*zw. pl* **~s**) draperia, kotara

**hang·man** [ˋhæŋmən] *s* (*pl* **hangmen** [ˋhæŋmən]) kat

**hang·over** [ˋhæŋəuvə(r)] *s* przeżytek; *pot.* kac

**hank·er** [ˋhæŋkə(r)] *vi* pożądać ⟨pragnąć⟩ (**after ⟨for⟩ sth** czegoś); tęsknić (**after ⟨for⟩ sth, sb** za czymś, kimś, do czegoś, kogoś)

**hap·haz·ard** [hæpˋhæzəd] *s* czysty przypadek, los szczęścia; **at ⟨by⟩ ~** na chybił trafił; *adj* przypadkowy; *adv* przypadkowo, na ślepo

**hap·less** [ˋhæpləs] *adj* nieszczęśliwy, nieszczęsny

**hap·pen** [ˋhæpn] *vi* zdarzyć się, trafić się, stać się, dziać się; **~ to do sth** przypadkowo coś zrobić; natknąć się ⟨natrafić⟩ (**on ⟨upon⟩ sth** na coś)

**hap·pen·ing** [ˈhæpnɪŋ] *s* wydarzenie; przedstawienie, happening
**hap·pi·ness** [ˈhæpɪnəs] *s* szczęście
**hap·py** [ˈhæpɪ] *s* szczęśliwy; radosny; zadowolony; (*o pomyśle itp.*) trafny, udany
**ha·rangue** [həˈræŋ] *s* przemowa, tyrada, oracja; *vt vi* przemawiać (**sb** do kogoś), wygłaszać tyradę ⟨orację⟩
**har·ass** [ˈhærəs] *vt* niepokoić, dręczyć
**har·bin·ger** [ˈhabɪndʒə(r)] *s* zwiastun; *vt* zwiastować
**har·bour** [ˈhabə(r)] *s dosł. i przen.* przystań; port; schronienie; *vi* zawijać (do portu); chronić się; *vt* przygarnąć, dać przytułek; być siedliskiem (np. brudu); żywić (np. uczucie)
**hard** [had] *adj* twardy; surowy, srogi; ostry; trudny, ciężki; silny, mocny; **~ worker** człowiek ciężko pracujący; **~ and fast** bezwzględny, surowy; nienaruszalny; *adv* mocno, twardo; wytrwale, usilnie; ciężko, z trudem; intensywnie; nadmiernie ⟨bez umiaru⟩; **~ by ⟨upon⟩** tuż (obok); **~ on ⟨after, behind⟩** śladem, tuż za; **to be ~ up** być bez pieniędzy
**hard·en** [ˈhadn] *vt* hartować, wzmacniać; znieczulać; *techn.* utwardzać; *vi* twardnieć; hartować się; *pot.* (*o cenach*) stabilizować się, ustalać się
**har·di·hood** [ˈhadɪhud] *s* odwaga; zuchwalstwo, bezczelność
**hard·ly** [ˈhadlɪ] *adv* surowo, twardo; z trudem; ledwo; **I can ~ say** trudno mi powiedzieć; **~ anybody** mało kto; **~ ever** rzadko, prawie nigdy; **I ~ know** nie bardzo wiem
**hard·ness** [ˈhadnəs] *s* twardość; wytrzymałość, odporność; trudność; surowość, ostrość
**hard·ship** [ˈhadʃɪp] *s* męka, znój, trud; ciężkie doświadczenie; nędza, niedostatek
**hard·ware** [ˈhadweə(r)] *s zbior.* towary żelazne
**har·dy** [ˈhadɪ] *adj* śmiały; wytrzymały
**hare** [heə(r)] *s* zając
**hark** [hak] *vi* uważnie słuchać; *int.* słuchaj!, uwaga!
**har·le·quin** [ˈhaləkwɪn] *s* arlekin
**harm** [ham] *s* szkoda, krzywda; skaleczenie; **to do ~** zaszkodzić; *vt* szkodzić, krzywdzić; skaleczyć
**harm·ful** [ˈhamfl] *adj* szkodliwy
**har·mo·ni·ous** [haˈməunɪəs] *adj* harmonijny, zgodny; melodyjny
**har·mo·ny** [ˈhamənɪ] *s* (*także muz.*) harmonia, zgodność
**har·ness** [ˈhanɪs] *s* uprząż, zaprzęg; *vt* zaprzęgać
**harp** [hap] *s* harfa; *vi* grać na harfie; uporczywie powtarzać jedno i to samo (**on sth** na ten sam temat)
**har·poon** [ˈhaˈpun] *s* harpun; *vt* ugodzić harpunem
**har·row** [ˈhærəu] *s* brona; *vt* bronować; *przen.* dręczyć, ranić (uczucia)
**har·ry** [ˈhærɪ] *vt* pustoszyć, grabić; dręczyć
**harsh** [haʃ] *adj* szorstki; opryskliwy, nieuprzejmy; przykry (dla oka, ucha itp.); (*o opinii, klimacie itd.*) surowy
**har·vest** [ˈhavɪst] *s* żniwo; *dosł. i przen.* żniwo, plon; *vt* zbierać (zboże, plon)
**has** *zob.* **have**
**hash** [hæʃ] *vt* siekać (mięso); *s* siekane mięso; *przen. pot.* bigos, galimatias
**hasn't** [ˈhæznt] = **has not**; *zob.* **have**
**hasp** [hæsp] *s* skobel, zasuwka; klamra
**haste** [heɪst] *s* pośpiech; **to make ~** śpieszyć się
**has·ten** [ˈheɪsn] *vt* przyśpieszać; ponaglać; *vi* śpieszyć się
**hast·y** [ˈheɪstɪ] *adj* pośpieszny; porywczy; nie przemyślany, pochopny
**hat** [hæt] *s* kapelusz
**hatch 1.** [hætʃ] *s mors.* luk; klapa; właz

**hatch** 2. [hætʃ] *vt vi* wysiadywać (jaja), wylęgać (pisklęta); *vi* wylęgać się; *s* wylęganie; wyląg
**hatch·et** [ˈhætʃɪt] *s* toporek; *am.* **to bury the** ~ pogodzić się
**hate** [heɪt] *vt* nienawidzić; nie znosić; *s* nienawiść
**hath** [hæθ] † = **has**
**ha·tred** [ˈheɪtrɪd] *s* nienawiść
**haugh·ty** [ˈhɔtɪ] *adj* wyniosły, pyszny
**haul** [hɔl] *vt vi* ciągnąć; wlec; *mors.* holować; przewozić; *s* ciągnienie; holowanie; połów; przewóz
**haunch** [hɔntʃ] *s* biodro
**haunt** [hɔnt] *vt* nawiedzać; (*o duchach*) straszyć; odwiedzać, bywać (**a place** w jakimś miejscu); (*o myślach*) prześladować; *s* miejsce częstych odwiedzin; kryjówka; spelunka
***have** [hæv, həv], **had, had** [hæd, həd], *3 pers sing praes* **has** [hæz] *vt* mieć; miewać, posiadać; otrzymać, nabyć; kazać ⟨dać⟩ (coś zrobić); spowodować (zrobienie czegoś); kazać (**sb** do **sth** komuś coś zrobić); twierdzić; życzyć sobie, chcieć; znosić, pozwalać na coś; *przed bezokolicznikiem z* **to**: musieć; **to** ~ **a good time** dobrze się bawić; **to** ~ **dinner** jeść obiad; **to** ~ **a bath** wykąpać się; **to** ~ **a drink** napić się; **to** ~ **a walk** przejść się; **do you** ~ **tea for breakfast?** czy pijasz herbatę na śniadanie?; **do you often** ~ **colds?** czy często się zaziębiasz?; **I must** ~ **my watch repaired** muszę dać zegarek do naprawy; **I had my watch stolen** ukradziono mi zegarek; **let me** ~ **it** daj mi to; **G. B. Shaw has it** G. B. Shaw twierdzi; **I** ~ **to go** muszę iść; **I would** ~ **you know** chciałem, żebyś wiedział; **I won't** ~ **such conduct** nie zniosę takiego zachowania; ~ **on** mieć na sobie; mieć w planie; ~ **out** dać sobie usunąć (np. zęby); ~ **up** wprowadzić na górę; wezwać do sądu (na przesłuchanie)
**ha·ven** [ˈheɪvn] *s dosł. i przen.* przystań
**haven't** [ˈhævnt] = **have not**
**hav·oc** [ˈhævək] *s* spustoszenie; **to play** ~ pustoszyć, szerzyć zniszczenie
**hawk** 1. [hɔk] *s* jastrząb
**hawk** 2. [hɔk] *vt* sprzedawać na ulicy (lub krążąc od domu do domu)
**hawk** 3. [hɔk] *vi* chrząkać
**hawk·er** [ˈhɔkə(r)] *s* sprzedawca uliczny; domokrążca
**haw·thorn** [ˈhɔθɔn] *s* głóg
**hay** [heɪ] *s* siano; **to make** ~ kosić, grabić i suszyć siano; *przen.* robić bałagan; szerzyć zamieszanie (**of sth** w czymś)
**hay·cock** [ˈheɪkok] *s* kopa siana
**hay·stack** [ˈheɪstæk] *s* stóg siana
**haz·ard** [ˈhæzəd] *s* hazard, ryzyko, niebezpieczeństwo; traf; *vt* ryzykować, narażać (się) na niebezpieczeństwo
**haz·ard·ous** [ˈhæzədəs] *adj* hazardowy, ryzykowny, niebezpieczny
**haze** [heɪz] *s* lekka mgła, mgiełka; *przen.* niepewność
**ha·zel** [ˈheɪzl] *s bot.* leszczyna; *adj attr* leszczynowy; ~ **nut** orzech laskowy
**ha·zy** [ˈheɪzɪ] *adj* zamglony, *dosł. i przen.* mglisty
**H-bomb** [ˈeɪtʃ bom] *s* bomba wodorowa
**he** [hi] *pron* on
**head** [hed] *s* głowa; główka (np. szpilki, sałaty itd.); łeb (zwierzęcia); szef, kierownik, naczelnik; nagłówek; rubryka, dział, punkt, dziedzina; *prawn.* paragraf; szczyt, góra, górna część; przód, czoło (listy, pochodu); **at the** ~ na czele; **to bring to a** ~ doprowadzić do rozstrzygającego ⟨kulminacyjnego⟩ momentu; **to keep one's** ~ nie tracić głowy; **to**

make ~ against sth stawić czoło ⟨opór⟩ czemuś; *vt* prowadzić, przewodzić, stać ⟨być, iść⟩ na czele; *sport* (*w piłce nożnej*) uderzyć głową; nadawać kierunek; zatytułować (np. rozdział); stawiać czoło, sprzeciwiać się (sth czemuś); *vi* zdążać, brać kurs (for sth na coś), zmierzać (for sth ku czemuś)

**head·ache** [ˋhedeɪk] *s* ból głowy

**head·ing** [ˋhedɪŋ] *s* nagłówek; dział; rubryka; *mors.* kurs

**head·land** [ˋhedlənd] *s* przylądek, cypel

**head·light** [ˋhedlaɪt] *s* przednie światło ⟨reflektor⟩ (lokomotywy, samochodu itp.)

**head·line** [ˋhedlaɪn] *s* nagłówek, tytuł (w gazecie); *pl* ~s *radio* wiadomości w skrócie

**head·long** [ˋhedlɒŋ] *adj* gwałtowny, nagły; nierozważny; *adv* nagle, na łeb na szyję, na oślep; (*upaść itd.*) głową naprzód

**head·man** [ˋhedmən] *s* (*pl* **headmen** [ˋhedmən]) przewodnik; przywódca, wódz

**head·mas·ter** [ˈhedˋmastə(r)] *s* dyrektor szkoły

**head·phones** [ˋhedfəunz] *s pl* słuchawki (do radia itp.)

**head·quar·ters** [ˈhedˋkwɔtəz] *s pl* *wojsk.* kwatera główna; dowództwo

**heads·man** [ˋhedzmən] *s* (*pl* **headsmen** [ˋhedzmən]) kat

**head·way** [ˋhedweɪ] *s* ruch naprzód, postęp

**head·y** [ˋhedɪ] *adj* gwałtowny; (*o trunku itp.*) oszałamiający

**heal** [hil] *vt vi* leczyć (się); goić (się); łagodzić

**health** [helθ] *s* zdrowie; ~ **insurance** ubezpieczenie na wypadek choroby; ~ **resort** uzdrowisko

**health·y** [ˋhelθɪ] *adj* zdrowy

**heap** [hip] *s* stos, kupa; *pot.* masa, mnóstwo; *vt* (*także* ~ **up**) ułożyć ⟨usypać⟩ stos ⟨kopiec⟩ (sth z czegoś); (*także* ~ **up**) gromadzić; ładować

***hear** [hɪə(r)], **heard, heard** [hɜd] *vt vi* słuchać, słyszeć; przesłuchać, przepytać; dowiedzieć się, otrzymać wiadomość

**hear·er** [ˋhɪərə(r)] *s* słuchacz

**hear·ing** [ˋhɪərɪŋ] *ppraes i s* słuch; posłuchanie; przesłuchanie; słyszenie (czegoś); **it was said in my** ~ powiedziano to w mojej obecności

**hear·say** [ˋhɪəseɪ] *s* wieść; pogłoska; **from** ~ ze słyszenia

**hearse** [hɜs] *s* karawan

**heart** [hat] *s* serce; *przen.* dusza; rdzeń; środek, sedno; *przen.* otucha, męstwo, odwaga; *pl* ~s kier (w kartach); ~ **to** ~ szczerze; **to have sth at** ~ mieć coś na sercu; **I cannot find it in my** ~ nie mogę się na to zdobyć, nie mam odwagi; **by** ~ na pamięć

**heart-break·ing** [ˋhatbreɪkɪŋ] *adj* rozdzierający serce

**heart-brok·en** [ˋhatbrəukn] *adj* ze złamanym sercem, zgnębiony

**heart·burn** [ˋhatbɜn] *s* zgaga

**heart·en** [ˋhatn] *vt* (*także* ~ **up**) dodać otuchy ⟨serca, odwagi⟩; *vi* (*także* ~ **up**) nabrać odwagi

**hearth** [haθ] *s* palenisko; kominek; *przen.* ognisko domowe

**heart·sick** [ˋhatsɪk] *adj* przygnębiony, przybity, strapiony

**heart·y** [ˋhatɪ] *adj* serdeczny, szczery (*o posiłku*) solidny; krzepki; (*o glebie*) żyzny

**heat** [hit] *s* gorąco, żar, upał; *fiz.* ciepło; *przen.* zapał; ogień; pasja; **at a** ~ naraz, za jednym zamachem; **trial** ⟨**preliminary**⟩ ~s zawody eliminacyjne; *vt vi* grzać ⟨ogrzewać, rozgrzewać⟩ (się); palić ⟨rozpalić⟩ (się)

**heat·er** [ˋhitə(r)] *s* ogrzewacz, grzejnik, grzałka, piec, kaloryfer

**heath** [hiθ] *s* wrzosowisko

**hea·then** [ˋhiðn] *adj* pogański; *s* (*pl* **the** ~) poganin

**heath·er** [`heðə(r)] *s* wrzos
**heat·ing** [`hitɪŋ] *s* ogrzewanie
***heave** [hiv], **hove, hove** [həuv] *lub* **heaved, heaved** [hivd] *vt vi* podnosić (się), dźwigać (się); (*o falach itp.*) unosić (się) i opadać; wydać (**a groan** jęk); wydymać (się); *s* podniesienie ⟨dźwignięcie⟩ (się); nabrzmienie
**heav·en** [`hevn] *s* niebo, niebiosa; **for ~'s sake!** na miłość boską!; **good ~(s)!** wielkie nieba!
**heav·i·ness** [`hevɪnəs] *s* ciężkość; ociężałość
**heav·y** [`hevɪ] *adj* ciężki; ociężały; (*o ciosie itd.*) silny, mocny; (*o stracie itd.*) duży, wielki; (*o śnie*) głęboki; (*o posiłku*) obfity; (*o kobiecie*) ciężarna; (*o morzu*) wzburzony; (*o niebie*) zachmurzony; (*o deszczu*) rzęsisty; **to lie ⟨hang⟩ ~** ciążyć; (*o czasie*) dłużyć się
**heav·y-weight** [`hevɪweɪt] *s sport* waga ciężka; bokser ciężkiej wagi
**He·brew** [`hibru] *adj* hebrajski; *s* Izraelita; język hebrajski
**heck·le** [`hekl] *vt* dręczyć ⟨przerywać mówcy⟩ (pytaniami, okrzykami)
**hec·tic** [`hektɪk] *adj* gorączkowy, rozgorączkowany; niszczący
**he'd** [hid] = **he had; he would**
**hedge** [hedʒ] *s* żywopłot, ogrodzenie; *vt* ogradzać
**hedge·hog** [`hedʒhog] *s zool.* jeż
**heed** [hid] *vt* uważać ⟨baczyć⟩ (**sb, sth** na kogoś, coś); *s* uwaga; baczenie; **to take ~** zważać (**of sth** na coś)
**heed·ful** [`hidfl] *adj* baczny, uważny, dbały
**heed·less** [`hidləs] *adj* nieuważny, niedbały, nieostrożny
**heel** [hil] *s* pięta; obcas; **to take to one's ~s** uciec, *pot.* wziąć nogi za pas
**heel-tap** [`hiltæp] *s* flek
**he·ge·mo·ny** [hi`gemənɪ] *s* hegemonia
**heif·er** [`hefə(r)] *s* jałówka
**height** [haɪt] *s* wysokość; wzrost (człowieka); szczyt; pełnia, punkt kulminacyjny; wzniesienie (terenu)
**height·en** [`haɪtn] *vt vi* podwyższyć (się), podnieść (się), wzmóc, powiększyć
**hei·nous** [`heɪnəs] *adj* (*o zbrodni itp.*) potworny, ohydny
**heir** [eə(r)] *s* dziedzic, spadkobierca
**heir·ess** [`eəres] *s* dziedziczka
**heir·loom** [`eəlum] *s* coś dziedziczonego w rodzinie, scheda (klejnot, talent itp.)
**held** *zob.* **hold**
**hell** [hel] *s* piekło; *int* do diabła!
**he'll** [hil] = **he will, he shall**
**hel·lo** [he`ləu] *int* halo!
**helm** [helm] *s dosł. i przen.* ster
**hel·met** [`helmɪt] *s* hełm (żołnierza, policjanta itp.); kask
**helms·man** [`helmzmən] *s* (*pl* **helmsmen** [`helmzmən]) sternik
**help** [help] *s* pomoc; rada, ratunek; pomocnik; służący; **to be of ~** być pomocnym; **to be past ~** być w beznadziejnym stanie; **there is no ~ for it** na to nie ma rady; *vt* pomagać, wspierać, ratować; częstować (**to sth** czymś); wstrzymać się; zapobiec; dać radę; **~ yourself** poczęstuj się (**to sth** czymś); **I can't ~ laughing** nie mogę się powstrzymać od śmiechu; **I can't ~ it** nic na to nie poradzę
**help·ful** [`helpfl] *adj* pomocny, użyteczny
**help·less** [`helpləs] *adj* bez oparcia, bezradny
**help·mate** [`helpmeɪt] *s* towarzysz, partner; współmałżonek
**hem** [hem] *vt* rąbek, obwódka; *vt* obrębić, obszyć; **~ in** otoczyć, okrążyć
**hem·i·sphere** [`hemɪsfɪə(r)] *s* półkula
**hemp** [hemp] *s* konopie
**hem·stitch** [`hemstɪtʃ] *s* mereżka; *vt* mereżkować

**hen** [hen] *s* kura; samica (ptaków)
**hence** [hens] *adv* a więc; stąd, odtąd
**hence·forth** [ˈhensˋfɔθ], **hence·forward** [ˈhensˋfɔwəd] *adv* odtąd, na przyszłość
**hench·man** [ˋhentʃmən] *s* (*pl* **henchmen** [ˋhentʃmən]) stronnik, ślepo oddany zwolennik
**her** [hɜ(r), ɜ(r)] *pron* ją, jej; *pot.* ona
**her·ald** [ˋherld] *s* herold; zwiastun; *vt* zwiastować
**her·ald·ry** [ˋherldrɪ] *s* heraldyka
**herb** [hɜb] *s* zioło
**herd** [hɜd] *s* stado; motłoch; *vt vi* żyć w stadach, gromadzić (się)
**herds·man** [ˋhɜdzmən] *s* (*pl* **herdsmen** [ˋhɜdzmən]) pastuch, pasterz
**here** [hɪə(r)] *adv* tu, tutaj; oto; **from ~** stąd; **in ~** tu (wewnątrz); **near ~** niedaleko stąd, tuż obok; **up to ~** dotąd
**here·a·bout(s)** [ˈhɪərəˋbaut(s)] *adv* w pobliżu, gdzieś tutaj
**here·af·ter** [hɪərˋaftə(r)] *adv* następnie, w przyszłości; poniżej
**here·by** [hɪəˋbaɪ] *adv* przez to; przy tym; tym sposobem
**he·red·i·ta·ry** [hɪˋredɪtrɪ] *adj* dziedziczny
**he·red·i·ty** [hɪˋredətɪ] *s* dziedziczność
**here·in** [ˈhɪərˋɪn] *adv* w tym; tu (wewnątrz)
**here·of** [ˈhɪərˋov] *adv* tego, niniejszego (np. dokumentu)
**here's** [hɪəz] = **here is; here has**
**her·e·sy** [ˋherəsɪ] *s* herezja
**her·e·tic** [ˋherətɪk] *s* heretyk
**he·ret·i·cal** [hɪˋretɪkl] *adj* heretycki
**here·up·on** [ˈhɪərəˋpon] *adv* na to co do tego; następnie
**here·with** [ˈhɪəˋwɪð] *adv* niniejszym, z niniejszym
**her·i·table** [ˋherɪtəbl] *adj* dziedziczny
**her·i·tage** [ˋherɪtɪdʒ] *s* dziedzictwo, spadek
**her·met·ic** [hɜˋmetɪk] *adj* hermetyczny
**her·mit** [ˋhɜmɪt] *s* pustelnik
**he·ro** [ˋhɪərəu] *s* (*pl* **~es** [ˋhɪərəuz]) bohater
**he·ro·ic** [hɪˋrəuɪk] *adj* bohaterski, heroiczny
**her·o·ine** [ˋherəuɪn] *s* bohaterka
**her·o·ism** [ˋherəuɪzm] *s* bohaterstwo
**her·on** [ˋherən] *s zool.* czapla
**her·ring** [ˋherɪŋ] *s zool.* śledź
**hers** [hɜz] *pron* jej
**her·self** [hɜˋself] *pron* ona sama; (ona) sobie ⟨siebie, się⟩; **by ~** sama (jedna), samodzielnie
**he's** [hiz] = **he is; he has**
**hes·i·tant** [ˋhezɪtənt] *adj* niezdecydowany, niepewny
**hes·i·tate** [ˋhezɪteɪt] *vi* wahać się, być niezdecydowanym
**hes·i·ta·tion** [ˈhezɪˋteɪʃn] *s* wahanie, niezdecydowanie
***hew** [hju], **hewed** [hjud], **hewn** [hjun] *vt* rąbać, ciosać; wyrąbać sobie (np. ścieżkę)
**hew·er** [ˋhjuə(r)] *s* drwal; kamieniarz; rębacz
**hey·day** [ˋheɪdeɪ] *s* punkt szczytowy; pełny rozkwit
**hi·ber·nate** [ˋhaɪbəneɪt] *vi* zimować, znajdować się w śnie zimowym
**hic·cup, hic·cough** [ˋhɪkʌp] *s* czkawka; *vi* mieć czkawkę
**hid, hid·den** *zob.* **hide 2.**
**hide 1.** [haɪd] *s* (nie wyprawiona) skóra
***hide 2.** [haɪd], **hid** [hɪd], **hidden** [ˋhɪdn] *vt vi* ukrywać (się), chować (się)
**hide-and-seek** [ˈhaɪdəndˋsik] *s* zabawa w chowanego
**hid·e·ous** [ˋhɪdɪəs] *adj* wstrętny, ohydny, odrażający
**hi·er·arch·y** [ˋhaɪərakɪ] *s* hierarchia
**hi·er·o·glyph** [ˋhaɪərəglɪf] *s* hieroglif
**high** [haɪ] *adj* **wysoki; wybitny;**

skrajny, szczytowy; górny; główny; wzniosły; (*o głosie*) cienki; (*o opinii*) pochlebny; (*o wietrze*) silny; (*o barwach*) żywy; ~ **affairs** ważne sprawy; ~ **day** jasny dzień; ~ **hand** arbitralne postępowanie, wyniosłość; ~ **life** życie wyższych sfer, wytworny świat; ~ **seas** pełne morze; ~ **spirits** radosny nastrój; ~ **tide** przypływ; ~ **water** najwyższy stan wody; ~ **words** gwałtowne ⟨ostre⟩ słowa; **to run** ~ (*o cenach*) iść w górę; (*o morzu, uczuciach*) być wzburzonym

**high·brow** [ˋhaɪbrau] *s* (*zw.* pretensjonalny) intelektualista

**high·flown** [ˈhaɪˋfləun] *adj* górnolotny

**high-hand·ed** [ˈhaɪˋhændɪd] *adj* władczy, despotyczny, arbitralny

**High·land·er** [ˋhaɪləndə(r)] *s* góral szkocki

**high·ly** [ˋhaɪlɪ] *adv* wysoko; wysoce, w wysokim stopniu; wielce, w dużej mierze; wyniośle

**high·ness** [ˋhaɪnəs] *s* wysokość; **Your Highness** Wasza Wysokość

**high·road** [ˋhaɪrəud] *s* gościniec, szosa

**high·way** [ˋhaɪweɪ] *s* szosa, główny szlak

**high·way·man** [ˋhaɪweɪmən] *s* (*pl* **highwaymen** [ˋhaɪweɪmən]) rozbójnik

**hike** [haɪk] *vi* odbywać pieszą wycieczkę ⟨wędrówkę⟩; *s* piesza wycieczka, wędrówka

**hik·er** [ˋhaɪkə(r)] *s* turysta (pieszy)

**hi·la·ri·ous** [hɪˋleərɪəs] *adj* wesoły

**hi·lar·i·ty** [hɪˋlærətɪ] *s* wesołość

**hill** [hɪl] *s* wzgórze, pagórek

**hill-side** [ˋhɪlsaɪd] *s* stok, zbocze

**hill·y** [ˋhɪlɪ] *adj* pagórkowaty

**hilt** [hɪlt] *s* rękojeść

**him** [hɪm] *pron* jemu, mu, jego, go; *pot.* on

**him·self** [hɪmˋself] *pron* on sam, jego samego, (on) sobie ⟨siebie, się⟩; **by** ~ sam (jeden), samodzielnie

**hind 1.** [haɪnd] *s* łania

**hind 2.** [haɪnd] *adj* tylny

**hin·der** [ˋhɪndə(r)] *vt* przeszkadzać; powstrzymywać (**sb from doing sth** kogoś od zrobienia czegoś)

**hin·drance** [ˋhɪndrns] *s* przeszkoda

**hinge** [hɪndʒ] *s* zawias(a); *przen.* punkt zaczepienia, oś (problemu itp.); *vt* umocować na zawiasach; *vi* obracać się (**on sth** dookoła czegoś); *przen.* zależeć (**on sth** od czegoś)

**hint** [hɪnt] *s* aluzja, przytyk, docinek; napomknienie, wzmianka; *vt vi* napomknąć (**sth** ⟨**at sth**⟩ o czymś), zrobić aluzję (**at sth** do czegoś)

**hip** [hɪp] *s* biodro

**hire** [ˋhaɪə(r)] *s* najem; opłata za najem; *vt* najmować

**hire·ling** [ˋhaɪəlɪŋ] *s* najmita, najemnik

**his** [hɪz] *pron* jego

**hiss** [hɪs] *vi* syczeć; *vt* wygwizdać; *s* syk; wygwizdanie

**his·to·ri·an** [hɪˋstɔrɪən] *s* historyk

**his·tor·ic(al)** [hɪˋstorɪk(l)] *adj* historyczny

**his·to·ry** [ˋhɪstr̩ɪ] *s* historia, dzieje

**his·tri·on·ic** [ˈhɪstrɪˋonɪk] *adj* aktorski, teatralny; komediancki

***hit, hit, hit** [hɪt] *vt vi* uderzyć (się); trafić; ugodzić (**at sth** w coś); ~ **off** uchwycić (np. podobieństwo); *s* uderzenie; celny strzał; traf; aluzja, przytyk; trafna uwaga; sukces, udana próba

**hitch** [hɪtʃ] *vt* szarpnąć, przyciągnąć, podciągnąć; posunąć; przymocować, przyczepić; *vi* przyczepić ⟨zaczepić⟩ się; *s* nerwowy ruch; szarpnięcie; zaciśnięcie; zatrzymanie; zwłoka; przeszkoda; komplikacja

**hitch-hike** [ˋhɪtʃ haɪk] *s* podróż autostopem; *vi* podróżować autostopem

**hitch-hik·er** [ˋhɪtʃ haɪkə(r)] *s* autostopowicz

**hith·er** [ˋhɪðə(r)] *adv* tu, do tego miejsca, dotąd

**hith·er·to** ['hɪðə'tu] *adv* dotychczas, dotąd
**hive** [haɪv] *s* ul; *przen.* mrowisko (ludzkie); *vt* umieszczać (pszczoły) w ulu; *przen.* gromadzić; *vi* wchodzić do ula; *przen.* żyć w gromadzie
**hoar** [hɔ(r)] *adj* siwy
**hoard** [hɔd] *s* zapas; skarb; *vt* gromadzić ⟨zbierać⟩ (np. zapasy), ciułać, odkładać (pieniądze)
**hoard·ing** ['hɔdɪŋ] *s* płot, parkan; deski do naklejania afiszów
**hoar·frost** ['hɔfrost] *s* szron
**hoarse** [hɔs] *adj* ochrypły, chrapliwy
**hoar·y** ['hɔrɪ] *adj* oszroniony; siwy; sędziwy
**hoax** [həuks] *s* mistyfikacja, oszustwo, *pot.* kawał; *vt* mistyfikować, *pot.* nabierać
**hob·ble** ['hobl] *vi* kuleć, utykać; *vt* pętać (konia); *s* utykanie, kuśtykanie; pęta (dla konia)
**hob·by** ['hobɪ] *s* ulubione zajęcie, rozrywka, konik, pasja, hobby; † konik, kucyk
**hob·nail** ['hobneɪl] *s* ćwiek
**hob·nailed** ['hobneɪld] *adj* podbity ćwiekami
**hock·ey** ['hokɪ] *s* hokej; **field** ⟨**ice**⟩ ~ hokej na trawie ⟨na lodzie⟩
**hoe** [həu] *s* motyka; graca; *vt vi* kopać motyką; gracować
**hog** [hog] *s* wieprz, świnia
**hoist** [hɔɪst] *vt* (*także* ~ **up**) podnieść, podciągnąć w górę, wywiesić (flagę)
***hold** 1. [həuld], **held, held** [held] *vt vi* trzymać (się); zawierać, mieścić; utrzymywać (się); odbywać (np. zebranie); obchodzić (np. święto); twierdzić, uważać (**sb guilty** kogoś za winnego, **sth to be good** że coś jest dobre); obstawać (**to sth** przy czymś); powstrzymać, hamować; **to ~ good** ⟨**true**⟩ utrzymywać się w mocy; **to ~ one's ground** trzymać się mocno, nie ustępować; **to ~ one's own** stać na swoim, nie poddawać się; **to ~ true** być nadal ważnym; **to ~ one's tongue** milczeć; *z przysłówkami:* **~ back** powstrzymywać (się); taić; ociągać się; **~ in** hamować (się); **~ off** trzymać (się) z dala, powstrzymywać (się); **~ on** trzymać (się) mocno, trwać (**to sth** przy czymś); wytrzymywać; **~ out** wyciągać; ofiarowywać, dawać; wytrzymywać; **~ over** odkładać, odraczać; **~ up** podtrzymywać; podnosić; zatrzymywać; hamować; wystawiać (np. **to derision** na pośmiewisko); *s* chwyt, uchwyt; trzymanie; wpływ (**over sb** na kogoś); **to catch** ⟨**get, lay**⟩ **~** pochwycić, opanować (**of sth** coś); **to keep ~** mocno trzymać (**of sth** coś); **to lose** ⟨**leave**⟩ **one's ~** stracić panowanie (**of sth** nad czymś)
**hold** 2. [həuld] *s* ładownia (statku)
**hold·er** ['həuldə(r)] *s* posiadacz; właściciel; dzierżawca; okaziciel; rączka (pióra), oprawka, obsadka; naczynie, zbiornik
**hold·ing** ['həuldɪŋ] *ppraes i s* władanie; posiadłość; dzierżawa; *handl.* portfel (papierów wartościowych)
**hold-up** ['həuldʌp] *s* zatrzymanie (ruchu); napad (rabunkowy)
**hole** [həul] *s* dziura, dół, otwór; nora, jama; *vt* dziurawić, wiercić, drążyć
**hol·i·day** ['holədɪ] *s* święto; dzień wolny od pracy; (*zw. pl* ~**s**) wakacje; urlop; ferie
**hol·low** ['holəu] *s* puste miejsce, dziura, wydrążenie, jama; kotlina, dolina; *adj* pusty, wydrążony, wklęsły; (*o policzkach, oczach*) zapadnięty; (*o zębie*) dziurawy; *przen.* czczy; nieszczery, fałszywy; (*o dźwięku*) głuchy; *vt* wydrążyć, wyżłobić; *adv pot.* całkowicie
**holm** [həum] *s* ostrów, kępa
**hol·ster** ['həulstə(r)] *s* kabura, olstro

**ho·ly** [ˋhəulɪ] *adj* święty, poświęcony; ~ **orders** święcenia

**hom·age** [ˋhomɪdʒ] *s* hołd; **to pay** ~ składać hołd

**home** [həum] *s* dom (rodzinny), ognisko domowe; mieszkanie; przytułek; kraj (rodzinny), ojczyzna; **at** ~ w domu; w kraju; **to make oneself** ~ rozgościć się, nie krępować się; *adj* domowy, rodzinny; miejscowy; wewnętrzny, krajowy; **Home Office** ministerstwo spraw wewnętrznych; **Home Secretary** minister spraw wewnętrznych; **Home Rule** autonomia; *adv* do domu; do kraju; w domu, w kraju; **to bring** ~ unaocznić, wyjaśnić

**home·less** [ˋhəumləs] *adj* bezdomny

**home·ly** [ˋhəumlɪ] *adj* przytulny, swojski; prosty, pospolity; (*np. o rysach twarzy*) nieładny

**home-made** [ˈhəumˋmeɪd] *adj* domowego ⟨krajowego⟩ wyrobu

**home·sick** [ˋhəumsɪk] *adj* cierpiący na nostalgię

**home·spun** [ˋhəumspʌn] *adj* przędzony ⟨tkany⟩ ręcznie (w domu); prosty, domowy; *s* samodział

**home·stead** [ˋhəumsted] *s* zabudowania gospodarskie; gospodarstwo rolne

**home·ward(s)** [ˋhəumwəd(z)] *adv* ku domowi

**home·work** [ˋhəumwɜk] *s* praca domowa (*zw.* szkolna)

**hom·i·cide** [ˋhomɪsaɪd] *s* zabójca; zabójstwo

**ho·mo·ge·ne·ous** [ˈhəuməˋdʒinɪəs] *adj* jednorodny, homogeniczny

**hom·o·nym** [ˋhomənɪm] *s* homonim

**ho·mun·cule** [hoˋmʌŋkjul], **ho·mun·cu·lus** [hoˋmʌŋkjuləs] *s* człowieczek, karzeł

**hon·est** [ˋonɪst] *adj* uczciwy, prawy; szczery; porządny

**hon·es·ty** [ˋonɪstɪ] *s* uczciwość, prawość; szczerość

**hon·ey** [ˋhʌnɪ] *s* miód; (*mówiąc do kogoś*) kochanie

**hon·our** [ˋonə(r)] *s* honor, cześć; zaszczyt, odznaczenie; **to pass the exam with** ~**s** zdać egzamin z odznaczeniem; **in** ~ **of** na cześć; *vt* honorować; czcić; zaszczycać

**hon·our·a·ble** [ˋonrbl] *adj* szanowny, czcigodny; honorowy, zaszczytny; prawy

**hood** [hud] *s* kaptur; nakrycie, osłona, daszek

**hood·wink** [ˋhudwɪŋk] *vt* zawiązać oczy; *przen.* zmylić

**hoof** [huf] *s* (*pl* ~**s** [hufs] *lub* **hooves** [huvz]) kopyto; **cattle on the** ~ żywiec

**hook** [huk] *s* hak; haczyk; sierp; ostry zakręt; *geogr.* cypel; ~ **and eye** konik i haftka; *vt vi* zahaczyć (się), zaczepić (się); zagiąć (się); złapać (męża), złowić (rybę)

**hoop** [hup] *s* obręcz; *vt* otoczyć ⟨ścisnąć⟩ obręczą

**hoop·ing-cough** [ˋhupɪŋkof] *s* koklusz

**hoot** [hut] *vi* huczeć, hukać (**at sb** na kogoś); (*o syrenie*) wyć; (*o klaksonie*) trąbić; wygwizdać (**at sb** kogoś); *vt* wygwizdać (**an actor** aktora); ~ **down** zagłuszyć gwizdaniem

**hoot·er** [ˋhutə(r)] *s* syrena; klakson; gwizdek

**hooves** *zob.* **hoof**

**hop 1.** [hop] *s* skok; *pot.* potańcówka; *vi* skakać, podskakiwać

**hop 2.** [hop] *s* (*także pl* ~**s**) chmiel; *vt vi* zbierać chmiel

**hope** [həup] *s* nadzieja; *vi* mieć ⟨żywić⟩ nadzieję; spodziewać się (**for sth** czegoś)

**hope·ful** [ˋhəupfl] *adj* pełen nadziei, ufny; obiecujący

**hope·less** [ˋhəupləs] *adj* beznadziejny; zrozpaczony

**horde** [hɔd] *s* horda

**ho·ri·zon** [həˋraɪzn] *s* horyzont, widnokrąg

**hor·i·zon·tal** [ˈhorɪˋzontl] *adj* horyzontalny, poziomy

**horn** [hɔn] *s* róg, rożek; klakson

**horn·y** [ˋhɔnı] *adj* rogowy; rogowaty

**hor·ri·ble** [ˋhorəbl] *adj* straszny, okropny

**hor·rid** [ˋhorıd] *adj* straszny, odrażający; *pot.* niemiły

**hor·ri·fy** [ˋhorəfaı] *vt* przerażać

**hor·ror** [ˋhorə(r)] *s* odraza; przerażenie; okropność

**horse** [hɔs] *s* koń; *zbior.* konnica, jazda

**horse·back** [ˋhɔsbæk] *s* grzbiet koński; **on ~** konno

**horse-pow·er** [ˋhɔspauə(r)] *s techn.* koń parowy (miara mocy)

**horse-race** [ˋhɔsreis], **horse-rac·ing** [ˋhɔsreısıŋ] *s* wyścigi konne

**horse-rad·ish** [ˋhɔsrædıʃ] *s* chrzan

**horse·shoe** [ˋhɔʃʃu] *s* podkowa

**hor·ti·cul·ture** [ˋhɔtıkʌltʃə(r)] *s* ogrodnictwo

**hose** [həuz] *s* wąż (gumowy, do polewania itp.); *zbior.* wyroby pończosznicze; pończochy; trykoty; *vt* polewać z węża

**ho·sier** [ˋhəuzıə(r)] *s* handlarz wyrobami trykotarskimi, pończosznik

**ho·sier·y** [ˋhəuzıərı] *s zbior.* artykuły ⟨wyroby⟩ trykotarskie, trykotaże; pończochy i skarpetki

**hos·pice** [ˋhospıs] *s* schronisko; przytułek

**hos·pi·ta·ble** [həˋspıtəbl] *adj* gościnny

**hos·pi·tal** [ˋhospıtl] *s* szpital

**hos·pi·tal·i·ty** [ˌhospıˋtælətı] *s* gościnność

**host 1.** [həust] *s* orszak, zastęp; masa, mnóstwo; tłum (np. przyjaciół)

**host 2.** [həust] *s* gospodarz, pan domu; właściciel gospody

**hos·tage** [ˋhostıdʒ] *s* zakładnik

**hos·tel** [ˋhostl] *s* dom akademicki, bursa; dom noclegowy

**host·ess** [ˋhəustıs] *s* gospodyni, pani domu

**hos·tile** [ˋhostaıl] *adj* wrogi (**to sb, sth** komuś, czemuś)

**hos·til·i·ty** [hoˋstılətı] *s* wrogość; *pl* **hostilities** działania ⟨kroki⟩ wojenne

**hot** [hot] *adj* gorący, palący; świeżo upieczony; (*także o tropie*) świeży; (*także o anegdocie*) pieprzny; namiętny, pobudliwy; (*także o sporze*) zawzięty; **a ~ temper** gwałtowne usposobienie; **to get ~ over sth** roznamiętnić się czymś

**hot·bed** [ˋhotbed] *s* inspekty

**hotch·potch** [ˋhotʃpotʃ] *s* mieszanina; *przen.* bigos, groch z kapustą

**ho·tel** [həuˋtel] *s* hotel

**hot·house** [ˋhothaus] *s* cieplarnia, oranżeria

**hound** [haund] *s* pies myśliwski; *vt* szczuć (psami), ścigać, tropić

**hour** [auə(r)] *s* godzina; **office ~s** godziny urzędowe; **small ~s** wczesne godziny po północy; **after ~s** czas po godzinach urzędowania; **at the eleventh ~** w ostatniej chwili

**hour·ly** [ˋauəlı] *adj* godzinny, cogodzinny; ciągły; *adv* co godzina; ciągle

**house** [haus] *s* dom; gospodarstwo (domowe); izba (w parlamencie); dom handlowy, firma, zakład; dynastia; teatr, widownia; **to keep ~** prowadzić dom ⟨gospodarstwo⟩; *vt* [hauz] przyjąć do domu, gościć, umieścić pod dachem; dać mieszkanie; zaopatrzyć w mieszkania (**people** ludzi); magazynować, przechowywać (**sth** coś)

**house-break·er** [ˋhausbreıkə(r)] *s* włamywacz; robotnik zatrudniony przy rozbiórce starych domów

**house·hold** [ˋhaushəuld] *s zbior.* domownicy; gospodarstwo domowe; **~ goods** artykuły gospodarstwa domowego

**house·keep·er** [ˋhauskipə(r)] *s* pani domu; gospodyni (służąca); kierownik działu gospodarczego

**house·maid** [ˋhausmeıd] *s* pomocnica domowa, pokojówka

**house·wife** [ˋhauswaɪf] *s* gospodyni
**hove** *zob.* **heave** *v*
**hov·el** [ˋhovl] *s* rudera; buda, szopa
**hov·er** [ˋhovə(r)] *vi* unosić się ⟨wisieć⟩ w powietrzu; krążyć, kręcić się (**about sb, sth** dokoła kogoś, czegoś); *przen.* wahać się
**how** [hau] *adv* jak, w jaki sposób; ~ **much** ⟨**many**⟩ ile; *przed przymiotnikiem:* jaki; ~ **nice he is!** jaki(ż) on miły!
**how·ev·er** [hauˋevə(r)] *adv* jakkolwiek, jakimkolwiek sposobem; jednakowoż, jednak, tym niemniej; natomiast; *conj* chociaż, choćby, żeby
**howl** [haul] *vi* wyć; *s* wycie, ryk
**hub** [hʌb] *s* piasta (u koła); *przen.* centrum, ośrodek
**huck·ster** [ˋhʌkstə(r)] *s* kramarz; *vi* kupczyć, targować się
**hud·dle** [ˋhʌdl] *vt vi* nagromadzić, zwalić na kupę; ~ **together** stłoczyć (się); ~ **up** zwinąć (się) w kłębek; *s* kupa, tłum; natłok
**hue 1.** [hju] *s* zabarwienie, odcień
**hue 2.** [hju] *s w zwrocie:* ~ **and cry** krzykliwa pogoń za ściganym człowiekiem ⟨zwierzęciem⟩; *przen.* larum
**hug** [hʌg] *vt* tulić, ściskać, obejmować; trzymać się blisko (**sth** czegoś); *s* objęcie, uścisk
**huge** [hjudʒ] *adj* olbrzymi, ogromny
**hull 1.** [hʌl] *s* kadłub, zrąb
**hull 2.** [hʌl] *s* łuska, łupina, strąk; *vt* łuszczyć, łuskać
**hum** [hʌm] *vt vi* brzęczeć, buczeć, warkotać; mruczeć; *s* brzęczenie, warkot, pomruk
**hu·man** [ˋhjumən] *adj* ludzki; ~ **being** człowiek; *s* istota ludzka
**hu·mane** [hjuˋmeɪn] *adj* humanitarny, ludzki; humanistyczny
**hu·man·ism** [ˋhjumənɪzm] *s* humanizm
**hu·man·i·tar·i·an** [hjuˌmænɪˋteərɪən] *adj* humanitarny, filantropijny; *s* filantrop
**hu·man·i·ty** [hjuˋmænətɪ] *s* ludzkość; humanitarność; *pl* **humanities** humanistyka
**hum·ble** [hʌmbl] *adj* pokorny; skromny; niskiego stanu; *vt* upokarzać, poniżać
**hum·bug** [ˋhʌmbʌg] *s* oszustwo, blaga; oszust, blagier; brednie; *vt vi* blagować, oszukiwać
**hum·drum** [ˋhʌmdrʌm] *adj* jednostajny, banalny, nudny; *s* jednostajność, banalność; nudziarz, nieciekawy człowiek
**hu·mid** [ˋhjumɪd] *adj* wilgotny
**hu·mid·i·ty** [hjuˋmɪdətɪ] *s* wilgoć, wilgotność
**hu·mil·i·ate** [hjuˋmɪlɪeɪt] *vt* upokarzać, poniżać
**hu·mil·i·ty** [hjuˋmɪlətɪ] *s* pokora
**hu·mor·ist** [ˋhjumərɪst] *s* humorysta
**hu·mor·ous** [ˋhjumərəs] *adj* humorystyczny, zabawny, śmieszny
**hu·mour** [ˋhjumə(r)] *s* humor; nastrój; **out of** ~ w złym nastroju ⟨humorze⟩; *vt* dogadzać, pobłażać, folgować
**hump** [hʌmp] *s* garb; *pot.* chandra; *vt* zgarbić; wygiąć (w łuk); *vr* ~ **oneself** zgarbić się; wygiąć się w łuk
**hump·back** [ˋhʌmpbæk] *s* garb; garbus
**hunch** [hʌntʃ] *s* garb; pajda (chleba itp.)
**hun·dred** [ˋhʌndrəd] *num* sto; *s* setka
**hun·dredth** [ˋhʌndrədθ] *adj* setny; *s* jedna setna
**hun·dred·weight** [ˋhʌndrədweɪt] *s* cetnar
**hung** *zob.* **hang**
**Hun·ga·ri·an** [hʌŋˋgeərɪən] *adj* węgierski; *s* Węgier; język węgierski
**hun·ger** [ˋhʌŋgə(r)] *s* głód (**for sth** czegoś); *vi* głodować; pożądać (**after** ⟨**for**⟩ **sth** czegoś)
**hun·gry** [ˋhʌŋgrɪ] *adj* głodny, wygłodzony; **to be** ~ **for sth** pragnąć ⟨pożądać⟩ czegoś

**hunt** [hʌnt] *vt vi* polować (**animals** na zwierzynę); ścigać (**sb** ⟨**for sb**⟩ kogoś); poszukiwać (**after** ⟨**for**⟩ **sb, sth** kogoś, czegoś); **~ down** dopaść, pojmać (**sb** kogoś); **~ out** wygnać; wyszukać; *s* polowanie; pościg; poszukiwanie

**hunt·er** [ˋhʌntə(r)] *s* myśliwy

**hunt·ing** [ˋhʌntɪŋ] *s* polowanie, pościg; *attr* myśliwski

**hur·dle** [ˋhɜdl] *s* płot, płotek; *sport pl* **~s** (*także* **~-race**) bieg przez płotki

**hurl** [hɜl] *vt* miotać; ciskać; *s* rzut

**hur·ri·cane** [ˋhʌrɪkən] *s* huragan

**hur·ried** [ˋhʌrɪd] *pp i adj* pośpieszny

**hur·ry** [ˋhʌrɪ] *s* pośpiech; *vt vi* przyspieszać, ponaglić; (*także* **~ up**) spieszyć się

***hurt** [hɜt], **hurt, hurt** [hɜt] *vt vi* skaleczyć, zranić; zaszkodzić, uszkodzić; urazić, dotknąć; boleć; *s* skaleczenie, rana; ból; uszkodzenie, krzywda, szkoda, uraz (psychiczny)

**hus·band** [ˋhʌzbənd] *s* mąż, małżonek; *vt* oszczędnie gospodarować (**sth** czymś)

**hus·band·ry** [ˋhʌzbəndrɪ] *s* gospodarka; uprawa roli

**hush** [hʌʃ] *vt vi* uciszyć; ucichnąć; **~ up** zataić, zatuszować; *s* cisza; *int* cicho! sza!

**husk** [hʌsk] *s* łuska, łupina; *vt* łuszczyć, łuskać

**husk·y** [ˋhʌskɪ] *adj* pokryty łupiną; łuskowaty; krzepki, czerstwy; (*o głosie*) ochrypły

**hus·tle** [ˋhʌsl] *s* rwetes, krzątanina, bieganina, popychanie (się); *vt vi* tłoczyć (się), popychać (się), szturchać

**hut** [hʌt] *s* chata, szałas

**hy·a·cinth** [ˋhaɪəsɪnθ] *s* hiacynt

**hy·ae·na** [haɪˋinə] *s* hiena

**hy·brid** [ˋhaɪbrɪd] *s* hybryda, hybryd, krzyżówka

**hy·drau·lic** [haɪˋdrɔlɪk] *adj* hydrauliczny

**hy·dro·gen** [ˋhaɪdrədʒən] *s chem.* wodór; **~ bomb** bomba wodorowa

**hy·dro·plane** [ˋhaɪdrəpleɪn] *s lotn.* wodnopłatowiec

**hy·e·na** = **hyaena**

**hy·giene** [ˋhaɪdʒin] *s* higiena

**hy·gi·en·ic** [ˈhaɪˋdʒinɪk] *adj* higieniczny

**hymn** [hɪm] *s* hymn

**hy·per·bo·le** [haɪˋpɜbəlɪ] *s* hiperbola, przesadnia

**hy·phen** [ˋhaɪfn] *s gram.* łącznik

**hyp·no·sis** [hɪpˋnəʊsɪs] *s* hipnoza

**hyp·not·ic** [hɪpˋnotɪk] *adj* hipnotyczny

**hyp·no·tize** [ˋhɪpnətaɪz] *vt* hipnotyzować

**hy·poc·ri·sy** [hɪˋpokrəsɪ] *s* hipokryzja, obłuda

**hyp·o·crite** [ˋhɪpəkrɪt] *s* hipokryta

**hy·po·der·mic** [ˈhaɪpəˋdɜmɪk] *adj* podskórny

**hy·poth·e·sis** [ˈhaɪˋpoθəsɪs] *s* (*pl* **hypotheses** [ˈhaɪˋpoθəsiz]) hipoteza

**hys·te·ri·a** [hɪˋstɪərɪə] *s* histeria

**hys·ter·ical** [hɪˋsterɪkl] *adj* histeryczny

**hys·ter·ics** [hɪˋsterɪks] *s* napad histerii

# I

**I** [aɪ] *pron* ja
**ice** [aɪs] *s* lód; = **ice-cream**
**ice·berg** [ˋaɪsbɜg] *s* góra lodowa
**ice·bound** [ˋaɪsbaund] *adj* skuty lodem; uwięziony w lodach
**ice-break·er** [ˋaɪsbreɪkə(r)] *s* łamacz lodów, lodołamacz
**ice-cream** [aɪsˋkrim] *s* lody
**i·ci·cle** [ˋaɪsɪkl] *s* sopel
**icon** [ˋaɪkon] *s* ikona
**i·cy** [ˋaɪsɪ] *adj* lodowaty
**I'd** [aɪd] = **I had; I should; I would**
**i·de·a** [aɪˋdɪə] *s* idea; pojęcie, myśl, pomysł; **I don't get the ~** nie rozumiem; **I have the** ⟨**an**⟩ **~ that ...** mam wrażenie ⟨wydaje mi się⟩, że ...
**i·de·al** [aɪˋdɪəl] *adj* idealny; *s* ideał
**i·de·al·ism** [aɪˋdɪəlɪzəm] *s* idealizm
**i·de·al·ize** [aɪˋdɪəlaɪz] *vt* idealizować
**i·den·ti·c(al)** [aɪˋdentɪk(l)] *adj* identyczny
**i·den·ti·fy** [aɪˋdentɪfaɪ] *vt* utożsamiać, identyfikować; rozpoznać
**i·den·ti·ty** [aɪˋdentətɪ] *s* identyczność, tożsamość; **~ card** dowód osobisty, legitymacja
**i·de·o·log·i·cal** [ˈaɪdɪəˋlodʒɪkl] *adj* ideologiczny
**i·de·ol·o·gy** [ˈaɪdɪˋolədʒɪ] *s* ideologia
**id·i·o·cy** [ˋɪdɪəsɪ] *s* idiotyzm; niedorozwój umysłowy
**id·i·om** [ˋɪdɪəm] *s* idiom, wyrażenie idiomatyczne; język danego kraju; dialekt, narzecze; właściwość językowa, styl
**id·i·o·mat·ic** [ˈɪdɪəˋmætɪk] *adj* idiomatyczny
**id·i·ot** [ˋɪdɪət] *s* idiota
**id·i·ot·ic** [ˈɪdɪˋotɪk] *adj* idiotyczny
**i·dle** [ˋaɪdl] *adj* leniwy; bezczynny; bez pracy; daremny; próżny; bezpodstawny; błahy, bezwartościowy; *vi* leniuchować, próżnować; *vt* (*także* **~ away**) marnować
**i·dler** [ˋaɪdlə(r)] *s* próżniak, leń, nierób, wałkoń
**i·dol** [ˋaɪdl] *s* bożyszcze, bożek
**i·dol·a·try** [aɪˋdolətrɪ] *s* bałwochwalstwo
**i·dol·ize** [ˋaɪdḷaɪz] *vt* ubóstwiać, czcić bałwochwalczo
**i·dyll** [ˋɪdl] *s* sielanka
**if** [ɪf] *conj* jeżeli, jeśli, o ile; gdyby, jeśli by; *w zdaniach pytających zależnych*: czy; **I wonder if he is there** ciekaw jestem, czy on tam jest; **if I knew** gdybym wiedział; **if necessary** w razie potrzeby; **if not** w przeciwnym wypadku ⟨razie⟩; **if so** w takim razie ⟨wypadku⟩; **as if** jak gdyby
**ig·ni·tion** [ɪgˋnɪʃn] *s* palenie się, zapalenie; zapłon
**ig·no·ble** [ɪgˋnəubl] *adj* podły, haniebny
**ig·no·min·i·ous** [ˈɪgnəˋmɪnɪəs] *adj* haniebny, sromotny
**ig·no·min·y** [ˋɪgnəmɪnɪ] *s* podłość, hańba
**ig·no·ra·mus** [ˈɪgnəˋreɪməs] *s* nieuk, ignorant
**ig·no·rance** [ˋɪgnərəns] *s* ignorancja; nieznajomość (**of sth** czegoś)
**ig·no·rant** [ˋɪgnərnt] *adj* nie wiedzący (**of sth** o czymś), nieświadomy (**of sth** czegoś); niewykształcony, ciemny
**ig·nore** [ɪgˋnɔ(r)] *vt* ignorować, nie zwracać uwagi, nie zważać
**ill** [ɪl] *adj* (*comp* **worse** [wɜs], *sup* **worst** [wɜst]) zły, niedobry, szkodliwy; *praed* chory (**with sth** na coś); **to fall** ⟨**get, be taken**⟩ **~** zachorować; *adv* źle; niedostatecznie, niewłaściwie; ledwo, z trudem; *s* zło
**I'll** [aɪl] = **I shall, I will**

**il·le·gal** [ɪˈligl] *adj* bezprawny, nieprawny, nielegalny
**il·leg·i·ble** [ɪˈledʒəbl] *adj* nieczytelny
**il·le·git·i·mate** [ˈɪlɪˈdʒɪtɪmət] *adj* nieprawny; (*o dziecku*) nieślubny
**ill-fat·ed** [ˈɪlˈfeɪtɪd] *adj* nieszczęsny, nieszczęśliwy
**il·lib·er·al** [ɪˈlɪbrl] *adj* nieliberalny; ograniczony (umysłowo); skąpy
**il·lic·it** [ɪˈlɪsɪt] *adj* nielegalny, zakazany
**il·lit·er·a·cy** [ˈɪˈlɪtr̥əsɪ] *s* analfabetyzm, nieuctwo
**il·lit·er·ate** [ɪˈlɪtr̥ət] *adj* niepiśmienny; *s* analfabeta
**ill·ness** [ˈɪlnəs] *s* choroba
**il·log·i·cal** [ɪˈlodʒɪkl] *adj* nielogiczny
**ill-tem·pered** [ˈɪlˈtempəd] *adj* zły, rozdrażniony; o złym usposobieniu
**ill-timed** [ˈɪlˈtaɪmd] *adj* będący nie na czasie ⟨nie w porę⟩; niefortunny
**ill-treat** [ˈɪlˈtrit] *vt* źle traktować, maltretować
**il·lu·mi·nate** [ɪˈlumɪneɪt] *vt* oświetlać; oświecać, rozjaśniać; iluminować
**il·lu·mi·na·tion** [ɪˈlumɪˈneɪʃn] *s* oświetlenie; oświecenie, rozjaśnienie; iluminacja
**il·lu·mine** [ɪˈlumɪn] = **illuminate**
**il·lu·sion** [ɪˈluʒn] *s* złudzenie, iluzja
**il·lu·sive** [ɪˈlusɪv] *adj* złudny, zwodniczy
**il·lu·so·ry** [ɪˈlusərɪ] *adj* iluzoryczny, nierzeczywisty
**il·lus·trate** [ˈɪləstreɪt] *vt* ilustrować; objaśniać
**il·lus·tra·tion** [ˈɪləˈstreɪʃn] *s* ilustracja
**il·lus·tra·tive** [ˈɪləstrətɪv] *adj* ilustrujący (**of sth** coś)
**il·lus·tri·ous** [ɪˈlʌstrɪəs] *adj* wybitny, znamienity
**I'm** [aɪm] = **I am**
**im·age** [ˈɪmɪdʒ] *s* obraz, podobizna, posąg; wyobrażenie
**im·age·ry** [ˈɪmɪdʒrɪ] *s* obrazowość (opisu itp.); *zbior.* obrazy, wizerunki
**im·ag·i·na·ble** [ɪˈmædʒn̥əbl] *adj* dający się wyobrazić, wyobrażalny
**im·ag·i·nar·y** [ɪˈmædʒnrɪ] *adj* urojony, wyimaginowany
**im·ag·i·na·tion** [ɪˈmædʒɪˈneɪʃn] *s* imaginacja, wyobraźnia
**im·ag·i·na·tive** [ɪˈmædʒn̥ətɪv] *adj* obdarzony wyobraźnią, pomysłowy
**im·ag·ine** [ɪˈmædʒɪn] *vt* wyobrażać sobie; przypuszczać; mieć wrażenie
**im·be·cile** [ˈɪmbəsil] *adj* niedorozwinięty umysłowo; *s* imbecyl, idiota
**im·bibe** [ɪmˈbaɪb] *vt* wchłaniać, absorbować, wsysać, wdychać
**im·bro·glio** [ɪmˈbrəulɪəu] *s* powikłanie, zawikłana sytuacja
**im·bue** [ɪmˈbju] *vt* napawać; nasycać; wpajać
**im·i·tate** [ˈɪmɪteɪt] *vt* naśladować, imitować
**im·i·ta·tion** [ˈɪmɪˈteɪʃn] *s* imitacja, naśladownictwo
**im·i·ta·tive** [ˈɪmɪtətɪv] *adj* naśladowczy, naśladujący (**of sth** coś)
**im·mac·u·late** [ɪˈmækjulət] *adj* niepokalany, nieskazitelny
**im·ma·te·ri·al** [ˈɪməˈtɪərɪəl] *adj* niematerialny; nieistotny
**im·ma·ture** [ˈɪməˈtjuə(r)] *adj* niedojrzały, nierozwinięty
**im·meas·ur·a·ble** [ɪˈmeʒr̥əbl] *adj* niezmierzony, niezmierny, bezgraniczny
**im·me·di·ate** [ɪˈmidɪət] *adj* bezpośredni; najbliższy; natychmiastowy; bezzwłoczny; pilny
**im·me·di·ate·ly** [ɪˈmidɪətlɪ] *adv* bezpośrednio; natychmiast; tuż obok
**im·me·mo·ri·al** [ˈɪməˈmɔrɪəl] *adj* odwieczny; **from time ~** od niepamiętnych czasów
**im·mense** [ɪˈmens] *adj* ogromny, niezmierny

**im·merse** [ɪ`mзs] *vt* zanurzyć; pogrążyć

**im·mi·grant** [`ɪmɪgrənt] *s* imigrant; *adj* imigrujący

**im·mi·grate** [`ɪmɪgreɪt] *vi* imigrować

**im·mi·gra·tion** [ˈɪmɪ`greɪʃn] *s* imigracja

**im·mi·nence** [`ɪmɪnəns] *s* bezpośrednia bliskość (w czasie), bezpośrednie zagrożenie

**im·mi·nent** [`ɪmɪnənt] *adj* zbliżający się, bezpośrednio zagrażający

**im·mo·bile** [ɪ`məubaɪl] *adj* nieruchomy, unieruchomiony

**im·mo·bil·i·ty** [ˈɪmə`bɪlətɪ] *s* nieruchomość, bezruch

**im·mod·er·ate** [`ɪmodŗət] *adj* nieumiarkowany, nadmierny

**im·mod·est** [ɪ`modɪst] *adj* nieskromny, nieprzyzwoity

**im·mor·al** [ɪ`morl] *adj* niemoralny

**im·mo·ral·i·ty** [ˈɪmə`rælətɪ] *s* niemoralność

**im·mor·tal** [ɪ`mɔtl] *adj* nieśmiertelny

**im·mor·tal·i·ty** [ˈɪmɔ`tælətɪ] *s* nieśmiertelność

**im·mov·a·ble** [ɪ`muvəbl] *adj* nieruchomy, niewzruszony; *s pl* ~s nieruchomości

**im·mune** [ɪ`mjun] *adj* odporny **(from ⟨against⟩ sth** na coś); wolny (np. od obowiązku)

**im·mu·ni·ty** [ɪ`mjunətɪ] *s* odporność; immunitet, nietykalność; wolność (np. od obowiązku)

**im·mu·nize** [`ɪmjunaɪz] *vt* uodpornić, immunizować

**im·mu·ta·ble** [ɪ`mjutəbl] *adj* niezmienny, stały

**imp** [ɪmp] *s* diabełek, chochlik; (*o dziecku*) diablę

**im·pact** [`ɪmpækt] *s* uderzenie, zderzenie; wpływ, oddziaływanie, działanie

**im·pair** [ɪm`peə(r)] *vt* uszkodzić; osłabić, nadwątlić

**im·pal·pa·ble** [ɪm`pælpəbl] *adj* niewyczuwalny; nieuchwytny, niepojęty

**im·part** [ɪm`pat] *vt* użyczyć, udzielić; przekazać

**im·par·tial** [ɪm`paʃl] *adj* bezstronny

**im·par·ti·al·i·ty** [ˈɪmˈpaʃɪ`ælətɪ] *s* bezstronność

**im·pas·sioned** [ɪm`pæʃnd] *adj* namiętny, roznamiętniony

**im·pas·sive** [ɪm`pæsɪv] *adj* beznamiętny; nieczuły

**im·pa·tience** [ɪm`peɪʃns] *s* niecierpliwość, zniecierpliwienie **(of sth** czymś)

**im·pa·tient** [ɪm`peɪʃnt] *adj* niecierpliwy, zniecierpliwiony **(of sth** czymś)

**im·peach** [ɪm`pitʃ] *vt* kwestionować; podać w wątpliwość; oskarżyć

**im·pec·ca·ble** [ɪm`pekəbl] *adj* bezgrzeszny; nienaganny

**im·pe·cu·ni·ous** [ˈɪmpɪ`kjunɪəs] *adj* niezamożny, ubogi, bez pieniędzy

**im·pede** [ɪm`pid] *vt* zatrzymywać; przeszkadzać, krępować

**im·ped·i·ment** [ɪm`pedɪmənt] *s* przeszkoda, zawada

**im·pel** [ɪm`pel] *vt* zmusić, skłonić; poruszyć, uruchomić

**im·pend** [ɪm`pend] *vi* bezpośrednio zagrażać; *dosł. i przen.* wisieć **(over sb** nad kimś)

**im·pen·e·tra·ble** [ɪm`penɪtrəbl] *adj* nieprzenikliwy, nieprzepuszczalny; niezgłębiony; niedostępny

**im·per·a·tive** [ɪm`perətɪv] *adj* rozkazujący; naglący, niezbędny; władczy; *s gram.* tryb rozkazujący

**im·per·cep·ti·ble** [ˈɪmpə`septəbl] *adj* niedostrzegalny; nieuchwytny

**im·per·fect** [ɪm`pзfɪkt] *adj* niedoskonały, wadliwy; *gram.* niedokonany; *s gram.* czas przeszły niedokonany

**im·per·fec·tion** [ˈɪmpə`fekʃn] *s* niedoskonałość, wadliwość; wada

**im·pe·ri·al** [ɪm`pɪərɪəl] *adj* cesarski; majestatyczny, królewski

**im·pe·ri·al·ism** [ɪm`pɪərɪəlɪzm] *s* imperializm
**im·pe·ri·al·ist** [ɪm`pɪərɪəlɪst] *s* imperialista; *attr* imperialistyczny
**im·per·il** [ɪm`perl] *vt* narażać na niebezpieczeństwo
**im·pe·ri·ous** [ɪm`pɪərɪəs] *adj* rozkazujący, władczy; naglący, nakazujący
**im·per·ish·a·ble** [ɪm`perɪʃəbl] *adj* wieczny, trwały, niezniszczalny
**im·per·me·a·ble** [ɪm`pɜmɪəbl] *adj* nieprzenikniony, nieprzepuszczalny
**im·per·son·al** [ɪm`pɜsnl] *adj* nieosobowy, bezosobowy
**im·per·so·nate** [ɪm`pɜsn̩eɪt] *vt* ucieleśniać, personifikować, uosabiać; odgrywać (rolę)
**im·per·son·a·tion** [ɪm/pɜsn`eɪʃn] *s* ucieleśnienie, uosobienie; odgrywanie (roli)
**im·per·ti·nence** [ɪm`pɜtɪnəns] *s* impertynencja; niestosowność
**im·per·ti·nent** [ɪm`pɜtɪnənt] *s* impertynencki; niestosowny, nie na miejscu
**im·per·turb·a·ble** [/ɪmpə`tɜbəbl] *adj* niewzruszony
**im·per·vi·ous** [ɪm`pɜvɪəs] *adj* nieprzepuszczalny; nieczuły ⟨głuchy⟩ **(to sth** na coś)
**im·pet·u·os·i·ty** [ɪm/petʃu`osətɪ] *s* porywczość, impulsywność, popędliwość
**im·pet·u·ous** [ɪm`petʃuəs] *adj* porywczy, impulsywny, popędliwy
**im·pe·tus** [`ɪmpɪtəs] *s* bodziec, pęd, impuls; rozpęd, impet
**im·pi·ous** [`ɪmpɪəs] *adj* bezbożny
**im·pla·ca·ble** [ɪm`plækəbl] *adj* nieubłagany, nieugięty
**imp·lant** [ɪm`plɑnt] *vt* sadzić; *przen.* wpajać, wszczepiać
**im·ple·ment** [`ɪmpləmənt] *s* narzędzie, sprzęt; *pl* ~s przybory
**im·pli·cate** [`ɪmplɪkeɪt] *vt* wplątać, wciągnąć, uwikłać; włączać; zawierać; pociągać za sobą; implikować
**im·pli·ca·tion** [/ɪmplɪ`keɪʃn] *s* włączenie; wplątanie, uwikłanie; sugestia, (ukryte) znaczenie, implikacja
**im·plic·it** [ɪm`plɪsɪt] *adj* dający się wywnioskować, domniemany; niezaprzeczalny, bezwzględny
**im·plore** [ɪm`plɔ(r)] *vt* błagać
**im·ply** [ɪm`plaɪ] *vt* mieścić ⟨kryć, zawierać⟩ w sobie; oznaczać, implikować; dawać do zrozumienia; zakładać
**im·po·lite** [/ɪmpə`laɪt] *adj* nieuprzejmy, niegrzeczny
**im·pol·i·tic** [ɪm`polətɪk] *adj* niepolityczny; niezręczny; nierozsądny
**im·port** [ɪm`pɔt] *vt* importować; znaczyć, oznaczać; *s* [`ɪmpɔt] import; znaczenie, treść; doniosłość
**im·por·tance** [ɪm`pɔtns] *s* znaczenie, ważność
**im·por·tant** [ɪm`pɔtnt] *adj* ważny, znaczący, doniosły
**im·por·ta·tion** [/ɪmpɔ`teɪʃn] *s* importowanie, przywóz
**im·por·tu·nate** [ɪm`pɔtʃunət] *s* natarczywy, natrętny; naglący
**im·por·tune** [ɪm`pɔtʃun] *vt* dokuczać, molestować; nudzić **(sb for sth** kogoś o coś)
**im·por·tu·ni·ty** [/ɪmpə`tjunətɪ] *s* natarczywość, natręctwo, naprzykrzanie się
**im·pose** [ɪm`pəuz] *vt* nakładać, nakazywać, narzucać **(sth on sb** coś komuś); *vi* oszukiwać, naciągać **(on ⟨upon⟩ sb** kogoś)
**im·pos·ing** [ɪm`pəuzɪŋ] *ppraes i adj* imponujący, okazały
**im·po·si·tion** [/ɪmpə`zɪʃn] *s* nałożenie, narzucenie; okpienie, naciąganie
**im·pos·si·bil·i·ty** [ɪm/posə`bɪlətɪ] *s* niemożliwość
**im·pos·si·ble** [ɪm`posəbl] *adj* niemożliwy
**im·post** [`ɪmpəust] *s* podatek, cło; *sport* dodatkowe obciążenie konia
**im·pos·tor** [ɪm`postə(r)] *s* oszust
**im·pos·ture** [ɪm`postʃə(r)] *s* oszustwo

**im·po·tence** [ˋɪmpətəns] *s* niemoc, impotencja; nieudolność

**im·po·tent** [ˋɪmpətənt] *adj* bezsilny; nieudolny; *s* impotent

**im·pov·er·ish** [ɪmˋpovərɪʃ] *vt* doprowadzić do ubóstwa, zubożyć; wyniszczyć; osłabić

**im·prac·ti·ca·ble** [ɪmˋpræktɪkəbl] *adj* niewykonalny; (*o drodze, terenie*) nie do przebycia; krnąbrny

**im·pre·cate** [ˋɪmprɪkeɪt] *vt* przeklinać; złorzeczyć

**im·preg·na·ble** [ɪmˋpregnəbl] *adj* nie do zdobycia, niepokonany; niezachwiany, niewzruszony

**im·preg·nate** [ˋɪmpregneɪt] *vt* impregnować; zaszczepić, wpoić, wdrożyć

**im·press** [ɪmˋpres] *vt* pozostawić, odcisnąć, wycisnąć (odbicie); zrobić ⟨wywrzeć⟩ wrażenie (**sb** na kimś); wryć ⟨wbić⟩ (w pamięć); wpoić, zasugerować; przymusowo wcielić do wojska; rekwirować; *s* [ˋɪmpres] odbicie, odcisk; piętno

**im·pres·sion** [ɪmˋpreʃn] *s* odbicie, odcisk; znak, piętno; wrażenie; *druk.* odbitka; nakład

**im·pres·sive** [ɪmˋpresɪv] *adj* robiący ⟨wywołujący⟩ wrażenie, uderzający, imponujący

**im·press·ment** [ɪmˋpresmənt] *s* przymusowe wcielenie do wojska; rekwizycja

**im·print** [ɪmˋprɪnt] *vt* odbijać, wytłaczać, wyciskać, pozostawić odbitkę ⟨odcisk⟩; wryć ⟨wbić⟩ (w pamięć; *s* [ˋɪmprɪnt] odbicie, odcisk; piętno; nadruk (firmowy)

**im·pris·on** [ɪmˋprɪzn] *vt* uwięzić

**im·pris·on·ment** [ɪmˋprɪznmənt] *s* uwięzienie

**im·prob·a·bil·i·ty** [ˈɪmˈprobəˋbɪlətɪ] *s* nieprawdopodobieństwo

**im·prob·a·ble** [ɪmˋprobəbl] *adj* nieprawdopodobny

**im·promp·tu** [ɪmˋpromptju] *adj* improwizowany; *adv* (robić coś) improwizując

**im·prop·er** [ɪmˋpropə(r)] *adj* niewłaściwy, nieodpowiedni; nieprzyzwoity

**im·pro·pri·e·ty** [ˈɪmprəˋpraɪətɪ] *s* niewłaściwość; nieprzyzwoitość

**im·prove** [ɪmˋpruv] *vt vi* poprawić ⟨udoskonalić, ulepszyć⟩ (się); ulepszyć, upiększyć (**on** ⟨**upon**⟩ **sth** coś); podnieść (wartość, jakość itd.); zyskać na wartości ⟨jakości itd.⟩

**im·prove·ment** [ɪmˋpruvmənt] *s* poprawa; ulepszenie, udoskonalenie; podniesienie wartości ⟨jakości itd.⟩

**im·prov·i·dent** [ɪmˋprovɪdənt] *adj* nieprzezorny, lekkomyślny

**im·pro·vise** [ˋɪmprəvaɪz] *vt vi* improwizować

**im·pru·dence** [ɪmˋprudəns] *s* nieopatrzność, nieroztropność

**im·pu·dence** [ˋɪmpjudəns] *s* bezwstyd, zuchwalstwo

**im·pugn** [ɪmˋpjun] *vt* kwestionować, zbijać (twierdzenie)

**im·pulse** [ˋɪmpʌls] *s* impuls, bodziec, odruch

**im·pul·sive** [ɪmˋpʌlsɪv] *adj* impulsywny; (*o sile*) napędowy

**im·pu·ni·ty** [ɪmˋpjunətɪ] *s* bezkarność

**im·pure** [ɪmˋpjuə(r)] *adj* nieczysty; zanieczyszczony

**im·pu·ri·ty** [ɪmˋpjuərətɪ] *s* nieczystość; zanieczyszczenie

**im·pu·ta·tion** [ˈɪmpjuˋteɪʃn] *s* przypisywanie (np. winy), zarzut

**im·pute** [ɪmˋpjut] *vt* przypisywać (np. winę), zarzucać

**in** [ɪn] *praep określa miejsce*: w, we, wewnątrz, na, do; *czas*: w ciągu, w czasie, za; **in a month** za miesiąc; **in a word** jednym słowem; **in fact** faktycznie; **in honour** ku czci; **in ink** atramentem; **in order that** ażeby; **in pairs** parami; **in short** pokrótce ⟨krótko mówiąc⟩; **in so far as** o tyle, o ile; **in that** w tym, że; o tyle, że; **in the morning** rano; **written in my hand** pisane moją ręką; **in writing** na piśmie ⟨pisemnie⟩; *adv* w środku, wewnątrz, w domu; do środka, do wewnątrz ⟨wnętrza⟩; **to be in** być wewnątrz ⟨w domu⟩; **the train ⟨bus etc.⟩ is in** pociąg ⟨autobus itd.⟩ przyjechał; **to be in for sth** stać przed czymś (spodziewanym), oczekiwać czegoś; **to come in** wejść; *s polit.* (*zw. pl*) **the ins** partia rządząca; **the ins and outs** wszystkie dane ⟨szczegóły, tajniki⟩ (sprawy)

**in·a·bil·i·ty** [ˈɪnəˈbɪlətɪ] *s* niezdolność, niemożność

**in·ac·ces·si·ble** [ˈɪnækˈsesəbl] *adj* niedostępny, nieprzystępny

**in·ac·cu·ra·cy** [ɪnˈækjərəsɪ] *s* niedokładność

**in·ac·cu·rate** [ɪnˈækjərət] *adj* niedokładny

**in·ac·tion** [ɪnˈækʃn] *s* bezczynność

**in·ac·tive** [ɪnˈæktɪv] *adj* bezczynny, bierny

**in·ac·tiv·i·ty** [ˈɪnækˈtɪvətɪ] *s* bezczynność, bierność

**in·ad·e·qua·cy** [ɪnˈædɪkwəsɪ] *s* nieodpowiedniość, niewystarczalność

**in·ad·e·quate** [ɪnˈædɪkwət] *adj* nieodpowiedni, niedostateczny

**in·ad·mis·si·ble** [ˈɪnədˈmɪsəbl] *adj* niedopuszczalny

**in·ad·vert·ent** [ˈɪnədˈvɜtnt] *adj* niebaczny, nieuważny, niedbały

**in·a·li·en·a·ble** [ɪnˈeɪlɪənəbl] *adj prawn.* niepozbywalny, nieprzenośny

**in·ane** [ɪˈneɪn] *adj* próżny; głupi; bezmyślny

**in·an·i·mate** [ɪnˈænɪmət] *adj* nieożywiony, bezduszny, martwy

**in·a·ni·tion** [ˈɪnəˈnɪʃn] *s* wyczerpanie, wycieńczenie (*zw.* z głodu)

**in·an·i·ty** [ɪnˈænətɪ] *s* próżność; głupota, bezmyślność

**in·ap·pli·ca·ble** [ɪnˈæplɪkəbl] *adj* nie dający się zastosować, nieodpowiedni

**in·ap·pro·pri·ate** [ˈɪnəˈprəuprɪət] *adj* niestosowny, niewłaściwy

**in·apt** [ɪnˈæpt] *adj* niezdolny, niezdatny; nieodpowiedni

**in·ar·tic·u·late** [ˈɪnɑˈtɪkjulət] *adj* niewyraźny; nieartykułowany; mówiący niewyraźnie

**in·as·much** [ˈɪnəzˈmʌtʃ] *adv w połączeniu z* **as: ~ as** o tyle, że; o tyle, o ile; jako, że; ponieważ; wobec tego, że

**in·at·ten·tive** [ˈɪnəˈtentɪv] *adj* nieuważny, niebaczny

**in·au·di·ble** [ɪnˈɔdəbl] *adj* niesłyszalny

**in·au·gu·ral** [ɪˈnɔgjurl] *adj* inauguracyjny, wstępny

**in·au·gu·rate** [ɪˈnɔgjureɪt] *vt* inaugurować; wprowadzać, intronizować; rozpoczynać

**in·au·gu·ra·tion** [ɪˈnɔgjuˈreɪʃn] *s* inauguracja; wprowadzenie

**in·born** [ˈɪnˈbɔn] *adj* wrodzony

**in·bred** [ˈɪnˈbred] *adj* wpojony

**in·cal·cu·la·ble** [ɪnˈkælkjuləbl] *adj* nieobliczalny; nie dający się przewidzieć

**in·can·des·cent** [ˈɪnkænˈdesnt] *adj* żarzący się; **~ lamp** żarówka

**in·can·ta·tion** [ˈɪnkænˈteɪʃn] *s* zaklęcie, formuła czarodziejska

**in·ca·pa·ble** [ɪnˈkeɪpəbl] *adj* niezdolny **(of sth** do czegoś)

**in·ca·pac·i·tate** [ˈɪnkəˈpæsəteɪt] *vt* uczynić niezdolnym **(from ⟨for⟩ sth** do czegoś)

**in·ca·pac·i·ty** [ˈɪnkəˈpæsətɪ] *s* niezdolność, nieudolność

**in·car·nate** [ɪnˈkɑnət] *adj* wcielony; *vt* wcielić

**in·car·na·tion** [ˈɪnkɑˈneɪʃn] *s* wcielenie

**in·cen·di·ar·y** [ɪnˈsendɪərɪ] *adj* zapalający; palny; podżegający; *s* podpalacz; podżegacz

**in·cense** 1. [ˈɪnsens] *s* kadzidło; *przen.* pochlebstwo; *vt vi* okadzić; palić kadzidło

**in·cense** 2. [ɪnˈsens] *vt* rozdrażnić, rozzłościć

**in·cen·tive** [ɪnˈsentɪv] *adj* podniecający; *s* podnieta

**in·cep·tion** [ɪnˈsepʃn] *s* początek, zapoczątkowanie

**in·cep·tive** [ɪnˈseptɪv] *adj* początkowy

**in·cer·ti·tude** [ɪn`sɜtɪtjud] *s* niepewność
**in·ces·sant** [ɪn`sesnt] *adj* nieprzerwany, nieustający
**in·cest** [`ɪnsest] *s* kazirodztwo
**in·ces·tu·ous** [ɪn`sestʃuəs] *adj* kazirodczy
**inch** [ɪntʃ] *s* cal; **by ~es** po trochu; **~ by ~** stopniowo
**in·ci·dent** [`ɪnsɪdənt] *adj* związany (**to sth** z czymś), wynikający (**to sth** z czegoś); *fiz.* padający (np. promień); *s* zajście, wypadek, incydent
**in·ci·den·tal** [ɪnsɪ`dentl] *adj* przypadkowy, przygodny, uboczny; związany (**to sth** z czymś), wynikający (**to sth** z czegoś)
**in·cin·er·ate** [ɪn`sɪnəreɪt] *vt* spalić na popiół
**in·cip·i·ence** [ɪn`sɪpɪəns] *s* początek, zaczątek
**in·cip·i·ent** [ɪn`sɪpɪənt] *adj* zaczynający się, początkowy
**in·ci·sion** [ɪn`sɪʒn] *s* wcięcie, nacięcie
**in·ci·sive** [ɪn`saɪsɪv] *adj* tnący, ostry; przenikliwy; cięty
**in·ci·sor** [ɪn`saɪzə(r)] *s* siekacz (ząb)
**in·cite** [ɪn`saɪt] *vt* pobudzać, podniecać; namawiać, podburzać
**in·cite·ment** [ɪn`saɪtmənt] *s* podnieta, bodziec; namowa, podburzanie
**in·ci·vil·i·ty** [ɪnsɪ`vɪlətɪ] *s* niegrzeczność
**in·clem·en·cy** [ɪn`klemənsɪ] *s* surowość, ostrość
**in·cli·na·tion** [ˈɪnklɪ`neɪʃn] *s* nachylenie; pochyłość; skłonność
**in·cline** [ɪn`klaɪn] *vt vi* nachylać (się), przychylać (się), skłaniać (się); *s* [`ɪnklaɪn] nachylenie, pochyłość, stok
**in·close** [ɪn`kləuz] = **enclose**
**in·clude** [ɪn`klud] *vt* włączać, zawierać
**in·clu·sion** [ɪn`kluʒn] *s* włączenie
**in·clu·sive** [ɪn`klusɪv] *adj* zawierający w sobie; obejmujący; (*o sumie*) globalny; **from ... to ... ~** od ... do ... włącznie; **~ of ...** łącznie z ...; liczony włącznie (**sth** z czymś)
**in·co·her·ent** [ˈɪnkəu`hɪərnt] *adj* nie powiązany, bez związku; chaotyczny, bezładny, niesystematyczny
**in·com·bus·ti·ble** [ɪnkəm`bʌstəbl] *adj* niepalny
**in·come** [`ɪnkəm] *s* dochód
**in·com·ing** [ɪn`kʌmɪŋ] *adj* przybywający, nadchodzący; *s* nadejście, przybycie; dopływ; *pl* **~s** dochody, wpływy
**in·com·men·su·rate** [ˈɪnkə`menʃərət] *adj* niewspółmierny, nieproporcjonalny
**in·com·pa·ra·ble** [ɪn`kompərəbl] *adj* nie do porównania (**to** ⟨**with**⟩ **sb, sth** z kimś, czymś); niezrównany
**in·com·pat·i·ble** [ɪnkəm`pætəbl] *adj* nie dający się pogodzić, sprzeczny
**in·com·pe·tence, in·com·pe·ten·cy** [ɪn`kompɪtəns(ɪ)] *s* niekompetencja; nieudolność; niezdolność
**in·com·plete** [ˈɪnkəm`plit] *adj* niepełny, nie zakończony; niedoskonały
**in·com·pre·hen·si·ble** [ˈɪnˈkomprɪ`hensəbl] *adj* niezrozumiały
**in·con·ceiv·a·ble** [ˈɪnkən`sivəbl] *adj* niepojęty
**in·con·gru·i·ty** [ˈɪnkoŋ`gruətɪ] *s* brak związku; niezgodność; niestosowność, niewłaściwość
**in·con·gru·ous** [ˈɪn`koŋgruəs] *adj* nie mający związku; niezgodny; niestosowny, niewłaściwy; dziwaczny; bezsensowny
**in·con·se·quent** [ɪn`konsɪkwənt] *adj* niekonsekwentny, nielogiczny
**in·con·sid·er·a·ble** [ˈɪnkən`sɪdrəbl] *adj* nieznaczny
**in·con·sid·er·ate** [ˈɪnkən`sɪdrət] *adj* nierozważny, lekkomyślny; nie okazujący względów ⟨szacunku⟩; nieuprzejmy
**in·con·sist·ence, in·con·sist·en·cy** [ɪnkən`sɪstəns(ɪ)] *s* niekonsekwencja; niezgodność, sprzeczność

**in·con·sist·ent** [ˈɪnkənˈsistənt] *adj* niekonsekwenty; niezgodny, sprzeczny

**in·con·sol·a·ble** [ˈɪnkənˈsəuləbl] *adj* niepocieszony

**in·con·spic·u·ous** [ˈɪnkənˈspɪkjuəs] *adj* niepokaźny, nie rzucający się w oczy, niepozorny

**in·con·stan·cy** [ɪnˈkonstənsɪ] *s* niestałość, zmienność

**in·con·test·a·ble** [ˈɪnkənˈtestəbl] *adj* niezaprzeczalny, bezsporny

**in·con·ti·nence** [ɪnˈkontɪnəns] *s* niewstrzemięźliwość, niepowściągliwość

**in·con·tro·vert·i·ble** [ˈɪnkontrəˈvɜtəbl] *adj* niezbity, bezsporny

**in·con·ven·ience** [ˈɪnkənˈvinɪəns] *s* niewygoda; kłopot; *vt* sprawiać kłopot, przeszkadzać (sb komuś)

**in·con·ven·ient** [ˈɪnkənˈvinɪənt] *adj* niewygodny; kłopotliwy, uciążliwy

**in·cor·po·rate** [ɪnˈkɔpəreɪt] *vt* wcielić, włączyć; łączyć (w sobie); nadać samorząd; zarejestrować, zalegalizować; *vi* złączyć się, zjednoczyć się; *adj* [ɪnˈkɔpərət] wcielony; zarejestrowany; zrzeszony; **~ body** korporacja

**in·cor·po·ra·tion** [ɪnˈkɔpəˈreɪʃn] *s* wcielenie; zrzeszenie; *handl.* rejestracja, zalegalizowanie; nadanie samorządu

**in·cor·rect** [ˈɪnkəˈrekt] *adj* nieprawidłowy, błędny, mylny, wadliwy; niestosowny

**in·cor·ri·gi·ble** [ˈɪnˈkorɪdʒəbl] *adj* niepoprawny

**in·cor·rupt·i·ble** [ˈɪnkəˈrʌptəbl] *adj* nie ulegający zepsuciu; nieprzekupny

**in·crease** [ɪnˈkris] *vt* zwiększać, wzmagać; podnosić, podwyższać; *vi* wzrastać; zwiększać ⟨wzmagać⟩ się; *s* [ˈɪnkris] wzrost, przyrost; powiększenie się; podwyżka; **to be on the ~** wzrastać

**in·creas·ing·ly** [ɪnˈkrisɪŋlɪ] *adv* coraz (to) więcej ⟨bardziej⟩

**in·cred·i·ble** [ɪnˈkredəbl] *adj* niewiarygodny, nieprawdopodobny

**in·cre·du·li·ty** [ˈɪnkrɪˈdjulətɪ] *s* niedowierzanie, nieufność

**in·cred·u·lous** [ɪnˈkredjuləs] *adj* niedowierzający, nieufny

**in·cre·ment** [ˈɪnkrəmənt] *s* wzrost, powiększenie się; (*także mat.*) przyrost; dochód

**in·crim·i·nate** [ɪnˈkrɪmɪneɪt] *vt* inkryminować, obwiniać

**in·croach** [ɪnˈkrəutʃ] = **encroach**

**in·crust** [ɪnˈkrʌst] = **encrust**

**in·cu·ba·tion** [ˈɪnkjuˈbeɪʃn] *s* inkubacja, wylęganie

**in·cu·bus** [ˈɪnkjubəs] *s* (*pl* **incubi** [ˈɪnkjubaɪ] *lub* **~es**) zmora, zły duch; *przen.* udręka, koszmar

**in·cul·cate** [ˈɪnkʌlkeɪt] *vt* wpajać, wdrażać

**in·cul·pate** [ˈɪnkʌlpeɪt] *vt* obwiniać, oskarżać

**in·cum·bent** [ɪnˈkʌmbənt] *adj* ciążący (**on sb** na kimś); obowiązujący (kogoś); **it is ~ on me** to jest moim obowiązkiem

**in·cur** [ɪnˈkɜ(r)] *vt* narazić się (**sth** na coś); ściągnąć na siebie (gniew itd.); zaciągnąć (dług)

**in·cur·a·ble** [ɪnˈkjuərəbl] *adj* nieuleczalny

**in·cur·sion** [ɪnˈkɜʃn] *s* najazd, napad, wtargnięcie

**in·debt·ed** [ɪnˈdetɪd] *adj* zadłużony; zobowiązany

**in·de·cent** [ɪnˈdisnt] *adj* nieprzyzwoity

**in·de·ci·sion** [ˈɪndɪˈsɪʒn] *s* niezdecydowanie, chwiejność

**in·de·ci·sive** [ˈɪndɪˈsaɪsɪv] *adj* niezdecydowany, chwiejny; nie rozstrzygnięty, nie rozstrzygający

**in·deed** [ɪnˈdid] *adv* rzeczywiście, faktycznie, naprawdę; *dla podkreślenia*: **I am very glad ~** ogromnie się cieszę; **yes, ~** jeszcze jak!; **no, ~** bynajmniej!; żadną miarą!; *dla wyrażenia zdziwienia, oburzenia, ironii*: czyżby?; gdzież tam?!; nie ma mowy!

**in·de·fat·i·ga·ble** [ˈɪndɪˈfætɪgəbl] *adj* niezmordowany

**in·de·fen·si·ble** [ˈɪndɪˋfensəbl] *adj* nie dający się obronić

**in·def·i·nite** [ɪnˋdefṇɪt] *adj* nieokreślony, niewyraźny; nieograniczony

**in·del·i·ble** [ɪnˋdeləbl] *adj* nie dający się zetrzeć ⟨zmazać, zmyć⟩; niezatarty; (*o ołówku*) chemiczny

**in·dem·ni·fy** [ɪnˋdemnɪfaɪ] *vt* wynagrodzić, dać odszkodowanie (**sb for sth** komuś za coś); zabezpieczyć (**sb from ⟨against⟩ sth** kogoś przed czymś)

**in·dem·ni·ty** [ɪnˋdemnətɪ] *s* odszkodowanie; zabezpieczenie; wynagrodzenie, kompensata; *prawn.* zwolnienie (od kary)

**in·dent 1.** [ɪnˋdent] *vt* nacinać, wycinać, wyrzynać (w ząbki); wcinać, karbować; *handl.* zamawiać (towar); *druk.* wcinać (wiersz); *s* [ˋɪndent] wcięcie, nacięcie; karbowanie; *handl.* zamówienie

**in·dent 2.** [ɪnˋdent] *vt* wgnieść, zrobić wgłębienie; wtłoczyć; *s* [ˋɪndent] wgłębienie

**in·den·ta·tion** [ˈɪndenˋteɪʃn] *s* nacięcie, wcięcie

**in·den·tion** [ɪnˋdenʃn] *s* wcięcie wiersza, akapit

**in·den·ture** [ɪnˋdentʃə(r)] *s* obustronna umowa (pisemna), kontrakt; dokument (handlowy); *vt* zakontraktować, związać umową

**in·de·pend·ence** [ˈɪndɪˋpendəns] *s* niezależność, niepodległość; **Independence Day** Święto narodowe USA (4 lipca)

**in·de·pend·ent** [ˈɪndɪˋpendənt] *adj* niezależny, niepodległy, niezawisły

**in·de·scrib·a·ble** [ˈɪndɪˋskraɪbəbl] *adj* nie do opisania

**in·de·ter·mi·nate** [ˈɪndɪˋtɜmɪnət] *adj* nieokreślony, niewyraźny

**in·de·ter·mi·na·tion** [ˈɪndɪˈtɜmɪˋneɪʃn] *s* nieokreślony charakter; niezdecydowanie

**in·dex** [ˋɪndeks] *s* (*pl* ~**es** [ˋɪndeksɪz] *lub* **indices** [ˋɪndɪsiz]) wskaźnik; wykaz, rejestr, indeks; palec wskazujący; *mat.* wykładnik potęgowy; *fiz.* współczynnik

**In·di·an** [ˋɪndɪən] *adj* indyjski, hinduski; indiański; ~ **corn** kukurydza; ~ **ink** tusz; ~ **summer** babie lato; ~ **weed** tytoń; **in** ~ **file** rzędem, gęsiego; *s* Indianin; Hindus

**in·di·a-rub·ber** [ˈɪndɪəˋrʌbə(r)] *s* kauczuk, guma; guma ⟨gumka⟩ do wycierania

**in·di·cate** [ˋɪndɪkeɪt] *vt* wskazywać (**sth** coś ⟨na coś⟩), oznaczać; wykazywać; zalecać

**in·di·ca·tion** [ˈɪndɪˋkeɪʃn] *s* wskazanie, wskazówka, oznaka

**in·dic·a·tive** [ɪnˋdɪkətɪv] *adj* wskazujący (**of sth** na coś); *s gram.* tryb oznajmujący

**in·di·ca·tor** [ˋɪndɪkeɪtə(r)] *s* informator; *techn.* wskazówka

**in·dict** [ɪnˋdaɪt] *vt* oskarżać

**in·dict·ment** [ɪnˋdaɪtmənt] *s* oskarżenie

**in·dif·fer·ence** [ɪnˋdɪfrns] *s* obojętność; błahość, marność

**in·dif·fer·ent** [ɪnˋdɪfrnt] *adj* obojętny (**to sb, sth** dla kogoś, na coś); błahy, marny

**in·di·gence, in·di·gen·cy** [ˋɪndɪdʒəns(ɪ)] *s* ubóstwo

**in·di·gent** [ˋɪndɪdʒənt] *adj* ubogi

**in·di·gest·i·ble** [ˈɪndɪˋdʒestəbl] *adj* niestrawny

**in·di·ges·tion** [ˈɪndɪˋdʒestʃn] *s* niestrawność

**in·dig·nant** [ɪnˋdɪgnənt] *adj* oburzony (**with sb** na kogoś, **at sth** na coś)

**in·dig·na·tion** [ˈɪndɪgˋneɪʃn] *s* oburzenie (**with sb** na kogoś, **at sth** na coś)

**in·dig·ni·ty** [ɪnˋdɪgnətɪ] *s* obelga, zniewaga

**in·di·rect** [ˈɪndɪˋrekt] *adj* pośredni; nieuczciwy, wykrętny; okrężny; *gram.* zależny; ~ **object** *gram.* dopełnienie dalsze

**in·dis·creet** [ˈɪndɪˋskrit] *adj* niedy-

skretny; nieroztropny; nieostrożny
**in·dis·cre·tion** [ˈɪndɪˋskreʃn] *s* niedyskrecja; nieroztropność, nieostrożność
**in·dis·crim·i·nate** [ˈɪndɪˋskrɪmɪnət] *adj* niewymagający, niewybredny; pomieszany, bezładny; (robiony) na oślep ⟨bez wyboru⟩
**in·dis·pen·sa·ble** [ˈɪndɪˋspensəbl] *adj* niezbędny, konieczny, niezastąpiony
**in·dis·pose** [ˈɪndɪˋspəuz] *vt* źle usposobić ⟨zrazić⟩ (**towards sb, sth** do kogoś, czegoś); zniechęcić (**sb towards sth** ⟨**to do sth**⟩ do czegoś ⟨do zrobienia czegoś⟩)
**in·dis·posed** [ˈɪndɪˋspəuzd] *adj* niedysponowany, niezdrów; niechętny
**in·dis·po·si·tion** [ˈɪnˈdɪspəˋzɪʃn] *s* niedyspozycja; niechęć
**in·dis·pu·ta·ble** [ˈɪndɪˋspjutəbl] *adj* niewątpliwy, bezsporny
**in·dis·so·lu·ble** [ˈɪndɪˋsoljubl] *adj* nierozpuszczalny; nierozerwalny
**in·dis·tinct** [ˈɪndɪˋstɪŋkt] *adj* niewyraźny, niejasny
**in·dis·tin·guish·a·ble** [ˈɪndɪˋstɪŋgwɪʃəbl] *adj* nie dający się odróżnić, nieuchwytny (np. dla oka)
**in·di·vid·u·al** [ˈɪndɪˋvɪdʒuəl] *adj* indywidualny; pojedynczy, poszczególny; *s* jednostka; indywiduum
**in·di·vid·u·al·ism** [ˈɪndɪˋvɪdʒuəlɪzm] *s* indywidualizm
**in·di·vid·u·al·i·ty** [ˈɪndɪˈvɪdʒuˋæləti] *s* indywidualność
**in·di·vis·i·ble** [ˈɪndɪˋvɪzəbl] *adj* niepodzielny
**in·doc·ile** [ɪnˋdəusaɪl] *adj* nieuległy, nieposłuszny, niesforny; niepojętny
**in·do·lence** [ˋɪndələns] *s* lenistwo, opieszałość
**in·dom·i·ta·ble** [ɪnˋdomɪtəbl] *adj* nieposkromiony
**In·do·ne·sian** [ˈɪndəuˋnizɪən] *adj* indonezyjski; *s* Indonezyjczyk
**in·door** [ɪnˋdɔ(r)] *adj* znajdujący się ⟨robiony⟩ w domu, domowy; **~ care** opieka ⟨leczenie⟩ w zakładzie ⟨przytułku⟩
**in·doors** [ɪnˋdɔz] *adv* w ⟨wewnątrz⟩ domu; pod dachem; (wchodzić) do domu
**in·dorse** [ɪnˋdɔs] = **endorse**
**in·du·bi·ta·ble** [ɪnˋdjubɪtəbl] *adj* niewątpliwy
**in·duce** [ɪnˋdjus] *vt* skłonić, namówić; wnioskować; wywołać, powodować; *elektr.* indukować
**in·duce·ment** [ɪnˋdjusmənt] *s* pobudka; powab
**in·duc·tion** [ɪnˋdʌkʃn] *s* indukcja; wstęp; wprowadzenie (na urząd); *med.* wywołanie (choroby)
**in·dulge** [ɪnˋdʌldʒ] *vt* pobłażać, dogadzać, folgować (**sb in sth** komuś w czymś); *vi* oddawać się ⟨ulegać, dawać upust⟩ (**in sth** czemuś), zażywać (**in sth** czegoś); zaspokoić (**in sth** coś)
**in·dul·gence** [ɪnˋdʌldʒəns] *s* pobłażanie, folgowanie, uleganie; zaspokojenie; oddawanie się (**in sth** czemuś), dogadzanie sobie; *rel.* odpust
**in·dul·gent** [ɪnˋdʌldʒənt] *adj* pobłażliwy, ulegający
**in·dus·tri·al** [ɪnˋdʌstrɪəl] *adj* przemysłowy; *s* = **industrialist**
**in·dus·tri·al·ist** [ɪnˋdʌstrɪəlɪst] *s* przemysłowiec; człowiek pracujący w przemyśle
**in·dus·tri·al·i·za·tion** [ɪnˈdʌstrɪəlaɪzeɪʃn] *s* industrializacja
**in·dus·tri·al·ize** [ɪnˋdʌstrɪəlaɪz] *vt* uprzemysłowić
**in·dus·tri·ous** [ɪnˋdʌstrɪəs] *adj* pracowity, skrzętny
**in·dus·try** [ˋɪndəstrɪ] *s* przemysł; pracowitość, skrzętność
**in·e·bri·ate** [ɪˋnibrɪət] *adj* oszołomiony alkoholem; *vt* [ɪˋnibrɪeɪt] upić, odurzyć
**in·ed·i·ble** [ɪnˋedəbl] *adj* niejadalny
**in·ef·fa·ble** [ɪnˋefəbl] *adj* niewypowiedziany, niewysłowiony
**in·ef·fec·tive** [ˈɪnɪˋfektɪv] *adj* bez-

skuteczny, daremny; nieefektywny

**in·ef·fec·tu·al** [ˈɪnɪˋfektʃuəl] = **ineffective**

**in·ef·fi·ca·cious** [ˈɪnefɪˋkeɪʃəs] *adj* nie działający, nieskuteczny

**in·ef·fi·cient** [ˈɪnɪˋfɪʃnt] *adj* nieudolny; niewydajny, nieefektywny

**in·el·i·gi·ble** [ɪnˋelɪdʒəbl] *adj* niewybieralny; nie do przyjęcia; nie nadający się, nieodpowiedni

**in·ept** [ɪˋnept] *adj* niedorzeczny, głupi; nie na miejscu; nietrafny

**in·e·qual·i·ty** [ˈɪnɪˋkwolətɪ] *s* nierówność

**in·eq·ui·ty** [ɪnˋekwətɪ] *s* niesprawiedliwość

**in·ert** [ɪˋnɜt] *adj* bezwładny; bez ruchu; *chem.* obojętny

**in·er·tia** [ɪˋnɜʃə] *s* bezwład, bezczynność, inercja; *fiz.* bezwładność

**in·es·cap·a·ble** [ˈɪnɪˋskeɪpəbl] *adj* nieunikniony

**in·es·ti·ma·ble** [ɪnˋestɪməbl] *adj* nieoceniony

**in·ev·i·ta·ble** [ɪnˋevɪtəbl] *adj* nieunikniony

**in·ex·act** [ˈɪnɪgˋzækt] *adj* niedokładny, nieścisły

**in·ex·act·i·tude** [ˈɪnɪgˋzæktɪtjud] *s* niedokładność, nieścisłość

**in·ex·cus·a·ble** [ˈɪnɪkˋskjuzəbl] *adj* niewybaczalny

**in·ex·haust·i·ble** [ˈɪnɪgˋzɔstəbl] *adj* niewyczerpany

**in·ex·o·ra·ble** [ɪˋnegzərəbl] *adj* nieubłagany

**in·ex·pen·sive** [ˈɪnɪkˋspensɪv] *adj* niedrogi

**in·ex·pe·ri·enced** [ˈɪnɪkˋspɪərɪənst] *adj* niedoświadczony

**in·ex·pert** [ɪnˋekspɜt] *adj* niewprawny

**in·ex·pli·ca·ble** [ˈɪnɪkˋsplɪkəbl] *adj* niewytłumaczalny, niewyjaśniony

**in·ex·plic·it** [ˈɪnɪkˋsplɪsɪt] *adj* niewyraźny, niejasny

**in·ex·press·i·ble** [ˈɪnɪkˋspresəbl] *adj* niewypowiedziany, niewymowny, niewysłowiony

**in·ex·pres·sive** [ˈɪnɪkˋspresɪv] *adj* pozbawiony wyrazu

**in·ex·tri·ca·ble** [ɪnˋekstrɪkəbl] *adj* nie dający się rozwikłać, bez wyjścia

**in·fal·li·bil·i·ty** [ˈɪnˈfæləˋbɪlətɪ] *s* nieomylność; niezawodność

**in·fal·li·ble** [ɪnˋfæləbl] *adj* nieomylny; niezawodny

**in·fa·mous** [ˋɪnfəməs] *adj* mający złą sławę; nikczemny, haniebny

**in·fa·my** [ˋɪnfəmɪ] *s* niesława; infamia; nikczemność; hańba

**in·fan·cy** [ˋɪnfənsɪ] *s* dzieciństwo, niemowlęctwo; *prawn.* niepełnoletność

**in·fant** [ˋɪnfənt] *s* niemowlę; dziecko (do 7 lat); *prawn.* niepełnoletni; ~ **school** przedszkole

**in·fan·tile** [ˋɪnfəntaɪl] *adj* infantylny; dziecięcy, niemowlęcy

**in·fan·try** [ˋɪnfəntrɪ] *s wojsk.* piechota

**in·fat·u·ate** [ɪnˋfætʃueɪt] *vt* pozbawić rozsądku, zawrócić głowę, zaślepić; rozkochać; **to be ~d** mieć zawróconą głowę, szaleć **(with sb, sth** za kimś, czymś)

**in·fat·u·a·tion** [ɪnˈfætʃuˋeɪʃn] *s* szaleńcza miłość; zaślepienie ⟨odurzenie⟩ (kimś, czymś)

**in·fect** [ɪnˋfekt] *vt* zarazić; zakazić; zatruć

**in·fec·tion** [ɪnˋfekʃn] *s* zaraza; zakażenie; zatruwanie

**in·fec·tious** [ɪnˋfekʃəs] *adj* zaraźliwy, zakaźny

**in·fec·tive** [ɪnˋfektɪv] = **infectious**

**in·fer** [ɪnˋfɜ(r)] *vt* wnioskować; zawierać ⟨nasuwać⟩ pojęcie **(sth** czegoś)

**in·fer·ence** [ˋɪnfərəns] *s* wniosek, wywód

**in·fe·ri·or** [ɪnˋfɪərɪə(r)] *adj* niższy, gorszy **(to sb, sth** od kogoś, czegoś); *s* podwładny

**in·fe·ri·or·i·ty** [ˈɪnfɪərɪˋorətɪ] *s* niższość, słabość; ~ **complex** kompleks niższości

**in·fer·nal** [ɪn`fɜnl] *adj* piekielny

**in·fest** [ɪn`fest] *vt* niepokoić, trapić; nawiedzać; (*o robactwie*) roić się (**sth** w czymś)

**in·fi·del** [`ɪnfɪdl] *adj rel.* niewierny; *s rel.* niewierny

**in·fi·del·i·ty** [ˈɪnfɪ`delətɪ] *s* niewierność (*zw.* małżeńska); *rel.* niewiara

**in·fil·trate** [`ɪnfɪltreɪt] *vt vi* przesączać (się); nasycać; przenikać

**in·fi·nite** [`ɪnfənɪt] *adj* nieograniczony, bezkresny, bezmierny, nieskończony; niezliczony

**in·fin·i·tes·i·mal** [ˈɪnˈfɪnɪ`tesɪml] *adj* nieskończenie mały

**in·fin·i·tive** [ɪn`fɪnɪtɪv] *adj* nieokreślony; *s gram.* bezokolicznik

**in·fin·i·ty** [ɪn`fɪnətɪ] *s* (*także mat.*) nieskończoność; bezkres, bezgraniczność

**in·firm** [ˈɪn`fɜm] *adj* bezsilny, słaby, niedołężny

**in·fir·ma·ry** [ɪn`fɜmərɪ] *s* szpital; izba chorych; lecznica

**in·fir·mi·ty** [ɪn`fɜmətɪ] *s* niemoc, ułomność, niedołęstwo

**in·flame** [ɪn`fleɪm] *vt vi* rozpalić (się); podniecić (się), rozdrażnić (się); rozbudzić (**sb with sth** coś w kimś)

**in·flam·ma·ble** [ɪn`flæməbl] *adj* zapalny, łatwo palny; *przen.* zapalczywy; *s* materiał łatwo palny

**in·flam·ma·tion** [ˈɪnflə`meɪʃn] *s* zapalenie (się), rozniecenie

**in·flam·ma·to·ry** [ɪn`flæmətrɪ] *adj* zapalny, zapalający; *przen.* podżegający

**in·flate** [ɪn`fleɪt] *vt* wydymać, nadymać; napompować (dętkę itp.); podnosić (np. ceny)

**in·fla·tion** [ɪn`fleɪʃn] *s* nadymanie, napompowanie; *fin.* inflacja

**in·flect** [ɪn`flekt] *vt* zginać; *fiz.* załamywać; *gram.* odmieniać (części mowy); modulować (głos)

**in·flec·tion** [ɪn`flekʃn] = **inflexion**

**in·flex·i·ble** [ɪn`fleksəbl] *adj* nieugięty; sztywny

**in·flex·ion** [ɪn`flekʃn] *s* zgięcie; *fiz.* załamanie; *gram.* fleksja; modulacja (głosu)

**in·flict** [ɪn`flɪkt] *vt* zadać (np. cios); nałożyć (np. karę); narzucić (**sth on** ⟨**upon**⟩ **sb** coś komuś)

**in·flu·ence** [`ɪnfluəns] *s* wpływ; działanie, oddziaływanie; *vt* wpływać ⟨działać, oddziaływać⟩ (**sb, sth** na kogoś, coś)

**in·flu·en·tial** [ˈɪnflu`enʃl] *adj* wpływowy

**in·flux** [`ɪnflʌks] *s* napływ, dopływ, przypływ; wlot

**in·form** [ɪn`fɔm] *vt* informować, zawiadomić (**sb of sth** kogoś o czymś); natchnąć ⟨ożywić⟩ (**sb with sth** kogoś czymś); *vi* denuncjować (**against sb** kogoś)

**in·for·mal** [ɪn`fɔml] *adj* nieoficjalny, nieurzędowy, swobodny; nieformalny, nieprzepisowy

**in·form·ant** [ɪn`fɔmənt] *s* informator; donosiciel

**in·for·ma·tion** [ˈɪnfə`meɪʃn] *s* informacja, wiadomość; doniesienie, denuncjacja; **a piece of ~** wiadomość; **to get ~** poinformować się

**in·form·a·tive** [ɪn`fɔmətɪv] *adj* informacyjny; pouczający

**in·fra-red** [ˈɪnfrə`red] *adj* podczerwony

**in·fre·quent** [ɪn`frikwənt] *adj* nieczęsty

**in·fringe** [ɪn`frɪndʒ] *vt* naruszyć, przekroczyć (*także vi* **~ on** ⟨**upon**⟩ **sth** coś)

**in·fu·ri·ate** [ɪn`fjuərɪeɪt] *vt* doprowadzać do szału, rozjuszyć

**in·fuse** [ɪn`fjuz] *vt* natchnąć (**sb with sth** kogoś czymś); wlać; zaparzyć (np. herbatę)

**in·fu·sion** [ɪn`fjuʒn] *s* wlewanie; napar; nalewka; domieszka; natchnięcie ⟨napełnienie⟩ (**of sth into sb** kogoś czymś)

**in·gen·ious** [ɪn`dʒinɪəs] *adj* pomysłowy, wynalazczy

**in·ge·nu·i·ty** [ˈɪndʒɪˋnjuətɪ] *s* pomysłowość, wynalazczość
**in·gen·u·ous** [ɪnˋdʒenjuəs] *adj* otwarty, szczery; niewinny, naiwny
**in·got** [ˋɪŋgət] *s* sztaba (kruszcu)
**in·grain** [ˈɪnˋgreɪn] *vt* utrwalić, trwale ufarbować
**in·grained** [ɪnˋgreɪnd] *pp i adj* zakorzeniony, zatwardziały
**in·gra·ti·ate** [ɪnˋgreɪʃɪeɪt] *vr* ~ **oneself** zyskać sobie łaskę (**with sb** czyjąś), ująć sobie (**with sb** kogoś)
**in·grat·i·tude** [ɪnˋgrætɪtjud] *s* niewdzięczność
**in·gre·di·ent** [ɪnˋgridɪənt] *s* składnik
**in·gress** [ˋɪngrəs] *s* wejście; prawo wstępu
**in·hab·it** [ɪnˋhæbɪt] *vt* zamieszkiwać
**in·hab·it·ant** [ɪnˋhæbɪtənt] *s* mieszkaniec
**in·ha·la·tion** [ˈɪnhəˋleɪʃn] *s* inhalacja; wdychanie
**in·hale** [ɪnˋheɪl] *vt* wdychać, wchłaniać, wciągać (np. zapach)
**in·her·ent** [ɪnˋhɪərnt] *adj* tkwiący, wrodzony, nieodłączny (**in sth** od czegoś); właściwy (**in sb, sth** komuś, czemuś)
**in·her·it** [ɪnˋherɪt] *vt vi* dziedziczyć, być spadkobiercą
**in·her·it·ance** [ɪnˋherɪtəns] *s* dziedzictwo, spadek, spuścizna
**in·hib·it** [ɪnˋhɪbɪt] *vt* powstrzymywać, hamować, zakazywać (**sb from doing sth** komuś zrobienia czegoś)
**in·hi·bi·tion** [ˈɪnɪˋbɪʃn] *s* zahamowanie, powstrzymanie; zakaz; hamulec (psychiczny)
**in·hos·pi·ta·ble** [ˈɪnhoˋspɪtəbl] *adj* niegościnny
**in·hu·man** [ɪnˋhjumən] *adj* nieludzki
**in·hu·mane** [ˈɪnhjuˋmeɪn] *adj* niehumanitarny
**in·hu·ma·tion** [ˈɪnhjuˋmeɪʃn] *s* pochowanie, pogrzebanie, pogrzeb
**in·im·i·cal** [ɪˋnɪmɪkl] *adj* wrogi; szkodliwy
**in·im·i·ta·ble** [ɪˋnɪmɪtəbl] *adj* nie do naśladowania; niezrównany
**in·iq·ui·tous** [ɪˋnɪkwɪtəs] *adj* niesprawiedliwy; niegodziwy
**in·iq·ui·ty** [ɪˋnɪkwətɪ] *s* niesprawiedliwość; niegodziwość
**in·i·tial** [ɪˋnɪʃl] *adj* początkowy, wstępny; *s pl* ~**s** inicjały; parafa; *vt* podpisywać inicjałami; parafować
**in·i·ti·ate** [ɪˋnɪʃɪeɪt] *vt* inicjować, zapoczątkować; wprowadzać ⟨wtajemniczać, wdrażać⟩ (**sb into sth** kogoś w coś); *adj* [ɪˋnɪʃɪət] wtajemniczony; świeżo wprowadzony; *s* nowicjusz
**in·i·ti·a·tion** [ɪˈnɪʃɪˋeɪʃn] *s* zainicjowanie, zapoczątkowanie; wprowadzenie; wtajemniczenie
**in·i·ti·a·tive** [ɪˋnɪʃətɪv] *adj* początkowy, wstępny; *s* inicjatywa; przedsiębiorczość; **on one's** ~ z czyjejś inicjatywy
**in·ject** [ɪnˋdʒekt] *vt* zastrzyknąć, wstrzykiwać
**in·jec·tion** [ɪnˋdʒekʃn] *s* zastrzyk
**in·ju·di·cious** [ˈɪndʒuˋdɪʃəs] *adj* nierozsądny; nieoględny
**in·junc·tion** [ɪnˋdʒʌŋkʃn] *s* nakaz, zalecenie
**in·jure** [ˋɪndʒə(r)] *vt* uszkodzić; skrzywdzić; skaleczyć, zranić; obrazić
**in·ju·ri·ous** [ɪnˋdʒuərɪəs] *adj* szkodliwy, krzywdzący; obraźliwy
**in·ju·ry** [ˋɪndʒərɪ] *s* uszkodzenie; obraza; krzywda, szkoda
**in·jus·tice** [ɪnˋdʒʌstɪs] *s* niesprawiedliwość
**ink** [ɪŋk] *s* atrament; farba drukarska; *vt* plamić, znaczyć atramentem; powlekać farbą drukarską
**ink·ling** [ˋɪŋklɪŋ] *s* domysł, przeczucie, podejrzenie
**ink-pad** [ˋɪŋkpæd] *s* poduszka do stempli
**ink·pot** [ˋɪŋkpot] = **inkstand**

**ink·stand** [`ɪŋkstænd] *s* kałamarz
**ink-well** [`ɪŋk wel] *s* kałamarz w ławce szkolnej
**in·laid** [ɪn`leɪd] *adj* wyłożony (czymś), inkrustowany
**in·land** [`ɪnlənd] *adj attr* znajdujący się ⟨położony⟩ w głębi kraju (z dala od morza); wewnętrzny, krajowy; *s* wnętrze ⟨głąb⟩ kraju
**in·let** [`ɪnlet] *s* wstawka, wpustka; mała zatoka; wlot, wejście; otwór
**in·mate** [`ɪnmeɪt] *s* lokator, mieszkaniec, domownik; pensjonariusz; (*w więzieniu*) więzień; (*w szpitalu*) pacjent
**in·most** [`ɪnməust] *adj* ukryty ⟨utajony⟩ w głębi; najskrytszy
**inn** [ɪn] *s* gospoda, zajazd
**in·nate** [ɪ`neɪt] *adj* wrodzony, przyrodzony
**in·ner** [`ɪnə(r)] *adj* wewnętrzny
**in·ner·most** [`ɪnəməust] = **inmost**
**inn·keep·er** [`ɪn kipə(r)] *s* właściciel gospody ⟨zajazdu⟩
**in·no·cence** [`ɪnəsns] *s* niewinność; prostoduszność, naiwność; nieszkodliwość
**in·no·cent** [`ɪnəsnt] *adj* niewinny; prostoduszny, naiwny; nieszkodliwy; *s* niewiniątko; prostaczek; półgłówek
**in·noc·u·ous** [ɪ`nokjuəs] *adj* nieszkodliwy
**in·no·va·tion** [ˌɪnə`veɪʃn] *s* innowacja
**in·no·va·tor** [`ɪnəveɪtə(r)] *s* innowator
**in·nu·en·do** [ˌɪnju`endəu] *s* insynuacja
**in·nu·mer·a·ble** [ɪ`njumrəbl] *adj* niezliczony
**in·oc·u·late** [ɪ`nokjuleɪt] *vt* szczepić, zaszczepiać
**in·oc·u·la·tion** [ɪˌnokju`leɪʃn] *s* szczepienie, zaszczepianie
**in·o·dor·ous** [ɪn`əudərəs] *adj* bezwonny
**in·of·fen·sive** [ˌɪnə`fensɪv] *adj* nieszkodliwy; nie drażniący
**in·op·por·tune** [ˌɪn`opətʃun] *adj* niewczesny, nieodpowiedni, nie na czasie
**in·or·di·nate** [ɪ`nɔdɪnət] *adj* nie uporządkowany; nieumiarkowany; przesadny, nadmierny
**in·or·gan·ic** [ˌɪnɔ`gænɪk] *adj* nieorganiczny
**in·quest** [`ɪnkwest] *s* badanie, śledztwo
**in·quire** [ɪn`kwaɪə(r)] *vi* pytać ⟨informować⟩ się (**about** ⟨**after, for**⟩ **sth** o coś); dowiadywać się (**of sb** od kogoś); badać, śledzić (**into sth** coś); dochodzić, dociekać (**into sth** czegoś); *vt* pytać (**sth** o coś)
**in·quir·er** [ɪn`kwaɪərə(r)] *s* pytający; prowadzący śledztwo
**in·quir·y** [ɪn`kwaɪərɪ] *s* pytanie; badanie, śledztwo; zasięganie informacji; **to make inquiries** zasięgać informacji
**in·qui·si·tion** [ˌɪnkwɪ`zɪʃn] *s* badanie, śledztwo; *hist.* inkwizycja
**in·quis·i·tive** [ɪn`kwɪzətɪv] *adj* ciekawy, wścibski
**in·road** [`ɪnrəud] *s* najazd, napad
**in·rush** [`ɪnrʌʃ] *s* wdarcie się; napór
**in·sane** [ɪn`seɪn] *adj* umysłowo chory, obłąkany
**in·san·i·ty** [ɪn`sænətɪ] *s* obłęd, szaleństwo; choroba umysłowa
**in·sa·tia·ble** [ɪn`seɪʃəbl] *adj* nienasycony
**in·scribe** [ɪn`skraɪb] *vt* wpisać, zapisać; wyryć (napis); zadedykować (**sth to sb** coś komuś)
**in·scrip·tion** [ɪn`skrɪpʃn] *s* napis; dedykacja
**in·scru·ta·ble** [ɪn`skrutəbl] *adj* niezbadany, nieprzenikniony
**in·sect** [`ɪnsekt] *s* owad, insekt
**in·sec·ti·cide** [ɪn`sektɪsaɪd] *s* środek owadobójczy
**in·se·cure** [ˌɪnsɪ`kjuə(r)] *adj* niepewny
**in·sen·sate** [ɪn`senseɪt] *adj* nieczuły; nierozumny
**in·sen·si·bil·i·ty** [ɪnˌsensə`bɪlətɪ] *s* omdlenie, nieprzytomność; nie-

czułość ⟨niewrażliwość⟩ **(to sth** na coś)
**in·sen·si·ble** [ɪn`sensəbl] *adj* nieprzytomny, bez zmysłów; niewrażliwy, nieczuły; niedostrzegalny
**in·sen·si·tive** [ɪn`sensətɪv] *adj* nieczuły ⟨niewrażliwy⟩ **(to sth** na coś)
**in·sep·a·ra·ble** [ɪn`seprəbl] *adj* nierozłączny, nieodłączny
**in·sert** [ɪn`sɜt] *vt* wstawić, włożyć, wsunąć, wprowadzić; zamieścić
**in·ser·tion** [ɪn`sɜʃn] *s* wstawka, wkładka; wstawienie, włożenie, wsunięcie; ogłoszenie (w gazecie); dopisek
**in·set** [`ɪnset] *s* wstawka, wkładka; *vt* [ˈɪn`set] wstawić, wkleić
**in·side** [ɪn`saɪd] *s* wnętrze; **~ out** wewnętrzną stroną na wierzch; na lewą stronę; *adj attr* wewnętrzny; *adv i praep* wewnątrz, do wnętrza
**in·sid·i·ous** [ɪn`sɪdɪəs] *adj* podstępny, zdradziecki, zdradliwy
**in·sight** [`ɪnsaɪt] *s* wgląd **(into sth** w coś); intuicja
**in·sig·ni·a** [ɪn`sɪgnɪə] *s pl* insygnia
**in·sig·nif·i·cant** [ˈɪnsɪg`nɪfɪkənt] *adj* nic nie znaczący, nieistotny, mało ważny
**in·sin·cere** [ˈɪnsɪn`sɪə(r)] *adj* nieszczery
**in·sin·cer·i·ty** [ˈɪnsɪn`serətɪ] *s* nieszczerość
**in·sin·u·ate** [ɪn`sɪnjueɪt] *vt* insynuować; *vr* **~ oneself** wkraść ⟨wśliznąć⟩ się
**in·sin·u·a·tion** [ɪnˈsɪnju`eɪʃn] *s* insynuacja; wślizgnięcie się
**in·sip·id** [ɪn`sɪpɪd] *adj* bez smaku, mdły; tępy (umysłowo); bezbarwny
**in·sist** [ɪn`sɪst] *vi* nalegać, nastawać; upierać się, obstawać; kłaść nacisk; domagać się **(on ⟨upon⟩ sth** czegoś)
**in·sist·ence** [ɪn`sɪstəns] *s* naleganie; uporczywość; domaganie się
**in·sist·ent** [ɪn`sɪstənt] *adj* uporczywy; naglący
**in·so·lence** [`ɪnsələns] *s* zuchwalstwo, bezczelność
**in·sol·u·ble** [ɪn`soljubl] *adj* nierozpuszczalny; nierozwiązalny
**in·sol·ven·cy** [ɪn`solvənsɪ] *s* niewypłacalność
**in·sol·vent** [ɪn`solvənt] *adj* niewypłacalny; *s* bankrut
**in·som·ni·a** [ɪn`somnɪə] *s* bezsenność
**in·so·much** [ˈɪnsəʊ`mʌtʃ] *adv* o tyle, do tego stopnia
**in·spect** [ɪn`spekt] *vt* doglądać, dozorować; badać, kontrolować; wizytować
**in·spec·tion** [ɪn`spekʃn] *s* inspekcja, dozór; badanie, kontrola
**in·spi·ra·tion** [ˈɪnspə`reɪʃn] *s* natchnienie; wdech
**in·spire** [ɪn`spaɪə(r)] *vt* natchnąć, pobudzić **(sb with sth** kogoś do czegoś); wzbudzić **(sth** coś, **sb with sth** coś w kimś); inspirować **(sb with sth** kogoś czymś); wdychać
**in·sta·bil·i·ty** [ˈɪnstə`bɪlətɪ] *s* niestałość
**in·stall** [ɪn`stɔl] *vt* wprowadzać na urząd; instalować, urządzać
**in·stal·la·tion** [ˈɪnstə`leɪʃn] *s* wprowadzenie na urząd; instalacja, urządzenie
**in·stall·ment** [ɪn`stɔlmənt] *s* rata; felieton; odcinek (powieści); zeszyt (publikacji)
**in·stance** [`ɪnstəns] *s* wypadek; przykład; instancja; naleganie, żądanie; **for ~** na przykład
**in·stant** [`ɪnstənt] *adj* natychmiastowy, nagły, naglący; bieżący (miesiąc); *s* chwila
**in·stan·ta·ne·ous** [ˈɪnstən`teɪnɪəs] *adj* momentalny; natychmiastowy
**in·stant·ly** [`ɪnstəntlɪ] *adv* natychmiast
**in·stead** [ɪn`sted] *adv* na miejsce ⟨zamiast⟩ tego; *praep* **~ of** zamiast ⟨w miejsce⟩ **(sb, sth** kogoś, czegoś)

**in·sti·gate** [ˈɪnstɪgeɪt] *vt* podżegać, podjudzać; wywołać (np. bunt)
**in·sti·ga·tion** [ˌɪnstɪˈgeɪʃn] *s* podżeganie, prowokacja, namowa
**in·still** [ɪnˈstɪl] *vt* wsączać; wpajać (np. zasady)
**in·stinct** [ˈɪnstɪŋkt] *s* instynkt; *adj* ożywiony ⟨przepojony⟩ (czymś)
**in·stinc·tive** [ɪnˈstɪŋktɪv] *adj* instynktowny
**in·sti·tute** [ˈɪnstɪtjut] *s* instytut; *vt* zakładać; urządzać; ustanawiać; zaprowadzać; wszczynać
**in·sti·tu·tion** [ˌɪnstɪˈtjuʃn] *s* instytucja, zakład; związek, towarzystwo; ustanowienie, założenie; zwyczaj (powszechny)
**in·struct** [ɪnˈstrʌkt] *vt* instruować, informować; zlecać; uczyć (**in sth** czegoś)
**in·struc·tion** [ɪnˈstrʌkʃn] *s* instrukcja; wskazówka; polecenie; nauka, szkolenie
**in·struc·tive** [ɪnˈstrʌktɪv] *adj* pouczający
**in·struc·tor** [ɪnˈstrʌktə(r)] *s* instruktor, nauczyciel
**in·stru·ment** [ˈɪnstrumənt] *s* instrument; przyrząd, aparat; *dosł.* i *przen.* narzędzie
**in·stru·men·tal** [ˌɪnstruˈmentl] *adj* służący za narzędzie; pomocny; **to be ~ in sth** doprowadzić ⟨przyczynić się⟩ do czegoś; *s gram.* narzędnik
**in·sub·or·di·nate** [ˌɪnsəˈbɔdɪnət] *adj* nieposłuszny, niekarny
**in·sub·or·di·na·tion** [ˌɪnsəˌbɔdɪˈneɪʃn] *s* niesubordynacja, niekarność, nieposłuszeństwo
**in·suf·fer·a·ble** [ɪnˈsʌfrəbl] *adj* nieznośny
**in·suf·fi·cien·cy** [ˌɪnsəˈfɪʃnsɪ] *s* niedostatek; *med.* niedomoga
**in·suf·fi·cient** [ˌɪnsəˈfɪʃnt] *adj* niewystarczalny, niedostateczny
**in·su·lar** [ˈɪnsjulə(r)] *adj* wyspiarski; *przen.* mający ograniczony światopogląd
**in·su·late** [ˈɪnsjuleɪt] *vt* izolować
**in·su·la·tion** [ˌɪnsjuˈleɪʃn] *s* izolacja
**in·sult** [ɪnˈsʌlt] *vt* lżyć, znieważać, obrażać; *s* [ˈɪnsʌlt] obraza, zniewaga
**in·su·per·a·ble** [ɪnˈsjuprəbl] *adj* niepokonany, niezwyciężony; nie do przezwyciężenia
**in·sup·port·a·ble** [ˌɪnsəˈpɔtəbl] *adj* nie do zniesienia
**in·sur·ance** [ɪnˈʃuərns] *s* ubezpieczenie
**in·sure** [ɪnˈʃuə(r)] *vt vi* ubezpieczać (się)
**in·sur·gence** [ɪnˈsɜdʒəns] *s* powstanie, insurekcja
**in·sur·gent** [ɪnˈsɜdʒənt] *adj* powstańczy; *s* powstaniec
**in·sur·mount·a·ble** [ˌɪnsəˈmauntəbl] *adj* nie do pokonania, nieprzezwyciężony
**in·sur·rec·tion** [ˌɪnsəˈrekʃn] *s* powstanie
**in·sur·rec·tion·ist** [ˌɪnsəˈrekʃnɪst] *s* powstaniec
**in·sus·cep·ti·ble** [ˌɪnsəˈseptəbl] *adj* nieczuły (**to sth** na coś); niepodatny ⟨odporny⟩ (**of sth** na coś)
**in·tact** [ɪnˈtækt] *adj* nietknięty, nienaruszony, dziewiczy
**in·take** [ˈɪnteɪk] *s* wysysanie, pobieranie (np. wody); ilość spożyta ⟨zużyta, pobrana⟩; wlot; napływ, dopływ
**in·tan·gi·ble** [ɪnˈtændʒəbl] *adj* niedotykalny; nieuchwytny
**in·te·ger** [ˈɪntɪdʒə(r)] *s* całość; *mat.* liczba całkowita
**in·te·gral** [ˈɪntɪgrəl] *adj* integralny; *s mat.* całka; całość
**in·te·grate** [ˈɪntɪgreɪt] *vt* scalić, uzupełnić; *mat.* całkować
**in·te·gra·tion** [ˌɪntɪˈgreɪʃn] *s* scalenie, integracja; *mat.* całkowanie
**in·teg·ri·ty** [ɪnˈtegrətɪ] *s* integralność; rzetelność, prawość
**in·tel·lect** [ˈɪntəlekt] *s* intelekt, umysł
**in·tel·lec·tu·al** [ˌɪntəˈlektʃuəl] *adj* intelektualny, umysłowy; *s* intelektualista, pracownik umysłowy
**in·tel·li·gence** [ɪnˈtelɪdʒəns] *s* inte-

ligencja; informacja; wywiad; ~ service służba wywiadowcza
**in·tel·li·genc·er** [ɪnˋtelɪdʒənsə(r)] *s* agent obcego wywiadu, szpieg
**in·tel·li·gent** [ɪnˋtelɪdʒənt] *adj* inteligentny
**in·tel·li·gent·si·a** [ɪn'telɪˋdʒentsɪə] *s zbior.* inteligencja, warstwy wykształcone
**in·tel·li·gi·ble** [ɪnˋtelɪdʒəbl] *adj* zrozumiały
**in·tem·per·ance** [ɪnˋtemprəns] *s* nieumiarkowanie, niepowściągliwość
**in·tem·per·ate** [ɪnˋtempərət] *adj* nieumiarkowany, niepohamowany
**in·tend** [ɪnˋtend] *vt* zamierzać, zamyślać; przeznaczać; mieć na myśli ⟨na celu⟩; chcieć
**in·tense** [ɪnˋtens] *adj* intensywny; napięty; silny; usilny; wytężony; (*o uczuciu*) żywy
**in·ten·si·fi·ca·tion** [ɪn'tensɪfɪˋkeɪʃn] *s* intensyfikacja, wzmacnianie, wzmaganie
**in·ten·si·fy** [ɪnˋtensɪfaɪ] *vt vi* wzmocnić (się), napiąć, pogłębiać (się), wzmagać (się)
**in·ten·si·ty** [ɪnˋtensətɪ] *s* intensywność
**in·ten·sive** [ɪnˋtensɪv] *adj* wzmożony, intensywny
**in·tent** [ɪnˋtent] *adj* uważny; zajęty, zaprzątnięty; zdecydowany, zawzięty (**on** ⟨**upon**⟩ **sth** na coś); *s* zamiar, intencja, plan; **to all ~s and purposes** w istocie, faktycznie
**in·ten·tion** [ɪnˋtenʃn] *s* zamiar, cel
**in·ten·tion·al** [ɪnˋtenʃnl] *adj* celowy, umyślny
**in·ter** [ɪnˋtɜ(r)] *vt* grzebać, chować (zmarłego)
**in·ter·act** ['ɪntərˋækt] *vi* oddziaływać (na siebie) wzajemnie
**in·ter·cede** ['ɪntəˋsid] *vi* interweniować, wstawiać się (**with sb for sb, sth** u kogoś za kimś, czymś)
**in·ter·cept** ['ɪntəˋsept] *vt* przechwycić, przejąć; przerwać, zagrodzić; odciąć
**in·ter·ces·sion** ['ɪntəˋseʃn] *s* wstawiennictwo
**in·ter·change** ['ɪntəˋtʃeɪndʒ] *vt vi* wymieniać (między sobą); zamieniać (coś na coś); zmieniać (się) kolejno; *s* [ˋɪntətʃeɪndʒ] wzajemna wymiana, kolejna zmiana
**in·ter·course** [ˋɪntəkɔs] *s* obcowanie, stosunek (wzajemny), związek; **to have** ⟨**hold**⟩ **~** utrzymywać stosunki (**with sb** z kimś)
**in·ter·dict** ['ɪntəˋdɪkt] *vt* zabronić, zakazać; *s* [ˋɪntədɪkt] = **interdiction**
**in·ter·dic·tion** ['ɪntəˋdɪkʃn] *s* zakaz; *hist.* interdykt
**in·ter·est** [ˋɪntrəst] *s* interes, zysk, udział (np. w zyskach); dobro (publiczne itd.); *handl.* odsetki; zainteresowanie; **to take an ~** interesować się (**in sth** czymś); *vt* interesować; *vr* **~ oneself** interesować się (**in sth** czymś)
**in·ter·est·ing** [ˋɪntrəstɪŋ] *ppraes i adj* interesujący, zajmujący, ciekawy
**in·ter·fere** ['ɪntəˋfɪə(r)] *vi* mieszać ⟨wtrącać, wdawać⟩ się (**with sth** w coś); przeszkadzać ⟨zawadzać⟩ (**with sth** czemuś), kolidować
**in·ter·fer·ence** ['ɪntəˋfɪərns] *s* mieszanie ⟨wtrącanie⟩ się, ingerencja, wkraczanie; przeszkoda, kolizja
**in·ter·im** [ˋɪntərɪm] *s* okres przejściowy; *adj* przejściowy
**in·te·ri·or** [ɪnˋtɪərɪə(r)] *adj* wewnętrzny; **~ design** architektura wnętrz; *s* wnętrze; środek ⟨głąb⟩ kraju
**in·ter·jec·tion** ['ɪntəˋdʒekʃn] *s* okrzyk; *gram.* wykrzyknik
**in·ter·lace** ['ɪntəˋleɪs] *vt vi* przeplatać (się)
**in·ter·lock** ['ɪntəˋlok] *vt vi* spleść (się), sprząc ⟨złączyć⟩ (się)
**in·ter·loc·u·tor** ['ɪntəˋlokjutə(r)] *s* rozmówca

**in·ter·lude** [ˋɪntəlud] *s* (*także muz.*) interludium; przerwa

**in·ter·mar·riage** [ˈɪntəˋmærɪdʒ] *s* małżeństwo mieszane; małżeństwo w obrębie rodu ⟨plemienia⟩

**in·ter·me·di·ar·y** [ˈɪntəˋmidɪərɪ] *adj* pośredni; pośredniczący; *s* pośrednik

**in·ter·me·di·ate** [ˈɪntəˋmidɪət] *adj* pośredni; ~ **examination** egzamin składany w połowie studiów uniwersyteckich; *s* etap ⟨produkt itd.⟩ pośredni; stadium pośrednie

**in·ter·ment** [ɪnˋtɜmənt] *s* pogrzeb

**in·ter·mi·na·ble** [ɪnˋtɜmɪnəbl] *adj* nie kończący się

**in·ter·min·gle** [ˈɪntəˋmɪŋgl] *vt vi* mieszać (się), splatać (się)

**in·ter·mis·sion** [ˈɪntəˋmɪʃn] *s* przerwa, pauza

**in·ter·mit·tent** [ˈɪntəˋmɪtnt] *adj* przerywany, sporadyczny

**in·ter·mix** [ˈɪntəˋmɪks] *vt vi* mieszać (się)

**in·tern 1.** [ɪnˋtɜn] *vt* internować

**in·tern 2.** [ˋɪntɜn] *s am.* lekarz-stażysta (mieszkający na terenie kliniki); student w internacie

**in·ter·nal** [ɪnˋtɜnl] *adj* wewnętrzny; krajowy, domowy

**in·ter·na·tion·al** [ˈɪntəˋnæʃnl] *adj* międzynarodowy; *s sport* zawody międzynarodowe; uczestnik zawodów międzynarodowych; **the International** Międzynarodówka

**In·ter·na·tio·nale** [ˈɪntəˈnæʃənˋɑl] *s* Międzynarodówka (hymn)

**in·ter·na·tion·al·ism** [ˈɪntəˋnæʃnļɪzm] *s* internacjonalizm

**in·ter·na·tion·al·ize** [ˈɪntəˋnæʃŋəlaɪz] *vt* umiędzynarodowić

**in·ter·ne·cine** [ˈɪntəˋnisaɪn] *adj* morderczy

**in·tern·ment** [ɪnˋtɜnmənt] *s* internowanie; ~ **camp** obóz koncentracyjny

**in·ter·pel·late** [ɪnˋtɜpɪleɪt] *vt* interpelować

**in·ter·play** [ˋɪntəpleɪ] *s* obustronna gra; wzajemne oddziaływanie

**in·ter·po·late** [ɪnˋtɜpəleɪt] *vt* wstawić (do tekstu); *mat.* interpolować

**in·ter·pose** [ˈɪntəˋpəuz] *vt vi* wstawiać, wtrącać (się); użyć (autorytetu itp.); interweniować

**in·ter·pret** [ɪnˋtɜprɪt] *vt* tłumaczyć, objaśniać; interpretować; *vi* tłumaczyć ustnie (np. na odczycie)

**in·ter·pre·ta·tion** [ɪnˈtɜprɪˋteɪʃn] *s* tłumaczenie; objaśnienie, interpretacja

**in·ter·pret·er** [ɪnˋtɜprɪtə(r)] *s* tłumacz (ustny)

**in·ter·ro·gate** [ɪnˋterəgeɪt] *vt* pytać, indagować, przesłuchiwać

**in·ter·ro·ga·tion** [ɪnˈterəˋgeɪʃn] *s* pytanie, indagacja, przesłuchanie; *gram.* **note of** ~ pytajnik

**in·ter·rog·a·tive** [ˈɪntəˋrogətɪv] *adj* (*także gram.*) pytający

**in·ter·rupt** [ˈɪntəˋrʌpt] *vt* przerywać

**in·ter·sect** [ˈɪntəˋsekt] *vt* przecinać

**in·ter·sperse** [ˈɪntəˋspɜs] *vt* rozsypać ⟨rozrzucić⟩ (między czymś), przemieszać; urozmaicić

**in·ter·twine** [ˈɪntəˋtwaɪn] *vt vi* przeplatać (się)

**in·ter·val** [ˋɪntəvl] *s* przerwa, odstęp; *muz.* interwał; **at ~s** z przerwami, tu i ówdzie

**in·ter·vene** [ˈɪntəˋvin] *vi* interweniować; ingerować ⟨wdawać się, wkraczać⟩ (w coś); wydarzyć się; upłynąć

**in·ter·ven·tion** [ˈɪntəˋvenʃn] *s* interwencja, wkroczenie (w coś)

**in·ter·view** [ˋɪntəvju] *s* wywiad (*zw.* dziennikarski); *vt* przeprowadzić wywiad (*sb* z kimś)

***in·ter·weave** [ˈɪntəˋwiv], **interwove** [ˈɪntəˋwəuv], **interwoven** [ˈɪntəˋwəuvən] *vt vi* tkać, przeplatać (się), przetykać

**in·tes·tine** [ɪnˋtestɪn] *adj* wewnętrzny; *s pl* **~s** wnętrzności, jelita

**in·ti·ma·cy** [ˋɪntɪməsɪ] *s* poufałość, intymność

**in·ti·mate** [ˋɪntɪmət] *adj* poufały, intymny, zażyły; gruntowny; *vt* [ˋɪntɪmeɪt] podać do wiadomości; dać do zrozumienia

**in·ti·ma·tion** [ˌɪntɪˋmeɪʃn] *s* podanie do wiadomości; zasugerowanie; napomknięcie

**in·tim·i·date** [ɪnˋtɪmɪdeɪt] *vt* zastraszyć, onieśmielić

**in·tim·i·da·tion** [ɪnˌtɪmɪˋdeɪʃn] *s* zastraszenie, onieśmielenie

**in·to** [ˋɪntu, ˋɪntə] *praep dla oznaczenia ruchu i kierunku:* w, do; **far ~ the night** do późna w nocy; *dla oznaczenia przemiany i podziału:* na, w; **to turn ~ gold** zmienić w złoto; **to divide ~ groups** dzielić na grupy

**in·tol·er·a·ble** [ɪnˋtolrəbl] *adj* nieznośny

**in·tol·er·ance** [ɪnˋtolərns] *s* nietolerancja

**in·tol·er·ant** [ɪnˋtolərnt] *adj* nietolerancyjny

**in·to·na·tion** [ˌɪntəˋneɪʃn] *s* intonacja

**in·tone** [ɪnˋtəun] *vt* intonować

**in·tox·i·cant** [ɪnˋtoksɪkənt] *adj* odurzający, alkoholowy; *s* środek odurzający, napój alkoholowy

**in·tox·i·cate** [ɪnˋtoksɪkeɪt] *vt* odurzyć, upić

**in·tox·i·ca·tion** [ɪnˌtoksɪˋkeɪʃn] *s* odurzenie, upicie; *med.* zatrucie

**in·trac·ta·ble** [ɪnˋtræktəbl] *adj* krnąbrny; oporny, niepodatny

**in·tran·si·gent** [ɪnˋtrænsɪdʒənt] *adj* nieprzejednany; *s* człowiek nieprzejednany

**in·tran·si·tive** [ɪnˋtrænsɪtɪv] *adj gram.* nieprzechodni

**in·tra·ve·nous** [ˌɪntrəˋvinəs] *adj* dożylny

**in·trench** = **entrench**

**in·trep·id** [ɪnˋtrepɪd] *adj* nieustraszony

**in·tri·ca·cy** [ˋɪntrɪkəsɪ] *s* zawiłość, gmatwanina

**in·tri·cate** [ˋɪntrɪkət] *adj* skomplikowany, zawiły

**in·trigue** [ɪnˋtrig] *s* intryga; *vt vi* intrygować

**in·trin·sic** [ɪnˋtrɪnsɪk] *adj* wewnętrzny, głęboki; istotny, faktyczny

**in·tro·duce** [ˌɪntrəˋdjus] *vt* wprowadzić; przedstawić (**sb to sb** kogoś komuś); przedłożyć (np. wniosek)

**in·tro·duc·tion** [ˌɪntrəˋdʌkʃn] *s* wprowadzenie; przedstawienie; przedłożenie; wstęp, przedmowa

**in·tro·duc·to·ry** [ˌɪntrəˋdʌktrɪ] *adj* wstępny, wprowadzający; polecający

**in·tro·spect** [ˌɪntrəˋspekt] *vi* obserwować samego siebie, oddawać się introspekcji

**in·trude** [ɪnˋtrud] *vi* wtrącać się ⟨wkraczać⟩ (**into sth** do czegoś); przeszkadzać, narzucać się (**on** ⟨**upon**⟩ **sb** komuś); zakłócać (**on** ⟨**upon**⟩ **sth** coś); *vt* narzucać (**sth on** ⟨**upon**⟩ **sb** komuś coś)

**in·trud·er** [ɪnˋtrudə(r)] *s* intruz, natręt

**in·tru·sion** [ɪnˋtruʒn] *s* bezprawne wkroczenie ⟨wtargnięcie⟩ (w coś ⟨gdzieś⟩); narzucanie (się); wciśnięcie

**in·tru·sive** [ɪnˋtruzɪv] *adj* narzucający się, natrętny; wtrącony

**in·trust** = **entrust**

**in·tu·i·tion** [ˌɪntjuˋɪʃn] *s* intuicja

**in·tu·i·tive** [ɪnˋtjuɪtɪv] *adj* intuicyjny

**in·un·date** [ˋɪnəndeɪt] *vt* zalać, zatopić

**in·un·da·tion** [ˌɪnənˋdeɪʃn] *s* zalew, powódź

**in·ure** [ɪˋnjuə(r)] *vt* przyzwyczajać, zaprawiać, hartować

**in·vade** [ɪnˋveɪd] *vt* najechać, wtargnąć (**a country** do kraju)

**in·va·lid 1.** [ˋɪnvəlɪd] *adj* chory, ułomny, niezdolny do pracy; *s* człowiek chory, kaleka, inwalida

**in·va·lid 2.** [ɪnˋvælɪd] *adj* nieważny, nieprawomocny

**in·val·i·date** [ɪnˋvælɪdeɪt] *vt* unieważnić

**in·val·u·a·ble** [ɪnˋvæljubl] *adj* bezcenny, nieoceniony
**in·var·i·a·ble** [ɪnˋveərɪəbl] *adj* niezmienny
**in·va·sion** [ɪnˋveɪʒn] *s* inwazja
**in·vec·tive** [ɪnˋvektɪv] *s* inwektywa, obelga
**in·veigh** [ɪnˋveɪ] *vi* gromić, kląć **(against sb, sth** kogoś, coś)
**in·vei·gle** [ɪnˋvigl] *vt* uwodzić; wabić
**in·vent** [ɪnˋvent] *vt* wynajdować, wymyślić; zmyślić
**in·ven·tion** [ɪnˋvenʃn] *s* wynalazek; wymysł
**in·ven·tive** [ɪnˋventɪv] *adj* wynalazczy, pomysłowy
**in·ven·tor** [ɪnˋventə(r)] *s* wynalazca
**in·ven·to·ry** [ˋɪnvəntrɪ] *s* inwentarz
**in·verse** [ˊɪnˋvɜs] *adj* odwrotny; *s* odwrotność
**in·ver·sion** [ɪnˋvɜʃn] *s* odwrócenie, inwersja
**in·vert** [ɪnˋvɜt] *vt* odwrócić, przestawić
**in·ver·te·brate** [ɪnˋvɜtəbreɪt] *adj zool.* bezkręgowy; *przen.* bez kręgosłupa; *s zool.* bezkręgowiec
**in·vest** [ɪnˋvest] *vt* odziewać, ubierać **(in sth** w coś); otaczać **(with sth** czymś); inwestować, wkładać; wyposażyć, obdarzyć **(with sth** w coś); nadać **(sb with sth** komuś coś — np. przywilej, władzę)
**in·ves·ti·gate** [ɪnˋvestɪgeɪt] *vt* badać; dochodzić ⟨dociekać⟩ **(sth** czegoś); prowadzić śledztwo
**in·ves·ti·ga·tion** [ɪnˊvestɪˋgeɪʃn] *s* badanie, dociekanie, śledztwo
**in·vest·ment** [ɪnˋvestmənt] *s* inwestycja, lokata; odzianie, szata; *wojsk.* oblężenie
**in·vet·er·ate** [ɪnˋvetərət] *adj* zastarzały; głęboko zakorzeniony; uporczywy; nałogowy
**in·vid·i·ous** [ɪnˋvɪdɪəs] *adj* nienawistny, budzący zawiść
**in·vig·i·late** [ɪnˋvɪdʒɪleɪt] *vt* nadzorować przy egzaminie ⟨egzamin⟩
**in·vig·o·rate** [ɪnˋvɪgəreɪt] *vt* wzmacniać, pokrzepiać, orzeźwić
**in·vin·ci·ble** [ɪnˋvɪnsəbl] *adj* niezwyciężony
**in·vi·o·la·ble** [ɪnˋvaɪələbl] *adj* nienaruszalny, nietykalny
**in·vi·o·late** [ɪnˋvaɪələt] *adj* nienaruszony, nietknięty
**in·vis·i·ble** [ɪnˋvɪzəbl] *adj* niewidzialny, niewidoczny
**in·vi·ta·tion** [ˊɪnvɪˋteɪʃn] *s* zaproszenie
**in·vite** [ɪnˋvaɪt] *vt* zapraszać; zachęcać **(sth** do czegoś); wywoływać, powodować
**in·voice** [ˋɪnvɔɪs] *s handl.* faktura
**in·voke** [ɪnˋvəuk] *vt* wzywać, zaklinać
**in·vol·un·tar·y** [ɪnˋvoləntrɪ] *adj* mimowolny
**in·vo·lu·tion** [ˊɪnvəˋluʃn] *s* powikłanie, zawiłość
**in·volve** [ɪnˋvolv] *vt* obejmować; zwijać; wciągać, pociągać za sobą; wmieszać, wplątać; uwikłać; komplikować, gmatwać
**in·volved** [ɪnˋvolvd] *pp i adj* zawiły; wplątany
**in·vul·ner·a·ble** [ɪnˋvʌlnrəbl] *adj* nie do zranienia, niewrażliwy (na ciosy itp.); nienaruszalny
**in·ward** [ˋɪnwəd] *adj* wewnętrzny; duchowy; skryty; skierowany do wewnątrz; *adv* (*także* **~s**) do wnętrza, w głąb, w głębi; w duchu
**i·o·dine** [ˋaɪədin] *s chem.* jod; *pot.* jodyna (*zw.* **tincture of ~**)
**i·o·ta** [aɪˋəutə] *s* (*litera*) jota; odrobina
**I·ra·ni·an** [ɪˋreɪnɪən] *adj* irański, perski; *s* Irańczyk, Pers
**i·ras·ci·ble** [ɪˋræsəbl] *adj* drażliwy, skłonny do gniewu
**I·rish** [ˋaɪərɪʃ] *adj* irlandzki
**I·rish·man** [ˋaɪərɪʃmən] (*pl* **Irishmen** [ˋaɪərɪʃmən]) *s* Irlandczyk
**irk·some** [ˋɜksəm] *adj* nużący, przykry
**i·ron** [ˋaɪən] *s* żelazo; żelazko (do prasowania); *pl* **~s** kajdanki; **cast ~** żeliwo; *vt* okuć, podkuć;

prasować (np. bieliznę); zakuć w kajdany
**i·ron·clad** [`aɪənklæd] *adj* opancerzony, pancerny; *s mors.* pancernik
**i·ron-found·ry** [`aɪənfaundrɪ] *s* huta, odlewnia żelaza
**i·ron·ic(al)** [aɪ`ronɪk(l)] *adj* ironiczny
**i·ron·mon·ger** [`aɪənmʌŋgə(r)] *s* handlarz towarami żelaznymi
**i·ron·side** [`aɪənsəɪd] *s przen.* człowiek „z żelaza"; *hist.* żołnierz armii Cromwella
**i·ron·work** [`aɪənwək] *s* konstrukcja żelazna; *zbior.* wyroby żelazne; *pl* **~s** huta
**i·ro·ny** [`aɪərənɪ] *s* ironia
**ir·ra·di·ate** [ɪ`reɪdɪeɪt] *vt* oświetlać; naświetlać (promieniami); wyjaśniać (kwestię, sprawę itd.); *vi* promieniować
**ir·ra·tion·al** [ɪ`ræʃnl] *adj* irracjonalny; nierozumny
**ir·rec·on·cil·a·ble** [ˈɪˈrekənˋsaɪləbl] *adj* nieprzejednany; nie dający się pogodzić
**ir·re·cov·er·a·ble** [ˈɪrɪ`kʌvŗəbl] *adj* bezpowrotnie stracony, nie do odzyskania; nie do naprawienia
**ir·ref·u·ta·ble** [ˈɪrɪ`fjutəbl] *adj* niezbity, nieodparty
**ir·reg·u·lar** [ɪ`regjulə(r)] *adj* nieregularny, nieprawidłowy, nierówny; nieporządny; nielegalny
**ir·reg·u·lar·i·ty** [ˈɪˈregjuˋlærətɪ] *s* nieregularność, nieprawidłowość, nierówność; nieporządek; naruszanie norm ⟨przepisów itd.⟩
**ir·rel·e·vant** [ɪ`reləvənt] *adj* nie należący do rzeczy, nie odnoszący się do danej sprawy, nie mający związku z tematem
**ir·re·li·gious** [ˈɪrɪ`lɪdʒəs] *adj* niewierzący, bezbożny
**ir·re·me·di·a·ble** [ˈɪrɪ`midɪəbl] *adj* nie do naprawienia
**ir·re·mov·a·ble** [ˈɪrɪ`muvəbl] *adj* nieusuwalny, nie do usunięcia
**ir·rep·a·ra·ble** [ɪ`reprəbl] *adj* nie do naprawienia, niepowetowany
**ir·re·press·i·ble** [ˈɪrɪ`presəbl] *adj* niepowstrzymany, nie do opanowania; nieodparty
**ir·re·proach·a·ble** [ˈɪrɪ`prəutʃəbl] *adj* nienaganny
**ir·re·sist·i·ble** [ˈɪrɪ`zɪstəbl] *adj* nieodparty
**ir·res·o·lute** [ˈɪ`rezəlut] *adj* niezdecydowany
**ir·re·spec·tive** [ˈɪrɪ`spektɪv] *adj* nie biorący pod uwagę; niezależny; *adv* niezależnie; **~ of** bez względu na, niezależnie od
**ir·re·spon·si·ble** [ˈɪrɪ`sponsəbl] *adj* nieodpowiedzialny, lekkomyślny
**ir·re·triev·a·ble** [ˈɪrɪ`trivəbl] *adj* niepowetowany, bezpowrotny
**ir·rev·er·ent** [ɪ`revərənt] *adj* nie okazujący szacunku, lekceważący
**ir·rev·o·ca·ble** [ɪ`ręvəkəbl] *adj* nieodwołalny
**ir·ri·gate** [`ɪrɪgeɪt] *vt* nawadniać; *med.* przepłukiwać
**ir·ri·ga·tion** [ˈɪrɪ`geɪʃn] *s* nawodnienie; *med.* przepłukiwanie, irygacja
**ir·ri·ta·ble** [`ɪrɪtəbl] *adj* skłonny do gniewu, drażliwy
**ir·ri·tate** [`ɪrɪteɪt] *vt* irytować, rozdrażniać
**ir·ri·ta·tion** [ˈɪrɪ`teɪʃn] *s* irytacja, rozdrażnienie
**is** [ɪz] *zob.* **be**
**is·land** [`aɪlənd] *s* wyspa
**is·land·er** [`aɪləndə(r)] *s* wyspiarz
**isle** [aɪl] *s* wyspa
**is·let** [`aɪlət] *s* wysepka
**isn't** [ɪznt] = **is not;** *zob.* **be**
**i·so·late** [`aɪsəleɪt] *vt* izolować ⟨odosobnić, wyodrębnić⟩ **(from sth** od czegoś)
**i·so·la·tion** [ˈaɪsəˋleɪʃn] *s* izolacja, odosobnienie
**i·sos·ce·les** [aɪ`sosļiz] *adj mat.* równoramienny (trójkąt)
**i·so·tope** [`aɪsətəup] *s fiz.* izotop
**Is·ra·el·ite** [`ɪzrɪəlaɪt] *s* Izraelita
**is·sue** [`ɪʃu] *s* wyjście; ujście, upływ; wynik, rezultat; potomstwo; kwestia, zagadnienie; emi-

sja; przydział; nakład, wydanie; wydawanie; in the ~ w końcu; **matter at ~** sprawa sporna; **to bring to an ~** doprowadzić do końca; **to join ⟨take⟩ ~** zacząć się spierać; *vt* wypuszczać; wydawać; emitować; *vi* wychodzić; uchodzić; wypadać; pochodzić; wynikać, wypływać

**isth·mus** [ˈɪsməs] *s* przesmyk

**it** [ɪt] *pron* ono, to; (*gdy zastępuje rzeczowniki nieżywotne i nazwy zwierząt*) on, ona

**I·tal·ian** [ɪˈtælɪən] *adj* włoski; *s* Włoch; język włoski

**i·tal·ics** [ɪˈtælɪks] *s pl* kursywa, pismo pochyłe

**itch** [ɪtʃ] *vi* swędzić; *s* swędzenie; *med.* świerzb; *pot.* chętka

**i·tem** [ˈaɪtəm] *s* przedmiot; punkt; szczegół; pozycja (w rachunku itd.); *adv* podobnie, tak samo

**i·tem·ize** [ˈaɪtəmaɪz] *vt* wyszczególniać

**it·er·ate** [ˈɪtəreɪt] *vt* powtarzać

**i·tin·er·ant** [aɪˈtɪnərənt] *adj* wędrowny

**i·tin·er·ar·y** [aɪˈtɪnərərɪ] *adj* wędrowny; *s* trasa ⟨plan⟩ podróży; przewodnik (książka); dziennik podróży

**i·tin·er·ate** [aɪˈtɪnəreɪt] *vi* wędrować

**its** [ɪts] *pron* (*w odniesieniu do dziecka, zwierząt i rzeczy*) jego, jej, swój

**it's** [ɪts] = **it is;** *zob.* **be**

**it·self** [ɪtˈself] *pron* samo, sobie, siebie, się; **by ~** samo (jedno)

**I've** [aɪv] = **I have**

**i·vo·ry** [ˈaɪvrɪ] *s* kość słoniowa

**i·vy** [ˈaɪvɪ] *s* bluszcz

# j

**jab·ber** [ˈdʒæbə(r)] *vt vi* trajkotać, paplać; *s* paplanie, trajkotanie

**Jack, jack** [dʒæk] *s zdrob.* od **John Jaś;** chłopak; (*także* **jack tar**) (prosty) marynarz; służący; walet (w kartach); lewar, podnośnik; *mors.* bandera; **Jack of all trades** majster do wszystkiego; **Jack in office** biurokrata; *pot.* ważniak; **cheap Jack** wędrowny przekupień; **Union Jack** narodowa flaga brytyjska; **everyman jack** każdy bez wyjątku

**jack·al** [ˈdʒækəl] *s zool.* szakal

**jack·ass** [ˈdʒækæs] *s dosł. i przen.* osioł

**jack·boot** [ˈdʒækbut] *s* but z wysoką cholewką

**jack·daw** [ˈdʒækdɔ] *s zool.* kawka

**jack·et** [ˈdʒækɪt] *s* żakiet, kurtka, marynarka, kaftan; obwoluta; teczka (na akta); skórka, łupina; okładzina, koszulka, osłona

**jack-o'-lantern** [ˈdʒækəˈlæntən] *s* błędny ognik

**jade** [dʒeɪd] *s* szkapa; *vt vi* zmordować (się), zmęczyć (się)

**jad·ed** [ˈdʒeɪdɪd] *pp i adj* sterany

**jag** [dʒæg] *s* szczerba, wyrwa; cypel; ząb (np. piły); strzęp (materiału, kartki itd.); występ (skalny); *vt* karbować; szczerbić; wyrzynać; strzępić

**jag·ged** [ˈdʒægɪd] *pp i adj* szczerbaty; strzępiasty, ząbkowany

**jag·uar** [ˈdʒægjuə(r)] *s zool.* jaguar

**jail** [dʒeɪl] *s am.* więzienie

**jail·er** [ˈdʒeɪlə(r)] *s am.* dozorca więzienny

**jam** 1. [dʒæm] *s* dżem, konfitura

**jam** 2. [dʒæm] *vt* zaciskać, wciskać; stłoczyć; zatykać, blokować; zagłuszać (transmisję radiową); *vi* zaklinować się; zaciąć

się; *s* ucisk, ścisk; zator; zacięcie się
**jam·bo·ree** [ˈdʒæmbəˈri] *s* zlot harcerski; jamboree
**jan·gle** [ˈdʒæŋgl] *s* brzęk; klekot; *vt vi* brzęczeć, dzwonić, klekotać
**jan·i·tor** [ˈdʒænɪtə(r)] *s* odźwierny, dozorca, portier
**Jan·u·ar·y** [ˈdʒænjuərɪ] *s* styczeń
**Jap·a·nese** [ˈdʒæpəˈniz] *adj* japoński; *s* Japończyk; język japoński
**jar** 1. [dʒa(r)] *s* słój, słoik, dzban
**jar** 2. [dʒa(r)] *vi* zgrzytać, brzęczeć; kłócić się; *vt* drażnić ⟨razić⟩ (np. ucho); szarpać ⟨działać na⟩ nerwy; wstrząsać; *s* zgrzyt; wstrząs; kłótnia
**jas·mine** [ˈdʒæzmɪn] *s* jaśmin
**jas·per** [ˈdʒæspə(r)] *s miner.* jaspis
**jaun·dice** [ˈdʒɔndɪs] *s med.* żółtaczka; *przen.* zazdrość, zawiść
**jaunt** [dʒɔnt] *vi* wybrać się na wycieczkę; *s* (krótka) wycieczka
**jaun·ty** [ˈdʒɔntɪ] *s* żwawy, wesoły, beztroski
**jave·lin** [ˈdʒævlɪn] *s sport* oszczep
**jaw** [dʒɔ] *s* szczęka
**jaw-bone** [ˈdʒɔ bəun] *s* kość szczękowa
**jazz** [dʒæz] *s* dżez, jazz; muzyka dżezowa ⟨jazzowa⟩
**jeal·ous** [ˈdʒeləs] *adj* zazdrosny (**of sb, sth** o kogoś, coś), zawistny
**jeal·ous·y** [ˈdʒeləsɪ] *s* zazdrość, zawiść
**jeep** [dʒip] *s* dżip, jeep, łazik (samochód wojskowy)
**jeer** [dʒɪə(r)] *vi* szydzić (**at sb, sth** z kogoś, czegoś); *s* szyderstwo
**jel·ly** [ˈdʒelɪ] *s* galareta, kisiel
**jel·ly-fish** [ˈdʒelɪ fɪʃ] *s zool.* meduza
**jen·ny** [ˈdʒenɪ] *s techn.* przędzarka (maszyna)
**jeop·ard·ize** [ˈdʒepədaɪz] *vt* narazić na niebezpieczeństwo, ryzykować (**sth** coś, czymś)
**jeop·ard·y** [ˈdʒepədɪ] *s* niebezpieczeństwo, ryzyko
**jerk** [dʒ3k] *vt* szarpnąć, targnąć; cisnąć, pchnąć; *vi* szarpać się, nagle poruszyć się; *s* szarpnięcie, targnięcie, pchnięcie; skurcz, drgawka
**jerk·y** [ˈdʒ3kɪ] *adj* szarpiący, szarpany; konwulsyjny
**jer·sey** [ˈdʒ3zɪ] *s* sweter, golf
**jest** [dʒest] *s* żart; pośmiewisko; *vi* żartować (**about sb, sth** z kogoś, czegoś)
**jest·er** [ˈdʒestə(r)] *s* żartowniś; błazen
**jet** [dʒet] *s* struga, wytrysk; dysza; odrzutowiec; *adj attr* odrzutowy; *vt vi* tryskać
**jet-plane** [ˈdʒetpleɪn] *s* odrzutowiec
**jet-pro·pelled** [ˈdʒet prəˈpeld] *adj* odrzutowy; ~ **plane** odrzutowiec
**jet·sam** [ˈdʒetsəm] *s* części ładunku wyrzucane za burtę (z powodu awarii); *przen.* **flotsam and ~** wyrzutki społeczeństwa, rozbitki życiowe; rzeczy bez wartości
**jet·ti·son** [ˈdʒetɪsn] *s* zrzut poza burtę; *vt* wyrzucać za burtę
**jet·ty** [ˈdʒetɪ] *s* molo; falochron
**Jew** [dʒu] *s* Żyd
**jew·el** [ˈdʒuḷ] *s* klejnot; *vt* zdobić klejnotami
**jew·el·ler** [ˈdʒuḷə(r)] *s* jubiler
**jew·el·ler·y** [ˈdʒuḷrɪ] *s* biżuteria; handel biżuterią
**Jew·ess** [dʒuˈes] *s* Żydówka
**Jew·ish** [ˈdʒuɪʃ] *adj* żydowski
**jib** [dʒɪb] *vi* (*o koniu*) płoszyć się ⟨stawać dęba⟩; *przen.* wzbraniać się (**at sth** przed czymś)
**jibe** = **gibe**
**jif·fy** [ˈdʒɪfɪ] *s pot.* chwilka
**jig** [dʒɪg] *s* skoczny taniec (giga)
**jig·saw** [ˈdʒɪgsɔ] *s* laubzega; ~ **puzzle** układanka
**jin·gle** [ˈdʒɪŋgl] *vt vi* dźwięczeć, brzęczeć, pobrzękiwać; *s* dzwonienie, brzęk, dźwięczenie
**jin·go** [ˈdʒɪŋgəu] *s* szowinista
**jin·go·ism** [ˈdʒɪŋgəuɪzm] *s* szowinizm
**job** [dʒob] *s* robota, zajęcie, praca;

sprawa; interes; **by the ~** na akord; **odd ~s** okazyjna ⟨dorywcza⟩ praca; **out of a ~** bezrobotny; **to make a good ~ of sth** dobrze sobie z czymś poradzić; *vt vi* pracować na akord; pracować dorywczo; nadużywać władzy; uprawiać machinacje handlowe; wynajmować (konia, wóz)

**job·ber** [ˈdʒobə(r)] *s* wyrobnik, robotnik akordowy; drobny spekulant (handlowy, giełdowy); aferzysta; pośrednik

**job·less** [ˈdʒobləs] *adj* bezrobotny

**jock·ey** [ˈdʒokɪ] *s* dżokej; szachraj; *vt vi* oszukiwać, szachrować

**jo·cose** [dʒəuˈkəus] *adj* zabawny, dowcipkujący, wesoły

**joc·u·lar** [ˈdʒokjulə(r)] *adj* figlarny, wesoły

**joc·und** [ˈdʒokənd] *adj* wesoły, pogodny

**jog** [dʒog] *vt* potrącać, popychać; potrząsać; *vi* (*zw.* **~ on** ⟨**along**⟩) posuwać się ⟨jechać⟩ naprzód; *s* popchnięcie; szturchnięcie; wolny kłus

**jog·gle** [ˈdʒogl] *vt* potrząsać; podrzucać; *vi* trząść się

**join** [dʒɔɪn] *vt vi* połączyć, przyłączyć (się) (sb do kogoś); wstąpić (np. **the party** do partii); spoić; związać (się), zetknąć się; **to ~ hands** wziąć się za ręce; przystąpić do wspólnego dzieła; **~ up** zaciągnąć się (do wojska)

**join·er** [ˈdʒɔɪnə(r)] *s* stolarz

**joint** [dʒɔɪnt] *adj* łączny, wspólny; *s* połączenie, spojenie; pieczeń, udziec; *anat.* staw; **out of ~** zwichnięty; *przen.* zepsuty; *vt* złożyć, zestawić, spoić; rozczłonkować

**joint·ly** [ˈdʒɔɪntlɪ] *adv* łącznie

**joint-stock** [ˈdʒɔɪntˈstok] *adj attr*: **~ company** spółka akcyjna

**joke** [dʒəuk] *s* żart, dowcip; **to crack a ~** *pot.* palnąć dowcip; *vi* żartować (**about** ⟨**at**⟩ **sb, sth** z kogoś, czegoś)

**jol·ly** [ˈdʒolɪ] *adj* wesoły; podochocony; przyjemny; *pot.* nie lada; *adv pot.* bardzo, szalenie

**jolt** [dʒəult] *vt* wstrząsać, podrzucać; *vi* (*o wozie*) jechać z turkotem, trząść się; *s* wstrząs, szarpnięcie, podrzucanie

**jos·tle** [ˈdʒosl] *vt vi* popychać, rozpychać (się), potrącać; *s* popchnięcie, potrącenie

**jot** [dʒot] *s* jota, odrobina; *vt* (*zw.* **~ down**) skreślić w paru słowach, pośpiesznie zapisać

**jour·nal** [ˈdʒ3nl] *s* dziennik; żurnal

**jour·nal·ese** [ˈdʒ3nlˈiz] *s* język ⟨styl⟩ dziennikarski

**jour·nal·ism** [ˈdʒ3nlɪzm] *s* dziennikarstwo

**jour·nal·ist** [ˈdʒ3nlɪst] *s* dziennikarz

**jour·ney** [ˈdʒ3nɪ] *s* podróż (*zw.* lądowa); *vi* podróżować

**jour·ney·man** [ˈdʒ3nɪmən] *s* czeladnik

**jo·vi·al** [ˈdʒəuvɪəl] *adj* jowialny, wesoły

**jowl** [dʒaul] *s* szczęka; policzek

**joy** [dʒɔɪ] *s* radość, uciecha; *vt vi* radować (się)

**joy·ful** [ˈdʒɔɪfl] *adj* radosny

**ju·bi·lant** [ˈdʒubɪlənt] *adj* radujący się, rozradowany

**ju·bi·late** [ˈdʒubɪleɪt] *vi* radować się, triumfować

**ju·bi·lee** [ˈdʒubɪlɪ] *s* jubileusz

**judge** [dʒʌdʒ] *vt vi* sądzić, osądzać; uważać; *s* sędzia

**judge·ment** [ˈdʒʌdʒmənt] *s* sąd; wyrok; osąd; opinia, zdanie; rozsądek; **to pass ~** wyrokować, osądzać (**on** ⟨**upon**⟩ **sb, sth** kogoś, coś)

**ju·di·ca·ture** [ˈdʒudɪkətʃə(r)] *s* sądownictwo, wymiar sprawiedliwości

**ju·di·cial** [dʒuˈdɪʃl] *adj* sądowy, sędziowski; rozsądny, krytyczny

**ju·di·cious** [dʒuˈdɪʃəs] *adj* rozsądny, rozważny

**jug** [dʒʌg] *s* dzban, garnek; *pot.* (*o więzieniu*) paka

**jug·ful** [ˈdʒʌgful] *s* pełny dzban ⟨garnek⟩

**jug·gle** [ˋdʒʌgl] *vi* żonglować; manipulować (**with sth** czymś); *vt* zwodzić, mamić; wyłudzić (**sb out of sth** coś od kogoś); *s* sztuczka, kuglarstwo, żonglerka
**jug·gler** [ˋdʒʌglə(r)] *s* kuglarz, żongler; oszust
**juice** [dʒus] *s* sok; *przen.* treść, istota
**juic·y** [ˋdʒusɪ] *adj* soczysty
**Ju·ly** [dʒuˋlɑɪ] *s* lipiec
**jum·ble** [ˋdʒʌmbl] *s* mieszanina, bałagan; *przen.* „groch z kapustą"; *vt vi* pomieszać (się), narobić bałaganu, wprowadzić zamęt
**jump** [dʒʌmp] *vi* skakać, podskakiwać; skoczyć ⟨napaść⟩ *(***on** ⟨**upon**⟩ **sb** na kogoś); **to ~ at** ⟨**to**⟩ **a conclusion** wyciągnąć pochopny wniosek; *vt* przeskoczyć; wstrząsnąć; *s* skok, podskok; wstrząs
**jump·er 1.** [ˋdʒʌmpə(r)] *s* skoczek
**jump·er 2.** [ˋdʒʌmpə(r)] *s* damska bluzka; damski sweterek; *mors.* bluza
**junc·tion** [ˋdʒʌŋkʃn] *s* połączenie; węzeł kolejowy; stacja węzłowa; skrzyżowanie
**junc·ture** [ˋdʒʌŋktʃə(r)] *s* połączenie, spojenie; stan rzeczy ⟨spraw⟩; krytyczna chwila; zbieg okoliczności; **at this ~** w tych okolicznościach
**June** [dʒun] *s* czerwiec
**jun·gle** [ˋdʒʌŋgl] *s* dżungla
**jun·ior** [ˋdʒunɪə(r)] *adj* młodszy (wiekiem, stanowiskiem); *s* junior; młodszy student ⟨uczeń⟩; podwładny
**junk 1.** [dʒʌŋk] *s zbior. pot.* rupiecie, złom; *przen.* nonsens; *mors.* stara lina okrętowa; solone mięso
**junk 2.** [dʒʌŋk] *s* dżonka
**ju·ris·dic·tion** [ˈdʒuərɪsˋdɪkʃn] *s* jurysdykcja
**jury** [ˋdʒuərɪ] *s* sąd przysięgłych; jury
**just** [dʒʌst] *adj* sprawiedliwy; słuszny; właściwy; *adv* właśnie; w sam raz; po prostu; zaledwie
**jus·tice** [ˋdʒʌstɪs] *s* sprawiedliwość; (*w tytułach*) sędzia
**jus·ti·fi·ca·tion** [ˈdʒʌstɪfɪˋkeɪʃn] *s* usprawiedliwienie
**jus·ti·fy** [ˋdʒʌstɪfaɪ] *vt* usprawiedliwić; uzasadnić
**jut** [dʒʌt] *vi* sterczeć, wystawać; *s* występ (np. muru)
**jute** [dʒut] *s bot.* juta
**ju·ve·nile** [ˋdʒuvənaɪl] *adj* młodzieńczy, młodociany, małoletni; młodzieżowy; *s* młodzieniec, wyrostek
**jux·ta·pose** [ˈdʒʌkstəˋpəuz] *vt* ustawić obok siebie, zestawić
**jux·ta·po·si·tion** [ˈdʒʌkstəpəˋzɪʃn] *s* ustawienie obok siebie, zestawienie

# K

**kan·ga·roo** [ˈkæŋgəˋru] *s* kangur
**keel** [kil] *s mors.* kil
**keen** [kin] *adj* ostry; tnący; przejmujący, przenikliwy; gorliwy, zapalony, gwałtownie pożądający (**on sth** czegoś); bystry, żywy; *pot.* **to be ~ on sb, sth** przepadać za kimś, czymś
***keep** [kip], **kept, kept** [kept] *vt* trzymać (się); utrzymywać; dotrzymywać; przechowywać; przestrzegać (np. zasady); prowadzić (np. księgi); obchodzić (np. święto); pilnować; hodować; po-

wstrzymywać; zachowywać (pozory, tajemnicę); chronić (**sb from sth** kogoś przed czymś); pozostawać (**the house, one's bed** w domu, w łóżku); *z przymiotnikiem*: **to ~ a door** ⟨**eyes**⟩ **open** trzymać ⟨mieć⟩ drzwi ⟨oczy⟩ otwarte; *z imiesłowem*: **to ~ sb waiting** kazać komuś czekać; *vi* trzymać ⟨mieć⟩ się; ściśle stosować się (**at** ⟨**to**⟩ **sth** do czegoś); pozostawać; zachowywać się; stale ⟨wciąż⟩ coś robić; uporczywie kontynuować (**at sth** coś); **to ~ clear** trzymać się z dala (**of sth** od czegoś); **to ~ to the right** ⟨**left**⟩ iść ⟨jechać, płynąć⟩ na prawo ⟨lewo⟩; **to ~ to one's bed** pozostawać w łóżku; **to ~ to one's room** nie wychodzić z pokoju; **to ~ cool** zachowywać zimną krew; **to ~ working** ⟨**studying**⟩ ciągle pracować ⟨uczyć się⟩; **to ~ silent** milczeć; **to ~ smiling** stale się uśmiechać, zachowywać pogodę ducha; *z przysłówkami*: **~ away** trzymać (się) z dala; nie dawać się zbliżyć; **~ back** powstrzymywać (się); nie ujawniać; nie zbliżać się; **~ down** trzymać w ryzach; tłumić; utrzymywać na niskim poziomie; **~ off** trzymać (się) na uboczu, nie dopuszczać; **~ on** kontynuować; **he ~s on working** on w dalszym ciągu pracuje; **~ out** trzymać (się) na zewnątrz, nie puszczać do środka; **~ under** = **~ down**; **~ up** podtrzymywać; trzymać do góry; utrzymywać (się); trzymać (się) na odpowiednim poziomie; nie tracić ducha; dotrzymywać kroku (**with sb** komuś), nadążać

**keep·er** [ˋkipə(r)] *s* stróż, dozorca; opiekun; kustosz; prowadzący (sklep, zakład)

**keep·ing** [ˋkipɪŋ] *s* utrzymanie, opieka; przechowanie; **to be in ~** zgadzać się, harmonizować; **to be out of ~** nie zgadzać się, nie licować

**keep·sake** [ˋkipseɪk] *s* upominek, pamiątka

**keg** [keg] *s* beczułka

**ken·nel** [ˋkenl] *s* psia buda; psiarnia

**kept** *zob.* **keep**

**kerb** [kɜb] *s* krawężnik

**ker·chief** [ˋkɜtʃɪf] *s* chustka (na głowę)

**ker·nel** [ˋkɜnl] *s* jądro ⟨ziarno⟩ (owocu); sedno (sprawy)

**ket·tle** [ˋketl] *s* kocioł; imbryk

**ket·tle-drum** [ˋketldrʌm] *s muz.* kocioł

**key** [ki] *s* klucz; klawisz; *arch.* klin; *muz.* klucz, tonacja; *vt* **~ up** nastroić (instrumenty, kogoś do czegoś)

**key·board** [ˋkibɔd] *s* klawiatura

**key·hole** [ˋkihəul] *s* dziurka od klucza

**key·note** [ˋkinəut] *s muz.* tonika; *przen.* myśl przewodnia

**khak·i** [ˋkakɪ] *s* tkanina o barwie ochronnej; mundur o barwie khaki; żołnierz w mundurze khaki; *adj* (*o kolorze*) khaki

**kick** [kɪk] *vt vi* kopać, wierzgać; *pot.* buntować się, opierać się (**against** ⟨**at**⟩ **sth** czemuś); *pot.* **~ away** odpędzić; *pot.* **~ out** wypędzić; **~ up** podnieść ⟨wzniecić, narobić⟩ (**a dust** ⟨**noise, fuss**⟩ kurzu ⟨hałasu, wrzawy⟩); *s* kopniak; uderzenie; skarga, protest

**kick-off** [ˋkɪk of] *s sport* pierwszy strzał (początek gry w piłkę nożną)

**kid** [kɪd] *s* koźlę; skóra koźla; *pot.* dziecko, smyk

**kid·dy** [ˋkɪdɪ] *s pot.* (*o dziecku*) mały, brzdąc

**kid-glove** [ˈkɪd ˋglʌv] *s* rękawiczka z koźlej skóry

**kid·nap** [ˋkɪdnæp] *vt* porywać (dziecko), uprowadzić

**kid·nap·per** [ˋkɪdnæpə(r)] *s* kidnaper

**kid·ney** [ˋkɪdnɪ] *s* nerka; *pot.* ro-

dzaj, natura, pokrój (człowieka)
**kill** [kɪl] *vt* zabijać; kasować ⟨wyrzucać⟩ (część tekstu)
**kiln** [kɪln] *s* piec przemysłowy (do suszenia, wypalania)
**kil·o·gramme** [ˈkɪləgræm] *s* kilogram
**kil·o·me·tre** [ˈkɪləmitə(r)] *s* kilometr
**kil·o·watt** [ˈkɪləwot]. *s* kilowat
**kilt** [kɪlt] *s* męska spódnica szkocka
**kin** [kɪn] *s* † ród; *zbior.* krewni; **next of ~** najbliższy krewny; *adj* spokrewniony
**kind** [kaɪnd] *s* rodzaj; gatunek; natura; jakość; **a ~ of** coś w rodzaju; **nothing of the ~** nic podobnego; **what ~ of...?** jakiego rodzaju...?, co za...?; **to pay in ~** płacić w naturze ⟨w towarze⟩; *adj* miły, uprzejmy, łaskawy; **very ~ of you** bardzo uprzejmie z pańskiej ⟨twojej⟩ strony; *adv pot.* **~ of** poniekąd, do pewnego stopnia
**kin·der·gar·ten** [ˈkɪndəgatn] *s* przedszkole
**kin·dle** [ˈkɪndl] *vt vi* rozpalić (się), rozżarzyć (się), rozniecić (się), podniecić
**kind·ly** [ˈkaɪndlɪ] *adj* dobry, dobrotliwy, uczynny, łaskawy, miły
**kind·ness** [ˈkaɪndnəs] *s* uprzejmość, dobroć; przysługa
**kin·dred** [ˈkɪndrəd] *s* pokrewieństwo; *zbior.* krewni; *adj attr* pokrewny
**king** [kɪŋ] *s* król
**king·dom** [ˈkɪŋdəm] *s* królestwo
**kins·folk** [ˈkɪnzfəʊk] *s zbior.* krewni, rodzeństwo
**kins·man** [ˈkɪnzmən] *s* (*pl* **kinsmen** [ˈkɪnzmən]) krewny
**kins·wom·an** [ˈkɪnzwʊmən] *s* (*pl* **kinswomen** [ˈkɪnzwɪmɪn]) krewna
**kip·per** [ˈkɪpə(r)] *s* ryba wędzona (*zw.* śledź)
**kirk** [kɜk] *s szkoc.* kościół
**kiss** [kɪs] *s* pocałunek; *vt vi* całować (się)
**kit** [kɪt] *s* wyposażenie, ekwipunek; komplet narzędzi; plecak, worek ⟨torba⟩ (na rzeczy, narzędzia); cebrzyk; paczka
**kit·bag** [ˈkɪt bæg] *s* torba podróżna, plecak
**kitch·en** [ˈkɪtʃɪn] *s* kuchnia; **~ garden** ogród warzywny
**kite** [kaɪt] *s zool.* kania; latawiec; **to fly a ~** puszczać latawca
**kith** [kɪθ] *s w zwrocie:* **~ and kin** *zbior.* przyjaciele i krewni
**kit·ten** [ˈkɪtn] *s* kotek
**kit·ty** [ˈkɪtɪ] = **kitten**
**knack** [næk] *s* sztuka (robienia czegoś), spryt, zręczność
**knag** [næg] *s* sęk
**knap·sack** [ˈnæpsæk] *s* plecak
**knave** [neɪv] *s* nikczemnik, łajdak; walet (w kartach)
**knav·er·y** [ˈneɪvərɪ] *s* nikczemność, łajdactwo
**knav·ish** [ˈneɪvɪʃ] *adj* nikczemny, łajdacki
**knead** [nid] *vt* miesić, ugniatać; mieszać
**knee** [ni] *s* kolano
***kneel** [nil], **knelt, knelt** [nelt] *vi* klękać, klęczeć
**knell** [nel] *s* podzwonne; *vi* dzwonić (umarłemu); *vt* dzwonić (**sth** obwieszczając coś)
**knelt** *zob.* **kneel**
**knew** *zob.* **know**
**knick·er·bock·ers** [ˈnɪkəbokəz], *pot.* **knick·ers** [ˈnɪkəz] *s pl* spodnie spięte pod kolanami; pumpy
**knife** [naif] *s* (*pl* **knives** [naɪvz]) nóż
**knight** [naɪt] *s* rycerz; szlachcic; kawaler orderu; koń (w szachach); *vt* nadać szlachectwo ⟨tytuł, order⟩
**knight·hood** [ˈnaɪthud] *s* rycerstwo; tytuł szlachecki
***knit, knit, knit** [nɪt] *lub* **knitted,**

**knitted** [ˈnɪtɪd] *vt* dziać, robić na drutach; składać, wiązać, spajać, łączyć; ściągać (brwi)

**knives** *zob.* **knife**

**knob** [nob] *s* gałka; guz; sęk; kawałek (np. cukru)

**knock** [nok] *vi* pukać, stukać (**at the door** do drzwi), uderzyć się (**against sth** o coś); *vt* uderzyć, walnąć; **~ about** *pot.* rozbijać ⟨wałęsać⟩ się; **~ down** powalić, zwalić z nóg; przejechać (kogoś); **~ off** strącić; strzepnąć; potrącić (sumę pieniężną); skończyć (pracę); **~ out** wybić, wytrząsnąć; pokonać; **~ over** przewrócić; **~ together** zbić (np. deski); sklecić; uderzać o siebie; **~ up** podbić ku górze; *pot.* zmajstrować; znużyć; zderzyć się (**against sb, sth** z kimś; czymś); *s* stuk, uderzenie

**knock-out** [ˈnokaut] *s* nokaut (w boksie)

**knoll** [nəul] *s* pagórek

**knot** [not] *s* węzeł, pętla; sęk; guz, narośl; *przen.* powikłanie; *vt* robić węzeł; wiązać; *przen.* komplikować

**knot·ty** [ˈnotɪ] *adj* węzłowaty; *przen.* zawiły, kłopotliwy

***know** [nəu], **knew** [nju], **known** [nəun] *vt vi* znać; rozpoznać, poznać; wiedzieć, dowiedzieć się (**about** ⟨**of**⟩ **sb, sth** o kimś, czymś); doświadczać, zaznać (czegoś); umieć, potrafić (coś zrobić); **to get to ~** dowiedzieć się

**know·ing** [ˈnəuɪŋ] *ppraes i adj* rozumny, bystry; chytry, zręczny

**know·ing·ly** [ˈnəuɪŋlɪ] *adv* ze znajomością rzeczy; naumyślnie; chytrze, zręcznie

**knowl·edge** [ˈnolɪdʒ] *s* wiedza, znajomość; wiadomość, świadomość; **to my ~** o ile mi wiadomo

**known** *zob.* **know**

**knuck·le** [ˈnʌkl] *s* kostka (palca); *vi* **~ down** ⟨**under**⟩ ulec, ustąpić

**ko·dak** [ˈkəudæk] *s* kodak; *vt* fotografować kodakiem

**kohl-ra·bi** [ˈkəulˈrabɪ] *s* kalarepa

# l

**la·bel** [ˈleɪbl] *s* napis, naklejka, etykieta; *vt* nakleić ⟨zaopatrzyć w⟩ etykietę ⟨nalepkę, naklejkę⟩; *przen.* określić (mianem), nazwać

**la·bi·al** [ˈleɪbɪəl] *adj* wargowy

**la·bor·a·to·ry** [ləˈborətrɪ] *s* laboratorium, pracownia

**la·bo·ri·ous** [ləˈbɔrɪəs] *adj* pracowity; żmudny; wypracowany

**la·bour** [ˈleɪbə(r)] *s* praca, trud; klasa pracująca, świat pracy; siła robocza; bóle porodowe, poród; **Labour Party** Partia Pracy (w Anglii); *vi* ciężko pracować, mozolić się (**at sth** nad czymś), ponosić trudy; uginać się (**under sth** pod ciężarem czegoś); cierpieć (**under sth** z powodu czegoś); z trudem poruszać się; (*o kobiecie*) rodzić; *vt* starannie opracować, wypielęgnować; szczegółowo rozważać, dokładnie omawiać

**la·bour·er** [ˈleɪbərə(r)] *s* robotnik, wyrobnik

**la·bour·ite** [ˈleɪbəraɪt] *s* członek Partii Pracy

**lab·y·rinth** [ˈlæbərɪnθ] *s* labirynt

**lace** [leɪs] *s* lamówka; sznurowadło; koronka; *vt* sznurować; obszyć lamówką; ozdobić koronką

**lac·er·ate** [ˈlæsəreɪt] *vt* szarpać, rwać, rozrywać, rozdrapywać; kaleczyć; *przen.* zranić (uczucia)

**lack** [læk] *s* brak, niedostatek; **for ~** z braku; *vt vi* brakować; odczuwać brak, nie posiadać, nie mieć; **I ~ money** brak mi pieniędzy

**lack·ey** [ˈlækɪ] *s* lokaj

**la·con·ic** [ləˈkonɪk] *adj* lakoniczny

**lac·quer** [ˈlækə(r)] *s* lakier; *vt* lakierować

**lac·tic** [ˈlæktɪk] *adj* mleczny

**lad** [læd] *s* chłopiec, chłopak

**lad·der** [ˈlædə(r)] *s* drabina; spuszczone oczko (w pończosze); *przen.* drabina społeczna; *vi (o pończosze)* puszczać oczko

***lade** [leɪd], **laded** [ˈleɪdɪd], **laded** *lub* **laden** [ˈleɪdn] *vt* ładować; czerpać, wygarniać

**lad·en** [ˈleɪdn] *pp i adj* obciążony, obarczony; pogrążony (w smutku)

**la·dle** [ˈleɪdl] *s* łyżka wazowa, chochla; *vt* rozlewać ⟨czerpać⟩ (chochlą)

**la·dy** [ˈleɪdɪ] *s* dama, pani; tytuł szlachecki; **lady's ⟨ladies'⟩ man** kobieciarz

**la·dy·bird** [ˈleɪdɪbɜd] *s* biedronka

**lag** [læg] *vi* zwlekać, opóźniać się, (*także* **~ behind**) wlec się z tyłu

**lag·gard** [ˈlægəd] *adj* powolny, ospały; *s* maruder, człowiek opieszały

**laid** *zob.* **lay 1.**

**lain** *zob.* **lie 1.**

**lair** [leə(r)] *s* legowisko, nora, mateczник; *przen.* melina

**lake** [leɪk] *s* jezioro

**lamb** [læm] *s* jagnię, baranek

**lame** [leɪm] *adj* chromy, ułomny; wadliwy; nieprzekonywający, mętny; **~ duck** pechowiec; bankrut życiowy ⟨giełdowy⟩; *vt* uczynić kaleką, okaleczyć; popsuć, sparaliżować

**la·ment** [ləˈment] *s* skarga, lament; *vt vi* opłakiwać (**sb, sth** ⟨**over sb, sth**⟩ kogoś, coś), lamentować

**lam·en·ta·ble** [ˈlæməntəbl] *adj* opłakany, godny pożałowania

**lam·i·na** [ˈlæmɪnə] *s* (*pl* **~e** [ˈlæmɪni]) blaszka

**lamp** [læmp] *s* lampa

**lam·poon** [læmˈpun] *s* pamflet, paszkwil; *vt* napisać paszkwil (**sb, sth** na kogoś, coś)

**lamp-post** [ˈlæmp pəust] *s* słup latarni, latarnia (uliczna)

**lamp·shade** [ˈlæmp ʃeɪd] *s* abażur

**lance** [lans] *s* lanca, kopia; *med.* lancet

**land** [lænd] *s* ziemia, ląd; kraj; własność ziemska, rola; **by ~** drogą lądową; *vt* wysadzać ⟨wyładowywać⟩ na ląd; zdobyć (nagrodę itp.); *pot.* wpakować (kogoś w kłopot itd.); *vi* lądować; wysiadać, przybywać; trafić (gdzieś)

**land·ed** [ˈlændɪd] *pp i adj* ziemski; **~ proprietor** właściciel ziemski

**land·hold·er** [ˈlændhəuldə(r)] *s* właściciel gruntu, gospodarz

**land·ing** [ˈlændɪŋ] *s* lądowanie; zejście (ze statku) na ląd; podest; *wojsk.* desant

**land·ing-place** [ˈlændɪŋpleɪs] *s* przystań

**land·la·dy** [ˈlændleɪdɪ] *s* właścicielka domu czynszowego ⟨pensjonatu, hotelu, gospody⟩; gospodyni; dziedziczka

**land·lord** [ˈlændlɔd] *s* dziedzic, właściciel domu czynszowego ⟨pensjonatu, hotelu, gospody⟩

**land·mark** [ˈlændmɑk] *s* kamień graniczny; *przen.* znak orientacyjny; wydarzenie epokowe, punkt zwrotny

**land·own·er** [ˈlændəunə(r)] *s* właściciel ziemski

**land·scape** [ˈlændskeɪp] *s* krajobraz, pejzaż

**lane** [leɪn] *s* droga polna, dróżyna; uliczka, zaułek

**lan·guage** ['læŋgwɪdʒ] *s* język, mowa; styl

**lan·guid** ['læŋgwɪd] *adj* osłabiony, znużony; powolny; tęskny

**lan·guish** ['læŋgwɪʃ] *vi* więdnąć, słabnąć, marnieć; usychać z tęsknoty (**after** ⟨**for**⟩ **sb, sth** za kimś, czymś)

**lan·guor** ['læŋgə(r)] *s* osłabienie, znużenie, powolność; tęsknota

**lank** [læŋk] *adj* chudy; cienki i długi; mizerny; (*o włosach*) prosty

**lan·tern** ['læntən] *s* latarnia

**lap 1.** [læp] *s* poła; łono; **in** ⟨**on**⟩ **sb's ~** na kolanach u kogoś; *sport* okrążenie (bieżni); *vt* otoczyć; objąć; owinąć, otulić; nakładać (**over sth** na coś); *sport* zdystansować

**lap 2.** [læp] *vt vi* mlaskać; chłeptać; chlupotać

**lap-dog** ['læp dog] *s* piesek pokojowy

**la·pel** [lə'pel] *s* klapa (marynarki)

**lapse** [læps] *s* upływ ⟨odstęp⟩ (czasu); błąd, omyłka; odstępstwo; uchybienie; obniżenie; *vi* opadać; wpadać ⟨zapadać, popadać, wdawać się⟩ (w coś); odstępować (od wiary itp.); mijać; upływać; mylić się; zaniedbywać (coś)

**lar·ce·ny** ['lasn̩ɪ] *s* (drobna) kradzież

**lard** [lad] *s* smalec, słonina; *vt* szpikować

**lard·er** ['ladə(r)] *s* spiżarnia

**large** [ladʒ] *adj* duży, rozległy, obszerny; liczny; obfity; szeroki, swobodny; *s tylko z przyimkiem:* **at ~** na wolności; na szerokim świecie; w pełnym ujęciu; *adv w zwrocie:* **by and ~** w ogóle, ogólnie biorąc

**large·ly** ['ladʒlɪ] *adv* wielce, w dużej mierze, przeważnie

**lark 1.** [lak] *s* skowronek

**lark 2.** [lak] *s pot.* figiel, żart; *vi pot.* figlować

**lash 1.** [læʃ] *s* bicz, bat; uderzenie biczem; kara chłosty; *vt vi* uderzać biczem, chłostać ⟨smagać⟩ (*także* biczem satyry)

**lash 2.** [læʃ] = **eyelash**

**lass** [læs] *s szkoc. i poet.* dziewczę, dziewczyna

**las·si·tude** ['læsɪtjud] *s* znużenie

**last 1.** [last] *s* kopyto (szewskie), prawidło

**last 2.** [last] *vi* trwać, utrzymywać się; przetrwać; starczyć (na pewien czas)

**last 3.** [last] *adj* ostatni; miniony, zeszły, ubiegły; ostateczny, końcowy; **~ but one** przedostatni; **~ but not least** rzecz nie mniej ważna; *s* ostatnia rzecz, ostatek, koniec; **at ~** na koniec, wreszcie; **to breathe one's ~** wyzionąć ducha; **to the very ~** do samego końca; *adv* po raz ostatni; ostatnio; ostatecznie

**last·ing** ['lastɪŋ] *ppraes i adj* trwały

**latch** [lætʃ] *s* klamka; zatrzask, zasuwka

**latch-key** ['lætʃki] *s* klucz (*zw.* od zatrzasku)

**late** [leɪt] *adj* późny, spóźniony; niedawny, świeżo miniony; dawny, były; (*o zmarłym*) świętej pamięci; **to be ~** spóźnić się; **of ~** ostatnimi czasy; *adv* późno, do późna; ostatnio; przedtem, niegdyś

**late·ly** ['leɪtlɪ] *adv* ostatnio, niedawno temu

**la·tent** ['leɪtnt] *adj* ukryty, utajony

**lat·er** ['leɪtə(r)] *adj* (*comp* od **late**) późniejszy; *adv* później; **~ on** później, w dalszym ciągu, poniżej

**lat·er·al** ['lætrl] *adj* boczny

**lat·est** ['leɪtəst] *adj* (*sup* od **late**) najpóźniejszy; najnowszy

**lath** [laθ] *s* listwa; deszczułka

**lathe** [leɪð] *s* tokarka, tokarnia

**lath·er** ['laðə(r)] *s* piana mydlana; *vt vi* mydlić (się), pienić się

**Lat·in** [ˈlætɪn] *adj* łaciński: *s* łacina

**lat·i·tude** [ˈlætɪtjud] *s geogr.* szerokość; *przen.* swoboda, tolerancja, liberalizm

**lat·ter** [ˈlætə(r)] *adj* (ten) ostatni ⟨drugi⟩ (z dwóch); późniejszy, nowszy; końcowy

**lat·tice** [ˈlætɪs] *s* krata; *vt* okratować

**laud·a·ble** [ˈlɔdəbl] *adj* godny pochwały

**laugh** [lɑf] *vi* śmiać się (**at sth** z czegoś); wyśmiewać (**at sb** kogoś); *s* śmiech; **to break into a ~** roześmiać się; **to raise a ~** wywołać wesołość

**laugh·ing-stock** [ˈlɑfɪŋstok] *s* pośmiewisko

**laugh·ter** [ˈlɑftə(r)] *s* śmiech; **to cry with ~** uśmiać się do łez

**launch** [lɔntʃ] *vt* puszczać, spuszczać; zrzucać; ciskać, miotać; uruchamiać; lansować; wodować; wszczynać (śledztwo); *vi* zapędzić się, puścić się (dokądś); (*także* **~ out**) wypłynąć na morze; zaangażować się (w coś); *s* wodowanie; łódź motorowa, szalupa

**laun·dress** [ˈlɔndrəs] *s* praczka

**laun·dry** [ˈlɔndrɪ] *s* pralnia; bielizna do prania ⟨z pralni⟩

**lau·re·ate** [ˈlorɪət] *s* laureat

**lau·rel** [ˈlorl] *s* wawrzyn

**lav·a·to·ry** [ˈlævətrɪ] *s* umywalnia (*zw.* z ustępem)

**lav·en·der** [ˈlævəndə(r)] *s* lawenda

**lav·ish** [ˈlævɪʃ] *adj* rozrzutny, hojny; suty, obfity; *vt* hojnie darzyć, szafować

**law** [lɔ] *s* prawo; zasada, ustawa; system prawny; wiedza prawnicza; **~ court** sąd; **to go to ~** wnosić skargę sądową; **a man of ~** prawnik

**law·ful** [ˈlɔfl] *adj* prawny, legalny; sprawiedliwy

**law·less** [ˈlɔləs] *adj* bezprawny; samowolny

**lawn** [lɔn] *s* murawa, trawnik

**law·suit** [ˈlɔsut] *s* sprawa sądowa, proces

**law·yer** [ˈlɔjə(r)] *s* prawnik; adwokat

**lax** [læks] *adj* luźny; swobodny; rozwiązły; niedbały

**lax·a·tive** [ˈlæksətɪv] *s med.* środek przeczyszczający

***lay** 1. [leɪ], **laid, laid** [leɪd] *vt* kłaść, ułożyć, nałożyć; uciszyć, uspokoić; założyć się (o coś); przedłożyć, przedstawić (np. prośbę); **to ~ bare** obnażyć; **to ~ claim** zgłaszać roszczenie; **to ~ open** wyjawić; **to ~ siege** oblegać; **to ~ stress** ⟨**emphasis**⟩ kłaść nacisk; **to ~ the table** nakryć do stołu; **to ~ waste** spustoszyć; *z przyimkami:* **~ aside** ⟨**away, by**⟩ odłożyć; **~ down** składać; ustanawiać; **~ in** odkładać (na zapas), magazynować; **~ on** nakładać; powlekać; zakładać (np. instalację); **~ out** wykładać, wydawać; ułożyć; planować, zaprojektować; **~ up** zbierać, gromadzić, ciułać, przechowywać; **to be laid up** być złożonym chorobą

**lay** 2. [leɪ] *adj* świecki, laicki

**lay** 3. [leɪ] *s* pieśń

**lay** 4. *zob.* **lie** 1.

**lay·er** [ˈleɪə(r)] *s* warstwa, pokład; instalator

**lay·man** [ˈleɪmən] *s* (*pl* **laymen** [ˈleɪmən]) człowiek świecki; laik

**lay-out** [ˈleɪ aut] *s* plan; układ (topograficzny)

**la·zi·ness** [ˈleɪzɪnəs] *s* lenistwo

**la·zy** [ˈleɪzɪ] *adj* leniwy

**la·zy-bones** [ˈleɪzɪ bəunz] *s* leniuch

***lead** 1. [lid], **led, led** [led] *vt* prowadzić, dowodzić, kierować; namówić, zasugerować, przekonać, nasunąć (przypuszczenie); wieść ⟨pędzić⟩ (życie); *vi* przewodzić; prowadzić (np. do celu); *s* kierownictwo, przewodnictwo; przykład; smycz; wyjście (w kartach)

**lead** 2. [led] *s* ołów; grafit (w ołówku); ~ **pencil** ołówek
**lead·en** [ˈledn] *adj* ołowiany
**lead·er** [ˈlidə(r)] *s* kierownik, przywódca, lider; artykuł wstępny (w gazecie)
**lead·er·ship** [ˈlidəʃɪp] *s* przywództwo
**lead·ing** [ˈlidɪŋ] *ppraes i adj* kierowniczy, przewodzący, główny
**leaf** [lif] *s* (*pl* **leaves** [livz]) liść; kartka
**leaf·let** [ˈliflət] *s* listek; ulotka
**league** 1. [lig] *s* liga
**league** 2. [lig] *s* mila
**leak** [lik] *vi* cieknąć, przeciekać, sączyć się; *s* wyciek, upływ; nieszczelność
**leak·age** [ˈlikɪdʒ] *s* przeciekanie, upływ
**leak·y** [ˈlikɪ] *adj* nieszczelny
**lean** 1. [lin] *adj dosł. i przen.* chudy
***lean** 2. [lin], **leant, leant** [lent] *lub* **~ed, ~ed** *vt vi* nachylać się, pochylać się, opierać (się); ~ **out** wychylać się
***leap** [lip], **leapt, leapt** [lept] *lub* **~ed, ~ed** *vi* skakać; *vt* przeskoczyć; *s* skok, podskok
**leap-year** [ˈlip jɜ(r)] *s* rok przestępny
***learn** [lɜn], **learnt, learnt** [lɜnt] *lub* **~ed, ~ed** [lɜnt], *vt vi* uczyć się; dowiadywać się
**learn·ed** [ˈlɜnɪd] *adj* uczony
**learn·ing** [ˈlɜnɪŋ] *s* nauka, wiedza, erudycja
**learnt** *zob.* **learn**
**lease** [lis] *s* dzierżawa, najem; *vt* dzierżawić, najmować
**lease·hold** [ˈlishəuld] *s* dzierżawa; *adj* dzierżawny, wydzierżawiony
**leash** [liʃ] *s* smycz
**least** [list] *adj* (*sup od* **little**) najmniejszy; *adv* najmniej; *s* najmniejsza rzecz; **at** ~ przynajmniej; **not in the** ~ bynajmniej; ~ **common multiple** najmniejsza wspólna wielokrotna
**leath·er** [ˈleðə(r)] *s* skóra (wyprawiona)
***leave** 1. [liv], **left, left** [left] *vt* zostawiać, opuszczać; **to** ~ **sb alone** dać komuś spokój; **to** ~ **behind** pozostawić za sobą, zapomnieć (coś) wziąć; ~ **off** przerwać, zaniechać, zaprzestać; ~ **out** opuścić; przeoczyć; zaniedbać; ~ **over** odłożyć na później, pozostawić; *vi* odchodzić, odjeżdżać (**for a place** dokądś)
**leave** 2. [liv] *s* pozwolenie; rozstanie, pożegnanie; zwolnienie; urlop; **to take French** ~ ulotnić się po angielsku, odejść bez pożegnania; **to take** ~ pożegnać się (**of sb** z kimś)
**leav·en** [ˈlevn] *s* drożdże; zaczyn; *przen.* ferment; *vt* zakwasić
**leaves** *zob.* **leaf**
**lec·ture** [ˈlektʃə(r)] *s* odczyt, wykład; *vi* wygłaszać odczyt, wykładać (**on sth** coś); *vt* odbywać ⟨mieć⟩ wykłady; robić wymówki, udzielić nagany
**lec·tur·er** [ˈlektʃərə(r)] *s* prelegent, wykładowca
**led** *zob.* **lead** 1.
**ledge** [ledʒ] *s* występ (np. muru), gzyms, krawędź; listwa
**ledg·er** [ˈledʒə(r)] *s handl.* księga główna, rejestr
**leech** [litʃ] *s* pijawka
**leek** [lik] *s bot.* por
**leer** [lɪə(r)] *vi* patrzeć z ukosa, łypać okiem (**at sb** na kogoś)
**lees** [liz] *s pl* fusy, osad, męty
**left** 1. *zob.* **leave** 1.
**left** 2. [left] *adj* lewy; *adv* na lewo; *s* lewa strona; **on the** ~ po lewej stronie
**left·ist** [ˈleftɪst] *s* lewicowiec; *adj* lewicowy
**left-o·ver** [ˈleftˈəuvə(r)] *adj attr* pozostały; *s* pozostałość
**leg** [leg] *s* noga, nóżka
**leg·a·cy** [ˈlegəsɪ] *s* spadek, legat
**le·gal** [ˈligl] *adj* prawny; prawniczy; ustawowy; legalny

**le·gal·ize** [ˈliglaɪz] *vt* legalizować

**le·ga·tion** [lɪˈgeɪʃn] *s* poselstwo

**leg·end** [ˈledʒənd] *s* legenda

**leg·ging** [ˈlegɪŋ] *s* sztylpa

**leg·i·ble** [ˈledʒəbl] *adj* czytelny

**le·gion** [ˈlidʒən] *s* legion, legia

**le·gion·ary** [ˈlidʒənrɪ] *s* legionista

**leg·is·la·tion** [ˌledʒɪsˈleɪʃn] *s* ustawodawstwo, prawodawstwo

**leg·is·la·tive** [ˈledʒɪslətɪv] *adj* ustawodawczy, prawodawczy

**leg·is·la·ture** [ˈledʒɪsleɪtʃə(r)] *s* władza ustawodawcza

**le·git·i·mate** [lɪˈdʒɪtɪmət] *adj* prawny; prawowity, ślubny; prawidłowy; *vt* [lɪˈdʒɪtɪmeɪt] legalizować; uzasadniać; uznać ‹wykazać› ślubne pochodzenie

**lei·sure** [ˈleʒə(r)] *s* czas wolny od pracy; **at ~** bez pośpiechu; **to be at ~** mieć wolny czas, nie pracować

**lei·sured** [ˈleʒəd] *adj* nie pracujący, bezczynny

**lei·sure·ly** [ˈleʒəlɪ] *adj* powolny; mający wolny czas; *adv* powoli, bez pośpiechu

**lem·on** [ˈlemən] *s* cytryna

***lend** [lend], **lent, lent** [lent] *vt* pożyczać, użyczać; udzielać; nadawać, przydawać; **to ~ an ear** posłuchać; **to ~ a hand** przyjść z pomocą

**lend·ing·li·brar·y** [ˈlendɪŋ laɪbrərɪ] *s* wypożyczalnia książek

**length** [leŋθ] *s* długość; odległość; trwanie; **at ~** na koniec; szczegółowo, obszernie; **at full ~** na całą długość, w całej rozciągłości; **at some ~** dość szczegółowo, dość obszernie; **to go to the ~ of ...** posunąć się aż do ...

**length·en** [ˈleŋθən] *vt vi* przedłużyć (się), wydłużać (się), rozciągnąć (się)

**length·ways** [ˈleŋθweɪz] *adv* na długość, wzdłuż

**length·wise** = **lengthways**

**length·y** [ˈleŋθɪ] *adj* przydługi, rozwlekły

**le·ni·ent** [ˈlinɪənt] *adj* łagodny, pobłażliwy

**Len·in·ism** [ˈlenɪnɪzm] *s* leninizm

**Len·in·ist** [ˈlenɪnɪst] *adj* leninowski

**lens** [lenz] *s* soczewka

**lent 1.** *zob.* **lend**

**Lent 2.** [lent] *s rel.* Wielki Post; **~ term** semestr wiosenny (na uczelni)

**len·til** [ˈlentl] *s* soczewica

**leop·ard** [ˈlepəd] *s zool.* lampart

**lep·er** [ˈlepə(r)] *s* trędowaty

**lep·ro·sy** [ˈleprəsɪ] *s* trąd

**lese-maj·es·ty** [ˈliz ˈmædʒəstɪ] *s prawn.* obraza majestatu

**less** [les] *adj* (*comp* od **little**) mniejszy; *adv* mniej; **none the ~** tym niemniej, niemniej jednak; *s* coś mniejszego; **the ~ the better** im mniej, tym lepiej

**les·see** [leˈsi] *s* dzierżawca

**less·en** [ˈlesn] *vt vi* zmniejszać (się), obniżać, osłabiać, maleć, ubywać

**less·er** [ˈlesə(r)] *adj* mniejszy, pomniejszy

**les·son** [ˈlesn] *s* lekcja; nauczka; **to do one's ~s** odrabiać lekcje

**lest** [lest] *conj* ażeby nie

***let, let, let** [let] *vt* pozwalać; dopuszczać, puszczać; dawać; zostawiać; najmować; **to ~ alone** zostawić w spokoju, dać spokój; **to ~ fall** upuścić; **to ~ go** wypuścić, zwolnić; **to ~ know** dać znać, zawiadomić; **to ~ oneself go** pofolgować sobie, dać się ponieść; *z przyimkami:* **~ down** spuścić; porzucić, pozostawić własnemu losowi; obniżyć; **~ in** wpuścić; **~ off** wypuścić; wystrzelić; wybaczyć; **~ out** wypuścić; wynająć; **~ through** przepuścić; *zob.* **alone**

**le·thar·gic** [lɪˈθadʒɪk] *adj* letargiczny

**leth·ar·gy** [ˈleθədʒɪ] *s* letarg

**let·ter** [ˈletə(r)] *s* litera; list; **to the ~** dosłownie; *pl* **~s** literatura piękna, beletrystyka; **man of ~s** literat, pisarz; *vt* oznaczyć literami

**let·ter-box** [ˈletəboks] *s* skrzynka na listy

**let·tered** [ˈletəd] *pp i adj* wykształcony, oczytany

**let·tuce** [ˈletɪs] *s* sałata ogrodowa

**leu·kae·mi·a** [luˈkimɪə] *s med.* białaczka

**lev·el** [ˈlevl] *s* poziom, płaszczyzna; **on a ~ with ...** na tym samym poziomie co ...; *adj* poziomy; równy; zrównoważony; *vt* wyrównywać; spoziomować; kierować, nastawiać

**lev·er** [ˈlivə(r)] *s* dźwignia; lewar

**lev·i·ty** [ˈlevətɪ] *s* lekkość; lekkomyślność

**lev·y** [ˈlevɪ] *s* ściąganie ⟨nakładanie⟩ (podatków itp.); pobór (rekruta), zaciąg; *vt* ściągać ⟨nakładać⟩ (podatki itp.); zaciągnąć (rekruta), werbować

**lewd** [lud] *adj* sprośny, lubieżny

**lex·i·cal** [ˈleksɪkl] *adj* leksykalny

**li·a·bil·i·ty** [ˈlaɪəˈbɪlətɪ] *s* zobowiązanie, obowiązek; *prawn.* odpowiedzialność; skłonność; *pl* **liabilities** *handl.* pasywa, obciążenie

**li·a·ble** [ˈlaɪəbl] *adj* zobowiązany; odpowiedzialny; podlegający (**to sth** czemuś); narażony (**to sth** na coś); skłonny, podatny (**to sth** na coś); **the weather is ~ to change** pogoda może się zmienić

**li·ai·son** [lɪˈeɪzn] *s* stosunek (miłosny), romans; *wojsk.* łączność; **~ officer** oficer łącznikowy

**li·ar** [ˈlaɪə(r)] *s* kłamca

**li·bel** [ˈlaɪbl] *s* paszkwil, potwarz; *vt* napisać paszkwil, zniesławić, rzucić potwarz

**lib·er·al** [ˈlɪbr̩l] *adj* liberalny; swobodny; wyrozumiały; hojny; obfity; *s* liberał

**lib·er·al·ism** [ˈlɪbr̩lɪzm] *s* liberalizm

**lib·er·al·i·ty** [ˈlɪbəˈrælətɪ] *s* wielkoduszność, tolerancja, wyrozumiałość; szczodrość

**lib·er·ate** [ˈlɪbəreɪt] *vt* uwolnić, wyzwolić

**lib·er·a·tion** [ˈlɪbəˈreɪʃn] *s* uwolnienie, wyzwolenie

**lib·er·tine** [ˈlɪbətin] *s* libertyn, wolnomyśliciel; rozpustnik

**lib·er·ty** [ˈlɪbətɪ] *s* wolność; **to be at ~** być wolnym; **to set sb at ~** uwolnić kogoś; **to take the ~ of doing sth** pozwolić sobie na zrobienie czegoś; **to take liberties** pozwolić sobie (**with sth** na coś); nie krępować się

**li·bra·ri·an** [laɪˈbreərɪən] *s* bibliotekarz

**li·brar·y** [ˈlaɪbr̩ɪ] *s* biblioteka; seria wydawnicza

**lice** *zob.* **louse**

**li·cence** [ˈlaɪsns] *s* licencja, koncesja; pozwolenie; rozwiązłość; **driving ~** prawo jazdy; *vt* (*także* **license**) dawać licencję, ⟨patent, koncesję⟩, zezwalać

**li·cense** *zob.* **licence** *vt*

**li·cen·tious** [laɪˈsenʃəs] *adj* rozwiązły

**li·chen** [ˈlaɪkən] *s med.* liszaj; *bot.* porost

**lick** [lɪk] *vt* lizać, oblizywać; *pot.* sprawić lanie, pobić; *przen.* **to ~ into shape** wykształcić, okrzesać (kogoś); *s* lizanie; odrobina; *pot.* uderzenie

**lid** [lɪd] *s* wieko, pokrywa; powieka

***lie 1.** [laɪ], **lay** [leɪ], **lain** [leɪn] *vi* leżeć; być (**idle, under suspicion** bezczynnym, podejrzanym; (*o widoku, dolinie itd.*) rozciągać się; rozpościerać się; (*o statku*) stać na kotwicy; **it ~s** to zależy (**with sb** od kogoś); **to**

~ heavy ciążyć; ~ down położyć się; ~ over być w zawieszeniu, zostać odroczonym; ~ up leżeć w łóżku, chorować

**lie** 2. [laɪ], **lied, lied** [laɪd] *vi* kłamać; okłamywać (**to sb** kogoś); *s* kłamstwo; **to give the ~** zarzucać kłamstwo, zadać kłam (sb komuś)

**liege** [lidʒ] *adj* lenny, lenniczy; *s* lennik, wasal

**li·en** [lɪən] *s prawn.* prawo zastawu

**lieu·ten·ant** [lef`tenənt], *mors.* [le`tenənt], *am.* [lu`tenənt] *s* porucznik; zastępca; **second ~** podporucznik

**life** [laɪf] *s* (*pl* **lives** [laɪvz]) życie; ożywienie, werwa; żywot, życiorys; **Life Guards** straż przyboczna (królewska); **~ insurance** ubezpieczenie na życie; **true to ~** wierny rzeczywistości, naturalny; **for ~** na całe życie, dożywotnio

**life-belt** [`laɪf belt] *s* pas ratunkowy

**life-boat** [`laɪf bəut] *s* łódź ratunkowa

**life·long** [`laɪf loŋ] *adj* trwający całe życie

**life-sen·tence** [`laɪf sentəns] *s* wyrok dożywotniego więzienia

**life-size** [`laɪf saɪz] *adj* naturalnej wielkości

**life·time** [`laɪftaɪm] *s* (całe) życie; **in sb's ~** w przeciągu ⟨za⟩ czyjegoś życia

**lift** [lɪft] *vt vi* podnieść (się); ukraść, *pot.* ściągnąć; *s* podniesienie; winda; **air ~** most powietrzny; **to give sb a ~** podwieźć kogoś (autem itp.)

**lig·a·ment** [`lɪgəmənt] *s anat.* wiązadło

**lig·a·ture** [`lɪgətʃə(r)] *s* związanie, podwiązanie, przewiązanie; *muz. druk.* ligatura

**light** 1. [laɪt] *adj* lekki; nie obciążony; mało ważny, błahy; lekkomyślny, beztroski; *adv* lekko

***light** 2. [laɪt], **lit, lit** [lɪt] *lub* **~ed, ~ed** [`laɪtɪd] *vt vi* zaświecić, świecić, zapalić (się), oświetlać; rozjaśnić (się); **~ up** zaświecić; zapłonąć; rozjaśnić się; *s* światło, oświetlenie; światło dzienne; jasność; ogień; **to bring to ~** wydobyć na światło dzienne; **to come to ~** wyjść na jaw; *adj* jasny

***light** 3. [laɪt], **lighted, lighted** [`laɪtɪd] *lub* **lit, lit** [lɪt] *vi* natknąć się ⟨natrafić⟩ (**upon sb, sth** na kogoś, coś); zstąpić; (*o ptaku*) osiąść; (*o wzroku*) paść

**light·en** 1. [`laɪtn] *vt vi* oświetlać, rozjaśniać (się); błyskać się

**light·en** 2. [`laɪtn] *vt* ulżyć; uczynić lżejszym; odciążyć, złagodzić; *vi* pozbyć się ciężaru ⟨ładunku⟩; stać się lżejszym

**light·er** 1. [`laɪtə(r)] *s* zapalniczka; *mors.* lichtuga

**light·er** 2. [`laɪtə(r)] *s* galar

**light-heart·ed** [ˈlaɪt`hatɪd] *adj* wesoły, niefrasobliwy

**light·house** [`laɪt haus] *s* latarnia morska

**light-mind·ed** [ˈlaɪt`maɪndɪd] *adj* lekkomyślny

**light·ning** [`laɪtnɪŋ] *s* piorun, błyskawica

**light·ning-con·duc·tor** [`laɪtnɪŋ kəndʌktə(r)], **light·ning-rod** [`laɪtŋɪŋ rod] *s* piorunochron

**light-weight** [`laɪt weɪt] *s* człowiek bez znaczenia; *adj* (*o bokserze*) wagi lekkiej

**like** 1. [laɪk] *adj* podobny; **in ~ manner** podobnie; **it is just ~ him** to na niego wygląda, to do niego pasuje; **it looks ~ rain** będzie padać; **I don't feel ~ working** nie chce mi się pracować; *adv w zwrotach:* **~ enough, very ~** prawdopodobnie; *conj* podobnie, podobnie jak; **to be ~ ...** wyglądać jak ...; **people ~ you** ludzie tacy, jak wy; *s* rzecz podobna ⟨taka sama⟩; coś podobnego; **and the ~** i tym podobne rzeczy

**like 2.** [laɪk] *vt* lubić; **~ better** woleć; mieć upodobanie ⟨przyjemność, zamiłowanie⟩; **I ~ this** lubię to; to mi się podoba; **I should ~ to go** chciałbym pójść; **I should ~ you to do this for me** chciałbym, ażebyś to dla mnie zrobił

**like·li·hood** [ˈlaɪklɪhʊd] *s* prawdopodobieństwo

**like·ly** [ˈlaɪklɪ] *adj* możliwy ⟨odpowiedni, nadający się⟩ (kandydat, plan itd.); prawdopodobny; **he is ~ to come on** prawdopodobnie przyjdzie; *adv* prawdopodobnie, pewnie (*zw.* **most ~, very ~**); **as ~ as not** prawie na pewno

**lik·en** [ˈlaɪkən] *vt* upodabniać; porównywać

**like·ness** [ˈlaɪknəs] *s* podobieństwo; podobizna, portret; **in the ~ of...** na podobieństwo...

**like·wise** [ˈlaɪkwaɪz] *adv* podobnie, również; ponadto

**lik·ing** [ˈlaɪkɪŋ] *ppraes i s* gust, upodobanie, pociąg (**for sth** do czegoś)

**li·lac** [ˈlaɪlək] *s bot.* bez; *adj* (*o kolorze*) lila

**li·ly** [ˈlɪlɪ] *s bot.* lilia; **~ of the valley** konwalia

**limb** [lɪm] *s* kończyna; członek (ciała)

**lime 1.** [laɪm] *s* wapno

**lime 2.** [laɪm] *s* lipa (drzewo i kwiat)

**lime 3.** [laɪm] *s* limona (drzewo i owoc)

**lime·light** [ˈlaɪmlaɪt] *s* światło wapienne; *przen.* **in the ~** na widoku (publicznym), w świetle reflektorów

**lim·er·ick** [ˈlɪmərɪk] *s* limeryk, fraszka

**lime·stone** [ˈlaɪmstəʊn] *s* wapień

**lim·it** [ˈlɪmɪt] *s* granica; limit; *vt* ograniczać

**lim·i·ta·tion** [ˌlɪmɪˈteɪʃn] *s* ograniczenie; zastrzeżenie; *prawn.* prekluzja

**limp 1.** [lɪmp] *adj* wiotki, słaby, bez energii

**limp 2.** [lɪmp] *vi* chromać, utykać na nogę, kuśtykać

**lim·pid** [ˈlɪmpɪd] *adj* przezroczysty, klarowny

**lim·y** [ˈlaɪmɪ] *adj* wapnisty; kleisty

**lin·den** [ˈlɪndən] *s bot.* lipa

**line 1.** [laɪn] *s* linia; lina, sznur; sznurek u wędki; szereg, rząd, *pot.* kolejka; granica; kurs, kierunek; zajęcie, rodzaj zainteresowania; linia postępowania, wytyczna; wiersz, linia, linijka; dziedzina, specjalność; *handl.* branża; *vt* liniować; kreślić; ustawiać w rząd ⟨szpaler⟩; *vi* (*także* **~ up**) stawać ⟨ustawiać się⟩ w rzędzie

**line 2.** [laɪn] *vt* wyścielić, wyłożyć; podszyć (podszewką)

**lin·e·age** [ˈlɪnɪɪdʒ] *s* rodowód, pochodzenie

**lin·e·al** [ˈlɪnɪəl] *adj* pochodzący w prostej linii

**line·man** [ˈlaɪnmən] *s* dróżnik (kolejowy); monter (linii telegraficznej ⟨telefonicznej⟩)

**lin·en** [ˈlɪnɪn] *s* płótno; *zbior.* bielizna

**lin·er** [ˈlaɪnə(r)] *s* liniowiec, statek żeglugi liniowej; samolot regularnej linii pasażerskiej

**lines·man** [ˈlaɪnzmən] *s* (*pl* **linesmen** [ˈlaɪnzmən]) żołnierz liniowy; dróżnik (kolejowy); *sport* sędzia liniowy

**lin·ger** [ˈlɪŋgə(r)] *vi* zwlekać, ociągać się; zasiedzieć się, przeciągać pobyt; (*także* **~ on**) trwać, przeciągać się

**lin·gual** [ˈlɪŋgwl] *adj* językowy

**lin·guist** [ˈlɪŋgwɪst] *s* lingwista

**lin·i·ment** [ˈlɪnɪmənt] *s* płyn (leczniczy), maść

**lin·ing** [ˈlaɪnɪŋ] *s* podszewka, podkład, podbicie; okładzina, obudowa

**link** [lɪŋk] *s* ogniwo; więź; *vt vi* łączyć (się), wiązać (się), przyłączyć (się)

**lin·seed** [ˈlɪnsid] *s* siemię lniane; ~ **oil** olej lniany

**lint** [lɪnt] *s* szarpie, płótno opatrunkowe

**li·on** [ˈlaɪən] *s* lew

**li·on·ize** [ˈlaɪənaɪz] *vt* traktować kogoś jako znakomitość, ubóstwiać; oglądać ⟨pokazywać⟩ osobliwości miasta

**lip** [lɪp] *s* warga; brzeg, skraj; *pl* **~s** usta

**lip·stick** [ˈlɪp stɪk] *s* kredka do ust, szminka

**li·queur** [lɪˈkjʊə(r)] *s* likier

**liq·uid** [ˈlɪkwɪd] *adj* płynny; *s* płyn, ciecz

**liq·ui·date** [ˈlɪkwɪdeɪt] *vt vi* likwidować (się)

**liq·uor** [ˈlɪkə(r)] *s* napój alkoholowy

**lisp** [lɪsp] *vi* seplenić; *s* seplenienie

**list** [lɪst] *s* lista, spis; *vt* umieszczać na liście, spisywać

**lis·ten** [ˈlɪsn] *vi* słuchać (**to sb, sth** kogoś, czegoś), przysłuchiwać się (**to sb, sth** komuś, czemuś), nadsłuchiwać (**for sth** czegoś); ~ **in** słuchać radia

**lis·ten·er** [ˈlɪsnə(r)] *s* słuchacz; radiosłuchacz

**list·less** [ˈlɪstləs] *adj* obojętny, apatyczny

**lit** *zob.* **light** 2., 3

**lit·er·a·cy** [ˈlɪtrəsɪ] *s* umiejętność czytania i pisania

**lit·er·al** [ˈlɪtr̩l] *adj* literalny, dosłowny; literowy

**lit·er·ar·y** [ˈlɪtr̩ɪ] *adj* literacki

**lit·er·ate** [ˈlɪtr̩ət] *adj* (*o człowieku*) piśmienny

**lit·er·a·ture** [ˈlɪtrətʃə(r)] *s* literatura, piśmiennictwo

**lithe** [laɪð] *adj* giętki, gibki

**lit·i·gant** [ˈlɪtɪgənt] *adj* procesujący się; *s* strona procesująca się

**lit·i·gate** [ˈlɪtɪgeɪt] *vi* procesować się; *vt* kwestionować

**lit·i·ga·tion** [ˈlɪtɪˈgeɪʃn] *s* spór, sprawa sądowa

**lit·mus** [ˈlɪtməs] *s chem.* lakmus

**lit·ter** [ˈlɪtə(r)] *s* śmiecie, odpadki; nieporządek; wyściółka; miot, młode; *vt* podścielać; zaśmiecać

**lit·tle** [ˈlɪtl] *adj* (*comp* **less** [les], *sup* **least** [list]) mały, drobny; krótki; mało, niewiele; ~ **bread** mało ⟨trochę⟩ chleba; *adv* mało; **he sees me very ~** on mnie mało ⟨rzadko⟩ widuje; *s* mała ilość, mało, niewiele; **a ~** niewiele, trochę; **~ by ~** stopniowo, po trochu

**lit·tle·ness** [ˈlɪtlnəs] *s* małość, mały rozmiar

**live 1.** [lɪv] *vi* żyć; mieszkać, przebywać; przetrwać; ~ **on** żyć nadal, przetrwać; ~ **on sth** żyć z czegoś ⟨czymś⟩; ~ **through** ⟨**over**⟩ przeżyć (**war** wojnę); **to ~ to be** ⟨**to see**⟩ doczekać (się); **to ~ up to sth** żyć stosownie do czegoś ⟨zgodnie z czymś⟩; **long ~!** niech żyje!; *vt* prowadzić ⟨pędzić⟩ (**a happy life** szczęśliwe życie itd.)

**live 2.** [laɪv] *adj attr* żywy; ~ **coal** żarzące się węgle

**live·li·hood** [ˈlaɪvlɪhud] *s pl* środki utrzymania ⟨do życia⟩

**live·long** [ˈlɪvloŋ] *adj* (*o dniu, roku itp.*) cały, długi

**live·ly** [ˈlaɪvlɪ] *adj* żywy, ożywiony

**liv·en** [ˈlaɪvn] *vt vi* (*także* ~ **up**) ożywiać (się)

**liv·er** [ˈlɪvə(r)] *s* wątroba

**liv·er·y** [ˈlɪvərɪ] *s* liberia

**live-stock** [ˈlaɪvstok] *s* żywy inwentarz

**liv·id** [ˈlɪvɪd] *adj* siny

**liv·ing** [ˈlɪvɪŋ] *ppraes i adj* żyjący, żywy; **within ~ memory** za ludzkiej pamięci; *s* życie, tryb życia; ~ **conditions** warunki ży-

cia; ~ **standard** stopa życiowa; utrzymanie; **to make ⟨earn one's⟩ ~** zarabiać na życie; **~ wage** płaca wystarczająca na utrzymanie
**liz·ard** [ˈlɪzəd] *s zool.* jaszczurka
**lla·ma** [ˈlɑmə] *s zool.* lama
**load** [ləʊd] *s* ciężar, obciążenie, ładunek; *vt* ładować, obciążać; obsypać (darami, pochwałami); obrzucać (obelgami)
**loaf 1.** [ləʊf] *s* (*pl* **loaves** [ləʊvz]) bochenek (chleba); główka ⟨głowa⟩ (cukru, sałaty itd.)
**loaf 2.** [ləʊf] *vi* wałęsać się; *s* wałęsanie się, próżniactwo
**loaf·er** [ˈləʊfə(r)] *s* włóczęga, próżniak, nieróbo
**loan** [ləʊn] *s* pożyczka; zapożyczenie; *vt* pożyczyć (**sth to sb** coś komuś)
**loath** [ləʊθ] *adj* niechętny; **to be ~ to do sth** z niechęcią coś robić; **nothing ~** chętnie
**loathe** [ləʊð] *vt* czuć wstręt, ⟨obrzydzenie⟩ (**sb, sth** do kogoś, czegoś)
**loath·some** [ˈləʊðsəm] *adj* wstrętny, ohydny
**loaves** *zob.* **loaf 1.**
**lob·by** [ˈlobɪ] *s* westybul, hall; poczekalnia; kuluar (w parlamencie); *vt* urabiać posłów w kuluarach
**lobe** [ləʊb] *s* płat, płatek
**lob·ster** [ˈlobstə(r)] *s zool.* homar
**lo·cal** [ˈləʊkl] *adj* miejscowy; **~ government** samorząd
**lo·cal·i·ty** [ləʊˈkælətɪ] *s* miejscowość; położenie; rejon
**lo·cal·ize** [ˈləʊkḷaɪz] *vt* lokalizować
**lo·cate** [ləˈkeɪt] *vt* umieścić, ulokować; zlokalizować; osiedlić; *am.* **to be ~d** mieszkać
**lo·ca·tion** [ləʊˈkeɪʃn] *s* zlokalizowanie, umiejscowienie; ulokowanie, umieszczenie; miejsce zamieszkania; położenie
**lock 1.** [lok] *s* zamek, zamknięcie; śluza; *vt vi* zamykać (się) na klucz; otaczać (np. o górach); *przen.* więzić; unieruchomić; zaciskać (się), zwierać (się); przechodzić ⟨przeprowadzać⟩ przez śluzę (**up, down** w górę, w dół); **~ in** zamykać wewnątrz; **~ out** wykluczyć; nie puścić (kogoś) do wewnątrz, zastosować lokaut; **~ up** zamknąć (na klucz); uwięzić; trzymać pod kluczem
**lock 2.** [lok] *s* lok, kędzior
**lock·er** [ˈlokə(r)] *s* kabina; szafka
**lock-out** [ˈlokaʊt] *s* lokaut
**lock·smith** [ˈloksmɪθ] *s* ślusarz
**lock-up** [ˈlokʌp] *s* zamknięcie na klucz (*zw.* bramy na noc); areszt, *pot.* koza
**lo·co·mo·tion** [ˈləʊkəˈməʊʃn] *s* lokomocja
**lo·co·mo·tive** [ˈləʊkəˈməʊtɪv] *s* lokomotywa; *adj* ruchomy
**lo·cust** [ˈləʊkəst] *s* szarańcza
**lo·cu·tion** [ləˈkjuʃn] *s* powiedzenie, zwrot
**lodge** [lodʒ] *vt* umieszczać, przyjmować pod dach, zakwaterować; deponować, dawać na przechowanie; wnosić (np. protest, skargę); składać (np. oświadczenie); wbić, wsadzić; *vi* mieszkać, znaleźć nocleg, ulokować się; *s* domek (dozorcy, służbowy, myśliwski); loża (masońska); stróżówka, portiernia; kryjówka, nora
**lodg·er** [ˈlodʒə(r)] *s* lokator
**lodg·ing** [ˈlodʒɪŋ] *s* zakwaterowanie, pomieszczenie; *pl* **~s** wynajmowane mieszkanie (umeblowane)
**loft** [loft] *s* poddasze, strych
**loft·i·ness** [ˈloftɪnəs] *s* wysokość; wzniosłość; wyniosłość
**lof·ty** [ˈloftɪ] *adj* wysoki; wzniosły; wyniosły
**log** [log] *s* kłoda, kloc; *mors.* log
**log·book** [ˈlogbuk] *s mors.* dziennik okrętowy
**log·ger·head** [ˈlogəhed] *s* bałwan, tępak; *pot.* **to be at ~s** kłócić się, brać się za łby

**log·ic** [ˈlodʒɪk] *s* logika
**log-roll·ing** [ˈlogrəulɪŋ] *s* popieranie siebie nawzajem; kumoterstwo; *am.* wzajemna pomoc (finansowa lub polityczna)
**loin** [lɔɪn] *s, pl* **~s** lędźwie; (*także* **~ chop**) polędwica
**loi·ter** [ˈlɔɪtə(r)] *vi* wałęsać się, włóczyć się
**loi·ter·er** [ˈlɔɪtərə(r)] *s* włóczęga, łazik
**loll** [lol] *vi* (*także* **~ about** ⟨**around**⟩) rozwalać się, przybierać niedbałą pozę; (*o psie*) wywieszać (**it's tongue** język)
**lone** [ləun] *adj attr* samotny; odludny
**lone·li·ness** [ˈləunlɪnəs] *s* samotność, osamotnienie
**lone·ly** [ˈləunlɪ] *adj* samotny; odludny
**lone·some** [ˈləunsəm] = **lonely**
**long 1.** [loŋ] *adj* długi; **he is ~ in doing that** on to długo robi; **he won't be ~** on niedługo przyjdzie; *adv* długo; dawno; **before ~** wkrótce; **so ~!** do widzenia!; **~ ago** ⟨**since**⟩ dawno temu; *s* długi ⟨dłuższy⟩ czas; **for ~** na długo; **it won't take ~** to nie potrwa długo
**long 2.** [loŋ] *vi* pragnąć, łaknąć (**for sth** czegoś); tęsknić (**after** ⟨**for**⟩ **sb, sth** za kimś, czymś), mieć wielką chęć
**lon·gev·i·ty** [lonˈdʒəvətɪ] *s* długowieczność
**long·ing** [ˈloŋgɪŋ] *ppraes i s* chęć, pragnienie; tęsknota
**lon·gi·tude** [ˈlondʒɪtjud] *s* długość geograficzna
**long-leg·ged** [ˈloŋlegd] *adj* długonogi
**long-range** [ˈloŋreɪndʒ] *adj attr* dalekosiężny; długofalowy
**long·shore·man** [ˈloŋ ʃɔmən] *s* tragarz, robotnik portowy
**long-sight·ed** [ˈloŋˈsaɪtɪd] *adj* dalekowzroczny
**long-wave** [ˈloŋweɪv] *adj attr* długofalowy
**long·ways** [ˈloŋ weɪz], **long·wise** [ˈloŋ waɪz] *adv* wzdłuż; na długość
**look** [luk] *s* spojrzenie; wygląd; mina, wyraz (twarzy); **to have a ~ at sth** spojrzeć na coś; **to give sb a kind ~** spojrzeć na kogoś życzliwie; **good ~s** piękna twarz, uroda; *vi* patrzeć; wyglądać; **~ about** rozglądać się; **~ after** doglądać, pilnować (**sb, sth** kogoś, czegoś); **~ ahead** patrzeć przed siebie, przewidywać; **~ at** patrzeć (**sb, sth** na kogoś, coś); **~ for** szukać (**sb, sth** kogoś, czegoś); **~ forward** oczekiwać, wypatrywać (**to sth** czegoś); **~ in** wpaść (**on** ⟨**upon**⟩ **sb** do kogoś); oglądać (**to the TV** telewizję); **~ into** zaglądać (**a room** do pokoju itd.); badać (**sth** coś); **~ like** wyglądać jak (**sb, sth** ktoś, coś); **it ~s like rain** zanosi się na deszcz; **~ on** przypatrywać się (**sb, sth** komuś, czemuś); **~ on** ⟨**upon**⟩ patrzeć na (**sb, sth as ...** kogoś, coś jak na ...); uważać ⟨mieć⟩ (**sb, sth as ...** kogoś, coś za ...); **~ out** wyglądać; mieć się na baczności; wypatrywać (**for sb** kogoś); **~ over** przeglądać (**sth** coś); **~ round** rozglądać się; **~ through** przejrzeć (**a book** książkę); patrzeć przez (**a window** okno); przezierać; **his greed ~ed through his eyes** chciwość wyzierała mu z oczu; **~ to** pilnować (**sth** czegoś), uważać (**sth** na coś); **~ to it that ...** uważać, ażeby ...; **~ up** patrzeć w górę; szukać (czegoś w książce itp.); **~ up to sb** traktować kogoś z szacunkiem; *vt* patrzeć, spojrzeć (**sb in the face** komuś w oczy); wyglądać (**sb, sth** na kogoś, coś)
**look·er-on** [ˈlukəron] *s* (*pl* **~s-on** [ˈlukəzon]) widz
**look·ing-glass** [ˈlukɪŋ glas] *s* lustro, lusterko
**look-out** [ˈlukaut] *s* widok, perspektywa; czujność; **to be on the ~** pilnować, czatować

**loom** 1. [lum] *s* warsztat tkacki
**loom** 2. [lum] *vi* majaczyć, zarysowywać się (np. na horyzoncie); wyłaniać się; *przen.* zagrażać; **to ~ large** wywołać ⟨budzić⟩ niepokój
**loop** [lup] *s* pętla; węzeł; *vt* robić pętlę ⟨węzeł⟩; **to ~ the ~** (*o samolocie*) wykonać pętlę
**loop·hole** [ˋlup həul] *s* otwór ⟨strzelnica⟩ w murze; *przen.* wykręt, furtka
**loose** [lus] *adj* luźny, swobodny; niedbały; rozwiązły; **at a ~ end** zaniedbany; bez zajęcia; **to break ~** zerwać ⟨urwać, uwolnić⟩ (się); **to come ~** rozluźnić się; **to let ~** puścić na wolność; *przen.* dać upust; *vt* rozluźnić, rozwiązać, puścić
**loos·en** [ˋlusn] *vt vi* rozluźnić (się), popuścić, rozwiązać; działać rozwalniająco
**loot** [lut] *vt vi* grabić; *s* grabież; łupy
**lop** 1. [lop] *vt* obcinać, obrzynać
**lop** 2. [lop] *vt* zwieszać, opuszczać; *vi* zwisać
**lope** [ləup] *s* skok, sus; *vi* biec susami
**lo·qua·cious** [ləuˋkweɪʃəs] *adj* gadatliwy
**lord** [lɔd] *s* lord; pan, dziedzic
**lord·ly** [ˋlɔdlɪ] *adj* wielkopański; wyniosły
**lore** [lɔ(r)] *s* wiedza, nauka
**lor·ry** [ˋlorɪ] s ciężarówka; platforma kolejowa
***lose** [luz], **lost, lost** [lost] *vt* stracić, zgubić; **to ~ heart** upaść na duchu; **to ~ one's heart to sb** oddać komuś serce, zakochać się w kimś; **~ oneself, to ~ one's way** zabłądzić, zabłąkać się; **to ~ sight** stracić z oczu (**of sth** coś); **to ~ weight** stracić na wadze; **to be ⟨to go⟩ lost** zaginąć; pójść na marne; **to be lost to all sense of honour** stracić wszelkie poczucie honoru; *vi* przyprawić o stratę; zmarnować (okazję itp.); przegrać (mecz itp.); (*o zegarku*) spóźniać się
**loss** [los] *s* strata, zguba; utrata, ubytek; **to be at a ~** być w kłopocie, nie wiedzieć, co robić
**lost** *zob.* **lose**
**lot** [lot] *s* los, dola; udział; część; partia (towaru); parcela, działka; wielka ilość; *pot.* banda, paczka; **a ~ of people** gromada ludzi; **a ~ of money** (*także pl* **~s of money**) masa pieniędzy; **a good ⟨quite a⟩ ~** sporo; **a ~ more** znacznie więcej
**lo·tion** [ˋləuʃn] *s* płyn leczniczy
**lot·ter·y** [ˋlotərɪ] *s* loteria
**lo·tus** [ˋləutəs] *s bot.* lotos
**loud** [laud] *adj* głośny; *adv* głośno
**loud-speak·er** [ˊlaudˋspikə(r)] *s* głośnik, megafon
**lounge** [laundʒ] *vi* bezczynnie spędzać czas; wygodnie siedzieć ⟨leżeć⟩; wałęsać się, próżnować; *s* wypoczynek, relaks; wałęsanie się; pokój klubowy; świetlica; kanapa, tapczan
**lounge-suit** [ˋlaundʒ sut] *s* garnitur na co dzień
**louse** [laus] *s* (*pl* **lice** [laɪs]) wesz
**lous·y** [ˋlauzɪ] *adj* wszawy, zawszony; *pot.* wstrętny
**lout** [laut] *s* gbur, prostak
**love** [lʌv] *s* miłość; zamiłowanie; ukochany; **to fall in ~** zakochać się (**with sb** w kimś); **to make ~** kochać się ⟨*pot.* spać⟩ (**to sb** z kimś); **for ~** bezinteresownie; dla zabawy ⟨przyjemności⟩; **in ~** zakochany; *vt vi* kochać, lubić (bardzo); **I should ~** bardzo bym chciał (**to do this** to zrobić)
**lov·a·ble** [ˋlʌvəbl] *adj* dający się lubić ⟨kochać⟩; miły
**love-af·fair** [ˋlʌv əfeə(r)] *s* romans
**love·ly** [ˋlʌvlɪ] *adj* miły; uroczy
**lov·er** [ˋlʌvə(r)] *s* kochanek; amator, wielbiciel
**low** 1. [ləu] *adj* niski; nizinny; słaby; skromny; marny; przygnębiony; (*o głosie*) cichy; pospoli-

ty, wulgarny; podły; *adv* nisko; cicho; podle, marnie
**low** 2. [ləʊ] *vi* ryczeć; *s* ryk
**low·er** 1. *adj comp* od **low** 1.
**low·er** 2. [ˈləʊə(r)] *vt vi* zniżyć (się), opuścić (się); zmniejszyć (się); poniżyć
**low-grade** [ˈləʊgreɪd] *adj attr* niskogatunkowy, niskoprocentowy
**low·land** [ˈləʊlənd] *s* nizina
**low·ly** [ˈləʊlɪ] *adj* korny, skromny; *adv* kornie; skromnie; nisko
**loy·al** [ˈlɔɪl̩] *adj* lojalny
**loy·al·ty** [ˈlɔɪl̩tɪ] *s* lojalność
**lub·ber** [ˈlʌbə(r)] *s* ślamazara, niedołęga
**lu·bri·cant** [ˈlubrɪkənt] *s* smar; *adj* smarujący
**lub·ri·cate** [ˈlubrɪkeɪt] *vt* smarować, oliwić
**lu·cent** [ˈlusnt] *adj* lśniący; przezroczysty
**lu·cid** [ˈlusɪd] *adj* jasny; lśniący; przezroczysty
**lu·cid·i·ty** [luˈsɪdətɪ] *s* jasność; blask; przezroczystość
**luck** [lʌk] *s* szczęście, traf; **good ~** szczęście; **bad ~** pech
**luck·y** [ˈlʌkɪ] *adj* szczęśliwy, pomyślny
**lu·cra·tive** [ˈlukrətɪv] *adj* dochodowy, intratny
**lu·di·crous** [ˈludɪkrəs] *adj* śmieszny, niedorzeczny
**lug** [lʌg] *vt* ciągnąć, wlec, szarpać (**at sth** czymś)
**lug·gage** [ˈlʌgɪdʒ] *s* bagaż
**lu·gu·bri·ous** [luˈgubrɪəs] *adj* ponury, żałobny
**luke·warm** [ˈlukˈwɔm] *adj* letni, ciepławy; *przen.* obojętny
**lull** [lʌl] *vt vi* usypiać; uśmierzać; uspokajać (się); *s* okres spokoju, chwila ciszy
**lull·a·by** [ˈlʌləbaɪ] *s* kołysanka
**lum·ber** [ˈlʌmbə(r)] *s* drewno, budulec; *zbior.* stare meble, *pot.* graty, rupiecie
**lum·ber-room** [ˈlʌmbərum] *s* rupieciarnia
**lu·mi·nar·y** [ˈlumɪnərɪ] *s* ciało świetlne; luminarz
**lu·mi·nous** [ˈlumɪnəs] *adj* świetlny, lśniący; jasny, zrozumiały
**lump** [lʌmp] *s* kawałek; bryła; *pot.* niedołęga, mazgaj; **~ sugar** cukier w kostkach; **~ sum** suma globalna, ryczałt; **by ⟨in⟩ the ~** hurtem; *vt* zwalać na stos ⟨kupę⟩; scalić; *vi* zbić się
**lu·na·cy** [ˈlunəsɪ] *s* szaleństwo, obłęd
**lu·nar** [ˈlunə(r)] *adj* księżycowy; *chem.* **~ caustic** lapis
**lu·na·tic** [ˈlunətɪk] *adj* obłąkany, szalony; *s* obłąkaniec, wariat
**lunch** [lʌntʃ] *s* drugie śniadanie, lunch; *vi* spożywać lunch
**lunch·eon** [ˈlʌntʃən] = **lunch** *s*
**lung** [lʌŋ] *s* płuco
**lurch** 1. [lɜtʃ] *s w zwrocie*: **to leave sb in the ~** opuścić kogoś w ciężkiej sytuacji
**lurch** 2. [lɜtʃ] *vi* przechylić ⟨zachwiać⟩ się; słaniać się; *s* przechylenie się; chwiejny chód
**lure** [luə(r)] *vt* nęcić, wabić; *s* przynęta; pułapka; powab
**lu·rid** [ˈluərɪd] *adj* ponury, upiorny, niesamowity
**lurk** [lɜk] *vi* czaić się, czyhać (**for sb** na kogoś); *s* ukrycie; **to be on the ~** czaić się
**lus·cious** [ˈlʌʃəs] *adj* przesłodzony, ckliwy; soczysty
**lust** [lʌst] *vi* pożądać (**after ⟨for⟩ sth** czegoś); *s* pożądliwość, lubieżność, żądza
**lus·tre** [ˈlʌstə(r)] *s* blask, połysk; *przen.* świetność
**lus·trous** [ˈlʌstrəs] *adj* połyskujący, lśniący
**lust·y** [ˈlʌstɪ] *adj* tęgi; żwawy, pełen wigoru
**lute** [lut] *s muz.* lutnia
**lux·u·ri·ant** [ləgˈʒuərɪənt] *adj* obfity, bujny; (*o stylu*) kwiecisty

**lux·u·ri·ous** [ləg`ʒuərɪəs] *adj* luksusowy, bogaty
**lux·u·ry** [`lʌkʃərɪ] *s* przepych, zbytek, luksus; obfitość; *adj attr* luksusowy
**lye** [laɪ] *s* ług
**ly·ing** [`laɪɪŋ] *ppraes i adj* kłamliwy
**lynch** [lɪntʃ] *vt* linczować; *s* lincz
**lynx** [lɪŋks] *s zool.* ryś
**ly·oph·i·li·za·tion** [ˌlaɪofələ`zeɪʃn] *s* liofilizacja
**ly·oph·i·lize** [laɪ`ofə`laɪz] *vt* liofilizować
**lyre** [`laɪə(r)] *s muz.* lira
**lyr·ic** [`lɪrɪk] *adj* liryczny; *s* utwór liryczny
**lyr·i·cal** [`lɪrɪkl] *adj* liryczny
**ly·sol** [`laɪsol] *s chem.* lizol

# m

**ma'am** [mæm] *s* proszę pani, słucham panią (*służba do pani domu, personel sklepu do klientki itd.*)
**mace** [meɪs] *s* maczuga; buława
**mach·i·na·tion** [ˌmækɪ`neɪʃn] *s* machinacja, intryga, knowanie
**ma·chine** [mə`ʃin] *s* maszyna; **agricultural ~s** maszyny rolnicze; *vt* wykonywać maszynowo; *adj attr* maszynowy
**ma·chine-gun** [mə`ʃingʌn] *s* karabin maszynowy
**ma·chin·er·y** [mə`ʃinr̩ɪ] *s* maszyneria, mechanizm
**mack·er·el** [`mækrl] *s* makrela
**mack·in·tosh** [`mækɪntoʃ] *s* płaszcz nieprzemakalny
**mad** [mæd] *adj* szalony, obłąkany; zwariowany (**after** ⟨**about, for, on**⟩ **sth** na punkcie czegoś); wściekły; **to go ~** zwariować; **to drive ~** doprowadzić do szaleństwa
**mad·am** [`mædəm] *s w zwrotach grzecznościowych:* (Szanowna) Pani!
**mad·cap** [`mædkæp] *s* narwaniec, człowiek postrzelony
**mad·den** [`mædn] *vt* doprowadzić do szaleństwa ⟨szału⟩; *vi* szaleć
**made** *zob.* **make**
**mad·ness** [`mædnəs] *s* szaleństwo, obłęd, furia
**mag·a·zine** [ˌmægə`zin] *s* magazyn, skład; *wojsk.* skład broni; periodyk, czasopismo
**mag·got** [`mægət] *s* larwa; chimera; kaprys
**ma·gi** *zob.* **magus**
**mag·ic** [`mædʒɪk] *adj* magiczny, czarodziejski; *s* magia, czary
**ma·gi·cian** [mə`dʒɪʃn] *s* czarodziej, magik, iluzjonista
**mag·is·trate** [`mædʒɪstreɪt] *s* sędzia pokoju
**mag·na·nim·i·ty** [ˌmægnə`nɪmətɪ] *s* wspaniałomyślność
**mag·nate** [`mægneɪt] *s* magnat
**mag·ne·sia** [mæg`niʃə] *s* magnezja
**mag·net** [`mægnɪt] *s* magnes
**mag·net·ic** [mæg`netɪk] *adj* magnetyczny
**mag·net·ize** [`mægnɪtaɪz] *vt* magnetyzować
**mag·nif·i·cence** [mæg`nɪfɪsns] *s* wspaniałość; świetność
**mag·nif·i·cent** [mæg`nɪfɪsnt] *adj* wspaniały
**mag·ni·fi·er** [`mægnɪfaɪə(r)] *s* wzmacniacz; szkło powiększające
**mag·ni·fy** [`mægnɪfaɪ] *vt* wzmacniać; powiększać
**mag·ni·tude** [`mægnɪtjud] *s* ogrom, wielkość

**mag·pie** [ˈmægpaɪ] *s* sroka; *przen.* gaduła

**ma·gus** [ˈmeɪgəs] *s* (*pl* **magi** [ˈmeɪdʒaɪ]) mag, mędrzec Wschodu

**ma·hog·a·ny** [məˈhogənɪ] *s* mahoń

**maid** [meɪd] *s lit.* dziewczyna; † panna; służąca; ~ **of honour** dama dworu

**maid·en** [ˈmeɪdn] *s lit.* dziewica, panna; *adj* dziewiczy; panieński

**maid-serv·ant** [ˈmeɪd sɜvənt] *s* służąca, pokojówka

**mail** 1. [meɪl] *s* poczta; *vt* wysyłać pocztą

**mail** 2. [meɪl] *s* pancerz; **coat of** ~ kolczuga; ~**ed fist** *przen.* zbrojna pięść ⟨siła⟩

**maim** [meɪm] *vt* okaleczyć

**main** [meɪn] *adj* główny, przeważający, najważniejszy; *s* główna rura (wodociągu, gazu); *pl* ~**s** kanalizacja; *elektr.* główna linia; *poet.* pełne morze; **in the** ~ głównie, przeważnie; **with might and** ~ z całych sił

**main·land** [ˈmeɪnlænd] *s* ląd stały

**main·spring** [ˈmeɪnsprɪŋ] *s* główna sprężyna (zegara); *przen.* główny motyw (działania)

**main·stay** [ˈmeɪnsteɪ] *s mors.* sztag grotmasztu; *przen.* ostoja

**main·tain** [meɪnˈteɪn] *vt* podtrzymywać; utrzymywać; zachowywać; twierdzić

**main·te·nance** [ˈmeɪntɪnəns] *s* utrzymanie; utrzymywanie; konserwacja; podtrzymywanie, podpora

**maize** [meɪz] *s* kukurydza

**ma·jes·tic** [məˈdʒestɪk] *adj* majestatyczny

**maj·es·ty** [ˈmædʒɪstɪ] *s* majestat

**ma·jor** [ˈmeɪdʒə(r)] *adj* większy, ważniejszy; główny; starszy; pełnoletni; *muz.* durowy, majorowy; *s* człowiek pełnoletni; *wojsk.* major

**ma·jor·i·ty** [məˈdʒorətɪ] *s* większość; pełnoletność

***make** [meɪk], **made, made** [meɪd] *vt vi* robić, tworzyć, produkować, sporządzać; szyć (ubranie), piec (chleb itd.); zrobić ⟨ugotować, przygotować⟩ coś do jedzenia ⟨picia⟩; narobić (hałasu, kłopotu itd.); ustalić, ustanowić; powodować, doprowadzać, kazać; posłać (**a bed** łóżko); zawrzeć (**peace** pokój); wygłaszać (**a speech** mowę); okazać się (**a good soldier** dobrym żołnierzem); wybierać się; udawać się, kierować się (**for a place** dokądś); zrozumieć, wywnioskować; przerobić, przetworzyć (**sth into sth** coś na coś); *mat.* wynosić; **to** ~ **acquainted** zaznajomić; **to** ~ **believe** udawać, stwarzać pozory; wmawiać; **to** ~ **friends** zaprzyjaźnić się; **to** ~ **good** naprawić; **to** ~ **hay** przewracać siano; *przen.* wprowadzać zamieszanie (**of sth** do czegoś); **to** ~ **known** podać do wiadomości; **to** ~ **little** lekceważyć (**of sth** coś); **to** ~ **merry** zabawiać się, weselić się; **to** ~ **much of sth** wysoko coś cenić, przywiązywać wagę do czegoś; **to** ~ **ready** przygotowywać się; **to** ~ **sure** upewnić się; **to** ~ **understood** dać do zrozumienia; **to** ~ **oneself understood** porozumieć się; **I cannot** ~ **either head or tail of it** w żaden sposób nie mogę tego pojąć; **that** ~**s me think** to mi daje do myślenia, to mnie zastanawia; **what do you** ~ **the time?** która może być godzina?; **to** ~ **it** uzgadniać, umawiać się (**5 o'clock** na godzinę piątą); *pot.* **I made it** udało mi się; zdążyłem; *z przyimkami i przysłówkami*: ~ **away** oddalić się, uciec; usunąć, skończyć z czymś; sprzeniewierzyć; zaprzepaścić (**with sth** coś); ~ **off** zwiać, uciec; ~ **out** wystawić (np. rachunek), sporządzić (np. spis); zrozumieć, odgadnąć; odczytać; rozpoznać; ~ **over** przenieść; przekazać (np. własność); ~ **up** sporządzić; szminkować (się); odrobić, powetować (komuś, sobie) (for sth coś); załagodzić, pogodzić; **~ it up** pogodzić się (with sb z kimś); **~ up one's mind** postanowić; *s* wyrób; budowa, forma; fason, krój

**make-be·lieve** [`meɪk bɪliv] *s* pozór, symulowanie; *adj attr* pozorny, udany; zmyślony

**mak·er** [`meɪkə(r)] *s* twórca; wytwórca, konstruktor; sprawca

**make·shift** [`meɪkʃɪft] *s* środek zastępczy; namiastka; *adj attr* tymczasowy, zastępczy, prowizoryczny

**make-up** [`meɪk ʌp] *s* makijaż, charakteryzacja; struktura

**mak·ing** [`meɪkɪŋ] *ppraes i s* zrobienie, tworzenie; przetwarzanie, produkcja; skład; *pl* ~s zarobek, dochody; *pl* ~s zadatki (np. **of a writer** na pisarza)

**mal·ad·just·ment** ['mælə`dʒʌstmənt] *s* złe przystosowanie, niedopasowanie

**mal·ad·min·is·tra·tion** ['mælədmɪnɪ`streɪʃn] *s* zły zarząd; zła ⟨wadliwa⟩ gospodarka

**mal·a·dy** [`mælədɪ] *s* choroba

**mal·con·tent** [`mælkəntent] *s* malkontent; *adj* niezadowolony

**male** [meɪl] *adj* męski, płci męskiej; *zool.* samczy; *s* mężczyzna; *zool.* samiec

**mal·e·dic·tion** ['mælɪ`dɪkʃn] *s* przekleństwo

**ma·lev·o·lence** [mə`levḷəns] *s* zła wola, nieżyczliwość

**mal·fea·sance** [mæl`fizns] *s prawn.* wykroczenie (*zw.* służbowe)

**mal·ice** [`mælɪs] *s* złość, złośliwość, złe zamiary

**ma·li·cious** [mə`lɪʃəs] *adj* złośliwy

**ma·lign** [mə`laɪn] *adj* złośliwy; szkodliwy; *vt* oczerniać (sb kogoś)

**ma·lig·nant** [mə`lɪgnənt] *adj* złośliwy, jadowity

**ma·lig·ni·ty** [mə`lɪgnətɪ] *s* złośliwość, jadowitość

**ma·lin·ger** [mə`lɪŋgə(r)] *vi* udawać chorego, symulować

**mal·let** [`mælɪt] *s* drewniany młotek

**mal·nu·tri·tion** ['mælnju`trɪʃn] *s* niedożywienie

**mal·prac·tice** [mæl`præktɪs] *s* postępowanie niezgodne z prawem, nadużycie

**malt** [mɔlt] *s* słód

**mal·treat** [mæl`trit] *vt* maltretować; źle traktować

**mam·mal** [`mæml] *s zool.* ssak

**mam·moth** [`mæməθ] *s* mamut

**mam·my** [`mæmɪ] *s zdrob.* mamusia, mateczka

**man** [mæn] *s* (*pl* **men** [men]) człowiek; mężczyzna; mąż; prosty żołnierz; robotnik; (*w szachach*) pionek, figura; **best ~** drużba; **~ in the street** szary ⟨przeciętny⟩ człowiek; **to a ~** do ostatniego człowieka, co do jednego, wszyscy; *vt* obsadzić (np. załogą)

**man·a·cle** [`mænəkl] *s* (*zw. pl* ~s) kajdany

**man·age** [`mænɪdʒ] *vt* zarządzać, kierować, prowadzić; poskromić, utrzymywać w karności; zdołać ⟨potrafić⟩ (coś zrobić), dać sobie radę (sth z czymś); posługiwać się (sth czymś), obchodzić się (sb, sth z kimś, czymś); *vi* poradzić sobie; gospodarować

**man·age·ment** [`mænɪdʒmənt] *s* zarząd; umiejętne postępowanie, kierowanie; posługiwanie się

**man·ag·er** [`mænɪdʒə(r)] *s* zarządca; kierownik; impresario

**man·da·rin** [`mændərɪn] *s* mandaryn

**man·date** [`mændeɪt] *s* mandat; *vt* powierzyć zarząd (terytorium) na podstawie mandatu

**man·do·lin** [`mændəlɪn] *s muz.* mandolina

**mane** [meɪn] *s* grzywa

**man·ful** [`mænfl] *adj* mężny, nieustraszony

**man·ger** [`meɪndʒə(r)] *s* żłób

**man·gle 1.** [`mæŋgl] *s* magiel; *vt* maglować

**man·gle** 2. [ˋmæŋgl] *vt* krajać; kaleczyć; szarpać; zniekształcać
**man·gy** [ˋmeɪndʒɪ] *adj* (*o zwierzętach*) parszywy; *przen.* plugawy, nędzny
**man·hood** [ˋmænhud] *s* męskość; wiek męski; męstwo; *zbior.* mężczyźni, ludność płci męskiej
**ma·ni·a** [ˋmeɪnɪə] *s* mania
**ma·ni·ac** [ˋmeɪnɪæk] *s* maniak
**man·i·fest** [ˋmænɪfest] *adj* oczywisty, jawny; *vt* ujawniać, manifestować
**man·i·fes·to** [ˈmænɪˋfestəu] *s* (*pl* ~s, ~es) manifest
**man·i·fold** [ˋmænɪfəuld] *adj* różnorodny, wieloraki; *vt* powielać
**ma·nip·u·late** [məˋnɪpjuleɪt] *vt* manipulować (sth czymś); zręcznie urabiać (sb kogoś); zręcznie pokierować (sth czymś)
**man·kind** [ˈmænˋkaɪnd] *s* ludzkość, rodzaj ludzki; [ˋmænkaɪnd] *zbior.* mężczyźni
**man·like** [ˋmænlaɪk] *adj* męski, właściwy mężczyźnie
**man·ly** [ˋmænlɪ] *adj* męski; mężny, dzielny
**man·ner** [ˋmænə(r)] *s* sposób; rodzaj; zwyczaj, sposób bycia, maniera; **in a ~** poniekąd; do pewnego stopnia; *pl* ~s obyczaje, maniery, zachowanie się
**ma·noeu·vre** [məˋnuvə(r)] *s* manewr, posunięcie; *vi* manewrować; *vt* manipulować
**man-of-war** [ˈmæn əv ˋwɔ(r)] † *s* (*pl* **men-of-war** [ˈmæn əv ˋwɔ(r)]) okręt wojenny
**man·or** [ˋmænə(r)] *s* dwór z majątkiem ziemskim
**man·pow·er** [ˋmænpauə(r)] *s* ludzka siła robocza; rezerwy ⟨zasoby⟩ ludzkie (np. dla armii)
**man·sion** [ˋmænʃn] *s* pałac, dwór; (*zw. pl* ~s) dom czynszowy
**man·slaugh·ter** [ˋmænslɔtə(r)] *s* zabójstwo
**man·tel** [ˋmæntl], **man·tel·piece** [ˋmæntlpis] *s* obramowanie ⟨okap⟩ kominka
**man·tle** [ˋmæntl] *s* płaszcz; okrycie, pokrycie; *vt vi* otulić płaszczem; okryć (się), pokryć (się)
**man·trap** [ˋmæntræp] *s* potrzask, zasadzka
**man·u·al** [ˋmænjuəl] *adj* ręczny; (*o pracy*) fizyczny; *s* podręcznik
**man·u·fac·ture** [ˈmænjuˋfæktʃə(r)] *s* produkcja; fabrykat; *vt* fabrykować, wytwarzać
**man·u·fac·tur·er** [ˈmænjuˋfæktʃərə(r)] *s* fabrykant
**ma·nure** [məˋnjuə(r)] *s* nawóz; *vt* nawozić
**man·u·script** [ˋmænjuskrɪpt] *s* rękopis
**man·y** [ˋmenɪ] *adj* (*comp* **more** [mɔ(r)], *sup* **most** [məust]) dużo, wiele, wielu, liczni; **~ a** niejeden; **~ a time** nieraz; **a good ⟨great⟩ ~** liczni, wielka ilość; **as ~** tyle; **as ~ as** nie mniej niż; aż; **how ~?** ile?; *s pl* **the ~** wielka ilość, masa, tłum
**man·y-sid·ed** [ˈmenɪ ˋsaɪdɪd] *adj* wszechstronny; wielostronny
**map** [mæp] *s* mapa; *vt* sporządzać mapę (sth czegoś), znaczyć na mapie; **~ out** planować
**ma·ple** [ˋmeɪpl] *s* klon
**mar** [mɑ(r)] *vt* psuć, niszczyć
**ma·raud** [məˋrɔd] *vi* włóczyć się w celach rabunkowych, grasować; *vt* rabować, łupić
**ma·raud·er** [məˋrɔdə(r)] *s* maruder
**mar·ble** [ˋmɑbl] *s* marmur; kulka (do gier)
**march** 1. [mɑtʃ] *s* marsz, pochód; **~ past** defilada; *vi* maszerować; **~ past** defilować; *vt* prowadzić
**March** 2. [mɑtʃ] *s* marzec
**mar·chion·ess** [ˈmɑʃəˋnes] *s* markiza
**mare** [ˋmɛə(r)] *s* klacz
**mar·ga·rine** [ˈmɑdʒəˋrin] *s* margaryna
**marge** [mɑdʒ] = **margarine, margin**
**mar·gin** [ˋmɑdʒɪn] *s* margines; krawędź; luz, rezerwa
**mar·gin·al** [ˋmɑdʒɪnl] *adj* marginesowy

**mar·i·gold** [ˈmærɪgəuld] *s bot.* nogietek

**ma·rine** [məˈrin] *s* flota, marynarka (handlowa); marynarz (na okręcie wojennym); pejzaż morski; *adj* morski, dotyczący marynarki

**mar·i·ner** [ˈmærɪnə(r)] *s* marynarz

**mar·i·tal** [ˈmærɪtl] *adj* małżeński

**mar·i·time** [ˈmærɪtaɪm] *adj* morski; nadmorski

**mark 1.** [mak] *s* marka (pieniądz)

**mark 2.** [mak] *s* znak, oznaka; ślad, piętno; oznakowanie; ocena (szkolna), nota; cel; wyróżnienie; **man of ~** wybitny człowiek; **to be up to ⟨below⟩ the ~** być ⟨nie być⟩ na wysokości zadania ⟨na poziomie⟩; **to miss the ~** chybić celu; **wide of the ~** daleki od celu, nietrafny, od rzeczy; *vt* oznaczać, określać; oceniać; zwracać uwagę (**sth** na coś); notować; wyznaczać; cechować; **~ off** oddzielać, wydzielać; **~ out** wyznaczać, wyróżniać; przeznaczać

**marked** [makt] *pp i adj* wybitny, wyraźny

**mark·ed·ly** [ˈmakɪdlɪ] *adv* wybitnie, wyraźnie, dobitnie

**mar·ket** [ˈmakɪt] *s* rynek, targ; zbyt; *vi vt* znajdować zbyt, wystawiać na sprzedaż, sprzedawać

**mar·ket·a·ble** [ˈmakɪtəbl] *adj* pokupny, sprzedażny

**marks·man** [ˈmaksmən] *s* wybitny strzelec

**ma·roon 1.** [məˈrun] *vt* wysadzić ze statku i pozostawić na odludnej wyspie, odosobnić; *vt* kręcić się, *pot.* pętać się; *s* człowiek pozostawiony na odludnej wyspie; zbiegły z niewoli Murzyn

**ma·roon 2.** [məˈrun] *adj* kasztanowy; *s* kolor kasztanowy

**marque** [mak] *s w zwrocie*: **letters of ~s** *pl* list kaperski

**mar·quee** [maˈki] *s* markiza, daszek ogrodowy; duży namiot

**mar·riage** [ˈmærɪdʒ] *s* małżeństwo, ślub

**mar·ried** [ˈmærɪd] *pp i adj* żonaty; zamężna; małżeński

**mar·row** [ˈmærəu] *s* szpik, rdzeń; *przen.* istota rzeczy

**mar·ry** [ˈmærɪ] *vt* żenić się (**sb** z kimś), wychodzić za mąż (**sb** za kogoś), wydawać za mąż, żenić; kojarzyć

**marsh** [maʃ] *s* bagno

**mar·shal** [ˈmaʃl] *s* marszałek; mistrz ceremonii; *vt* formować (szyki); ustawiać, uporządkować; wprowadzić (uroczyście)

**marsh·y** [ˈmaʃɪ] *adj* bagnisty

**mar·tial** [ˈmaʃl] *adj* wojenny; wojowniczy, wojskowy

**mar·tyr** [ˈmatə(r)] *s* męczennik

**mar·vel** [ˈmavl] *s* cud, cudo; fenomen; *vi* zdumiewać się (**at sb, sth** kimś, czymś)

**mar·vel·lous** [ˈmavl̩əs] *adj* cudowny, zdumiewający

**Marx·ism** [ˈmaksɪzm] *s* marksizm

**Marx·ist** [ˈmaksɪst] *adj* marksistowski; *s* marksista

**mas·cu·line** [ˈmæskjulɪn] *adj* męski, rodzaju męskiego, płci męskiej

**mash** [mæʃ] *s* papka, miazga; mieszanka pokarmowa; zacier; *vt* tłuc; gnieść; **~ed potatoes** kartofle purée

**mask** [mask] *s* maska; *przen.* pozór, pretekst; *vt vi* maskować (się)

**ma·son** [ˈmeɪsn] *s* murarz, kamieniarz; mason; *vt* murować, budować (z kamienia)

**ma·son·ry** [ˈmeɪsnrɪ] *s* murarska ⟨kamieniarska⟩ robota; obmurowanie; masoneria

**masque** [mask] *s* maska (utwór sceniczny)

**mas·quer·ade** [ˌmæskəˈreɪd] *s* maskarada

**mass 1.** [mæs] *s* masa; *pl* **~es** masy (pracujące); *adj attr* masowy; *vt vi* masować, gromadzić (się)

**mass 2.** [mæs] *s* msza; **high ~** suma

**mas·sa·cre** [`mæsəkə(r)] *s* masakra; *vt* masakrować
**mas·sage** [`mæsɑʒ] *s* masaż; *vt* masować
**mas·seur** [mæ`sɜ(r)] *s* masażysta
**mas·seuse** [mæ`sɜz] *s* masażystka
**mas·sive** [`mæsɪv] *adj* masywny
**mass·y** [`mæsɪ] *adj* masywny, solidny, ciężki
**mast** [mɑst] *s* maszt
**mas·ter** [`mɑstə(r)] *s* mistrz (*także* w rzemiośle, sztuce); majster; nauczyciel; pan, gospodarz, szef; magister (stopień naukowy); (*także* ~ **mariner**) kapitan statku handlowego; panicz (z dodaniem imienia); *vt* panować, opanować; poskramiać; kierować
**mas·ter·ful** [`mɑstəfl] *adj* władczy
**mas·ter·hood** [`mɑstəhud] *s* mistrzostwo
**mas·ter·ly** [`mɑstəlɪ] *adj* mistrzowski
**mas·ter·piece** [`mɑstəpis] *s* arcydzieło
**mas·ter·ship** [`mɑstəʃɪp] *s* mistrzostwo; władza, panowanie, zwierzchnictwo; stanowisko nauczyciela
**mas·ter·y** [`mɑstərɪ] *s* władza, władanie, panowanie; mistrzostwo
**mas·ti·cate** [`mæstɪkeɪt] *vt* żuć; miażdżyć
**mas·tiff** [`mæstɪf] *s* brytan
**mat 1.** [mæt] *s* mata, słomianka; *vt vi* spleść (się), splątać (się)
**mat 2.** [mæt] *adj* matowy
**match 1.** [mætʃ] *s* zapałka
**match 2.** [mætʃ] *s* odpowiedni dobór ⟨zestawienie⟩ osób ⟨rzeczy⟩; rzecz lub osoba dobrana ⟨dopasowana⟩; małżonek, małżonka; para małżeńska, małżeństwo; *sport* zawody, mecz; **to be a good** ~ dorównywać, dobrze pasować (**for sb, sth** do kogoś, czegoś); **to be no** ~ nie dorównywać; **to be more than a** ~ przewyższać, mieć przewagę (**for sb** nad kimś); **to find ⟨meet⟩ one's** ~ znaleźć równego sobie; **to make a good** ~ dobrze się ożenić; *vt* dobierać rzeczy sobie odpowiadające, zestawiać, łączyć; kojarzyć (małżeństwo); dorównywać (**sb, sth** komuś, czemuś); być dobrze dobranym; pasować (**sb, sth** do kogoś, czegoś); **tie and dress to** ~ krawat i ubranie dobrane (do koloru)
**match·less** [`mætʃləs] *adj* niezrównany, nieprześcigniony
**mate 1.** [meɪt] *s* (*w szachach*) mat; *vt* dać mata
**mate 2.** [meɪt] *s* towarzysz, kolega; małżonek; pomocnik; *mors.* niższy oficer, mat
**ma·te·ri·al** [mə`tɪərɪəl] *adj* materialny; cielesny; istotny, rzeczowy; ważny; *s* materiał; **raw** ~ surowiec; *pl* ~**s** przybory
**ma·te·ri·al·ism** [mə`tɪərɪəlɪzm] *s* materializm
**ma·te·ri·al·is·tic** [mə'tɪərɪə`lɪstɪk] *adj* materialistyczny
**ma·te·ri·al·ize** [mə`tɪərɪəlaɪz] *vt vi* zmaterializować (się), ucieleśnić (się), urzeczywistnić (się)
**ma·ter·ni·ty** [mə`tɜnətɪ] *s* macierzyństwo; ~ **hospital** szpital położniczy
**math·e·mat·i·cal** ['mæθ`mætɪkl] *adj* matematyczny
**math·e·ma·ti·cian** ['mæθəmə`tɪʃn] *s* matematyk
**math·e·mat·ics** ['mæθə`mætɪks] *s* matematyka
**mat·i·née** [`mætɪneɪ] *s* popołudniowe przedstawienie teatralne
**ma·tric** [mə`trɪk] *s pot.* = **matriculation**
**ma·tric·u·late** [mə`trɪkjuleɪt] *vt vi* immatrykulować (się), zapisywać (się) na wyższą uczelnię; zdawać egzamin wstępny na wyższą uczelnię
**ma·tric·u·la·tion** [mə'trɪkju`leɪʃn] *s* immatrykulacja; egzamin wstępny na wyższą uczelnię
**mat·ri·mo·ni·al** ['mætrɪ`məunɪəl] *adj* matrymonialny, małżeński
**mat·ri·mo·ny** [`mætrɪmənɪ] *s* stan

małżeński; małżeństwo, ślub; mariasz (w kartach)

**ma·tron** [ˋmeɪtrən] *s* matrona; przełożona

**mat·ter** [ˋmætə(r)] *s* materia; substancja; istota; sprawa; rzecz; kwestia, temat; *med.* ropa; **a ~ of course** rzecz zrozumiała sama przez się; **as a ~ of fact** w istocie rzeczy; **for that ~** jeśli o to chodzi; **in the ~ of** co do, co się tyczy; **it's no laughing ~** to nie żarty; **no ~** mniejsza o to, to nie ma znaczenia; **printed ~** druki; **reading ~** lektura; **to make much ~ of sth** robić z czegoś wielką sprawę; **what's the ~?** o co chodzi?; **what's the ~ with him?** co się z nim dzieje?; *vi* mieć znaczenie; **it does not ~** to nie ma znaczenia; mniejsza o to

**mat·ter-of-fact** [ˌmætərəvˋfækt] *adj attr* rzeczowy, realny, praktyczny, prozaiczny

**mat·ting** [ˋmætɪŋ] *s* materiał na maty, mata; rogoża

**mat·tock** [ˋmætək] *s* kilof

**mat·tress** [ˋmætrəs] *s* materac

**ma·ture** [məˋtʃʊə(r)] *adj* dojrzały; *handl.* płatny; *vi* dojrzewać; *vt* przyspieszać dojrzewanie

**ma·tu·ri·ty** [məˋtjʊərətɪ] *s* dojrzałość; *handl.* termin płatności

**maud·lin** [ˋmɔdlɪn] *adj* ckliwy, rzewny

**maul** [mɔl] *vt* tłuc; kaleczyć, zniekształcać; miażdżyć krytyką

**mau·so·le·um** [ˌmɔsəˋlɪəm] *s* mauzoleum

**mauve** [məʊv] *adj* różowoliliowy; *s* kolor różowoliliowy

**mawk·ish** [ˋmɔkɪʃ] *adj* ckliwy, sentymentalny

**max·im** [ˋmæksɪm] *s* maksyma

**max·i·mum** [ˋmæksɪməm] *s* (*pl* **maxima** [ˋmæksɪmə], **~s**) maksimum; *adj attr* maksymalny

**may 1.** [meɪ] *v aux* (*p* **might** [maɪt]) **I ~** mogę, wolno mi; **he ~ be back soon** może szybko wróci; **long ~ he live** oby długo żył

**May 2.** [meɪ] *s* maj

**may·be** [ˋmeɪbi] *adv* być może

**May-Day** [ˋmeɪ deɪ] *s* święto 1 Maja; **~ watchwords** hasła pierwszomajowe

**may·or** [meə(r)] *s* mer, burmistrz

**maze** [meɪz] *s* labirynt, gmatwanina; oszołomienie; wprowadzenie w błąd; *vt* sprowadzić na manowce, wprowadzić w błąd; oszołomić

**mazy** [ˋmeɪzɪ] *adj* powikładny; zdezorientowany

**me** [mi] *pron* mi, mnie; *pot.* ja; **with ~** ze mną; *pot.* **it's me** to ja

**mead 1.** [mid] *s* miód (pitny)

**mead 2.** [mid] *s poet.* łąka

**mead·ow** [ˋmedəʊ] *s* łąka

**mea·gre** [ˋmigə(r)] *adj* chudy, cienki; *pot.* marny

**meal 1.** [mil] *s* mąka (nie pytlowana)

**meal 2.** [mil] *s* posiłek; jedzenie

**mean 1.** [min] *adj* podły, niski, nędzny, marny

**mean 2.** [min] *adj* średni, pośredni; *s* przeciętna, średnia; *pl* **~s** środki utrzymania, zasoby pieniężne; (*zw. pl* **~s**, *w znacz. sing*) środek; **by this ~s** tym sposobem; **by ~s of** za pomocą; **by no ~s** w żaden sposób; **man of ~s** człowiek zamożny

***mean 3.** [min], **meant, meant** [ment] *vt vi* myśleć (coś), mieć na myśli; znaczyć, mieć znaczenie; mieć zamiar, zamierzać: przeznaczać (**sth for sb** coś dla kogoś); **to ~ business** poważnie traktować sprawę; **to ~ well** mieć dobrą wolę, odnosić się życzliwie

**me·an·der** [mɪˋændə(r)] *s* kręta linia, zakręt; *vi* tworzyć zakręty, wić się

**mean·ing** [ˋminɪŋ] *s* znaczenie, sens, treść

**meant** *zob.* **mean**

**mean·time** [ˋmin-taɪm] *adv* tymczasem; w międzyczasie; *s w zwrocie:* **in the ~** tymczasem; w międzyczasie

**mean·while** ['min'waɪl] = **meantime**

**mea·sles** ['mizlz] *s med.* odra

**meas·ure** ['meʒə(r)] *s* miara; miarka; środek, sposób, zabieg; *lit.* metrum; *muz.* takt; stopień; **to ~** na miarę; **in a ⟨some⟩ ~** do pewnego stopnia; **in great ⟨large⟩ ~** w znacznym stopniu; **out of ~** nadmiernie; *mat.* **the greatest common ~** największy wspólny dzielnik; *vt* mierzyć, mieć wymiar; szacować; **~ off ⟨out⟩** odmierzać

**meas·ure·ment** ['meʒəmənt] *s* pomiar; miara, wymiar, rozmiar

**meat** [mit] *s* mięso (jadalne); † posiłek, potrawa

**me·chan·ic** [mɪ'kænɪk] *s* mechanik; technik

**me·chan·i·cal** [mɪ'kænɪkl] *adj* mechaniczny; maszynowy

**me·chan·ics** [mɪ'kænɪks] *s* mechanika

**mech·an·ism** [mekənɪzm] *s* mechanizm

**med·al** ['medl] *s* medal

**med·dle** ['medl] *vi* mieszać się; wtrącać się (**with ⟨in⟩ sth** do czegoś)

**med·dle·some** ['medlsm] *adj* wścibski

**me·di·ae·val** [ˌmedɪ'ivl] = **medieval**

**me·di·al** ['midɪəl] *adj* środkowy; średni; pośredni

**me·di·ate** ['midɪeɪt] *vi vt* pośredniczyć; doprowadzić pośrednictwem (**sth** do czegoś)

**me·di·a·tor** ['midɪeɪtə(r)] *s* pośrednik, rozjemca

**med·i·cal** ['medɪkl] *adj* lekarski, medyczny

**me·dic·a·ment** [mɪ'dɪkəmənt] *s* lek, lekarstwo

**med·i·cine** ['medsn] *s* medycyna; lekarstwo

**med·i·cine-man** ['medsn mæn] *s* znachor, czarownik

**me·di·e·val** [ˌmedɪ'ivl] *adj* średniowieczny

**me·di·o·cre** [ˌmidɪ'əukə(r)] *adj* przeciętny, mierny

**me·di·oc·ri·ty** [ˌmidɪ'okrətɪ] *s* przeciętność, mierność

**med·i·tate** ['medɪteɪt] *vt vi* rozmyślać, rozważać; planować

**med·i·ta·tive** ['medɪtətɪv] *adj* oddany rozmyślaniom, medytacyjny, kontemplacyjny

**med·i·ter·ra·ne·an** [ˌmedɪtə'reɪnɪən] *adj* śródziemny; śródziemnomorski

**me·di·um** ['midɪəm] *s* (*pl* **media** ['midɪə], **~s**) środek; sposób; ośrodek; środowisko; medium; **through ⟨by⟩ the ~ of** za pomocą ⟨pośrednictwem⟩; *adj attr* środkowy, średni

**med·ley** ['medlɪ] *s* mieszanina; rozmaitości; *muz.* potpourri; *adj* różnorodny; pstry

**meek** [mik] *adj* łagodny; potulny

***meet** [mit], **met, met** [met] *vt vi* spotykać (się); zobaczyć się (**with sb** z kimś); zbierać ⟨gromadzić⟩ się; stykać ⟨łączyć⟩ się; odpowiadać (gustom, wymaganiom), zgadzać się; spełniać, zaspokajać; stawić czoło, spojrzeć w oczy (np. niebezpieczeństwu); stosować się; *handl.* honorować ⟨spłacić⟩ (np. weksel); natknąć się, natrafić (**sb, sth ⟨with sb, sth⟩** na kogoś, coś); wyjść naprzeciw (komuś); *s* styk; spotkanie ⟨zbiórka⟩ (myśliwych itd.)

**meet·ing** ['mitɪŋ] *s* spotkanie, zejście się, zetknięcie się; zebranie, wiec, zbiórka

**meg·a·phone** ['megəfəun] *s* megafon

**mel·an·chol·y** ['melənkolɪ] *s* melancholia; *adj* melancholijny

**mel·io·rate** ['milɪəreɪt] *vt vi* ulepszać (się), uszlachetniać (się)

**mel·low** ['meləu] *adj* dojrzały; soczysty; pełny; miękki; (*o człowieku*) pogodny; *vt* zmiękczyć,

łagodzić; *vi* mięknąć, łagodnieć; (np. *o winie, owocu*) dojrzewać
**me·lo·di·ous** [mə`ləudɪəs] *adj* melodyjny
**mel·o·dra·ma** [`melədramə] *s* melodramat
**mel·o·dy** [`melədɪ] *s* melodia
**melt** [melt] *vt* topić, roztapiać, przetapiać; rozpuszczać; *vi* topnieć, rozpuszczać się; *przen.* rozpływać się; *s* stop, wytop
**melt·ing-point** [`meltɪŋ pɔɪnt] *s* temperatura topnienia
**mem·ber** [`membə(r)] *s* członek (np. organizacji); człon
**mem·ber·ship** [`membəʃɪp] *s* członkostwo
**mem·brane** [`membreɪn] *s* błona
**mem·oir** [`memwa(r)] *s* rozprawa (naukowa); *pl* ~s życiorys; pamiętnik; seria (wydawnicza ⟨rozpraw naukowych⟩)
**mem·o·ra·ble** [`memrəbl] *adj* pamiętny
**mem·o·ran·dum** [ˌmemə`rændəm] *s* memorandum; notatka
**me·mo·ri·al** [mə`mɔrɪəl] *adj* pamięciowy; pamiątkowy; *s* petycja; pomnik; *pl* ~s pamiętnik, kronika
**mem·o·rize** [`meməraɪz] *vt* zapamiętać, nauczyć się na pamięć
**mem·o·ry** [`memərɪ] *s* pamięć; wspomnienie
**men** *zob.* **man**
**men·ace** [`menəs] *s* groźba; *vt vi* grozić, zagrażać
**me·nag·er·ie** [mə`nædʒərɪ] *s* menażeria
**mend** [mend] *vt vi* naprawiać, poprawiać (się); *s* poprawa; naprawa
**men·da·cious** [men`deɪʃəs] *adj* kłamliwy, zakłamany
**men·dac·i·ty** [men`dæsətɪ] *s* kłamliwość, zakłamanie
**men·di·cant** [`mendɪkənt] *adj* żebraczy, żebrzący; *s* żebrak; mnich żebrzący
**me·ni·al** [`minɪəl] *adj* służebny; ~ **work** czarna robota; *s* służący, popychadło
**men·in·gi·tis** [ˌmenɪn`dʒaɪtɪs] *s* zapalenie opon mózgowych
**men·su·ra·tion** [ˌmensjʊ`reɪʃn] *s* pomiar
**men·tal** [`mentl] *adj* umysłowy; chory umysłowo; (*o szpitalu*) psychiatryczny
**men·tal·i·ty** [men`tælətɪ] *s* umysłowość, mentalność
**men·tion** [`menʃn] *s* wzmianka; *vt* wspominać, nadmieniać; **don't ~ it!** nie ma o czym mówić, nie ma za co, proszę bardzo!
**mer·can·tile** [`mɜkəntaɪl] *adj* handlowy
**mer·ce·nar·y** [`mɜsnrɪ] *adj* najemny; interesowny; *s* najemnik
**mer·cer** [`mɜsə(r)] *s* kupiec bławatny
**mer·cer·y** [`mɜsərɪ] *s* towary bławatne; handel towarami bławatnymi
**mer·chan·dise** [`mɜtʃəndaɪz] *s zbior.* towar(y)
**mer·chant** [`mɜtʃənt] *s* kupiec, handlowiec; *adj* kupiecki, handlowy; ~ **service** marynarka handlowa
**mer·chant·man** [`mɜtʃəntmən] *s* statek handlowy
**mer·ci·ful** [`mɜsɪfl] *adj* litościwy, miłosierny
**mer·ci·less** [`mɜsɪləs] *adj* bezlitosny
**mer·cu·ry** [`mɜkjʊrɪ] *s* rtęć, żywe srebro; *przen.* żywość
**mer·cy** [`mɜsɪ] *s* miłosierdzie, litość; łaska; **at the ~ of** na łasce (czegoś)
**mere** [mɪə(r)] *adj* czczy, zwykły, zwyczajny; ~ **words** puste słowa; **he is a ~ child** on jest tylko ⟨po prostu⟩ dzieckiem
**mere·ly** [`mɪəlɪ] *adv* po prostu, jedynie; zaledwie
**merge** [mɜdʒ] *vt vi* łączyć (się), zlewać (się), stapiać (się)
**merg·er** [`mɜdʒə(r)] *s* fuzja, połączenie (się)
**me·rid·i·an** [mə`rɪdɪən] *adj* południowy; *przen.* szczytowy; *s* południk; zenit; *przen.* szczyt

**mer·it** [`merɪt] *s* zasługa; zaleta; *vt* zasłużyć (**sth na** coś)
**mer·i·to·ri·ous** [ˌmerɪ`tɔrɪəs] *adj* zasłużony; chwalebny
**mer·maid** [`mɜmeɪd] *s* syrena (z baśni)
**mer·ri·ment** [`merɪmənt] *s* wesołość, uciecha
**mer·ry** [`merɪ] *adj* wesoły; miły; **to make ~** weselić ⟨bawić⟩ się
**mer·ry-go-round** [`merɪ gəʊ raʊnd] *s* karuzela
**me·seems** [mi`simz] *v impers †* zdaje mi się
**mesh** [meʃ] *s* oko ⟨oczko⟩ (w sieci); *pl* **~es** sieci; *vt vi* (dać się) złapać w sieci; zazębiać (się)
**mess** [mes] *s wojsk.* kasyno; *mors.* mesa; zamieszanie, nieporządek, *pot.* bałagan; kłopot; *vt vi* zabrudzić; *pot.* zabałaganić; zaprzepaścić (sprawę); spartaczyć (coś); żywić (np. wojsko); *vi* wspólnie jadać
**mes·sage** [`mesɪdʒ] *s* posłanie, orędzie; wiadomość, pismo; zlecenie
**mes·sen·ger** [`mesɪndʒə(r)] *s* posłaniec; zwiastun
**mess·mate** [`mesmeɪt] *s wojsk. mors.* towarzysz przy stole
**mess·y** [`mesɪ] *adj* nieporządny, brudny
**mes·ti·zo** [me`stizəʊ] *s* Metys
**met** *zob.* **meet**
**met·al** [`metl] *s* metal
**me·tal·lic** [mə`tælɪk] *adj* metaliczny
**me·tal·lur·gy** [mɪ`tælədʒɪ] *s* metalurgia
**met·a·mor·pho·sis** [ˌmetə`mɔfəsɪs] *s* (*pl* **metamorphoses** [ˌmetə`mɔfəsiz]) metamorfoza
**met·a·phor** [`metəfə(r)] *s* metafora
**met·a·phys·ics** [`metəfɪzɪks] *s* metafizyka
**mete** [mit] *vt* zmierzyć; (*także* **~ out**) wymierzyć (np. karę)
**me·te·or** [`mitɪə(r)] *s* meteor
**me·te·or·ol·o·gy** [ˌmitɪə`rolədʒɪ] *s* meteorologia
**me·ter** [`mitə(r)] *s* licznik (np. gazowy)
**me·thinks** [mi`θɪŋks] *v impers* (*p* **methought**) *†* zdaje mi się
**meth·od** [`meθəd] *s* metoda
**me·thod·i·cal** [mə`θodɪkl] *adj* metodyczny
**Meth·od·ist** [`meθədɪst] *s* metodysta
**me·thought** *zob.* **methinks**
**meth·yl·at·ed** [`meθleɪtɪd] *pp i adj* denaturowany, skażony
**me·tic·u·lous** [mɪ`tɪkjʊləs] *adj* drobiazgowy, skrupulatny
**me·tre** [`mitə(r)] *s* metr; metrum (miara wiersza)
**met·ric** [`metrɪk] *adj* metryczny
**me·trop·o·lis** [mə`tropəlɪs] *s* stolica, metropolia
**met·ro·pol·i·tan** [ˌmetrə`polɪtən] *adj* stołeczny
**met·tle** [`metl] *s* charakter, temperament; odwaga; zapał
**mew 1.** [mju] *vi* miauczeć
**mew 2.** [mju] *s* mewa
**Mex·i·can** [`meksɪkən] *adj* meksykański; *s* Meksykanin
**mice** [maɪs] *zob.* **mouse**
**mi·crobe** [`maɪkrəʊb] *s* mikrob
**mi·cro·phone** [`maɪkrəfəʊn] *s* mikrofon
**mi·cro·scope** [`maɪkrəskəʊp] *s* mikroskop
**mid** [mɪd] *adj* środkowy; **in ~ summer** w połowie lata; **in ~ air** w powietrzu
**mid·day** [ˌmɪd`deɪ] *s* południe
**mid·dle** [`mɪdl] *s* środek, połowa; *adj* środkowy, średni
**mid·dle-aged** [ˌmɪdl `eɪdʒd] *adj* w średnim wieku
**mid·dle·man** [`mɪdlmæn] *s* pośrednik
**mid·dle-weight** [`mɪdl weɪt] *s sport* waga średnia
**mid·dling** [`mɪdlɪŋ] *adj* średni, przeciętny; *adv* średnio, przeciętnie; *pot.* tak sobie, nieźle
**midge** [mɪdʒ] *s zool.* muszka

**midg·et** [`mɪdʒɪt] *s* karzełek; *przen.* maleństwo
**mid·land** [`mɪdlənd] *adj* środkowy, znajdujący się wewnątrz kraju, śródlądowy; *s* środkowa część kraju
**mid·night** [`mɪdnaɪt] *s* północ; at ~ o północy; *adj attr* północny
**mid·ship·man** [`mɪdʃɪpmən] *s mors. bryt.* podchorąży marynarki; *am.* kadet marynarki
**midst** [mɪdst] *s* środek; **in the ~ of** w środku; pośród; wśród; między, pomiędzy
**mid·sum·mer** ['mɪd`sʌmə(r)] *s* środek lata; **~ night** noc świętojańska
**mid·way** ['mɪd`weɪ] *adv* w połowie ⟨w pół⟩ drogi; *adj attr* leżący w połowie drogi
**mid·wife** [`mɪdwaɪf] *s* (*pl* **midwives** [`mɪdwaɪvz]) akuszerka
**mid·win·ter** ['mɪd`wɪntə(r)] *s* środek zimy
**might** 1. *zob.* **may** 1.
**might** 2. [maɪt] *s* potęga, moc
**might·y** [`maɪtɪ] *adj* potężny; *adv pot.* bardzo, wielce
**mi·grant** [`maɪgrənt] *adj* wędrowny, koczowniczy; *s* wędrowiec, tułacz, koczownik; emigrant
**mi·grate** [maɪ`greɪt] *vi* wędrować, koczować; przesiedlać się; emigrować
**mi·gra·to·ry** [`maɪgrətərɪ] = **migrant** *adj*
**mike** [maɪk] *s pot.* = **microphone**
**mil·age** = **mileage**
**mild** [maɪld] *adj* łagodny, delikatny
**mil·dew** [`mɪldju] *s* pleśń
**mile** [maɪl] *s* mila
**mile·age** [`maɪlɪdʒ] *s* odległość w milach
**mile·stone** [`maɪlstəun] *s* kamień milowy
**mi·lieu** [`milɪʒ] *s* środowisko, otoczenie
**mil·i·tant** [`mɪlɪtənt] *adj* bojowy, wojowniczy
**mil·i·tar·y** [`mɪlɪtrɪ] *adj* wojskowy; *s zbior* **the ~** wojskowi, wojsko
**mil·i·tate** [`mɪlɪteɪt] *vi* walczyć (**against sb, sth** z kimś, czymś)
**mi·li·tia** [mɪ`lɪʃə] *s* milicja
**milk** [mɪlk] *s* mleko; *vt vi* doić
**milk·maid** [`mɪlk meɪd] *s* dojarka; mleczarka
**milk·man** [`mɪlkmən] *s* mleczarz
**milk-tooth** [`mɪlk tuθ] *s* ząb mleczny
**milk·y** [`mɪlkɪ] *adj* mleczny
**mill** [mɪl] *s* młyn; fabryka; walcownia; *vt* mleć; obrabiać; ubijać, ucierać; walcować; karbować
**mil·len·ni·um** [mɪ`lenɪəm] *s* tysiąclecie
**mill·er** [`mɪlə(r)] *s* młynarz
**mil·let** [`mɪlɪt] *s* proso
**mill-hand** [`mɪl hænd] *s* robotnik fabryczny
**mil·li·me·tre** [`mɪlɪmitə(r)] *s* milimetr
**mil·li·ner** [`mɪlɪnə(r)] *s* modystka
**mil·lion** [`mɪlɪən] *s* milion
**mil·lion·aire** ['mɪlɪə`neə(r)] *s* milioner
**mill·stone** [`mɪl stəun] *s* kamień młyński
**mime** [maɪm] *s* mim (aktor i sztuka); *vi* grać mimicznie
**mim·e·o·graph** [`mɪmɪəugraf] *s* powielacz; *vt* powielać
**mim·ic** [`mɪmɪk] *adj* mimiczny; naśladowczy; *s* mimik; naśladowca; *vt* (*p i pp* **mimicked** [`mɪmɪkt]) naśladować
**mim·ic·ry** [`mɪmɪkrɪ] *s* mimika; naśladownictwo; *bot.* mimetyzm
**mince** [mɪns] *vt* krajać (drobno), siekać, kruszyć; **~ one's words** mówić z afektacją ⟨sztucznie⟩; **not to ~ one's words** mówić bez ogródek ⟨prosto z mostu⟩; *s* siekanina

**mince·meat** [ˈmɪnsmit] *s* legumina z mieszanych owoców i bakalii

**minc·er** [ˈmɪnsə(r)] *s* maszynka do mięsa

**mind** [maɪnd] *s* umysł, rozum, świadomość; myśl(i); pamięć; zdanie, opinia; skłonność, ochota, zamiar; decyzja; duch, psychika; **absence of ~** roztargnienie; **presence of ~** przytomność umysłu; **peace of ~** spokój ducha; **state ⟨frame⟩ of ~** stan ducha, nastrój; **turn of ~** mentalność; **sound in ~** zdrowy na umyśle; **to be of unsound ~** nie być przy zdrowych zmysłach; **to be of sb's ~** podzielać czyjeś zdanie; **to bring ⟨to call⟩ to ~** przypomnieć sobie; **to change one's ~** zmienić zdanie ⟨zamiar⟩; **to enter sb's ~** przyjść komuś na myśl; **to go out of ~** wyjść z pamięci; **to have ⟨to keep, to bear⟩ sb ⟨sth⟩ in ~** pamiętać o kimś ⟨o czymś⟩; **to have a good ⟨great⟩ ~ to ...** mieć (wielką) ochotę ...; **to make up ⟨to set⟩ one's ~** postanowić; **to speak one's ~** wypowiedzieć się, wygarnąć prawdę; **to my ~** moim zdaniem; *vt vi* uważać, baczyć, zwracać uwagę; starać się; pamiętać; brać sobie do serca, przejmować się (**sth** czymś); sprzeciwiać się, mieć coś przeciw (**sth** czemuś); **do you ~ if I smoke?, do you ~ my smoking?** czy masz coś przeciwko temu, żebym zapalił?, czy pozwolisz, że zapalę?; **I don't ~** jest mi obojętne, nie przeszkadza mi; **never ~** mniejsza o to

**mind·ful** [ˈmaɪndfl] *adj* uważający (**of sth** na coś); troskliwy

**mine 1.** [maɪn] *pron* mój, moja, moje, moi

**mine 2.** [maɪn] *s* kopalnia; mina; *vt* kopać, wydobywać (rudę itd.); zaminować

**min·er** [ˈmaɪnə(r)] *s* górnik

**min·er·al** [ˈmɪnr̩l] *s* minerał; *pl* **~s** wody mineralne; *adj* mineralny

**min·er·al·o·gy** [ˈmɪnəˈræləd͡ʒɪ] *s* mineralogia

**mine·sweep·er** [ˈmaɪn swipə(r)] *s* poławiacz min, *mors.* trałowiec

**mine·throw·er** [ˈmaɪn θrəʊə(r)] *s* *wojsk.* moździerz

**min·gle** [ˈmɪŋgl] *vt vi* mieszać (się); obracać się (w towarzystwie)

**min·ia·ture** [ˈmɪnɪtʃə(r)] *s* miniatura

**min·i·mal** [ˈmɪnɪml] *adj* minimalny

**min·i·mize** [ˈmɪnɪmaɪz] *vt* sprowadzić ⟨zredukować⟩ do minimum, pomniejszyć

**min·i·mum** [ˈmɪnɪməm] *s* (*pl* **minima** [ˈmɪnɪmə]) minimum; *adj attr* minimalny

**min·ing** [ˈmaɪnɪŋ] *s* górnictwo; zaminowanie

**min·is·ter** [ˈmɪnɪstə(r)] *s* minister; poseł; pastor; *vi* służyć (**to sb** komuś); przyczyniać się (**to sth** do czegoś); dbać (**to sb's wants ⟨pleasures⟩** o czyjeś potrzeby ⟨przyjemności⟩); odprawiać nabożeństwo (w kościele protestanckim); *vt* udzielać (np. pomocy)

**min·is·te·ri·al** [ˈmɪnɪˈstɪərɪəl] *adj* ministerialny; usłużny; pomocny; kościelny, duszpasterski

**min·is·try** [ˈmɪnɪstrɪ] *s* ministerstwo; pomoc, usługa; stan duchowny, kler, obowiązki duszpasterskie

**mink** [mɪŋk] *s* norka; norki (futro)

**mi·nor** [ˈmaɪnə(r)] *adj* mniejszy; podrzędny, drugorzędny; młodszy (z rodzeństwa); *s* niepełnoletni

**mi·nor·i·ty** [maɪˈnorətɪ] *s* mniejszość (np. narodowa); niepełnoletność

**min·ster** [ˈmɪnstə(r)] *s* kościół klasztorny; katedra

**min·strel** [ˈmɪnstrəl] *s* minstrel, bard
**min·strel·sy** [ˈmɪnstrlsɪ] *s* zbiór pieśni ⟨ballad⟩; *zbior.* minstrelowie; sztuka minstrelska
**mint 1.** [mɪnt] *s* mennica; *vt* bić monetę; *adj* czysty, nie używany
**mint 2.** [mɪnt] *s bot.* mięta
**mi·nus** [ˈmaɪnəs] *praep* minus, mniej
**min·ute 1.** [ˈmɪnɪt] *s* minuta; notatka, zapisek; *pl* ~s protokół; **to keep the** ~s protokołować; **any** ~ lada chwila; **wait a** ~!, zaraz, zaraz!
**mi·nute 2.** [maɪˈnjut] *adj* drobny, nieznaczny; szczegółowy
**mir·a·cle** [ˈmɪrəkl] *s* cud; (*także* ~ **play**) misterium (dramat średniowieczny)
**mi·rac·u·lous** [mɪˈrækjuləs] *adj* cudowny
**mire** [ˈmaɪə(r)] *s* błoto; *vt vi* pogrążyć (się) w błocie, ubłocić
**mir·ror** [ˈmɪrə(r)] *s* lustro, zwierciadło; *vt* odzwierciedlać, odbijać obraz
**mirth** [mɜθ] *s* radość, wesołość
**mis·ad·ven·ture** [ˈmɪsədˈventʃə(r)] *s* nieszczęście, nieszczęśliwy wypadek, niepowodzenie
**mis·al·li·ance** [ˈmɪsəˈlaɪəns] *s* mezalians
**mis·an·thrope** [ˈmɪsnθrəup] *s* mizantrop
**mis·an·thro·py** [mɪsˈænθrəpɪ] *s* mizantropia
**mis·ap·ply** [ˈmɪsəˈplaɪ] *vt* źle zastosować
**mis·ap·pre·hend** [ˈmɪsˈæprɪˈhend] *vt* źle ⟨fałszywie⟩ zrozumieć
**mis·be·have** [ˈmɪsbɪˈheɪv] *vi* (*także vr* ~ **oneself**) źle ⟨nieodpowiednio⟩ prowadzić ⟨zachowywać⟩ się
**mis·cal·cu·late** [ˈmɪsˈkælkjuleɪt] *vt* źle obliczyć; *vi* przeliczyć się
**mis·car·riage** [mɪsˈkærɪdʒ] *s* niepowodzenie; zaginięcie (np. listu); poronienie; pomyłka
**mis·car·ry** [mɪsˈkærɪ] *vi* nie udać się; chybić; doznać niepowodzenia; (*o statku, liście*) nie dojść; poronić
**mis·cel·la·ne·ous** [ˈmɪsəˈleɪnɪəs] *adj* rozmaity; różnorodny
**mis·cel·la·ny** [mɪˈselənɪ] *s* zbieranina, zbiór rozmaitości
**mis·chance** [mɪsˈtʃans] *s* niepowodzenie, pech, nieszczęście
**mis·chief** [ˈmɪstʃɪf] *s* niegodziwość; szkoda; psota
**mis·chie·vous** [ˈmɪstʃɪvəs] *adj* złośliwy; szkodliwy; psotny
**mis·con·cep·tion** [ˈmɪskənˈsepʃn] *s* błędne pojęcie ⟨zrozumienie⟩
**mis·con·duct** [mɪsˈkondʌkt] *s* złe prowadzenie się; złe kierownictwo; *vt* [ˈmɪskənˈdʌkt] źle prowadzić ⟨kierować⟩; *vr* ~ **oneself** źle się prowadzić
**mis·con·strue** [ˈmɪskənˈstru] *vt* mylnie objaśniać ⟨rozumieć⟩
**mis·cre·ant** [ˈmɪskrɪənt] *adj* nikczemny; *s* nikczemnik, łajdak
**mi·ser** [ˈmaɪzə(r)] *s* skąpiec
**mis·er·a·ble** [ˈmɪzrəbl] *adj* godny litości, żałosny, nieszczęśliwy; nędzny, godny pogardy; przykry, wstrętny
**mi·ser·ly** [ˈmaɪzəlɪ] *adj* skąpy
**mis·er·y** [ˈmɪzərɪ] *s* nędza; nieszczęście; cierpienie
**misfit** [ˈmɪsfɪt] *s* źle dobrane ubranie, zły krój; *przen.* człowiek nie przystosowany (do otoczenia)
**mis·for·tune** [ˈmɪsˈfɔtʃən] *s* nieszczęście, zły los, pech
***mis·give** [ˈmɪsˈgɪv], **mis·gave** [ˈmɪsˈgeɪv], **mis·given** [ˈmɪsˈgɪvn] *vt* wzbudzić obawę ⟨złe przeczucie⟩ (**sb** w **kimś**)
**mis·giv·ing** [ˈmɪsˈgɪvɪŋ] *ppraes* i *s* niepokój; złe przeczucie
**mis·gov·ern** [ˈmɪsˈgʌvən] *vt* źle rządzić
**mis·guide** [ˈmɪsˈgaɪd] *vt* fałszywie kierować, wprowadzać w błąd
**mis·han·dle** [ˈmɪsˈhændl] *vt* źle ⟨nieumiejętnie⟩ obchodzić się (sb, sth z kimś, czymś)
**mis·hap** [ˈmɪshæp] *s* niepowodze-

nie, nieszczęście, nieszczęśliwy wypadek

**mis·in·form** ['mɪsɪn'fɔm] *vt* źle poinformować

***mis·lay** ['mɪs'leɪ], **mislaid, mislaid** ['mɪs'leɪd] *vt* położyć nie na swoim miejscu, zapodziać

***mis·lead** ['mɪs'lid], **misled, misled** ['mɪs'led] *vt* wprowadzić w błąd, zmylić

**mis·man·age** ['mɪs'mænɪdʒ] *vt* źle zarządzać ⟨kierować⟩

**mi·sog·y·nist** [mɪ'sodʒɪnɪst] *s* wróg kobiet

**mis·place** [mɪs'pleɪs] *vt* źle umieścić ⟨ulokować⟩, położyć nie na swoim miejscu

**mis·print** ['mɪsprɪnt] *s* błąd drukarski; *vt* [mɪs'prɪnt] błędnie wydrukować

**mis·pro·nounce** ['mɪsprə'nauns] *vt* błędnie wymawiać

**mis·rep·re·sent** ['mɪs'reprɪ'zent] *vt* fałszywie przedstawić, przekręcać

**mis·rule** [mɪs'rul] *s* złe rządy; *vt* źle rządzić

**miss** 1. [mɪs] *vt* chybić, nie trafić; opuścić, przepuścić; stracić (okazję); nie zastać (**sb** kogoś); spóźnić się (**the bus** ⟨**train**⟩ na autobus ⟨pociąg⟩); tęsknić (**sb** za kimś); odczuwać brak; zawodzić; nie dosłyszeć ⟨nie dostrzec, nie zrozumieć⟩ (**sth** czegoś); *s* chybiony strzał; nieudany krok

**miss** 2. [mɪs] *s* (*przed imieniem* ⟨*nazwiskiem*⟩) panna; panienka

**mis·sha·pen** [mɪs'ʃeɪpən] *adj* zniekształcony, niekształtny

**mis·sile** ['mɪsaɪl] *s* pocisk

**mis·sion** ['mɪʃn] *s* misja, posłannictwo, zlecenie

**mis·sion·a·ry** ['mɪʃnrɪ] *s* misjonarz

***mis·spell** [mɪs'spel], **mis·spelt, mis·spelt** [mɪs'spelt] *vt* napisać z błędem ortograficznym

**mist** [mɪst] *s* mgła, mgiełka; *vt vi* pokrywać (się) mgiełką, zamglić (się); zajść parą; mżyć

***mis·take** [mɪ'steɪk], **mis·took** [mɪ'stuk], **mis·tak·en** [mɪ'steɪkn] *vt* brać ⟨wziąć⟩ (**sb for sb else** kogoś za kogoś innego, **sth for sth else** coś za coś innego); pomylić się (**sth** co do czegoś); źle zrozumieć; *s* omyłka, błąd; **to make a ~** popełnić błąd

**mis·tak·en** [mɪ'steɪkən] *pp i adj* mylny, błędny; **to be ~** mylić się, być w błędzie

**mis·ter** ['mɪstə(r)] *s* (*przed nazwiskiem*) Pan; (*w piśmie*) *skr.* = **Mr.**

**mis·tle·toe** ['mɪsltəu] *s bot.* jemioła

**mis·took** *zob.* **mistake**

**mis·tress** ['mɪstrəs] *s* pani, pani domu; nauczycielka, guwernantka; kochanka; **Mistress** ['mɪsɪz] (*przed nazwiskiem mężatki*) Pani; (*w piśmie*) *skr.* = **Mrs.**

**mis·trust** ['mɪs'trʌst] *s* niedowierzanie, nieufność; *vt* niedowierzać, nie ufać

**mist·y** ['mɪstɪ] *adj* mglisty

***mis·un·der·stand** ['mɪs'ʌndə'stænd], **misunderstood, misunderstood** ['mɪs'ʌndə'stud] *vt* źle rozumieć

**mis·un·der·stand·ing** ['mɪs'ʌndə'stændɪŋ] *s* złe zrozumienie, nieporozumienie

**mis·un·der·stood** *zob.* **misunderstand**

**mis·use** [mɪs'juz] *vt* niewłaściwie używać; źle traktować; nadużywać; *s* [mɪs'jus] niewłaściwe użycie, nadużycie

**mite** [maɪt] *s* drobna rzecz, kruszynka; grosz (wdowi)

**mit·i·gate** ['mɪtɪgeɪt] *vt* łagodzić, uspokajać

**mi·tre** ['maɪtə(r)] *s* infuła

**mitt** [mɪt] = **mitten**

**mit·ten** ['mɪtn] *s* rękawica (z jednym palcem); rękawiczka (bez palców), mitenka; *sport* rękawica bokserska

**mix** [mɪks] *vt vi* mieszać (się); preparować, przyrządzać (np. napoje); obcować (towarzysko); ~

up zmieszać, pomieszać; wplątać, uwikłać

**mix·er** [ˈmɪksə(r)] *s* barman; mikser; a good ~ człowiek towarzyski

**mix·ture** [ˈmɪkstʃə(r)] *s* mieszanina, mieszanka, mikstura

**mix-up** [ˈmɪks ʌp] *s* pomieszanie, zamieszanie, gmatwanina

**moan** [məʊn] *vt vi* jęczeć, lamentować, opłakiwać (sb kogoś); *s* jęk

**moat** [məʊt] *s* fosa

**mob** [mob] *s* tłum, pospólstwo, tłuszcza; *vt* (*o tłumie*) rzucać się (sb, sth na kogoś, coś); *vi* gromadzić się tłumnie

**mo·bile** [ˈməʊbaɪl] *adj* ruchomy; ruchliwy

**mo·bil·i·ty** [məʊˈbɪlətɪ] *s* ruchliwość

**mo·bil·ize** [ˈməʊbḷaɪz] *vt vi* mobilizować (się)

**mo·cha** [ˈmokə] *s* (kawa) mokka

**mock** [mok] *vt vi* szydzić, wyśmiewać, żartować sobie (at sb, sth z kogoś, czegoś); *s* pośmiewisko, kpiny; *adj attr* podrobiony, udany, pozorny

**mock·er·y** [ˈmokərɪ] *s* szyderstwo; pośmiewisko

**mock-he·ro·ic** [ˈmokhɪˈrəʊɪk] *adj* heroikomiczny

**mode** [məʊd] *s* sposób; obyczaj; tryb (życia, postępowania); moda; *gram.* tryb

**mod·el** [ˈmodl] *s* model, wzór; modelka; *vt* modelować, kształtować, kopiować; *vr* ~ oneself wzorować się (on ⟨upon, after⟩ sb na kimś)

**mod·er·ate** [ˈmodəreɪt] *vt vi* poskramiać, hamować, powściągać, uspokajać (się); łagodzić; powstrzymywać (się); *adj* [ˈmodrət] umiarkowany, wstrzemięźliwy; przeciętny

**mod·er·a·tion** [ˈmodəˈreɪʃn] *s* umiarkowanie

**mod·ern** [ˈmodn] *adj* nowoczesny, nowożytny

**mod·est** [ˈmodɪst] *adj* skromny

**mod·es·ty** [ˈmodɪstɪ] *s* skromność

**mod·i·fy** [ˈmodɪfaɪ] *vt* modyfikować, zmieniać

**mod·u·late** [ˈmodjʊleɪt] *vt* modulować

**moiety** [ˈmɔɪətɪ] *s prawn.* połowa

**moist** [mɔɪst] *adj* wilgotny

**mois·ten** [ˈmɔɪsn] *vt* zwilżyć; *vi* wilgotnieć

**mois·ture** [ˈmɔɪstʃə(r)] *s* wilgoć

**mo·lar** [ˈməʊlə(r)] *adj* trzonowy (ząb); *s* ząb trzonowy

**mo·las·ses** [məˈlæsɪz] *s pl* melasa

**mold, molder** = **mould, moulder**

**mole 1.** [məʊl] *s zool.* kret

**mole 2.** [məʊl] *s* molo, grobla

**mole 3.** [məʊl] *s* pieprzyk (na skórze)

**mol·e·cule** [ˈmolɪkjul] *s fiz.* cząsteczka

**mole-hil** [ˈməʊl hɪl] *s* kretowisko

**mo·lest** [məˈlest] *vt* molestować, dokuczać

**mol·li·fy** [ˈmolɪfaɪ] *vt* miękczyć; łagodzić

**molt** *zob.* **moult**

**mol·ten** [ˈməʊltən] *adj* stopiony, lity

**mo·ment** [ˈməʊmənt] *s* moment, chwila; znaczenie, ważność; at the ~ w tej (właśnie) chwili; for the ~ na razie; in a ~ za chwilę, po chwili; to the ~ co do minuty; of great ⟨little⟩ ~ bardzo ⟨nie bardzo⟩ ważny

**mo·men·tar·y** [ˈməʊməntrɪ] *adj* chwilowy

**mo·men·tous** [məˈmentəs] *adj* ważny, doniosły

**mo·men·tum** [məˈmentəm] *s* pęd, rozpęd; *fiz.* ilość ruchu

**mon·arch** [ˈmonək] *s* monarcha

**mon·ar·chy** [ˈmonəkɪ] *s* monarchia

**mon·as·ter·y** [ˈmonəstrɪ] *s* klasztor

**Mon·day** [ˈmʌndɪ] *s* poniedziałek

**mon·e·tar·y** [ˈmʌnɪtrɪ] *adj* monetarny

**mon·ey** [ˈmʌnɪ] *s zbior.* pieniądze; ready ~ gotówka

**mon·ger** [`mʌŋgə(r)] *s* handlarz, przekupień
**mon·grel** [`mʌŋgrəl] *s* kundel; mieszaniec; *adj attr* (*o krwi, rasie*) mieszany
**mon·i·tor** [`monɪtə(r)] *s* monitor; najstarszy uczeń w klasie pilnujący porządku; urządzenie kontrolne; *vi vt* nasłuchiwać, kontrolować
**mon·i·tor·ing** [`monɪtərɪŋ] *s* (*w radiu*) nasłuch
**monk** [mʌŋk] *s* mnich
**mon·key** [`mʌŋkɪ] *s* małpa
**mon·key·ish** [`mʌŋkɪɪʃ] *adj* małpi
**monk·ish** [`mʌŋkɪʃ] *adj* mnisi
**mo·nog·a·my** [mə`nogəmɪ] *s* monogamia
**mon·o·logue** [`monəlog] *s* monolog
**mo·nop·o·lize** [mə`nopəlaɪz] *vt* monopolizować
**mo·nop·o·ly** [mə`nopəlɪ] *s* monopol
**mo·not·o·nous** [mə`notənəs] *adj* monotonny
**mon·ster** [`monstə(r)] *s* potwór; *adj attr* potworny; monstrualny
**mon·stros·i·ty** [mon`strosətɪ] *s* potworność
**mon·strous** [`monstrəs] *adj* potworny; monstrualny
**mon·tage** [`montaʒ] *s fot. kino* montaż
**month** [mʌnθ] *s* miesiąc
**month·ly** [`mʌnθlɪ] *adj* miesięczny; *adv* miesięcznie; co miesiąc; *s* miesięcznik
**mon·u·ment** [`monjυmənt] *s* pomnik
**mood 1.** [mud] *s* nastrój, humor
**mood 2.** [mud] *s gram.* tryb; *muz.* tonacja
**mood·y** [`mudɪ] *adj* nie w humorze, markotny; o zmiennym usposobieniu
**moon** [mun] *s* księżyc; **full ~** pełnia; **once in a blue ~** bardzo rzadko, raz od wielkiego święta
**moon·beam** [`munbim] *s* promień księżyca
**moon·light** [`munlaɪt] *s* światło księżyca
**moon·lit** [`munlɪt] *adj* oświetlony światłem księżyca
**moon·shine** [`mun-ʃaɪn] *s* światło księżyca; *przen.* rojenia
**moon·shin·er** [`munʃaɪnə(r)] *s pot. am.* nielegalny producent ⟨przemytnik⟩ napojów alkoholowych
**moor 1.** [muə(r)] *s* otwarty teren, błonie; wrzosowisko; torfowisko
**moor 2.** [muə(r)] *vt mors.* cumować
**Moor 3.** [muə(r)] *s* Maur
**moor·ings** [`muərɪŋz] *s pl mors.* cumy; miejsce cumowania
**moor·land** [`muələnd] *s* pustynna okolica (*zw.* pokryta wrzosem, torfem itp.)
**moot** [mut] *vt* rozważać, poddać pod dyskusję (**sth** coś); *s hist.* zgromadzenie, narada; *adj attr* sporny
**mop 1.** [mop] *s* zmywak na kiju (do podłogi, okien itd.); *vt* wycierać, zmywać
**mop 2.** [mop] *s w zwrocie*: **~s and mows** grymasy, miny; *vi w zwrocie*: **~ and mow** stroić miny, robić grymasy
**mope** [məup] *vi* być przygnębionym; *s* człowiek przygnębiony
**mor·al** [`morl] *adj* moralny; *s* morał; *pl* **~s** moralność
**mo·rale** [mə`ral] *s* morale, duch (np. wojska)
**mor·al·ist** [`morḷɪst] *s* moralista
**mo·ral·i·ty** [mə`rælətɪ] *s* moralność; moralitet (dramat)
**mor·al·ize** [`morḷaɪz] *vi* moralizować; *vt* umoralniać
**mo·rass** [mə`ræs] *s* bagno, trzęsawisko
**mor·bid** [`mɔbɪd] *adj* chorobliwy; chorobowy
**more** [mɔ(r)] *adj* (*comp od* **much, many**) więcej; *adv* więcej, bardziej; *s* więcej; **~ and ~** coraz więcej; **~ or less** mniej więcej; **~ than** ponad; **never ~** już nigdy; **no ~** już nie, więcej nie;

dość; **once** ~ jeszcze raz; **so much the** ~ o tyle więcej; **the** ~ tym bardziej; **the** ~ ... **the** ~ im więcej ... tym więcej

**more·o·ver** [mor'əuvə(r)] *adv* co więcej, prócz tego, ponadto

**morn** [mɔn] *s poet.* = **morning**

**morn·ing** ['mɔnɪŋ] *s* rano, poranek; przedpołudnie; **good** ~! dzień dobry!; **in the** ~ rano; **this** ~ dziś rano; ~ **call** wizyta przedpołudniowa; ~ **coat** żakiet

**mo·roc·co** [mə'rokəu] *s* marokin (safian)

**mo·rose** [mə'rəus] *adj* ponury, markotny

**mor·phol·o·gy** [mɔ'folədʒɪ] *s* morfologia

**mor·row** ['morəu] *s* † następny dzień; **on the** ~ nazajutrz

**mor·sel** ['mɔsl] *s* kąsek

**mor·tal** ['mɔtl] *adj* śmiertelny; *s* śmiertelnik

**mor·tal·i·ty** [mɔ'tælətɪ] *s* śmiertelność

**mor·tar** ['mɔtə(r)] *s* moździerz; zaprawa murarska

**mort·gage** ['mɔgɪdʒ] *s* zastaw; hipoteka; *vt* zastawić; obciążyć hipotecznie

**mor·ti·fy** ['mɔtɪfaɪ] *vt* umartwiać, dręczyć, upokarzać; *vi* zamierać; ulegać gangrenie

**mor·tu·ar·y** ['mɔtʃuərɪ] *adj* pogrzebowy; *s* kostnica

**mo·sa·ic** [məu'zeɪɪk] *s* mozaika

**Mos·lem** ['mozləm] *adj* muzułmański; *s* muzułmanin

**mosque** [mosk] *s* meczet

**mos·qui·to** [mə'skitəu] *s* (*pl* ~**es**) moskit

**moss** [mos] *s* mech

**most** [məust] *adj* (*sup od* **much, many**) najwięcej, najbardziej; *adv* najbardziej, najwięcej; *s* największa ilość, przeważająca większość, maksimum; **at (the)** ~ najwyżej, w najlepszym razie; **to make the** ~ **of sth** wykorzystać coś maksymalnie; najkorzystniej przedstawić

**most·ly** ['məustlɪ] *adv* najczęściej, przeważnie

**mote** [məut] *s* pyłek

**mo·tel** [məu'tel] *s* motel

**moth** [moθ] *s* mól; ćma

**moth·er** ['mʌðə(r)] *s* matka; ~ **country** ojczyzna; ~ **of pearl** macica perłowa; ~ **tongue** mowa ojczysta

**moth·er·hood** ['mʌðəhud] *s* macierzyństwo

**mother-in-law** ['mʌðr in lɔ] *s* (*pl* **mothers-in-law** ['mʌðz ɪn lɔ]) teściowa, świekra

**moth·er·ly** ['mʌðəlɪ] *adj* macierzyński

**motif** [məu'tif] *s* motyw

**mo·tion** ['məuʃn] *s* ruch; chód ⟨bieg⟩ (silnika); skinienie; gest; wniosek; ~ **picture** film; **to carry a** ~ przeprowadzić ⟨przyjąć⟩ wniosek; **to put** ⟨**set**⟩ **in** ~ wprawić w ruch; *vt vi* dać znak (ręką), skinąć

**mo·ti·vate** ['məutɪveɪt] *vt* być bodźcem (**sb, sth** dla kogoś, czegoś); powodować; motywować

**mo·tive** ['məutɪv] *adj* napędowy; *s* motyw; bodziec

**mot·ley** ['motlɪ] *s* pstrokacizna; rozmaitości; strój błazeński; *adj* pstry; rozmaity

**mo·tor** ['məutə(r)] *s* motor; silnik; *adj* ruchowy, motoryczny; *vt vi* jechać ⟨wieźć⟩ samochodem ⟨motocyklem⟩

**mo·tor-bi·cy·cle** ['məutəbaɪsɪkl] *s* motocykl

**mo·tor-bike** ['məutəbaɪk] *s pot.* motocykl

**mo·tor-boat** ['məutəbəut] *s* łódź motorowa

**mo·tor-bus** ['məutəbʌs] *s* autobus

**mo·tor-car** ['muətəka(r)] *s* samochód

**mo·tor-coach** ['məutəkəutʃ] *s* autokar

**mo·tor-cycle** ['məutəsaɪkl] *s* motocykl

**mo·tor·ist** ['məutərɪst] *s* automobilista

**mo·tor·man** [ˋməutəmən] *s* (*pl* **motormen** [ˋməutəmən]) motorniczy

**mo·tor-scoot·er** [ˋməutə skutə(r)] *s* skuter

**mo·tor·way** [ˋməutəweɪ] *s* autostrada

**mot·tle** [ˋmotl] *vt* pstrzyć, cętkować, nakrapiać; *s* cętka, (barwna) plamka

**mot·to** [ˋmotəu] *s* (*pl* **~es**, **~s**) motto

**mould** 1. [məuld] *s* czarnoziem, ziemia ⟨gleba⟩ (luźna)

**mould** 2. [məuld] *s* pleśń; *vi* pleśnieć

**mould** 3. [məuld] *s* forma, odlew; typ ⟨pokrój⟩ (człowieka); *vt* odlewać; kształtować

**mould·er** [ˋməuldə(r)] *vi* butwieć, rozpadać się

**moult** [məult] *vi* linieć; *s* linienie

**mound** [maund] *s* nasyp, kopiec

**mount** 1. [maunt] *s* góra, szczyt (*zw.* przed nazwą)

**mount** 2. [maunt] *vt vi* wznosić (się), podnosić (się); wsiadać, sadzać (na konia, rower itp.); wspinać się, wchodzić do góry (**a ladder, the stairs etc.** po drabinie; schodach itd.); montować; ustawiać; oprawiać (np. klejnot); **to ~ guard** zaciągnąć wartę, stanąć na warcie; **~ed troops** oddziały konne

**moun·tain** [ˋmauntɪn] *s* góra

**moun·tain·eer** [ˊmauntɪˋnɪə(r)] *s* góral; alpinista

**moun·tain·eer·ing** [ˊmauntɪˋnɪərɪŋ] *s sport* alpinistyka, wspinaczka wysokogórska

**moun·tain·ous** [ˋmauntɪnəs] *adj* górzysty

**moun·te·bank** [ˋmauntɪbæŋk] *s* szarlatan

**mourn** [mɔn] *vt* opłakiwać; *vi* być w żałobie; płakać ⟨lamentować⟩ (**for** ⟨**over**⟩ **sb** nad kimś)

**mourn·ful** [ˋmɔnfl] *adj* żałobny

**mourn·ing** [ˋmɔnɪŋ] *s* żałoba; *przen.* smutek; **in deep ~** w głębokiej żałobie

**mouse** [maus] *s* (*pl* **mice** [maɪs]) mysz

**mouse-trap** [ˋmaus træp] *s* pułapka na myszy

**mous·tache** [məˋstaʃ] *s* wąsy

**mouth** [mauθ] *s* usta; pysk; ujście (rzeki), wylot

**mouth·ful** [ˋmauθful] *s* kęs, łyk

**mouth·piece** [ˋmauθpis] *s* ustnik (np. instrumentu); wyraziciel, rzecznik; muszla mikrofonu

**mov·a·ble** [ˋmuvəbl] *adj* ruchomy; *s pl* **~s** ruchomości

**move** [muv] *vt vi* ruszać ⟨poruszać⟩ (się), być w ruchu, posuwać (się); przeprowadzać (się); rozczulać, wzruszać; zachęcać, pobudzać; stawiać wniosek; **~ in** wnieść; wprowadzić (się); **~ out** wynieść; wyprowadzić (się); *s* posunięcie, ruch; przeprowadzka; **to be on the ~** być w ruchu ⟨w marszu⟩

**move·ment** [ˋmuvmənt] *s* ruch; chód, bieg; *muz.* część utworu, fraza

**mov·ies** [ˋmuvɪz] *s pl pot.* kino; **let's go to the ~** chodźmy do kina

***mow** [məu], **mowed** [məud], **mown** [məun] *vt* kosić

**mow·er** [ˋməuə(r)] *s* kosiarz; (*maszyna*) kosiarka

**mown** *zob.* **mow**

**much** [mʌtʃ] *adj i adv* dużo, wiele; bardzo, wielce; **~ the same** mniej więcej taki sam ⟨to samo⟩; **as ~** tyleż; **as ~ as** tyle samo, co; **so ~** tyle; **so ~ the better** ⟨**worse**⟩ tym lepiej ⟨gorzej⟩; **he is not ~ of a poet** on jest słabym poetą; **how ~?** ile?

**muck** [mʌk] *s* gnój, nawóz; błoto; *pot.* paskudztwo; szmira

**mud** [mʌd] *s* błoto, muł

**mud-bath** [ˋmʌdbaθ] *s* kąpiel borowinowa

**mud·dle** [ˋmʌdl] *vt* mącić, gmatwać, bałaganić; zamroczyć; *vi* **~ on** ⟨**along**⟩ radzić sobie jakoś; **~**

**through** wybrnąć z ciężkiej sytuacji; *s* powikłanie; bałagan, nieład; trudne położenie
**mud·dy** [ˈmʌdɪ] *adj* błotnisty; mętny, brudny
**mud·guard** [ˈmʌdgad] *s* błotnik
**muff 1.** [mʌf] *s* zarękawek, mufka
**muff 1.** [mʌf] *vt* fuszerować; *s* fuszerka; fuszer; mazgaj
**muf·fin** [ˈmʌfɪn] *s* bułeczka (*zw.* na gorąco z masłem)
**muf·fle** [ˈmʌfl] *vt* owijać, otulać; tłumić
**muf·fler** [ˈmʌflə(r)] *s* szalik; tłumik; *sport* rękawica bokserska
**mug** [mʌg] *s* kubek, kufel; *pot.* gęba
**mu·lat·to** [mjuˈlætəu] *s* (*pl* ~es, ~s) Mulat
**mul·ber·ry** [ˈmʌlbrɪ] *s* morwa (owoc i drzewo)
**mule** [mjul] *s zool.* muł
**mul·ti** [ˈmʌltɪ] *praef* wielo-
**mul·ti·form** [ˈmʌltɪfɔm] *adj* wielokształtny
**mul·ti·lat·er·al** [ˈmʌltɪˈlætrl] *adj* wielostronny
**mul·ti·ple** [ˈmʌltɪpl] *adj* wieloraki; wielokrotny; złożony; *s mat.* wielokrotna; **least common ~** najmniejsza wspólna wielokrotna
**mul·ti·plex** [ˈmʌltɪpleks] = **multiple** *adj*
**mul·ti·pli·ca·tion** [ˈmʌltɪplɪˈkeɪʃn] *s* mnożenie (się); *mat.* **~ table** tabliczka mnożenia
**mul·ti·pli·er** [ˈmʌltɪplaɪə(r)] *s mat.* mnożnik; *fiz.* powielacz
**mul·ti·ply** [ˈmʌltɪplaɪ] *vt vi* mnożyć (się); rozmnażać się; **~ 4 by 6** pomnóż **4** przez **6**
**mul·ti·tude** [ˈmʌltɪtjud] *s* mnóstwo; tłum
**mum 1.** [mʌm] *adj* niemy, cichy; **to keep ~** milczeć; *int* sza!
**mum 2.** [mʌm] *vi* grać w pantomimie
**mum 3.** [mʌm] *s pot.* mamusia
**mum·ble** [ˈmʌmbl] *vt vi* mruczeć, mamrotać, bełkotać
**mum·my 1.** [ˈmʌmɪ] *s* mamusia
**mum·my 2.** [ˈmʌmɪ] *s* mumia
**mumps** [mʌmps] *s med.* świnka
**munch** [mʌntʃ] *vt vi* głośno żuć, chrupać
**mun·dane** [ˈmʌndeɪn] *adj* ziemski; światowy
**mu·nic·i·pal** [mjuˈnɪsɪpl] *adj* komunalny, miejski
**mu·nic·i·pal·i·ty** [mjuˈnɪsɪˈpælətɪ] *s* gmina samorządowa, zarząd miejski
**mu·nif·i·cence** [mjuˈnɪfɪsns] *s* hojność, szczodrość
**mu·ni·tion** [mjuˈnɪʃn] *s* (*zw. pl* ~s) sprzęt wojenny, amunicja
**mu·ral** [ˈmjuərl] *adj* ścienny; *s* malowidło ścienne
**mur·der** [ˈmɜdə(r)] *s* morderstwo; *vt* mordować
**mur·der·er** [ˈmɜdərə(r)] *s* morderca
**murk·y** [ˈmɜkɪ] *adj* mroczny
**mur·mur** [ˈmɜmə(r)] *vt vi* szeptać, mruczeć; szemrać; szumieć; *s* szept, szmer; szum; pomruk, mruczenie
**mus·cle** [ˈmʌsl] *s* mięsień
**mus·cu·lar** [ˈmʌskjulə(r)] *adj* muskularny; mięśniowy
**muse 1.** [mjuz] *vi* rozmyślać ⟨dumać⟩ (**on** ⟨**about, upon**⟩ **sth** o czymś)
**muse 2.** [mjuz] *s* muza
**mu·se·um** [mjuˈzɪəm] *s* muzeum
**mush** [mʌʃ] *s* kleik, papka
**mush·room** [ˈmʌʃrum] *s* grzyb; **of ~ growth** rosnący jak grzyby po deszczu
**mu·sic** [ˈmjuzɪk] *s* muzyka; *zbior.* nuty
**mu·si·cal** [ˈmjuzɪkl] *adj* muzyczny; muzykalny; dźwięczny; *s* komedia muzyczna
**mu·sic-hall** [ˈmjuzɪk hɔl] *s* teatr rewiowy ⟨rozmaitości⟩
**mu·si·cian** [mjuˈzɪʃn] *s* muzyk
**musk** [mʌsk] *s* piżmo
**mus·lin** [ˈmʌzlɪn] *s* muślin
**must 1.** [mʌst, məst] *v aux* nie-

*odm.* muszę, musisz itd.; I ~ muszę; I ~ not nie wolno mi, nie mogę
**must** 2. [mʌst] *s* pleśń
**must** 3. [mʌst] *s* moszcz
**mus·tard** [`mʌstəd] *s* musztarda
**mus·ter** [`mʌstə(r)] *vt vi* gromadzić (się); zbierać (się); *wojsk.* robić przegląd; *s wojsk.* przegląd; apel; zgromadzenie
**mus·ty** [`mʌstɪ] *adj* zapleśniały, stęchły
**mu·ta·ble** [`mjutəbl] *adj* zmienny
**mute** [mjut] *adj* niemy; *s* niemowa; *teatr* statysta
**mu·ti·late** [`mjutɪleɪt] *vt* kaleczyć; okroić, zniekształcić (tekst itp.)
**mu·ti·neer** [mjutɪ`nɪə(r)] *s* buntownik
**mu·ti·ny** [`mjutɪnɪ] *s* bunt
**mut·ter** [`mʌtə(r)] *vt vi* mruczeć, mamrotać; szemrać (at ⟨against⟩ sb, sth na kogoś, coś)
**mut·ton** [`mʌtn] *s* baranina
**mu·tu·al** [`mjutʃuəl] *adj* wzajemny
**muz·zle** [`mʌzl] *s* pysk; kaganiec; wylot lufy; *vt* nałożyć kaganiec
**my** [maɪ] *pron* mój, moja, moje, moi
**my·ope** [`maɪəup] *s* krótkowidz
**my·o·pi·a** [maɪ`əupɪə] *s* krótkowzroczność
**myr·i·ad** [`mɪrɪəd] *s* miriada
**myr·tle** [`mɜtl] *s bot.* mirt
**my·self** [maɪ`self] *pron* sam, ja sam; się; siebie, sobą, sobie; **by ~** ja sam, sam jeden
**mys·te·ri·ous** [mɪ`stɪərɪəs] *adj* tajemniczy
**mys·ter·y** [`mɪstṛɪ] *s* tajemnica
**mys·tic** [`mɪstɪc] *adj* mistyczny; *s* mistyk
**mys·ti·fy** [`mɪstɪfaɪ] *vt* mistyfikować
**myth** [mɪθ] *s* mit
**myth·o·log·i·cal** [ˌmɪθə`lodʒɪkl] *adj* mitologiczny
**my·thol·o·gy** [mɪ`θolədʒɪ] *s* mitologia

# n

**nag** [næg] *vt* dokuczać (komuś), dręczyć; *vi* gderać (at **sb** na kogoś)
**nai·ad** [`naɪæd] *s* rusałka, najada
**nail** [neɪl] *s* paznokieć; pazur; gwóźdź; *vt* przybić gwoździem podbić gwoździami, przygwoździć; *przen.* przykuć (np. uwagę); *pot.* przydybać; **~ down** przybić gwoździem; *przen.* trzymać (kogoś) za słowo
**na·ïve** [naɪ`iv] *adj* naiwny
**na·ked** [`neɪkɪd] *adj* nagi, goły
**name** [neɪm] *s* imię, nazwisko, nazwa; **family ~** nazwisko; **first ⟨Christian⟩ ~** imię; **full ~** imię i nazwisko; **by ~** na imię, po nazwisku; **to call sb ~s** obrzucać kogoś wyzwiskami; *vt* dawać imię, nazywać; wyznaczać, wymieniać
**name-day** [`neɪmdeɪ] *s* imieniny
**name·less** [`neɪmləs] *adj* bezimienny; nieznany; niewysłowiony; *uj.* niesłychany
**name·ly** [`neɪmlɪ] *adv* mianowicie
**name·sake** [`neɪmseɪk] *s* imiennik
**nap** [næp] *s* drzemka; **to take a ~** zdrzemnąć się; *vi* drzemać
**na·palm** [`neɪpam] *s* napalm
**nape** [neɪp] *s* kark

**nap·kin** [`næpkɪn] *s* serwetka; pieluszka

**nar·cot·ic** [nɑ`kotɪk] *adj* narkotyczny; *s* narkotyk

**nar·co·tize** [`nɑkətaɪz] *vt* narkotyzować

**nar·rate** [nə`reɪt] *vt* opowiadać

**nar·ra·tion** [nə`reɪʃn] *s* opowiadanie

**nar·ra·tive** [`nærətɪv] *adj* narracyjny; *s* opowiadanie, opowieść

**nar·row** [`nærəʊ] *adj* wąski, ciasny, ścisły; **to have a ~ escape** ledwo umknąć; *vt vi* zwężać (się); ściągać ⟨kurczyć⟩ (się)

**nar·row-gauge** [`nærəʊgeɪdʒ] *adj attr* wąskotorowy

**nar·row-mind·ed** [ˈnærəʊ `maɪndɪd] *adj* (umysłowo) ograniczony

**na·sal** [`neɪzl] *adj* nosowy; *s gram.* głoska nosowa

**nas·ty** [`nɑstɪ] *adj* wstrętny, przykry; groźny; złośliwy; plugawy; *pot.* świński

**na·tal** [`neɪtl] *adj* rodzinny; (*o dniu, miejscu*) urodzenia

**na·ta·tion** [neɪ`teɪʃn] *s* pływanie

**na·tion** [`neɪʃn] *s* naród; państwo

**na·tion·al** [`næʃnl] *adj* narodowy; państwowy; **~ service** obowiązkowa służba wojskowa; *s* poddany, obywatel państwa

**na·tion·al·ism** [`næʃnḷɪzm] *s* nacjonalizm

**na·tion·al·i·ty** [ˈnæʃn`ælətɪ] *s* narodowość; państwowość; przynależność państwowa, obywatelstwo

**na·tion·al·i·za·tion** [ˈnæʃnḷaɪ`zeɪʃn] *s* upaństwowienie, nacjonalizacja; naturalizacja

**na·tion·al·ize** [`næʃnḷaɪz] *vt* unarodowić; nacjonalizować, upaństwowić; naturalizować

**na·tive** [`neɪtɪv] *adj* rodzimy, rodzinny, ojczysty; wrodzony; krajowy, tubylczy; **~ land** ojczyzna; *s* tubylec, autochton; **a ~ of Warsaw** rodowity warszawianin

**na·tiv·i·ty** [nə`tɪvətɪ] *s* narodzenie (zw. Chrystusa)

**nat·ty** [`nætɪ] *adj* schludny, czysty

**nat·u·ral** [`nætʃərl] *adj* naturalny; dziki, pierwotny; przyrodniczy; przyrodzony, wrodzony; (*o dziecku*) nieślubny; **~ history** przyroda; *s muz.* nuta naturalna; *muz.* kasownik; idiota

**nat·u·ral·ism** [`nætʃrḷɪzm] *s* naturalizm

**nat·u·ral·ize** [`nætʃrḷaɪz] *vt vi* naturalizować (się)

**na·ture** [`neɪtʃə(r)] *s* natura, przyroda; istota; charakter; rodzaj; **by ~** z natury

**naught** [nɔt] *s i pron* nic; zero

**naugh·ty** [`nɔtɪ] *adj* (*o dziecku*) niegrzeczny; nieprzyzwoity

**nau·sea** [`nɔsɪə] *s* nudności, mdłości; obrzydzenie

**nau·se·ate** [`nɔsɪeɪt] *vt* przyprawiać o mdłości, budzić wstręt; czuć wstręt (**sth** do czegoś); *vi* dostawać mdłości

**nau·seous** [`nɔsɪəs] *adj* przyprawiający o mdłości, obrzydliwy

**nau·ti·cal** [`nɔtɪkl] *adj* morski

**na·val** [`neɪvl] *adj* morski; dotyczący marynarki wojennej; okrętowy

**nave** 1. [neɪv] *s* nawa

**nave** 2. [neɪv] *s* piasta (u koła)

**na·vel** [`neɪvl] *s anat.* pępek

**nav·i·ga·ble** [`nævɪgəbl] *adj* spławny, nadający się do żeglugi

**nav·i·gate** [`nævɪgeɪt] *vt vi* żeglować, kierować statkiem ⟨samolotem⟩; pilotować

**nav·i·ga·tion** [ˈnævɪ`geɪʃn] *s* żegluga, nawigacja

**nav·vy** [`nævɪ] *s* robotnik drogowy, wyrobnik

**na·vy** [`neɪvɪ] *s* marynarka wojenna; **~ cut** tytoń fajkowy (drobno krajany)

**navy-blue** [ˈneɪvɪ`blu] *adj* granatowy; *s* kolor granatowy

**nay** [neɪ] *adv †* nie; nawet, co więcej; **to say ~** zaprzeczyć; *s* sprzeciw (w głosowaniu)

**near** [nɪə(r)] *adj* bliski, blisko spokrewniony; trafny; dokładny; **to have a ~ escape** ledwo uciec, uniknąć o włos; *adv i praep* blisko, niedaleko, obok; **~ by** tuż obok; **~ upon** blisko; tuż przed ⟨po⟩ czymś; prawie; **to come ~** zbliżyć się; *vt* zbliżać się (**sth** do czegoś)

**near·by** [ˈnɪəbaɪ] *adj* bliski, sąsiedni

**near·ly** [ˈnɪəlɪ] *adv* blisko; prawie (że)

**neat** [nit] czysty, schludny; gustowny; grzeczny; miły; staranny, porządny

**neb·u·lous** [ˈnebjuləs] *adj* mglisty, zamglony

**nec·es·sar·y** [ˈnesəsrɪ] *adj* konieczny, niezbędny; **if ~** w razie potrzeby; *s* rzecz konieczna; *pl* **necessaries of life** artykuły pierwszej potrzeby

**ne·ces·si·tate** [nɪˈsesɪteɪt] *vt* czynić koniecznym ⟨niezbędnym⟩; wymagać

**ne·ces·si·ty** [nɪˈsesətɪ] *s* konieczność, potrzeba; bieda; **of ~** z konieczności; **to be under the ~ of doing sth** być zmuszonym coś zrobić

**neck** [nek] *s* szyja, kark; szyjka (np. flaszki); przesmyk; cieśnina; *vt vi am. pot.* obejmować (się) za szyję; pieścić się

**neck·lace** [ˈnekləs] *s* naszyjnik

**neck·tie** [ˈnektaɪ] *s* krawat

**ne·crol·o·gy** [nɪˈkrolədʒɪ] *s* nekrolog; lista zgonów

**need** [nid] *s* potrzeba; ubóstwo, bieda; **to have ⟨stand in, be in⟩ ~ of** potrzebować czegoś; *vt* potrzebować, wymagać (czegoś); *vi* być w potrzebie; **I ~ not** nie muszę

**need·ful** [ˈnidfl] *adj* potrzebny, konieczny

**nee·dle** [ˈnidl] *s* igła; iglica

**need·less** [ˈnidləs] *adj* niepotrzebny, zbędny

**nee·dle·work** [ˈnidlwɜk] *s* robótka (szycie, haftowanie)

**need·n't** [nidnt] = **need not**

**need·y** [ˈnidɪ] *adj* będący w potrzebie

**ne'er** [neə(r)] *poet.* = **never**

**ne·ga·tion** [nɪˈgeɪʃn] *s* przeczenie, negacja

**neg·a·tive** [ˈnegətɪv] *adj* przeczący, negatywny; *mat.* ujemny; *s* zaprzeczenie; odmowa; *gram.* forma przecząca; *mat.* wartość ujemna; *fot.* negatyw; **in the ~** negatywnie, przecząco

**neg·lect** [nɪˈglekt] *vt* zaniedbywać, lekceważyć; nie zrobić (**sth** czegoś); *s* zaniedbanie, lekceważenie, pominięcie

**neg·li·gence** [ˈneglɪdʒəns] *s* niedbalstwo, zaniedbanie

**neg·li·gent** [ˈneglɪdʒənt] *adj* niedbały, lekceważący; zaniedbany

**neg·li·gi·ble** [ˈneglɪdʒəbl] *adj* niegodny uwagi, mało znaczący

**ne·go·ti·a·ble** [nɪˈgəuʃəbl] *adj handl.* sprzedażny, możliwy do spieniężenia; dający się opanować ⟨pokonać⟩

**ne·go·ti·ate** [nɪˈgəuʃɪeɪt] *vt vi* załatwiać ⟨omawiać⟩ (sprawy polityczne, handlowe); prowadzić rokowania ⟨pertraktować⟩ (**sth** w sprawie czegoś); *handl.* puszczać w obieg (np. weksel); realizować, spieniężać; przezwyciężać, pokonywać

**ne·go·ti·a·tion** [nɪˈgəuʃɪeɪʃn] *s* rokowania ⟨pertraktacje⟩ (polityczne, handlowe); *handl.* spieniężenie, realizowanie; pokonanie (trudności)

**Ne·gress** [ˈnigrəs] *s* Murzynka

**Ne·gro** [ˈnigrəu] *s* (*pl* **~es**) Murzyn

**neigh** [neɪ] *vi* rżeć

**neigh·bour** [ˈneɪbə(r)] *s* sąsiad; *vt vi* sąsiadować

**neigh·bour·hood** [ˈneɪbəhud] *s* sąsiedztwo; okolica

**nei·ther** [ˈnaɪðə(r), *am.* ˈniðə(r)] *pron* ani jeden, ani drugi, żaden z dwóch; *adv* ani; **~ ... nor**

ani ..., ani; **he could ~ eat nor drink** nie mógł jeść, ani pić; *conj* też nie; **he doesn't like it, ~ do I** on tego nie lubi, i ja też nie
**ne·on** [ˋnion] *s fiz.* neon (gaz); **~ sign** neon (reklama); **~ lamp** lampa neonowa
**neph·ew** [ˋnevju] *s* siostrzeniec; bratanek
**nerve** [nɜv] *s* nerw; *przen.* siła, energia; opanowanie; tupet; **to get on sb's ~s** działać komuś na nerwy; *vt* wzmocnić, dodać otuchy; *vr* **~ oneself** zebrać siły (**for sth** do czegoś), wziąć się w garść
**nerv·ous** [ˋnɜvəs] *adj* nerwowy; niespokojny
**nest** [nest] *s* gniazdo; *vi* wić gniazdo; gnieździć się
**nes·tle** [ˋnesl] *vt* przycisnąć, przytulić; *vi* gnieździć się; tulić się, wygodnie się usadowić
**net 1.** [net] *adj* (*o zysku itp.*) czysty; netto; *vt* zarobić na czysto
**net 2.** [net] *s dosł. i przen.* sieć, siatka; *sport* net; *vt* łowić siecią (np. ryby)
**net·tle** [ˋnetl] *s* pokrzywa; *vt* parzyć pokrzywą; *przen.* drażnić, irytować, docinać
**net·work** [ˋnetwɜk] *s* sieć (kolejowa, radiowa itp.)
**neu·ras·the·ni·a** [ˌnjuərəsˋθinɪə] *s* neurastenia
**neu·rol·o·gy** [njuəˋrolədʒɪ] *s* neurologia
**neu·ro·sis** [njuəˋrəusɪs] *s* (*pl* **neuroses** [njuəˋrousiz]) *med.* nerwica
**neu·ter** [ˋnjutə(r)] *adj gram.* nijaki (rodzaj); nieprzechodni (czasownik); neutralny; **to stand ~** zachowywać neutralność
**neu·tral** [ˋnjutrl] *adj* neutralny; nieokreślony
**neu·tral·i·ty** [njuˋtræləti] *s* neutralność
**neu·tral·ize** [ˋnjutrlaɪz] *vt* neutralizować
**neu·tron** [ˋnjutron] *s fiz.* neutron
**nev·er** [ˋnevə(r)] *adv* nigdy; bynajmniej
**nev·er·more** [ˌnevəˋmɔ(r)] *adv* już nigdy, nigdy więcej
**nev·er·the·less** [ˌnevəðəˋles] *adv* mimo wszystko ⟨tego, to⟩; (tym) niemniej
**new** [nju] *adj* nowy; świeży
**new·com·er** [ˋnjukʌmə(r)] *s* przybysz
**news** [njuz] *s* nowość; nowina; wiadomość; kronika, aktualności
**news-a·gent** [ˋnjuzeɪdʒənt] *s* właściciel kiosku z czasopismami
**news·boy** [ˋnjuzbɔɪ] *s* gazeciarz
**news·cast** [ˋnjuskɑst] *s* dziennik radiowy
**news·pa·per** [ˋnjuspeɪpə(r)] *s* gazeta
**news·reel** [ˋnjuzril] *s* kronika filmowa
**news·ven·dor** [ˋnjuzvendə(r)] *s* sprzedawca gazet
**news·y** [ˋnjuzɪ] *adj pot.* pełen najświeższych wiadomości, plotkarski
**next** [nekst] *adj* najbliższy; następny; **~ of kin** najbliższy krewny; **~ to nothing** prawie nic; *adv* następnie, z kolei, zaraz potem; *praep* tuż obok ⟨przy⟩; po (kimś, czymś)
**nib** [nɪb] *s* kolec; koniuszek, ostrze, szpic; stalówka
**nib·ble** [ˋnɪbl] *vt vi* gryźć, obgryzać, nadgryzać (**sth** ⟨**at sth**⟩ coś)
**nice** [naɪs] *adj* ładny; miły, przyjemny; wrażliwy; delikatny, subtelny; wybredny; skrupulatny
**nice-look·ing** [ˋnaɪslukɪŋ] *adj* przystojny; ładny
**ni·ce·ty** [ˋnaɪsətɪ] *s* delikatność, subtelność; precyzja, dokładność; **to a ~** możliwie najdokładniej; starannie, *przen.* na ostatni guzik; *pl* **niceties** drobiazgi, subtelności

**niche** [nɪtʃ] *s* nisza
**nick** [nɪk] *s* nacięcie, wcięcie; odpowiednia chwila; **in the ~ of time** w samą porę; **in the ~ of doing sth** w momencie robienia czegoś; *vt* nacinać, karbować; trafić, zgadnąć; **to ~ a train** zdążyć w ostatniej chwili na pociąg; **to ~ the time** zdążyć ⟨przyjść⟩ w samą porę
**nick·el** [ˋnɪkl] *s* nikiel; *am. pot.* pięciocentówka
**nick·name** [ˋnɪkneɪm] *s* przezwisko; przydomek; *vt* przezywać
**niece** [nis] *s* siostrzenica; bratanica
**nig·gard** [ˋnɪgəd] *s* skąpiec, sknera; *adj* skąpy
**nig·ger** [ˋnɪgə(r)] *s pog.* Murzyn
**nigh** [naɪ] *adj i adv poet.* = **near**
**night** [naɪt] *s* noc; wieczór; **by ⟨at⟩ ~** nocą, w nocy; **at ~** wieczorem; **last ~** ubiegłej nocy; wczoraj wieczorem; **the ~ before last** przedostatniej nocy; przedwczoraj wieczorem; **first ~** *teatr* premiera
**night·fall** [ˋnaɪtfɔl] *s* zmierzch
**night·in·gale** [ˋnaɪtɪŋgeɪl] *s* słowik
**night·ly** [ˋnaɪtlɪ] *adj* nocny, conocny; wieczorny; powtarzający się co wieczór; *adv* co noc; co wieczór
**night·mare** [ˋnaɪtmeə(r)] *s* koszmar (nocny)
**night-time** [ˋnaɪttaɪm] *s* noc, pora nocna
**ni·hil·ism** [ˋnaɪhɪlɪzm] *s* nihilizm
**nil** [nɪl] *s* nic; *sport* zero
**nim·ble** [ˋnɪmbl] *adj* zwinny, zgrabny; rączy; (*o umyśle*) bystry
**nine** [naɪn] *num* dziewięć; *s* dziewiątka
**nine·pins** [ˋnaɪnpɪnz] *s pl* kręgle
**nine·teen** [ˊnaɪnˋtin] *num* dziewiętnaście; *s* dziewiętnastka
**nine·teenth** [ˊnaɪnˋtinθ] *adj* dziewiętnasty
**nine·ti·eth** [ˋnaɪntɪəθ] *adj* dziewięćdziesiąty
**nine·ty** [ˋnaɪntɪ] *num* dziewięćdziesiąt; *s* dziewięćdziesiątka
**ninth** [naɪnθ] *adj* dziewiąty
**nip** [nɪp] *vt* szczypnąć; ścisnąć; ucinać; zwarzyć ⟨zmrozić⟩ (roślinę); **~ sth in the bud** zdusić coś w zarodku
**nip·ple** [ˋnɪpl] *s* sutka; smoczek
**ni·tric** [ˋnaɪtrɪk] *adj* azotowy
**ni·tro·gen** [ˋnaɪtrədʒən] *s* azot
**no** [nəʊ] *adj* nie; żaden; **~ doubt** niewątpliwie; **~ entrance** wstęp wzbroniony; **~ end** bez końca; **to ~ end** bez celu; **~ smoking** nie wolno palić; *adv* nie; *s* przecząca odpowiedź; odmowa
**no·bil·i·ty** [nəʊˋbɪlətɪ] *s* szlachectwo; szlachetność; szlachta, arystokracja
**no·ble** [ˋnəʊbl] *adj* szlachetny; szlachecki; *s* = **nobleman**
**no·ble·man** [ˋnəʊblmən] *s* szlachcic (wysokiego rodu), arystokrata
**no·bod·y** [ˋnəʊbədɪ] *pron* nikt; *s* nic nie znaczący człowiek, zero
**noc·tur·nal** [nokˋtɜnl] *adj* nocny
**nod** [nod] *vt* skinąć (**to sb** na kogoś); ukłonić się, kiwnąć głową; drzemać; *vt* kiwnąć ⟨skinąć⟩ (**one's head** głową); *s* skinienie, ukłon, kiwnięcie głową; drzemka
**noise** [nɔɪz] *s* hałas; odgłos; szum
**noi·some** [ˋnɔɪsəm] *adj* szkodliwy, niezdrowy; wstrętny
**nois·y** [ˋnɔɪzɪ] *adj* hałaśliwy
**no·mad** [ˋnəʊmæd] *s* koczownik; *adj* koczowniczy
**no·mad·ic** [nəʊˋmædɪk] *adj* koczowniczy
**nom·i·nal** [ˋnomɪnl] *adj* nominalny; imienny
**nom·i·nate** [ˋnomɪneɪt] *vt* mianować; wyznaczyć; wysunąć jako kandydata
**nom·i·na·tion** [ˊnomɪˋneɪʃn] *s* nominacja; wyznaczenie; wysunięcie kandydatury
**nom·i·na·tive** [ˋnomnətɪv] *s gram.* mianownik
**non-** [non] *praef* nie-; bez-
**non·age** [ˋnəʊnɪdʒ] *s* niepełnoletność

**non-ag·gres·sion** ['nonə`greʃn] *s* nieagresja; ~ **pact** pakt o nieagresji
**non·cha·lant** [`nonʃələnt] *adj* nonszalancki
**non-com·ba·tant** ['non`kombətənt] *adj* nie walczący; *s* żołnierz nieliniowy (np. sanitariusz)
**non-com·mis·sioned** ['non kə`mıʃnd] *adj* nie mający stopnia oficerskiego; ~ **officer** podoficer
**non·con·form·ist** ['non kən`fɔmıst] *s* *hist.* dysydent
**non-co·op·er·a·tion** ['nonkəu'opə`reıʃn] *s* brak współdziałania, bierny opór
**non·de·script** [`nondıskrıpt] *adj* nie dający się opisać ⟨określić⟩; dziwaczny; *s* osoba ⟨rzecz⟩ nieokreślonego wyglądu; człowiek bez określonego zajęcia; dziwak
**none** [nʌn] *pron* nikt, żaden, nic; ~ **of this** ⟨**that**⟩ nic z tego; ~ **of that!** dość tego!; *adv* wcale ⟨bynajmniej⟩ nie; **I feel** ~ **the better** wcale nie czuję się lepiej; ~ **the less** tym niemniej
**non·en·ti·ty** [non`entətı] *s* nicość; fikcja; człowiek bez znaczenia, zero
**none·such** = **nonsuch**
**non-i·ron** ['non`aıən] *adj* nie wymagający prasowania
**non-par·ty** ['non`patı] *adj attr* bezpartyjny
**non·plus** [non`plʌs] *s* zakłopotanie; impas; *vt* zakłopotać; zapędzić w kozi róg
**non-res·i·dent** ['non`rezıdənt] *adj* (uczeń, lekarz itp.) dojeżdżający, zamiejscowy
**non·sense** [`nonsns] *s* niedorzeczność, nonsens
**non-smok·er** ['non`sməukə(r)] *s* niepalący; wagon ⟨przedział⟩ dla niepalących
**non-stop** ['non`stop] *adj attr* bezpośredni, bez postoju, bez lądowania; nieprzerwany
**non·such** [`nʌnsʌtʃ] *s* unikat; osoba ⟨rzecz⟩ niezrównana
**noo·dle** 1. [`nudl] *s* makaron
**noo·dle** 2. [`nudl] *s* głuptas
**nook** [nuk] *s* kąt, zakątek
**noon** [nun] *s* południe (pora dnia)
**noon·day** [`nundeı] *s* = **noon;** *adj attr* południowy
**noon·tide** [`nuntaıd] = **noonday**
**noose** [nus] *s* lasso, pętla; *przen.* sidła; *vt* złapać w pętlę ⟨w sidła⟩; wiązać na pętlę; *przen.* usidlić
**nor** [nɔ(r)] *adv* ani; także ⟨też⟩ nie; **he doesn't know her,** ~ **do I** on jej nie zna, ani ja ⟨i ja też nie⟩
**norm** [nɔm] *s* norma
**nor·mal** [`nɔml] *adj* normalny
**north** [nɔθ] *s* *geogr.* północ; *adj* północny; *adv* na północ, w kierunku północnym; na północy
**north·er·ly** [`nɔðəlı] *adj* północny
**north·ern** [`nɔðən] *adj* północny
**north·ward** [`nɔθwəd] *adj* (*o kierunku*) północny; *adv* (*także* ~**s**) ku północy, na północ
**north·west·er** ['nɔθ`westə(r)] *s* wiatr północno-zachodni
**Nor·we·gian** [nɔ`widʒən] *adj* norweski; *s* Norweg; język norweski
**nose** [nəuz] *s* nos; *vt vi* czuć zapach (**sth** czegoś), wąchać (**at sth** coś); węszyć (**sth** ⟨**after sth**⟩ za czymś); ~ **down** *lotn.* pikować; ~ **out** wywęszyć
**nose-dive** [`nəuzdaıv] *vi* (*o samolocie*) pikować; spadać prosto w dół; *s* *lotn.* pikowanie; nurkowanie
**nose·gay** [`nəuzgeı] *s* bukiet
**nos·tril** [`nostrıl] *s* nozdrze
**not** [not] *adv* nie; ~ **at all** ⟨**a bit**⟩ ani trochę, wcale nie; ~ **a word** ani słowa
**no·ta·bil·i·ty** ['nəutə`bılətı] *s* (*o człowieku*) znakomitość; znaczenie, sława
**no·ta·ble** [`nəutəbl] *adj* godny uwagi; wybitny, sławny
**no·ta·ry** [`nəutərı] *s* notariusz
**no·ta·tion** [nəu`teıʃn] *s* oznaczanie

symbolami ⟨znakami⟩; system znaków

**notch** [notʃ] *s* wcięcie, nacięcie; znak; *vt* nacinać, robić znaki ⟨nacięcia, karby⟩

**note** [nəut] *s* notatka, uwaga; bilecik, list; nota (dyplomatyczna); uwaga; znaczenie, sława; banknot; rachunek; znak, piętno; nuta; **to make a ~** zanotować (**of sth** coś); **to take a ~** zanotować sobie (**of sth** coś); zwrócić uwagę (**of sth** na coś); przyjąć do wiadomości (**of sth** coś); *vt* (*także* **~ down**) notować, zapisywać; robić adnotacje; zwracać uwagę (na coś)

**note·book** [ˋnəutbuk] *s* notatnik, notes

**not·ed** [ˋnəutɪd] *pp i adj* znany, wybitny

**note·pa·per** [ˋnəut peɪpə(r)] *s* papier listowy

**note·wor·thy** [ˋnəutwɜðɪ] *adj* godny uwagi, wybitny

**noth·ing** [ˋnʌθɪŋ] *s* nic; **all to ~** wszystko na nic; **for ~** bezpłatnie; bez powodu; na próżno; **~ at all** w ogóle nic; (*grzecznościowo*) proszę, nie ma za co; **~ but ...** nic (jak) tylko ...; nic oprócz ...; **~ much** nic ważnego; **~ to speak of** nie ma o czym mówić; nie warto wspominać; **to say ~ of** nie mówiąc o; pomijając; a co dopiero; **there's ~ for it but...** nie ma innej rady ⟨nic mi nie pozostaje⟩ jak tylko ...; *adv* wcale ⟨bynajmniej⟩ nie; **this will help you ~** to ci wcale nie pomoże; **I'm ~ the better for it** wcale mi nie lepiej z tego powodu, nic na tym nie zyskuję

**no·tice** [ˋnəutɪs] *s* notatka, wiadomość, ogłoszenie; uwaga; spostrzeżenie; ostrzeżenie; wypowiedzenie; termin; **at one month's ~** w terminie jednomiesięcznym; z jednomiesięcznym wypowiedzeniem; **to bring sth to sb's ~** zwrócić komuś na coś uwagę, powiadomić kogoś o czymś; **to come to sb's ~** dojść do czyjejś wiadomości; **to come into ~** zwrócić na siebie uwagę, stać się znanym; **to take ~** zwrócić uwagę, zauważyć (**of sth** coś); *vt* zauważyć, spostrzec; robić uwagi, komentować; wypowiedzieć (posadę itd.)

**no·tice·a·ble** [ˋnəutɪsəbl] *adj* widoczny, dostrzegalny; godny uwagi

**no·tice-board** [ˋnəutɪsbɔd] *s* tablica ogłoszeń

**no·ti·fi·ca·tion** [ˏnəutɪfɪˋkeɪʃn] *s* zawiadomienie ⟨ogłoszenie⟩ (**of sth** o czymś)

**no·ti·fy** [ˋnəutɪfaɪ] *vt* obwieścić (**sth to sb** coś komuś), zawiadomić (**sb of sth** kogoś o czymś)

**no·tion** [ˋnəuʃn] *s* pojęcie, wyobrażenie; myśl, pogląd; zamiar; kaprys

**no·to·ri·e·ty** [ˏnəutəˋraɪətɪ] *s* (*zw. uj.*) sława, rozgłos

**no·tor·i·ous** [nəuˋtɔrɪəs] *adj* notoryczny; osławiony

**not·with·stand·ing** [ˏnotwɪðˋstændɪŋ] *praep* mimo, nie bacząc na; *adv* mimo to, niemniej jednak, jednakże

**nought** [nɔt] = **naught**

**noun** [naun] *s gram.* rzeczownik

**nour·ish** [ˋnʌrɪʃ] *vt* karmić, żywić (*także* uczucie); podtrzymywać

**nour·ish·ment** [ˋnʌrɪʃmənt] *s* pokarm; żywienie

**nov·el** [ˋnovl] *s* powieść; *adv* nowy, nieznany; oryginalny

**nov·el·ist** [ˋnovlɪst] *s* powieściopisarz

**nov·el·ty** [ˋnovltɪ] *s* nowość; oryginalność

**No·vem·ber** [nəuˋvembə(r)] *s* listopad

**nov·ice** [ˋnovɪs] *s* nowicjusz

**now** [nau] *adv* obecnie, teraz; **~ and again** od czasu do czasu; **every ~ and again** co chwilę; **just ~** dopiero co, przed chwilą; otóż, przecież, no; *s* chwila obecna; **before ~** już; przedtem; **by ~** już; do tego czasu; **from ~ on** odtąd; w przyszłości; **till ⟨until, up to⟩ ~** dotąd, dotychczas; *conj* **~ (that)** teraz gdy; skoro (już)

**now·a·days** [ˈnauədeɪz] *adv* obecnie, w dzisiejszych czasach

**no·where** [ˈnəuweə(r)] *adv* nigdzie

**nox·ious** [ˈnokʃəs] *adj* szkodliwy, niezdrowy

**noz·zle** [ˈnozl] *s* dziobek (np. imbryka); wylot (np. rury)

**nu·cle·ar** [ˈnjuklɪə(r)] *adj biol. fiz.* jądrowy, nuklearny

**nu·cle·us** [ˈnjuklɪəs] *s biol. fiz.* jądro; zawiązek

**nude** [njud] *adj* nagi; *s* akt (w malarstwie, rzeźbie)

**nudge** [nʌdʒ] *vt* trącić łokciem (dla zwrócenia czyjejś uwagi); *s* trącenie łokciem

**nug·get** [ˈnʌgɪt] *s* bryłka (np. złota)

**nui·sance** [ˈnjusns] *s* przykrość; dokuczliwość; osoba ⟨rzecz⟩ dokuczliwa ⟨uciążliwa⟩; **to be a ~** zawadzać, dokuczać, dawać się we znaki; **what a ~ that child is!** jakie to dziecko jest nieznośne!

**null** [nʌl] *adj* nie istniejący, niebyły; *prawn.* nieważny; *prawn.* **~ and void** nie mający prawnego znaczenia

**nul·li·fy** [ˈnʌlɪfaɪ] *vt* unieważnić

**numb** [nʌm] *adj* zdrętwiały, bez czucia

**num·ber** [ˈnʌmbə(r)] *s* liczba; numer; *gram.* liczebnik; **a ~ of** dużo; **in ~s** w wielkich ilościach, gromadnie; **without ~** bez liku; *vt* liczyć; liczyć sobie; zaliczyć (**among ⟨in⟩** do); numerować

**num·ber·less** [ˈnʌmbələs] *adj* niezliczony

**nu·mer·al** [ˈnjumərl] *s* cyfra; *gram.* liczebnik; *adj* liczbowy

**nu·mer·a·tor** [ˈnjuməreɪtə(r)] *s mat.* licznik

**nu·mer·ous** [ˈnjumərəs] *adj* liczny

**nun** [nʌn] *s* zakonnica

**nun·ci·o** [ˈnʌnsɪəu] *s* nuncjusz

**nup·tial** [ˈnʌpʃl] *adj* ślubny, małżeński

**nurse** [nɜs] *s* niańka, mamka; pielęgniarz, pielęgniarka; bona; *vt* niańczyć, pielęgnować; karmić; hodować; żywić (uczucie)

**nurse·ling** [ˈnɜslɪŋ] *s* osesek

**nurs·er·y** [ˈnɜsṛɪ] *s* pokój dziecinny; szkółka drzew; (*także* **day ~**) żłobek; **~ school** przedszkole

**nur·ture** [ˈnɜtʃə(r)] *vt* karmić; wychowywać; kształcić; *s* opieka, wychowanie; kształcenie; pożywienie

**nut** [nʌt] *s* orzech

**nut·meg** [ˈnʌtmeg] *s* gałka muszkatołowa

**nu·tri·ment** [ˈnjutrɪmənt] *s* pokarm, środek odżywczy

**nu·tri·tion** [njuˈtrɪʃn] *s* odżywianie

**nu·tri·tious** [njuˈtrɪʃəs] *adj* pożywny, odżywczy

**nu·tri·tive** [ˈnjutrɪtɪv] *adj* odżywczy; *s* środek odżywczy

**nut·shell** [ˈnʌtʃel] *s* łupina orzecha; **in a ~** jak najkrócej, w paru słowach

**ny·lon** [ˈnaɪlon] *s* nylon; *pl* **~s** nylony (pończochy)

**nymph** [nɪmf] *s* nimfa

# O

**O, o** [əu] zero
**oak** [əuk] *s* (*także* ~ **tree**) dąb
**oak·en** [\`əukən] *adj* dębowy
**oak·um** [\`əukəm] *s* pakuły
**oar** [ɔ(r)] *s* wiosło; **to pull a good** ~ dobrze wiosłować; *przen.* **to put in one's** ~ wtrącać się w nieswoje sprawy; *vt vi* wiosłować
**oars·man** [\`ɔzmən] *s* wioślarz
**o·a·sis** [əu\`eɪsɪs] *s* (*pl* **oases** [əu\`eɪsiz]) oaza
**oat** [əut] *s* (*zw. pl* ~**s**) owies
**oath** [əuθ] *s* przysięga; przekleństwo; **to take ⟨make, swear⟩ an** ~ przysięgać
**oat·meal** [\`əutmil] *s* owsianka
**ob·du·rate** [\`obdjuərət] *adj* nieczuły; zatwardziały; uparty
**o·be·dience** [ə\`bidɪəns] *s* posłuszeństwo
**o·be·dient** [ə\`bidɪənt] *adj* posłuszny
**o·bei·sance** [əu\`beɪsns] *s* głęboki ukłon; hołd; **to make ⟨pay⟩** ~ złożyć hołd
**ob·e·lisk** [\`obəlɪsk] *s* obelisk
**o·bese** [əu\`bis] *adj* otyły
**o·bes·i·ty** [əu\`bisətɪ] *s* otyłość
**o·bey** [ə\`beɪ] *vt vi* słuchać, być posłusznym, przestrzegać (praw itp.)
**o·bit·u·ar·y** [ə\`bɪtʃuərɪ] *adj* pośmiertny, żałobny; *s* nekrolog; ~ **notice** klepsydra
**ob·ject 1.** [\`obdʒɪkt] *s* przedmiot; rzecz; cel; *gram.* dopełnienie
**ob·ject 2.** [əb\`dʒekt] *vt vi* zarzucać ⟨mieć do zarzucenia⟩ (coś komuś); protestować, oponować; sprzeciwiać się (**to sth** czemuś)
**ob·jec·tion** [əb\`dʒekʃn] *s* zarzut; sprzeciw; przeszkoda, trudność; **I have no** ~ **to it** nie mam nic przeciwko temu
**ob·jec·tion·a·ble** [əb\`dʒekʃnəbl] *adj* budzący sprzeciw; niewłaściwy; niepożądany; naganny; wstrętny
**ob·jec·tive** [ob\`dʒektɪv] *adj* obiektywny, bezstronny; przedmiotowy; *gram.* ~ **case** biernik; *s* cel; obiektyw
**ob·jec·tiv·i·ty** [ˌobdʒek\`tɪvətɪ] *s* obiektywność
**ob·ject-les·son** [\`obdʒɪkt lesn] *s* lekcja poglądowa
**ob·jec·tor** [əb\`dʒektə(r)] *s* wnoszący sprzeciw, oponent; **conscientious** ~ człowiek uchylający się od służby wojskowej z powodu nakazów sumienia
**ob·li·ga·tion** [ˌoblɪ\`geɪʃn] *s* zobowiązanie; obligacja, dług; **to be under an** ~ być zobowiązanym; **to undertake an** ~ zobowiązać się
**ob·lig·a·to·ry** [ə\`blɪgətrɪ] *adj* obowiązujący, obowiązkowy, wiążący
**o·blige** [ə\`blaɪdʒ] *vt* zobowiązywać; zmuszać; obowiązywać; mieć moc wiążącą; sprawić przyjemność, wyświadczyć grzeczność, usłużyć (**sb with sth** komuś czymś)
**o·blig·ing** [ə\`blaɪdʒɪŋ] *adj* uprzejmy
**ob·lique** [ə\`blik] *adj* skośny, nachylony; pośredni; *przen.* wykrętny, nieszczery; *gram.* zależny
**ob·liq·ui·ty** [ə\`blikwətɪ] *s* pochyłość, nachylenie; *przen.* nieszczerość, dwulicowość
**ob·lit·er·ate** [ə\`blɪtəreɪt] *vt* zatrzeć, zetrzeć, wykreślić; zniszczyć
**ob·liv·i·on** [ə\`blɪvɪən] *s* zapomnienie, niepamięć
**ob·liv·i·ous** [ə\`blɪvɪəs] *adj* zapominający, niepomny; **to be** ~ nie pamiętać (**of sth** o czymś)
**ob·long** [\`oblоŋ] *adj* podłużny; prostokątny

**ob·lo·quy** [`obləkwı] *s* obmowa, zniesławienie; hańba
**ob·nox·ious** [əb`nokʃəs] *adj* wstrętny, odpychający, przykry
**o·boe** [`əubəu] *s muz.* obój
**ob·scene** [əb`sin] *adj* nieprzyzwoity, obsceniczny
**ob·scen·i·ty** [əb`senətı] *s* niemoralność, sprośność
**ob·scure** [əb`skjuə(r)] *adj* ciemny; niezrozumiały; nieznany; niejasny; niewyraźny; *fiz.* ~ **rays** promienie niewidzialne; *vt* zaciemniać; przyćmiewać
**ob·scu·ri·ty** [əb`skjuərətı] *s* ciemność; niezrozumiałość; zapomnienie; **to live in** ~ żyć z dala od świata
**ob·se·quies** [`obsıkwız] *s pl* uroczystości żałobne, uroczysty pogrzeb
**ob·se·qui·ous** [əb`sikwıəs] *adj* służalczy, uległy
**ob·serv·ance** [əb`zɜvəns] *s* przestrzeganie ⟨poszanowanie⟩ (prawa, zwyczaju itp.); obchodzenie (świąt); obrzęd, rytuał
**ob·serv·ant** [əb`zɜvənt] *adj* przestrzegający; uważny, spostrzegawczy
**ob·ser·va·tion** [ˌobzə`veıʃn] *s* obserwacja, spostrzeganie; spostrzegawczość; uwaga, spostrzeżenie
**ob·serv·a·to·ry** [əb`zɜvətrı] *s* obserwatorium
**ob·serve** [əb`zɜv] *s* obserwować; spostrzegać; zauważyć, zrobić uwagę ⟨spostrzeżenie⟩; przestrzegać (ustaw itd.); zachowywać (zwyczaj itp.); obchodzić (święta itp.)
**ob·serv·er** [əb`zɜvə(r)] *s* obserwator; człowiek przestrzegający (prawa, zwyczaju itp.)
**ob·sess** [əb`ses] *vt* (*o myślach*) prześladować; (*o duchach*) nawiedzać; nie dawać spokoju (*sb* komuś)
**ob·ses·sion** [əb`seʃn] *s* obsesja, opętanie; natręctwo (myślowe)
**ob·so·lete** [`obsəlit] *adj* przestarzały, nie będący (już) w użyciu
**ob·sta·cle** [`obstəkl] *s* przeszkoda; ~ **race** bieg z przeszkodami
**ob·stet·rics** [əb`stetrıks] *s* położnictwo
**ob·sti·na·cy** [`obstınəsı] *s* upór, zawziętość
**ob·sti·nate** [`obstınət] *adj* uparty, zawzięty; uporczywy
**ob·struct** [əb`strʌkt] *vt* zagradzać; wywoływać zator; przeszkadzać; hamować; wstrzymywać; zatykać, zapychać; powodować zaparcie
**ob·struc·tion** [əb`strʌkʃn] *s* przeszkoda; zator; zatamowanie; obstrukcja, zaparcie; utrudnienie
**ob·tain** [əb`teın] *vt* otrzymać, uzyskać, osiągnąć; *vi* utrzymywać się, trwać; być w użyciu ⟨w mocy⟩; panować
**ob·tain·a·ble** [əb`teınəbl] *adj* osiągalny, możliwy do nabycia
**ob·trude** [əb`trud] *vt* narzucać (*sth* **on** ⟨**upon**⟩ *sb* coś komuś); *vi* narzucać się (**on** ⟨**upon**⟩ *sb* komuś)
**ob·tru·sion** [əb`truʒn] *s* narzucanie się (**on** *sb* komuś); natręctwo
**ob·tru·sive** [əb`trusıv] *adj* narzucający się, natrętny
**ob·tuse** [əb`tjus] *adj* przytępiony; tępy, głupi; *mat.* (*o kącie*) rozwarty
**ob·vi·ate** [`obvıeıt] *vt* zapobiec (*sth* czemuś); ustrzec się; ominąć (przeszkodę)
**ob·vi·ous** [`obvıəs] *adj* oczywisty
**oc·ca·sion** [ə`keıʒn] *s* okazja, sposobność; powód, przyczyna; **on** ~ okazyjnie, przy sposobności; **to rise to the** ~ stanąć na wysokości zadania; **to take** ~ skorzystać ze sposobności; *vt* spowodować, wywołać, wzbudzić
**oc·ca·sion·al** [ə`keıʒnl] *adj* okolicznościowy; przypadkowy, nieregularny; rzadki
**Oc·ci·dent** [`oksıdənt] *s* Zachod
**oc·cult** [o`kʌlt] *adj* tajemny; okultystyczny

**oc·cult·ism** [o'kʌltɪzm] *s* okultyzm
**oc·cu·pant** ['okjupənt] *s* posiadacz; mieszkaniec, lokator, użytkownik; pasażer (w pojeździe); okupant
**oc·cu·pa·tion** [ˌokju'peɪʃn] *s* okupacja; zajęcie, zawód; zajmowanie ⟨zamieszkiwanie⟩ (lokalu itd.)
**oc·cu·pa·tion·al** [ˌokju'peɪʃnl] *adj* (*o ryzyku, chorobie itp.*) zawodowy
**oc·cu·py** ['okjupaɪ] *vt* okupować; zajmować; posiadać
**oc·cur** [ə'kɜ(r)] *vi* zdarzać się; trafiać się, występować; przychodzić na myśl
**oc·cur·rence** [ə'kʌrns] *s* wydarzenie, wypadek; występowanie
**o·cean** ['əuʃn] *s* ocean
**o'clock** [ə'klok]: **six ~** szósta godzina; *zob.* **clock**
**Oc·to·ber** [ok'təubə(r)] *s* październik
**oc·to·pus** ['oktəpəs] *s* (*pl* **~es, octopi** ['oktəpaɪ]) *zool.* ośmiornica
**oc·u·lar** ['okjulə(r)] *adj* oczny; naoczny; *s* okular
**oc·u·list** ['okjulɪst] *s* okulista
**odd** [od] *adj* dziwny, dziwaczny; (*o liczbie*) nieparzysty; dodatkowy, ponad normę, z okładem; zbywający; przypadkowy; **~ jobs** drobne ⟨dorywcze⟩ zajęcia; **an ~ shoe** (jeden) but nie do pary
**odd·i·ty** ['odətɪ] *s* dziwactwo, osobliwość
**odd·ments** ['odmənts] *s pl* odpadki, resztki
**odds** [odz] *s pl* nierówność; nierówna ilość; nierówna szansa; przewaga; różnica; niezgoda; prawdopodobieństwo, możliwość; **it is no ~** to obojętne; **it makes no ~** to nie stanowi różnicy; **what's the ~?** jaka różnica?; czy to nie wszystko jedno?; **to be at ~** kłócić się, być w sprzeczności; **~ and ends** = **oddments**
**ode** [əud] *s* oda
**o·di·ous** ['əudɪəs] *adj* wstrętny, nienawistny, ohydny
**o·dour** ['əudə(r)] *s* zapach, woń; posmak; reputacja
**o'er** [ɔ(r)] *poet.* = **over**
**of** [ov, əv] *praep* od, z, ze, na; *służy do tworzenia dopełniacza i przydawki*: **author of the book** autor książki; **a friend of mine** mój przyjaciel; **the city of London** miasto Londyn; **a man of tact** człowiek taktowny; *określa miejsce lub pochodzenie*: **a man of London** człowiek z Londynu, londyńczyk; *czas*: **of a nice day** pewnego pięknego dnia; **of late** ostatnio; *przyczynę*: **to die of typhus** umrzeć na tyfus; *tworzywo*: **made of wood** zrobiony z drewna; *zawartość*: **a bottle of milk** butelka mleka; *przynależność, podział, udział*: **to be one of the party** należeć do towarzystwa; **one of us** jeden z nas; *odległość*: **within one mile of the school** w obrębie jednej mili od szkoły; *stosunek*: **regardless of his will** bez względu na jego wolę; **it is kind of you** to uprzejmie z twojej strony; *wiek*: **a man of forty** człowiek czterdziestoletni; *po przymiotniku ⟨przysłówku⟩ w stopniu najwyższym*: **the best of all** najlepszy ze wszystkich
**off** [of] *praep* od, z, ze; od strony; spoza; z dala; na boku; w odległości; **to take the picture ~ the wall** zdjąć obraz ze ściany; **to stand ~ the road** stać w pewnej odległości od drogi; **to take 10% ~ the price** potrącić 10% z ceny; **~ the mark** nietrafny, chybiony (strzał); **to be ~ duty** nie być na służbie; *adv* precz, hen daleko, daleko od (środka, celu, głównego tematu itd.); **hands ~!** precz z rękami!; **the button is ~** guzik się urwał; **the electricity is ~** elektryczność jest wyłączona; **I must be ~** muszę odejść; **you ought to keep ~** powinie-

neś trzymać się na uboczu ⟨z dala⟩; **this dish is ~** to danie jest skreślone z karty; **~ and on, on and ~** od czasu do czasu; z przerwami; *adj* dalszy, odległy; leżący obok; **~ street** boczna ulica; **~ day, day ~** dzień wolny od pracy; **well ~** zamożny

**of·fal** [`ofl] *s zbior.* odpadki; mięso ⟨ryby⟩ najniższego gatunku (np. podroby)

**of·fence** [ə`fens] *s* obraza; zaczepka; przestępstwo, przekroczenie; **to take ~** obrażać się (**at sth** z powodu czegoś); **to give ~** obrazić ⟨dotknąć⟩ (**to sb** kogoś)

**of·fend** [ə`fend] *vt* obrazić, urazić; *vi* wykroczyć (**against sth** przeciwko czemuś)

**of·fend·er** [ə`fendə(r)] *s* obrażający; winowajca, popełniający wykroczenie, przestępca; **first ~** przestępca karany po raz pierwszy

**of·fen·sive** [ə`fensɪv] *adj* zaczepny, napastliwy; obraźliwy; odrażający; *s* ofensywa; **to be on the ~** być w ofensywie; **to take the ~** przejść do ofensywy

**of·fer** [`ofə(r)] *vt* ofiarować, oferować; przedkładać; proponować; okazywać gotowość; wystawiać na sprzedaż (**goods** towary); **to ~ resistance** stawiać opór; *vi* wystąpić z propozycją; oświadczyć się; (*o okazji itp.*) trafić się; *s* propozycja, oferta (*także handl.*)

**of·fer·ing** [`ofṛɪŋ] *ppraes i s* ofiara; propozycja, oferta

**off-hand** [of `hænd] *adv* szybko, z miejsca, bez przygotowania; bezceremonialnie; *adj attr* szybki; improwizowany, zrobiony od ręki; bezceremonialny

**of·fice** [`ofɪs] *s* urząd, biuro; ministerstwo; urzędowanie, służba, posada, obowiązek służbowy; nabożeństwo; przysługa; **to be in ~** piastować urząd, sprawować rządy; **to be out of ~** być w opozycji (np. o partii); **to take ⟨enter upon⟩ ~** objąć urząd

**of·fi·cer** [`ofɪsə(r)] *s* oficer; urzędnik; funkcjonariusz

**of·fi·cial** [ə`fɪʃl] *adj* oficjalny, urzędowy; *s* urzędnik

**of·fi·ci·ate** [ə`fɪʃɪeɪt] *vi* urzędować; pełnić obowiązki (urzędowe, religijne itd.)

**of·fi·cious** [ə`fɪʃəs] *adj* półurzędowy; natrętny, narzucający się; nadgorliwy

**off-li·cence** [`of laɪsns] *s bryt.* koncesja na sprzedaż alkoholu na wynos

**off-print** [`of prɪnt] *s* odbitka (artykułu)

**off·set** [`ofset] *s* odgałęzienie, odnoga; potomek; wynagrodzenie, wyrównanie (straty, długu); *druk.* offset; *vt* wyrównać, zrównoważyć, wynagrodzić; drukować offsetem

**off·shoot** [`ofʃut] *s* odgałęzienie, odrośl; potomek z bocznej linii

**off·spring** [`ofsprɪŋ] *s* potomek

**of·ten** [`ofn] *adv* często

**o·gle** [`əugl] *vt* zerkać ⟨patrzeć zalotnie⟩ (**sb** na kogoś); *vi* robić oko (**at sb** do kogoś); *s* zerkanie

**o·gre** [`əugə(r)] *s* ludożerca (w bajkach)

**oil** [ɔɪl] *s* oliwa, olej; farba olejna; nafta; **to strike ~** trafić na źródło nafty; *przen.* mieć szczęście; *przen.* **to pour ~ on the flame** dolać oliwy do ognia; *vt* smarować, oliwić

**oil·cloth** [`ɔɪlkloθ] *s* cerata

**oil-col·our** [`ɔɪl kʌlə(r)] *s* farba olejna

**oil-field** [`ɔɪl fild] *s* pole naftowe

**oil-paint·ing** [`ɔɪl peɪntɪŋ] *s* malarstwo olejne; obraz olejny

**oil·skin** [`ɔɪl skɪn] = **oilcloth**; *pl* **~s** ubranie nieprzemakalne

**oil·y** [`ɔɪlɪ] *adj* oleisty; natłuszczony; *przen.* gładki, pochlebczy, służalczy

**oint·ment** [`ɔıntmənt] *s* maść

**O.K., okay** [ˈəuˋkeı] *adv pot.* dobrze, w porządku; *interj* dobrze!; *adj praed* (będący) w porządku ⟨w dobrym stanie, na miejscu⟩; *vt pot.* zaaprobować

**old** [əuld] *adj* stary; dawny; były; **~ age** starość; **~ age pension** renta starcza; **~ hand** stary praktyk; **~ pupil** były uczeń, absolwent; **times of ~** dawno minione czasy

**old-fash·ioned** [ˈəuldˋfæʃnd] *adj* staromodny; niemodny

**ol·ive** [`olıv] *s* oliwka; (*także* **~-tree**) drzewo oliwne

**olive-branch** [`olıvbrantʃ] *s* gałązka oliwna

**Olym·pic** [əˋlımpık] *adj* olimpijski; **the ~ Games** igrzyska olimpijskie

**o·men** [`əumen] *s* zły znak, wróżba, omen

**om·i·nous** [`omınəs] *adj* złowieszczy, fatalny

**o·mis·sion** [əˋmıʃn] *s* opuszczenie, przeoczenie; zaniedbanie

**o·mit** [əˋmıt] *adj* opuścić, pominąć, przeoczyć

**om·ni·bus** [`omnıbəs] *s* omnibus

**om·nip·o·tent** [omˋnıpətənt] *adj* wszechmocny

**om·nis·cient** [omˋnıʃnt] *adj* wszechwiedzący

**on** [on] *praep* na, nad, u, przy, po, w; **on foot** piechotą; **on horseback** konno; **on Monday** w poniedziałek; **on my arrival** po moim przybyciu; *adv* dalej, naprzód; na sobie; **and so on** i tak dalej; **from now on** od tej chwili (na przyszłość); **read on** czytaj dalej; **with my overcoat on** w palcie; **the light is on** światło jest zapalone; **the play is on** sztuka jest grana na scenie

**once** [wʌns] *adv* raz, jeden raz; kiedyś (w przyszłości); (*także* **~ upon a time**) pewnego razu; niegdyś; **~ again** ⟨**more**⟩ jeszcze raz; **~ and again** raz po raz; **~ for all** raz na zawsze; **all at ~** nagle; **at ~** naraz, od razu, zaraz, natychmiast; równocześnie; *conj* skoro, skoro już, skoro tylko; *s* raz; **for this ~** tylko tym razem

**one** [wʌn] *num adj* jeden, jedyny, niejaki, pewien; *pron* ktoś; **no ~** nikt; *w połączeniu z* **the, this, that** *i przymiotnikami*: ten; **this ~** ten; **the red ~** ten czerwony; *pron impers* **~ lives** żyje się; **~ never knows** nigdy nie wiadomo; *pron zastępczy*: **I don't want this book, give me another ~** nie chcę tej książki, daj mi inną

**one-armed** [ˈwʌnˋamd] *adj* jednoręki

**one-eyed** [ˈwʌnˋaıd] *adj* jednooki

**one·self** [wʌnˋself] *pron* sam, sam jeden, bez pomocy; (samego) siebie, się, sobie, sobą

**one-sid·ed** [ˈwʌnˋsaıdıd] *adj* jednostronny

**on·ion** [`ʌnıən] *s* cebula

**on·look·er** [`onlukə(r)] *s* widz

**on·ly** [`əunlı] *adj* jedyny; *adv* tylko, jedynie; dopiero

**on·rush** [`onrʌʃ] *s* napad; napór; poryw

**on·set** [`onset] *s* najście; zryw; początek

**on·ward** [`onwəd] *adj* idący ⟨skierowany⟩ naprzód ⟨ku przodowi⟩; *adv* naprzód, dalej, ku przodowi

**on·wards** [`onwədz] = **onward** *adv*

**ooze** [uz] *s* muł, szlam; *vi* (*także* **~ out** ⟨**away**⟩) przeciekać, sączyć się

**o·pen** [`əupən] *adj* otwarty; odsłonięty, obnażony; publiczny; szczery; skłonny; **~ air** wolne ⟨świeże⟩ powietrze; **~ to doubt** wątpliwy; **to lay ~** odsłonić, ujawnić; *vt vi* otwierać (się); objawiać, ogłaszać; rozpoczynać (się); *s* wolna przestrzeń, otwarte pole, świeże powietrze

**o·pen-heart·ed** ['əupən'hatıd] *adj* szczery, serdeczny

**o·pen·ing** ['əupnıŋ] *ppraes i s* otwór; otwarcie; początek; wolna przestrzeń; wakans; okazja, szansa

**o·pen-mind·ed** ['əupən'maındıd] *adj* mający szerokie poglądy; bez uprzedzeń, bezstronny

**op·er·a** ['oprə] *s* opera

**op·e·ra-glass** ['opraglas] *s* (*zw. pl* **~es**) lornetka teatralna

**op·er·ate** ['opəreıt] *vt vi* działać; powodować działanie; oddziaływać; operować (**on** ⟨**upon**⟩ **sb** kogoś); wprawiać w ruch, obsługiwać (np. maszynę); spekulować (na giełdzie); *am.* kierować (czymś), eksploatować (coś)

**op·er·at·ic** ['opə'rætık] *adj* operowy

**op·er·a·tion** ['opə'reıʃn] *s* operacja; działanie; *am.* kierownictwo, eksploatacja

**op·er·a·tive** ['oprətıv] *adj* czynny, skuteczny, działający; obowiązujący; praktyczny; techniczny; operacyjny; *s* robotnik obsługujący maszynę

**op·er·a·tor** ['opəreıtə(r)] *s* operator; robotnik ⟨pracownik⟩ obsługujący maszynę, aparat itd.; telefonista; *am.* kierownik

**op·er·et·ta** ['opə'retə] *s* operetka

**o·pin·ion** [ə'pınıən] *s* opinia, zdanie, pogląd; **in my ~** moim zdaniem; **public ~** opinia publiczna; **~ poll** badanie opinii (publicznej)

**op·por·tune** ['opətjun] *adj* dogodny; pomyślny; odpowiedni

**op·por·tun·ism** ['opə'tjunızm] *s* oportunizm

**op·por·tu·ni·ty** ['opə'tjunətı] *s* sposobność; **to take** ⟨**seize**⟩ **the ~** skorzystać ze sposobności

**op·pose** [ə'pəuz] *vt* przeciwstawiać ⟨sprzeciwiać⟩ się (**sb, sth** komuś, czemuś); oponować; **to be ~d** sprzeciwiać się (**to sb, sth** komuś, czemuś); stanowić przeciwieństwo (**to sb, sth** kogoś, czegoś)

**op·po·site** ['opəzıt] *adj* przeciwległy, przeciwny; (znajdujący się) naprzeciwko; *s* przeciwieństwo; *adv praep* naprzeciwko

**op·po·si·tion** ['opə'zıʃn] *s* opozycja, opór; przeciwstawienie

**op·press** [ə'pres] *vt* uciskać, gnębić; męczyć

**op·pres·sion** [ə'preʃn] *s* ucisk; znużenie

**op·press·ive** [ə'presıv] *adj* uciskający, gnębiący; ciążący; męczący; (*o pogodzie*) duszny

**op·pro·bri·um** [ə'prəubrıəm] *s* hańba, niesława

**op·tic** ['optık] *adj* optyczny

**op·tics** ['optıks] *s* optyka

**op·ti·mism** ['optımızm] *s* optymizm

**op·ti·mis·tic** ['optı'mıstık] *adj* optymistyczny

**op·tion** ['opʃn] *s* prawo wyboru, wybór

**op·tion·al** ['opʃnl] *adj* dowolny; nadobowiązkowy, fakultatywny

**op·u·lence** ['opjuləns] *s* zamożność, bogactwo, obfitość

**or** [ɔ(r)] *conj* lub, albo; bo inaczej; czy; czyli

**or·a·cle** ['orəkl] *s* wyrocznia

**o·ral** ['ɔrl] *adj* ustny; *med.* doustny

**or·ange** ['orındʒ] *s* pomarańcza; *adj attr* (*o kolorze*) pomarańczowy

**or·ange·ade** ['orın'dʒeıd] *s* oranżada

**o·rang-ou·tang** [ɔ'ræŋ u'tæŋ] *s* orangutan

**o·ra·tion** [ɔ'reıʃn] *s* mowa, uroczyste przemówienie

**or·a·tor** ['orətə(r)] *s* mówca, orator

**or·bit** ['ɔbıt] *s* orbita

**or·chard** ['ɔtʃəd] *s* sad

**or·ches·tra** ['ɔkıstrə] *s* orkiestra; *teatr.* parter

**or·chid** ['ɔkıd] *s bot.* storczyk

**or·dain** [ɔ'deın] *vt* zarządzić; mianować; (*o losie itd.*) zrządzić; *rel.* wyświęcić (na księdza)

**or·deal** [ɔ`dil] *s* sąd Boży; próba (życiowa, ognia); ciężkie przeżycie

**or·der** [`ɔdə(r)] *vt* rozkazywać; zarządzać; zamawiać; porządkować; **~ away** odprawić; **~ out** kazać wyjść (**sb** komuś); *s* rozkaz; dekret, zarządzenie; porządek; zamówienie; cel, zamiar; order; *bank.* zlecenie; *biol. mat.* rząd; *pl* **~s** święcenia kapłańskie; **in working ~** zdatny do użytku; działający; **out of ~** nie w porządku, zepsuty; **made to ~** zrobiony na zamówienie; **money ‹postal› ~** przekaz pieniężny; **in ~ that, in ~ to** ażeby

**or·der·ly** [`ɔdəlɪ] *adj* porządny; systematyczny; spokojny, zdyscyplinowany; *wojsk.* służbowy; *s* posługacz (w szpitalu); *wojsk.* ordynans

**or·di·nal** [`ɔdɪnl] *adj* porządkowy; *s gram.* liczebnik porządkowy

**or·di·nance** [ɔ`dṇəns] *s* zarządzenie; *rel.* obrzęd

**or·di·na·ry** [`ɔdnrɪ] *adj* zwyczajny; *s* rzecz zwyczajna; norma, przeciętność; **in ~** stały, etatowy; **physician in ~** lekarz nadworny

**ord·nance** [`ɔdnəns] *s zbior.* armaty, artyleria; intendentura (wojskowa); uzbrojenie (broń i amunicja)

**ord·nance-map** [`ɔdnəns mæp] *s* mapa sztabu generalnego

**ore** [ɔ(r)] *s geol.* ruda; kruszec

**or·gan** [`ɔgən] *s* organ; *muz.* organy

**or·gan·ic** [ɔ`gænɪk] *adj* organiczny

**or·gan·ism** [`ɔgənɪzm] *s* organizm

**or·gan·i·za·tion** [ˌɔgənaɪ`zeɪʃn] *s* organizacja

**or·gan·ize** [`ɔgənaɪz] *vt* organizować

**or·gy** [`ɔdʒɪ] *s* orgia

**o·ri·ent** [`ɔrɪənt] *s lit.* wschód; *vt* = **orientate**

**o·ri·en·tal** [ˌɔrɪ`entl] *adj* orientalny, wschodni; *s* mieszkaniec Bliskiego Wschodu

**o·ri·en·tate** [`ɔrɪənteɪt] *vt* orientować, nadawać kierunek; *vr* **~ oneself** orientować się (w terenie według stron świata)

**o·ri·en·ta·tion** [ˌɔrɪən`teɪʃn] *s* orientacja

**or·i·fice** [`orəfɪs] *s* otwór, ujście, wylot

**or·i·gin** [`orədʒɪn] *s* pochodzenie, początek, geneza

**o·rig·i·nal** [ə`rɪdʒnl] *adj* oryginalny; początkowy, pierwotny; *s* oryginał

**o·rig·i·nal·i·ty** [əˌrɪdʒə`nælətɪ] *s* oryginalność

**o·rig·i·nate** [ə`rɪdʒɪneɪt] *vt* dawać początek, zapoczątkowywać, tworzyć; *vi* powstawać (**in sth** z czegoś); pochodzić (**from sth** od czegoś)

**o·rig·i·na·tion** [əˌrɪdʒɪ`neɪʃn] *s* pochodzenie; powstawanie

**o·rig·i·na·tor** [ə`rɪdʒɪneɪtə(r)] *s* twórca, sprawca

**or·na·ment** [`ɔnəmənt] *s* ornament, ozdoba; *vt* [`ɔnəment] zdobić, upiększać

**or·nate** [ɔ`neɪt] *adj* zdobny; (*o stylu*) kwiecisty

**or·phan** [`ɔfən] *s* sierota; *adj* sierocy, osierocony

**or·phan·age** [`ɔfənɪdʒ] *s* sieroctwo; sierociniec

**or·tho·dox** [`ɔθədoks] *adj* ortodoksyjny; *rel.* prawosławny

**or·thog·ra·phy** [ɔ`θogrəfɪ] *s* ortografia

**os·cil·late** [`osɪleɪt] *vi* oscylować; wahać się

**os·su·ar·y** [`osjərɪ] *s* kostnica

**os·ten·si·ble** [o`stensəbl] *adj* pozorny, rzekomy

**os·ten·ta·tion** [ˌosten`teɪʃn] *s* ostentacja

**os·ten·ta·tious** [ˌosten`teɪʃəs] *adj* ostentacyjny

**ost·ler** [ˋoslə(r)] *s* stajenny

**os·trich** [ˋostrɪtʃ] *s zool.* struś

**oth·er** [ˋʌðə(r)] *adj pron* inny, drugi, jeszcze jeden; **each ~** jeden drugiego, nawzajem; **every ~ day** co drugi dzień; **on the ~ hand** z drugiej strony; **the ~ day** onegdaj

**oth·er·wise** [ˋʌðəwaɪz] *adv* inaczej, w inny sposób; skądinąd, poza tym, z innych powodów; pod innym względem; w przeciwnym razie, bo inaczej

**ot·ter** [ˋotə(r)] *s zool.* wydra

**ought** [ɔt] *v aux* powinienem, powinieneś itd.; **it ~ to be done** powinno się ⟨należy⟩ to zrobić

**ounce** [auns] *s* uncja (jednostka ciężaru)

**our** [ˋauə(r)] *pron* nasz (*przed rzeczownikiem*)

**ours** [ˋauəz] *pron* nasz (*bez rzeczownika*); **this house is ~** ten dom jest nasz

**our·selves** [ɑˋselvz] *pron* sami, my sami; się, (samych) siebie, sobie, sobą

**oust** [aust] *vt* wyrzucić, usunąć, wyrugować

**out** [aut] *adv* na zewnątrz; hen; precz; poza domem, na dworze; **~ with him!** precz z nim!; **he is ~** nie ma go w domu; **the ministers are ~** ministrowie nie są u władzy; **the fire is ~** ogień zgasł; **the week is ~** tydzień minął; **my patience is ~** moja cierpliwość się wyczerpała; **the book is ~** książka wyszła drukiem; **the secret is ~** tajemnica wyszła na jaw; **the flowers are ~** kwiaty rozkwitły; *praep w połączeniu z* **of** poza; bez; z, przez; **~ of curiosity** przez ciekawość; **~ of date** przestarzały, niemodny; **~ of doors** na świeżym powietrzu; **~ of doubt** bez wątpienia; **~ of favour** w niełasce; **~ of place** nie na miejscu; **~ of reach** poza zasięgiem; **~ of sight** poza zasięgiem wzroku, niewidoczny; **~ of spite** ze złości; **~ of work** bez pracy, bezrobotny; *adj* zewnętrzny; *sport* nie na własnym boisku; *s pl* **~s** nieobecni, ci, których już nie ma (w urzędzie, grze itd.); *vt* wyrzucić; *sport* znokautować

**out·bal·ance** [autˋbæləns] *vt* przeważyć

***out·bid** [autˋbɪd], **outbade** [autˋbeɪd], **outbidden** [autˋbɪdn] *lub* **outbid, outbid** *vt* przelicytować

**out·break** [ˋautbreɪk] *s* wybuch (wojny, epidemii, gniewu)

**out·burst** [ˋautbɜst] *s* wybuch (*także* śmiechu, gniewu itd.);

**out·cast** [ˋautkɑst] *adj* wypędzony, odepchnięty; *s* wyrzutek; banita

**out·caste** [ˋautkɑst] *s* człowiek wykluczony z kasty (w Indiach)

**out·come** [ˋautkʌm] *s* wynik

**out·cry** [ˋautkraɪ] *s* okrzyk, krzyk; wrzask

***out·do** [autˋdu], **outdid** [autˋdɪd], **outdone** [autˋdʌn] *vt* przewyższyć, prześcignąć

**out·door** [autˋdɔ(r)] *adj attr* będący poza domem; (np. *o sportach*) na świeżym powietrzu; pozazakładowy; (*o ubraniu*) wyjściowy

**out·doors** [autˋdɔz] *adv* na zewnątrz (domu), na świeżym powietrzu

**out·er** [ˋautə(r)] *adj* zewnętrzny; **the ~ man** zewnętrzny wygląd człowieka

**out·er·most** [ˋautəməust] *adj* najdalszy od centrum ⟨środka⟩

**out·fit** [ˋautfɪt] *s* wyposażenie, sprzęt, ekwipunek; komplet narzędzi

**out·flow** [ˋautfləu] *s* odpływ (np. wody)

***out·go** [autˋgəu], **outwent** [autˋwent], **outgone** [autˋgon] *vt* prześcignąć, wyprzedzić

**out·go·ing** [autˋgəuɪŋ] *s* wyjście, odejście; *pl* **~s** wydatki; *adj* odchodzący; (*o rządzie itp.*) ustępujący

**out·gone** *zob.* **outgo**

***out·grow** [aut`grəu], **outgrew** [aut`gru], **outgrown** [aut`grəun] *vt* przerastać (kogoś); wyrastać (np. z ubrania)
**out·growth** [`autgrəuθ] *s* wyrostek, narośl; wynik, następstwo
**out·ing** [`autɪŋ] *s* wycieczka, wypad
**out·land·ish** [aut`lændɪʃ] *adj* cudzoziemski, obcy; odległy
**out·last** [aut`last] *vt* trwać dłużej (**sth** niż coś); przetrwać, przeżyć
**aut·law** [`autlɔ] *s* banita, człowiek wyjęty spod prawa; *vt* wyjąć spod prawa; zakazać
**out·lay** [`autleɪ] *s* wydatek
**out·let** [`autlet] *s* wylot, ujście
**out·line** [`autlaɪn] *s* zarys, szkic; *vt* zarysować, naszkicować
**out·live** [aut`lɪv] *vt* przeżyć, przetrwać
**out·look** [`autluk] *s* widok; pogląd; obserwacja, punkt obserwacyjny; **to be on the ~** rozglądać się (**for sth** za czymś), czatować
**out·ly·ing** [`autlaɪɪŋ] *adj* leżący na uboczu, oddalony
**out·most** [`autməust] *adj* = **outermost**; *s w zwrocie*: **at the ~** najwyżej
**out·num·ber** [aut`nʌmbə(r)] *vt* przewyższać liczebnie
**out-of-date** ['aut əv deɪt] *adj* przestarzały, niemodny
**out-of-doors** ['aut əv dɔz] *adj* = **outdoor**; *adv* = **outdoors**
**out-of-the-way** ['aut əv ðə `weɪ] *adj attr* leżący z dala od drogi, odległy, oddalony; niezwykły, dziwny
**out-pa·tient** [`autpeɪʃnt] *s* pacjent ambulatoryjny
**out·post** [`autpəust] *s* posterunek (wysunięty), przednia placówka
**out·pour** [aut`pɔ(r)] *vt vi* wylewać (się); *s* [`autpɔ(r)] wylew
**out·put** [`autput] *s* produkcja, wydajność; plon; *górn.* wydobycie
**out·rage** [`aut-reɪdʒ] *s* obraza (ciężka), zniewaga; pogwałcenie; *vt* [aut`reɪdʒ] znieważyć; pogwałcić; zhańbić; urągać (przyzwoitości itd.)
**out·ra·geous** [aut`reɪdʒəs] *adj* obrażający, znieważający; skandaliczny, niesłychany
**out·ran** *zob.* **outrun**
***out·ride** [aut`raɪd], **out·rode** [aut`rəud], **out·rid·den** [aut`rɪdn] *vt* prześcignąć (w jeździe), wyprzedzić; (*o statku*) przetrzymać (burzę)
**out·right** [`aut-raɪt] *adj* otwarty, szczery, uczciwy; całkowity, zupełny; *adv* [aut`raɪt] otwarcie, szczerze, wprost; całkowicie, w pełni; natychmiast, z miejsca
***out·run** [aut`rʌn], **out·ran** [aut`ræn], **out·run** [aut`rʌn] *vt* wyprzedzić w biegu, prześcignąć; wykroczyć (**sth** poza coś)
**out·set** [`autset] *s* początek
**out·side** [aut`saɪd] *adv* zewnątrz, na zewnątrz; *praep* (*także* **~ of**) poza ⟨przed⟩ czymś; na zewnątrz (czegoś); *s* zewnętrzna strona; zewnętrzny wygląd; *adj attr* [`autsaɪd] zewnętrzny; (*leżący, robiony itd.*) poza domem
**out·sid·er** [aut`saɪdə(r)] *s* (człowiek) postronny, obcy; laik; outsider
**out·size** [aut`saɪz] *adj* (*o rozmiarze*) nietypowy; (*o sklepie*) dla nietypowych
**out·skirts** [`autskɜts] *s pl* kraniec; peryferie, kresy
**out·spo·ken** [aut`spəukən] *adj* szczery, otwarty; mówiący szczerze; powiedziany otwarcie
**out·spread** [aut`spred] *adj* rozpostarty
**out·stand·ing** [aut`stændɪŋ] *adj* wybitny; wystający; zaległy, nie załatwiony
**out·stay** [aut`steɪ] *vt* pozostać dłużej (**sb** niż ktoś), przetrzymać (**sb** kogoś)
**out·stretch** [aut`stretʃ] *vt* rozciągać, rozpościerać
**out·strip** [aut`strɪp] *vt* prześcignąć; przewyższyć

**out·vote** [ɑut`vəut] *vt* przegłosować
**out·ward** [`ɑutwəd] *adj* zewnętrzny; skierowany na zewnątrz; widoczny; powierzchowny; odjeżdżający (*zw.* za granicę); (*o podróży, bilecie zw. za granicę*) docelowy; *s* strona zewnętrzna; powierzchowność; *adv* = **outwards**
**out·wards** [`ɑutwədz] *adv* po stronie zewnętrznej, na zewnątrz; poza granice (kraju, miasta)
**out·weigh** [ɑut`weɪ] *vt* przeważyć; przewyższyć
**out·went** *zob.* **outgo**
**out·wit** [ɑut`wɪt] *vt* przechytrzyć, podstępnie podejść (sb kogoś)
**out·work** [`ɑutw3k] *s* praca wykonywana poza domem ⟨poza zakładem pracy⟩; praca chałupnicza; *wojsk.* umocnienie zewnętrzne
**out·worn** [ɑut`wɔn] *adj* znoszony; przestarzały; znużony
**o·val** [`əuvl] *adj* owalny; *s* owal
**o·va·ry** [`əuvərɪ] *s anat.* jajnik
**o·va·tion** [əu`veɪʃn] *s* owacja
**ov·en** [`ʌvn] *s* piec
**o·ver 1.** [`əuvə(r)] *praep* nad, ponad, powyżej; na, po, w; przez, poprzez; po drugiej stronie, za, poza, **all ~** wszędzie, po całym (np. pokoju); *adv* na drugą stronę, po drugiej stronie; po powierzchni; całkowicie; od początku do końca; więcej, zbytnio, z okładem; ponownie, jeszcze raz, znowu; **all ~** wszędzie, po całym (świecie, mieście itd.); od początku ⟨końca⟩ do końca; **to be ~** minąć; **it is ~ with him** on jest skończony; **~ again** raz jeszcze; **~ and again** co jakiś czas
**o·ver 2.** [`əuvə(r)] *praef* nad-, na-, prze-
**o·ver·all** [ˈəuvər`ɔl] *adj* ogólny, kompletny; *s pl* **~s** [`əuvərɔls] kombinezon; kitel
**o·ver·ate** *zob* **overeat**
**o·ver·awe** [ˈəuvər`ɔ] *vt* trwożyć, przejmować strachem
**o·ver·bal·ance** [ˈəuvə`bæləns] *vt* przeważyć, przewrócić; *vi* stracić równowagę, przewrócić się; *s* przewaga
***o·ver·bear** [ˈəuvə`beə(r)], **o·ver·bore** [ˈəuvə`bɔ(r)], **o·ver·borne** [ˈəuvə`bɔn] *vt* przemóc, pokonać; ciemiężyć; przewyższyć; lekceważyć
**o·ver·bear·ing** [ˈəuvə`beərɪŋ] *adj* dumny, wyniosły, butny; władczy; despotyczny
**o·ver·board** [`əuvəbɔd] *adv* za burtę; **to throw ~** *przen.* porzucić, poniechać
**o·ver·bore** *zob.* **overbear**
**o·ver·borne** *zob.* **overbear**
**o·ver·bur·den** [ˈəuvə`b3dn] *vt* przeciążyć
**o·ver·came** *zob.* **overcome**
***o·ver·cast, overcast, overcast** [ˈəuvə`kɑst] *vt* pokryć; zasłonić; zaciemnić; przygnębić; *adj* pochmurny, posępny
**o·ver·charge** [ˈəuvə`tʃɑdʒ] *vt* przeładować, przeciążyć; zażądać zbyt wysokiej ceny; *s* przeciążenie; nałożenie ⟨żądanie⟩ nadmiernej ceny
**o·ver·coat** [`əuvəkəut] *s* palto, płaszcz
***o·ver·come** [ˈəuvə`kʌm], **overcame** [ˈəuvə`keɪm], **overcome** *vt* przemóc, opanować, pokonać, przezwyciężyć
**o·ver·crowd** [ˈəuvə`krɑud] *vt* przepełnić (ludźmi), zatłoczyć
***o·ver·do** [ˈəuvə`du], **overdid** [ˈəuvə`dɪd], **overdone** [ˈəuvə`dʌn] *vt* przebrać miarę; przekroczyć (granice przyzwoitości itd.); przesadzić (w czymś); przegotować, przesmażyć itp.; przeciążyć pracą
**o·ver·draft** [`əuvədrɑft] *s handl.* przekroczenie konta; czek bez pokrycia
**over·dress** [ˈəuvə`dres] *vt vi* stroić (się); ubierać (się) zbyt strojnie ⟨drogo⟩
**o·ver·due** [ˈəuvə`dju] *adj* opóźnio-

ny; *handl.* (*o terminie*) przekroczony; (*o rachunku*) zaległy

***o·ver·eat** ['əuvər'it], **overate** ['əuvər'et], **overeaten** ['əuvər'itn] *vr* ~ **oneself** przejeść się

**o·ver·es·ti·mate** ['əuvər'estımeıt] *vt* przecenić wartość ⟨znaczenie⟩ (**sb, sth** kogoś, czegoś); *s* ['əuvər'estımət] zbyt wysokie oszacowanie

**o·ver·flow** ['əuvə'fləu] *vt vi* przelewać się (**sth** przez coś); przepełniać, zalewać; (*o rzece*) wylewać; obfitować (**with sth** w coś); *s* ['əuvəfləu] zalew, wylew; nadmiar

***o·ver·grow** ['əuvə'grəu], **overgrew** ['əuvə'gru], **overgrown** ['əuvə'grəun] *vt* porastać, zarastać; przerastać; *vi* szybko ⟨nadmiernie⟩ rosnąć

**o·ver·growth** ['əuvəgrəuθ] *s* pokrywa roślinna; zbyt szybki ⟨bujny⟩ wzrost; rozrost, przerost

***o·ver·hang** ['əuvə'hæŋ], **overhung, overhung** ['əuvə'hʌŋ] *vt vi* zwisać, wisieć, wystawać; zagrażać, wisieć nad głową

**o·ver·haul** ['əuvə'hɔl] *vt* gruntownie przeszukać, dokładnie zbadać; poddać kapitalnemu remontowi; *s* ['əuvəhɔl] gruntowny przegląd; **general** ~ remont kapitalny

**o·ver·head** ['əuvə'hed] *adv* nad głową, u góry; powyżej; *adj attr* ['əuvəhed] znajdujący się u góry ⟨nad głową⟩; górny; napowietrzny; *handl.* ~ **charges** ⟨**costs**⟩ koszty ogólne; *s pl* ~**s** ['əuvəhedz] koszty ogólne

***o·ver·hear** ['əuvə'hıə(r)] **overheard, overheard** ['əuvə'hɜd] *vt* podsłuchać

**o·ver·hung** *zob.* **overhang**

**o·ver·land** ['əuvə'lænd] *adv* lądem; *adj attr* ['əuvəlænd] lądowy

**o·ver·lap** ['əuvə'læp] *vt vi* zachodzić jedno na drugie ⟨na siebie⟩ (np. o dachówkach); (częściowo) pokrywać się

**o·ver·load** ['əuvə'ləud] *vt* przeciążyć, przeładować; *s* ['əuvələud] przeciążenie, przeładowanie

**o·ver·look** ['əuvə'luk] *vt* przeoczyć, pominąć; zamykać oczy (**sth** na coś); wystawać ⟨wznosić się⟩ (**sth** ponad coś); (*o oknie*) wychodzić (**the street etc.** na ulicę itd.); nadzorować

**o·ver·night** ['əuvə'naıt] *adv* przez noc, na noc; (od) poprzedniego wieczoru

**o·ver·paid** *zob.* **overpay**

**o·ver·pass** ['əuvə'pas] *vt* przejść, przejechać; przekroczyć; przezwyciężyć; pominąć; *s am.* wiadukt

***o·ver·pay** ['əuvə'peı], **o·ver·paid, o·ver·paid** ['əuvə'peıd] *vt* przepłacić, nadpłacić

**o·ver·pop·u·late** ['əuvə'popjuleıt] *vt* przeludnić

**o·ver·pow·er** ['əuvə'pauə(r)] *vt* przemóc, pokonać; przytłoczyć, zmóc (kogoś czymś)

**o·ver·print** ['əuvəprınt] *s* nadruk; *vt* ['əuvə'prınt] nadrukować

**o·ver·pro·duc·tion** ['əuvəprə'dʌkʃn] *s* nadprodukcja

**o·ver·ran** *zob.* **overrun**

**o·ver·rate** ['əuvə'reıt] *vt* przecenić

***o·ver·ride** ['əuvə'raıd], **overrode** ['əuvə'rəud], **overridden** ['əuvə'rıdn] *vt* przejechać; podeptać; zajeździć (konia); *przen.* potraktować z góry; odrzucić (np. propozycję); przełamać (np. opór)

**o·ver·rule** ['əuvə'rul] *vt* opanować; wziąć górę (**sb, sth** nad kimś, czymś); *prawn.* unieważnić, odrzucić, uchylić; zlekceważyć

***o·ver·run** ['əuvə'rʌn], **overran** ['əuvə'ræn], **overrun** ['əuvə'rʌn] *vt* najechać (np. kraj); pokonać; spustoszyć; przekroczyć granice (**sth** czegoś); (*o wodzie*) zalewać (okolicę itd.)

**o·ver·sea(s)** ['əuvə'si(z)] *adv* za morzem, za morze; *adj attr* zamorski

**o·ver·se·er** [ˋəuvəsɪə(r)] *s* nadzorca
**o·ver·shad·ow** [ˈəuvəˋʃædəu] *vt dosł. i przen.* rzucać cień (sth na coś); przyciemnić; zaćmić
**o·ver·shoe** [ˋəuvəʃu] *s* kalosz, bot
**o·ver·sight** [ˋəuvəsaɪt] *s* przeoczenie; nadzór
**o·ver·size** [ˈəuvəˋsaɪz] *adj* zbyt ⟨za⟩ duży
***o·ver·sleep** [ˈəuvəˋslip], **overslept, overslept** [ˈəuvəˋslept] *vt* przespać; *vi* (*także vr* ~ **oneself**) zaspać
***o·ver·spread, overspread, overspread** [ˈəuvəˋspred] *vt* pokrywać
**o·ver·state** [ˈəuvəˋsteɪt] *vt* przesadzić (sth w czymś)
**o·ver·step** [ˈəuvəˋstep] *vt* przekroczyć
**o·ver·stock** [ˈəuvəˋstok] *vt* przepełnić (zapasami), zapchać (towarem itd.)
**o·ver·strain** [ˈəuvəˋstreɪn] *vt* naciągnąć; *dosł. i przen.* przeciągnąć (strunę); przeciążyć (np. pracą); *s* [ˋəuvəstreɪn] wyczerpanie (nadmierną pracą), przemęczenie
**o·vert** [ˋəuvɜt] *adj* otwarty, jawny
***o·ver·take** [ˈəuvəˋteɪk], **overtook** [ˈəuvəˋtuk], **overtaken** [ˈəuvəˋteɪkən] *vt* dopędzić, dosięgnąć; (*zw. o samochodzie*) wyprzedzić; zaskoczyć; odrobić (zaległości)
**o·ver·tax** [ˈəuvəˋtæks] *vt* przeciążyć (podatkami); przecenić; *przen.* przeliczyć się (z siłami itd.)
***o·ver·throw** [ˈəuvəˋθrəu], **overthrew** [ˈəuvəˋθru], **overthrown** [ˈəuvəˋθrəun] *vt* przewrócić; obalić; pobić; zniweczyć; *s* [ˋəuvəθrəu] obalenie, przewrót
**o·ver·time** [ˋəuvətaɪm] *s* czas pracy nadprogramowej, godziny nadliczbowe; *adj attr* nadliczbowy; *adv* nadliczbowo, nadprogramowo
**o·ver·took** *zob.* **overtake**
**o·ver·ture** [ˋəuvətʃə(r)] *s muz.* uwertura; (*zw. pl* ~s) rokowania wstępne; zabieganie o czyjeś względy
**o·ver·turn** [ˈəuvəˋtɜn] *vt vi* przewrócić (się), obalić; *s* [ˋəuvətɜn] obalenie, przewrót
**o·ver·weigh** [ˈəuvəˋweɪ] *vt vi* przeważać, więcej ważyć
**o·ver·weight** [ˋəuvəweɪt] *s* nadwyżka wagi
**o·ver·whelm** [ˈəuvəˋwelm] *vt* zalać, zasypać; przygnieść; pognębić; *dosł. i przen.* przytłoczyć; zakłopotać (hojnością itd.); (*o uczuciach*) ogarniać
**o·ver·work** [ˈəuvəˋwɜk] *vt* zmuszać do nadmiernej pracy, przeciążać pracą; *vi* przepracowywać się; *s* [ˋəuvəwɜk] przemęczenie, przepracowanie
**o·ver·wrought** [ˈəuvəˋrɔt] *adj* przemęczony; wyczerpany nerwowo; (*o stylu*) mozolnie wypracowany
**owe** [əu] *vt* być winnym ⟨dłużnym⟩; zawdzięczać (**sth to sb** coś komuś)
**ow·ing** [ˋəuɪŋ] *adj* należny; dłużny; wynikający (**to sth** z czegoś); *praep* ~ **to** dzięki, na skutek, z powodu
**owl** [aul] *s* sowa
**owl·ish** [ˋaulɪʃ] *adj* sowi
**own 1.** [əun] *adj* własny; **to be on one's** ~ być samodzielnym ⟨niezależnym⟩; **to have sth for one's** ~ mieć coś na własność; **to hold one's** ~ trzymać się, nie poddawać się
**own 2.** [əun] *vt vi* posiadać; wyznawać (winę itd.); przyznawać (się); uznawać; ~ **up** *pot.* przyznawać się
**own·er** [ˋəunə(r)] *s* właściciel
**own·er·ship** [ˋəunəʃɪp] *s* posiadanie, własność
**ox** [oks] *s* (*pl* **oxen** [ˋoksn]) wół
**ox·ide** [ˋoksaɪd] *s chem.* tlenek
**ox·i·dize** [ˋoksɪdaɪz] *vt vi* utleniać ⟨oksydować⟩ się
**Ox·o·ni·an** [okˋsəunɪən] *adj* oksfordzki; *s* Oksfordczyk

**ox·tail** [ˋoks teɪl] *s* ogon wołowy; **~ soup** zupa ogonowa
**ox·y·gen** [ˋoksɪdʒən] *s* tlen
**oys·ter** [ˋɔɪstə(r)] *s* ostryga
**oys·ter-knife** [ˋɔɪstə naɪf] *s* nóż do otwierania (muszli) ostryg
**oz** = **ounce** (*pl* **ozs** = **ounces**)
**o·zone** [ˋəuzəun] *s* *chem.* ozon; *pot.* świeży luft, świeże powietrze

# P

**pa** [pɑ] *s* *pot.* tatuś
**pace** [peɪs] *s* krok; chód; **to keep ~ with sb** dotrzymywać komuś kroku; *vt vi* kroczyć, stąpać
**pa·ci·fic** [pəˋsɪfɪk] *adj* spokojny; pokojowy; *s* **the Pacific (Ocean)** Ocean Spokojny, Pacyfik
**pac·i·fism** [ˋpæsɪfɪzm] *s* pacyfizm
**pac·i·fist** [ˋpæsɪfɪst] *s* pacyfista
**pac·i·fy** [ˋpæsɪfaɪ] *vt* uspokajać; pacyfikować
**pack** [pæk] *s* pakiet; wiązka; pakunek, paczka; tłumok, bela; *handl.* partia towaru; gromada; sfora (psów), stado; *pot.* banda; talia (kart); *vt vi* (*także* **~ up**) pakować (się); gromadzić ⟨tłoczyć, ścieśnić⟩ (się); zbierać (się) w stado ⟨sforę⟩; **~ in** zapakować; **~ off** odprawić, wyprawić (**sb** kogoś); zabrać się (skądś); **~ out** wypakować, wyładować; **~ up** spakować (się); *pot. przen.* przerwać pracę
**pack·age** [ˋpækɪdʒ] *s* pakiet, paczka, pakunek; opakowanie
**pack-an·i·mal** [ˋpækænəml] *s* zwierzę juczne
**pack·et** [ˋpækɪt] *s* pakiet, paczka, plik; (*także* **~-boat**) statek pocztowy
**pack·ing** [ˋpækɪŋ] *s* pakowanie; opakowanie; materiał do pakowania ⟨uszczelnienia itp.⟩; uszczelka; *med.* tampon; zawijanie
**pack·man** [ˋpækmən] *s* domokrążca
**pact** [pækt] *s* pakt, umowa
**pad 1.** [pæd] *s* podkładka, wyściółka; poduszka (palca, łapy, łożyska maszyny, do pieczątek, do igieł); bibularz, blok (papieru, rysunkowy); *vt* wypychać, wyściełać; nabijać, obijać
**pad 2.** [pæd] *s* droga, ścieżka; wierzchowiec; *vi* chodzić pieszo, wędrować
**pad·ding** [ˋpædɪŋ] *s* wyściółka; podbicie; podszycie (płaszcza itd.); obicie
**pad·dle 1.** [ˋpædl] *s* wiosło; *vt vi* wiosłować
**pad·dle 2.** [ˋpædl] *vi* brodzić, taplać się w wodzie
**pad·dle-wheel** [ˋpædlwil] *s* łopatkowe koło napędowe (statku)
**pad·dock** [ˋpædək] *s* wybieg dla koni, wygon
**pad·lock** [ˋpædlok] *s* kłódka; *vt* zamykać na kłódkę
**pa·gan** [ˋpeɪgən] *adj* pogański; *s* poganin
**page 1.** [peɪdʒ] *s* stronica
**page 2.** [peɪdʒ] *s* paź
**pag·eant** [ˋpædʒənt] *s* pokaz, widowisko; parada, korowód
**paid** *zob.* pay
**pail** [peɪl] *s* wiadro
**pain** [peɪn] *s* ból; troska; przykrość; † kara; *pl* **~s** trud; bóle porodowe; **to take ~s** zadawać sobie trud; **to give ~** zadawać ból, sprawiać przykrość; *vt vi* boleć, zadawać ból; gnębić, dręczyć; smucić; **I am ~ed to learn it** przykro mi, że się o tym dowiaduję

**pain·ful** [ˋpeɪnfl] *adj* bolesny, przykry
**pains·tak·ing** [ˋpeɪnzteɪkɪŋ] *adj* pracowity, dbały, staranny
**paint** [peɪnt] *s* farba; szminka; *vt* malować; szminkować; opisywać ⟨przedstawiać⟩ obrazowo
**paint·er** [ˋpeɪntə(r)] *s* (artysta) malarz
**paint·ing** [ˋpeɪntɪŋ] *s* malarstwo; obraz, malowidło
**pair** [peə(r)] *s* para; **in ~s** parami; *vt vi* łączyć (się) w pary, dobierać (się) do pary; (*o zwierzętach*) parzyć się; **~ off** rozbijać się na pary, odchodzić parami; pobrać się
**pa·jam·as** [pəˋdʒaməz] *s am.* = **pyjamas**
**pal** [pæl] *s pot.* towarzysz, kompan; *vi* (*także* **~ up**) zaprzyjaźnić się (**with sb** z kimś)
**pal·ace** [ˋpælɪs] *s* pałac
**pal·at·a·ble** [ˋpælətəbl] *adj* smaczny, przyjemny
**pal·a·tal** [ˋpælətəl] *adj* podniebienny
**pal·ate** [ˋpælət] *s* podniebienie; gust
**pa·lav·er** [pəˋlavə(r)] *s pot.* gadanina; *vi* paplać
**pale 1.** [peɪl] *s* pal; granica; zakres; **within the ~ of** w granicach ⟨w obrębie⟩ (czegoś); *vt* (*także* **~ in**) ogrodzić, otoczyć
**pale 2.** [peɪl] *adj* blady; **to turn ~** zblednąć; *vi* blednąć; *vt* powodować bladość
**pal·ette** [ˋpælɪt] *s* paleta
**pal·i·sade** [ˋpælɪseɪd] *s* palisada; *vt* otoczyć palisadą
**pall 1.** [pɔl] *s* całun; *vt* okryć całunem
**pall 2.** [pɔl] *vi* sprzykrzyć się ⟨obrzydnąć⟩ (**on sb** komuś)
**pal·let 1.** [ˋpælɪt] *s* siennik; nędzne łoże, barłóg
**pal·let 2.** [ˋpælɪt] = **palette**
**pal·li·a·tive** [ˋpælɪətɪv] *adj* uśmierzający, łagodzący; *s* środek łagodzący; półśrodek; wymówka, usprawiedliwienie
**pal·lid** [ˋpælɪd] *adj* blady
**pal·lor** [ˋpælə(r)] *s* bladość
**palm 1.** [pam] *s* palma; **Palm Sunday** Niedziela Palmowa
**palm 2.** [pam] *s* dłoń
**palm·is·try** [ˋpamɪstrɪ] *s* chiromancja
**palm·y** [ˋpamɪ] *adj* palmowy; pomyślny
**pal·pa·ble** [ˋpælpəbl] *adj* namacalny, wyczuwalny dotykiem
**pal·pi·tate** [ˋpælpɪteɪt] *vi* (*o sercu*) bić, kołatać; drżeć
**pal·pi·ta·tion** [ˌpælpɪˋteɪʃn] *s* silne bicie serca, palpitacja; drżenie
**pal·sy** [ˋpɔlzɪ] *s* paraliż; *vt* sparaliżować
**pal·try** [ˋpɔltrɪ] *adj* nędzny, lichy
**pam·per** [ˋpæmpə(r)] *vt* rozpieszczać, dogadzać
**pam·phlet** [ˋpæmflət] *s* broszura; pamflet
**pam·phlet·eer** [ˌpæmfləˋtɪə(r)] *s* autor broszur; pamflecista
**pan** [pæn] *s* (*także* **frying-~**) patelnia; (*także* **sauce-~**) rondel
**pan·cake** [ˋpænkeɪk] *s* naleśnik
**pan·cre·as** [ˋpænkrɪəs] *s anat.* trzustka
**pan·der** [ˋpændə(r)] *vi* stręczyć; *s* stręczyciel, rajfur
**pane** [peɪn] *s* szyba; (kwadratowa) płaszczyzna; kratka (wzoru)
**pan·e·gyr·ic** [ˌpænɪˋdʒɪrɪk] *s* panegiryk
**pan·el** [ˋpænl] *s* płyta; filunek, kaseton; wstawka ⟨klin⟩ (w sukni); poduszka (u siodła); urzędowy wykaz lekarzy; *prawn.* skład sędziów przysięgłych; komisja (np. konkursowa); **~ discussion** dyskusja rzeczoznawców; **~ patient** pacjent korzystający z ubezpieczeń społecznych; *vt* zdobić płytkami, kasetonami itp.; wszywać wstawkę (do sukni)
**pang** [pæŋ] *s* ostry ból, spazm bólu; **~s of conscience** wyrzuty sumienia
**pan·ic** [ˋpænɪk] *adj* paniczny; *s* panika

**pan·ick·y** [`pænɪkɪ] *adj pot.* paniczny, łatwo ulegający panice; alarmistyczny
**pan·o·ram·a** [ˌpænə`rɑmə] *s* panorama
**pan·sy** [`pænzɪ] *s bot.* bratek
**pant** [pænt] *vi* dyszeć; sapać; (*o sercu*) kołatać; (*o piersi*) falować; pożądać ⟨łaknąć⟩ (**for** ⟨**after**⟩ **sth** czegoś); *s* dyszenie; sapanie; kołatanie (serca)
**pan·ther** [`pænθə(r)] *s* pantera
**pan·to·mime** [`pæntəmaɪm] *s* pantomima
**pan·try** [`pæntrɪ] *s* spiżarnia
**pants** [pænts] *s pl pot.* kalesony; *am.* spodnie
**pa·pa** [pə`pɑ] *s zdrob.* tatuś
**pa·pa·cy** [`peɪpəsɪ] *s* papiestwo
**pa·pal** [`peɪpl] *adj* papieski
**pa·per** [`peɪpə(r)] *s* papier; gazeta, czasopismo; tapeta; praca pisemna; referat, rozprawa; *pl* ~**s** papiery, dokumenty; *adj* papierowy; *vt* wyłożyć papierami; pakować ⟨zawijać⟩ w papier; tapetować
**pa·per·back** [`peɪpə bæk] *s* książka broszurowana ⟨w papierowej okładce⟩
**pa·per-clip** [`peɪpə klɪp] *s* spinacz do papieru
**pa·per-weight** [`peɪpəweɪt] *s* przycisk
**pa·pist** [`peɪpɪst] *s* papista
**pap·ri·ka** [`pæprɪkə] *s* papryka
**par** [pɑ(r)] *s handl.* parytet; równość; **at** ~ na równi; **above** ⟨**below**⟩ ~ powyżej ⟨poniżej⟩ parytetu ⟨przeciętnej⟩; **to be on a** ~ dorównywać (**with sb, sth** komuś, czemuś)
**par·a·ble** [`pærəbl] *s* przypowieść
**pa·rab·o·la** [pə`ræbələ] *s* parabola
**par·a·chute** [`pærəʃut] *s* spadochron; *adj attr* spadochronowy; *vt* zrzucić na spadochronie; *vi* spadać na spadochronie
**par·a·chut·ist** [`pærəʃutɪst] *s* spadochroniarz
**pa·rade** [pə`reɪd] *s* parada; popis, pokaz; *wojsk.* apel, przegląd; *vt* wystawiać na pokaz; *wojsk.* robić przegląd; *vi* paradować
**par·a·dise** [`pærədaɪs] *s* raj
**par·a·dox** [`pærədoks] *s* paradoks
**par·af·fin** [`pærəfɪn] *s* parafina; (*także* ~ **oil**) nafta
**par·a·gon** [`pærəgən] *s* wzór (np. cnoty)
**par·a·graph** [`pærəgrɑf] *s* paragraf; ustęp (w książce), akapit
**par·al·lel** [`pærəlel] *adj* równoległy; analogiczny; ~ **bars** *sport* drążki; *s* (linia) równoległa; odpowiednik; porównanie; *geogr.* równoleżnik
**par·a·lyse** [`pærəlaɪz] *vt* paraliżować
**pa·ral·y·sis** [pə`ræləsɪs] *s* paraliż
**par·a·mount** [`pærəmaunt] *adj* najważniejszy, główny
**par·a·mour** [`pærəmɔ(r)] *s* kochanek, kochanka
**par·a·phrase** [`pærəfreɪz] *s* parafraza
**par·a·site** [`pærəsaɪt] *s* pasożyt
**par·a·sit·ic** [ˌpærə`sɪtɪk] *adj* pasożytniczy
**par·a·sol** [`pærəsol] *s* parasolka (od słońca)
**par·a·troops** [`pærətrups] *s pl* wojska spadochronowe
**par·cel** [`pɑsl] *s* paczka; przesyłka; partia (towaru); parcela; *vt* paczkować; dzielić; (*także* ~ **out**) parcelować
**parch** [pɑtʃ] *vt* suszyć, prażyć, palić (kawę); *vi* schnąć
**parch·ment** [`pɑtʃmənt] *s* pergamin
**par·don** [`pɑdn] *s* przebaczenie; **I beg your** ~ przepraszam; *rel.* odpust; *vt* przebaczać; ~ **me** przepraszam
**par·don·a·ble** [`pɑdn̩əbl] *adj* wybaczalny
**par·ent** [`peərnt] *s* ojciec, matka; *pl* ~**s** rodzice
**par·ent·age** [`peərntɪdʒ] *s* pochodzenie, ród

**pa·ren·tal** [pə`rentl] *adj* rodzicielski

**pa·ren·the·sis** [pə`renθəsɪs] *s* nawias

**par·ish** [`pærɪʃ] *s* parafia; gmina; **~ register** księga metrykalna

**Pa·ri·sian** [pə`rɪzɪən] *adj* paryski; *s* paryżanin

**par·i·ty** [`pærətɪ] *s* równość; parytet

**park** [pɑk] *s* park; parking; *wojsk.* park (artyleryjski itd.); *vt* parkować

**park·ing** [`pɑkɪŋ] *s* parkowanie; parking; **~ lot** miejsce do parkowania; **~ meter** licznik parkingowy

**par·lance** [`pɑləns] *s* mowa, język

**par·ley** [`pɑlɪ] *s* narada, rokowania; *vi* paktować, pertraktować

**par·lia·ment** [`pɑləmənt] *s* parlament

**par·lia·men·tar·i·an** [ˌpɑləmen`teərɪən] *adj* parlamentarny; *s* parlamentarz

**par·lour** [`pɑlə(r)] *s* salon, pokój przyjęć

**par·lour-car** [`pɑləka(r)] *s am.* salonka (w pociągu)

**par·lour-maid** [`pɑlə məɪd] *s* pokojówka

**pa·ro·chi·al** [pə`rəukɪəl] *adj* parafialny; *przen.* ograniczony

**par·o·dy** [`pærədɪ] *s* parodia

**pa·role** [pə`rəul] *s* słowo honoru; *wojsk.* hasło; *vt* zwolnić z aresztu na słowo honoru ⟨warunkowo⟩

**par·quet** [`pɑkeɪ] *s* parkiet

**par·ri·cide** [`pærɪsaɪd] *s* ojcobójstwo; ojcobójca

**par·rot** [`pærət] *s* papuga; *vi* mówić jak papuga; *vt* powtarzać (coś) jak papuga

**par·ry** [`pærɪ] *vt* odparować, odpierać; *s* odparcie, odparowanie (np. ciosu)

**parse** [pɑz] *vt gram.* zrobić rozbiór (**a sentence** zdania)

**par·si·mo·ny** [`pɑsɪmənɪ] *s* oszczędność; skąpstwo

**pars·ley** [`pɑslɪ] *s* pietruszka

**pars·nip** [`pɑsnɪp] *s* pasternak

**par·son** [`pɑsn] *s* proboszcz, pastor

**par·son·age** [`pɑsnɪdʒ] *s* probostwo; plebania

**part** [pɑt] *s* część; udział, rola; strona; *pl* **~s** okolica, strony; zdolności, talent; **for my ~** co do mnie; **for the most ~** przeważnie, po większej części; **in great ~** w znacznej mierze; **in ~** częściowo; **on my ~** z mojej strony, co do mnie; **to do one's ~** zrobić swoje; **to take ~** brać udział ⟨pomagać⟩ (**in sth** w czymś); **to take sth in good ~** brać coś za dobrą monetę; **this is not my ~** to nie moja rzecz; *vt* dzielić, rozdzielać; rozrywać; **to ~ company** rozstawać się; *vi* rozdzielić się; rozłączyć się; rozejść się; rozstąpić się; rozstać się (**from sb** z kimś, **with sth** z czymś)

***par·take** [pɑ`teɪk], **partook** [pɑ`tuk], **partaken** [pɑ`teɪkən] *vi* uczestniczyć (**in** ⟨**of**⟩ **sth** w czymś); spożywać (**of sth** coś); mieć w sobie (**of sth** coś); trącić (**of sth** czymś); *vt* podzielać (czyjś los itd.)

**par·tial** [`pɑʃl] *adj* częściowy; stronniczy; **to be ~ to sth** lubić coś, mieć słabość do czegoś

**par·tial·i·ty** [ˌpɑʃɪ`ælətɪ] *s* stronniczość; upodobanie (**for sth** do czegoś)

**par·tic·i·pant** [pɑ`tɪsɪpənt] *s* uczestnik

**par·tic·i·pate** [pɑ`tɪsɪpeɪt] *vi* uczestniczyć (**in sth** w czymś); podzielać (**in sth** coś)

**par·ti·ci·ple** [`pɑtəspl] *s gram.* imiesłów

**par·ti·cle** [`pɑtɪkl] *s* cząstka; *gram.* partykuła

**par·tic·u·lar** [pə`tɪkjulə(r)] *adj* szczególny, specjalny, specyficzny; szczegółowy, dokładny; wybredny; grymaśny, wymagający (**about sth** pod względem czegoś); nadzwyczajny, osobliwy; uważny, staranny; **in ~** w szczególności; *s* szczegół

**par·tic·u·lar·ity** [pə'tıkju'lærətı] *s* osobliwość; szczegół; szczegółowość, dokładność; wybredność

**part·ing** ['patıŋ] *ppraes i s* rozdział; przedział; *geogr.* dział wodny; rozstanie, pożegnanie, odejście

**par·ti·san** ['patı'zæn] *s* zwolennik, stronnik; partyzant

**par·ti·tion** [pa'tıʃn] *s* podział; rozbiór (państwa); (oddzielona) część; przedział; przepierzenie; *vt* dzielić; **~ off** oddzielać, odgradzać

**part·ner** ['patnə(r)] *s* partner, wspólnik, współuczestnik; *vt* być czyimś partnerem (np. w tańcu)

**part·ner·ship** ['patnəʃıp] *s* współudział, współuczestnictwo; spółka

**par·took** *zob.* **partake**

**par·tridge** ['pa-trıdʒ] *s zool.* kuropatwa

**part-time** ['pattaım] *adj attr zw. w połączeniach:* **~ worker ⟨work⟩** pracownik ⟨praca⟩ na niepełnym etacie; *adv* na niepełnym etacie

**par·ty** ['patı] *s* partia; towarzystwo; grupa; zespół; przyjęcie towarzyskie, zabawa; strona (np. w sądzie); współuczestnik; **to be a ~** współuczestniczyć (**to sth** w czymś)

**pass** [pas] *vt vi* przechodzić ⟨przebiegać, przejeżdżać itd.⟩ (obok ⟨przez coś⟩); mijać; przekraczać; przewyższać; spędzać (czas); przeżywać (**through sth** coś); pominąć, przeoczyć, przepuścić; zaniedbać; zdać (egzamin); zatwierdzić, przeprowadzić (uchwałę); (*o uchwale*) przejść; podać dalej, posłać; (*także* **~ on**) przekazać; wydać (wyrok, opinię); zdarzyć się; być uważanym, uchodzić (**for sth** za coś); zachodzić, dziać się; **~ away** minąć, zniknąć; umrzeć; **~ off** mijać, przemijać; **~ oneself off** podawać się (**as ⟨for⟩ sb, sth** za kogoś, coś); **~ out** wyjść; zemdleć; **~ over** przepuścić, pominąć; przejść (np. na drugą stronę); przeminąć; *s* przejście; przepustka, paszport; złożenie (egzaminu); krytyczna sytuacja; przesmyk; przełęcz; *sport* podanie piłki; **to bring to ~** dokonać (**sth** czegoś); **to come to ~** zdarzyć się

**pass·a·ble** ['pasəbl] *adj* nadający się do przejścia ⟨przebycia, przeprawy, przejazdu⟩; znośny; (*o stopniu*) dostateczny

**pas·sage** ['pæsıdʒ] *s* przejście, przejazd, przeprawa; korytarz; ustęp (w książce); pasaż

**pas·sen·ger** ['pæsndʒə(r)] *s* pasażer

**pass·er-by** ['pasə 'baı] *s* (*pl* **passers-by** ['pasəz 'baı]) przechodzień

**pas·sing** ['pasıŋ] *adj* przemijający, przelotny; rzucony mimochodem

**pas·sion** ['pæʃn] *s* namiętność ⟨pasja⟩ (**for sth** do czegoś)

**pas·sion·ate** ['pæʃṇət] *adj* namiętny; zapalczywy; żarliwy

**pas·sive** ['pæsıv] *adj* bierny; *gram.* **~ voice** strona bierna

**pass·port** ['paspɔt] *s* paszport

**pass·word** ['pasw3d] *s* hasło

**past** [past] *adj* miniony, przeszły; ubiegły, ostatni (tydzień itd.); *s* przeszłość; *gram.* czas przeszły; *praep* za (czymś); obok; po; **~ all belief** nie do wiary; **~ comparison** nie do porównania; **~ hope** beznadziejny; **ten ~ two** dziesięć (minut) po drugiej; **~ work** niezdolny (już) do pracy; **a man ~ forty** mężczyzna po czterdziestce; *adv* obok, mimo; **march ~** defilować

**paste** [peıst] *s* ciasto; klej; pasta; *vt* kleić, lepić; **~ up** naklejać; smarować pastą

**paste·board** [ˋpeɪstbɔd] *s* tektura, karton

**pas·tel** [ˋpæstl] *s* pastel (kredka i obraz)

**pas·time** [ˋpastaɪm] *s* rozrywka

**pas·tor** [ˋpastə(r)] *s* pastor, duszpasterz

**pas·to·ral** [ˋpastərl] *adj* pasterski; *s* sielanka (utwór); list pasterski

**pas·try** [ˋpeɪstrɪ] *s* ciasto; *zbior.* wyroby cukiernicze

**pas·tur·a·ble** [ˋpastʃərəbl] *adj* pastewny

**pas·ture** [ˋpastʃə(r)] *s* pastwisko; pasza; *vt vi* paść (się)

**past·y 1.** [ˋpæstɪ] *s* pasztet, pasztecik, pierożek

**past·y 2.** [ˋpeɪstɪ] *adj* ciastowaty, papkowaty

**pat** [pæt] *s* klepnięcie, klaps; tupot; krążek (np. masła); *vt* poklepywać; *vi* postukiwać, tupać; *adj pot.* szczęśliwy, trafny; *adv pot.* trafnie, w sam raz, akurat, w samą porę

**patch** [pætʃ] *s* łata, łatka; plaster; opatrunek na oku; skrawek; płat (np. ziemi); grządka; *vt* (*także* ~ up) łatać, naprawiać

**patch·work** [ˋpætʃwɜk] *s* łatanina; mieszanina (kawałków, skrawków); szachownica (np. pól)

**pat·ent** [ˋpeɪtənt] *s* patent; przywilej; *adj* patentowy, opatentowany; otwarty, jawny, oczywisty; ~ **leather** skóra lakierowana; **letters** ~ patent (dokument); *vt* opatentować

**pa·ter·nal** [pəˋtɜnl] *adj* ojcowski; (*o krewnym*) po ojcu

**pa·ter·ni·ty** [pəˋtɜnətɪ] *s* ojcostwo; pochodzenie

**path** [paθ] *s* (*pl* ~s [paðz]) ścieżka, droga (dla pieszych i *przen.*); tor (pocisku itd.)

**pa·thet·ic** [pəˋθetɪk] *adj* patetyczny

**pa·thol·o·gy** [pəˋθolədʒɪ] *s* patologia

**pa·thos** [ˋpeɪθos] *s* patos

**pa·tience** [ˋpeɪʃns] *s* cierpliwość

**pa·tient** [ˋpeɪʃnt] *adj* cierpliwy; *s* pacjent

**pa·tri·ot** [ˋpeɪtrɪət] *s* patriota

**pa·tri·ot·ic** [ˌpeɪtrɪˋotɪk] *adj* patriotyczny

**pa·trol** [pəˋtrəul] *s* patrol; *vt vi* patrolować

**pa·trol·man** [pəˋtrəulmən] *s am.* policjant

**pa·tron** [ˋpeɪtrən] *s* patron, opiekun; stały klient

**pat·ron·age** [ˋpætrənɪdʒ] *s* patronat, opieka; protekcjonalność

**pat·ron·ize** [ˋpætrənaɪz] *vt* patronować, otaczać opieką; okazywać łaskę; traktować protekcjonalnie; być stałym klientem

**pat·ter 1.** [ˋpætə(r)] *vt vi* (lekko) stukać, tupotać; *s* (lekkie) stukanie, tupot

**pat·ter 2.** [ˋpætə(r)] *vt vi* klepać (np. pacierz); trajkotać; *s* żargon, gwara (środowiskowa); trajkotanie

**pat·tern** [ˋpætn] *s* wzór; próbka; szablon, wykrój; model, forma; *vt* ozdabiać wzorem; **to ~ sth after ⟨on⟩ sth** wzorować się na czymś

**pat·ty** [ˋpætɪ] *s* pasztecik

**pau·ci·ty** [ˋpɔsətɪ] *s* mała ilość, szczupłość

**pau·per** [ˋpɔpə(r)] *s* żebrak; ubogi (człowiek)

**pau·per·ize** [ˋpɔpəraɪz] *vt* spauperyzować

**pause** [pɔz] *s* pauza, przerwa; *vi* pauzować, robić przerwę, zatrzymać się

**pave** [peɪv] *vt* brukować; *przen.* torować (drogę)

**pave·ment** [ˋpeɪvmənt] *s* bruk, nawierzchnia; chodnik

**pa·vil·ion** [pəˋvɪlɪən] *s* duży namiot; pawilon

**paw** [pɔ] *s* łapa; *vt* uderzać ⟨skrobać⟩ łapą; *pot.* obłapiać; *vi* (*o koniu*) grzebać nogą

**pawn 1.** [pɔn] *s dosł. i przen.* pionek

**pawn 2.** [pɔn] *s* zastaw, fant; *vt* dawać w zastaw

**pawn·broker** [`pɔnbrəukə(r)] *s* właściciel lombardu

**pawn·shop** [`pɔnʃop] *s* lombard

***pay** [peɪ] **paid, paid** [peɪd] *vt vi* płacić, wynagradzać, opłacać (się); **to ~ attention** uważać (**to sth** na coś); **to ~ (sb) a compliment** powiedzieć (komuś) komplement; **to ~ one's respects to sb** złożyć komuś uszanowanie; **to ~ a visit** złożyć wizytę; **to ~ one's way** pokrywać koszty ⟨zobowiązania⟩; *z przysłówkami*: **~ back** odpłacić; zwrócić pieniądze; **~ down** wypłacić gotówką; **~ in** wpłacić; **~ off** spłacić; **~ out** wypłacić; **~ up** całkowicie spłacić; *s* wypłata, zapłata; wynagrodzenie, płaca; **to be in sb's ~** być zatrudnionym u kogoś; być na czyimś żołdzie

**pay·a·ble** [`peɪəbl] *adj* płatny; opłacalny

**pay·ing** [`peɪŋ] *ppraes i adj* płacący; popłatny, dochodowy

**pay·ment** [`peɪmənt] *s* zapłata, wypłata, wynagrodzenie, wpłata

**pay·roll** [`peɪrəul], **pay·sheet** [`peɪ ʃit] *s* lista płac

**pea** [pi] *s* groch, ziarnko grochu

**peace** [pis] *s* pokój; spokój; **at ~** w spokoju; na stopie pokojowej

**peace·ful** [`pisful] *adj* spokojny; pokojowy

**peace·mak·er** [`pismeɪkə(r)] *s* pojednawca, arbiter

**peach** [pitʃ] *s* brzoskwinia (owoc i drzewo)

**pea·cock** [`pikok] *s* paw

**peak** [pik] *s* szczyt (góry), wierzchołek; szpic; daszek (u czapki); *adj attr* szczytowy

**peal** [pil] *s* melodia ⟨bicie⟩ dzwonów, kurant; huk; *vi* rozbrzmiewać; huczeć

**pea·nut** [`pinʌt] *s* orzech ziemny

**pear** [peə(r)] *s* gruszka (owoc i drzewo)

**pearl** [p3l] *s* perła

**peas·ant** [`peznt] *s* chłop, wieśniak, rolnik

**peas·ant·ry** [`pezntrɪ] *s* chłopstwo

**pease** [piz] *s* groch

**peat** [pit] *s* torf

**peat-bog** [`pitbog] *s* torfowisko

**peb·ble** [`pebl] *s* kamyk; *geol.* otoczak

**peck 1.** [pek] *s* garniec (miara); *pot.* wielka ilość, masa

**peck 2.** [pek] *vt vi* dziobać (**sth, at sth** coś); *s* dziobanie

**pe·cul·iar** [pɪ`kjulɪə(r)] *adj* szczególny, specyficzny; osobliwy, dziwny; właściwy (**to sb, sth** komuś, czemuś)

**pe·cu·li·ar·i·ty** [pɪ'kjulɪ`ærətɪ] *s* osobliwość; właściwość

**pe·cu·ni·ar·y** [pɪ`kjunɪərɪ] *adj* pieniężny, finansowy

**ped·a·gog·ic(al)** ['pedə`godʒɪk(l)] *adj* wychowawczy, pedagogiczny

**ped·a·gog·ics** ['pedə`godʒɪks] *s* pedagogika

**ped·a·gogue** [`pedəgog] *s zw. uj.* wychowawca, belfer

**ped·al** [`pedl] *s* pedał; *vt* naciskać pedał; *vi* pedałować (na rowerze)

**ped·ant** [`pednt] *s* pedant

**pe·dan·tic** [pɪ`dæntɪk] *adj* pedantyczny

**ped·dle** [`pedl] *vi* uprawiać handel domokrążny; *vt* kolportować (towary, plotki)

**ped·es·tal** [`pedɪstl] *s* piedestał

**pe·des·tri·an** [pɪ`destrɪən] *adj* pieszy; *przen.* przyziemny, nudny; *s* pieszy, przechodzień, piechur

**ped·i·gree** [`pedɪgri] *s* rodowód, pochodzenie

**ped·lar** [`pedlə(r)] *s* domokrążca

**peel** [pil] *s* łupina, skórka; *vt* obierać (ziemniaki, owoce); zdzierać (korę, skórę); *vi* (*także* **~ off**) łuszczyć się; zrzucać skórę

**peep 1.** [pip] *vi* zaglądać z ciekawości (**into sth** do czegoś), zer-

**kać** (at sb, sth na kogoś, coś); podglądać (at sb, sth kogoś, coś); *s* ukradkowe spojrzenie, zerknięcie

**peep** 2. [pip] *vi* ćwierkać; *s* ćwierkanie

**peep-hole** [`piphəul] *s* otwór do zaglądania; judasz (w drzwiach)

**peer** 1. [pɪə(r)] *s* par, lord; (człowiek) równy drugiemu; **to be sb's ~** dorównywać komuś

**peer** 2. [pɪə(r)] *vi* (badawczo) patrzeć ⟨spoglądać⟩ (at sb, sth na kogoś, coś); wyzierać, wyglądać

**peer·less** [`pɪələs] *adj* niezrównany, bezkonkurencyjny

**pee·vish** [`pivɪʃ] *adj* skłonny do irytacji, drażliwy

**peg** [peg] *s* kołek, czop, szpunt; *vt* kołkować, przytwierdzać kołkami; *vi* ~ away zawzięcie pracować

**pel·i·can** [`pelɪkən] *s zool.* pelikan

**pell-mell** [ˈpel `mel] *adv* bezładnie, chaotycznie; *adj* bezładny, chaotyczny; *s* chaos, bałagan

**pelt** 1. [pelt] *s* skóra (zwierzęca), skórka (na futro)

**pelt** 2. [pelt] *vt* obrzucić (obelgami, kamieniami itd.); *vi* gęsto padać, (np. *o gradzie*) bębnić; *s* grad (np. kul)

**pel·vis** [`pelvɪs] *s* (*pl* **pelves** [`pelviz]) *anat.* miednica

**pen** 1. [pen] *s* zagroda (dla bydła, drobiu itd.); *vt* zamknąć w zagrodzie; uwięzić

**pen** 2. [pen] *s* pióro; *vt* pisać, kreślić; zapisywać

**pe·nal** [`pinl] *adj prawn.* karny; karalny

**pe·nal·ize** [`pinḷaɪz] *vt prawn.* karać sądownie

**pen·al·ty** [`penltɪ] *s prawn.* kara sądowa, grzywna

**pen·ance** [`penəns] *s rel.* pokuta

**pence** *zob.* **penny**

**pen·cil** [`pensl] *s* ołówek; *vt* szkicować, rysować

**pen·dant** [`pendənt] *s* wisząca ozdoba, wisiorek; para ⟨pendant⟩ (**to sth** do czegoś); odpowiednik (**to sth** czegoś)

**pend·ent** [`pendənt] *adj* wiszący; będący w toku; *s* = **pendant**

**pend·ing** [`pendɪŋ] *adj* nie rozstrzygnięty; *praep* w oczekiwaniu, do (czasu)

**pen·du·lum** [`pendjuləm] *s* wahadło

**pen·e·trate** [`penɪtreɪt] *vt vi* przeniknąć, przebić; zanurzyć (się), wcisnąć się, wtargnąć

**pen·e·tra·tion** [ˈpenɪ`treɪʃn] *s* penetracja, przenikanie; przenikliwość

**pen·hold·er** [`penhəuldə(r)] *s* obsadka (do pisania)

**pen·i·cil·lin** [ˈpenɪ`sɪlɪn] *s* penicylina

**pe·nin·su·la** [pə`nɪnsjulə] *s* półwysep

**pen·i·tent** [`penɪtənt] *adj* skruszony; *s* pokutnik

**pen·i·ten·tial** [ˈpenɪ`tenʃl] *adj* pokutny

**pen·i·ten·tia·ry** [ˈpenɪ`tenʃərɪ] *adj* poprawczy; *prawn.* penitencjarny; *s* dom poprawczy; *am.* więzienie

**pen·knife** [`pennaɪf] *s* (*pl* **penknives** [`pennaɪvz]) scyzoryk

**pen·man** [`penmən] *s* pisarz, autor

**pen-name** [`penneɪm] *s* pseudonim (autora)

**pen·ni·less** [`penɪləs] *adj* bez grosza

**pen·ny** [`penɪ] *s* (*pl* **pence** [pens]) pens (kwota); (*pl* **pennies** [`pen ɪz]) moneta jednopensowa; *przen.* grosz

**pen·sion** [`penʃn] *s* emerytura, renta; [`pãsɪõ] pensjonat; *vt* przyznawać emeryturę, wypłacać rentę; **~ off** przenieść na emeryturę

**pen·sion·ar·y** [`penʃnərɪ] *adj* emerytalny; *s* emeryt, rencista

**pen·sion·er** [ˋpenʃnə(r)] = **pensionary** *s*
**pen·sive** [ˋpensɪv] *adj* zadumany
**pen·ta·gon** [ˋpentəgən] *s* pięciokąt, pięciobok
**pen·tath·lon** [penˋtæθlən] *s sport* pięciobój
**pent·house** [ˋpenthaus] *s* przybudówka, nadbudówka; wystający dach ochronny, okap
**pe·nul·ti·mate** [penˋʌltɪmət] *adj* przedostatni
**pe·nu·ri·ous** [pɪˋnjuərɪəs] *adj* biedny, ubogi; skąpy
**pen·u·ry** [ˋpenjuərɪ] *s* bieda; brak; skąpstwo
**pe·on** [ˋpiən] *s* (*w Indiach*) żołnierz pieszy; policjant; posłaniec; służący; *am.* wyrobnik
**peo·ple** [ˋpipl] *s* naród, lud; *zbior.* osoby, ludzie, obywatele; ludność; członkowie rodziny; pracownicy (zakładu); *vt* zaludniać
**pep** [pep] *s pot.* wigor, werwa
**pep·per** [ˋpepə(r)] *s* pieprz; *vi* pieprzyć
**per** [pɜ(r)] *praep łac.* przez, za pośrednictwem; ~ **day** za dzień, na dzień, dziennie; ~ **post** pocztą; ~ **cent** od sta; **5** ~ **cent, 5 p.c.** 5 procent
**per·am·bu·late** [pəˋræmbjuleɪt] *vt* wędrować (**fields** po polach); *vi* przechadzać się
**per·am·bu·la·tor** [pəˋræmbjuleɪtə(r)] *s* wózek dziecięcy
**per·ceive** [pəˋsiv] *vt* odczuć, zauważyć, spostrzec; postrzegać
**per·cent·age** [pəˋsentɪdʒ] *s* procent, odsetek
**per·cep·ti·ble** [pəˋseptəbl] *adj* dający się odczuć; dostrzegalny
**per·cep·tion** [pəˋsepʃn] *s* percepcja
**perch** [pɜtʃ] *s* żerdź; grzęda; *vi* siadać, usadowić się; *vt* sadzać; usadowić
**per·co·late** [ˋpɜkəleɪt] *vt vi* przesączać (się); filtrować; przeciekać
**per·cuss** [pəˋkʌs] *vt* wstrząsać; *med.* opukiwać
**per·cus·sion** [pəˋkʌʃn] *s* wstrząs, uderzenie; *muz.* perkusja; *med.* opukiwanie
**per·di·tion** [pəˋdɪʃn] *s* zatracenie, potępienie
**per·emp·to·ry** [pəˋremptərɪ] *adj* ostateczny, stanowczy; apodyktyczny
**per·en·ni·al** [pəˋrenɪəl] *adj* wieczny; trwały; *s bot.* bylina
**per·fect** [ˋpɜfɪkt] *adj* doskonały; skończony; zupełny; *gram.* dokonany; *s gram.* czas. przeszły dokonany; *vt* [pəˋfekt] doskonalić; kończyć, dokonać (czegoś)
**per·fec·tion** [pəˋfekʃn] *s* doskonałość; dokonanie ⟨ukończenie⟩ (czegoś)
**per·fid·i·ous** [pəˋfɪdɪəs] *adj* wiarołomny, przewrotny, perfidny
**per·fi·dy** [ˋpɜfɪdɪ] *s* wiarołomność, przewrotność, perfidia
**per·fo·rate** [ˋpɜfəreɪt] *vt* perforować, dziurkować
**per·fo·ra·tion** [ˈpɜfəˋreɪʃn] *s* dziurkowanie, perforacja, przekłucie
**per·force** [pɜˋfɔs] *adv* z konieczności
**per·form** [pəˋfɔm] *vt* dokonywać, wykonywać, spełniać; grać (sztukę); *vi* występować (na scenie)
**per·form·ance** [pəˋfɔməns] *s* dokonanie, wykonanie, spełnienie; wyczyn; wystawienie (sztuki), przedstawienie; odegranie (roli)
**per·fume** [ˋpɜfjum] *s* perfumy; zapach; *vt* [pəˋfjum] perfumować, rozsiewać zapach
**per·func·to·ry** [pəˋfʌŋktərɪ] *adj* powierzchowny; niedbały
**per·haps** [pəˋhæps] *adv* może, być może
**per·il** [ˋperl] *s* niebezpieczeństwo
**per·il·ous** [ˋperl̩əs] *adj* niebezpieczny, ryzykowny
**per·im·e·ter** [pəˋrɪmitə(r)] *s* perymetr, obwód
**pe·ri·od** [ˋpɪərɪəd] *s* okres, cykl; *gram.* kropka; **to put a** ~ postawić kropkę; położyć kres

**pe·ri·od·i·cal** ['pɪərɪ'odɪkl] *adj* okresowy; *s* czasopismo, periodyk
**per·ish** ['perɪʃ] *vi* ginąć, niszczeć; *vt* niszczyć
**per·ish·a·ble** ['perɪʃəbl] *adj* (łatwo) psujący się; *s pl* ~s łatwo psujące się towary
**per·i·wig** ['perɪwɪg] *s* peruka
**per·jure** ['p3dʒə(r)] *vr* ~ oneself krzywoprzysięgać
**per·ju·ry** ['p3dʒərɪ] *s* krzywoprzysięstwo
**perk** [p3k] *vt vi* ożywiać (się); (*także* ~ up) zadzierać nosa; nabierać ⟨dodawać⟩ animuszu; rozzuchwalać się
**perk·y** ['p3kɪ] *adj* buńczuczny
**perm** [p3m] *s pot.* trwała ondulacja; *vt* trwale ondulować
**per·ma·nent** ['p3mənənt] *adj* stały, ciągły, trwały; ~ wave trwała ondulacja
**per·me·a·ble** ['p3mɪəbl] *adj* przenikalny, przepuszczalny
**per·me·ate** ['p3mɪeɪt] *vt vi* przenikać, przesiąkać (through sth przez coś)
**per·mis·si·ble** [pə'mɪsəbl] *adj* dopuszczalny, dozwolony
**per·mis·sion** [pə'mɪʃn] *s* pozwolenie
**per·mit** [pə'mɪt] *vt* pozwalać (sth na coś); *vi* dopuszczać ⟨znosić⟩ (of sth coś); *s* ['p3mɪt] zezwolenie (pisemne), przepustka
**per·ni·cious** [pə'nɪʃəs] *adj* zgubny
**per·pen·dic·u·lar** ['p3pən'dɪkjulə(r)] *adj* pionowy; *s* linia prostopadła; pion
**per·pe·trate** ['p3pɪtreɪt] *vt* popełnić (przestępstwo, błąd itd.)
**per·pe·tra·tor** ['p3pɪtreɪtə(r)] *s* sprawca, przestępca
**per·pet·u·al** [pə'petʃuəl] *adj* wieczny;. bezustanny
**per·pet·u·ate** [pə'petʃueɪt] *vt* uniešmiertelnić, uwiecznić
**per·pe·tu·i·ty** ['p3pɪ'tjuətɪ] *s* wieczność; dożywotnia renta
**per·plex** [pə'pleks] *vt* zakłopotać, zmieszać
**per·plex·i·ty** [pə'pleksətɪ] *s* zakłopotanie; dylemat; zamieszanie
**per·se·cute** ['p3sɪkjut] *vt* prześladować
**per·se·cu·tion** ['p3sɪ'kjuʃn] *s* prześladowanie
**per·se·cu·tor** ['p3sɪkjutə(r)] *s* prześladowca
**per·se·ver·ance** ['p3sɪ'vɪərns] *s* wytrwałość
**per·se·vere** ['p3sɪ'vɪə(r)] *vi* trwać (in sth przy czymś), uporczywie robić (in sth coś)
**Per·sian** ['p3ʃn] *adj* perski; *s* Pers; język perski
**per·sist** [pə'sɪst] *vi* upierać się ⟨obstawać⟩ (in sth przy czymś); wytrwać; utrzymywać się
**per·sist·ence** [pə'sɪstəns] *s* uporczywość, wytrwałość; trwałość
**per·son** ['p3sn] *s* osoba, osobnik; in ~ osobiście
**per·son·age** ['p3sŋɪdʒ] *s* osobistość, (wielka) figura; postać (utworu itd.)
**per·son·al** ['p3snl] *adj* osobisty, prywatny, własny; osobowy
**per·son·al·i·ty** ['p3sə'nælətɪ] *s* osobistość; indywidualność; prezencja
**per·son·al·ty** ['p3snltɪ] *s* osobiste mienie; *zbior.* ruchomości
**per·son·ate** ['p3səneɪt] *vt* przedstawiać; odgrywać rolę; uosabiać
**per·son·i·fi·ca·tion** [pə'sonɪfɪ'keɪʃn] *s* uosobienie, personifikacja
**per·son·i·fy** [pə'sonɪfaɪ] *vt* uosabiać
**per·son·nel** ['p3sn'el] *s* personel
**per·spec·tive** [pə'spektɪv] *adj* perspektywiczny; *s* perspektywa
**per·spi·ca·cious** ['p3spɪ'keɪʃəs] *adj* bystry, przenikliwy
**per·spi·cu·i·ty** ['p3spɪ'kjuətɪ] *s* jasność, zrozumiałość, wyrazistość
**per·spic·u·ous** [pə'spɪkjuəs] *adj* jasny, wyraźny, zrozumiały

**per·spi·ra·tion** [ˈpɜspəˈreɪʃn] *s* pot, pocenie się

**per·spire** [pəˈspaɪə(r)] *vi* pocić się; *vt* wypacać

**per·suade** [pəˈsweɪd] *vt* przekonywać, namawiać (**sb into sth** kogoś do czegoś); **I was ~d that...** byłem przekonany, że...

**per·sua·sion** [pəˈsweɪʒn] *s* przekonywanie, perswazja, namowa; przekonanie; *rel.* wyznanie

**per·sua·sive** [pəˈsweɪsɪv] *adj* przekonywający

**pert** [pɜt] *adj* bezczelny, wyzywający

**per·tain** [pəˈteɪn] *vi* należeć (**to sth** do czegoś); odnosić się (**to sb, sth** do kogoś, czegoś); mieć związek (**to sth** z czymś); być właściwym (**to sth** czemuś)

**per·ti·na·cious** [ˈpɜtɪˈneɪʃəs] *adj* uporczywy, uparty; wytrwały

**per·ti·nac·i·ty** [ˈpɜtɪˈnæsətɪ] *s* uporczywość, wytrwałość

**per·ti·nent** [ˈpɜtɪnənt] *adj* stosowny, trafny; związany z tematem, celowy

**per·turb** [pəˈtɜb] *vt* niepokoić, zakłócać (porządek), wzburzyć

**per·tur·ba·tion** [ˈpɜtəˈbeɪʃn] *s* niepokój, zamieszanie, zamęt, zakłócenie (porządku)

**pe·ru·sal** [pəˈruzl] *s* uważne czytanie, dokładne przeglądanie

**pe·ruse** [pəˈruz] *vt* uważnie czytać, dokładnie przeglądać

**per·vade** [pəˈveɪd] *vt* przenikać, nurtować, ogarniać

**per·va·sive** [pəˈveɪsɪv] *adj* przenikający, ogarniający; dominujący

**per·verse** [pəˈvɜs] *adj* przewrotny; perwersyjny

**per·ver·sion** [pəˈvɜʃn] *s* przewrotność; zboczenie, perwersja

**per·vert** [pəˈvɜt] *vt* psuć, deprawować, wypaczać; odciągać, odwodzić; *s* [ˈpɜvɜt] zboczeniec; odstępca

**pes·si·mism** [ˈpesɪmɪzm] *s* pesymizm

**pest** [pest] *s* zaraza, plaga; szkodnik (chwast, insekt)

**pes·ter** [ˈpestə(r)] *vt* dręczyć, dokuczać, dawać się we znaki

**pes·ti·lence** [ˈpestɪləns] *s* zaraza, epidemia

**pes·ti·lent** [ˈpestɪlənt], **pes·ti·len·tial** [ˈpestɪˈlenʃl] *adj* zaraźliwy; szkodliwy; zabójczy

**pes·tle** [ˈpesl] *s* tłuczek (do moździerza)

**pet** [pet] *vt* pieścić; *s* (*także o zwierzęciu*) pieszczoch, ulubieniec; *adj attr* pieszczotliwy; ulubiony

**pet·al** [ˈpetl] *s* płatek (kwiatu)

**pe·ti·tion** [pɪˈtɪʃn] *s* prośba, petycja, podanie; *vt* zwracać się z prośbą (*zw.* pisemną), wnosić petycję; *vi* błagać (**for sth** o coś)

**pe·ti·tion·er** [pɪˈtɪʃnə(r)] *s* petent

**pet·ri·fy** [ˈpetrɪfaɪ] *vt* petryfikować; *przen.* wprawić w osłupienie; *vi* skamienieć; *przen.* osłupieć

**pet·rol** [ˈpetrl] *s* benzyna (mieszanka); *adj* benzynowy **~ station** stacja benzynowa

**pe·tro·le·um** [pɪˈtrəulɪəm] *s* ropa naftowa

**pet·ti·coat** [ˈpetɪkəut] *s* halka; *przen.* kobieta, dziewczyna

**pet·tish** [ˈpetɪʃ] *adj* drażliwy, opryskliwy

**pet·ty** [ˈpetɪ] *adj* drobny, mało znaczący

**pet·u·lance** [ˈpetjuləns] *s* drażliwość; rozdrażnienie

**pew** [pju] *s* ławka (w kościele)

**pe·wit** [ˈpiwɪt] *s* *zool.* czajka

**pew·ter** [ˈpjutə(r)] *s* naczynie cynowe

**pha·lanx** [ˈfælæŋks] *s* (*pl* **~es** [ˈfælæŋksɪz] *lub* **phalanges** [fæˈlændʒiz]) falanga

**phan·tasm** [ˈfæntæzm] *s* zjawa, przywidzenie, urojenie

**phan·ta·sy** [ˈfæntəsɪ] *s* = **fantasy**

**phan·tom** [ˈfæntəm] *s* widmo, zjawa, fantom; złudzenie

**Phar·i·see** [`færɪsi] *s* faryzeusz, hipokryta
**phar·ma·cy** [`fɑməsɪ] *s* apteka; farmacja
**phase** [feɪz] *s* faza
**pheas·ant** [`feznt] *s* *zool.* bażant
**phe·nom·e·non** [fɪ`nomɪnən] *s* (*pl* phenomena [fɪ`nomɪnə]) fenomen, zjawisko
**phi·al** [`faɪəl] *s* fiolka, flaszeczka
**phi·lan·thro·pist** [fɪ`lænθrəpɪst] *s* filantrop
**phi·lat·e·list** [fɪ`lætəlɪst] *s* filatelista
**phi·lat·e·ly** [fɪ`lætəlɪ] *s* filatelistyka
**Phi·lis·tine** [`fɪlɪstaɪn] *s* wróg (sztuki, literatury itd.); filister
**phil·o·log·i·cal** [ˈfɪlə`lodʒɪkl] *adj* filologiczny
**phi·lol·o·gist** [fɪ`lolədʒɪst] *s* filolog
**phi·lol·o·gy** [fɪ`lolədʒɪ] *s* filologia
**phi·los·o·pher** [fɪ`losəfə(r)] *s* filozof
**phil·o·soph·ic(al)** [ˈfɪlə`sofɪk(l)] *adj* filozoficzny
**phi·los·o·phy** [fɪ`losəfɪ] *s* filozofia
**phiz** [fiz] *s* *pot.* gęba, facjata
**phlegm** [flem] *s* flegma
**phleg·mat·ic** [fleg`mætɪk] *adj* flegmatyczny
**phone 1.** [fəun] *s* *gram.* głoska
**phone 2.** [fəun] *s* *pot.* = **telephone**; *vt vi* dzwonić, telefonować
**pho·net·ic** [fə`netɪk] *adj* fonetyczny
**pho·net·ics** [fə`netɪks] *s* fonetyka
**pho·ney** [`fəunɪ] *adj* *pot.* fałszywy, udawany
**phos·phate** [`fosfeɪt] *s* *chem.* fosfat, fosforan; *miner.* fosforyt
**phos·phor·us** [`fosfərəs] *s* *chem.* fosfor
**photo** [`fəutəu] *s* *skr.* = **photograph** *s*
**pho·to·graph** [`fəutəgrɑf] *s* fotografia, zdjęcie; *vt* fotografować
**pho·tog·ra·pher** [fə`togrəfə(r)] *s* fotograf
**pho·tog·ra·phy** [fə`togrəfɪ] *s* fotografia (sztuka fotografowania)
**phrase** [freɪz] *s* zwrot, fraza
**phra·se·ol·o·gy** [ˈfreɪzɪ`olədʒɪ] *s* frazeologia
**phthi·sis** [`θaɪsɪs] *s* *med.* gruźlica
**phys·ic** [`fɪzɪk] *s* lekarstwo; *vt* leczyć (lekarstwami)
**phys·i·cal** [`fɪzɪkl] *adj* fizyczny
**phy·si·cian** [fɪ`zɪʃn] *s* lekarz
**phys·i·cist** [`fɪzɪsɪst] *s* fizyk
**phys·ics** [`fɪzɪks] *s* fizyka
**phys·i·og·no·my** [ˈfɪzɪ`onəmɪ] *s* fizjonomia
**phys·i·o·log·i·cal** [ˈfɪzɪə`lodʒɪkl] *adj* fizjologiczny
**phys·i·ol·o·gy** [ˈfɪzɪ`olədʒɪ] *s* fizjologia
**phy·sique** [fɪ`zik] *s* budowa ciała
**pi·an·ist** [`pɪənɪst] *s* pianista
**pi·an·o** [pɪ`ænəu] *s* fortepian; **cottage** ⟨**upright**⟩ ~ pianino
**pick** [pɪk] *vt* wybierać, sortować; kopać (motyką, kilofem); przetykać; skubać; dłubać (w zębach, w nosie); okradać; zbierać ⟨przebierać⟩ (np. owoce); **to ~ sb's pocket** wyciągnąć coś komuś z kieszeni; *vi* kraść; **to ~ at one's food** jeść małymi kęsami; dłubać w talerzu; **to ~ at sb** czepiać się kogoś; **~ off** zrywać, zdzierać; powystrzelać; **~ out** wybierać; wyrywać; wyśledzić; **~ up** podnosić; zbierać; zgarniać; nauczyć się (**sth** czegoś); natrafić ⟨natknąć się⟩ (**sth** na coś); (*o taksówce, kierowcy*) zabrać (**sb** kogoś); złapać (w radiu); **~ up courage** zebrać się na odwagę; **~ up an acquaintance** zawrzeć okolicznościową znajomość; **~ up a quarrel** wywołać kłótnię; *s* motyka, kilof; uderzenie kilofem ⟨motyką⟩; wybór, elita, *przen.* śmietanka; zbiór (owoców itd.)
**pick·a·back** [`pɪk ə bæk] *adv* (*nieść*) na plecach, (*o dziecku*) na barana
**pick·axe** [`pɪkæks] *s* oskar, kilof, motyka
**pick·et** [`pɪkɪt] *s* kół, pal; pikieta;

*vt vi* otaczać palami; obstawiać pikietami, pikietować

**pick·le** [ˋpɪkl] *s* marynata; *pl* ~s marynowane jarzyny, pikle; *vt* marynować

**pick·pock·et** [ˋpɪkpokɪt] *s* złodziej kieszonkowy

**pick-up** [ˋpɪkʌp] *s* przygodna znajomość; adapter; *sport* odbicie piłki; *am.* mały samochód półciężarowy

**pic·nic** [ˋpɪknɪk] *s* piknik; *vi* urządzać piknik

**pic·to·ri·al** [pɪkˋtɔrɪəl] *adj* malowniczy; malarski; ilustrowany; *s* pismo ilustrowane

**pic·ture** [ˋpɪktʃə(r)] *s* obraz, rycina, rysunek; portret; zdjęcie; **to take a ~** zrobić zdjęcie; *pl* ~s film, kino; *vt* wyobrażać, przedstawiać, malować

**pic·ture-house** [ˋpɪktʃəhaus] *s* kino (budynek)

**pic·tur·esque** [ˏpɪktʃəˋresk] *adj* malowniczy

**pidg·in** [ˋpɪdʒɪn] *s* (*także* **~ English**) łamana angielszczyzna

**pie 1.** [paɪ] *s* sroka

**pie 2.** [paɪ] *s* pasztecik, pierożek; ciastko, placek

**piece** [pis] *s* kawałek; część; sztuka; utwór (sceniczny, muzyczny); moneta; *wojsk.* działo; robota akordowa; **in ~s** w kawałkach; **~ by ~** po kawałku; **to go to ~s** rozlecieć się na kawałki; stracić panowanie nad sobą; **to take to ~s** rozebrać na części; *vt* sztukować, łatać; **~ on** nałożyć, dosztukować; **~ out** uzupełnić; zestawić; **~ together** złożyć w całość; **~ up** połatać

**piece·meal** [ˋpismil] *adj* częściowy, robiony częściami ⟨po kawałku⟩; *adv* częściami, po kawałku; na części

**piece-work** [ˋpiswɜk] *s* praca akordowa

**pier** [pɪə(r)] *s* molo, falochron

**pierce** [pɪəs] *vt* przebić, przeszyć, przekłuć; przeniknąć; wbić się

**pi·e·ty** [ˋpaɪətɪ] *s* pobożność

**pig** [pɪg] *s* prosiak, świnia

**pig·eon** [ˋpɪdʒən] *s* gołąb

**pig·eon-hole** [ˋpɪdʒən həul] *s* przegródka, szufladka (w biurku itd.); wejście do gołębnika; *vt* umieszczać w przegródkach, segregować (papiery); *przen.* odłożyć (sprawę) do szuflady

**pig·gish** [ˋpɪgɪʃ] *adj* świński, brudny; ordynarny, wstrętny

**pig·head·ed** [ˏpɪg ˋhedɪd] *adj* głupi; uparty

**pig-iron** [ˋpɪg aɪən] *s* żeliwo, surówka (metalu)

**pig·my** = **pygmy**

**pig·sty** [ˋpɪgstaɪ] *s* chlew

**pig·tail** [ˋpɪgteɪl] *s* warkocz; tytoń pleciony

**pike 1.** [paɪk] *s* pika, włócznia; kilof; ostrze

**pike 2.** [paɪk] *s* szczupak

**pile 1.** [paɪl] *s* kupa, sterta, stos; *elektr.* bateria, stos; gmach; blok; *vt* rzucać na kupę; (*także* **~ on** ⟨**up**⟩) gromadzić; piętrzyć

**pile 2.** [paɪl] *s* pal; *vt* wbijać pale

**pile 3.** [paɪl] *s* meszek (na tkaninie), wełna

**pil·fer** [ˋpɪlfə(r)] *vt* ukraść, *pot.* zwędzić

**pil·grim** [ˋpɪlgrɪm] *s* pielgrzym

**pil·grim·age** [ˋpɪlgrɪmɪdʒ] *s* pielgrzymka

**pill** [pɪl] *s* pigułka

**pil·lage** [ˋpɪlɪdʒ] *s* grabież, rabunek; *vt* rabować, grabić

**pil·lar** [ˋpɪlə(r)] *s* słup, filar

**pill-box** [ˋpɪl boks] *s* pudełko na pigułki; mała okrągła czapeczka; *wojsk.* schron betonowy

**pil·lar-box** [ˋpɪlə boks] *s* skrzynka pocztowa (stojąca)

**pil·lion** [ˋpɪlɪən] *s* tylne siodełko (motocykla)

**pil·lo·ry** [ˋpɪlərɪ] *s* pręgierz; *vt* postawić pod pręgierzem

**pil·low** [ˋpɪləu] *s* poduszka

**pil·low-case** [ˋpɪləu keɪs] *s* poszewka

**pi·lot** [ˋpaɪlət] *s* pilot; *vt* pilotować

**pi·lot·age** [ˋpaɪlətɪdʒ] *s* pilotaż

**pim·ple** [ˋpɪmpl] *s* pryszcz

**pim·pled** [ˋpɪmpld], **pim·ply** [ˋpɪm plɪ] *adj* pryszczaty

**pin** [pɪn] *s* szpilka; *vt* przyszpilić, przymocować, przygwoździć

**pin·a·fore** [ˋpɪnəfɔ(r)] *s* fartuszek (dziecinny)

**pin·cers** [ˋpɪnsəz] *s pl* szczypce, kleszcze, obcążki

**pinch** [pɪntʃ] *vt vi* szczypać; przycisnąć; ⟨*o bucie*⟩ uciskać, uwierać; *pot.* porwać; buchnąć; *s* uszczypnięcie, szczypanie; ucisk; nagły ból; szczypta

**pine 1.** [paɪn] *s* sosna; *pot. bot.* ananas

**pine 2.** [paɪn] *vi* schnąć, marnieć; bardzo tęsknić (**after** ⟨**for**⟩ **sb, sth** za kimś, czymś); **~ away** marnieć, ginąć

**pine·ap·ple** [ˋpaɪnæpl] *s bot.* ananas

**pin·ion** [ˋpɪnɪən] *s* koniec (ptasiego) skrzydła, lotka; kółko zębate; *vt* podciąć skrzydła; związać ręce, skrępować

**pink 1.** [pɪŋk] *s bot.* goździk; kolor różowy; *adj* różowy; *vt* zaróżowić

**pink 2.** [pɪŋk] *vt* przebijać; dziurkować, ząbkować

**pin·na·cle** [ˋpɪnəkl] *s* szczyt, wierzchołek; wieżyczka

**pin·point** [ˋpɪn pɔɪnt] *s* koniec szpilki; *vt* dokładnie określić, ustalić położenie; zbombardować

**pint** [paɪnt] *s* pół kwarty

**pi·o·neer** [ˏpaɪəˋnɪə(r)] *s* pionier; *vt vi* wykonywać pionierską pracę, torować drogę

**pi·ous** [ˋpaɪəs] *adj* pobożny

**pip** [pɪp] *s* ziarnko ⟨pestka⟩ owocu; gwiazdka (oficerska); oczko (w grze)

**pipe** [paɪp] *s* rura, rurka; przewód; fujarka; fajka; *pl* **~s** kobza; (*także* **bagpipe**) dudy; *vt vi* grać na fujarce ⟨piszczałce, kobzie⟩ świstać, gwizdać; świergotać; skanalizować (**a house** dom)

**pipe·line** [ˋpaɪplaɪn] *s* rurociąg

**pip·er** [ˋpaɪpə(r)] *s* grający na fujarce; kobziarz; **to pay the ~** ponosić konsekwencje

**pip·ing** [ˋpaɪpɪŋ] *ppraes i s* instalacja rurowa; sieć wodociągowa ⟨gazowa itd.⟩; gra na fujarce ⟨kobzie itp.⟩; świst; świergot

**pi·quant** [ˋpikənt] *adj* pikantny

**pique** [pik] *vt* ubóść, dotknąć ⟨kogoś⟩; obrazić; zaciekawić; *s* uraza, żal

**pi·rate** [ˋpaɪərət] *s* pirat, korsarz; plagiator; *vt vi* rabować, uprawiać korsarstwo

**pis·til** [ˋpɪstl] *s bot.* słupek

**pis·tol** [ˋpɪstl] *s* pistolet

**pis·ton** [ˋpɪstn] *s techn.* tłok

**pit** [pɪt] *s* dół, jama; kopalnia, szyb; pułapka, wilczy dół; *am.* miejsce transakcji giełdowych

**pitch 1.** [pɪtʃ] *s* smoła; *vt* smołować

**pitch 2.** [pɪtʃ] *vt* ustawiać, lokować; wystawiać (towary); rozbijać (namiot, obóz); *wojsk.* ustawiać w szyku bojowym; stroić (instrument); nadziewać (np. na widły); *sport* rzucać (oszczepem itd.); *vi* rzucić się (**into sb** na kogoś); opaść, zapaść się; *s* szczyt, wierzchołek; stopień, natężenie; wysokość głosu ⟨tonu⟩; poziom lotu; spadek, upadek; rzut; miejsce (przekupnia, żebraka itd.); stanowisko

**pitch·er** [ˋpɪtʃə(r)] *s* dzban; *sport* (*w baseballu*) zawodnik rzucający piłkę; kamień brukowy

**pitch·fork** [ˋpɪtʃfɔk] *s* widły

**pit·e·ous** [ˋpɪtɪəs] *adj* żałosny

**pit·fall** [ˋpɪtfɔl] *s* pułapka

**pith** [pɪθ] *s* rdzeń, szpik; *przen.* wigor

**pit·head** [ˋpɪthed] *s* wejście do szybu, nadszybie

**pith·y** [ˋpɪθɪ] *adj* rdzeniowy; *przen.* pełen wigoru ⟨energii⟩, jędrny; treściwy

**pit·i·a·ble** [ˋpɪtɪəbl] *adj* żałosny

**pit·i·ful** [`pɪtɪfl] *adj* litościwy, współczujący; żałosny, nędzny

**pit·i·less** [`pɪtɪləs] *adj* bezlitosny

**pit·man** [`pɪtmən] *s* górnik

**pit·tance** [`pɪtns] *s* nędzne wynagrodzenie; nędzna porcja, ochłap

**pit·y** [`pɪtɪ] *s* litość, politowanie; szkoda; **to take** ⟨**have**⟩ ~ litować się (**on** ⟨**upon**⟩ **sb** nad kimś); **what a** ~! jaka szkoda!; **a thousand pities** wielka szkoda; *vt* litować się (**sb** nad kimś); żałować (**sb** kogoś)

**piv·ot** [`pɪvət] *s* oś; czop (osi); *przen.* oś ⟨sedno⟩ (sprawy)

**plac·ard** [`plækɑd] *s* plakat, afisz; *vt* rozlepiać afisze, ogłaszać

**pla·cate** [plə`keɪt] *vt* łagodzić, zjednywać sobie

**place** [pleɪs] *s* miejsce; miejscowość; siedziba; lokal; ulica, plac; dom, posiadłość; lokal, zakład; posada, zawód; **to give** ~ ustąpić; **to take** ~ odbyć ⟨wydarzyć, zdarzyć⟩ się; **to take the** ~ **of sb, sth** zastąpić kogoś, coś; **in** ~ na miejscu; stosowny; **in** ~ **of** zamiast; **out of** ~ nie na miejscu, nieodpowiedni; **in the first** ~ przede wszystkim; *vt* umieścić, pomieścić; kłaść, stawiać; określić miejsce, umiejscowić

**plac·id** [`plæsɪd] *adj* spokojny, łagodny

**pla·gi·a·rize** [`pleɪdʒəraɪz] *vt* popełniać plagiat

**pla·gi·a·ry** [`pleɪdʒərɪ] *s* plagiat; plagiator

**plague** [pleɪg] *s* zaraza, plaga; *vt* dotknąć plagą; *przen.* dręczyć

**plaid** [plæd] *s* pled (*zw.* w kratę)

**plain** [pleɪn] *adj* gładki, prosty; zrozumiały, jasny; wyraźny; otwarty, szczery; pospolity, zwyczajny; ~ **dealing** uczciwe postępowanie; ~ **living** prosty tryb życia; **in** ~ **clothes** w cywilnym ubraniu; ~ **clothes man** policjant w cywilnym ubraniu, *pot.* tajniak

**plain·tiff** [`pleɪntɪf] *s prawn.* oskarżyciel, powód

**plain·tive** [`pleɪntɪv] *adj* żałosny

**plait** [plæt] *s* fałda; warkocz; plecionka; *vt* układać w fałdy; splatać

**plan** [plæn] *s* plan, projekt, zamiar; *vt* planować, zamierzać

**plane 1.** [pleɪn] *s* samolot; *vi* lecieć samolotem, szybować

**plane 2.** [pleɪn] *adj* płaski, równy; *s* płaszczyzna; poziom; hebel, strug; *vt* gładzić, wyrównywać; heblować

**plan·et** [`plænɪt] *s* planeta

**plank** [plæŋk] *s* deska; (główny) punkt programu politycznego; *vt* obijać deskami, szalować

**plant** [plɑnt] *s* roślina; instalacje, warsztaty, urządzenie fabryki; fabryka; *vt* sadzić; siać; wsadzać, wtykać; wszczepić, wpoić; osiedlać; umieszczać, ustawiać; założyć (miasto itd.)

**plan·ta·tion** [plæn`teɪʃn] *s* plantacja

**plant·er** [`plɑntə(r)] *s* plantator; maszyna do flancowania sadzonek

**plaque** [plɑk] *s* plakietka; płyta pamiątkowa

**plash** [plæʃ] *vt vi* pluskać; *s* plusk

**plas·ter** [`plɑstə(r)] *s* gips; tynk; *med.* plaster; *vt* gipsować; tynkować; przyłożyć plaster

**plas·tic** [`plæstɪk] *adj* plastyczny; plastykowy; *s* plastyk, tworzywo sztuczne

**plas·tron** [`plæstrən] *s* gors; napierśnik

**plate** [pleɪt] *s* płyta; tafla; talerz; klisza; sztych; *zbior.* naczynia metalowe, platery; *vt* platerować, pokryć metalem; opancerzyć

**pla·teau** [`plætəʊ] *s* płaskowzgórze; taca, patera

**plat·form** [`plætfɔm] *s* platforma; peron; trybuna, estrada

**plat·i·num** [`plætɪ̣nəm] *s* platyna

**plat·i·tude** [ˈplætɪtjud] *s* płytkość (wypowiedzi itd.); banał

**pla·toon** [pləˈtun] *s wojsk.* pluton

**plau·si·ble** [ˈplɔzəbl] *adj* możliwy do przyjęcia, prawdopodobny, pozornie uzasadniony

**play** [pleɪ] *vt vi* bawić się (**at sth** w coś; **with sth** czymś); igrać, swawolić; grać (**at sth** w coś); grać ⟨odgrywać⟩ rolę; udawać; *sport* rozegrać (mecz); (*o świetle, kolorach*) mienić się; **to ~ cards** ⟨**football**⟩ grać w karty ⟨w piłkę nożną⟩; **to ~ fair** grać przepisowo; *przen.* postępować uczciwie; **to ~ (on) the violin** grać na skrzypcach; **to ~ tricks** płatać figle; **to ~ the fool** udawać głupiego; **~ away** przegrać (majątek itd.); **~ down** lekceważyć, nie doceniać; **~ off** symulować; żartować sobie (**sb** z kogoś); **~ out** grać do końca; **~ed out** zgrany, zużyty, przebrzmiały; *s* gra, zabawa, rozrywka; figiel, żart; sztuka sceniczna; *sport* rozgrywka

**play·er** [ˈpleɪə(r)] *s* gracz; aktor; muzyk; *sport* zawodowiec

**play·fel·low** [ˈpleɪfeləu] *s* towarzysz zabaw dziecinnych

**play·ful** [ˈpleɪfl] *adj* figlarny, wesoły; żartobliwy

**play·ground** [ˈpleɪgraund] *s* boisko

**play·house** [ˈpleɪhaus] *s* teatr

**play·ing-field** [ˈpleɪɪŋ fild] *s* boisko

**play·mate** [ˈpleɪmeɪt] = **playfellow**

**play-off** [ˈpleɪɔf] *s sport* dogrywka

**play·thing** [ˈpleɪθɪŋ] *s* zabawka

**play·wright** [ˈpleɪraɪt] *s* dramaturg

**plea** [pli] *s* usilna prośba; usprawiedliwienie; pretekst; *prawn.* obrona (wygłaszana przez oskarżonego)

**plead** [plid] *vt vi* ujmować się (**for sb** ⟨**in sb's favour**⟩ za kimś); błagać (**with sb for sth** kogoś o coś); usprawiedliwiać się; powoływać się (**sth** na coś); *prawn.* bronić (w sądzie), wygłaszać mowę obrończą; **to ~ ignorance** tłumaczyć się nieświadomością; **to ~ guilty** przyznać się do winy

**plead·er** [ˈplidə(r)] *s prawn.* obrońca

**pleas·ant** [ˈpleznt] *adj* miły, przyjemny; figlarny

**pleas·ant·ry** [ˈplezntrɪ] *s* żartobliwość, figlarność; żart

**please** [pliz] *vt vi* podobać się, sprawiać przyjemność, być miłym; uznać ⟨uważać⟩ za stosowne ⟨odpowiednie⟩; zadowolić, zaspokoić; *vr* **~ oneself** znajdować upodobanie; robić po swojemu; **~ come in!** proszę wejść!; **if you ~** proszę bardzo; **~ not to go out** proszę nie wychodzić; **to be ~d** być zadowolonym (**with sth** z czegoś); mieć przyjemność (**at sth** w czymś); raczyć; **I am ~d to say** z przyjemnością stwierdzam ⟨mówię⟩; **do as you ~** rób, jak chcesz

**pleas·ing** [ˈplizɪŋ] *ppraes i adj* miły, ujmujący

**pleas·ure** [ˈpleʒə(r)] *s* przyjemność; **to take ~ in doing sth** mieć ⟨znajdować⟩ przyjemność w czymś; **at ~** do woli; **at your ~** według twego upodobania

**pleas·ure-boat** [ˈpleʒəbəut] *s* łódź spacerowa

**pleas·ure-ground** [ˈpleʒəgraund] *s* park przeznaczony do zabaw ⟨gier⟩

**pleat** [plit] *s* fałda, zakładka, plisa; *vt* układać w fałdy, plisować

**ple·be·ian** [plɪˈbiən] *adj* plebejski; *s* plebejusz

**pleb·i·scite** [ˈplebɪsɪt] *s* plebiscyt

**pledge** [pledʒ] *s* zastaw, gwarancja; ślubowanie; zobowiązanie; **to take the ~** ślubować wstrzemięźliwość (od alkoholu); *vt* dawać w zastaw, zastawiać; ślubować; zobowiązywać się pod słowem honoru (**sth** do czegoś); **to ~ one's word** dawać słowo honoru;

*vr* ~ **oneself** zobowiązywać się pod słowem honoru
**ple·na·ry** [ˈplinərɪ] *adj* plenarny; całkowity
**plen·i·po·ten·ti·ar·y** [ˌplenɪpəˈtenʃərɪ] *adj* pełnomocny; *s* pełnomocnik
**plen·i·tude** [ˈplenɪtjud] *s* pełnia ⟨obfitość⟩ (**of sth** czegoś)
**plen·ti·ful** [ˈplentɪfl] *adj* obfity, liczny
**plen·ty** [ˈplentɪ] *s* obfitość, duża ilość; ~ **of** dużo
**ple·num** [ˈplinəm] *s* plenum
**pli·a·ble** [ˈplaɪəbl] *adj* giętki, podatny, ustępliwy
**pli·ant** [ˈplaɪənt] = **pliable**
**pli·ca** [ˈplaɪkə] *s* (*pl* ~**e** [ˈplaɪsi]) *med.* kołtun; *anat.* fałda
**pli·ers** [ˈplaɪəz] *s pl* szczypce, kleszcze
**plight 1.** [plaɪt] *s* położenie (*zw.* trudne), sytuacja
**plight 2.** [plaɪt] *s* przyrzeczenie, ślubowanie; *vt* przyrzekać, ślubować; *vr* ~ **oneself** ślubować wierność
**plod** [plod] *vi* wlec się z trudem; (*także* ~ **along**) ciężko pracować, harować (**at sth** nad czymś); wkuwać (lekcje itd.)
**plod·der** [ˈplodə(r)] *s* człowiek wytrwale ⟨ciężko⟩ pracujący
**plot 1.** [plot] *s* kawałek gruntu, działka
**plot 2.** [plot] *s* spisek, intryga; temat ⟨fabuła, akcja⟩ (powieści, dramatu); *vt vi* spiskować, intrygować, knuć
**plot·ter** [ˈplotə(r)] *s* intrygant, spiskowiec
**plough** [plaʊ] *s* pług; *vt vi* orać; pruć (fale, powietrze); *pot.* oblać egzamin; ~ **up** przeorać, zorać
**plough·man** [ˈplaʊmən] *s* oracz
**plow, plow·man** *am.* = **plough, ploughman**
**pluck** [plʌk] *vt* skubać, rwać, szarpać, pociągać; wyrywać; *pot.* ścinać przy egzaminie; ~ **up one's courage** zebrać się na odwagę; *vi* szarpać (**at sth** coś); *s* skubanie, szarpnięcie; *zbior.* podróbki; *pot.* oblanie egzaminu; odwaga, śmiałość
**pluck·y** [ˈplʌkɪ] *adj* odważny, śmiały
**plug** [plʌg] *s* szpunt, czop, wtyczka; sztyft; tampon; świeca (w silniku); *dent.* plomba; *vt* szpuntować, zatykać; ~ **in** wetknąć wtyczkę (do kontaktu)
**plum** [plʌm] *s* śliwka; rodzynek (w cieście)
**plum·age** [ˈplumɪdʒ] *s* upierzenie; *zbior.* pióra
**plumb** [plʌm] *s* kulka ołowiana (u pionu); (*także* ~-**line**) pion; **out of** ~ nie w pionie, nie prostopadle; *adj* pionowy; *adv* pionowo, prosto; *pot.* całkowicie, dokładnie; *vt* badać ⟨ustalać⟩ pion, sondować; *przen.* zgłębiać, przenikać
**plumb·er** [ˈplʌmə(r)] *s* monter, hydraulik
**plume** [plum] *s* pióro; pióropusz; *vt* zdobić w pióra ⟨pióropuszem⟩; *vr* ~ **oneself** pysznić się
**plump 1.** [plʌmp] *adj* pulchny, tłusty; *vt* tuczyć; *vi* nabierać ciała
**plump 2.** [plʌmp] *vt* cisnąć, rzucić; *vi* ciężko upaść; *s* (ciężki) upadek; *adj* kategoryczny, bez ogródek; *adv* prosto z mostu, otwarcie; nagle; ciężko
**plum-pud·ding** [ˌplʌmˈpudɪŋ] *s* budyń z rodzynkami
**plun·der** [ˈplʌndə(r)] *vt vi* plądrować, grabić; *s* grabież; łup
**plunge** [plʌndʒ] *vt vi* zanurzać ⟨pogrążać, zagłębiać⟩ (się) (**into sth** w coś); nurkować, rzucać się, wpadać; wsadzać, wtykać; *s* zanurzenie (się), skok do wody, nurkowanie
**plung·er** [ˈplʌndʒə(r)] *s* nurek
**plu·per·fect** [ˌpluˈpɜfɪkt] *adj gram.* zaprzeszły; *s gram.* czas zaprzeszły

**plu·ral** ['pluərl] *adj* pluralny; *gram.* mnogi; *s gram.* liczba mnoga
**plu·ral·i·ty** [pluə'ræləti] *s* wielość, mnogość; większość
**plus** [plʌs] *adv i praep* plus; i; *adj* dodatkowy, dodatni; *s* plus, znak dodawania
**plus-fours** [/plʌs'fɔz] *s pl* pumpy
**plush** [plʌʃ] *s* plusz
**ply** 1. [plaɪ] *s* fałda; skłonność; warstwa; zwój, pasmo
**ply** 2. [plaɪ] *vt vi* wykonywać, uprawiać (sth coś); bez przerwy ⟨pilnie⟩ pracować; regularnie kursować; natarczywie częstować; zasypywać (pytaniami, faktami itd.)
**ply·wood** ['plaɪwud] *s* dykta, sklejka
**pneu·mat·ic** [nju'mætɪk] *adj* pneumatyczny
**pneu·mat·ics** [nju'mætɪks] *s* pneumatyka
**pneu·mo·ni·a** [nju'məunɪə] *s* zapalenie płuc
**poach** 1. [pəutʃ] *vi* uprawiać kłusownictwo; (*o ziemi*) rozmiękać; *vt* rozdeptywać
**poach** 2. [pəutʃ] *vt* gotować (jajko) bez skorupy
**poach·er** ['pəutʃə(r)] *s* kłusownik
**pock·et** ['pokɪt] *s* kieszeń; *vt* włożyć do kieszeni; *adj attr* kieszonkowy; ~ **edition** wydanie kieszonkowe
**pock·et-book** ['pokɪtbuk] *s* notatnik; portfel
**pock·et-knife** ['pokɪtnaɪf] (*pl* **pock-et-knives** ['pokɪtnaɪvz]) *s* scyzoryk
**pock·et-mon·ey** ['pokɪt mʌnɪ] *s* kieszonkowe
**pock-marked** ['pokmɑkt] *adj* dziobaty, ospowaty
**pod** [pod] *s* strączek; kokon
**podg·y** ['podʒɪ] *adj* pękaty, przysadzisty
**po·em** ['pəuɪm] *s* poemat, wiersz
**po·et** ['pəuɪt] *s* poeta
**po·et·ic(al)** [pəu'etɪk(l)] *adj* poetyczny, poetycki
**po·et·ry** ['pəuɪtrɪ] *s* poezja
**poign·ant** ['pɔɪnjənt] *adj* przejmujący, chwytający za serce; dojmujący; ostry; cierpki; sarkastyczny
**point** [pɔɪnt] *s* punkt; cel, zamiar; istota rzeczy, sedno sprawy; sens; kwestia, sprawa; pozycja, szczegół; chwila, moment; punkt widzenia, teza; ostry koniec, ostrze; stopień (np. napięcia); kreska (na termometrze); cecha charakterystyczna; ~ **of exclamation** *gram.* wykrzyknik; ~ **of interrogation** *gram.* pytajnik; **full** ~ *gram.* kropka; **to carry ⟨win⟩ one's** ~ osiągnąć cel ⟨swoje⟩; **in** ~ trafny, w sam raz; **the case in** ~ odpowiedni ⟨stosowny⟩ wypadek; to, o co chodzi; **this is not the** ~ to nie należy do rzeczy, nie o to chodzi; **in** ~ **of** pod względem, odnośnie do; **in** ~ **of fact** faktycznie; **to the** ~ do rzeczy; **off the** ~ nie na temat; **to make a** ~ **of sth** uważać coś za rzecz konieczną; **at ⟨in⟩ all** ~**s** całkowicie; **to be on the** ~ **of doing sth** mieć właśnie coś zrobić; **I see your** ~ rozumiem, o co ci chodzi; **to make a** ~ uważać za rzecz zasadniczą; *vt* punktować; kropkować; ostrzyć; wskazywać; nastawiać, celować (np. **the revolver at sb** z rewolweru do kogoś); *vi* wskazywać (**at ⟨to⟩ sb, sth** na kogoś, coś); ukazywać (**to sth** coś); zwracać uwagę (**at sth** na coś); zmierzać ⟨dążyć⟩ (**at ⟨towards⟩ sth** do czegoś); ~ **out** wykazywać, uwydatniać, zaznaczać
**point-blank** [/pɔɪnt 'blæŋk] *adv* bezpośrednio, wprost; kategorycznie
**point-du·ty** ['pɔɪnt djutɪ] *s* służba na posterunku
**point·ed** ['pɔɪntɪd] *pp i adj* zao-

strzony; spiczasty; ostry; dosadny, dobitny; cięty, zjadliwy

**poise** [pɔɪz] *vt* ważyć, równoważyć, utrzymywać w równowadze; trzymać w powietrzu; *przen.* rozważać; *vi* wisieć ⟨unosić się⟩ w powietrzu; być zrównoważonym; *s* równowaga; spokój; zrównoważona postawa; postawa, sposób trzymania głowy, stan zawieszenia

**poi·son** [`pɔɪzn] *s* trucizna; *vt* truć

**poi·son·ous** [`pɔɪzŋəs] *adj* trujący

**poke** [pəuk] *vt* wtykać, wpychać, szturchać; grzebać (np. w piecu); **to ~ fun** żartować sobie (**at sb, sth** z kogoś, czegoś); *vi* szperać, myszkować; szturchać, trącać (**at sb, sth** kogoś, coś)

**pok·er** 1. [`pəukə(r)] *s* pogrzebacz

**pok·er** 2. [`pəukə(r)] *s* poker (gra)

**po·lar** [`pəulə(r)] *adj* polarny; *mat. geogr.* biegunowy

**pole** 1. [pəul] *s* biegun

**pole** 2. [pəul] *s* drąg, słup, tyka, maszt; *sport* **~ jump** skok o tyczce

**Pole** 3. [pəul] *s* Polak, Polka

**pole·cat** [`pəulkæt] *s zool.* tchórz

**po·lem·ic** [pə`lemɪk] *adj* polemiczny; *s* polemista; polemika

**po·lem·ics** [pə`lemɪks] *s* polemika

**po·lice** [pə`lis] *s* policja; *zbior.* policjanci; *vt* utrzymywać porządek za pomocą policji; patrolować

**po·lice·man** [pə`lismən] *s* policjant

**po·lice-sta·tion** [pə`lis steɪʃn] *s* posterunek policji

**pol·i·cy** 1. [`poləsɪ] *s* polityka (jako racja stanu), mądrość polityczna; kierunek; kurs, linia, taktyka; dyplomacja

**pol·i·cy** 2. [`poləsɪ] *s* polisa (ubezpieczeniowa)

**pol·i·o** [`pəulɪəu], **pol·i·o·my·e·li·tis** [ˈpəulɪəuˈmaɪə`laɪtɪs] *s med.* paraliż dziecięcy, Heine-Medina

**pol·ish** 1. [`polɪʃ] *s* połysk; politura; pasta; ogłada; *vt* politurować; nadawać połysk; czyścić (np. buty); nadać ogładę ⟨polor⟩ (**sb** komuś)

**Pol·ish** 2. [`pəulɪʃ] *adj* polski; *s* język polski

**pol·ished** [`polɪʃt] *adj* wytworny, z ogładą

**po·lite** [pə`laɪt] *adj* grzeczny, uprzejmy

**pol·i·tic** [`polətɪk] *adj* przezorny, rozsądny, zręczny; † **the body ~** państwo (jako organizm państwowy)

**po·lit·i·cal** [pə`lɪtɪkl] *adj* polityczny

**pol·i·ti·cian** [ˈpolə`tɪʃn] *s* polityk

**pol·i·tics** [`polətɪks] *s* polityka (jako praktyczna umiejętność rządzenia państwem), taktyka polityczna

**pol·i·ty** [`polətɪ] *s* polityka administracyjna, forma rządzenia, ustrój

**poll** [pəul] *s* spis wyborców; głosowanie (wyborcze); obliczanie głosów; ankieta; *vt* obcinać rogi; przycinać (np. drzewo); oddawać (głos); liczyć głosy; otrzymać (głosy); *vi* głosować

**pol·lute** [pə`lut] *vt* zanieczyścić, skazić

**pol·lu·tion** [pə`luʃn] *s* zanieczyszczenie, skażenie; polucja

**pol·y·gon** [`polɪgən] *s* wielokąt

**pol·y·syl·lab·ic** [ˈpolɪsɪ`læbɪk] *adj* wielozgłoskowy

**pol·y·tech·nic** [ˈpolɪ`teknɪk] *s* politechniczny; *s* zawodowa szkoła techniczna

**pome·gran·ate** [`pomɪgrænət] *s bot.* granat (owoc i drzewo)

**po·mi·cul·ture** [ˈpomɪ`kʌltʃə(r)] *s* sadownictwo

**pomp** [pomp] *s* pompa, wystawność, parada

**pom·pous** [`pompəs] *adj* pompatyczny, nadęty; paradny, okazały

**pond** [pond] *s* staw

**pon·der** [`pondə(r)] *vt* rozważać; *vi* rozmyślać, zastanawiać się (**on** ⟨**over**⟩ **sth** nad czymś)

**pon·der·a·bil·i·ty** [ˈpondərəˈbɪlətɪ] *s* ważkość

**pon·der·ous** [ˈpondərəs] *adj* ciężki; ważny

**pon·iard** [ˈponjəd] *s* sztylet

**pon·tiff** [ˈpontɪf] *s* arcykapłan; biskup

**pon·tif·i·cate** [ponˈtɪfɪkeɪt] *s* pontyfikat

**pon·toon 1.** [ponˈtun] *s* ponton

**pon·toon 2.** [ponˈtun] *s* gra hazardowa w „oko''

**pon·y** [ˈpəunɪ] *s* kucyk

**poo·dle** [ˈpudl] *s* pudel

**pool 1.** [pul] *s* kałuża; sadzawka; basen (pływacki)

**pool 2.** [pul] *s* pula (w grze); wspólny fundusz; totalizator; *handl.* rodzaj kartelu; *vt* gromadzić wspólny kapitał; gospodarzyć wspólnym kapitałem

**poor** [puə(r)] *adj* ubogi; lichy; nie mający znaczenia; nędzny; biedny, nieszczęśliwy

**poor·ly** [ˈpuəlɪ] *adv* ubogo; licho; *adj* niezdrów, mizerny

**pop** [pop] *vt* trzasnąć; rozerwać; wystrzelić; cisnąć; *vi* rozrywać się z trzaskiem, pęknąć; *pot.* ~ in zajrzeć ⟨wpaść⟩ (on sb do kogoś); ~ off zwiać, uciec; *s* trzask, wystrzał; *adv pot.* z trzaskiem ⟨hukiem⟩

**pope 1.** [pəup] *s* papież

**pope 2.** [pəup] *s* pop (prawosławny)

**pop·ish** [ˈpəupɪʃ] *adj uj.* papieski

**pop·lar** [ˈpoplə(r)] *s* topola

**pop·lin** [ˈpoplɪn] *s* popelina

**pop·py** [ˈpopɪ] *s* mak

**pop·u·lace** [ˈpopjuləs] *s* tłum, pospólstwo, lud

**pop·u·lar** [ˈpopjulə(r)] *adj* ludowy; popularny; potoczny

**pop·u·lar·i·ty** [ˈpopjuˈlærətɪ] *s* popularność

**pop·u·lar·ize** [ˈpopjuləraɪz] *vt* popularyzować

**pop·u·late** [ˈpopjuleɪt] *vt* zaludniać

**pop·u·la·tion** [ˈpopjuˈleɪʃn] *s* zaludnienie, ludność

**pop·u·lous** [ˈpopjuləs] *adj* ludny, gęsto zaludniony

**porce·lain** [ˈpɔslɪn] *s* porcelana

**porch** [pɔtʃ] *s* portyk; ganek; *am.* weranda

**pore 1.** [pɔ(r)] *s anat.* por; otworek

**pore 2.** [pɔ(r)] *vi* ślęczeć (**over sth** nad czymś); zamyślać się (**upon** ⟨**at**⟩ **sth** nad czymś)

**pork** [pɔk] *s* wieprzowina

**por·nog·ra·phy** [pɔˈnogrəfɪ] *s* pornografia

**po·ros·i·ty** [pɔˈrosətɪ] *s* porowatość

**po·rous** [ˈpɔrəs] *adj* porowaty

**por·ridge** [ˈporɪdʒ] *s* kasza owsiana, owsianka

**port 1.** [pɔt] *s mors.* port

**port 2.** [pɔt] *s techn.* otwór, wlot; brama miejska; *mors.* otwór ładunkowy; (także ~**hole**) iluminator; lewa burta

**port 3.** [pɔt] *s* postawa, wygląd

**port 4.** [pɔt] *s* (*także* ~-**wine**) portwajn (rodzaj słodkiego wina)

**port·a·ble** [ˈpɔtəbl] *adj* przenośny

**por·tal** [ˈpɔtl] *s arch.* portal

**por·tend** [pɔˈtend] *vt* zapowiadać, przepowiadać

**por·tent** [ˈpɔtent] *s* zapowiedź ⟨oznaka⟩ (np. burzy); omen

**por·ten·tous** [pɔˈtentəs] *adj* złowróżbny; nadzwyczajny, cudowny

**por·ter 1.** [ˈpɔtə(r)] *s* portier

**por·ter 2.** [ˈpɔtə(r)] *s* bagażowy

**por·ter 3.** [ˈpɔtə(r)] *s* porter (gatunek piwa)

**port·fo·li·o** [ˈpɔtfəulɪəu] *s* teka, aktówka; *handl.* portfel wekslowy

**port·hole** [ˈpɔthəul] *s mors.* iluminator; *mors.* † otwór strzelniczy

**por·tion** [ˈpɔʃn] *s* porcja, udział, cząstka; partia (czegoś); los, dola; posag; *vt* dzielić (na porcje ⟨części⟩); (*także* ~ **out**) wydzielać

**port·ly** [ˈpɔtlɪ] *adj* pełen godności; okazały; korpulentny

**port·man·teau** [pɔtˈmæntəu] *s* walizka

**por·trait** [`pɔtrɪt] *s* portret
**por·tray** [pɔ`treɪ] *vt* portretować; odtwarzać, przedstawiać
**por·tray·al** [pɔ`treɪl] *s* portret; portretowanie; opis, przedstawienie
**Por·tu·guese** ['pɔtʃu`giz] *adj* portugalski; *s* Portugalczyk
**pose** [pəuz] *s* poza, postawa; *vi* pozować; *vt* stawiać (pytanie), wygłaszać (opinię)
**pos·er** [`pəuzə(r)] *s* łamigłówka, trudne pytanie
**po·si·tion** [pə`zɪʃn] *s* pozycja, położenie; pozycja społeczna; możność, stan; stanowisko; *vt* umieszczać; ustalać położenie
**pos·i·tive** [`pozətɪv] *adj* pozytywny; twierdzący; pewny, przekonany; dodatni; bezwzględny, stanowczy; *gram.* równy; *s fot.* pozytyw
**pos·sess** [pə`zes] *vt* posiadać; **to be ~ed of sth** posiadać coś na własność; władać (**sth** czymś); opętać
**pos·sessed** [pə`zest] *pp i adj* opanowany (*także* **self-~**); opętany (**by the devil** przez diabła)
**pos·ses·sion** [pə`zeʃn] *s* posiadanie; władanie (**of sth** czymś); posiadłość, posiadany przedmiot; panowanie nad sobą; **to take ~ of sth** objąć coś w posiadanie, zawładnąć czymś
**pos·ses·sive** [pə`zesɪv] *adj* dotyczący posiadania; (*o chęci itd.*) posiadania; *gram.* dzierżawczy; **~ case** dopełniacz; *s gram.* dopełniacz; zaimek dzierżawczy
**pos·ses·sor** [pə`zesə(r)] *s* właściciel, posiadacz
**pos·si·bil·i·ty** ['posə`bɪlətɪ] *s* możliwość, możność
**pos·si·ble** [`posəbl] *adj* możliwy; ewentualny; **as soon as ~** jak najszybciej
**post 1.** [pəust] *s* słup; *vt* naklejać na słupie, rozlepiać afisze, ogłaszać za pomocą afiszów, wywieszać (afisz, kartkę itp.)
**post 2.** [pəust] *s* poczta; **by ~** pocztą; **by return of ~** odwrotną pocztą; *vt* posłać pocztą, wrzucić (list) do skrzynki pocztowej
**post 3.** [pəust] *s* posterunek; stanowisko, posada; *vt* umieścić na stanowisku, wyznaczyć (zadania, obowiązki)
**post·age** [`pəustɪdʒ] *s* opłata pocztowa
**post·age·stamp** [`pəustɪdʒ stæmp] *s* znaczek pocztowy
**post·al** [`pəustl] *adj* pocztowy; **~ card** (*am.* **~**) pocztówka
**post·card** [`pəustkad] *s* kartka pocztowa; **picture ~** widokówka
**post·er** [`pəustə(r)] *s* afisz
**pos·te·ri·or** [po`stɪərɪə(r)] *adj* późniejszy, następny; tylny; *s* tył, tylna część
**pos·ter·i·ty** [po`sterətɪ] *s* potomność, potomkowie
**post-free** ['pəust `fri] *adj* wolne od opłaty pocztowej
**post-grad·u·ate** ['pəust `grædʒuət] *adj* dotyczący studiów po uzyskaniu stopnia uniwersyteckiego; *s* student kontynuujący naukę po uzyskaniu stopnia uniwersyteckiego, doktorant
**post·hu·mous** [`postjuməs] *adj* pośmiertny
**post·man** [`puəstmən] *s* listonosz
**post·mark** [`pəustmak] *s* stempel pocztowy
**post·mas·ter** [`pəustmastə(r)] *s* naczelnik poczty
**post-mor·tem** [pəust `mɔtem] *adj attr* pośmiertny; **~ examination** obdukcja; *s* obdukcja
**post-of·fice** [`pəust ofɪs] *s* urząd pocztowy
**post-paid** ['pəust `peɪd] *adj* (*o przesyłce pocztowej*) opłacony
**post·pone** [pə`spəun] *vt* odraczać, odwlekać; podporządkowywać (**sth to sth** coś czemuś)
**post·script** [`pəusskrɪpt] *s* postscriptum
**pos·tu·late** [`postjuleɪt] *vt* domagać się; postulować; *s* postulat

**pos·ture** [`postʃə(r)] *s* położenie; postawa, poza
**post-war** [`pəustwɔ(r)] *adj* powojenny
**po·sy** [`pəuzɪ] *s* bukiet, wiązanka
**pot** [pot] *s* garnek; dzban; wazon; doniczka; czajniczek (do herbaty, kawy); nocnik; *pot. sport* puchar; **to make the ~ boil** z trudem zarabiać na kawałek chleba; *vt* włożyć do garnka; przechowywać ⟨konserwować⟩ w garnku; sadzić w doniczce
**po·ta·to** [pə`teɪtəu] *s* (*pl* **~es**) ziemniak, kartofel
**po·ta·to-bee·tle** [pə`teɪtəu bitl] *s* stonka ziemniaczana
**pot-boil·er** [`potbɔɪlə(r)] *s* mierna praca autorska pisana dla zarobku, szmira, chałtura
**po·tent** [`pəutnt] *adj* silny, potężny; przekonywający; skuteczny
**po·tent·tate** [`pəutnteɪt] *s* potentat
**po·ten·tial** [pə`tenʃl] *adj* potencjalny
**po·tion** [`pəuʃn] *s* napój (*zw.* leczniczy)
**pot-lid** [`potlɪd] *s* pokrywka, przykrywka
**pot·ter** [`potə(r)] *s* garncarz
**pot·ter·y** [`potərɪ] *s* garncarstwo; wyroby garncarskie; garncarnia
**pouch** [pautʃ] *s* woreczek; kapciuch (na tytoń); kieszeń; *wojsk.* ładownica; *vt* włożyć do woreczka ⟨kieszeni⟩; wydymać
**pouf** [puf] *s* puf, miękki taboret
**poul·tice** [`pəultɪs] *s* gorący okład
**poul·try** [`pəultrɪ] *s* drób
**pounce** [pauns] *s* pazur, szpon; gwałtowny ruch (ptaka drapieżnego); *vt* chwycić w szpony; *vi* błyskawicznie spaść ⟨skoczyć, rzucić się⟩ (**upon sth** na coś)
**pound 1.** [paund] *s* funt; (*także* **~ sterling**) funt szterling
**pound 2.** [paund] *vt vi* tłuc ⟨walić⟩ (**sth** coś; **at** ⟨**on**⟩ **sth** w coś)
**pound 3.** [paund] *s* zagroda (dla zwierząt); *vt* zamknąć w zagrodzie
**pour** [pɔ(r)] *vt vi* nalewać, rozlewać, lać; **~ in** napływać; **~ out** wylewać (się); *s* ulewa
**pout** [paut] *vt vi* wydymać wargi; *przen.* robić kwaśną minę
**pov·er·ty** [`povətɪ] *s* ubóstwo
**pow·der** [`paudə(r)] *s* proch; proszek; puder; *vt* posypać (proszkiem itd.); sproszkować; pudrować
**pow·er** [`pauə(r)] *s* potęga, moc, władza; możność, zdolność; mocarstwo; *elektr.* energia, siła; *mat.* potęga
**pow·er·ful** [`pauəfl] *adj* potężny, mocny; wpływowy
**pow·er-house** [`pauə haus] *s* elektrownia; *pot.* osoba pełna energii
**pow·er·less** [`pauəlɪs] *adj* bezsilny
**pow·er-sta·tion** [`pauə steɪʃən] *s* = power-house
**prac·ti·ca·ble** [`præktɪkəbl] *adj* możliwy, do przeprowadzenia, wykonalny; nadający się do użytku
**prac·ti·cal** [`præktɪkl] *adj* praktyczny; realny; faktyczny
**prac·ti·cal·ly** [`præktɪklɪ] *adv* praktycznie; faktycznie, w istocie rzeczy, właściwie
**prac·tice** [`præktɪs] *s* praktyka, ćwiczenie; **to be out of ~** wyjść z wprawy; **to put in** ⟨**into**⟩ **~** zrealizować
**prac·tise** [`præktɪs] *vt* praktykować; ćwiczyć (się)
**prac·ti·tion·er** [præk`tɪʃŋə(r)] *s* (*zw. o lekarzu*) praktyk; **general ~** lekarz praktykujący ogólnie
**prai·rie** [`preərɪ] *s* preria
**praise** [preɪz] *vt* chwalić, sławić; *s* chwała, pochwała
**praise·wor·thy** [`preɪzwɜðɪ] *adj* godny pochwały, chwalebny
**pram** [præm] *s pot. skr.* = **perambulator**
**prance** [prans] *vi* (*o koniu*) stawać dęba; harcować; *pot.* (*o człowieku*) dumnie kroczyć; zadzierać nosa

**prank 1.** [præŋk] *s* psota, figiel, wybryk; **to play ~s** dokazywać; płatać figle (**on sb** komuś)
**prank 2.** [præŋk] *vt* stroić, zdobić
**prate** [preɪt] *vt vi* paplać; *s* paplanina
**prat·tle** [ˋprætl] *vt vi* paplać, bajdurzyć; szczebiotać; *s* paplanina; szczebiot
**pray** [preɪ] *vt vi* prosić ⟨błagać, modlić się⟩ (**for sth** o coś); **~!** proszę!
**prayer** [ˋpreə(r)] *s* modlitwa; prośba; [ˋpreɪə(r)] modlący się
**pre** [pri] *praef łac.* przed-
**preach** [pritʃ] *vi* wygłaszać kazanie; *vt* głosić, wygłaszać (kazanie)
**preach·er** [ˋpritʃə(r)] *s* kaznodzieja
**pre·am·ble** [priˋæmbl] *s* wstęp, wstępna uwaga
**pre·ca·ri·ous** [prɪˋkeərɪəs] *adj* niepewny, wątpliwy; niebezpieczny
**pre·cau·tion** [prɪˋkɔʃn] *s* ostrożność, środek ostrożności; **to take ~s** zastosować środki ostrożności
**pre·cede** [prɪˋsid] *vt vi* poprzedzać (w czasie); iść przodem; mieć pierwszeństwo (**sb, sth**ˋ przed kimś, czymś)
**pre·ced·ence** [ˋpresɪdəns] *s* pierwszeństwo
**prec·e·dent 1.** [ˋpresɪdənt] *s* precedens
**pre·ced·ent 2.** [prɪˋsidənt] *adj* poprzedzający, uprzedni
**pre·ced·ing** [prɪˋsidɪŋ] *ppraes i adj* poprzedzający, poprzedni; powyższy
**pre·cept** [ˋprisept] *s* reguła; nauka moralna, przykazanie; *prawn.* nakaz ,
**pre·cep·tor** [prɪˋseptə(r)] *s* nauczyciel, instruktor
**pre·cinct** [ˋprisɪŋkt] *s* obręb, zakres, granica; *pl* **~s** najbliższe otoczenie, okolice; *am.* okręg wyborczy
**pre·cious** [ˋpreʃəs] *adj* drogocenny, wartościowy, cenny; (*o kamieniu itd.*) szlachetny; afektowany; ukochany; *pot.* skończony, kompletny (np. dureń); *adv pot.* bardzo, szalenie
**prec·i·pice** [ˋpresəpɪs] *s* przepaść
**pre·cip·i·tate** [prəˋsɪpɪteɪt] *vt* zrzucić, strącić; przyspieszyć; *chem.* strącić; *vi* spaść; osadzić się; *vr* **~ oneself** rzucić się (**on** ⟨**upon**⟩ **sb, sth** na kogoś, coś); *adj* [prəˋsɪpɪtət] spadzisty; gwałtowny, pośpieszny, nagły; *s* [prəˋsɪpɪtət] osad
**pre·cip·i·ta·tion** [prəˈsɪpɪˋteɪʃn] *s* zepchnięcie, zrzucenie; upadek; pośpiech, nagłość; *chem.* strącenie, osad
**pre·cip·i·tous** [prəˋsɪpɪtəs] *adj* przepastny; stromy, urwisty
**pré·cis** [ˋpreɪsɪ] *s* streszczenie
**pre·cise** [prɪˋsaɪs] *adj* dokładny, ścisły; (*o człowieku*) skrupulatny
**pre·ci·sion** [prɪˋsɪʒn] *s* precyzja, ścisłość
**pre·clude** [prɪˋklud] *vt* uniemożliwiać, zapobiegać
**pre·clu·sion** [prɪˋkluʒn] *s* wykluczenie; zapobieżenie (**from sth** czemuś)
**pre·clu·sive** [prɪˋklusɪv] *adj* uniemożliwiający, wykluczający
**pre·co·cious** [prɪˋkəuʃəs] *adj* przedwcześnie rozwinięty ⟨dojrzały⟩; przedwczesny
**pre·coc·i·ty** [prɪˋkosətɪ] *s* przedwczesny rozwój
**pre·con·ceive** [ˈprikənˋsiv] *vt* powziąć z góry (sąd, opinię), uprzedzić się (**sth** do czegoś)
**pre·con·cep·tion** [ˈprikənˋsepʃn] *s* z góry powzięty sąd; uprzedzenie
**pre·cur·sor** [prɪˋkɜsə(r)] *s* poprzednik, prekursor
**pred·a·to·ry** [ˋpredətərɪ] *adj* drapieżny; łupieżczy
**pre·de·ces·sor** [ˋpridɪsesə(r)] *s* poprzednik; przodek, antenat
**pre·des·ti·nate** [priˋdestɪneɪt] *vt* predestynować
**pre·des·ti·na·tion** [ˈpriˈdestɪˋneɪʃn] *s* predestynacja

**pre·des·tine** [pri`destɪn] = **predestinate**
**pre·dic·a·ment** [prɪ`dɪkəmənt] *s* ciężkie położenie, kłopot
**pred·i·cate** [`predɪkeɪt] *vt* orzekać, twierdzić; *s* [`predɪkət] *gram.* orzeczenie
**pre·dic·a·tive** [prɪ`dɪkətɪv] *adj* orzekający; *gram.* orzecznikowy; *s gram.* orzecznik
**pre·dict** [prɪ`dɪkt] *vt* przepowiadać, prorokować
**pre·di·lec·tion** [ˈpridɪ`lekʃn] *s* szczególne upodobanie (**for sth** do czegoś)
**pre·dis·po·si·tion** [ˈpriˈdɪspə`zɪʃn] *s* skłonność ⟨predyspozycja⟩ (**to sth** do czegoś)
**pre·dom·i·nant** [prɪ`domɪnənt] *adj* dominujący, przeważający
**pre·dom·i·nate** [prɪ`domɪneɪt] *vi* przeważać, dominować; przewyższać (**over sb, sth** kogoś, coś)
**pre·em·i·nent** [pri`emɪnənt] *adj* górujący, wybitny
**pre·fab** [`prifæb] *s pot. skr.* dom z prefabrykatów
**pre·fab·ri·cate** [pri`fæbrɪkeɪt] *vt* prefabrykować
**pref·ace** [`prefɪs] *s* przedmowa; *vt* poprzedzić przedmową
**pre·fect** [`prifekt] *s* prefekt
**pre·fer** [prɪ`fɜ(r)] *vt* woleć (**sb, sth to ⟨rather than⟩ sb, sth** kogoś, coś od kogoś, czegoś); wnosić, przedkładać (np. skargę); awansować
**pref·er·a·ble** [`prefrəbl] *adj* bardziej wskazany ⟨lepszy, milszy⟩ (**to sb, sth** aniżeli ktoś, coś)
**pref·er·ence** [`prefrəns] *s* pierwszeństwo; preferencja, przedkładanie (**of sth to ⟨over⟩ sth** czegoś nad coś)
**pre·fix** [pri`fɪks] *vt* umieścić na wstępie, poprzedzić (**sth to sth** coś czymś); *s* [`prifɪks] *gram.* przedrostek
**preg·nan·cy** [`pregnənsɪ] *s* ciąża, brzemienność
**preg·nant** [`pregnənt] *adj* ciężarna, brzemienna; *przen.* brzemienny; pełen treści, ważki; sugestywny
**pre·his·tor·ic** [ˈprihɪ`storɪk] *adj* prehistoryczny
**prej·u·dice** [`predʒədɪs] *s* uprzedzenie, złe nastawienie (**against sb, sth** do kogoś, czegoś); przychylne nastawienie (**in favour of sb, sth** do kogoś, czegoś); przesąd; szkoda, uszczerbek; **to the ~ of sb** ze szkodą dla kogoś; *vt* uprzedzić (fakt itd.); uprzedzić, z góry źle usposobić (**sb against sb, sth** kogoś do kogoś, czegoś); przychylnie nastawić (**sb in favour of sb, sth** kogoś od kogoś, czegoś); zaszkodzić, przynieść uszczerbek
**prej·u·di·cial** [ˈpredʒʊ`dɪʃl] *adj* szkodliwy (**to sb, sth** dla kogoś, czegoś)
**prel·ate** [`prelət] *s* prałat, dostojnik kościelny
**pre·lim·i·na·ry** [prɪ`lɪmɪnərɪ] *adj* wstępny, przygotowawczy; *s* (*zw. pl* **preliminaries**) preliminaria, wstępne kroki ⟨rozmowy⟩
**prel·ude** [`preljud] *s* wstęp; *muz.* preludium; *vt* zapowiadać; wprowadzić, poprzedzić wstępem; *vi* stanowić wstęp (**to sth** do czegoś)
**pre·ma·ture** [`premətʃə(r)] *adj* przedwczesny
**pre·med·i·tate** [pri`medɪteɪt] *vt* z góry obmyślić
**pre·med·i·ta·tion** [ˈpriˈmedɪ`teɪʃn] *s* premedytacja
**pre·mi·er** [`premɪə(r)] *adj* pierwszy; *s* premier
**prem·ise** [`premɪs] *s filoz.* przesłanka; założenie; *pl* **~s** lokal; parcela z zabudowaniami
**pre·mi·um** [`primɪəm] *s* premia
**pre·oc·cu·pa·tion** [ˈpriˈokjʊ`peɪʃn] *s* zaabsorbowanie, troska; uprzednie zajęcie (np. miejsca); uprzedzenie, przesąd
**pre·oc·cu·py** [pri`okjʊpaɪ] *vt* absorbować, pochłaniać uwagę; uprzednio zająć
**pre·paid** [ˈpri`peɪd] *adj* z góry opłacony

**prep·a·ra·tion** ['prepə'reɪʃn] *s* przygotowanie; sporządzenie
**pre·par·a·to·ry** [prɪ'pærətərɪ] *adj* przygotowawczy
**pre·pare** [prɪ'peə(r)] *vt vi* przygotowywać ⟨naszykować⟩ (się); sporządzić
**pre·pared** [prɪ'peəd] *pp i adj* gotowy
**pre·pon·der·ance** [prɪ'pondərəns] *s* przewaga
**pre·pon·der·ate** [prɪ'pondəreɪt] *vi* przeważać ⟨mieć przewagę⟩ (**over sb, sth** nad kimś, czymś)
**prep·o·si·tion** ['prepə'zɪʃn] *s gram.* przyimek
**pre·pos·sess** ['pripə'zes] *vt* uprzedzać, usposabiać (*zw.* przychylnie), ujmować (zachowaniem itd.); natchnąć (**sb with sth** kogoś czymś)
**pre·pos·ter·ous** [prɪ'postərəs] *adj* absurdalny, niedorzeczny
**pres·age** ['presɪdʒ] *s* przepowiednia, zapowiedź; przeczucie; *vt* [prɪ'seɪdʒ] przepowiadać; zapowiadać
**pre·scribe** [prɪ'skraɪb] *vt* przepisywać, zarządzać, zalecać; *prawn.* unieważnić z powodu przedawnienia
**pre·scrip·tion** [prɪ'skrɪpʃn] *s* przepis, zarządzenie; recepta; *prawn.* **positive ~** nabycie przez zasiedzenie; **negative ~** przedawnienie
**pres·ence** ['prezns] *s* obecność; prezencja, powierzchowność; **~ of mind** przytomność umysłu
**pres·ent** 1. ['preznt] *adj* obecny, teraźniejszy, niniejszy; *s* teraźniejszość; *gram.* czas teraźniejszy; **at ~** teraz, obecnie; **for the ~** na razie; **up to ⟨until⟩ the ~** dotychczas
**pre·sent** 2. ['preznt] *s* prezent; *vt* [prɪ'zent] robić prezent, podarować (**sb with sth** komuś coś); prezentować, przedstawiać, przedkładać; **~ compliments ⟨regards⟩** pozdrawiać, składać uszanowanie; *vr* **~ oneself** zgłosić ⟨stawić⟩ się
**pre·sent·a·ble** [prɪ'zentəbl] *adj* (*o człowieku*) mający dobrą prezencję
**pres·en·ta·tion** ['prezn'teɪʃn] *s* przedstawienie; przedłożenie; podarowanie; **~ copy** egzemplarz autorski
**pre·sen·ti·ment** [prɪ'zentɪmənt] *s* przeczucie
**pres·en·tly** ['prezntlɪ] *adv* wkrótce, zaraz
**pres·er·va·tion** ['prezə'veɪʃn] *s* zachowywanie, przechowanie; ochrona
**pre·serve** [prɪ'zɜv] *vt* zachowywać, przechowywać; zabezpieczać, ochraniać; konserwować (owoce itp.); *s* konserwa; rezerwat
**pre·side** [prɪ'zaɪd] *vi* przewodniczyć (**at ⟨over⟩ the meeting** zebraniu)
**pres·i·dent** ['prezɪdənt] *s* prezydent; prezes, przewodniczący; rektor
**press** [pres] *vt vi* cisnąć (się), ściskać, uciskać, naciskać; nalegać; naglić; prasować; tłoczyć; wymuszać, narzucać; gnębić, ciążyć; **~ in** wciskać (się); wdzierać się; **~ on** pędzić naprzód; popędzać; **~ out** wyciskać; **~ through** przeciskać się; **to be ~ed for money** mieć trudności pieniężne; *s* nacisk; ścisk, tłok, napór; nawał; opresja; ciężkie położenie; prasa (*także* drukarska); **in ⟨the⟩ ~** pod prasą, w druku; **to go to ~** iść do druku; **a good ~** dobra recenzja (w prasie)
**press-clip·ping** ['pres klɪpɪŋ], **press--cut·ting** ['pres kʌtɪŋ] *s* wycinek prasowy
**press·ing** ['presɪŋ] *ppraes i adj* naglący, pilny; natarczywy
**pres·sure** ['preʃə(r)] *s* ciśnienie; nacisk; ucisk; *elektr.* napięcie; presja; nawał (spraw, pracy); **to**

put ~ wywierać nacisk (on ⟨upon⟩ sth na coś)
**pres·tige** [preˈstiʒ] *s* prestiż
**pre·sume** [prɪˈzjum] *vt vi* przypuszczać, domyślać się, zakładać; pozwalać sobie, ośmielać się; wykorzystywać, nadużywać (on ⟨upon⟩ sth czegoś); polegać (on ⟨upon⟩ sth na czymś)
**pre·sumed** [prɪˈzjumd] *pp i adj* przypuszczalny, domniemany
**pre·sump·tion** [prɪˈzʌmpʃn] *s* przypuszczenie, domniemanie; zarozumiałość
**pre·sump·tive** [prɪˈzʌmptɪv] *adj* przypuszczalny
**pre·sump·tu·ous** [prɪˈzʌmptʃuəs] *adj* zarozumiały, pewny siebie
**pre·sup·pose** [ˈprisəˈpəuz] *vt* przyjmować ⟨zakładać⟩ z góry
**pre·tence** [prɪˈtens] *s* pretensja; roszczenie; udawanie; pretekst; pozory
**pre·tend** [prɪˈtend] *vt vi* pozorować, udawać; wysuwać jako pretekst; rościć pretensje, pretendować (to sth do czegoś)
**pre·tend·er** [prɪˈtendə(r)] *s* udający, symulant; pretendent
**pre·ten·sion** [prɪˈtenʃn] *s* pretensja, roszczenie; aspiracja; pretensjonalność
**pre·ten·tious** [prɪˈtenʃəs] *adj* pretensjonalny
**pret·er·ite** [ˈpretərɪt] *adj gram.* przeszły; *s gram.* czas przeszły
**pre·text** [ˈpritekst] *s* pretekst
**pret·ty** [ˈprɪtɪ] *adj* ładny, śliczny; dobry; spory; *adv pot.* sporo, dość
**pre·vail** [prɪˈveɪl] *vi* przeważać; brać górę (over ⟨against⟩ sb nad kimś); skłonić (kogoś); wymóc (on ⟨upon⟩ sb to do sth na kimś, aby coś zrobił); być powszechnie przyjętym, panować
**prev·a·lent** [ˈprevələnt] *adj* przeważający; powszechny, panujący
**pre·vent** [prɪˈvent] *vt* przeszkadzać (sth czemuś; sb from doing sth komuś w robieniu czegoś); powstrzymywać; zapobiegać (sth czemuś)
**pre·ven·tion** [prɪˈvenʃn] *s* profilaktyka, zapobieganie; przeszkoda
**pre·ven·tive** [prɪˈventɪv] *adj* zapobiegawczy; *s* środek zapobiegawczy
**pre·vi·ous** [ˈprivɪəs] *adj* poprzedni, uprzedni; poprzedzający (to sth coś); *adv w zwrocie:* ~ to sth przed czymś
**pre-war** [ˈpri ˈwɔ(r)] *adj* przedwojenny
**prey** [preɪ] *s* łup, ofiara; to fall a ~ paść ofiarą (to sth czegoś); beast ⟨bird⟩ of ~ drapieżnik; *vi* grabić; żerować (on ⟨upon⟩ sb, sth na kimś, czymś); polować (on ⟨upon⟩ sth na coś); *przen.* trawić, dręczyć (on sb's mind kogoś)
**price** [praɪs] *s* cena; at the ~ po cenie, za cenę; *vt* ocenić, wycenić
**price·less** [ˈpraɪsləs] *adj* bezcenny
**price-list** [ˈpraɪs lɪst] *s* cennik
**prick** [prɪk] *s* ukłucie; ~s of conscience wyrzuty sumienia; *vt* ukłuć, przekłuć, nakłuć; ~ up one's ears nadstawiać uszu
**prick·le** [ˈprɪkl] *s* kolec, cierń; *vt vi* kłuć; szczypać
**pride** [praɪd] *s* duma; to take ~ szczycić się (in sth czymś); *vr* ~ oneself szczycić się ⟨pysznić się⟩ (on ⟨upon⟩ sth czymś)
**priest** [prist] *s* kapłan, duchowny
**prig** [prɪg] *s* pedant; zarozumialec
**prim** [prɪm] *adj pot.* schludny; afektowany; wyszukany; pedantyczny
**pri·ma·cy** [ˈpraɪməsɪ] *s* prymat
**pri·ma·ry** [ˈpraɪmərɪ] *adj* początkowy, pierwotny; pierwszorzędny, zasadniczy, główny; ~ school szkoła podstawowa
**pri·mate** [ˈpraɪmeɪt] *s* prymas
**prime** [praɪm] *adj* pierwszy, najważniejszy, główny; at ~ cost po kosztach własnych; Prime Minister premier; *s* początek, zara-

nie; *przen.* wiosna, rozkwit; **in the ~ of life** w kwiecie wieku
**prim·er** [`praɪmə(r)] *s* elementarz, podręcznik dla początkujących
**prim·i·tive** [`prɪmɪtɪv] *adj* prymitywny; początkowy, pierwotny
**prim·rose** [`prɪmrəuz] *s bot.* pierwiosnek
**prince** [prɪns] *s* książę
**prin·cess** ['prɪn`ses] *s* księżna, księżniczka
**prin·ci·pal** [`prɪnsəpl] *adj* główny; *s* kierownik, szef, dyrektor; kapitał (bez procentów)
**prin·ci·pal·i·ty** ['prɪnsə`pælətɪ] *s* księstwo
**prin·ci·ple** [`prɪnsəpl] *s* zasada; podstawa
**print** [prɪnt] *s* druki, druk; sztych; odbicie, ślad, odcisk; odbitka; perkal; (*o książce*) **in ~** wydrukowany; będący w sprzedaży; **out of ~** wyczerpany; *vt* drukować; wytłaczać, wycisnąć
**print·er** [`prɪntə(r)] *s* drukarz
**print·ing** [`prɪntɪŋ] *s* drukowanie, druk; nakład
**print·ing-house** [`prɪntɪŋ haus] *s* drukarnia
**print·ing-of·fice** [`prɪntɪŋ ofɪs] = **printing-house**
**pri·or** [`praɪə(r)] *adj* poprzedni, wcześniejszy, uprzedni; ważniejszy (**to sb, sth** od kogoś, czegoś); *adv w zwrocie*: **~ to sth** przed czymś; *s* przeor
**pri·or·i·ty** [praɪ`orətɪ] *s* pierwszeństwo, priorytet
**prism** [`prɪzm] *s fiz.* pryzmat; *mat.* graniastosłup
**pris·on** [`prɪzn] *s* więzienie
**pris·on·er** [`prɪzŋə(r)] *s* więzień, jeniec; **~ of war** jeniec wojenny; **to take ~** wziąć do niewoli
**pri·va·cy** [`prɪvəsɪ] *s* samotność, odosobnienie, izolacja; skrytość; utrzymywanie w tajemnicy
**pri·vate** [`praɪvɪt] *adj* osobisty, własny, prywatny; tajny, poufny; **keep sth ~** trzymać coś w tajemnicy; odosobniony; *wojsk.* szeregowy; *s wojsk.* szeregowiec
**pri·va·teer** ['praɪvɪ`tɪə(r)] *s* statek korsarski; kaper, korsarz
**pri·va·tion** [praɪ`veɪʃn] *s* pozbawienie; niedostatek, brak
**priv·i·lege** [`prɪvḷɪdʒ] *s* przywilej; nietykalność (poselska); *vt* uprzywilejować, nadać przywilej
**priv·y** [`prɪvɪ] *adj* tajny; wtajemniczony (**to sth** w coś); *s* ustęp, ubikacja
**prize 1.** [praɪz] *s* nagroda, premia; wygrana (na loterii); *vt* wysoko cenić
**prize 2.** [praɪz] *s* łup wojenny (zdobyty na morzu); *pot.* gratka; **to make a ~** zdobyć ⟨zająć⟩ (**of sth** coś)
**pro** [prəu] *praep łac.* za, na, pro; *adv w zwrocie*: **~ and con** za i przeciw; *s w zwrocie*: **~s and cons** (fakty itd.) za i przeciw
**prob·a·bil·i·ty** ['probə`bɪlətɪ] *s* prawdopodobieństwo; **in all ~** według wszelkiego prawdopodobieństwa
**prob·a·ble** [`probəbl] *adj* prawdopodobny
**pro·ba·tion** [prə`beɪʃn] *s* staż; próba; nowicjat; *prawn.* warunkowe zwolnienie z więzienia i oddanie pod nadzór sądowy; **on ~** na stażu; pod nadzorem sądowym
**pro·ba·tion·a·ry** [prə`beɪʃnrɪ] *adj* (*o okresie*) próbny
**pro·ba·tion·er** [prə`beɪʃŋə(r)] *s* pracownik w okresie próby, praktykant, stażysta; nowicjusz; *prawn.* zwolniony więzień oddany pod nadzór sądowy
**probe** [prəub] *s* sonda; *vt* sondować; *przen.* badać; *vi* zagłębiać się (**into sth** w coś)
**pro·bi·ty** [`prəubətɪ] *s* rzetelność
**prob·lem** [`probləm] *s* problem
**prob·lem·at·ic(al)** ['problə`mætɪk(l)] *adj* problematyczny
**pro·ce·dure** [prə`sidʒə(r)] *s* procedura, postępowanie
**pro·ceed** [prə`sid] *vi* podążać, posuwać się naprzód; udać się (dokądś); kontynuować (**with sth**

coś); wynikać ⟨pochodzić⟩ (**from sth** z czegoś); przystąpić ⟨zabrać się⟩ (**to sth** do czegoś); z kolei ⟨następnie⟩ zrobić (**to sth** coś); toczyć się, ciągnąć się, przebiegać; wytoczyć proces (**against sb** komuś)
**pro·ceed·ing** [prə`sidɪŋ] *s* postępowanie; poczynanie; *pl* ~**s** sprawozdanie (z działalności), protokóły; debaty (obrady); *prawn.* **legal** ~**s** przewód sądowy
**pro·ceeds** [`prəusidz] *s pl* dochód, zysk
**pro·cess** [`prəuses] *s* przebieg, tok, proces; **in** ~ w toku; **in** ~ **of time** z biegiem czasu; *vt* obrabiać, poddawać procesowi ⟨działaniu⟩
**pro·ces·sion** [prə`seʃn] *s* procesja, pochód
**pro·claim** [prə`kleɪm] *vt* proklamować; zakazywać (**sth** czegoś)
**proc·la·ma·tion** [/proklə`meɪʃn] *s* proklamacja; zakaz
**pro·cliv·i·ty** [prəu`klɪvətɪ] *s* skłonność, inklinacja (**to** ⟨**towards**⟩ **sth** do czegoś)
**pro·cras·ti·nate** [prəu`kræstɪneɪt] *vt* odwlekać; *vi* ociągać się
**pro·cre·ate** [`prəukrɪeɪt] *vt* rodzić, wydawać na świat
**pro·cure** [prə`kjuə(r)] *vt* dostarczyć (**sth for sb** coś komuś); sprawić (sobie), postarać się (**sth** o coś); dostać; *vi* stręczyć (do nierządu)
**pro·cur·er** [prə`kjuərə(r)] *s* pośrednik; stręczyciel
**prod** [prod] *s* szturchnięcie; bodziec; *vt* szturchać; popędzać
**prod·i·gal** [`prodɪgl] *adj* rozrzutny, marnotrawny
**pro·dig·ious** [prə`dɪdʒəs] *adj* zdumiewający, cudowny; ogromny
**prod·i·gy** [`prodɪdʒɪ] *s* cudo, cud; cudowne dziecko; nadzwyczajny talent
**pro·duce** [prə`djus] *vt* produkować, wytwarzać; wydobywać; powodować; wywoływać; wydawać (książkę, plony, potomstwo itd.); przynieść (np. zysk), dawać (rezultaty); okazywać, przedkładać, przedstawiać (np. dowody); wystawiać (sztukę); *s* [`prodjus] wynik; plon, zbiór; płody, produkty; produkcja, wydobycie
**pro·duc·er** [prə`djusə(r)] *s* producent; *am.* dyrektor teatru
**prod·uct** [`prodʌkt] *s* produkt, wyrób; wynik; *mat.* iloczyn
**pro·duc·tion** [prə`dʌkʃn] *s* produkcja, wytwórczość; utwór (literacki itd.); wystawienie (sztuki)
**pro·duc·tive** [prə`dʌktɪv] *adj* produktywny; płodny, żyzny
**pro·fane** [prə`feɪn] *vt* profanować; *adj* bluźnierczy; podgański; nieczysty; pospolity; świecki
**pro·fess** [prə`fes] *vt* wyznawać (wiarę); oświadczać, twierdzić; uprawiać (zawód)
**pro·fessed** [prə`fest] *pp i adj* jawny; zawodowy; rzekomy
**pro·fes·sion** [prə`feʃn] *s* zawód, zajęcie; wyznanie (wiary); oświadczenie; **by** ~ z zawodu
**pro·fes·sion·al** [prə`feʃnl] *adj* zawodowy, fachowy; *s* fachowiec
**pro·fes·sor** [prə`fesə(r)] *s* profesor
**prof·fer** [`profə(r)] *vt* proponować ⟨oferować⟩ (swoje usługi itd.)
**pro·fi·cien·cy** [prə`fɪʃnsɪ] *s* biegłość, sprawność
**pro·fi·cient** [prə`fɪʃnt] *adj* biegły, sprawny
**pro·file** [`prəufaɪl] *s* profil
**prof·it** [`profɪt] *s* korzyść, pożytek; dochód; **to turn to** ~ wykorzystać; *vt* przynosić korzyść ⟨pożytek⟩; *vi* korzystać (**by** ⟨**from**⟩ **sth** z czegoś); zyskać (**by sth** na czymś)
**prof·it·a·ble** [`profɪtəbl] *adj* korzystny, pożyteczny; zyskowny
**prof·it·eer** [/profɪ`tɪə(r)] *s* spekulant, *pot.* paskarz; *vi* spekulować, *pot.* paskować
**prof·li·gate** [`proflɪgət] *adj* rozpustny; rozrzutny; *s* rozpustnik; rozrzutnik

**pro·found** [prə`faund] *adj* (*o ukłonie, zainteresowaniu itp.*) głęboki; (*o wiedzy itp.*) gruntowny
**pro·fun·di·ty** [prə`fʌndətɪ] *s* głębokość, głębia
**pro·fuse** [prə`fjus] *adj* hojny, rozrzutny; obfity
**pro·fu·sion** [prə`fjuʒn] *s* hojność, rozrzutność; obfitość
**pro·gen·itor** [prəu`dʒenɪtə(r)] *s* przodek, antenat
**prog·e·ny** [`prodʒɪnɪ] *s* potomstwo, *zbior.* potomkowie
**prog·nos·tic** [prog`nostɪk] *s* prognostyk, oznaka
**pro·hib·i·tive** [prə`hɪbətɪv] *adj* program; *vt* układać program
**prog·ress** [`prəugres] *s* postęp; rozwój; bieg; *vi* [prə`gres] posuwać się naprzód; robić postępy; być w toku
**pro·gres·sion** [prə`greʃn] *s* postęp, progresja
**pro·gres·sive** [prə`gresɪv] *adj* postępowy; progresywny; *gram.* ciągły; *s* postępowiec
**pro·hib·it** [prə`hɪbɪt] *vt* zakazywać; wstrzymywać
**pro·hi·bi·tion** [ˈprəuɪ`bɪʃn] *s* zakaz; prohibicja
**pro·hib·i·tive** [prə`hɪbətɪv] *adj* prohibicyjny; (*o cenach*) nieprzystępny
**pro·ject** [`prodʒekt] *s* projekt; *vt* [prə`dʒekt] projektować; rzucać, wyrzucać; rzutować; wyświetlać (na ekranie); *vi* wystawać, sterczeć
**pro·jec·tile** [prə`dʒektaɪl] *adj* dający się wyrzucić; *s* pocisk
**pro·jec·tion** [prə`dʒekʃn] *s* rzut, wyrzucenie; rzutowanie; wyświetlanie, projekcja; projektowanie, planowanie; występ, wystawanie; wyświetlony obraz
**pro·jec·tion·ist** [prə`dʒekʃnɪst] *s* operator kinowy (wyświetlający film)
**pro·le·ta·ri·an** [ˈprəulɪ`teərɪən] *adj* proletariacki; *s* proletariusz
**pro·le·ta·ri·at** [ˈprəulɪ`teərɪət] *s* proletariat
**pro·lif·ic** [prə`lɪfɪk] *adj* płodny
**pro·lix** [`prəulɪks] *adj* rozwlekły
**pro·logue** [`prəulog] *s* prolog
**pro·long** [prə`loŋ] *vt* przedłużać, prolongować
**pro·longed** [prə`loŋd] *pp i adj* długotrwały, przedłużający się
**prom·e·nade** [ˈpromə`nad] *s* przechadzka; promenada; *vt vi* przechadzać się
**prom·i·nent** [`promɪnənt] *adj* wystający; wybitny, sławny; widoczny
**prom·is·cu·i·ty** [ˈpromɪ`skjuətɪ] *s* mieszanina, bezład; stosunek pozamałżeński
**pro·mis·cu·ous** [prə`mɪskjuəs] *adj* mieszany, różnorodny; nie czyniący różnicy; pozamałżeński
**prom·ise** [`promɪs] *s* obietnica; **to keep a ~** dotrzymać obietnicy; **to show ~** dobrze się zapowiadać; *vt vi* obiecywać (**sb sth** ⟨**sth to sb**⟩ komuś coś); zapowiadać (się)
**prom·on·to·ry** [`promənt rɪ] *s* przylądek
**pro·mote** [prə`məut] *vt* posuwać naprzód; popierać, sprzyjać, zachęcać; promować; dawać awans; **to be ~d** awansować
**pro·mo·tion** [prə`məuʃn] *s* promocja, awans; poparcie
**prompt** [prompt] *adj* szybki; gotowy, zdecydowany; natychmiastowy; *vt vi* pobudzić, dodać bodźca; nakłonić; podpowiadać, *teatr* suflerować
**prompt·er** [`promptə(r)] *s teatr* sufler
**promp·ti·tude** [`promptɪtjud] *s* szybkość; gotowość (**of sth** do czegoś)
**prompt·ness** [`promptnəs] = **promptitude**
**prom·ul·gate** [`promlgeɪt] *vt* publicznie ogłaszać; szerzyć (poglądy itd.)
**prom·ul·ga·tion** [ˈproml`geɪʃn] *s* ogłoszenie, opublikowanie; szerzenie (poglądów itd.)

**prone** [prəun] *adj* pochyły, pochylony, stromy; leżący twarzą na dół; skłonny (**to do sth** do zrobienia czegoś)
**prong** [proŋ] *s* ząb (np. widelca); kolec, ostrze
**pro·noun** [ˋprəunaun] *s gram.* zaimek
**pro·nounce** [prəˋnauns] *vt* wymawiać; wypowiadać, oświadczać; *vi* wypowiadać się (**on sth** w jakiejś sprawie; **for sb, sth** za kimś, czymś; **against sb, sth** przeciwko komuś, czemuś)
**pro·nounced** [prəˋnaunst] *pp i adj* wyraźnie zaznaczony; zdecydowany (kolor itd.)
**pro·nounce·ment** [prəˋnaunsmənt] *s* wypowiedź, oświadczenie
**pro·nun·ci·a·tion** [prəˌnʌnsɪˋeɪʃn] *s* wymowa
**proof** [pruf] *s* dowód; badanie, próba; korekta; *adj* mocny, trwały, odporny
**proof-read·er** [ˋpruf ridə(r)] *s* korektor
**proof-sheet** [ˋpruf ʃit] *s* korekta (szpalta, arkusz)
**prop** [prop] *s* podpórka; podpora; *vt* (*także* **~ up**) podpierać, podtrzymywać
**prop·a·gan·da** [ˌpropəˋgændə] *s* propaganda
**prop·a·gate** [ˋpropəgeɪt] *vt* mnożyć, krzewić; propagować
**pro·pel** [prəˋpel] *vt* wprawiać w ruch, poruszać; napędzać; popędzać; pchnąć ⟨rzucić⟩ naprzód
**pro·pel·ler** [prəˋpelə(r)] *s lotn.* śmigło; *mors.* śruba okrętowa; siła napędowa
**pro·pen·si·ty** [prəˋpensətɪ] *s* skłonność ⟨popęd⟩ (**to sth** do czegoś)
**prop·er** [ˋpropə(r)] *adj* właściwy, odpowiedni, należyty, stosowny; (*o imieniu*) własny
**prop·er·ty** [ˋpropətɪ] *s* własność, posiadłość; posiadanie; własność, właściwość; *teatr zbior.* rekwizyty
**proph·e·cy** [ˋprofɪsɪ] *s* proroctwo
**proph·e·sy** [ˋprofɪsaɪ] *vt vi* prorokować
**proph·et** [ˋprofɪt] *s* prorok
**pro·phy·lac·tic** [ˌprofɪˋlæktɪk] *adj* profilaktyczny
**pro·pin·qui·ty** [prəˋpɪŋkwətɪ] *s* bliskość; pokrewieństwo
**pro·pi·ti·ate** [prəˋpɪʃɪeɪt] *vt* jednać sobie względy; przejednywać
**pro·pi·tious** [prəˋpɪʃəs] *adj* pomyślny; sprzyjający; łaskawy
**pro·por·tion** [prəˋpɔʃn] *s* proporcja; udział; **out of ~** nieproporcjonalny; *vt* dostosować; proporcjonalnie rozdzielić
**pro·por·tion·al** [prəˋpɔʃnl] *adj* proporcjonalny
**pro·por·tion·ate** [prəˋpɔʃn̩ət] *adj* proporcjonalny
**pro·pos·al** [prəˋpəuzl] *s* propozycja; oświadczyny
**pro·pose** [prəˋpəuz] *vt* proponować; wysunąć (wniosek, kandydaturę); zamierzać; zaplanować; *vi* oświadczyć się
**prop·o·si·tion** [ˌpropəˋzɪʃn] *s* propozycja; wniosek; *mat.* twierdzenie
**pro·pound** [prəˋpaund] *vt* przedkładać, proponować, zgłaszać
**pro·pri·e·tar·y** [prəˋpraɪətrɪ] *adj* własnościowy; (*o prawie*) posiadania; posiadający
**pro·pri·e·tor** [prəˋpraɪətə(r)] *s* właściciel, posiadacz
**pro·pri·e·ty** [prəˋpraɪətɪ] *s* słuszność, stosowność, właściwość, trafność; przyzwoitość, dobre wychowanie
**pro·rogue** [prəuˋrəug] *vt* odraczać
**pro·sa·ic** [prəˋzeɪɪk] *adj* prozaiczny
**pro·scribe** [prəuˋskraɪb] *vt* wyjąć spod prawa; skazać na banicję ⟨na wygnanie⟩
**pro·scrip·tion** [prəuˋskrɪpʃn] *s* proskrypcja, wyjęcie spod prawa
**prose** [prəuz] *s* proza; *vi* nudno mówić ⟨pisać⟩
**pros·e·cute** [ˋprosɪkjut] *vt* prowa-

dzić (np. badania); wykonywać (np. pracę); kontynuować; sprawować, pełnić (np. obowiązki); ścigać sądownie
**pros·e·cu·tion** [ˌprosɪˋkjuʃn] *s* wykonywanie ⟨kontynuowanie⟩ (np. pracy); pełnienie ⟨sprawowanie⟩ (obowiązków); dochodzenie sądowe
**pros·e·cu·tor** [ˋprosɪkjutə(r)] *s* oskarżyciel sądowy; **public ~** prokurator
**pros·o·dy** [ˋprosədɪ] *s* prozodia
**pros·pect** [ˋprospekt] *s* perspektywa; widok; działka złotonośna; *vt vi* [prəˋspekt] przeszukiwać (teren złotodajny itp.), poszukiwać (**for gold** ⟨**oil**⟩ złota, nafty itd.)
**pro·spec·tive** [prəˋspektɪv] *adj* odnoszący się do przyszłości; przewidywany
**pro·spec·tor** [prəˋspektə(r)] *s* poszukiwacz (złota, nafty *itd.*)
**pro·spec·tus** [prəˋspektəs] *s* prospekt
**pros·per** [ˋprospə(r)] *vi* prosperować
**pros·per·i·ty** [proˋsperətɪ] *s* pomyślność; dobrobyt; dobra koniunktura
**pros·per·ous** [ˋprospərəs] *adj* cieszący się pomyślnością ⟨dobrobytem⟩, kwitnący; pomyślny
**pros·ti·tute** [ˋprostɪtjut] *s* prostytutka; *vt* prostytuować; marnować (np. zdolności); *vr* **~ oneself** uprawiać prostytucję
**pros·trate** [ˋprostreɪt] *adj* leżący plackiem ⟨twarzą ku ziemi⟩; *przen.* będący w prostracji, zgnębiony; *vt* [proˋstreɪt] powalić na ziemię; *przen.* skrajnie wyczerpać, zgnębić, doprowadzić do prostracji
**pro·tect** [prəˋtekt] *vt* chronić ⟨bronić, osłaniać, zabezpieczać⟩ (**from** ⟨**against**⟩ **sb, sth** przed kimś, czymś)
**pro·tec·tion** [prəˋtekʃn] *s* ochrona, obrona, zabezpieczenie (**against sth** przed czymś); protekcja, opieka; system ochrony celnej
**pro·tec·tion·ism** [prəˋtekʃnɪzm] *s* polityka ochrony celnej
**pro·tec·tive** [prəˋtektɪv] *adj* ochronny, zabezpieczający
**pro·tec·tor** [prəˋtektə(r)] *s* obrońca, opiekun; *techn.* osłona
**pro·tec·tor·ate** [prəˋtektərət] *s* protektorat
**pro·tein** [ˋprəutin] *s* białko, proteina
**pro·test** [ˋprəutest] *s* protest; uroczyste zapewnienie, oświadczenie; *vt vi* [prəˋtest] protestować; uroczyście zapewniać, oświadczać
**Prot·es·tant** [ˋprotɪstənt] *s* protestant; *adj* protestancki
**prot·es·ta·tion** [ˌprotɪˋsteɪʃn] *s* protestowanie; uroczyste zapewnienie
**pro·to·col** [ˋprəutəkol] *s* protokół (dyplomatyczny)
**pro·to·type** [ˋprəutətaɪp] *s* prototyp
**pro·tract** [prəˋtrækt] *vt* przewlekać, przedłużać
**pro·trac·tor** [prəˋtræktə(r)] *s mat.* kątomierz
**pro·trude** [prəˋtrud] *vi* wystawać, sterczeć; *vt* wysuwać
**pro·tru·sion** [prəˋtruʒn] *s* wysunięcie; wystawanie
**proud** [praud] *adj* dumny (**of sth** z czegoś); wspaniały
**prove** [pruv] *vt* udowadniać; badać, próbować; sprawdzać; *vi* (*także vr* **~ oneself**) okazywać się
**prov·erb** [ˋprovɜb] *s* przysłowie
**pro·ver·bi·al** [prəˋvɜbɪəl] *adj* przysłowiowy
**pro·vide** [prəˋvaɪd] *vt vi* dostarczać (**sb with sth** ⟨**sth for sb**⟩ komuś czegoś); zaspokoić potrzeby, zaopatrywać; (*o ustawie*) postanawiać, zarządzać; przedsiębrać kroki (w przewidywaniu czegoś), zabezpieczyć się (**for sth** na wypadek czegoś); *prawn.* postanawiać (**for sth** coś)
**pro·vid·ed** [prəˋvaɪdɪd] *pp i conj*

o ile, pod warunkiem, byle (tylko)

**prov·i·dence** [`provɪdns] *s* przezorność; oszczędność; opatrzność

**prov·i·dent** [`provɪdənt] *adj* przezorny; oszczędny

**prov·i·den·tial** [ˌprovɪ`denʃl] *adj* opatrznościowy

**prov·ince** [`provɪns] *s* prowincja; zakres, dziedzina

**pro·vin·cial** [prə`vɪnʃl] *adj* prowincjonalny; rejonowy; *s* prowincjał

**pro·vi·sion** [prə`vɪʒn] *s* zaopatrzenie (**of sth** w coś); zabezpieczenie (**for** ⟨**against**⟩ **sth** przed czymś); zastosowanie środków, podjęcie kroków; klauzula, zastrzeżenie; warunek; zarządzenie, postanowienie; *pl* ~s zapasy żywności, prowianty; *vt* zaprowiantować

**pro·vi·sion·al** [prə`vɪʒnl] *adj* tymczasowy, prowizoryczny

**pro·vi·sion-mer·chant** [prəˌvɪʒn `mɜtʃənt] *s* sprzedawca artykułów spożywczych

**pro·vi·so·ry** [prə`vaɪzərɪ] *adj* prowizoryczny; warunkowy

**prov·o·ca·tion** [ˌprovə`keɪʃn] *s* prowokacja; rozdrażnienie; powód

**pro·voke** [prə`vəuk] *vt* prowokować, podburzać; wywoływać, powodować; rozdrażniać, irytować, złościć

**prov·ost** [`provəst] *s* przełożony; rektor; (*w Szkocji*) burmistrz

**prow** [prau] *s* dziób (okrętu)

**prow·ess** [`prauɪs] *s* waleczność, męstwo

**prowl** [praul] *vi* grasować, polować na zdobycz

**prowl·er** [`praulə(r)] *s* maruder

**prox·im·i·ty** [prok`sɪmətɪ] *s* bliskość ⟨sąsiedztwo⟩ (**of** ⟨**to**⟩ **sth** czegoś)

**prox·y** [`proksɪ] *s* zastępstwo; pełnomocnictwo; strona upełnomocniona; *handl.* prokura; **by** ~ na podstawie pełnomocnictw, w zastępstwie

**prude** [prud] *s* kobieta pruderyjna, świętoszka

**pru·dence** [`prudns] *s* roztropność; ostrożność; rozwaga

**pru·dent** [`prudnt] *adj* roztropny; ostrożny; rozważny

**pru·den·tial** [pru`denʃl] *adj* podyktowany roztropnością ⟨rozwagą⟩

**prud·er·y** [`prudərɪ] *adj* pruderia

**prune 1.** [prun] *vt* czyścić drzewa (obcinając gałęzie); okrawać

**prune 2.** [prun] *s* suszona śliwka

**Prus·sian** [`prʌʃn] *adj* pruski; *s* Prusak

**prus·sic** [`prʌsɪk] *adj chem.* (*o kwasie*) pruski

**pry** [praɪ] *vi* podpatrywać; wściubiać nos (**into sth** w coś); szperać

**psalm** [sam] *s* psalm

**psal·ter** [`soltə(r)] *s* psałterz

**pseu·do** [`sjudəu] *praef* pseudo-; *adj* rzekomy

**pseu·do·nym** [`sjudənɪm] *s* pseudonim

**psy·che** [`saɪkɪ] *s* psyche, dusza; usposobienie; mentalność

**psy·chi·a·try** [saɪ`kaɪətrɪ] *s* psychiatria

**psy·chic** [`saɪkɪk] *adj* psychiczny, duchowy; metapsychiczny; *s* medium

**psy·chi·cal** [`saɪkɪkl] *adj* psychiczny, duchowy

**psy·cho·a·nal·y·sis** [ˌsaɪkəu ə`næləsɪs] *s* psychoanaliza

**psy·cho·log·i·c(al)** [ˌsaɪkə`lodʒɪk(l)] *adj* psychologiczny

**psy·chol·o·gy** [saɪ`kolədʒɪ] *s* psychologia

**psy·cho·sis** [saɪ`kəusɪs] *s* psychoza

**pub** [pʌb] *s pot.* piwiarnia, knajpa, bar

**pu·ber·ty** [`pjubətɪ] *s* okres dojrzewania płciowego

**pub·lic** [`pʌblɪk] *adj* publiczny; ogólny, powszechny; jawny; obywatelski, społeczny; urzędowy; ~ **debt** dług państwowy; ~ **house** szynk, piwiarnia, knajpa; ~

school *bryt.* ekskluzywna szkoła średnia z internatem; *am.* państwowa szkoła średnia; ~ **service** służba państwowa; *s* publiczność; **in** ~ publicznie

**pub·li·ca·tion** ['pʌblɪ`keɪʃn] *s* publikacja; ogłoszenie

**pub·lic·i·ty** [pʌb`lɪsətɪ] *s* reklama, rozgłos

**pub·lish** [`pʌblɪʃ] *vt* publikować, wydawać; ogłaszać; **~ing house** firma wydawnicza, wydawnictwo

**pub·lish·er** [`pʌblɪʃə(r)] *s* wydawca

**puck** [pʌk] *s* chochlik

**pud·ding** [`pudɪŋ] *s* pudding

**pud·dle** [`pʌdl] *s* kałuża; *pot.* bałagan; *vt vi* chlapać (się), babrać (się); *pot.* bałaganić

**puff** [pʌf] *vt vi* dmuchać; pykać; sapać; *przen.* przesadnie zachwalać; (*także* ~ **up**) nadymać się; *s* podmuch, dmuchnięcie; kłąb (dymu itd.); bufa (rękawa); przesadna pochwała; hałaśliwa reklama; puszek (do pudru)

**puff-ball** [`pʌfbɔl] *s bot.* purchawka

**puff·y** [`pʌfɪ] *adj* porywisty; pękaty; nadęty; napuszony

**pu·gil·ist** [`pjudʒɪlɪst] *s* pięściarz

**pug·na·cious** [pʌg`neɪʃəs] *adj* wojowniczy

**pull** [pul] *vt vi* ciągnąć, szarpać; wyrywać, zrywać; wiosłować; ~ **away** ⟨**back**⟩ odciągnąć; ~ **down** ściągnąć; rozebrać (dom); osłabić; ~ **in** wciągnąć; powściągnąć (np. konia); zatrzymać się; ograniczyć (wydatki); ~ **off** ściągnąć, zdjąć; zdobyć (np. nagrodę); przeprowadzić (plan, przedsięwzięcie), dokonać (czegoś); ~ **out** wyciągnąć, wyrwać; odejść, wycofać się; ~ **through** wyciągnąć (kogoś) z trudnego położenia; przebrnąć przez trudności; powracać powoli do zdrowia; ~ **(oneself) together** zebrać siły, przyjść do siebie; opamiętać się; ~ **up** podciągnąć; wyrwać z korzeniami; zatrzymać (się); dogonić (**with** ⟨**to**⟩ **sb, sth** kogoś, coś); *s* pociągnięcie, szarpnięcie; przyciąganie, ciąg; uchwyt; wysiłek; wpływ (**with sb** na kogoś); przewaga (**of** ⟨**over**⟩ **sb** nad kimś)

**pul·let** [`pulɪt] *s* kurczę; pularda

**pul·ley** [`pulɪ] *s techn.* rolka (linowa), blok (do podnoszenia), koło transmisyjne

**pull-over** [`pul əuvə(r)] *s* pulower

**pul·lu·late** [`pʌljuleɪt] *vi* kiełkować; krzewić się; roić się

**pulp** [pʌlp] *s* miękka masa; miazga; miękisz; papka

**pul·pit** [`pulpɪt] *s* ambona; *przen.* kaznodziejstwo; *zbior.* kaznodzieje

**pul·sate** [pʌl`seɪt] *vi* pulsować, tętnić

**pulse** [pʌls] *s* puls, tętno; **to feel sb's** ~ badać komuś puls; *vi* pulsować

**pul·ver·ize** [`pʌlvəraɪz] *vt vi* sproszkować (się); zetrzeć (się) na proch; *przen.* zniszczyć

**puma** [`pjumə] *s zool.* puma

**pump** [pʌmp] *s* pompa; *vt* pompować; *przen.* wypytywać, wyciągać wiadomości

**pump·kin** [`pʌmpkɪn] *s bot.* dynia

**pun** [pʌn] *s* kalambur, gra słów; dwuznacznik; *vi* bawić się kalamburami ⟨dwuznacznikami⟩

**punch 1.** [pʌntʃ] *vt* bić pięścią; poganiać (bydło); *s* uderzenie pięścią, kułak

**punch 2.** [pʌntʃ] *vt* dziurkować, przebijać; kasować (np. bilet); *s* dziurkacz, przebijak

**punch 3.** [pʌntʃ] *s* poncz

**punc·tu·al** [`pʌŋktʃuəl] *adj* punktualny

**punc·tu·ate** [`pʌŋktʃueɪt] *vt* stosować interpunkcję; podkreślać

**punc·tu·a·tion** ['pʌŋnktʃu`eɪʃn] *s* interpunkcja

**punc·ture** [`pʌŋktʃə(r)] *s* przekłucie, przebicie; *vt* przekłuwać; *vi* przedziurawić się

**pun·gent** [`pʌŋdʒənt] *adj* kłujący; (*o smaku, zapachu*) ostry; pikantny; zgryźliwy
**pun·ish** [`pʌnɪʃ] *vt* karać
**pun·ish·a·ble** [`pʌnɪʃəbl] *adj* karalny
**pun·ish·ment** [`pʌnɪʃmənt] *s* kara
**pu·ni·tive** [`pjunɪtɪv] *adj* karny; karzący
**punt** [pʌnt] *s* łódź płaskodenna
**pup** [pʌp] *s* szczenię
**pu·pil 1.** [`pjupl] *s* uczeń
**pu·pil 2.** [`pjupl] *s* źrenica
**pup·pet** [`pʌpɪt] *s* kukiełka, marionetka
**pup·py** [`pʌpɪ] *s* szczenię
**pur·chase** [`pɜtʃəs] *s* kupno, nabytek; *vt* kupować, nabywać
**pure** [pjuə(r)] *adj* czysty; szczery; nie fałszowany; bez domieszki
**pur·ga·tion** [pɜ`geɪʃn] *s* oczyszczenie (się); *med.* przeczyszczenie
**pur·ga·tive** [`pɜgətɪv] *adj* przeczyszczający; *lit.* oczyszczający; *s* środek przeczyszczający
**pur·ga·to·ry** [`pɜgətrɪ] *s* czyściec
**purge** [pɜdʒ] *vt* oczyszczać; *s* oczyszczanie; czystka
**pu·ri·fy** [`pjuərɪfaɪ] *vt vi* oczyszczać (się)
**Pu·ri·tan** [`pjuərɪtən] *adj* purytański; *s* purytanin
**pu·ri·ty** [`pjuərətɪ] *s* czystość
**pur·loin** [pɜ`lɔɪn] *vt* ukraść
**pur·ple** [`pɜpl] *s* purpura; *vt* barwić na purpurowo
**pur·port** [`pɜpət] *s* treść, sens, znaczenie; doniosłość; *vt* świadczyć, znaczyć, oznaczać; wydawać się; **to ~ to be** wydawać się być, rzekomo być
**pur·pose** [`pɜpəs] *s* cel, plan, zamiar; wola, stanowczość; **on ~** umyślnie, celowo; **to little ~** z małą korzyścią, z niewielkim skutkiem; **to no ~** bezcelowo, na darmo; bezcelowy; **with the ~ of** celem, w celu; *vt* zamierzać, mieć na celu
**purr** [pɜ(r)] *vi* (*o kocie*) mruczeć; warkotać; *s* mruczenie; warkot
**purse** [pɜs] *s* portfel, portmonetka; sakiewka; *vt* włożyć do portfelu ⟨portmonetki, sakiewki⟩; ściągnąć (brwi), zacisnąć (usta), zmarszczyć (czoło)
**pur·su·ance** [pə`sjuəns] *s* wykonywanie; pójście w ślady; **in ~ of** zgodnie z (planem itd.), stosownie do (instrukcji itd.)
**pur·sue** [pə`sju] *vt* prześladować, ścigać; dążyć; uprawiać, wykonywać; kontynuować
**pur·suit** [pə`sjut] *s* ściganie, pościg (**of sb, sth** za kimś, czymś); dążenie; *pl* **~s** interesy, sprawy, zajęcia
**pur·vey** [pɜ`veɪ] *vt* zaopatrzyć, dostarczyć; *vi* robić zapasy; **być** dostawcą (**for sb** czyimś)
**pur·vey·or** [pɜ`veɪə(r)] *s* dostawca
**pus** [pʌs] *s med.* ropa
**push** [puʃ] *vt vi* popychać; **~ along** pośpieszyć się; **~ in** wepchnąć; **~ off** odepchnąć; **~ out** wypchnąć; posuwać (się) naprzód; popędzić, nakłonić (**sb to sth** kogoś do czegoś); popierać (**sb, sth** kogoś, coś); *s* pchnięcie; posunięcie; wysiłek; poparcie
**puss** [pus] *s* kot
**pus·sy 1.** [`pʌsɪ] *adj* ropny
**pus·sy 2.** [`pusɪ] *s* (*także* **~-cat**) kotek
• **put, put, put** [put] *vt vi* stawiać, kłaść, umieszczać; zadawać (pytania); wypowiadać, wyrażać; skazać (**to death** na śmierć); nastawić (np. zegarek); zaprząc (**sb to work** kogoś do pracy; **a horse to the cart** konia do wozu); poddać (**to the test** próbie); **to ~ right** naprawić; **to ~ a stop** położyć kres, przerwać; *z przysłówkami i przyimkami*: **~ away** ⟨**aside**⟩ odłożyć; **~ back** odłożyć; powstrzymać; cofnąć (zegarek); **~ by** odkładać (np. pieniądze); uchylać się (**sth** od czegoś); zbywać (**sb** kogoś); **~ down** złożyć; stłumić (np. powstanie); ukrócić,

poskromić; wysadzić (np. pasażerów); zapisać; zmniejszyć (wydatki); przypisywać (**sth to sb** coś komuś); ~ **forth** wytężać (np. siły); puszczać (pąki); wydać (książkę); ~ **forward** wysuwać, przedkładać, przedstawiać; posuwać naprzód; ~ **in** wkładać, wsuwać; wtrącać; wnosić (np. skargę); wprowadzać; ~ **in mind** przypominać (**sb of sth** komuś o czymś); ~ **in order** doprowadzić do porządku; ~ **off** odłożyć; zdjąć (np. ubranie); zbyć, odprawić; odroczyć; ~ **on** nakładać, wdziewać; przybierać (np. postać); wystawiać (sztukę); ~ **out** wysuwać ⟨wyciągać⟩ (np. rękę); gasić; *sport* eliminować; wywiesić (np. bieliznę); wybić; wydać (drukiem); ~ **out of countenance** skonfundować; ~ **out of doors** wyrzucić za drzwi; ~ **out of order** wprowadzić nieład; ~ **over** przeprowadzić; zapewnić uznanie (np. **a film** dla filmu); ~ **through** przepchnąć ⟨przeprowadzić⟩ (np. sprawę); połączyć telefonicznie (**to sb** z kimś); ~ **together** zestawić, zmontować; zebrać, zsumować; ~ **up** podnieść, dźwignąć; ustawiać, instalować; wywieszać (np. ogłoszenie); zaplanować, ukartować (podstępnie); schować, wetknąć (np. do kieszeni); zapakować; podnieść (np. cenę); wystawić (np. towar na sprzedaż); wysunąć (kandydaturę); wnieść (prośbę); dać nocleg (**sb** komuś); zatrzymać się (**at a hotel** w hotelu); pogodzić się (**with sb** z kimś); ścierpieć (**with sth** coś); zadowolić się (**with sth** czymś); namawiać ⟨nakłaniać⟩ (**sb to sth** kogoś do czegoś); *s* rzut

**pu·ta·tive** [ˋpjutətɪv] *adj* domniemany

**pu·tre·fac·tion** [ˈpjutrɪˋfækʃn] *s* gnicie

**pu·tre·fy** [ˋpjutrɪfaɪ] *vi* psuć się, gnić; *vt* powodować gnicie ⟨rozkład⟩

**pu·trid** [ˋpjutrɪd] *adj* zgniły, zepsuty

**put·ty** [ˋpʌtɪ] *adj* kit

**put-up** [ˋput ʌp] *adj attr* zaplanowany, ukartowany (podstępnie)

**puz·zle** [ˋpʌzl] *s* zagadka; *vt* zaintrygować; wprawić w zakłopotanie

**puz·zle·ment** [ˋpʌzlmənt] *s* zaintrygowanie; zakłopotanie

**pyg·my** [ˋpɪgmɪ] *s* pigmej

**py·ja·mas** [pəˋdʒaməz] *s pl* piżama

**pyr·a·mid** [ˋpɪrəmɪd] *s* piramida; *mat.* ostrosłup

**pyre** [ˋpaɪə(r)] *s* stos (*zw.* pogrzebowy)

**py·ro·tech·nics** [ˈpaɪərəuˋteknɪks] *s* pirotechnika

**py·thon** [ˋpaɪθən] *s zool.* pyton

# Q

**quack 1.** [kwæk] *s* znachor, szarlatan

**quack 2.** [kwæk] *vi* kwakać; *s* kwakanie

**quad·ran·gle** [ˋkwodræŋgl] *s* dziedziniec; *mat.* czworokąt

**quad·ri·lat·er·al** [ˈkwodrɪˋlætərl] *adj* czworoboczny; *s mat.* czworokąt

**quad·ru·ped** [ˋkwodruped] *s zool.* czworonóg; *adj* czworonożny

**quad·ru·ple** [ˋkwodrupl] *adj* poczwórny, czterokrotny

**quaff** [kwof] *vt vi* wychylać jednym haustem, pić wielkimi łykami

**quag** [kwæg] *s* bagno

**quag·gy** [`kwægɪ] *adj* bagnisty, grząski

**quag·mire** [`kwægmaɪə(r)] *s* bagno, trzęsawisko

**quail** 1. [kweɪl] *vi* ociągać się, lękać się; cofać się (**before sth** przed czymś)

**quail** 2. [kweɪl] *s* (*pl* ~) *zool.* przepiórka

**quaint** [kweɪnt] *adj* dziwny, dziwaczny

**quake** [kweɪk] *vi* trząść się, drżeć; *s* drżenie; *pot.* trzęsienie ziemi

**Quak·er** [`kweɪkə(r)] *s* kwakier

**qual·i·fi·ca·tion** [ˈkwolɪfɪ`keɪʃn] *s* kwalifikacja; określenie; zastrzeżenie

**qual·i·fy** [`kwolɪfaɪ] *vt* kwalifikować; określać; warunkować; modyfikować; łagodzić; *vi* zdobyć kwalifikacje zawodowe; otrzymać dyplom

**qual·i·ta·tive** [`kwolɪtətɪv] *adj* jakościowy

**qual·i·ty** [`kwolətɪ] *s* jakość; gatunek; cecha, właściwość, zaleta; charakter

**qualm** [kwam] *s* mdłości; skrupuł; niepewność, niepokój

**quan·da·ry** [`kwondərɪ] *s* ciężkie położenie, kłopot, dylemat

**quan·ti·ta·tive** [`kwontɪtətɪv] *adj* ilościowy

**quan·ti·ty** [`kwontətɪ] *s* ilość; iloczas; *pl* **quantities** masa, obfitość

**quar·rel** [`kworl] *s* kłótnia; *vi* kłócić się

**quar·rel·some** [`kworlsəm] *adj* kłótliwy

**quar·ry** 1. [`kworɪ] *s* kamieniołom

**quar·ry** 2. [`kworɪ] *s* zwierzyna (upolowana); łup

**quart** [kwɔt] *s* kwarta

**quar·ter** [`kwɔtə(r)] *s* ćwierć, czwarta część; kwadrans; kwartał; strona świata; kwadra (księżyca); dzielnica, rewir; źródło (informacji); *am.* moneta 25-centowa; *pl* ~s sfery; apartamenty, mieszkanie; *wojsk.* kwatery; **at close ~s** z bliska; (*o walce*) wręcz; **to take up ~s** zamieszkać; *vt* ćwiartować; *wojsk.* zakwaterować; *vi wojsk.* kwaterować, stacjonować

**quar·ter·ly** [`kwɔtəlɪ] *adj* kwartalny; *adv* kwartalnie; *s* kwartalnik

**quartz** [kwɔts] *s miner.* kwarc

**quash** [kwoʃ] *vt* zgnieść, stłumić; skasować, unieważnić

**qua·si** [`kweɪsaɪ] *adj, adv i praef* prawie, niemal; niby

**quat·rain** [`kwotreɪn] *s* czterowiersz

**qua·ver** [`kweɪvə(r)] *vi* (*zw. o głosie*) drżeć, drgać; śpiewać tremolando; *s* wibrujący głos, tremolo; *muz.* tryl; *muz.* ósemka

**quay** [ki] *s* nadbrzeże

**quea·sy** [`kwizɪ] *adj* wrażliwy; grymaśny; skłonny do mdłości; przyprawiający o mdłości

**queen** [kwin] *s* królowa; żona króla; dama (w kartach)

**queer** [kwiə(r)] *adj* dziwaczny; podejrzany, wątpliwy; nieswój; **to feel ~** czuć się niedobrze ⟨kiepsko⟩

**quell** [kwel] *vt* tłumić, dławić

**quench** [kwentʃ] *vt* gasić; tłumić; studzić (np. zapał)

**quer·u·lous** [`kwerələs] *adj* gderliwy, zrzędny

**que·ry** [`kwɪərɪ] *s* pytanie; znak zapytania; *vt vi* zapytywać; badać; stawiać znak zapytania

**quest** [kwest] *s* poszukiwanie; *vt vi* poszukiwać (**sth** ⟨**for sth, after sth**⟩ czegoś)

**ques·tion** [`kwestʃən] *s* pytanie; zastrzeżenie, kwestia; **to ask** ⟨**put**⟩ **a ~** zadać pytanie; **to call in ~** zakwestionować; **in ~** będący przedmiotem rozważań, to, o co chodzi; **out of the ~** nie wchodzący w rachubę; **beyond**

⟨past, without, out of the⟩ ~ niewątpliwie; *vt* zadawać pytania, pytać; indagować; badać; kwestionować

**ques·tion·a·ble** [`kwestʃənəbl] *adj* wątpliwy, sporny

**ques·tion-mark** [`kwestʃən mɑk] *s* znak zapytania

**ques·tion·naire** [ˈkwestʃəˋneə(r)] *s* kwestionariusz

**queue** [kju] *s* szereg ludzi, kolejka (w sklepie itd.); warkocz; = cue; *vi* (*także* ~ up) stać w kolejce

**quib·ble** [`kwɪbl] *s* gra słów; wykręt, wybieg (w rozmowie); *vi* uprawiać grę słów; mówić wykrętnie

**quick** [kwɪk] *adj* szybki; bystry; zwinny; (*o zmysłach*) zaostrzony; *adv* szybko, żwawo; zaraz; *s* żywe ciało; czuły punkt; *przen.* **to sting to the ~** dotknąć do żywego

**quick·en** [`kwɪkən] *vt vi* przyśpieszyć; ożywić (się); wracać do życia

**quick-lime** [`kwɪk-laɪm] *s* nie gaszone wapno

**quick·sand** [`kwɪksænd] *s* lotne ⟨ruchome⟩ piaski

**quick·sil·ver** [`kwɪksɪlvə(r)] *s* rtęć; *przen.* żywe srebro

**quick-tem·pered** [ˈkwɪk `tempəd] *adj* nieopanowany, porywczy

**quid** [kwɪd] *s pot.* funt szterling

**qui·es·cent** [kwaɪ`esnt] *adj* spokojny, nieruchomy; bierny

**qui·et** [`kwaɪət] *adj* spokojny; cichy; *s* spokój; cisza; *vt* uspokajać; uciszać; *vi* (*zw.* ~ **down**) uspokajać, uciszać się

**qui·et·ism** [`kwaɪətɪzm] *s filoz.* kwietyzm

**qui·e·tude** [`kwaɪətjud] *s* spokój

**quill** [kwɪl] *s* lotka; gęsie pióro (do pisania); kolec (np. jeża)

**quilt** [kwɪlt] *s* kołdra; *vt* pikować

**qui·nine** [kwɪ`nin] *s* chinina

**quin·tuple** [`kwɪntjupl] *adj* pięciokrotny

**quirk** [kw3k] *s* gra słów, kalambur; wykręt; kaprys

**quit** [kwɪt] *vt vi* opuszczać (miejsce, posadę itd.); rezygnować; odejść, odjechać; *lit.* odpłacać; *adj* wolny (**of sth** od czegoś)

**quite** [kwaɪt] *adv* zupełnie, całkiem; całkowicie; wcale; **~ a treat** istna biesiada; **it's ~ the thing** to jest właśnie to, o co chodzi; to ostatni krzyk mody; **~ so!** zupełna racja! właśnie!

**quiv·er** 1. [`kwɪvə(r)] *vi* drżeć, drgać; *s* drżenie, drganie

**quiv·er** 2. [`kwɪvə(r)] *s* kołczan

**quiz** [kwɪz] *vt* nabierać, kpić; żartować sobie (**sb, sth** z kogoś, czegoś); *am.* egzaminować, badać (inteligencję); *s* nabieranie, żarty; *am.* egzamin, test; kwiz; kpiarz

**quo·ta** [`kwəutə] *s* określony udział; kontyngent

**quo·ta·tion** [kwəu`teɪʃn] *s* cytat; cytowanie; *handl.* notowanie kursu (na giełdzie)

**quo·ta·tion-marks** [kwəu`teɪʃn mɑks] *s pl* cudzysłów

**quote** [kwəut] *vt* cytować, powoływać się (**sth** na coś); *handl.* notować ⟨podawać⟩ kurs (na giełdzie)

**quo·tient** [`kwəuʃnt] *s mat.* iloraz

# r

**R, r** [ɑ(r)]: **the three R's** wykształcenie elementarne (**reading, (w)riting, (a)rithmetic** czytanie, pisanie, arytmetyka)
**rab·bi** [`ræbaɪ] *s* rabin
**rab·bit** [`ræbɪt] *s* królik
**rab·ble** [`ræbl] *s* motłoch
**rab·id** [`ræbɪd] *adj* wściekły, rozwścieczony, szalony
**ra·bies** [`reɪbiz] *s med.* wścieklizna
**race** 1. [reɪs] *s* rasa, ród
**race** 2. [reɪs] *s* bieg, gonitwa, wyścig; nurt, prąd; **armaments ~** wyścig zbrojeń; **to run a ~** *sport* brać udział w biegu, biec; *pl* **~s** wyścigi konne; *vt vi* gonić ⟨ścigać⟩ (się); brać udział w wyścigach, iść w zawody; puszczać w zawody (np. konia); popędzać (konia)
**race·course** [`reɪs kɔs], **race-track** [`reɪs træk] *s* tor wyścigowy
**ra·cial** [`reɪʃl] *adj* rasowy
**ra·cial·ism** [`reɪʃlɪzm] *s* rasizm
**rac·ing** [`reɪsɪŋ] *s* wyścigi (konne), biegi, regaty, zawody; *adj attr* wyścigowy
**rac·ism** [`reɪsɪzm] *s* rasizm
**rack** 1. [ræk] *s* wieszak (na palta); stojak; półka (np. w wagonie); drabinka stajenna
**rack** 2. [ræk] *s* koło tortur; *vt* łamać kołem, torturować; **to ~ one's brains for sth** łamać sobie głowę nad czymś
**rack** 3. [ræk] *s* zniszczenie; **to go to ~ and ruin** ulec zniszczeniu; wykoleić się
**rack·et** 1. [`rækɪt] *s sport* rakieta
**racket** 2. [`rækɪt] *s* hałas, huk, wrzawa; hulanka; *pot.* szantaż, wymuszanie, granda; *vi* hałasować; hulać
**rack·et·eer** [ˈrækɪ`tɪə(r)] *s pot.* szantażysta, grandziarz; *vi* uprawiać szantaż ⟨grandę⟩
**rac·y** [`reɪsɪ] *adj* pełen życia; dosadny; pikantny; (bardzo) charakterystyczny, typowy
**ra·dar** [`reɪdɑ(r)] *s* radar
**ra·di·al** [`reɪdɪəl] *adj* promieniowy
**ra·di·ance** [`reɪdɪəns] *s* promieniowanie; blask
**ra·di·ant** [`reɪdɪənt] *adj* promieniujący; promienny
**ra·di·ate** [`reɪdɪeɪt] *vt vi* promieniować; wysyłać ⟨emitować⟩ (promienie, światło, energię, ciepło)
**ra·di·a·tion** [ˈreɪdɪ`eɪʃn] *s* promieniowanie; napromienienie
**ra·di·a·tor** [`reɪdɪeɪtə(r)] *s* radiator; kaloryfer, grzejnik; *techn.* chłodnica
**rad·i·cal** [`rædɪkl] *adj* radykalny; *s* radykał; *mat.* pierwiastek
**ra·di·o** [`reɪdɪəʊ] *s* radio; *vt* nadawać przez radio
**ra·di·o·ac·tive** [ˈreɪdɪəʊ `æktɪv] *adj* promieniotwórczy, radioaktywny
**ra·di·o·ac·tiv·i·ty** [ˈreɪdɪəʊ æk`tɪvətɪ] *s* promieniotwórczość, radioaktywność
**ra·di·o·gram** [`reɪdɪəʊgræm] *s* depesza radiowa; zdjęcie rentgenowskie
**ra·di·o·graph** [`reɪdɪəʊgrɑf] *s* zdjęcie rentgenowskie; *vt* robić zdjęcie rentgenowskie
**ra·di·ol·o·gy** [ˈreɪdɪ`olədʒɪ] *s* radiologia; rentgenologia
**rad·ish** [`rædɪʃ] *s* rzodkiewka
**ra·di·um** [`reɪdɪəm] *s chem.* rad
**ra·di·us** [`reɪdɪəs] *s* (*pl* **radii** [`reɪdɪaɪ]) promień
**raf·fle** [`ræfl] *s* loteria (fantowa); *vt* sprzedawać na loterii; *vi* grać na loterii
**raft** [rɑft] *s* tratwa; *vt* spławiać tratwą; *vi* przeprawiać się tratwą
**rag** [ræg] *s* szmata, gałgan
**rag·a·muf·fin** [`rægəmʌfɪn] *s* obdartus

**rage** [reɪdʒ] *s* wściekłość, gniew, pasja, furia; mania (**for sth** czegoś); pasja (**for sth** do czegoś); (najnowsza) moda; *vi* szaleć; wściekać się (**at** ⟨**against**⟩ **sb** na kogoś)

**rag·ged** [ˈrægɪd] *adj* obszarpany, obdarty; poszarpany, nierówny, szorstki

**rag·time** [ˈrægtaɪm] *s* ragtime (wczesna forma jazzu o rytmie synkopowanym); synkopowana muzyka murzyńska

**raid** [reɪd] *s* najazd, napad; nalot; obława; *vt* najeżdżać (np. kraj), robić napad ⟨nalot⟩; urządzać obławę

**rail 1.** [reɪl] *s* balustrada, poręcz; listwa; szyna; sztacheta; kolej żelazna; **by ~** koleją; **to get off the ~s** wykoleić się; *vt* (*także* **~ in** ⟨**off, round**⟩) ogrodzić; okratować; przewozić koleją; *vi* jechać koleją

**rail 2.** [reɪl] *vi* złorzeczyć, uskarżać się (**at sb, sth** na kogoś, coś); szydzić (**at sb** z kogoś); urągać (**at sb** komuś)

**rail·ing** [ˈreɪlɪŋ] *ppraes i s* ogrodzenie; okratowanie; poręcz

**rail·road** [ˈreɪlrəud] *am.* = **railway**

**rail·way** [ˈreɪlweɪ] *s* kolej żelazna; *vi* jechać ⟨podróżować⟩ koleją

**rain** [reɪn] *s* deszcz; *vi* (*o deszczu*) padać

**rain·bow** [ˈreɪnbəu] *s* tęcza

**rain·coat** [ˈreɪnkəut] *s* płaszcz nieprzemakalny

**rain·fall** [ˈreɪnfɔl] *s* opad (deszczu); ulewa

**rain·y** [ˈreɪnɪ] *adj* deszczowy, dżdżysty; *przen.* **~ day** czarna godzina

**raise** [reɪz] *vt* podnosić, dźwignąć, podwyższać; wznosić (budynek itd.); budzić, wywoływać; ożywiać; poruszać (sprawę); ściągać (podatki itp.); werbować; mobilizować; hodować, uprawiać; wychowywać (dzieci)

**rai·sin** [ˈreɪzn] *s* rodzynek

**rake 1.** [reɪk] *s* grabie; pogrzebacz; *vt vi* grabić, zgarniać; grzebać (się), szperać; **~ out** wygrzebać; **~ up** zgrzebywać, zgarniać; rozgrzebywać

**rake 2.** [reɪk] *s* łajdak, hulaka

**ral·ly 1.** [ˈrælɪ] *s* zjazd, zlot, zbiórka; poprawa (zdrowia itd.); *vt vi* zbiegać się, zbierać (się), gromadzić (się); zebrać siły (np. po chorobie); otrząsnąć się, przyjść do siebie

**ral·ly 2.** [ˈrælɪ] *vt* wyszydzać, wykpiwać

**ram** [ræm] *s* baran; taran; dźwig hydrauliczny; tłok; *vt* uderzać (taranem); ubijać, wbijać, tłuc, wtłaczać

**ram·ble** [ˈræmbl] *s* wędrówka, przechadzka; *vi* wałęsać ⟨włóczyć⟩ się; wędrować; (np. *o ścieżce*) wić się; zbaczać (z tematu)

**ram·bler** [ˈræmblə(r)] *s* wędrowiec, włóczęga; pnącze, roślina pnąca

**ram·i·fi·ca·tion** [ˌræmɪfɪˈkeɪʃn] *s* rozgałęzienie

**ram·i·fy** [ˈræmɪfaɪ] *vt vi* rozgałęziać ⟨rozwidlać⟩ (się)

**ram·mer** [ˈræmə(r)] *s* kafar; ubijak

**ramp** [ræmp] *s* pochyłość; nachylenie (muru itd.); pochyła droga, podjazd w górę; rampa; *vi* wznosić się ⟨opadać⟩ pochyło; *pot.* wściekać się

**ram·pant** [ˈræmpənt] *adj* obficie krzewiący się, bujny; szerzący ⟨srożący, panoszący⟩ się; nieokiełznany, gwałtowny

**ram·part** [ˈræmpɑt] *s* wał (obronny), szaniec; *przen.* obrona, osłona

**ram·shack·le** [ˈræmʃækl] *adj* rozpadający się, rozklekotany, w ruinie

**ran** *zob.* **run**

**ranch** [rɑntʃ] *s am.* ranczo, gospodarstwo hodowlane; *vi* prowadzić gospodarstwo hodowlane

**ranch·er** [ˈrɑntʃə(r)] *s* właściciel rancza ⟨farmy hodowlanej⟩
**ran·cid** [ˈrænsɪd] *adj* zjełczały
**ran·cor·ous** [ˈræŋkərəs] *adj* rozgoryczony; zawzięty, zajadły
**ran·cour** [ˈræŋkə(r)] *s* rozgoryczenie, uraza; złośliwość
**ran·dom** [ˈrændəm] *s w zwrocie*: **at ~** na chybił trafił; *adj* przypadkowy, pierwszy lepszy
**randy** [ˈrændɪ] *adj* hałaśliwy, krzykliwy
**rang** *zob.* **ring**
**range** [reɪndʒ] *s* szereg, rząd; zasięg, rozpiętość; zakres, sfera; teren ⟨pole⟩ (badań itd.); wędrówka; łańcuch (gór); piec kuchenny; strzelnica; *vt* szeregować, porządkować; ciągnąć się ⟨biec⟩ (**sth** wzdłuż czegoś); przemierzać (kraj itd.); *vi* rozciągać ⟨ciągnąć⟩ się (**from sth to sth** od czegoś do czegoś); wałęsać się, wędrować (**over** ⟨**through**⟩ po czymś, przez coś); (*o temperaturze, cenach*) wahać się; zaliczać się (np. **among the rebels** do buntowników); (*o roślinach, zwierzętach*) spotykać ⟨trafiać⟩ się; sięgać; **the prices ~d from £5 to £7** ⟨**beween £5 and £7**⟩ ceny wahały się od pięciu do siedmiu funtów
**rang·er** [ˈreɪndʒə(r)] *s* włóczęga, wędrowiec; strażnik lasu; żołnierz ⟨policjant⟩ konny; *am.* komandos
**rank 1.** [ræŋk] *s* rząd; szereg; klasa, sfera; ranga, stopień, kategoria; **the ~ and file, the ~s** szeregowi żołnierze; *przen.* szara masa (społeczeństwa); **to join the ~s** wstąpić do wojska; *vt* ustawić w szeregu; zaszeregować; sklasyfikować; nadać rangę (**sb** komuś); *vi* zajmować rangę; mieć ⟨zajmować⟩ stanowisko ⟨pozycję⟩; liczyć się (**as sb** jako ktoś)
**rank 2.** [ræŋk] *adj* bujny, wybujały; żywotny; (*o glebie*) zbyt żyzny; zgniły, cuchnący; istny, wierutny, skończony
**ran·kle** [ˈræŋkl] *vi* jątrzyć (się), ropieć; *przen.* drażnić, dręczyć
**ran·sack** [ˈrænsæk] *vt* przewrócić do góry nogami, przetrząsnąć; plądrować
**ran·som** [ˈrænsəm] *s* okup; *vt* odkupić, wykupić
**rant** [rænt] *s* napuszona mowa, tyrada; *vt vi* mówić stylem napuszonym
**rap** [ræp] *vt* lekko uderzać; *vi* stukać (**at** ⟨**on**⟩ **the door** do drzwi); *s* lekkie uderzenie, kuksaniec; stukanie
**ra·pa·cious** [rəˈpeɪʃəs] *adj* drapieżny, zachłanny
**rape 1.** [reɪp] *vt* porwać (kobietę); zgwałcić; pogwałcić (np. prawa); *s* porwanie (kobiety); zgwałcenie, gwałt; pogwałcenie (np. praw)
**rape 2.** [reɪp] *s* rzepa
**rap·id** [ˈræpɪd] *adj* szybki; wartki, rwący; *s* (*zw. pl* **~s**) bystry nurt rzeki (na progach), katarakta
**ra·pi·er** [ˈreɪpɪə(r)] *s* rapier
**rap·ine** [ˈræpaɪn] *s* rabunek
**rap·proche·ment** [ræˈprɔʃmõ] *s* pojednanie, przywrócenie dobrych stosunków (*zw.* między państwami)
**rapt** [ræpt] *adj* pochłonięty, zaabsorbowany; zachwycony, urzeczony
**rap·ture** [ˈræptʃə(r)] *s* zachwyt, upojenie
**rare** [reə(r)] *adj* rzadki
**rar·i·ty** [ˈreərətɪ] *s* rzadkość, niezwykłość
**ras·cal** [ˈrɑskl] *s* łotr, łajdak, łobuz
**rash 1.** [ræʃ] *adj* pospieszny, nieroztropny, nie przemyślany
**rash 2.** [ræʃ] *s med.* wysypka, nalot
**rasp** [rɑsp] *s* raszpla; zgrzyt; *vt* skrobać raszplą; drażnić; *vi* zgrzytać
**rasp·ber·ry** [ˈrɑzbrɪ] *s* malina

**rat** [ræt] *s* szczur; *przen.* **to smell a ~** podejrzewać coś

**rate** [reɪt] *s* stosunek (ilościowy), proporcja; ustalona cena, taryfa, taksa; norma; tempo; stawka; podatek (samorządowy itd.); kurs (wymiany itd.); stopa; wskaźnik; ocena, oszacowanie; **at any ~** w każdym razie; za każdą cenę; **birth ~** wskaźnik urodzeń; **death ~** śmiertelność; **~ of exchange** kurs dewizowy; giełdowy kurs wymiany pieniędzy; **~ of interest** stopa procentowa; **~ of living** stopa życiowa; *vt* szacować, taksować, oceniać; klasyfikować; opodatkować; *vi* być zaliczanym

**rate-pay·er** [ˋreɪt peɪə(r)] *s* płatnik podatku samorządowego

**rath·er** [ˋraðə(r)] *adv* raczej; dość; właściwie; poniekąd; oczywiście; **I had ⟨would⟩ ~ go** wolałbym pójść; **the ~ that ...** tym bardziej, że ...

**rat·i·fi·ca·tion** [ˏrætɪfɪˋkeɪʃn] *s* ratyfikacja

**rat·i·fy** [ˋrætɪfaɪ] *vt* ratyfikować

**ra·ti·o** [ˋreɪʃɪəʊ] *s* stosunek (liczbowy, ilościowy), proporcja

**ra·tion** [ˋræʃn] *s* racja, przydział; *vt* racjonować, wydzielać

**ra·tion·al** [ˋræʃnl] *adj* racjonalny, rozumowy; rozumny; *mat.* wymierny; *s* stworzenie rozumne; *mat.* liczba wymierna

**ra·tion·al·ism** [ˋræʃŋəlɪzm] *s* racjonalizm

**rat·tle** [ˋrætl] *s* klekot, grzechot; brzęk; stukot, turkot; grzechotka; gaduła; *vt vi* klekotać, grzechotać; stukotać, turkotać; szczękać, brzęczeć; terkotać; rzęzić; paplać, trajkotać

**rat·tle-snake** [ˋrætlsneɪk] *s zool.* grzechotnik

**rav·age** [ˋrævɪdʒ] *vt* pustoszyć, plądrować; *s* spustoszenie, zniszczenie

**rave** [reɪv] *vi* szaleć; bredzić; zachwycać się (**about sb, sth** kimś, czymś)

**rav·el** [ˋrævl] *vt vi* wikłać ⟨plątać, gmatwać⟩ (się); (*zw.* **~ out**) strzępić; *s* powikłanie; plątanina; strzępy

**ra·ven** [ˋreɪvn] *s zool.* kruk

**rav·en·ous** [ˋrævŋəs] *adj* zachłanny; drapieżny

**ra·vine** [rəˋvin] *s* wąwóz, parów

**rav·ish** [ˋrævɪʃ] *vt* zachwycić, oczarować; porwać; zgwałcić (kobietę)

**raw** [rɔ] *adj* surowy; nie wykończony, niewyrobiony; (*o człowieku*) niedoświadczony; (*o ranie*) otwarty; **~ material** surowiec; *s* świeża rana; otarcie (skóry); żywe ciało; *przen.* czułe miejsce

**ray** [reɪ] *s* promień; *vt vi* (*także* **~ forth ⟨off, out⟩**) promieniować

**ray·on** [ˋreɪɔn] *s* sztuczny jedwab

**raze** [reɪz] *vt* zetrzeć, wykreślić; zburzyć, zrównać z ziemią

**ra·zor** [ˋreɪzə(r)] *s* brzytwa; **~ blade** żyletka; **safety ~** maszynka do golenia

**re-** [ri] *praef* ponownie, po raz drugi

**reach** [ritʃ] *vt vi* sięgać; dosięgnąć, osiągnąć; dojść, dojechać, dogonić; rozciągać się; wyciągać rękę, sięgać (**for ⟨after⟩ sth** po coś); *s* zasięg, zakres; **beyond ⟨out of⟩ ~** poza zasięgiem; **within ~** w zasięgu; **within easy ~** łatwo osiągalny; dostępny

**re·act** [riˋækt] *vi* reagować (**to sth** na coś); oddziaływać (**upon sth** na coś); przeciwdziałać (**against sth** czemuś)

**re·ac·tion** [riˋækʃn] *s* reakcja; oddziaływanie; przeciwdziałanie

**re·ac·tion·ar·y** [riˋækʃŋərɪ] *adj* reakcyjny; *s* reakcjonista

**re·ac·tor** [riˋæktə(r)] *s* reaktor

* **read 1.** [rid], **read, read** [red] *vt vi* czytać; studiować; (*o tekście*) brzmieć; (*o ustawie*) głosić; przygotowywać się (**for an examina-**

tion do egzaminu); **this book ~s well** tę książkę dobrze się czyta; **~ over ⟨through⟩** przeczytać (od początku do końca); **~ up** zaznajomić się z tematem na podstawie lektury; *s* [rid] lektura; **to have a ~** poczytać sobie

**read** 2. [red] *adj w zwrocie:* **well ⟨deeply⟩ ~** oczytany

**read·er** [`ridə(r)] *s* czytelnik; lektor, wykładowca; korektor; wybór czytanek, wypisy

**read·i·ly** [`redılı] *adv* chętnie, z gotowością; z łatwością

**read·i·ness** [`redınəs] *s* gotowość; chęć; łatwość, obrotność; bystrość

**read·ing** [`ridıŋ] *ppraes* i *s* czytanie; oczytanie; lektura; odczytywanie

**read·ing-book** [`ridıŋ buk] *s* książka do czytania; wypisy

**read·ing-room** [`ridıŋ rum] *s* czytelnia

**re·ad·just** ['riə`dʒʌst] *vt* ponownie uporządkować ⟨dopasować⟩

**read·y** [`redı] *adj* gotowy; skłonny, chętny; łatwy; szybki; bystry; **~ money** gotówka; **to get ⟨make⟩ ~** przygotować się; *vt* przygotować

**ready-to-wear** *am.* = **ready-made**

**ready-made** ['redı `meıd] *adj (o ubraniu)* gotowy, nie na miarę; *przen.* banalny, oklepany

**re·a·gent** [ri`eıdʒənt] *s chem.* odczynnik

**re·al** [rıəl] *adj* rzeczywisty, istotny, prawdziwy; **~ estate ⟨property⟩** nieruchomość; *s* rzecz realnie istniejąca, autentyk; *adv am.* naprawdę; bardzo

**re·al·ism** [`rıəl-ızm] *s* realizm

**re·al·ist** [`rıəlıst] *adj* realistyczny

**re·al·i·ty** [ri`æləti] *s* rzeczywistość; realność, prawdziwość

**re·al·i·za·tion** ['rıəlaı`zeıʃn] *s* realizacja; uświadomienie sobie, zrozumienie; *handl.* spieniężenie, upłynnienie (kapitału)

**re·al·ize** [`rıəlaız] *vt* urzeczywistnić; uświadomić sobie, zrozumieć; *handl.* spieniężyć, upłynnić (kapitał); zrealizować (np. czek)

**re·al·ly** [`rıəlı] *adv* naprawdę, rzeczywiście; istotnie

**realm** [relm] *s* królestwo; *przen.* dziedzina, sfera

**re·al·tor** [`rıəltə(r)] *s am.* pośrednik w handlu nieruchomościami

**re·al·ty** [`rıəltı] *s* nieruchomość, własność gruntowa, realność

**reap** [rip] *vt vi* zbierać (plon, żniwo); żąć, kosić

**reap·er** [`ripə(r)] *s* żniwiarz; żniwiarka (maszyna)

**re·ap·pear** ['riə`pıə(r)] *vi* pojawić ⟨ukazać⟩ się ponownie

**rear** 1. [rıə(r)] *vt* hodować, uprawiać; wychowywać; budować, wznosić; *vi (o koniu)* stawać dęba

**rear** 2. [rıə(r)] *s* tył, tylna strona; *wojsk.* tyły; **in the ~** w tyle; *wojsk.* na tyłach

**rear·guard** [`rıəgad] *s wojsk.* tylna straż

**re·arm** [ri`am] *vt vi* ponownie zbroić (się), dozbrajać (się)

**re·ar·ma·ment** [ri`aməmənt] *s* ponowne zbrojenie, dozbrojenie

**re·ar·range** ['riə`reındʒ] *vt* na nowo uporządkować, przegrupować, przestawić, przemienić

**rear·ward** [`rıəwəd] *adj* zwrócony ku tyłowi, tylny, końcowy; wsteczny; *adv* (*także* **~s**) ku tyłowi, wstecz

**rea·son** [`rizn] *s* rozum, intelekt; rozwaga; powód (**of sth** czegoś, **for sth** do czegoś); uzasadnienie; **by ~ of, for ~s of** z powodu; **to bring to ~** przywodzić do rozsądku; **to hear ⟨to listen to⟩ ~** słuchać głosu rozsądku, dać się przekonać; **it stands to ~** to jest zrozumiałe ⟨oczywiste⟩, nie można temu zaprzeczyć; **out of ~** nierozsądnie; *vt vi* rozumować; rozważać; uzasadniać; wnioskować; wyperswadować (**sb out of sth** komuś coś); przekonać, na-

mówić (**sb into sth** kogoś do czegoś)
**rea·son·a·ble** ['riznəbl] *adj* rozsądny; (np. *o cenach*) umiarkowany
**re·as·sem·ble** [/riə`sembl] *vt vi* ponownie zebrać (się)
**re·as·sume** [/riə`sjum] *vt* na nowo podjąć ⟨objąć⟩
**re·as·sure** [/riə`ʃuə(r)] *vt* przywrócić zaufanie, rozproszyć obawy
**re·bate** [ri`beɪt] *vt* zmniejszyć; *handl.* potrącić; udzielić rabatu; *s* [`ribeɪt] *handl.* rabat
**reb·el** [`rebl] *s* buntownik; *adj* buntowniczy; *vi* [rɪ`bel] buntować się
**re·bel·lion** [rɪ`belɪən] *s* bunt, rebelia
**re·bel·lious** [rɪ`belɪəs] *adj* buntowniczy, zbuntowany
**re·bound** [ri`baund] *vi* odskakiwać, odbijać się
**re·buff** [rɪ`bʌf] *vt* odepchnąć, odtrącić; dać odprawę; odmówić; *s* odmowa; odepchnięcie, odprawa
* **re·build** [/ri`bɪld], **rebuilt, rebuilt** [/ri`bɪlt] *vt* odbudować, przebudować, odnowić
**re·buke** [rɪ`bjuk] *s* wymówka, zarzut, nagana; *vt* robić wymówki, ganić, karcić
**re·cal·ci·trant** [rɪ`kælsɪtrənt] *adj* oporny, krnąbrny
**re·call** [rɪ`kɔl] *vt* odwoływać (np. ambasadora); cofać (np. obietnicę); przypominać sobie; wskrzeszać (wspomnienia); kasować; *s* odwołanie; nakaz powrotu
**re·cant** [rɪ`kænt] *vt* odwołać, cofnąć, wyprzeć się
**re·ca·pit·u·late** [/ri-kə`pɪtʃuleɪt] *vt* rekapitulować, podsumować, streścić
**re·cast** [/ri`kast] *vt* przetopić ⟨przelać⟩ (metal); przekształcić, przerobić; *s* przeróbka
**re·cede** [rɪ`sid] *vi* cofnąć ⟨wycofać⟩ się, odstąpić
**re·ceipt** [rɪ`sit] *s* odbiór; potwierdzenie odbioru, pokwitowanie; recepta; przepis; *pl* ~s przychód, wpływy; *vt* kwitować
**re·ceive** [rɪ`siv] *vt* otrzymywać, odbierać; przyjmować; zawierać; doznawać
**re·ceived** [rɪ`sivd] *pp i adj* uznany, powszechnie przyjęty
**re·ceiv·er** [rɪ`sivə(r)] *s* odbiorca; poborca; odbiornik (radiowy); słuchawka (telefoniczna); paser
**re·cent** [`risnt] *adj* świeży, niedawny, świeżej daty; nowoczesny
**re·cent·ly** [`risntlɪ] *adv* ostatnio, niedawno
**re·cep·ta·cle** [rɪ`septəkl] *s* naczynie, zbiornik
**re·cep·tion** [rɪ`sepʃn] *s* recepcja, przyjęcie; odbiór (radiowy); ~ **office** recepcja, portiernia
**re·cep·tive** [rɪ`septɪv] *adj* podatny, chłonny, wrażliwy
**re·cess** [rɪ`ses] *s* odejście, ustąpienie, odwrót; ferie *(zw.* sądowe lub parlamentarne); zakątek, zakamarek, ustronie; wgłębienie; nisza, alkowa; *am.* wakacje; *vt* ustawić we wgłębieniu; *vi* zrobić wgłębienie; zaprzestać działalności
**re·ces·sion** [rɪ`seʃn] *s* recesja, cofnięcie się; *handl.* zastój
**rec·i·pe** [`resəpɪ] *s* przepis (kulinarny); *med.* recepta
**re·cip·ro·cal** [rɪ`sɪprəkl] *adj* wzajemny; *s mat.* odwrotność
**re·cip·ro·cate** [rɪ`sɪprəkeɪt] *vt vi* odwzajemniać (się); odpłacać ⟨rewanżować się⟩ (**sth** za coś)
**rec·i·proc·i·ty** [/resɪ`prosətɪ] *s* wzajemność
**re·cit·al** [rɪ`saɪtl] *s* recytacja; wyłożenie ⟨przedstawienie⟩ (faktów itp.); *muz.* recital
**rec·i·ta·tion** [/resɪ`teɪʃn] *s* recytacja, deklamacja
**re·cite** [rɪ`saɪt] *vt* recytować, deklamować; wyliczać
**reck·less** [`rekləs] *adj* beztroski, lekkomyślny; niebaczny (**of danger etc.** na niebezpieczeństwo itd.)
**reck·on** [`rekən] *vt vi* liczyć (się);

rachować; być zdania, sądzić; zaliczać (**sb, sth among** ⟨**with**⟩ ... kogoś, coś do ...); ~ **in** wliczyć, włączyć, uwzględnić; ~ **off** odliczyć

**reck·on·ing** [ˋreknɪŋ] *ppraes i s* rachunek, obliczenie, rozliczenie; rachuba, kalkulacja

**re·claim** [rɪˋkleɪm] *vt* zażądać zwrotu; wnieść reklamację; poprawiać, reformować; meliorować (grunt), użyźniać (pustkowie); cywilizować

**rec·la·ma·tion** [ˌrekləˋmeɪʃn] *s* reklamacja; poprawienie, reforma; melioracja; wzięcie pod uprawę (nieużytków); cywilizowanie

**re·cline** [rɪˋklaɪn] *vt* złożyć ⟨położyć, oprzeć⟩ (głowę); *vi* wyciągnąć się; spoczywać (pół) leżąc

**re·cluse** [rɪˋklus] *adj* samotny, odosobniony; *s* samotnik; pustelnik

**rec·og·ni·tion** [ˌrekəgˋnɪʃn] *s* rozpoznanie; uznanie (zasług itd.)

**rec·og·nize** [ˋrekəgnaɪz] *vt* rozpoznać; uznać; przyznać się (**sb, sth** do kogoś, czegoś)

**re·coil** [rɪˋkɔɪl] *vi* cofnąć się; odskoczyć, odbić się; wzdragać ⟨wzbraniać⟩ się (**from sth** przed czymś)

**rec·ol·lect** [ˌrekəˋlekt] *vt* przypominać sobie, wspominać

**rec·ol·lec·tion** [ˌrekəˋlekʃn] *s* przypomnienie, pamięć, wspomnienie

**re·com·mence** [ˌrikəˋmens] *vt vi* zacząć (się) na nowo

**rec·om·mend** [ˌrekəˋmend] *vt* polecić

**rec·om·men·da·tion** [ˌrekəmən ˋdeɪʃn] *s* polecenie, rekomendacja

**rec·om·pense** [ˋrekəmpens] *vt* wynagradzać; kompensować (np. stratę); *s* wynagrodzenie; rekompensata

**rec·on·cile** [ˋrekənsaɪl] *vt* pojednać; pogodzić, uzgodnić; **to become** ~**d** pogodzić się (**with sb** z kimś, **to sth** z czymś)

**rec·on·cil·i·a·tion** [ˌrekənˌsɪlɪˋeɪʃn] *s* pojednanie

**re·con·nais·sance** [rɪˋkɒnɪsns] *s* *wojsk.* rekonesans; *przen.* zorientowanie się w sytuacji

**rec·on·noi·tre** [ˌrekəˋnɔɪtə(r)] *vt vi* badać (np. sytuację); rozpoznawać (teren); *wojsk.* robić rekonesans

**re·con·sid·er** [ˌrikənˋsɪdə(r)] *vt* na nowo rozważyć ⟨rozpatrzyć⟩

**re·con·struct** [ˌrikənˋstrʌkt] *vt* przebudować, odtworzyć, zrekonstruować

**re·cord** [ˋrekɔd] *s* zarejestrowanie, zapisanie; spis, zapis, rejestr; akta (personalne); świadectwo; protokół; notatka, wzmianka; rekord (np. sportowy); płyta (gramofonowa); *pl* ~**s** archiwa; zapiski; kroniki; **on** ~ zanotowany, zapisany; **to have a good** ~ być dobrze notowanym, mieć nieskazitelną przeszłość; **to break** ⟨**beat**⟩ **the** ~ pobić rekord; *vt* [rɪˋkɔd] notować, zapisywać, rejestrować; nagrywać (na płycie ⟨taśmie⟩)

**re·cord·ing** [rɪˋkɔdɪŋ] *s* nagranie

**re·count** 1. [ˌrɪˋkaunt] *vt* opowiadać, relacjonować

**re·count** 2. [ˋrikaunt] *s* przeliczenie (*zw.* głosów); *vt* [riˋkaunt] przeliczyć

**re·course** [rɪˋkɔs] *s* zwrócenie ⟨uciekanie⟩ się (**to sth** do czegoś); **have** ~ uciekać się (**to sth** do czegoś)

**re·cov·er** [ˌrɪˋkʌvə(r)] *vt* odzyskać; otrzymać zwrot ⟨rekompensatę⟩; wynagrodzić sobie; ocucić; wyleczyć; *vi* przyjść do siebie, oprzytomnieć; wyzdrowieć; wrócić do normy

**re·cov·er·y** [rɪˋkʌvrɪ] *s* odzyskanie; rekompensata, zwrot; powrót do zdrowia; poprawa; **past** ~ w beznadziejnym stanie

**rec·re·a·tion** [ˌrekrɪˋeɪʃn] *s* odpoczynek (po pracy), rozrywka; przerwa (między lekcjami)

**re·crim·i·na·tion** [rɪ'krɪmɪ'neɪʃn] *s* wzajemne oskarżanie się
**re·cruit** [rɪ'krut] *s* rekrut; nowicjusz; *vt vi* rekrutować; wracać do zdrowia, odzyskiwać siły
**rec·tan·gle** ['rektæŋgl] *s* prostokąt
**rec·tan·gu·lar** [rek'tæŋgjulə(r)] *adj* prostokątny
**rec·ti·fi·ca·tion** ['rektɪfɪ'keɪʃn] *s* sprostowanie, poprawka; *chem.* rektyfikacja
**rec·ti·fy** ['rektɪfaɪ] *vt* prostować, poprawiać; *chem.* rektyfikować
**rec·ti·tude** ['rektɪtjud] *s* prostolinijność, uczciwość
**rec·tor** ['rektə(r)] *s* rektor; dyrektor (szkoły średniej); proboszcz (anglikański)
**re·cum·bent** [rɪ'kʌmbənt] *adj* leżący, w pozycji leżącej
**re·cu·per·ate** [rɪ'kjupəreɪt] *vt* przywracać siły, regenerować; *vi* odzyskiwać siły, wracać do zdrowia
**re·cur** [rɪ'kɜ(r)] *vi* powtarzać się; powracać (na myśl)
**re·cur·rence** [rɪ'kʌrns] *s* powtarzanie się; powrót (**to sth** do czegoś)
**re·cur·rent** [rɪ'kʌrnt] *adj* powtarzający się, periodyczny; powrotny
**red** [red] *adj* czerwony; rudy, ryży; *przen.* krwawy; rewolucyjny, lewicowy; **to see ~** dostać uderzenia krwi do głowy; szaleć z gniewu; *s* czerwień; radykał, rewolucjonista, komunista
**red·den** ['redn] *vt vi* czerwienić (się)
**red·dish** ['redɪʃ] *adj* czerwonawy
**re·deem** [rɪ'dim] *vt* wykupić, spłacić; odkupić, zbawić; uratować (np. honor); skompensować (np. wady); uwolnić; odpokutować
**re·deem·a·ble** [rɪ'diməbl] *adj* odkupny, zwrotny
**re·deem·er** [rɪ'dimə(r)] *s* zbawca, zbawiciel
**re·demp·tion** [rɪ'dempʃn] *s* wykup, spłacenie; uwolnienie; zbawienie; odpokutowanie
**red-hand·ed** ['red 'hændɪd] *adj* mający ręce splamione krwią; **to be caught ~** być złapanym na gorącym uczynku
**red-hot** ['red 'hot] *adj* rozpalony do czerwoności
**red-let·ter** ['red 'letə(r)] *adj attr* świąteczny, odświętny; pamiętny (np. dzień)
**red·o·lent** ['redələnt] *adj* wonny; pachnący ⟨zalatujący⟩ (**of sth** czymś)
**re·doub·le** [rɪ'dʌbl] *vt vi* podwoić (się); rekontrować (w kartach)
**re·doubt·a·ble** [rɪ'dautəbl] *adj* straszny, groźny
**re·dress** [rɪ'dres] *vt* naprawić, wyrównać, wynagrodzić; przywrócić (równowagę); ulżyć; *s* naprawa, rekompensata
**red·skin** ['redskɪn] *s i adj* czerwonoskóry
**re·duce** [rɪ'djus] *vt* pomniejszać, redukować; obniżać (np. cenę); osłabiać; sprowadzać ⟨doprowadzać⟩ (np. **sth to an absurdity** coś do absurdu); pokonać, ujarzmić; degradować; *vi* zmniejszyć się; *pot.* chudnąć; odchudzać się
**re·duc·tion** [rɪ'dʌkʃn] *s* redukcja; zmniejszenie; obniżka (np. cen); osłabienie; zdegradowanie; doprowadzenie, sprowadzenie (kogoś ⟨czegoś⟩ do jakiegoś stanu)
**re·dun·dant** [rɪ'dʌndənt] *adj* nadmierny; zbyteczny; rozwlekły
**reed** [rid] *s* trzcina, szuwar; piszczałka
**reef** [rif] *s* rafa
**reek** [rik] *vi* dymić, kopcić; śmierdzieć; *s* dym; *zbior.* opary; fetor, smród
**reel** [ril] *s* zataczanie ⟨kręcenie⟩ się; wir; szpulka, cewka; rolka (papieru, filmu); *przen.* **off the ~** gładko, jednym tchem; *vt* (*także* **~ in** ⟨**up**⟩) nawijać, motać; (*także* **~ off**) odwijać, roz-

wijać; *vi* kręcić się, wirować; zataczać się; chwiać się
**re-en·ter** [ri ˋentə(r)] *vt vi* ponownie wejść, wrócić; ponownie wprowadzić ⟨zgłosić⟩
**re-es·tab·lish** [ˈri ɪsˋtæblɪʃ] *vt* zrekonstruować, przywrócić
**re·fer** [rɪˋfɜ(r)] *vt vi* odsyłać, kierować; odnosić (się), wiązać (się), nawiązywać; powoływać się; zwracać się, udawać się; **to ~ to the dictionary** zajrzeć do słownika
**ref·er·ee** [ˈrefəˋri] *s* arbiter; *sport* sędzia; *vi* sędziować
**ref·er·ence** [ˋrefrns] *s* powołanie się (**to sth** na coś); odesłanie ⟨odniesienie⟩ (**to sth** do czegoś); polecenie, referencja; adnotacja; wzmianka; sprawdzanie ⟨szukanie⟩ (w słowniku, encyklopedii); informacja; **~ book, a book of ~** książka podręczna (słownik, encyklopedia, informator itp.); **with ⟨in⟩ ~ to** odnośnie do, co się tyczy
**re·fill** [riˋfɪl] *vt vi* ponownie napełnić (się); *s* [ˋrifɪl] zapas ⟨wkład⟩ (do ołówka automatycznego, długopisu, latarki itd.)
**re·fine** [rɪˋfaɪn] *vt* oczyszczać, rafinować; uszlachetniać; nadawać polor; *vi* oczyszczać ⟨rafinować⟩ się; wyszlachetnieć; nabrać poloru
**re·fine·ment** [rɪˋfaɪnmənt] *s* oczyszczanie, rafinowanie; wyrafinowanie (np. smaku); wytworność
**re·fin·er·y** [rɪˋfaɪnŗɪ] *s* rafineria
**re·flect** [rɪˋflekt] *vt* odbijać (np. fale); odzwierciedlać; *vi* rozważać (**on sth** coś); zastanawiać się (**on ⟨upon⟩ sth** nad czymś); robić uwagi (**on sb, sth** o kimś, o czymś), krytykować; czynić zarzuty
**re·flec·tion** [rɪˋflekʃn] *s* odbicie (np. fal); odzwierciedlenie; namysł, zastanowienie, refleksja; **on ~** po namyśle; krytyka (**on sb, sth** kogoś, czegoś)
**re·flec·tive** [rɪˋflektɪv] *adj* odbijający (np. fale); myślący, refleksyjny; *gram.* = **reflexive**
**re·flec·tor** [rɪˋflektə(r)] *s* reflektor
**re·flex** [ˋrifleks] *s* odbicie (się); odruch, refleks; *adj* (*o świetle itp.*) odbity; odruchowy
**re·flex·ion** = **reflection**
**re·flex·ive** [rɪˋfleksɪv] *adj gram.* zwrotny
**re·form** [rɪˋfɔm] *vt vi* reformować; poprawiać (się); *s* reforma; poprawa
**ref·or·ma·tion** [ˈrefəˋmeɪʃn] *s* nawrócenie, poprawa; *hist.* **the Reformation** Reformacja
**re·form·er** [rɪˋfɔmə(r)] *s* reformator
**re·fract** [rɪˋfrækt] *vt fiz.* załamywać (promienie)
**re·frac·to·ry** [rɪˋfræktərɪ] *adj* oporny, uparty; *techn.* ogniotrwały
**re·frain 1.** [rɪˋfreɪn] *vt* powstrzymywać, hamować; *vi* powstrzymywać się (**from sth** od czegoś)
**re·frain 2.** [rɪˋfreɪn] *s* refren
**re·fresh** [rɪˋfreʃ] *vt* odświeżać; pokrzepiać, posilać
**re·fresh·er** [rɪˋfreʃə(r)] *s* środek odświeżający; odświeżenie; napój orzeźwiający; **~ course** kurs odświeżający (zdobyte) wiadomości; powtórka
**re·fresh·ment** [rɪˋfreʃmənt] *s* odświeżenie; pokrzepienie; wypoczynek; lekki posiłek, przekąska; **~ room** bufet
**re·frig·er·ate** [rɪˋfrɪdʒəreɪt] *vt vi* chłodzić ⟨zamrażać⟩ (się)
**re·frig·er·a·tor** [rɪˋfrɪdʒəreɪtə(r)] *s* chłodnia; lodówka
**ref·uge** [ˋrefjudʒ] *s* schronienie; azyl; przytułek; wysepka bezpieczeństwa (na jezdni); **to take ~** schronić się
**ref·u·gee** [ˈrefjuˋdʒi] *s* zbieg, uchodźca
**re·fund** [rɪˋfʌnd] *vt* zwracać pieniądze; *s* [ˋrifʌnd] zwrot ⟨spłata⟩ (pieniędzy)
**re·fu·sal** [rɪˋfjuzl] *s* odmowa

**re·fuse** 1. [rɪˋfjuz] *vt vi* odmówić, odrzucić (propozycję), dać odpowiedź odmowną
**ref·use** 2. [ˋrefjus] *s zbior.* odpadki, nieczystości, śmieci
**ref·u·ta·tion** [ˌrefjuˋteɪʃn] *s* zaprzeczenie, obalenie (teorii), odparcie (zarzutów)
**re·fute** [rɪˋfjut] *vt* zaprzeczyć, obalić (teorię), odeprzeć (zarzuty)
**re·gain** [rɪˋgeɪn] *vt* odzyskać
**re·gal** [ˋrigl] *adj* królewski
**re·gale** [rɪˋgeɪl] *vt* gościć, raczyć, wystawnie przyjmować; być rozkoszą (dla oka, ucha); *vr* ~ **oneself** uraczyć ⟨cieszyć⟩ się (**with sth** czymś); *vi* ucztować; delektować się (**on sth** czymś)
**re·ga·li·a** [rɪˋgeɪlɪə] *s pl* insygnia królewskie
**re·gard** [rɪˋgɑd] *s* wzgląd; spojrzenie; uwaga, baczenie; szacunek; *pl* ~**s** ukłony, pozdrowienia; **in** ⟨**with**⟩ ~ w odniesieniu (**to** ⟨**of**⟩ **sth** do czegoś); **in** ⟨**with**⟩ **this** ~ pod tym względem; *vt* oglądać, patrzeć; uważać (**sb, sth as...** kogoś, coś za...); dotyczyć ⟨odnosić się do⟩ (**sb, sth** kogoś, czegoś); brać pod uwagę; ~**ing, as** ~**s** co się tyczy, co do, odnośnie do
**re·gard·less** [rɪˋgɑdləs] *adj* niebaczny, nieuważny; niedbały; nie liczący się (**of sth** z czymś); *adv* bez względu, nie bacząc (**of sth** na coś); nie licząc się (**of sth** z czymś)
**re·gen·er·ate** [rɪˋdʒenəreɪt] *vt vi* regenerować (się), odnawiać (się), odradzać (się)
**re·gent** [ˋridʒənt] *s* regent
**reg·i·cide** [ˋredʒɪsaɪd] *s* królobójca; królobójstwo
**ré·gime** [reɪˋʒim] *s* ustrój, reżim
**reg·i·ment** [ˋredʒɪmənt] *s* pułk; *przen.* zastęp; *vt* [ˋredʒɪment] organizować (w pułki, grupy); trzymać w dyscyplinie
**re·gion** [ˋridʒən] *s* rejon, zakres; okolica; strefa
**re·gion·al** [ˋridʒənl] *adj* regionalny; rejonowy
**reg·is·ter** [ˋredʒɪstə(r)] *s* rejestr; wykaz, spis; ~ **office** urząd stanu cywilnego; *vt vi* rejestrować (się); meldować się; notować; (*o liście, bagażu*) nadawać jako polecony
**reg·is·tra·tion** [ˌredʒɪˋstreɪʃn] *s* rejestracja, zapis, meldowanie
**reg·is·try** [ˋredʒɪstrɪ] *s* rejestracja; (*także* ~ **office**) urząd stanu cywilnego
**re·gress** [ˋrigres] *s* regres, cofanie się; *vi* [rɪˋgres] cofać się
**re·gres·sion** [rɪˋgreʃn] *s* powrót, regresja, cofanie się
**re·gret** [rɪˋgret] *s* żal; *vt* żałować; boleć (**sth** nad czymś), opłakiwać
**re·gret·ta·ble** [rɪˋgretəbl] *adj* godny pożałowania, opłakany
**reg·u·lar** [ˋregjulə(r)] *adj* regularny, prawidłowy; systematyczny, uporządkowany; przepisowy; *pot.* istny, skończony
**reg·u·lar·i·ty** [ˌregjəˋlærətɪ] *s* prawidłowość, regularność; systematyczność; reguła
**reg·u·late** [ˋregjəleɪt] *vt* regulować; porządkować
**reg·u·la·tion** [ˌregjəˋleɪʃn] *s* regulacja; przepis, zarządzenie
**re·ha·bil·i·tate** [ˌriəˋbɪlɪteɪt] *vt* rehabilitować; przywrócić do normalnego stanu; uzdrowić
**re·ha·bil·i·ta·tion** [ˌriəˌbɪlɪˋteɪʃn] *s* rehabilitacja; przywrócenie do normalnego stanu; uzdrowienie
**re·hears·al** [rɪˋhɜsl] *s* próba (przedstawienia, występu); powtórka; recytowanie, wyliczanie; **dress** ~ próba generalna
**re·hearse** [rɪˋhɜs] *vt* zrobić próbę (teatralną); powtarzać (np. lekcję); recytować, wyliczać
**reign** [reɪn] *vi* władać, panować; *s* panowanie, władza
**re·im·burse** [ˌriɪmˋbɜs] *vt* zwrócić (pieniądze)
**rein** [reɪn] *s* cugiel, lejc; **to give the** ~**s** popuścić cugli; *przen.* puszczać wodze; *vt* trzymać (konia)

za lejce; *przen.* trzymać na wodzy ⟨w ryzach⟩, kierować

**re·in·car·na·tion** ['riınka'neıʃn] *s* reinkarnacja

**rein·deer** ['reındıə(r)] *s zool.* renifer

**re·in·force** ['riın'fɔs] *vt* wzmocnić, zasilić; poprzeć, podeprzeć; **~d concrete** żelazobeton

**re·in·force·ment** ['riın'fɔsmənt] *s* wzmocnienie, zasilenie; (*zw. pl* **~s**) *wojsk.* posiłki; podpora; poparcie

**re·in·state** ['riın'steıt] *vt* przywracać (np. na poprzednie stanowisko)

**re·in·sure** ['riın'ʃuə(r)] *vt vi* reasekurować (się), ponownie (się) zabezpieczyć

**re·it·er·ate** [ri'ıtəreıt] *vt* stale powtarzać

**re·ject** [rı'dʒekt] *vt* odrzucać

**re·jec·tion** [rı'dʒekʃn] *s* odrzucenie, odmowa

**re·joice** [rı'dʒɔıs] *vt* cieszyć, sprawiać przyjemność (**sb** komuś); *vi* radować ⟨cieszyć⟩ się (**in** ⟨**at, over**⟩ **sth** czymś)

**re·join 1.** [rı'dʒɔın] *vi* odpowiadać, replikować

**re·join 2.** ['ri'dʒɔın] *vt* złożyć na nowo; połączyć się na nowo (**sb** z kimś); powrócić (**sb** do kogoś), na nowo nawiązać stosunki (**sb** z kimś); *vi* połączyć się na nowo, zejść się ponownie

**re·join·der** [rı'dʒɔındə(r)] *s* odpowiedź, replika

**re·ju·ve·nate** [rı'dʒuvəneıt] *vt* odmładzać; *vi* odmłodnieć

**re·lapse** [rı'læps] *s* nawrót (**into sth** do czegoś); recydywa; *vi* ponownie popaść (**into silence etc.** w milczenie itd.); powrócić (**into vice etc.** na drogę grzechu itd.); **~ into illness** ponownie zachorować

**re·late** [rı'leıt] *vt* opowiadać, relacjonować; wiązać, nawiązywać, łączyć; *vt* odnosić się (**to sb, sth** do kogoś, czegoś), wiązać się (**to sb, sth** z kimś, czymś)

**re·lat·ed** [rı'leıtıd] *pp i adj* wiążący się ⟨związany⟩ (**to sth** z czymś); spokrewniony (**to sb** z kimś)

**re·la·tion** [rı'leıʃn] *s* opowiadanie, relacja; związek, stosunek; pokrewieństwo; krewny

**re·la·tion·ship** [rı'leıʃnʃıp] *s* związek; pokrewieństwo

**rel·a·tive** ['relətıv] *adj* względny, stosunkowy; dotyczący (**to sth** czegoś); *s* krewny; *gram.* zaimek względny; *adv* odnośnie (**to sth** do czegoś)

**re·lax** [rı'læks] *vt vi* osłabić; osłabnąć; rozluźnić (się), odprężyć (się)

**re·lax** [rı'læks] *vt vi* osłabić; osłabienie, rozluźnienie; odprężenie, relaks

**re·lay** [rı'leı] *vt* luzować; zmieniać; retransmitować; przekazywać; *s* luzowanie; zmiana; szychta; konie rozstawne; jazda rozstawna; retransmisja; *sport* sztafeta; *elektr.* przekaźnik; **~ race** bieg sztafetowy

**re·lease** [rı'lis] *vt* zwolnić, wyzwolić; wypuścić (z rąk, z druku, na wolność itd.); *s* zwolnienie, wyzwolenie; wypuszczenie (na rynek, na wolność itd.)

**rel·e·gate** ['reləgeıt] *vt* przenosić (np. na niższe stanowisko); relegować, wydalać; oddalać; przekazywać ⟨kierować⟩ (dalej)

**re·lent** [rı'lent] *vi* łagodnieć, mięknąć, ustępować'

**rel·e·vant** ['reləvənt] *adj* stosowny, na miejscu, trafny; dotyczący (**to sth** czegoś), związany (**to sth** z czymś)

**re·li·a·bil·i·ty** [rı'laıə'bılətı] *s* niezawodność, solidność, pewność

**re·li·a·ble** [rı'laıəbl] *adj* godny zaufania; solidny, pewny, niezawodny

**re·li·ance** [rı'laıəns] *s* zaufanie; **to have** ⟨**place, feel**⟩ **~ in** ⟨**on, upon**⟩ **sb, sth** mieć zaufanie do kogoś, czegoś; polegać na kimś, czymś

**rel·ic** [`relɪk] *s* relikwia; pozostałość; pamiątka
**re·lief 1.** [rɪ`lif] *s* ulga; odciążenie; obniżenie (grzywny itd.); zapomoga; zmiana (np. warty), nowa szychta; odsiecz
**re·lief 2.** [rɪ`lif] *s* płaskorzeźba; uwypuklenie; **to bring into ~** uwypuklić, uwydatnić
**re·lieve** [rɪ`liv] *vt* ulżyć; uśmierzyć (np. ból); pomóc; odciążyć, zmniejszyć; zastąpić, zluzować; uwolnić (**sb of sth** kogoś od czegoś)
**re·li·gion** [rɪ`lɪdʒən] *s* religia
**re·li·gious** [rɪ`lɪdʒəs] *adj* religijny; kościelny, zakonny
**re·lin·guish** [rɪ`lɪŋkwɪʃ] *vt* opuścić, porzucić, zaniechać; zrezygnować; odstąpić (**sth** od czegoś)
**rel·ish** [`relɪʃ] *s* smak, posmak; urok, powab; przyjemność; upodobanie ⟨pociąg⟩ (**for sth** do czegoś); przysmak; przyprawa; *vt* lubić; rozkoszować się (**sth** czymś); jeść ze smakiem; dodawać smaku; *vi* smakować, mieć posmak
**re·luc·tance** [rɪ`lʌktəns] *s* niechęć, opór
**re·luc·tant** [rɪ`lʌktənt] *adj* niechętny, oporny
**re·ly** [rɪ`laɪ] *vi* polegać (**on sb, sth** na kimś, czymś)
**re·main** [rɪ`meɪn] *vi* pozostawać; *s pl* **~s** pozostałość; resztki; zwłoki
**re·maind·er** [rɪ`meɪndə(r)] *s* pozostałość, reszta
**re·mand** [rɪ`mand] *vt* odesłać do więzienia
**re·mark** [rɪ`mak] *vt* zauważyć; zanotować; *vi* zrobić uwagę (**on ⟨upon⟩ sb, sth** o kimś, czymś); *s* uwaga; spostrzeżenie; notatka
**re·mark·a·ble** [rɪ`makəbl] *adj* godny uwagi, niepospolity, wybitny
**rem·e·dy** [`remədɪ] *s* lekarstwo, środek; naprawa; *vt* naprawić, zaradzić
**re·mem·ber** [rɪ`membə(r)] *vt* pamiętać; przypominać (sobie), wspominać; **~ me to your sister** przekaż siostrze ukłony ode mnie
**re·mem·brance** [rɪ`membrns] *s* pamiątka; pozdrowienia, ukłony
**re·mind** [rɪ`maɪnd] *vt* przypominać (**sb of sth** coś komuś)
**re·mind·er** [rɪ`maɪndə(r)] *s* pamiątka; przypomnienie; upomnienie
**rem·i·nis·cence** [ˈremɪ`nɪsns] *s* wspomnienie, reminiscencja
**rem·i·nis·cent** [ˈremɪ`nɪsnt] *adj* wspominający, pamiętający, przypominający (sobie); **to be ~** przypominać ⟨przypominać sobie⟩ (**of sth** coś)
**re·miss** [rɪ`mɪs] *adj* opieszały; niedbały
**re·mis·sion** [rɪ`mɪʃn] *s* osłabienie, zmniejszenie, złagodzenie; przebaczenie ⟨odpuszczenie⟩ (grzechów itd.); umorzenie (długu)
**re·mit** [rɪ`mɪt] *vt* osłabić, zmniejszyć, złagodzić; przebaczyć; odpuścić (grzechy); umorzyć (dług); przekazać (sprawę, pieniądze itd.); *vi* osłabnąć, zelżeć, złagodnieć, zmniejszyć się
**re·mit·tance** [rɪ`mɪtns] *s* przesyłka pieniężna, należność, wpłata, przekaz
**rem·nant** [`remnənt] *s* reszta, pozostałość
**re·mon·strance** [rɪ`monstrəns] *s* wystąpienie protestacyjne, skarga publiczna; napomnienie
**re·mon·strate** [`remənstreɪt] *vi* (publicznie) protestować, występować ze skargą; robić wymówki (**with sb on ⟨upon⟩ sth** komuś z powodu czegoś)
**re·morse** [rɪ`mɔs] *s* wyrzut sumienia; skrucha
**re·mote** [rɪ`məut] *adj* odległy, daleki; obcy
**re·mov·al** [rɪ`muvl] *s* usunięcie; zdjęcie; zniesienie; przeprowadzka
**re·move** [rɪ`muv] *vt vi* usunąć (się); oddalić (się); zdjąć; sprząt-

nąć; odwołać, zwolnić (np. ze służby); pozbyć się; przenieść ⟨przeprowadzić⟩ (się); *s* oddalenie, odstęp; przejście do wyższej klasy, promocja

**re·mu·ner·ate** [rɪˈmjunəreɪt] *vt* wynagradzać

**re·mu·ner·a·tion** [rɪˈmjunəˈreɪʃn] *s* wynagrodzenie

**re·mu·ner·a·tive** [rɪˈmjunṛətɪv] *adj* dochodowy, opłacalny, korzystny

**Re·nais·sance** [rɪˈneɪsns] *s* Odrodzenie, Renesans

**re·nas·cence** [rɪˈnæsns] *s* odrodzenie, powrót do życia; = **Renaissance**

* **rend** [rend], **rent, rent** [rent] *vt vi* rozrywać ⟨rwać⟩ (się); drzeć (się); rozszczepiać ⟨rozłupać⟩ (się)

**ren·der** [ˈrendə(r)] *vt* zrobić, sprawić, wyświadczyć; oddać, zwrócić, odpłacić; przedstawić, odtworzyć; przetłumaczyć (**into English** na angielski); okazać (pomoc itd.); przedkładać, składać

**ren·dez·vous** [ˈrõndɪvu] *s* spotkanie (umówione), *pot.* randka

**ren·e·gade** [ˈrenɪgeɪd] *s* renegat, odstępca; zdrajca

**re·new** [rɪˈnju] *vt* odnowić; wznowić; odświeżyć; prolongować

**re·new·al** [rɪˈnjuḷ] *s* odnowienie; wznowienie; odświeżenie; prolongata

**re·nounce** [rɪˈnauns] *vt* zrzekać ⟨wyrzekać⟩ się (**sth** czegoś); wypowiedzieć (np. umowę); odmówić uznania (np. władzy); wyprzeć się

**ren·o·vate** [ˈrenəveɪt] *vt* odnawiać, naprawiać; remontować

**ren·o·va·tion** [ˈrenəˈveɪʃn] *s* odnowienie; naprawa; remont

**re·nown** [rɪˈnaun] *s* sława, rozgłos

**re·nowned** [rɪˈnaund] *adj* sławny, głośny

**rent 1.** *zob.* **rend**

**rent 2.** [rent] *s* renta (dzierżawna), czynsz, dzierżawa; *vt* wynajmować, dzierżawić; *vi* być do wynajęcia (**at the price** za cenę)

**rent 3.** [rent] *s* dziura, rozdarcie; szczelina; rozłam

**rent·al** [ˈrentl] *s* czynsz, komorne

**re·nun·ci·a·tion** [rɪˈnʌnsɪˈeɪʃn] *s* zrzeczenie ⟨wyrzeczenie⟩ się (**of sth** czegoś); rezygnacja (**of sth** z czegoś); wypowiedzenie (umowy itp.); wyparcie się

**re·o·pen** [ˈriˈəupən] *vt vi* ponownie otworzyć (się); wznowić (np. działalność)

**re·or·gan·i·za·tion** [ˈriˈɔgənaɪˈzeɪʃn] *s* reorganizacja

**re·or·gan·ize** [ˈriˈɔgənaɪz] *vt vi* reorganizować (się)

**rep** [rep] *s* ryps

**re·pair 1.** [rɪˈpeə(r)] *vt* naprawiać, reperować; wynagrodzić, rekompensować; *s* naprawa, reperacja, remont; **in good ⟨bad⟩ ~** w dobrym ⟨złym⟩ stanie; **out of ~** w złym stanie; **under ~** w reperacji

**re·pair 2.** [rɪˈpeə(r)] *vi* udawać się, iść

**rep·a·ra·tion** [ˈrepəˈreɪʃn] *s* remont, naprawa; odszkodowanie; reparacja

**rep·ar·tee** [ˈrepaˈti] *s* ostra odpowiedź, odcięcie się

**re·par·ti·tion** [ˈrepaˈtɪʃn] *s* repartycja; *vt* dokonać podziału ⟨repartycji⟩

**re·past** [rɪˈpast] *s* jedzenie, posiłek

**re·pat·ri·ate** [riˈpætrɪeɪt] *vt* repatriować

**re·pay** [rɪˈpeɪ] *vt vi* spłacić ⟨zwrócić⟩ (pieniądze, dług); odpłacić ⟨zrewanżować⟩ się; dać odszkodowanie, wynagrodzić

**re·pay·a·ble** [rɪˈpeɪəbl] *adj* zwrotny

**re·peal** [rɪˈpil] *vt* odwołać, unieważnić, uchylić; *s* odwołanie, unieważnienie

**re·peat** [rɪˈpit] *vt vi* powtarzać (się)

**re·peat·ed** [rɪˈpitɪd] *pp i adj* stale powtarzający się

**re·pel** [rɪ`pel] *vt* odpychać, odrzucać, odpierać

**re·pel·lent** [rɪ`pelənt] *adj* odpychający, wstrętny; *s* płyn ⟨środek⟩ przeciw komarom itp.

**re·pent** [rɪ`pent] *vt* żałować (**sth** czegoś); *vi* odczuwać żal (**of sth** z powodu czegoś), okazywać skruchę

**re·pent·ance** [rɪ`pentəns] *s* żal, skrucha

**re·pent·ant** [rɪ`pentənt] *adj* skruszony, żałujący

**re·per·cus·sion** [ˈripəˋkʌʃn] *s* odbicie się, odgłos, echo; *przen.* następstwo; oddźwięk; *muz.* reperkusja

**re·per·cus·sive** [ˈripəˋkʌsɪv] *adj muz. fiz.* reperkusyjny

**rep·er·toire** [ˋrepətwɑ(r)] *s* repertuar

**rep·er·to·ry** [ˋrepətrɪ] *s* zbiór (dokumentów, materiałów itp.); *teatr.* repertuar; ~ **theatre** teatr stały

**rep·e·ti·tion** [ˈrepəˋtɪʃn] *s* powtórzenie; kopia (obrazu); repetycja

**re·pine** [rɪ`paɪn] *vi* szemrać; narzekać (**at** ⟨**against**⟩ **sb, sth** na kogoś, coś)

**re·place** [rɪ`pleɪs] *vt* postawić ⟨położyć⟩ na tym samym miejscu; przywrócić (kogoś na dawne stanowisko); zastąpić (**sb, sth with** ⟨**by**⟩ **sb, sth** kogoś, coś kimś, czymś)

**re·plen·ish** [rɪ`plenɪʃ] *vt* napełnić ponownie, uzupełnić; zaopatrzyć

**re·plete** [rɪ`plit] *adj* wypełniony ⟨przepełniony⟩ (**with sth** czymś)

**re·ple·tion** [rɪ`pliʃn] *s* wypełnienie; nasycenie; przesyt, nadmiar

**re·ply** [rɪ`plaɪ] *vi* odpowiadać (**to a question** na pytanie); *s* odpowiedź

**re·port** [rɪ`pɔt] *vt vi* zdawać sprawę ⟨relację⟩, referować; donosić, informować; meldować (się), zgłaszać (się); *s* raport, sprawozdanie; doniesienie; protokół; komunikat; reputacja; świadectwo szkolne; pogłoska, plotka; detonacja

**re·port·age** [rɪ`pɔtɪdʒ] *s* reportaż

**re·port·ed** [rɪ`pɔtɪd] *adj gram.* zależny; ~ **speech** mowa zależna

**re·pose** [rɪ`pəuz] *vt* opierać (np. głowę na czymś); *vi* odpoczywać, spoczywać; opierać się (**on sb, sth** na kimś, czymś); *s* odpoczynek, wytchnienie

**re·pos·i·to·ry** [rɪ`pozɪtrɪ] *s* skład, przechowalnia, magazyn

**rep·re·hend** [ˈreprɪˋhend] *vt* ganić, robić wymówki

**rep·re·sent** [ˈreprɪˋzent] *vt* opisywać; symbolizować, oznaczać; reprezentować; występować w (czyimś) imieniu; przedstawiać, wyobrażać

**rep·re·sen·ta·tion** [ˈreprɪzenˋteɪʃn] *s* reprezentacja, przedstawicielstwo; przedstawienie, wyobrażenie

**rep·re·sent·a·tive** [ˈreprɪˋzentətɪv] *adj* reprezentatywny; charakterystyczny; okazowy; *s* reprezentant; przedstawiciel

**re·press** [rɪ`pres] *vt* tłumić; uciskać; poskramiać

**re·pres·sion** [rɪ`preʃn] *s* tłumienie; ucisk, represja; poskromienie

**re·pres·sive** [rɪ`presɪv] *adj* represyjny

**re·prieve** [rɪ`priv] *vt* odroczyć wykonanie wyroku (**a convict** skazańcowi); przynieść tymczasową ulgę (**sb** komuś); udzielić zwłoki (np. **a debtor** dłużnikowi); *s* zwłoka (w terminie); odroczenie wyroku; ulga

**rep·ri·mand** [ˈreprɪˋmand] *vt* ganić, karcić; *s* [ˋreprɪmand] nagana, besztanie, bura

**re·print** [rɪ`prɪnt] *vt* przedrukować, wznowić (książkę); *s* [ˋrɪ prɪnt] przedruk, wznowienie

**re·pris·al** [rɪ`praɪzl] *s* represja, odwet

**re·proach** [rɪ`prəutʃ] *vt* wyrzucać ⟨wymawiać, zarzucać⟩ (**sb with**

⟨for⟩ sth komuś coś); *s* zarzut, wyrzut; hańba

**re·proach·ful** [rɪ`prəutʃfl] *adj* pełen wyrzutu

**rep·ro·bate** [`reprəbeɪt] *vt* potępiać; *adj* rozpustny; zatwardziały w grzechu; *s* rozpustnik, nikczemnik; potępieniec

**re·pro·duce** [ˈriprə`djus] *vt* reprodukować, odtwarzać; rozmnażać

**re·pro·duc·tion** [ˈriprə`dʌkʃn] *s* reprodukcja, odtworzenie; rozmnożenie (się)

**re·pro·duc·tive** [ˈriprə`dʌktɪv] *adj* reprodukcyjny; rozrodczy

**re·proof** [rɪ`pruf] *s* wyrzut, zarzut, nagana

**re·prove** [rɪ`pruv] *vt* ganić, czynić wyrzuty

**reps** *s* = **rep**

**rep·tile** [`reptaɪl] *adj* (*o gadzie*) pełzający; *s zool.* gad

**re·pub·lic** [rɪ`pʌblɪk] *s* republika, rzeczpospolita

**re·pub·li·can** [rɪ`pʌblɪkən] *adj* republikański; *s* republikanin

**re·pu·di·ate** [rɪ`pjudɪeɪt] *vt* odrzucić; wyrzec się; odmówić zapłaty; rozwieść się (sb z kimś); wyprzeć się; odmówić uznania

**re·pu·di·a·tion** [rɪˈpjudɪ`eɪʃn] *s* odrzucenie; wyrzeczenie się; wyparcie się; odmowa; rozwód (of sb z kimś)

**re·pug·nance** [rɪ`pʌgnəns] *s* wstręt, odraza

**re·pug·nant** [rɪ`pʌgnənt] *adj* wstrętny, odrażający, odpychający

**re·pulse** [rɪ`pʌls] *vt* odpierać, odtrącać; *s* odparcie; odprawa; odmowa

**re·pul·sion** [rɪ`pʌlʃn] *s* wstręt; *fiz.* odpychanie

**re·pul·sive** [rɪ`pʌlsɪv] *adj* wstrętny; *fiz.* odpychający

**rep·u·ta·ble** [`repjutəbl] *adj* szanowany; cieszący się poważaniem

**rep·u·ta·tion** [ˈrepju`teɪʃn] *s* reputacja

**re·pute** [rɪ`pjut] *vt* uważać (kogoś za coś); to be **~d** mieć reputację, być uważanym ⟨uchodzić⟩ (**an honest man** za uczciwego człowieka); *s* sława, reputacja; **of ~** słynny

**re·put·ed** [rɪ`pjutɪd] *adj* słynny, powszechnie znany; rzekomy

**re·quest** [rɪ`kwest] *s* prośba; życzenie; popyt; **~ stop** przystanek na żądanie; **by ~** na życzenie; **in great ~** pożądany, cieszący się popytem; *vt* prosić (**sth** o coś); **as ~ed** według życzenia; **the public is ~ed ...** uprasza się publiczność o ...

**re·quire** [rɪ`kwaɪə(r)] *vt* żądać, wymagać, potrzebować (**sth of sb** czegoś od kogoś)

**re·quire·ment** [rɪ`kwaɪəmənt] *s* wymaganie, żądanie

**req·ui·site** [`rekwɪzɪt] *adj* niezbędny, konieczny, wymagany; *s* rzecz niezbędna; rekwizyt

**req·ui·si·tion** [ˈrekwɪ`zɪʃn] *s* żądanie, zapotrzebowanie; rekwizycja; *vt* rekwirować

**re·quit·al** [rɪ`kwaɪtl] *s* zapłata, wynagrodzenie; odpłata, odwet

**re·quite** [rɪ`kwaɪt] *vt* wynagrodzić; odwzajemnić się; (**sth with, for sth** czymś za coś); odpłacić; **~ like for like** odpłacić się tym samym ⟨tą samą monetą⟩

**res·cue** [`reskju] *s* ratunek, ocalenie; *vt* ratować, ocalić

**re·search** [rɪ`sɜtʃ] *s* badanie (**into sth** czegoś); praca badawcza (**on sth** nad czymś); poszukiwanie (**after, for sth** czegoś); **~ work** praca naukowa; *vi* prowadzić badania (**into sth** nad czymś)

**re·search·er** [rɪ`sɜtʃə(r)] *s* badacz

**re·sem·blance** [rɪ`zembləns] *s* podobieństwo

**re·sem·ble** [rɪ`zembl] *vt* być podobnym (**sb, sth** do kogoś, czegoś)

**re·sent** [rɪ`zent] *vt* czuć się urażonym (**sth** z powodu czegoś), mieć za złe

**re·sent·ful** [rɪ`zentfl] *adj* urażony, rozżalony, dotknięty (**of sth** czymś)

**re·sent·ment** [rɪˋzentmənt] *s* uraza, przykrość, rozżalenie

**res·er·va·tion** [ˈrezəˋveɪʃn] *s* zastrzeżenie; ograniczenie; *am.* rezerwacja (miejsca, pokoju itd.); rezerwat (np. przyrody)

**re·serve** [rɪˋzɜv] *vt* mieć w zapasie ⟨w rezerwie⟩; rezerwować (pokój, bilet itp.); zastrzegać (sobie); *s* rezerwa; zapas; zastrzeżenie, ograniczenie; *am.* rezerwat; zarezerwowane miejsce; **without ~** bez zastrzeżeń

**re·served** [rɪˋzɜvd] *adj* zastrzeżony; zarezerwowany; (*o człowieku*) zachowujący się z rezerwą; ostrożny

**re·side** [rɪˋzaɪd] *vi* rezydować; przebywać

**res·i·dence** [ˋrezɪdəns] *s* rezydencja; miejsce stałego pobytu; mieszkanie

**res·i·dent** [ˋrezɪdənt] *adj* mieszkający, zamieszkały; *s* rezydent; stały mieszkaniec

**res·i·den·tial** [ˈrezɪˋdenʃl] *adj* mieszkaniowy; **~ area ⟨district⟩** dzielnica mieszkaniowa

**re·sid·u·al** [rɪˋzɪdjuəl] *adj* pozostały; *s mat.* reszta

**res·i·due** [ˋrezɪdju] *s* pozostałość; *chem.* osad

**re·sign** [rɪˋzaɪn] *vt* rezygnować (**sth** z czegoś); zrzekać się; ustąpić (**sth to sb** coś komuś); *vr* **~ oneself** poddać się z rezygnacją, pogodzić się (**to sth** z czymś)

**res·ig·na·tion** [ˈrezɪgˋneɪʃn] *s* rezygnacja, dymisja; zrzeczenie się; pogodzenie się z losem, rezygnacja

**re·sil·i·ence** [rɪˋzɪlɪəns] *s* elastyczność, sprężystość; zdolność odbijania

**res·in** [ˋrezɪn] *s* żywica

**re·sist** [rɪˋzɪst] *vt* opierać się (**sth** czemuś), przeciwstawiać się

**re·sist·ance** [rɪˋzɪstəns] *s* opór, przeciwstawienie się; *elektr.* oporność, opornik; **~ movement** ruch oporu

**res·o·lute** [ˋrezəlut] *adj* zdecydowany

**res·o·lu·tion** [ˈrezəˋluʃn] *s* rezolucja; postanowienie; zdecydowana postawa; rozwiązanie (np. zadania); rozłożenie, rozkład

**re·solve** [rɪˋzolv] *vt vi* rozwiązać; rozpuścić (się); rozłożyć (się); postanowić (**on, upon sth** coś), zdecydować się; *s* postanowienie, decyzja; stanowczość

**re·solved** [rɪˋzolvd] *adj* stanowczy, zdecydowany

**res·o·nance** [ˋrezənəns] *s* rezonans, odgłos

**res·o·nant** [ˋrezənənt] *adj* dźwięczny, brzmiący; akustyczny

**re·sort** [rɪˋzɔt] *vi* uciekać się; często odwiędzać (np. **to the seaside** wybrzeże); *s* resort; kurort; ucieczka; zwrócenie się; ratunek; **health ~** uzdrowisko; **summer ~** letnisko; **the last ~** ostateczność; **without ~** bez uciekania się, bez stosowania

**re·sound** [rɪˋzaund] *vi* dźwięczeć, rozbrzmiewać; odbijać się echem

**re·source** [rɪˋsɔs] *s* środek zaradczy; źródło, zapas, pomysłowość; **natural ~s** bogactwa naturalne

**re·source·ful** [rɪˋsɔsfl] *adj* pomysłowy, wynalazczy

**re·spect** [rɪˋspekt] *s* szacunek; wzgląd; odniesienie; związek; *pl* **~s** pozdrowienia, ukłony; **with ~** w odniesieniu (**to sth** do czegoś); **in ~** pod względem (**of sth** czegoś); *vt* szanować; mieć wzgląd (**sth** na coś); dotyczyć

**re·spect·a·bil·i·ty** [rɪˈspektəˋbɪlətɪ] *s* ogólne poważanie, szacunek

**re·spect·a·ble** [rɪˋspektəbl] *adj* godny szacunku, szanowny; poważny, znaczny

**re·spect·ful** [rɪˋspektfl] *adj* pełen szacunku

**re·spect·ing** [rɪˋspektɪŋ] *praep* odnośnie do, co do

**re·spec·tive** [rɪˋspektɪv] *adj* odnośny; poszczególny

**res·pi·ra·tion** [ˈrespəˋreɪʃn] *s* oddychanie

**re·spir·a·to·ry** [rɪˈspaɪərətrɪ] *adj* oddechowy
**re·spire** [rɪˈspaɪə(r)] *vi* oddychać
**res·pite** [ˈrespaɪt] *s* przerwa; odroczenie, zwłoka; *vt* odroczyć (ogłoszenie wyroku); sprolongować (termin wykonania)
**re·splend·ent** [rɪˈsplendənt] *adj* lśniący
**re·spond** [rɪˈspond] *vi* odpowiadać; reagować (**to sth** na coś)
**re·sponse** [rɪˈspons] *s* odpowiedź; reakcja, *przen.* echo
**re·spon·si·bil·i·ty** [rɪˌsponsəˈbɪlətɪ] *s* odpowiedzialność
**re·spon·si·ble** [rɪˈsponsəbl] *adj* odpowiedzialny
**re·spon·sive** [rɪˈsponsɪv] *adj* odpowiadający; reagujący, wrażliwy (**to sth** na coś)
**rest 1.** [rest] *s* odpoczynek, spokój; podpora, podstawa; *muz.* pauza; **to be at ~** spoczywać; **to have ⟨take⟩ a ~** wypocząć; **to lay to ~** złożyć do grobu; **to retire ⟨go⟩ to ~** udać się na spoczynek, położyć się spać; **to set to ~** uspokoić, dać spocząć; **to set a question at ~** załatwić sprawę; *vt* uspokoić, dać spocząć; podpierać, opierać; *vi* wypoczywać, leżeć; polegać; opierać się, wspierać się; *vr* **to ~ oneself** zażywać wypoczynku
**rest 2.** [rest] *s* reszta; **for the ~** co do reszty, poza tym, zresztą; *vi* pozostawać; zależeć; **this ~s with you** to od ciebie zależy; to (jest) w twoich rękach; **to ~ assured** być pewnym
**res·tau·rant** [ˈrestrõ] *s* restauracja
**rest-cure** [ˈrest kjuə(r)] *s* kuracja wypoczynkowa
**rest·ful** [ˈrestfl] *adj* spokojny, uspokajający
**rest·ing-place** [ˈrestɪŋpleɪs] *s* miejsce wypoczynku
**res·ti·tu·tion** [ˌrestɪˈtjuʃn] *s* restytucja; zwrot; przywrócenie; odszkodowanie
**rest·less** [ˈrestləs] *adj* niespokojny
**res·to·ra·tion** [ˌrestəˈreɪʃn] *s* restauracja, odbudowa; przywrócenie
**re·store** [rɪˈstɔ(r)] *vt* odrestaurować, odbudować; przywrócić (do zdrowia, do życia itp.); odnowić, wznowić
**re·strain** [rɪˈstreɪn] *vt* powstrzymywać, hamować
**re·straint** [rɪˈstreɪnt] *s* zahamowanie; ograniczenie; powściągliwość; **without ~** swobodnie; bez skrępowania
**re·strict** [rɪˈstrɪkt] *vt* ograniczać; zastrzegać
**re·stric·tion** [rɪˈstrɪkʃn] *s* ograniczenie; zastrzeżenie
**re·sult** [rɪˈzʌlt] *vt* wynikać (**from sth** z czegoś); kończyć się (**in sth** czymś); *s* wynik, skutek; **as a ~** w następstwie, na skutek; **in the ~** ostatecznie; *gram.* **~ clause** zdanie skutkowe
**re·sult·ant** [rɪˈzʌltənt] *adj* wynikający; *fiz.* wypadkowy; *s fiz.* wypadkowa
**re·sume** [rɪˈzjum] *vt* odzyskać; podjąć na nowo; streścić
**ré·sumé** [ˈrezumeɪ] *s* streszczenie
**re·sump·tion** [rɪˈzʌmpʃn] *s* podjęcie na nowo, wznowienie
**res·ur·rect** [ˌrezəˈrekt] *vt* wskrzesić; wznowić; *vt vi* powstać z martwych
**res·ur·rec·tion** [ˌrezəˈrekʃn] *s* wskrzeszenie; *rel.* zmartwychwstanie
**re·tail** [ˈriteɪl] *s* sprzedaż detaliczna; *adj attr* detaliczny; *adv* detalicznie; *vt* [rɪˈteɪl] sprzedawać detalicznie
**re·tain** [rɪˈteɪn] *vt* zatrzymywać; najmować, zatrudniać; zachowywać w pamięci
**re·tain·er** [rɪˈteɪnə(r)] *s* zaliczka; *hist.* służący, lokaj (w liberii); członek świty, wasal; *pl* **~s** orszak, świta; czeladź
**re·tal·i·ate** [rɪˈtælɪeɪt] *vt vi* odpłacać (się), odwzajemniać (się)
**re·tal·i·a·tion** [rɪˌtælɪˈeɪʃn] *s* odpłata, odwet

**re·tard** [rɪˋtad] *vt vi* opóźnić (się); *s* opóźnienie

**re·ten·tion** [rɪˋtenʃn] *s* zatrzymanie; wstrzymywanie

**re·ten·tive** [rɪˋtentɪv] *adj* (*o glebie*) nie przepuszczający; (*o pamięci*) trwały

**ret·i·cence** [ˋretɪsns] *s* powściągliwość w słowach

**ret·i·cent** [ˋretɪsnt] *adj* powściągliwy w słowach, milczący, skryty

**ret·i·na** [ˋretɪnə] *s* (*pl* **retinae** [ˋretɪni]) *anat.* siatkówka oka

**ret·i·nue** [ˋretɪnju] *s* orszak, świta

**re·tire** [rɪˋtaɪə(r)] *vt vi* odchodzić, wychodzić, cofać (się), usuwać (się); iść na emeryturę; rezygnować ze stanowiska; podać się do dymisji; **to ~ to rest ⟨to bed, for the night⟩** iść spać, udać się na spoczynek

**re·tired** [rɪˋtaɪəd] *adj* samotny, osamotniony; emerytowany; **~ pay** emerytura

**re·tire·ment** [rɪˋtaɪəmənt] *s* odwrót, cofanie się; emerytura; dymisja; osamotnienie

**re·tort** [rɪˋtɔt] *vt vi* ostro odpowiedzieć, dać odprawę, odciąć się; odpłacić (się); odeprzeć; *s* ostra odpowiedź, odcięcie się

**re·touch** [ˈriˋtʌtʃ] *vt* retuszować; *s* retusz

**re·trace** [riˋtreɪs] *vt* cofnąć się (**sth** do czegoś); zawrócić; odtworzyć; przypominać sobie

**re·tract** [rɪˋtrækt] *vt vi* ciągnąć z powrotem, wciągać; cofać (się), wycofać (się); odwołać

**re·trac·ta·tion** [ˈriˈtrækˋteɪʃn], **re·trac·tion** [rɪˋtrækʃn] *s* retrakcja, cofnięcie; odwołanie

**re·treat** [rɪˋtrit] *vi* cofać się; *s* odwrót; usunięcie się; *rel.* rekolekcje

**re·trench** [rɪˋtrentʃ] *vt* obciąć, skrócić; zredukować; *wojsk.* okopać, oszańcować

**re·trench·ment** [rɪˋtrentʃmənt] *s* obcięcie, skrócenie, redukcja; *wojsk.* szaniec

**ret·ri·bu·tion** [ˈretrɪˋbjuʃn] *s* kara, odpłata, odwet

**re·trieve** [rɪˋtriv] *vt* odzyskać; naprawić, powetować (np. stratę); przywrócić; wynagrodzić

**ret·ro·ac·tive** [ˈretrəʊˋæktɪv] *adj prawn.* z mocą retroaktywną, działający wstecz

**ret·ro·grade** [ˋretrəgreɪd] *adj* (*o ruchu*) wsteczny; (*o polityce*) reakcyjny

**ret·ro·spect** [ˋretrəspekt] *s* spojrzenie wstecz, retrospekcja

**re·turn** [rɪ·tɜn] *vt vi* wracać; zwracać, oddawać; odpowiadać; wybrać (posła); przynosić (dochody); odpłacić (się); *s* powrót; zwrot; dochód; wynik (głosowania); *pl* **~s** wpływy (kasowe); **by ~ of post** odwrotną pocztą; **in ~** w zamian (**for sth** za coś); *adj attr* powrotny; **~ ticket** bilet powrotny

**re·veal** [rɪˋvil] *vt* odsłonić, odkryć, objawić, ujawnić

**rev·el** [ˋrevl] *s* uczta, zabawa; *vi* ucztować, zabawiać się; hulać; rozkoszować się (**in sth** czymś)

**rev·e·la·tion** [ˈrevəˋleɪʃn] *s* wyjawienie, ujawnienie; rewelacja, odkrycie; *rel.* objawienie

**rev·el·ler** [ˋrevḷə(r)] *s* biesiadnik; hulaka

**rev·el·ry** [ˋrevḷrɪ] *s* uczta (hałaśliwa), pohulanka

**re·venge** [rɪˋvendʒ] *vt* mścić; **to be ~d** mścić się; *vr* **to ~ oneself** mścić się (**on sb** na kimś); *s* zemsta; **to take one's ~** zemścić się

**re·venge·ful** [rɪˋvendʒfl] *adj* mściwy

**rev·e·nue** [ˋrevənju] *s* dochód (państwowy); urzędy skarbowe

**re·ver·ber·ate** [rɪˋvɜbəreɪt] *vt vi* odbijać (światło); rozlegać się, (*o głosie*) brzmieć echem; promieniować, odbijać się

**re·vere** [rɪˋvɪə(r)] *vt* szanować, czcić

**rev·er·ence** [ˋrevərəns] *s* szacunek; *vt* czcić
**rev·er·end** [ˋrevərənd] *adj* czcigodny; (*o duchownym*) **the Reverend** Wielebny
**rev·er·ent** [ˋrevərənt] *adj* pełen szacunku
**rev·er·en·tial** [ˌrevəˋrenʃl] *adj* pełen szacunku
**rev·er·ie** [ˋrevərɪ] *s* marzenie, zaduma
**re·ver·sal** [rɪˋvɜsl] *s* odwrócenie, zwrot
**re·verse** [rɪˋvɜs] *vt* odwrócić (przedmiot, kierunek itd.), przewrócić na drugą stronę; cofać; przemieścić; *s* odwrotna strona; przeciwieństwo; odwrotny kierunek; strata (finansowa); porażka, niepowodzenie; *adj* odwrotny; przeciwny
**re·vers·i·ble** [rɪˋvɜsəbl] *adj* odwracalny; odwołalny
**re·vert** [rɪˋvɜt] *vt vi* odwracać, zawracać, powracać
**re·view** [rɪˋvju] *s* inspekcja, rewia; czasopismo, przegląd wydarzeń; recenzja; *vt* przeglądać; odbywać rewię; rewidować; recenzować
**re·view·er** [rɪˋvjuə(r)] *s* recenzent, krytyk
**re·vile** [rɪˋvaɪl] *vt vi* lżyć, wymyślać (**sb, against** ⟨**at**⟩ **sb** komuś)
**re·vise** [rɪˋvaɪz] *vt* rewidować, przeglądać, poprawiać
**re·vi·sion** [rɪˋvɪʒn] *s* rewizja, przegląd
**re·viv·al** [rɪˋvaɪvl] *s* odżycie, powrót do życia; wznowienie (np. sztuki w teatrze); odrodzenie, ożywienie, odnowienie
**re·vive** [rɪˋvaɪv] *vt* ożywiać, przywracać do życia; odnawiać; *vi* odżyć, odrodzić się, ożywić się
**rev·o·ca·tion** [ˌrevəˋkeɪʃn] *s* odwołanie; unieważnienie
**re·voke** [rɪˋvəuk] *vt* odwołać; skasować; unieważnić
**re·volt** [rɪˋvəult] *s* rewolta, bunt; **to rise in ~** zbuntować się; *vt vi* buntować (się); czuć odrazę; (**at sth** z powodu czegoś); budzić odrazę
**rev·o·lu·tion** [ˌrevəˋluʃn] *s* rewolucja; obracanie się, pełny obrót (ziemi, koła itd.)
**rev·o·lu·tion·ar·y** [ˌrevəˋluʃnrɪ] *adj* rewolucyjny; *s* rewolucjonista
**rev·o·lu·tion·ist** [ˌrevəˋluʃnɪst] *s* rewolucjonista
**rev·o·lu·tion·ize** [ˌrevəˋluʃnaɪz] *vt* rewolucjonizować
**re·volve** [rɪˋvolv] *vt vi* obracać (się), krążyć
**re·volv·er** [rɪˋvolvə(r)] *s* rewolwer
**re·vue** [rɪˋvju] *s teatr.* rewia
**re·vul·sion** [rɪˋvʌlʃn] *s* zwrot (w opinii, reakcji)
**re·ward** [rɪˋwɔd] *s* nagroda; *vt* nagradzać
**re·write** [ˌriˋraɪt] *vt* przepisać; przerobić (tekst)
**rhet·o·ric** [ˋretərɪk] *s* retoryka
**rhe·tor·i·cal** [rɪˋtorɪkl] *adj* retoryczny
**rheu·mat·ic** [ruˋmætɪk] *adj* reumatyczny
**rheu·ma·tism** [ˋrumətɪzm] *s* reumatyzm
**rhi·no** [ˋraɪnəu] *s pot.* nosorożec
**rhi·noc·er·os** [raɪˋnosərəs] *s zool.* nosorożec
**rhomb** [rom] *s mat.* romb
**rhyme** [raɪm] *s* rym; wiersz; **neither** ⟨**without**⟩ **~ nor** ⟨**or**⟩ **reason** bez sensu; *vt vi* rymować (się)
**rhythm** [ˋrɪðm] *s* rytm
**rib** [rɪb] *s* żebro
**rib·ald** [ˋrɪbld] *adj* sprośny, ordynarny; *s* człowiek sprośny ⟨ordynarny⟩
**rib·bon** [ˋrɪbən] *s* wstążka, tasiemka; taśma
**rice** [raɪs] *s* ryż
**rich** [rɪtʃ] *adj* bogaty; obfity
**rich·es** [ˋrɪtʃɪz] *s pl* bogactwo
**rick** [rɪk] *s* stóg, sterta (np. siana)
**rick·ets** [ˋrɪkɪts] *s med.* krzywica
**rick·et·y** [ˋrɪkɪtɪ] *adj* słaby, ra-

chityczny; rozwalający się, pokrzywiony, rozklekotany

**ric·o·chet** [`rɪkəʃeɪ] *s* rykoszet

***rid, rid, rid** [rɪd] *vt* uwolnić, oczyścić (**of sth** z czegoś); **to get ~** uwolnić się, pozbyć się (**of sth** czegoś)

**rid·dance** [`rɪdns] *s* uwolnienie, pozbycie się

**rid·den** *zob.* **ride**

**rid·dle 1.** [`rɪdl] *s* zagadka

**rid·dle 2.** [`rɪdl] *s* sito (duże); *vt* przesiewać; podziurawić (jak sito)

***ride** [raɪd], **rode** [rəud], **ridden** [`rɪdn] *vt vi* jeździć (na koniu, rowerem, autem itp.); przejeżdżać (np. **the street** ulicą); **~ a race** brać udział w wyścigach konnych; **~ down** *vi* zjechać w dół; *vt* stratować; *przen.* źle potraktować; **~ over** *vi* wygrać na wyścigach; *vt przen.* zlekceważyć; *s* jazda, przejażdżka

**rid·er** [`raɪdə(r)] *s* jeździec; (*w pojeździe*) pasażer

**ridge** [rɪdʒ] *s* grzbiet; krawędź, brzeg; skiba

**rid·i·cule** [`rɪdɪkjul] *s* śmieszność; pośmiewisko; szyderstwo, kpiny; *vt* wyśmiewać, ośmieszać

**ri·dic·u·lous** [rɪ`dɪkjələs] *adj* śmieszny; absurdalny

**rife** [raɪf] *adj praed* rozpowszechniony; pełny, obfity, znajdujący się w wielkiej ilości; **to grow ~** wzmagać się

**riff-raff** [`rɪfræf] *s* motłoch, hołota

**ri·fle 1.** [`raɪfl] *vt* ograbić, zrabować, obrabować

**ri·fle 2.** [`raɪfl] *s* karabin; *wojsk.* *pl* **~s** strzelcy, pułk strzelecki

**ri·fle·man** [`raɪflmən] *s* strzelec

**rift** [rɪft] *s* szczelina; *vt vi* rozszczepić (się), rozłupać (się)

**rig** [rɪg] *s mors.* takielunek; *przen.* strój, powierzchowność; *vt mors.* otaklować; *przen.* **to ~ sb out (with sth)** wyekwipować, zaopatrzyć (kogoś w coś); *pot.* wystroić

**right** [raɪt] *adj* (*o stronie*) prawy; prawidłowy, słuszny; **~ angle** kąt prosty; **to be ~** mieć rację; **to get ~** doprowadzić do porządku, dojść do normalnego stanu; **to set** ⟨**to put**⟩ **~** uporządkować, uregulować; **all ~** wszystko w porządku ⟨dobrze⟩; *int.* dobrze!; zgoda!; **on the ~ (side)** po prawej stronie; *adv* słusznie, prawidłowo; prosto; *am.* **~ away** ⟨**off**⟩ w tej chwili, natychmiast; **~ out** wprost, natychmiast; całkowicie; *s* prawo; słuszność; **to be in the ~** mieć rację; **to do ~** sprawiedliwie potraktować, oddać sprawiedliwość (**sb** komuś); **by ~** prawnie; na podstawie, z tytułu (**of sth** czegoś); *vt* nadać prawidłowe położenie; naprawić; wymierzyć sprawiedliwość

**right-an·gled** [`raɪt æŋgld] *adj* prostokątny; *mat.* **~ triangle** trójkąt prostokątny

**right·eous** [`raɪtʃəs] *adj* sprawiedliwy, prawy

**right·ful** [`raɪtfl] *adj* legalny, słuszny, sprawiedliwy

**right-mind·ed** [ˈraɪt `maɪndɪd] *adj* zrównoważony; *pot.* zdrowy na umyśle

**rig·id** [`rɪdʒɪd] *adj* sztywny; (*o człowieku*) nieugięty; bezwzględny

**rig·ma·role** [`rɪgmərəul] *s* bzdury, *pot.* koszałki opałki

**rig·or·ous** [`rɪgərəs] *adj* rygorystyczny, surowy

**rig·our** [`rɪgə(r)] *s.* rygor, surowość

**rill** [rɪl] *s* strumyczek, struga

**rim** [rɪm] *s* obwódka; obręcz; brzeg; oprawa (okularów); *vt* otoczyć obręczą; oprawić

**rime 1.** [raɪm] *s* szron

**rime 2.** [raɪm] *s* = **rhyme**

**rind** [raɪnd] *s* skórka; kora; łupina

**ring 1.** [rɪŋ] *s* pierścień, krąg, koło; arena; *handl. i sport.* **ring**; klika, szajka; *vt* tworzyć koło; obrączkować; ~ **in ⟨round, about⟩** okrążyć

• **ring** 2. [rɪŋ], **rang** [ræŋ], **rung** [rʌŋ] *vt vi* dzwonić, dźwięczeć; ~ **up** telefonować (**sb** do kogoś); *s* dźwięk, brzmienie dzwonka, dzwonienie; dzwonek (telefonu)

**ring-fin·ger** [ˋrɪŋ fɪŋgə(r)] *s* palec serdeczny

**ring·leader** [ˋrɪŋ lidə(r)] *s* prowodyr

**ring·let** [ˋrɪŋlət] *s* mały pierścionek, kółeczko

**rink** [rɪŋk] *s* ślizgawka, lodowisko; tor do jazdy na wrotkach

**rinse** [rɪns] *vt* (*także* ~ **out**) płukać, przemywać; ~ **down** popijać (przy jedzeniu)

**ri·ot** [ˋraɪət] *s* bunt, rozprzężenie; **to run** ~ *przen.* brykać, szaleć; *vi* wszczynać rozruchy; szaleć, hulać

**ri·ot·ous** [ˋraɪətəs] *adj* burzliwy; buntowniczy, niesforny

**rip** [rɪp] *vt vi* rwać, rozrywać; trzaskać, pękać; **to** ~ **open** rozpruć, rozerwać (np. kopertę); ~ **off** odpruć, oderwać; ~ **up** spruć, rozgrzebać

**ripe** [raɪp] *adj* dojrzały; **to grow** ~ dojrzeć

**rip·en** [ˋraɪpn] *vi* dojrzewać; *vt* przyspieszać dojrzewanie

**rip·ple** [ˋrɪpl] *s* zmarszczka (na powierzchni wody), mała fala; plusk; szmer; *vi* (*o powierzchni wody*) marszczyć się; pluskać; szemrać

• **rise** [raɪz], **rose** [rəuz], **risen** [ˋrɪzn] *vi* wstawać, podnosić się; powstawać; wzrastać; **to** ~ **(up) in arms** chwytać za broń; **to** ~ **to the occasion** stanąć na wysokości zadania; **the House of Commons rose** Izba Gmin zakończyła obrady; *s* wzrost; podniesienie się; wzniesienie; wschód (słońca); **to give** ~ dać początek, zapoczątkować; dać powód

**ris·ing** [ˋraɪzɪŋ] *s* powstanie (zbrojne); podniesienie się; wzrost, rozwój; zamknięcie (obrad)

**risk** [rɪsk] *s* ryzyko; **to run ⟨to take⟩ the** ~ **⟨~s⟩** ryzykować; *vt* ryzykować

**risk·y** [ˋrɪskɪ] *adj* ryzykowny

**rite** [raɪt] *s* obrzęd

**rit·u·al** [ˋrɪtʃuəl] *adj* rytualny; *s* rytuał, obrządek

**ri·val** [ˋraɪvl] *s* rywal; *adj attr* rywalizujący, konkurencyjny; *vt* rywalizować, iść w zawody; równać się (**sb** z kimś)

**ri·val·ry** [ˋraɪvlrɪ] *s* rywalizacja

**riv·er** [ˋrɪvə(r)] *s* rzeka

**riv·er-basin** [ˋrɪvə beɪsn] *s* dorzecze

**riv·er-bed** [ˋrɪvə bed] *s* koryto rzeki

**riv·er·side** [ˋrɪvəsaɪd] *s* brzeg rzeki

**riv·et** [ˋrɪvɪt] *s techn.* nit; *vt* nitować; wzmocnić; przykuć

**riv·u·let** [ˋrɪvjulət] *s* rzeczka, strumień

**road** [rəud] *s* droga, jezdnia; podróż; *pl mors.* ~**s** reda; **by** ~ drogą lądową; **on the** ~ w drodze, w podróży

**road·hog** [ˋrəud hɔg] *s* pirat drogowy

**road·side** [ˋrəudsaɪd] *s* pobocze (drogi); *attr* przydrożny (np. zajazd)

**road·stead** [ˋrəudsted] *s mors.* reda

**road·way** [ˋrəudweɪ] *s* szosa, jezdnia

**roam** [rəum] *vi vt* wędrować, wałęsać się; *s* wędrówka

**roar** [rɔ(r)] *vi* huczeć, ryczeć, grzmieć; *s* huk, ryk, grzmot

**roast** [rəust] *vt vi* piec, smażyć (się); *s* pieczeń; *adj* pieczony, smażony; ~ **beef** rostbef; ~ **mutton** pieczeń barania; ~ **veal** pieczeń cielęca

**rob** [rɔb] *vt* okradać (**sb of sth**

kogoś z czegoś); *vi* uprawiać rabunek
**rob·ber** [`robə(r)] *s* rozbójnik, rabuś
**rob·ber·y** [`robərɪ] *s* rozbój, grabież
**robe** [rəub] *s* suknia; toga; *vt* ubierać w suknię ⟨togę⟩
**rob·in** [`robɪn] *s zool.* rudzik
**ro·bot** [`rəubot] *s* robot
**ro·bust** [rəu`bʌst] *adj* mocny, krzepki
**rock 1.** [rok] *s* skała; kamień; twardy cukierek
**rock 2.** [rok] *vt vi* kołysać (się)
**rock·et** [`rokɪt] *s* rakieta (pocisk, ogień sztuczny)
**rock·ing-chair** [`rokɪŋ tʃeə(r)] *s* krzesło ⟨fotel⟩ na biegunach, bujak
**rock-salt** [ˈrok `sɔlt] *s* sól kamienna
**rock·y** [`rokɪ] *adj* skalisty
**rod** [rod] *s* pręt, rózga; **fishing-~** wędka
**rode** *zob.* **ride**
**ro·dent** [`rəudnt] *s zool.* gryzoń
**roe 1.** [rəu] *s zool.* sarna
**roe 2.** [rəu] *s* ikra; **soft ~** mlecz rybi
**rogue** [rəug] *s* łajdak, szelma
**rogu·ish** [`rəugɪʃ] *adj* łajdacki, szelmowski
**role** [rəul] *s* rola
**roll 1.** [rəul] *s* zwój; zawiniątko; walec; rolka; bułka (okrągła); spis, lista; **to call the ~** odczytać listę (obecności)
**roll 2.** [rəul] *vt vi* obracać (się), toczyć (się); falować, kołysać (się); rolować; skręcać, zwijać; **~ down** stoczyć (się); **~ over** przewalić (się); **~ up** zwinąć; zakasać (rękawy)
**roll-call** [`rəul kɔl] *s* odczytanie nazwisk; *wojsk.* apel
**roll·er** [`rəulə(r)] *s* walec; wałek; duża fala, bałwan (morski)
**roll·er-skate** [`rəulə skeɪt] *vi* jeździć na wrotkach; *s pl* **~s** wrotki
**rol·lick** [`rolɪk] *vi* hałaśliwie się bawić; swawolić; *s* hałaśliwa zabawa; swawola
**roll·ing-mill** [`rəulɪŋ mɪl] *s* walcownia
**roll·ing-pin** [`rəulɪŋ pɪn] *s* wałek do ciasta
**roll·ing-stock** [`rəulɪŋ stok] *s* tabor kolejowy
**Ro·man** [`rəumən] *adj* rzymski; *s* **Rzymianin**
**ro·mance** [rə`mæns] *s* romans; romanca; romantyka; romantyczność; **Romance (languages)** języki romańskie; *adj attr* romański, romanistyczny
**ro·man·tic** [rə`mæntɪk] *adj* romantyczny
**ro·man·ti·cism** [rə`mæntɪsɪzm] *s* romantyzm
**romp** [romp] *s* hałaśliwa zabawa, wybryki, swawola; sowizdrzał; *vi* bawić się hałaśliwie, brykać, swawolić
**rood** [rud] *s* krzyż; krucyfiks
**roof** [ruf] *s* dach; *lotn.* pułap
**rook 1.** [ruk] *s zool.* gawron; szuler, oszust; *vt* oszukiwać
**rook 2.** [ruk] *s* wieża (w szachach)
**rook·er·y** [`rukərɪ] *s* kolonia gawronia; kolonia pingwinów; *zbior.* rudery
**room** [rum, rum] *s* pokój, izba; miejsce, przestrzeń; zakres możliwości; **in my ~** na moim miejscu; zamiast mnie; **to make ~** ustąpić miejsca, zrobić miejsce; *vi* mieszkać; najmować mieszkanie; *vt* dawać mieszkanie, przyjąć pod dach
**room-mate** [`rum meɪt] *s* współlokator
**room·y** [`rumɪ] *adj* przestronny
**roost** [rust] *s* grzęda, żerdź (dla kur); *vi* siedzieć na grzędzie
**roost·er** [`rustə(r)] *s* kogut
**root** [rut] *s* korzeń; podstawa; sedno; *mat.* pierwiastek; *gram.* rdzeń, źródłosłów; **~ and branch** z korzeniem, gruntownie, całkowicie; **to get at the ~ of the matter** dotrzeć do sedna sprawy;

to strike ⟨take⟩ ~ zapuścić korzenie; *vt* głęboko sadzić, przytwierdzić do ziemi; *vi* zakorzenić się; *vt* ~ out wykorzenić; wyrywać z korzeniami
**rope** [rəup] *s* lina, sznur; *vt* przywiązywać; ciągnąć po linie
**rope-danc·er** [ˋrəup dɑnsə(r)] *s* tancerz na linie, linoskoczek
**rope-lad·der** [ˈrəup ˋlædə(r)] *s* drabina sznurowa
**rope-mak·er** [ˋrəup meɪkə(r)] *s* powroźnik
**ro·sace** [ˋrəuzeɪs] *s* rozeta
**ro·sa·ry** [ˋrəuzərɪ] *s* różaniec; rozarium
**rose** 1. [rəuz] *zob.* **rise**
**rose** 2. [rəuz] *s* róża; kolor róży; rozeta; **a bed of ~s** przyjemności życia; *hist.* **the Wars of the Roses** wojna Dwu Róż; *adj attr* różowy, różany; *vt* barwić na różowo
**rose·mary** [ˋrəuzmərɪ] *s bot.* rozmaryn
**ros·in** [ˋrozɪn] *s* żywica, kalafonia
**ros·y** [ˋrəuzɪ] *adj* różowy, różany
**rot** [rot] *vi* gnić; *vt* powodować gnicie; *s* gnicie; zgnilizna; *pot.* (*także* **tommy-rot**) bzdury, brednie
**ro·ta·ry** [ˋrəutərɪ] *adj* obrotowy
**ro·tate** [rəuˋteɪt] *vt vi* obracać (się), wirować; zmieniać (się) kolejno
**ro·ta·tion** [rəuˋteɪʃn] *s* obrót, obieg; kolejność, rotacja; płodozmian; **by ⟨in⟩ ~** po kolei, na przemian
**rot·ten** [ˋrotn] *adj* zgniły, cuchnący, zepsuty
**ro·tund** [rəuˋtʌnd] *adj* okrągły; (*o człowieku*) pękaty; (*o stylu itp.*) napuszony
**rouge** [ruʒ] *s* czerwona szminka, róż; *vt* szminkować
**rough** [rʌf] *adj* szorstki, nierówny; (*o morzu*) wzburzony; zrobiony z grubsza, grubo ciosany; brutalny; gruboskórny; surowy, nie obrobiony; **~ copy** brulion; **~ sketch** szkic; *vt* grubo ciosać; z grubsza opracowywać; szorstko traktować; **to ~ it** pędzić życie pełne trudów i niewygód
**rough-cast** [ˋrʌf kɑst] *s* szkic, zarys; tynk; *vt* naszkicować; otynkować
**rough·en** [ˋrʌfən] *vt vi* stawać się szorstkim, gruboskórnym
* **rough-hew** [ˈrʌf ˋhju] *vt* (*pp* **rough-hewn** [ˈrʌfˋhjun]) ociosać (z grubsza); naszkicować (powierzchownie)
**round** [raund] *adj* okrągły, zaokrąglony; (*o podróży*) okrężny; otwarty, szczery, uczciwy; należyty; dosadny; *s* krąg, cykl; obieg; (*przy częstowaniu*) kolejka; kolejność; bieg (**życia** itp.) przechadzka; objazd; obchód służbowy, inspekcja; *muz.* kanon; *sport* runda; *adv* naokoło, kołem; **~ about** dookoła; naokoło; **all ~** ogółem, w całości; *praep* wokół, dookoła; **~ the corner** za węgłem ⟨rogiem⟩; *vt vi* zaokrąglić (się); okrążać; **~ off** zaokrąglić, wykończyć; zakończyć; **~ up** spędzić (np. bydło); zrobić obławę
**round·a·bout** [ˋraundəbaut] *adj attr* okólny, okrężny; rozwlekły; *s* okrężna droga; karuzela; (*w ruchu ulicznym*) rondo
**round-up** [ˋraundʌp] *s* spędzenie (bydła); obława, łapanka; *am.* przegląd (wiadomości itp.)
**rouse** [rauz] *vt* wstrząsnąć, pobudzić, podniecić; podburzyć; obudzić; *s wojsk.* pobudka
**rout** 1. [raut] *s* raut; wesołe towarzystwo
**rout** 2. [raut] *vt* rozgromić; *s* rozgromienie; rozsypka, bezładny odwrót
**route** [rut] *s* droga, trasa, marszruta; *wojsk.* **column of ~** kolumna marszowa
**rou·tine** [ruˋtin] *s* rutyna; **the ~ procedure** normalna ⟨zwykła⟩ procedura, normalne ⟨zwykłe⟩ postępowanie

**rove** [rəuv] *vt vi* wędrować, błąkać się
**rov·er** [`rəuvə(r)] *s* wędrowiec, włóczęga; pirat; starszy harcerz
**row 1.** [rəu] *s* rząd, szereg
**row 2.** [rəu] *vt vi* wiosłować; **to ~ a race** brać udział w zawodach wioślarskich; *s* wiosłowanie, przejażdżka łodzią
**row 3.** [rau] *s pot.* hałas, burda, zamieszanie; **to kick up a ~** narobić hałasu, wywołać awanturę; *vi pot.* hałasować, kłócić się; *vt* skrzyczeć, zbesztać
**row·dy** [`raudɪ] *adj* hałaśliwy, awanturniczy; *s* awanturnik
**row·er** [`rauə(r)] *s* wioślarz
**row·lock** [`rolək] *s sport* dulka
**roy·al** [`rɔɪəl] *adj* królewski; wspaniały
**roy·al·ty** [`rɔɪəltɪ] *s* królewskość; osoba królewska; władza królewska; opłata na rzecz króla; honorarium (np. autorskie); *pl* **royalties** rodzina królewska
**rub** [rʌb] *vt vi* trzeć, ocierać (się); wycierać, czyścić; **~ down** wycierać, zeskrobywać; **~ in** wcierać; **~ off** wycierać; **~ on** przedzierać się, przebijać się; **~ out** wykreślać, ścierać; usuwać z drogi; **~ up** polerować; *s* tarcie; nacieranie, masaż; pociągnięcie (np. szczotką); cios; przeszkoda
**rub·ber** [`rʌbə(r)] *s* guma; rober (w brydżu); *pl* **~s** kalosze
**rub·bish** [`rʌbɪʃ] *s* śmieci, graty; tandeta; **to talk ~** pleść bzdury
**rub·ble** [`rʌbl] *s* tłuczeń; gruz
**ru·by** [`rubɪ] *s* rubin; kolor rubinowy
**ruck·sack** [`rʌksæk] *s* plecak
**rud·der** [`rʌdə(r)] *s* ster (statku, samolotu)
**rud·dy** [`rʌdɪ] *adj* rumiany; rudy; (*o cerze*) świeży
**rude** [rud] *adj* gruboskórny, ordynarny; nie ociosany, prymitywny; szorstki; **to be ~** być niegrzecznym (**to sb** dla kogoś)
**ru·di·ment** [`rudɪmənt] *s* szczątek; *pl* **~s** podstawy, podstawowe wiadomości
**ru·di·ment·al** [/rudɪ`mentl], **ru·di·men·ta·ry** [/rudɪ`mentrɪ] *adj* szczątkowy; podstawowy, zasadniczy
**rue** [ru] *vt* żałować; *s* żal, smutek
**rue·ful** [`rufl] *adj* żałosny, smutny; pełen skruchy
**ruff** [rʌf] *s* kreza
**ruf·fian** [`rʌfɪən] *s* awanturnik; brutal
**ruf·fle** [`rʌfl] *vt vi* marszczyć (się), mierzwić, wichrzyć (się); rozdrażnić, wzburzyć (się), zamącić
**rug** [rʌg] *s* dywanik, kilim; kocyk
**rug·by** [`rʌgbɪ] *s* (*także* **~ football**) *sport* rugby
**rug·ged** [`rʌgɪd] *adj* chropowaty, nierówny; (*o charakterze*) szorstki, surowy
**ruin** [`ruɪn] *s* ruina; *vt* rujnować
**ru·in·ous** [`ruɪnəs] *adj* zrujnowany, leżący w gruzach; zgubny
**rule** [rul] *s* prawidło, reguła, zasada; rząd(y); przepis; linia, linijka; *prawn.* zarządzenie, orzeczenie; **as a ~** zasadniczo; **by ~** według zasady, przepisowo; **to make it a ~** przyjąć za zasadę; **~s and regulations** regulamin; *vt vi* rządzić, panować, kierować; *prawn.* orzekać, stanowić; liniować; **~ out** wykluczyć, wykreślić; **~ off** oddzielić linią; *handl.* **prices ~ high** ceny utrzymują się na wysokim poziomie
**rul·er** [`rulə(r)] *s* rządca, władca; linijka, liniał
**rul·ing** [`rulɪŋ] *s prawn.* zarządzenie, orzeczenie
**rum** [rʌm] *s* rum
**rum·ble** [`rʌmbl] *s* grzmot, huk; *vi* grzmieć, huczeć
**ru·mi·nant** [`rumɪnənt] *s zool.* przeżuwacz; *adj* przeżuwający
**ru·mi·nate** [`rumɪneɪt] *vt vi* przeżuwać; *przen.* przemyśliwać (**over** ⟨**about, on, of**⟩ **sth** o czymś, nad czymś)
**rum·mage** [`rʌmɪdʒ] *vt vi* przeszu-

kiwać, szperać; *s* szperanie
**ru·mour** [ˈrumə(r)] *s* pogłoska; *vt* puszczać pogłoskę (**sth** o czymś); **it is ~ed** krążą wieści
**rum·ple** [ˈrʌmpl] *vt* miąć; mierzwić
**rump·steak** [ˈrʌmp steɪk] *s* rumsztyk
* **run** [rʌn], **ran** [ræn], **run** [rʌn] *vi* biec; (*o pojazdach*) jechać, kursować; (*o płynie*) ciec; (*o zdaniu*) brzmieć; funkcjonować; być w ruchu; upływać; trwać; (*o rozmowie*) toczyć się; *vt* prowadzić (np. interes); kierować (np. maszyną); przebiegać (np. pole, ulicę); skłonić do biegu (np. konia); uruchomić; pędzić, wpędzać; przesuwać; wbijać; **~ up against sb** natknąć się na kogoś; **to ~ dry** wyschnąć, wyczerpać się; **to ~ errands** biegać na posyłki; **to ~ for sth** ubiegać się o coś; **to ~ high** podnosić się; ożywiać się; **to ~ short** kończyć się, wyczerpywać się; **to ~ wild** dziczeć; **~ down** upływać; przemóc; wyczerpać; **~ in** dotrzeć (samochód); **~ out** wybiec, upływać, kończyć się; niszczeć; być na wyczerpaniu, wyczerpać się; **~ over** przebiec na drugą stronę; przejechać; powierzchownie przeglądnąć; **~ through** przebiegać, przeszukiwać, badać (np. przekłuciem), przenikać; *s* bieg; rozbieg, rozpęd; przejażdżka, przejazd; trasa, tor; zjazd (dla narciarzy); nieprzerwana seria, ciąg; (*o urzędowaniu itp.*) okres; typ; pokrój; norma; *handl.* run; **in the long ~** ostatecznie, w końcu; **had a long ~** (*o sztuce*) długo szła; (*o filmie*) długo był wyświetlany; **a ~ of bad luck** seria ⟨pasmo⟩ nieszczęść; **the ~ of events** bieg wypadków; **at a ~** biegiem
**run·a·way** [ˈrʌnəweɪ] *adj attr* zbiegły; *s* zbieg, uciekinier
**rung** 1. *zob.* **ring** 2.
**rung** 2. [rʌŋ] *s* szczebel
**run·ner** [ˈrʌnə(r)] *s* biegacz; goniec; koń wyścigowy; (spuszczone) oczko w pończosze
**run·ning** [ˈrʌnɪŋ] *adj* kolejny; bieżący; ciągły; płynny; **~ in** (*o samochodzie*) niedotarty; **six months ~** sześć miesięcy z rzędu
**run·way** [ˈrʌnweɪ] *s* bieżnia; *lotn.* pas startowy
**rup·ture** [ˈrʌptʃə(r)] *s* zerwanie; *med.* przepuklina; pęknięcie; *vt vi* zrywać, przerywać (się)
**ru·ral** [ˈruərl] *adj* wiejski; rolny
**ruse** [ruz] *s* podstęp, przebiegłość
**rush** 1. [rʌʃ] *vi* pędzić; mknąć; gwałtownie pchać się; rzucić się; nagle upaść; *vt* popędzać, gwałtownie przyspieszać; **~ to a conclusion** pochopnie wyciągnąć wniosek; *s* pęd, napływ, tłok; **gold ~** gorączka złota; **~ hours** godziny szczytu (w tramwajach itp.); **be in a ~** bardzo się spieszyć
**rush** 2. [rʌʃ] *s* sitowie
**rusk** [rʌsk] *s* sucharek
**rus·set** [ˈrʌsɪt] *s* brunatny samodział; *adj* brunatny, rdzawy
**Rus·sian** [ˈrʌʃn] *adj* rosyjski; *s* Rosjanin; język rosyjski
**rust** [rʌst] *s* rdza; *vi* rdzewieć
**rus·tic** [ˈrʌstɪk] *adj* wiejski; nieokrzesany, prosty
**rus·ti·cate** [ˈrʌstɪkeɪt] *vt* relegować (z uniwersytetu); *vi* zamieszkać na wsi; przybrać chłopskie maniery
**rus·tle** [ˈrʌsl] *vi* szeleścić; *s* szelest
**rust·less** [ˈrʌstləs] *adj* nierdzewny
**rust·y** 1. [ˈrʌstɪ] *adj* zardzewiały; rdzawy; znoszony, zniszczony; (*o człowieku*) zaniedbany
**rust·y** 2. [ˈrʌstɪ] *adj* zjełczały
**rut** 1. [rʌt] *s* koleina, wyżłobienie; *przen.* rutyna, nawyki
**rut** 2. [rʌt] *s* ruja; *vi* być w okresie rui, parzyć się
**ruth** [ruθ] *s* litość
**ruth·less** [ˈruθləs] *adj* bezlitosny
**rye** [raɪ] *s* żyto; żytniówka

# S

**'s** *skr.* = **is; has; us;** końcówka Saxon Genitive
**Sab·bath** ['sæbəθ] *s* szabas; dzień święta; sabat
**sa·ble 1.** ['seɪbl] *s zool.* soból
**sa·ble 2.** ['seɪbl] *s poet.* czarny kolor, czerń; *pl* ~s *poet.* czarna odzież, żałoba; *adj* czarny, ciemny
**sab·o·tage** ['sæbətaʒ] *s* sabotaż; *vt vi* sabotować
**sa·bre** ['seɪbə(r)] *s* szabla
**sac·cha·rine** ['sækərɪn] *s* sacharyna
**sack 1.** [sæk] *s* worek; *pot.* zwolnienie z pracy; † płaszcz (szeroki, luźny); *pot.* **give the** ~ wyrzucić z pracy; *vt* włożyć do worka; *pot.* wyrzucić z pracy
**sack 2.** [sæk] *s* grabież; łupy; *vt* grabić; splądrować (miasto)
**sack·cloth** ['sækkloθ] *s* materiał na worki
**sac·ra·ment** ['sækrəmənt] *s* sakrament
**sa·cred** ['seɪkrəd] *adj* święty, poświęcony
**sac·ri·fice** ['sækrɪfaɪs] *s* poświęcenie; ofiara; *vt* poświęcać; ofiarować
**sac·ri·fi·cial** [ˌsækrɪ'fɪʃl] *adj* ofiarny, ofiarniczy
**sac·ri·lege** ['sækrɪlɪdʒ] *s* świętokradztwo
**sad** [sæd] *adj* smutny; przygnębiony; żałosny; (*o barwie*) ciemny, ponury
**sad·den** ['sædn] *vt vi* smucić (się)
**sad·dle** ['sædl] *s* siodło; siodełko; comber (barani); *vt* siodłać; obciążać
**sad·dler** ['sædlə(r)] *s* siodlarz, rymarz
**safe** [seɪf] *adj* pewny, bezpieczny, nie narażony na niebezpieczeństwo; ~ **and sound** zdrowo, bez szwanku; *s* bezpieczny schowek, kasa ogniotrwała, sejf; ~ **conduct** list żelazny
**safe·guard** ['seɪf gad] *s* ochrona; gwarancja; *vt* chronić, zabezpieczać
**safe-keep·ing** [ˌseɪf 'kipɪŋ] *s* bezpieczne przechowanie
**safe·ty** ['seɪftɪ] *s* bezpieczeństwo
**safe·ty-belt** ['seɪftɪ belt] *s* pas bezpieczeństwa
**safe·ty-hel·met** ['seɪftɪ helmɪt] *s* kask ochronny
**safe·ty-lamp** ['seɪftɪ læmp] *s* lampa bezpieczeństwa
**safe·ty-match** ['seɪftɪ mætʃ] *s* zapałka szwedzka
**safe·ty-pin** ['seɪftɪ pɪn] *s* agrafka
**safe·ty razor** ['seɪftɪ reɪzə(r)] *s* maszynka do golenia
**safe·ty-valve** ['seɪftɪ vælv] *s* klapa bezpieczeństwa
**sag** [sæg] *vi* opadać, zwisać; *s* opadanie; wygięcie
**sa·ga·cious** [sə'geɪʃəs] *adj* rozumny, bystry
**sa·gac·i·ty** [sə'gæsətɪ] *s* bystrość, przenikliwość; roztropność, mądrość
**sage** [seɪdʒ] *adj* mądry; *s* mędrzec
**sago** ['seɪgəu] *s* sago
**said** *zob.* **say**
**sail** [seɪl] *s* żagiel; skrzydło wiatraka; przejażdżka żaglówką, podróż morska; **to have a** ~ odbywać przejażdżkę morską; **to set** ~ wyruszyć w podróż morską; *vt vi* żeglować, podróżować morzem
**sail-cloth** ['seɪl kloθ] *s* płótno żaglowe
**sail·ing-boat** ['seɪlɪŋ bəut] *s* żaglówka
**sail·or** ['seɪlə(r)] *s* żeglarz, marynarz
**saint** [seɪnt] *adj* święty; *skr.* **St** [snt]; *s* święty

**sake** [seɪk] *s w wyrażeniach*: **for the ~ of sb** dla ⟨na rzecz⟩ kogoś; **for my ~** dla mnie, ze względu na mnie; **for Heaven's ~!** nieba!, na Boga!; na miłość Boską!

**sal·ad** [ˈsæləd] *s* sałata, sałatka (np. jarzynowa, owocowa)

**sal·a·ry** [ˈsælərɪ] *s* uposażenie, pensja, płaca

**sale** [seɪl] *s* sprzedaż, zbyt; **on ⟨for⟩ ~** na sprzedaż, do sprzedania

**sale·able** [ˈseɪləbl] *adj* pokupny

**sales·man** [ˈseɪlzmən] *s* sprzedawca, ekspedient; komiwojażer

**sa·lient** [ˈseɪlɪənt] *adj* wystający; wybitny, wydatny; *s* występ

**sa·line** [ˈseɪlaɪn] *adj* słony; *s chem.* salina

**sa·li·va** [səˈlaɪvə] *s* ślina

**sal·low** 1. [ˈsæləʊ] *adj* blady, ziemisty

**sal·low** 2. [ˈsæləʊ] *s bot.* iwa, wiklina

**sal·ly** [ˈsælɪ] *s* wypad, wyskok; błyskotliwa myśl, dowcipny pomysł; *vi* robić wypad, wyruszyć (na wycieczkę, spacer itd.)

**salm·on** [ˈsæmən] *s* łosoś

**sa·loon** [səˈlun] *s bryt.* bar 1. klasy, *am.* knajpa; zakład (z apartamentem); salonka

**salt** [sɔlt] *s* sól; *adj* słony; *vt* solić

**salt-cel·lar** [ˈsɔlt selə(r)] *s* solniczka

**salt·pe·tre** [sɔltˈpitə(r)] *s chem.* saletra

**salty** [ˈsɔltɪ] *adj* słony

**sa·lu·bri·ous** [səˈlubrɪəs] *adj* zdrowy, zdrowotny

**sal·u·tar·y** [ˈsæljutrɪ] *adj* zbawienny, dobroczynny

**sal·u·ta·tion** [ˌsæljʊˈteɪʃn] *s* pozdrowienie, powitanie

**sa·lute** [səˈlut] *s* ukłon, powitanie; salut; *vt* kłaniać się, witać; salutować

**sal·vage** [ˈsælvɪdʒ] *s* ratowanie (tonącego statku, płonącego mienia); uratowane mienie; *vt* ratować

**sal·va·tion** [sælˈveɪʃn] *s* zbawienie

**salve** 1. [sɑlv] *s* maść (lecznicza), balsam; *vt* smarować maścią, łagodzić (np. ból)

**salve** 2. [sælv] *vt* ratować

**sal·ver** [ˈsælvə(r)] *s* tacka

**same** [seɪm] *adj, pron i adv* sam; równy; wyżej wspomniany; jednolity; **all the ~** wszystko jedno; **much the ~** prawie jedno i to samo, prawie taki sam; **the very ~** zupełnie ten sam

**same·ness** [ˈseɪmnəs] *s* identyczność; monotonia

**sam·ple** [ˈsɑmpl] *s* wzór, próbka

**san·a·to·ri·um** [ˌsænəˈtɔrɪəm] *s* (*pl* **sanatoria** [ˌsænəˈtɔrɪə]) sanatorium

**sanc·ti·fy** [ˈsæŋktɪfaɪ] *vt* święcić, uświęcać

**sanc·tion** [ˈsæŋkʃn] *s* sankcja; *vt* sankcjonować

**sanc·tu·a·ry** [ˈsæŋktʃuərɪ] *s* sanktuarium; azyl

**sand** [sænd] *s* piasek; *vt* posypać piaskiem

**san·dal** [ˈsændl] *s* sandał

**sand·glass** [ˈsænd glɑs] *s* zegar piaskowy, klepsydra

**sand·pa·per** [ˈsændpeɪpə(r)] *s* papier ścierny

**sand·stone** [ˈsændstəʊn] *s* piaskowiec

**sand·wich** [ˈsænwɪdʒ] *s* sandwicz, kanapka

**sand·y** [ˈsændɪ] *adj* piaszczysty, piaskowy

**sane** [seɪn] *adj* zdrowy na umyśle, rozumny; rozsądny

**sang** *zob.* **sing**

**san·gui·nar·y** [ˈsæŋgwɪnərɪ] *adj* krwawy

**san·guine** [ˈsæŋgwɪn] *adj* pełnokrwisty, sangwiniczny; (*o cerze*) rumiany; pewny, pełen nadziei

**san·i·tar·y** [ˈsænɪtrɪ] *adj* sanitarny, higieniczny

**san·i·ty** [ˈsænətɪ] *s* zdrowie (psychiczne); zdrowy rozsądek

**sank** *zob.* **sink**

**sap** 1. [sæp] *s wojsk.* okop, podkop; *vt vi dosł. i przen.* podkopywać; podminowywać

**sap** 2. [sæp] *s* sok (roślin); *przen.* żywotność, werwa; *vt* pozbawiać soku; *przen.* wycieńczać

**sap** 3. [sæp] *vi pot.* kuć, wkuwać; *s pot.* kujon

**sap·ling** [ˈsæplɪŋ] *s* drzewko, młode drzewo; *przen.* młodzik

**sap·per** [ˈsæpə(r)] *s wojsk.* saper

**sap·phire** [ˈsæfaɪə(r)] *s* szafir

**sap·py** [ˈsæpɪ] *adj* soczysty; *przen.* pełen energii

**sar·cas·tic** [sɑˈkæstɪk] *adj* sarkastyczny

**sar·dine** [sɑˈdin] *s* sardynka

**sar·don·ic** [sɑˈdonɪk] *adj* sardoniczny

**sash** 1. [sæʃ] *s* rama okna zasuwanego (pionowo)

**sash** 2. [sæʃ] *s* szarfa; pas

**sash-win·dow** [ˈsæʃ wɪndəu] *s* okno zasuwane (pionowo)

**sat** *zob.* **sit**

**satch·el** [ˈsætʃl] *s* tornister (szkolny)

**sate** [seɪt] *vt* nasycić, zaspokoić

**sa·teen** [sæˈtin] *s* satyna

**sat·el·lite** [ˈsætəlait] *s* satelita

**sa·ti·ate** [ˈseɪʃɪəɪt] *vt* nasycić, zaspokoić

**sat·in** [ˈsætɪn] *s* atłas; satyna; *adj attr* atłasowy; satynowy

**sat·ire** [ˈsætaɪə(r)] *s* satyra

**sa·tir·i·cal** [səˈtɪrɪkl] *vt* satyryczny

**sat·i·rize** [ˈsætəraɪz] *vt* satyryzować

**sat·is·fac·tion** [ˌsætɪsˈfækʃn] *s* satysfakcja; zaspokojenie; zadośćuczynienie, wynagrodzenie

**sat·is·fac·to·ry** [ˌsætɪsˈfæktṛɪ] *adj* zadowalający, dostateczny

**sat·is·fy** [ˈsætɪsfaɪ] *vt* zadowolić, dać satysfakcję; zaspokoić; wyrównać (dług); przekonać

**sat·u·rate** [ˈsætʃəreɪt] *vt* nasycić

**Sat·ur·day** [ˈsætədɪ] *s* sobota

**sauce** [sɔs] *s* sos; *pot.* bezczelność, tupet; *vt* przyprawić sosem; *pot.* bezczelnie potraktować

**sauce·pan** [ˈsɔspən] *s* rondel

**sau·cer** [ˈsɔsə(r)] *s* spodek

**sau·cy** [ˈsɔsɪ] *adj* impertynencki; *pot.* szykowny, zgrabny

**sau·er·kraut** [ˈsauəkraut] *s* kiszona kapusta

**saun·ter** [ˈsɔntə(r)] *vi* chodzić powoli, powłóczyć nogami; *s* przechadzka

**sau·sage** [ˈsosɪdʒ] *s* kiełbasa

**sav·age** [ˈsævɪdʒ] *adj* dziki; *s* dzikus

**save** [seɪv] *vt* ratować, chronić; zbawiać; oszczędzać; zachować, odłożyć; *vi* robić oszczędności (*także* ~ up); *praep* wyjąwszy, oprócz; **all ~ him** wszyscy oprócz niego

**sav·ing** [ˈseɪvɪŋ] *adj* zbawczy; oszczędny; *prawn.* zastrzegający; *s* ratunek; oszczędność, oszczędzanie; *praep* oprócz, wyjąwszy

**sav·ings-bank** [ˈseɪvɪŋz bæŋk] *s* kasa oszczędności

**sav·iour** [ˈseɪvɪə(r)] *s* zbawca, zbawiciel

**sa·vour** [ˈseɪvə(r)] *s* smak, posmak; *vi* mieć smak (**of sth** czegoś); pachnąć, zalatywać (**of sth** czymś)

**sa·vour·y** [ˈseɪvərɪ] *adj* smakowity; wonny

***saw** 1. [sɔ], **sawed** [sɔd], **sawn** [sɔn]) *vt vi* piłować, przecinać; *s* piła

**saw** 2. *zob.* **see**

**saw·dust** [ˈsɔdʌst] *s* trociny

**saw·mill** [ˈsɔmɪl] *s* tartak

**sawn** *zob.* **saw** 1.

**saw·yer** [ˈsɔjə(r)] *s* tracz

**Sax·on** [ˈsæksn] *adj* saksoński

* **say** [seɪ], **said** [sed], **said** [sed] *vt vi* mówić, powiedzieć (**to sb** komuś); przypuszczać; wygłaszać; **I ~!** słuchaj! halo!; (*ze zdziwieniem*) no **wiesz!**; **I should ~** rzekłbym, myślę, przypuszczam; **~** dajmy na to, przypuśćmy; **~ over** ⟨**again**⟩ powtórzyć; **so to ~** że tak powiem; **that is to ~** to znaczy; *s* powiedzenie, zdanie, głos; **it is my ~ now** teraz ja mam głos

**say·ing** [ˈseɪɪŋ] *s* powiedzenie; as

the ~ goes jak to się mówi; that goes without ~ to się rozumie samo przez się; nie ma co o tym mówić; there is no ~ trudno powiedzieć
scab [skæb] *s* świerzb; *pot.* łamistrajk
scab·bard [ˈskæbəd] *s* pochwa (miecza itp.)
scaf·fold [ˈskæfld] *s* estrada; szafot; rusztowanie; *vt* otoczyć rusztowaniem, podeprzeć
scaf·fold·ing [ˈskæfldɪŋ] *s* rusztowanie
scald 1. [skɔld] *vt* sparzyć; wyparzyć; *s* oparzenie
scald 2. [skɔld] *s* skald (pieśniarz nordycki)
scale 1. [skeɪl] *s* łuska, łupina; *vt vi* łuszczyć (się); skrobać, oczyszczać z łusek
scale 2. [skeɪl] *s* szala (wagi); *przen.* to tip ⟨turn⟩ the ~ przeważyć; *pl* ~s (*także* pair of ~s) waga; *vt* ważyć
scale 3. [skeɪl] *s* skala; gama; stopniowanie; *vt* wspinać się (a mountain na górę); rysować według skali
scalp [skælp] *s* skalp; *vt* skalpować
scamp 1. [skæmp] *vt* źle wykonywać robotę, fuszerować
scamp 2. [skæmp] *s* łajdak, szubrawiec
scamp·er 1. [ˈskæmpə(r)] *s* fuszer
scamp·er 2. [ˈskæmpə(r)] *vi* (*zw. o zwierzętach*) pierzchać, uciekać w popłochu; *przen.* przelecieć galopem; *s* szybka ucieczka, gonitwa; pobieżne przeczytanie, przejrzenie
scamp·ish [ˈskæmpɪʃ] *adj* łajdacki
scan [skæn] *vt* dokładnie badać, oglądać, pilnie się przyglądać; skandować
scan·dal [ˈskændl] *s* skandal; oszustwo, obmowa; zgorszenie
scan·dal·ize [ˈskændəlaɪz] *vt* gorszyć; obmawiać; zniesławiać
scan·dal·mon·ger [ˈskændlmʌŋgə(r)] *s* plotkarz, oszczerca
scan·dal·ous [ˈskændələs] *adj* skandaliczny; oszczerczy; gorszący
scant [skænt] *adj* skąpy, niedostateczny, ograniczony; *vt* skąpić
scant·y [ˈskæntɪ] *adj* ledwo wystarczający, skąpy, ograniczony
scape·goat [ˈskeɪpgəut] *s przen.* kozioł ofiarny
scar [skɑ(r)] *s* blizna; *vt* kiereszować, kaleczyć; *vi* (*także* ~ over) zabliźniać się
scarce [skeəs] *adj* skąpy, niedostateczny; rzadki
scarce·ly [ˈskeəslɪ] *adv* ledwo, zaledwie
scar·ci·ty [ˈskeəsətɪ] *s* niedobór, brak
scare [skeə(r)] *vt* straszyć; ~ away ⟨off⟩ odstraszyć, wypłoszyć; *s* strach; panika
scare·crow [ˈskeəkrəu] *s* strach na wróble
scarf [skɑf] *s* (*pl* scarves [skɑvz]) szarfa, szal
scar·let [ˈskɑlət] *s* szkarłat; *adj attr* szkarłatny; *med.* ~ fever szkarlatyna
scarp [skɑp] *s* skarpa
scat·ter [ˈskætə(r)] *vt vi* rozsypać (się), rozproszyć (się)
scav·en·ger [ˈskævɪndʒə(r)] *s* zamiatacz ulic
sce·na·ri·o [sɪˈnɑrɪəu] *s* scenariusz
scene [sin] *s* scena; widownia; widok, obraz; *pl* ~s kulisy; behind the ~s *dosł. i przen.* za kulisami
scene-paint·er [ˈsin peɪntə(r)] *s* dekorator teatralny
scen·er·y [ˈsinərɪ] *s* sceneria, krajobraz; dekoracja teatralna
scent [sent] *vt* wąchać, węszyć, wietrzyć; perfumować; *s* węch; zapach; perfumy; trop
scep·tic [ˈskeptɪk] *adj* sceptyczny; *s* sceptyk
scep·ti·cal [ˈskeptɪkl] = sceptic *adj*
scep·ti·cism [ˈskeptɪsɪzm] *s* sceptycyzm

**scep·tre** [ˋseptə(r)] *s* berło
**sched·ule** [ˋʃedjul] *s* spis, lista, tabela, plan; rozkład jazdy; **on ~** na czas, punktualnie; *vt* wpisać na listę, umieścić w planie, zanotować
**scheme** [skim] *s* schemat, zarys, plan; intryga; *vt* planować; knuć
**schism** [ˋsɪzm] *s* schizma
**schis·mat·ic** [sɪzˋmætɪk] *s* schizmatyk; *adj* schizmatycki
**schol·ar** [ˋskolə(r)] *s* uczeń; uczony; stypendysta
**schol·ar·ship** [ˋskoləʃɪp] *s* wiedza, erudycja; stypendium
**scho·las·tic** [skəˋlæstɪk] *adj* nauczycielski, szkolny; scholastyczny
**school** [skul] *s* szkoła, nauka (w szkole); *vt* szkolić
**school-board** [ˋskul bɔd] *s* rada szkolna
**school-book** [ˋskul bʊk] *s* podręcznik szkolny
**school·boy** [ˋskulbɔɪ] *s* uczeń
**school·fel·low** [ˋskul feləʊ] *s* kolega szkolny
**school·girl** [ˋskulgɜl] *s* uczennica
**school·mas·ter** [ˋskulmɑstə(r)] *s* nauczyciel
**school·mate** [ˋskulmeɪt] *s* kolega szkolny
**school·mis·tress** [ˋskulmɪstrəs] *s* nauczycielka
**school·room** [ˋskulrum] *s* sala szkolna, klasa
**schoo·ner** [ˋskunə(r)] *s mors.* szkuner
**sci·at·i·ca** [saɪˋætɪkə] *s med.* ischias
**sci·ence** [ˋsaɪəns] *s* wiedza, nauka; **natural ~** nauki przyrodnicze; **~ fiction** literatura fantastyczno-naukowa
**sci·en·tif·ic** [ˏsaɪənˋtɪfɪk] *adj* naukowy
**sci·en·tist** [ˋsaɪəntɪst] *s* naukowiec
**scin·til·late** [ˋsɪntɪleɪt] *vi* iskrzyć się
**scion** [ˋsaɪən] *s* latorośl; *bot.* pęd
**scis·sors** [ˋsɪzəz] *s pl* nożyce
**scoff** [skof] *s* szyderstwo; *vi* szydzić (**at sth** z czegoś)
**scoff·er** [ˋskofə(r)] *s* kpiarz, szyderca
**scold** [skəʊld] *vt vi* łajać, złorzeczyć (**sb, sth, at sb, sth** komuś, czemuś); gderać; *s* zrzęda, jędza, sekutnica
**scoop** [skup] *s* chochla, szufelka, czerpak; *vt* czerpać, wygarniać
**scoot·er** [ˋskutə(r)] *s* (*także* **motor-~**) skuter; hulajnoga; ślizgacz (np. na wodzie)
**scope** [skəʊp] *s* cel; zakres; pole działania; **to be within the ~** wchodzić w zakres; **to be beyond one's ~** przechodzić czyjeś możliwości
**scorch** [skɔtʃ] *vt vi* przypiekać, spalać (się), prażyć (się); *s* oparzenie
**score** [skɔ(r)] *s* nacięcie; rysa; znak; rachunek; dwudziestka; *sport* ilość zdobytych punktów; *muz.* partytura; **three ~** sześćdziesiąt; **to keep the ~** notować punkty w grze; **on that ~** pod tym względem; **on what ~?** z jakiej racji?; *vt* nacinać; liczyć; *sport* rachować punkty (w grze); zdobywać (punkty); osiągać; notować; **~ out** wykreślić; **~ under** podkreślić
**scorn** [skɔn] *s* pogarda, lekceważenie; *vt* pogardzać, lekceważyć
**scorn·ful** [ˋskɔnfl] *adj* lekceważący, pogardliwy
**scor·pion** [ˋskɔpɪən] *s zool.* skorpion
**Scot** [skot] *s* Szkot
**Scotch 1.** [skotʃ] *adj* szkocki; *n* **the ~** Szkoci; szkocka whisky
**scotch 2.** [skotʃ] *s* nacięcie; *vt* naciąć; *przen.* udaremnić
**Scotch·man** [ˋskotʃmən] *s* Szkot
**scot-free** [ˏskot ˋfri] *adj* cały, bez szwanku, nietknięty; **to get off ~** wyjść cało (z jakiejś sytuacji); ujść bezkarnie
**Scots** [skots] *adj* szkocki
**Scots·man** [ˋskotsmən] *s* Szkot

**Scot·tish** [ˈskotɪʃ] *adj poet.* szkocki
**scoun·drel** [ˈskaundrl] *s* łajdak
**scour 1.** [ˈskauə(r)] *vt* czyścić, szorować; *s* czyszczenie, szorowanie
**scour 2.** [ˈskauə(r)] *vt vi* biegać (w poszukiwaniu czegoś); przeszukać; grasować
**scourge** [skɜdʒ] *s* bicz; kara; plaga; *vt* biczować; karać, nękać
**scout 1.** [skaut] *s* zwiadowca; harcerz; zwiady; *lotn.* samolot wywiadowczy; *vi* robić rekonesans
**scout 2.** [skaut] *vt* odrzucić z pogardą, zlekceważyć
**scow** [skau] *s* łódź płaskodenna
**scowl** [skaul] *vi* patrzeć wilkiem, ⟨spode łba⟩; *s* groźne spojrzenie
**scram·ble** [ˈskræmbl] *vi* wspinać się, gramolić się (na czworakach); usilnie zabiegać (**for sth** o coś); nawzajem sobie wydzierać (**for sth** coś); *vt* bezładnie rzucać; bełtać; **~d eggs** jajecznica; *s* gramolenie się; ubieganie się; dobijanie się (**for sth** o coś)
**scrap** [skræp] *s* kawałek, ułamek; świstek; wycinek; złom, szmelc; *pl* **~s** resztki, odpadki; *vt* wyrzucić, przeznaczyć na szmelc, wybrakować
**scrap·book** [ˈskræp buk] *s* album (wycinków, obrazków itp.)
**scrape** [skreɪp] *vt vi* skrobać, drapać; szurać, ocierać (się); zgrzytać; **to ~ a living** jako tako zarabiać na życie; **~ away** ⟨**off, out**⟩ wyskrobać, wykreślić; **~ through** z trudem przedostać się; **~ up** ⟨**together**⟩ z trudem nagromadzić, uciułać (pieniądze); *s* skrobanie, szuranie; trudne położenie, tarapaty
**scrap·er** [ˈskreɪpə(r)] *s* drapacz; skrobak; zgarniak; sknera; **shoe ~** wycieraczka do butów
**scrap-heap** [ˈskræp hip] *s* stos szmelcu
**scrap-iron** [ˈskræp aɪən] *s* złom żelazny
**scratch** [skrætʃ] *vt* drapać, skrobać; bazgrać (piórem); skreślić (*także* **~ off** ⟨**out**⟩); *s* skrobanie, draśnięcie; *sport* linia startu; **to come to ~** stanąć na linii startu
**scrawl** [skrɔl] *vt vi* bazgrać, gryzmolić; *s* bazgranina
**scream** [skrim] *vi* piszczeć, wrzeszczeć, wyć; *vt* powiedzieć krzykliwym tonem; *s* pisk, wrzask, wycie
**screech** [skritʃ] *vi* skrzeczeć, piszczeć; *vt* powiedzieć wrzaskliwym głosem; *s* wrzask, pisk
**screen** [skrin] *s* osłona, zasłona; parawan; ekran; *techn.* sito; *fot.* przesłona; *vt* osłaniać, chronić; maskować; wyświetlać (na ekranie); filmować; przesiewać; **~ off** odgrodzić (np. parawanem)
**screw** [skru] *s* śruba; zwitek papieru; *pot.* sknera; *vt* śrubować; przyciskać, naciskać, ugniatać; wykręcać, skręcać; **~ down** przyśrubować; **~ out** odśrubować; wycisnąć, wydobyć; **~ up** zaśrubować; zwijać (np. papier); *pot.* śrubować w górę (np. ceny)
**screw·driv·er** [ˈskru draɪvə(r)] *s* śrubokręt
**scrib·ble** [ˈskrɪbl] *vt vi* gryzmolić, bazgrać; *s* bazgranina; szmira
**scribe** [skraɪb] *s* skryba, pisarz (niższy urzędnik)
**scrim·mage** [ˈskrɪmɪdʒ] *s* bijatyka, bójka
**scrimp** [skrɪmp] *vt vi* skąpić
**script** [skrɪpt] *s* pismo odręczne; skrypt; scenariusz filmowy; tekst audycji radiowej
**scrip·tur·al** [ˈskrɪptʃərl] *adj* biblijny
**scrip·ture** [ˈskrɪptʃə(r)] *s* (*także* **the Holy Scripture**) Pismo Święte, Biblia
**scroll** [skrəul] *s* zwój papieru; spirala; *arch.* woluta; *vt vi* zwijać (się); ozdabiać wolutą
**scrub 1.** [skrʌb] *s* krzak (karłowaty), zarośle; wiecheć

**scrub** 2. [skrʌb] *vt* szorować, ścierać
**scru·ple** [ˋskrupl] *s* skrupuł; drobnostka; *vi* mieć skrupuły, wahać się
**scru·pu·lous** [ˋskrupjələs] *adj* drobiazgowy, skrupulatny, sumienny
**scru·ti·nize** [ˋskrutɪnaɪz] *vt* dokładnie badać
**scru·ti·ny** [ˋskrutɪnɪ] *s* badanie, dokładne sprawdzenie
**scud** [skʌd] *vi* biec, mknąć; *s* bieg, ucieczka
**scuf·fle** [ˋskʌfl] *s* bójka; *vi* bić się, szamotać się
**scull** [skʌl] *s* krótkie wiosło; mała łódka; *vi* wiosłować
**scul·ler·y** [ˋskʌlərɪ] *s* pomywalnia (naczyń)
**sculp·tor** [ˋskʌlptə(r)] *s* rzeźbiarz
**sculp·ture** [ˋskʌlptʃə(r)] *s* rzeźba; rzeźbiarstwo; *vt* rzeźbić
**scum** [skʌm] *s* piana; *dosł. i przen.* szumowiny, męty; *vt* zbierać pianę; *vt* pienić się
**scur·ril·ous** [ˋskʌrɪləs] *adj* ordynarny, nieprzyzwoity, sprośny
**scur·ry** [ˋskʌrɪ] *vi* biegać, pędzić; *s* bezładna ucieczka
**scur·vy** [ˋskɜvɪ] *s med.* szkorbut; *adj* nikczemny, podły
**scutch·eon** [ˋskʌtʃən] *s* tarcza (z herbem); tabliczka, płytka (np. na drzwiach z nazwiskiem)
**scut·tle** 1. [ˋskʌtl] *s* kosz, wiadro na węgiel
**scut·tle** 2. [ˋskʌtl] *s mors.* właz, otwór (zamykany klapą); *techn.* wlot
**scut·tle** 3. [ˋskʌtl] *vi* umykać; *s* ucieczka
**scythe** [saɪð] *s* kosa; *vt* kosić
**sea** [si] *s* morze; ocean; **at ~** na morzu; *przen.* w kłopocie, zdezorientowany; **by ~** morzem; **on the high ~s** na pełnym morzu; **to follow the ~** być marynarzem; **to go to ~** wypłynąć na morze; obrać zawód marynarza; **to put to ~** odpłynąć, zacząć rejs
**sea-board** [ˋsibɔd] *s* brzeg morski
**sea-borne** [ˋsi bɔn] *adj* (*o towarze*) przewożony morzem, zamorski
**sea-coast** [ˋsi kəust] *s* brzeg morski
**sea-dog** [ˋsi dog] *s zool.* foka; *przen.* wilk morski
**sea·far·ing** [ˋsi feərɪŋ] *s* żegluga morska; *adj* podróżujący morzem; żeglarski
**sea-go·ing** [ˋsi gəuɪŋ] *adj* (*o statku*) służący do żeglugi morskiej
**sea-gull** [ˋsi gʌl] *s zool.* mewa
**seal** 1. [sil] *s zool.* foka
**seal** 2. [sil] *s* pieczęć, stempel; opieczętowanie; plomba; **under ~ of secrecy** w tajemnicy; *vt* pieczętować, stemplować; lakować, plombować, zatykać
**seal·ing-wax** [ˋsilɪŋ wæks] *s* lak (do pieczęci)
**seam** [sim] *s* szew; *geol.* żyła minerału, złoże; *vt* zszywać
**sea·man** [ˋsimən] *s* żeglarz, marynarz
**sea·mew** [ˋsi mju] *s zool.* mewa
**seam·less** [ˋsimləs] *adj* bez szwu
**seam·stress** [ˋsemstrəs] *s* szwaczka
**seam·y** [ˋsimɪ] *adj* pokryty szwami; **~ side** odwrotna strona (ubrania); *przen.* druga strona medalu
**sea·plane** [ˋsi-pleɪn] *s* hydroplan, wodnopłat
**sea·port** [ˋsi-pɔt] *s* port morski
**sear** [sɪə(r)] *adj* suchy, zwiędły; *vt* wysuszyć, wypalić; zwarzyć (np. liście)
**search** [sɜtʃ] *vt vi* szukać, przeszukiwać; badać; poszukiwać (**after, for sth** czegoś); rewidować; dociekać (**into sth** czegoś); *s* szukanie, przeszukiwanie; badanie; rewizja; **in ~** w poszukiwaniu (**of sth** czegoś); **to make ~** poszukiwać (**after, for sth** czegoś)
**search·ing** [ˋsɜtʃɪŋ] *adj* badawczy; dokładny

**search-light** [`sɜtʃlaɪt] *s* reflektor
**search-war·rant** [`sɜtʃ wornt] *s* nakaz rewizji
**sea-rov·er** [`si rəuvə(r)] *s* pirat; statek piracki
**sea·shore** [`si-ʃɔ(r)] *s* brzeg morski
**sea·sick** [`si-sɪk] *adj* cierpiący na chorobę morską
**sea·side** [`si-saɪd] *s* wybrzeże morskie; **at the ~** nad morzem
**sea·son** [`sizn] *s* pora (roku), sezon; **in ~** w porę; *vt* przyzwyczajać, hartować; przyprawiać; powodować dojrzewanie; suszyć (np. drewno); *vi* dojrzewać; przyzwyczajać się
**sea·son·a·ble** [`siznəbl] *adj* będący na czasie, trafny, stosowny
**sea·son·al** [`siznl] *adj* sezonowy
**seat** [sit] *s* siedzenie, miejsce siedzące; krzesło; siedziba; **to keep one's ~** siedzieć na miejscu; **to take a ~** usiąść; *vt* posadzić, usadowić; **to be ~ed** usiąść, siedzieć; *vr* **~ oneself** usiąść
**sea·ward** [`siwəd] *adj* skierowany ku morzu; *adv* (*także* **~s**) w stronę morza
**sea·weed** [`siwid] *s* wodorost
**sea·wor·thy** [`siwɜðɪ] *adj* (*o statku*) nadający się do żeglugi
**se·cede** [sɪ`sid] *vi* odstąpić, oderwać się
**se·ces·sion** [sɪ`seʃn] *s* odstępstwo, secesja
**se·clude** [sɪ`klud] *vt* oddzielić, odosobnić
**se·clu·sion** [sɪ`kluʒn] *s* oddzielenie, odosobnienie
**sec·ond** [`sekənd] *adj* drugi, następny; uboczny, drugorzędny; **every ~ day** co drugi dzień; **~ best** drugiej jakości; **~ floor** drugie piętro, *am.* pierwsze piętro; **on ~ thoughts** po rozważeniu sprawy; **~ to none** nikomu nie ustępujący; *s* sekunda; drugi zwycięzca; druga nagroda; sekundant; *vt* sekundować, wtórować, popierać
**sec·on·dar·y** [`sekəndrɪ] *adj* drugorzędny, pochodny; (*o szkole*) średni
**sec·ond-hand** [ˈsekənd `hænd] *adj attr* pochodzący z drugiej ręki, używany
**sec·ond·ly** [`sekəndlɪ] *adv* po drugie
**sec·ond-rate** [ˈsekənd `reɪt] *adj attr* drugorzędny
**se·cre·cy** [`sikrəsɪ] *s* tajemnica; dyskrecja
**se·cret** [`sikrət] *s* sekret; *adj* tajny
**sec·re·tar·iat** [ˈsekrə`teərɪæt] *s* sekretariat
**sec·re·tar·y** [`sekrətrɪ] *s* sekretarz, sekretarka; minister, sekretarz (np. stanu)
**se·crete** [sɪ`krit] *vt* ukrywać; *biol.* wydzielać
**se·cre·tion** [sɪ`kriʃn] *s* wydzieliny; *biol.* wydzielina
**se·cre·tive** [`sikrətɪv] *adj* skryty, milczący; [sɪ`kritɪv] *biol.* wydzielający
**sect** [sekt] *s* sekta
**sec·tar·i·an** [sek`teərɪən] *adj* sekciarski; *s* sekciarz
**sec·tion** [`sekʃn] *s* sekcja; przekrój; cięcie; rozdział; oddział; odcinek; część; paragraf; **cross ~** przekrój poprzeczny; *vt* przecinać, rozkładać na części
**sec·tion·al** [`sekʃnl] *adj* sekcyjny; klasowy
**sec·tor** [`sektə(r)] *s* sektor, odcinek; gałąź (np. przemysłu)
**sec·u·lar** [`sekjulə(r)] *adj* stuletni; wieczny; świecki
**se·cure** [sɪ`kjuə(r)] *adj* bezpieczny; pewny; solidny; *vt* zabezpieczyć, zapewnić; upewnić się; zapewnić sobie; osiągnąć
**se·cu·ri·ty** [sɪ`kjuərətɪ] *s* bezpieczeństwo; pewność; gwarancja, kaucja; solidność; *pl* **securities** papiery wartościowe; **Security Council** Rada Bezpieczeństwa
**se·date** [sɪ`deɪt] *adj* opanowany, spokojny, ustatkowany

**sed·a·tive** [ˋsedətɪv] *adj* uspokajający; *s* środek uspokajający
**sed·en·tar·y** [ˋsedntrɪ] *adj* (*o trybie życia*) siedzący; *zool.* osiadły
**sed·i·ment** [ˋsedɪmənt] *s* osad
**se·di·tion** [sɪˋdɪʃn] *s* bunt
**se·di·tious** [sɪˋdɪʃəs] *adj* buntowniczy
**se·duce** [sɪˋdjus] *vt* uwodzić
**se·duc·tion** [sɪˋdʌkʃn] *s* uwiedzenie; powab
**se·duc·tive** [sɪˋdʌktɪv] *adj* uwodzicielski
**sed·u·lous** [ˋsedjuləs] *adj* skrzętny, pilny
***see** 1. [si], **saw** [sɔ], **seen** [sin] *vt vi* widzieć, zobaczyć, oglądać; pojmować; doświadczać; baczyć, uważać; odwiedzać; odprowadzać; **I ~** rozumiem; **to ~ a thing done** dopilnować, żeby coś zostało zrobione; **to ~ about sth** postarać się o coś; **to ~ after sth** doglądać czegoś; **to ~ to sth** pilnować czegoś; **~ off** odprowadzić; **~ through** przeprowadzić; doczekać się; doprowadzić do końca; przejrzeć
**see** 2. [si] *s* biskupstwo; **the Holy See** Stolica Apostolska
**seed** [sid] *s* nasienie; *vt vi* siać, rozsiewać się; obsiewać; drylować
**seed·ling** [ˋsidlɪŋ] *s* sadzonka
**seed·y** [ˋsidɪ] *adj* (*o roślinie*) z nasieniem; *pot.* marny, zużyty; niedysponowany; **to feel ~** czuć się niedobrze
***seek** [sik], **sought, sought** [sɔt] *vt* szukać; potrzebować; pożądać; *vi* ubiegać się, dążyć (**after, for sth** do czegoś); przeszukać (**through the pockets** kieszenie)
**seem** [sim] *vi* wydawać się; wyglądać; mieć ⟨robić⟩ wrażenie; **it ~s to me** wydaje mi się; **he ~s to be ill** wygląda na chorego
**seem·ly** [ˋsimlɪ] *adj* przyzwoity, odpowiedni
**seen** *zob.* **see**
**seer** [sɪə(r)] *s* jasnowidz
**see·saw** [ˋsi-sɔ] *s* huśtawka (na desce); *vt vi* huśtać (się)
**seethe** [sið] *vi* wrzeć, kipieć; *vt* gotować
**seg·ment** [ˋsegmənt] *s* segment, odcinek (np. koła), człon; *vt vi* dzielić (się) na człony, rozczłonkowywać
**seg·re·gate** [ˋsegrɪgeɪt] *vt vi* segregować, oddzielać (się)
**seg·re·ga·tion** [ˌsegrɪˋgeɪʃn] *s* segregacja, oddzielenie
**seize** [siz] *vt* chwycić, złapać; zająć; opanować, pojąć; *vi* zawładnąć, skwapliwie chwycić się (**on, upon, sth** czegoś); **to ~ the opportunity** wykorzystać okazję ⟨sposobność⟩
**sei·zure** [ˋsɪʒə(r)] *s* konfiskata; porwanie; aresztowanie; atak (choroby)
**sel·dom** [ˋseldəm] *adv* rzadko
**se·lect** [sɪˋlekt] *vt* wybierać, dobierać; *adj* wybrany, doborowy
**se·lec·tion** [sɪˋlekʃn] *s* wybór, dobór
**se·lec·tive** [sɪˋlektɪv] *adj* selekcyjny
**self** [self] *s* (*pl* **selves** [selvz]) jaźń, osobowość, własna osoba; *pron* sam
**self-ac·cu·sa·tion** [ˌself ækjuˋzeɪʃn] *s* samooskarżenie
**self-ad·ver·tise·ment** [ˌself ədˋvɜtɪs mənt] *s* autoreklama
**self-com·mand** [ˌself kəˋmand] *s* panowanie nad sobą
**self-com·pla·cency** [ˌself kəmˋpleɪs nsɪ] *s* zadowolenie z samego siebie
**self-con·ceit** [ˌself kənˋsit] *s* zarozumiałość
**self-con·scious** [ˌself ˋkonʃəs] *adj* nieśmiały, zakłopotany
**self-con·trol** [ˌself kənˋtrəul] *s* panowanie nad sobą, opanowanie
**self-de·fence** [ˌself dɪˋfens] *s* samoobrona
**self-den·i·al** [ˌself dɪˋnaɪəl] *s* samozaparcie

**self-de·ter·mi·na·tion** ['self dɪ'tɜmɪ 'neɪʃn] *s* samookreślenie
**self-dis·ci·pline** ['self 'dɪsəplɪn] *s* dyscyplina wewnętrzna
**self-ed·u·cat·ed** ['self 'edjukeɪtɪd] *adj* ~ **man** samouk
**self-em·ployed** ['self ɪm'plɔɪd] *adj* zatrudniony we własnym przedsiębiorstwie
**self-es·teem** ['self ɪ'stim] *s* poczucie własnej godności, ambicja
**self-ev·i·dent** ['self 'evɪdənt] *s* oczywisty
**self-ig·ni·tion** ['self ɪg'nɪʃən] *s* *techn.* samozapłon
**self-gov·ern·ment** ['self 'gʌvnmənt] *s* samorząd
**self·ish** ['selfɪʃ] *adj* egoistyczny
**self-made** ['self 'meɪd] *adj* zawdzięczający wszystko samemu sobie
**self-por·trait** ['self 'pɔtrət] *s* autoportret
**self-pos·sessed** ['self pə'zest] *adj* opanowany, panujący nad sobą
**self-pres·er·va·tion** ['self'prezə'veɪʃn] *s* instynkt samozachowawczy, samoobrona
**self-re·li·ant** ['self ri'laɪənt] *adj* polegający na samym sobie
**self-re·spect** ['self rɪ'spekt] *s* poczucie własnej godności
**self-sac·ri·fice** ['self 'sækrɪfaɪs] *s* samopoświęcenie
**self-same** ['self 'seɪm...] *adj* ten sam, identyczny
**self-seek·er** ['self 'sikə(r)] *s* egoista
**self-seek·ing** ['self 'sikɪŋ] *adj* egoistyczny
**self-ser·vice** ['self 'sɜvɪs] *s* samoobsługa
**self-styled** ['self 'staɪld] *adj* samozwańczy
**self-suf·fi·cien·cy** ['self sə'fɪʃnsɪ] *s* samowystarczalność
**self-suf·fi·cient** ['self sə'fɪʃnt] *adj* samowystarczalny
**self-will** ['self 'wɪl] *s* narzucanie własnej woli, upór
**self-willed** ['self 'wɪld] *adj* uparty; nieusłuchany
* **sell** [sel], **sold** [səuld], **sold** [səuld] *vt* sprzedawać; *vi* iść, mieć zbyt; ~ **out** ⟨**off**⟩ wyprzedawać
**sell·er** ['selə(r)] *s* sprzedawca
**selves** *zob.* **self**
**sem·a·phore** ['seməfɔ(r)] *s* *kolej.* semafor
**sem·blance** ['sembləns] *s* wygląd; pozór
**semi-** ['semɪ] *praef* pół-
**sem·i·cir·cle** ['semɪsɜkl] *s* półkole
**sem·i·co·lon** ['semɪ 'kəulən] *s* *gram.* średnik
**semi-fi·nal** ['semɪ 'faɪnl] *s* *sport* półfinał
**sem·i·nar** ['semɪna(r)] *s* seminarium (na uniwersytecie)
**sem·i·nar·ist** ['semɪnərɪst] *s* uczestnik ćwiczeń seminaryjnych; kleryk
**sem·i·na·ry** ['semɪnərɪ] *s* seminarium (instytut wychowawczy, *zw.* teologiczny)
**sem·i·nude** ['semɪ 'njud] *adj* półnagi
**semi-of·fi·cial** ['semɪ ə'fɪʃl] *adj* półurzędowy
**Sem·ite** ['simaɪt] *s* Semita
**Se·mit·ic** [sɪ'mɪtɪk] *adj* semicki
**sem·o·li·na** ['semə'linə] *s* kasza manna, grysik
**sen·ate** ['senət] *s* senat
**sen·a·tor** ['senətə(r)] *s* senator
* **send** [send], **sent, sent** [sent] *vt* posyłać; sprawiać, zrządzić; **to** ~ **flying** zmusić do ucieczki; rozpędzić, rozproszyć; **to** ~ **mad** doprowadzić do szaleństwa; **to** ~ **word** posłać wiadomość; ~ **away** odsyłać; ~ **forth** wydawać, wydzielać; wydobywać na światło dzienne; wypuszczać; ~ **in** wpuścić; nadesłać; złożyć; ~ **off** odsyłać; ~ **on** posłać dalej; przeadresować (np. list); ~ **out** wysyłać; wyrzucać; ~ **up** podnieść, podrzucić (do góry), wypuścić (w górę); zgłosić; podać (np. do stołu); *vi* posyłać (**for sb po kogoś**)
**se·nile** ['sinaɪl] *adj* starczy

**sen·ior** [`sinɪə(r)] *adj* starszy (rangą, studiami); **~ forms** wyższe klasy (w szkole); *s* senior, człowiek starszy; **my ~ by ten years** starszy ode mnie o dziesięć lat

**sen·ior·i·ty** [ˏsinɪ`orətɪ] *s* starszeństwo

**sen·sa·tion** [sen`seɪʃn] *s* uczucie, wrażenie; sensacja

**sense** [sens] *s* uczucie, poczucie; zmysł; świadomość; rozsądek; znaczenie, sens; **common ~** zdrowy rozsądek; **a man in his ~s** człowiek przy zdrowych zmysłach; **a man of ~** człowiek rozsądny; **to come to one's ~s** odzyskać przytomność; opamiętać się; **to make ~** mieć sens; **to talk ~** mówić do rzeczy; *vt* odczuwać, wyczuwać, rozeznać; *am.* rozumieć

**sense·less** [`sensləs] *adj* bezmyślny, niedorzeczny; nieprzytomny; nieczuły

**sen·si·bil·i·ty** [ˏsensə`bɪlətɪ] *s* wrażliwość, uczuciowość

**sen·si·ble** [`sensəbl] *adj* dający się uchwycić zmysłami; świadomy; uczuciowy, wrażliwy; rozsądny; znaczny, poważny; **to become ~** uzmysławiać sobie (**of sth** coś)

**sen·si·tive** [`sensətɪv] *adj* zmysłowy; uczuciowy, czuły, wrażliwy; łatwo obrażający się; *bot.* **~ plant** mimoza

**sen·si·tize** [`sensətaɪz] *vt med.* uczulać; *fot.* uczulać na światło

**sen·su·al** [`senʃuəl] *adj* zmysłowy

**sen·su·al·i·ty** [ˏsenʃu`ælətɪ] *s* zmysłowość

**sen·su·ous** [`senʃuəs] *adj* zmysłowy, czuciowy

**sent** *zob.* **send**

**sen·tence** [`sentəns] *s* sentencja, powiedzenie; wyrok, decyzja; *gram.* zdanie; **to pass a ~** wydać wyrok; **to serve a ~** odbywać karę sądową; *vt* osądzić, skazać

**sen·ti·ment** [`sentɪmənt] *s* sentyment, uczucie, odczucie; zdanie, opinia

**sen·ti·men·tal** [ˏsentɪ`mentl] *adj* sentymentalny

**sen·ti·nel** [`sentɪnl] *s* placówka, posterunek; wartownik; **to stand ~** stać na warcie

**sen·try** [`sentrɪ] *s* placówka, posterunek

**sep·a·ra·ble** [`sepr̩əbl] *adj* rozdzielny, rozłączny

**sep·a·rate** [`sepəreɪt] *vt vi* oddzielić (się), rozłączyć (się); *adj* [`sepr̩ət] oddzielny

**sep·a·ra·tion** [ˏsepə`reɪʃn] *s* separacja, rozłączenie; **~ allowance** dodatek (do pensji) za rozłąkę; *prawn.* **judicial ⟨legal⟩ ~** separacja (małżonków)

**Sep·tem·ber** [sep`tembə(r)] *s* wrzesień

**sep·tic** [`septɪk] *adj* septyczny

**se·pul·chral** [sɪ`pʌlkrl] *adj* grobowy, ponury

**sep·ul·chre** [`seplkə(r)] *s lit. rel.* grób

**se·quel** [`sikwl] *s* następstwo, ciąg dalszy

**se·quence** [`sikwəns] *s* następstwo, kolejność; **in ~** kolejno; *gram.* **~ of tenses** następstwo czasów

**se·ques·ter** [sɪ`kwestə(r)] *vt* oddzielić, odosobnić; konfiskować

**sere** [sɪə(r)] *adj* = **sear**

**ser·e·nade** [ˏserə`neɪd] *s* serenada; *vt vi* śpiewać serenadę

**se·rene** [sɪ`rin] *adj* pogodny, jasny; spokojny

**se·ren·i·ty** [sɪ`renətɪ] *s* pogoda, spokój

**serf** [s3f] *s* niewolnik; *hist.* chłop pańszczyźniany

**serf·dom** [`s3fdəm] *s* niewolnictwo; *hist.* poddaństwo, pańszczyzna

**ser·geant** [`sadʒənt] *s wojsk.* sierżant

**se·ri·al** [`sɪərɪəl] *adj* seryjny, kolejny; *s* serial; powieść drukowana w odcinkach (w gazecie); periodyk

**se·ries** [`sɪəriz] *s* (*pl* **~**) seria, szereg; **in ~** seryjnie; *elektr.* szeregowo

**se·ri·ous** [`sɪərɪəs] *adj* poważny

**ser·jeant** *s* = **sergeant**
**ser·mon** [`s3mən] *s* kazanie
**ser·mon·ize** [`s3mənaɪz] *vi* wygłaszać kazanie; *vt* napominać, strofować
**ser·pent** [`s3pənt] *s* wąż
**ser·pen·tine** [`s3pəntaɪn] *adj* wężowy; wężowaty, wijący się; *s* serpentyna
**ser·ried** [`serɪd] *adj* stłoczony, zwarty
**se·rum** [`sɪərəm] *s* surowica
**serv·ant** [`s3vənt] *s* służący, sługa; **civil** ⟨**public**⟩ ~ urzędnik państwowy
**serve** [s3v] *vt vi* służyć, obsługiwać; podawać (przy stole); wyrządzić; odpowiadać (celowi); odbywać (karę, służbę, praktykę itp.); traktować; *sport* serwować; **it** ~**s you right** dobrze ci tak, masz za to; **to** ~ **one's time** odbyć kadencję; **to** ~ **time** odsiedzieć karę; ~ **out** rozdzielić; odpłacić się; *s sport* serwis, serw
**serv·ice** [`s3vɪs] *s* służba, obsługa; pomoc; przysługa; nabożeństwo; (*zastawa*) serwis; *sport* serwis; **civil** ~ służba państwowa ⟨urzędnicza⟩; **train** ~ komunikacja kolejowa; **public** ~**s** instytucje użyteczności publicznej; **social** ~**s** świadczenia społeczne; ~ **area** (*radio*) zasięg odbioru; ~ **station** stacja benzynowa ⟨obsługi⟩; sklep ⟨warsztat⟩ usługowy; **to be of** ~ przydać się; **to do one's** ~ odbywać służbę; **to do** ⟨**to render**⟩ ~ oddać przysługę
**ser·vi·ette** [ˈs3vɪˋet] *s* serwetka
**ser·vile** [`s3vaɪl] *adj* niewolniczy; służalczy
**ses·sion** [`seʃn] *s* posiedzenie; sesja; okres posiedzeń; *am.* (*także w Szkocji*) rok akademicki; *am.* **summer** ~ letni kurs uniwersytecki
* **set** [set] *vt vi* (**set, set** [set]) stawiać, kłaść, ustawiać, zastawiać (stół); montować; wzmacniać; kierować; nastawiać; nakłaniać; zapędzać (np. **to work** do roboty); podjudzać; (*o słońcu*) zachodzić; zanikać, kończyć się; opadać; regulować (np. zegarek); (*o pogodzie*) ustalić się; (*o organizmie*) rozwinąć się; (*o cieczy*) krzepnąć; nastroić (fortepian); zadać (pytanie); zabierać się (**about, to sth** do czegoś); skłaniać się (**towards, to** ku czemuś); **to** ~ **an example** dać przykład; **to** ~ **the fashion** ustanowić modę; **to** ~ **fire** podłożyć ogień, podpalić (**to sth** coś); **to** ~ **on fire** podpalić (**sth** coś); **to** ~ **free** uwolnić; **to** ~ **in motion** uruchomić; **to** ~ **at rest** uspokoić; **to** ~ **sail** odpłynąć; **to** ~ **sb a task** dać komuś zadanie; *z ppraes* wprawić w ruch, spowodować; **to** ~ **flying** wypuścić w powietrze; **to** ~ **going** nadać bieg; **to** ~ **thinking** dać do myślenia; *z adv*: ~ **about** rozpowszechnić; ~ **apart** oddzielić, odsunąć; ~ **aside** odłożyć na bok; zignorować; *prawn.* anulować; ~ **back** cofnąć; ~ **by** odłożyć na bok; ~ **down** położyć, złożyć; wyłożyć na piśmie; przypisać; zsadzić, wysadzić; ustalić (np. regułę); ~ **forth** wyłożyć, wykazać; uwydatnić; przedstawić (np. projekt); wyruszyć; ~ **forward** posunąć się naprzód; wyruszyć; podsunąć, wysunąć; ~ **in** wprawić; nastać, nastąpić; ~ **off** wyruszyć w drogę; oddzielić, odłożyć, usunąć; uwydatnić; wyodrębnić; wyrównać; ~ **on** podjudzać; rozpoczynać; napadać; wyruszać w dalszą drogę; ~ **out** rozpoczynać, przedsiębrać; wykładać, przedstawiać, wystawiać; zdobić; wyruszać; ~ **up** ustawiać, nastawiać, instalować, montować; założyć; podnieść; ustanowić; urządzić (życiowo); zaopatrzyć; osiedlić się; ~ **up for sth** podawać się za coś; ~ **up in business** założyć przedsiębiorstwo; **to be** ~ **up** być dobrze zaopatrzonym; ~ **to** zabrać się do

czegoś; zacząć (walczyć, kłócić się); *s* seria, asortyment, komplet, kolekcja, wybór; serwis (stołowy); zaprząg; gatunek; grupa; zachód (słońca); postawa, budowa ciała; układ; kierunek; próba; *sport* set; **(radio) ~** aparat radiowy; *adj* uporządkowany, ustalony, zdecydowany; nieruchomy; (*o ciele ludzkim*) zbudowany; **to be hard ~** być w ciężkim położeniu; **of ~ purpose** z mocnym postanowieniem

**set-back** [ˈset bæk] *s* cofnięcie się; niepowodzenie

**set-off** [ˈset ɔf] *s* kontrast; przeciwwaga; wyrównanie; dekoracja, tło (ozdobne); *handl.* kompensata

**set-out** [setˈaut] *s* początek; wyjazd

**set-square** [ˈset skweə(r)] *s* ekierka

**set·tee** [seˈti] *s* sofa

**set·ting** [ˈsetɪŋ] *s* oprawa, obramowanie; układ, ustawienie; tło, otoczenie; inscenizacja; ilustracja; ilustracja muzyczna

**set·tle** [ˈsetl] *vt vi* posadzić, osadzić, ułożyć; (*także* **~ down**) osiąść, osiedlić się; ustalić (się); rozstrzygnąć; uporządkować, uregulować; uspokoić; ustanowić; zdecydować (się); *vr* **~ oneself** osiąść; dostosować się; zabrać się, zasiąść (**to sth** do czegoś); ustatkować się; **~ up** uregulować (zobowiązania)

**set·tled** [ˈsetld] *adj* stały, ustalony; **~ weather** ustabilizowana ⟨stała⟩ pogoda; **a man of ~ convictions** człowiek o stałych przekonaniach; (*na rachunku*) „~" „zapłacono"

**set·tle·ment** [ˈsetlmənt] *s* ustalenie, załatwienie, rozstrzygnięcie; układ; uspokojenie; wyrównanie, rozliczenie; osiadanie; osiedlenie się; osiedle, osada; założenie (interesu)

**set·tler** [ˈsetlə(r)] *s* osadnik, osiedleniec

**sev·en** [ˈsevn] *num* siedem; *s* siódemka

**sev·en·teen** [ˈsevnˈtin] *num* siedemnaście; *s* siedemnastka

**sev·en·teenth** [ˈsevnˈtinθ] *adj* siedemnasty; *s* siedemnasta część

**sev·enth** [ˈsevnθ] *adj* siódmy; *s* siódma część

**sev·en·ti·eth** [ˈsevntɪəθ] *adj* siedemdziesiąty; *s* siedemdziesiąta część

**sev·en·ty** [ˈsevntɪ] *num* siedemdziesiąt; *s* siedemdziesiątka

**sev·er** [ˈsevə(r)] *vt vi* oddzielić (się), oderwać (się); *przen.* rozstać się; zerwać

**sev·er·al** [ˈsevrl] *adj* oddzielny; różny; poszczególny; podzielny; liczny; *pron* kilka, kilkanaście

**sev·er·al·ly** [ˈsevrḷɪ] *adv* poszczególnie; różnie; indywidualnie; **jointly and ~** zbiorowo i indywidualnie

**sev·er·ance** [ˈsevərəns] *s* oddzielenie, oderwanie; zerwanie

**se·vere** [səˈvɪə(r)] *adj* surowy, bezwzględny, srogi; ostry; poważny; obowiązujący

**se·ver·i·ty** [səˈverətɪ] *s* bezwzględność, surowość, srogość; ciężki stan

* **sew** [səu], **sewed** [səud] **sewn** [səun] *vt vi* szyć; **~ on** naszywać, przyszywać; **~ up** zszywać, łatać

**sew·age** [ˈsuɪdʒ] *s* woda ściekowa, nieczystości; **~ system** kanalizacja

**sew·er** [ˈsuə(r)] *s* ściek, rynsztok; *vt* kanalizować

**sew·er·age** [ˈsuərɪdʒ] *s* kanalizacja; wody ściekowe

**sew·ing-ma·chine** [ˈsəuɪŋ məʃin] *s* maszyna do szycia

**sewn** *zob.* **sew**

**sex** [seks] *s* płeć

**sex-ap·peal** *zob.* **appeal**

**sex·ton** [ˈsekstn] *s* zakrystian

**sex·u·al** [ˈsekʃuəl] *adj* płciowy

**sex·y** [ˈseksɪ] *adj* zmysłowy, pociągający

**shab·by** [`ʃæbɪ] *adj* lichy, zniszczony, stargany, nędznie ubrany; nędzny, podły

**shack** [ʃæk] *s* chata, rudera

**shack·le** [`ʃækl] *s* ogniwo łańcuchowe; sprzęgło, klamra; *pl* ~s (*także przen.*) kajdany; *vt* skuć, spętać

**shade** [ʃeɪd] *s* cień, mrok; odcień; abażur; parasolka; *am.* roleta, stora; a ~ coś niecoś, odrobinę; *vt vi* zaciemnić; cieniować; zasłaniać; stopniowo zmieniać (odcień); (*także* ~ **off** ⟨**away**⟩) tuszować, łagodzić

**shad·ow** [`ʃædəu] *s* cień (odbicie kształtu człowieka, drzewa itp.); mrok; ułuda; zjawa, widmo; *vt* zacieniać; śledzić

**shad·ow·y** [`ʃædəuɪ] *adj* cienisty; ciemny, niejasny

**shad·y** [`ʃeɪdɪ] *adj* cienisty; ciemny; mętny, dwuznaczny; podejrzany

**shaft** [ʃɑft] *s* trzon, łodyga; drzewce; dyszel; promień; błyskawica; ostrze; strzała; *górn.* szyb

**shag** [ʃæg] *s* zmierzwione włosy; kudły; włochaty materiał; gatunek tytoniu

**shag·gy** [`ʃægɪ] *adj* włochaty, kudłaty

* **shake** [ʃeɪk] *vt vi* (**shook** [ʃuk], **shaken** [`ʃeɪkn]) trząść (się), potrząsnąć, wstrząsnąć; drżeć, chwiać się; **to ~ hands** podawać sobie ręce; ~ **down** strząsnąć; ~ **off** odrzucić, zrzucić, pozbyć się; ~ **out** wytrząsnąć, wyrzucić, wysypać; ~ **up** potrząsnąć, rozruszać; *s* potrząsanie, trzęsienie, drżenie; *pl* ~s dreszcze

**shake-up** [`ʃeɪkʌp] *s* wstrząs, poruszenie; przetasowanie, reorganizacja

**shak·y** [`ʃeɪkɪ] *adj* drżący; chwiejny, niepewny

**shall** [ʃæl, ʃl] *v aux* służy do tworzenia *fut*: **I ~ be there** będę tam; **you ~ not see him** nie zobaczysz go; powinien; ~ **he wait?** czy ma czekać?

**shal·low** [`ʃæləu] *adj* płytki; *przen.* niepoważny, powierzchowny; *s* płycizna, mielizna

**sham** [ʃæm] *vt vi* udawać, symulować, pozorować; *s* udawanie, symulowanie, fikcja; *adj* udawany, fałszywy, rzekomy, pozorny

**sham·ble** [`ʃæmbl] *vi* powłóczyć nogami; *s* niezgrabny chód

**shame** [ʃeɪm] *s* wstyd; *vt* zawstydzić; wymóc (**sb into sth** coś na kimś); odwieść (**out of sth** od czegoś); ~ **on you!** wstydź się! jak ci nie wstyd!

**shame·faced** [`ʃeɪmfeɪst] *adj* wstydliwy, nieśmiały

**shame·ful** [`ʃeɪmfl] *adj* haniebny, sromotny

**shame·less** [`ʃeɪmləs] *adj* bezwstydny

**sham·poo** [ʃæm`pu] *s* szampon; *vt* myć szamponem

**sham·rock** [`ʃæmrok] *s bot.* biała koniczyna

**shank** [ʃæŋk] *s* goleń

**shan't** [ʃɑnt] = **shall not**

**shan·ty** [`ʃæntɪ] *s* buda, szałas

**shape** [ʃeɪp] *s* kształt, wygląd; obraz, rysunek; **in (the) ~ of** w postaci; **out of ~** zniekształcony; **in good ⟨poor⟩ ~** w dobrej ⟨złej⟩ formie; *vt vi* kształtować (się); tworzyć; wyobrażać sobie

**shape·ly** [`ʃeɪplɪ] *adj* ładnie zbudowany, kształtny, zgrabny

**share** [ʃeə(r)] *vt vi* dzielić, podzielać; uczestniczyć; ~ **out** rozdzielać; *s* część; udział; działka; przyczynek; *handl.* akcja; **to go ~s** podzielić się (**in sth** czymś); uczestniczyć; **to have a ~** przyczynić się (**in sth** do czegoś); **to hold ~s** *handl.* być akcjonariuszem; **to take ~** brać udział

**share-bro·ker** [`ʃeə brəukə(r)] *s* makler

**share-hold·er** [`ʃeə həuldə(r)] *s* akcjonariusz

**shark** [ʃɑk] *s* rekin; *przen.* oszust; *vt* oszukiwać

**sharp** [ʃɑp] *adj* ostry, spiczasty; przenikliwy, bystry; przebiegły; *adv* bystro; punktualnie; *s muz.* krzyżyk

**sharp·en** [ˈʃɑpn] *vt vi* ostrzyć (się)

**shat·ter** [ˈʃætə(r)] *vt* roztrzaskać, rozbić; *vi* rozlecieć się; *s zw. pl* **~s** odłamki, strzępy

**shave** [ʃeɪv] *vt vi* golić (się); strugać; *s* golenie; **to have a ~** ogolić się; **close ⟨near⟩ ~** sytuacja o włos od niebezpieczeństwa

**shav·en** [ˈʃeɪvn] *adj* (*także* **clean ~**) wygolony

**shav·ing** [ˈʃeɪvɪŋ] *s* golenie; struganie; *pl* **~s** wióry, odpadki

**shawl** [ʃɔl] *s* szal

**she** [ʃɪ] *pron* ona

**sheaf** [ʃif] *s* (*pl* **sheaves** [ʃivz]) snop, wiązka

* **shear** [ʃɪə(r)] *vt* (**sheared** [ʃɪəd], **shorn** [ʃɔn]) strzyc; *przen.* ogołacać, pozbawiać; *s* strzyżenie

**shears** [ʃɪəz] *s pl* nożyce (np. krawieckie, ogrodnicze)

**sheath** [ʃiθ] *s* (*pl* **sheaths** [ʃiðz]) pochwa, futerał

**sheathe** [ʃið] *vt* wkładać do pochwy ⟨futerału⟩

**sheath·ing** [ˈʃiðɪŋ] *s* ochronne pokrycie, powłoka

**sheave** [ʃiv] *vt* wiązać w snopy

**sheaves** *zob.* **sheaf**

**she'd** [ʃid] *skr.* = **she had, she would**

* **shed 1. shed, shed** [ʃed] *vt* ronić, gubić, zrzucać; wylewać, przelewać; rozsiewać

**shed 2.** [ʃed] *s* szopa; zajezdnia

**sheep** [ʃip] *s* (*pl* **~**) owca, baran

**sheep-hook** [ˈʃip hʊk] *s* kij pasterski

**sheep·ish** [ˈʃipɪʃ] *adj* bojaźliwy; zakłopotany; zbaraniały; nieśmiały

**sheep·skin** [ˈʃipskɪn] *s* owcza skóra; pergamin; dyplom

**sheep·walk** [ˈʃipwɔk] *s* pastwisko dla owiec

**sheer** [ʃɪə(r)] *adj* zwyczajny; czysty; istny; prosty; pionowy; **~ nonsense** istny nonsens; **by ~ force** po prostu siłą; *adv* całkowicie; wprost; pionowo

**sheet** [ʃit] *s* prześcieradło; arkusz; kartka (papieru); powierzchnia, tafla, płyta; *mors.* szot; *vt* nakryć prześcieradłem

**sheet-iron** [ˈʃit ɑɪən] *s* blacha

**shelf** [ʃelf] *s* (*pl* **shelves** [ʃelvz]) półka; wystająca skała, rafa; listwa

**shell** [ʃel] *s* skorupa, łupina, muszla; nabój armatni; *vt vi* wyłuskiwać; *wojsk.* ostrzelać

**she'll** [ʃil] *skr.* = **she will**

**shel·ter** [ˈʃeltə(r)] *s* schronienie, schron, przytułek; *vt vi* chronić (się), osłaniać; udzielić przytułku; znaleźć przytułek

**shelve** [ʃelv] *vt* położyć na półce; odłożyć, odstawić; oddalić, zwolnić (np. ze służby)

**shelves** *zob.* **shelf**

**shep·herd** [ˈʃepəd] *s* pastuch; *przen. i lit.* pasterz; *vt vi* strzec; paść owce

**sher·ry** [ˈʃerɪ] *s* gatunek wina (Xeres)

**she's** [ʃiz] = **she is, she has**

**shield** [ʃild] *s* tarcza, osłona; *vt* ochraniać, osłaniać

**shift** [ʃɪft] *vt vi* przesuwać (się), przestawiać (się); zmieniać miejsce pobytu, przenosić się; zmieniać (np. ubranie); *s* zmiana; przesunięcie; sposób, środek, zabieg; szychta; **to make (a) ~** uporać się, dać sobie radę; **to work in ~s** pracować na zmiany

**shift·y** [ˈʃɪftɪ] *adj* przebiegły, przemyślny

**shil·ling** [ˈʃɪlɪŋ] *s* szyling; **a ~'s worth** za szylinga

**shim·mer** [ˈʃɪmə(r)] *vi* migotać; *s* migotanie

**shin** [ʃɪn] *s* goleń; *vt* **~ up** wspinać się, wdrapywać się (**the tree** na drzewo)

***shine** [ʃɑɪn], **shone, shone** [ʃon] *vi* świecić, jaśnieć; *vt* nadawać blask, czyścić do połysku; *s* blask, połysk

**shin·gle 1.** [`ʃɪŋgl] *s* gont; *am.* tabliczka; krótko strzyżone włosy; *vt* kryć gontami; krótko strzyc włosy

**shin·gle 2.** [`ʃɪŋgl] *s* kamyk; *zw. zbior.* kamyki, żwir

**shin·y** [`ʃaɪnɪ] *adj* błyszczący

**ship** [ʃɪp] *s* statek; okręt; *vt* przewozić okrętem; ładować na okręt; *vi* zaokrętować się

**ship·board** [`ʃɪpbɔd] *s* pokład; **on ~** na statku

**ship·build·ing** [`ʃɪpbɪldɪŋ] *s* budownictwo okrętowe

**ship·car·riage** [`ʃɪp kærɪdʒ] *s* transport okrętowy

**ship·mas·ter** [`ʃɪp mastə(r)] *s* kapitan statku (handlowego)

**ship·ment** [`ʃɪpmənt] *s* załadowanie na okręt, przewóz okrętem

**ship·own·er** [`ʃɪp əunə(r)] *s* armator

**ship·ping** [`ʃɪpɪŋ] *s* żegluga; transport okrętem; załadowanie na okręt; marynarka (handlowa)

**ship·shape** [`ʃɪpʃeɪp] *adj i adv* we wzorowym porządku; **to put ~** doprowadzić do wzorowego stanu

**ship·wreck** [`ʃɪp-rek] *s* rozbicie okrętu; *przen.* katastrofa, klęska; *vt* spowodować rozbicie okrętu; *przen.* rozbić, zniweczyć; **to be ~ed** (*o okręcie*) ulec rozbiciu, rozbić się; *przen.* ulec zniszczeniu

**ship·yard** [`ʃɪp-jad] *s* stocznia

**shirt** [ʃ3t] *s* koszula męska; bluzka damska

**shirt-sleeves** [`ʃ3t slivz] *s pl* rękawy koszuli; **in one's ~** bez marynarki, w samej koszuli

**shiv·er 1.** [`ʃɪvə(r)] *vi* trząść się, drżeć; *s* drżenie, dreszcz

**shiv·er 2.** [`ʃɪvə(r)] *s* kawałek, ułamek; *vt vi* rozbić (się) na kawałki

**shoal 1.** [ʃəul] *s* ławica (ryb); *przen.* tłum, gromada, masa

**shoal 2.** [ʃəul] *s* mielizna; *adj* płytki; *vi* stawać się płytkim

**shock 1.** [ʃok] *s* gwałtowne uderzenie, cios; wstrząs, szok; *wojsk.* **~ troops** oddziały szturmowe; *vt* gwałtownie uderzyć, zadać cios; gwałtownie wstrząsnąć; urazić; zgorszyć

**shock 2.** [ʃok] *s* bróg, kopka

**shock-ab·sorb·er** [`ʃok əbsɔbə(r)] *s* amortyzator

**shock-proof** [`ʃok pruf] *adj* odporny na wstrząsy

**shock-work·er** [`ʃok w3kə(r)] *s* przodownik pracy

**shod** *zob.* **shoe** *vt*

**shod·dy** [`ʃodɪ] *s* licha wełna (z odpadków); tandeta; *adj* tandetny

**shoe** [ʃu] *s* but, trzewik; podkowa; okucie; *vt* ***shoe (shod, shod** [ʃod]) obuć; okuć (konia); obić żelazem

**shoe·black** [`ʃublæk] *s* czyścibut, pucybut

**shoe·horn** [`ʃu hɔn] *s* łyżka do butów

**shoe·lace** [`ʃu leɪs] *s* sznurowadło

**shoe·mak·er** [`ʃumeɪkə(r)] *s* szewc

**shone** *zob.* **shine**

**shook** *zob.* **shake**

* **shoot** [ʃut] *vt vi* (**shot, shot** [ʃot]) strzelać (**at sb** do kogoś); zastrzelić, rozstrzelać; ciskać, miotać; fotografować, (*o filmie*) nakręcać; wystawać; wypędzać, wyrzucać (*także* **~ out**); wyskoczyć; wpaść; wypuszczać (pączki); (*o bólu*) rwać; mknąć, przemykać; **to ~ dead** zastrzelić; **to ~ past** szybko przelecieć (koło czegoś); **~ down** zestrzelić; gwałtownie spadać; **~ forth** kiełkować; rozciągać się; **~ off** wystrzelić; odstrzelić; pomknąć; **~ out** wystawać, sterczeć; wypaść, wylecieć; wyrzucić; (*o pączkach*) wypuścić; wystrzelać; **~ up** strzelać w górę; szybko rosnąć; podnosić się, podskoczyć; *przen.* **~ Niagara** ryzykować życie; *s*

strzelanie; polowanie; wodotrysk; kiełek, pęd; ostry ból

**shoot·er** [`ʃutə(r)] *s* strzelec; broń palna, rewolwer

**shoot·ing-star** [`ʃutɪŋ stɑ(r)] *s* spadająca gwiazda

**shop** [ʃop] *s* sklep; warsztat; interes; zakład; *przen.* profesja, zawód, sprawy zawodowe; *vi* robić zakupy, załatwiać sprawunki w sklepach; **to go ~ping** chodzić po zakupy, załatwiać sprawunki

**shop-as·sis·tant** [`ʃop əsɪstənt] *s* ekspedient (sklepowy)

**shop·keep·er** [`ʃopkipə(r)] *s* drobny kupiec, sklepikarz

**shop·man** [`ʃopmən] *s* drobny kupiec; sklepikarz; ekspedient, sprzedawca

**shop-win·dow** [ʹʃop `wɪndəu] *s* okno wystawowe

**shore** [ʃɔ(r)] *s* brzeg (morza, jeziora), wybrzeże

**shorn** *zob.* **shear**

**short** [ʃɔt] *adj* krótki; niski, mały; niedostateczny, szczupły, będący na wyczerpaniu; **~ circuit** krótkie spięcie; **~ cut** skrót, najkrótsza droga, droga na przełaj; **~ story** nowela; **~ weight** niepełna waga; **~ of breath** zadyszany; **little ~ of a miracle** prawie cud; **to be ~ of sth** odczuwać brak czegoś; pozostawać w tyle za czymś; nie być na poziomie czegoś; **to come ~** chybić, nie osiągnąć (**of sth** czegoś); **to fall ~** zawieść, nie dopisać (**of sth** pod względem czegoś); **to get ⟨become, grow⟩ ~** ulegać skróceniu, stawać się krótszym, zbliżać się do końca; **to make ~ work of sth** szybko załatwić się z czymś; **to run ~** wyczerpywać się, kończyć się (np. *o zapasach*); odczuwać brak, mieć już niewiele (**of sth** czegoś); **to stop ~** nagle zatrzymać (się), nagle przerwać; **at ~ range** z bliska, na krótką metę; *s* skrócenie, skrót; *kino* (*także* **~ subject**) film krótkometrażowy; *pl* **~s** krótkie spodnie; **in ~** pokrótce, krótko mówiąc

**short·age** [`ʃɔtɪdʒ] *s* niedostateczna ilość, niedobór, brak

**short-cir·cuit** [ʹʃɔt `sɜkɪt] *s elektr.* krótkie spięcie; *vt* wywołać krótkie spięcie

**short·com·ing** [`ʃɔtkʌmɪŋ] *s* brak, wada, uchybienie; *handl.* manko

**short·en** [`ʃɔtn] *vt vi* skracać (się), zmniejszać (się)

**short·hand** [`ʃɔthænd] *s* stenografia

**short-lived** [ʹʃɔt `lɪvd] *adj* krótkotrwały

**short·ly** [`ʃɔtlɪ] *adv* pokrótce; wkrótce

**short-sight·ed** [ʹʃɔt `saɪtɪd] *adj* krótkowzroczny

**shot 1.** *zob.* **shoot**; *adj* lśniący, mieniący się

**shot 2.** [ʃɔt] *s* strzał; strzelec; pocisk, kula; *fot. kino* zdjęcie migawkowe; *pot.* zastrzyk, dawka; **big ~** gruba ryba; **to make a good ~** trafić; *przen.* zgadnąć

**should** [ʃud] *p od* **shall**; *oznacza warunek*: **I ~ go** poszedłbym; *powinność*: **you ~ work** powinieneś pracować; *przypuszczenie*: **I should say so** chyba tak

**shoul·der** [`ʃəuldə(r)] *s* ramię, bark; **to give ⟨show, turn⟩ the cold ~** traktować ozięble; **~ to ~** ramię w ramię; *vt* wziąć na ramię; popychać; potrącać ramionami; *przen.* (*także* **~ up**) brać na swoje barki

**shouldn't** [`ʃudnt] *skr.* = **should not**

**shout** [ʃaut] *vi* krzyczeć (**at sb** na kogoś); *s* krzyk, wołanie; okrzyk

**shove** [ʃʌv] *vt vi* posuwać (się), popychać (się); *pot.* wpakować, wsadzić; **~ down** zepchnąć; **~ off** odepchnąć; odbić (np. od brzegu); *s* posunięcie (się), pchnięcie

**shov·el** [`ʃʌvl] *s* szufla, łopata; *vt* szuflować

* **show** [ʃəu] *vt vi* (**showed** [ʃəud], **shown** [ʃəun]) pokazywać (się), wykazywać, okazywać; ukazać się, zjawić się; prowadzić, pokazywać drogę, oprowadzać (**round the town** po **mieście**); ~ **down** sprowadzić na dół; wyłożyć karty na stół; ~ **in** wprowadzić; ~ **off** wystawić na pokaz; popisywać się (**sth** czymś), paradować; ~ **out** wyprowadzić; ~ **up** zdemaskować, obnażyć; uwydatniać (się); zjawiać się; *vr* ~ **oneself** pokazywać się publicznie; *s* widok; wystawa; pokaz; parada; widowisko; *teatr* przedstawienie

**show-case** [`ʃəu keɪs] *s* gablotka

**show-down** [`ʃəu daun] *s* wyłożenie kart na stół; *przen.* gra w otwarte karty

**show·er** [`ʃauə(r)] *s* przelotny deszcz; *przen.* powódź (np. listów); *vi* (*o deszczu*) padać, lać; *vt* zalewać strumieniem

**show·er-bath** [`ʃauə baθ] *s* tusz, prysznic

**show·er·y** [`ʃəuərɪ] *adj* ulewny

**show·girl** [`ʃəu gɜl] *s* piosenkarka ⟨tancerka⟩ w rewii, klubie nocnym itd.

**shown** *zob.* **show**

**show-room** [`ʃəu rum] *s* lokal wystawowy

**show-win·dow** [`ʃəu wɪndəu] *s* okno wystawowe

**show·y** [`ʃəuɪ] *adj* okazały, paradny, ostentacyjny

**shrank** *zob.* **shrink**

**shrap·nel** [`ʃræpnl] *s* szrapnel

**shred** [ʃred] *s* strzęp; skrawek; odrobina; *vt* strzępić, ciąć na strzępy

**shrew** [ʃru] *s* sekutnica, jędza

**shrewd** [ʃrud] *adj* bystry, przenikliwy; chytry; ostry; dotkliwy

**shrew·ish** [`ʃruɪʃ] *adj* swarliwy, złośliwy

**shriek** [ʃrik] *vt vi* krzyczeć, piszczeć, wykrzykiwać; *s* krzyk, pisk, przeraźliwy gwizd

**shrill** [ʃrɪl] *adj* przeraźliwy, przenikliwy

**shrimp** [ʃrɪmp] *s* krewetka

**shrine** [ʃraɪn] *s* sanktuarium; relikwiarz

***shrink** [ʃriŋk] *vt vi* (**shrank** [ʃræŋk], **shrunk** [ʃrʌŋk]) ściągać (się), kurczyć (się), dekatyzować; marszczyć się; cofać się; zanikać; wzdragać się (**from sth** przed czymś); *s* ściągnięcie; zmarszczka; skurcz

**shrink·age** [`ʃrɪŋkɪdʒ] *s* skurczenie, ściągnięcie; ubytek, zanik

***shrive** [ʃraɪv], **shrove** [ʃrəuv], **shriven** [`ʃrɪvn] *vt* wyspowiadać i rozgrzeszyć

**shriv·el** [`ʃrɪvl] *vt vi* ściągać (się), marszczyć (się)

**shriv·en** *zob.* **shrive**

**shroud** [ʃraud] *s* całun; *przen.* okrycie, osłona; *vt* owijać całunem, *przen.* okrywać

**shrove** *zob.* **shrive**

**Shrove Tues·day** [ˈʃrəuv `tjuzdɪ] *s* tłusty wtorek

**shrub** [ʃrʌb] *s* krzak

**shrub·ber·y** [`ʃrʌbərɪ] *s* zarośla, krzaki

**shrug** [ʃrʌg] *vt vi* wzruszać ramionami; *s* wzruszenie ramionami

**shrunk·en** [`ʃrʌŋkən] *adj* skurczony; *pp od* **shrink**

**shud·der** [`ʃʌdə(r)] *vi* drżeć, wzdrygać się

**shuf·fle** [`ʃʌfl] *vt vi* szurać, powłóczyć (nogami); suwać; tasować (karty), mieszać; kręcić, wykręcać się; ~ **off** strząsnąć z siebie; odejść powłócząc nogami; ~ **out** wykręcić się; *s* szuranie nogami; włóczenie; posunięcie; wykręt; chwyt; tasowanie

**shun** [ʃʌŋ] *vt* unikać

**shunt** [ʃʌnt] *vt vi* przetaczać (wagony); przesunąć na bok; odłożyć (do szuflady)

***shut, shut, shut** [ʃʌt] *vt vi* zamykać (się); ~ **in** zamknąć (w środku), otoczyć; ~ **off** odgrodzić; wyłączyć (np. prąd); ~ **out** wykluczyć; zostawić na zewnątrz; przesłonić (widok); ~ **up** zamykać (dokładnie); więzić; *pot.* zamykać usta; *pot.* **~ up!** cicho bądź! zamknij się!

**shut·ter** [`ʃʌtə(r)] *s* pokrywa; okiennica; zasłona; okienko (np. w kasie); *fot.* migawka

**shut·tle** [`ʃʌtl] *s* czółenko (tkackie)

**shy 1.** [ʃaɪ] *adj* bojaźliwy, nieśmiały; ostrożny; **to be ~ of sth** unikać czegoś; **to fight ~** unikać, wystrzegać się (**of sth** czegoś); *vi* bać się (**at sth** czegoś), płoszyć się

**shy 2.** [ʃaɪ] *vt vi pot.* cisnąć, rzucić; *s* rzut

**sick** [sɪk] *adj* czujący się niedobrze, mający mdłości; *attr* chory (**of sth** na coś); **to be ~** uprzykrzyć sobie, mieć powyżej uszu (**of sth** czegoś); tęsknić (**for sth** za czymś); **to feel ⟨to be⟩ ~** mieć mdłości

**sick·en** [`sɪkn] *vt* przyprawiać o mdłości, napełniać obrzydzeniem; *vi* chorować; słabnąć; marnieć; zrażać się (**of sth** do czegoś); czuć obrzydzenie (**at sth** do czegoś)

**sick·le** [`sɪkl] *s* sierp

**sick-leave** [`sɪk liv] *s* urlop chorobowy

**sick-list** [`sɪk lɪst] *s* lista chorych

**sick·ly** [`sɪklɪ] *adj* chorowity; (*o powietrzu, okolicy*) niezdrowy; powodujący mdłości

**sick·ness** [`sɪknəs] *s* choroba; niedomaganie, złe samopoczucie; mdłości

**side** [saɪd] *s* strona, bok; brzeg; **~ by ~** jeden przy drugim, w jednym rzędzie; **by the ~** po stronie (**of sth** czegoś); *sport.* **off ~** na pozycji spalonej; **on my ~** po mojej stronie, z mojej strony; **on all ~s** ze wszystkich stron; **on this ~ the barricade** po tej stronie barykady; **on the safe ~** bezpiecznie; **to change ~s** przejść do przeciwnej grupy; **to take ~s** stanąć po stronie (**with sb** kogoś); *vi* stać po stronie (**with sb** kogoś)

**side-arms** [`saɪdamz] *s* broń boczna (szabla, bagnet)

**side·board** [`saɪdbɔd] *s* kredens

**side·car** [`saɪd ka(r)] *s* przyczepa motocyklowa

**side-glance** [`saɪd glans] *s* spojrzenie z ukosa

**side-is·sue** [`saɪd iʃu] *s* sprawa uboczna

**side-light** [`saɪd laɪt] *s* światło boczne

**side·long** [`saɪdloŋ] *adj* boczny, skośny; *adv* bokiem, na ukos

**side-track** [`saɪd træk] *s* boczny tor; *vt* przesunąć na boczny tor; *pot.* zmienić temat rozmowy

**side·view** [`saɪd vju] *s* widok z boku

**side-walk** [`saɪdwɔk] *s am.* chodnik

**side·wards** [`saɪdwɜdz], **side·ways** [`saɪdweɪz] *adv* bokiem; na bok

**side-whis·kers** [`saɪd wɪskəz] *s pl* bokobrody

**side·wise** [`saɪdwaɪz] = **sidewards**

**sid·ing** [`saɪdɪŋ] *s* bocznica

**siege** [sidʒ] *s* oblężenie; **to lay ~** przystąpić do oblężenia (**to a town** miasta); **to raise the ~** zaprzestać oblężenia

**sieve** [siv] *s* sito; *vt* przesiewać

**sift** [sɪft] *vt* przesiewać; *przen.* selekcjonować; dokładnie badać

**sigh** [saɪ] *vi* wzdychać; tęsknić (**after, for sth** do czegoś); *s* westchnienie

**sight** [saɪt] *s* widok; wzrok; *pot.* wielka ilość, masa; **at first ~** na pierwszy rzut oka; **at ~** natychmiast, bez przygotowania; *handl.* za okazaniem; **by ~** z widzenia; **in ⟨within⟩ ~** w polu widzenia; **out of ~** poza zasięgiem wzroku; **to catch ⟨get⟩ (a) ~** zobaczyć (**of sth** coś); spostrzec; **to come into ~** ukazać się; **to keep out of ~** ukrywać (się), chować (się); **to lose ~** stracić z oczu (**of sth** coś); **to**

see **~s** oglądać osobliwości (miasta); *vt* zobaczyć, obserwować; celować (z broni palnej)
**sight·ly** [`saɪtlɪ] *adj* przyjemny dla oka, ujmujący; widoczny
**sight·see·ing** [`saɪtsiɪŋ] *s* zwiedzanie (np. miasta)
**sight·seer** [`saɪtsiə(r)] *s* turysta, zwiedzający
**sign** [saɪn] *s* znak, objaw, symbol; szyld; skinienie; **by ~s** na migi; **in ~** na znak; *vt vi* znaczyć, znakować, dawać znak; podpisywać; **~ away** przepisać (własność, prawa); **~ up** zapisać się (**for sth** na coś)
**sig·nal** [`sɪgnl] *s* sygnał; *vt vi* dawać sygnały, sygnalizować; *adj* znakomity, wybitny
**sig·nal·ize** [`sɪgnḷaɪz] *vt* wyróżniać, uświetniać
**sig·na·to·ry** [`sɪgnətrɪ] *adj* podpisujący (np. umowę); *s* sygnatariusz
**sig·na·ture** [`sɪgnətʃə(r)] *s* sygnatura, podpis; **~ tune** *radio* melodia rozpoczynająca program; *muz.* oznaczenie tonacji
**sign·board** [`saɪnbɔd] *s* szyld, wywieszka
**sig·nif·i·cance** [sɪg`nɪfɪkəns] *s* znaczenie, doniosłość
**sig·nif·i·cant** [sɪg`nɪfɪkənt] *adj* mający znaczenie, doniosły, ważny
**sig·ni·fi·ca·tion** [ˈsɪgnɪfɪ`keɪʃn] *s* znaczenie, sens
**sig·nif·i·ca·tive** [sɪg`nɪfɪkətɪv] *adj* znaczący, oznaczający (**of sth** coś)
**sig·ni·fy** [`sɪgnɪfaɪ] *vt* znaczyć, oznaczać; *vi* znaczyć, mieć znaczenie, dawać do zrozumienia
**sign·post** [`saɪnpuəst] *s* drogowskaz
**si·lence** [`saɪləns] *s* milczenie, cisza; **in ~** milcząco; **to keep ~** zachować ciszę; **to pass over in ~** pominąć ⟨zbyć⟩ milczeniem; **to put to ~** zmusić do milczenia; *vt* skłonić do milczenia; uspokoić, uciszyć; **~!** proszę o spokój!; cisza!
**si·lenc·er** [`saɪlənsə(r)] *s* tłumik
**si·lent** [`saɪlənt] *adj* milczący
**sil·hou·ette** [ˈsɪlu`et] *s* sylweta
**sil·i·ca** [`sɪlɪkə] *s chem.* krzemionka
**sil·i·con** [`sɪlɪkən] *s chem.* krzem
**silk** [sɪlk] *s* jedwab
**silk·en** [`sɪlkən], **silk·y** [`sɪlkɪ] *adj* jedwabisty; delikatny, miękki
**sill** [sɪl] *s* próg; parapet
**sil·ly** [`sɪlɪ] *adj* głupi, niedorzeczny
**si·lo** [`saɪləu] *s techn.* silos
**silt** [sɪlt] *s* osad, muł; *vt vi* zamulić (się)
**sil·ver** [`sɪlvə(r)] *s* srebro; *adj attr* srebrny, srebrzysty; *vt vi* srebrzyć (się)
**sil·ver-plate** [ˈsɪlvə `pleɪt] *s zbior.* srebro stołowe
**sil·ver·smith** [`sɪlvəsmɪθ] *s* wytwórca ⟨sprzedawca⟩
**sim·i·lar** [`sɪmɪlə(r)] *adj* podobny
**sim·i·lar·i·ty** [ˈsɪmɪ`lærətɪ] *s* podobieństwo
**sim·i·le** [`sɪmḷɪ] *s* porównanie
**si·mil·i·tude** [sɪ`mɪlɪtjud] *s* podobieństwo
**sim·mer** [`sɪmə(r)] *vi* gotować się; *przen.* być podnieconym; *vt* gotować na wolnym ogniu
**sim·per** [`sɪmpə(r)] *vi* uśmiechać się sztucznie ⟨obłudnie⟩; *s* wymuszony uśmiech
**sim·ple** [`sɪmpl] *adj* prosty; naturalny; naiwny
**sim·ple·ton** [`sɪmpltən] *s* prostak, głuptas
**sim·plic·i·ty** [sɪm`plɪsətɪ] *s* prostota; naiwność
**sim·pli·fy** [`sɪmplɪfaɪ] *vt* upraszczać, ułatwiać
**sim·ply** [`sɪmplɪ] *adv* prosto; po prostu
**sim·u·late** [`sɪmjuleɪt] *vt* symulować; naśladować
**si·mul·ta·ne·ous** [ˈsɪml`teɪnɪəs] *adj* równoczesny
**sin** [sɪn] *s* grzech; *vi* grzeszyć
**since** [sɪns] *adv* (*także* **ever ~**) od owego ⟨tego⟩ czasu; ... temu;

long ~ dawno temu; many years ~ wiele lat temu; *praep* od (określonego czasu); ~ **Sunday** od niedzieli; ~ **when?** od kiedy?; *conj* odkąd; ponieważ, skoro; ~ **I last saw you** odkąd cię widziałem

**sin·cere** [sɪn`sɪə(r)] *adj* szczery

**sin·cer·i·ty** [sɪn`serətɪ] *s* szczerość

**sine** [saɪn] *s mat.* sinus

**sin·ew** [`sɪnju] *s* ścięgno; *przen.* tężyzna, energia

**sin·ew·y** [`sɪnjuɪ] *adj* muskularny, silny

**sin·ful** [`sɪnfl] *adj* grzeszny

***sing** [sɪŋ], **sang** [sæŋ], **sung** [sʌŋ] *vt vi* śpiewać

**singe** [`sɪndʒ] *vt vi* (*p praes* **singeing** [`sɪndʒɪŋ] przypalić (się), przypiec (się); opalić (się)

**sing·er** [`sɪŋə(r)] *s* śpiewak

**sin·gle** [`sɪŋgl] *adj* pojedynczy; sam jeden; oddzielny; jedyny w swym rodzaju; nieżonaty; niezamężna; *s* bilet w jedną stronę; *sport* gra pojedyncza; *vt* ~ **out** wyróżnić, wydzielić

**sin·gle·ness** [`sɪŋglnəs] *s* jedność; prostota, szczerość; stan bezżenny

**sing·song** [`sɪŋsoŋ] *s* monotonny śpiew, monotonna recytacja

**sin·gu·lar** [`sɪŋgjulə(r)] *adj* pojedynczy; szczególny, niezwykły, dziwny; *s gram.* liczba pojedyncza

**sin·gu·lar·i·ty** [ˈsɪŋgju`lærətɪ] *s* niezwykłość, osobliwość

**sin·is·ter** [`sɪnɪstə(r)] *adj* złowieszczy, ponury

***sink** [sɪŋk], **sank** [sæŋk], **sunk** [sʌŋk] *vt vi* zanurzyć (się); topić (się), tonąć; opadać; pogrążać (się); zanikać, słabnąć; *handl. i prawn.* umarzać; *s* zlew; ściek

**sink·ing-fund** [`sɪŋkɪŋ fʌnd] *s* fundusz amortyzacyjny

**sin·ner** [`sɪnə(r)] *s* grzesznik

**sin·u·ate** [`sɪnjuət] *adj* kręty

**sin·u·os·i·ty** [ˈsɪnju`osətɪ] *s* zakręt; linia falista

**sin·u·ous** [`sɪnjuəs] *adj* kręty, wijący się

**sip** [sɪp] *vt* wolno pić, sączyć (np. kawę); *s* łyczek

**si·phon** [`saɪfən] *s* syfon

**sir** [sɜ(r)] *s* (*bez imienia i nazwiska*) pan(ie), proszę pana!; (*przed imieniem lub imieniem z nazwiskiem*) tytuł szlachecki: np. **Sir Winston Churchill; Yes, Sir** tak, proszę pana!; **Sir, it is my duty...** Panie, moim obowiązkiem jest...; (*w listach*) **(Dear) Sir!** Szanowny Panie

**si·ren** [`saɪərən] *s* syrena

**sis·kin** [`sɪskɪn] *s zool.* czyżyk

**sis·ter** [`sɪstə(r)] *s* siostra

**sis·ter-in-law** [`sɪstr̩ ɪn lɔ] *s* szwagierka, bratowa

***sit** [sɪt], **sat, sat** [sæt] *vi* siedzieć; zasiadać; (*o ubraniu*) leżeć; mieć sesję, obradować; studiować (**under** sb pod czyimś kierunkiem); pozować (**to a painter for one's portrait** malarzowi do portretu); **to ~ for an examination** zasiadać do egzaminu; **to ~ in judgment** wyrokować; **to ~ on a committee** zasiadać w komitecie; ~ **down** siadać, usiąść; ~ **out** siedzieć na zewnątrz; wysiedzieć do końca; ~ **through** siedzieć przez cały czas, przesiedzieć; ~ **up** podnieść się (w łóżku); nie spać, czuwać, przesiadywać do późna

**sit-down** [`sɪtdaun] *adj attr*: ~ strike strajk okupacyjny

**site** [saɪt] *s* położenie; miejscowość; działka, parcela; miejsce

**sit·ting** [`sɪtɪŋ] *s* siedzenie; posiedzenie

**sit·ting-room** [`sɪtɪŋ rum] *s* bawialnia, salonik

**sit·u·ate** [`sɪtʃueɪt] *vt* umieszczać

**sit·u·at·ed** [`sɪtʃueɪtɪd] *adj* położony; sytuowany; **badly ~** (znajdujący się) w ciężkiej sytuacji

**sit·u·a·tion** [ˈsɪtʃu`eɪʃn] *s* sytuacja, położenie; stanowisko

**six** [sɪks] *num* sześć; *s* szóstka;

at ~es and sevens w zupełnym zamieszaniu
**six·pence** ['sɪkspəns] *s* sześciopensówka (moneta)
**six·teen** [ˈsɪk'stin] *num* szesnaście; szesnastka
**six·teenth** [ˈsɪk'stinθ] *adj* szesnasty
**sixth** ['sɪksθ] *adj* szósty
**six·ti·eth** ['sɪkstɪəθ] *adj* sześćdziesiąty
**six·ty** ['sɪkstɪ] *num* sześćdziesiąt
**siz·able** ['saɪzəbl] *adj* wielki, pokażnych rozmiarów
**size 1.** [saɪz] *s* rozmiar, wielkość; format; wymiar; *vt* szacować według rozmiaru
**size 2.** [saɪz] *s* klej; *vt* kleić
**skate** [skeɪt] *vi* ślizgać się (na łyżwach); *s* łyżwa; (*także* **roller-~**) wrotka
**skat·ing-ground** ['skeɪtɪŋ graʊnd], **skat·ing-rink** ['skeɪtɪŋ rɪŋk] *s* lodowisko; tor łyżwiarski
**skein** [skeɪn] *s* motek, pasmo (przędzy); *przen.* plątanina
**skel·e·ton** ['skelɪtən] *s dosł.* i *przen.* szkielet, kościotrup; zarys; ~ **key** wytrych
**sketch** [sketʃ] *s* rysunek, szkic; skecz; *vt* kreślić, szkicować
**sketch-book** ['sketʃ bʊk] *s* szkicownik
**sketch·er** ['sketʃə(r)] *s* kreślarz
**sketch·y** ['sketʃɪ] *adj* zrobiony w zarysie, szkicowy, pobieżny
**ski** [ski] *s* narty; *vi* jeździć na nartach
**skid** [skɪd] *s* podpórka; klocek hamulcowy; pochylnia; ześlizg; poślizg; *lotn.* płoza; *vt* hamować; *vi* poślizgnąć się; (*o samochodzie*) zarzucić, wpaść w poślizg
**ski·er** ['skiə(r)] *s* narciarz
**ski·ing** ['skiɪŋ] *s* narciarstwo
**skil·ful** ['skɪlfl] *adj* zręczny; **to be ~ at sth** dobrze coś umieć
**skill** [skɪl] *s* zręczność, sprawność, umiejętność
**skilled** [skɪld] *adj* wprawny; (*o pracy*) fachowy; (*o robotniku*) wykwalifikowany
**skim** [skɪm] *vt* zbierać (śmietanę); szumować; *vi* lekko dotykać powierzchni; przerzucać (książkę)
**skim-milk** ['skɪmmɪlk] *s* mleko zbierane
**skin** [skɪn] *s* skóra (na ciele), skórka (rośliny); *vt* zdjąć skórę, obedrzeć ze skóry
**skin·ny** ['skɪnɪ] *adj* chudy
**skip** [skɪp] *vt vi* skakać, przeskakiwać; opuszczać, pomijać; *s* skok
**skip·per** ['skɪpə(r)] *s* kapitan statku handlowego
**skip·ping-rope** ['skɪpɪŋ rəʊp] *s* skakanka
**skir·mish** ['skɜmɪʃ] *s* potyczka
**skirt** [skɜt] *s* spódnica; poła
**skit·tle** ['skɪtl] *s* (*także* **~-pin**) kręgiel; *pl* **~s** (**~-pins**) gra w kręgle
**skulk** [skʌlk] *vi* czaić się, kryć się
**skull** [skʌl] *s* czaszka
**skunk** [skʌŋk] *s zool.* skunks; skunksy (futro)
**sky** [skaɪ] *s* niebo; **under the open ~** pod gołym niebem
**sky·lark** ['skaɪlak] *s* skowronek; *vi* psocić, swawolić
**sky·light** ['skaɪ laɪt] *s* okno w suficie, świetlik
**sky·line** ['skaɪ laɪn] *s* linia horyzontu; sylweta (np. miasta) na tle nieba
**sky·scrap·er** ['skaɪ skreɪpə(r)] *s* drapacz chmur, wieżowiec
**sky·wards** ['skaɪwədz] *adv* ku niebu, wzwyż
**sky·way** ['skaɪweɪ] *s* droga powietrzna
**slab** [slæb] *s* płyta
**slack** [slæk] *adj* wiotki, słaby; ospały, leniwy; *s* zastój, bezczynność; miał węglowy; *pl* **~s** spodnie
**slack·en** ['slækən] *vt vi* słabnąć, maleć; popuszczać, rozluźniać; zwalniać (tempo)
**slain** *zob.* **slay**
**slake** [sleɪk] *vt* gasić, lasować

(wapno); gasić (pragnienie); opaść, osłabnąć
**slam** [slæm] *vt vi* trzaskać (np. drzwiami), zatrzaskiwać (się), gwałtownie zamykać; *s* trzaśnięcie, trzask; (*w kartach*) szlem
**slan·der** [ˈslandə(r)] *s* potwarz; *vt* rzucać oszczerstwa
**slan·der·er** [ˈslandərə(r)] *s* oszczerca
**slan·der·ous** [ˈslandərəs] *adj* oszczerczy
**slang** [slæŋ] *s* slang, żargon
**slant** [slant] *vi* skośnie padać, być nachylonym; *vt* nadawać skośny kierunek, nachylać; *adj* skośny, nachylony; *s* skośny kierunek, skos, nachylenie
**slap** [slæp] *vt* klepać, uderzać dłonią; ~ **down** położyć z trzaskiem; *s* klaps, uderzenie dłonią; *przen.* ~ **in the face** policzek
**slap·dash** [ˈslæpdæʃ] *adv* niedbale, byle jak; *adj attr* niedbały, byle jaki; *s* fuszerka, robota na kolanie; *vt* robić coś na kolanie, fuszerować
**slash** [slæʃ] *vt* ciąć, smagać, kaleczyć; *s* cięcie, szrama
**slash·ing** [ˈslæʃɪŋ] *adj* cięty, zjadliwy; okrutny
**slat** 1. [slæt] *s* deszczułka, listewka
**slat** 2. [slæt] *vi* trzepotać, łopotać
**slate** 1. [sleɪt] *vt pot.* besztać, ganić
**slate** 2. [sleɪt] *s* łupek; dachówka z łupku; *vt* pokrywać łupkiem
**slaugh·ter** [ˈslɔtə(r)] *s* rzeź; ubój; *vt* zarzynać; mordować
**slaugh·ter-house** [ˈslɔtə haʊs] *s* rzeźnia
**Slav** [slav] *s* Słowianin; *adj* słowiański
**slave** [sleɪv] *s* niewolnik; *vi* pracować niewolniczo, harować ponad siły; *vt* zmuszać do pracy niewolniczej
**slave-driv·er** [ˈsleɪv draɪvə(r)] *s* nadzorca niewolników
**slav·er** 1. [ˈsleɪvə(r)] *s* handlarz niewolnikami
**slav·er** 2. [ˈsleɪvə(r)] *vi* ślinić się; *vt* poślinić; *s* ślina
**slav·e·ry** [ˈsleɪvərɪ] *s* niewolnictwo
**Slav·ic** [ˈslavɪk] *adj* słowiański
**slav·ish** [ˈsleɪvɪʃ] *adj* niewolniczy
**Sla·von·ic** [sləˈvonɪk] *adj* słowiański; *s* język słowiański
***slay** [sleɪ], **slew** [slu], **slain** [sleɪn] *vt* zabijać
**sled** [sled] *s* sanie, sanki; *vi* jechać saniami; saneczkować się; *vt* przewozić saniami
**sledge** 1. [sledʒ] = **sled**
**sledge** 2. [sledʒ], **sledge-hammer** [ˈsledʒ hæmə(r)] *s* młot kowalski
**sleek** [slik] *adj* gładki; *vt* gładzić; łagodzić
***sleep** [slip], **slept, slept** [slept], *vi* spać; *s* sen
**sleep·er** [ˈslipə(r)] *s* człowiek śpiący; wagon sypialny; miejsce sypialne; podkład
**sleep·ing-car** [ˈslipɪŋ ka(r)] *s* wagon sypialny
**sleep·less** [ˈslipləs] *adj* bezsenny
**sleep-walk·er** [ˈslip wɔkə(r)] *s* lunatyk
**sleep·y** [ˈslipɪ] *adj* senny, śpiący; ospały
**sleep·y·head** [ˈslipɪ hed] *s* śpioch
**sleet** [slit] *s* deszcz ze śniegiem; *v imp* **it** ~**s** pada deszcz ze śniegiem
**sleeve** [sliv] *s* rękaw; *przen.* **to laugh up one's** ~ śmiać się w kułak
**sleigh** [sleɪ] *s* sanie, sanki; *vi* jechać saniami; saneczkować się
**slen·der** [ˈslendə(r)] *adj* wysmukły, szczupły; cienki
**slept** *zob.* **sleep**
**sleuth** [sluθ] *s* pies policyjny; detektyw, szpicel
**slew** *zob.* **slay**
**slice** [slaɪs] *s* kromka, płat, płatek (np. szynki); *vt* cienko krajać

**slick** [slɪk] *adj* gładki, zręczny, układny; *adv* gładko; wprost; od razu; całkowicie

• **slide** [slaɪd], **slid, slid** [slɪd] *vi* pośliznąć się, ślizgać się, sunąć; *vt* posuwać, zsuwać; *s* pośliznięcie się; śliski zjazd; tor saneczkowy; suwak; przeźrocze; szkiełko w mikroskopie; *fot.* slajd

**slide-rule** [`slaɪd rul] *s mat.* suwak logarytmiczny

**slight** [slaɪt] *adj* nieznaczny, drobny, niegodny uwagi; cienki, szczupły; *s* lekceważenie; *vt* lekceważyć, pogardliwie traktować

**slight·ness** [`slaɪtnəs] *s* słabość, delikatność; małe znaczenie

**slim** [slɪm] *adj* cienki; smukły; nieistotny, mało znaczący

**slime** [slaɪm] *s* muł; *vt* zamulić

**slim·y** [`slaɪmɪ] *adj* mulisty, grząski; *przen.* płaszczący się, służalczy

• **sling** [slɪŋ], **slung, slung** [slʌŋ], [slʌŋ] *vt* rzucać, miotać; zawiesić (np. na ramieniu), zarzucić (na ramię); *s* cios, rzut; rzemień; temblak

• **slink** [slɪŋk], **slunk, slunk** [slʌŋk] *vi* skradać się, przekradać się

**slip 1.** [slɪp] *vi* pośliznąć się; wśliznąć się, niepostrzeżenie wpaść; przemówić się, zrobić przypadkowy błąd; *vt* niepostrzeżenie wsunąć, ukradkiem włożyć; **to let ~** spuścić, wypuścić (z rąk); **to ~ one's notice** ujść czyjejś uwagi; **~ in** wkraść się; **~ off** ześliznąć się; ujść; zrzucić (z siebie ubranie); **~ out** wymknąć się, wyrwać się; **~ over** wciągnąć, naciągnąć (np. koszulę przez głowę); *s* pośliznięcie się; wykolejenie; błąd, omyłka, lapsus; świstek (papieru), kartka; pasek; kawałek; *pl* **~s** kąpielówki, slipy

**slip·per** [`slɪpə(r)] *s* pantofel (domowy)

**slip·per·y** [`slɪpərɪ] *adj* śliski; chwiejny, niestały; nierzetelny

**slip·shod** [`slɪpʃod] *adj* niedbały, nieporządny

• **slit, slit, slit** [slɪt] *vt* rozszczepić (podłużnie), rozłupać, rozpłatać, rozpruć; *vi* rozedrzeć się, pęknąć; *s* szczelina, szpara

**slob·ber** [`slobə(r)] *vt vi* ślinić (się); roztkliwiać się; partaczyć; *s* ślina (na ustach); rozczulenie się

**slo·gan** [`sləugən] *s* slogan, hasło

**slop 1.** [slop] *vt vi* rozlać (się), przelać (się), przelewać się (przez wierzch), zalać; *s* rozlana ciecz, mokra plama; *pl* **~s** pomyje

**slop 2.** [slop] *s* (*zw pl* **~s**) luźna odzież, chałat; tania konfekcja

**slope** [sləup] *s* pochyłość, nachylenie; zbocze; *vt vi* nachylać (się), opadać pochyło, być pochylonym

**sloped** [sləupt] *adj* pochyły, spadzisty

**slop·py** [`slopɪ] *adj* błotnisty; niechlujny, zaniedbany

**slop·shop** [`slopʃop] *s* sklep z tanią konfekcją

**slop·work** [`slopwɜk] *s* wyrób taniej konfekcji, tania konfekcja

**slot** [slot] *s* szczelina, szpara

**sloth** [sləuθ] *s* lenistwo, ospałość; *zool.* leniwiec

**slot-ma·chine** [`slot məʃin] *s* automat (sprzedający bilety, papierosy itp.)

**slouch** [slautʃ] *vt* opuścić (np. rondo kapelusza); niedbale zwiesić (np. głowę); *vi* zwisać; chodzić ociężale; *s* zaniedbana powierzchowność; ociężały chód; przygarbienie; *pot.* niedołęga

**slough 1.** [slau] *s* bagno, trzęsawisko

**slough 2.** [slʌf] *s* zrzucona skóra (węża); *vt* zrzucać (skórę); *vi* linieć

**slov·en** [`slʌvn] *s* brudas

**slov·en·ly** [`slʌvnlɪ] *adj* niechlujny, niedbały

**slow** [sləu] *adj* wolny, powolny; spóźniony, spóźniający się; **to be ~** ociągać się, zwlekać; (*o ze-*

*garku*) późnić się; *vt vi* (*zw.* ~ **down** ⟨**up, off**⟩) zwalniać, zmniejszać szybkość; *adv* wolno, powoli
**slow-worm** ['sləuwɜm] *s zool.* padalec
**sludge** [slʌdʒ] *s* gęste błoto, muł
**slug·gard** ['slʌgəd] *s* próżniak
**slug·gish** ['slʌgɪʃ] *adj* leniwy, ociężały; ciężko myślący
**sluice** [slus] *s* śluza; *vt* puszczać przez śluzę, zalewać
**slum** [slʌm] *s* (*zw. pl* ~**s**) dzielnica ruder
**slum·ber** ['slʌmbə(r)] *vi* drzemać; *s* drzemka
**slump** [slʌmp] *s* gwałtowny spadek cen, krach; *vi* (*o cenach*) gwałtownie spaść
**slung** *zob.* **sling**
**slunk** *zob.* **slink**
**slur** [slɜ(r)] *vt* zacierać, tuszować; oczerniać; niewyraźnie wymawiać; *muz.* grać legato; *s* plama; nagana; oszczerstwo; *muz.* legato
**slush** [slʌʃ] *s* śnieg z błotem, chlapa
**slush·y** ['slʌʃɪ] *adj* błotnisty, grząski
**slut** [slʌt] *s* niechlujna kobieta, flejtuch
**sly** [slaɪ] *adj* chytry
**smack 1.** [smæk] *s* przedsmak; posmak; *vi* mieć posmak, trącić (**of sth** czymś)
**smack 2.** [smæk] *vt* trzaskać (z bicza); mlaskać, cmokać; chlastać; *s* trzaśnięcie; cmoknięcie; trzepnięcie
**small** [smɔl] *adj* mały, drobny; bardzo młody; nieważny; małostkowy; ~ **change** drobne (pieniądze); ~ **hours** wczesne godziny ranne; ~ **talk** rozmowa o byle czym
**small-pox** ['smɔlpoks] *s med.* ospa
**smart** [smɑt] *vi* boleć; cierpieć, czuć ból; *s* ostry ból; *adj* bolesny, dotkliwy; ostry, bystry; sprytny; elegancki, modny
**smash** [smæʃ] *vt vi* rozbić (się), potłuc, pogruchotać, zniszczyć; *sport* ściąć (piłkę tenisową); *s* gwałtowne uderzenie, rozbicie, zniszczenie, katastrofa; *sport* smecz
**smat·ter·ing** ['smætərɪŋ] *s* powierzchowna wiedza
**smear** [smɪə(r)] *vt* smarować, mazać; *s* plama
***smell** [**smel**], **smelt, smelt** [**smelt**] *vi* pachnieć (**of sth** czymś); *vt* wąchać, węszyć, wietrzyć; czuć zapach (**sth** czegoś); *s* zapach; węch, powonienie
**smell·y** ['smelɪ] *adj pot.* śmierdzący
**smelt 1.** *zob.* **smell**
**smelt 2.** [smelt] *vt* topić, wytapiać (metal)
**smile** [smaɪl] *s* uśmiech; *vi* uśmiechać się (**on, upon sb** do kogoś, **at sth** do czegoś); *vt* wyrazić uśmiechem; ~ **away** rozproszyć uśmiechem
**smirch** [smɜtʃ] *vt* plamić, brudzić; *s* brudne miejsce, plama
**smirk** [smɜk] *vi* uśmiechać się nieszczerze ⟨niemądrze⟩; *s* uśmiech nieszczery ⟨niemądry⟩
***smite** [**smaɪt**], **smote** [**sməut**], **smit·ten** ['**smɪtn**] *vt* uderzać, walić, porazić; ~ **off** odtrącić, strącić; ściąć (głowę); **to be smitten** doznać wstrząsu, przejąć się (**with sth** czymś); zadurzyć się
**smith** [smɪθ] *s* kowal; *vt* kuć
**smith·er·eens** ['smɪðə'rinz] *s pl pot.* kawałeczki, drzazgi, strzępy
**smith·y** ['smɪθɪ] *s* kuźnia
**smit·ten** *zob.* **smite**
**smock** [smok] *s* chałat, kitel; † koszula damska
**smock-frock** ['smokfrok] *s* chałat, kitel, ubranie robocze
**smog** [smog] *s* mgła zmieszana z dymem, smog
**smoke** [sməuk] *s* dym; kopeć; palenie (papierosa); **to have a** ~ zapalić papierosa ⟨cygaro⟩; *vt vi*

dymić, kopcić; palić (tytoń); wędzić
**smok·er** [ˈsməukə(r)] *s* palacz; *kolej.* przedział dla palących
**smoke-screen** [ˈsməuk skrin] *s* zasłona dymna
**smoke·stack** [ˈsməuk stæk] *s* komin (fabryczny, lokomotywy)
**smok·y** [ˈsməukɪ] *adj* dymiący, dymny
**smooth** [smuð] *adj* gładki, równy; *vt* (*także* **smoothe**) gładzić, wyrównywać
**smote** *zob.* **smite**
**smoth·er** [ˈsmʌðə(r)] *vt vi* dusić (się), dławić (się); tłumić; *s* dławiący dym; chmura dymu ⟨kurzu⟩; *przen.* **from the smoke into the ~** z deszczu pod rynnę
**smoul·der** [ˈsməuldə(r)] *vi* tlić się; *s* tlący się ogień
**smudge 1.** [smʌdʒ] *vt* plamić, brudzić; *s* plama, brudne miejsce
**smudge 2.** [smʌdʒ] *s* dławiący dym
**smug** [smʌg] *adj* dufny, zadowolony z siebie, próżny
**smug·gle** [ˈsmʌgl] *vt* przemycać; *vi* uprawiać przemyt
**smug·gler** [ˈsmʌglə(r)] *s* przemytnik
**smut** [smʌt] *s* sadza; brud, plama; *vt* zanieczyścić ⟨zabrudzić⟩ sadzą
**smut·ty** [ˈsmʌtɪ] *adj* zabrudzony ⟨poplamiony⟩ sadzą
**snack** [snæk] *s* zakąska, przekąska; **~ bar** bufet; **to have a ~** przekąsić
**snaf·fle** [ˈsnæfl] *s* uzda; *vt* nałożyć uzdę; *pot.* porwać, zwędzić
**snag** [snæg] *s* pieniek; przeszkoda, zapora
**snag·gy** [ˈsnægɪ] *adj* sękaty
**snail** [sneɪl] *s zool.* ślimak
**snake** [sneɪk] *s zool.* wąż
**snap** [snæp] *vt vi* chwycić, porwać; trzasnąć, uderzyć; zatrzasnąć się; *fot.* zrobić migawkowe zdjęcie; rozerwać (się), rozłupać (się); ugryźć; **~ off** odgryźć; nagle oderwać; przerwać; *s* trzaśnięcie; porwanie; zatrzask; *fot.* zdjęcie migawkowe; *adj* nagły, niespodziewany; zaskakujący
**snap-fas·ten·er** [ˈsnæp fasnə(r)] *s* zatrzask (do ubrania)
**snap-lock** [ˈsnæp lok] *s* zatrzask (u drzwi)
**snap·py** [ˈsnæpɪ] *adj* zgryźliwy, zjadliwy; żywy, energiczny
**snap-roll** [ˈsnæp rəul] *s lotn.* beczka
**snap·shot** [ˈsnæpʃot] *s fot.* zdjęcie migawkowe
**snare** [sneə(r)] *s* pułapka, sidła; *vt* złapać w sidła, usidlić
**snarl 1.** [snal] *vi* warczeć; *s* warczenie
**snarl 2.** [snal] *s* węzeł; plątanina; *vt* zaplątać, zagmatwać
**snatch** [snætʃ] *vt* porwać, urwać; *vi* chwytać się (**at sth** czegoś); *s* szybki chwyt; kęs; urywek
**sneak** [snik] *vi* wkradać się; *pot.* skarżyć (**on sb** na kogoś); *s* nikczemnik; *pot.* donosiciel, skarżypyta
**sneer** [snɪə(r)] *vi* szyderczo się śmiać (**at sb, sth** z kogoś, czegoś); *s* szyderczy uśmiech
**sneer·ing·ly** [ˈsnɪərɪŋlɪ] *adv* szyderczo
**sneeze** [sniz] *vi* kichać; *s* kichnięcie
**snick·er** [ˈsnɪkə(r)] = **snigger**
**sniff** [snɪf] *vt* wąchać, węszyć; *vi* pociągać nosem
**snif·fle** [ˈsnɪfl] *vi* = **snuffle**
**snif·fy** [ˈsnɪfɪ] *adj pot.* pogardliwy; śmierdzący
**snig·ger** [ˈsnɪgə(r)] *vi* chichotać; *s* chichot
**snip** [snɪp] *vt* ciąć nożycami; *s* cięcie; skrawek; *pot.* okazja
**snipe**[1] [snaɪp] *s* (*pl* **~**) *zool.* bekas
**snipe**[2] [snaɪp] *vi* strzelać z ukrycia ⟨z dalekiej odległości⟩ (**at sb, sth** do kogoś, czegoś)
**snip·er** [ˈsnaɪpə(r)] *s* strzelec wyborowy, snajper
**sniv·el** [ˈsnɪvl] *vi* pociągać nosem; biadolić; pochlipywać; *s* pochlipywanie
**snob** [snob] *s* snob

**snob·ber·y** [`snobərı] *s* snobizm
**snooze** [snuz] *s pot.* drzemka; *vi pot.* drzemać; zdrzemnąć się
**snore** [snɔ(r)] *vi* chrapać; *s* chrapanie
**snort** [snɔt] *vi* parskać, sapać
**snout** [snaut] *s* pysk; *techn.* wlot, dysza
**snow** [snəu] *s* śnieg; *vi (o śniegu)* padać; *vt* przysypać śniegiem
**snow·ball** [`snəubɔl] *s* kula śniegowa; **to play at ~s** bawić się w śnieżki
**snow·drop** [`snəudrop] *s bot.* śnieżyczka; przebiśnieg
**snow·flake** [`snəufleık] *s* płatek śniegu
**snow-man** [`snəumæn] *s* bałwan śniegowy
**snow-slide** [`snəu slaıd] *s* lawina śnieżna
**snow-storm** [`snəu stɔm] *s* burza śnieżna; zadymka
**snow·y** [`snəuı] *adj* śnieżny, śnieżysty
**snub** [snʌb] *vt* zrobić afront, *pot.* dać po nosie; *s* ofuknięcie; afront
**snub·nose** [ˈsnʌb `nəuz] *s* perkaty nos
**snuff** [snʌf] *vt vi* pociągać nosem, wąchać; zażywać tabaki; *s* tabaka, szczypta tabaki
**snuff-box** [`snʌf boks] *s* tabakiera
**snuf·fle** [`snʌfl] *vi* ciężko oddychać (przez nos), sapać; mówić przez nos
**snug** [snʌg] *adj* miły, wygodny; przytulny; *(o ubraniu)* przylegający; *vt vi* tulić (się), wygodnie ułożyć (się)
**so** [səu] *adv* tak, w ten sposób; **so as to** ażeby, żeby; **so far** dotąd, na razie; **so far as** o ile; **so long as** jak długo; o ile; **so much for that** dość tego; **so much more** tym więcej; **so much the better** o tyle lepiej; **not so much** nie tak wiele; ani nawet; **he would not so much as talk to me** on nawet mówić ze mną nie chciał; *zastępuje wyrażoną poprzednio myśl:* **he is honest but his partner is not so** on jest uczciwy, ale jego wspólnik nie jest (uczciwy); **or so** mniej więcej; **5 pounds or so** mniej więcej 5 funtów; **so so** tak sobie; **so and so** taki a taki, ten a ten; **so to say** że tak powiem; **so long!** tymczasem!; do widzenia!; **just ⟨quite⟩ so!** tak właśnie!, racja!; *conj* więc, a więc; **she asked me to go, so I went** prosiła żebym poszedł, więc poszedłem
**soak** [səuk] *vt* zmoczyć, zamoczyć, przemoczyć, namoczyć; *vi* zamoknąć, nasiąknąć wilgocią; *pot.* chlać; **to get a nice ~ing** przemoknąć do nitki
**soap** [səup] *s* mydło; *vt vi* namydlić, mydlić (się)
**soap·y** [`səupı] *adj* mydlany
**soar** [sɔ(r)] *vi* unosić się, wzbijać się, ulatać
**sob** [sob] *vi* łkać, szlochać; *s* szloch
**so·ber** [`səubə(r)] *adj* trzeźwy; trzeźwo myślący, rozumny; **as ~ as a judge** zupełnie trzeźwy; śmiertelnie poważny; *vt* otrzeźwić; *vi* wytrzeźwieć; **~ down** opamiętać się
**so·bri·e·ty** [sə`braıətı] *s* trzeźwość, rozsądek
**soc·cer** [`sokə(r)] *s pot. sport* piłka nożna
**so·cia·ble** [`səuʃəbl] *adj* towarzyski; przyjacielski, miły
**so·cial** [`səuʃl] *adj* socjalny, społeczny; towarzyski; **~ welfare worker** społecznik, działacz społeczny; **~ security** ubezpieczenia społeczne
**so·cial·ism** [`səuʃlızm] *s* socjalizm
**so·cial·ist** [`səuʃlıst] *adj* socjalistyczny; *s* socjalista
**so·cial·is·tic** [ˈsəuʃə`lıstık] *adj* socjalistyczny
**so·cial·ize** [`səuʃlaız] *vt* socjalizować, uspołeczniać
**so·ci·e·ty** [sə`saıətı] *s* społeczeństwo; towarzystwo

**so·ci·o·log·i·cal** [ˈsəusɪəˋlodʒɪkl] *adj* socjologiczny
**so·ci·ol·o·gist** [ˈsəusɪˋolədʒɪst] *s* socjolog
**so·ci·ol·o·gy** [ˈsəusɪˋolədʒɪ] *s* socjologia
**sock** [sok] *s* skarpetka; *przen.* **to pull up one's ~s** wziąć się w garść
**sock·et** [ˋsokɪt] *s* wgłębienie, jama; *techn.* gniazdko; oprawka
**sod** [sod] *s* darnina, gruda darniny
**so·da** [ˋsəudə] *s* soda; **~ water** woda sodowa
**so·di·um** [ˋsəudɪəm] *s chem.* sód
**so·fa** [ˋsəufə] *s* sofa
**soft** [soft] *adj* miękki, łagodny, przyjemny, delikatny; cichy; **~ drink** napój bezalkoholowy
**soft-boiled** [ˈsoft ˋbɔɪld] *adj* (*o jajku*) ugotowany na miękko
**soft·en** [ˋsofn] *vt* zmiękczyć, złagodzić; *vi* mięknąć, łagodnieć
**sog·gy** [ˋsogɪ] *adj* rozmokły, mokry
**soil 1.** [sɔɪl] *s* gleba, ziemia
**soil 2.** [sɔɪl] *vt vi* plamić (się), brudzić (się); *s* plama, brud
**so·journ** [ˋsodʒən] *s* pobyt; *vi* przebywać
**so·lace** [ˋsolɪs] *vt* pocieszać; *s* pocieszenie, pociecha
**so·lar** [ˋsəulə(r)] *adj* słoneczny
**sold** *zob.* **sell**
**sol·der** [ˋsoldə(r)] *vt* lutować, spawać; *s* lut
**sol·der·ing-iron** [ˋsoldrɪŋ aɪən] *s* kolba lutownicza
**sol·dier** [ˋsəuldʒə(r)] *s* żołnierz; *vi* służyć w wojsku, być żołnierzem
**sole 1.** [səul] *s* podeszwa, zelówka; *vt* zelować
**sole 2.** [səul] *adj* jedyny, wyłączny
**sole 3.** [səul] *s zool.* sola (ryba)
**so·le·cism** [ˋsolɪsɪzm] *s* błąd językowy
**sol·emn** [ˋsoləm] *adj* uroczysty
**so·lem·ni·ty** [səˋlemnətɪ] *s* uroczystość
**sol·em·nize** [ˋsoləmnaɪz] *vt* święcić, uroczyście obchodzić
**so·lic·it** [səˋlɪsɪt] *vt* ubiegać się (**sth** o coś), usilnie prosić (**sb for sth, sth from sb** kogoś o coś)
**so·lic·i·ta·tion** [səˈlɪsɪˋteɪʃn] *s* molestowanie, nagabywanie, starania, zabiegi
**so·lic·i·tor** [səˋlɪsɪtə(r)] *s* adwokat (występujący w niższych instancjach); *am. handl.* akwizytor; *bryt.* **Solicitor General** zastępca rzecznika Korony (najwyższy radca prawny)
**so·lic·i·tous** [səˋlɪsɪtəs] *adj* troskliwy; zatroskany (**about, for sth** o coś); chcący, pragnący (**of sth** czegoś)
**so·lic·i·tude** [səˋlɪsɪtjud] *s* troska, troskliwość
**sol·id** [ˋsolɪd] *adj* solidny; masywny; stały, trwały; poważny; pewny; *mat.* trójwymiarowy; **~ geometry** stereometria; *s* ciało stałe; *mat.* bryła
**sol·i·dar·i·ty** [ˈsolɪˋdærətɪ] *s* solidarność
**so·lid·i·ty** [səˋlɪdətɪ] *s* solidność, masywność, trwałość
**so·lil·o·quy** [səˋlɪləkwɪ] *s* monolog
**sol·i·tar·y** [ˋsolɪtrɪ] *adj* samotny; *s* samotnik
**sol·i·tude** [ˋsolɪtjud] *s* samotność
**sol·stice** [ˋsolstɪs] *s* przesilenie dnia z nocą
**sol·u·ble** [ˋsoljubl] *adj* rozpuszczalny
**so·lu·tion** [səˋluʃn] *s* rozwiązanie (np. problemu); rozłączenie; przerwanie; rozpuszczenie; *chem.* roztwór
**solve** [solv] *vt* rozwiązać
**sol·ven·cy** [ˋsolvənsɪ] *s* wypłacalność
**sol·vent** [ˋsolvənt] *adj chem.* rozpuszczający; *handl.* wypłacalny; *s chem.* rozpuszczalnik
**som·bre** [ˋsombə(r)] *adj* ciemny; ponury

**some** [sʌm] *adj pron* pewien, jakiś, niejaki; trochę, nieco, kilka; część; *adv* około, mniej więcej
**some·bod·y** [`sʌmbədɪ] *pron* ktoś
**some·way** [`sʌmweɪ] *adv* jakoś
**some·one** [`sʌmwʌn] *pron* ktoś
**som·er·sault** [`sʌməsɔlt] *s* koziołek; **to turn a ~** przekoziołkować, wywrócić koziołka
**some·thing** [`sʌmθɪŋ] *pron* coś; *adv* trochę, nieco; (*także* **~ like**) mniej więcej
**some·time** [`sʌmtaɪm] *adv* niegdyś, kiedyś; *adj attr* były
**some·times** [`sʌmtaɪmz] *adv* czasem, niekiedy
**some·way** [`sʌmweɪ] *adv* jakoś
**some·what** [`sʌmwot] *adv* nieco, poniekąd
**some·where** [`sʌmweə(r)] *adv* gdzieś; **~ else** gdzieś indziej
**son** [sʌn] *s* syn
**song** [soŋ] *s* śpiew; pieśń
**song·ster** [`soŋstə(r)] *s* śpiewak
**son-in-law** [`sʌn ɪn lɔ] *s* zięć
**son·net** [`sonɪt] *s* sonet
**son·ny** [`sʌnɪ] *s* synek
**so·no·rous** [sə`nɔrəs] *adj* dźwięczny, donośny
**soon** [sun] *adv* wkrótce; wcześnie; szybko; **as ~ as** skoro tylko; **as ~ as possible** możliwie najwcześniej; **as ~** chętnie; **I would as ~ ...** chętnie bym ...; **~er** chętniej; **I would ~er ...** chętniej ⟨raczej⟩ bym ...; **no ~er than** natychmiast potem jak, ledwo
**soot** [sut] *s* sadza; *vt* zabrudzić sadzą
**sooth** [suθ] *s lit.* prawda; **in (good) ~** naprawdę
**soothe** [suð] *vt* łagodzić, koić; pochlebiać
**sooth·say·er** [`suθ seɪə(r)] *s* wróżbita
**sop** [sop] *s* maczanka; *przen.* łapówka; *vt* maczać, rozmoczyć; *vi* być przemoczonym; **~ up** zbierać ⟨wycierać⟩ płyn (np. gąbką)
**so·phis·ti·cate** [sə`fɪstɪkeɪt] *vi* używać sofizmatów; *vt* przekręcać (np. tekst); fałszować
**so·phis·ti·cat·ed** [sə`fɪstɪkeɪtɪd] *adj* wyszukany, wymyślny, przemądrzały, wyrafinowany
**soph·ist·ry** [`sofɪstrɪ] *s* sofistyka
**so·po·rif·ic** [ˌsopə`rɪfɪk] *adj* nasenny; *s* środek nasenny
**sorb** [sɔb] *s bot.* jarzębina
**sor·cer·er** [`sɔsərə(r)] *s* czarodziej, czarnoksiężnik
**sor·cer·y** [`sɔsərɪ] *s* czarnoksięstwo
**sor·did** [`sɔdɪd] *adj* brudny; podły; skąpy
**sor·dine** [sɔ`din] *s muz.* tłumik
**sore** [sɔ(r)] *adj* bolesny, wrażliwy; rozdrażniony, zmartwiony; drażliwy; **he has a ~ throat ⟨head⟩** boli go gardło ⟨głowa⟩; *s* bolesne miejsce, otarcie, rana; *przen.* bolesne ⟨przykre⟩ wspomnienie
**sor·rel** [`sorl] *s bot.* szczaw
**sor·row** [`sorəu] *s* smutek; *vi* smucić się (**at** ⟨**for, over**⟩ **sth** czymś)
**sor·row·ful** [`sorəufl] *adj* smutny; żałosny
**sor·ry** [`sorɪ] *adj* smutny; zmartwiony; **to be ~** żałować (**for sb, sth** kogoś, czegoś); **to be ~** martwić się (**about sth** czymś); **(I am) ~** przykro mi, przepraszam; **I am ~ for you** żal mi ciebie; **I am ~ to tell you that ...** z przykrością muszę ci powiedzieć, że ...
**sort** [sɔt] *s* rodzaj, jakość, gatunek; **in a ~** w pewnej mierze, w pewnym sensie; **nothing of the ~** nic podobnego; **of all ~s** wszelkiego rodzaju; **out of ~s** w złym nastroju; *pot.* **~ of** coś w tym rodzaju, jakiś tam; **what ~ of ...?** jaki to ...?; **he is the right ~** to jest odpowiedni człowiek; *vt* sortować; *vi* zgadzać się; być stosowanym (**with sth** do czegoś)
**sor·tie** [`sɔtɪ] *s wojsk.* wypad; *lotn.* lot bojowy
**so-so** [`səu səu] *adj* taki sobie; *adv* tak sobie, jako tako
**sot** [sot] *s* pijaczyna; *vi* pić nałogowo

**sot·tish** [ˋsotɪʃ] *adj* ogłupiony alkoholem, głupi
**sought** *zob.* **seek**
**soul** [səul] *s* dusza; **poor ~** biedaczysko; **All Souls' Day** Zaduszki; **heart and ~** całą duszą; **in my ~ of ~s** w głębi duszy; **to keep body and ~ together** żyć jako tako, wegetować
**sound 1.** [saund] *adj* zdrowy; cały; tęgi; rozsądny; solidny; słuszny; *adv* zdrowo; mocno
**sound 2.** [saund] *s* dźwięk; *vt vi* dźwięczeć, wydawać dźwięki, brzmieć, dzwonić, wydzwaniać; głośno ogłaszać; dawać sygnał (*sth* do czegoś); zagrać (**the horn** na rogu)
**sound 3.** [saund] *s geogr.* cieśnina
**sound 4.** [saund] *s med. mors.* sonda; *vt* sondować
**sound-box** [ˋsaund boks] *s* głowica (gramofonu)
**sound-film** [ˋsaund fɪlm] *s* film dźwiękowy
**sound-head·ed** [ˋsaund hedɪd] *adj* rozsądny
**soup** [sup] *s* zupa
**sour** [ˋsauə(r)] *adj* kwaśny; zgorzkniały; cierpki; **~ milk** zsiadłe mleko; *vt* kwasić; rozgoryczać; psuć humor; *vi* kwaśnieć
**source** [sɔs] *s dosł. i przen.* źródło; pochodzenie
**sour·dine** [suəˋdin] *s muz.* tłumik, surdyna
**souse** [saus] *s* peklowane mięso, marynata; zanurzenie; *vt* peklować; zanurzać, moczyć; *vi* zanurzać się, moknąć; *pot.* upijać się
**south** [sauθ] *s geogr.* południe; *adj* południowy; *adv* na południe
**south·er·ly** [ˋsʌðəlɪ] *adj* zwrócony ku południowi, południowy
**south·ern** [ˋsʌðən] *adj* południowy
**south·ward** [ˋsauθwəd] *adj* zwrócony ku południowi; *adv* = **southwards**
**south-wards** [ˋsauθwədz] *adv* ku południowi
**sou·ve·nir** [ˈsuvəˋnɪə(r)] *s* pamiątka
**sov·er·eign** [ˋsovrɪn] *s* suweren; monarcha; złoty funt angielski; *adj* suwerenny, zwierzchni, najwyższy
**sov·er·eign·ty** [ˋsovrəntɪ] *s* suwerenność
**So·vi·et** [ˋsəuvɪət] *s* rada; obywatel radziecki; *adj* radziecki; **the Union of ~ Socialist Republics** Związek Socjalistycznych Republik Rad; **the ~ Union** Związek Radziecki
***sow 1.** [səu], **sowed** [səud], **sown** [səun] *vt* siać, zasiewać
**sow 2.** [sau] *s zool.* locha, maciora
**sow·er** [ˋsəuə(r)] *s* siewca
**sow·ing-ma·chine** [ˈsəuɪŋ məˋʃin] *s* siewnik
**sox** [soks] *s pl handl.* skarpety, skarpetki
**spa** [spa] *s* zdrojowisko, miejscowość uzdrowiskowa (ze zdrojem)
**space** [speɪs] *s* przestrzeń, obszar; okres czasu; *druk.* spacja, odstęp; **outer ~** przestrzeń kosmiczna; *vt* rozstawiać; *druk.* (*także* **~ out**) spacjować
**space-ship** [ˋspeɪʃʃɪp], **space-craft** [ˋspeɪs kraʃt] *s* statek kosmiczny
**spa·cious** [ˋspeɪʃəs] *adj* obszerny
**spade** [speɪd] *s* łopata; *pl* **~s** piki (*w kartach*); **to call a ~ a ~** nazwać rzecz po imieniu; *vt* kopać łopatą
**spall** [spɔl] *s* odłamek; *vt vi* odłamać (się), rozbić (się)
**span** [spæn] *s* piędź; rozpiętość; przęsło; okres; zasięg; zaprzęg; *vt vi* sięgać, pokrywać, obejmować; rozciągać się; łączyć brzegi (mostem); mierzyć (odległość)
**span·gle** [ˋspæŋgl] *s* błyskotka; *vt* pokryć błyskotkami
**Span·iard** [ˋspænɪəd] *s* Hiszpan
**span·iel** [ˋspænɪəl] *s zool.* spaniel
**Span·ish** [ˋspænɪʃ] *adj* hiszpański; *s* język hiszpański

**spank** [spæŋk] *s* uderzenie dłonią, klaps; *vt* dać klapsa; popędzać

**span·ner** [ˈspænə(r)] *s techn.* klucz do nakrętek

**spar 1.** [spɑ(r)] *s mors.* drąg, część omasztowania

**spar 2.** [spɑ(r)] *vi* kłócić się, bić się; *sport* boksować się, ćwiczyć boks; *s* kłótnia; *sport* mecz sparringowy

**spar 3.** [spɑ(r)] *miner.* szpat

**spare** [speə(r)] *vt* oszczędzić, zaoszczędzić, skąpić; mieć na zbyciu; móc obejść się; odstąpić; użyczyć; łagodnie traktować; **enough and to ~** w nadmiarze; aż zanadto; **I have some bread to ~** mam ⟨zostało mi⟩ trochę chleba; **I have no time to ~** nie mam ani chwili wolnego czasu; *vi* oszczędnie żyć, robić oszczędności; *adj* szczupły, skąpy; zbywający; zapasowy; **~ cash** wolna gotówka; **~ parts** części zapasowe ⟨zamienne⟩; **~ time** wolny czas; *s* część zapasowa ⟨zamienna⟩

**spar·ing** [ˈspeərɪŋ] *adj* oszczędny; wstrzemięźliwy

**spark** [spɑk] *s* iskra; odrobina; *przen.* żywość, witalność; inteligencja; ślad; modniś, elegant; lekkoduch; *vt* krzesać iskry; *vi* iskrzyć (się)

**spark·ing-plug** [ˈspɑkɪŋ plʌg] *s techn.* świeca (zapłonowa)

**spar·kle** [ˈspɑkl] *vi* iskrzyć się; *s* iskrzenie się, migotanie

**spark·ling** [ˈspɑklɪŋ] *adj* (*o winie*) musujący

**spark-plug** [ˈspɑk plʌg] *s* = **sparking-plug**

**spar·ring** [ˈspɑrɪŋ] *s sport* sparring

**spar·row** [ˈspærəu] *s* wróbel

**sparse** [spɑs] *adj* rzadki; rzadko rosnący; rozsypany, rozsiany

**spasm** [ˈspæzm] *s* spazm, skurcz

**spas·mod·ic** [spæzˈmodɪk] *adj* spazmatyczny

**spat 1.** *zob.* **spit**

**spat 2.** [spæt] *s* (*zw pl* **~s**) getry *pl*

**spate** [speɪt] *s* zalew, powódź, ulewa

**spa·tial** [ˈspeɪʃl] *adj* przestrzenny

**spat·ter** [ˈspætə(r)] *vt vi* bryzgać, chlapać

**spawn** [spɔn] *s* ikra; *pog.* nasienie; *vt vi* składać ikrę; *przen.* mnożyć się

***speak** [spik], **spoke** [spəuk], **spoken** [ˈspəukn] *vt vi* mówić (**about** ⟨**of**⟩ **sb, sth** o kimś, o czymś); rozmawiać; przemawiać; świadczyć, dowodzić; **~ for sb** wstawić się ⟨przemawiać⟩ za kimś; **~ out** głośno powiedzieć; otwarcie wypowiedzieć się; **~ up** głośno powiedzieć; **~ one's mind** powiedzieć, co się ma na myśli; **nothing to ~ of** nic ważnego ⟨szczególnego⟩, nic godnego wzmianki

**speak·er** [ˈspikə(r)] *s* mówiący, mówca; głośnik (radiowy); **Speaker** przewodniczący Izby Gmin ⟨*am.* Reprezentantów⟩

**speak·ing** [ˈspikɪŋ] *p praes adj* mówiący; wiele mówiący, pełen znaczenia; **a ~ likeness** uderzające podobieństwo; **to be on ~ terms with sb** znać się na tyle, aby z kimś rozmawiać

**spear** [spɪə(r)] *s* dzida, włócznia; harpun; *vt* przebić dzidą; złowić harpunem

**spear·head** [ˈspɪə hed] *s* ostrze włóczni; *wojsk.* czołówka

**spe·cial** [ˈspeʃl] *adj* specjalny; szczególny, osobliwy; nadzwyczajny

**spe·cial·ist** [ˈspeʃḷɪst] *s* specjalista

**spe·ci·al·i·ty** [ˈspeʃɪˈæləti] *s* specjalność; szczególny wypadek

**spe·cial·ize** [ˈspeʃḷaɪz] *vt vi* specjalizować (się); przeznaczyć, przystosować

**spe·cie** [ˈspiʃi] *s* bilon, moneta

**spe·cies** [ˈspiʃiz] *s* (*pl* **~**) rodzaj; *biol.* gatunek; **the origin of ~** pochodzenie gatunków

**spe·cif·ic** [spəˈsɪfɪk] *adj* swoisty; ściśle określony; charakterystyczny; gatunkowy

**spec·i·fi·ca·tion** ['spesɪfɪ'keɪʃn] *s* specyfikacja, wyszczególnienie; dokładny opis

**spec·i·fy** ['spesɪfaɪ] *vt* specyfikować, wyszczególniać; dokładnie określać, precyzować

**spec·i·men** ['spesɪmən] *s* wzór, okaz; próbka; *pot.* dziwak

**spe·cious** ['spiʃəs] *adj* łudzący, pozornie prawdziwy, na pozór słuszny

**speck 1.** [spek] *s* plamka; kruszynka, odrobina; *vt* pstrzyć, pokrywać plamkami

**speck 2.** [spek] *s am.* słonina; tłuszcz (wielorybi)

**speck·le** ['spekl] *s* plamka; *vt* znaczyć plamkami, pstrzyć

**spec·ta·cle** ['spektəkl] *s dosł. i przen.* widowisko; niezwykły widok; *pl* **~s** (*także* **a pair of ~s**) okulary

**spec·ta·tor** [spek'teɪtə(r)] *s* widz

**spec·tral** ['spektrəl] *adj* widmowy; *fiz.* spektralny

**spec·tre** ['spektə(r)] *s* widmo, zjawa

**spec·trum** ['spektrəm] *s* (*pl* **spectra** ['spektrə]) *s fiz.* widmo

**spec·u·late** ['spekjʊleɪt] *vi* spekulować (**in sth** czymś); rozważać (**on, upon sth** coś)

**spec·u·la·tion** [,spekjʊ'leɪʃn] *s* rozważanie; spekulacja

**spec·u·la·tive** ['spekjʊlətɪv] *adj* teoretyczny; badawczy; spekulacyjny

**spec·u·la·tor** ['spekjʊleɪtə(r)] *s* spekulant

**sped** *zob.* **speed**

**speech** [spitʃ] *s* mowa; przemówienie; **to deliver ⟨to make⟩ a ~** wygłosić mowę

**speech·less** ['spitʃləs] *adj* milczący

***speed** [spid], **sped, sped** [sped] *vi* spieszyć się, pospieszać; *vt* żegnać, życzyć powodzenia; **~ up** przyspieszać; *s* pośpiech, szybkość

**speed·y** ['spidɪ] *adj* pospieszny, szybki

**spell 1.** [spel] *s* urok, czar

**spell 2.** [spel] *s* okres czasu; krótki okres; **a cold ~** okres zimna; *vt* zastąpić ⟨zmienić⟩ (w pracy)

* **spell 3.** [spel], **spelt, spelt** [spelt] *vt* sylabizować, literować, podawać (pisownię) litera po literze; *przen.* znaczyć, oznaczać

**spell·bound** ['spelbaund] *adj* oczarowany, urzeczony

**spell·ing** ['spelɪŋ] *s* pisownia; ortografia

**spelt** *zob.* **spell 3.**

* **spend** [spend], **spent, spent** [spent] *vt* wydawać (pieniądze), trwonić; wyczerpywać; spędzać (czas)

**spend·thrift** ['spendθrɪft] *s* rozrzutnik, marnotrawca

**spent** *zob.* **spend**

**sphere** ['sfɪə(r)] *s* (*także astr.*) kula; sfera, zakres

**spherical** ['sferɪkl] *adj* sferyczny, kulisty

**spice** [spaɪs] *s zbior.* korzenie; przyprawa; pikanteria; *vt* przyprawiać (korzeniami)

**spick** [spɪk] *adj tylko w zwrocie:* **~ and span** nowiuteńki, czyściutki

**spic·y** ['spaɪsɪ] *adj* pieprzny; pikantny

**spi·der** ['spaɪdə(r)] *s zool.* pająk

**spike** [spaɪk] *s* długi gwóźdź, żelazny kolec; *vt* przymocować ⟨zabić⟩ gwoździami

**spile** [spaɪl] *s* szpunt, kołek

* **spill** [spɪl], **spilt, spilt** [spɪlt] *vt vi* rozlewać (się), rozsypywać (się), wysypywać (się)

* **spin** [spɪn], **spun, spun** [spʌn] *vt vi* prząść; kręcić (się), wiercić (się), wprawiać w ruch obrotowy, wirować; *lotn.* opadać korkociągiem; **~ along** toczyć się; mknąć; **~ out** rozciągać; spędzać (czas); *s* kręcenie się, ruch obrotowy; *lotn.* korkociąg

**spin·ach** ['spɪnɪdʒ] *s* szpinak

**spi·nal** ['spaɪnl] *adj* krzyżowy, pacierzowy; **~ column** kręgosłup

**spin·dle** [ˈspɪndl] *s* wrzeciono
**spine** [spaɪn] *s anat.* kręgosłup; grzbiet (np. książki)
**spin·ner** [ˈspɪnə(r)] *s* prządzarz, prządka
**spin·ster** [ˈspɪnstə(r)] *s* stara panna
**spin·y** [ˈspaɪnɪ] *adj* kolczasty
**spi·ral** [ˈspaɪərl] *adj* spiralny; *s* spirala
**spire** [ˈspaɪə(r)] *s* wieża spiczasta, iglica
**spir·it** [ˈspɪrɪt] *s* duch; charakter; męstwo; zapał, energia; spirytus; *pl* **~s** nastrój; napoje alkoholowe; **animal ~s** zapał, radość życia; **in high** ⟨**in low**⟩ **~s** w doskonałym ⟨w złym⟩ nastroju; *vt* dodać otuchy
**spir·it·ed** [ˈspɪrɪtɪd] *adj* pełen polotu ⟨zapału⟩, ożywiony
**spir·i·tu·al** [ˈspɪrɪtʃuəl] *adj* duchowy; duchowny; *s* (*także* **Negro ~**) religijna pieśń murzyńska
**spir·i·tu·al·ism** [ˈspɪrɪtʃulɪzm] *s* spirytyzm; spirytualizm
**spit 1.** [spɪt] *s* rożen; *geogr.* cypel
***spit 2.** [spɪt], **spat, spat** [spæt] *vt vi* pluć; *pot.* **~ it out!** mów!, gadaj!; *s* plucie; plwocina
**spite** [spaɪt] *s* złość, gniew; **in ~ of sth** pomimo czegoś; na złość ⟨na przekór⟩ czemuś; *vt* gniewać, drażnić, robić na złość
**spite·ful** [ˈspaɪtfl] *adj* złośliwy, pełen złości
**spit·fire** [ˈspɪtfaɪə(r)] *s* człowiek porywczy, raptus; *lotn.* typ myśliwca
**spit·tle** [ˈspɪtl] *s* plwocina
**spit·toon** [spɪˈtun] *s* spluwaczka
**spiv** [spɪv] *s pot.* niebieski ptak, spekulant (na czarnym rynku)
**splash** [splæʃ] *vt vi* bryzgać, pluskać (się), chlapać (się); *s* bryzganie, plusk; szum, sensacja; **to make a ~** wzbudzić sensację
**spleen** [splin] *s anat.* śledziona; *przen.* zły humor, chandra; zgryźliwość
**splen·did** [ˈsplendɪd] *adj* wspaniały, doskonały
**splen·dour** [ˈsplendə(r)] *s* wspaniałość, splendor
**splice** [splaɪs] *vt* splatać, łączyć; *pot.* kojarzyć (pary)
**splint** [splɪnt] *s* drzazga; łyko, deszczułka; *med.* szyna
**splin·ter** [ˈsplɪntə(r)] *s* drzazga, odłamek; *vt vi* rozszczepić (się), rozłupać (się)
***split** [splɪt], **split, split** [splɪt] *vt vi* rozszczepić (się), rozłupać (się), rozerwać (się), rozbić (się), przepołowić; **~ open** rozewrzeć (się); pęknąć; *s* rozłam, rozbicie; *pl* **~s** szpagat (w tańcu, gimnastyce akrobatycznej)
**splut·ter** [ˈsplʌtə(r)] *s* = **sputter**
***spoil** [spɔɪl], **spoilt, spoilt** [spɔɪlt] *vt* psuć, niszczyć, unicestwiać; psuć ⟨rozpieszczać⟩ (dziecko itp.); rabować; *vi* psuć się, niszczeć; *s* (*zw. pl* **~s**) łupy wojenne, trofea; zdobycz
**spoil·age** [ˈspɔɪlɪdʒ] *s zbior.* odpadki; makulatura
**spoilt** *zob.* **spoil**
**spoke 1.** *zob.* **speak**
**spoke 2.** [spəuk] *s* szprycha; szczebel; drąg (do hamowania)
**spo·ken** *zob.* **speak**
**spokes·man** [ˈspəuksmən] *s* rzecznik
**spo·li·ate** [ˈspəulɪeɪt] *vt* rabować
**sponge** [spʌndʒ] *s* gąbka; pasożyt, darmozjad; *vt* myć gąbką; wchłaniać; *vi* pasożytować (**on sb** na kimś), wyłudzać (**on sb for sth** coś od kogoś)
**spon·sor** [ˈsponsə(r)] *s* poręczyciel; ojciec chrzestny, matka chrzestna; *handl.* opłacający reklamę (np. radiową)
**spon·ta·ne·ous** [sponˈteɪnɪəs] *adj* spontaniczny, samorzutny; **~ combustion** samozapalenie się
**spool** [spul] *s* szpulka; *vt* nawijać
**spoon** [spun] *s* łyżka; *vt* czerpać łyżką
**spoon·ful** [ˈspunfl] *s* zawartość łyżki, pełna łyżka (czegoś)
**spo·rad·ic** [spəˈrædɪk] *adj* sporadyczny

**sport** [spɔt] *s* sport; żart; *pot.* porządny chłop; *pl* ~s zawody lekkoatletyczne; **athletic** ~s lekkoatletyka; **in** ‹**for**› ~ w żarcie, dla żartu; **to make** ~ żartować sobie, zabawiać się (**of sb, sth** kimś, czymś); *vt* wystawiać na pokaz, popisywać się (**sth** czymś); *vi* uprawiać sport; bawić się, żartować (**with sb, sth** z kogoś, czegoś)

**sport·ive** [ˋspɔtɪv] *adj* wesoły, zabawny; sportowy

**sports·man** [ˋspɔtsmən] *s* sportowiec

**spot** [spot] *s* miejsce; plama; kropka; krosta; *handl.* ~ **cash** zapłata gotówką; **on the** ~ na miejscu; od razu; *attr* natychmiastowy, na miejscu; *vt* nakrapiać, pstrzyć; plamić; rozpoznać, wykryć; plamić się

**spot·less** [ˋspotləs] *adj* nieskazitelny, nienaganny

**spot·ted** [ˋspotɪd] *adj* nakrapiany, pstry; poplamiony

**spouse** [spauz] *s* małżonek, małżonka

**spout** [spaut] *vt vi* trysnąć, wyrzucić z siebie; wypowiedzieć; *s* dziobek (np. imbryka); kurek; otwór wylotowy; strumień (np. wody)

**sprain** [spreɪn] *vt* zwichnąć; *s* zwichnięcie

**sprang** *zob.* **spring**

**sprat** [spræt] *s zool.* szprot, szprotka

**sprawl** [sprɔl] *vi* wyciągać się, rozwalać się, leżeć jak długi; rozprzestrzeniać się, rozrastać się; *s* rozwalanie się

**spray 1.** [spreɪ] *s* gałązka

**spray 2.** [spreɪ] *s* pył wodny; rozpylacz; *vt vi* rozpylać (się), opryskiwać

***spread** [spred], **spread, spread** [spred] *vt vi* rozpościerać (się), rozprzestrzeniać (się); rozkładać (się), rozwijać (się); rozpowszechniać (się); powlekać; rozlewać (się); *s* rozprzestrzenienie, przestrzeń; rozłożenie; rozłożystość; rozpiętość; rozstęp; rozpowszechnienie; *pot.* uczta

**spree** [spri] *s* wesoła zabawa, hulanka; *vi* bawić się, hulać

**sprig** [sprɪg] *s* gałązka; latorośl; *pot.* młodzieniaszek

**spright·ly** [ˋspraɪtlɪ] *adj* żywy, wesoły

***spring** [sprɪŋ], **sprang** [spræŋ], **sprung** [sprʌŋ] *vi* skakać, podskakiwać; tryskać, buchać; wyrastać; pochodzić; pękać, rozpadać się; *vt* spowodować pęknięcie, rozbić; płoszyć; zaskoczyć; wysadzić w powietrze; ~ **up** podskakiwać; wyrastać; wypływać; ukazywać się; *s* skok; wiosna; źródło; sprężyna; elastyczność; pęknięcie; *pl* ~s resory, resorowanie

**spring-board** [ˋsprɪŋ bɔd] *s* trampolina; *przen.* odskocznia

**sprin·kle** [ˋsprɪŋkl] *vt vi* pryskać, spryskiwać; *s* kropienie, spryskiwanie; szczypta; drobny deszcz

**sprin·kling** [ˋsprɪŋklɪŋ] *s* drobna ilość, szczypta

**sprint** [sprɪnt] *s sport* sprint; *vi* sprintować

**sprint·er** [ˋsprɪntə(r)] *s* sprinter

**sprite** [spraɪt] *s* chochlik

**sprout** [spraut] *s* kiełek, pęd; *vi* kiełkować, puszczać pędy

**spruce 1.** [sprus] *adj* schludny; elegancki

**spruce 2.** [sprus] *s bot.* świerk

**sprung** *zob.* **spring**

**spry** [spraɪ] *adj* żywy, żwawy

**spun** *zob.* **spin**

**spur** [spɜ(r)] *s* ostroga; odnoga (górska); *przen.* podnieta; *vt* spinać ostrogami; *przen.* popędzać, podniecać

**spu·ri·ous** [ˋspjuərɪəs] *adj* nieautentyczny, podrobiony

**spurn** [spɜn] *vt* odepchnąć, odtrącić; pogardliwie traktować; *s* odepchnięcie, odtrącenie; pogardliwe traktowanie

**spurt** [spɜt] *vt vi* tryskać; *s* wytrysk; zryw

**sput·ter** [ˈspʌtə(r)] *vi* bryzgać śliną (przy mówieniu); *vt* mówić bełkocąc

**spy** [spaɪ] *s* szpieg; *vi* szpiegować (**on, upon sb** kogoś); dokładnie badać (**into sth** coś); *vt* dostrzegać

**spy·glass** [ˈspaɪ glas] *s* luneta, mały teleskop

**squab·ble** [ˈskwobl] *s* sprzeczka; *vi* sprzeczać się

**squad** [skwod] *s wojsk.* oddział; grupa, brygada (robocza); **firing ~** pluton egzekucyjny

**squad·ron** [ˈskwodrən] *s wojsk.* szwadron; *lotn. mors.* eskadra

**squal·id** [ˈskwolɪd] *adj* brudny; nędzny

**squall 1.** [skwɔl] *s mors.* szkwał

**squall 2.** [skwɔl] *s* wrzask; *vt vi* wrzeszczeć, wykrzykiwać

**squal·or** [ˈskwolə(r)] *s* brud; nędza

**squan·der** [ˈskwondə(r)] *vt* trwonić, marnować

**squan·der·er** [ˈskwondərə(r)] *s* marnotrawca

**square** [skweə(r)] *s* kwadrat; czworobok; (kwadratowy) plac, skwer; blok budynków; *mat.* druga potęga liczby; *adj* kwadratowy; czworokątny; szczery, uczciwy; załatwiony, uporządkowany; solidny; jasno postawiony; kompletny; **~ deal** uczciwe postępowanie; *mat.* **~ root** pierwiastek; *vt* nadać kształt kwadratu; wyrównać (rachunek); uzgodnić; dostosować; *mat.* podnieść do kwadratu; rozprostować (ramiona); *vi* pasować; zgadzać się; **~ up** rozliczyć się; przybrać postawę bojową (**to sb** wobec kogoś); *adv* pod kątem prostym; rzetelnie, uczciwie; wprost, w sam środek

**squash** [skwoʃ] *vt vi* gnieść (się), wyciskać; *s* zgnieciona masa; **lemon ~** napój z (wyciśniętej) cytryny

**squat** [skwot] *vi* kucać, przykucnąć; nielegalnie się osiedlić; *s* przysiad

**squat·ter** [ˈskwotə(r)] *s* nielegalny osadnik; dziki lokator

**squaw** [skwɔ] *s* Indianka (*zw.* zamężna)

**squeak** [skwik] *vi* piszczeć; *s* pisk

**squeal** [skwil] *vi* skomleć, kwiczeć; *s* skomlenie, kwiczenie

**squeam·ish** [ˈskwimɪʃ] *adj* drażliwy, wrażliwy; grymaśny

**squeeze** [skwiz] *vt vi* cisnąć (się), ściskać, pchać się; **~ out** wycisnąć; **~ through** przeciskać (się); **~ up** ścisnąć; *s* ścisk; uścisk; odcisk

**squib** [skwɪb] *s* fajerwerk; *przen.* paszkwil, satyra polityczna

**squint** [skwɪnt] *s* zez; *adj* zezowaty; *vi* patrzeć zezem

**squire** [ˈskwaɪə(r)] *s* obywatel ziemski

**squir·rel** [ˈskwɪrl] *s zool.* wiewiórka

**squirt** [skwɜt] *vi* tryskać; *vt* strzykać; *s* wytrysk; strzykawka; sikawka; *pot.* zarozumialec

**stab** [stæb] *vt* pchnąć sztyletem, zasztyletować; *vi* (*o bólu*) rwać; *s* pchnięcie sztyletem; *pot.* próba

**sta·bil·i·ty** [stəˈbɪlətɪ] *s* stałość, trwałość

**sta·bi·lize** [ˈsteɪblaɪz] *vt* stabilizować

**sta·ble 1.** [ˈsteɪbl] *adj* stały, trwały

**sta·ble 2.** [ˈsteɪbl] *s* stajnia; stadnina

**stack** [stæk] *s* stóg, sterta; komin (okrętowy *lub* fabryczny)

**sta·di·um** [ˈsteɪdɪəm] *s* (*pl* **sta·di·a** [ˈsteɪdɪə]) *sport* stadion; stadium

**staff** [staf] *s* (*pl* **staves** [steɪvz] *lub* **~s** [stafs]) kij, drąg, drzewce (flagi); *muz.* pięciolinia; (*pl* **staffs**) sztab, personel

**stag** [stæg] *s zool.* jeleń; *pot.* spekulant giełdowy; *am.* samotny mężczyzna

**stage** [steɪdʒ] *s* scena, estrada; rusztowanie; stadium, etap, okres; ~ **manager** reżyser; *vt* wystawiać na scenie

**stage-coach** [ˈsteɪdʒ kəutʃ] *s* dyliżans

**stag·ger** [ˈstægə(r)] *vi* chwiać się; zataczać się; wahać się; *vi* oszołomić; *s* chwiejny chód; wahanie; *pl* ~s zawrót głowy

**stag·nant** [ˈstægnənt] *adj* stojący w miejscu; (będący) w zastoju, martwy

**stag·na·tion** [stægˈneɪʃn] *s* zastój

**stag·y** [ˈsteɪdʒɪ] *adj* teatralny; afektowany

**staid** [steɪd] *adj* zrównoważony, stateczny

**stain** [steɪn] *s* plama; zabarwienie; *vt* plamić; zabarwiać; ~**ed glass** witraż

**stain·less** [ˈsteɪnləs] *adj* nie splamiony; nienaganny; (*o stali*) nierdzewny

**stair** [steə(r)] *s* stopień (schodów); *pl* ~s schody

**stair·case** [ˈsteəkeɪs] *s* klatka schodowa

**stake** [steɪk] *s* pal, słup; stawka, ryzyko; wkład, udział; stos całopalny; **to be at** ~ wchodzić w grę; **life is at** ~ tu chodzi o życie; *vt* wzmacniać palami; ryzykować; zakładać się (**sth** o coś; przywiązać do pala; wbić na pal

**sta·lac·tite** [ˈstæləktaɪt] *s miner.* stalaktyt

**sta·lag·mite** [ˈstæləgmaɪt] *s miner.* stalagmit

**stale** [steɪl] *adj* suchy; (*o chlebie*) czerstwy, nieświeży; pozbawiony smaku; zużyty; stary; *vi* zużyć się, zestarzeć się

**stale·mate** [ˈsteɪlmeɪt] *s* pat (w szachach); *przen.* martwy punkt

**stalk 1.** [stɔk] *s* łodyga, szypułka, źdźbło

**stalk 2.** [stɔk] *vi* kroczyć (z dumą); *przen.* (*o epidemii itp.*) panować; *vt* podkradać się, podchodzić (**the game** do zwierzyny); *s* wyniosły chód

**stall** [stɔl] *s* stragan, buda, stoisko, kiosk; przegroda w stajni; *pl* ~s *teatr* miejsca na parterze

**stal·lion** [ˈstælɪən] *s zool.* ogier

**stal·wart** [ˈstɔlwət] *adj* mocny, silny; wierny, lojalny

**sta·men** [ˈsteɪmən] *s bot.* pręcik

**stam·i·na** [ˈstæmɪnə] *s zbior.* siły życiowe, energia, wytrzymałość

**stam·mer** [ˈstæmə(r)] *vi* jąkać się; *vt* (*także* ~ **out**) wyjąkać; *s* jąkanie się

**stam·mer·er** [ˈstæmərə(r)] *s* jąkała

**stamp** [stæmp] *vt vi* stemplować, pieczętować; nalepić znaczek pocztowy; *przen.* wbić (w pamięć); deptać, tupać; ~ **out** zgnieść, zmiażdżyć; *przen.* zniszczyć; *s* stempel, pieczęć; znaczek pocztowy; tupanie, deptanie, tętent; *przen.* piętno, cecha

**stamp-album** [ˈstæmp ælbəm] *s* album na znaczki pocztowe, klaser

**stamp-col·lec·tor** [ˈstæmp kəlektə(r)] *s* filatelista

**stam·pede** [stæmˈpid] *s* paniczna ucieczka, popłoch; *vi* pędzić w popłochu; *vt* siać popłoch

**stanch 1.** [stantʃ], **staunch** [stɔntʃ] *vt* tamować, zatrzymywać (krew)

**stanch 2.** [stantʃ] *adj* = **staunch 2.**

**stan·chion** [ˈstanʃən] *s* podpora; *vt* podpierać

• **stand** [stænd], **stood, stood** [stud] *vi* stać; stawiać się; pozostawać; znajdować się (w pewnej sytuacji); *vt* stawiać; wytrzymywać, znosić; podtrzymywać; **to** ~ **to sth** trzymać się czegoś, dotrzymywać; trwać przy czymś; **it** ~**s to reason** to się rozumie samo przez się, to jest oczywiste; **to** ~ **firm** trzymać się, nie odstępować (od swego zdania); **to** ~ **good** być w mocy, obowiązywać; **to** ~ **prepared** być gotowym; **to** ~ **for sth** popierać coś; zastępować coś; występować w obronie czegoś; **to** ~ **for Parliament** kandydować do parlamentu; ~ **on sth** nalegać na coś, polegać na czymś; ~ **back** cofać się, być cofniętym; ~ **forth** ⟨**forward**⟩ występować, wystawać; **to** ~ **out** wystawać, występować; opierać się (**against sth** czemuś); kontrastować (**against sth** z czymś); odznaczać się, wyróżniać się; ~ **over** ulec zwłoce, zalegać; ~ **up** powstać, podnieść się; opierać się, stawiać czoło (**to sb, sth** komuś, czemuś); *s* miejsce, stanowisko; stoisko; podstawa, podstawka; stojak; pulpit (do nut); trybuna; zastój, przerwa; postój; okres pobytu; opór; **to bring to a** ~ zatrzymać, unieruchomić; **to come to a** ~ zatrzymać się; **to make a** ~ zatrzymać się; stawiać opór (**against sb, sth** komuś, czemuś); stanąć w obronie (**for sth** czegoś); **to take a** ~ zająć stanowisko

**stand·ard** [ˈstændəd] *s* sztandar, flaga; norma, przeciętna miara; poziom; gatunek; wzór; standard; stopa (życiowa); ~ **time** urzędowy czas miejscowy; **up to (the)** ~ zgodnie z wzorem; na odpowiednim poziomie

**stand·ard·ize** [ˈstændədaɪz] *vt* normalizować, ujednolicać

**stand·ing** [ˈstændɪŋ] *s* stanie; miejsce; stanowisko; trwanie; *adj* stojący; trwający; obowiązujący; ~ **corn** zboże na pniu; ~ **orders** regulamin

**stand·point** [ˈstænd pɔɪnt] *s* punkt widzenia, stanowisko

**stand·still** [ˈstænd stɪl] *s* zastój; martwy punkt

**stand-up** [ˈstænd ʌp] *attr* stojący, na stojąco

**stank** *zob.* **stink**

**stan·za** [ˈstænzə] *s* zwrotka

**sta·ple 1.** [ˈsteɪpl] *s* skład towarów; magazyn; podstawowy towar; główny temat; *attr* główny

**sta·ple 2.** [ˈsteɪpl] *s* hak; klamra; *vt* spinać klamrą

**star** [stɑ(r)] *s* gwiazda; **shooting** ~ gwiazda spadająca; **the Stars and Stripes** flaga St. Zjednoczonych; *vt* zdobić gwiazdami; *vi teatr* występować w głównej roli

**star·board** [ˈstɑbəd] *s mors.* sterbort, prawa burta

**starch** [stɑtʃ] *s* krochmal; *vt* krochmalić

**stare** [steə(r)] *vt vi* uporczywie patrzeć, wytrzeszczać oczy (**at sb, sth** na kogoś, coś); *s* uporczywy wzrok

**stark** [stɑk] *adj* całkowity; istny; *poet.* sztywny; *adv* całkowicie

**star·light** [ˈstɑlaɪt] *s* światło gwiazd

**star·ling** [ˈstɑlɪŋ] *s zool.* szpak

**star·ry** [ˈstɑrɪ] *adj* gwiaździsty

**star-span·gled** [ˈstɑ spæŋgld] *adj* usiany gwiazdami; **the** ~ **banner** gwiaździsta flaga USA

**start** [stɑt] *vi* wyruszyć, wystartować; wybierać się (**on a journey** w drogę); wzdrygać się; zrywać się; płoszyć się; skoczyć, podskoczyć; zacząć; podjąć się (**on sth** czegoś); *vt* wprowadzić w ruch; poruszyć; ustanowić; rozpocząć; przerazić; spłoszyć; założyć (np. przedsiębiorstwo); spowodować, wywołać (np. pożar); ~ **back** nagle cofnąć się; wyruszyć w drogę powrotną; ~ **off** wyruszyć, odjechać; zacząć się (**with sth** od czegoś); ~ **out** wystąpić, ukazać się; odjechać; ~ **up** podskoczyć, zerwać się; wszcząć; **to** ~ **with** na początek; po pierwsze; *s* start; podskok; odjazd; wstrząs; początek; pierwszeństwo; zryw; **at the** ~ na początku; **to get the** ~ wyprzedzać (**of sb** kogoś); **to make a new** ⟨**fresh**⟩ ~ rozpocząć na nowo

**star·tle** [ˈstɑtl] *vt vi* przerazić (się); zaskoczyć; wstrząsnąć

**star·va·tion** [stɑˈveɪʃn] *s* głodowanie, głód

**starve** [stɑv] *vi* głodować, umierać

z głodu; *vt* głodzić; tęsknić, przepadać (for sth za czymś)

**starve·ling** [ˋstavlıŋ] *s* głodomór

**state** [steıt] *s* stan; stanowisko; położenie; państwo; uroczystość, pompa; **in ~** uroczyście, ceremonialnie; z całym ceremoniałem; **the United States** Stany Zjednoczone; *am.* **Secretary of State** minister spraw zagranicznych; *vt* stwierdzać; oświadczać; przedstawiać (np. sprawę); *attr* państwowy; stanowy; urzędowy; paradny; *am.* **State Department** ministerstwo spraw zagranicznych

**state·craft** [ˋsteıtkraft] *s* umiejętność rządzenia państwem

**state·ly** [ˋsteıtlı] *adj* okazały, wspaniały; wzniosły, pełen godności

**state·ment** [ˋsteıtmənt] *s* stwierdzenie; oświadczenie; zeznanie

**states·man** [ˋsteıtsmən] *s* mąż stanu

**states·man·ship** [ˋsteıtsmənʃıp] *s* umiejętność kierowania sprawami państwa, działalność męża stanu

**stat·ic** [ˋstætık] *adj* statyczny

**stat·ics** [ˋstætıks] *s* statyka

**sta·tion** [ˋsteıʃn] *s* stacja; miejsce, położenie; posterunek; stan; urząd; *vt* umieścić, osadzić; rozlokować

**sta·tion·ar·y** [ˋsteıʃnrı] *adj* stacjonarny, nieruchomy; niezmienny; stały

**sta·tion·er** [ˋsteıʃn̩ə(r)] *s* właściciel sklepu z artykułami piśmiennymi

**sta·tion·er·y** [ˋsteıʃnrı] *s zbior.* artykuły piśmienne; papier listowy

**sta·tion-mas·ter** [ˋsteıʃn mastə(r)] *s* zawiadowca stacji

**sta·tis·tic** [stəˋtıstık], **sta·tis·ti·cal** [stəˋtıstıkl] *adj* statystyczny

**stat·is·ti·cian** [ˏstætıˋstıʃn] *s* statystyk

**sta·tis·tics** [stəˋtıstıks] *s* statystyka

**stat·u·ar·y** [ˋstætʃuərı] *adj* rzeźbiarski; *s* rzeźbiarstwo posągowe; rzeźba, zbiór rzeźb; rzeźbiarz

**stat·ue** [ˋstætʃu] *s* statua

**stat·ure** [ˋstætʃə(r)] *s* postawa, wzrost

**sta·tus** [ˋsteıtəs] *s* stan (prawny itp.); położenie; stanowisko

**stat·ute** [ˋstætʃut] *s* ustawa; statut; **~ law** ustawy parlamentarne

**staunch** 1. *zob.* **stanch** 1.

**staunch** 2. [stɔntʃ] *adj* mocny, niewzruszony; lojalny, pewny, wierny

**stave** 1. [steıv] *s* kij; klepka; *muz.* takt; zwrotka

***stave** 2. [steıv], **~d, ~d** [steıvd] *lub* **stove, stove** [stəuv] *vt* (*także* **~ in**) wgniatać; robić dziurę; **~ off** zapobiegać (np. niebezpieczeństwu)

**staves** *zob.* **staff**

**stay** [steı] *vi* zatrzymać się, przebywać, pozostawać, mieszkać; wstrzymywać się; *vt* zatrzymywać, powstrzymywać, hamować; podpierać; wytrzymywać; **to ~ with sb** gościć u kogoś; **~ing power** wytrzymałość; **~ away** trzymać się z dala, nie zjawiać się; **~ in** pozostawać w domu; **~ out** pozostawać poza domem; **~ up** nie siadać, nie kłaść się spać; *s* przebywanie, pobyt; postój; zwłoka; zastój; hamowanie; podpora, podpórka; *pl* **~s** gorset

**stay-at-home** [ˋsteı ət həum] *s* domator

**stay-in** [ˋsteı ın] *attr* **~ strike** strajk okupacyjny

**stead** [sted] *s lit.* miejsce; korzyść; **in my ~** na moim miejscu; **to stand in good ~** wyjść na korzyść

**stead·fast** [ˋstedfast] *adj* trwały, solidny, niezachwiany

**stead·y** [ˋstedı] *adj* mocny, silny; niezachwiany, stały; zrównoważony; spokojny; *vt* utwierdzić, wzmocnić; uspokoić; doprowadzić do równowagi; *vi* okrzepnąć; ustalić się; dojść do równowagi; *adv* spokojnie; *pot.* (*o chłopcu, dziewczynie*) **to go ~** chodzić ze sobą

**steak** [steɪk] *s* kawałek mięsa; stek

* **steal** [stil], **stole** [stəul], **stolen** [ˋstəuln] *vt* kraść; *vi* skradać się; **~ away** wymknąć się; **~ in** wkraść się; **~ out** wyśliznąć się

**stealth** [stelθ] *s w zwrocie:* **in ⟨by⟩ ~** ukradkiem

**stealth·y** [ˋstelθɪ] *adj* tajemny, skryty

**steam** [stim] *s* para (wodna); *vt* parować, gotować na parze; *vi* wytwarzać parę; (*o pociągu, parowcu*) jechać

**steam·boat** [ˋstimbəut] *s* parowiec

**steam-boil·er** [ˋstim bɔɪlə(r)] *s* kocioł parowy

**steam·er** [ˋstimə(r)] *s* parowiec; maszyna parowa

**steam-pow·er** [ˋstim pauə(r)] *s* siła parowa

**steam·ship** [ˋstimʃɪp] *s* = **steamboat**

**steed** [stid] *s lit.* rumak

**steel** [stil] *s* stal; *vt* hartować

**steel·on** [ˋstilon] *s* stylon

**steel·works** [ˋstil wɜks] *s* stalownia

**steep 1.** [stip] *adj* stromy; *pot.* (*o wymaganiach*) wygórowany

**steep 2.** [stip] *vt* zanurzyć, zamoczyć, zmiękczyć

**stee·ple** [ˋstipl] *s* iglica; wieża strzelista

**stee·ple·chase** [ˋstipl tʃeɪs] *s sport* wyścigi konne z przeszkodami

**steer** [ˋstɪə(r)] *vt vi* sterować; dążyć (**for sth** w stronę czegoś); **to ~ clear** unikać (**of sth** czegoś)

**steer·age** [ˋstɪərɪdʒ] *s* sterowanie; przedział najtańszej klasy na statku

**steer·ing-wheel** [ˋstɪərɪŋ wil] *s* koło sterowe; kierownica

**steers·man** [ˋstɪəzmən] *s* sternik

**stem 1.** [stem] *s* trzon; pień, łodyga; *gram.* temat

**stem 2.** [stem] *vt* tamować, wstrzymywać; wybudować tamę (**a river** na rzece)

**stench** [stentʃ] *s* smród

**sten·cil** [ˋstensl] *s* szablon, patron, matryca; *vt* malować szablonem; matrycować

**ste·nog·ra·pher** [stəˋnogrəfə(r)] *s* stenograf

**sten·o·graph·ic** [ˏstenəˋgræfɪk] *adj* stenograficzny

**step** [step] *s* krok; stopień; próg; **flight of ~s** kondygnacja schodów; **~ by ~** krok za krokiem; stopniowo; **to keep ~** dotrzymywać kroku (**with sb** komuś); **to take ~s** przedsięwziąć kroki; *vi* kroczyć; deptać; **~ back** cofnąć się; **~ down** schodzić na dół; **~ forth ⟨forward⟩** wystąpić; **~ in** wkroczyć

**step·daugh·ter** [ˋstep dɔtə(r)] *s* pasierbica

**step·fa·ther** [ˋstep faðə(r)] *s* ojczym

**step·moth·er** [ˋstep mʌðə(r)] *s* macocha

**step·ping-stone** [ˋstepɪŋ stəun] *s przen.* środek wiodący do celu, odskocznia

**step·son** [ˋstep sʌn] *s* pasierb

**ster·e·o·metry** [ˏstɪərɪˋomɪtrɪ] *s* stereometria

**ster·e·o·phon·ic** [ˏstɪərɪəˋfonɪk] *adj* stereofoniczny

**ster·ile** [ˋsteraɪl] *adj* bezpłodny

**ster·i·lize** [ˋsterḷaɪz] *vt* sterylizować

**ster·ling** [ˋstɜlɪŋ] *s* (funt) szterling; *adj przen.* prawdziwy; solidny; nieskazitelny

**stern 1.** [stɜn] *adj* surowy, groźny

**stern 2.** [stɜn] *s mors.* rufa; tył

**stew** [stju] *vt* dusić (potrawę); *vi* dusić się; *s* duszona potrawa mięsna, gulasz

**stew·ard** [ˋstjuəd] *s* zarządca, gospodarz; steward

**stew·ard·ess** [ˏstjuəˋdes] *s* stewardesa

• **stick** [stɪk], **stuck, stuck** [stʌk] *vt* wetknąć, wepchnąć; przebić; przymocować; przykleić; *vi* tkwić; przyczepić się (**to sth** czegoś); trzymać się; trwać (**to sth** przy czymś); ~ **around** *pot.* kręcić się w pobliżu; ~ **out** wysunąć; wystawać; ~ **up** podnieść do góry; sterczeć; *s* laska, pałka, kij; baton; mydło do golenia; *pot.* nudziarz, człowiek nadęty ⟨napuszony⟩

**stick·y** [ˋstɪkɪ] *adj* lepki, kleisty

**stiff** [stɪf] *adj* sztywny; uparty; (*o egzaminie*) trudny; silny, mocny (wiatr, trunek itd.); *s pot.* trup

**stiff·en** [ˋstɪfn] *vt* usztywnić; utwierdzić w uporze; utrudnić (np. egzamin); *vi* zesztywnieć; uprzeć się

**sti·fle** [ˋstaɪfl] *vt vi* dusić (się); dławić (się), tłumić

**stig·ma** [ˋstɪgmə] (*pl* **stigmata** [stɪg ˋmatə]) *s* piętno, stygmat

**stig·ma·tize** [ˋstɪgmətaɪz] *vt* piętnować

**still 1.** [stɪl] *adj* cichy, spokojny; ~ **life** martwa natura; *s* cisza, spokój; fotografia; *vt vi* uciszyć (się), uspokoić (się); *adv* ciągle, jeszcze, stale, nadal; mimo wszystko, przecież

**still 2.** [stɪl] *vt* destylować; *s* aparat destylacyjny

**still-born** [ˋstɪl bɔn] *adj* martwo urodzony

**stilt** [stɪlt] *s* szczudło

**stilt·ed** [ˋstɪltɪd] *adj* nienaturalny, afektowany

**stim·u·lant** [ˋstɪmjʊlənt] *adj* podniecający; *s* środek podniecający; bodziec

**stim·u·late** [ˋstɪmjʊleɪt] *vt* podniecać; zachęcać, pobudzać

• **sting** [stɪŋ], **stung, stung** [stʌŋ] *vt* użądlić, kłuć; sparzyć (pokrzywą); podniecać; przypiekać; *vi* piec, boleć

**stin·gi·ness** [ˋstɪndʒɪnəs] *s* sknerstwo

**stin·gy** [ˋstɪndʒɪ] *adj* skąpy

• **stink** [stɪŋk], **stunk, stunk** [stʌŋk] *vi* śmierdzieć (**of sth** czymś); *s* smród

**stint** [stɪnt] *vt* ograniczyć; skąpić (**sb of sth** komuś czegoś); *s* ograniczenie; wyznaczona ilość pracy, norma

**sti·pend** [ˋstaɪpend] *s* pensja (zw. duchownego)

**stip·u·late** [ˋstɪpjʊleɪt] *vt vi* żądać; ustalać warunki, zastrzegać sobie (**for sth** coś)

**stip·u·la·tion** [ˏstɪpjʊˋleɪʃn] *s* uzgodnienie warunków, warunek (układu), zastrzeżenie

**stir** [stɜ(r)] *vt vi* ruszać (się); wzruszać (się); wprawiać w ruch; podniecać; pomieszać; krzątać się; *s* poruszenie; podniecenie; krzątanina

**stir·rup** [ˋstɪrəp] *s* strzemię

**stitch** [stɪtʃ] *s* ścieg; oczko (np. w pończosze); kłucie (w boku); *vt vi* robić ścieg; szyć

**stock** [stok] *s* trzon, pień; ród; zapas, zasób; inwentarz; (*także* **live** ~) żywy inwentarz; majątek; *handl.* kapitał zakładowy, akcja, obligacja; *teatr* repertuar; **rolling** ~ tabor kolejowy; ~ **exchange** giełda; *teatr* ~ **piece** sztuka repertuarowa; ~ **tale** ciągle powtarzana historyjka; **to take** ~ robić inwentarz ⟨remanent⟩ (**of sth** czegoś); **in** ~ w zapasie; **out of** ~ wyprzedany; *vt* robić zapas, zaopatrzyć; trzymać na składzie; osadzać (narzędzie itp.); *handl.* prowadzić sprzedaż

**stock·ade** [stoˋkeɪd] *s* palisada; *vt* otoczyć palisadą

**stock-bro·ker** [ˋstokbrəukə(r)] *s* makler giełdowy

**stock-ex·change** [ˋstok ɪkstʃeɪndʒ] *s* giełda

**stock·ing** [ˋstokɪŋ] *s* pończocha

**stock-in-trade** [ˏstok ɪn ˋtreɪd] *s* zapas towarów w sklepie

**stock-tak·ing** [ˋstok teɪkɪŋ] *s* inwentaryzacja, remanent

**stock·y** [`stokı] *adj* krępy
**stock·yard** [`stokjɑd] *s* zagroda dla bydła (na targu, w rzeźni)
**sto·ic** [`stəuık] *s* stoik
**sto·i·cal** [`stəuıkl] *adj* stoicki
**stoke** [stəuk] *vt* palić (w lokomotywie, piecu hutniczym)
**stoke·hold** [`stəuk həuld] *s mors.* kotłownia (na statku)
**stole 1.** [stəul] *s rel.* stuła
**stole 2.** *zob.* **steal**
**sto·len** *zob.* **steal**
**stol·id** [`stolıd] *adj* obojętny; flegmatyczny; bierny
**stom·ach** [`stʌmək] *s anat.* żołądek, *pot.* brzuch; chętka; *vt* jeść z apetytem; znosić, ścierpieć
**stom·ach-ache** [`stʌmək eık] *s* ból brzucha
**stone** [stəun] *s* kamień; ziarnko (owocu), pestka; *bryt.* miara ciężaru; *vt* ukamienować; drylować (owoce)
**stone-ma·son** [`stəunmeısn] *s* kamieniarz
**stone·ware** [`stəunweə(r)] *s zbior.* naczynia ⟨wyroby⟩ kamionkowe
**ston·y** [`stəunı] *adj* kamienisty; kamienny
**stood** *zob.* **stand**
**stool** [stul] *s* stołek; *med.* stolec
**stoop** [stup] *vt vi* schylić (się), zgiąć (się); poniżyć (się); raczyć; być przygarbionym; *s* pochylenie; przygarbienie
**stop** [stop] *vt* zatkać, zatrzymać, zahamować; zaprzestać, skończyć; napełnić, zaplombować; powstrzymać; *vi* zatrzymać się, stanąć; przestać, skończyć (się), ustać; ~ **short** urwać, nagle przerwać; *s* zatrzymanie (się); postój; przystanek; przerwa; koniec; zatyczka; *gram.* głoska zwarta; *gram.* **full** ~ kropka; **to come to a** ~ stanąć; ustać; **to put a** ~ położyć kres
**stop-light** [`stop laıt] *s* światło stopowe; sygnał zatrzymania
**stop·page** [`stopıdʒ] *s* zatrzymanie; wstrzymanie (np. pracy); zawieszenie (np terminu płatności); zastój
**stop·per** [`stopə(r)] *s* szpunt, korek
**stop-press** [ˈstop `pres] *attr* ~ **news** wiadomości (z ostatniej chwili)
**stor·age** [`stɔrıdʒ] *s* magazynowanie, gromadzenie, zapas; **cold** ~ przechowywanie w chłodni; chłodnia
**store** [stɔ(r)] *s* zapas; skład; magazyn; *am.* sklep; *pl* ~**s** dom towarowy; **to set** ~ przykładać wagę, przywiązywać znaczenie (**by sth** do czegoś); *vt* zaopatrywać, ekwipować; (*także* ~ **up**) magazynować, przechowywać, gromadzić (np. zapasy)
**store-house** [`stɔ haus] *s* magazyn
**store·keep·er** [`stɔ kipə(r)] *s* magazynier; *am.* kupiec
**sto·rey, sto·ry** [`stɔrı] *s* piętro
**stork** [stɔk] *s* bocian
**storm** [stɔm] *s* burza; *mors.* sztorm; szturm; *vi* krzyczeć, złościć się; **it** ~**s** burza szaleje; *vt* szturmować
**storm·y** [`stɔmı] *adj* burzliwy, gwałtowny; zapowiadający burzę
**sto·ry 1.** [`stɔrı] *s* historia; opowiadanie, opowieść; fabuła; **short** ~ nowela; **the** ~ **goes that ...** mówią, że ...; podobno ...
**sto·ry 2.** *zob.* **storey**
**stout** [staut] *adj* mocny, mocno zbudowany; tęgi; otyły; solidny; stanowczy; *s* mocny porter
**stove** [stəuv] *s* piec
**stow** [stəu] *vt* umieścić; zapakować; (*także* ~ **away**) schować; usunąć; *vi* ukryć się; jechać bez biletu (*zw.* na statku)
**stow·age** [`stəuıdʒ] *s mors.* pakownia; pakowanie; ładunek ułożony; opłaty za ładunek
**stow·a·way** [`stəu əweı] *s* pasażer na gapę (na statku)
**strad·dle** [`strædl] *vt vi* stać z rozkraczonymi nogami; siedzieć okrakiem
**strag·gle** [ˈstrægl] *vi* rozejść się;

rozproszyć się, być rozproszonym ⟨rozciągniętym⟩
**strag·gler** [`stræglə(r)] *s* włóczęga, maruder
**straight** [streɪt] *adj* prosty, sztywny; prostolinijny; uporządkowany; pewny; rzetelny; **to put ~** uporządkować, poprawić, wyrównać; *adv* prosto; **~ away** natychmiast; z miejsca; **~ out** wprost, bez wahania
**straight·en** [`streɪtn] *vt vi* wyprostować (się); uporządkować; wyrównać
**straight·for·ward** [streɪt`fɔwəd] *adj* prosty; prostolinijny, szczery
**strain 1.** [streɪn] *vt* napinać, wytężać, forsować; przesadzać; przekraczać; cedzić, filtrować; *vi* wysilać się, wytężać się; usilnie dążyć (**after sth** do czegoś); *s* napięcie, natężenie; wysiłek; (*zw. pl* **~s**) *poet.* melodia, ton
**strain 2.** [streɪn] *s* ród, rasa, pochodzenie
**strait** [streɪt] *adj* † wąski, ciasny; **~ jacket** kaftan bezpieczeństwa; *s* (*zw. pl* **~s**) cieśnina; ciężkie położenie, kłopoty
**strand 1.** [strænd] *s* brzeg, nabrzeże; *vt* osadzić na brzegu ⟨na mieliźnie⟩; osiąść na brzegu ⟨na mieliźnie⟩
**strand 2.** [strænd] *s* skręcona nitka (przędzy, sznura); splot (włosów), warkocz
**strange** [streɪndʒ] *adj* dziwny, niezwykły; obcy; **to feel ~** czuć się nieswojo ⟨obco⟩; **~ to say ...** dziwne, że ...
**strang·er** [`streɪndʒə(r)] *s* obcy człowiek; nieznajomy, przybysz; człowiek nie obeznany (**to sth** z czymś)
**stran·gle** [`stræŋl] *vt* dusić, dławić
**stran·gu·late** [`stræŋgjuleɪt] *vt* dusić; *med.* podwiązywać (np. żyłę)
**strap** [stræp] *s* rzemień; uchwyt (*np.* w tramwaju); *vt* opasać rzemieniem, przewiązać; sprawić lanie
**stra·ta** *zob.* stratum
**strat·a·gem** [`strætədʒəm] *s* podstępny plan, fortel
**stra·te·gic** [strə`tidʒɪk] *adj* strategiczny
**strat·e·gy** [`strætɪdʒɪ] *s* strategia
**strato·sphere** [`strætəsfɪə(r)] *s* stratosfera
**stra·tum** [`strɑtəm] *s* (*pl* **strata** [`strɑtə]) *geol.* warstwa; *przen.* grupa ⟨warstwa⟩ społeczna
**straw** [strɔ] *s* słoma; *przen.* **I don't care a ~** nic mnie to nie obchodzi, nie dbam o to; **it isn't worth a ~** to nie ma żadnej wartości
**straw·ber·ry** [`strɔbrɪ] *s* truskawka; (*także* **wild ~**) poziomka
**stray** [streɪ] *vi* błąkać się, błądzić; odłączyć się (od grupy); zejść z właściwej drogi; *adj attr* zabłąkany; przypadkowy; *s* przybłęda; *pl* **~s** zakłócenia atmosferyczne
**streak** [strɪk] *s* pasmo; smuga; rys; **like a ~ of lightning** błyskawicznie, z szybkością błyskawicy
**stream** [strim] *s* strumień; prąd; **a ~ of people** masa ludzi; tłum; **to go with the ~** iść z prądem ⟨duchem⟩ czasu; *lit.* **~ of consciousness** strumień świadomości; **down ~** z prądem; **up ~** pod prąd; *vi* uciec, płynąć, spływać
**stream·let** [`strimlət] *s* strumyk
**stream·line** [`strim laɪn] *s* linia opływowa
**street** [strit] *s* ulica; **the man in the ~** szary ⟨przeciętny⟩ człowiek
**street-car** [`strit kɑ(r)] *s am.* tramwaj
**street-walk·er** [`strit wɔkə(r)] *s* ulicznica, prostytutka
**strength** [`streŋθ] *s* siła, moc
**strength·en** [`streŋθn] *vt vi* wzmocnić (się)
**stren·u·ous** [`strenjuəs] *adj* gorliwy; usilny; wymagający wysiłku

**stress** [stres] *s* nacisk, przycisk; presja, ciśnienie; *gram.* akcent; *vt* naciskać; podkreślać; *gram.* akcentować

**stretch** [stretʃ] *vt vi* wyciągać (się), rozciągać (się), naciągać (się); *s* rozpostarcie; napięcie; rozpiętość; elastyczność; przeciąg czasu; jednolita przestrzeń; **at a ~** jednym ciągiem

**stretch·er** [ˈstretʃə(r)] *s* nosze; rama do napinania

***strew** [stru], **strewed** [strud], **strewn** [strun] *vt* sypać, rozsypywać

**strick·en** [ˈstrɪkən] *adj* trafiony, dotknięty; **~ in years** w podeszłym wieku

**strict** [strɪkt] *adj* ścisły, dokładny

**stric·ture** [ˈstrɪktʃə(r)] *s med.* zwężenie, skurcz; (*zw. pl* **~s**) ostra krytyka

***stride** [ˈstrɪd], **strode** [strəud], **strid·den** [ˈstrɪdn] *vt vi* kroczyć; przekroczyć; siedzieć okrakiem (**sth** na czymś); *s* krok; rozkrok; **to take sth in one's ~** zrobić coś bez wysiłku

**stri·dent** [ˈstraɪdnt] *adj* (*o dźwięku*) zgrzytający, piskliwy

**strife** [straɪf] *s* walka, spór

***strike** [straɪk], **struck, struck** [strʌk] *vt vi* uderzyć, ugodzić; strajkować; (*o zegarze*) bić; krzesać (*ogień*); zapalać (zapałkę); zadać (cios); wybijać (np. monetę); kończyć, zamykać (np. bilans); natknąć się (**sth** na coś); skreślić (np. **off a list** z listy); **to ~ a bargain** ubić interes; **to ~ blind** oślepić; **to ~ dead** uśmiercić; **to ~ root** zapuścić korzenie; **to ~ the tent** zwinąć namiot; **~ down** powalić; zbić; **~ off** odciąć; odejść; potrącić (np. procent); skreślić; **~ out** wykreślić; szybko ruszyć ⟨rzucić się⟩ (**for sth** ku czemuś); **~ up** zawrzeć (znajomość); zacząć grać ⟨śpiewać⟩; *s* strajk; trafienie; **to be on ~** strajkować

**strike-break·er** [ˈstraɪk breɪkə(r)] *s* łamistrajk

**strik·er** [ˈstraɪkə(r)] *s* strajkujący

***string** [strɪŋ], **strung, strung** [strʌŋ] *vt* naciągać, napinać; nawlekać; zaopatrzyć w struny; wiązać sznurem; *vi* napinać się; (np. *o kleju*) ciągnąć się; **~ up** powiesić (człowieka); napinać; *s* sznur, szpagat; struna; cięciwa; *muz.* **~ instruments** instrumenty smyczkowe

**stringed** [strɪŋgd] *adj* zaopatrzony w struny; smyczkowy

**strin·gent** [ˈstrɪndʒənt] *adj* ścisły; surowy; ograniczony (np. brakiem pieniędzy); ciasny (rynek)

**strip 1.** [strɪp] *s* pasek, skrawek

**strip 2.** [strɪp] *vt* zdejmować, zrywać; obdzierać (**sb of sth** kogoś z czegoś); obnażać; *vi* rozebrać się, obnażyć się

**stripe** [straɪp] *s* pasek, kreska, smuga

**striped** [straɪpt] *adj* pasiasty, w pasy, prążkowany

**strip·ling** [ˈstrɪplɪŋ] *s* wyrostek, młokos

**strip-tease** [ˈstrɪp ˈtiz] *s* strip-tease

***strive** [straɪv], **strove** [strəuv], **striv·en** [ˈstrɪvn] *vi* dążyć (**for ⟨after⟩ sth** do czegoś); walczyć, zmagać się (**with ⟨against⟩ sb, sth** z kimś, czymś)

**strode** *zob.* **stride**

**stroke 1.** [strəuk] *vt* głaskać, gładzić; *s* głaskanie

**stroke 2.** [strəuk] *s* uderzenie, cios; pociągnięcie; kreska; nagły pomysł, przebłysk; atak (choroby); *sport* styl (pływania); ruch (ramion, wiosła itp.)

**stroll** [strəul] *vi* wędrować, przechadzać się; *s* przechadzka

**strong** [strɔŋ] *adj* silny, mocny, energiczny; **~ drink** napój alkoholowy; **~ language** przekleństwa

**strong-box** [ˈstrɔŋ bɔks] *s* sejf

**strong·hold** [ˈstrɔŋ həuld] *s* forteca

**strop** [strop] *s* pasek do ostrzenia brzytwy; *vt* ostrzyć na pasku
**strove** *zob.* **strive**
**struck** *zob.* **strike**
**struc·tur·al** [ˈstrʌktʃərl] *adj* strukturalny; budowlany
**struc·ture** [ˈstrʌktʃə(r)] *s* struktura; budowa
**strug·gle** [ˈstrʌgl] *s* walka; *vi* walczyć; zmagać się, usiłować; ~ **in** z wysiłkiem wtargnąć do wnętrza; ~ **through** z wysiłkiem przedostać się
**strum** [strʌm] *vt vi* rzępolić, brzdąkać
**strum·pet** [ˈstrʌmpɪt] *s* ulicznica
**strung** *zob.* **string;** *adj* ~ **up** znajdujący się w napięciu nerwowym
**strut** [strʌt] *vi* dumnie kroczyć, chodzić z nadętą miną
**stub** [stʌb] *s* pień; niedopałek (papierosa); pieniek (zęba); kikut; odcinek (czeku, biletu); *vt* (*także* ~ **out** ⟨**up**⟩) trzebić, karczować; trącić (**against sth** o coś)
**stub·ble** [ˈstʌbl] *s* ściernisko; szczecina; broda nie golona
**stub·born** [ˈstʌbən] *adj* uparty
**stuc·co** [ˈstʌkəu] *s* sztukateria
**stuck** *zob.* **stick**
**stud 1.** [stʌd] *s* stadnina
**stud 2.** [stʌd] *s* gwóźdź z płaską główką, ćwiek; mały krążek; spinka; *vt* nabić gwoździami
**stu·dent** [ˈstjudnt] *s* student; człowiek studiujący; uczony
**stud·ied** [ˈstʌdɪd] *adj* oczytany; przemyślany; wyrafinowany; udawany
**stu·dio** [ˈstjudɪəu] *s* atelier, studio
**stu·di·ous** [ˈstjudɪəs] *adj* pilny, pracowity, oddany studiom; przemyślany
**stud·y** [ˈstʌdɪ] *s* studium; badanie; dążenie, staranie; pracownia, gabinet; *vt* studiować, badać; *vi* odbywać studia; przygotowywać się (**for an exam** do egzaminu); starać się
**stuff** [stʌf] *s* materiał, tworzywo, tkanina; istota, rzecz; *pl* **food** ~**s** artykuły żywnościowe; **green** ~ warzywa; *vt* napychać, wypychać; nabijać; faszerować
**stuff·ing** [ˈstʌfɪŋ] *s* nabicie; wypchanie; nadzienie, farsz
**stuff·y** [ˈstʌfɪ] *adj* duszny; nudny; *am. pot.* zły, skwaszony
**stul·ti·fy** [ˈstʌltɪfaɪ] *vt* udaremnić; ośmieszyć
**stum·ble** [ˈstʌmbl] *vi* potykać się; *przen.* robić błędy; jąkać się; natknąć się; *s* potknięcie; błąd
**stum·bling-block** [ˈstʌmblɪŋ blok] *s* zapora, przeszkoda, trudność
**stump** [stʌmp] *s* pniak; niedopałek (papierosa); pieniek (zęba); kikut; ~ **orator** okolicznościowy mówca; agitator polityczny; *vt* zapędzić w kozi róg; szerzyć agitację; *vi* iść sztywnym krokiem
**stump·y** [ˈstʌmpɪ] *adj* krępy
**stun** [stʌn] *vt* ogłuszyć (uderzeniem)
**stung** *zob.* **sting**
**stunt 1.** [stʌnt] *s pot.* pokaz, popis; wyczyn; *vi* dokonać czegoś sensacyjnego; popisać się (np. akrobatyką lotniczą)
**stunt 2.** [stʌnt] *vt* hamować (w rozwoju); *s* zahamowanie (w rozwoju)
**stunt·ed** [ˈstʌntɪd] *adj* karłowaty
**stu·pe·fac·tion** [ˈstjupɪˈfækʃn] *s* osłupienie; oszołomienie, otępienie
**stu·pe·fy** [ˈstjupɪfaɪ] *vt* oszołomić, otępić; wprawić w osłupienie
**stu·pen·dous** [stjuˈpendəs] *adj* zdumiewający
**stu·pid** [ˈstjupɪd] *adj* głupi
**stu·pid·i·ty** [stjuˈpɪdətɪ] *s* głupota; głupstwo; nonsens
**stu·por** [ˈstjupə(r)] *s* osłupienie; odrętwienie
**stur·dy** [ˈstɜdɪ] *adj,* mocny, krzepki; nieugięty
**stur·geon** [ˈstɜdʒən] *s zool.* jesiotr
**stut·ter** [ˈstʌtə(r)] *vi* jąkać się

**sty** 1. [staɪ] *s* chlew

**sty(e)** 2. [staɪ] *s med.* jęczmień (na oku)

**style** [staɪl] *s* styl; moda; sposób tytułowania; szyk; wzór; sztyft; rylec; *vt* nazywać, tytułować

**styl·ish** [ˈstaɪlɪʃ] *adj* stylowy, modny

**suave** [swav] *adj* przyjemny, uprzejmy

**sub-** [sʌb] *praef* pod-

**sub·al·tern** [ˈsʌbltən] *adj* (*o oficerze*) niższy rangą; *s wojsk.* oficer poniżej kapitana

**sub·com·mit·tee** [ˈsʌb kəmɪtɪ] *s* podkomisja, podkomitet

**sub·con·scious** [ˈsʌbˈkonʃəs] *adj* podświadomy

**sub·cu·ta·ne·ous** [ˈsʌbkjuˈteɪnɪəs] *adj* podskórny

**sub·di·vi·sion** [ˈsʌbdɪˈvɪʒn] *s* poddział

**sub·due** [səbˈdju] *vt* pokonać, ujarzmić, przytłumić

**sub·ject** [ˈsʌbdʒɪkt] *s* podmiot (*także gram.*); temat; poddany; przedmiot (np. nauki); *adj* podległy; podlegający; narażony (**to sth** na coś); skłonny (**to sth** do czegoś); *adv* z zastrzeżeniem, pod warunkiem (**to sth** czegoś); *vt* [səbˈdʒekt] podporządkować; ujarzmić; poddać; narazić (**to sth** na coś)

**sub·jec·tion** [səbˈdʒekʃn] *s* podporządkowanie (się); ujarzmienie; uzależnienie

**sub·jec·tive** [səbˈdʒektɪv] *adj* subiektywny; *gram.* ~ **case** mianownik

**sub·ject-mat·ter** [ˈsʌbdʒɪkt mætə(r)] *s* temat; treść; tematyka

**sub·join** [sʌbˈdʒɔɪn] *vt* dołączyć, załączyć

**sub·ju·gate** [ˈsʌbdʒʊgeɪt] *vt* ujarzmić

**sub·junc·tive** [səbˈdʒʌŋktɪv] *adj gram.* łączący; *s gram.* tryb łączący

**sub·lime** [səˈblaɪm] *adj* wzniosły; wspaniały; najwyższy

**sub·ma·rine** [ˈsʌbməˈrin] *adj* podwodny; *s* łódź podwodna

**sub·merge** [səbˈmɜdʒ] *vt vi* zatopić, zanurzyć (się)

**sub·mis·sion** [səbˈmɪʃn] *s* podporządkowanie; uległość, posłuszeństwo

**sub·mis·sive** [səbˈmɪsɪv] *adj* uległy, posłuszny

**sub·mit** [səbˈmɪt] *vt* poddawać pod rozwagę; pozostawiać do decyzji; przedkładać, proponować; *vi* podporządkować się, ulegać

**sub·or·di·nate** [səˈbɔdnət] *adj* podporządkowany, podwładny; *gram.* ~ **clause** zdanie podrzędne; *s* podwładny; *vt* [səˈbɔdɪneɪt] podporządkować, uzależnić

**sub·or·di·na·tion** [səˈbɔdɪˈneɪʃn] *s* podporządkowanie; uległość, posłuszeństwo, subordynacja

**sub·scribe** [səbˈskraɪb] *vt* podpisać; dopisać; pisemnie złożyć, zaofiarować (np. sumę pieniężną); *vi* podpisać się (**to sth** pod czymś); popierać (**to sth** coś); prenumerować (**for** ⟨**to**⟩ **sth** coś)

**sub·scrib·er** [səbˈskraɪbə(r)] *s* subskrybent; abonent

**sub·scrip·tion** [səbˈskrɪpʃn] *s* podpis; abonament; subskrypcja; składka członkowska

**sub·se·quent** [ˈsʌbsɪkwənt] *adj* następny, późniejszy; ~ **to sth** wynikający z czegoś

**sub·serve** [səbˈsɜv] *vt* służyć (sprawie), przynosić korzyść

**sub·side** [səbˈsaɪd] *vi* opadać; zapadać się; uspokajać się

**sub·sid·i·ar·y** [səbˈsɪdɪərɪ] *adj* pomocniczy; dodatkowy; *s* pomocnik

**sub·si·dy** [ˈsʌbsɪdɪ] *s* subwencja

**sub·sist** [səbˈsɪst] *vi* istnieć, żyć (**by sth** z czegoś, dzięki czemuś); żywić się (**on sth** czymś); utrzymywać się (w mocy, w zwyczaju itp.)

**sub·sist·ence** [səbˈsɪstəns] *s* istnienie; życie; utrzymywanie się; utrzymanie

**sub·stance** [ˋsʌbstəns] *s* substancja; istota, treść, znaczenie; trwałość; posiadłość, majątek
**sub·stan·tial** [səbˋstænʃl] *adj* istotny; rzeczywisty; konkretny; solidny
**sub·stan·tive** [səbˋstæntɪv] *adj* rzeczywisty, konkretny; *s gram.* rzeczownik
**sub·sti·tute** [ˋsʌbstɪtjut] *s* zastępca; substytut, namiastka; *vt* podstawić, użyć zastępczo (**sth for sth** czegoś zamiast czegoś), zastąpić
**sub·sti·tu·tion** [ˏsʌbstɪˋtjuʃn] *s* substytucja; podstawienie; zastępowanie
**sub·ter·fuge** [ˋsʌbtəfjudʒ] *s* podstęp
**sub·ter·ra·ne·an** [ˏsʌbtəˋreɪnɪən] *adj* podziemny
**sub-title** [ˋsʌbtaɪtl] *s* podtytuł
**sub·tle** [ˋsʌtl] *adj* subtelny; misterny
**sub·tract** [səbˋtrækt] *vt mat.* odejmować
**sub·trac·tion** [səbˋtrækʃn] *s mat.* odejmowanie
**sub·trop·i·cal** [ˏsʌbˋtropɪkl] *adj* podzwrotnikowy
**sub·urb** [ˋsʌbɜb] *s* przedmieście; *pl* **~s** peryferie
**sub·ur·ban** [səˋbɜbən] *adj* podmiejski
**sub·ven·tion** [səbˋvenʃn] *s* subwencja
**sub·ver·sion** [səbˋvɜʃn] *s* przewrót, akcja wywrotowa
**sub·ver·sive** [səbˋvɜsɪv] *adj* wywrotowy
**sub·vert** [sʌbˋvɜt] *vt* przewrócić, obalić
**sub·way** [ˋsʌbweɪ] *s* przejście podziemne; *am.* kolej podziemna, metro
**suc·ceed** [səkˋsid] *vi* mieć powodzenie, z powodzeniem coś robić; odziedziczyć (**to an estate** posiadłość); **I ~ed in finishing my work** udało mi się skończyć pracę; *vt* nastąpić (**sb, sth** po kimś, po czymś)
**suc·cess** [səkˋses] *s* powodzenie; pomyślność; sukces; człowiek, który ma powodzenie (w życiu)
**suc·cess·ful** [səkˋsesfl] *adj* mający powodzenie, udany, pomyślny; **I was ~ in doing that** udało mi się to zrobić
**suc·ces·sion** [səkˋseʃn] *s* następstwo, kolejność; seria; sukcesja, dziedziczenie; **in ~** kolejno; **in quick ~** raz za razem, szybko po sobie
**suc·ces·sive** [səkˋsesɪv] *adj* kolejny
**suc·ces·sor** [səkˋsesə(r)] *s* następca (**to sb** czyjś); sukcesor, dziedzic
**suc·cinct** [səkˋsɪŋkt] *adj* krótki, zwięzły
**suc·cour** [ˋsʌkə(r)] *s* pomoc; *vt* wspomagać, przyjść z pomocą
**suc·cu·lent** [ˋsʌkjulənt] *adj* soczysty
**suc·cumb** [səˋkʌm] *vi* ulec, poddać się (**to sth** czemuś); umrzeć
**such** [sʌtʃ] *adj pron* taki; **no, some, any, every, another, many, all** *poprzedzają* **such**; *rodzajnik* **a** *następuje po* **such**, *np.*: **no ~ thing** nic takiego, **~ a thing** coś takiego; **~ a nice day** taki piękny dzień; **~ as** taki, jak ...; **~ that ...** taki ⟨tego rodzaju⟩, że ...
**such·like** [ˋsʌtʃlaɪk] *adj* podobny (do tego), tego rodzaju
**suck** [sʌk] *vt* ssać, wysysać; *przen.* czerpać (np. korzyść); *s* ssanie
**suck·er** [ˋsʌkə(r)] *s* osesek; *zool.* ssak; ssawka; *techn.* tłok ssący; *bot.* odrost, kiełek; *pot.* oszust, szantażysta; naiwniak; *pot.* młokos
**suck·le** [ˋsʌkl] *vt* karmić piersią
**suck·ling** [ˋsʌklɪŋ] *s* osesek
**suc·tion** [ˋsʌkʃn] *s* ssanie
**suc·tion-pump** [ˋsʌkʃn pʌmp] *s* pompa ssąca
**sud·den** [ˋsʌdn] *adj* nagły; *s tylko w zwrocie*: **all of a ~** nagle
**suds** [sʌdz] *s pl* mydliny
**sue** [su] *vt* ścigać sądownie, procesować się (**sb** z kimś, **for sth** o coś); *vi* błagać (**for sth** o coś);

prosić (kobietę o rękę); wnosić skargę (to a court do sądu)
**su·et** ['suɪt] *s* łój
**suf·fer** ['sʌfə(r)] *vi* cierpieć (from sth na coś, for sth za coś); chorować; cierpieć (sth z powodu czegoś); ~ hunger cierpieć głód; *vt* znosić, tolerować; ponosić (np. karę); pozwalać (sth na coś)
**suf·fer·a·ble** ['sʌfrəbl] *adj* znośny, dopuszczalny
**suf·fer·ance** ['sʌfrəns] *s* tolerowanie; cierpliwość, wytrzymałość; **to be on** ~ być tolerowanym; **beyond** ~ nie do wytrzymania
**suf·fer·er** ['sʌfrə(r)] *s* człowiek cierpiący; ponoszący szkodę (from sth z powodu czegoś)
**suf·fer·ing** ['sʌfrɪŋ] *s* cierpienie
**suf·fice** [sə'faɪs] *vt vi* wystarczać; zadowalać; ~ **it to say** wystarczy powiedzieć
**suf·fi·cien·cy** [sə'fɪʃnsɪ] *s* dostateczna ilość; wystarczające środki do życia
**suf·fi·cient** [sə'fɪʃnt] *adj* wystarczający, dostateczny
**suf·fix** ['sʌfɪks] *s gram.* przyrostek
**suf·fo·cate** ['sʌfəkeɪt] *vt vi* dusić (się)
**suf·frage** ['sʌfrɪdʒ] *s* prawo głosowania; głosowanie; głos
**suf·fuse** [sə'fjuz] *vt* zalać (np. łzami); pokryć (np. farbą)
**sug·ar** ['ʃugə(r)] *s* cukier; *vt* cukrzyć
**sug·ar-ba·sin** ['ʃugə beɪsn] *s* cukiernica
**sug·ar-beet** ['ʃugə bit] *s bot.* burak cukrowy
**sug·ar-cane** ['ʃugə keɪn] *s bot.* trzcina cukrowa
**sug·ar-loaf** ['ʃugə ləuf] *s* głowa cukru
**sug·gest** [sə'dʒest] *vt* sugerować, podsuwać myśl, dawać do zrozumienia; proponować
**sug·ges·tion** [sə'dʒestʃən] *s* sugestia; propozycja
**sug·ges·tive** [sə'dʒestɪv] *adj* sugestywny, nasuwający myśl (of sth o czymś); wiele mówiący; dwuznaczny
**su·i·cide** ['suɪsaɪd] *s* samobójca; samobójstwo
**suit** [sut] *s* podanie; sprawa sądowa, proces; zachody; zaloty; seria; garnitur, ubranie; kostium (damski); zestaw, komplet; kolor (w kartach); **to follow** ~ dodać do koloru; *przen.* pójść w ślady; *vt vi* odpowiadać, nadawać się, pasować (sth do czegoś); dostosowywać; być do twarzy; zadowolić, dogodzić; ~ **yourself** rób, jak uważasz; **this dress** ~**s you** do twarzy ci w tej sukni
**suit·a·ble** ['sutəbl] *adj* odpowiedni, stosowny; należyty
**suit-case** ['sutkeɪs] *s* walizka
**suite** [swit] *s* świta, orszak; seria; *muz.* suita; ~ **of rooms** amfilada (pokoi), apartamenty
**suit·or** ['sutə(r)] *s* zalotnik, konkurent; petent; *prawn.* powód (strona w sądzie)
**sulk** [sʌlk] *vi* dąsać się; *s pl* ~**s** dąsy, fochy
**sulk·y** ['sʌlkɪ] *adj* nadąsany
**sul·len** ['sʌlən] *adj* ponury
**sul·ly** ['sʌlɪ] *vt* kalać, plamić; zaciemniać
**sul·phate** ['sʌlfeɪt] *s chem.* siarczan
**sul·phur** ['sʌlfə(r)] *s chem.* siarka
**sul·phu·ric** [sʌl'fjuərɪk] *adj chem.* siarkowy
**sul·phur·ous** ['sʌlfərəs] *adj chem.* siarkawy
**sul·tan** ['sʌltən] *s* sułtan
**sul·tan·a** [sl'tanə] *s* sułtanka; [səl'tanə] rodzynek
**sul·try** ['sʌltrɪ] *adj* duszny, parny
**sum** [sʌm] *s* suma, wynik; treść, sedno; zadanie arytmetyczne; *pl* ~**s** rachunki (w szkole); **in** ~**s** krótko mówiąc; *vt* sumować; ~ **up** dodawać; podsumowywać, streszczać
**sum·ma·rize** ['sʌmraɪz] *vt* streścić, zreasumować
**sum·ma·ry** ['sʌmrɪ] *adj* krótki; po-

bieżny; *prawn.* sumaryczny; *s* streszczenie, zwięzłe ujęcie

**sum·mer** [ˋsʌmə(r)] *s* lato; **Indian ~** babie lato; **~ school** kurs wakacyjny; *vi* spędzać lato

**sum·mer·y** [ˋsʌmərɪ] *adj* letni

**sum·mit** [ˋsʌmɪt] *s* (*także przen.*) szczyt

**sum·mon** [ˋsʌmən] *vt* wezwać, zawezwać; zwołać; zebrać; **~ up** powołać; zebrać się, zdobyć się (**sth** na coś)

**sum·mons** [ˋsʌmənz] *s* wezwanie, nakaz; *vt* wezwać (do sądu)

**sump·tu·ous** [ˋsʌmptʃuəs] *adj* pełen przepychu, wspaniały, wystawny

**sun** [sʌn] *s* słońce; **in the ~** na słońcu; *vt* wystawiać na słońce; *vi* wygrzewać się na słońcu

**sun·beam** [ˋsʌn bim] *s* promień słońca

**sun·burn** [ˋsʌnbɜn] *s* opalenizna

**sun·burnt** [ˋsʌnbɜnt] *adj* opalony, ogorzały

**sun·dae** [ˋsʌndeɪ] *s* lody z owocami i śmietaną

**Sun·day** [ˋsʌndɪ] *s* niedziela; *attr* niedzielny; *pot.* **~ best** odświętne ubranie

**sun·dial** [ˋsʌn daɪl] *s* zegar słoneczny

**sun·dry** [ˋsʌndrɪ] *adj* różny, rozmaity; **all and ~** wszyscy bez wyjątku; *s pl* **sundries** rozmaitości

**sun·flow·er** [ˋsʌnflauə(r)] *s bot.* słonecznik

**sung** *zob.* **sing**

**sunk** *zob.* **sink**

**sunk·en** [ˋsʌŋkən] *pp od* **sink**; *adj* zanurzony, zatopiony; zapadnięty, zapadły; leżący poniżej poziomu

**sun·kissed** [ˋsʌnkɪst] *adj* nasłoneczniony; dojrzewający w słońcu

**sun·light** [ˋsʌn laɪt] *s* światło słoneczne

**sun·ny** [ˋsʌnɪ] *adj* słoneczny; (*o usposobieniu*) pogodny, wesoły

**sun·ray** [ˋsʌn reɪ] *s* promień słońca

**sun·rise** [ˋsʌnraɪz] *s* wschód słońca; **at ~** o świcie

**sun·set** [ˋsʌnset] *s* zachód słońca; **at ~** o zachodzie słońca

**sun·shade** [ˋsʌnʃeɪd] *s* parasolka (od słońca); markiza

**sun·shine** [ˋsʌnʃaɪn] *s* światło słoneczne; słoneczna pogoda

**sun·stroke** [ˋsʌnstrəuk] *s* udar słoneczny

**sup** [sʌp] *vi* jeść kolację

**su·per 1.** [ˋsupə(r)] *adj pot.* wspaniały, pierwszorzędny; *s pot. teatr* statysta; *pot.* kierownik, przełożony; *pot.* szlagier

**su·per 2.** [ˋsupə(r)] *praef* nad-; prze-, *np.*: **superman** nadczłowiek; **to superheat** przegrzewać

**su·per·a·bound** [ˏsupərəˋbaund] *vi* być w nadmiarze

**su·per·a·bun·dant** [ˏsupərəˋbʌndənt] *adj* będący w nadmiarze

**su·per·an·nu·ate** [ˏsupərˋænjueɪt] *vt* zarzucić (coś przestarzałego); przenieść w stan spoczynku; usunąć (ucznia ze szkoły)

**su·per·an·nu·at·ed** [ˏsupərˋænjueɪtɪd] *adj* emerytowany; przestarzały, zużyty

**su·perb** [suˋpɜb] *adj* wspaniały

**su·per·cil·i·ous** [ˏsupəˋsɪlɪəs] *adj* zarozumiały, wyniosły

**su·per·e·roga·to·ry** [ˏsupərəˋrogətrɪ] *adj* zbyteczny, nadobowiązkowy

**su·per·fi·cial** [ˏsupəˋfɪʃl] *adj* dotyczący powierzchni; (*o uczuciach, wiedzy*) powierzchowny

**su·per·fi·ci·es** [ˋsupəfɪʃɪz] *s* powierzchnia

**su·per·flu·i·ty** [ˏsupəˋfluətɪ] *s* zbędność; nadmiar; zbędna rzecz

**su·per·flu·ous** [suˋpɜfluəs] *adj* zbędny; nadmierny

**su·per·high·way** [ˏsupə ˋhaɪweɪ] *s am.* autostrada

**su·per·hu·man** [ˏsupəˋhjumən] *adj* nadludzki

**su·per·in·tend·ent** [ˏsuprɪnˋtendənt]

*s* nadzorca; inspektor; kierownik

**su·pe·ri·or** [sə`pɪərɪə(r)] *adj* wyższy; przeważający; starszy rangą; wyniosły; zwierzchni; przedni; **to be ~** przewyższać; wznosić się (**to sb, sth** ponad kogoś, coś); *s* zwierzchnik, przełożony; człowiek górujący; **he has no ~ in ...** nikt go nie przewyższa pod względem ...

**su·pe·ri·or·i·ty** [sə'pɪərɪ`orətɪ] *s* wyższość; starszeństwo; przewaga

**su·per·la·tive** [su`pɜlətɪv] *adj* nieprześcigniony, najlepszy; *gram.* (*o stopniu*) najwyższy; *s gram.* stopień najwyższy; *przen.* wyraz najwyższego uznania, superlatyw

**su·per·man** [`supəmæn] *s* nadczłowiek

**su·per·nat·u·ral** ['supə`nætʃərl] *adj* nadprzyrodzony

**su·per·nu·mer·a·ry** ['supə`njumərərɪ] *adj* nadliczbowy; zbędny; nieetatowy; rzecz zbędna; *teatr* statysta; pracownik nieetatowy

**su·per·scribe** ['supə`skraɪb] *vt* napisać u góry, umieścić napis; adresować

**su·per·scrip·tion** [`supəskrɪpʃn] *s* napis; adres

**su·per·sede** ['supə`sid] *vt* wyprzeć, usunąć, zastąpić

**su·per·son·ic** ['supə`sonɪk] *s fiz.* ultradźwiękowy

**su·per·sti·tion** ['supə`stɪʃn] *s* przesąd, zabobon

**su·per·sti·tious** ['supə`stɪʃəs] *adj* przesądny, zabobonny

**su·per·struc·ture** [`supəstrʌktʃə(r)] *s* nadbudowa

**su·per·vene** ['supə`vin] *vi* niespodziewanie nadejść, nastąpić

**su·per·vise** [`supəvaɪz] *vi* dozorować, kontrolować

**su·per·vi·sion** ['supə`vɪʒn] *s* dozór, nadzór, kontrola

**su·per·vi·sor** [`supəvaɪzə(r)] *s* nadzorca, kontroler; kierownik

**sup·per** [`sʌpə(r)] *s* kolacja

**sup·plant** [sə`plɑnt] *vt* wyprzeć, zająć miejsce

**sup·ple** [`sʌpl] *adj* giętki, uległy

**sup·ple·ment** [`sʌplɪmənt] *s* uzupełnienie, dodatek; *vt* uzupełnić, zaopatrzyć w suplement

**sup·ple·men·ta·ry** ['sʌplɪ`mentrɪ] *adj* uzupełniający

**sup·pli·cate** [`sʌplɪkeɪt] *vt* błagać (**sb for sth** kogoś o coś)

**sup·plier** [sə`plɑɪə(r)] *s* dostawca

**sup·ply** [sə`plɑɪ] *vt* dostarczyć (**sb with sth** komuś, czegoś), dostawić; zaopatrzyć (**sb with sth** kogoś w coś); uzupełnić; zastąpić; **~ the demand** zaspokoić popyt; *s* dostawca; podaż; zaopatrzenie; zastępca; *pl* **supplies** kredyty (*zw.* państwowe); zasiłki; *handl.* artykuły; *wojsk.* zaopatrzenie; posiłki; **food ~** aprowizacja; **short ~** niedostateczne zaopatrzenie, niedobór; **~ and demand** podaż i popyt

**sup·port** [sə`pɔt] *vt* podpierać; popierać, pomagać, utrzymywać; podtrzymywać; znosić, cierpieć; *s* podpora; poparcie, pomoc; utrzymanie; **in ~** na poparcie (**of sth** czegoś); *wojsk.* w rezerwie

**sup·pose** [sə`pəuz] *vt vi* przypuszczać, zakładać; **he is ~ed to be ...** przypuszcza się, że on jest ⟨powinien być⟩ ...; **~** przypuśćmy, dajmy na to; **I ~ so ⟨not⟩** myślę, że tak ⟨że nie⟩, chyba tak ⟨nie⟩

**sup·pos·ing** [sə`pəuzɪŋ] *conj* o ile, jeśli

**sup·po·si·tion** ['sʌpə`zɪʃn] *s* przypuszczenie; **on the ~** przypuszczając

**sup·po·si·to·ry** [sə`pozɪtrɪ] *s med.* czopek

**sup·press** [sə`pres] *vt* stłumić; znieść; zakazać; powstrzymać; ukryć, zataić

**sup·pres·sion** [sə`preʃn] *s* stłumienie; zniesienie; zakaz; powstrzymanie; ukrycie, zatajenie

**sup·pu·rate** [ˋsʌpjureɪt] *vi med.* ropieć, jątrzyć się
**su·prem·a·cy** [səˋpreməsɪ] *s* supremacja, zwierzchnictwo
**su·preme** [səˋprim] *adj* najwyższy; ostateczny
**sur·charge** [ˋsɜtʃadʒ] *vt* dodatkowo obciążyć, przeciążyć; zażądać zbyt wysokiej ceny; *s* przeciążenie; nadwaga; dopłata; *filat.* nadruk
**surd** [sɜd] *adj mat.* niewymierny; *gram.* bezdźwięczny; *s mat.* liczba niewymierna; *gram.* głoska bezdźwięczna
**sure** [ʃuə(r)] *adj* pewny, niezawodny; **be ~ to come** przyjdź koniecznie ⟨na pewno⟩; **he is ~ to do it** on na pewno to zrobi; **for ~** na pewno tak, oczywiście; **to make ~** upewnić się; *adv* na pewno
**sure·ly** [ˋʃuəlɪ] *adv* pewnie, niezawodnie
**surf** [sɜf] *s* fale rozbijające się o brzeg; piana na falach
**sur·face** [ˋsɜfɪs] *s* powierzchnia; wygląd zewnętrzny
**sur·feit** [ˋsɜfɪt] *s* przesyt; nadmiar; *vt* przesycić
**surge** [sɜdʒ] *vi (o falach)* podnosić się; *s* wysoka fala
**sur·geon** [ˋsɜdʒən] *s* chirurg; lekarz wojskowy ⟨okrętowy⟩
**sur·ger·y** [ˋsɜdʒərɪ] *s* chirurgia; zabieg chirurgiczny; sala operacyjna; pokój przyjęć pacjentów
**sur·gi·cal** [ˋsɜdʒɪkl] *adj* chirurgiczny
**sur·ly** [ˋsɜlɪ] *adj* ponury, nieprzyjazny; gburowaty
**sur·mise** [ˋsɜmaɪz] *s* przypuszczenie; podejrzenie; *vt* [sɜˋmaɪz] przypuszczać; podejrzewać
**sur·mount** [səˋmaunt] *vt* wznosić się (**sth** ponad coś); opanować, przezwyciężyć
**sur·name** [ˋsɜneɪm] *s* nazwisko; przydomek
**sur·pass** [səˋpas] *vt* przewyższać, przekraczać (oczekiwania itd.)
**sur·plus** [ˋsɜpləs] *s* nadwyżka, dodatek; *adj attr* dodatkowy; **~ value** wartość dodatkowa
**sur·prise** [səˋpraɪz] *s* zaskoczenie; niespodzianka; zdziwienie; **by ~** niespodziewanie; *vt* zaskoczyć; zdziwić
**sur·ren·der** [səˋrendə(r)] *vt* poddać, wydawać; przekazać; zrzec się, zrezygnować (**sth** z czegoś); *vi* poddać się, ulec, oddać się; *s* poddanie się; kapitulacja; oddanie (się); rezygnacja; wykup (np. polisy)
**sur·rep·ti·tious** [ˈsʌrəpˋtɪʃəs] *adj* skryty, tajny
**sur·round** [səˋraund] *vt* otaczać
**sur·round·ings** [səˋraundɪŋz] *s pl* otoczenie; okolica
**sur·veil·lance** [sɜˋveɪləns] *s* nadzór (*zw.* policyjny)
**sur·vey** [ˋsɜveɪ] *s* przegląd, inspekcja; pomiar (terenu); mapa (terenowa); *vt* [sɜˋveɪ] przeglądać, dokładnie badać; lustrować; mierzyć (grunty), dokonywać pomiarów
**sur·vey·or** [sɜˋveɪə(r)] *s* nadzorca; kontroler, inspektor; mierniczy
**sur·viv·al** [səˋvaɪvl] *s* przeżycie, przetrwanie, utrzymanie się przy życiu; pozostałość, resztka; przeżytek; *biol.* **the ~ of the fittest** ewolucja drogą doboru naturalnego
**sur·vive** [səˋvaɪv] *vt vi* przeżyć, przetrwać, utrzymać się przy życiu
**sus·cep·ti·bil·i·ty** [səˈseptəˋbɪlətɪ] *s* podatność (**to sth** na coś), wrażliwość
**sus·cep·ti·ble** [səˋseptəbl] *adj* wrażliwy, podatny (**to sth** na coś); nadający się, dopuszczający możliwość (**of sth** czegoś)
**sus·pect** [səˋspekt] *vt vi* podejrzewać (**sb of sth** kogoś o coś); obawiać się; *s* [ˋsʌspekt] człowiek podejrzany; *adj* podejrzany
**sus·pend** [səˋspend] *vt* zawiesić, wstrzymać

**sus·pend·ers** [sə`spendəz] *s pl* podwiązki; *am.* szelki
**sus·pense** [sə`spens] *s* stan zawieszenia; niepewność
**sus·pen·sion** [sə`spenʃn] *s* zawieszenie; wstrzymanie; zwłoka; ~ **bridge** most wiszący
**sus·pi·cion** [sə`spɪʃn] *s* podejrzenie
**sus·pi·cious** [sə`spɪʃəs] *adj* podejrzliwy; podejrzany
**sus·tain** [sə`steɪn] *vt* podtrzymywać; utrzymywać; przetrzymywać; znosić; ponosić
**sus·te·nance** [`sʌstɪnəns] *s* utrzymanie, wyżywienie; *zbior.* środki utrzymania
**swad·dle** [`swodl] *vt* owijać, przewijać (niemowlę)
**swag·ger** [`swægə(r)] *vi* przechwalać się, zadzierać nosa; *s* chełpliwość, zarozumiałość
**swal·low** 1. [`swoləu] *s zool.* jaskółka; *sport* ~ **dive** skok do wody jaskółką
**swal·low** 2. [`swoləu] *vt* połykać; pochłaniać; *s* łyk
**swam** *zob.* **swim**
**swamp** [swomp] *s* bagno, trzęsawisko; *vt* zanurzyć, pogrążyć; zasypać
**swamp·y** [`swompɪ] *adj* bagnisty
**swan** [swon] *s zool.* łabędź
**swap** [swop] = **swop**
**sward** [swɔd] *s* darń
**swarm** [swɔm] *s* rój; *vi* roić się
**swarth·y** [`swɔðɪ] *adj* śniady
**swash·buck·ler** [`swoʃbʌklə(r)] *s* zawadiaka
**swathe** [sweɪð] *vt* owijać, bandażować; *s* bandaż
**sway** [sweɪ] *vt vi* kołysać (się); przechylać (się); wahać się; mieć władzę, panować, przeważać; *s* kołysanie, przerzucanie się; władza, panowanie
* **swear** [sweə(r)], **swore** [swɔ(r)], **sworn** [swɔn] *vi* przysięgać (**by sth** na coś); kląć (**at sb, sth** na kogoś, na coś); *vt* zaprzysięgać; **to ~ an oath** złożyć przysięgę; ~ **in** zaprzysięgać; ~ **off** odwołać, wyrzec się pod przysięgą
**swear·ing** [`sweərɪŋ] *s* przysięga, zaprzysiężenie; przekleństwo, przeklinanie
**sweat** [swet] *s* pot, pocenie się; trud; **in the ~ of one's brow** w pocie czoła; *vi* pocić się; trudzić się, ciężko pracować; *vt* wywoływać poty; wydzielać; zmuszać do pracy w pocie czoła, wyzyskiwać; **~ed industry** przemysł oparty na wyzysku; **~ing system** system eksploatacji pracownika; wyzysk
**sweat·er** [`swetə(r)] *s* sweter; wyzyskiwacz (robotników)
**Swede** [swid] *s* Szwed
**Swed·ish** [`swidɪʃ] *adj* szwedzki; *s* język szwedzki
* **sweep** [swip], **swept, swept** [swept] *vt* zamiatać, wymiatać, zmiatać; przesuwać, przeciągać; *vi* wędrować, przebiegać, mknąć; *s* zamiatanie; rozmach, zamaszysty ruch; rozległość; **to make a clean ~ (of sth)** pozbyć się (czegoś) za jednym zamachem
**sweep·er** [`swipə(r)] *s* zamiatacz; zamiatarka (mechaniczna)
**sweep·ing** [`swipɪŋ] *adj* zamaszysty; gwałtowny, radykalny; rozległy; stanowczy
**sweep·stake** [`swipsteɪk] *s* (*także pl* **~s**) rodzaj totalizatora (na wyścigach konnych)
**sweet** [swit] *adj* słodki; delikatny; miły, ujmujący; melodyjny; łagodny; **it's ⟨how⟩ ~ of you to** miło z twojej strony; *pot.* **to be ~ on sb** kochać się w kimś; *s* cukierek; legumina, deser; kochana osoba; *pl* **~s** słodycze; rozkosze
**sweet·en** [`switn] *vt* słodzić; *vi* stać się słodkim
**sweet·heart** [`swithɑt] *s* kochana osoba, kochanie
**sweet·meat** [`switmit] *s* cukierek
**sweet·shop** [`swit ʃɔp] *s* sklep ze słodyczami
* **swell** [swel], **swelled** [sweld],

**swollen** [ˋswəulən] *vi* puchnąć, nabrzmiewać; wzbierać; wzmagać się; *vt* nadymać; powiększać; wzmagać; *s* nabrzmienie, obrzęk; wzniesienie; wzmaganie się; *pot.* modniś, elegant; *przen.* gruba ryba; mistrz (**at sth** w czymś); *adj pot.* elegancki, modny; ważny, nadzwyczajny; ~ **society** lepsze towarzystwo, wyższa sfera

**swell·ing** [ˋswelɪŋ] *s* nabrzmienie, obrzęk, opuchlina; wypukłość; *adj* nadęty; (*o stylu*) napuszony

**swel·ter** [ˋsweltə(r)] *vi* omdlewać od upału; *s* upał, skwar

**swept** *zob.* **sweep**

**swerve** [swɜv] *vt vi* odchylić (się), zboczyć; *s* odchylenie

**swift** [swɪft] *adj* szybki, prędki; *adv* szybko, prędko

* **swim** [swɪm], **swam** [swæm], **swum** [swʌm] *vi* pływać, płynąć; kręcić się (w głowie); *vt* przepłynąć; *s* pływanie; zawrót głowy

**swim·ming-bath** [ˋswimɪŋ bɑθ] *s* pływalnia

**swim·ming-match** [ˋswɪmɪŋ mætʃ] *s* zawody pływackie

**swim·ming-pool** [ˋswɪmɪŋ pul] *s* basen pływacki, pływalnia

**swin·dle** [ˋswɪndl] *vt* oszukiwać, wyłudzać (**sb of sth** od kogoś coś); *s* oszustwo

**swin·dler** [ˋswɪndlə(r)] *s* oszust

**swine** [swaɪn] *s* świnia

* **swing** [swɪŋ], **swung**, **swung** [swʌŋ] *vt vi* kołysać (się), huśtać (się); zakręcać; wymachiwać; *s* kołysanie; rozmach; ruch wahadłowy; huśtawka; rytm (wiersza, muzyki itd.); **in full** ~ w pełnym toku

**swing-door** [ˋswɪŋ dɔ(r)] *s* drzwi wahadłowe

**swin·ish** [ˋswaɪnɪʃ] *adj* świński

**swirl** [swɜl] *s* wir; zwój; *vi* wirować

**swish 1.** [swɪʃ] *s* świst, szmer; *vi* świszczeć; *vt pot.* chłostać

**swish 2.** [swɪʃ] *adj pot.* elegancki, modny

**Swiss** [swɪs] *adj* szwajcarski; *s* Szwajcar

**switch** [swɪtʃ] *s* wyłącznik; pręt; zwrotnica; *vt* bić prętem; trzaskać (np. z bata); *elektr.* połączyć; wyrwać; porwać; skierować (np. pociąg); ~ **off** wyłączyć (światło, prąd itp.); ~ **on** włączyć (światło); połączyć (telefonicznie); ~ **over** przełączyć

**switch-board** [ˋswɪtʃbɔd] *s* tablica rozdzielcza

**switch-man** [ˋswɪtʃmæn] *s* zwrotniczy

**swol·len** *zob.* **swell**

**swoon** [swun] *s* omdlenie; *vi* (*także* ~ **away**) zemdleć

**swoop** [swup] *vi* rzucać się (z góry); (*o ptakach drapieżnych*) nagle spaść; *lotn.* pikować

**swop** [swop], **swap** [swop] *vt pot.* wymienić, przehandlować (**sth for sth** coś na coś); *s* wymiana

**sword** [sɔd] *s* miecz, szabla, szpada; (*o pochodzeniu*) **on the** ~ **side** po mieczu

**swore** *zob.* **swear**

**sworn** *zob.* **swear**

**swum** *zob.* **swim**

**swung** *zob.* **swing**

**syc·o·phant** [ˋsɪkəfənt] *s* służalczy pochlebca

**syl·lab·ic** [sɪˋlæbɪk] *adj* sylabowy, zgłoskowy

**syl·la·ble** [ˋsɪləbl] *s* zgłoska, sylaba

**syl·la·bus** [ˋsɪləbəs] *s* (*pl* **syllabi** [ˋsɪləbaɪ] *lub* ~**es**) kompendium, konspekt; program studiów, spis wykładów

**sym·bol·ic·(al)** [sɪmˋbolɪk(l)] *adj* symboliczny

**sym·met·ric** [sɪˋmetrɪk] *adj* symetryczny

**sym·me·try** [ˋsɪmɪtrɪ] *s* symetria

**sym·pa·thet·ic** [ˈsɪmpəˋθetɪk] *adj* współczujący, pełen sympatii, życzliwy; pełen zrozumienia (dla

drugich); *med.* współczulny; (*o atramencie*) sympatyczny, niewidoczny; (*o działaniu*) solidarny
**sym·pa·thize** [`sımpəθaız] *vi* sympatyzować, współczuć, wyrażać współczucie; wzajemnie się rozumieć
**sym·pa·thy** [`sımpəθı] *s* współczucie, sympatia; wzajemne zrozumienie; **letter of ~** list kondolencyjny; **in ~** na znak współczucia; harmonijnie, solidarnie
**sym·pho·ny** [`sımfənı] *s* symfonia
**sym·po·si·um** [sım`pəuzıəm] *s* sympozjum; sesja, konferencja
**symp·tom** [`sımptəm] *s* symptom, objaw
**symp·to·mat·ic** [/sımptə`mætık] *adj* symptomatyczny
**syn·a·gogue** [`sınəgog] *s* synagoga
**syn·chro·nize** [`sıŋkrənaız] *vt* synchronizować; *vi* zbiegać się w czasie, przebiegać równocześnie
**syn·co·pe** [`sıŋkəpı] *s gram. muz.* synkopa
**syn·di·cate** [`sındıkət] *s* syndykat
**syn·o·nym** [`sınənım] *s* synonim
**syn·on·y·mous** [sı`nonıməs] *adj* synonimiczny
**syn·op·sis** [sı`nopsıs] *s* (*pl* **synopses** [sı`nopsiz]) zwięzły przegląd, zarys; zestawienie; *film* skrót scenariusza
**syn·tac·tic·(al)** [sın`tæktık(l)] *adj gram.* składniowy
**syn·tax** [`sıntæks] *s gram.* składnia
**syn·the·sis** [`sınθəsıs] *s* (*pl* **syntheses** [`sınθəsiz]) synteza
**syn·thet·ic** [sın`θetık] *adj* syntetyczny
**sy·phon** [`saıfən] = **siphon**
**syr·inge** [sı`rındʒ] *s* strzykawka; *vt* wstrzykiwać, przepłukać strzykawką
**syr·up** [`sırəp] *s* syrop
**sys·tem** [`sıstəm] *s* system; metoda; organizm (człowieka); ustrój
**sys·tem·at·ic** [/sıstə`mætık] *adj* systematyczny

# t

**tab** [tæb] *s* pętelka, wieszak (np. płaszcza); język (buta); etykietka
**table** [`teıbl] *s* stół; tablica, tabela; płyta; **at ~** przy stole; *mat.* **multiplication ~** tabliczka mnożenia; **~ of contents** spis rzeczy; *vt* kłaść na stół; układać w tabelę, tabularyzować; poddawać pod dyskusję ⟨do rozpatrzenia⟩
**table·cloth** [`teıbl kloθ] *s* obrus
**table·land** [`teıbl lænd] *s* płaskowzgórze
**tab·let** [`tæblət] *s* tabliczka; tabletka, pastylka; bloczek (do notatek)
**ta·boo** [tə`bu] *s* tabu; świętość nietykalna; *adj* zakazany, nietykalny; *vt* objąć nakazem nietykalności, zakazać
**tab·ou·ret** [`tæbərət] *s* taboret
**tac·it** [`tæsıt] *adj* milczący, cichy
**tac·i·turn** [`tæsıtɜn] *adj* milczący, małomówny
**tack** [tæk] *s* sztyft, gwóźdź tapicerski, pluskiewka; *pl* **~s** fastryga; *przen.* linia postępowania, taktyka; *vt* przytwierdzić (sztyftem), przymocować; fastrygować; *vt* lawirować; zmieniać postępowanie
**tack·le** [`tækl] *vt* borykać się (**sb, sth** z kimś, czymś); uporać się; zatrzymać; zebrać się, przystąpić (**sth** do czegoś); przymocować; *vi pot.* energicznie wziąć się (**to sth** do czegoś); *s mors.* takielu-

nek; sprzęt (*zw.* rybacki); *sport* złapanie i przytrzymanie przeciwnika

**tack·ling** [ˈtæklɪŋ] *s* sprzęt (*zw.* rybacki); *mors.* takielunek

**tact** [tækt] *s* takt

**tact·ful** [ˈtæktfl] *adj* taktowny

**tac·ti·cal** [ˈtæktɪkl] *adj* taktyczny; zręczny

**tac·tics** [ˈtæktɪks] *s* taktyka

**tact·less** [ˈtæktləs] *adj* nietaktowny

**tad·pole** [ˈtædpəul] *s zool.* kijanka

**tag** [tæg] *s* uchwyt; ucho (buta); pętelka; przyczepka; przyczepiona kartka, nalepka, etykieta; dodatek (np. do przemówienia, tekstu itp.), końcówka; okolicznościowy frazes; gra w berka; *vt* oznaczyć etykietą; dołączyć, doczepić (coś na końcu); śledzić, chodzić za kimś; *vi pot.* deptać po piętach (**after, behind sb** komuś)

**tail** [teɪl] *s* ogon; warkocz (długi); tył; orszak; *vt* sztukować; *vi* natrętnie włóczyć się (**after sb** za kimś)

**tail-coat** [ˈteɪl kəut] *s* frak

**tai·lor** [ˈteɪlə(r)] *s* krawiec

**tai·lor·ing** [ˈteɪlərɪŋ] *s* krawiectwo

**taint** [teɪnt] *s* plama, skaza; **hereditary ~** dziedziczne obciążenie; *vt* splamić, skazić; *vi* ulec skażeniu, zepsuć się

* **take** [teɪk], **took** [tuk], **taken** [ˈteɪkən] *vt* brać, przyjmować; powziąć; spożywać (pokarm), zażywać (lekarstwo); uważać, wychodzić z założenia; wsiadać (do pociągu, tramwaju); zdejmować, robić zdjęcie (fotograficzne); pochwycić, zająć; zarazić się, dostać (kataru, gorączki itd.); obrać (kurs, drogę); **to ~ account** wziąć pod uwagę, uwzględnić (**of sth** coś); **to ~ advantage** wykorzystać (**of sth** coś); **to ~ sb's advice** zasięgnąć czyjejś rady; **to ~ the air** zaczerpnąć powietrza, odetchnąć; **to ~ care** troszczyć się (**of sth** o coś); **to ~ the chair** objąć przewodnictwo; **to ~ courage** nabrać odwagi; **to ~ one's degree** otrzymać stopień naukowy; **to ~ effect** nabrać mocy, wejść w życie; **to ~ an examination** zdawać egzamin; **to ~ a fancy** znaleźć upodobanie, polubić (**to sth** coś); **to ~ fright** przestraszyć się (**at, of sth** czegoś); **to ~ a glance** spojrzeć (**at sth** na coś); **to ~ heart** nabrać ducha; **to ~ hold** pochwycić (**of sth** coś); **to be ~n ill** zachorować; **to ~ interest** interesować się (**in sth** czymś); **~ it easy** nie przejmuj się, nie wysilaj się; **to ~ liberties** pozwalać sobie, nie krępować się (**with sb, sth** kimś, czymś); **to ~ notes** ⟨**a note**⟩ notować (**of sth** coś); **to ~ notice** zauważyć (**of sth** coś); **to ~ an oath** przysiąc; **to ~ offence** obrazić się (**at sth** o coś); **to ~ the offensive** przejść do ofensywy; **to ~ orders** przyjąć święcenia kapłańskie; **to ~ pains** zadać sobie trud; **to ~ part** brać udział; **to ~ a picture** ⟨**a photograph**⟩ zrobić zdjęcie; **to ~ pity** litować się (**on sb** nad kimś); **to ~ place** odbywać się; **to ~ pleasure** znajdować przyjemność; **to ~ possession** brać w posiadanie (**of sth** coś); **to ~ pride** szczycić się (**in sth** czymś); **to ~ prisoner** wziąć do niewoli; **to ~ root** zapuścić korzenie; **to ~ a seat** usiąść; **to ~ sides** opowiedzieć się ⟨stanąć⟩ (**with sb** po czyjejś stronie); **to ~ steps** przedsięwziąć kroki, zastosować środki; **to ~ stock** inwentaryzować; *przen.* zaopatrywać; badać (**of sth** coś); **it ~s time** na to trzeba trochę czasu; **it took me two hours to do this** to zajęło mi dwie godziny czasu; **to ~ trouble** zadawać sobie trud, robić sobie kłopot; *z przysłówkami i przyimkami*: **~ aback** zaskoczyć, przerazić; **~ af-**

ter kształtować się według, upodabniać się do; ~ **away** zabrać, uprowadzić; ~ **down** zdjąć, zerwać; poniżyć; zapisać; zdemontować, rozebrać (np. maszynę); ~ **for** uważać za; **to** ~ **for granted** uważać za rzecz oczywistą, przesądzać; ~ **in** wziąć ⟨wprowadzić⟩ do środka, włączyć; objąć; wciągnąć; przyjmować do domu, wprowadzać, brać do siebie; abonować (gazetę); naciągać, oszukiwać; **to** ~ **into account** brać pod uwagę; **to** ~ **into one's head** ubzdurać sobie; ~ **off** zdjąć; zabrać; odjąć; usunąć; naśladować; wyruszyć; odprowadzić; odbić się (od ziemi, wody); *lotn.* startować; ~ **on** przybrać; przyjąć; wziąć na siebie; podjąć się; ~ **out** wyjąć; wyprowadzić; wywabić; wyciągnąć, wydostać; ~ **over** przejąć; przewieźć; następować z kolei, luzować (**from sb** kogoś); ~ **to** zabrać się do; oddać się (np. nałogowi), poświęcić się czemuś; ustosunkować się; **to** ~ **to the stage** poświęcić się sztuce scenicznej; ~ **up** podnieść; wziąć na siebie, podjąć (się); zająć się (**sth** czymś); wchłaniać; przyjąć (np. zakład); zająć (miejsce, czas); zaprzątać (np. umysł); obcować, zadawać się; zadowalać się (**with sth** czymś)

**take-in** [ˈteɪk ɪn] *s* oszustwo, naciąganie

**taken** *zob.* **take**

**take-off** [ˈteɪk of] *s* naśladownictwo; parodia; *lotn.* start; *sport* odbicie się, odskok

**tak·ing** [ˈteɪkɪŋ] *s* wzięcie, pobieranie; *pl* ~**s** dochód, wpływy kasowe; *adj* pociągający; (*o chorobie*) zaraźliwy

**talc** [tælk], **talcum** [ˈtælkəm] *s* talk

**tale** [teɪl] *s* opowiadanie, powiastka; bajka; † ilość, liczba, rachunek; **fairy** ~**s** bajki; **to tell** ~**s** plotkować; skarżyć

**tal·ent** [ˈtælənt] *s* talent, uzdolnienie

**tal·ent·ed** [ˈtæləntɪd] *adj* utalentowany, zdolny

**tal·is·man** [ˈtælɪzmən] *s* talizman

**talk** [tɔk] *vt vi* mówić, rozmawiać, gadać; **to** ~ **big** chwalić się; ~ **down** nie dać przyjść do słowa (**sb** komuś); ~ **into sth** namówić do czegoś; ~ **over** omówić; ~ **round** omówić wyczerpująco, wyczerpać temat; przekonać; **to** ~ **sense** mówić do rzeczy; **to** ~ **shop** mówić o sprawach zawodowych; *s* rozmowa, gadanie, pogadanka; prelekcja; pogłoska; **small** ~ rozmowa o niczym

**talk·a·tive** [ˈtɔkətɪv] *adj* gadatliwy

**talk·er** [ˈtɔkə(r)] *s* gawędziarz; gaduła

**talk·ie** [ˈtɔkɪ] *s pot.* film dźwiękowy

**talk·ing-pic·ture** [ˈtɔkɪŋ pɪktʃə(r)] *s* film dźwiękowy

**tall** [tɔl] *adj* wysoki, wysokiego wzrostu; *pot.* nieprawdopodobny; niesłychany; przesadny; ~ **talk** przechwałki; **to talk** ~ przechwalać się

**tal·low** [ˈtæləʊ] *s* łój, tłuszcz

**tal·ly** [ˈtælɪ] *s* karb; znak; kartka; rachunek; odpowiednik; duplikat; *vt* oznaczać; liczyć; zestawiać; *vi* zgadzać się, odpowiadać sobie

**tal·on** [ˈtælən] *s* szpon

**tame** [teɪm] *adj* oswojony; łagodny; uległy; *vt* oswoić; poskromić

**tame·less** [ˈteɪmləs] *adj* nieokiełznany, dziki

**tam·er** [ˈteɪmə(r)] *s* poskramiacz

**tam·per** [ˈtæmpə(r)] *vi* wtrącać się (**with sth** do czegoś); dobierać się; manipulować

**tam·pon** [ˈtæmpən] *s* tampon; *vt* tamponować

**tan** [tæn] *s* opalenizna; garbnik; kolor żółtobrązowy; *vt* garbować; brązowić; opalać (się)
**tan·dem** [ˈtændəm] *s* tandem
**tang 1.** [tæŋ] *s* posmak; ostry zapach
**tang 2.** [tæŋ] *s* brzęk, dźwięk; *vi* brzęczeć, dźwięczeć
**tan·gent** [ˈtændʒənt] *adj* styczny; *s mat.* styczna
**tan·gi·ble** [ˈtændʒəbl] *adj* dotykalny, namacalny
**tan·gle** [ˈtæŋgl] *vt vi* gmatwać (się), wikłać (się); *s* gmatwanina, plątanina
**tank** [tæŋk] *s* basen, cysterna; *wojsk.* czołg; *vt* gromadzić w basenie; tankować
**tank·ard** [ˈtæŋkəd] *s* kufel, dzban (z pokrywą)
**tan·ner 1.** [ˈtænə(r)] *s* garbarz
**tan·ner 2.** [ˈtænə(r)] *s pot.* sześciopensówka
**tan·ner·y** [ˈtænərɪ] *s* garbarnia
**tan·ta·lize** [ˈtæntəlaɪz] *vt* dręczyć, kusić
**tan·ta·mount** [ˈtæntəmaunt] *adj* równoznaczny (**to sth** z czymś), równowartościowy
**tap 1.** [tæp] *s* kran; szpunt, kurek; zawór; napój z beczki; bar; *vt* otwierać (beczkę), puszczać płyn (kurkiem), czerpać (ze źródła); zaopatrywać w kurek; nawiązać stosunek; napocząć; podsłuchiwać rozmowę telefoniczną
**tap 2.** [tæp] *vt vi* pukać, lekko stukać (**at the door** do drzwi); podkuć (obcas); *s* pukanie, lekkie uderzenie; podkucie (obcasa), flek
**tape** [teɪp] *s* wstążka, taśma; *przen.* **red ~** biurokracja; *vt* związać taśmą
**ta·per** [ˈteɪpə(r)] *s* cienka świeczka; słabe światło; stożek; *vi* kończyć się ostro, zwężać się ku końcowi
**tape-re·cord·er** [ˈteɪp rɪkɔdə(r)] *s* magnetofon
**tape-re·cord·ing** [ˈteɪp rɪkɔdɪŋ] *s* nagrywanie na taśmę
**tap·es·try** [ˈtæpɪstrɪ] *s* dekoracyjne obicie, gobelin
**tape-worm** [ˈteɪpwɜm] *s med.* tasiemiec
**ta·pir** [ˈteɪpə(r)] *s zool.* tapir
**tap·room** [ˈtæp rum] *s* bar, bufet
**tar** [tɑ(r)] *s* smoła; *pot.* (*także* **Jack ~**) marynarz; *vt* smarować smołą
**tar·dy** [ˈtɑdɪ] *adj* powolny, ociężały
**tare** [teə(r)] *s* tara, waga opakowania
**tar·get** [ˈtɑgɪt] *s* tarcza, cel
**tar·iff** [ˈtærɪf] *s* taryfa, system ceł
**tar·nish** [ˈtɑnɪʃ] *vt* przyciemnić, zrobić matowym; *vi* ściemnieć, zmatowieć; *s* utrata połysku, zmatowienie
**tar·pau·lin** [tɑˈpɔlɪn] *s* płótno żaglowe, brezent
**tar·ry** [ˈtærɪ] *vi* zwlekać, ociągać się
**tart 1.** [tɑt] *s* ciastko ⟨placek⟩ z owocami
**tart 2.** [tɑt] *adj* uszczypliwy, cierpki
**tar·tan** [ˈtɑtn] *s* materiał w szkocką kratę, tartan
**Tar·tar** [ˈtɑtə(r)] *s* Tatar
**task** [tɑsk] *s* zadanie, praca, zajęcie; **to set a ~** dać zadanie (**sb** komuś); **to take to ~** zrobić wymówkę (**sb** komuś); *vt* dać pracę do wykonania, obarczyć pracą; zmuszać do wysiłku, męczyć
**tas·sel** [ˈtæsl] *s* pęk ozdobnych frędzli, chwast; zakładka (w książce)
**taste** [teɪst] *s* smak; zamiłowanie; *vt vi* próbować (smaku); smakować; mieć smak (**of sth** czegoś); zaznawać, czuć smak
**taste·ful** [ˈteɪstfl] *adj* gustowny
**taste·less** [ˈteɪstləs] *adj* niesmaczny; niegustowny
**tast·y** [ˈteɪstɪ] *adj* smaczny
**tat·ter** [ˈtætə(r)] *s* (*zw. pl* **~s**) szmata, łachman

**tat·tered** [ˋtætəd] *adj* obdarty, obszarpany
**tat·too** 1. [təˋtu] *s* capstrzyk
**tat·too** 2. [təˋtu] *s* tatuaż; *vt* tatuować
**taught** *zob.* **teach**
**taunt** [tɔnt] *s* złośliwa uwaga, urąganie; *vt* docinać, urągać (**sb with sth** komuś za coś)
**taut** [tɔt] *adj* napięty, mocno naciągnięty
**taut·en** [ˋtɔtn] *vt* napinać
**tav·ern** [ˋtævn] *s* tawerna, karczma
**taw·dry** [ˋtɔdrɪ] *adj* niegustowny; (*o ubiorze*) krzykliwy
**tax** [tæks] *s* podatek (państwowy); cło; ciężar; *vt* szacować; obciążać (podatkiem, cłem itp.); obarczać ciężarem, przemęczać; obciążać winą; wystawiać na próbę
**tax·a·tion** [tækˋseɪʃn] *s* opodatkowanie
**tax-col·lec·tor** [ˋtæks kəlektə(r)] *s* poborca podatkowy; **~'s office** urząd skarbowy
**tax·i** [ˋtæksɪ] *s* taksówka; *vi* jechać taksówką
**tax·i-cab** [ˋtæksɪ kæb] *s* taksówka
**tax-pay·er** [ˋtæks peɪə(r)] *s* podatnik
**tea** [ti] *s* herbata; herbatka (przyjęcie); podwieczorek
* **teach** [titʃ], **taught, taught** [tɔt] *vt* uczyć (**sb sth** kogoś czegoś)
**teach·er** [ˋtitʃə(r)] *s* nauczyciel
**tea·cup** [ˋti kʌp] *s* filiżanka do herbaty
**tea-ket·tle** [ˋti ketl] *s* czajnik, imbryk
**team** [tim] *s* zaprzęg; zespół, drużyna; *vt* zaprzęgać; *vi* **~ up** zespolić się (do wspólnej pracy), pracować zespołowo
**team-work** [ˋtimwɜk] *s* praca zespołowa
**tea-par·ty** [ˋti patɪ] *s* zebranie towarzyskie przy herbacie, herbatka
**tea-pot** [ˋtipot] *s* imbryk, czajniczek
**tear** 1. [tɪə(r)] *s* łza
* **tear** 2. [teə(r)], **tore** [tɔ(r)], **torn** [tɔn] *vt vi* rwać (się), szarpać, targać, drzeć (się); **~ along** umykać; **~ away** oderwać; zmykać; **~ in** wpaść; **~ off** oderwać, zerwać; **~ open** rozerwać; **~ out** wyrwać; **~ up** porwać, potargać; wyrwać; rozkopać; *s* rozdarcie, pęknięcie
**tear·ful** [ˋtɪəfl] *adj* zalany łzami
**tea-room** [ˋti rum] *s* herbaciarnia, cukiernia
**tease** [tiz] *vt* drażnić, docinać (**sb** komuś)
**teas·er** [ˋtizə(r)] *s* kpiarz; człowiek dokuczający; *pot.* trudne zadanie, trudne pytanie
**tea-spoon** [ˋtispun] *s* łyżeczka do herbaty
**teat** [tit] *s* sutka, brodawka sutkowa
**tech·ni·cal** [ˋteknɪkl] *adj* techniczny
**tech·nics** [ˋteknɪks] *s* technika, nauki techniczne
**tech·nique** [tekˋnik] *s* technika, sprawność, sposób wykonywania
**tech·nol·o·gy** [tekˋnolədʒɪ] *s* technologia; technika
**ted·dy-bear** [ˋtedɪ beə(r)] *s* miś (zabawka)
**ted·dy boy** [ˋtedɪ bɔɪ] *s* bikiniarz; rozrabiacz
**te·di·ous** [ˋtidɪəs] *adj* nudny, męczący
**te·di·um** [ˋtidɪəm] *s* nuda, nudy
**tee** [ti] *s* cel, tarcza (w grze)
**teem** [tim] *vi* roić się (**with sth** od czegoś), obfitować
**teen-ag·er** [ˋtineɪdʒə(r)] *s* nastolatek
**teens** [tinz] *s pl* wiek od 13 do 19 lat; **she is in her ~** ona jeszcze nie ma 20 lat; **to be in one's ~** mieć naście lat
**teeth** *zob.* **tooth**
**tee·to·tal·ler** [tiˋtəutl̩ə(r)] *s* abstynent
**tel·e·cast** [ˋtelɪkast] *vi* = **televise**
**tel·e·gram** [ˋtelɪgræm] *s* telegram

**tel·e·graph** [`telɪgrɑf] *s* telegraf; *vt vi* telegrafować

**te·lep·a·thy** [tɪ`lepəθɪ] *s* telepatia

**tel·e·phone** [`teləfəun] *s* telefon; **by ~** telefonicznie; *vt vi* telefonować

**tel·e·pho·to** [ˈtelɪ`fəutəu] *s* fotografia zdalna

**tel·e·pho·tog·ra·phy** [ˈtelɪfə`togrəfɪ] *s* telefotografia

**tel·e·scope** [`telɪskəup] *s* teleskop

**te·le·type** [`telɪtaɪp] *s* dalekopis

**tel·e·view·er** [`telɪvjuə(r)] *s* telewidz

**tel·e·vise** [`telɪvaɪz] *vt* nadawać w telewizji ⟨drogą telewizyjną⟩

**tel·e·vi·sion** [`telɪvɪʒn] *s* telewizja; **~ set** telewizor, aparat telewizyjny

**tel·ex** [`teləks] *s* dalekopis, teleks

• **tell** [tel], **told, told** [təuld] *vt vi* mówić, powiadać, powiedzieć, opowiadać; poznawać, odróżniać; wywierać wpływ, robić wrażenie; kazać (**sb to do sth** komuś coś zrobić); mieć znaczenie; liczyć; **all told** wszystkiego ⟨wszystkich⟩ razem; **~ over** opowiedzieć na nowo; przeliczyć

**tell·er** [`telə(r)] *s* narrator; kasjer (bankowy)

**tell·ing** [`telɪŋ] *adj* znaczący, wpływowy; skuteczny; *s* mówienie, opowiadanie; nakaz

**tell·tale** [`telteɪl] *s* plotkarz; licznik; wskaźnik; *attr* plotkarski; zdradziecki; ostrzegawczy; kontrolny

**tell·y** [`telɪ] *s pot.* telewizja

**te·mer·i·ty** [tɪ`merətɪ] *s* śmiałość, zuchwalstwo

**tem·per** [`tempə(r)] *s* usposobienie, natura, nastrój, humor; irytacja; opanowanie; stopień twardości (stali); zaprawa (murarska), domieszka; **to get into a ~** wpaść w złość; **to lose one's ~** stracić panowanie nad sobą, rozgniewać się; **out of ~** w gniewie, w stanie irytacji; *vt vi* temperować, łagodzić (się), hamować (się); urabiać (np. glinę); *techn.* hartować (się)

**tem·per·a·ment** [`temprəmənt] *s* temperament, usposobienie

**tem·per·a·men·tal** [ˈtemprə`mentl] *adj* z temperamentem; wrodzony; pobudliwy, wybuchowy

**tem·per·ance** [`temprəns] *s* umiarkowanie, wstrzemięźliwość, trzeźwość; **~ restaurant** restauracja bezalkoholowa

• **tem·per·ate** [`temprət] *adj* umiarkowany, trzeźwy

**tem·per·a·ture** [`temprətʃə(r)] *s* temperatura; **to take one's ~** zmierzyć komuś gorączkę

**tem·pest** [`tempɪst] *s* burza

**tem·ple 1.** [`templ] *s* świątynia

**tem·ple 2.** [`templ] *s anat.* skroń

**tem·po** [`tempəu] *s* tempo

**tem·po·ral** [`tempərl] *adj* czasowy; doczesny; świecki

**tem·po·rar·y** [`temprɪ] *adj* tymczasowy, przejściowy

**tempt** [tempt] *vt* kusić, wabić; **to be ~ed** być skłonnym, mieć ochotę (**to do sth** coś zrobić)

**temp·ta·tion** [temp`teɪʃn] *s* pokusa, kuszenie

**ten** [ten] *num* dziesięć; *s* dziesiątka

**ten·a·ble** [`tenəbl] *adj* dający się utrzymać; (*o urzędzie*) piastowany

**te·na·cious** [tə`neɪʃəs] *adj* trwały, wytrzymały, uporczywy

**te·nac·i·ty** [tə`næsətɪ] *s* trwałość, wytrzymałość, uporczywość

**ten·an·cy** [`tenənsɪ] *s* dzierżawa

**ten·ant** [`tenənt] *s* dzierżawca; lokator; *vt* dzierżawić

**tend 1.** [tend] *vi* zmierzać, dążyć; skłaniać się

**tend 2.** [tend] *vt* pilnować, strzec; pielęgnować (chorego)

**tend·en·cy** [`tendənsɪ] *s* tendencja, kierunek, skłonność

**ten·der 1.** [`tendə(r)] *adj* delikatny, łagodny, czuły; młodociany

**ten·der 2.** [`tendə(r)] *vt* podawać, wręczać, przekazywać, oferować, przedkładać; *s* oferta; **legal ~** środek płatniczy

**ten·der** 3. [ˋtendə(r)] *s kolej. mors.* tender; dozorca (np. maszyny)

**ten·don** [ˋtendən] *s anat.* ścięgno

**ten·e·ment** [ˋtenəmənt] *s* parcela dzierżawna; mieszkanie czynszowe; dom czynszowy

**ten·e·ment-house** [ˋtenəmənt haus] *s* dom czynszowy, kamienica

**ten·et** [ˋtenət] *s* zasada; dogmat

**ten·fold** [ˋtenfəuld] *adj* dziesięciokrotny; *adv* dziesięciokrotnie

**ten·ner** [ˋtenə(r)] *s pot.* banknot dziesięciofuntowy, dziesiątka

**ten·nis** [ˋtenɪs] *s sport* tenis

**ten·or** [ˋtenə(r)] *s* treść, istota; brzmienie; przebieg; *muz.* tenor

**tense** 1. [tens] *s gram.* czas

**tense** 2. [tens] *adj* napięty

**ten·sion** [ˋtenʃn] *s* napięcie, naprężenie

**tent** [tent] *s* namiot; *vt* nakryć namiotem; *vi* obozować pod namiotem

**ten·ta·cle** [ˋtentəkl] *s zool.* macka

**ten·ta·tive** [ˋtentətɪv] *adj* próbny; *s* próba; propozycja

**ten·ta·tive·ly** [ˋtentətɪvlɪ] *adv* próbnie, tytułem próby

**tenth** [tenθ] *adj* dziesiąty; *s* dziesiąta (część)

**ten·u·ous** [ˋtenjuəs] *adj* cienki, delikatny, nieznaczny

**ten·ure** [ˋtenjuə(r)] *s* posiadanie, tytuł własności; okres posiadania ⟨użytkowania, urzędowania⟩

**tep·id** [ˋtepɪd] *adj* letni, ciepławy

**ter·e·ben·thene** [ˏterəˋbenθin] *s chem.* terpentyna

**term** [tɜm] *s* termin; semestr (akademicki); kadencja (sądowa, urzędowa itp.); termin, wyraz fachowy; (*zw. pl* **~s**) stosunek; warunek; **to be on good ~s** być w dobrych stosunkach; **to be on speaking ~s with sb** znać się z kimś powierzchownie, ograniczać znajomość do okolicznościowej rozmowy; **to come to ~s** dojść do porozumienia; **in ~s of money** przeliczywszy na pieniądze; *vt* określać, nazywać

**ter·mi·nal** [ˋtɜmɪnl] *adj* końcowy; *s* kres, koniec; stacja końcowa; *gram.* końcówka

**ter·mi·nate** [ˋtɜmɪneɪt] *vt vi* kończyć (się), zakończyć (się)

**ter·mi·nol·o·gy** [ˏtɜmɪˋnolədʒɪ] *s* terminologia

**ter·mi·nus** [ˋtɜmɪnəs] *s* (*pl* **termini** [ˋtɜmɪnaɪ]) stacja końcowa

**ter·race** [ˋterəs] *s* taras

**ter·res·tri·al** [təˋrestrɪəl] *adj* ziemski; lądowy

**ter·ri·ble** [ˋterəbl] *adj* straszny, okropny

**ter·rif·ic** [təˋrɪfɪk] *adj* straszliwy, budzący strach; *pot.* cudowny, wspaniały

**ter·ri·fy** [ˋterɪfaɪ] *vt* napędzić strachu, przerazić

**ter·ri·to·ri·al** [ˏterɪˋtɔrɪəl] *adj* terytorialny

**ter·ri·to·ry** [ˋterɪtrɪ] *s* terytorium

**ter·ror** [ˋterə(r)] *s* terror, groza, przerażenie

**ter·ror·ize** [ˋterəraɪz] *vt* terroryzować

**terse** [tɜs] *adj* zwięzły

**ter·ti·ar·y** [ˋtɜʃərɪ] *adj* trzeciorzędny

**test** [test] *s* próba, test, sprawdzian, egzamin; *vt* próbować, poddawać próbie, badać (**for sth** na coś)

**tes·ta·ment** [ˋtestəmənt] *s* testament

**tes·ti·fy** [ˋtestɪfaɪ] *vt vi* świadczyć (**to sth** o czymś); deklarować (się); stwierdzać

**tes·tily** [ˋtestɪlɪ] *adv* w rozdrażnieniu, z gniewem

**tes·ti·mo·ni·al** [ˏtestɪˋməunɪəl] *s* zaświadczenie, świadectwo

**tes·ti·mo·ny** [ˋtestɪmənɪ] *s* świadectwo, dowód; zeznanie

**test-tube** [ˋtest tjub] *s chem.* probówka

**tes·ty** [`testɪ] *adj* łatwy do rozdrażnienia, gniewny
**teth·er** [`teðə(r)] *s* łańcuch, postronek; *przen.* **to be at the end of one's ~** być u kresu wytrzymałości ⟨sił⟩; *vt* przywiązać (np. kozę, krowę), spętać
**text** [tekst] *s* tekst
**text-book** [`tekstbuk] *s* wypisy, podręcznik
**tex·tile** [`tekstaɪl] *adj* tekstylny; *s* wyrób tekstylny
**tex·ture** [`tekstʃə(r)] *s* tkanina; struktura
**than** [ðæn; ðən] *conj* niż, aniżeli
**thank** [θæŋk] *vt* dziękować; *s* (*zw. pl* **~s**) dzięki, podziękowanie; *praep* **~s to** ... dzięki ..., zawdzięczając ...
**thank·ful** [`θæŋkfl] *adj* wdzięczny
**thank·less** [`θæŋkləs] *adj* niewdzięczny
**thanks·giv·ing** [θæŋks`gɪvɪŋ] *s* dziękczynienie
**that** [ðæt] *pron* (*pl* **those** [ðəuz]) ów, tamten; który, którzy; *conj* że; ażeby
**thatch** [θætʃ] *s* strzecha; *vt* kryć strzechą
**thau·ma·turge** [`θɔmətɜdʒ] *s* cudotwórca
**thaw** [θɔ] *vi* tajać, topnieć; *vt* topić, roztapiać; *s* odwilż
**the** [ðə, *przed samogłoską, w pozycji akcentowanej*: ðɪ] *rodzajnik ⟨przedimek⟩ określony*: **what was ~ result?** jaki był wynik?; **~ best way** najlepszy spósób; *w funkcji zaimka wskazującego*: **call ~ man** zawołaj tego człowieka; *adv przed przymiotnikiem lub przysłówkiem w comp*: **all ~ better** tym lepiej; **~ shorter ~ days ~ longer ~ nights** im krótsze dni, tym dłuższe noce; **~ more he gets, ~ more he wants** im więcej ma, tym więcej chce mieć
**the·a·tre** [`θɪətə(r)] *s* teatr
**the·at·ri·cal** [θi`ætrɪkl] *adj* teatralny; *s pl* **~s** przedstawienie teatralne (*zw.* amatorskie)
**theft** [θeft] *s* kradzież
**their** [ðeə(r)] *adj* ich
**theirs** [ðeəz] *pron* ich
**them** *zob.* **they**
**theme** [θim] *s* temat, przedmiot; wypracowanie szkolne; **~ song** *muz. film radio* melodia przewodnia; *am.* sygnał stacji radiowej
**them·selves** [ðm`selvz] *pron* oni sami, ich samych, się, sobie, siebie
**then** [ðen] *adv* wtedy; następnie; zresztą; *conj* a więc, zatem; **but ~** ale przecież; **by ~** już przedtem; **now ~** otóż; *adj attr* ówczesny
**thence** [ðens] *adv* dlatego, skutkiem tego; † stamtąd, stąd
**the·o·lo·gian** [ˈθɪə`ləudʒən] *s* teolog
**the·olo·gy** [θɪ`olədʒɪ] *s* teologia
**the·o·rem** [`θɪərəm] *s* teoremat; *mat.* twierdzenie
**the·o·ret·i·cal** [θɪə`retɪkl] *adj* teoretyczny
**the·o·ry** [`θɪərɪ] *s* teoria; przypuszczenie
**ther·a·peu·tic** [ˈθerə`pjutɪk] *adj* terapeutyczny; *s* **~s** terapia
**there** [ðeə(r), ðə(r)] *adv* tam; **~ is, ~ are** jest, są; istnieje, istnieją; **from ~** stamtąd; **over ~** tam, po drugiej stronie; *int* no!, otóż to!; **~ now!** otóż to!; *s* to miejsce; ta miejscowość; **near ~** w pobliżu tego miejsca
**there·a·bout(s)** [`ðeərəbaut(s)] *adv* gdzieś tam, w tamtych okolicach; (*po wymienieniu liczby itp.*) coś koło tego, mniej więcej
**there·af·ter** [ðeər`aftə(r)] *adv* następnie, później; według tego
**there·by** [ðeə`baɪ] *adv* przez to, przy tym; skutkiem tego
**there·fore** [`ðeəfɔ(r)] *adv* dlatego
**there·of** [ðeər`ov] † *adv* tego, z tego, o tym
**there·with** [ðeə`wɪθ] *adv* z tym
**ther·mal** [`θɜml] *adj* cieplny
**ther·mic** [`θɜmɪk] *adj* termiczny

**ther·mom·e·ter** [θəˈmomɪtə(r)] *s* termometr

**ther·mos** [ˈθɜmos] *s* (*także* ~ **flask**) termos

**ther·mo·stat·ics** [ˈθɜməˈstætɪks] *s* termostatyka

**the·sau·rus** [θɪˈsɔrəs] *s* (*pl* **the·sau·ri** [θɪˈsɔraɪ], ~**es**) skarbiec; leksykon; zbiór (wyrazów, wyrażeń, cytatów itp.)

**these** *zob.* **this**

**the·sis** [ˈθisɪs] *s* (*pl* **theses** [ˈθisiz]) teza; rozprawa, praca pisemna

**they** [ðeɪ] *pron* oni, one; (*przypadek zależny*) **them** [ðem, ðəm, əm]) im, ich, je

**they'd** [ðeɪd] = **they had; they should; they would**

**they'll** [ðeɪl] = **they shall; they will**

**they're** [ðeə(r)] = **they are**

**they've** [ðeɪv] = **they have**

**thick** [θɪk] *adj* gruby, tłusty; gęsty; głupi, tępy; *s* gruba część czegoś; **in the ~ of a forest** w gąszczu leśnym; *przen.* **in the ~ of the fight** w wirze walki

**thick·en** [ˈθɪkən] *vi* grubieć; gęstnieć; *vt* zagęszczać

**thick·et** [ˈθɪkɪt] *s* gąszcz, gęstwina

**thick·ness** [ˈθɪknəs] *s* grubość; gęstość

**thick·set** [ˈθɪkˈset] *adj* gęsto sadzony; (*o człowieku*) przysadzisty

**thick·skinned** [ˈθɪk ˈskɪnd] *adj* *przen.* gruboskórny

**thief** [θif] *s* (*pl* **thieves** [θivz]) złodziej

**thieve** [θiv] *vi vt* kraść

**thieves** *zob.* **thief**

**thigh** [θaɪ] *s anat.* udo

**thill** [θɪl] *s* dyszel

**thim·ble** [ˈθɪmbl] *s* naparstek; *techn.* tulejka

**thin** [θɪn] *adj* cienki; szczupły; słaby; rzadki, rzadko rosnący; *vt* rozcieńczyć; rozrzedzić; pomniejszyć; zwęzić; *vi* (*także* ~ **away**, ~ **down**) zeszczupleć, zmniejszyć się, zrzednąć

**thing** [θɪŋ] *s* rzecz, sprawa, przedmiot; istota; *pl* ~**s** *prawn.* własność; **poor (little) ~!** biedactwo!; **all ~s English** wszystko to, co angielskie; **how are ~s (going)?** co słychać; **I don't feel quite the ~** nie czuję się dobrze, marnie się czuję; **that's the ~** o to chodzi, w tym rzecz; **for one ~** po pierwsze

* **think** [θɪŋk], **thought, thought** [θɔt] *vi* myśleć (**about, of sth** o czymś), sądzić, uważać; zamierzać; **to ~ much** wysoko cenić, być dobrego zdania (**of sb, sth** o kimś, czymś); **to ~ little** nie cenić wysoko, mieć niepochlebne zdanie (**of sb, sth** o kimś, czymś); *vt* mieć na myśli; uważać; **to ~ no harm** nie mieć na myśli nic złego; **to ~ sb silly** uważać kogoś za głupca; ~ **out** wymyślić; przemyśleć do końca; ~ **over** obmyślić; rozważyć ponownie; ~ **through** przemyśleć

**think·er** [ˈθɪŋkə(r)] *s* myśliciel

**think·ing** [ˈθɪŋkɪŋ] *s* myślenie; zdanie, opinia

**thin·ness** [ˈθɪnnəs] *s* cienkość; szczupłość, chudość; rzadkość

**third** [θɜd] *adj* trzeci; ~ **degree** trzeci stopień przesłuchania (w sądzie, na policji); *s* trzecia część; *techn.* trzeci bieg

**third·ly** [ˈθɜdlɪ] *adv* po trzecie

**third-rate** [ˈθɜd ˈreɪt] *adj* trzeciorzędny

**thirst** [θɜst] *s* pragnienie; *vi* pragnąć (**after, for sth** czegoś)

**thirst·y** [ˈθɜstɪ] *adj* spragniony, pragnący

**thir·teen** [ˈθɜˈtin] *num* trzynaście; *s* trzynastka

**thir·teenth** [ˈθɜˈtinθ] *adj* trzynasty; *s* trzynasta część

**thir·ti·eth** [ˈθɜtɪəθ] *adj* trzydziesty; *s* trzydziesta część

**thir·ty** [ˈθɜtɪ] *num* trzydzieści; *s* trzydziestka; **the thirties** lata trzydzieste

**this** [ðɪs] *pron* (*pl* **these** [ðiz]) ten,

ta, to; ~ **morning** ⟨**evening**⟩ **dziś** rano ⟨wieczór⟩; ~ **way** tędy

**this·tle** [`θɪsl] *s bot.* oset

**thith·er** [`ðɪðə(r)] *adv* † tam, w ową stronę, do tamtego miejsca

**tho'** [ðəu] = **though**

**thong** [θoŋ] *s* rzemień, kańczug

**thorn** [θɔn] *s* cierń, kolec

**thorn·y** [`θɔnɪ] *adj* ciernisty, kolący

**thor·ough** [`θʌrə] *adj* całkowity, gruntowny

**thor·ough·bred** [`θʌrəbred] *adj* rasowy; *s* koń czystej krwi, zwierzę rasowe

**thor·ough·fare** [`θʌrəfeə(r)] *s* przejazd, wolna droga; arteria komunikacyjna

**thor·ough·go·ing** [ˈθʌrə `gəuɪŋ] *adj* stanowczy, bezkompromisowy; gruntowny

**thor·ough·ly** [`θʌrəlɪ] *adv* gruntownie

**those** *zob.* **that**

**though** [ðəu] *conj* chociaż; **as** ~ jak gdyby; *adv* jednak, przecież

**thought 1.** *zob.* **think**

**thought 2.** [θɔt] *s* myśl; namysł; pomysł; zamiar; **on second** ~**s** po rozważeniu, po namyśle; **he had no** ~ **of ...** nie miał wcale zamiaru ...

**thought·ful** [`θɔtfl] *adj* myślący, głęboki, rozważny

**thought·less** [`θɔtləs] *adj* bezmyślny, lekkomyślny, nierozważny

**thou·sand** [`θauznd] *num* tysiąc

**thou·sandth** [`θauznθ] *adj* tysięczny; *s* tysięczna część

**thral·dom** [`θrɔldəm] *s* niewolnictwo, niewola

**thrall** [θrɔl] *s* niewolnik (**of sb** czyjś; **to sth** czegoś)

**thrash** [θræʃ] *vt* młócić; chłostać, bić; ~ **out** debatować; dokładnie przedyskutować

**thrash·ing** [`θræʃɪŋ] *s* młócenie; lanie, chłosta; **to give sb a good** ~ sprawić komuś solidne lanie

**thread** [θred] *s* nić, nitka; wątek (opowiadania, rozmowy itp.); *vt* nizać, nawlekać; przesuwać się, przeciskać się (**sth** przez coś)

**thread·bare** [`θredbeə(r)] *adj* wytarty, przeświecający

**threat** [θret] *s* groźba

**threat·en** [`θretn] *vt* grozić; *vi* zagrażać, zapowiadać się groźnie

**three** [θri] *num* trzy; *s* trójka

**three-cor·ner·ed** [ˈθri `kɔnəd] *adj* trójkątny

**three-deck·er** [ˈθri `dekə(r)] *s* statek trójpokładowy

**three·fold** [`θri-fəuld] *adj* trzykrotny; *adv* trzykrotnie

**three-mas·ter** [ˈθri `mastə(r)] *s* statek trójmasztowy

**three·pence** [`θrepəns] *s* trzy pensy (moneta trzypensowa)

**three·score** [ˈθri `skɔ(r)] *num* sześćdziesiąt

**thresh** [θreʃ] = **thrash**

**thresh·old** [`θreʃhəuld] *s* próg; *przen.* przedsionek, próg, początek

**threw** *zob.* **throw**

**thrift** [θrɪft] *s* oszczędność, gospodarność

**thrift·y** [`θrɪftɪ] *adj* oszczędny, gospodarny

**thrill** [θrɪl] *s* dreszcz, drżenie; *vt* przejmować dreszczem, mocno wzruszać; *vi* drżeć, dygotać

**thrill·er** [`θrɪlə(r)] *s* sensacyjny film; przejmująca sztuka ⟨powieść⟩, dreszczowiec

* **thrive** [θraɪv], **throve** [θrəuv], **thriven** [`θrɪvən] *vi* pięknie się rozwijać, prosperować, kwitnąć

**thro'** [θru] = **through**

**throat** [θrəut] *s* gardło; gardziel; **sore** ~ ból gardła; **to clear one's** ~ odchrząknąć

**throb** [θrob] *vi* (*o sercu, pulsie*) bić, drgać, tętnić; *s* bicie (serca, pulsu); drganie, dreszcz

**throe** [θrəu] *s* gwałtowny ból; *pl* ~**s** bóle porodowe; (*także* ~**s of death**) agonia

**throne** [θrəun] *s* tron; **to come to the** ~ wstąpić na tron

**throng** [θroŋ] *s* tłum, tłok; *vt vi* tłoczyć (się), tłumnie gromadzić (się)
**thros·tle** [`θrosl] *s zool.* drozd
**throt·tle** [`θrotl] *s* gardziel; *techn.* przepustnica; *vt* dusić, dławić, tłumić
**through** [θru] *praep* przez, poprzez; z powodu, dzięki; *adv* na wskroś, dokładnie, na wylot, od początku do końca; **~ and ~** całkowicie, najzupełniej; **to be ~** skończyć (**with sb, sth** z kimś, czymś); **to get ~** przebyć; doprowadzić do końca, skończyć; połączyć się telefonicznie; *adj* bezpośredni, tranzytowy; **a ~ train to ...** pociąg bezpośredni do ...
**through·out** [θru`aut] *praep* przez, poprzez; **~ his life** przez całe jego życie; **~ the year** przez cały rok; *adv* wszędzie; od początku do końca; pod każdym względem
**throve** *zob.* **thrive**
* **throw** [θrəu], **threw** [θru], **thrown** [θrəun] *vt* rzucać, zrzucać, narzucać; **to ~ a glance** rzucić okiem (**at sb** na kogoś); **~ away** odrzucać, wyrzucać; **~ down** porzucić, zrzucić, obalić; **~ in** wrzucić, wtrącić, dorzucić; **to ~ in one's lot with sb** podzielić czyjś los; związać się; **~ off** zrzucić; pozbyć się (**sth** czegoś); **~ on** narzucić, nałożyć; **~ open** rozewrzeć, szeroko otworzyć; udostępnić; **~ out** wyrzucić, wypędzić; wydać; **~ over** porzucić, zarzucić; przewrócić; **~ up** podrzucić, rzucić w górę; podwyższyć; porzucić, zrezygnować; *s* rzut; obalenie
**throw-out** [`θrəu aut] *s* rzecz odrzucona; odsiew; odpadki
**thru** [θru] *am.* = **through**
**thrum** [θrʌm] *vt vi* bębnić, rzępolić; *s* bębnienie, rzępolenie
**thrush** [θrʌʃ] *s zool.* drozd
* **thrust** [θrʌst], **thrust, thrust** [θrʌst] *vt* pchnąć, wbić; wtrącić; przebić; *vi* **~ past** przepychać się obok; *s* pchnięcie; *wojsk.* atak, wypad
**thud** [θʌd] *s* głuche stuknięcie, głuchy łomot; *vi* ciężko zwalić się, głucho stuknąć
**thug** [θʌg] *s* skrytobójca, bandyta
**thumb** [θʌm] *s* kciuk; **rule of ~** praktyczna zasada; **~s up!** brawo!; **Tom Thumb** Tomcio Paluch; *vt* przewracać kartki (książki), wertować; brzdąkać
**thump** [θʌmp] *vi* głucho stukać, grzmocić (np. pięścią); *s* głuche stukanie, ciężkie uderzenie
**thun·der** [`θʌndə(r)] *s* grzmot; *vi* grzmieć; *vt* ciskać (np. groźbę)
**thun·der·bolt** [`θʌndə bəult] *s* piorun, grom
**thun·der·clap** [`θʌndə klæp] *s* trzask piorunu, *przen.* piorunująca wiadomość
**thun·der·ous** [`θʌndərəs] *adj* grzmiący
**thun·der·storm** [`θʌndə stɔm] *s* burza z piorunami
**thun·der·struck** [`θʌndə strʌk] *adj* rażony piorunem; oszołomiony
**Thurs·day** [`θɜzdɪ] *s* czwartek
**thus** [ðʌs] *adv* tak, w ten sposób; **~ far** dotąd, dotychczas; do tego stopnia; **~ much** tyle
**thwart** [θwɔt] *vt* krzyżować, udaremniać
**thy** [ðaɪ] *pron* twój
**tick 1.** [tɪk] *vt vi* (*o zegarze*) tykać; robić znak kontrolny; odfajkować; *s* tykanie; znak kontrolny; chwilka
**tick 2.** [tɪk] *s pot.* kredyt; **on ~** na kredyt
**tick·et** [`tɪkɪt] *s* bilet, karta wstępu; etykieta, znaczek; licencja (np. pilota); *am. polit.* lista kandydatów
**tick·le** [`tɪkl] *vt* łaskotać; zabawiać; *vi* swędzić; *s* łaskotanie
**tick·lish** [`tɪklɪʃ] *adj* łaskotliwy; drażliwy

**tid·dly-winks** [ˋtɪdlɪ wɪŋks] *s* (gra w) pchełki

**tide** [taɪd] *s* przypływ i odpływ morza; prąd, bieg; *przen.* fala; pora, czas; **high ~** przypływ; **low ~** odpływ; *vi* płynąć z prądem; **~ over** przepłynąć; *przen.* przezwyciężyć (np. trudności)

**ti·dings** [ˋtaɪdɪŋz] *s pl* wiadomości

**ti·dy** [ˋtaɪdɪ] *adj* czysty, schludny, porządny; *vt* (*także* **~ up**) doprowadzić do porządku, oczyścić

**tie** [taɪ] *s* więź, węzeł; krawat; sznurowadło; *sport* remis; *vt* (*p praes* **tying**) wiązać, łączyć; krępować; zobowiązywać (**sb to sth** kogoś do czegoś)

**tier** [tɪə(r)] *s* rząd; piętro; kondygnacja; *teatr* rząd krzeseł

**ti·ger** [ˋtaɪgə(r)] *s zool.* tygrys

**tight** [taɪt] *adj* napięty; obcisły, ciasny; szczelny, spoisty; niewystarczający, skąpy; *pot.* pijany, wstawiony; **to be in a ~ corner** być przyciśniętym do muru; **to sit ~** *przen.* obstawać przy swoim; *s pl* **~s** trykoty; rajstopy; *adv* ciasno, szczelnie

**tight·en** [ˋtaɪtn] *vt vi* ściągnąć (się), ścieśnić (się); napiąć; zacisnąć

**tight-fist·ed** [ˈtaɪt ˋfɪstɪd] *adj* skąpy

**ti·gress** [ˋtaɪgrəs] *s* tygrysica

**tike** [taɪk] = **tyke**

**tile** [taɪl] *s* dachówka; kafel; płyta; *vt* kryć dachówką, wykładać (kaflami itp.)

**till 1.** [tɪl] *praep* do, aż do; *conj* aż, dopóki nie

**till 2.** [tɪl] *s* kasa sklepowa

**till 3.** [tɪl] *vt* uprawiać (ziemię), orać

**till·age** [ˋtɪlɪdʒ] *s* uprawa ziemi

**till·er 1.** [ˋtɪlə(r)] *s* rolnik

**till·er 2.** [ˋtɪlə(r)] *s mors.* rączka steru, sterownica

**tilt 1.** [tɪlt] *vt vi* przechylać (się); rzucić się, atakować (np. lancą); *przen.* napadać (**at sb** na kogoś); *s* nachylenie, przechył; napaść

**tilt 2.** [tɪlt] *s* nakrycie, osłona (z brezentu)

**tim·ber** [ˋtɪmbə(r)] *s* drewno, budulec; belka; *am.* las

**time** [taɪm] *s* czas, pora; termin; raz; tempo; takt; okres kary więziennej; okres służby wojskowej; **a long ~ ago** dawno temu; **at a ~** naraz; **at ~s** czasami; **at any ~** kiedykolwiek; **at one ~** swego czasu, niegdyś; **at the same ~** równocześnie; pomimo tego; **behind one's ~** spóźniony; **behind the ~s** konserwatywny, zacofany; **for the ~ being** na razie, chwilowo; **in due ~** we właściwym czasie, w porę; **in ~** na czas; w takt, do taktu; **in no ~** wkrótce, zaraz, natychmiast; **many a ~** niejednokrotnie; **many ~s** wielokrotnie, często; **most of the ~** przeważnie; najczęściej; **once upon a ~** pewnego razu; dawno temu; **out of ~** nie w porę, nie na czasie; **some ~ or other** kiedyś tam (w przyszłości), przy sposobności; **~ after ~** raz za razem; **~ and again** od czasu do czasu; **~ is up** czas upłynął; **to do ~** odsiadywać karę więzienia; **to gain ~** zyskać na czasie; (*o zegarze*) spieszyć się; **to have a good ~** dobrze się bawić; używać sobie; **to keep ~** tańczyć ⟨grać itp.⟩ do taktu; **to serve one's ~** odbywać (służbę, wyrok, praktykę itp.); **to take one's ~** nie spieszyć się; **what ~ is it?, what is the ~?** która godzina?; *vt* wyznaczać według czasu, dostosować do czasu; określać czas, regulować; zrobić w odpowiedniej chwili; *vi* dostosowywać się, dotrzymywać kroku (**with sb, sth** komuś, czemuś); *adj praed* czasowy; terminowy

**time·bomb** [ˋtaɪm bɒm] *s* bomba zegarowa

**time·ly** [ˋtaɪmlɪ] *adj* będący na czasie, aktualny; dogodny

**ti·mer** [ˋtaɪmə(r)] *s* stoper; regulator czasu
**time·serv·er** [ˋtaɪm sɜvə(r)] *s* oportunista
**time·serv·ing** [ˋtaɪm sɜvɪŋ] *adj* oportunistyczny; *s* oportunizm
**time-ta·ble** [ˋtaɪm teɪbl] *s* rozkład zajęć; rozkład jazdy
**time-work** [ˋtaɪm wɜk] *s* praca dniówkowa
**time-worn** [ˋtaɪm wɔn] *adj* zużyty, sfatygowany; przestarzały; starodawny
**tim·id** [ˋtɪmɪd] *adj* bojaźliwy, nieśmiały
**ti·mid·i·ty** [tɪˋmɪdətɪ] *s* bojaźliwość
**tim·or·ous** [ˋtɪmərəs] *adj* lękliwy
**tin** [tɪn] *s* cyna, blacha; naczynie blaszane; puszka konserwowa; *vt* pobielać; konserwować w puszkach, pakować do puszek
**tinc·ture** [ˋtɪŋktʃə(r)] *s* nalewka; domieszka; odcień, zabarwienie
**ting** [tɪŋ] *vt vi* dzwonić, dźwięczeć; *s* dźwięczenie, dzwonienie
**tinge** [tɪndʒ] *s* lekki odcień, zabarwienie; *vt* zabarwiać, nadawać odcień
**tin·gle** [ˋtɪŋgl] *vt* dźwięczeć, brzmieć; świerzbieć, swędzić; powodować ciarki; *s* dźwięczenie, brzęk; swędzenie; ciarki
**tink·er** [ˋtɪŋkə(r)] *s* naprawiacz kotłów; druciarz
**tin·kle** [ˋtɪnkl] *vi* dzwonić; *s* dzwonienie
**tin·ned** [tɪnd] *pp zob.* **tin;** *adj* konserwowy; ~ **food** artykuły żywnościowe w konserwach
**tin-opener** [ˋtɪn əupŋə(r)] *s* klucz do konserw
**tin-plate** [ˋtɪn pleɪt] *s* blacha cynowa
**tin·sel** [ˋtɪnsl] *s zbior.* błyskotki; świecidełka; *przen.* fałszywy blask, blichtr
**tint** [tɪnt] *s* zabarwienie, odcień; *vt* lekko barwić, cieniować
**tin·ware** [ˋtɪnweə(r)] *s zbior.* wyroby cynowe ⟨blaszane⟩
**ti·ny** [ˋtaɪnɪ] *adj* drobny, bardzo mały
**tip 1.** [tɪp] *s* koniuszek; szpic (np. buta); skuwka; **on the ~ of one's tongue** na końcu języka; *vt* pokryć koniuszek; obić, okuć
**tip 2.** [tɪp] *vt vi* dotknąć; przechylić (się); skinąć, dać znak; poczęstować; dać napiwek; *s* przechylenie, nachylenie; lekkie dotknięcie; znak, aluzja, wskazówka; napiwek
**tip-car** [ˋtɪp kɑ(r)] *s* wóz-wywrotka
**tip·sy** [ˋtɪpsɪ] *adj* pijany, wstawiony
**tip·toe** [ˋtɪptəu] *adv* (*zw.* **on ~**) na czubkach palców; *vi* chodzić na czubkach palców
**tip·top** [ˈtɪp ˋtop] *s pot.* szczyt doskonałości; *adj* doskonały, pierwszorzędny
**ti·rade** [taɪˋreɪd] *s* tyrada
**tire 1.** [ˋtaɪə(r)] *vt vi* męczyć (się); **to be ~d of sth** mieć czegoś dosyć; **to be ⟨get⟩ ~d** zmęczyć się (**of sth** czymś); mieć czegoś dość; uprzykrzyć sobie (**of sth** coś); **~ out** krańcowo wyczerpać
**tire 2.** [ˋtaɪə(r)] *s* obręcz (koła); opona; guma (rowerowa); *vt* nałożyć obręcz; nałożyć oponę ⟨gumę⟩
**tire·less** [ˋtaɪələs] *adj* niezmordowany
**tire·some** [ˋtaɪəsm] *adj* męczący; nudny
**'tis** [tɪz] = **it is**
**tis·sue** [ˋtɪʃu] *s* tkanina (delikatna); *biol.* tkanka
**tis·sue-pa·per** [ˋtɪʃu peɪpə(r)] *s* bibułka
**tit** [tɪt] *s w zwrocie:* **~ for tat** pięknym za nadobne, wet za wet
**tit·bit** [ˋtɪtbɪt] *s* smakołyk; *przen.* interesująca plotka ⟨nowina⟩
**tithe** [ˋtaɪð] *s* dziesięcina
**ti·tle** [ˋtaɪtl] *s* tytuł
**ti·tled** [ˋtaɪtld] *adj* utytułowany
**tit·ter** [ˋtɪtə(r)] *vi* chichotać; *s* chichot
**tit·u·lar** [ˋtɪtjulə(r)] *adj* tytularny
**to** [tu, tə] *praep* (*kierunek*) do, ku;

(*granica przestrzeni lub czasu*) aż, do, po; (*zgodność*) ku, według; **to a man** do ostatniego człowieka; **to my mind** moim zdaniem, według mnie; **to perfection** doskonale; **to this day** po dzień dzisiejszy; **to the right** (w kierunku) na prawo; (*porównanie*) od, niż: **inferior to me** niższy (np. służbowo) ode mnie; (*stosunek*) dla, na, wobec: **he has been very good to me** był dla mnie bardzo dobry; **ten to one** dziesięć do jednego; za dziesięć minut pierwsza; (*wynik*) ku: **to my surprise** ku memu zdziwieniu; *cel*: **man eats to live** człowiek je, ażeby żyć; *tłumaczy się przez 3. przypadek*: **give it to me not to him** daj to mnie, nie jemu; *kwalifikator bezokolicznika*: **to see** widzieć; *zastępuje bezokolicznik*: **he was to have come but forgot to** miał przyjść, ale zapomniał (przyjść); *adv w wyrażeniach*: **to and fro** tu i tam; **the door is to** drzwi są zamknięte

**toad** [təud] *s zool.* ropucha

**toad·y** [ˋtəudı] *s* pochlebca, lizus; *vt* płaszczyć się (**sb** przed kimś), wkradać się w łaski (**sb** czyjeś)

**toast** [təust] *s* grzanka, tost; toast; *vt* przypiekać; wznosić toast (**sb** na czyjąś cześć)

**to·bac·co** [təˋbækəu] *s* tytoń

**to·bac·co·nist** [təˋbækənıst] *s* właściciel sklepu tytoniowego

**to·bog·gan** [təˋbogən] *s sport* toboggan; *vi* jeździć na tobogganie

**to·bog·gan-shoot** [təˋbogən ʃut], **to·bog·gan-slide** [təˋbogən slaıd] *s sport* tor saneczkowy

**to·day, to-day** [təˋdeı] *adv* dziś; *s* dzień dzisiejszy

**tod·dle** [ˋtodl] *vi* chodzić chwiejnym krokiem; *s* chwiejny krok

**tod·dy** [ˋtodı] *s* sok z palmy; rodzaj grogu

**to-do** [tə ˋdu] *s* hałas, zamieszanie, krzątanina

**toe** [təu] *s* palec u nogi; **from top to ~** od stóp do głów; *vt w zwrocie*: **to ~ the line** *sport* stanąć na starcie; *przen.* podporządkować się ogółowi, być solidarnym

**tof·fee** [ˋtofı] *s* toffi, karmelek

**to·geth·er** [təˋgeðə(r)] *adv* razem; na raz; **for weeks ~** całymi tygodniami; **to get ~** zbierać (się)

**toil** [təıl] *s* trud; *vi* trudzić się, ciężko pracować; (*także* **~ along**) wlec się z trudem

**toil·er** [ˋtəılə(r)] *s* ciężko pracujący człowiek

**toil·et** [ˋtəılət] *s* toaleta

**to·ken** [ˋtəukən] *s* znak; pamiątka; bon; żeton

**told** *zob.* **tell**

**tol·er·a·ble** [ˋtolrəbl] *adj* znośny, możliwy

**tol·er·ance** [ˋtolərəns] *s* tolerancja, pobłażliwość

**tol·er·ate** [ˋtoləreıt] *vt* tolerować, znosić

**toll 1.** [təul] *s* myto, opłata; *przen.* **~ of lives** żniwo śmierci

**toll 2.** [təul] *vt vi* dzwonić (przeciągle); *s* głos dzwonu (*zw.* pogrzebowego)

**toll-bar** [ˋtəul bɑ(r)] *s* rogatka

**tom·a·hawk** [ˋtoməhɔk] *s* indiański topór bojowy, tomahawk

**to·ma·to** [təˋmɑtəu] *s* pomidor

**tomb** [tum] *s* grobowiec; grób

**tom·boy** [ˋtombəı] *s* (dziewczyna) urwis ⟨trzpiot⟩

**tomb·stone** [ˋtumstəun] *s* kamień grobowy

**tom·fool** [tomˋful] *s* głupiec; błazen; *vi* błaznować

**tom·my** [ˋtomı] *s* żołnierz brytyjski; szeregowiec; *pot.* **~ rot** głupstwa, brednie

**tom·my-gun** [ˋtomı gʌn] *s* ręczny karabin maszynowy

**to·mor·row, to-mor·row** [təˋmorəu] *adv* jutro; *s* dzień jutrzejszy; **the day after ~** pojutrze

**ton** [tʌn] *s* tona; *zw. pl* **~s** *pot.* mnóstwo, niezliczona ilość

**tone** [təʊn] *s* ton, dźwięk; *gram.* akcent toniczny; *vt* stroić, nastrajać; tonować; harmonizować; **~ down** tonować, łagodzić; tonować się, łagodnieć; **~ up** podnieść, wzmocnić; wzmagać się, potężnieć

**tongs** [toŋz] *s pl* szczypce, obcęgi

**tongue** [tʌŋ] *s* język; mowa; sposób mówienia; języczek; serce (dzwonu); **mother ~** język ojczysty; **to find one's ~ again** odzyskać mowę; **to have lost one's ~** zapomnieć języka w gębie; **to hold one's ~** trzymać język za zębami

**ton·ic** [`tonɪk] *adj* wzmacniający, toniczny; *gram.* tonalny, akcentowany; *s* środek wzmacniający ⟨tonizujący⟩

**to·night, to-night** [tə`naɪt] *adv* dziś w nocy ⟨wieczorem⟩; *s* dzisiejsza noc, dzisiejszy wieczór; **~'s paper** dzisiejsza gazeta wieczorna

**too** [tu] *adv* także, prócz tego, w dodatku; doprawdy; wielce, bardzo, aż nadto; **all ~** aż nadto; **none ~ good** niezbyt dobry, nieszczególny; **I'm only ~ glad** jestem bardzo rad

**took** *zob.* **take**

**tool** [tul] *s* narzędzie

**toot** [tut] *s* dźwięk (rogu, klaksonu itp.), sygnał; *vt vi* dąć w róg, buczeć

**tooth** [tuθ] *s* (*pl* **teeth** [tiθ]) ząb; **in the teeth of sth** wbrew czemuś, nie zważając na coś; **~ and nail** energicznie, zawzięcie

**tooth·ache** [`tuθeɪk] *s* ból zębów

**tooth-brush** [`tuθbrʌʃ] *s* szczoteczka do zębów

**tooth-paste** [`tuθpeɪst] *s* pasta do zębów

**tooth-pick** [`tuθpɪk] *s* wykałaczka

**top 1.** [top] *s* szczyt, najwyższy punkt; wierzch, powierzchnia, górna część; głowa (stołu); *mors.* kosz, bocianie gniazdo; pierwsze miejsce w klasie; *adj attr* górny, szczytowy; **~ boy** najlepszy uczeń w klasie; *vt vi* pokrywać od góry; wznosić się; przewyższać; **~ off** zakończyć; **~ up** dopełnić

**top 2.** [top] *s* bąk (zabawka); **to sleep like a ~** spać jak suseł

**top-hat** [`top hæt] *s* cylinder

**to·pi, to·pee** [`təʊpɪ] *s* hełm tropikalny

**top·ic** [`topɪk] *s* przedmiot, temat

**top·i·cal** [`topɪkl] *adj* miejscowy; dotyczący tematu, aktualny

**top·most** [`topməʊst] *adj* najwyższy

**to·pog·ra·phy** [tə`pogrəfɪ] *adj* topografia

**top·ping** [`topɪŋ] *adj* wybitny; *pot.* świetny, kapitalny

**top·ple** [`topl] *vt* (*także* **~ down** ⟨**over**⟩) powalić; *vi* zwalić się

**top·sy-tur·vy** ['topsɪ `tɜvɪ] *adv* do góry nogami; *adj* przewrócony do góry nogami

**torch** [tɔtʃ] *s* pochodnia; latarka elektryczna

**tore** *zob.* **tear 2.**

**tor·ment** [`tɔment] *s* męka, tortury; *vt* [tɔ`ment] męczyć, dręczyć

**torn** *zob.* **tear 2.**

**tor·na·do** [tɔ`neɪdəʊ] *s* tornado

**tor·pe·do** [tɔ`pidəʊ] *s* torpeda; *vt* torpedować

**tor·pedo-boat** [tɔ`pidəʊ bəʊt] *s* *wojsk.* kuter torpedowy

**tor·pid** [`tɔpɪd] *adj* zesztywniały, zdrętwiały

**tor·por** [`tɔpə(r)], **tor·pid·i·ty** [tɔ`pɪdətɪ] *s* zesztywnienie, odrętwienie

**tor·rent** [`torənt] *s* potok (rwący); ulewa

**tor·ren·tial** [to`renʃl] *adj* wartki; ulewny

**tor·rid** [`torɪd] *adj* wypalony (słońcem); skwarny

**tor·sion** [`tɔʃn] *s* skręt, skręcenie; *mat.* torsja

**tor·toise** [`tɔtəs] *s* *zool.* żółw

**tor·toise-shell** [ˋtɔtəs ʃel] *s* szylkret
**tor·tu·ous** [ˋtɔtʃuəs] *adj* kręty, wijący się
**tor·ture** [ˋtɔtʃə(r)] *s* tortury, męczarnia; *vt* torturować, dręczyć; przekręcać (np. słowa)
**To·ry** [ˋtɔrɪ] *s polit.* torys
**toss** [tos] *vt* rzucać w górę, podrzucać, potrząsać; niepokoić; *vi* przewracać się, wiercić się; (*o morzu, drzewie*) kołysać się; ~ **off** wypić duszkiem; załatwić od ręki; *s* rzucanie, rzut; potrząsanie
**to·tal** [ˋtəutl] *adj* całkowity, totalny; *s* suma globalna, ogólny wynik; *vt vi* sumować; wynosić w całości
**to·tal·i·ty** [təuˋtæləti] *s* całość, ogół
**to·tal·i·za·tor** [ˋtəutḷaɪzeɪtə(r)], *pot.* **tote** [təut] *s* totalizator
**tot·ter** [ˋtotə(r)] *vi* chwiać się, iść na niepewnych nogach
**touch** [tʌtʃ] *vt vi* dotknąć; poruszyć, wspomnieć (**on, upon sth** coś); wzruszyć; (*także* ~ **off**) zarysować, naszkicować; dorównać; natknąć się; **to** ~ **to the quick** dotknąć do żywego; ~ **up** poprawić (np. obraz), wyretuszować; **to** ~ **wood** odpukiwać; *s* dotyk, dotknięcie; kontakt; lekki atak (choroby); pociągnięcie (np. pędzlem); posmak; powierzchowna próba; **to get in** ~ skontaktować się; **to keep in** ~ utrzymywać kontakt; **finishing** ~ ostatnie pociągnięcie
**touch·ing** [ˋtʌtʃɪŋ] *adj* wzruszający; *praep* odnośnie do, co się tyczy
**touch·stone** [ˋtʌtʃstəun] *s* kamień probierczy; *przen.* standard, kryterium
**touch·y** [ˋtʌtʃɪ] *adj* drażliwy
**tough** [tʌf] *adj* twardy, oporny, trudny; (*o mięsie*) łykowaty, żylasty; tęgi, mocny, wytrzymały
**tour** [tuə(r)] *s* podróż (*zw.* okrężna), objazd; wycieczka; **on** ~ w podróży; **to make a** ~ **of the world** objechać świat; *vt vi* objeżdżać, zwiedzać
**tour·ism** [ˋtuərɪzm] *s* turystyka
**tour·ist** [ˋtuərɪst] *s* turysta
**tour·na·ment** [ˋtuənəmənt] *s* zawody, rozgrywki; *hist.* turniej
**tou·sle** [ˋtauzl] *vt* targać, mierzwić
**tout** [taut] *vi* kaptować, nachodzić (**for sb** kogoś); czynić starania (**for sth** o coś)
**tow** [təu] *vt* holować, ciągnąć na linie, wlec za sobą; *s* holowany statek; lina do holowania; **to have in** ~ holować; **to take in** ~ wziąć na hol
**to·ward(s)** [tuˋwɔdz] *praep* ku, w kierunku; w stosunku do; (*o czasie*) pod, około; na; ~ **expenses** na wydatki
**tow·el** [ˋtauḷ] *s* ręcznik (z materiału, papieru itd.)
**tow·er** [ˋtauə(r)] *s* wieża; baszta; **the Tower (of London)** zamek londyński (średniowieczne więzienie); *vi* wznosić się, piętrzyć się
**town** [taun] *s* miasto; **out of** ~ na prowincji, (wyjechać itd.) z miasta, za miasto, na wieś
**town·let** [ˋtaunlət] *s* miasteczko
**towns·folk** [ˋtaunzfəuk] *s zbior.* mieszkańcy miasta, mieszczanie
**towns·peo·ple** [ˋtaunzpipl] = **townsfolk**
**tox·ic** [ˋtoksɪk] *adj* trujący
**toy** [tɔɪ] *s* zabawka; *vi* bawić się; igrać
**trace 1.** [treɪs] *s* ślad; *vt* śledzić; iść śladem; zrekonstruować; szkicować, kreślić; ~ **back** wywodzić (**sth to sth** coś od czegoś); ~ **over** kalkować
**trace 2.** [treɪs] *s* postronek; *pl* ~**s** uprząż
**trac·er** [ˋtreɪsə(r)] *s* traser; kreślarz; (*także* ~ **bullet ⟨shell⟩**) pocisk smugowy
**track** [træk] *s* ślad, trop; ścieżka, szlak, trakt; tor (kolejowy, wyścigowy); **the beaten** ~ wydeptana droga; utarty szlak; **to leave ⟨to come off⟩ the** ~ wyko-

leić się; **to lose** ~ zgubić się (of sth w czymś); stracić kontakt (of sb, sth z kimś, czymś); *vt* śledzić; znaczyć śladami; ~ **down** ⟨out⟩ wyśledzić

**trac·ta·ble** [ˋtræktəbl] *adj* uległy, podatny

**trac·tion** [ˋtrækʃn] *s* trakcja

**trac·tor** [ˋtræktə(r)] *s* traktor, ciągnik

**trade** [treɪd] *s* rzemiosło; handel; przemysł (budowlany, hotelowy itd.); branża; zawód, zawodowe zajęcie; **home** ⟨**foreign**⟩ ~ handel wewnętrzny ⟨zagraniczny⟩; ~ **mark** ochronny znak fabryczny; ~ **union** związek zawodowy; **Board of Trade** ministerstwo przemysłu i handlu; *vi* handlować (**in sth** czymś; **with sb** z kimś)

**trad·er** [ˋtreɪdə(r)] *s* handlowiec; statek handlowy

**trades·man** [ˋtreɪdzmən] *s* kupiec

**trade-wind** [ˋtreɪdwɪnd] *s* pasat

**tra·di·tion** [trəˋdɪʃn] *s* tradycja

**tra·di·tion·al** [trəˋdɪʃnl] *adj* tradycyjny

**traf·fic** [ˋtræfɪk] *s* komunikacja; ruch uliczny; transport; handel; ~ **(control) lights** światła regulujące ruch uliczny; ~ **regulations** przepisy drogowe; *vi* handlować (**in sth** czymś)

**tra·ge·di·an** [trəˋdʒidɪən] *s* autor tragedii; aktor tragiczny

**trag·e·dy** [ˋtrædʒədɪ] *s* tragedia

**trag·i·cal** [ˋtrædʒɪk(l)] *adj* tragiczny

**trail** [treɪl] *s* szlak, ślad, trop; wlokący się ogon, smuga (np. dymu); *vt* wlec za sobą; tropić; deptać; *vi* wlec się

**trail·er** [ˋtreɪlə(r)] *s* tropiciel; przyczepa (do samochodu itd.)

**train** [treɪn] *s* pociąg; wlokący się ogon, tren; sznur (ludzi, wozów); orszak; *vt vi* trenować, uczyć (się), tresować; kształcić, zaprawiać (**for sth** do czegoś)

**train·er** [ˋtreɪnə(r)] *s* trener, instruktor

**train·ing** [ˋtreɪnɪŋ] *s* trening, ćwiczenia, tresura

**trait** [treɪt] *s* rys (np. charakteru)

**trai·tor** [ˋtreɪtə(r)] *s* zdrajca

**trai·tor·ous** [ˋtreɪtərəs] *adj* zdradziecki

**tram** [træm] *s* tramwaj

**tram-car** [ˋtræm kɑ(r)] *s* wóz tramwajowy

**tram·mel** [ˋtræml] *s* (długa) sieć; pętla (dla konia); przeszkoda; (*także pl* ~s) więzy; *vt* łapać, pętać, plątać, przeszkadzać

**tramp** [træmp] *vi vt* włóczyć się; deptać, ciężko stąpać; *s* włóczęga, łazik; wędrówka; ciężkie stąpanie

**tramp·er** [ˋtræmpə(r)] *s* włóczęga

**tram·ple** [ˋtræmpl] *vt* deptać, tratować

**tram·way** [ˋtræmweɪ] *s* tramwaj

**trance** [trɑns] *s* trans

**tran·quil** [ˋtræŋkwɪl] *adj* spokojny

**tran·quil·i·ty** [træŋˋkwɪlətɪ] *s* spokój

**trans·act** [trænˋzækt] *vt* przeprowadzić, doprowadzić do skutku; *vi* układać się, pertraktować

**trans·ac·tion** [trænˋzækʃn] *s* transakcja

**tran·scribe** [trænˋskraɪb] *vt* transkrybować; przepisywać; *radio* nagrywać na taśmę

**tran·scrip·tion** [trænˋskrɪpʃn] *s* transkrypcja; przepisywanie; *radio* nagranie ⟨odtwarzanie⟩ na taśmie

**trans·fer** [trænsˋfɜ(r)] *vt vi* przenosić (się); przekazywać; przewozić; przesiadać się; *handl.* cedować; *s* [ˋtrænsʃɜ(r)] przeniesienie; przewóz; przekazanie; przelew; *handl.* cesja

**trans·fig·ure** [trænsˋfɪgə(r)] *vt* przekształcać

**trans·fix** [trænsˋfɪks] *vt* przebić, przeszyć, przekłuć; unieruchomić, sparaliżować

**trans·form** [træns`fɔm] *vt* przekształcać

**trans·form·er** [træns`fɔmə(r)] *s* *elektr.* transformator

**trans·fuse** [træns`fjuz] *vt* przelewać, przetaczać; przepoić

**trans·fu·sion** [træns`fjuʒn] *s* transfuzja

**trans·gress** [trænz`gres] *vt vi* przekroczyć, naruszyć (np. ustawę); popełnić przekroczenie

**trans·gres·sion** [trænz`greʃn] *s* przekroczenie

**tran·ship** *zob.* **trans-ship**

**tran·sient** [`trænzıənt] *adj* przemijający, przejściowy

**tran·sis·tor** [træn`zıstə(r)] *s* tranzystor

**tran·sit** [`trænsıt] *s* tranzyt; przejazd

**tran·si·tion** [træn`zıʃn] *s* przejście; okres przejściowy

**tran·si·tion·al** [træn`zıʃnl] *adj* przejściowy

**tran·si·tive** [`trænsətıv] *adj gram.* przechodni

**tran·si·to·ry** [`trænsıtrı] *adj* przejściowy, efemeryczny, przemijający

**trans·late** [trænz`leıt] *vt* tłumaczyć (**into English** na angielski)

**trans·la·tion** [trænz`leıʃn] *s* tłumaczenie

**trans·la·tor** [trænz`leıtə(r)] *s* tłumacz

**trans·lit·er·ate** [trænz`lıtəreıt] *vt* transliterować

**trans·mis·sion** [trænz`mıʃn] *vt* transmisja

**trans·mit** [trænz`mıt] *vt* przekazywać, doręczać; przenosić; transmitować

**trans·mit·ter** [trænz`mıtə(r)] *s* aparat transmitujący, przekaźnik; nadajnik

**trans·par·en·cy** [træn`spærənsı] *s* przeźroczystość

**trans·par·ent** [træn`speərnt] *adj* przeźroczysty

**tran·spi·ra·tion** [ˌtrænspı`reıʃn] *s* parowanie; pocenie się

**tran·spire** [træn`spaıə(r)] *vt vi* wydzielać (się); parować; pocić się; wydychać; *przen.* wychodzić na jaw, okazywać się; zdarzać się

**trans·plant** [træns`plant] *vt* przesadzać, przenosić, przeszczepiać

**trans·plan·ta·tion** [ˌtrænsplan`teıʃn] *s med.* przeszczep, transplantacja

**trans·port** [træn`spɔt] *vt* transportować, przewozić, przenosić; porwać, zachwycić, unieść; *hist.* zesłać (zbrodniarza); *s* [`transpɔt] transport, przewóz, przeniesienie; zachwyt, poryw, uniesienie

**trans·por·ta·tion** [ˌtrænspɔ`teıʃn] *s* transport, przewóz, przeniesienie; zesłanie

**trans·pose** [træn`spouz] *vt* przestawiać; *muz.* transponować

**trans-ship** [træns`ʃıp] *vt* przeładowywać

**trans·ver·sal** [trænz`vɜsl] *adj* poprzeczny; *s* linia poprzeczna

**trans·verse** [trænz`vɜs] *adj* poprzeczny

**trap** [træp] *s* pułapka, potrzask, zasadzka; *przen.* podstęp; *vt* łapać w potrzask, zastawiać pułapkę

**trap-door** [træp`dɔ(r)] *s* zapadnia, klapa

**tra·peze** [trə`piz] *s* trapez (w gimnastyce)

**tra·pe·zi·um** [trə`pizıəm] *s mat.* trapez

**trap·e·zoid** [`træpızɔıd] *s mat.* trapezoid

**trap·per** [`træpə(r)] *s* traper

**trash** [træʃ] *s* tandeta; szmira; bzdury; *am.* śmieci; *am.* hołota

**trav·el** [`trævl] *vi* podróżować, jeździć, jechać; *s* podróż

**trav·el·ler,** *am.* **trav·el·er** [`trævḷə(r)] *s* podróżny; podróżnik; komiwojażer

**trav·erse** [`trævɜs] *s* trawers, poprzeczka; *vt* przecinać w poprzek, przejeżdżać; krzyżować (plany); dokładnie badać

**trav·es·ty** [`trævıstı] *s* trawestacja; *vt* trawestować

**trawl** [trɔl] *s* niewód; *vt* łowić niewodem
**trawl·er** [ˋtrɔlə(r)] *s mors.* trawler
**tray** [treɪ] *s* taca
**treach·er·ous** [ˋtretʃərəs] *adj* zdradziecki
**treach·er·y** [ˋtretʃərɪ] *s* zdrada
**trea·cle** [ˋtrikl] *s* melasa, syrop
***tread** [tred] *vi vt* (**trod** [trod], **trod·den** [ˋtrodn]) stąpać, kroczyć (**on sth** po czymś); deptać (**on the grass** trawę); ~ **a measure** tańczyć; ~ **out** zadeptać, zgnieść; *s* chód, kroki
**tread·mill** [ˋtred mɪl] *s* kierat; *przen.* monotonna praca, kierat
**trea·son** [ˋtrizn] *s* zdrada; **high** ~ zdrada stanu
**trea·son·able** [ˋtriznəbl] *adj* zdradziecki
**treas·ure** [ˋtreʒə(r)] *s* skarb; *vt* wysoko szacować; (*zw.* ~ **up**) chować jak skarb; *fin.* tezauryzować
**treas·ur·er** [ˋtreʒərə(r)] *s* skarbnik
**treas·ure-trove** [ˋtreʒə ˋtrəuv] *s* znaleziony skarb
**treas·ur·y** [ˋtreʒṛɪ] *s* skarbiec; **the Treasury** skarb państwa; *am.* ministerstwo skarbu
**treat** [trit] *vt* traktować, uważać (**as sth** za coś); rozpatrywać; leczyć (**sb for sth** kogoś na coś); poddawać działaniu; fundować, częstować (**sb to sth** kogoś czymś); gościć, przyjmować; *vi* prowadzić pertraktacje (**with sb for sth** z kimś w sprawie czegoś); rozprawiać (**of sth** o czymś); *s* przyjemność, rozkosz; poczęstunek
**trea·tise** [ˋtritɪz] *s* traktat, rozprawa naukowa
**treat·ment** [ˋtritmənt] *s* traktowanie, obchodzenie się; leczenie; **under** ~ w leczeniu
**trea·ty** [ˋtritɪ] *s* traktat, umowa
**tre·ble** [ˋtrebl] *adj* potrójny; *muz.* sopranowy; *vt vi* potroić (się)
**tree** [tri] *s* drzewo; prawidło (do butów)
**tre·foil** [trɪˋfɔɪl] *s bot.* koniczyna
**trel·lis** [ˋtrelɪs] *s* krata drewniana (dla pnączy); altanka (z kraty)
**trem·ble** [ˋtrembl] *vi* drżeć; *s* drżenie
**tre·men·dous** [trɪˋmendəs] *adj* ogromny, kolosalny; *pot.* wspaniały
**trem·or** [ˋtremə(r)] *s* drżenie; trzęsienie
**trem·u·lous** [ˋtremjuləs] *adj* drżący
**trench** [trentʃ] *s* rów; *wojsk.* okop; ~ **coat** trencz; *vi* kopać rowy; wkraczać, wdzierać się (**on sth** w coś); graniczyć (**on sth** z czymś); *vt* przekopywać, przecinać rowem
**trend** [trend] *s* skłonność, kierunek, tendencja; *vi* skłaniać się; dążyć (**towards ⟨to⟩ sth** ku czemuś); objawiać tendencję
**trep·i·da·tion** [ˌtrepɪˋdeɪʃn] *s* drżenie
**tres·pass** [ˋtrespəs] *vi* popełnić przekroczenie, naruszyć (**on ⟨upon⟩ the law** prawo); zgrzeszyć (**against sth** przeciwko czemuś); wkroczyć (na zakazany teren); nadużyć (**on ⟨upon⟩ sth** czegoś); *s* przekroczenie; grzech; wina
**tres·pass·er** [ˋtrespəsə(r)] *s* winny przekroczenia; winowajca; nieprawnie wkraczający na zakazany teren
**tri·al** [ˋtraɪḷ] *s* próba, doświadczenie; badanie; przesłuchanie; rozprawa sądowa; *sport* rozgrywka eliminacyjna; **on** ~ na próbę; **to put to** ~ poddać próbie
**tri·an·gle** [ˋtraɪæŋgl] *s* trójkąt
**tri·an·gu·lar** [traɪˋæŋgjulə(r)] *adj* trójkątny
**trib·al** [ˋtraɪbl] *adj* plemienny
**tribe** [traɪb] *s* plemię, szczep
**trib·u·la·tion** [ˌtrɪbjuˋleɪʃn] *s* udręka, wielkie zmartwienie
**tri·bu·nal** [traɪˋbjunl] *s* trybunał
**trib·une** [ˋtrɪbjun] *s* trybuna; *hist.* trybun

**trib·u·tar·y** [ˋtrɪbjutərɪ] *adj* zobowiązany do płacenia należności (czynszu, podatku); pomocniczy, wspomagający; poddany; hołdowniczy; (*o rzece*) wpadający; *s* płatnik; hołdownik; dopływ (rzeki)

**trib·ute** [ˋtribjut] *s* przyczynek; danina, podatek, należność; uznanie, hołd; **to pay ~** płacić daninę; wyrażać uznanie, składać hołd

**trick** [trɪk] *s* figiel, sztuczka, chwyt; przyzwyczajenie, *uj.* nawyk; spryt; lewa (w kartach); **to play a ~** spłatać figla (**on sb** komuś); **to play ~s** pokazywać sztuczki; *vt* podejść, oszukać, zwieść; *vi* figlować

**trick·er·y** [ˋtrɪkərɪ] *s* nabieranie, oszustwo

**trick·le** [ˋtrɪkl] *vi* kapać, sączyć się; *vt* przesączać

**trick·ster** [ˋtrɪkstə(r)] *s* kawalarz; oszust, naciągacz

**tri·col·our** [ˋtrɪkʌlə(r)] *adj* trójbarwny; *s* flaga trójbarwna

**tri·cy·cle** [ˋtraɪsɪkl] *s* rower na trzech kółkach

**tried** [traɪd] *pp zob.* **try**; *adj* wypróbowany, wierny

**tri·fle** [ˋtraɪfl] *s* drobnostka, bagatela; *vi* żartować sobie; swawolić; postępować niepoważnie; *vt* (*zw.* **~ away**) marnować, trwonić

**tri·fling** [ˋtraɪflɪŋ] *adj* mało znaczący, drobny, błahy

**trig·ger** [ˋtrɪgə(r)] *s* cyngiel, spust

**trill** [trɪl] *s* trel; *vi* wywodzić trele; *vt* wymawiać z wibracją

**tril·lion** [ˋtrɪlɪən] *num* trylion

**tril·o·gy** [ˋtrɪlədʒɪ] *s* trylogia

**trim** [trɪm] *adj* schludny, utrzymany w porządku, prawidłowy; *vt* czyścić, porządkować; wygładzać, wyrównywać; przycinać; przybierać; *s* stan, kondycja; porządek

**trim·ming** [ˋtrɪmɪŋ] *s* uporządkowanie; wykończenie; przycięcie; (*zw. pl* **~s**) przyprawa, dodatek (do potrawy); obszywka; dodatkowa ozdoba

**trin·i·ty** [ˋtrɪnətɪ] *s* trójca, trójka

**trin·ket** [ˋtrɪŋkɪt] *s* błyskotka, ozdóbka

**trip** [trɪp] *s* lekki chód; (krótka) wycieczka, przejażdżka; potknięcie; *vi* iść drobnym, szybkim krokiem; potknąć się; pomylić się; odbyć krótką podróż; (*także* **~ up**) podstawić nogę

**tripe** [traɪp] *s* wnętrzności wołowe; flaki; *pot.* bzdura; lichota; szmira

**tri·ple** [ˋtrɪpl] *adj* potrójny; *vt vi* potroić (się)

**tri·plet** [ˋtrɪplɪt] *s* zespół trzech jednakowych rzeczy ⟨osób⟩; *pl* **~s** trojaczki

**tri·pod** [ˋtraɪpod] *s* trójnóg; *fot.* statyw

**trip·ping** [ˋtrɪpɪŋ] *adj* lekki, zwinny

**trite** [traɪt] *adj* oklepany, banalny

**tri·umph** [traɪˋʌmf] *s* triumf; *vi* triumfować

**tri·um·phant** [traɪˋʌmfnt] *adj* triumfujący

**triv·et** [ˋtrɪvɪt] *s* trójnożna podstawka żelazna

**triv·i·al** [ˋtrɪvɪəl] *adj* nieważny, błahy; pospolity, banalny

**trod, trod·den** *zob.* **tread**

**trol·ley** [ˋtrolɪ] *s* drezyna, wózek; odbierak krążkowy (tramwaju, trolejbusu)

**trol·ley-bus** [ˋtrolɪ bʌs] *s* trolejbus

**trom·bone** [tromˋbəun] *s muz.* puzon

**troop** [trup] *s* grupa, gromadka; oddział wojskowy; *teatr* trupa; *pl* **~s** wojsko; *vi* iść grupą, gromadzić się; **~ing the colour** parada wojskowa

**troop·er** [ˋtrupə(r)] *s* kawalerzysta; *am.* policjant konny

**tro·phy** [ˋtrəufɪ] *s* łup wojenny,

trofeum; *sport* nagroda, pamiątka honorowa
**trop·ic** [`tropɪk] *s* zwrotnik; *adj* tropikalny
**trop·i·cal** [`tropɪkl] *adj* tropikalny, podzwrotnikowy
**trot** [trot] *s* kłus; *am. pot.* bryk; *przen.* **to keep on the ~** popędzać, utrzymywać w ruchu; *vi* kłusować; *vt także* **~ out** puszczać kłusem; popisywać się (**sth** czymś)
**troth** [trəuθ] *s* † wierność; słowo honoru; **to plight one's ~** ręczyć słowem honoru
**trou·ble** [`trʌbl] *s* niepokój, kłopot, troska, trud; zakłócenie; dolegliwość; **to ask for ~** szukać kłopotu, narażać się na kłopoty; **to get into ~** popaść w tarapaty; **to take the ~** zadać sobie trud; *vt vi* niepokoić (się), dręczyć (się); przeszkadzać; fatygować (się); martwić (się); mącić
**trou·ble·some** [`trʌblsəm] *adj* niepokojący, kłopotliwy, uciążliwy
**trough** [trof] *s* koryto
**troupe** [trup] *s teatr* trupa
**trou·sers** [`trauzəz] *s pl* spodnie
**trout** [traut] *s zool.* pstrąg
**trow·el** [trauḷ] *s* kielnia, łopata
**tru·an·cy** [`truənsɪ] *s* absencja; wagary
**tru·ant** [`truənt] *s* opuszczający pracę; uczeń na wagarach; **to play ~** chodzić na wagary
**truce** [trus] *s* rozejm
**truck 1.** [trʌk] *s* wózek ciężarowy, wózek ręczny; lora, platforma; samochód ciężarowy; *vt* przewozić wózkiem ⟨platformą itp.⟩; ładować na wózek ⟨platformę itp.⟩
**truck 2.** [trʌk] *s* wymiana; handel wymienny; wynagrodzenie w naturze; drobne artykuły codziennego użytku; *am.* jarzyny; *vt vi* wymieniać; prowadzić handel wymienny ⟨domokrążny⟩
**truc·u·lent** [`trʌkjulənt] *adj* srogi, dziki, barbarzyński, gwałtowny
**trudge** [trʌdʒ] *vi* wlec się, iść z trudem; *s* uciążliwy marsz
**true** [tru] *adj* prawdziwy; wierny; rzetelny; zgodny (np. z rzeczywistością); **to come ~** sprawdzić się; **(it's) ~!; quite ~!** słusznie!, racja!
**true-blue** ['tru `blu] *adj* lojalny
**tru·ly** [`trulɪ] *adv* prawdziwie, wiernie; szczerze; rzeczywiście
**trump** [trʌmp] *s* atut; *vt* przebić atutem; **~ up** zmyślić, sfingować
**trump·er·y** [`trʌmpərɪ] *s zbior.* tandeta, bezwartościowe błyskotki; bzdury; paplanina; *adj* tandetny
**trum·pet** [`trʌmpɪt] *s* trąbka; trąba; dźwięk trąby; **to blow the ~** grać na trąbce; *przen.* **to blow one's own ~** chwalić się; *vt vi* trąbić
**trun·cate** [trʌŋ`keɪt] *vt* obciąć, okaleczyć
**trun·cheon** [`trʌntʃn] *s* pałka (policjanta); buława; *vt* bić pałką
**trun·dle** [`trʌndl] *s* rolka; wózek na rolkach; *vt vi* toczyć (się)
**trunk** [trʌŋk] *s* pień; tułów; kadłub; trąba słonia; kufer, skrzynka; (*także* **~-line**) (telefoniczna) linia międzymiastowa
**trunk-call** [`trʌŋk kɔl] *s* (telefoniczna) rozmowa międzymiastowa
**trunk-line** [`trʌŋk laɪn] *s* (telefoniczna) linia międzymiastowa; magistrala kolejowa
**trunk-road** [`trʌŋk rəud] *s* główna droga
**truss** [trʌs] *s* wiązka; *mors.* więźba; pęk; *med.* pas przepuklinowy; *vt vi* wiązać; pakować (się)
**trust** [trʌst] *s* zaufanie, wiara; trust; *vi* ufać, wierzyć (**sb** komuś); pokładać ufność (**in sb** w kimś); polegać (**to sb, sth** na kimś, czymś); *vi* powierzyć (**sb with sth, sth to sb** coś komuś)
**trus·tee** [trʌ`sti] *s* powiernik; kurator; członek zarządu
**trust·ful** [`trʌstfl] *adj* ufny

**trust·wor·thy** [ˋtrʌst-wɜðɪ] *adj* godny zaufania, pewny
**trust·y** [ˋtrʌstɪ] *adj* † wierny
**truth** [truθ] *s* prawda, prawdziwość; wierność; rzetelność
**truth·ful** [ˋtruθfl] *adj* prawdziwy; prawdomówny
**try** [traɪ] *vt* próbować; doświadczać; sądzić (**sb** kogoś, **for sth** za coś); badać; *vi* starać się (**for sth** o coś); usiłować; **~ on** przymierzać; **~ out** wypróbować; *s* próba; usiłowanie; **to have a ~** spróbować
**try·cycle** [ˋtraɪsɪkl] *s* rower na trzech kołach
**try·ing** [ˋtraɪɪŋ] *adj* męczący; przykry
**tsar, tsarina** *zob.* **tzar, tzarina**
**tub** [tʌb] *s* kadź; wanna; (*także* **wash-~**) balia
**tuba** [ˋtjubə] *s* *muz.* tuba
**tube** [tjub] *s* rura; dętka (roweru, opony); tubka; przewód; *pot.* (*w Londynie*) kolej podziemna, metro
**tu·ber·cu·lar** [tjuˋbɜkjulə(r)] *adj* gruźliczy
**tu·ber·cu·lo·sis** [tjuˈbɜkjuˋləʊsɪs] *s* gruźlica
**tuck** [tʌk] *s* fałda, zakładka; *zbior. pot.* łakocie; *vt* składać w fałdy, podwijać; wtykać, chować; **~ away** schować; **~ in** wpychać; zbierać; owijać; **~ up** podwijać, zakasywać
**Tues·day** [ˋtjuzdɪ] *s* wtorek
**tuft** [tʌft] *s* kiść, pęk
**tug** [tʌg] *vt vi* ciągnąć; holować; szarpać; wysilać się; *s* pociągnięcie; zmaganie; holownik
**tug·boat** [ˋtʌg bəʊt] *s* holownik
**tu·i·tion** [tjuˋɪʃn] *s* szkolenie, nauka; opłata za naukę
**tu·lip** [ˋtjulɪp] *s* *bot.* tulipan
**tum·ble** [ˋtʌmbl] *vt vi* przewrócić (się), wywrócić (się); upaść; potoczyć się; *s* upadek; nieład
**tum·bler** [ˋtʌmblə(r)] *s* akrobata; kuglarz; szklanka, kubek
**tum·brel** [ˋtʌmbrəl] *s* wózek, wywrotka
**tu·me·fy** [ˋtjumɪfaɪ] *vi* obrzęknąć; *vt* powodować obrzęk
**tu·mid** [ˋtjumɪd] *adj* nabrzmiały
**tu·mour** [ˋtjumə(r)] *s* *med.* guz, tumor, nowotwór
**tu·mult** [ˋtjumʌlt] *s* tumult, hałas; zamęt
**tu·mu·lus** [ˋtjumjuləs] *s* (*pl* **tumuli** [ˋtjumjulaɪ]) kurhan, kopiec
**tu·na** [ˋtjunə] *s* = **tunny**
**tune** [tjun] *s* ton; melodia, pieśń; harmonia; *vt vi* harmonizować; stroić; **~ in** nastawić radio (**to a wave** na daną falę); **~ up** nastroć się; zacząć grać, zaintonować; **out of ~** (*o instrumencie*) rozstrojony; (*o dźwięku*) fałszywy
**tune·ful** [ˋtjunfl] *adj* melodyjny
**tu·nic** [ˋtjunɪk] *s* tunika; bluza (wojskowa)
**tun·ing-fork** [ˋtjunɪŋ fɔk] *s* *muz.* kamerton
**tun·nel** [ˋtʌnl] *s* tunel; przewód, rura
**tun·ny** [ˋtʌnɪ] *s* *zool.* tuńczyk
**tur·ban** [ˋtɜbən] *s* turban
**tur·bid** [ˋtɜbɪd] *adj* mętny
**tur·bine** [ˋtɜbaɪn] *s* turbina
**tur·bu·lent** [ˋtɜbjulənt] *adj* burzliwy; buntowniczy
**tu·reen** [tjuˋrin] *s* waza (na zupę)
**turf** [tɜf] *s* murawa, darń; torf; **the ~** tor wyścigowy; wyścigi konne
**tur·gid** [ˋtɜdʒɪd] *adj* nabrzmiały; *przen.* (*o stylu*) napuszony
**Turk** [tɜk] *s* Turek
**tur·key** [ˋtɜkɪ] *s* *zool.* indyk
**Turk·ish** [ˋtɜkɪʃ] *adj* turecki; *s* język turecki
**tur·moil** [ˋtɜmɔɪl] *s* zamieszanie, wrzawa
**turn** [tɜn] *vt vi* obracać (się), przewracać (się), zwracać (się); zmieniać (się), przeistaczać (się); stawać się; tłumaczyć; nicować; **to ~ the corner** skręcić na rogu (ulicy), minąć zakręt; *przen.* przeżyć kryzys; **to ~ loose** wypuścić

na wolność; to ~ a deaf ear puszczać mimo uszu, nie słuchać; to ~ one's coat zmienić przekonania, przejść do przeciwnej partii; to ~ pale zblednąć; to ~ soldier zostać żołnierzem, wstąpić do wojska; *przen. z przysłówkami:* ~ **aside** odbić (np. cios); odchylić się; ~ **away** uchylić; usunąć, wypędzić; odstąpić; ~ **back** odwrócić (się); powrócić; ~ **down** zagiąć; obalić; ~ **in** zawinąć, założyć do środka; wejść, wstąpić; pójść spać; ~ **off** odwrócić (się); odkręcić (się); usunąć (się), odsunąć (się); poniechać; **to ~ off the light** zgasić światło; ~ **on** nakręcić; nastawić; **to ~ on the light** zapalić światło, zaświecić; ~ **out** wywrócić; wyrzucić, wypędzić; wytrącić; zostać wytrąconym; wystąpić, ukazać się; okazać się; **to ~ out well** wyjść na dobre, dobrze się skończyć; ~ **over** przewracać; przekazywać; przejść na drugą stronę; przemyśleć; ~ **round** obrócić (się); przekręcić (się); kręcić (się); *przen.* zmienić przekonania; ~ **up** wywracać ku górze; podnosić (się); dziać się, stawać się; zdarzać się; odkrywać (np. zakopany skarb); zjawić się; *s* obrót, zwrot, skręt; skłonność; kierunek; uzdolnienie; właściwość; kształt; kolejność, kolej; turnus; wyczyn, uczynek; cel, korzyść; *pot.* kawał; ~ **of mind** mentalność; **to give ~ for ~** odpłacić pięknym za nadobne; **to take a ~** wyjść na przechadzkę; skręcić; **to take a ~ of work** popracować jakiś czas; **it is my ~** teraz na mnie kolej; **does it serve your ~?** czy to ci się na coś przyda?; **at every ~** przy każdej sposobności; **in ~, by ~s** po kolei

**turn·a·bout** [`t3nəbaut] *s* zwrot, obrót

**turn·coat** [`t3nkəut] *s* renegat, sprzeniewierca

**turn·er** [`t3nə(r)] *s* tokarz

**turn·ing** [`t3nɪŋ] *s* zakręt, zwrot; **to take a ~** skręcić

**turn·ing-point** [`t3nɪŋ pɔɪnt] *s* punkt zwrotny, przesilenie

**tur·nip** [`t3nɪp] *s bot.* rzepa; *pot.* (*zegarek*) cebula

**turn·key** [`t3nki] *s* dozorca więzienny, klucznik

**turn-out** [`t3n aut] *s* zgromadzenie, publiczność; mundur (*zw.* wojskowy); strajk; zaprzęg; rozjazd (kolejowy); stawienie się; ekwipunek; produkcja, wydajność

**turn·o·ver** [`t3nəuvə(r)] *s handl.* obrót; zwrot (w stanowisku, poglądach); kapotaż

**turn·pike** [`t3npaɪk] *s* rogatka, szlaban

**turn·sole** [`t3nsəul] *s* roślina heliotropiczna

**turn-up** [`t3nʌp] *s* mankiet u spodni; *przen.* bijatyka

**tur·pen·tine** [`t3pəntaɪn] *s* terpentyna

**tur·pi·tude** [`t3pɪtjud] *s* nikczemność

**tur·quoise** [`t3kwɔɪz] *s* turkus

**tur·ret** [`tʌrət] *s* wieżyczka

**tur·tle** [`t3tl] *s zool.* żółw (morski)

**tur·tle-dove** ['t3tl `dʌv] *s zool.* turkawka

**tusk** [tʌsk] *s* kieł (słonia)

**tu·te·lage** [`tjutlɪdʒ] *s* kuratela

**tu·tor** [`tjutə(r)] *s* guwerner; korepetytor; wychowawca; kierujący pracą studentów

**tux·e·do** [tʌk`sidəu] *s am.* smoking

**twad·dle** [`twodl] *vi* paplać, gadać; *s* paplanie

**twain** [tweɪn] *num poet. dial.* dwa

**twang** [twæŋ] *vt vi* brzdąkać; brzęczeć; mówić przez nos; *s* brzdęk; wymowa nosowa

**'twas** [twəz] = **it was**

**tweed** [twid] *s* tweed

**tweed·le** [`twidl] *vi* brzdąkać

**'tween** [twɪn] *praep poet.* = **between**

**tweez·ers** [`twizəz] *s pl* szczypczyki, pincetka

**twelfth** [twelfθ] *adj* dwunasty
**Twelfth-night** [ˈtwelfθ ˋnaɪt] *s* wigilia Trzech Króli
**twelve** [twelv] *num* dwanaście; *s* dwunastka
**twelve·month** [ˋtwelvmʌnθ] *s* rok; **this day ~** od dziś za rok; od roku
**twen·ti·eth** [ˋtwentɪəθ] *adj* dwudziesty
**twen·ty** [ˋtwentɪ] *num* dwadzieścia
**'twere** [twɜ(r), twə(r)] *poet.* = **it were**
**twice** [twaɪs] *adv* dwa razy
**twid·dle** [ˋtwɪdl] *vt* kręcić, przebierać (palcami)
**twig** [twɪg] *s* gałązka; różdżka; *anat.* żyłka
**twi·light** [ˋtwaɪlaɪt] *s* brzask, zmierzch, półmrok
**'twill** [twɪl] = **it will**
**twin** [twɪn] *s* bliźniak; *attr* bliźniaczy
**twine** [twaɪn] *s* sznur, szpagat; zwój; *vt vi* zwijać (się), splatać (się)
**twinge** [twɪndʒ] *vi* rwać, kłuć, silnie boleć; *s* rwanie, kłucie, silny ból; **~ of conscience <remorse>** wyrzuty sumienia
**twin·kle** [ˋtwɪŋkl] *vi* migotać; *s* migotanie
**twirl** [twɜl] *vt vi* wiercić (się), szybko kręcić (się); *s* wirowanie, kręcenie (się)
**twist** [twɪst] *s* skręt, zakręt, skręcenie; splot; zwitek; skłonność, nastawienie; (*taniec*) twist; *vt vi* kręcić (się), wić (się), wikłać (się), splatać (się); wykręcać; przekręcać; **~ off** odkręcić; **~ up** skręcić, zwinąć
**twitch** [twɪtʃ] *vt vi* szarpać, rwać; nerwowo drgać; wykrzywiać (się); *s* szarpnięcie; drgawka
**twit·ter** [ˋtwɪtə(r)] *vi* ćwierkać, świergotać; *s* świergot
**'twixt** [twɪkst] *poet.* = **betwixt**
**two** [tu] *num* dwa; *s* dwójka; **~ and ~, by ~s, in ~s** dwójkami, parami
**two-deck·er** [ˋtu dekə(r)] *s mors.* dwupokładowiec
**two·fold** [ˋtu-fəuld] *adj* podwójny
**two·pence** [ˋtʌpns] *s* dwupensówka, moneta wartości dwóch pensów
**two-piece** [ˈtuˋpis] *s* zestaw dwuczęściowy (np. kostium); *adj attr* dwuczęściowy
**ty·coon** [taɪˋkun] *s pot.* magnat, przemysłowiec
**ty·ing** [ˋtaɪɪŋ] *p praes od* **tie** *vt*
**tyke** [taɪk] *s* kundel
**type** [taɪp] *s* typ; wzór; czcionka, *zbior.* czcionki; druk; **bold ~** tłuste czcionki, tłusty druk; **to be in ~** być złożonym; **to appear in ~** ukazać się w druku; *vt* pisać na maszynie
**type·script** [ˋtaɪpskrɪpt] *s* maszynopis
• **type·write** [taɪp-raɪt], **typewrote** [ˋtaɪp-rəut], **typewritten** [ˋtaɪp-rɪtn] *vt vi* pisać na maszynie
**type·writ·er** [ˋtaɪp-raɪtə(r)] *s* maszyna do pisania
**type·writ·ten** *zob.* **typewrite**
**type·wrote** *zob.* **typewrite**
**ty·phoid** [ˋtaɪfɔɪd] *adj med.* tyfoidalny; **~ fever** tyfus, dur brzuszny
**ty·phoon** [taɪˋfun] *s* tajfun
**ty·phus** [ˋtaɪfəs] *s med.* tyfus plamisty
**typ·i·cal** [ˋtɪpɪkl] *adj* typowy (**of sth** dla czegoś)
**typ·i·fy** [ˋtɪpɪfaɪ] *vt* stanowić typ, być wzorem
**typ·ist** [ˋtaɪpɪst] *s* maszynistka, osoba pisząca na maszynie
**ty·pog·ra·phy** [taɪˋpogrəfɪ] *s* typografia; szata graficzna
**ty·ran·ni·cal** [tɪˋrænɪkl] *adj* tyrański
**tyr·an·nize** [ˋtɪrənaɪz] *vi* być tyranem; *vt* tyranizować
**tyr·an·ny** [ˋtɪrənɪ] *s* tyrania
**ty·rant** [ˋtaɪərənt] *s* tyran
**tyre** *zob.* **tire** 2.
**tzar** [za(r)] *s* car
**tza·ri·na** [zaˋrinə] *s* caryca

# U

**u·biq·ui·tous** [ju`bıkwətəs] *adj* wszędzie obecny; (*o człowieku*) wszędobylski
**ud·der** [`ʌdə(r)] *s* wymię
**ug·li·fy** [`ʌglıfaı] *vt* szpecić, zeszpecić
**ug·li·ness** [`ʌglınəs] *s* brzydota
**ug·ly** [`ʌglı] *adj* brzydki
**U·krain·i·an** [ju`kreınıən] *adj* ukraiński; *s* język ukraiński
**ul·cer** [`ʌlsə(r)] *s med.* wrzód
**ul·cer·ate** [`ʌlsəreıt] *vt* spowodować owrzodzenie; rozjątrzyć; *vi* owrzodzieć
**ul·te·ri·or** [ʌl`tıərıə(r)] *adj* dalszy
**ul·ti·mate** [`ʌltımət] *adj* ostateczny; podstawowy
**ul·ti·ma·tum** [ˈʌltı`meıtəm] *s* ultimatum
**ul·tra 1.** [`ʌltrə] *adj* krańcowy
**ul·tra- 2.** [`ʌltrə] *praef* ponad-, poza-
**um·brage** [`ʌmbrıdʒ] *s* uraza; obraza; **to take ~ at sth** obrazić się o coś
**um·brel·la** [ʌm`brelə] *s* parasol, parasolka
**um·pire** [`ʌmpaıə(r)] *s* arbiter; *sport* sędzia; *vi vt* sędziować, rozstrzygać
**un-** [ʌn-] *praef* nie-, od-, roz-
**un·a·bat·ed** [ˈʌnə`beıtıd] *adj* nie zmniejszony, nie słabnący
**un·a·ble** [ʌn`eıbl] *adj* niezdolny; **to be ~** nie móc
**un·a·bridged** [ˈʌnə`brıdʒd] *adj* nie skrócony
**un·ac·cept·a·ble** [ˈʌnək`septəbl] *adj* nie do przyjęcia
**un·ac·count·a·ble** [ˈʌnə`kauntəbl] *adj* niewytłumaczalny; nieodpowiedzialny
**un·af·fect·ed** [ˈʌnə`fektıd] *adj* niewymuszony, niekłamany; niewzruszony
**un·al·loyed** [ˈʌnə`lɔıd] *adj* nie zmieszany, czysty; bez domieszki
**un·al·ter·a·ble** [ʌn`ɔltərəbl] *adj* niezmienny
**u·na·nim·i·ty** [ˈjunə`nımətı] *s* jednomyślność
**u·nan·i·mous** [ju`nænıməs] *adj* jednomyślny
**un·an·swer·a·ble** [ʌn`ansṛəbl] *adj* wykluczający odpowiedź; bezsporny
**un·ap·peas·a·ble** [ˈʌnə`pizəbl] *adj* nienasycony; nie zaspokojony; nieubłagany
**un·ap·proach·a·ble** [ˈʌnə`prəutʃəbl] *adj* niedostępny; niedościgniony
**un·as·sail·a·ble** [ˈʌnə`seıləbl] *adj* nie do zdobycia; nienaruszalny; bezsporny
**un·as·sum·ing** [ˈʌnə`sjumıŋ] *adj* bezpretensjonalny, skromny
**un·at·tain·a·ble** [ˈʌnə`teınəbl] *adj* nieosiągalny
**un·a·vail·ing** [ˈʌnə`veılıŋ] *adj* bezużyteczny; bezskuteczny
**un·a·void·a·ble** [ˈʌnə`vɔıdəbl] *adj* nieunikniony
**un·a·ware** [ˈʌnə`weə(r)] *adj* nieświadomy, nie wiedzący (**of sth** o czymś)
**un·a·wares** [ˈʌnə`weəz] *adv* nieświadomie; niespodziewanie
**un·bal·ance** [ʌn`bæləns] *vt* wytrącić z równowagi; *s* brak równowagi
**un·bar** [ʌn`ba(r)] *vt* odryglować, otworzyć
**un·bear·a·ble** [ʌn`beərəbl] *adj* nieznośny, nie do wytrzymania
**un·be·com·ing** [ˈʌnbı`kʌmıŋ] *adj* nie na miejscu, nielicujący, niestosowny; **it is ~ of you to ...** nie wypada ci ...
**un·be·liev·a·ble** [ˈʌnbı`livəbl] *adj* niewiarygodny, nie do wiary
**un·be·liev·er** [ˈʌnbı`livə(r)] *s* człowiek niewierzący, ateista
**un·bend** [ˈʌn`bend] *vt vi* (*formy zob.* **bend**) odgiąć (się), odprężyć (się); wyprostować (się)

**un·bend·ing** [ˈʌnˋbendɪŋ] *adj* nieugięty
**un·bent** *zob.* **unbend**
**un·bi·assed** [ʌnˋbaɪəst] *adj* bezstronny, nieuprzedzony
**un·bid·den** [ʌnˋbɪdn] *adj* nieproszony; spontaniczny
**un·bind** [ʌnˋbaɪnd] *vt* (*formy zob.* **bind**) rozwiązać, odwiązać; zwolnić (z więzów), rozkuć
**un·blem·ished** [ʌnˋblemɪʃt] *adj* nieskazitelny
**un·born** [ˈʌnˋbɔn] *adj* nie urodzony; (*o pokoleniu*) przyszły
**un·bos·om** [ʌnˋbuzəm] *vt vi* wywnętrzyć (się), wynurzyć (się)
**un·bound** [ʌnˋbaund] *pp zob.* **unbind**; *adj* (*o książce*) nie oprawiony
**un·bound·ed** [ʌnˋbaundɪd] *adj* nieograniczony, bezgraniczny
**un·bred** [ʌnˋbred] *adj* bez wychowania
**un·bri·dled** [ʌnˋbraɪdld] *adj* nieokiełznany; wyuzdany, rozwydrzony
**un·bro·ken** [ʌnˋbrəukən] *adj* nie złamany; niezłomny; nieprzerwany
**un·bur·den** [ʌnˋbɜdn] *vt* zdjąć ciężar (**sb, sth** z kogoś, czegoś); odciążyć
**un·but·ton** [ʌnˋbʌtn] *vt* rozpiąć
**un·called** [ʌnˋkɔld] *adj* nie wołany; **~ for** niepożądany; nie na miejscu; nie sprowokowany; bezpodstawny
**un·can·ny** [ʌnˋkænɪ] *adj* niesamowity
**un·cer·tain** [ʌnˋsɜtn] *adj* niepewny, wątpliwy
**un·chain** [ʌnˋtʃeɪn] *vt* uwolnić z więzów, rozkuć, rozpętać; spuścić z łańcucha
**un·chart·ed** [ʌnˋtʃatɪd] *adj* nie oznaczony na mapie; nie zbadany
**un·checked** [ʌnˋtʃekt] *adj* niepowstrzymany, nieposkromiony; nie kontrolowany
**un·civ·il** [ʌnˋsɪvl] *adj* nieuprzejmy; niekulturalny
**un·claimed** [ʌnˋkleɪmd] *adj* nie żądany; nie poszukiwany; (*o przedmiocie itp.*) do którego nikt nie rości pretensji
**un·clasp** [ʌnˋklasp] *vt* rozewrzeć; uwolnić z uścisku; otworzyć (np. scyzoryk)
**un·cle** [ˋʌŋkl] *s* wuj; stryj
**un·close** [ʌnˋkləuz] *vt vi* otworzyć (się); ujawnić (tajemnicę itp.)
**un·cloud** [ʌnˋklaud] *vt* rozproszyć chmury; *przen.* rozchmurzyć (twarz)
**un·cocked** [ʌnˋkokt] *adj* (*o strzelbie*) ze spuszczonym kurkiem
**un·coil** [ʌnˋkɔɪl] *vt vi* odwinąć (się), rozwinąć (się)
**un·com·fort·a·ble** [ʌnˋkʌmftəbl] *adj* niewygodny, nieprzytulny; nieprzyjemny; czujący się niedobrze ⟨nieswojo⟩
**un·com·mon** [ʌnˋkomən] *adj* niezwykły
**un·com·pro·mis·ing** [ʌnˋkomprəmaɪzɪŋ] *adj* bezkompromisowy
**un·con·cern** [ˈʌnkənˋsɜn] *s* obojętność, beztroska
**un·con·cerned** [ˈʌnkənˋsɜnd] *adj* obojętny, beztroski, nie zainteresowany
**un·con·di·tion·al** [ˈʌnkənˋdɪʃnl] *adj* bezwarunkowy
**un·con·quer·a·ble** [ʌnˋkoŋkərəbl] *adj* niepokonany
**un·con·scious** [ʌnˋkonʃəs] *adj* nieświadomy; nieprzytomny
**un·con·sid·ered** [ˈʌnkənˋsɪdəd] *adj* nierozważny
**un·con·solable** [ˈʌnkənˋsəuləbl] *adj* niepocieszony
**un·con·trol·la·ble** [ˈʌnkənˋtrəuləbl] *adj* nie do opanowania, niepohamowany
**un·cork** [ʌnˋkɔk] *vt* odkorkować
**un·count·a·ble** [ʌnˋkauntəbl] *adj* niezliczony, nie dający się policzyć; *gram.* niepoliczalny
**un·coup·le** [ʌnˋkʌpl] *vt* rozłączyć, odpiąć; spuścić ze smyczy (psa)

**un·couth** [ʌn`kuθ] *adj* nieokrzesany; niezgrabny; dziwny
**un·cov·er** [ʌn`kʌvə(r)] *vt vi* odsłonić (się), odkryć (się); zdjąć (pokrywę, kapelusz)
**unc·tion** [`ʌŋkʃn] *s rel.* namaszczenie; balsam, ukojenie
**unc·tu·ous** [`ʌŋktjuəs] *adj* tłusty; *przen.* namaszczony, napuszony
**un·daunt·ed** [ʌn`dɔntɪd] *adj* nieustraszony
**un·de·ceive** [ʹʌndɪ`siv] *vt* wyprowadzić z błędu
**un·de·cid·ed** [ʹʌndɪ`saɪdɪd] *adj* niezdecydowany
**un·de·liv·ered** [ʹʌndɪ`lɪvəd] *adj* nie uwolniony; nie dostarczony, nie doręczony
**un·de·mon·stra·tive** [ʹʌndɪ`monstrətɪv] *adj* pełen rezerwy, opanowany
**un·de·ni·a·ble** [ʹʌndɪ`naɪəbl] *adj* niezaprzeczalny
**un·der** 1. [`ʌndə(r)] *praep* pod, poniżej; według (np. umowy); w trakcie (np. naprawy); *adv* poniżej, u dołu; *adj* poniższy, dolny
**un·der-** 2. [`ʌndə(r)] *praef* pod-
**un·der·brush** [`ʌndəbrʌʃ] *s* zarośla; podszycie (lasu)
**un·der·car·riage** [`ʌndəkærɪdʒ] *s* podwozie (np. samochodu)
**un·der·clothes** [`ʌndəkləuðz] *s pl*, **un·der·cloth·ing** [`ʌndəkləuðɪŋ] *s* bielizna
**un·der·cur·rent** [`ʌndəkʌrənt] *s* prąd podwodny; *przen.* nurt
**un·der·de·vel·oped** [ʹʌndədɪ`veləpt] *adj* niedostatecznie rozwinięty; gospodarczo zacofany
**un·der·done** [ʹʌndə`dʌn] *adj* (*o mięsie*) nie dosmażony
**un·der·es·ti·mate** [ʹʌndər`estɪmeɪt] *vt* nie doceniać
**un·der·fed** [ʹʌndə`fed] *adj* niedożywiony
**un·der·foot** [ʹʌndə`fut] *adv* pod nogami, u dołu
**un·der·go** [ʹʌndə`gəu] *vt* (*formy zob.* go) poddać się, doświadczyć, doznać; być poddanym próbie; przechodzić; (*o egzaminie*) składać
**un·der·grad·u·ate** [ʹʌndə`grædʒuət] *s* student
**un·der·ground** [ʹʌndə`graund] *adv* pod ziemią; **the ~ movement** podziemny ruch oporu; *s* [`ʌndəgraund] podziemie; kolej podziemna; metro; *adj* podziemny
**un·der·growth** [`ʌndəgrəuθ] *s* niepełny wzrost, niedorozwój; podszycie (lasu)
**un·der·hand** [ʹʌndə`hænd] *adj* potajemny, skryty, zakulisowy, podstępny; *adv* potajemnie, skrycie
**un·der·laid** *zob.* **underlay 2.**
**un·der·lain** *zob.* **underlie**
**un·der·lay** 1. *zob.* **underlie**
**un·der·lay** 2. [ʹʌndə`leɪ] *vt* (*formy zob.* lay) podkładać
**un·der·lie** [ʹʌndə`laɪ] *vt* (*formy zob.* lie) leżeć (sth pod czymś); leżeć u podstaw (sth czegoś); znajdować się poniżej (sth czegoś)
**un·der·line** [ʹʌndə`laɪn] *vt* podkreślać; *s* [`ʌndəlaɪn] podkreślenie; podpis
**un·der·ly·ing** *p praes od* **underlie;** *adj* podstawowy; ukryty
**un·der·mine** [ʹʌndə`maɪn] *vt* podkopać (fundament, zaufanie itd.)
**un·der·most** [`ʌndəməust] *adj* najniższy, znajdujący się u samego dołu
**un·der·neath** [ʹʌndə`niθ] *praep* pod; *adv* poniżej, u dołu
**un·der·paid** *zob.* **underpay**
**un·der·pay** [ʹʌndə`peɪ] *vt* (*formy zob.* pay) niedostatecznie opłacać, źle wynagradzać
**un·der·plot** [`ʌndəplot] *s lit.* wątek uboczny
**un·der·rate** [ʹʌndə`reɪt] *vt* nie doceniać
**un·der·score** [`ʌndə`skɔ(r)] *vt* podkreślać
**un·der·sec·re·tar·y** [ʹʌndə`sekrətrɪ] *s* podsekretarz (stanu), wiceminister

**un·der·sell** ['ʌndə'sel] *vt* (*formy zob.* **sell**) sprzedawać poniżej ceny

**un·der·sign** ['ʌndə'saɪn] *vt* podpisać

**un·der·sized** ['ʌndəsaɪzd] *adj* wzrostu ⟨rozmiarów⟩ poniżej normy, drobny

**un·der·sold** *zob.* **undersell**

**un·der·stand** ['ʌndə'stænd] *vt vi* (*formy zob.* **stand**) rozumieć; słyszeć, dowiadywać się; znać się (sth na czymś); **to make oneself understood** porozumieć się; **it is understood** zakłada się; rozumie się samo przez się

**un·der·stand·ing** ['ʌndə'stændɪŋ] *s* rozum; rozumienie; porozumienie; założenie; *adj* rozumny; wyrozumiały

**un·der·state·ment** ['ʌndə'steɪtmənt] *s* niedomówienie

**un·der·stood** *zob.* **understand**

**un·der·stud·y** ['ʌndəstʌdɪ] *s teatr* aktor dublujący rolę ⟨zastępujący innego aktora⟩

**un·der·take** ['ʌndə'teɪk] *vt vi* (*formy zob.* **take**) brać na siebie, zobowiązywać się, podejmować się

**un·der·tak·er** ['ʌndəteɪkə(r)] *s* właściciel zakładu pogrzebowego

**un·der·tak·ing** ['ʌndə'teɪkɪŋ] *s* przedsięwzięcie; przedsiębiorstwo; zobowiązanie

**un·der·tone** ['ʌndətəun] *s* przytłumiony ton, półgłos

**un·der·took** *zob.* **undertake**

**un·der·val·ue** ['ʌndə'vælju] *vt* nie doceniać, nisko cenić

**un·der·wear** ['ʌndəweə(r)] *s* bielizna

**un·der·went** *zob.* **undergo**

**un·der·world** ['ʌndəwɜld] *s* świat zmarłych, zaświaty; podziemie (przestępcze)

**un·der·write** ['ʌndə'raɪt] *vt* (*formy zob.* **write**) podpisywać; podpisywać polisę, ubezpieczać

**un·der·writ·er** ['ʌndəraɪtə(r)] *s* agent ubezpieczeniowy, asekurator

**un·der·writ·ten** *zob.* **underwrite**

**un·der·wrote** *zob.* **underwrite**

**un·de·sir·a·ble** ['ʌndɪ'zaɪərəbl] *adj* niepożądany; *s* człowiek niepożądany

**un·did** *zob.* **undo**

**un·dig·ni·fied** [ʌn'dɪgnɪfaɪd] *adj* niegodny; bez godności

**un·di·vid·ed** ['ʌndɪ'vaɪdɪd] *adj* niepodzielny, całkowity

**un·do** ['ʌn'du] *vt* (*formy zob.* **do**) rozewrzeć, otworzyć; rozpuścić; rozpiąć; zniweczyć; skasować

**un·doubt·ed** [ʌn'dautɪd] *adj* niewątpliwy

**un·dreamed** [ʌn'drimd], **un·dreamt** [ʌn'dremt] *adj* (*zw.* **~-of**) niesłychany, nieprawdopodobny, nie do pomyślenia

**un·dress** [ʌn'dres] *vt vi* rozbierać (się); zdejmować opatrunek; *s* strój domowy; negliż

**un·due** [ʌn'dju] *adj* nie należący; niesłuszny; niewłaściwy; nadmierny

**un·du·late** ['ʌndjuleɪt] *vi* falować; być falistym; *vt* powodować falowanie, nadawać wygląd falisty

**un·du·la·tion** ['ʌndju'leɪʃn] *s* falowanie

**un·dy·ing** [ʌn'daɪɪŋ] *adj* nieśmiertelny

**un·earth** [ʌn'ɜθ] *vt* odkopać, odgrzebać; wydobyć na światło dzienne

**un·earth·ly** [ʌn'ɜθlɪ] *adj* nieziemski; niesamowity

**un·eas·y** [ʌn'izɪ] *adj* niewygodny; przykry; niespokojny; nieswój

**un·em·ployed** ['ʌnɪm'plɔɪd] *adj* bezrobotny; nie wykorzystany

**un·em·ploy·ment** ['ʌnɪm'plɔɪmənt] *s* bezrobocie

**un·end·ing** [ʌn'endɪŋ] *adj* nie kończący się, wieczny

**un·e·qual** [ʌn'ikwəl] *adj* nierówny; niewyrównany

**un·e·quiv·o·cal** ['ʌnɪ'kwɪvəkl] *adj* niedwuznaczny

**un·err·ing** [ʌnˈɜrɪŋ] *adj* nieomylny
**un·es·sen·tial** [ˈʌnɪˈsenʃ] *adj* nieistotny
**un·e·ven** [ʌnˈivən] *adj* nierówny; nieparzysty
**un·ex·am·pled** [ˈʌnɪgˈzampld] *adj* bezprzykładny
**un·ex·cep·tion·a·ble** [ˈʌnɪkˈsepʃnəbl] *adj* nienaganny, bez zarzutu
**un·fail·ing** [ʌnˈfeɪlɪŋ] *adj* niezawodny
**un·fair** [ʌnˈfeə(r)] *adj* nieuczciwy; niesprawiedliwy; (*o grze*) nieprzepisowy
**un·faith·ful** [ʌnˈfeɪθfl] *adj* niewierny (**to sb** komuś)
**un·fa·mil·iar** [ˈʌnfəˈmɪlɪə(r)] *adj* nie zaznajomiony, nie przyzwyczajony; obcy, nieznany
**un·fashion·able** [ʌnˈfæʃnəbl] *adj* niemodny
**un·fas·ten** [ʌnˈfɑsn] *vt* rozluźnić; rozpiąć, otworzyć
**un·fath·omed** [ʌnˈfæðəmd] *adj* niezgłębiony, niezbadany
**un·fa·vour·a·ble** [ʌnˈfeɪvr̩əbl] *adj* nieprzychylny, niepomyślny
**un·feas·i·ble** [ʌnˈfizəbl] *adj* niewykonalny
**un·feel·ing** [ʌnˈfilɪŋ] *adj* nieczuły, bez serca
**un·fet·ter** [ʌnˈfetə(r)] *vt* uwolnić z więzów, rozpętać
**un·fit** [ʌnˈfɪt] *adj* nieodpowiedni, nie nadający się; niezdolny (**for sth** do czegoś)
**un·flinch·ing** [ʌnˈflɪntʃɪŋ] *adj* niezachwiany
**un·fold** [ʌnˈfəuld] *vt* rozwijać, rozchylać, odsłaniać; ujawniać
**un·for·get·ta·ble** [ˈʌnfəˈgetəbl] *adj* niezapomniany
**un·for·giv·able** [ˈʌnfəˈgɪvəbl] *adj* niewybaczalny
**un·for·tu·nate** [ʌnˈfɔtʃunət] *adj* niefortunny, nieszczęśliwy
**un·found·ed** [ʌnˈfaundɪd] *adj* bezpodstawny
**un·fre·quent·ed** [ˈʌnfrɪˈkwentɪd] *adj* nie odwiedzany, samotny
**un·fruit·ful** [ʌnˈfrutfl] *adj* bezpłodny; daremny; bezowocny
**un·furl** [ʌnˈfɜl] *vt* rozwijać, rozpościerać
**un·gain·ly** [ʌnˈgeɪnlɪ] *adj* niezgrabny
**un·gov·ern·a·ble** [ʌnˈgʌvn̩əbl] *adj* niesforny, nie do opanowania
**un·grate·ful** [ʌnˈgreɪtfl] *adj* niewdzięczny
**un·grudg·ing** [ʌnˈgrʌdʒɪŋ] *adj* hojny, szczodry
**un·guard·ed** [ʌnˈgadɪd] *adj* nie strzeżony; niebaczny; nierozważny
**un·hand·y** [ʌnˈhændɪ] *adj* niezgrabny; nieporęczny; niezdarny
**un·hap·py** [ʌnˈhæpɪ] *adj* nieszczęśliwy; niepomyślny, nieudany
**un·harmed** [ʌnˈhamd] *adj* nie uszkodzony, nietknięty, bez szwanku
**un·health·y** [ʌnˈhelθɪ] *adj* niezdrowy
**un·heard** [ʌnˈhɜd] *adj* nie słyszany; ~ **of** niesłychany, niebywały
**un·heed·ing** [ʌnˈhidɪŋ] *adj* nieuważny, niebaczny (**of sth** na coś)
**un·hes·i·tat·ing** [ʌnˈhezɪteɪtɪŋ] *adj* nie wahający się, stanowczy
**un·hinge** [ʌnˈhɪndʒ] *vt* wysadzić z zawiasów, wyważyć; wytrącić z równowagi
**uni-** [ˈjunɪ] *praef* jedno-
**u·ni·cel·lu·lar** [ˈjunɪˈseljulə(r)] *adj* *biol.* jednokomórkowy
**u·ni·corn** [ˈjunɪkɔn] *s* (mityczny) jednorożec
**u·ni·form** [ˈjunɪfɔm] *adj* jednolity; *s* mundur
**u·ni·form·i·ty** [ˈjunɪˈfɔmətɪ] *s* jednolitość
**u·ni·fy** [ˈjunɪfaɪ] *vt* jednoczyć, ujednolicać
**u·ni·lat·er·al** [ˈjunɪˈlætrl] *adj* jednostronny
**un·im·por·tant** [ˈʌnɪmˈpɔtənt] *adj* mało ważny
**un·in·vit·ing** [ˈʌnɪnˈvaɪtɪŋ] *adj* nie zachęcający, nie ujmujący

**un·ion** [`junɪən] *s* unia, związek, zjednoczenie; **the Union Jack** narodowa flaga brytyjska; **the Union of Soviet Socialist Republics** Związek Socjalistycznych Republik Radzieckich; **trade ~** związek zawodowy
**un·ion·ist** [`junɪənɪst] *s* członek związku zawodowego
**u·nique** [ju`nik] *adj* jedyny (w swoim rodzaju); *s* unikat
**u·ni·son** [`junɪzn] *s* zgodne brzmienie, zgoda
**u·nit** [`junɪt] *s* jednostka; *techn.* zespół
**u·nite** [ju`naɪt] *vt vi* jednoczyć (się), łączyć (się)
**u·ni·ty** [`junətɪ] *s* jedność
**u·ni·ver·sal** [ˌjunɪ`v3sl] *adj* uniwersalny, powszechny
**u·ni·verse** [`junɪv3s] *s* wszechświat
**u·ni·ver·si·ty** [ˌjunɪ`v3sətɪ] *s* uniwersytet
**un·just** [ʌn`dʒʌst] *adj* niesprawiedliwy, niesłuszny
**un·jus·ti·fi·a·ble** [ʌn`dʒʌstɪfaɪəbl] *adj* nieuzasadniony
**un·kempt** [ʌn`kempt] *adj* nieuczesany; zaniedbany, niechlujny
**un·kind** [ʌn`kaɪnd] *adj* nieuprzejmy; nieżyczliwy
**un·lace** [ʌn`leɪs] *vt* rozsznurować
**un·lade** [ʌn`leɪd] *vt* (*formy zob.* **lade**) rozładować, wyładować
**un·learn** [ʌn`l3n] *vt* (*formy zob.* **learn**) oduczyć się
**un·leash** [ʌn`liʃ] *vt* spuścić (psa) ze smyczy; *przen.* rozpętać
**un·less** [ən`les] *conj* jeśli nie, chyba, że
**un·let·tered** [ʌn`letəd] *adj* niewykształcony
**un·like** [ʌn`laɪk] *adj* niepodobny; *praep* niepodobnie, nie tak, jak
**un·like·ly** [ʌn`laɪklɪ] *adj* nieprawdopodobny; **he is ~ to come** on prawdopodobnie nie przyjdzie
**un·load** [ʌn`ləud] *vt* rozładować, wyładować
**un·lock** [ʌn`lok] *vt* otworzyć (zamek)
**un·loose** [ʌn`lus], **unloosen** [ʌn`lusn] *vt* rozluźnić (się), rozwiązać (się)
**un·luck·y** [ʌn`lʌkɪ] *adj* nieszczęśliwy, niefortunny
**un·mask** [ʌn`mɑsk] *vt* demaskować
**un·matched** [ʌn`mæʃt] *adj* niezrównany
**un·mean·ing** [ʌn`minɪŋ] *adj* nie mający znaczenia, nic nie mówiący
**un·meant** [ʌn`ment] *adj* mimowolny, nie zamierzony
**un·mis·tak·a·ble** [ˌʌnmɪ`steɪkəbl] *adj* niewątpliwy, oczywisty
**un·moved** [ʌn`muvd] *adj* niewzruszony
**un·named** [ʌn`neɪmd] *adj* nie nazwany, bezimienny
**un·nat·u·ral** [ʌn`nætʃərl] *adj* nienaturalny
**un·nec·es·sary** [ʌn`nesəsrɪ] *adj* niepotrzebny, zbyteczny
**un·nerve** [ʌn`n3v] *vt* zniechęcić, odebrać odwagę
**un·no·ticed** [ʌn`nəutɪst] *adj* nie zauważony; zlekceważony
**un·ob·jec·tion·a·ble** [`ʌnəb`dʒekʃnəbl] *adj* nienaganny, bez zarzutu
**un·of·fend·ing** [ˌʌnə`fendɪŋ] *adj* nieszkodliwy, niewinny
**un·pack** [ʌn`pæk] *vt vi* rozpakować (się)
**un·paid** [ʌn`peɪd] *adj* nie zapłacony; nieodpłatny
**un·pal·at·a·ble** [ʌn`pælətəbl] *adj* niesmaczny; nieprzyjemny
**un·par·al·leled** [ʌn`pærəleld] *adj* niezrównany; bezprzykładny
**un·par·don·a·ble** [ʌn`pɑdnəbl] *adj* niewybaczalny
**un·pen·e·tra·ble** [ʌn`penɪtrəbl] *adj* nie do przebycia
**un·pleas·ant** [ʌn`pleznt] *adj* nieprzyjemny
**un·prec·e·dent·ed** [ʌn`presɪdəntɪd] *adj* bez precedensu
**un·prej·u·diced** [ʌn`predʒədɪst] *adj* nieuprzedzony, bezstronny

**un·pre·ten·tious** ['ʌnprɪ'tenʃəs] *adj* bezpretensjonalny
**un·pro·duc·tive** ['ʌnprə'dʌktɪv] *adj* nieproduktywny
**un·prof·it·a·ble** [ʌn'profɪtəbl] *adj* niekorzystny
**un·qual·i·fied** [ʌn'kwolɪfaɪd] *adj* nie mający kwalifikacji; bezwarunkowy, bezwzględny
**un·ques·tion·a·ble** [ʌn'kwestʃənəbl] *adj* nie ulegający wątpliwości, bezsporny
**un·quote** [ʌn'kwəʊt] *vt* skończyć cytat
**un·rav·el** [ʌn'rævl] *vt vi* rozpleść; rozplątać (się); strzępić (się)
**un·read** [ʌn'red] *adj* nie przeczytany; nieoczytany, niewykształcony
**un·rea·son·a·ble** [ʌn'riznəbl] *adj* nierozsądny; niedorzeczny; (*o cenie*) wygórowany, nadmierny
**un·re·mit·ting** ['ʌnrɪ'mɪtɪŋ] *adj* nie słabnący; nieustanny
**un·re·served** ['ʌnrɪ'zɜvd] *adj* nie zastrzeżony; nieograniczony; bezwzględny; otwarty, szczery
**un·rest** [ʌn'rest] *s* niepokój; wzburzenie
**un·rid·dle** [ʌn'rɪdl] *vt* rozwiązać zagadkę, wyjaśnić
**un·ri·valled** [ʌn'raɪvld] *adj* niezrównany, bezkonkurencyjny
**un·roll** [ʌn'rəʊl] *vt vi* rozwinąć (się), odsłonić (się)
**un·ru·ly** [ʌn'rulɪ] *adj* niesforny
**un·safe** [ʌn'seɪf] *adj* niebezpieczny, niepewny
**un·said** [ʌn'sed] *adj* nie powiedziany
**un·say** [ʌn'seɪ] *vt* (*formy zob.* **say**) cofnąć słowo, odwołać
**un·scru·pu·lous** [ʌn'skrupjələs] *adj* nie mający skrupułów, bez skrupułów
**un·seal** [ʌn'sil] *vt* odpieczętować
**un·sea·son·a·ble** [ʌn'siznəbl] *adj* nie będący na czasie, niewczesny; niestosowny
**un·seem·ly** [ʌn'simlɪ] *adj* niestosowny, nieprzyzwoity
**un·seen** [ʌn'sin] *adj* nie widziany; nie oglądany; *s* tłumaczenie tekstu (bez przygotowania)
**un·set·tle** [ʌn'setl] *vt* zdezorganizować, zakłócić, zachwiać
**un·set·tled** [ʌn'setld] *adj* zakłócony; niespokojny; niepewny; bezdomny; nie załatwiony
**un·sew** [ʌn'səʊ] *vt* (*formy zob.* **sew**) rozpruć
**un·shak·en** [ʌn'ʃeɪkn] *adj* niewzruszony
**un·sight·ly** [ʌn'saɪtlɪ] *adj* brzydki
**un·skilled** [ʌn'skɪld] *adj* nie mający wprawy; niewykwalifikowany (robotnik)
**un·so·phis·ti·cat·ed** ['ʌnsə'fɪstɪkeɪtɪd] *adj* naturalny, prostolinijny, szczery; nieskomplikowany, prosty
**un·sound** [ʌn'saʊnd] *adj* niezdrowy; zepsuty; wadliwy; niepewny
**un·spar·ing** [ʌn'speərɪŋ] *adj* nie szczędzący; bezlitosny (**of sb** dla kogoś)
**un·speak·a·ble** [ʌn'spikəbl] *adj* niewypowiedziany
**un·stead·y** [ʌn'stedɪ] *adj* nietrwały, chwiejny, niepewny
**un·stick** [ʌn'stɪk] *vt* (*formy zob.* **stick**) odkleić, rozkleić
**un·stitch** [ʌn'stɪtʃ] *vt* rozpruć
**un·stuck** *zob.* **unstick**
**un·suc·cess·ful** ['ʌnsək'sesfl] *adj* nie mający powodzenia; nieudany, niepomyślny
**un·suit·a·ble** [ʌn'sjutəbl] *adj* nieodpowiedni, nie nadający się
**un·sur·passed** ['ʌnsə'pɑst] *adj* nieprześcigniony
**un·ten·a·ble** [ʌn'tenəbl] *adj* (*o teorii, pozycji itp.*) nie do utrzymania
**un·think·a·ble** [ʌn'θɪŋkəbl] *adj* nie do pomyślenia
**un·thought** [ʌn'θɔt] *adj* nie pomyślany; ~ **of** przechodzący wszelkie wyobrażenie, nieoczekiwany, nieprzewidziany
**un·ti·dy** [ʌn'taɪdɪ] *adj* nieporządny; niechlujny

**un·tie** [ʌn`taɪ] *vt vi* rozwiązać (się), odwiązać (się)
**un·til** [ʌn`tɪl] = **till**
**un·time·ly** [ʌn`taɪmlɪ] *adj* nie na czasie, nie w porę, niewczesny; przedwczesny
**un·tir·ing** [ʌn`taɪərɪŋ] *adj* niezmordowany
**un·to** [`ʌntu] *praep* = **to**
**un·told** [ʌn`təuld] *adj* niewypowiedziany, niesłychany; niepoliczony
**un·to·ward** [ˈʌntuˋwɔd] *adj* niepomyślny, niefortunny; niewczesny, niestosowny; oporny
**un·true** [ʌn`tru] *adj* niezgodny z prawdą
**un·truth** [ʌn`truθ] *s* nieprawda
**un·truth·ful** [ʌn`truθfl] *adj* nieprawdziwy, kłamliwy
**un·u·su·al** [ʌn`juʒuəl] *adj* niezwykły
**un·ut·ter·a·ble** [ʌn`ʌtrəbl] *adj* niewypowiedziany; nie do wymówienia
**un·veil** [ʌn`veɪl] *vt* odsłonić; wyjawić (np. tajemnicę)
**un·voic·ed** [ˈʌn`vɔɪst] *adj* nie wypowiedziany; *gram.* bezdźwięczny
**un·wel·come** [ʌn`welkəm] *adj* niepożądany, niemile widziany
**un·well** [ʌn`wel] *adj praed* niezdrowy
**un·wield·y** [ʌn`wildɪ] *adj* nieporadny; nieporęczny
**un·will·ing** [ʌn`wɪlɪŋ] *adj* niechętny
**un·wise** [ʌn`waɪz] *adj* niemądry
**un·wit·ting** [ʌn`wɪtɪŋ] *adj* nieświadomy (**of sth** czegoś)
**un·wom·an·ly** [ʌn`wumənlɪ] *adj* niekobiecy
**un·wont·ed** [ʌn`wəuntɪd] *adj* nieprzywykły; niezwykły
**un·world·ly** [ʌn`wɜdɪ] *adj* nie z tego świata, nieziemski
**un·wor·thy** [ʌn`wɜðɪ] *adj* niegodny, niewart
**un·wrap** [ʌn`ræp] *vt* rozwinąć, rozpakować
**un·yield·ing** [ʌn`jildɪŋ] *adj* nieustępliwy
**up** [ʌp] *adv* w górze, w górę; do góry; w pozycji stojącej ⟨podniesionej⟩; **up and down** w górę i w dół; ze zmiennym szczęściem; **up there** tam, w górze; **up to** aż do, do samego (szczytu itp.), po (np. kolana); do (czasów, okresu itp.); **up to date** na czasie, w modzie; **this side up** tą stroną do góry; **up with sth** na równi, na równym poziomie; **to be up** być na nogach; być w stanie wzburzenia ⟨wrzenia, buntu⟩; **to be up against sth** mieć trudności z czymś; **to be up for sth** sprostać czemuś; zajmować się czymś; być skłonnym do czegoś; **to be up for an examination** zdawać egzamin; **there is sth up** coś się dzieje; **what's up?** co się dzieje?; **what are you up to here?** co porabiasz?; **the road is up** droga jest rozkopana; **up (with you)!** wstawaj!; **up with ...!** niech żyje ...!; *po niektórych czasownikach oznacza zakończenie czynności, np.*: **to burn up** spalić doszczętnie; **to eat up** zjeść; **our time is up** nasz czas upłynął; *praep* w górę (po czymś) **up the stairs** w górę po schodach; **up the river** w górę rzeki; **up the stream** przeciw prądowi; *adj* idący ⟨prowadzący⟩ w górę; **up train** pociąg w kierunku stolicy; *s pl* **ups and downs** wzniesienia i spadki, góry i doliny; *przen.* wzloty i upadki, powodzenia i klęski
**up·braid** [ʌp`breɪd] *vt* ganić, robić wyrzuty
**up·bring·ing** [`ʌpbrɪŋɪŋ] *s* wychowanie
**up·heav·al** [ʌp`hivl] *s* wstrząs; *polit.* przewrót
**up·held** *zob.* **uphold**
**up·hill** [ˈʌp`hɪl] *adv* w górę; *adj* [`ʌphɪl] prowadzący w górę, stromy; *przen.* żmudny

**up·hold** [ʌp`həuld] *vt (formy zob.* **hold**) podtrzymywać; popierać
**up·hol·ster** [ʌp`həulstə(r)] *vt* wyściełać (meble), tapetować (pokój), zdobić (np. firankami)
**up·hol·ster·er** [ʌp`həulstərə(r)] *s* tapicer
**up·hol·ster·y** [ʌp`həulstərɪ] *s* tapicerstwo
**up·keep** [`ʌpkip] *s* utrzymanie, koszty utrzymania
**up·land** [`ʌplənd] *s* wyżyna; okolice górskie; **the ~s** okolice górskie; podhale
**up·lift** [ʌp`lɪft] *vt* podnieść; *s* [`ʌp lɪft] wzniesienie, podniesienie
**up·on** [ə`pon] = **on**
**up·per** [`ʌpə(r)] *adj* górny, wyższy; **~ hand** przewaga (**of sb** nad kimś)
**up·per·most** [`ʌpəməust] *adj* najwyższy, górujący; *adv* na (samej) górze, na górę
**up·raise** [ʌp`reɪz] *vt* podnieść
**up·right** [`ʌp-raɪt] *adj praed* prosty, wyprostowany, pionowy; *przen.* prostolinijny, rzetelny; **~ piano** pianino; *s* pion; *adv* prosto, pionowo
**up·rise** [ʌp`raɪz] *vi (formy zob.* **rise**) powstać, podnieść się; *s* [`ʌpraɪz] podniesienie się; wschód; awans
**up·ris·en** *zob.* **uprise**
**up·ris·ing** [ʌp`raɪzɪŋ] *s* podniesienie się; *polit.* powstanie
**up·roar** [`ʌp-rɔ(r)] *s* hałas, zamieszanie, rozruchy
**up·root** [ʌp`rut] *vt* wyrwać z korzeniem, wykorzenić
**up·rose** *zob.* **uprise**
**up·set** [ʌp`set] *vt vi (formy zob.* **set**) przewrócić (się); zdezorganizować (się); wyprowadzić z równowagi; zdenerwować; udaremnić; *s* [ʌp`set] przewrócenie; dezorganizacja; nieporządek; niepokój; rozstrój (żołądka); *adj* [ʌp`set] przewrócony; zaniepokojony; zdenerwowany; **to become ⟨to get⟩ ~** zdenerwować się
**up·shot** [`ʌpʃot] *s* wynik, rezultat
**up·side** [`ʌpsaɪd] *s* górna strona; **~ down** do góry nogami
**up·stairs** [ʌp`steəz] *adv* w górę (po schodach); na górze; na piętrze
**up·start** [`ʌpstat] *s* parweniusz
**up·stream** [ʌp`strim] *adv* pod prąd
**up-to-date** [ʌp tə `deɪt] *adj* nowoczesny, modny, aktualny
**up·turn** [ʌp`tɜn] *vt* przewrócić; *s* [`ʌptɜn] przewrót
**up·ward** [`ʌpwəd] *adj* zwrócony ku górze; *adv* = **upwards**
**up·wards** [`ʌpwədz] *adv* w górę, ku górze; **~ of** ponad, powyżej
**u·ra·ni·um** [ju`reɪnɪəm] *s chem.* uran
**ur·ban** [`ɜbən] *adj* miejski
**ur·bane** [ɜ`beɪn] *adj* wytworny, grzeczny, uprzejmy
**ur·ban·i·ty** [ɜ`bænətɪ] *s* ogłada, wytworność, uprzejmość
**ur·chin** [`ɜtʃɪn] *s* urwis
**urge** [ɜdʒ] *vt* nalegać, przynaglać, popędzać; mocno podkreślać; *s* popęd, bodziec
**ur·gen·cy** [`ɜdʒənsɪ] *s* naleganie; nagła potrzeba, nagląca konieczność, nagłość
**ur·gent** [`ɜdʒənt] *adj* nagły, naglący; natarczywy
**u·rine** [`juərɪn] *s* mocz
**urn** [ɜn] *s* urna; dzbanek (na herbatę itp.)
**us** *zob.* **we**
**us·age** [`juzɪdʒ] *s* zwyczaj; sposób używania; stosowanie (np. wyrazu); traktowanie
**use** [juz] *vt* używać, stosować; traktować; **~ up** zużyć, wyczerpać; zniszczyć; **~d** [just]+*bezokolicznik oznacza powtarzanie się czynności, np.*: **I ~d to** miałem zwyczaj; **he ~d to say** miał zwyczaj mówić, mawiał; *s* [jus] użytek, zastosowanie, używalność, użyteczność; zwyczaj; **to be of ~** być pożytecznym, przydać się; **to have no ~ for a thing** nie potrzebować czegoś; **it's no ~ (of) going there** nie ma sensu tam

chodzić; **what's the ~ (of) doing it?** na co się to przyda?; **in ~** w użyciu; **out of ~** nie używany, wycofany z użycia, przestarzały

**used** *adj* [ˋjuzd] używany; **~ up** zużyty, wyczerpany, skończony; [ˋjust] przyzwyczajony (**to sth** do czegoś); **to get ‹to become› ~** przyzwyczaić się

**use·ful** [ˋjusfl] *adj pot.* pożyteczny

**use·less** [ˋjusləs] *adj* bezużyteczny

**ush·er** [ˋʌʃə(r)] *s* odźwierny, woźny sądowy; bileter; *uj.* **belfer**; *vt* (*zw.* **~ in**) wprowadzać, inicjować

**u·su·al** [ˋjuʒuəl] *adj* zwyczajny, zwykły

**u·su·rer** [ˋjuʒərə(r)] *s* lichwiarz

**u·surp** [juˋzɜp] *vt* uzurpować; przywłaszczać sobie

**u·su·ry** [ˋjuʒərɪ] *s* lichwa

**u·ten·sil** [juˋtensl] *s* naczynie; narzędzie; *pl* **~s** naczynia, przybory, utensylia

**u·til·i·tar·i·an** [juˈtɪlɪˋteərɪən] *adj* utylitarny

**u·til·i·ty** [juˋtɪlətɪ] *s* użyteczność; (*także* **public ~**) zakład użyteczności publicznej

**u·til·i·za·tion** [ˈjutɪlaɪˋzeɪʃn] *s* użytkowanie

**u·ti·lize** [ˋjutɪlaɪz] *vt* użytkować

**ut·most** [ˋʌtməʊst] *adj* krańcowy, najdalszy; najwyższego stopnia; *s* kraniec; ostateczna możliwość; najwyższy stopień; **I'll do my ~** uczynię, co w mej mocy

**u·to·pi·a** [juˋtəʊpɪə] *s* utopia

**ut·ter 1.** [ˋʌtə(r)] *adj* krańcowy; całkowity

**ut·ter 2.** [ˋʌtə(r)] *vt* wydawać (np. okrzyk), wyrażać, wypowiadać; puszczać w obieg

**ut·ter·ance** [ˋʌtərəns] *s* wypowiedzenie, wypowiedź; wyrażenie (np. uczuć), wyraz; wymowa

**ut·ter·most** [ˋʌtəməʊst] = **utmost**

# V

**va·can·cy** [ˋveɪkənsɪ] *s* próżnia, pustka; bezmyślność; wolny etat

**va·cant** [ˋveɪkənt] *adj* próżny, wolny, wakujący; bezmyślny

**va·cate** [vəˋkeɪt] *vt* opróżnić, zwolnić, opuścić

**va·ca·tion** [vəˋkeɪʃn] *s* opróżnienie, zwolnienie; wakacje

**vac·ci·nate** [ˋvæksɪneɪt] *vt med.* szczepić

**vac·ci·na·tion** [ˈvæksɪˋneɪʃn] *s med.* szczepienie

**vac·cine** [ˋvæksin] *s med.* szczepionka

**vac·il·late** [ˋvæsəleɪt] *vi* chwiać się, wahać się

**vac·il·la·tion** [ˈvæsəˋleɪʃn] *s* chwianie się, wahanie się

**vac·u·um** [ˋvækjuəm] *s* próżnia; **~ bottle ‹flask›** termos; **~ cleaner** odkurzacz

**vag·a·bond** [ˋvægəbond] *adj* włóczęgowski, wędrowny; *s* włóczęga

**va·gar·y** [ˋveɪgərɪ] *s* grymas, kaprys

**va·grant** [ˋveɪgrənt] *adj* włóczęgowski, wędrowny; *s* włóczęga

**vague** [veɪg] *adj* nieokreślony, niejasny, mglisty

**vain** [veɪn] *adj* próżny; daremny; **in ~** na próżno

**vale** [veɪl] *s poet.* dolina

**val·et** [ˋvælɪt] *s* służący; *vt* usługiwać

**val·e·tu·di·nar·i·an** [ˈvælɪˈtjudɪˋneərɪən] *adj* chorowity, słabowity; *s* cherlak; chuchro

**val·iant** [ˋvælɪənt] *adj* dzielny

**val·id** [ˋvælɪd] *adj* ważny; mający prawne ⟨naukowe⟩ podstawy
**va·lid·i·ty** [vəˋlɪdətɪ] *s* ważność; moc prawna ⟨naukowa⟩
**va·lise** [vəˋliz] *s* waliza
**val·ley** [ˋvælɪ] *s* dolina
**val·or·ous** [ˋvælərəs] *adj* waleczny
**val·our** [ˋvælə(r)] *s* waleczność
**val·u·a·ble** [ˋvæljubl] *adj* cenny, wartościowy; *s pl* **~s** kosztowności
**val·ue** [ˋvælju] *s* wartość, cena; **of little ~** małowartościowy; **of no ~** bezwartościowy; *vt* cenić, szacować
**valve** [vælv] *s techn.* zawór; klapa, wentyl; *elektr.* lampa elektronowa
**vamp** [væmp] *s* wamp, uwodzicielka; *vt* uwodzić
**vam·pire** [ˋvæmpaɪə(r)] *s* wampir
**van 1.** [væn] *s* wóz ciężarowy (kryty); *kolej.* wagon (służbowy); **luggage ~** wagon bagażowy
**van 2.** [væn] *s wojsk.* straż przednia; *przen.* awangarda
**vane** [veɪn] *s* chorągiewka (na dachu)
**van·guard** [ˋvæŋgad] *s wojsk.* awangarda
**va·nil·la** [vəˋnilə] *s* wanilia
**van·ish** [ˋvænɪʃ] *vi* znikać
**van·i·ty** [ˋvænətɪ] *s* próżność, marność; **~ bag ⟨case⟩** kosmetyczka
**van·quish** [ˋvæŋkwɪʃ] *vt* zwyciężyć
**van·tage** [ˋvantɪdʒ] *s* korzystna pozycja; *sport* przewaga
**van·tage-ground** [ˋvantɪdʒ graund] *s* korzystna pozycja (*zw.* obserwacyjna)
**vap·id** [ˋvæpɪd] *adj* zwietrzały; mdły; jałowy; bezduszny
**va·por·ize** [ˋveɪpəraɪz] *vt* (wy)parować; *vt* odparowywać
**va·pour** [ˋveɪpə(r)] *s* para; mgła; *vi* parować; *przen.* przechwalać się
**var·i·a·ble** [ˋveərɪəbl] *adj* zmienny; *s mat.* zmienna; *mors.* wiatr zmienny
**var·i·ance** [ˋveərɪəns] *s* niezgodność, sprzeczność; zmienność; **to be at ~** nie zgadzać się, być w sprzeczności
**var·i·ant** [ˋveərɪənt] *s* odmiana, wariant
**var·i·a·tion** [ˌveərɪˋeɪʃn] *s* zmiana, zmienność; odchylenie
**var·i·ces** *zob.* **varix**
**va·ried** [ˋveərɪd] *adj* różnorodny
**var·i·e·gate** [ˋveərɪgeɪt] *vt* urozmaicać; rozmaicie barwić, pstrzyć
**va·ri·e·ty** [vəˋraɪətɪ] *s* rozmaitość; wybór; bogactwo (np. towarów); odmiana (np. rośliny); **a ~ of books** rozmaite książki
**var·i·ous** [ˋveərɪəs] *adj* różny, rozmaity; **at ~ times** kilkakrotnie
**var·ix** [ˋværɪks] *s* (*pl* **varices** [ˋværɪsiz]) *med.* żylak
**var·nish** [ˋvanɪʃ] *s* lakier, politura; werniks; *vt* lakierować, politurować
**var·si·ty** [ˋvasətɪ] *s pot.* uniwerek, uniwersytet
**var·y** [ˋveərɪ] *vt vi* zmieniać (się), urozmaicać, różnić się
**vase** [vaz] *s* waza, wazon
**vas·e·line** [ˋvæslin] *s* wazelina
**vast** [vast] *adj* obszerny, rozległy
**vast·ly** [ˋvastlɪ] *adv* wybitnie, niezmiernie
**vat** [væt] *s* kadź
**vault 1.** [vɔlt] *s* sklepienie; podziemie, piwnica; krypta
**vault 2.** [vɔlt] *vi* skoczyć; *vt* przeskoczyć
**vaunt** [vɔnt] *vt* wychwalać; *vi* przechwalać się; *s* samochwalstwo
**'ve** [v] = **have**
**veal** [vil] *s* cielęcina
**ve·dette** [vɪˋdet] *s wojsk.* czujka
**veer** [vɪə(r)] *vi* skręcać, zmieniać kierunek; *przen.* zmieniać przekonania
**veg·e·ta·ble** [ˋvedʒtəbl] *adj* roślinny; *s* roślina; jarzyna

**veg·e·tar·i·an** [ˈvedʒɪˋteərɪən] *adj* wegetariański; *s* wegetarianin

**veg·e·tate** [ˋvedʒɪteɪt] *vi* wegetować; rosnąć

**veg·e·ta·tion** [ˈvedʒɪˋteɪʃn] *s* wegetacja; roślinność; *med.* narośl

**veg·e·ta·tive** [ˋvedʒɪtətɪv] *adj* wegetacyjny; roślinny

**ve·he·ment** [ˋviəmənt] *adj* gwałtowny

**ve·hi·cle** [ˋviɪkl] *s* wóz, pojazd, środek lokomocji; *przen.* narzędzie, środek; *med.* nosiciel (choroby)

**veil** [veɪl] *s* welon; zasłona; *przen.* maska; **to take the ~** wstąpić do klasztoru (żeńskiego); *vt* zasłaniać; *przen.* ukrywać, maskować

**vein** [veɪn] *s* żyła; warstwa; *przen.* wena, nastrój

**ve·loc·i·ty** [vəlˋosətɪ] *s* szybkość, prędkość

**ve·lum** [ˋviləm] *s* (*pl* **vela** [ˋvilə]) *biol.* błona; *anat.* podniebienie miękkie

**vel·vet** [ˋvelvɪt] *s* welwet, aksamit

**ve·nal** [ˋvinl] *adj* sprzedajny

**vend·ing-ma·chine** [ˋvendɪŋ məʃɪn] automat do sprzedaży (np. papierosów)

**ven·dor** [ˋvendə(r)] *s* sprzedawca

**ve·neer** [vɪˋnɪə(r)] *s* fornir; *vt* fornirować; *przen.* nadawać polor

**ven·er·a·ble** [ˋvenṛəbl] *adj* czcigodny

**ven·er·a·tion** [ˈvenəˋreɪʃn] *s* cześć, szacunek

**ve·ne·re·al** [vɪˋnɪərɪəl] *adj med.* weneryczny

**venge·ance** [ˋvendʒəns] *s* zemsta

**ve·ni·al** [ˋvinɪəl] *adj* przebaczalny; *rel.* powszedni (grzech)

**ven·i·son** [ˋvenɪsn] *s* dziczyzna

**ve·nom** [ˋvenəm] *s* jad

**ven·om·ous** [ˋvenəməs] *adj* jadowity

**vent** [vent] *s* otwór; wentyl, wylot; **to give ~** dać folgę ⟨upust⟩ (to sth czemuś); *vt* wiercić otwór; wypuszczać, dawać upust

**vent-hole** [ˋvent həul] *s* lufcik, wywietrznik

**ven·ti·late** [ˋventɪleɪt] *vt* wentylować; *przen.* roztrząsać

**ven·ti·la·tion** [ˈventɪˋleɪʃn] *s* wentylacja

**ven·ture** [ˋventʃə(r)] *s* ryzykowny krok, ryzyko; impreza (handlowa), przedsięwzięcie; **at a ~** na chybił trafił, na los szczęścia; *vt vi* ryzykować, odważyć się (**sth, on sth** na coś)

**ve·ra·cious** [vəˋreɪʃəs] *adj* prawdomówny; zgodny z prawdą

**ve·rac·i·ty** [vəˋræsətɪ] *s* prawdomówność; zgodność z prawdą

**ve·ran·da(h)** [vəˋrændə] *s* weranda

**verb** [v3b] *s gram.* czasownik

**ver·bal** [ˋv3bl] *adj* słowny; dosłowny; ustny; *gram.* czasownikowy; **~ noun** rzeczownik odsłowny

**ver·ba·tim** [v3ˋbeɪtɪm] *adv* dosłownie; *adj* dosłowny

**ver·bos·i·ty** [v3ˋbosətɪ] *s* wielomówność, rozwlekłość

**ver·dict** [ˋv3dɪkt] *s prawn.* werdykt

**ver·di·gris** [ˋv3dɪgrɪs] *s* grynszpan

**ver·dure** [ˋv3dʒə(r)] *s* zieleń

**verge 1.** [v3dʒ] *s* kraniec, krawędź; pręt; berło

**verge 2.** [v3dʒ] *vi* chylić się, zbliżać się (**to, towards sth** ku czemuś); graniczyć (**on, upon sth** z czymś)

**ver·i·fy** [ˋverɪfaɪ] *vt* sprawdzić; potwierdzić

**ver·i·ta·ble** [ˋverɪtəbl] *adj* prawdziwy, istny

**ver·i·ty** [ˋverətɪ] *s* prawda, prawdziwość

**ver·mil·ion** [vəˋmɪlɪən] *s* cynober; *vt* malować na kolor cynobrowy

**ver·min** [ˋv3mɪn] *s zbior.* robactwo, szkodniki

**ver·nac·u·lar** [vəˋnækjulə(r)] *adj* rodzimy, miejscowy, tubylczy; *s* język rodzimy, mowa ojczysta

**ver·sa·tile** [`v3sətaɪl] *adj* (*o umyśle*) bystry; wszechstronny
**ver·sa·til·i·ty** ['v3sə`tɪlətɪ] *s* bystrość (umysłu); wszechstronność
**verse** [v3s] *s* wiersz; poezja; zwrotka
**versed** [v3st] *adj* obeznany (**in sth** z czymś), biegły
**ver·si·fy** [`v3sɪfaɪ] *vt vi* układać wierszem; pisać wiersze
**ver·sion** [`v3ʃn] *s* wersja; przekład
**ver·sus** [`v3səs] *praep łac.* przeciw
**ver·te·bra** [`v3tɪbrə] *s* (*pl* **vertebrae** [`v3tɪbri]) *anat.* kręg
**ver·ti·bral** [`v3tɪbrəl] *adj* kręgowy
**ver·tex** [`v3teks] *s* (*pl* **vertices** [`v3tɪsiz]) szczyt; *mat.* wierzchołek
**ver·ti·cal** [`v3tɪkl] *adj* pionowy; szczytowy; *mat.* wierzchołkowy
**ver·y** [`verɪ] *adv* bardzo; prawdziwie; bezpośrednio, zaraz; **on the ~ next day** zaraz następnego dnia; *adj* istotny, prawdziwy, tenże sam; **to the ~ end** do samego końca; **the ~ thought of it** już sama myśl o tym
**ves·i·cle** [`vesɪkl] *s anat.* pęcherzyk
**ves·sel** [`vesl] *s* naczynie; statek
**vest 1.** [vest] *s* kamizelka; kaftanik
**vest 2.** [vest] *vt* nadawać, przekazywać (**sb with sth** komuś coś)
**vest·ed** [`vestɪd] *adj* prawnie nabyty, ustalony; *handl.* inwestowany
**ves·tige** [`vestɪdʒ] *s* ślad
**vest·ment** [`vestmənt] *s* strój (oficjalny, uroczysty)
**ves·try** [`vestrɪ] *s* zakrystia; rada parafialna
**vet 1.** [vet] *s bryt. pot.* weterynarz; *vt* badać (zwierzę)
**vet 2.** [vet] *s am. pot.* weteran
**vet·er·an** [`vetərən] *s* weteran; *adj* wysłużony; zahartowany w boju
**vet·er·i·nar·y** [`vetrɪnərɪ] *adj* weterynaryjny; *s* weterynarz
**ve·to** [`vitəu] *s* weto; *vt* zakładać weto (**sth** przeciw czemuś)
**vex** [veks] *vt* dręczyć
**vex·a·tion** [vek`seɪʃn] *s* udręka; strapienie; przykrość
**via** [`vaɪə] *praep łac.* przez (daną miejscowość)
**vi·a·duct** [`vaɪədʌkt] *s* wiadukt
**vi·al** [`vaɪəl] *s* fiolka, flaszeczka
**vi·ands** [`vaɪəndz] *s pl* wiktuały
**vi·brant** [`vaɪbrənt] *adj* wibrujący, drgający
**vi·brate** [vaɪ`breɪt] *vi* wibrować, drgać
**vi·bra·tion** [vaɪ`breɪʃn] *s* wibracja, drganie
**vic·ar** [`vɪkə(r)] *s* proboszcz (anglikański); wikary (rzymskokatolicki)
**vice 1.** [vaɪs] *s* wada; nałóg; występek
**vice 2.** [vaɪs] *s techn.* imadło
**vice 3.** [vaɪs] *praef* wice-
**vice·roy** [`vaɪsrɔɪ] *s* wicekról
**vi·ce·ver·sa** ['vaɪsɪ `v3sə] *adv łac.* na odwrót; vice versa
**vi·cin·i·ty** [vɪ`sɪnətɪ] *s* sąsiedztwo, najbliższa okolica
**vi·cious** [`vɪʃəs] *adj* występny; wadliwy, błędny
**vi·cis·si·tude** [vɪ`sɪsɪtjud] *s* zmienność, nietrwałość
**vic·tim** [`vɪktɪm] *s* ofiara
**vic·tim·ize** [`vɪktɪmaɪz] *vt* składać w ofierze; gnębić; oszukiwać
**vic·tor** [`vɪktə(r)] *s* zwycięzca
**vic·to·ri·ous** [vɪk`tɔrɪəs] *adj* zwycięski
**vic·to·ry** [`vɪktṛɪ] *s* zwycięstwo
**vic·tuals** [`vɪtlz] *s pl* wiktuały
**vi·de·li·cet** [vɪ`dilɪset] *adv* mianowicie; to znaczy
**vie** [vaɪ] *vi* współzawodniczyć (**for sth** o coś)
**view** [vju] *s* widok; pole widzenia; pogląd; przegląd; zamiar; **to be in ~** być widocznym; **to have in ~** mieć na oku ⟨widoku⟩; **the end in ~** powzięty zamiar, za-

mierzony cel; **point of ~** punkt widzenia; **on ~** wystawiony; **private ~** prapremiera, wernisaż (wystawy); **in my ~** moim zdaniem; **in ~ of sth** biorąc coś pod uwagę, wobec czegoś; **with a ~ to sth** w zamiarze czegoś; *vt* oglądać, rozpatrywać
**view·er** [ˈvjuə(r)] *s* widz
**view-point** [ˈvju pɔɪnt] *s* punkt widzenia; zapatrywanie (**of sth** na coś)
**vig·il** [ˈvɪdʒɪl] *s* czuwanie; wigilia
**vig·i·lance** [ˈvɪdʒɪləns] *s* czujność
**vig·or·ous** [ˈvɪgərəs] *adj* pełen wigoru, energiczny
**vig·our** [ˈvɪgə(r)] *s* wigor; siła, energia
**vile** [vaɪl] *adj* podły; *pot.* wstrętny
**vil·i·fy** [ˈvɪlɪfaɪ] *vt* oczernić; upodlić
**vil·la** [ˈvɪlə] *s* willa
**vil·lage** [ˈvɪlɪdʒ] *s* wieś
**vil·lag·er** [ˈvɪlɪdʒə(r)] *s* wieśniak; prostak
**vil·lain** [ˈvɪlən] *s* łajdak, nikczemnik
**vil·lain·y** [ˈvɪlənɪ] *s* łajdactwo, nikczemność
**vin·di·cate** [ˈvɪndɪkeɪt] *vt* brać w obronę; oczyszczać z zarzutu, usprawiedliwiać; dochodzić
**vin·dic·tive** [vɪnˈdɪktɪv] *adj* mściwy
**vine** [vaɪn] *s* winna latorośl
**vin·e·gar** [ˈvɪnɪgə(r)] *s* ocet
**vine·yard** [ˈvɪnjəd] *s* winnica
**vin·tage** [ˈvɪntɪdʒ] *s* winobranie
**vint·ner** [ˈvɪntnə(r)] *s* winiarz
**vi·o·late** [ˈvaɪəleɪt] *vt* naruszyć; pogwałcić
**vi·ola** [vɪˈəulə] *s muz.* altówka
**vi·o·la·tion** [ˌvaɪəˈleɪʃn] *s* naruszenie; pogwałcenie
**vi·o·lence** [ˈvaɪələns] *s* gwałt; gwałtowność; naruszenie; **by ~** gwałtem
**vi·o·let** [ˈvaɪələt] *s bot.* fiołek; *adj* fioletowy
**vi·o·lin** [ˌvaɪəˈlɪn] *s muz.* skrzypce
**vi·per** [ˈvaɪpə(r)] *s zool.* żmija
**vir·gin** [ˈvɜdʒɪn] *s* dziewica; *attr* dziewiczy
**vir·ile** [ˈvɪraɪl] *adj* męski
**vir·tu·al** [ˈvɜtʃuəl] *adj* faktyczny, właściwy; potencjalny
**vir·tue** [ˈvɜtʃu] *s* cnota; zaleta; wartość; skuteczność; **by ⟨in⟩ ~ of** na mocy
**vir·tu·os·i·ty** [ˌvɜtʃuˈosətɪ] *s* wirtuozostwo; zamiłowanie do sztuk pięknych
**vir·tu·ous** [ˈvɜtʃuəs] *adj* cnotliwy, moralny
**vir·u·lent** [ˈvɪrələnt] *adj* jadowity; zjadliwy
**vi·rus** [ˈvaɪərəs] *s* jad; *med.* wirus; *przen.* trucizna (moralna)
**vi·sa** [ˈvizə] *s* wiza; *vt* wizować
**vis·age** [ˈvɪzɪdʒ] *s* oblicze
**vis·cer·a** [ˈvɪsərə] *s pl anat.* wnętrzności
**vis·cos·i·ty** [vɪsˈkosətɪ] *s* lepkość
**vis·count** [ˈvaɪkaunt] *s* wicehrabia
**visé** [ˈvizeɪ] *s* wiza
**vis·i·bil·i·ty** [ˌvɪzəˈbɪlətɪ] *s* widzialność; widoczność
**vis·i·ble** [ˈvɪzəbl] *adj* widzialny; widoczny
**vi·sion** [ˈvɪʒn] *s* widzenie, wzrok; wizja
**vi·sion·ar·y** [ˈvɪʒnrɪ] *adj* wizjonerski; *s* wizjoner
**vis·it** [ˈvɪzɪt] *s* wizyta; pobyt; wizytacja; **to be on a ~** być z wizytą; **to pay a ~** złożyć wizytę; *vt* odwiedzać, zwiedzać; nawiedzać, doświadczać
**vis·it·a·tion** [ˌvɪzɪˈteɪʃn] *s* odwiedziny, wizytacja; nawiedzenie, dopust
**vis·i·tor** [ˈvɪzɪtə(r)] *s* gość
**vi·sor** [ˈvaɪzə(r)] *s hist.* przyłbica; daszek (u czapki)
**vis·ta** [ˈvɪstə] *s* widok, perspektywa; aleja
**vis·u·al** [ˈvɪʒuəl] *adj* wzrokowy
**vis·u·al·ize** [ˈvɪʒuəlaɪz] *vt* unaoczniać, uzmysłowić sobie
**vi·tal** [ˈvaɪtl] *adj* życiowy, żywotny; istotny, niezbędny

**vi·tal·i·ty** [vaɪˋtælətɪ] *s* żywotność
**vit·a·min** [ˋvɪtəmɪn] *s* witamina
**vi·ti·ate** [ˋvɪʃɪeɪt] *vt* zepsuć, skazić; unieważnić
**vit·re·ous** [ˋvɪtrɪəs] *adj* szklany, szklisty
**vi·tu·per·ate** [vɪˋtjupəreɪt] *vt* lżyć, pomstować (sb na kogoś)
**vi·va·cious** [vɪˋveɪʃəs] *adj* żywy, pełen życia
**vi·vac·i·ty** [vɪˋvæsətɪ] *s* żywość
**viv·id** [ˋvɪvɪd] *adj* żywy
**viv·i·sect** [ˈvɪvɪˋsekt] *vt* dokonywać wiwisekcji
**vix·en** [ˋvɪksn] *s* jędza; *zool.* lisica
**viz.** *skr. łac.* = **videlicet**
**vo·cab·u·lar·y** [vəˋkæbjulərɪ] *s* słowniczek; słownictwo, zasób słów
**vo·cal** [ˋvəukl] *adj* wokalny, głosowy; *gram.* samogłoskowy
**vo·ca·tion** [vəuˋkeɪʃn] *s* powołanie; zawód
**vo·cif·er·ate** [vəˋsɪfəreɪt] *vt vi* krzyczeć, wrzeszczeć
**vodka** [ˋvodkə] *s* wódka
**vogue** [vəug] *s* popularność; moda; **to be the ~ ⟨in ~⟩** być w modzie; **to have a great ~** cieszyć się dużą popularnością
**voice** [vɔɪs] *s* głos; *gram.* strona; *vt* głosić, wypowiadać
**voiced** [vɔɪst] *adj gram.* dźwięczny
**voice·less** [ˋvɔɪsləs] *adj* niemy; *gram.* bezdźwięczny
**void** [vɔɪd] *adj* pusty, próżny; bezwartościowy; *prawn.* nieważny; pozbawiony (**of sth** czegoś); *s* próżnia, pustka; *vt* opróżnić; *prawn.* unieważnić
**vol·a·tile** [ˋvolətaɪl] *adj chem.* lotny; przelotny, zmienny
**vol·can·ic** [volˋkænɪk] *adj* wulkaniczny
**vol·ca·no** [volˋkeɪnəu] *s* wulkan
**vo·li·tion** [vəˋlɪʃn] *s* wola
**vol·ley** [ˋvolɪ] *s* salwa; *przen.* potok (np. słów, przekleństw); *sport* wolej
**vol·ley-ball** [ˋvolɪ bɔl] *s sport* siatkówka
**volt·age** [ˋvəultɪdʒ] *s elektr.* woltaż, napięcie
**vol·u·ble** [ˋvoljubl] *adj* (*o mowie*) płynny, pełen swady
**vol·u·me** [ˋvoljum] *s* tom; objętość; zwój; siła (głosu, dźwięku itd.)
**vo·lu·mi·nous** [vəˋlumɪnəs] *adj* wielkich rozmiarów; obszerny
**vol·un·tar·y** [ˋvoləntrɪ] *adj* dobrowolny
**vol·un·teer** [ˈvolənˋtɪə(r)] *s* ochotnik; *attr* ochotniczy; *vt* ochotniczo podjąć się (**sth** czegoś); *vi* zgłosić się na ochotnika
**vo·lup·tu·ar·y** [vəˋlʌptʃuərɪ] *s* lubieżnik
**vo·lup·tu·ous** [vəˋlʌptʃuəs] *adj* lubieżny
**vom·it** [ˋvomɪt] *vt vi* wymiotować; zwracać; *s* wymioty
**vo·ra·cious** [vəˋreɪʃəs] *adj* żarłoczny
**vor·tex** [ˋvɔteks] *s* (*pl* **vortices** [ˋvɔtɪsiz]) wir
**vote** [vəut] *s* głosowanie; głos; wotum; *vt* uchwalać; *vi* głosować (**for sb, sth** za kimś, czymś; **against sb, sth** przeciwko komuś, czemuś)
**vot·er** [ˋvəutə(r)] *s* głosujący, wyborca
**vouch** [vautʃ] *vt vi* ręczyć, gwarantować
**vouch·er** [ˋvautʃə(r)] *s* poręczyciel; poświadczenie, kwit, bon
**vouch·safe** [vautʃˋseɪf] *vi vt* raczyć; łaskawie udzielić
**vow** [vau] *s* ślub, ślubowanie; **to take ⟨to make⟩ a ~** ślubować; **to take ~s** złożyć śluby zakonne; *vt* ślubować; *vi* składać śluby
**vow·el** [ˋvauḷ] *s gram.* samogłoska
**voy·age** [ˋvɔɪdʒ] *s* podróż (*zw.* morska); **to go on a ~** wyruszyć w podróż
**vul·can·ize** [ˋvʌlkənaɪz] *vt* wulkanizować

**vul·gar** [ˋvʌlgə(r)] *adj* wulgarny; pospolity
**vul·gar·i·ty** [vʌlˋgærətɪ] *s* wulgarność
**vul·gar·ize** [ˋvʌlgəraɪz] *vt* wulgaryzować
**vul·ner·a·ble** [ˋvʌlnṛəbl] *adj* podatny na zranienie, narażony na ciosy; wrażliwy; (*w brydżu*) po partii
**vul·ture** [ˋvʌltʃə(r)] *s zool.* sęp
**vul·tur·ine** [ˋvʌltʃəraɪn], **vul·tur·ish** [ˋvʌltʃərɪʃ] *adj* sępi

# W

**wab·ble** = **wobble**
**wad** [wod] *s* wałek, (miękka) zatyczka, podkład (z miękkiego materiału); *vt* wypychać, upychać, nabijać; podkładać, watować
**wad·ding** [ˋwodɪŋ] *s* wata (do upychania); watolina, podkład
**wad·dle** [ˋwodl] *vi* chodzić kołysząc się
**wade** [weɪd] *vt vi* brnąć, brodzić
**wa·fer** [ˋweɪfə(r)] *s* wafel; opłatek
**waft** [woft] *vi* unosić się, bujać, sunąć (po wodzie, w powietrzu); *vt* nieść, posuwać, *s* powiew, podmuch; śmignięcie
**wag 1.** [wæg] *s* filut, żartowniś
**wag 2.** [wæg] *vt vi* kiwać (się), ruszać (się), machać; *s* poruszenie, kiwnięcie
**wage** [weɪdʒ] *s* (*zw. pl* **~s**) zarobek, płaca (*zw.* tygodniowa); **living ~** minimum środków utrzymania; *vt* prowadzić (wojnę)
**wa·ger** [ˋweɪdʒə(r)] *s* zakład; **to lay ⟨to make⟩ a ~** założyć się; *vt vi* zakładać się
**wag·on, wag·gon** [ˋwægən] *s* wóz, platforma
**waif** [weɪf] *s* mienie bezpańskie; *zbior.* porzucone rzeczy; porzucone dziecko; zabłąkane zwierzę; **~s and strays** bezdomne dzieci
**wail** [weɪl] *s* żałosny płacz, lament; *vi* żałośnie płakać, zawodzić; *vt* opłakiwać
**wain·scot** [ˋweɪnskət] *s* boazeria; *vt* okładać boazerią
**waist** [weɪst] *s* kibić, talia, pas
**waist·coat** [ˋweɪstkəut] *s* kamizelka
**wait** [weɪt] *vi* czekać (**for sb** na kogoś); usługiwać (**on, upon sb** komuś); czyhać (**for sb** na kogoś); *s* czekanie; zasadzka; *pl* **the ~s** kolędnicy
**wait·er** [ˋweɪtə(r)] *s* kelner; taca
**wait·ing-room** [ˋweɪtɪŋ rum] *s* poczekalnia
**wait·ress** [ˋweɪtrəs] *s* kelnerka
**waive** [weɪv] *vt* zaniechać, zrezygnować
**waiv·er** [ˋweɪvə(r)] *s* zrzeczenie się (praw, przywilejów itd.)
* **wake 1.** [weɪk], **woke** [wəuk] *lub* **waked** [weɪkt], **woken** [ˋwəukən] *lub* **waked** [weɪkt] *vt vi* budzić (się); † czuwać, nie spać; *s* (*w Irlandii*) czuwanie (przy zwłokach); *bryt.* odpust
**wake 2.** [weɪk] *s mors.* kilwater; *przen.* ślad; **to follow in sb's ~** iść czyimś śladem; **in the ~ of sth** w ślad za czymś
**wake·ful** [ˋweɪkfl] *adj* czuwający, czujny
**wak·en** [ˋweɪkən] *vt vi* budzić (się); ożywiać (się)
**walk** [wɔk] *vi* chodzić, kroczyć, przechadzać się; *vt* przechodzić, chodzić (po czymś); **~ away ⟨off⟩** odchodzić; *pot.* **~ away ⟨off⟩**

with sth porwać, ukraść coś; ~ out wychodzić; *am.* strajkować; *sport* ~ **over** wygrać walkowerem; *s* spacer; chód; ~ **of life** zawód, zajęcie
**walk-out** [`wɔk aut] *s am.* strajk
**walk-o·ver** [`wɔk əuvə(r)] *s sport* walkower
**wall** [wɔl] *s* ściana, mur; *vt* otoczyć murem; (*także* ~ **up**) zamurować
**wal·let** [`wolɪt] *s* portfel; † torba
**wal·low** [`woləu] *vi* tarzać się
**wall·pa·per** [`wɔlpeɪpə(r)] *s* tapeta
**wal·nut** [`wɔlnʌt] *s bot.* orzech włoski
**wal·rus** [`wɔlrəs] *s zool.* mors
**waltz** [wɔls] *s* walc; *vi* tańczyć walca
**wan** [won] *adj* blady, mizerny
**wand** [wond] *s* różdżka
**wan·der** [`wondə(r)] *vi* wędrować; ~ **away** odbiegać; *s* wędrówka
**wan·der·er** [`wondərə(r)] *s* wędrowiec
**wan·der·ing** [`wondərɪŋ] *s* wędrówka; *pl* ~s majaki; *adj* wędrowny; wędrujący; tułaczy
**wane** [weɪn] *vi* zanikać, ubywać; marnieć
**want** [wont] *s* potrzeba; brak; *vt vi* potrzebować; chcieć; odczuwać brak; brakować
**want-ad** [`wont æd] *s pot.* drobne ogłoszenie (w gazecie)
**want·ing** [`wontɪŋ] *adj* brakujący; pozbawiony (**in sth** czegoś); **to be** ~ brakować; **she is** ~ **in intelligence** brak jej rozumu
**wan·ton** [`wontən] *adj* swawolny, wesoły; nieokiełznany; złośliwy
**war** [wɔ(r)] *s* wojna; **at** ~ w stanie wojny; **to make** ~ wojować; **War Office**, *am.* **War Department** ministerstwo wojny; ~ **criminal** przestępca wojenny; *vi* wojować
**war·ble** [`wɔbl] *s* szczebiot; *vi* szczebiotać
**ward** [wɔd] *s* straż, nadzór, opieka; podopieczny, wychowanek; cela więzienna; sala szpitalna; dzielnica; *vt* opiekować się; umieścić (np. w sali szpitalnej); ~ **off** odbić, odparować (cios); uchylić (niebezpieczeństwo)
**ward·en** [`wɔdn] *s* stróż; opiekun; przełożony; kustosz
**ward·er** [`wɔdə(r)] *s* strażnik więzienny
**ward·robe** [`wɔ-drəub] *s* szafa (na ubranie)
**ward·ship** [`wɔdʃɪp] *s* kuratela
**ware** [weə(r)] *s* towar, wyrób
**ware·house** [`weəhaus] *s* magazyn; dom towarowy; *vt* magazynować
**war·fare** [`wɔfeə(r)] *s* prowadzenie wojny, wojna
**war·i·ness** [`weərɪnəs] *s* ostrożność
**war·like** [`wɔ laɪk] *adj* wojowniczy, wojenny
**warm** [wɔm] *adj* ciepły; gorliwy; ożywiony; *vt vi* grzać, nagrzewać (się); ~ **up** rozgrzać, podgrzać (się); ożywić (się)
**war·mong·er** [`wɔmʌŋgə(r)] *s* podżegacz wojenny
**warmth** [wɔmθ] *s* ciepło; gorliwość, zapał
**warn** [wɔn] *vt* ostrzegać, przypominać; uprzedzać (**sb of sth** kogoś o czymś)
**warn·ing** [`wɔnɪŋ] *s* ostrzeżenie; uprzedzenie; wypowiedzenie (posady)
**warp** [wɔp] *vt vi* paczyć (się), wykrzywiać (się), zniekształcać (się); *mors.* holować; *s* wypaczenie, osnowa (tkacka); *mors.* lina holownicza
**war·rant** [`worənt] *s* pełnomocnictwo, uprawnienie; rękojmia; zabezpieczenie; nakaz sądowy; *vt* uprawnić; gwarantować; uzasadnić; usprawiedliwić
**war·ri·or** [`worɪə(r)] *s* wojak, żołnierz
**war·ship** [`wɔʃɪp] *s* okręt wojenny
**wart** [wɔt] *s* brodawka
**war·y** [`weərɪ] *adj* ostrożny, czujny

**was** [woz, wəz] *p sing od* **to be**
**wash** [woʃ] *vt vi* myć (się); prać; płukać, oblewać; ~ **away** zmyć; ~ **down** spłukać; ~ **off** zmyć; dać się zmyć; ~ **out** wymyć, wypłukać; skasować; zejść (w praniu); zalać; zatuszować; ~ **up** wymyć, zmywać (naczynia); (*o morzu*) wyrzucić na brzeg; *s* mycie (się), pranie; płyn do płukania; pomyje; namuł
**wash·a·ble** [ˋwoʃəbl] *adj* nadający się do prania
**wash-basin** [ˋwoʃ beɪsn] *s* miednica; umywalka
**wash-board** [ˋwoʃ bɔd] *s* tara (do prania)
**wash-bowl** [ˋwoʃ bəʊl] *s am.* = = **wash-basin**
**wash·er** [ˋwoʃə(r)] *s* pomywacz; płuczka; *techn.* uszczelka
**wash·er·wom·an** [ˋwoʃə wʊmən] *s* praczka
**wash·ing** [ˋwoʃɪŋ] *s* mycie, pranie; bielizna do prania; ~ **machine** pralka
**wash-out** [ˋwoʃ aut] *s* podmycie ⟨zapadnięcie⟩ terenu; *pot.* pech, klapa; bankrut życiowy, pechowiec
**wash·stand** [ˋwoʃ stænd] *s* umywalka
**wash·tub** [ˋwoʃ tʌb] *s* balia
**wasn't** [ˋwoznt] = **was not**
**wasp** [wosp] *s zool.* osa
**wast·age** [ˋweɪstɪdʒ] *s* marnotrawstwo; *zbior.* straty; wybrakowany towar; *zbior.* odpadki
**waste** [weɪst] *adj* pusty, pustynny; jałowy; zużyty; niepotrzebny; ~ **land** teren nieuprawny; nieużytki; ~ **paper** makulatura; ~ **products** odpadki; **to go** ~ marnować się, niszczeć; **to lie** ~ leżeć odłogiem; **to lay** ~ pustoszyć; *s* marnowanie, marnotrawstwo; nieużytek; strata; ubytek; pustynia, pustkowie; *zbior.* odpadki; *vt* pustoszyć; marnować, niszczyć; *vi* niszczeć, psuć się; ubywać; ~ **away** marnieć, zanikać, niszczeć
**waste·ful** [ˋweɪstfl] *adj* marnotrawny
**watch** [wotʃ] *s* czuwanie; straż; zegarek; **to be on the** ~ wypatrywać, oczekiwać (**for sth** czegoś), czatować; **to keep** ~ być na straży; pilnować (**on, over sth** czegoś); *vi* czuwać; wyglądać (**for sth** czegoś); czatować (**for sth** na coś); pilnować (**over sth** czegoś); *vt* uważać; obserwować, oglądać; śledzić
**watch·ful** [ˋwotʃfl] *adj* czujny, uważny
**watch·mak·er** [ˋwotʃ meɪkə(r)] *s* zegarmistrz
**watch·man** [ˋwotʃmən] *s* stróż
**watch·tow·er** [ˋwotʃ tauə(r)] *s* strażnica
**watch·word** [ˋwotʃwɜd] *s wojsk.* hasło; slogan
**wa·ter** [ˋwɔtə(r)] *s* woda; ślina; *pl* ~**s** fale; wody lecznicze; **high** ~ przypływ; **low** ~ odpływ; **by** ~ drogą wodną; **to get into hot** ~ popaść w tarapaty; **in deep** ~**s** w opałach; **still** ~**s run deep** cicha woda brzegi rwie; *vt* polać, nawodnić; rozwodnić; poić (zwierzę itp.); *vi* ciec, ślinić się; łzawić
**wa·ter-clos·et** [ˋwɔtə klozɪt] *s* klozet
**wa·ter-col·our** [ˋwɔtə kʌlə(r)] *s* akwarela
**wa·ter·fall** [ˋwɔtəfɔl] *s* wodospad
**wa·ter·glass** [ˋwɔtə glɑs] *s* klepsydra wodna
**wa·ter·ing-can** [ˋwɔtrɪŋ kæn] *s* polewaczka
**wa·ter·li·ly** [ˋwɔtə lɪlɪ] *s bot.* grzybień biały
**wa·ter·man** [ˋwɔtəmən] *s* przewoźnik; wioślarz
**wa·ter·mark** [ˋwɔtəmak] *s* znak wodny; wodowskaz
**wa·ter·mel·on** [ˋwɔtə melən] *s bot.* arbuz
**wa·ter·proof** [ˋwɔtəpruf] *adj* wodoszczelny, nieprzemakalny; *s* tka-

nina nieprzemakalna, płaszcz nieprzemakalny; *vt* impregnować; uszczelnić

**wa·ter·shed** [`wɔtəʃəd] *s* dział wód

**wa·ter·side** [`wɔtəsaɪd] *s* brzeg

**wa·ter-sup·ply** [`wɔtə səplaɪ] *s* sieć wodociągowa, zaopatrzenie w wodę

**wa·ter·tight** [`wɔtə taɪt] *adj* wodoszczelny

**wa·ter-tow·er** [`wɔtə taʊə(r)] *s* wieża ciśnień

**wa·ter-wave** [`wɔtə weɪv] *s* ondulacja wodna; *vt* robić ondulację wodną

**wa·ter·way** [`wɔtəweɪ] *s* droga wodna

**wa·ter·works** [`wɔtəwɜks] *s* zakład wodociągowy; wodociągi

**wa·ter·y** [`wɔtərɪ] *adj* wodnisty

**wat·tle** [`wɔtl] *s* pręt; plecionka z prętów; *bot.* akacja australijska

**wave** [weɪv] *s* fala; falistość; machnięcie ręką, skinienie; *vi* falować; machnąć, skinąć (**to sb** na kogoś); *vt* witać, żegnać (**one's hand** machnięciem ręki), powiewać (**one's handkerchief** chusteczką)

**wave-band** [`weɪv bænd] *s* (*w radiu*) zakres fal

**wa·ver** [`weɪvə(r)] *vi* chwiać się, wahać się

**wav·y** [`weɪvɪ] *adj* falisty

**wax 1.** [wæks] *vi* (*o księżycu*) przybywać; † stawać się

**wax 2.** [wæks] *s* wosk; *vt* woskować

**wax·en** [`wæksn] *adj* woskowy

**way** [weɪ] *s* droga; kierunek; sposób; właściwość, zwyczaj, sposób postępowania; ~ **in** wejście; ~ **out** wyjście; **by (the)** ~ **of London** przez Londyn; **by** ~ **of** za pomocą; zamiast; w charakterze; w celu; w formie; **by the** ~ à propos, mówiąc nawiasem; **any** ~ w jakikolwiek sposób; w każdym razie; **this** ~ tędy; w ten sposób; **that** ~ tamtędy; **to clear the** ~ usuwać przeszkody; **to have one's** ~ postawić na swoim; **let him have his** ~ niech robi, co chce; **to keep out of the** ~ trzymać się na uboczu; **to make ⟨to give⟩** ~ ustąpić; **to make one's** ~ odbywać drogę; **to stand ⟨to be⟩ in the** ~ przeszkadzać, zawadzać; **over the** ~ po drugiej stronie drogi; **some** ~ **or other** tym czy innym sposobem; **under** ~ w trakcie, w przygotowaniu

**way·far·er** [`weɪfeərə(r)] *s* wędrowiec, podróżnik

**way·lay** [weɪ`leɪ] *vt* (*formy zob.* **lay**) czaić się, napaść z zasadzki (**sb** na kogoś)

**way·side** [`weɪ-saɪd] *s* brzeg drogi; *adj attr* przydrożny

**way·ward** [`weɪwəd] *adj* przewrotny; kapryśny; krnąbrny

**way·worn** [`weɪwɔn] *adj* znużony podróżą

**we** [wi] *pron pl* my; *przypadek zależny:* **us** [ʌs, əs] nam, nas

**weak** [wik] *adj* słaby, wątły

**weak·en** [`wikən] *vt* osłabić; *vi* osłabnąć

**weak·ling** [`wiklɪŋ] *s* cherlak, chuchro

**weak·ly** [`wiklɪ] *adj* słabowity

**weak·ness** [`wiknəs] *s* słabość

**weal** [wil] = **wale**

**wealth** [welθ] *s* bogactwo

**wealth·y** [`welθɪ] *adj* bogaty

**wean** [win] *vt* odłączyć od piersi (dziecko); odsunąć, odzwyczaić (**from sth** od czegoś)

**weap·on** [`wepən] *s* broń; **nuclear** ~ broń nuklearna

* **wear** [weə(r)], **wore** [wɔ(r)], **worn** [wɔn] *vt vi* nosić (na sobie, np. odzież, ozdobę), nosić się; znosić (się); zużyć (się); wyczerpać, zmęczyć; (*o czasie*) upływać; ~ **away ⟨off, out⟩** zużyć (się), znosić (się), zniszczyć (się), wyczerpać (się); skończyć (się); ~ **down** zedrzeć, zniszczyć; *s* noszenie; odzież, strój; trwałość (materia-

łu); zużycie; ~ **and tear** zużycie, zniszczenie

**wea·ri·ness** [ˋwɪərɪnəs] *s* zmęczenie; nuda

**wea·ri·some** [ˋwɪərɪsʌm] *adj* męczący; nudny

**wea·ry** [ˋwɪərɪ] *adj* zmęczony; męczący, nużący; *vt vi* męczyć (się), nużyć (się)

**wea·sel** [ˋwizl] *s zool.* łasica

**weath·er** [ˋweðə(r)] *s* pogoda; *vt* wystawiać na działanie atmosferyczne; przetrwać, wytrzymać (burzę); *przen.* stawić czoło; *vi* wietrzeć

**weath·er-beat·en** [ˋweðə bitn] *adj* zahartowany; (*o cerze*) ogorzały

**weath·er-cock** [ˋweðəkok] *s* chorągiewka (na dachu, wieży itp.), kurek

**weath·er-fore·cast** [ˋweðə fɔkast] *s* prognoza pogody

**weath·er-glass** [ˋweðəglas] *s* barometr

**weath·er-sta·tion** [ˋweðə steɪʃn] *s* stacja meteorologiczna

* **weave** [wiv], **wove** [wəuv], **woven** [ˋwəuvn] *vt* tkać; *przen.* snuć, układać wątek; knuć (spisek)

**weav·er** [ˋwivə(r)] *s* tkacz

**web** [web] *s* tkanina; pajęczyna; tkanka; płetwa

**wed** [wed] *vt* poślubić; połączyć, skojarzyć; *vi* ożenić się, wyjść za mąż

**we'd** [wid] = **we had, we should, we would**

**wed·ding** [ˋwedɪŋ] *s* ślub, wesele

**wedge** [wedʒ] *s* klin; *vt* zaklinować; rozbić klinem

**wed·lock** [ˋwedlok] *s* małżeństwo

**Wednes·day** [ˋwenzdɪ] *s* środa

**weed** [wid] *s* chwast; *pot.* tytoń, papieros; *vt* (*także* ~ **out**) plewić, oczyszczać z chwastów

**weeds** [widz] *s pl* (*zw.* **widow's** ~) żałoba wdowia

**week** [wik] *s* tydzień; **by the** ~ tygodniowo

**week·day** [ˋwik deɪ] *s* dzień powszedni

**week-end** [wik ˋend] *s* koniec tygodnia, weekend

**week·ly** [ˋwiklɪ] *adj* tygodniowy; *adv* tygodniowo; *s* tygodnik

* **weep** [wip], **wept**, **wept** [wept] *vi* płakać; *vt* opłakiwać

**weft** [weft] *s* wątek (tkaniny)

**weigh** [weɪ] *vt vi* ważyć; ~ **down** przeważać, przygniatać; ~ **out** rozważać; *mors.* ~ **anchor** podnieść kotwicę

**weight** [weɪt] *s* (*także przen.*) waga; znaczenie, doniosłość; ciężar; odważnik; **to put on** ~ tyć; *vt* obciążać

**weight·y** [ˋweɪtɪ] *adj* ciężki; ważny, ważki; przekonywający

**weir** [wɪə(r)] *s* grobla, tama

**weird** [wɪəd] *adj* fatalny; niesamowity, tajemniczy, dziwny; *s lit.* fatum; niesamowite zdarzenie; czary

**wel·come** [ˋwelkəm] *adj* mile widziany; **to make** ~ gościnnie przywitać ⟨przyjąć⟩; **you are** ~ **to do do as you please** rób, co ci się żywnie podoba; **to be** ~ **to do sth** mieć swobodę w zrobieniu czegoś, móc korzystać z upoważnienia; **you are** ~ bardzo proszę; nie ma za co (dziękować); *s* przywitanie, gościnne przyjęcie; **to bid** ~ serdecznie witać; *vt* powitać, gościnnie przyjąć; *int* witaj!, witajcie!

**weld** [weld] *vt vi* spawać (się); *s* spawanie; spoina

**wel·fare** [ˋwelfeə(r)] *s* dobrobyt, powodzenie; ~ **work** dobroczynność; praca społeczna; **social** ~ opieka społeczna; ~ **State** państwo z rozbudowanym systemem opieki społecznej

**well 1.** [wel] *adv* (*comp* **better**, *sup* **best**) dobrze; odpowiednio; chętnie; **as** ~ równie dobrze, również; **as** ~ **as** zarówno jak; ~ **read** oczytany; ~ **done!** brawo!, doskonale!; *adj praed* zdrowy; pomyślny; w porządku; **to be** ~

być zdrowym; mieć się dobrze; **to be ~ off** żyć dostatnio, być zamożnym; **to get ~ ⟨better⟩** wyzdrowieć; **~ up in sth** dobrze z czymś obeznany, dobrze opanowany; *int* no, no!; nareszcie!; a więc, otóż; **~ then?** a więc?
**well** 2. [wel] *s* studnia, źródło; szyb; *vi* (*zw.* **~ up, ~ out**) tryskać, buchać
**we'll** [wil] = **we shall, we will**
**well-ad·vised** ['wel əd`vaɪzd] *adj* rozsądny, roztropny
**well-bal·anced** ['wel `bælənst] *adj* zrównoważony
**well-be·haved** ['wel bɪ`heɪvd] *adj* dobrze wychowany, układny
**well-be·ing** ['wel `biɪŋ] *s* powodzenie, pomyślność; dobre samopoczucie
**well-bred** ['wel `bred] *adj* dobrze wychowany
**well-nigh** ['wel `naɪ] *adv poet.* nieomal, prawie
**well-off** ['wel `ɔf] *adj* dobrze sytuowany, zamożny
**well-to-do** ['wel tə `du] *adj* zamożny
**well-worn** ['wel `wɔn] *adj* znoszony; oklepany
**Welsh** [welʃ] *adj* walijski; *s* język walijski
**Welsh·man** [`welʃmən] *s* Walijczyk
**wel·ter** [`weltə(r)] *vi* przewalać się, tarzać się; *s* zamieszanie, chaos
**wench** [wentʃ] *s* dziewka
**went** [went] *zob.* **go**
**wept** [wept] *zob.* **weep**
**were** [wɜ(r), wə(r)] *zob.* **be**
**we're** [wɪə(r)] = **we are**
**weren't** [wɜnt] = **were not**
**west** [west] *s* zachód; *adj* zachodni; *adv* na zachód
**west·er·ly** [`westəlɪ] *adj* (*o kierunku*) zachodni; (*o wietrze*) z zachodu; *adv* na zachód
**west·ern** [`westən] *adj* zachodni; *s* człowiek z zachodu; film z życia Dzikiego Zachodu, western
**west·ward** [`westwəd] *adj* (*o kierunku*) zachodni, zwrócony ku zachodowi; *adv* ku zachodowi
**west·wards** [`westwədz] *adv* ku zachodowi, na zachód
**wet** [wet] *adj* mokry; dżdżysty; *am.* używający alkoholu; *s* wilgoć; dżdżysta pogoda; *vt* moczyć, zwilżać
**we've** [wiv] = **we have**
**whack** [wæk] *vt* grzmotnąć; *s* głośne uderzenie; *pot.* próba; udział, cząstka
**whale** 1. [weɪl] *s* wieloryb; *vi* polować na wieloryby
**whale** 2. [weɪl] *vt* bić, grzmocić
**whale·bone** [`weɪlbəun] *s* fiszbin
**whal·er** [`weɪlə(r)] *s* łowca wielorybów; statek do połowu wielorybów
**wharf** [wɔf] *s* (*pl* **~s** *lub* **wharves** [wɔvz]) przystań, nadbrzeże
**what** [wot] *adj* co; jaki; ile; to co, ten, który; co za; **~ for?** po co?; **~ are these apples?** ile kosztują te jabłka?; **~ is he like?** jak on wygląda?, jaki on jest?; **~ if ...** cóż, że ..., co z tego, że ...; **~'s up?** co się dzieje?; **~ use is it?** na co się to przyda?
**what·ev·er** [wot`evə(r)] *adj* cokolwiek, jakikolwiek; **not any ~** w ogóle żaden; **I'll tell you ~** coś ci powiem; **not anything ~** w ogóle nic
**what's** [wɔts] = **what is**
**what·so·ev·er** ['wotsəu`evə(r)] = **whatever**
**wheat** [wit] *s* pszenica
**wheat·en** [`witn] *adj* pszenny
**whee·dle** [`widl] *vt* przypochlebiać się, wdzięczyć się; skłonić
**wheel** [wil] *s* koło; kierownica; *mors.* ster; *vt vi* toczyć (się), kręcić (się); wozić (np. na taczkach)
**wheel·bar·row** [`wil bærəu] *s* taczki
**wheeze** [wiz] *vi* sapać; *s* sapanie
**whelp** [welp] *s* szczenię; *vi* oszczenić się
**when** [wen] *adv* kiedy; *pron* gdy, kiedy; **since ~** odkąd; **till ~** dokąd, do czasu, gdy

**whence** [wens] *adv* skąd; *pron rel.* skąd, z którego (*także* from ~); w następstwie czego
**where** [weə(r)] *adv conj pron* gdzie, dokąd; **from ~** skąd
**where·a·bouts** [ˈweərəˋbauts] *adv* gdzie mniej więcej; *s* miejsce pobytu
**where·as** [weərˋæz] *conj* podczas gdy
**where·by** [weəˋbaɪ] *adv conj* przez co; *rel.* za pomocą czego (którego)
**where·fore** [ˋweəfɔ(r)] *adv* dlaczego, dlaczego to; dlatego
**wher·ev·er** [weərˋevə(r)] *adv* gdziekolwiek, dokądkolwiek
**where·with** [weəˋwɪð] = **with what, with which**
**whet** [wet] *vt* ostrzyć; podniecać, pobudzać
**wheth·er** [ˋweðə(r)] *conj* czy
**whet·stone** [ˋwetstəun] *s* kamień do ostrzenia
**whey** [weɪ] *s* serwatka
**which** [wɪtʃ] *pron* który; co
**which·ev·er** [wɪtʃˋevə(r)], **which··so·ev·er** [ˈwɪtʃsəuˋevə(r)] *pron* którykolwiek
**whiff** [wɪf] *s* podmuch, dmuchnięcie; kłąb dymu; *vt vi* pykać
**whig** [wɪg] *s polit.* wig
**while** [waɪl] *s* chwila; **for a ~** na chwilę; chwilowo; **for the ~** tymczasem; na razie; **it's worth ~** warto, opłaci się; *adj conj* podczas gdy, gdy; *vt* **~ away** spędzać beztrosko (**the time** czas)
**whilst** [waɪlst] *conj* (podczas) gdy
**whim** [wɪm] *s* grymas, zachcianka
**whim·per** [ˋwɪmpə(r)] *vi* kwilić, skomleć; *s* kwilenie, skomlenie
**whim·si·cal** [ˋwɪmzɪkl] *adj* kapryśny; dziwaczny
**whim·sy** [ˋwɪmzɪ] *s* kaprys; urojenie
**whine** [waɪn] *vi* jęczeć, skomleć; jęk, skomlenie
**whin·ny** [ˋwɪnɪ] *vi* rżeć; *s* rżenie
**whip** [wɪp] *s* bicz; woźnica; naganiacz (w parlamencie); *vt* biczować, bić batem; ubijać; *vi* szybko umknąć
**whir** [wɜ(r)] *vi* warkotać; *s* warkot
**whirl** [wɜl] *s* wir; *vt vi* wirować, krążyć, kręcić się
**whirl·pool** [ˋwɜpul] *s* wir (wodny)
**whirl·wind** [ˋwɜlwɪnd] *s* trąba powietrzna
**whirr** [wɜ(r)] = **whir**
**whisk** [wɪsk] *s* kosmyk; miotełka; trzepaczka; machnięcie; śmignięcie; *vt* zmiatać; machać; śmigać; *vi* zniknąć, umknąć
**whisk·ers** [ˋwɪskəz] *s pl* bokobrody, baczki; wąsy (u zwierząt)
**whis·ky, whis·key** [ˋwɪskɪ] *s* whisky, wódka (angielska)
**whis·per** [ˋwɪspə(r)] *vt vi* szeptać; *s* szept
**whis·tle** [ˋwɪsl] *s* gwizd, świst; gwizdek; *vt vi* gwizdać, świstać
**whit** [wɪt] *s †* odrobina; **no ⟨not a⟩ ~** ani krzty, wcale
**white** [waɪt] *adj* biały; *s* biel, biały kolor; biały człowiek; białko; *vt* bielić
**whit·en** [ˋwaɪtn] *vt* bielić; *vi* bieleć
**white·wash** [ˋwaɪtwoʃ] *s* wapno do bielenia; wybielanie; *vt* bielić, wybielać
**whith·er** [ˋwɪðə(r)] *adv pron* (*zw. rel.*) dokąd
**whit·ing** [ˋwaɪtɪŋ] *s* bielidło
**whit·tle** [ˋwɪtl] *vt* strugać; *przen.* stopniowo zmniejszać
**whiz(z)** [wɪz] *vi* świszczeć; *s* świst
**who** [hu] *pron przypadek dzierżawczy*: **whose** [huz]; *przypadek zależny*: **whom** [hum] kto, który, którzy
**who·ev·er** [huˋevə(r)] *pron* ktokolwiek
**whole** [həul] *adj* cały; *mat.* całkowity; *s* całość; **as a ~** w całości
**whole·sale** [ˋhəul-seɪl] *s* hurt, sprzedaż hurtowa; *adj* hurtowy; *adv* hurtem

**whole·some** [ˋhəul-səm] *adj* (*o klimacie itp.*) zdrowy
**who'll** [hul] = **who will**
**whol·ly** [ˋhəullı] *adv* całkowicie
**whom** *zob.* **who**
**whoop·ing-cough** *zob.* = **hooping cough**
**whose** *zob.* **who**
**why** [waı] *adv* dlaczego; *int* przecież!, jak to!, oczywiście!
**wick** [wık] *s* knot
**wick·ed** [ˋwıkıd] *adj* zły, niegodziwy
**wick·er** [ˋwıkə(r)] *s* łozina; wyrób koszykarski
**wick·et** [ˋwıkıt] *s* furtka; okienko (kasowe); *sport* bramka (w krykiecie)
**wide** [waıd] *adj* szeroki, obszerny; daleki (**of sth** od czegoś); *adv* szeroko; daleko
**wide-awake** [ˈwaıd əˋweık] *adj* czujny, uważny
**wid·en** [ˋwaıdn] *vt vi* rozszerzyć (się)
**wide-spread** [waıd ˋspred] *adj* rozpowszechniony
**wid·ow** [ˋwıdəu] *s* wdowa
**wid·ow·er** [ˋwıdəuə(r)] *s* wdowiec
**width** [wıtθ] *s* szerokość
**wield** [wild] *vt* dzierżyć, władać
**wife** [waıf] *s* (*pl* **wives** [waıvz]) żona; † kobieta
**wig** [wıg] *s* peruka
**wig·wam** [ˋwıgwæm] *s* wigwam, szałas (indiański)
**wild** [waıld] *adj* dziki; szalony; pustynny; fantastyczny; *pot.* zły, rozgniewany; *s* dzika okolica; pustynia
**wil·der·ness** [ˋwıldənəs] *s* dzika przestrzeń; puszcza
**wild·fire** [ˋwaıldfaıə(r)] *s* ogień grecki; *przen.* (*o wiadomości itp.*) **to spread like ~** szerzyć się lotem błyskawicy
**wile** [waıl] *s* podstęp, fortel; *vt* podstępnie zwabić, zwieść
**wil·ful** [ˋwılfl] *adj* umyślny; samowolny, uparty
**will** [wıl] *s* wola; testament; energia; zapał; *v aux służy do tworzenia czasu przyszłego, np.*: **he ~ do it** on to zrobi; *vt* chcieć
**will·ing** [ˋwılıŋ] *adj* chętny
**will-o'-the-wisp** [ˈwıl ə ðə ˋwısp] *s* błędny ognik
**wil·low** [ˋwıləu] *s bot.* wierzba
**wil·low·y** [ˋwıləuı] *adj* porosły wierzbami; giętki
**wil·ly-nil·ly** [ˈwılı ˋnılı] *adv* chcąc nie chcąc
**wil·y** [ˋwaılı] *adj* chytry
* **win** [wın], **won, won** [wʌn] *vt vi* zyskać; wygrać; zwyciężyć; zdobyć; **~ over** pozyskać sobie (kogoś); **to ~ the day** odnieść zwycięstwo
**wince** [wıns] *vi* drgnąć, skrzywić się (z bólu); *s* drgnięcie
**winch** [wıntʃ] *s* dźwig; korba
**wind** 1. [wınd] *s* wiatr; dech; **to get ~** zwęszyć (**of sth** coś); *vt* węszyć; *vt* [waınd] dąć (**the horn** w róg)
* **wind** 2. [waınd], **wound, wound** [waund] *vt vi* wić (się), kręcić (się), nawijać, nakręcać; **~ off** odwinąć (się); **~ up** nawinąć, nakręcić; zlikwidować
**wind·fall** [ˋwındfɔl] *s* strącony owoc; niespodziewane szczęście, gratka
**wind-in·stru·ment** [ˋwınd ınstrumənt] *s muz.* instrument dęty
**wind·lass** [ˋwındləs] *s* kołowrót, wyciąg
**wind·mill** [ˋwındmıl] *s* wiatrak
**win·dow** [ˋwındəu] *s* okno
**win·dow-dres·sing** [ˋwındəu dresıŋ] *s* urządzenie wystawy sklepowej; *przen.* gra pozorów, poza, obłuda
**win·dow-pane** [ˋwındəu peın] *s* szyba okienna
**win·dow-shop·ping** [ˋwındəu ʃɔpıŋ] *s* oglądanie wystaw sklepowych
**wind·screen** [ˋwındskrin] *s* szyba ochronna (przed kierownicą)
**wind·y** [ˋwındı] *adj* wietrzny
**wine** [waın] *s* wino
**wing** [wıŋ] *s* skrzydło; *lotn.* dywizjon; *teatr pl* **~s** kulisy; *vt* u-

skrzydlić; *vi* lecieć; ~ **the air** (*o ptaku*) unosić się w powietrzu

**wink** [wɪŋk] *vt vi* mrugać; patrzeć przez palce (**at sth** na coś); *s* mrugnięcie

**win·ner** [`wɪnə(r)] *s* wygrywający, zwycięzca

**win·ning** [`wɪnɪŋ] *adj* zwycięski, wygrywający; ujmujący; *s* wygrana

**win·now** [`wɪnəʊ] *vt* wiać (ziarno, zboże); przesiewać; przebierać

**win·ter** [`wɪntə(r)] *s* zima; *vi* zimować; *vt* żywić przez zimę

**win·try** [`wɪntrɪ] *adj* zimowy; *przen.* chłodny, nieprzyjazny

**wipe** [waɪp] *vt* (*także* ~ **off** ⟨**out**⟩) ścierać, wycierać

**wire** [`waɪə(r)] *s* drut; *pot.* depesza; **to pull the** ~**s** wpłynąć na bieg sprawy, poruszyć wszystkie sprężyny; *vt* zaopatrzyć w drut; depeszować

**wire·less** [`waɪələs] *adj* bez drutu; radiowy; ~ **station** radiostacja; *s* radio; *vt* komunikować przez radio

**wir·y** [`waɪərɪ] *adj* druciany; muskularny, żylasty

**wis·dom** [`wɪzdəm] *s* mądrość

**wise 1.** [waɪz] *adj* mądry; *lit. poet.* ~ **man** czarodziej; ~ **woman** czarownica; **to be** ⟨**get**⟩ ~ dowiedzieć się (**to sth** o czymś); zmądrzeć, mądrze postąpić

**wise 2.** [waɪz] *s* sposób

**wise·a·cre** [`waɪzeɪkə(r)] *s* mędrek

**wise·crack** [`waɪzkræk] *s* dowcip

**wish** [wɪʃ] *vt vi* życzyć (sobie), pragnąć, czekać z utęsknieniem (**for sth** na coś); *s* życzenie; ochota

**wish·ful** [`wɪʃfl] *adj* pragnący; ~ **thinking** pobożne życzenia

**wisp** [wɪsp] *s* wiązka, kosmyk

**wist·ful** [`wɪstfl] *adj* zadumany; tęskny

**wit** [wɪt] *s* rozum; dowcip; dowcipniś; człowiek inteligentny; *pl* ~**s** zdrowy rozum, zdolności; **to be at one's** ~**'s end** nie wiedzieć co robić; **to have slow** ~**s** być tępym; *vt* † wiedzieć; **to** ~ mianowicie, to znaczy

**witch** [wɪtʃ] *s* czarownica, wiedźma

**witch·craft** [`wɪtʃkraft] *s* czary; czarnoksięstwo

**with** [wɪð] *praep* z, przy, u, za pomocą

* **with·draw** [wɪð`drɔ] *vt vi* (*formy zob.* **draw**) cofać (się); odchodzić; odwoływać; odsuwać; zabierać

**with·draw·al** [wɪð`drɔļ] *s* wycofanie (się); odwołanie; zabranie

**with·er** [`wɪðə(r)] *vi* usychać, zamierać, zanikać; *vt* wysuszać, powodować zanik

* **with·hold** [wɪð`həuld] *vt* (*formy zob.* **hold**) wstrzymać; odmówić; wycofać

**with·in** [wɪð`ɪn] *praep* wewnątrz; w obrębie; w zasięgu; w granicach (czasu, przestrzeni); *adv* wewnątrz, w środku; w domu

**with·out** [wɪð`aut] *praep* bez; na zewnątrz; *adv* na zewnątrz; na dworze

**with·stand** [wɪð`stænd] *vt* (*formy zob.* **stand**) opierać się, oponować; wytrzymywać

**wit·ness** [`wɪtnəs] *s* świadectwo; świadek; zeznanie; **to bear** ~ świadczyć (**to sth** o czymś); *vt* poświadczać; być świadkiem (**sth** czegoś); potwierdzać

**wit·ti·cism** [`wɪtɪsɪzm] *s* dowcip, bystra uwaga

**wit·ty** [`wɪtɪ] *adj* dowcipny

**wives** *zob.* **wife**

**wiz·ard** [`wɪzəd] *s* czarodziej

**wob·ble** [`wobl] *vi* chwiać się, kiwać się

**woe** [wəu] *s poet.* nieszczęście, niedola; ~ **to ...!** biada ...!

**woke, woken** *zob.* **wake**

**wolf** [wulf] *s* (*pl* **wolves** [vulvz]) wilk; **to cry** ~ podnieść fałszywy alarm

**wolf-cub** [`wulf kʌb] *s* wilczę; (*w harcerstwie*) zuch
**wolf·ish** [`wulfɪʃ] *adj* wilczy
**wolves** *zob.* **wolf**
**wom·an** [`wumən] *s* (*pl* **women** [`wɪmɪn]) kobieta
**wom·an·hood** [`wumənhud] *s* kobiecość; *zbior.* kobiety
**wom·an·ish** [`wumənɪʃ] *adj* kobiecy; zniewieściały
**wom·an·kind** [ʹwumən`kaɪnd] *s* *zbior.* kobiety, ród kobiecy
**wom·an·ly** [`wumənlɪ] *adj* kobiecy
**womb** [wum] *s anat.* macica; (*także przen.*) łono
**wom·en** *zob.* **woman**
**wom·en·folk** [`wɪmɪnfəuk] *s zbior. pot.* kobiety
**won** *zob.* **win**
**won·der** [`wʌndə(r)] *s* cud; dziwo; zdziwienie; **no ⟨small⟩ ~** nic dziwnego; *vt* dziwić się (**at sth** czemuś); być ciekawym, chcieć wiedzieć; **I ~ where he is** ciekaw jestem, gdzie on jest
**won·der·ful** [`wʌndəfl] *adj* cudowny; zadziwiający
**wont** [wəunt] *s* przyzwyczajenie, zwyczaj; *adj praed* przyzwyczajony, mający zwyczaj; **to be ~** mieć zwyczaj; *vi* mieć zwyczaj
**won't** [wəunt] = **will not**
**wont·ed** [`wəuntɪd] *adj* zwyczajny, zwykły
**woo** [wu] *vt* zalecać się, umizgać się (**sb** do kogoś); *przen.* ubiegać się (**sth** o coś)
**wood** [wud] *s* drzewo, drewno; (*także* **~s**) las; *vt* zalesiać
**wood·cut** [`wudkʌt] *s* drzeworyt
**wood·cut·ter** [`wudkʌtə(r)] *s* drwal; drzeworytnik
**wood·en** [`wudn] *adj* drewniany; *przen.* głupi, tępy
**wood-en·grav·er** [`wud ɪngreɪvə(r)] *s* drzeworytnik
**wood·land** [`wudlənd] *s* lesista okolica
**wood·man** [`wudmən] *s* gajowy; drwal
**wood·peck·er** [`wudpekə(r)] *s zool.* dzięcioł
**wood-pulp** [`wudpʌlp] *s* miazga drzewna; masa papiernicza
**wood·work** [`wudwɜk] *s* wyroby z drewna
**wood·y** [`wudɪ] *adj* lesisty; drzewny
**woof** [wuf] = **weft**
**wool** [wul] *s* wełna; **to loose one's ~** rozzłościć się; **much cry and little ~** dużo hałasu o nic
**wool·len** [`wulən] *adj* wełniany
**wool·ly** [`wulɪ] *adj* wełnisty; *przen.* mętny, mglisty
**wool·sack** [`wul-sæk] *s* worek z wełną; poduszka z wełny
**word** [wɜd] *s* wyraz, słowo; wiadomość; rozkaz; hasło; **a play upon ~s** gra słów; **to keep ⟨break⟩ one's ~** dotrzymywać ⟨nie dotrzymywać⟩ słowa; **upon my ~!** słowo daję!; **by ~ of mouth** ustnie; **to have a ~ with sb** zamienić z kimś parę słów; *vt* ująć w słowa, wyrazić
**word·ing** [`wɜdɪŋ] *s* słowne ujęcie, sformułowanie
**word·y** [`wɜdɪ] *adj* wielosłowny, rozwlekły
**wore** *zob.* **wear**
**work** [wɜk] *s* praca; dzieło, utwór; uczynek; **at ~** czynny; przy pracy; **out of ~** nieczynny; bezrobotny; **to make short ~** szybko uporać się (**of sth** z czymś); **to set to ~** zabrać się do roboty; zaprząc do roboty; *pl* **~s** fabryka, warsztat; zakłady (przemysłowe); mechanizm; *wojsk.* fortyfikacja; *vt vi* pracować, odpracowywać; odrabiać; działać; manipulować; wprawiać w ruch; zmuszać do pracy, eksploatować; **~ off** oderwać się; pozbyć się; **~ out** wypracować; wyjść, okazać się; rozwiązać (*np.* zadanie); zrealizować; **~ over** przerobić, obrobić; **~ up** wypracować; podnosić (się); podniecić
**work·a·ble** [`wɜkəbl] *adj* nadający się do obróbki; wykonalny

**work·day** [`wɜkdeɪ] *s* dzień powszedni
**work·er** [`wɜkə(r)] *s* pracownik, robotnik
**work·house** [`wɜkhaus] *s* dom dla ubogich, przytułek; *am.* dom poprawczy (z przymusową pracą)
**work·ing** [`wɜkɪŋ] *adj* pracujący; czynny; **the ~ class** klasa pracująca; świat pracy; **in ~ order** w stanie używalności; **~ capital** kapitał obrotowy; **~ costs** koszty eksploatacji; **~ knowledge of English** praktyczna znajomość angielskiego; *s* działanie; obróbka; eksploatacja
**work·man** [`wɜkmən] *s* robotnik, pracownik (fizyczny)
**work·man·ship** [`wɜkmənʃɪp] *s* sztuka, umiejętność, zręczność; wykonanie, wyrób (fachowy)
**work·people** [`wɜk pipl] *s pl* pracownicy, świat pracy
**work·shop** [`wɜkʃop] *s* warsztat
**work·wom·an** [`wɜkwumən] *s* pracownica (fizyczna)
**world** [wɜld] *s* świat; ziemia, kula ziemska; sfery (naukowe itp.); mnóstwo; **the next ~, the ~ to come** tamten świat; **to go out of this ~** zejść z tego świata; **a ~ of trouble** cała masa kłopotu; **not for all the ~** za nic w świecie
**world·ly** [`wɜldlɪ] *adj* światowy; świecki; ziemski
**worm** [wɜm] *s* robak; dżdżownica; *vt* **to ~ one's way** przekradać się; *vr* **~ oneself** wkręcić się
**worm-gear** [`wɜm gɪə(r)] *s techn.* przekładnia ślimakowa
**worm-wheel** [`wɜm wil] *s techn.* koło ślimakowe
**worm·wood** [`wɜmwud] *s bot.* piołun
**worm·y** [`wɜmɪ] *adj* robaczywy
**worn** *zob.* **wear**
**wor·ry** [`wʌrɪ] *vt vi* martwić (się), niepokoić (się), dręczyć (się); *s* zmartwienie, troska, niepokój
**worse** [wɜs] *adj* (*comp od* **bad, ill**) gorszy; bardziej chory; **to be ~** czuć się gorzej; *adv* gorzej; *s* gorsza rzecz, coś gorszego
**wors·en** [`wɜsn] *vt vi* pogorszyć (się)
**wor·ship** [`wɜʃɪp] *s* kult, oddawanie czci, nabożeństwo; *vt* czcić, wielbić; *vi* być na nabożeństwie
**worst** [wɜst] *adj* (*sup od* **bad, ill**) najgorszy; *adv* najgorsze; *s* to, co najgorsze; **at the ~** w najgorszym razie; *vt* pokonać
**worth** [wɜθ] *adj* wart; zasługujący; **it is ~ reading** warto to przeczytać; **it isn't ~ while** nie warto; to niewarte zachodu; *s* wartość
**wor·thy** [`wɜðɪ] *adj* godny, zasługujący (**of sth** na coś); *s* człowiek godny, wybitna jednostka
**would** [wud] *p i conditional od* **will**
**would-be** [`wud bi] *attr* rzekomy; niedoszły
**wound** 1. *zob.* **wind 2.**
**wound** 2. [wund] *s* rana; *vt* ranić
**wove, woven** *zob.* **weave**
**wrack** [ræk] = **wreck; to go to ~ and ruin** ulec zagładzie; wykoleić się
**wran·gle** [`ræŋgl] *s* kłótnia, spór; *vi* spierać się
**wrap** [ræp] *vt* (*także* **~ up**) owijać, pakować; *s* szal, chusta
**wrap·per** [`ræpə(r)] *s* opakowanie; narzutka; szlafrok; futerał; obwoluta
**wrath** [roθ] *s lit.* gniew
**wreath** [riθ] *s* (*pl* **~s** [riðz]) wieniec, girlanda; kłąb (np. dymu)
**wreathe** [rið] *vt* pleść, zwijać; *vi* kłębić się
**wreck** [rek] *s* rozbicie (statku); szczątki, wrak; rozbitek; *vt vi* rozbić (się), zniszczyć
**wreck·age** [`rekɪdʒ] *s* rozbicie; szczątki rozbitego okrętu
**wrench** [rentʃ] *s* skręt; zwichnięcie; szarpnięcie; *techn.* klucz

(nakrętkowy); *vt* skręcić; zwichnąć; szarpnąć; ~ **out** wyrwać
**wrest** [rest] *vt* skręcić, przekręcić (np. fakty); wyrwać (**sth from sb** coś komuś); *s* wykręcanie; *muz.* klucz do strojenia
**wres·tle** [ˈresl] *vt* wyrywać, wydzierać; *vi* borykać się, zmagać się (w zapasach); *s* zapasy; zmaganie, walka
**wres·tler** [ˈrestlə(r)] *s* zapaśnik
**wretch** [retʃ] *s* nieszczęśliwy człowiek; łajdak, nikczemnik
**wretch·ed** [ˈretʃɪd] *adj* nieszczęśliwy, godny pożałowania; nędzny; lichy
**wrig·gle** [ˈrɪgl] *vt vi* wywijać (się), skręcać (się), wyginać (się)
* **wring** [rɪŋ], **wrung**, **wrung** [rʌŋ] *vt* wyciskać, wyżymać; wymuszać; skręcać; **to ~ one's hands** załamywać ręce
**wring·er** [ˈrɪŋə(r)] *s* wyżymaczka
**wrin·kle** [ˈrɪŋkl] *s* zmarszczka, fałd; *vt vi* marszczyć (się)
**wrist** [rɪst] *s* przegub
**wrist·band** [ˈrɪstbænd] *s* mankiet
**wrist·watch** [ˈrɪst wotʃ] *s* zegarek na rękę
* **write** [raɪt], **wrote** [rəut], **written** [ˈrɪtn] *vt vi* pisać, wypisywać; **to ~ a good hand** mieć ładny charakter pisma; **~ back** odpisać; **~ down** zapisać; **~ out** napisać w całości, przepisać, wypisać; **~ over** przepisać; **~ up** doprowadzić do dnia bieżącego (np. pamiętnik); chwalić, napisać pochwałę
**writ·er** [ˈraɪtə(r)] *s* pisarz
**writhe** [raɪð] *vt vi* wić (się), skręcać (się)
**writ·ing** [ˈraɪtɪŋ] *s* pismo; utwór; dokument
**writ·ten** *zob.* **write**
**wrong** [roŋ] *adj* niesłuszny; niewłaściwy; fałszywy; niesprawiedliwy; nieodpowiedni, nie w porządku, niedobry; **~ side** lewa strona (materiału); **to be ~** nie mieć racji; **to go ~** chybić; popsuć się; **sth is ~** coś nie w porządku; *adv* niesłusznie, źle, nie w porządku; *s* krzywda, niesprawiedliwość; zło; błąd; wina; wykroczenie; **to be in the ~** nie mieć racji; być winnym; **to do sb ~** wyrządzić komuś krzywdę; **to do ~** źle postępować; *vt* krzywdzić, szkodzić, być niesprawiedliwym
**wrong-doer** [ˈroŋ duə(r)] *s* winowajca, grzesznik
**wrong·ful** [ˈroŋfl] *adj* niesprawiedliwy, szkodliwy, krzywdzący
**wrote** *zob.* **write**
**wrought** [rɔt] *adj* obrobiony; (*o metalu*) kuty
**wrung** *zob.* **wring**
**wry** [raɪ] *adj* krzywy, skręcony; **to make a ~ face** skrzywić się, zrobić kwaśną minę

**xe·rog·ra·phy** [zəˈrogrəfɪ] *s* kserografia
**Xmas** [ˈkrɪsməs] = **Christmas**
**X-ray** [ˈeks-reɪ] *vt* prześwietlać (promieniami Roentgena); *adj* [ˈeksreɪ] rentgenowski; *s pl* **~s** [ˈeksˈreɪz] promienie rentgenowskie
**xy·log·ra·phy** [zaɪˈlogrəfɪ] *s* drzeworytnictwo

# Y

**yacht** [jot] *s* jacht; *vi* pływać jachtem

**Yale-lock** [`jeɪllok] *s* zatrzask, zamek automatyczny

**Yan·kee** [`jæŋkɪ], *pot.* **Yank** [`jæŋk] *s* Jankes

**yard 1.** [jɑd] *s* jard, *mors.* reja

**yard 2.** [jɑd] *s* dziedziniec

**yarn** [jɑn] *s* przędza

**yawl** [jɔl] s jolka (łódź żaglowa)

**yawn** [jɔn] *vi* ziewać; zionąć; *s* ziewanie

**yea** [jeɪ] = yes; *s* głos za wnioskiem (w głosowaniu); twierdzenie

**year** [jɜ(r)] *s* rok; **~ by ~** rok za rokiem; **~ in ~ out** jak rok długi, rokrocznie; **to grow in ~s** starzeć się

**year·book** [`jɜbuk] *s* rocznik (np. statystyczny)

**year·ly** [`jɜlɪ] *adj* roczny, coroczny; *adv* corocznie; raz na rok

**yearn** [jɜn] *vi* tęsknić (**for** ⟨**after**⟩ **sb, sth** za kimś, za czymś)

**yearn·ing** [`jɜnɪŋ] *s* tęsknota

**yeast** [jist] *s* drożdże

**yell** [jel] *vt vi* wyć (**with pain** z bólu); wykrzykiwać; *s* wycie

**yel·low** [`jeləu] *adj* żółty; *przen.* zazdrosny; *s* żółta barwa; żółtko; *vt* barwić na żółto; *vi* żółknąć

**yel·low·back** [`jeləu bæk] *s* tania powieść sensacyjna

**yel·low·ish** [`jeləuɪʃ] *adj* żółtawy

**yelp** [jelp] *vi* skomleć; *s* skomlenie

**yeo·man** [`jəumən] *s* chłop średniorolny; *hist.* drobny właściciel ziemski; *hist.* konny ochotnik; **Yeoman of the Guard** żołnierz królewskiej straży przybocznej

**yeo·man·ry** [`jəumənrɪ] *s* klasa chłopów średniorolnych; *hist.* drobni właściciele ziemscy; *hist.* królewska gwardia przyboczna; *hist.* konna formacja wojskowa

**yes** [jes] *adv* tak

**yes·ter·day** [`jestədɪ] *adv* wczoraj; *s* dzień wczorajszy; **the day before ~** przedwczoraj

**yet** [jet] *adv* jeszcze; (*w pytaniach*) już; dotychczas, do tej pory; przecież, jednak; **as ~** jak dotąd, na razie; **nor ~** ani nawet, także nie

**yew** [ju] *s bot.* cis

**yield** [jild] *vt* wytwarzać, wydawać; dostarczać; dać (wynik itd.); przyznawać; oddawać; *vi* ulegać, poddawać się, ustępować; *s* produkcja; wynik; wydajność; plon

**yoke** [jəuk] *s* jarzmo; *przen.* władza; *vt* ujarzmić, zaprzęgnąć

**Yo·kel** [`jəukl] *s uj.* chłopek, kmiotek; prostak

**yolk** [jəuk] *s* żółtko

**yon·der** [`jondə(r)] *adv lit.* tam, po tamtej stronie; *pron adj* tamten

**you** [ju] *pron* ty, wy, pan, pani, państwo; *tłumaczy się bezosobowo, np.*: **~ can never tell** nigdy nie wiadomo

**you'd** [jud] = **you had, you would**

**you'll** [jul] = **you will**

**young** [jʌŋ] *adj* młody, młodzieńczy; niedoświadczony; *s zbior.* (*o zwierzętach*) młode, potomstwo

**young·ster** [`jʌŋstə(r)] *s* chłopak, młodzik

**your** [jɔ(r), juə(r)] *pron* twój, wasz, pański itd.

**you're** [jɔ(r), juə(r)] = **you are**

**yours** [jɔz, juəz] *pron* twój, wasz, pański itd.

**your·self** [jɔ`self] *pron* ty sam, pan sam itd.; siebie, sobie, się; *pl* **yourselves** [jɔ`selvz] wy sami, państwo sami itd.; siebie, sobie, się

**youth** [juθ] *s* młodość; młodzież; (*pl* ~s [juðz]) młodzieniec
**youth·ful** [`juθfl] *adj* młodzieńczy
**you've** [juv] = **you have**
**Yu·go·slav** [`jugəuslav] *s* Jugosłowianin; *adj* jugosłowiański
**Yu·go·slav·ian** ['jugəu`slavɪən] = **Yugoslav** *adj*

# Z

**zeal** [zil] *s* gorliwość
**zeal·ot** [`zelət] *s* gorliwiec
**zeal·ous** [`zeləs] *adj* gorliwy
**ze·bra** [`zibrə] *s zool.* zebra
**ze·nith** [`zenɪθ] *s* zenit
**zeph·yr** [`zefə(r)] *s* zefir
**ze·ro** [`zɪərəu] *s* zero; *fiz.* **absolute ~ zero** bezwzględne ⟨absolutne⟩; *wojsk.* **~ hour** godzina rozpoczęcia działania ⟨ataku⟩
**zest** [zest] *s* przyprawa, aromat; pikanteria; chęć, zapał
**zig·zag** [`zɪgzæg] *s* zygzak
**zinc** [zɪŋk] *s* cynk
**zip** [zɪp] *s* suwak, zamek błyskawiczny; świszczący dźwięk (np. pocisku)
**zip-fas·ten·er** ['zɪp `fasnə(r)], **zipper** [`zɪpə(r)], **zip** [zɪp] *s* zamek błyskawiczny
**zith·er** [`zɪθə(r)] *s muz.* cytra
**zlo·ty** [`zlotɪ] *s* (*pl* ~s) złoty (polski)
**zo·di·ac** [`zəudɪæk] *s astr.* zodiak
**zone** [zəun] *s* pas, strefa
**zoo** [zu] *s* ogród zoologiczny
**zo·o·log·i·cal** ['zəuə`lodʒɪkl] *adj* zoologiczny; **~ garden** ogród zoologiczny
**zo·ol·o·gy** [zəu`olədʒɪ] *s* zoologia

## A LIST OF IRREGULAR VERBS

## CZASOWNIKI Z ODMIANĄ TZW. NIEREGULARNĄ *

| Infinitive<br>Bezokolicznik | Past<br>Czas przeszły | Past Participle<br>Imiesłów czasu przeszłego |
|---|---|---|
| abide [ə`baɪd] | abode [ə`bəud]<br>abided [ə`baɪdɪd] | abode [ə`bəud]<br>abided [ə`baɪdɪd] |
| arise [ə`raɪz] | arose [ə`rəuz] | arisen [ə`rɪzn] |
| awake [ə`weɪk] | awoke [ə`wəuk] | awoke [ə`wəuk] |
| be [bi] | was [woz, wəz]<br>*pl* were [wɜ(r), wə(r)] | been [bin] |
| bear [beə(r)] | bore [bɔ(r)] | borne [bɔn]<br>born [bɔn] |
| beat [bit] | beat [bit] | beaten [`bitn] |
| become [bɪ`kʌm] | became [bɪ`keɪm] | become [bɪ`kʌm] |
| beget [bɪ`get] | begot [bɪ`got] | begotten [bɪ`gotn] |
| begin [bɪ`gɪn] | began [bɪ`gæn] | begun [bɪ`gʌn] |
| behold [bɪ`həuld] | beheld [bɪ`held] | beheld [bɪ`held] |
| bend [bend] | bent [bent] | bent [bent]<br>bended [`bendɪd] |
| bereave [bɪ`riv] | bereaved [bɪ`rivd]<br>bereft [bɪ`reft] | bereaved [bɪ`rivd]<br>bereft [bɪ`reft] |
| beseech [bɪ`sitʃ] | besought [bɪ`sɔt] | besought [bɪ`sɔt] |
| bet [bet] | bet [bet]<br>betted [`betɪd] | bet [bet]<br>betted [`betɪd] |
| bid [bid] | bade [beɪd, bæd]<br>bid [bɪd] | bidden [`bɪdn]<br>bid [bɪd] |
| bind [baɪnd] | bound [baund] | bound [baund] |
| bite [baɪt] | bit [bɪt] | bitten [`bɪtn]<br>bit [bɪt] |
| bleed [blid] | bled [bled] | bled [bled] |
| blend [blend] | blended [`blendɪd]<br>blent [blent] | blended [`blendɪd]<br>blent [blent] |
| blow [bləu] | blew [blu] | blown [bləun] |
| break [breɪk] | broke [brəuk] | broken [`brəukən] |
| breed [brid] | bred [bred] | bred [bred] |

* Czasowników ułomnych (defective verbs) o jednej tylko formie, jak np. ought, lub dwóch formach, jak np. can, could, należy szukać w odpowiednich miejscach słownika.

| Infinitive<br>Bezokolicznik | Past<br>Czas przeszły | Past Participle<br>Imiesłów czasu przeszłego |
|---|---|---|
| bring [brɪŋ] | brought [brɔt] | brought [brɔt] |
| build [bɪld] | built [bɪlt] | built [bɪlt] |
| burn [bɜn] | burnt [bɜnt]<br>burned [bɜnd] | burnt [bɜnt]<br>burned [bɜnd] |
| burst [bɜst] | burst [bɜst] | burst [bɜst] |
| buy [baɪ] | bought [bɔt] | bought [bɔt] |
| cast [kɑst] | cast [kɑst] | cast [kɑst] |
| catch [kætʃ] | caught [kɔt] | caught [kɔt] |
| chide [tʃaɪd] | chid [tʃɪd] | chid [tʃɪd]<br>chidden [`tʃɪdn] |
| choose [tʃuz] | chose [tʃəuz] | chosen [`tʃəuzn] |
| cleave [kliv] | clove [kləuv]<br>cleft [kleft] | cloven [`kləuvn]<br>cleft [kleft] |
| cling [klɪŋ] | clung [klʌŋ] | clung [klʌŋ] |
| clothe [kləuð] | clothed [kləuðd]<br>clad [klæd] | clothed [kləuðd]<br>clad [klæd] |
| come [kʌm] | came [keɪm] | come [kʌm] |
| cost [kost] | cost [kost] | cost [kost] |
| creep [krip] | crept [krept] | crept [krept] |
| cut [kʌt] | cut [kʌt] | cut [kʌt] |
| dare [deə(r)] | dared [deəd]<br>† durst [dɜst] | dared [deəd] |
| deal [dil] | dealt [delt] | dealt [delt] |
| dig [dɪg] | dug [dʌg] | dug [dʌg] |
| do [du] | did [dɪd] | done [dʌn] |
| draw [drɔ] | drew [dru] | drawn [drɔn] |
| dream [drim] | dreamt [dremt]<br>dreamed [drimd] | dreamt [dremt]<br>dreamed [drimd] |
| drink [drɪŋk] | drank [dræŋk] | drunk [drʌŋk]<br>drunken [`drʌŋkən] |
| drive [draɪv] | drove [drəuv] | driven [`drɪvn] |
| dwell [dwel] | dwelt [dwelt]<br>dwelled [dweld] | dwelt [dwelt]<br>dwelled [dweld] |
| eat [it] | ate [et, *am.* eɪt] | eaten [`itn] |
| fall [fɔl] | fell [fel] | fallen [`fɔlən] |
| feed [fid] | fed [fed] | fed [fed] |
| feel [fil] | felt [felt] | felt [felt] |
| fight [faɪt] | fought [fɔt] | fought [fɔt] |
| find [faɪnd] | found [faund] | found [faund] |
| flee [fli] | fled [fled] | fled [fled] |
| fling [flɪŋ] | flung [flʌŋ] | flung [flʌŋ] |
| fly [flaɪ] | flew [flu] | flown [fləun] |
| forbear [fə`beə(r)] | forbore [fə`bɔ(r)] | forborne [fə`bɔn] |
| forbid [fə`bɪd] | forbade [fə`beɪd]<br>forbad [fə`bæd] | forbidden [fə`bɪdn] |
| forget [fə`get] | forgot [fə`got] | forgotten [fə`gotn] |
| forgive [fə`gɪv] | forgave [fə`geɪv] | forgiven [fə`gɪvn] |

| Infinitive Bezokolicznik | Past Czas przeszły | Past Participle Imiesłów czasu przeszłego |
|---|---|---|
| forsake [fə`seɪk] | forsook [fə`suk] | forsaken [fə`seɪkən] |
| freeze [friz] | froze [frəuz] | frozen [`frəuzn] |
| get [get] | got [got] | got [got] |
| | | † i *am.* gotten [`gotn] |
| gird [gɜd] | girded [`gɜdɪd] | girded [`gɜdɪd] |
| | girt [gɜt] | girt [gɜt] |
| give [gɪv] | gave [geɪv] | given [`gɪvn] |
| go [gəu] | went [went] | gone [gon] |
| grind [graɪnd] | ground [graund] | ground [graund] |
| grow [grəu] | grew [gru] | grown [grəun] |
| hang [hæŋ] | hung [hʌŋ] | hung [hʌŋ] |
| | hanged [hæŋd] | hanged [hæŋd] |
| have [hæv] | had [hæd] | had [hæd] |
| hear [hɪə(r)] | heard [hɜd] | heard [hɜd] |
| heave [hiv] | heaved [hivd] | heaved [hivd] |
| | hove [həuv] | hove [həuv] |
| hew [hju] | hewed [hjud] | hewn [hjun] |
| | | hewed [hjud] |
| hide [haɪd] | hid [hɪd] | hidden [`hɪdn] |
| | | hid [hɪd] |
| hit [hɪt] | hit [hɪt] | hit [hɪt] |
| hold [həuld] | held [held] | held [held] |
| hurt [hɜt] | hurt [hɜt] | hurt [hɜt] |
| keep [kip] | kept [kept] | kept [kept] |
| kneel [nil] | knelt [nelt] | knelt [nelt] |
| knit [nɪt] | knit [nɪt] | knit [nɪt] |
| | knitted [`nɪtɪd] | knitted [`nɪtɪd] |
| know [nəu] | knew [nju] | known [nəun] |
| lade [leɪd] | laded [`leɪdɪd] | laden [`leɪdn] |
| lay [leɪ] | laid [leɪd] | laid [leɪd] |
| lead [lid] | led [led] | led [led] |
| lean [lin] | leant [lent] | leant [lent] |
| | leaned [lind] | leaned [lind] |
| leap [lip] | leapt [lept] | leapt [lept] |
| | leaped [lipt, lept] | leaped [lipt, lept] |
| learn [lɜn] | learnt [lɜnt] | learnt [lɜnt] |
| | learned [lɜnd] | learned [lɜnd] |
| leave [liv] | left [left] | left [left] |
| lend [lend] | lent [lent] | lent [lent] |
| let [let] | let [let] | let [let] |
| lie [laɪ] | lay [leɪ] | lain [leɪn] |
| light [laɪt] | lighted [`laɪtɪd] | lighted [`laɪtɪd] |
| | lit [lɪt] | lit [lɪt] |
| lose [luz] | lost [lost] | lost [lost] |
| make [meɪk] | made [meɪd] | made [meɪd] |
| mean [min] | meant [ment] | meant [ment] |
| meet [mit] | met [met] | met [met] |

| Infinitive<br>Bezokolicznik | Past<br>Czas przeszły | Past Participle<br>Imiesłów czasu przeszłego |
|---|---|---|
| mistake [mɪ`steɪk] | mistook [mɪ`stuk] | mistaken [mɪ`steɪkn] |
| mow [məu] | mowed [məud] | mown [məun], *am.* mowed [məud] |
| pay [peɪ] | paid [peɪd] | paid [peɪd] |
| put [put] | put [put] | put [put] |
| read [rid] | read [red] | read [red] |
| rend [rend] | rent [rent] | rent [rent] |
| rid [rɪd] | rid [rɪd]<br>ridded [`rɪdɪd] | rid [rɪd]<br>ridded [`rɪdɪd] |
| ride [raɪd] | rode [rəud] | ridden [`rɪdn] |
| ring [rɪŋ] | rang [ræŋ] | rung [rʌŋ] |
| rise [raɪz] | rose [rəuz] | risen [`rɪzn] |
| run [rʌn] | ran [ræn] | run [rʌn] |
| saw [sɔ] | sawed [sɔd] | sawn [sɔn]<br>sawed [sɔd] |
| say [seɪ] | said [sed] | said [sed] |
| see [si] | saw [sɔ] | seen [sin] |
| seek [sik] | sought [sɔt] | sought [sɔt] |
| sell [sel] | sold [səuld] | sold [səuld] |
| send [send] | sent [sent] | sent [sent] |
| set [set] | set [set] | set [set] |
| sew [səu] | sewed [səud] | sewed [səud]<br>sewn [səun] |
| shake [ʃeɪk] | shook [ʃuk] | shaken [`ʃeɪkən] |
| shear [ʃɪə(r)] | sheared [ʃɪəd]<br>shore [ʃɔ(r)] | sheared [ʃɪəd]<br>shorn [ʃɔn] |
| shed [ʃed] | shed [ʃed] | shed [ʃed] |
| shine [ʃaɪn] | shone [ʃon] | shone [ʃon] |
| shoe [ʃu] | shod [ʃod] | shod [ʃod] |
| shoot [ʃut] | shot [ʃot] | shot [ʃot] |
| show [ʃəu] | showed [ʃəud] | shown [ʃəun]<br>showed [ʃəud] |
| shrink [ʃrɪŋk] | shrank [ʃræŋk] | shrunk [ʃrʌŋk] |
| shrive [ʃraɪv] | shrived [ʃraɪvd]<br>shrove [ʃrəuv] | shrived [ʃraɪvd]<br>shriven [`ʃrɪvn] |
| shut [ʃʌt] | shut [ʃʌt] | shut [ʃʌt] |
| sing [sɪŋ] | sang [sæŋ] | sung [sʌŋ] |
| sink [sɪŋk] | sank [sæŋk] | sunk [sʌŋk] |
| sit [sit] | sat [sæt] | sat [sæt] |
| slay [sleɪ] | slew [slu] | slain [sleɪn] |
| sleep [slip] | slept [slept] | slept [slept] |
| slide [slaɪd] | slid [slɪd] | slid [slɪd]<br>slidden [`slɪdn] |
| sling [slɪŋ] | slung [slʌŋ] | slung [slʌŋ] |
| slink [slɪŋk] | slunk [slʌŋk] | slunk [slʌŋk] |
| slit [slɪt] | slit [slɪt] | slit [slɪt] |

| Infinitive<br>Bezokolicznik | Past<br>Czas przeszły | Past Participle<br>Imiesłów czasu przeszłego |
|---|---|---|
| smell [smel] | smelt [smelt]<br>smelled [smeld] | smelt [smelt]<br>smelled [smeld] |
| smite [smaɪt] | smitten [ˈsmɪtn] | smote [sməut] |
| sow [səu] | sown [səun]<br>sowed [səud] | sowed [səud] |
| speak [spik] | spoken [ˈspəukən] | spoke [spəuk] |
| speed [spid] | sped [sped]<br>speeded [ˈspidɪd] | sped [sped]<br>speeded [ˈspidɪd] |
| spell [spel] | spelt [spelt]<br>spelled [speld] | spelt [spelt]<br>spelled [speld] |
| spend [spend] | spent [spent] | spent [spent] |
| spill [spɪl] | spilt [spɪlt]<br>spilled [spɪld] | spilt [spɪlt]<br>spilled [spɪld] |
| spin [spɪn] | spun [spʌn]<br>span [spæn] | spun [spʌn] |
| spit [spɪt] | spit [spɪt]<br>spat [spæt] | spit [spɪt]<br>spat [spæt] |
| split [splɪt] | split [splɪt] | split [splɪt] |
| spoil [spɔɪl] | spoilt [spɔɪlt]<br>spoiled [spɔɪld] | spoilt [spɔɪlt]<br>spoiled [spɔɪld] |
| spread [spred] | spread [spred] | spread [spred] |
| spring [sprɪŋ] | sprung [sprʌŋ] | sprang [spræŋ]<br>sprung [sprʌŋ] |
| stand [stænd] | stood [stud] | stood [stud] |
| stave [steɪv] | staved [steɪvd]<br>stove [stəuv] | staved [steɪvd]<br>stove [stəuv] |
| steal [stil] | stole [stəul] | stolen [ˈstəulən] |
| stick [stɪk] | stuck [stʌk] | stuck [stʌk] |
| sting [stɪŋ] | stung [stʌŋ] | stung [stʌŋ] |
| stink [stɪŋk] | stunk [stʌŋk]<br>stank [stæŋk] | stunk [stʌŋk] |
| strew [stru] | strewed [strud] | strewn [strun]<br>strewed [strud] |
| stride [straɪd] | strode [strəud] | stridden [ˈstrɪdn] |
| strike [straɪk] | struck [strʌk] | struck [strʌk]<br>† stricken [ˈstrɪkən] |
| string [strɪŋ] | strung [strʌŋ]<br>† stringed [strɪŋd] | strung [strʌŋ]<br>† stringed [strɪŋd] |
| strive [straɪv] | strove [strəuv] | striven [ˈstrɪvn] |
| swear [sweə(r)] | swore [swɔ(r)] | sworn [swɔn] |
| sweep [swip] | swept [swept] | swept [swept] |
| swell [swel] | swelled [sweld] | swelled [sweld]<br>swollen [ˈswəulən] |
| swim [swɪm] | swam [swæm] | swum [swʌm]<br>† swam [swæm] |
| swing [swɪŋ] | swung [swʌŋ] | swung [swʌŋ] |
| take [teɪk] | took [tuk] | taken [ˈteɪkən] |

| **Infinitive Bezokolicznik** | **Past Czas przeszły** | **Past Participle Imiesłów czasu przeszłego** |
|---|---|---|
| teach [titʃ] | taught [tɔt] | taught [tɔt] |
| tear [teə(r)] | tore [tɔ(r)] | torn [tɔn] |
| tell [tel] | told [təuld] | told [təuld] |
| think [θɪŋk] | thought [θɔt] | thought [θɔt] |
| thrive [θraɪv] | throve [θrəuv]<br>thrived [θraɪvd] | thriven [ˋθrɪvən]<br>thrived [θraɪvd] |
| throw [θrəu] | threw [θru] | thrown [θrəun] |
| thrust [θrʌst] | thrust [θrʌst] | thrust [θrʌst] |
| tread [tred] | trod [trod] | trodden [ˋtrodn]<br>trod [trod] |
| understand [ˈʌndə-ˋstænd] | understood [ˈʌndəˋstud] | understood [ˈʌndəˋstud] |
| wake [weɪk] | woke [wəuk]<br>waked [weɪkt] | woken [ˋwəukən]<br>waked [weɪkt] |
| wear [weə(r)] | wore [wɔ(r)] | worn [wɔn] |
| weave [wiv] | wove [wəuv] | woven [ˋwəuvn]<br>wove [wəuv] |
| weep [wip] | wept [wept] | wept [wept] |
| win [wɪn] | won [wʌn] | won [wʌn] |
| wind [waɪnd] | wound [waund] | wound [waund] |
| wring [rɪŋ] | wrung [rʌŋ] | wrung [rʌŋ] |
| write [raɪt] | wrote [rɜut] | written [ˋrɪtn] |

## GEOGRAPHICAL NAMES

## NAZWY GEOGRAFICZNE*

**Aden** [ˋeɪdn] Aden
**Adriatic** [ˊeɪdrɪˋætɪk] Adriatyk; **Adriatic Sea** [ˊeɪdrɪˋætɪk ˋsi] Morze Adriatyckie
**Afghanistan** [æfˊgænɪˋstæn] Afganistan
**Africa** [ˋæfrɪkə] Afryka
**Alabama** [ˊæləˋbæmə] Alabama
**Alaska** [əˋlæskə] Alaska
**Albania** [ælˋbeɪnɪə] Albania; **People's Socialist Republic of Albania** [ˊpiplz ˊsəuʃḷɪst riˋpʌblɪk əv ælˋbeɪnɪə] Ludowa Socjalistyczna Republika Albanii
**Algeria** [ælˋdʒɪərɪə] Algieria (*kraj*)
**Algiers** [ælˋdʒɪəz] Algier (*miasto*)
**Alps** [ælps] Alpy
**Amazon** [ˋæməzn] Amazonka
**America** [əˋmerɪkə] Ameryka
**Amsterdam** [ˋæmstədæm] Amsterdam
**Andes** [ˋændiz] Andy
**Ankara** [ˋæŋkərə] Ankara
**Antarctic** [ænˋtaktɪk], **Antarctic Continent** [ˋkontɪnənt] Antarktyda
**Antilles** [ænˋtɪliz] Antyle
**Appenines** [ˋæpɪnaɪnz] Apeniny
**Arabian Sea** [əˋreɪbɪən si] Morze Arabskie
**Arctic** [ˋaktɪk] Arktyka; **Arctic Ocean** [ˋaktɪk əuʃn] Ocean Lodowaty Północny, Morze Arktyczne
**Argentina** [ˋadʒənˋtinə] Argentyna
**Arizona** [ˊærɪˋzəunə] Arizona
**Arkansas** [ˋakənsɔ] Arkansas
**Athens** [ˋæθnz] Ateny
**Atlantic, Atlantic Ocean** [ətˋlæntɪk əuʃn] Atlantyk, Ocean Atlantycki
**Atlas Mts** [ˋætləs mauntɪnz] góry Atlas
**Auckland** [ˋɔklənd] Auckland
**Australia** [oˋstreɪlɪə] Australia
**Austria** [ˋostrɪə] Austria
**Azerbaijan** [aˊzɜbaɪˋdʒan] Azerbejdżan
**Azores** [əˋzɔz] Azory

**Baghdad, Bagdad** [bægˋdæd] Bagdad
**Balkans** [ˋbɔlkənz] Bałkany; **Balkan Peninsula** [ˋbɔlkən pənɪnsjulə] Półwysep Bałkański
**Baltic** [ˋbɔltɪk] Bałtyk; **Baltic Sea** [ˋbɔltɪk si] Morze Bałtyckie
**Bangladesh** [ˊbæŋgləˋdeʃ] Bangladesz
**Barents Sea** [ˋbarents si] Morze Barentsa
**Bath** [baθ] Bath
**Beirut** [beɪˋrut] Bejrut
**Belfast** [ˋbelfast] Belfast
**Belgium** [ˋbeldʒəm] Belgia
**Belgrade** [ˊbelˋgreɪd] Belgrad
**Bengal** [beŋˋgɔl] Bengalia
**Bering Sea** [ˋberɪŋ si] Morze Beringa; **Bering Strait** [ˋberɪŋ strəɪt] Cieśnina Beringa
**Berlin** [bɜˋlɪn] Berlin; **West Berlin** [ˊwest bɜˋlɪn] Berlin Zachodni

* *Uwaga: skróty* „Ils" *i* „Mts" *odpowiadają wyrazom* „Islands" i „Mountains".

**Bern, Berne** [bɜn] Berno
**Birmingham** [`bɜmɪŋəm] Birmingham
**Black Sea** [`blæk si] Morze Czarne
**Bolivia** [bə`lɪvɪə] Boliwia
**Bombay** [bom`beɪ] Bombaj
**Bonn** [bon] Bonn
**Borneo** [`bɔnɪəu] Borneo
**Bosphorus** [`bosfərəs], **Bosporus** [`bospərəs] Bosfor
**Boston** [`bostən] Boston
**Brazil** [brə`zɪl] Brazylia
**Brighton** [`braɪtn] Brighton
**Britain** = **Great Britain**
**British Columbia** [/brɪtɪʃ kə`lʌmbɪə] Kolumbia Brytyjska
**British Commonwealth (of Nations)** [/brɪtɪʃ `komənwelθ (əv neɪʃənz)] Brytyjska Wspólnota Narodów
**Brooklyn** [`bruklɪn] Brooklyn
**Brussels** [`brʌslz] Bruksela
**Bucharest** [/bjukə`rest] Bukareszt
**Buckingham** [`bʌkɪŋəm] Buckingham
**Budapest** [/bjudə`pest] Budapeszt
**Buenos Aires** [/bweɪnəs `eəriz] Buenos Aires
**Bulgaria** [bʌl`geərɪə] Bułgaria; **People's Republic of Bulgaria** [/piplz rɪ/pʌblɪk əv bʌl`geərɪə] Ludowa Republika Bułgarii
**Burma** [`bɜmə] Birma

**Cairo** [`kaɪərəu] Kair
**Calcutta** [kæl`kʌtə] Kalkuta
**California** [/kælɪ`fɔnɪə] Kalifornia
**Cambodia** [kæm`bəudɪə] Kambodża
**Cambridge** [`keɪmbrɪdʒ] Cambridge
**Canada** [`kænədə] Kanada
**Canary Ils** [kə`neərɪ aɪləndz] Wyspy Kanaryjskie
**Canberra** [`kænbərə] Canberra
**Capetown, Cape Town** [`keɪptaun] Kapsztad, Capetown
**Cardiff** [`kadɪf] Cardiff
**Caribbean Sea** [/kærɪ`bɪən si] Morze Karaibskie
**Carpathians** [ka`peɪθɪənz], **Carpathian Mts** [ka`peɪθɪən mauntɪnz] Karpaty
**Caspian Sea** [`kæspɪən si] Morze Kaspijskie
**Caucasus, the** [`kɔkəsəs] Kaukaz
**Celebes** [sə`libiz] Celebes
**Ceylon** [sɪ`lon] Cejlon
**Channel Ils** [`tʃænl aɪləndz] Wyspy Normandzkie
**Chelsea** [`tʃelsi] Chelsea (w Londynie)
**Chicago** [ʃɪ`kagəu] Chicago
**Chile** [`tʃɪlɪ] Chile
**China** [`tʃaɪnə] Chiny; **Chinese People's Republic** [tʃaɪ/niz /piplz rɪ`pʌblɪk] Chińska Republika Ludowa
**Cleveland** [`klivlənd] Cleveland
**Colorado** [/kolə`radəu] Kolorado
**Columbia** [kə`lʌmbɪə] Kolumbia
**Congo** [`koŋgəu] Kongo
**Connecticut** [kə`netɪkət] Connecticut
**Constantinople** [/konstəntɪ`nəupl] *hist.* Konstantynopol, Stambuł
**Copenhagen** [`kəupnheɪgən] Kopenhaga
**Cordilleras** [/kɔdɪl`jeərəz] Kordyliery
**Cornwall** [`kɔnwl] Kornwalia
**Corsica** [`kɔsɪkə] Korsyka
**Cracow** [`krakəu] Kraków
**Crete** [krit] Kreta
**Crimea** [kraɪ`mɪə] Krym
**Cuba** [`kjubə] Kuba
**Cyprus** [`saɪprəs] Cypr
**Czechoslovakia** [/tʃekəuslə`vækɪə] Czechosłowacja; **Socialist Republic of Czechoslovakia** [/səuʃəlɪst rɪ/pʌblɪk əv /tʃekəuslə`vækɪə] Czechosłowacka Republika Socjalistyczna

**Damascus** [də`mæskəs] Damaszek
**Danube** [`dænjub] Dunaj
**Dardanelles** [/dadə`nelz] Dardanele
**Delaware** [`deləweə(r)] Delaware
**Delhi** [`delɪ] Delhi
**Denmark** [`denmak] Dania
**Djakarta** [dʒə`katə] Djakarta
**Dover** [`dəuvə(r)] Dover; **Strait of Dover** [/streɪt əv `dəuvə(r)] Cieśnina Kaletańska
**Dublin** [`dʌblɪn] Dublin

**Edinburgh** [ˋednbrə] Edynburg
**Egypt** [ˋidʒɪpt] Egipt
**Eire** [ˋeərə] Irlandia (Republika Irlandzka)
**England** [ˋɪŋglənd] Anglia
**English Channel** [ˋɪŋglɪʃ ˋtʃænl] kanał La Manche
**Erie** [ˋɪəri] Erie
**Ethiopia** [ˌiθɪˋəupɪə] Etiopia
**Europe** [ˋjuərəp] Europa
**Everest** [ˋevərɪst] Everest

**Federal Republic of Germany** [ˌfedṛl rɪˌpʌblɪk əv ˋdʒɜmənɪ] Republika Federalna Niemiec
**Finland** [ˋfɪnlənd] Finlandia
**Florida** [ˋflorɪdə] Floryda
**France** [frɑns] Francja

**Geneva** [dʒɪˋnivə] Genewa
**Georgia** [ˋdʒɔdʒə] Georgia
**German Democratic Republic** [ˌdʒɜmən deməˌkrætɪk rɪˋpʌblɪk] Niemiecka Republika Demokratyczna
**Gibraltar** [dʒɪˋbrɔltə(r)] Gibraltar
**Glasgow** [ˋglɑzgəu] Glasgow
**Great Britain** [ˌgreɪt ˋbrɪtn] Wielka Brytania
**Greece** [gris] Grecja
**Greenland** [ˋgrinlənd] Grenlandia
**Greenwich** [ˋgrɪnɪdʒ] Greenwich
**Guinea** [ˋgɪnɪ] Gwinea

**Hague, the** [heɪg] Haga
**Haiti** [ˋheɪtɪ] Haiti
**Hanoi** [hæˋnɔɪ] Hanoi
**Havana** [həˋvænə] Hawana
**Hawaii** [həˋwɑii], **Hawaiian Ils** [həˋwɑɪən ɑɪləndz] Hawaje, Wyspy Hawajskie
**Hebrides** [ˋhebrədiz] Hebrydy
**Helsinki** [ˋhelsɪŋkɪ] Helsinki
**Himalayas** [ˌhɪməˋleɪəz] Himalaje
**Hiroshima** [ˌhɪrəˋʃimə] Hiroszima
**Holland** [ˋholənd] Holandia
**Houston** [ˋhjustən] Houston
**Hudson Bay** [ˋhʌdsn beɪ] Zatoka Hudsona
**Hull** [hʌl] Hull
**Hungary** [ˋhʌŋgərɪ] Węgry; **Hungarian People's Republic** [hʌŋˌgeərɪən ˌpiplz rɪˋpʌblɪk] Węgierska Republika Ludowa

**Iceland** [ˋɑɪslənd] Islandia
**Idaho** [ˋɑɪdəhəu] Idaho
**Illinois** [ˌɪlɪˋnɔɪ] Illinois
**India** [ˋɪndɪə] Indie (*państwo*); Półwysep Indyjski
**Indiana** [ˌɪndɪˋænə] Indiana
**Indian Ocean** [ˋɪndɪən əuʃn] Ocean Indyjski
**Indonesia** [ˌɪndəˋnizɪə] Indonezja
**Iowa** [ˋɑɪəwə] Iowa
**Iran** [ɪˋrɑn] Iran
**Iraq** [ɪˋrɑk] Irak
**Ireland** [ˋɑɪələnd] Irlandia
**Israel** [ˋɪzreɪl] Izrael
**Italy** [ˋɪtəlɪ] Włochy

**Jamaica** [dʒəˋmeɪkə] Jamajka
**Japan** [dʒəˋpæn] Japonia
**Java** [ˋdʒɑvə] Jawa
**Jerusalem** [dʒəˋrusələm] Jerozolima
**Jordan** [ˋdʒɔdn] Jordan; Jordania
**Jugoslavia** = **Yugoslavia**

**Kansas** [ˋkænzəs] Kansas
**Kentucky** [kenˋtʌkɪ] Kentucky
**Korea** [kəˋrɪə] Korea; **Democratic People's Republic of Korea** [deməˌkrætɪk ˌpiplz rɪˌpʌblɪk əv kəˋrɪə] Koreańska Republika Ludowo-Demokratyczna; **South Korea** [ˌsɑuθ kəˋrɪə] Korea Południowa

**Labrador** [ˋlæbrədo(r)] Labrador
**Laos** [ˋlɑ-us] Laos
**Lebanon** [ˋlebənən] Liban
**Leeds** [lidz] Leeds
**Leicester** [ˋlestə(r)] Leicester
**Leningrad** [ˋlenɪngræd] Leningrad
**Libya** [ˋlɪbɪə] Libia
**Lisbon** [ˋlɪzbən] Lizbona
**Liverpool** [ˋlɪvəpul] Liverpool
**London** [ˋlʌndən] Londyn
**Londonderry** [ˌlʌndənˋderɪ] Londonderry
**Los Angeles** [ˌlos ændʒəliz] Los Angeles

**Luisiana** [lu'izɪ'ænə] Luisiana
**Luxemburg** ['lʌksmbзg] Luksemburg

**Madagascar** ['mædə'gæskə(r)] Madagaskar
**Madrid** [mə'drɪd] Madryt
**Magellan** [mə'gelən], **Strait of Magellan** ['streɪt əv mə'gelən] Cieśnina Magellana
**Maine** [meɪn] Maine
**Malay Archipelago** [mə'leɪ ɑkɪ'pel ɪgəu] Archipelag Malajski
**Malay Peninsula** [mə'leɪ pɪ'nɪnsjulə] Półwysep Malajski
**Malaysia** [mə'leɪzɪə] Malezja
**Manchester** ['mæntʃɪstə(r)] Manchester
**Manitoba** ['mænɪ'təubə] Manitoba
**Maryland** ['meərɪlænd] Maryland
**Massachusetts** ['mæsə'tʃusɪts] Massachussets
**Mediterranean Sea** ['medɪtə'reɪnɪən si] Morze Śródziemne
**Melanesia** ['melə'nizɪə] Melanezja
**Melbourne** ['melbən] Melbourne
**Mexico** ['meksɪkəu] Meksyk
**Miami** [maɪ'æmɪ] Miami
**Michigan** ['mɪʃɪgən] Michigan
**Minnesota** ['mɪnɪ'səutə] Minnesota
**Mississippi** ['mɪsɪ'sɪpɪ] Missisipi
**Missouri** [mɪ'zuərɪ] Missouri
**Mongolia** [moŋ'gəulɪə] Mongolia; **Mongolian People's Republic** [moŋ'gəulɪən 'piplz rɪ'pʌblɪk] Mongolska Republika Ludowa
**Montana** [mon'tænə] Montana
**Mont Blanc** ['mõ'blõ] Mont Blanc
**Montevideo** ['montɪvɪ'deɪəu] Montevideo
**Montreal** ['montrɪ'ɔl] Montreal
**Morocco** [mə'rokəu] Maroko
**Moscow** ['moskəu] Moskwa
**Munich** ['mjunɪk] Monachium

**Nebraska** [nɪ'bræskə] Nebraska
**Netherlands** ['neðələndz] Niderlandy, Holandia
**Nevada** [nɪ'vɑdə] Nevada
**New Delhi** ['nju'delɪ] Nowe Delhi
**Newfoundland** ['njufənd'lænd] Nowa Fundlandia
**New Guinea** ['nju 'gɪnɪ] Nowa Gwinea
**New Hampshire** [nju 'hæmpʃə(r)] New Hampshire
**New Jersey** ['nju 'dʒзzɪ] New Jersey
**New Mexico** [nju 'meksɪkəu] Nowy Meksyk
**New Orleans** ['nju ɔ'lɪənz] Nowy Orlean
**New South Wales** ['nju sauθ 'weɪlz] Nowa Południowa Walia
**New York** ['nju 'jɔk] Nowy Jork
**New Zealand** ['nju 'zilənd] Nowa Zelandia
**Niagara Falls** [naɪ'ægrə fɔlz] Wodospad Niagara
**Niger** ['naɪdʒə(r)] Niger
**Nigeria** [naɪ'dʒɪərɪə] Nigeria
**Nile** [naɪl] Nil
**North America** ['nɔθ ə'merɪkə] Ameryka Północna
**North Carolina** ['nɔθ 'kærə'laɪnə] Karolina Północna
**North Dakota** ['nɔθ də'kəutə] Dakota Północna
**Northern Ireland** ['nɔðən 'aɪələnd] Irlandia Północna
**Northern Territory** ['nɔðən 'terɪtərɪ] Terytorium Północne
**North Sea** ['nɔθ si] Morze Północne
**Norway** ['nɔweɪ] Norwegia
**Nova Scotia** ['nəuvə 'skəuʃə] Nowa Szkocja

**Oder** ['əudə(r)] Odra
**Ohio** [əu'haɪəu] Ohio
**Oklahoma** ['əuklə'həumə] Oklahoma
**Ontario** [on'teərɪəu] Ontario
**Oregon** ['orɪgən] Oregon
**Oslo** ['ozləu] Oslo
**Ottawa** ['otəwə] Ottawa
**Oxford** ['oksfəd] Oksford, Oxford

**Pacific Ocean** [pə'sɪfɪk əuʃn] Pacyfik, Ocean Spokojny
**Pakistan** ['pɑkɪ'stɑn] Pakistan
**Panama** ['pænə'mɑ] Panama; **Panama Canal** ['pænə'mɑ kənæl] Kanał Panamski

**Paris** [`pærɪs] Paryż
**Peking** [ˈpiˋkɪŋ] Pekin
**Pennsylvania** [ˈpenslˋveɪnɪə] Pensylwania
**Persia** [ˋpɜʃə] Persja; **Persian Gulf** [ˋpɜʃən gʌlf] Zatoka Perska
**Peru** [pəˋru] Peru
**Philadelphia** [ˈfɪləˋdelfɪə] Filadelfia
**Philippines** [ˋfɪlɪpinz] Filipiny
**Plymouth** [ˋplɪməθ] Plymouth
**Poland** [ˋpəulənd] Polska; **Polish People's Republic** [ˈpəulɪʃ ˈpiplz rɪˋpʌblɪk] Polska Rzeczpospolita Ludowa
**Polynesia** [ˈpolɪˋnizɪə] Polinezja
**Portugal** [ˋpɔtʃugl] Portugalia
**Prague** [prɑg] Praga
**Pyrenees** [ˈpɪrəˋniz] Pireneje

**Quebec** [kwɪˋbek] Quebec
**Queensland** [ˋkwinzlənd] Queensland

**Reading** [ˋredɪŋ] Reading
**Red Sea** [ˋred si] Morze Czerwone
**Republic of South Africa** [rɪˋpʌblɪk əv ˈsauθ ˋæfrɪkə] Republika Południowej Afryki
**Reykjavik** [ˋreɪkɪəvik] Reykjavik
**Rhine** [raɪn] Ren
**Rhode Island** [ˋrəud aɪlənd] Rhode Island
**Rhodesia** [rəuˋdiʃə] Rodezja
**Rio de Janeiro** [ˈrɪəu dɪ dʒəˋneərəu] Rio de Janeiro
**Rockies** [ˋrokɪz], **Rocky Mts** [ˋrokɪ mauntɪnz] Góry Skaliste
**Rome** [rəum] Rzym
**Rumania** [ruˋmeɪnɪə] Rumunia; **Socialist Republic of Rumania** [ˈsəuʃəlɪst rɪˈpʌblɪk əv ruˋmeɪnɪə] Socjalistyczna Republika Rumunii
**Russia** [ˋrʌʃə] Rosja

**Sahara** [səˋhɑrə] Sahara
**Saigon** [saɪˋgon] Sajgon
**San Francisco** [ˈsæn frənˋsɪskəu] San Francisco
**Santiago** [ˈsæntɪˋɑgəu] Santiago
**Sardinia** [sɑˋdɪnɪə] Sardynia
**Saskatchewan** [səsˋkætʃəwən] Saskatchewan
**Saudi Arabia** [ˈsaudɪ əˋreɪbɪə] Arabia Saudyjska
**Scandinavia** [ˈskændɪˋneɪvɪə] Skandynawia
**Scotland** [ˋskotlənd] Szkocja
**Seine** [seɪn] Sękwana
**Seoul** [səul] Seul
**Shanghai** [ʃæŋˋhaɪ] Szanghaj
**Siam** [saɪˋæm] = **Thailand**
**Sicily** [ˋsɪslɪ] Sycylia
**Singapore** [ˈsɪŋgəˋpɔ(r)] Singapur
**Sofia** [ˋsəufɪə] Sofia
**South America** [ˈsauθ əˋmerɪkə] Ameryka Południowa
**Southampton** [sauˋθæmptən] Southampton
**South Australia** [ˈsauθ ɔsˋtreɪlɪə] Australia Południowa
**South Carolina** [ˈsauθ ˈkærəˋlaɪnə] Karolina Południowa
**South Dakota** [ˈsauθ dəˋkəutə] Dakota Południowa
**Southern Yemen** [ˈsʌðən jemən] Jemen Południowy
**Spain** [speɪn] Hiszpania
**Stamboul** [stæmˋbul] Stambuł
**Stockholm** [ˋstokhəum] Sztokholm
**Sudan** [suˋdæn] Sudan
**Suez** [ˋsuɪz] Suez; **Suez Canal** [ˋsuɪz kənæl] Kanał Sueski
**Sumatra** [suˋmɑtrə] Sumatra
**Sweden** [ˋswidn] Szwecja
**Switzerland** [ˋswɪtsələnd] Szwajcaria
**Sydney** [ˋsɪdnɪ] Sydney
**Syria** [ˋsɪrɪə] Syria

**Taiwan** [ˋtaɪwɑn] Taiwan
**Tatra Mts** [ˋtætrə mauntɪnz] Tatry
**Teheran** [teəˋrɑn] Teheran
**Tel-Aviv** [ˋteləviv] Tel-Awiw
**Tennessee** [ˈtenəˋsi] Tennessee
**Texas** [ˋteksəs] Teksas
**Thailand** [ˋtaɪlænd] Tajlandia; *hist.* Syjam
**Thames** [temz] Tamiza
**Tiber** [ˋtaɪbə(r)] Tyber
**Tibet** [tɪˋbet] Tybet
**Tirana** [tɪˋrɑnə] Tirana

**Tokyo** [ˋtəukɪəu] Tokio
**Toronto** [təˋrontəu] Toronto
**Tunis** [ˋtjunɪs] Tunis (*miasto*)
**Tunisia** [tjuˋnɪzɪə] Tunezja (*kraj*)
**Turkey** [ˋtɜkɪ] Turcja

**Ulan-Bator** [ˈulɑn bɑtɔ(r)] Ułan Bator
**Ulster** [ˋʌlstə(r)] Ulster
**Union of Soviet Socialist Republics** [ˈjunɪən əv ˈsəuvɪət ˈsəuʃəlɪst rɪˋpʌblɪks] Związek Socjalistycznych Republik Radzieckich
**United Kingdom of Great Britain and Northern Ireland** [juˈnɑɪtɪd ˈkɪŋdəm əv ˈgreɪt ˋbrɪtən ənd ˈnɔðən ˋɑɪələnd] Zjednoczone Królestwo Wielkiej Brytanii i Północnej Irlandii
**United States of America** [juˈnɑɪtɪd ˈsteɪts əv əˋmerɪkə] Stany Zjednoczone Ameryki
**Ural** [ˋjuərəl] Ural
**Uruguay** [ˋjuərəgwɑɪ] Urugwaj
**Utah** [ˋjutə] Utah

**Venezuela** [ˈvenɪˋzweɪlə] Wenezuela
**Venice** [ˋvenɪs] Wenecja
**Vermont** [vəˋmont] Vermont
**Victoria** [vɪkˋtɔrɪə] Wiktoria
**Vienna** [vɪˋenə] Wiedeń
**Vietnam** [vɪətˋnæm] Wietnam; **Socialist Republic of Vietnam** [ˋsəuʃəlɪst rɪˈpʌblɪk əv vɪətˋnæm] Socjalistyczna Republika Wietnamu
**Virginia** [vəˋdʒɪnɪə] Wirginia
**Vistula** [ˋvɪstʃulə] Wisła
**Volga** [ˋvolgə] Wołga

**Wales** [weɪlz] Walia
**Warsaw** [ˋwɔsɔ] Warszawa
**Washington** [ˋwoʃŋtən] Waszyngton
**Wellington** [ˋwelɪŋtən] Wellington
**Wembley** [ˋwemblɪ] Wembley
**West Virginia** [ˈwest vəˋdʒɪnɪə] Wirginia Zachodnia
**Wisconsin** [wɪsˋkonsɪn] Wisconsin
**Wyoming** [wɑɪˋəumɪŋ] Wyoming

**Yangtze-Kiang** [ˋjæŋtse kjɑŋ] Jangcy-ciang, Jangcy
**Yemen** [ˋjemən] Jemen
**Yugoslavia** [ˈjugəuˋslɑvɪə] Jugosławia; **Socialist Federative Republic of Yugoslavia** [ˈsəuʃəlɪst ˈfedərətɪv rɪˈpʌblɪk əv ˈjugəuˋslɑvɪə] Socjalistyczna Federacyjna Republika Jugosławii
**Yukon** [ˋjukon] Yukon

**Zaire** [zɑˋɪə(r)] Zair
**Zambia** [ˋzæmbɪə] Zambia

# A LIST OF PROPER NAMES
# SPIS IMION WŁASNYCH

**Abigail** [`æbɪgeɪl] Abigail
**Adam** [`ædəm] Adam
**Adrian** [`eɪdrɪən] Adrian
**Agatha** [`ægəθə] Agata
**Agnes** [`ægnɪs] Agnieszka
**Alan** [`ælən] Alan
**Alastair** [`æləstə(r)] Alastair
**Albert** [`ælbət] Albert
**Alec, Alex** [`ælɪk, `ælɪks] *zdrob. od* **Alexander**
**Alexander** ['ælɪg`zandə(r)] Aleksander
**Alexandra** ['ælɪg`zandrə] Aleksandra
**Alfred** [`ælfrɪd] Alfred
**Alice** [`ælɪs] Alicja
**Alison** [`ælɪsn] *zdrob. od* **Alice**
**Amanda** [ə`mændə] Amanda
**Amelia** [ə`milɪə] Amelia
**Andrew** [`ændru] Andrzej
**Andy** [`ændɪ] *zdrob. od* **Andrew**
**Angus** [`æŋgəs] Angus
**Ann** [æn], **Anna** [`ænə] Anna
**Anthony** [`æntənɪ] Antoni
**Archibald** [`atʃɪbɔld] Archibald
**Arnold** [`anld] Arnold
**Arthur** [`aθə(r)] Artur
**Audrey** [`ɔdrɪ] Audrey

**Barbara** [`babrə] Barbara
**Barry** [`bærɪ] Barry
**Bartholomew** [ba`θoləmju] Bartłomiej
**Basil** [`bæzl] Bazyli
**Beatrice** [`bɪətrɪs] Beatrycze, Beatriks
**Becky** [`bekɪ] *zdrob. od* **Rebecca**
**Belinda** [bə`lɪndə] Belinda
**Ben** [ben] *zdrob. od* **Benjamin**
**Benjamin** [`bendʒəmɪn] Beniamin
**Bernard** [`bɜnəd] Bernard
**Bert** [bɜt] *zdrob. od* **Bertram, Albert, Gilbert, Herbert, Robert**
**Bertram** [`bɜtrəm] Bertram
**Beryl** [`berl] Beryl
**Betty** [`betɪ] *zdrob. od* **Elisabeth**
**Bill** [bɪl] *zdrob. od* **William**
**Bob** [bob] *zdrob. od* **Robert**
**Brenda** [`brendə] Brenda
**Brian, Bryan** [`braɪən] Brian
**Bridget** [`brɪdʒɪt] Brygida
**Bruce** [brus] Bruce

**Carol** [`kærl] *zdrob. od* **Caroline**
**Caroline** [`kærəlaɪn] Karolina
**Catherine** [`kæθrɪn] Katarzyna
**Cecil** [`sesl] Cecyl
**Cecilia** [sə`sɪlɪə], **Cecily** [`sesəlɪ] Cecylia
**Charles** [tʃalz] Karol
**Chris** [krɪs] *zdrob. od* **Christopher**
**Christina** [krɪ`stinə], **Christine** [`krɪstin] Krystyna
**Christopher** [`krɪstəfə(r)] Krzysztof
**Clara** [`kleərə], **Clare** [kleə(r)] Klara
**Clarence** [`klærəns] Clarence
**Clive** [klaɪv] Clive
**Colin** [`kolɪn] *zdrob. od* **Nicholas**
**Connie** [`konɪ] *zdrob. od* **Constance**
**Constance** [`konstəns] Konstancja
**Constantine** [`konstəntaɪn] Konstanty
**Cynthia** [`sɪnθɪə] Cynthia
**Cyril** [`sɪrl] Cyryl

**Daisy** [`deɪzɪ] Daisy
**Daniel** [`dænɪəl] Daniel
**Danny** [`dænɪ] *zdrob. od* **Daniel**

**Daphne** [ˈdæfnɪ] Dafne
**Dave** [deɪv] *zdrob. od* **David**
**David** [ˈdeɪvɪd] Dawid
**Deborah** [ˈdebərə] Debora
**Denis** [ˈdenɪs] Denis
**Derek** [ˈderɪk] Derek
**Diana** [daɪˈænə] Diana
**Dick** [dɪk] *zdrob. od* **Richard**
**Dinah** [ˈdaɪnə] Dinah
**Dolly** [ˈdolɪ] *zdrob. od* **Dorothy**
**Donald** [ˈdonld] Donald
**Dora** [ˈdɔrə] *zdrob. od* **Dorothy**
**Doris** [ˈdorɪs] *zdrob. od* **Dorothy**
**Dorothy** [ˈdorəθɪ] Dorota
**Douglas** [ˈdʌgləs] Douglas

**Edgar** [ˈedgə(r)] Edgar
**Edith** [ˈidɪθ] Edyta
**Edmund** [ˈedmənd] Edmund
**Edward** [ˈedwəd] Edward
**Eleanor** [ˈelɪnə(r)] Eleonora
**Elisabeth, Elizabeth** [ɪˈlɪzəbəθ] Elżbieta
**Emily** [ˈeməlɪ] Emilia
**Eric** [ˈerɪk] Eryk
**Ernest** [ˈɜnɪst] Ernest
**Esther** [ˈestə(r)] Estera
**Ethel** [ˈeθəl] Ethel
**Eugene** [juˈdʒin] Eugeniusz
**Eve** [iv] Ewa
**Evelyn** [ˈivlɪn] Ewelina

**Fanny** [ˈfænɪ] *zdrob. od* **Frances**
**Felix** [ˈfilɪks] Feliks
**Florence** [ˈflorns] Florentyna
**Frances** [ˈfransɪs] Franciszka
**Frank** [fræŋk] Franciszek
**Frieda** [ˈfridə] *zdrob. od* **Winifred**

**Gabriel** [ˈgeɪbrɪəl] Gabriel
**Gay** [geɪ] Gay
**Gene** [dʒin] *zdrob. od* **Eugene**
**Geoffrey** [ˈdʒefrɪ] Geoffrey
**George** [dʒɔdʒ] Jerzy
**Georgie, Georgy** [ˈdʒɔdʒɪ] *zdrob. od* **George**
**Gerald** [ˈdʒerld] Gerald
**Gerard** [ˈdʒerəd] Gerard
**Gilbert** [ˈgɪlbət] Gilbert
**Giles** [dʒaɪlz] Giles, Idzi
**Gladys** [ˈglædɪs] Gladys
**Gloria** [ˈglɔrɪə] Gloria
**Gordon** [ˈgɔdn] Gordon
**Grace** [greɪs] Gracja
**Graham(e)** [ˈgreɪəm] Graham
**Gregory** [ˈgregərɪ] Grzegorz
**Guy** [gaɪ] Guy

**Harold** [ˈhærld] Harold
**Harriet** [ˈhærɪət] Henryka
**Harry** [ˈhærɪ] *zdrob. od* **Henry**
**Hazel** [ˈheɪzl] Hazel
**Helen** [ˈhelɪn], **Helena** [ˈhelənə] Helena
**Henry** [ˈhenrɪ] Henryk
**Herbert** [ˈhɜbət] Herbert
**Horace** [ˈhorɪs] Horacy
**Hugh** [hju] Hugo
**Ian** [ˈiən] *zdrob. od* **John**
**Irene** [aɪəˈrinɪ] Irena
**Isabel** [ˈɪzəbel] Izabela
**Ivan** [ˈaɪvən] *zdrob. od* **John**

**Jack** [dʒæk] *zdrob. od* **John**
**James** [dʒeɪmz] Jakub
**Jane** [dʒeɪn] Janina
**Janet** [ˈdʒænɪt] *zdrob. od* **Jane**
**Jean** [dʒin] *zdrob. od* **Joan**
**Jen(n)ifer** [ˈdʒenɪfə(r)] Jennifer
**Jenny** [ˈdʒenɪ] *zdrob. od* **Jane**
**Jessica** [ˈdʒesɪkə] Jessica
**Jessie** [ˈdʒesɪ] *zdrob. od* **Jessica**
**Jill** [dʒɪl] *zdrob. od* **Julia**
**Jim** [dʒɪm] *zdrob. od* **James**
**Joan** [dʒəun], **Joanna** [dʒəuˈænə] Joanna
**Jocelyn** [ˈdʒoslɪn] Jocelyn
**Joe** [dʒəu] *zdrob. od* **Joseph**
**John** [dʒon] Jan
**Johnny** [ˈdʒonɪ] *zdrob. od* **John**
**Jonathan** [ˈdʒonəθən] Jonatan
**Joseph** [ˈdʒəuzɪf] Józef
**Josephine** [ˈdʒəuzɪfin] Józefina
**Joy** [dʒɔɪ] Joy
**Joyce** [dʒɔɪs] Joyce
**Judith** [ˈdʒudɪθ] Judyta
**Judy** [ˈdʒudɪ] *zdrob. od* **Judith**
**Julia** [ˈdʒulɪə] Julia
**Julian** [ˈdʒulɪən] Julian
**Juliet** [ˈdʒulɪət] *zdrob. od* **Julia**
**June** [dʒun] June

**Kate** [keɪt] *zdrob. od* **Catherine**
**Katherine** = **Catherine**

**Kathleen** [ˋkæθlin] *zdrob. od* **Catherine**
**Keith** [kiθ] Keith
**Kenneth** [ˋkenɪθ] Kenneth
**Kit** [kɪt] *zdrob. od* **Christopher**
**Kitty** [ˋkɪtɪ] *zdrob. od* **Catherine**

**Larry** [ˋlærɪ] *zdrob. od* **Laurence**
**Laura** [ˋlɔrə] Laura
**Laurence, Lawrence** [ˋlorns] Laurenty, Wawrzyniec
**Leonard** [ˋlenəd] Leonard
**Leslie, Lesley** [ˋlezlɪ] Leslie
**Lewis** [ˋluɪs] Leon
**Lil(l)ian** [ˋlɪlɪən] Liliana
**Linda** [ˋlɪndə] Linda
**Lionel** [ˋlaɪənl] Lionel
**Lisa, Liza** [ˋlaɪzə], **Liz** [lɪz] *zdrob. od* **Elisabeth**
**Lucy** [ˋlusɪ] Łucja
**Luke** [luk] Łukasz
**Lydia** [ˋlɪdɪə] Lidia

**Mabel** [ˋmeɪbl] Mabel
**Magdalene** [ˋmægdəlin] Magdalena
**Margaret** [ˋmagrət] Małgorzata
**Maria** [məˋrɪə] Maria
**Marjorie, Marjory** [ˋmadʒərɪ] *zdrob. od* **Margaret**
**Mark** [mak] Marek
**Martha** [ˋmaθə] Marta
**Martin** [ˋmatɪn] Marcin
**Mary** [ˋmeərɪ] Maria
**Matthew** [ˋmæθju] Mateusz
**Maud** [mɔd] Maud
**Michael** [ˋmaɪkl] Michał
**Micky** [ˋmɪkɪ] *zdrob. od* **Michael**
**Mike** [maɪk] *zdrob. od* **Michael**
**Miles** [ˋmaɪlz] Miles
**Moll** [mol], **Molly** [ˋmolɪ] *zdrob. od* **Mary**
**Muriel** [ˋmjuərɪəl] Muriel

**Nan** [næn], **Nancy** [ˋnænsɪ] *zdrob. od* **Ann**
**Ned** [ned] *zdrob. od* **Edgar, Edmund, Edward**
**Nell** [nel], **Nelly** [ˋnelɪ] *zdrob. od* **Eleonor, Helen**
**Nicholas** [ˋnɪkləs] Mikołaj
**Nick** [nɪk] *zdrob. od* **Nicholas**

**Oliver** [ˋolɪvə(r)] Oliwier
**Oscar** [ˋoskə(r)] Oskar
**Owen** [ˋəuən] Owen

**Pamela** [ˋpæmlə] Pamela
**Pat** [pæt] *zdrob. od* **Patrick**
**Patricia** [pəˋtrɪʃə] Patrycja
**Patrick** [ˋpætrɪk] Patrycy
**Paul** [pɔl] Paweł
**Pauline** [pɔˋlin] Paulina
**Pearl** [pɜl] Pearl
**Peggy** [ˋpegɪ] *zdrob. od* **Margaret**
**Penelope** [pəˋneləpɪ] Penelopa
**Peter** [ˋpitə(r)] Piotr
**Phil** [fɪl] *zdrob. od* **Philip**
**Philip** [ˋfɪlɪp] Filip
**Polly** [ˋpolɪ] *zdrob. od* **Mary**
**Prudence** [ˋprudəns] Prudence

**Quentin** [ˋkwentɪn] Quentin

**Rachel** [ˋreɪtʃl] Rachela
**Ralph** [rælf] Ralf
**Ray** [reɪ] *zdrob. od* **Raymond**
**Raymond** [ˋreɪmənd] Rajmund
**Rebecca** [rəˋbekə] Rebeka
**Reginald** [ˋredʒɪnld] Reginald
**Richard** [ˋrɪtʃəd] Ryszard
**Rick** [rɪk] Rick
**Rob** [rob] *zdrob. od* **Robert**
**Robert** [ˋrobət] Robert
**Robin** [ˋrobɪn] *zdrob. od* **Robert**
**Roger** [ˋrodʒə(r)] Roger
**Roland** [ˋrəulənd] Roland
**Ronald** [ˋronld] Ronald
**Rose** [rəuz] Róża
**Rosemary** [ˋrəuzmərɪ] Rosemary
**Ruby** [ˋrubɪ] Ruby
**Ruth** [ruθ] Ruth

**Sally** [ˋsælɪ] *zdrob. od* **Sarah**
**Salomon** [ˋsolәmən] Salomon
**Sam** [sæm], **Sammy** [ˋsæmɪ] *zdrob. od* **Samuel**
**Samuel** [ˋsæmjuəl] Samuel
**Sandra** [ˋsændrə] *zdrob. od* **Alexandra**
**Sara(h)** [ˋseərə] Sara
**Sean** [ʃɔn] Jan
**Sheila** [ˋʃilə] Sheila
**Shirley** [ˋʃɜlɪ] Shirley
**Sidney** [ˋsɪdnɪ] Sidney

**Simon** [ˋsaɪmən] Szymon
**Sophia** [səˋfaɪə], **Sophie** [ˋsəufɪ] Zofia
**Stella** [ˋstelə] Stella
**Stephen** [ˋstivn] Stefan
**Steve** [stiv] *zdrob. od* **Stephen**
**Stewart** [ˋstjuət] Stewart
**Sue** [su] *zdrob. od* **Susan**
**Susan** [ˋsuzn] Zuzanna
**Sybil** [ˋsɪbl] Sybilla
**Sylvia** [ˋsɪlvɪə] Sylwia

**Ted** [ted] *zdrob. od* **Theodore, Edward**
**Terence** [ˋterns] Terence
**Teodore** [ˋθɪədɔ(r)] Teodor
**Teresa** [təˋreɪzə] Teresa
**Thomas** [ˋtoməs] Tomasz
**Timothy** [ˋtɪməθɪ] Tymoteusz
**Tom** [tom], **Tommy** [ˋtomɪ] *zdrob. od* **Thomas**
**Tony** [ˋtəunɪ] *zdrob. od* **Anthony**

**Ursula** [ˋɜsjulə] Urszula

**Valentine** [ˋvæləntaɪn] Walenty
**Vanessa** [vəˋnesə] Vanessa
**Veronica** [vəˋronɪkə] Weronika
**Victor** [ˋvɪktə(r)] Wiktor
**Victoria** [vɪkˋtɔrɪə] Wiktoria
**Vincent** [ˋvɪnsnt] Wincenty
**Viola** [ˋvaɪələ] Wioletta
**Virginia** [vəˋdʒɪnɪə] Wirginia
**Vivian, Vivien** [ˋvɪvɪən] Vivian, Vivien

**Wa(l)t** [wɔt] *zdrob. od* **Walter**
**Walter** [ˋwɔltə(r)] Walter
**Wendy** [ˋwendɪ] Wendy
**Will** [wɪl] *zdrob. od* **William**
**William** [ˋwɪlɪəm] Wilhelm
**Winifred** [ˋwɪnɪfrəd] Winifreda
**Winston** [ˋwɪnstən] Winston

**Yvonne** [ɪˋvon] Iwona

## A LIST OF ABBREVIATIONS IN COMMON USE

## SPIS NAJCZĘŚCIEJ UŻYWANYCH SKRÓTÓW

| | |
|---|---|
| a/a | for account of — na rachunek |
| **A.A.** | **Automobile Association** — Związek Automobilowy |
| **abbr., abbrev.** | **abbreviated** — skrócony; **abbreviation** — skrót, skrócenie |
| **ABC** | **atomic, biological and chemical (weapons)** — (broń) atomowa, biologiczna i chemiczna |
| **A.B.C.** | **the alphabet** — abecadło; **alphabethical train time-table** — alfabetyczny rozkład jazdy pociągów; **American Broadcasting Company** — Amerýkańskie Radio |
| **A-bomb** | **atomic bomb** — bomba atomowa |
| **a/c; A/c, A/C** | **account/current** — *bank.* rachunek bieżący |
| **A.C.** | **ante Christum** *łac.* = **before Christ** — przed narodzeniem Chrystusa |
| **acc.** | **account** — rachunek |
| **A.D.** | **Anno Domini** *łac.* — w roku Pańskim, po narodzeniu Chrystusa, n.e. |
| **adm., Adm.** | **Administration** — administracja |
| **adv., advt** | **advertisement** — ogłoszenie |
| **Adv.** | **advance** — zaliczka; **advice** — awiz; **advised** — awizowany |
| **AEC** | **Atomic Energy Commission** — Komisja do spraw Energii Atomowej |
| **Afr.** | **Africa** — Afryka; **African** — afrykański |
| **aft.** | **afternoon** — popołudnie |
| **agr., agric.** | **agricultural** — rolny; **agriculture** — rolnictwo |
| **A.L.P.** | **Australian Labour Party** — Australijska Partia Pracy |
| **a.m.** | **ante meridiem** *łac.* = **before noon** — przed południem; **above mentioned** — wyżej wspomniany |
| **Am.** | **America** — Ameryka; **American** — amerykański |
| **A.M.** | **Artium Magister** — magister nauk humanistycznych |
| **A.P.** | **Associated Press** — amerykańska agencja prasowa |
| **Apr.** | **April** — kwiecień |
| **arr.** | **arrives** — przyjeżdża (*w rozkładzie jazdy pociągów itp.*) |
| **AR** | **Agency Reuter** — Agencja Reutera (*w Wielkiej Brytanii*) |
| **Ass., Assoc.** | **association** — stowarzyszenie, związek |
| **Asst** | **assistant** — asystent |
| **Att.** | **Attorney** — adwokat |
| **Austral.** | **Australian** — australijski |

| | |
|---|---|
| **Av., Ave** | Avenue — aleja, ulica |
| **avdp.** | avoirdupois — system wag handlowych |
| **b.** | **bachelor** — niższy od stopnia magistra naukowy stopień uniwersytecki, bakalaureus; **born** — urodzony |
| **B.A.** | **Bachelor of Arts** — bakalaureus nauk humanistycznych; **British Academy** — Akademia Brytyjska; **British Airways** — Brytyjskie Linie Lotnicze |
| **B.Agr(ic).** | **Bachelor of Agriculture** — bakalaureus rolnictwa |
| **b.b.b.** | **bed, breakfast and bath** — pokój ze śniadaniem i kąpielą |
| **B.B.C.** | **British Broadcasting Corporation** — Brytyjskie Radio |
| **B.C.** | **Before Christ** — przed Chrystusem; p.n.e.; **Bachelor of Chemistry** — bakalaureus chemii; **British Council** — Brytyjska Rada Wymiany Kulturalnej |
| **B.Com.** | **Bachelor of Commerce** — bakalaureus nauk ekonomicznych |
| **B.E.** | **Bachelor of Engineering** — bakalaureus nauk technicznych |
| **BEA, B.E.A.** | **British European Airways** — Brytyjskie Europejskie Linie Lotnicze |
| **B.Ed.** | **Bachelor of Education** — bakalaureus nauk pedagogicznych |
| **B/H** | **Bill of Health** — świadectwo zdrowia |
| **B.L.** | **Bachelor of Law** — bakalaureus prawa |
| **bldg, Bldg** | **building** — budynek |
| **B.Litt.** | **Bachelor of Letters** — bakalaureus literatury |
| **blvd, Blvd** | **boulevard** — bulwar |
| **B.M.** | **Bachelor of Medicine** — bakalaureus medycyny |
| **B.O.A.C.** | **British Overseas Airways Corporation** — Towarzystwo Brytyjskich Zamorskich Linii Lotniczych |
| **B.O.T.** | **Board of Trade** — Ministerstwo Handlu |
| **B.P.** | **Bachelor of Philosophy** — bakalaureus filozofii |
| **B.R.** | **British Railways** — Koleje Brytyjskie |
| **Brit.** | **Britain** — Wielka Brytania; **British** — brytyjski |
| **Bros** | **Brothers** — bracia |
| **B.Sc.** | **Bachelor of Science** — bakalaureus nauk matematyczno-przyrodniczych |
| **bush. (bu., bus.)** | **bushel** — buszel (*miara*) |
| **c.** | **cent; centime; central; chapter; circa** — cent; centym; centralny; rozdział; około |
| **Can.** | **Canada** — Kanada |
| **Care, CARE** | **Co-operative American Remittance for Europe** — Amerykańskie Spółdzielcze Towarzystwo Przesyłek do Europy |
| **c.c.** | **cubic centimetre** — centymetr sześcienny |
| **C.C.** | **Chamber of Commerce** — Izba Handlowa; **Consular Corps** — Korpus Konsularny; **Concentration Camp** — obóz koncentracyjny; **continuous current** — prąd stały |
| **cent.** | **century** — stulecie, wiek |
| **Cent.** | **centigrade** — stopień (*w skali Celsjusza*) |

**cert.** certificate — zaświadczenie
**c.g.s., C.G.S.** centimetre-gramme-second-system — system metryczny centymetr-gram-sekunda
**c.h., C.H.** central heating — centralne ogrzewanie
**C.H.** Custom House — Urząd Celny
**ch., chap.** chapter — rozdział
**C.I.** Channel Islands — Wyspy Normandzkie
**C/I** Certificate of Insurance — polisa ubezpieczeniowa
**CIA** Central Intelligence Agency — Centralna Agencja Wywiadowcza (*w USA*)
**C.I.D.** Criminal Investigation Department — Wydział Śledczy do spraw Kryminalnych (Scotland Yard)
**C.-in-C.** Commander-in-Chief — naczelny wódz
**cit.** citation — cytat
**C.J.** Chief Justice — Prezes Sądu Najwyższego
**cm.** centimetre — centymetr
**CMEA** Council for Mutual Economic Assistance — Rada Wzajemnej Pomocy Gospodarczej
**CN** Commonwealth of Nations — Wspólnota Narodów
**Co.** Company — kompania; towarzystwo, spółka
**c/o** care of — z listami ... (w adresie)
**C.O.** Commanding Officer — dowódca
**C.O.D.** Concise Oxford Dictionary — Oksfordzki Słownik Podręczny
**Coll.** College — szkoła wyższa; szkoła średnia
**Comecon** *zob.* CMEA
**Co.-op.** Co-operative Society — spółdzielnia, towarzystwo spółdzielcze
**Corn.** Cornwall — Kornwalia
**cp.** compare — porównaj
**CP** Conservative and Unionist Party — Partia Konserwatywna (*w Wielkiej Brytanii*)
**CPC** Communist Party of Canada — Komunistyczna Partia Kanady
**C.P.S.U.** Communist Party of the Soviet Union — Komunistyczna Partia Związku Radzieckiego
**C.P.U.S.** Communist Party of the United States — Komunistyczna Partia Stanów Zjednoczonych
**cwt** hundredweight — cetnar (*waga*)

**d.** penny (*łac.* denarius); died; date; daughter; degree — pens; zmarł; data; córka; stopień
**D.** department; deputy; district; doctor — departament; deputowany; okręg; doktor
**d.c.** direct current *elektr.* prąd stały
**D.C.** District of Columbia — Okręg Kolumbii (*obszar Kolumbii z Waszyngtonem, stolicą St. Zjednoczonych*)
**d-d** damned — przeklęty
**Dec.** December — grudzień
**deg.** degree — stopień temperatury
**dep.** departs — odjeżdża (*w rozkładzie jazdy pociągów itp.*)
**dept** department — dział, oddział; *uniw.* katedra

| | |
|---|---|
| **D.M.** | **Doctor of Medicine** — doktor medycyny |
| **doc.** | **doktor** |
| **dol. (dols)** | **dollar(s)** — dolar(y) |
| **doz.** | **dozen** — tuzin |
| **D.P.** | **Democratic Party** — Partia Demokratyczna (*w USA*) |
| **d.p.** | **displaced person** — wysiedlony uchodźca |
| **D.Phil.** | **Doctor of Philosophy** — doktor filozofii |
| **Dr** | **Doctor** — doktor |
| **D.Sc.** | **Doctor of Science** — doktor nauk przyrodniczych |
| **D.S.O.** | **Distinguished Service Order** — order za wybitne zasługi |
| **E.** | **East; England; English** — wschód, wschodni okręg pocztowy w Londynie; Anglia; angielski |
| **E.C.** | **East Central** — wschodni okręg pocztowy w śródmieściu Londynu |
| **EEC** | **European Economic Community** — Europejska Wspólnota Gospodarcza (EWG) |
| **E.F.T.A.** | **European Free Trade Association** — Europejskie Stowarzyszenie Wolnego Handlu |
| **e.g.** | **exempli gratia** *łac.* = **for example** — na przykład |
| **Eng., Engl.** | **England** — Anglia; **English** — angielski |
| **E.R.** | **Elizabeth Regina** *łac.* = **Queen Elizabeth** — Królowa Elżbieta |
| **Esq.** | **Esquire** — Wielmożny Pan (*tytuł w adresie, po nazwisku*) |
| **etc.** | **et cetera** *łac.* = **and so on** — i tak dalej |
| **EURATOM** | **European Atomic Energy Community** — Europejska Wspólnota Energii Atomowej |
| **eve.** | **evening** — wieczorem |
| **exc.** | **except** — z wyjątkiem |
| **ext.** | **extension (telephone)** — telefon wewnętrzny |
| **f.** | **foot, feet** — stopa, stopy; **franc** — frank |
| **F.A.** | **Football Association** — Związek Piłki Nożnej |
| **FAO, F.A.O.** | **Food and Agriculture Organization** — Organizacja do spraw Wyżywienia i Rolnictwa (ONZ) |
| **F.B.I.** | **Federal Bureau of Investigation** — *am.* Federalne Biuro Śledcze (*kontrwywiad USA*); **Federation of British Industries** *bryt.* — Związek Przemysłów Brytyjskich |
| **F.C.** | **Football Club** — Klub Piłki Nożnej |
| **Feb.** | **February** — luty |
| **F.I.F.A.** | **Fédération Internationale de Football Associations** *fr.* = **International Football Federation** — Międzynarodowa Federacja Związków Piłki Nożnej |
| **F.O.** | **Foreign Office** — Ministerstwo Spraw Zagranicznych (*w Wielkiej Brytanii*) |
| **fr.** | **franc(s)** — frank(i) |
| **Fr** | **Father** — ksiądz |
| **Fr.** | **French** — francuski |
| **Fr., Fahr.** | **Fahrenheit** — w skali Fahrenheita |
| **FRG, F.R.G.** | **Federal Republic of Germany** — Republika Federalna Niemiec |
| **Fri.** | **Friday** — piątek |

g. — gram(me) — gram; guinea — gwinea (21 szylingów)
G.A. — General Assembly — Zgromadzenie Ogólne
gal., gall. — gallon — galon
G.A.T.T. — General Agreement on Tariffs and Trade — Układ Ogólny w sprawie Ceł i Handlu
GB, G.B. — Great Britain — Wielka Brytania
GDR, G.D.R. — German Democratic Republic — Niemiecka Republika Demokratyczna
Ger. — German — niemiecki
G.H.Q. — General Headquarters — główna kwatera
G.I. — government issue — „emisja rządowa" (*popularna nazwa żołnierza amerykańskiego*)
G.M.T. — Greenwich Mean Time — średni czas zachodnioeuropejski (Greenwich)
gn(s) — guinea(s) — gwinea, gwinee
Gov., Govt. — Government — rząd
G.P.O. — General Post Office — *bryt.* Główny Urząd Pocztowy
G.S. — General Secretary — Sekretarz Generalny

h. — hour(s) — godzina, godziny
H — hard — twardy (*ołówek o twardym graficie*)
h. and c. — hot and cold (water) — gorąca i zimna woda
H.C. — House of Commons — Izba Gmin
Hi-Fi, hi-fi — high fidelity — wysoka wierność (*odtwarzania*)
H.L. — House of Lords — Izba Lordów
H.M.S. — His ⟨Her⟩ Majesty's Service — w służbie Jego ⟨Jej⟩ Królewskiej Mości; His ⟨Her⟩ Majesty's Ship — okręt Jego ⟨Jej⟩ Królewskiej Mości
H.O. — Home Office — Ministerstwo Spraw Wewnętrznych (*w Wielkiej Brytanii*)
hosp. — hospital — szpital; szpitalny
h.p., H.P. — horse power — *techn.* koń mechaniczny
H.P. — Houses of Parliament — Parlament Brytyjski
H.R. — House of Representatives — *am.* Izba Reprezentantów
H.R.H. — His ⟨Her⟩ Royal Highness — Jego ⟨Jej⟩ Królewska Wysokość

I.A.F. — International Automobile Federation — Międzynarodowa Federacja Automobilowa
ib., ibid. — ibidem *łac.* = in the same place — tamże
I.C.J. — International Court of Justice — Międzynarodowy Trybunał Sprawiedliwości
I.C.R.C. — International Committee of the Red Cross — Międzynarodowy Komitet Czerwonego Krzyża
id. — idem *łac.* = also, likewise — (*o autorze*) tenże
I.D. — Intelligence Department — oddział wywiadowczy
i.e. — id est *łac.* = that is — to jest
IMF — International Monetary Fund — Międzynarodowy Fundusz Walutowy
in. — inch — cal
inc. — incorporated — zarejestrowany; *am.* (~ company) spółka akcyjna

| | |
|---|---|
| **incl.** | **including** — włącznie |
| **I.N.S.** | **International News Service** — Międzynarodowa Agencja Informacyjna (*U.S.A.*) |
| **inst.** | **instant (of the current month)** — bieżącego miesiąca |
| **INTERPOL** | **International Criminal Police Commission** — Międzynarodowa Organizacja Policji Kryminalnej |
| **IOC** | **International Olympic Committee** — Międzynarodowy Komitet Olimpijski |
| **IOU** | **I owe you** — rewers, *dosł.* jestem ci winien |
| **I.Q.** | **Intelligence Quotient** — współczynnik inteligencji |
| **I.R.A.** | **Irish Republican Army** — Irlandzka Armia Republikańska |
| **I.R.C.** | **International Red Cross** — Międzynarodowy Czerwony Krzyż |
| **I.S.** | **Intelligence Service** — Tajna Służba Wywiadowcza |
| **I.S.C.** | **International Students' Council** — Międzynarodowa Rada Studencka |
| **I.T.A.** | **International Touring Alliance** — Międzynarodowy Związek Turystyczny |
| **I.T.V.** | **Independent Television** telewizja niezależna (*w W. Brytanii*) |
| **I.U.S.** | **International Union of Students** — Międzynarodowy Związek Studentów |
| **I.U.S.Y.** | **International Union of Socialist Youth** — Międzynarodowy Związek Młodzieży Socjalistycznej |
| **I.Y.H.F.** | **International Youth Hostel Federation** — Międzynarodowa Federacja Schronisk Młodzieżowych |
| **Jan.** | **January** — styczeń |
| **Jul.** | **July** — lipiec |
| **Jun.** | **June** — czerwiec |
| **jun., junr** | **junior** — junior |
| **kg.** | **kilogram** — kilogram |
| **K.K.K.** | **Ku-Klux-Klan** — tajna organizacja amerykańska (*skrajnie reakcyjna*) |
| **km.** | **kilometre** — kilometr |
| **k.o., K.O.** | **knock-out; knocked out** — nokaut; znokautowany |
| **kw., kW.** | **kilowatt** — kilowat |
| **l.** | **litre** — litr |
| **L., Lab.** | **Labour** — Partia Pracy; świat pracy |
| **L., £** | **libra** *łac.* = **sovereign, pound sterling** — suweren, funt szterling |
| **lb.** | **libra** *łac.* = **pound** — funt (*waga*) |
| **Lb.P.** | **Liberal Party** — Partia Liberalna (*w Wielkiej Brytanii*) |
| **Ld** | **limited** — ograniczony |
| **L.h., L.H.** | **left-hand** — lewy, lewostronny |
| **Lon., Lond.** | **London** — Londyn |
| **LP** | **longplay** — *muz.* płyta długogrająca |
| **L.P.** | **Labour Party** — Partia Pracy (*w Wielkiej Brytanii*) |

| | |
|---|---|
| **L.P.A.** | **Liberal Party of Australia** — Partia Liberalna Australii |
| **Ltd** | **Limited (Company)** — spółka (z ograniczoną odpowiedzialnością) |
| **£.s.d., £.S.D.** | **librae, solidi, denari** *łac.* = **pounds, shillings and pence** — funty, szylingi i pensy |
| **m, m.** | **metre** — metr; **mile** — mila |
| **M.A.** | **Master of Arts** — magister nauk humanistycznych |
| **mar.** | **maritime** — morski |
| **Mar.** | **March** — marzec |
| **max.** | **maximum** — maksimum |
| **M.C.** | **Member of Congress** — *am.* Członek Kongresu; **Military Cross** — Krzyż Wojenny |
| **M.D.** | **Medicinae Doctor** *łac.* = **Doctor of Medicine** — doktor medycyny |
| **memo.** | **memorandum** — memorandum |
| **Messrs** | **Messieurs** — Panowie |
| **mg.** | **milligram(s)** — miligram(y) |
| **m.g.** | **machine gun** — karabin maszynowy |
| **M.G.M.** | **Metro Goldwyn Mayer** — nazwa amerykańskiej wytwórni filmowej |
| **M.O.** | **money order** — przekaz pieniężny; **Medical Officer** — lekarz wojskowy |
| **Mon.** | **Monday** — poniedziałek |
| **M.P.** | **Member of Parliament** — członek parlamentu, poseł |
| **m.p.h.** | **miles per hour** — mil na godzinę |
| **Mr** | **Mister** — pan *(przed nazwiskiem)* |
| **Mrs** | **Mistress** — pani *(przed nazwiskiem)* |
| **Ms., MS.** | **manuscript** — rękopis |
| **M/S, M.S.** | **Motor Ship** — statek motorowy |
| **M.Sc.** | **Master of Science** — magister nauk matematyczno-przyrodniczych |
| **Mt.** | **mountain** — góra |
| **N.** | **North** — północ; północny okręg pocztowy w Londynie |
| **NASA** | **National Aeronautics and Space Administration** — Narodowa Agencja do spraw Aeronautyki i Przestrzeni Kosmicznej *(w U.S.A.)* |
| **N.A.T.O.** | **North Atlantic Treaty Organization** — Organizacja Paktu Północnego Atlantyku |
| **NBC** | **National Broadcasting Company** — Radio Amerykańskie |
| **N.E.** | **North East** — północny wschód; **New England** — Nowa Anglia |
| **N.E.D.** | **New English Dictionary** — Nowy Słownik Angielski *(wielki słownik oksfordzki)* |
| **No.** | **number** — liczba |
| **Nov.** | **November** — listopad |
| **N.S.W.** | **New South Wales** — Nowa Południowa Walia *(w Australii)* |

N.W. **North-West** — północny zachód; **North-Western** — północno-zachodni okręg pocztowy w Londynie

N.Y.(C) **New York City** — miasto Nowy Jork

N.Z. **New Zealand** — Nowa Zelandia

N.Z.L.P. **New Zealand Labour Party** — Partia Pracy Nowej Zelandii

N.Z.N.P. **New Zealand National Party** — Nowozelandzka Partia Narodowa

OAS **Organization of American States** — Organizacja Państw Amerykańskich

Oct. **October** — październik

O.E. **Old English** — język staroangielski

O.E.C.D. **Organization for Economic Co-operation and Development** — Organizacja Współpracy Gospodarczej i Rozwoju

O.E.D. **Oxford English Dictionary** — (Wielki) Słownik Oksfordzki Języka Angielskiego

O.H.M.S. **On His ⟨Her⟩ Majesty's Service** — w służbie Jego ⟨Jej⟩ Królewskiej Mości

O.K. **Okay = all correct** — wszystko w porządku, bardzo dobrze

oz, ozs **ounce, ounces** — uncja, uncje

p. **page; pint** — strona; pinta, kwarta (*miara*)

P. **(car) park; pedestrian (crossing); police; post; president** — postój; parking; przejście dla pieszych; policja; poczta; prezydent

p.c. **postcard** — karta pocztowa

P.E.N.(-Club) **International Association of Poets, Playwrights, Essayists, Editors and Novelists** — Pen Club, Międzynarodowy Związek Poetów, Dramaturgów, Eseistów, Wydawców i Powieściopisarzy

ph. **per hour** — na godzinę

Ph.D. **Philosophiae Doctor** *łac.* **= Doctor of Philosophy** — doktor filozofii

p.m. **post meridiem** *łac.* — po południu, po godz. 12 w południe, do północy

P.O. **Post Office** — urząd pocztowy; **postal order** — przekaz pocztowy

P.O.B. **post-office box** — skrzynka pocztowa

P.O.S.B. **Post Office Savings Bank** — Pocztowa Kasa Oszczędności

P.O.W. **Prisoner of War** — jeniec wojenny

pp. **pages** — stronice

prof., Prof. **professor** — profesor

prox. **proximo** *łac.* **= next month** — następnego miesiąca

p.s. **per second** — na sekundę

P.S. **Police Sergeant; postscript** — policjant; dopisek (*w liście*)

pt. **pint** — pinta, kwarta (*miara*)

P.T.O. **please turn over** — proszę odwrócić, verte

| | |
|---|---|
| q., qr. | **quarter; quarterly** — kwartał; kwartalnik, kwartalny |
| Q. | **Queen** — królowa |
| qual. | **quality** — jakość |
| | |
| R. | **River; Réaumur; Rex, Regina** — rzeka; w skali Réaumura; król, królowa |
| R.A. | **Royal Academy** — Akademia Królewska |
| R.A.F. | **Royal Air Force** — Królewskie Lotnictwo Wojskowe |
| R.C. | **Red Cross** — Czerwony Krzyż; **Roman Catholic** — wyznania rzymskokatolickiego |
| R.C.A. | **Radio Corporation of America** — Radio Amerykańskie |
| rd, Rd | **road** — droga, ulica |
| reg., regd | **registered** — zarejestrowany, polecony |
| r.h. | **right hand** — prawy, prawostronny |
| R.N. | **Royal Navy** — Królewska Marynarka Wojenna |
| R.P. | **Republican Party** — Partia Republikańska (*w U.S.A.*) |
| R.R. | **railroad** — *am.* kolej |
| R.S.P.C.A. | **Royal Society for the Prevention of Cruelty to Animals** — Królewskie Towarzystwo Ochrony Zwierząt |
| Ry | **railway** — *bryt.* kolej |
| | |
| s. | **second; shilling; singular; son** — sekunda; szyling; pojedynczy; syn |
| S. | **South** — południe |
| $ | **dollar** — dolar |
| S.A. | **Salvation Army** — Armia Zbawienia |
| SALT | **Strategic Armaments Limitation Talks** — Rokowania w sprawie Ograniczenia Zbrojeń Strategicznych |
| SAS | **Scandinavian Airlines System** — Skandynawskie Linie Lotnicze |
| Sat. | **Saturday** — sobota |
| sch. | **school** — szkoła |
| scil. | **scilicet** [ˈsailiset] *łac.* = **namely** — mianowicie |
| S.D. | **State Department** — ministerstwo spraw zagranicznych (*w U.S.A.*) |
| SE, S.E. | **South-East** — południowy wschód; **South-Eastern** — południowo-wschodni okręg pocztowy w Londynie |
| S.E.A.T.O. | **South-east Asian Treaty Organization** — Organizacja Paktu Południowo-Wschodniej Azji |
| Sec. | **Secretary** — sekretarz |
| Sep., Sept. | **September** — wrzesień |
| sh. | **shilling(s)** — szyling(i) |
| Soc. | **society** — towarzystwo |
| SOS, S.O.S. | **save our souls** — wezwanie pomocy (*na morzu*) |
| sq. | **square** — kwadrat, plac |
| Sr | **Senior** — senior |
| s/s, s.s. | **steamship** — statek parowy |
| St | **Saint** — święty; **street** — ulica |
| stg | **sterling** — szterling |
| Sov. Un. | **Soviet Union** — Związek Radziecki |
| Sun. | **Sunday** — niedziela |

**SW, S.W.** **South-West** — południowy zachód; **South-western** — południowo-zachodni okręg pocztowy w Londynie
**syn.** **synonym** — synonim

**t.** **ton** — tona
**tel.** **telegram; telegraph; telephone** — telegram; telegraf; telefon
**temp.** **temperature** — temperatura
**Thurs.** **Thursday** — czwartek
**t.m.** **trade mark** — fabryczna marka ochronna
**T.U.** **Trade Union** — związek zawodowy
**T.U.C.** **Trades Union Congress** — Kongres Związków Zawodowych
**Tues.** **Tuesday** — wtorek
**T.V.** **television** — telewizja

**UEFA** **Union of European Football Associations** — Unia Europejskich Związków Piłki Nożnej
**uhf, UHF, U.H.F.** **ultra-high frequency** — fale ultrakrótkie (UKF) (*o dużych częstotliwościach drgań*)
**U.K.** **United Kingdom (of Great Britain and Northern Ireland)** — Zjednoczone Królestwo (Wielkiej Brytanii i Irlandii Północnej)
**ult.** **ultimo** *łac.* = **last month** — ostatniego miesiąca
**U.N.** **United Nations** — Narody Zjednoczone
**U.N.E.S.C.O.** **United Nations Educational Scientific and Cultural Organization** — Organizacja Narodów Zjednoczonych do spraw Nauki i Kultury
**UNGA** **United Nations General Assembly** — Zgromadzenie Ogólne Narodów Zjednoczonych
**UNICEF** **United Nations Children's Fund** — Fundusz Narodów Zjednoczonych Pomocy Dzieciom
**U.N.O.** **United Nations Organization** — Organizacja Narodów Zjednoczonych
**U.N.R.R.A.** **United Nations Relief and Rehabilitation Administration** — Organizacja Narodów Zjednoczonych do spraw Pomocy i Odbudowy
**U.P.** **United Press** — *am.* Prasa Zjednoczona (*agencja prasowa*)
**U.P.I.** **United Press International** — *am.* Zjednoczona Prasa Międzynarodowa (*agencja prasowa*)
**U.S.A.** **United States of America** — Stany Zjednoczone Ameryki
**U.S.A.F.** **United States Air Force** — Lotnictwo Wojskowe Stanów Zjednoczonych
**U.S.N.** **United States Navy** — Marynarka Wojenna Stanów Zjednoczonych
**U.S.S.R.** **Union of Soviet Socialist Republics** — Związek Socjalistycznych Republik Radzieckich
**usu.** **usually** — zwykle

**v.** **versus** *łac.* = **against** — przeciw; **verse; volt; volume** — wiersz; wolt; tom

| | |
|---|---|
| **V.-Day** | **Victory Day** — Dzień Zwycięstwa |
| **vet.** | **veterinary surgeon** — weterynarz |
| **v.g.** | **very good** — bardzo dobry, bardzo dobrze |
| **V.I.P.** | **Very Important Person** — bardzo ważna osobistość |
| **viz** | **videlicet** *łac.* = **namely** — mianowicie |
| **vol., vols** | **volume, volumes** — tom, tomy |
| **v.v.** | **vice versa** ['vaɪsɪ'vɜsə] *łac.* — na odwrót |
| | |
| **W.** | **Welsh** — walijski; **West** — zachód; zachodni okręg pocztowy w Londynie |
| **W.C.** | **West Central** — zachodni okręg pocztowy w śródmieściu Londynu |
| **w.c.** | **water closet** — ustęp |
| **W.C.P.** | **World Council of Peace** — Światowa Rada Pokoju |
| **Wed.** | **Wednesday** — środa |
| **W.F.D.Y.** | **World Federation of Democratic Youth** — Światowa Federacja Młodzieży Demokratycznej |
| **W.F.T.U.** | **World Federation of Trade Unions** — Światowa Federacja Związków Zawodowych |
| **W.H.O.** | **World Health Organization** — Światowa Organizacja Zdrowia |
| **wt** | **weight** — ciężar, waga |
| | |
| **Xmas** | **Christmas** — Boże Narodzenie |
| | |
| **y., yd** | **yard** — jard |
| **Y.H.A.** | **Youth Hostels Association** — Stowarzyszenie Schronisk Młodzieżowych |
| **Y.M.C.A.** | **Young Men's Christian Association** — Chrześcijańskie Stowarzyszenie Młodzieży Męskiej |
| **yr** | **year** — rok; **your** — wasz |
| **yrs** | **yours** — wasz |
| **Y.W.C.A.** | **Young Women's Christian Association** — Chrześcijańskie Stowarzyszenie Młodzieży Żeńskiej |
| **Z.G.** | **Zoological Gardens** — Ogród Zoologiczny |
| **zl.** | **zloty** — złoty |

## MONEY

## PIENIĄDZE

### I. **British** Brytyjskie

**£1 (1 pound) = 100 p (100 pence)**

**Notes Banknoty**

**£ 20 — twenty pounds** [ˋtwentɪ ˋpaundz]
**£ 10 — ten pounds** [ˈten ˋpaundz]
**£ 5 — five pounds** [ˈfaɪv ˋpaundz]
**£ 1 — a pound** [əˋpaund]

**Coins Monety**

**50p — fifty pence** [ˈfɪftɪ ˋpens]
**10p — ten pence** [ˈten ˋpens]
**5p — five pence** [ˈfaɪv ˋpens]
**2p — twopence** [ˋtʌpəns], **two pence** [ˈtu ˋpens]
**1p — a penny** [əˋpenɪ]
**1/2p — a halfpenny** [əˋheɪpnɪ], **half a penny** [ˈhaf əˋpenɪ]

### II. **American (USA)** Amerykańskie (St. Zjednoczone)

**$1 (1 dollar) = 100c (100 cents)**

**Notes Banknoty**

**$ 20 — twenty dollars** [ˈtwentɪ ˋdoləz]
**$ 10 — ten dollars** [ˈten ˋdoləz]
**$ 5 — five dollars** [ˈfaɪv ˋdoləz]
**$ 1 — a dollar** [əˋdolə(r)]

**Coins Monety**

**50 c — half-dollar** [ˋhaf dolə(r)]
**25 c — twenty five cents** [ˈtwentɪ ˈfaɪv ˋsents], *pot.* **a quarter** [ə ˋkwɔtə(r)]
**10 c — ten cents** [ˈten ˋsents], *pot.* **a dime** [ə ˋdaɪm]
**5 c — five cents** [ˈfaɪv ˋsents], *pot.* **a nickel** [əˋnɪkl]
**1 c — a cent** [ə ˋsent], *pot.* **a penny** [əˋpenɪ]

## WEIGHTS AND MEASURES

## MIARY I WAGI

### I. British Brytyjskie

#### a) Measures of length and surface
Miary długości i powierzchni

| | |
|---|---|
| 1 mile [maɪl] = 1 760 yards [jadz] . . . . . . . . | 1 609,3 m |
| 1 yard [jad] = 3 feet [fit] . . . . . . . . . . | 91,44 cm |
| 1 foot [fut] = 12 inches [ˈɪntʃɪz] | 30,48 cm |
| 1 inch [ɪntʃ] . . . . . . . . . . . . . | 2,54 cm |
| 1 square [skweə(r)] mile = 640 acres [ˈeɪkəz] . . . . | 258,99 ha |
| 1 acre [ˈeɪkə(r)] = 4 840 square yards . . . . . . | 0,40 ha |
| 1 square yard = 9 square feet . . . . . . . . | 0,836 m² |
| 1 square foot = 144 square inches . . . . . . . | 929 cm² |
| 1 square inch . . . . . . . . . . . . | 6,45 cm² |

#### b) Measures of capacity
Miary pojemności

| | |
|---|---|
| 1 quarter [ˈkwɔtə(r)] = 8 bushels [ˈbuʃlz] . . . . . . | 290,941 l |
| 1 bushel [ˈbuʃl] = 8 gallons [ˈgælənz] . . . . . . | 36,368 l |
| 1 gallon [ˈgælən] = 4 quarts [kwɔts] . . . . . . | 4,546 l |
| 1 quart [kwɔt] = 2 pints [paɪnts] . . . . . . . | 1,136 l |
| 1 pint [paɪnt] . . . . . . . . . . . . | 0,568 l |

#### c) Weights (avoirdupois)
Wagi (handlowe, tzw. avoirdupois)

| | |
|---|---|
| 1 ton [tʌn] = 20 hundredweight [ˈhʌndrədweɪt] . . . | 1 016,047 kg |
| 1 hundredweight [ˈhʌndrədweɪt] = 112 pounds [paundz] | 50,802 kg |
| 1 pound [paund] = 16 ounces [ˈaunsɪz] . . . . . . | 453,59 g |
| 1 ounce [auns] = 16 drams [dræmz] . . . . . . | 28,35 g |
| 1 dram [dræm] = 3 scruples [skruplz] . . . . . . | 1,77 g |
| 1 scruple [skrupl] . . . . . . . . . . . | 0,59 g |
| 1 grain [greɪn] . . . . . . . . . . . . | 64,7989 mg |

Poza tym istnieją jeszcze następujące układy wag:

1) troy weight, używany w handlu kruszcami oraz
2) apothecaries weight, używany w aptekach. "Grain" we wszystkich powyższych układach jest identyczny.

## II. American Amerykańskie (U.S.A.)

### a) Measures of length and surface, as British
Miary długości i powierzchni — jak brytyjskie

### b) Measures of capacity
Miary pojemności

| | |
|---|---|
| 1 bushel [ˈbuʃl] = 8 gallons [ˈgælənz] . . . . . . . | 35,238 l |
| 1 gallon [ˈgælən] = 4 quarts [kwɔts] . . . . . . . | 3,785 l |
| 1 quart [kwɔt] = 2 pints [paɪnts] . . . . . . . . | 0,946 l |
| 1 pint [paɪnt] . . . . . . . . . . . . . . | 0,473 l |

### c) Weights (avoirdupois)
Wagi (handlowe, tzw. avoirdupois)

| | |
|---|---|
| 1 ton [tʌn] = 20 hundredweight [ˈhʌndrədweɪt] . . . . | 907,185 kg |
| 1 hundredweight [ˈhʌndrədweɪt] = 100 pounds [paundz] | 45,359 kg |
| 1 pound [paund] = 16 ounces [ˈaunsɪz] . . . . . . . | 453,59 g |
| 1 ounce [ˈauns] = 16 drams [dræmz] . . . . . . . | 28,35 g |
| 1 dram [dræm] = 3 scruples [skruplz] . . . . . . . | 1,77 g |
| 1 scruple [skrupl] . . . . . . . . . . . . . | 0,59 g |

# POLISH - ENGLISH

## ADVICE TO THE USER

### 1. Headwords

The headwords are printed in bold-faced type in strictly alphabetical order. They are labelled by pertinent abbreviations indicating their grammatical categories, the others denoting the respective branches of learning or the special walks of life.

Homonyms are grouped under separate entries and marked with successive Arabic ciphers, e.g.:

**muł 1.** *m* slime, ooze
**muł 2.** *m zool.* mule

If a Polish headword contains various English meanings or denotes different grammatical functions, the particular lexical units on the Polish side are separated by means of a semicolon and, besides, they are provided with a pertinent grammatical label, e.g.:

**palący** *p praes i adj* burning; *(tytoń)* smoking; *sm* smoker;...

If an entry, or a part of it, or an explanatory note, is provided with the abbreviation *zob.* the reader is asked to refer to some other entry, or to some information found elsewhere in the Dictionary.

#### Nouns

Some Polish nouns of feminine gender have been omitted since their masculine and feminine

## WSKAZÓWKI DLA KORZYSTAJĄCYCH ZE SŁOWNIKA

### 1. Hasła

Wyrazy hasłowe podano pismem półgrubym w ścisłym porządku alfabetycznym. Objaśniano je, zależnie od przynależności do poszczególnych części mowy lub do specjalnych dziedzin życia, odpowiednimi skrótami umownymi.

Homonimy podano jako osobne hasła oznaczone kolejnymi cyframi arabskimi, np.:

Jeżeli poszczególne wyrazy hasłowe zawierają odpowiedniki o różnych znaczeniach, albo pełnią różne funkcje gramatyczne — oddzielono je średnikiem oraz odpowiednim kwalifikatorem gramatycznym, np.:

Jeżeli wyraz hasłowy opatrzony jest skrótem *zob.* oznacza to, że hasła tego wraz z odpowiednikami należy szukać w artykule hasłowym, do którego wyraz ten odesłano.

#### Hasła rzeczownikowe

Ze względu na rozmiary słownika pominięto pewną ilość rzeczowników żeńskich, które w języku

equivalents are identical in English, e.g.: **nauczyciel** teacher, **nauczycielka** teacher, **Niemiec** German, **Niemka** German.

**Most Polish diminutives have been omitted as they have no lexical equivalents in English; so their diminutive nouns are usually formed by means of adjectives "little" or "small".**

**But if a Polish diminutive has evolved a distinct additional meaning, its inclusion has been considered necessary. E.g.**

angielskim mają formę identyczną z odpowiednimi rzeczownikami męskimi, np.: **nauczyciel** teacher, **nauczycielka** teacher, **Niemiec** German, **Niemka** German itp.

**Pominięto też większość rzeczowników zdrobniałych. W takich wypadkach odpowiedniki angielskie tworzy się zastępczo, stosując przymiotniki „little" i „small".**

**Uwzględniono jednak te polskie rzeczowniki zdrobniałe, których znaczenia różnią się od form pierwotnych, np.:**

**rączka** *f* little hand; (*uchwyt*) handle; (*steru*) tiller; (*obsadka do pióra*) penholder

**Most verbal nouns have been left out, too, e.g.: pisanie, which is derived from the infinitive pisać, writing ⟨to write⟩ (*zob.* maszyna do pisania, pisanie na maszynie).**

**But if there are no English derivatives in -ing, other equivalents have been, of necessity, inserted, e.g.:**

**Dla oszczędności miejsca wyeliminowano większość rzeczowników odsłownych, gdyż znajomość form bezokolicznikowych odpowiedników angielskich wystarcza do utworzenia odpowiednich form rzeczownikowych.**

**Wyjątek stanowią te wypadki, gdy angielskie odpowiedniki nie posiadają końcówki słowotwórczej, np.:**

**głosować** *vi* vote, (*tajnie*) ballot; ...
**głosowanie** *n* voting, poll, (*tajne*) ballot

## Adjectives

**Polish adjectives which correspond to English nouns used attributively here are not included, e.g.: the noun kamień =** the stone **is being also used as an adjective: kamienny =** stone. **But if there are two variant adjectival forms, both of them are given as equivalents of the Polish headwords, but used in a different meaning. E.g.:**

## Hasła przymiotnikowe

**Ponieważ w języku angielskim zasadniczo nie ma formalnej różnicy pomiędzy przymiotnikiem a rzeczownikiem, np. kamień** *m* **=** the stone **i kamienny** *adj* **=** stone, **haseł przymiotnikowych nie zamieszczamy. Uwzględniono jednak te formy oboczne, które różnią się pod względem znaczenia, np.:**

**złoty 1.** *adj* gold, *przen.* golden; ~ **wiek** golden age
**złoty 2.** *m* (*jednostka monetarna*) zloty

**Verbs**

The reader is sometimes faced with very serious difficulties whenever he may occasionally have to deal with verbal aspects we find in English as compared with those in Polish, e.g.: **siadać** and **siedzieć** and **usiąść** — to sit and to be sitting and to sit down, **padać** and **upaść** — to be falling and to fall (down), **myć się** and **umyć się** — to wash and to have a wash etc. The above and similar verbs may be rendered by means of a variety of forms.

Most verbs, with regard to their aspects, are neutral: **pisać** — to write, **napisać** — to write.

As a rule, in the present Dictionary the verbs ought to be looked up in their imperfect form.

If the Polish headword is a verb, its syntactic function in a sentence is shown, between round brackets, alongside of the corresponding function of its English equivalent.

The same refers to transitive verbs which require the direct object in either language; so their use in a sentence will hardly present any difficulties. E.g.:

**Hasła czasownikowe**

Brak analogii w tworzeniu postaci dokonanej i niedokonanej czasownika w języku polskim i angielskim nastręcza wiele trudności. Tak np. dokonana postać czasownika **paść, upaść** — to fall zmienia się w niedokonaną przez zastosowanie *Continuous Form* — to be falling. W innych wypadkach czasownik o postaci niedokonanej **siadać** — to sit, zmienia postać przez dodanie przysłówka down: **siąść** — to sit down. Stosuje się także formę opisową: **umyć się** — to have a wash itp. Polską formę dokonaną można też czasami oddać przez angielską formę gramatyczną.

W większości wypadków angielskie postaci czasownikowe są z natury neutralne: **pisać** — to write, **napisać** — to write.

Czasowników należy szukać pod ich formą podstawową w jej postaci zasadniczo niedokonanej.

Różnice w składni czasowników zaznaczamy za pomocą odpowiednich zaimków i przyimków, umieszczonych w nawiasach okrągłych, tuż po czasowniku.

Takie przykłady użycia związków składniowych stosuje się zarówno w przypadku, gdy czasownik polski i jego angielski odpowiednik występują w tej samej funkcji przechodniej lub nieprzechodniej, np.:

**reagować** *vi* react (**na coś** to sth)
**darzyć** *vt* present (**kogoś czymś** sb with sth)...

But if the English verb is transitive and its Polish equivalent intransitive or vice versa, grammatical information is a necessity, e.g.:

jak też i wówczas, gdy polskiemu czasownikowi w funkcji przechodniej odpowiada angielski czasownik w funkcji nieprzechodniej, lub odwrotnie. Np.:

**operować** *vt* o p e r a t e **(kogoś** o n, u p o n s b)
**zbliżać ... się** *vr* a p p r o a c h **(do kogoś** s b) **...**

## 2. Equivalents

The English equivalents of the Polish headwords and their expressions are given in light type. Their synonyms printed along with them, if any, are separated by commas, those more distant in meaning are marked off by semicolons. In case of need the given synonyms have been provided with explanations, placed in round brackets, concerning their meaning and usage. E.g.:

## 2. Odpowiedniki

Angielskie odpowiedniki wyrazów, wyrażeń i zwrotów podano pismem jasnym. Odpowiedniki bliskoznaczne oddzielono przecinkami; odpowiedniki dalsze — średnikami. W wypadkach koniecznych — przed angielskimi odpowiednikami — umieszczono w nawiasach okrągłych objaśnienia, drukowane kursywą, dotyczące zakresu, znaczenia i zastosowania wyrazu, np.:

**chować** *vt* (*ukrywać*) **h i d e**, c o n c e a l; (*przechowywać*) k e e p; (*wkładać, np. do szuflady*) p u t (u p); (*grzebać zwłoki*) b u r y; (*hodować*) b r e e d, r e a r; (*wychowywać*) b r i n g u p, e d u c a t e; ...

## EXPLANATORY SIGNS

## ZNAKI OBJAŚNIAJĄCE

| | | |
| --- | --- | --- |
| | The angled stress mark denotes that the syllable following it is the principal stressed syllable. | Pochylony znak akcentu (w formie transkrybowanej wyrazu hasłowego) poprzedza główną akcentowaną sylabę. |
| [ ] | Square brackets enclose the pronunciation of some Polish words (e.g. marznąć [r-z]) or that of loanwords. | W nawiasach kwadratowych zaznaczono wymowę niektórych wyrazów polskich, np. marznąć [r-z] oraz wymowę wyrazów pochodzenia obcego. |
| ( ) | Round brackets enclose the explanatory informations, irregular forms of the headwords, words and letters which can be omitted. | W nawiasach okrągłych umieszczono objaśnienia, nieregularne formy wyrazu hasłowego, wyrazy i litery, które mogą być opuszczone. |
| ⟨ ⟩ | Angular brackets enclose words and parts of the expressions which are interchangeable. | W nawiasach trójkątnych umieszczono wymienne wyrazy lub człony związków frazeologicznych. |
| † | Archaism. | Krzyżykiem oznaczono wyrazy przestarzałe. |
| ~ | The tilde replaces the headword, or as much of it as has been cut off by a vertical line. | Tzw. tylda zastępuje w zwrotach hasło lub tę jego część, która jest odcięta pionową kreską. |
| \| | The vertical line separates that part of the headword which has been replaced in phrases by the tilde. | Kreska pionowa oddziela część hasła zastąpioną w zwrotach tyldą. |
| 1., 2. ... | The Arabic ciphers denote the sequence of the headwords having the same spelling, but differing in etymology and meaning. | Cyfry arabskie po hasłach objaśniają odrębność znaczenia i pochodzenia wyrazów o tej samej pisowni, podanych jako osobne hasła. |

The semicolon is used to denote a distinct shade of difference in the meaning of two or more equivalents of the headword and to separate particular items of grammatical informations.

Średnik oddziela odpowiedniki o całkowicie różnym znaczeniu, związki frazeologiczne oraz objaśnienia gramatyczne.

The comma is used to separate equivalents close in meaning.

Przecinek oddziela odpowiedniki bliskie pod względem znaczeniowym.

## ABBREVIATIONS

## SKRÓTY

| | | |
|---|---|---|
| *adj* | — adjective | przymiotnik |
| *adv* | — adverb | przysłówek |
| *am.* | — American | amerykański |
| *anat.* | — anatomy | anatomia |
| *arch.* | — architecture | architektura |
| *astr.* | — astronomy | astronomia |
| *attr* | — attribute, attributive | przydawka, przydawkowy |
| *bank.* | — banking | bankowość |
| *biol.* | — biology | biologia |
| *bot.* | — botany | botanika |
| *bryt.* | — British | brytyjski |
| *chem.* | — chemistry | chemia |
| *comp* | — comparative (degree) | stopień wyższy |
| *conj* | — conjunction | spójnik |
| *dent.* | — dentistry | dentystyka |
| *dial.* | — dialect | dialekt |
| *dod.* | — positive (meaning) | znaczenie dodatnie |
| *dosł.* | — literal, literally | dosłowny, dosłownie |
| *druk.* | — printing | drukarstwo |
| *elektr.* | — electricity | elektryczność |
| *f* | — feminine (gender) | (rodzaj) żeński |
| *filat.* | — philately | filatelistyka |
| *filoz.* | — philosophy | filozofia |
| *fin.* | — finances | finansowość |
| *fiz.* | — physics | fizyka |
| *fot.* | — photography | fotografia |
| *fut* | — future tense | czas przyszły |
| *genit* | — genitive | dopełniacz |

| | | |
|---|---|---|
| *geogr.* | — geography | geografia |
| *geol.* | — geology | geologia |
| *górn.* | — mining | górnictwo |
| *gram.* | — grammar | gramatyka |
| *handl.* | — commerce | handlowość |
| *hist.* | — history | historia |
| *imp* | — impersonal form | forma nieosobowa |
| *inf* | — infinitive | bezokolicznik |
| *itp.* | — and so on | i tym podobne |
| *int* | — interjection | wykrzyknik |
| *inter* | — interrogation, interrogative | pytajnik, pytający |
| *kin.* | — cinematography | kinematografia |
| *kolej.* | — railway system | kolejnictwo |
| *lit.* | — literature | literatura |
| *lotn.* | — aviation | lotnictwo |
| *łac.* | — Latin word | wyraz łaciński |
| *m* | — masculine (gender) | (rodzaj) męski |
| *mal.* | — painting | malarstwo |
| *mors.* | — marine | morski |
| *mat.* | — mathematics | matematyka |
| *med.* | — medicine | medycyna |
| *miner.* | — mineralogy | mineralogia |
| *muz.* | — music | muzyka |
| *n* | — neuter (gender) | (rodzaj) nijaki |
| *neg* | — negative form | forma przecząca |
| *nieodm.* | — indeclinable word | wyraz nieodmienny |
| *np.* | — for example | na przykład |
| *num* | — numeral | liczebnik |
| *p* | — past tense, preterite | czas przeszły |
| *part* | — particle | partykuła |
| *pl* | — plural | liczba mnoga |
| *poet.* | — word used in poetry | wyraz poetycki |
| *polit.* | — politics, policy | polityka |
| *pot.* | — colloquialism | wyraz potoczny |
| *pp* | — past participle | imiesłów przeszły |
| *p praes* | — present participle | imiesłów czasu teraźniejszego |
| *praed* | — predicative | orzecznik, orzecznikowy |
| *praef* | — prefix | przedrostek |
| *praep* | — preposition | przyimek |
| *praes* | — present tense | czas teraźniejszy |
| *prawn.* | — law term | termin prawniczy |
| *pron* | — pronoun | zaimek |
| *przen.* | — metaphorically | przenośnie |
| *przysł.* | — proverb | przysłowie |
| *reg.* | — regular | regularny |
| *rel.* | — religion | religia |
| *rów.* | — also | również |
| s | — substantive | rzeczownik |
| sb, sb's | — somebody, somebody's | ktoś, kogoś, komuś |
| *sing* | — singular | liczba pojedyncza |
| *skr.* | — abbreviation | skrót |
| *s pl* | — noun plural | rzeczownik w liczbie mnogiej |

| | | |
|---|---|---|
| *sport* | — sport, sports | sport, sportowy |
| sth | — something | coś |
| *suf* | — suffix | przyrostek |
| *sup* | — superlative | stopień najwyższy |
| *teatr* | — theatre | teatr |
| *techn.* | — technical | techniczny |
| *uj.* | — pejorative | ujemny |
| *uż.* | — used | używany |
| *v* | — verb | czasownik |
| *v aux* | — auxiliary verb | czasownik posiłkowy |
| *vi* | — intransitive verb | czasownik nieprzechodni |
| *v imp* | — impersonal verb | czasownik nieosobowy |
| *vr* | — reflexive verb | czasownik zwrotny |
| *vt* | — transitive verb | czasownik przechodni |
| *wojsk.* | — military term | termin wojskowy |
| *wyj.* | — exception | wyjątek |
| *zam.* | — instead of | zamiast |
| *zbior.* | — collective word | wyraz zbiorowy |
| *zdrob.* | — diminutive | wyraz zdrobniały |
| *znacz.* | — meaning | znaczenie |
| *zob.* | — see | zobacz |
| *zool.* | — zoology | zoologia |
| *zw.* | — usually | zwykle |

## THE POLISH ALPHABET

The order of the letters in the Polish alphabet is as follows:

a [a]
ą [ɔ̃]
b [b]
c [ts], ch [x], cz [tʃ]
ć [tɕ]
d [d], dz [dz], dź [dʑ], dż [dʒ]
e [ɛ, e]
ę [ɛ̃]
f [f]
g [g]
h [x]
i [i]
j [j]
k [k]
l [l]
ł [w]
m [m]
n [n]
ń [ɲ]
o [ɔ]
ó [u]
p [p]
r [r], rz [ʒ,ʃ]
s [s], sz [ʃ]
ś [ɕ]
t [t]
u [u]
w [v]
y [ɨ]
z [z]
ź [ʑ]
ż [ʒ]

# a

**A, a** pierwsza litera alfabetu; **od „a" do „z"** from beginning to end; **gdy się powiedziało „a", trzeba powiedzieć i „b"** in for a penny, in for a pound; *conj* and; but; *int* ah!
**abażur** *m* lampshade
**abdykacja** *f* abdication (**z czegoś** of sth)
**abdykować** *vi* abdicate (**z czegoś** sth)
**abecadło** *n* A.B.C., ABC, alphabet
**aberracja** *f* aberration
**Abisyńczyk** *m* Abyssinian
**abisyński** *adj* Abyssinian
**abiturient** *m* school-leaving pupil
**abnegacja** *f* abnegation
**abonament** *m* subscription (**czegoś, na coś** to sth); (*w teatrze, tramwaju, na kolei*) season-ticket
**abonent** *m* subscriber (**czegoś** to sth)
**abonować** *vt* subscribe (**coś** to sth); (*w teatrze*) buy a season-ticket
**absencja** *f* absence
**absolucja** *f* absolution (**czegoś** of sth; **od czegoś** from sth)
**absolut** *m* absolute
**absolutny** *adj* absolute, complete
**absolutorium** *n* absolution, release; school-leaving ⟨university-leaving⟩ certificate
**absolutyzm** *m* absolutism
**absolwent** *m* school-leaving student ⟨pupil⟩, alumnus
**absorbować** *vt* absorb
**absorpcja** *f* absorption
**absorpcyjny** *adj* absorptive
**abstrah|ować** *vi* abstract; (*pomijać*) take no account (**od czegoś** of sth); **~ując od tego, że ...** without counting that ...
**abstrakcja** *f* abstraction
**abstrakcyjny** *adj* abstract
**abstynencja** *f* abstinence, temperance; **~ całkowita (od alkoholu)** teetotalism
**abstynent** *m* abstainer, teetotaller
**absurd** *m* absurdity; **sprowadzić do ~u** reduce to absurdity
**absurdalność** *f* absurdity
**absurdalny** *adj* absurd
**aby** *conj* that, in order that; (*przed bezokolicznikiem*) to, in order to; **~ wrócić wcześniej** (in order) to come back soon; **~ nie** lest; in order not to; **~m mógł** so that I may
**aceton** *m chem.* acetone
**acetylen** *m chem.* acetylene
**ach!** *int* ah!, oh!
**achromatyczny** *adj fiz.* achromatic
**a conto** *adv handl.* on account
**aczkolwiek** *conj* though, although
**adamaszek** *m* damask
**adaptacja** *f* adaptation
**adapter** *m* pick-up; record player
**adaptować** *vt* adapt
**adiunkt** *m* (*uniwersytecki*) senior assistant ⟨lecturer⟩
**adiutant** *m wojsk.* adjutant; (*generała*) aide-de-camp
**administracja** *f* administration, management
**administracyjny** *adj* administrative
**administrator** *m* administrator, manager

**administrować** *vt* administer, manage (czymś sth)
**admiralicja** *f* admiralty
**admirał** *m* admiral
**adnotacja** *f* annotation
**adopcja** *f* adoption
**adoptować** *vt* adopt
**adoracja** *f* adoration
**adorator** *m* adorer
**adorować** *vt* adore
**adres** *m* address; **pod ~em** to ⟨at⟩ the address
**adresat** *m* addressee
**adresować** *vt* address
**adwent** *m* advent
**adwokacki** *adj* lawyer's, barrister's, solicitor's
**adwokat** *m* lawyer, barrister, (*niższy*) solicitor; *przen.* advocate
**adwokatura** *f* legal profession, bar
**aerodynamiczny** *adj* aerodynamic
**aerodynamika** [-'na-] *f* aerodynamics
**aeroklub** *m* flying club
**aerometr** *m* aerometer
**aeronauta** *m* aeronaut
**aeronautyczny** *adj* aeronautic
**aeronautyka** [-'nau-] *f* aeronautics
**aeroplan** *m* aeroplane; *am.* airplane
**aerostatyczny** *adj* aerostatic
**aerostatyka** [-'sta-] *f* aerostatics
**afek|t** *m* affection, emotion; **działać w ~cie** act in severe mental strain
**afektacja** *f* affectation
**afektowany** *adj* affected
**afera** *f* bad job, shady transaction, scandal
**aferzysta** *m* swindler, bad jobber
**Afgańczyk** *m* Afghan
**afgański** *adj* Afghan
**afisz** *m* poster, bill
**afiszować się** *vr* make a show (z czymś of sth), show off
**aforyzm** *m* aphorism
**afront** *m* affront, insult; **zrobić komuś ~** affront sb
**Afrykanin** *m* African
**afrykański** *adj* African
**agat** *m* *miner.* agate
**agencja** *f* agency; **~ prasowa** news agency
**agenda** *f* branch of business; (*terminarz*) agenda
**agent** *m* agent; (*giełdowy*) broker; (*podróżujący*) commercial traveller; **~ obcego wywiadu** intelligencer
**agentura** *f* agency; **~ wywiadu** intelligence agency
**agitacja** *f* agitation; (*wyborcza*) canvassing, campaign
**agitator** *m* agitator; (*wyborczy*) canvasser
**agitować** *vi* agitate; (*w wyborach*) canvass, campaign
**agnostycyzm** *m* agnosticism
**agnostyk** *m* agnostic
**agonia** *f* agony of death, death-agony
**agrafka** *f* safety-pin, clasp
**agrarn|y** *adj* agrarian; **reforma ~a** land reform
**agresja** *f* aggression
**agresor** *m* aggressor
**agrest** *m* gooseberry
**agresywny** *adj* aggressive
**agronom** *m* agronomist
**agronomia** *f* agronomy
**agronomiczny** *adj* agronomic
**agrotechnika** *f* agrotechnics
**ajencja, ajent** *zob.* **agencja, agent**
**akacja** *f* *bot.* acacia
**akademia** *f* academy; (*uroczyste zebranie*) session of celebration, commemorative meeting
**akademicki** *adj* academic(al); **dom ~** students' hostel
**akademik** *m* (*członek akademii*) academician; (*student*) (university) student; *pot.* (*dom akademicki*) hostel
**akcelerator** *m* accelerator
**akcent** *m* accent, stress
**akcentować** *vt* accent, accentuate, stress
**akcentowanie** *n* accentuation
**akcept** *m* *handl.* acceptance, accepted draft
**akceptacja** *f* acceptance
**akceptować** *vt* accept
**akces** *m* accession
**akcesoria** *s pl* accessories *pl*

**akcj|a** *f* action; *handl.* share; **~a ratunkowa** rescue action; **~a powieści, sztuki** plot, action; **~a wyborcza** election campaign; **~a żniwna** harvesting campaign; **prowadzić ~ę** carry on a campaign; **wszcząć ~ę** launch a compaign
**akcjonariusz** *m handl.* shareholder, stockholder
**akcyjn|y** *adj handl.* **bank ~y** joint-stock bank; **kapitał ~y** joint stock; **spółka ~a** joint-stock company
**akcyza** *f* excise, (*miejska*) toll
**aklamacj|a** *f* acclamation; **uchwalić przez ~ę** carry by acclamation
**aklimatyzacja** *f* acclimatization
**aklimatyzować** *vt* acclimatize; **~ się** *vr* become acclimatized
**akomodacja** *f* accomodation, adjustment
**akomodować** *vt* accomodate, adjust
**akompaniamen|t** *m* accompaniment; **przy ~cie** accompanied (**czegoś** by sth)
**akompaniator** *m* accompanist
**akompaniować** *vt* accompany (**komuś** sb)
**akord** *m muz.* chord, harmony; **praca na ~** piece-work, job-work; **pracować na ~** do piece-work, work by the job
**akordeon** *m muz.* accordion
**akordow|y** *adj muz.* accordant; **praca ~a** piece-work, job-work; **robotnik ~y** piece-worker, jobber
**akr** *m* acre
**akredytować** *vt* accredit (**przy rządzie** to a government)
**akredytywa** *f fin.* letter of credit
**akrobata** *m* acrobat
**akrobatyczny** *adj* acrobatic
**akrobatyka** *f* acrobatics
**aksamit** *m* velvet
**aksjomat** *m* axiom
**aksjomatyczny** *adj* axiomatic
**akt** *m* act, deed; (*w malarstwie, rzeźbie*) nude; **~ kupna** purchase deed; **~ oskarżenia** bill of indictment; **~ zgonu** death certificate; *pl* **~a** deeds, records
**aktor** *m* actor
**aktorka** *f* actress
**aktorski** *adj* histrionic; **zespół ~** troupe, company of actors; (*objazdowy*) touring company
**aktorstwo** *n* stage-playing, histrionics; staging
**aktualnoś|ć** *f* reality, present-day interest; **~ci dnia** current events
**aktualny** *adj* current, topical
**aktyw** *m* active body, action group
**aktywa** *s pl* holdings, *fin.* assets
**aktywista** *m* active member, activist
**aktywizować** *vt* activate
**aktywność** *f* activity
**aktywny** *adj* active
**akumulacja** *f* accumulation; **~ pierwotna** primary ⟨primitive⟩ accumulation
**akumulator** *m elektr.* accumulator, (storage) battery
**akumulować** *vt* accumulate; **~ się** *vr* accumulate
**akurat** *adv* just, exactly
**akuratny** *adj* accurate
**akustyczny** *adj* acoustic
**akustyka** [-'ku-] *f* acoustics
**akuszer** *m* obstetrician
**akuszerka** *f* midwife
**akuszerstwo** *n* obstetrics, midwifery
**akwaforta** *f* etching
**akwarela** *f* water colour
**akwarium** *n* aquarium
**akwatynta** *f* aquatint
**akwedukt** *m* aqueduct
**akwizycja** *f* (*nabywanie*) acquisition; (*zjednywanie klienteli*) solicitation
**akwizytor** *m* solicitor; (*ubezpieczeniowy*) insurance-agent
**alabaster** *m* alabaster
**alarm** *m* alarm; (*zw. lotn.*) alert; **uderzyć na ~** sound the alarm
**alarmować** *vt* alarm
**alarmowy** *adj* alarm *attr*; **dzwonek ~** alarm-bell
**Albańczyk** *m* Albanian

**albański** *adj* Albanian
**albatros** *m zool.* albatross
**albinos** *m* albino
**albo** *conj* or; ~, ... ~ ... either ... or ...; ~ **ten,** ~ **tamten** either of them ⟨of the two⟩; ~ **tędy,** ~ **tamtędy** either this way or that; either way; ~ **też** or else
**albowiem** *conj* for, because
**album** *m* album; ~ **do znaczków pocztowych** stamp-album
**alchemia** *f* alchemy
**alchemik** *m* alchemist
**ale** *conj* but; however, yet; *int* ~! there now!
**alegoria** *f* allegory
**alegoryczny** *adj* allegoric(al)
**aleja** *f* avenue, alley
**alembik** *m* alembic
**alergia** *f med.* allergy
**ależ** *conj* but; ~ **tak!** why yes!; why of course!
**alfabet** *m* alphabet
**alfabetyczny** *adj* alphabetical
**algebra** *f* algebra
**algebraiczny** *adj* algebraic(al)
**alians** *m* alliance
**aliant** *m* ally
**alibi** *n nieodm.* alibi; **udowodnić ⟨wykazać⟩ swoje** ~ to establish one's alibi
**alienacja** *f* alienation
**alienować** *vt* alienate
**aligator** *m zool.* alligator
**alimenty** *s pl* alimony
**alkalia** *s pl chem.* alkali(e)s
**alkaliczny** *adj chem.* alkaline
**alkaloid** *m* alkaloid
**alkohol** *m* alcohol; ~ **skażony** denaturated alcohol
**alkoholik** *m* alcoholic
**alkoholizm** *m* alcoholism
**alkoholowy** *adj* alcoholic
**alkowa** *f* alcove
**almanach** *m* almanac
**aloes** *m bot.* aloe
**alopatia** *f* allopathy
**al pari** *adv handl.* at par
**alpejski** *adj* alpine; *bot.* **fiołek** ~ cyclamen
**alpinista** *m* alpinist
**alt** *m muz.* alto
**altana** *f* bower
**alternatywa** *f* alternative
**alternatywny** *adj* alternative
**altówka** *f muz.* viola
**altruista** *m* altruist
**altruistyczny** *adj* altruistic
**altruizm** *m* altruism
**aluminium** *n* aluminium
**aluwialny** *adj* alluvial
**aluwium** *n* alluvium
**aluzj|a** *f* allusion, hint; **robić** ~**ę** allude (**do czegoś** to sth), hint (**do czegoś** at sth)
**Alzatczyk** *m* Alsatian
**ałun** *m chem.* alum
**amalgamat** *m* amalgam
**amant** *m* lover
**amarant** *m* amaranth
**amator** *m* amateur, lover, fan
**amatorski** *adj* amateurish, amateur; **teatr** ~ amateur theatricals
**amatorstwo** *n* amateurism
**amazonka** *f* Amazon; (*ubiór*) (woman's) riding-habit
**ambaras** *m* embarrassment; **być w** ~**ie** be embarrassed
**ambasada** *f* embassy
**ambasador** *m* ambassador (**w Polsce** to Poland)
**ambicja** *f* ambition
**ambitny** *adj* ambitious
**ambona** *f* pulpit
**ambrozja** *f* ambrosia
**ambulans** *m* ambulance
**ambulatorium** *n* out-patients' department, dispensary (for out-patients), infirmary
**ambulatoryjny** *adj*, **pacjent** ~ out-patient
**ameba** *f zool.* amoeba
**amen** *nieodm.* amen; *pot.* **na** ~ completely, most surely; **już** ~ it's finished; **pewne jak** ~ **w pacierzu** as sure as fate, dead sure
**Amerykanin** *m* American
**amerykanizm** *m* Americanism

**Amerykanka** *f* American
**amerykański** *adj* American
**ametyst** *m* amethyst
**amfibia** *f zool.* amphibian; (*czołg*) amphibious tank
**amfilada** *f* suite of rooms
**amfiteatr** *m* amphitheatre
**amfora** *f* amphora
**amnestia** *f* amnesty
**amnestiować** *vt* amnesty
**amon** *m chem.* ammonium
**amoniak** *m chem.* ammonia
**amortyzacja** *f handl. prawn.* amortization, sinking; *techn.* shock-absorption
**amortyzacyjny** *adj* sinking
**amortyzator** *m techn.* shock-absorber
**amortyzować** *vt handl. prawn.* amortize, sink; *techn.* absorb shocks
**amper** *m elektr.* ampere
**ampułka** *f* ampoule
**amputacja** *f* amputation
**amputować** *vt* amputate
**amulet** *m* amulet
**amunicja** *f* ammunition, munition
**anachroniczny** *adj* anachronistic
**anachronizm** *m* anachronism
**analfabeta** *m* illiterate
**analfabetyzm** *m* illiteracy
**analityczny** *adj* analytical
**analityka** [-'li-] *f* analytics
**analiza** *f* analysis
**analizować** *vt* analyse
**analogi|a** *f* analogy; (*odpowiednik*) analogue; **przez ~ę** by (way of) analogy; **przeprowadzić ~ę** analogize (**czegoś** sth)
**analogiczny** *adj* analogous
**ananas** *m* pineapple
**anarchia** *f* anarchy
**anarchiczny** *adj* anarchic(al)
**anarchista** *m* anarchist
**anatom** *m* anatomist
**anatomia** *f* anatomy
**anatomiczny** *adj* anatomical
**androny** *pl pot.* foolish talk; **pleść ~** talk nonsense
**andrus** *m pot.* street Arab, urchin
**andrut** *m* wafer cake
**anegdota** *f* anecdote
**anegdotyczny** *adj* anecdotical
**aneks** *m* annex
**aneksja** *f* annexation
**anektować** *vt* annex
**anemia** *f* anaemia
**anemiczny** *adj* anaemic
**aneroid** *m* aneroid
**anewryzm** *m* aneurism
**angażować** *vt* engage; **~ się** *vr* engage (**do czegoś** for sth, **w coś** in sth), be engaged (**w czymś** in sth), commit oneself (**w coś** to sth)
**angażowanie** *n* engagement; **~ się** commitment
**Angielka** *f* Englishwoman
**angielsk|i** *adj* English; *med.* **choroba ~a** (*krzywica*) rickets; **mówić po ~u** speak English; **ulotnić się po ~** take French leave
**angielszczyzna** *f* English
**angina** *f* angina
**Anglik** *m* Englishman
**anglikanin** *m* Anglican
**anglikański** *adj* Anglican; **kościół ~** Church of England
**anglista** *m* student of English; (*naukowiec*) anglist, anglicist
**anglistyka** *f* English studies; English philology
**Anglosas** *m* Anglo-Saxon
**anglosaski** *adj* Anglo-Saxon
**ani** *conj* not even, not a, neither; **~ nawet** not even; **~ razu** not even once; **~ to, ~ tamto** neither this nor that; **~ więcej, ~ mniej** neither more nor less; **~ żywej duszy** not a living soul; **~ jeden człowiek nie widział** not a man saw; **~ mi się śni** never in my life
**anielski** *adj* angelic(al)
**anilana** *f* aniline
**animozja** *f* animosity
**anioł** *m* angel
**aniżeli** *conj* than
**ankieta** *f* questionnaire; public opinion poll
**ano** *part* well then, now then
**anoda** *f elektr.* anode

**anomalia** *f* anomaly
**anonim** *m* anonym; (*list*) anonymous letter
**anonimowy** *adj* anonymous
**anons** *m* announcement
**anonsować** *vt* announce
**anormalność** *f* anomaly, abnormality
**anormalny** *adj* abnormal
**ans|a** *f* grudge; **czuć ~ę do kogoś** bear sb a grudge
**antagonista** *m* antagonist
**antagonistyczny** *adj* antagonistic
**antagonizm** *m* antagonism
**antałek** *m* barrel, cask
**antarktyczny** *adj* Antarctic
**antena** *f* (*zewnętrzna*) aerial; **~ pokojowa** indoor antenna
**antenat** *m* ancestor
**antologia** *f* anthology
**antracen** *m* anthracene
**antracyt** *m* anthracite
**antrakt** *m* interval
**antresola** *f* entresol
**antropolog** *m* anthropologist
**antropologia** *f* anthropology
**antropologiczny** *adj* anthropological
**antropometria** *f* anthropometry
**antybiotyk** *m* antibiotic
**antyczny** *adj* antique
**antydatować** *vt* antedate
**antyk** *m* antique, old curiosity, antiquity
**antykwa** *f druk.* roman (type)
**antykwariat** *m* old curiosity shop; (*książkowy*) second-hand bookshop
**antykwariusz** *m* antiquary; (*handlujący książkami*) second-hand bookseller
**antykwarski** *adj* antiquarian
**antykwaryczn|y** *adj* antiquarian; **książka ~a** second-hand book
**antylopa** *f zool.* antelope
**antymon** *m chem.* antimony
**antypatia** *f* antipathy
**antypatyczny** *adj* repugnant
**antysemicki** *adj* anti-Semitic
**antysemita** *m* anti-Semite
**antysemityzm** *m* anti-Semitism
**antyseptyczny** *adj* antiseptic
**antyteza** *f* antithesis
**anulować** *vt* annul, cancel
**anulowanie** *n* annulment
**a nuż** *conj* and if
**anyż** *m* anise
**aorta** *f anat.* aorta
**apanaż** *m* ap(p)anage
**aparat** *m* apparatus; appliance; **~ fotograficzny** camera; **~ nadawczy** broadcasting apparatus; **~ odbiorczy** receiver; **~ radiowy** wireless (set), radio set
**apartament** *m* apartment, suite of rooms
**apatia** *f* apathy
**apatyczny** *adj* apathetic
**apel** *m* appeal; (*odczytanie obecności*) roll-call, call-over; **stanąć do ~u** turn out for roll-call
**apelacj|a** *f* appeal; **wnieść ~ę** appeal (**do kogoś** to sb)
**apelacyjny** *adj* appealing; **sąd ~** court of appeal
**apelować** *vi* appeal (**do kogoś** to sb, **w sprawie czegoś** for sth)
**apetyczny** *adj* appetizing
**apetyt** *m* appetite
**aplauz** *m* applause; **przyjąć z ~em** applaud; **spotkać się z ~em** meet with applause
**aplikacja** *f* application; (*staż*) probation, practice
**aplikant** *m* probationer, apprentice
**aplikować** *vt* apply; *vi* (*odbywać staż*) practise, undergo training
**apodyktyczny** *adj* peremptory
**apolityczny** *adj* non-political
**apologia** *f* apology
**apopleksja** *f med.* apoplexy
**apoplektyczny** *adj med.* apoplectic
**apostolski** *adj* apostolic; **Stolica Apostolska** Holy See
**apostolstwo** *n* apostolate
**apostoł** *m* apostle
**apostrof** *m* apostrophe
**apostrofa** *f* apostrophe
**apoteoza** *f* apotheosis
**apretura** *f* dressing, finishing
**aprioryczny** *adj* a priori

**aprobat|a** *f* approval; **spotkać się z ~ą** approve (kogoś, czegoś of sb, sth)
**aprobować** *vt* approve (**coś** sth, of sth)
**aprowizacja** *f* provisioning, food supply
**apteczka** *f* medicine chest
**apteka** *f* chemist's (shop), *am.* druggist's (shop), pharmacy, (*w szpitalu*) dispensary
**aptekarstwo** *n* pharmacy
**aptekarz** *m* chemist, *am.* druggist
**Arab** *m* Arab
**arabski** *adj* Arabian, Arabic; **język ~** Arabic
**arak** *m* arrack
**aranżer** *m* organizer; *muz.* arranger
**aranżować** *vt* organize, *także muz.* arrange
**arbiter** *m* arbiter
**arbitralność** *f* arbitrariness
**arbitralny** *adj* arbitrary
**arbitraż** *m* arbitration
**arbitrażowy** *adj* arbitral
**arbuz** *m bot.* watermelon
**archaiczny** *adj* archaic
**archaizm** *m* archaism
**archaizować** *vt* archaize
**archanioł** *m* archangel
**archeolog** *m* archaeologist
**archeologia** *f* archaeology
**archeologiczny** *adj* archaeological
**archipelag** *m* archipelago
**architekt** *m* architect
**architektoniczny** *adj* architectonic, architectural
**architektonika** *f* architectonics
**architektura** *f* architecture; **~ wnętrz** interior decoration
**archiwista** *m* archivist
**archiwum** *n* archive(s)
**arcy-** *praef* arch-
**arcybiskup** *m* archbishop
**arcydzieło** *m* masterpiece
**arcykapłan** *m* high priest
**aren|a** *f także przen.* arena, ring; **~ polityczna** arena of politics; *przen.* **wkraczać na ~ę** come into prominence
**areometr** *m* areometer
**areszt** *m* arrest; (*więzienie*) prison; **położyć ~** seize (**na coś** sth)
**aresztant** *m* prisoner
**aresztować** *vt* arrest, imprison
**aresztowani|e** *n* arrest, imprisonment; **nakaz ~a** writ of arrest; capias
**Argentyńczyk** *m* Argentine
**argentyński** *adj* Argentine
**argument** *m* argument; **wysuwać, przytaczać ~y** put forward arguments (**na coś** for sth)
**argumentacja** *f* argumentation
**argumentować** *vi* argue
**aria** *f muz.* aria, air
**arianin** *m* Arian
**ariański** *adj* Arian
**arka** *f* ark
**arkada** *f* arcade
**arkana** *s pl* arcana
**arktyczny** *adj* Arctic
**arkusz** *m* sheet
**armata** *f* gun, cannon
**armatni** *adj* gun; **ogień ~** gun-fire; *przen.* **mięso ~e** cannon fodder
**armator** *m* shipowner
**armatura** *f* fitting; *elektr.* armature
**Armeńczyk** *m* Armenian
**armeński** *adj* Armenian
**armia** *f* army
**arogancja** *f* arrogance
**arogancki** *adj* arrogant
**arogant** *m* arrogant fellow
**aromat** *m* aroma, flavour
**aromatyczny** *adj* aromatic, fragrant
**arras** *m* arras
**arsen** *m chem.* arsenic
**arsenał** *m* arsenal
**arszenik** *m* arsenic trioxide, *pot.* arsenic
**arteria** *f* artery
**artezyjski** *adj* artesian
**artretyczny** *adj med.* arthritic
**artretyzm** *m med.* arthritis
**artykulacja** *f* articulation
**artykuł** *m* article; commodity; **~ wstępny** (*do gazety*) leader, editorial; **~y spożywcze** articles of consumption

**artyleria** *f* artillery; **~ przeciwlotnicza** anti-aircraft
**artylerzysta** *m* artillerist, gunner
**artysta** *m* artist
**artystyczn|y** *adj* artistic; **rzemiosło ~e** artistic handicraft
**artyzm** *m* artistry
**Aryjczyk** *m* Aryan
**aryjski** *adj* Aryan
**arystokracja** *f* aristocracy
**arystokrata** *m* aristocrat
**arystokratyczny** *adj* aristocratic
**arytmetyczny** *adj* arithmetical
**arytmetyka** *f* arithmetic
**arytmometr** *m* arithmometer
**as** *m także przen.* ace; **największy ~** the ace of aces
**asceta** *m* ascetic
**ascetyczny** *adj* ascetic(al)
**ascetyzm** *m* asceticism
**asekuracja** *f* insurance
**asekurować** *vt* insure; **~ się** *vr* insure (oneself)
**aseptyczny** *adj* aseptic
**aseptyka** *f* asepsis
**asfalt** *m* asphalt
**asocjacja** *f* association
**asortyment** *m* assortment
**aspekt** *m* aspect; **rozważyć coś we wszystkich ~ach** consider a thing in all its bearings; **sprawa ma inny ~** the problem has another complexion
**aspiracja** *f* aspiration
**aspirować** *vi* aspire (**do czegoś** to, after sth)
**aspiryna** *f* aspirin
**aster** *m bot.* aster
**astma** *f med.* asthma
**astmatyczny** *adj* asthmatic
**astmatyk** *m* asthmatic
**astrofizyka** *f* astrophysics
**astrologia** *f* astrology
**astrologiczny** *adj* astrological
**astronauta** *m* astronaut
**astronautyka** [-'nau-] *f* astronautics
**astronom** *m* astronomer
**astronomia** *f* astronomy
**astronomiczny** *adj także przen.* astronomic(al)
**asygnata** *f* assignation, allocation
**asygnować** *vt* assign
**asymetria** *f* asymmetry
**asymilacja** *f* assimilation
**asymilacyjny** *adj* assimilative
**asymilować** *vt* assimilate; **~ się** *vr* assimilate, become assimilated
**asy|sta** *f* attendance, escort, assistance; **w ~ście** attended by (**kogoś** sb)
**asystent** *m* assistant
**asystować** *vi* assist (**komuś** sb, **przy czymś** at sth)
**atak** *m* attack; (*choroby*) fit; *sport* (*w piłce nożnej*) the forwards; *med.* **~ serca** heart attack
**atakować** *vt* attack
**atawizm** *m* atavism
**ateista** *m* atheist
**ateistyczny** *adj* atheistic
**ateizm** *m* atheism
**atlantycki** *adj* Atlantic
**atlas** *m* atlas
**atleta** *m* athlete; (*w zapasach*) wrestler; (*w cyrku*) strong man
**atletyczny** *adj* athletic
**atletyka** *f sport zw.* **lekka ~** athletics
**atłas** *m* satin
**atmosfera** *f* atmosphere
**atmosferyczny** *adj* atmospheric(al)
**atol** *m geogr.* atoll
**atomow|y** *adj* atomic; **bomba ~a** atomic bomb, A-bomb; **broń ~a** nuclear weapon; *chem.* **ciężar ~y** atomic weight; **stos ~y** atomic pile
**atrakcja** *f* attraction
**atrakcyjny** *adj* attractive
**atrament** *m* ink
**atramentowy** *adj*, **ołówek ~** ink-pencil
**atrofia** *f med.* atrophy
**atrybut** *m* attribute
**atut** *m* trump
**atutować** *vt* trump
**audiencj|a** *f* audience; **przyjąć na ~i** receive in audience
**audycja** *f* broadcast (service), programme
**audytorium** *n* (*sala*) auditorium; (*słuchacze*) audience

**aukcja** *f* auction
**aula** *f* hall, aula
**aureola** *f* halo, aureole
**auspicj|e** *pl* auspices; **pod ~ami ...** under the auspices of ...
**Australijczyk** *m* Australian
**australijski** *adj* Australian
**austriacki** *adj* Austrian
**Austriak** *m* Austrian
**autentyczność** *f* authenticity
**autentyczny** *adj* authentic
**auto** *n* auto
**autobiografia** *f* autobiography
**autobiograficzny** *adj* autobiographical
**autobus** *m* bus; coach; **jechać ~em** go by bus
**autochton** *m* native, aboriginal, autochthon
**autochtoniczny** *adj* autochthonous
**autograf** *m* autograph
**autokar** *m* (motor-)coach
**autokracja** *f* autocracy
**automacja** *f* automation
**automat** *m* automatic device ⟨machine⟩; (*do sprzedaży biletów itp.*) slot-machine; **~ telefoniczny** public telephone
**automatyczny** *adj* automatic
**automatyzacja** *f* automation
**automobilista** *m* motorist
**autonomia** *f* autonomy, self-government; (*miejska*) local government
**autonomiczny** *adj* autonomous, self-governing
**autoportret** *m* self-portrait
**autopsja** *f* autopsy
**autor** *m* author
**autorka** *f* authoress
**autorstwo** *n* authorship
**autorytatywny** *adj* authoritative
**autorytet** *m* authority
**autoryzacja** *f* authorization
**autoryzować** *vt* authorize
**autostop** *m* hitch-hike, hitch-hiking; **podróżować ~em** hitch-hike
**autostopowicz** *m* hitch-hiker
**autostrada** *f* motorway; *am.* superhighway
**autożyro** *m* autogyro
**awangarda** *f* vanguard
**awans** *m* promotion, advancement; (*zaliczka*) advance; **dać ~** promote (**komuś** sb); **dostać ~** be promoted; **~ społeczny** social advancement
**awansować** *vt* promote; *vi* be promoted (**na wyższe stanowisko** to a higher rank)
**awantur|a** *f* brawl, row; **zrobić ~ę** make a scene, *pot.* kick up a row
**awanturniczy** *adj* rowdy
**awanturnik** *m* brawler, rowdy fellow
**awanturować się** *vr* brawl, make a row
**awaria** *f* damage
**awaryjn|y** *adj* damage (report etc.); **wyjście ~e** emergency exit
**awersja** *f* aversion
**awionetka** *f* babyplane, aviette
**awitaminoza** *f* avitaminosis
**awizacja** *f* letter of advice
**awizo** *n* advice (note)
**awizować** *vt* advice
**azalia** *f bot.* azalea
**azbest** *m* asbestos
**azbestowy** *adj* asbestic
**Azjata** *m* Asiatic
**azjatycki** *adj* Asiatic
**azot** *m* nitrogen
**azotan** *m* nitrate
**azotawy** *adj chem.* nitrous
**azotowy** *adj chem.* nitrogenous, nitric
**azyl** *m* asylum, refuge, sanctuary; **prawo ~u** right of sanctuary; **skorzystać z prawa ~u** take refuge; **szukać ~u** seek refuge; **udzielić komuś ~u** grant asylum
**azymut** *m mat. geogr.* azimuth
**aż** *conj* till, until; *part z praep* a) (*o czasie*) **aż do, aż po** till, until; as late as; **aż do 1965 r.** till 1965; **aż dotąd** ⟨**do tej chwili**⟩ till now, up to now; b) (*o przestrzeni*) **aż do** as far as; **aż do Warszawy** as far as Warsaw; **aż dotąd** ⟨**do tego miejsca**⟩ up to here; c) (*o ilości*) as much as, as

many as; **aż tysiąc książek** as many as one thousand books; **aż za dużo** only too much
**ażeby** *conj* = **aby**
**ażio** *n fin.* agio, premium
**ażur** *m* open ⟨pierced⟩ work
**ażurow|y** *adj* open-work, pierced; **~a robota** open work

# b

**ba!** *int* really!, indeed!, well!
**baba** *f pot.* old woman; (*wieśniaczka*) peasant woman
**babka** *f* grandmother; *pot.* old woman; (*ciasto*) brioche
**babrać się** *vr* puddle, dabble
**babski** *adj* womanly, old woman's; **~e gadanie** old wives' tale
**bachor** *m pot.* brat
**bacznoś|ć** *f* attention; (*ostrożność*) caution; **mieć się na ~ci** stand on one's guard, look out; **stać na ~ć** stand at attention; **stanąć na ~ć** come to attention
**baczny** *adj* attentive (**na coś** to sth); (*ostrożny*) cautious
**baczyć** *vi* pay attention (**na coś** to sth); **~ ażeby** mind ⟨watch out⟩ that
**bać się** *vr* be afraid (**kogoś, czegoś** of sb, of sth), fear (**kogoś, czegoś** sb, sth, **o kogoś, o coś** for sb, for sth); (*bardzo się bać*) dread; **nie bój się!** never fear!
**badacz** *m* investigator, explorer, research worker
**badać** *vt* investigate, explore, study, do research work; (*chorego, świadka itp.*) examine
**badanie** *n* investigation, exploration, research, study; (*chorego, świadka itp.*) examination
**badawcz|y** *adj* searching, scrutinizing; **praca ~a** research work; **zakład ~y** research institution
**badyl** *m* stalk
**bagatela** *f* trifle
**bagatelizować** *vt* slight, disregard; **~ sobie** make nothing (**coś** of sth)
**bagaż** *m* luggage, *am.* baggage; **oddać na ~** register one's luggage; **przechowalnia ~u** left-luggage office
**bagażnik** *m* (luggage-)container; (*w samochodzie*) boot
**bagażowy** *adj*, **wagon (wóz) ~** luggage-van; *m* porter
**bagnet** *m* bayonet
**bagnisty** *adj* marshy, swampy, boggy
**bagno** *n* marsh, swamp, bog
**bajdurzyć** *vi pot.* twaddle
**bajeczka** *f* fairy-tale, fable
**bajeczny** *adj* fabulous
**bajka** *f* fable, fairy-tale
**bajkopisarz** *m* fabulist
**bajoro** *n* puddle
**bak** *m* tank
**bakalie** *s pl* sweetmeats, dainties
**bakcyl** *m* bacillus
**baki** *s pl* side-whiskers
**bakier, na ~** *adv* crossways, slantwise, awry; **w kapeluszu na ~** with one's hat cocked; *przen.* **być z kimś na ~** be cross with sb
**bakteria** *f* bacterium
**bakteriobójczy** *adj* bactericidal
**bakteriolog** *m* bacteriologist
**bakteriologia** *f* bacteriology
**bakteriologiczny** *adj* bacteriological
**bal 1.** *m* (*zabawa*) ball; **~ kostiumowy** fancy-dress ball; **~ maskowy** masked ball
**bal 2.** *m* (*belka*) beam, log

**balast** *m* ballast; **obciążyć ~em** ballast
**baldachim** *m* canopy, baldachin
**baleron** *m* ham in bladder
**balet** *m* ballet
**baletmistrz** *m* ballet-master
**baletnica** *f* ballerina
**balia** *f* wash-tub
**balistyczny** *adj* ballistic
**balistyka** *f* ballistics
**balkon** *m* balcony
**ballada** *f* ballad
**balon** *m* balloon; (*sterowy*) dirigible (balloon); (*wywiadowczy*) blimp; **~ na uwięzi** captive balloon
**balotować** *vi* ballot
**balotowanie** *n* ballot(ing)
**balować** *vi* attend balls
**balsam** *m* balsam, balm
**balsamiczny** *adj* balsamic
**balsamować** *vt* embalm
**balustrada** *f* balustrade, rail
**bałagan** *m pot.* mess, muddle; **narobić ~u** make a mess (**w czymś** of sth)
**bałamucić** *vt* seduce; confuse; muddle; embarrass; mislead
**bałamut** *m* seducer; (*kobieciarz*) ladies' man
**bałamutny** *adj* muddling; misleading; confusing
**bałkański** *adj* Balcan
**bałtycki** *adj* Baltic
**bałwan** *m* (*fala*) billow; (*bożyszcze*) idol; (*głupiec*) blockhead; (*ze śniegu*) snowman
**bałwochwalca** *m* idolater
**bałwochwalczy** *adj* idolatrous
**bałwochwalstwo** *n* idolatry
**bambus** *m* bamboo
**banalność** *f* banality
**banalny** *adj* hackneyed, banal, commonplace, trite
**banał** *m* banality, commonplace
**banan** *m* banana
**banda** *f* (*grupa*) gang, band; *sport* (*krawędź*) border
**bandaż** *m* bandage
**bandażować** *vt* bandage, dress
**bander|a** *f* flag; **podnieść ⟨opuścić⟩ ~ę** hoist ⟨haul down⟩ a flag
**banderola** *f* banderole
**bandycki** *adj* bandit's; **napad ~** robbery with assault
**bandyta** *m* bandit
**bandytyzm** *m* banditry
**bania** *f* (*naczynie*) receptacle; (*kula*) ball, globe; *bot.* gourd
**banicj|a** *f* banishment; **skazać na ~ę** banish, outlaw
**banita** *m* outlaw
**bank** *m* bank; **~ emisyjny** bank of issue; **~ handlowy** commercial bank
**bankier** *m* banker
**bankrut** *m* bankrupt
**banknot** *m* (bank-)note
**bankowiec** *m* banker, bank employee
**bankowość** *f* banking
**bankructwo** *n* bankruptcy; **ogłosić czyjeś ~** to adjudge sb bankrupt
**bankrut** *m* bankrupt
**bankrutować** *vi* go bankrupt, fail
**bańk|a** *f* (*naczynie*) can; *med.* cupping glass, cup; (*powietrzna, mydlana itp.*) bubble; (*kula*) ball, globe; **puszczać ~i** blow bubbles; *med.* **stawiać ~i** cup (**komuś** sb)
**bar 1.** *m* bar; **~ kawowy** coffee bar; **~ samoobsługowy** snack-bar
**bar 2.** *m chem.* barium
**barak** *m* barrack
**baran** *m* ram; *przen.* **wziąć na ~a** take pick-a-back
**baranek** *m* lamb
**baranina** *f* mutton
**baraszkować** *vi* dally, trifle, frivol
**barbarzyńca** *m* barbarian
**barbarzyński** *adj* barbarian, barbarous
**barbarzyństwo** *n* barbarity
**barchan** *m* fustian
**barczysty** *adj* broad-shouldered
**barć** *f* wild beehive
**bardz|o** *adv* very; (*z czasownikiem*) much, greatly; **~iej** more, better; **coraz ~iej** more and more; **tym ~iej** all the more; **najbar-**

dziej most, best; **nie ~o** not quite, hardly
**bariera** *f* bar, barrier
**bark** *m anat.* shoulder
**barka** *f* barge
**barkarola** *f muz.* barcarole
**barkowy** *adj anat.* scapular, shoulder-(joint etc.)
**barłóg** *m* pallet
**barman** *m* barman, bartender
**barmanka** *f* barmaid
**barok** *m* baroque
**barometr** *m* barometer
**barometryczny** *adj* barometric(al); **niż ~** depression; low pressure; **wyż ~** high pressure
**baron** *m* baron
**baronowa** *f* baroness
**baronowski** *adj* baronial
**barszcz** *m* borsch, beetroot soup
**bartnictwo** *n* wild-bee rearing
**bartnik** *m* wild-bee keeper
**barwa** *f* colour, hue; (*farba*) dye; **~ ochronna** protective colouring
**barwić** *vt* colour, dye
**barwnik** *m* colouring matter, dye; pigment
**barwny** *adj* coloured
**barykada** *f* barricade
**barykadować** *vt* barricade
**baryłka** *f* barrel
**baryton** *m* baritone
**bas** *m* bass
**basen** *m* basin; tank; **~ pływacki** ⟨**kąpielowy**⟩ swimming pool
**basista** *m* (*grający*) bass-player; (*śpiewak*) bass-singer
**basta!** *int* enough! that'll do!
**bastion** *m* bastion
**baszta** *f* dungeon
**baśniowy** *adj* fabulous, fairy
**baśń** *f* fable, fabulous tale
**bat** *m* whip; **dać** ⟨**dostać**⟩ **~y** give ⟨get⟩ a licking; **trzaskać ~em** crack the whip
**batalion** *m* battalion
**batalista** *m* battle-painter
**bateria** *f* battery
**batog** *m* whip
**batut|a** *f* baton; **pod ~ą** conducted by
**batyst** *m* cambric, batiste
**bawełn|a** *f* cotton; *przen.* **owijać w ~ę** beat about the bush
**bawialnia** *f* drawing-room, parlour
**bawić** *vt* amuse, entertain; **~ się** *vr* amuse oneself, enjoy oneself; play (**w coś** at sth); toy, trifle (**czymś** with sth); **dobrze się ~** have a good time; *vi* (*przebywać*) stay
**bawół** *m* buffalo
**baza** *f* basis, base
**bazalt** *m* basalt
**bazar** *m* bazaar
**bazgrać** *vt* scrawl, scribble
**bazgranina** *f* scrawl, scribble
**bazia** *f bot.* catkin
**bazować** *vt vi* base, rely (**na czymś** on, upon sth)
**bazylika** *f* basilica
**bazyliszek** *m zool.* basilisk
**bażant** *m zool.* pheasant
**bąbel** *m* bubble; *med.* blister
**bądź** *imp od* **być** be; **~ co ~** at any rate; **~ ... ~ ...** either ... or ...
**bąk** *m* (*owad*) bumble-bee; (*zabawka*) (humming) top; *pot.* (*dziecko*) brat; *pot.* **strzelić ~a** make a bloomer; **zbijać ~i** idle time away
**bąkać** *vt vi* mumble, mutter
**beczeć** *vi* bleat; *pot.* (*o człowieku*) blubber
**beczk|a** *f* cask, barrel; *lotn.* barrel-roll; **piwo z ~i** beer on draft; **~a wina** caskful of wine
**beczkować** *vt* barrel
**beczułka** *f* keg
**bednarstwo** *n* coopery
**bednarz** *m* cooper
**befsztyk** *m* beefsteak
**bejca** *f* mordant
**bejcować** *vt* mordant; (*mięso*) pickle
**bek** *m* bleat; (*płacz*) blubber
**bekas** *m zool.* snipe
**bekon** *m* bacon
**beksa** *m f pot.* blubberer

**bela** *f* log; (*materiału*) bale; **~ papieru** ten reams of paper
**beletrysta** *m* belletrist
**beletrystyka** *f* belles-lettres
**belfer** *m pot.* usher
**Belg** *m* Belgian
**belgijski** *adj* Belgian
**belka** *f* beam; *pot. wojsk.* (*naszywka*) bar; **~ stropowa** tie-beam
**bełkot** *m* (*o mowie*) gabble; mumble
**bełkotać** *vi vt* (*o mowie*) gabble; mumble
**bełtać** *vt* stir
**bemol** *m muz.* flat
**bengalski** *adj* Bengal(i)
**beniaminek** *f* favourite
**benzen** *m*, **benzol** *m chem.* benzene
**benzyna** *f* (*czysta*) benzine; (*paliwo*) petrol, *am.* gasolene
**benzynow|y** *adj* benzine, petrol, *am.* gasolene; **stacja ~a** filling-station, *am.* gas station
**berek** *m* (*zabawa*) tag
**beret** *m* beret
**berlinka** *f* barge
**berło** *n* sceptre; **dzierżyć ~** hold the sceptre
**bernardyn** *m* Bernardine; (*pies*) St. Bernard's dog
**bessa** *f handl.* slump
**bestia** *f* beast
**bestialski** *adj* bestial
**bestialstwo** *n* bestiality
**besztać** *vt* scold
**beton** *m* concrete; **~ zbrojony** reinforced concrete
**betonować** *vt* concrete
**bez 1.** *m bot.* lilac; (*dziki*) elder
**bez 2.** *praep* without; **~ butów ⟨kapelusza⟩** with no shoes ⟨hat⟩ on; **~ deszczu, słońca** rainless, sunless; **~ grosza** penniless; **~ ogródek** without mincing words; **~ wątpienia** doubtless; **~ względu na coś** regardless of sth; **~ ustanku** unceasingly, incessantly
**beza** *f* meringue
**bezalkoholowy** *adj* non-alcoholic; (*o napoju*) soft
**bezapelacyjny** *adj* unappealable, beyond appeal
**bezbarwny** *adj* colourless
**bezbłędny** *adj* faultless
**bezbolesny** *adj* painless
**bezbożnik** *m* atheist
**bezbożny** *adj* atheistic, impious
**bezbronność** *f* defencelessness
**bezbronny** *adj* defenceless
**bezbrzeżny** *adj* boundless, limitless
**bezcelowość** *f* aimlessness, uselessness
**bezcelowy** *adj* aimless, useless, to no purpose
**bezcen, za ~** *adv* dirt-cheap, *pot.* for a mere song
**bezcenny** *adj* priceless, invaluable
**bezceremonialnie** *adv* in a free and easy way; roughly; off-hand
**bezceremonialność** *f* free and easy way; unceremoniousness; informality; bluntness
**bezceremonialny** *adj* free and easy, unceremonious; informal; downright; blunt
**bezchmurny** *adj* cloudless
**bezcielesny** *adj* incorporeal, fleshless, immaterial
**bezczelność** *f* insolence, impertinence, *pot.* cheek
**bezczelny** *adj* insolent, impertinent, *pot.* cheeky, outrageous
**bezcześcić** *vt* desecrate, profane
**bezczynność** *f* inactivity, inaction, idleness
**bezczynny** *adj* inactive, idle
**bezdenny** *adj* bottomless, fathomless, abysmal
**bezdeszczowy** *adj* rainless
**bezdomny** *adj* homeless
**bezdroż|e** *n* impassable way, unbeaten track; *przen.* **zejść na ~a** go astray
**bezdrzewny** *adj* treeless, woodless; **papier ~** rag paper
**bezduszny** *adj* soulless, lifeless, dull

**bezdymny** *adj* smokeless
**bezdzietny** *adj* childless
**bezdźwięczny** *adj* soundless, hollow; *gram.* surd, unvoiced
**bezecność** *f* villainy, infamy
**bezecny** *adj* villainous, infamous
**bezgorączkowy** *adj* feverless
**bezgraniczny** *adj* boundless, infinite
**bezgrzeszny** *adj* sinless, impeccable
**bezhołowie** *n pot.* confusion, mess
**bezimienność** *f* namelessness, anonymousness
**bezimienny** *adj* nameless, anonymous
**bezinteresowność** *f* disinterestedness
**bezinteresowny** *adj* disinterested
**bezkarnie** *adv* with impunity; **ujść ~** go unpunished, *pot.* get off scot-free, get away with it
**bezkarność** *f* impunity
**bezkarny** *adj* unpunished
**bezklasow|y** *adj* classless; **społeczeństwo ~e** classless society
**bezkompromisowy** *adj* uncompromising
**bezkonkurencyjny** *adj* unrivalled
**bezkresny** *adj* boundless
**bezkrólewie** *n* interregnum
**bezkrwawy** *adj* bloodless
**bezkrwisty** *adj* anaemic
**bezkrytyczny** *adj* uncritical, indiscriminate
**bezksiężycowy** *adj* moonless
**bezkształtność** *f* shapelessness
**bezkształtny** *adj* shapeless
**bez liku** *adv* no end (**czegoś** of sth)
**bezlitosny** *adj* merciless, ruthless
**bezludny** *adj* desolate, uninhabited
**bezludzie** *n* wilderness, waste
**bezład** *m* confusion, disorder, chaos
**bezładny** *adj* confused, disorderly; (*np. o mowie*) disconnected, incoherent
**bez mała** *adv* nearly, almost, all but
**bezmiar** *m* immensity, infinity
**bezmierny** *adj* immense, infinite, immeasurable
**bezmięsny** *adj* fleshless; emaciated; (*postny*) meatless
**bezmyślność** *f* thoughtlessness, carelessness
**bezmyślny** *adj* thoughtless, careless
**beznadziejnie** *adv* hopelessly, beyond hope
**beznadziejność** *f* hopelessness
**beznadziejny** *adj* hopeless, desperate
**beznamiętny** *adj* dispassionate
**beznogi** *adj* legless, footless
**bezokolicznik** *m gram.* infinitive
**bezosobowy** *adj* impersonal
**bezowocny** *adj* fruitless, unproductive, ineffectual
**bezpańsk|i** *adj* ownerless, masterless, unclaimed; **~i pies** stray dog; **ziemia ~a** no man's land
**bezpartyjny** *adj* non-party *attr*; independent
**bezpieczeństw|o** *n* safety, security; **klapa ~a** safety-valve; **środki ~a** measures of precaution, precautionary measures; **Rada Bezpieczeństwa** Security Council
**bezpiecznik** *f* safety-cock, safety-tap; *elektr.* fuse
**bezpieczny** *adj* safe, secure
**bezpieniężny** *adj* moneyless
**bezplanowy** *adj* planless
**bezpłatnie** *adv* gratuitously, gratis, free (of charge)
**bezpłatny** *adj* gratuitous, free (ticket, instruction etc.)
**bezpłciowość** *f* sexlessness
**bezpłciowy** *adj* sexless, *biol.* asexual
**bezpłodność** *f* barrenness, sterility, infertility
**bezpłodny** *adj* barren, sterile, infertile
**bezpodstawność** *f* groundlessness, baselessness
**bezpodstawny** *adj* groundless, baseless
**bezpostaciowy** *adj* amorphous

**bezpośredni** *adj* direct, immediate; (*o człowieku*) straightforward; **pociąg ⟨bilet⟩ ~** through train ⟨ticket⟩

**bezpośrednio** *adv* directly, immediately

**bezpośredniość** *f* directness, immediateness

**bezpotomnie** *adv* without issue ⟨progeny⟩

**bezpotomny** *adj* heirless, issueless

**bezpowrotnie** *adv* irretrievably, beyond retrieve

**bezpowrotny** *adj* irretrievable, irredeemable, irreparable

**bezprawie** *n* lawlessness; illegal action

**bezprawny** *adj* lawless, unlawful, illegal

**bezpretensjonalny** *adj* unpretentious, unpretending, unassuming

**bezprocentowy** *adj* without interest

**bezprzedmiotowy** *adj* insubstantial, matterless, purposeless

**bezprzykładny** *adj* unexampled, unprecedented

**bezradność** *f* helplessness, perplexity

**bezradny** *adj* helpless, perplexed

**bezręki** *adj* handless, armless

**bezrobocie** *n* unemployment

**bezrobotn|y** *adj* unemployed, out of work; *pl* **~i** the unemployed

**bezrolny** *adj* landless

**bezruch** *m* immobility, standstill; **w ~u** at a standstill

**bezsenność** *f* sleeplessness

**bezsenny** *adj* sleepless

**bezsens** *m* nonsense, absurdity

**bezsensowny** *adj* absurd

**bezsilnikowy** *adj* motorless

**bezsilność** *f* impotence

**bezsilny** *adj* powerless, impotent

**bezskutecznie** *adv* to no avail, in vain

**bezskuteczność** *f* ineffectiveness

**bezskuteczny** *adj* ineffective, unavailing

**bezspornie** *adv* undeniably, beyond dispute

**bezsporność** *f* incontestability

**bezsporny, bezsprzeczny** *adj* incontestable, undisputed

**bezstronnie** *adv* impartially, dispassionately

**bezstronność** *f* impartiality

**bezstronny** *adj* impartial, dispassionate

**bezterminowo** *adv* without time-limit

**bezterminowy** *adj* termless

**beztreściowy** *adj* void of substance, empty

**beztroska** *f* unconcern

**beztroski** *adj* unconcerned, careless

**bezustannie** *adv* incessantly, without intermission

**bezustanny** *adj* incessant

**bezużyteczność** *f* uselessness

**bezużyteczny** *adj* useless, (of) no use

**bezwartościowy** *adj* worthless

**bezwarunkowo** *adv* unconditionally; absolutely

**bezwarunkowy** *adj* unconditional; absolute

**bezwiednie** *adv* unknowingly; involuntarily

**bezwiedny** *adj* unknowing, unconscious; involuntary

**bezwład** *m* inertia; *med.* paralysis

**bezwładnoś|ć** *f* inertness, inertia; *fiz.* **siła ~ci** force of inertia

**bezwładny** *adj* inert; (*np. o inwalidzie*) disabled

**bezwłasnowolny** *adj* (*prawnie*) legally incapable, disabled

**bezwodny** *adj* waterless; *chem.* anhydrous

**bezwolny** *adj* involuntary; passive; undecided

**bezwonny** *adj* inodorous

**bezwstyd** *m* impudence, shamelessness

**bezwstydnie** *adv* impudently

**bezwstydnik** *m* impudent fellow

**bezwstydny** *adj* impudent, shameless

**bezwyznaniowiec** *m* irreligionist

**bezwyznaniowy** *adj* irreligious; (*o szkole*) undenominational

**bezwzględność** *f* absoluteness; peremptoriness; positiveness
**bezwzględny** *adj* absolute; peremptory; positive
**bezzębny** *adj* toothless
**bezzwłocznie** *adv* immediately, instantly, without delay
**bezzwłoczny** *adj* immediate, instant
**bezzwrotny** *adj* unrepayable, unredeemable
**bezżenny** *adj s m* celibate
**bezżeństwo** *n* celibacy
**beż** *m* beige
**beżowy** *adj* beige
**bęben** *m* drum
**bębenek** *m muz.* tambourine; *anat.* tympanum
**bębnić** *vi* drum
**bęcwał** *m* dolt, dullard
**bękart** *m* bastard
**biada** *int* woe!
**biadać** *vi* wail, groan and moan; deplore (**nad czymś** sth)
**białaczka** *f med.* leukaemia
**białawy** *adj* whitish
**białko** *n* (*oka, jajka*) white; *chem.* albumen
**Białorusin** *m* Byelorussian
**białoruski** *adj* Byelorussian
**białość** *f* whiteness
**białowłosy** *adj* white-haired
**biał|y** *adj* white; **~a broń** cold steel; **~y dzień** broad daylight; **~y wiersz** blank verse; **czarno na ~ym** black and white
**biblia** *f* Bible
**biblijny** *adj* biblical
**bibliofil** *m* bibliophile
**bibliograf** *m* bibliographer
**bibliografia** *f* bibliography
**biblioteka** *f* library; (*szafa*) bookcase
**bibliotekarz** *m* librarian
**bibularz** *m* blotting-pad
**bibuła** *f* blotting-paper; *pot.* (*prasa nielegalna*) illegal press
**bibułka** *f* tissue-paper
**bicz** *m* whip; **~ boży** scourge; **trzaskać z ~a** crack the whip
**biczować** *vt* lash, whip, flagellate
**biczowanie** *n* flagellation
**bić** *vt vi* beat, strike; **~ brawo** applaud (**komuś** sb); **~ czołem** prostrate oneself; **~ w dzwony** ring the bells; **~ kogoś po twarzy** slap sb's face; **~ pieniądze** mint coins; coin (money); **~ rekordy** break records; **~ z działa** fire the gun; **biją pioruny** lightning bolts strike; **~ się** *vr* fight; (*na pięści*) box; **~ się z myślami** be in two minds; **~ się w piersi** beat one's breast; **to bije w oczy** this strikes the eyes
**biec** *zob.* **biegać**
**bied|a** *f* poverty, misery; want, need; (*zły los*) adversity, distress; (*kłopot*) embarrassment; **klepać ~ę** *pot.* bite on the bit; **narobić sobie ~y** get into a mess
**biedactwo** *n* poor devil ⟨soul, thing⟩
**biedak** *m* poor man, pauper
**biedny** *adj* poor, miserable; *s m* poor man
**biedota** *f zbior.* (*biedacy*) poor people, the poor, the destitute
**biedować** *vi* suffer want, eke out one's existence
**biedronka** *f zool.* ladybird
**biedzić się** *vr* take pains (**nad czymś** with, over sth), toil (**nad czymś** at, on sth)
**bieg** *m* run, race; (*życia, czasu, rzeki*) course; *techn.* gear; **pierwszy ~** first gear; **najwyższy ~** top gear; **skrzynka ~ów** gearbox; **włączyć ~** engage the gear; *sport* **krótki ~** sprint; **~ sztafetowy** relay-race; **~ z przeszkodami** obstacle race; **w pełnym ~u** at full speed; **z ~iem lat** in the course of years
**biegacz** *m* runner, racer
**biegać** *vi* run (**za czymś** after sth); **~ na posyłki** run errands
**biegle** *adv* fluently
**biegłość** *f* (*w mowie*) fluency; (*zręczność*) skill, dexterity; (*wprawa*) routine

**biegły** *adj* skilful, skilled, expert (**w czymś** in sth); *s m* expert
**biegnąć** *zob.* biegać
**biegun** *m fiz. geogr.* pole; (*np. kołyski*) rocker; **koń na ~ach** rocking-horse; **krzesło na ~ach** rocking-chair
**biegunka** *f med.* diarrhoea; **krwawa ~** dysentery
**biegunowo** *adv* diametrically
**biegunowy** *adj* polar
**biel** *f* white; **~ cynkowa** zink white; **~ ołowiowa** white lead; **~ do malowania ścian** whitewash
**bielić** *vt* whiten; (*naczynia metalowe*) tin; (*ściany*) whitewash; (*bieliznę*) bleach
**bielidło** *n* whitewash
**bielizna** *f* linen, underwear; **~ pościelowa** bed-linen; **~ damska** lingerie
**bielmo** *n med.* leucoma, film; **~ na oku** web eye
**biernie** *adv* passively
**biernik** *m gram.* accusative (case)
**bierność** *f* passivity
**bierny** *adv* passive; **~ opór** non-cooperation; *handl.* **~ stan** (*rachunków*) liabilities
**biesiada** *f* feast
**biesiadnik** *m* feaster
**biesiadować** *vi* feast, banquet
**bieżący** *adj* running, current; (*o miesiącu w dacie*) instant; **dług ~** floating debt; **rachunek ~** current account
**bieżnia** *f* running track; (*na torze wyścigowym*) race-course
**bigamia** *f* bigamy
**bigamista** *m* bigamist
**bigos** *m* sauerkraut stew; *przen.* mess, jumble; **narobić ~u** make a mess (**z czymś** of sth)
**bijatyka** *f* scrimmage, scuffle
**bikiniarz** *m* Teddy boy
**bilans** *m* balance; **~ handlowy** balance of trade; **~ płatniczy** balance of accounts; **sporządzić ~** make up the balance, balance; **zestawić ~** strike the balance
**bilansow|y** *adj*, **zestawienie ~e** balance sheet
**bilard** *m* billiards
**bilet** *m* ticket; (*wizytowy*) visiting card; **~ ulgowy** reduced ticket; **~ w jedną stronę** ⟨**powrotny**⟩ single ⟨return⟩ ticket
**bileter** *m* ticket-collector
**bilion** *m* billion
**bilon** *m* coins; small change
**binokle** *pl* eye-glasses
**biochemia** *f* biochemistry
**biodro** *n* hip, haunch
**biograf** *m* biographer
**biografia** *f* biography
**biograficzny** *adj* biographic(al)
**biolog** *m* biologist
**biologia** *f* biology
**biologiczny** *adj* biologic(al)
**biret** *m* beret; (*księży*) biretta
**bis** *int i s m* encore
**biskup** *m* bishop
**biskupstwo** *n* bishopric
**bisować** *vt vi* encore
**biszkopt** *m* sponge-cake
**bitka** *f* scuffle, scrimmage
**bitny** *adj* warlike, brave
**bitw|a** *f* battle; **pole ~y** battle-field; **wydać ~ę** give battle
**biuletyn** *m* bulletin
**biuralista** *m* official, clerk
**biurko** *n* writing-table, desk
**biuro** *n* office; **~ informacyjne** information office; **~ podróży** travel agency
**biurokracja** *f* bureaucracy, *przen.* red tape
**biurokrata** *m* bureaucrat, *przen.* red tapist
**biust** *m* breast; bust
**biustonosz** *m* brassière, *pot.* bra
**biwak** *m* bivouac
**biwakować** *vi* bivouac
**bizantyjski** *adj* Byzantine
**bizmut** *m* bismuth
**biżuteria** *f* jewellery
**blacha** *f* (*biała*) tin plate; (*ciemna*) sheet iron; (*kuchenna*) (kitchen-) range
**blacharnia** *f* sheet-iron works ⟨shop⟩

**blacharz** *m* tinsmith
**bladoczerwony** *adj* pale-red, pink
**bladoróżowy** *adj* pale-pink
**bladość** *f* paleness
**blady** *adj* pale, pallid
**blaga** *f* blague, hoax
**blagier** *m* liar, hoaxer
**blagować** *vi* blague, hoax
**blaknąć** *vi* discolour, fade
**blamować się** *vr* ridicule oneself, discredit oneself
**blankiet** *m* (blank) form
**blanko, czek in ~** *handl.* blank cheque
**blask** *m* brilliance, brightness, splendour; (*np. słońca*) glare
**blaszanka** *f* can
**blaszany** *adj* tin, tinplate
**blaszka** *f* metal plate; *bot.* lamina, blade
**blat** *m* sheet, plate; **~ stołu** table top
**blednąć** *vi* grow pale; (*o barwach*) fade
**blednica** *f* *med.* chlorosis, green-sickness
**blenda** *f* *geol.* blende; *fot.* diaphragm
**blichtr** *m* tinsel, false show
**bliski** *adj* near, close; (*zbliżający się — np. o nieszczęściu*) imminent; **~ śmierci** on the point ⟨on the verge⟩ of death; **~ znajomy** close ⟨intimate⟩ acquaintance; **pozostawać w ~ch stosunkach** be in close ⟨intimate⟩ relations; **~e podobieństwo** close resemblance
**blisko** *adv* near(ly), close(ly); **~ spokrewniony** closely related; **~ dwa miesiące** nearly two months; **być ~ czegoś** be quite close to sth; **daleko i ~** far and near; *praep* **~ rzeki** near the river; **~ siebie** close to each other
**bliskość** *f* nearness, proximity; (*w czasie*) imminence
**bliskoznaczny** *adj* synonymous
**blizna** *f* scar
**bliźni** *m* fellow creature, neighbour
**bliźniaczy** *adj* twin
**bliźniak** *m* twin
**bliżej** *adv* nearer, closer, more nearly ⟨closely⟩
**bliższy** *adj* nearer, closer
**bloczek** *m* pad, (small) notebook; *filat.* miniature-sheet
**blok** *m* block; *techn.* pulley; **~ kasowy** cash-block; **~ mieszkalny** block of flats; **~ rysunkowy** drawing-block
**blokada** *f* blockade
**blokować** *vt* block
**blond** *adj* *nieodm.* fair(-haired), blond
**blondyn** *m* blond (man)
**blondynka** *f* blond woman, blonde
**blotka** *f* (*w kartach*) low card
**bluszcz** *m* *bot.* ivy
**bluza** *f* blouse; *wojsk.* tunic
**bluzgać** *vi* spout, squirt
**bluzka** *f* blouse
**bluźnić** *vi* blaspheme
**bluźnierca** *m* blasphemer
**bluźnierstwo** *n* blasphemy
**błagać** *vt* implore, beseech, supplicate
**błagalny** *adj* imploring, beseeching, suppliant
**błaganie** *n* imploration; entreaty
**błahostka** *f* trifle
**błahy** *adj* trifling, futile
**błam** *m* fur-lining
**bławatek** *m* *bot.* cornflower
**błazen** *m* fool, buffoon, clown
**błazeńsk|i** *adj* clownish; **czapka ~a** fool's cap
**błazeństwo** *n* foolery, buffoonery
**błaznować** *vi* play the fool, fool around
**błąd** *m* mistake, error, fault; **~ drukarski** misprint
**błądzić** *vi* err, blunder; wander, roam
**błąkać się** *vr* stray, roam
**błędn|y** *adj* faulty, incorrect, erroneous; **~e koło** vicious circle; **~y rycerz** knight errant; **~e oczy** wild look; **~y ognik** jack-o'-lantern, will-o'-the-wisp; **na ~ej drodze** on the wrong track
**błękit** *m* sky-blue, azure

**błękitnooki** *adj* blue-eyed
**błękitny** *adj* sky-blue
**błogi** *adj* blissful, happy
**błogosławić** *vt* bless
**błogosławieństwo** *n* blessing
**błogostan** *m* blissfulness
**błona** *f* membrane; film
**błoniasty** *adj* membraneous, filmy
**błonica** *f* *med.* diphtheria
**błonie** *n* pasturage; (*wiejskie*) village green
**błonka** *f* pellicle, film
**błotnik** *m* mudguard, wing, *am.* fender
**błotnisty** *adj* muddy, swampy
**błoto** *n* mud, muck, dirt
**błysk** *m* glitter, flash; (*rażący*) glare
**błyska|ć** *vt* flash, glitter; **~ się** it lightens
**błyskawica** *f* (flash of) lightning
**błyskawicznie** *adv* like lightning, in no time at all; *pot.* like a streak
**błyskawiczn|y** *adj* swift, rapid; **wojna ~a** blitz; **zamek ~y** zip fastener, zipper
**błyskotk|a** *f* gewgaw; *zbior.* **~i** tinsel
**błyskotliwość** *f* brightness; *uj.* gaudiness
**błyskotliwy** *adj* flashy; *uj.* gaudy
**błysnąć** *vi* flash
**błyszczący** *adj* brilliant, shining
**błyszczeć** *vi* shine, glitter
**bo** *conj* because, for
**boazeria** *f* wainscot(ing)
**bobkow|y** *adj* **liście ~e** bay leaves
**bobo** *n* *nieodm. pot.* babe, kiddy
**bobslej** *m* *sport.* bobsleigh
**bochen(ek)** *m* loaf
**bocian** *m* *zool.* stork
**boczek** *f* flank, side; (*wędlina*) flitch of bacon
**bocznica** *f* siding (track)
**boczn|y** *adj* lateral, side *attr*; **~e światło** side-light; **~a ulica** by-street, off street
**boczyć się** *vr* *pot.* be sulky (**na kogoś** with sb)
**boćwina** *f* red-beet leaves; (*zupa*) red-beet soup
**bodaj** *part* may...; **~by tak było** may it be so
**bodziec** *m* stimulus, incentive, goad; **dodać bodźca** stimulate (**komuś** sb)
**bogacić** *vt* enrich; **~ się** *vr* enrich oneself, grow rich
**bogactwo** *n* wealth, riches
**bogacz** *m* rich man
**bogaty** *adj* rich, wealthy
**bogini** *f* goddess
**boginka** *f* nymph
**bogobojny** *adj* godly, pious
**bohater** *m* hero
**bohaterka** *f* heroine
**bohaterski** *adj* heroic
**bohaterstwo** *n* heroism
**bohomaz** *m* daub
**boisko** *n* *sport* sports field, playground; (*szkolne*) close
**boja** *f* buoy; **~ świetlna** beacon-buoy
**bojaźliwość** *f* shyness, timidity
**bojaźliwy** *adj* shy, timid
**bojaźń** *f* awe, fear
**bojer** *m* *sport* ice boat
**bojkot** *m* boycott
**bojkotować** *vt* boycott
**bojler** *m* boiler
**bojownik** *m* fighter; champion; **~ o pokój** peace-fighter
**bojow|y** *adj* pugnacious, combative; **gotowość ~a** alert; **okrzyk ~y** battle-cry; **szyk ~y** battle-array; **siły ~e** striking force
**bojówka** *f* fighting group, armed band
**bok** *m* side, flank; **~iem** sidelong; **patrzeć ~iem** look askance (**na kogoś** at sb); **pod ~iem** near by, at hand; *przen.* **to mi ~iem wychodzi** I'm fed up with it; **zrywać ~i ze śmiechu** split one's sides with laughing; **robić ~ami** be one one's last legs; **przy czyimś ~u** at sb's side; **na ~, na ~u** aside, apart; **uwaga na ~u** side note; **zarobić coś na ~u** earn sth on the side; **kłucie w ~u** stitch in the side; **stać na ~u**

stand aloof; z ~u from the side; widok z ~u side-view; uderzenie z ~u side-blow, by-blow
**bokobrody** *s pl* sidewhiskers
**boks 1.** *m* (*pięściarstwo*) boxing
**boks 2.** *m* (*skóra*) box-calf
**bokser** *m* boxer
**boksować** *vt* box; ~ **się** *vr* box
**bolący** *adj* painful, aching
**bolączka** *f* pain; grief, worry
**bol|eć** *vi* ache, hurt, pain; (*żałować*) regret, grieve; **~i mnie głowa ⟨ząb⟩** I have a headache ⟨a toothache⟩; **~i mnie palec** my finger hurts, I have a sore finger; **~i mnie gardło** I have a sore throat; **co cię ~i?** what ails ⟨hurts⟩ you?; **~eję nad jego śmiercią** I mourn over his death
**bolesny** *adj* painful, sore; (*moralnie*) grievous
**boleś|ć** *f* (*moralna*) grief; *pl* **~ci** pains
**bolszewicki** *adj* Bolshevist, Bolshevik
**bolszewik** *adj* Bolshevik
**bolszewizm** *m* Bolshevism
**bomba** *f* bomb; (*czekoladowa*) ball; (*kufel*) pint; (*sensacja*) startling piece of news, sensation; **~ atomowa** atomic bomb, A-bomb; **~ wodorowa** hydrogen bomb, H-bomb; **wpaść jak ~** rush in, burst in; **~ pękła** it has come off
**bombardować** *vt* bombard
**bombardowanie** *n* bombardment
**bombastyczny** *adj* bombastic
**bombonierka** *f* bonbonnière
**bombowiec** *m wojsk. lotn.* bomber
**bon** *m* bill, bond, ticket, coupon; *fin.* **~ skarbowy** treasury bond
**bonifikacja** *f* compensation, indemnity, allowance
**bonifikować** *vt* compensate (**komuś coś** sb for sth)
**boraks** *m chem.* borax
**bordo** *n i adj nieodm.* (*kolor*) crimson-dark red; (*wino*) Bordeaux
**borny** *adj* **kwas ~** boric acid
**borówka** *f* bilberry, whortleberry
**borsuk** *m zool.* badger
**borykać się** *vr* wrestle, grapple
**bosak** *m* boat-hook; fire-hook; **na ~a** barefoot
**bosk|i** *adj* divine, godlike; **oddawać cześć ~ą** worship; **na litość ~ą!** for goodness' sake!; **rany ~ie!** good heavens!
**boskość** *f* divinity
**bosman** *m mors.* boatswain
**boso** *adv* barefoot
**bosy** *adj* barefooted
**bot** *m* (high) overshoe
**botaniczny** *adj* botanical
**botanika** *f* botany
**bowiem** *conj* for
**bożek** *m* idol, god
**boż|y** *adj* divine; **~a krówka** ladybird; **Boże Ciało** Corpus Christi; **Boże Narodzenie** Christmas
**bożyszcze** *n* idol
**bób** *m* (broad) beans
**bóbr** *m* beaver; **płakać jak ~** melt into tears
**Bóg** *m* God; **mój Boże!** good God!, dear me!; **chwała Bogu!** thank God!; **nie daj Boże!** God forbid!; **szczęść Boże!** God speed you!
**bój** *m* fight, battle; **prowadzić ~** fight, battle
**bójka** *f* scrimmage, scuffle
**ból** *m* pain, ache; **~ głowy** headache; **~ gardła** sore throat; **~ zębów** toothache
**bór** *m* forest
**bóstwo** *n* deity
**bóść** *vt* gore
**bóżnica** *f* synagogue
**bractwo** *n* confraternity
**brać** *vt* take; **~ do wojska** enlist; **~ górę** get the upper hand (**nad kimś, czymś** of sb, sth); **~ na serio** take seriously; **~ na siebie obowiązek** take on duty; **~ pod uwagę** take into consideration; **~ ślub** get married (**z kimś** to sb), wed (**z kimś** sb); **~ udział** take part; **~ w rachubę** take into account; **~ za dobrą monetę**

take in good part; ~ za złe take amiss; **bierze mnie chęć** I feel inclined, I have a mind; **bierze mróz** it begins to freeze; ~ **się do dzieła** set about one's work

**brak** *m* lack, deficiency, absence, want; (*wada*) fault, shortcoming; (*o towarze*) defective article; ~ **mi pieniędzy** I lack money; **cierpieć na ~ czegoś** lack sth; suffer from the lack of sth; **nie ~ mu odwagi** he abounds in courage; **z ~u czasu** for lack of time; **zaspokoić ~** supply a want

**brakarz** *m* sorter

**brakorób** *m* defective worker, bungler

**brakoróbstwo** *n* defective work, bungling

**brakować** 1. *vt* (*sprawdzać jakość*) cast off, reject, sort

**brak|ować** 2. *vi* be wanting, be missing, be deficient; **~uje wielu książek** many books are missing; **~uje pieniędzy** there is lack of money, money is lacking; **~uje mi pieniędzy** I lack money; **~uje mi słów** words fail me; **~uje mi sił** my power fails me; **nic mi nie ~uje** nothing is the matter with me

**brama** *f* gate; ~ **wjazdowa** gateway

**bramk|a** *f sport* goal; **zdobyć ~ę** score a goal

**bramkarz** *m sport* goalkeeper

**branka** *f* (*pobór*) impressment; † (*kobieta*) (female) captive

**bransolet(k)a** *f* bracelet

**branża** *f* line (of business); branch; craft

**brat** *m* brother; (*zakonny*) brother (*pl* brethren); **bracia czescy** Moravian Brethren; ~ **cioteczny** first cousin; ~ **przyrodni** stepbrother; **być za pan ~** be on easy terms (**z kimś** with sb)

**bratać się** *vr* fraternize

**bratanek** *m* nephew

**bratanica** *f* niece

**bratanie się** *n* fraternization

**bratek** *m bot.* pansy

**braterski** *adj* brotherly, fraternal

**braterstwo** *n* brotherhood, fraternity; (*brat i bratowa*) brother and his wife

**bratni** *adj* = **braterski**

**bratowa** *f* sister-in-law

**brawo** *int* bravo; applause; **bić ~** applaud (**komuś** sb)

**brawura** *f* gallantry, bravery; *muz.* bravura

**Brazylijczyk** *m* Brazilian

**brazylijski** *adj* Brazilian

**brąz** *m* bronze; (*kolor*) brown

**brązownik** *m* brazier

**brązowy** *adj* bronze; (*o kolorze*) brown

**bredni|a** *f* (*zw. pl* **~e**) bosh

**bredzić** *vi* rave, maunder

**brelok** *m* trinket

**brew** *f* brow

**brewerie** *s pl* uproar, row; **wyprawiać ~** make a row

**brewiarz** *m* breviary

**brezent** *m* canvas, tarpaulin

**brnąć** *vi* flounder, wade; ~ **w długi** incur debts over head and ears

**broczyć** *vi* (*ociekać*) ~ **krwią** bleed, drip with blood

**brod|a** *f* chin; (*zarost*) beard; **zapuścić ~ę** grow a beard

**brodaty** *adj* bearded

**brodawka** *f* wart; (*sutkowa*) nipple

**brodzić** *vi* wade

**broić** *vi* be up to mischief, skylark

**brokat** *m* brocade

**brom** *m chem.* bromine

**brona** *f* harrow

**bronchit** *m med.* bronchitis

**bronić** *vt* defend (**przed kimś, czymś** against ⟨from⟩ sb, sth); (*pokoju, kraju*) guard, protect; (*poglądów, honoru itp.*) vindicate; (*praw, sprawy itp.*) assert; (*orędować*) advocate (**za czymś** sth); ~ **czyjejś sprawy** plead sb's cause; ~ **się** *vr* defend oneself

**bronować** *vt* harrow

**broń** *f* weapon, arms; ~ **biała** cold weapon; ~ **boczna** side-arms; ~ **palna** fire-arms; **pod bronią** in arms; **chwycić za** ~ take up arms; **składać** ~ lay down arms
**broszka** *f* brooch
**broszura** *f* pamphlet; (*prospekt, ulotka*) folder
**broszurowan|y** *adj* stitched, unbound; **książka** ~**a** paperback
**browar** *m* brewery
**bród** *m* ford; **przechodzić w** ~ ford
**bródka** *f* little beard; **kozia** ~ goatee
**bróg** *m* (hay-)rick
**brud** *m* dirt; filth; *pl* ~**y** (*brudna bielizna*) dirty linen
**brudas** *m* sloven
**brudn|y** *adj* dirty, filthy; **pisać na** ~**o** make a rough copy
**brudzić** *vt* soil, make dirty; ~ **sobie twarz, ręce** soil one's face, hands; ~ **się** *vr* get soiled, become dirty
**bruk** *m* pavement, paved road; *przen.* **szlifować** ~**i** loaf about; **wyrzucić na** ~ turn out adrift
**brukać** *vt* soil, make dirty
**brukiew** *f* *bot.* (Swedish) turnip
**brukować** *vt* pave, cobble
**brukowiec** *m* paving-stone, cobble; (*gazeta*) gutter paper
**brukow|y** *adj* paving; **prasa** ~**a** gutter press
**brukselka** *f* *bot.* Brussels sprouts
**brulion** *m* rough copy ⟨notebook⟩
**brunatny** *adj* brown
**brunet** *m* dark-haired man
**brunetka** *f* brunette
**brusznica** *f* *bot.* cranberry
**brutal** *m* brute
**brutalność** *f* brutality; (*w grze*) roughness
**brutaln|y** *adj* brutal; (*o grze*) rough
**brutto** *adv* (in) gross; **cena** ~ gross price; **waga** ~ gross weight
**bruzda** *f* furrow
**bruździć** *vt* furrow; *vi* *pot.* make difficulties, muddle, obstruct
**bryczka** *f* britzka
**brydż** *m* bridge
**brydżysta** *m* bridge-player
**brygada** *f* brigade
**brygadier** *m* brigadier
**brygadzista** *m* foreman
**brygadzistka** *f* forewoman
**bryk** *m* *pot.* crib; *am.* pony
**brykać** *vi* (*o koniu*) rear, kick; (*swawolić*) frolic, gambol, jump about
**brykiet** *m* briquette; *zbior.* ~**y** patent fuel
**brylant** *m* brilliant, diamond
**bryła** *f* block, lump, (*ziemi*) clod; *mat.* solid
**bryłka** *f* lump, clot
**bryłkowaty** *adj* cloddy, clotty
**bryłowaty** *adj* lumpy, massive
**bryndza** *f* ewe's cheese
**brystol** *m* Bristol board
**brytan** *m* mastiff
**brytfanna** *f* frying-pan
**Brytyjczyk** *m* British subject, *am.* Britisher
**brytyjski** *adj* British
**bryza** *f* breeze
**bryzg** *m* splash
**bryzgać** *vi* splash (**wodą** water)
**brzask** *m* dawn, daybreak; **z** ~**iem** at daybreak
**brzdąc** *m* brat
**brzdąkać** *vi* strum
**brzdęk** *int* twang!
**brzeg** *m* bank, riverside; (*morza, jeziora*) shore, coast; seaside, seashore; (*plaża*) beach; (*przepaści*) brink; (*krawędź*) edge; (*stronicy*) margin; (*sukni, lasu*) skirt; (*kapelusza, kubka itp.*) brim; **na** ~, **na** ~**u** ashore; **wyrzucić na** ~ strand; **osiąść na** ~**u** run ashore
**brzemienność** *f* pregnancy
**brzemienny** *adj* pregnant
**brzemię** *n* burden, *lit.* burthen
**brzezina** *f* birchwood
**brzęcz|eć** *vi* ring; (*o metalu*) thinkle, clink, chink; (*o pieniądzach*) jingle; (*o owadach*) buzz, hum; (*o talerzach*) clatter; ~**ąca moneta** hard cash
**brzęczyk** *m* buzzer

**brzęk** *m* ring, clink, jingle; buzz
**brzmi|eć** *vi* (re)sound, ring; (*o tekście, ustawie itp.*) purport; **tekst ~ jak następuje** the text runs as follows; **to ~ dziwnie** this rings ⟨sounds⟩ strange
**brzmienie** *n* sound; (*tekstu, umowy itp.*) purport, tenor, wording
**brzoskwinia** *f* peach
**brzoza** *f* birch
**brzuch** *m* belly, stomach, *pot.* paunch
**brzuchacz** *m pot.* pot-belly, paunchy man
**brzuchaty** *adj* big-bellied
**brzuchomówca** *m* ventriloquist
**brzuszny** *adj* abdominal; *med.* **dur ~** enteric ⟨typhoid⟩ ⟨fever⟩
**brzydactwo** *n* ugliness; ugly thing ⟨person⟩
**brzydal** *m* ugly man
**brzydki** *adj* ugly
**brzydnąć** *vi* become ugly
**brzydota** *f* ugliness
**brzydzić się** *vr* abhor, loathe (**czymś** sth), have an aversion (**czymś** to sth)
**brzytw|a** *f* razor; *przysł.* **tonący ~y się chwyta** a drowning man catches at a straw
**buchać** *vi* (*o płynach*) gush; (*o dymie, ogniu*) belch; *pot.* (*kraść*) pinch, lift, filch; **~ płomieniem** blaze forth
**buchalter** *m* book-keeper
**buchalteria** *f* book-keeping
**bucik** *m* shoe, boot
**buczeć** *vi* buzz, drone
**buczyna** *f* beech-wood, beech-grove
**buda** *f* shed, shack; (*jarmarczna*) booth; **psia ~** kennel
**budka** *f* shelter, cabin; (*np. strażnika*) box; **~ telefoniczna** telephone ⟨call⟩ box; telephone booth
**budow|a** *f* construction, structure; building; **biuro ~y** building-office; **plac ~y** building-site; **~a ciała** structure of the body, build; **~a zdania** sentence structure
**budować** *vt* build, construct; (*moralnie oddziaływać*) edify; *przen.* **~ zamki na lodzie** build castles in the air
**budowla** *f* building, edifice
**budowlan|y** *adj* building, architectural; **przedsiębiorca ~y** builder, building contractor; **przedsiębiorstwo ~e** building enterprise
**budownictwo** *n* architecture; **~ socjalistyczne** socialist public work; **~ wielkopłytowe** system-building
**budowniczy** *m* builder
**budulec** *m* timber, *am.* lumber
**budynek** *m* building
**budyń** *m* pudding
**budzić** *vt* wake (up), waken, awake, awaken, rouse, call; (*uczucie*) prompt; (*sympatię, podejrzenia*) arouse; (*zaufanie*) inspire; **~ się** *vr* wake (up), awake, start up
**budzik** *m* alarm-clock; **nastawić ~ na siódmą (godzinę)** set the alarm-clock for seven (o'clock)
**budżet** *m* budget
**budżetowy** *adj* budgetary; **rok ~** financial year
**bufet** *m* (*mebel*) sideboard, cupboard; (*w restauracji*) bar; (*w teatrze, szkole itp.*) refreshment room
**bufetowa** *f* barmaid
**bufetowy** *m* barman
**bufon** *m* buffoon
**bufonada** *f* buffoonery
**bufor** *m* buffer
**buhaj** *m* bull
**bujać** *vi* (*unosić się*) float, hover, soar; (*wałęsać się*) roam; (*kiełkować*) sprout, shoot; pullulate; *vt* (*huśtać*) rock, swing; *pot.* (*nabierać*) spoof, hoax
**bujak** *m* rocking-chair
**bujda** *f pot.* spoof, hoax
**bujny** *adj* exuberant, abundant, luxuriant; (*o włosach*) bushy; (*o fantazji, pomyśle*) fertile
**buk** *m* beech

**bukiecik** *m* posy, nosegay
**bukiet** *m* bouquet; bunch of flowers
**bukmacher** *m* bookmaker
**bukmacherstwo** *n* booking
**bukszpan** *m* boxtree, box-wood
**buldog** *m* bulldog
**buldozer, buldożer** *zob.* **spychacz**
**bulgot** *m* bubble, gurgle
**bulgotać** *vi* bubble, gurgle
**bulier** *m techn.* boiler
**bulion** *m* bouillon, broth, beef-tea
**bulla** *f* bull
**bulwa** *f bot.* bulb, tuber
**bulwar** *m* boulevard, avenue; (*nad rzeką*) embankment
**bulwiasty** *adj* bulbous, tuberous
**bułanek** *m* dun horse
**buława** *f* mace, truncheon; (*marszałkowska*) baton
**Bułgar** *m* Bulgarian
**bułgarski** *adj* Bulgarian
**bułka** *f* roll; **~ tarta** (bread) crumbs; **słodka ~** bun
**bumelanctwo** *n* loafing, shirking, absenteeism
**bumelant** *m* loafer, shirker, absentee; *am. pot.* bummer
**bumelować** *vi* shirk
**bumerang** *m* boomerang
**bunkier** *m wojsk.* pill-box
**bunt** *m* rebellion, revolt, sedition, mutiny; **podnieść ~** rise in revolt
**buntować** *vt* stir (up), rouse to revolt; **~ się** *vr* revolt, rebel
**buntowniczy** *adj* rebellious, seditious
**buntownik** *m* rebel, mutineer
**buńczuczny** *adj* cocky, perky
**bur|a** *f pot.* reprimand, scolding; **dać ~ę** reprimand (**komuś** sb), give a scolding; scold, *pot.* give it hot; **dostać ~ę** get a scold, *pot.* get it hot
**burak** *m* beet (root); **~ cukrowy** white beet; **~ ćwikłowy** red beet
**burczeć** *vi* rumble; (*gderać*) grumble (**na kogoś** at sb)
**burda** *f* brawl
**burgund** *m* (*wino*) Burgundy
**burmistrz** *m* mayor
**burnus** *m* burnoose
**bursa** *f* pupils' hostel
**bursztyn** *m* amber
**burt|a** *f mors.* (ship's) side, (ship) board; **lewa ~a** port side; **prawa ~a** starboard side; **wyrzucić za ~ę** throw overboard
**bury** *adj* dark-grey, grizzly
**burza** *f* storm, tempest; *przen.* **~ w szklance wody** a storm in a teacup
**burzliwy** *adj* stormy, tempestuous, turbulent
**burzyciel** *m* destroyer
**burzycielski** *adj* destructive
**burzyć** *vt* destroy, demolish; (*rozebrać, np. dom, maszynę*) pull down; (*podburzać*) stir up, raise; **~ się** *vr* rebel, rise in revolt
**burżuazja** *f* bourgeoisie
**burżuazyjny** *adj* bourgeois
**burżuj** *m pog.* bourgeois
**busola** *f* compass
**buszować** *vi* rummage
**but** *m* boot, shoe; **głupi jak ~** as dull as ditch water
**buta** *f* haughtiness, insolence
**butelka** *f* bottle
**butelkować** *vt* bottle
**butla** *f* demijohn, (*oplecіona*) carboy
**butny** *adj* haughty, overbearing, insolent
**butonierka** *f* buttonhole
**butwieć** *vi* rot, moulder
**by** *zob.* **aby**; *part warunkowa*: **on by to zrobił** he would do it
**byczek** *m* bull calf
**byczy** *adj* bull, bull's, taurine; *pot.* capital, glorious; *pot.* **~ chłop** brick
**być** *vi, v aux* be; **~ dobrej myśli** be of good cheer; **~ może** perhaps, maybe; **niech będzie, co chce** come what may; **niech i tak będzie** let it be so; **~ u siebie** be at home; **co z nim będzie?** what will become of him?
**bydlę** *n* beast, brute
**bydło** *n* cattle

**byk** *m* bull; (*gafa*) bloomer, howler; **walka ~ów** bullfight; **wziąć ~a za rogi** take the bull by the horns; **palnąć ⟨strzelić⟩ ~a** make a bloomer; **jak czerwona płachta na ~a** like a red rag to a bull

**byle** *adv* **~ co** anything; **~ kto** anybody; **~ jak** anyhow; **~ gdzie** anywhere; **~ jaki** any, any... whatever; **~ jaka odzież** any dress whatever; **to nie ~ jaki uczeń** he is no mean pupil; **nie ~ jak** in no mean fashion

**bylina** *f bot.* perennial

**były** *adj* former, past, old, ex-, late; **~ prezydent** ex-president, late president

**bynajmniej** *adv* not at all, by no means, not in the least; (*z oburzeniem*) I should say ⟨think⟩ not

**bystrość** *f* (*szybkość*) rapidity, quickness; (*bystrość umysłu*) keenness, shrewdness, acuteness

**bystry** *adj* (*szybki*) rapid, quick; (*umysłowo*) keen, keenwitted, acute; (*o wzroku*) sharp, keen

**byt** *m* existence; **walka o ~** struggle for existence ⟨life⟩; **mieć zapewniony ~** have one's existence ⟨living⟩ secured

**bytność** *f* sojourn, stay

**bytow|y** *adj* existential; **warunki ~e** living conditions

**bywa|ć** *vi* frequent (**w pewnym miejscu** some place); **to be ⟨to go⟩ often ...**; frequently call (**u kogoś** on sb); (*zdarzać się*) happen; **~j zdrów!** farewell!

**bywalec** *m* frequenter, habitué

**bywały** *adj* experienced

**bzdur|a** *f* nonsense, absurdity, silly talk, rubbish; **pleść ~y** talk nonsense

**bzdurny** *adj* nonsensical, absurd

**bzik** *m pot.* eccentricity, craze; oddity; (*wariat*) crank, loony; **mieć ~a** be crazy, *przen.* have a screw loose, have a bee in one's bonnet

**bzykać** *vi* buzz, hiss

# C

**cacko** *n* knick-knack, trinket

**cal** *m* inch

**calówka** *f* folding rule

**całka** *f mat.* integral

**całkiem** *adv* quite, entirely, completely

**całkować** *vt mat.* integrate

**całkowicie** *adv* altogether, throughout, entirely, completely

**całkowit|y** *adj* entire, total, complete; **liczba ~a** integer

**całkowy** *adj mat.* integral; **rachunek ~** integral calculus

**cało** *adv* safely, unharmed; **wyjść ~** get off safe and sound

**całodzienny** *adj* full day's, daylong

**całokształt** *m* totality, the whole

**całonocny** *adj* full night's, nightlong

**całopalenie** *n* holocaust

**całoroczny** *adj* full year's

**całoś|ć** *f* totality, entirety, whole, bulk, (complete) body; **w ~ci** on the whole

**całować** *vt* kiss, embrace; **~ się** *vr* kiss

**całun** *m* shroud

**całus** *m* kiss

**cał|y** *adj* whole, all, entire; (*zdrów*) safe; **~y rok** all the year (round); **~a Europa** all ⟨the whole of⟩ Europe; **przez ~y**

dzień all day long; ~ymi godzinami for hours and hours; **zdrów i ~y** safe and sound

**cap** *m* male goat, buck

**capstrzyk** *m* tattoo

**car** *m* tsar, tzar, czar

**carat** *m* tsarism, tsardom

**carowa** *f* tsarina, tzarina, czarina

**ceb|er** *m* tub; *przen.* **leje jak z ~ra** it rains cats and dogs

**cebula** *f* onion

**cebulka** *f* onion; (*np. kwiatowa, włosowa*) bulb

**cebulkowaty** *adj* bulbous

**cech** *m* guild, corporation

**cecha** *f* feature, character, quality; stamp, seal, mark; (*stempel probierczy*) hallmark

**cechować** *vt* characterize, brand; (*znaczyć*) mark, stamp

**cedować** *vt* cede (**coś na kogoś** sth to sb), transfer

**cedr** *m bot.* cedar

**ceduła** *f* schedule, list; **~ giełdowa** list of quotations

**cedzak** *m* strainer, cullender

**cedzić** *vt* filter; *przen.* **~ słówka** drawl one's words

**cegielnia** *f* brick-yeard, brick-field

**cegiełka** *f* (little) brick; (*składka*) share

**ceglasty** *adj* brick-coloured

**cegła** *f* brick

**cel** *m* aim, purpose, end, object, goal; (*tarcza strzelnicza i przen.*) target; (*środek tarczy*) bull's eye; **brać na ~** take aim (**coś** at sth); **mieć na ~u** have in view; **osiągnąć swój ~** gain one's end; **trafić do ~u** hit the mark; **chybić ~u** miss the mark; **~em** for the purpose (**czegoś** of sth); **w tym ~u** for this purpose, with this end in view; **to nie ma ~u** that's of no avail; **strzelanie do ~u** target practice; **~ podróży** destination; **~ pośmiewiska** laughing-stock

**cela** *f* cell

**celebracja** *f* celebration

**celebrować** *vt* celebrate

**celibat** *m* celibacy

**celnik** *m* custom-house ⟨customs⟩ officer

**celność** *f* accuracy (of aiming), precision; (*dobre strzelanie*) marksmanship

**celny 1.** *adj* (*trafny*) accurate, accurately-aimed

**celn|y 2.** *adj* custom, relating to customs; **deklaracja ~a** custom-house declaration; **opłata ~a** (customs) duty; **rewizja ~a** customs inspection; **urząd ~y** custom-house; **odprawa ~a** customs clearance

**celofan** *m* cellophane

**celować** *vi* aim, take aim (**do czegoś** at sth); (*z karabinu*) level one's gun (**do czegoś** at sth); (*przodować*) excel (**w czymś** in sth)

**celownik** *m gram.* dative

**celowo** *adv* on purpose, intentionally

**celowość** *f* suitableness, purposefulness, expediency

**celowy** *adj* suitable, purposeful, expedient; *gram.* (*o zdaniu*) final

**Celsjusz,** *x* **stopni ~a** *x* degrees centigrade

**Celt** *m* Celt, Kelt

**celtycki** *adj* Celtic, Keltic

**celujący** *adj* excellent

**celuloza** *f* cellulose

**cembrować** *vt* board, frame with boards

**cembrowina** *f* boarding

**cement** *m* cement

**cementować** *vt* cement

**cen|a** *f* price, value; **~a stała** fixed price; **~a zniżona** reduced price; **po tej ~ie** at that price; **za wszelką ~ę** at any price

**ceni|ć** *vt* (*wyceniać*) price; (*wysoko sobie cenić*) prize

**cennik** *m* price-list

**cenny** *adj* valuable, precious

**cent** *m* cent

**centrala** *f* head-office, headquar-

ters; (*techniczna*) central station; (*telefoniczna*) exchange
**centralizacja** *f* centralization
**centralizować** *vt* centralize
**centralny** *adj* central
**centrum** *n sing nieodm.* centre, *am.* center; ~ **handlowe miasta** city ⟨town⟩ centre
**centryfuga** *f* centrifugal machine
**centymetr** *m* centimetre
**cenzor** *m* censor
**cenzura** *f* (*urząd*) censorship; (*krytyka*) censure; (*szkolna*) school report
**cenzurować** *vt* (*przeprowadzać cenzurę*) censor; (*ganić*) censure
**cenzus** *m* (*spis*) census; ~ **naukowy** degree of education; ~ **majątkowy** property requirement
**cep** *m* flail
**cera 1.** *f* (*twarzy*) complexion
**cera 2.** *f* (*cerowane miejsce*) darn, darning
**ceramiczny** *adj* ceramic
**ceramika** *f* ceramics, pottery
**cerata** *f* oilcloth
**ceregiele** *s pl* fuss, ceremony; **robić** ~ stand on ⟨upon⟩ ceremony (**z kimś** with sb), make a fuss (**z kimś, czymś** of sb, sth)
**ceremonia** *f* ceremony, fuss
**ceremonialny** *adj* ceremonial, ceremonious
**ceremoniał** *m* ceremonial
**cerkiew** *f* Orthodox church
**cerować** *vt* darn
**cesarski** *adj* imperial
**cesarstwo** *n* empire
**cesarz** *m* emperor
**cesarzowa** *f* empress
**cesja** *f prawn.* cession
**cetnar** *m* centner, hundredweight, quintal
**cewka** *f* reel, bobbin; *techn.* spool; *elektr.* coil; *anat.* duct; ~ **moczowa** urethra
**cęgi** *s pl* tongs
**cętka** *f* speckle, spot
**cętkować** *vt* speckle, spot
**cętkowany** *adj* spotted
**chaber** *m bot.* cornflower
**chałupa** *f* hut, cabin
**chałupnictwo** *n* outwork, domestic work
**chałupnik** *m* outworker
**chałwa** *f* halva(h)
**cham** *m* cad, boor
**chamski** *adj* caddish, boorish
**chamstwo** *n* caddishness, boorishness
**chan** *m* khan
**chandr|a** *f* doldrums, blues; **mieć** ~**ę** have ⟨get⟩ the blues
**chaos** *m* chaos
**chaotyczny** *adj* chaotic
**charakte|r** *m* character; (*rola, funkcja*) capacity; ~**r pisma** handwriting; **człowiek z** ~**rem** man of character; **brak** ~**ru** lack of principle, want of backbone; **w** ~**rze dyrektora** in the capacity of director
**charakterystyczny** *adj* characteristic (**dla kogoś, czegoś** of sb, sth)
**charakterystyka** *f* (description of the) character
**charakteryzacja** *f* characterization; *teatr* make-up
**charakteryzować** *vt* characterize; *teatr* make up (**na kogoś** for sb); ~ **się** *vr* make up
**charczeć** *vi* rattle in one's throat
**charkać** *vi* cough up, expectorate
**charkot** *m* rattling in the throat, rattle
**chart** *m* greyhound
**charytatywny** *adj* charitable, charity *attr*
**chaszcze** *s pl* brushwood, thicket
**chata** *f* hut, cabin
**chcąc|y** *adj* willing; *przysł.* **dla** ~**ego nie ma nic trudnego** where there's a will there's a way
**chcieć** *vt vi* want, be willing, intend, desire, wish; **chce mi się** I want, I have (half) a mind (**czegoś** to do sth); **chce mi się spać** I want to sleep, I feel as if I could sleep, I have (half) a mind to go to sleep; **chce mi się pić**

I am thirsty; **chciałbym** I should like; **chcę, żeby wrócił** I want him to come back; **on sam nie wie, czego chce** he does not know his own mind
**chciwiec** *m* greedy man
**chciwość** *f* greed, covetousness
**chciwy** *adj* greedy, covetous
**chełpić się** *vr* boast (**czymś** of sth), pride oneself (**czymś** on sth)
**chełpliwy** *adj* boastful
**chemia** *f* chemistry
**chemiczny** *adj* chemical; **ołówek ~** indelible pencil; **związek ~** chemical compound
**chemik** *m* chemist
**cherlak** *m* cachectic creature, valetudinarian
**cherlawy** *adj* cachectic
**cherubin** *m* cherub
**chęć** *f* (*wola*) will, willingness; (*życzenie*) desire, inclination; (*zamiar*) intention; **dobre ~ci** good intentions; **mieć ~ć** have a mind; **~ć mnie bierze** I have a mind ⟨a wish⟩; **z miłą ~cią** with pleasure
**chętk|a** *f* fancy, desire; *pot.* itch; **nabrać ~i** take a fancy (**do czegoś** for, to sth); **mam ~ę** I itch (**na coś** for sth)
**chętnie** *adv* willingly, readily
**chętny** *adj* willing, ready; **~ do nauki** eager to learn
**chichot** *m* chuckle, giggle
**chichotać** *vi* chuckle, giggle
**Chilijczyk** *m* Chilean
**chilijski** *adj* Chilean
**chimera** *f* (*w mitologii*) chimera; (*przywidzenie*) phantom, fancy; (*kaprys*) caprice, whim
**chimeryczny** *adj* chimerical; capricious, whimsical; fanciful
**chinina** *f* quinine
**Chińczyk** *m* Chinese
**chiński** *adj* Chinese
**chiromancja** *f* chiromancy, palmistry
**chirurg** *m* surgeon
**chirurgia** *f* surgery
**chirurgiczny** *adj* surgical
**chlapać** *vi* splash
**chlasnąć** *vt* whack, flap, slap
**chleb** *m* bread; **~ z masłem** bread and butter; **~ powszedni** daily bread; **zarabiać na ~** earn one's daily bread
**chlebodawca** *m* employer, master
**chlew** *m* sty, pigsty
**chlipać** *vt* lap up; *vi* (*szlochać*) sob
**chlor** *m chem.* chlorine
**chloran** *m chem.* chlorate
**chlorek** *m chem.* chloride
**chlorofil** *m bot.* chlorophyll
**chloroform** *m* chloroform
**chloroformować** *vt* chloroform
**chlorować** *vt* chlorinate
**chlorowy** *adj* chloric
**chlub|a** *f* glory, pride; **to mu przynosi ~ę** this does him credit
**chlubić się** *vr* boast (**czymś** of sth), glory (**czymś** in sth)
**chlubny** *adj* glorious; (*o opinii*) honourable, excellent
**chlupać** *vi* splash; gurgle
**chlustać** *vi* spout, splash
**chłeptać** *vt* lap up
**chłodnia** *f* refrigerator
**chłodnica** *f* radiator
**chłodnieć** *vi* cool (down), become cool
**chłodnik** *m* cold borsch
**chłodno** *adv* coolly; **jest ~** it is cool; **jest mi ~** I am ⟨I feel⟩ cool
**chłodny** *adj* cool; (*oschły*) reserved
**chłodzić** *vt* chill, cool; (*zamrażać*) refrigerate; **~ się** *vr* cool (down), become cool
**chłonąć** *vt* absorb, suck in
**chłonność** *f* absorbency, power of absorption
**chłonny** *adj* absorbent, absorptive
**chłop** *m* peasant; *pot.* fellow, chap
**chłopak, chłopiec** *m* boy, lad
**chłopięctwo** *n* boyhood
**chłopięcy** *adj* boyish; boy's, boys'
**chłopka** *f* peasant (woman)
**chłopski** *adj* peasant, rustic
**chłopstwo** *n* peasantry

**chłost|a** *f* flogging, lashing; **kara ~y** lash
**chłostać** *vt* flog, lash
**chłód** *m* cool, coolness, cold
**chłystek** *m* greenhorn
**chmara** *f* (*wielka ilość*) swarm, (*ludzi*) crowd
**chmiel** *m bot.* hop; (*artykuł przemysłowy*) hops *pl*
**chmur|a** *f* cloud; *przysł.* **z wielkiej ~y mały deszcz** much cry and little wool
**chmurka** *f* cloudlet
**chmurny** *adj* cloudy; *przen.* gloomy
**chmurzyć** *vt*, **~ czoło** frown, knit the brow; **~ się** *vr* become cloudy, cloud up
**chochla** *f* ladle
**chochlik** *m* sprite, imp, brownie; **~ drukarski** the printer's imp
**chochoł** *m* straw-cover
**cho|ciaż, cho|ć** *conj* though, although, as; *adv* even so; at least; **~ć trochę** even so little; **~ć 5 pensów** fivepence at least
**choćby** *conj* even if; *adv* at the very least; **~ jeden fakt** a single fact; **~ nie wiem jak (się starał)** no matter how (hard he tried)
**chodak** *m* clog
**chodnik** *m* pavement, footpath, *am.* sidewalk; (*dywan*) carpet, rug
**chodzić** *vi* walk, go; (*w kartach*) lead; (*o pociągach*) run; **~ do szkoły** go to school; **~ na wykłady** attend lectures; **~ na medycynę** study medicine; **~ koło czegoś** busy oneself with sth ⟨about sth⟩; **~ w czymś** (*np.* **w mundurze**) wear sth (e.g. uniform); **~ za kimś** follow sb; **o co chodzi?** what is the matter?; **chodzi o twoje życie** your life is at stake; **o ile o mnie chodzi** as far as I am concerned
**choina** *f* pine
**choinka** *f* Christmas tree
**choler|a** *f* cholera; *pot.* **idź do ~y!** go to hell!
**cholerny** *adj pot.* bloody, damned
**choleryczny** *adj* choleric
**cholewa** *f* bootleg; **buty z ~mi** top boots
**chomąto** *n* horse-collar
**chomik** *m zool.* hamster
**chorągiew** *f* banner, flag; (*kościelna*) gonfalon
**chorągiewka** *f* pennon, banderole; (*na dachu*) weathercock
**chorąży** *m* standard-bearer; † *wojsk.* ensign
**choreografia** *f* choreography
**chorob|a** *f* illness, ailment, (*trwała*) disease; **~a morska** seasickness; **~a umysłowa** mental deficiency; insanity; **złożony ~ą** bedridden
**chorobliwość** *f* morbidity
**chorobliwy** *adj* morbid, sickly
**chorobowy** *adj* morbid; **urlop ~** sick leave; **zasiłek ~** sick benefit
**chorować** *vt* be ill (**na coś** with sth), suffer (**na coś** from sth), be afflicted (**na coś with sth**)
**chorowity** *adj* sickly
**chory** *adj* ill (**na coś** with sth), sick, unwell; **izba ~ch** sick-ward; **lista ~ch** sick-list
**chować** *vt* (*ukrywać*) hide, conceal; (*przechowywać*) keep; (*wkładać, np. do szuflady*) put (up); (*grzebać zwłoki*) bury; (*hodować*) breed, rear; (*wychowywać*) bring up, educate; **~ do kieszeni** pocket; **~ się** *vr* hide (**przed kimś** from sb), conceal oneself (**przed kimś** from sb); (*rosnąć, dobrze się trzymać*) grow, thrive
**chowan|y** *pp od* **chować**; *s m* **bawić się w ~ego** play (at) hide-and-seek
**chód** *m* gait, walk; (*o koniu*) pace; (*o maszynie*) action, going, working order; **na chodzie** in action, in working order; *pot.* **mieć chody** have connexions
**chór** *m* chorus; (*zespół śpiewaczy*

i *chór kościelny*) choir; ~em in chorus
**chóralny** *adj* choral
**chórzysta** *m* chorister
**chów** *m* rearing, breeding
**chrabąszcz** *m zool.* chafer
**chrapać** *vi* snore
**chrapliwy** *adj* raucous, hoarse
**chrobotać** *vi* grate
**chrom** *m* chrome; *chem.* chromium; (*skóra*) box-calf
**chromać** *vi* † limp, halt
**chromatyczny** *adj* chromatic
**chromow|y** *adj* chromic; skóra ~a box-calf
**chromy** *adj* † limping, lame
**chronicznie** *adv* chronically
**chroniczny** *adj* chronic
**chronić** *vt* protect, preserve, shelter (przed czymś from sth), guard (przed czymś against sth); ~ się *vr* protect oneself, guard (oneself); (*chować się*) shelter, take shelter; (*szukać bezpiecznego miejsca*) take refuge
**chronologia** *f* chronology
**chronologiczny** *adj* chronological
**chronometr** *m* chronometer
**chropawy** *adj* rough, harsh, coarse
**chropowaty** *adj* rough, rugged
**chrupać** *vt* crunch
**chrupki** *adj* crisp
**chrupot** *m* crunch, crackle
**chrust** *m* faggots *pl*, brushwood; (*ciasto*) cracknel
**chrypieć** *vi* speak in a hoarse voice
**chrypka** *f* hoarseness, hoarse voice
**chrypliwy** *adj* hoarse, husky
**chrystianizm** *m* Christianity
**chryzantema** *f* chrysanthemum
**chrzan** *m* horse-radish
**chrząkać** *vi* hawk, (*ironicznie lub znacząco*) hem, (*o świni*) grunt
**chrząstka** *f* cartilage
**chrząstkowy** *adj* cartilaginous
**chrząszcz** *m* beetle, chafer
**chrzciciel** *m* baptist
**chrzcić** *vt* baptize, christen; ~ się *vr* be <become> christened
**chrzcielnica** *f* font
**chrzciny** *s pl* baptism; christening-party
**chrzest** *m* baptism, christening
**chrzestn|y** *adj* baptismal; **ojciec ~y** godfather; **matka ~a** godmother; **rodzice ~i** godparents
**chrześcijanin** *m* Christian
**chrześcijański** *adj* Christian
**chrześcijaństwo** *n* (*religia*) Christianity, Christianism; (*ogół chrześcijan*) Christendom
**chrześniaczka** *f* goddaughter
**chrześniak** *m* godson
**chrzęst** *m* rattle, rattling, clank
**chrzęścić** *vi* rattle, clank
**chuchać** *vi* puff, blow
**chuchro** *n* weakling, valetudinarian
**chuć** *f* concupiscence, lust
**chuderlawy** *adj* weakly, sickly, meagre
**chudeusz** *m* lean fellow
**chudnąć** *vi* become lean, lose flesh
**chudoba** *f* live stock; meagre property
**chudy** *adj* lean, meagre
**chuligan** *m* hooligan, rowdy
**chusta** *f* wrap, shawl; **zbladł jak ~** he grew pale as death
**chustka** *f* kerchief; **~ do nosa** handkerchief
**chwalebny** *adj* glorious, praiseworthy
**chwalić** *vt* praise, extol; ~ się *vr* boast (**czymś** of sth)
**chwała** *f* glory; praise
**chwast** *m* (*ziele*) weed; (*frędzla*) tassel
**chwat** *m* valiant fellow; *pot.* brick of a fellow
**chwiać** *vt* shake, sway; ~ się *vr* shake, sway, totter, reel, rock; (*wahać się*) hesitate; (*o cenach*) fluctuate
**chwiejność** *f* shakiness, tottering position; unsteadiness; hesitation, indecision; (*cen*) fluctuation
**chwiejny** *adj* shaky, tottering; unsteady; hesitating
**chwil|a** *f* moment, instant, while;

**co ~a** every moment, every now and again; **do tej ~i** up to this moment, until now; **lada ~a, każdej ~i** any moment ⟨minute⟩; **na ~ę** for a moment; **od tej ~i** from this time onward, from now on; **przed ~ą** a while ago; **przez ~ę** for a while; **w danej ~i** at the given moment; **w jednej ~i** at once; **w ostatniej ~i** at the last moment; **w wolnych ~ach** at one's leisure, in leisure hours; **nie mieć wolnej ~i** not to have a moment to spare; **za ~ę** in a moment; **z ~ą** on, upon; **z ~ą jego przybycia** on his arrival

**chwilowy** *adj* momentary, temporary

**chwyt** *m* grip, grasp, seizure; (*sposób, zabieg*) catch, trick; (*w zapasach*) grapple, catch; **mocny ~** firm grasp

**chwytać** *vt* catch, seize; (*mocno*) grasp, grip; catch ⟨get⟩ hold (**coś** of sth); **~ za broń** take up arms; **~ za serce** go to sb's heart; **~ się** *vr* catch (**czegoś** at sth), seize (**czegoś** on, upon sth); **~ się za głowę** clutch one's head

**chyba** *part i adv* probably, maybe; **~ tak** I think so; **~ tego nie zrobił** he can scarcely have done it; *conj* **~ że** unless

**chybi|ć** *vi* miss, fail, miscarry; **na ~ł trafił** at random, at a venture

**chybiony** *adj* abortive; **~ cios ⟨krok⟩** miss

**chylić** *vt* incline, bow; **~ czoło** do reverence (**przed kimś** to sb); **~ się** *vr* incline; (*ku upadkowi*) decline; verge (**ku starości** towards old age)

**chyłkiem** *adv* furtively, sneakingly

**chytrość** *f* cunning, slyness, astuteness

**chytry** *adj* cunning, sly, astute, crafty

**chyży** *adj* swift, brisk

**ciałko** *n* little body; *biol.* corpuscle; **białe ~ krwi** leucocyte; **czerwone ~ krwi** erythrocyte

**ciało** *n* (*korpus*) body; (*żywe mięso*) flesh; *przen.* (*grono*) staff; **jędrne ~** firm flesh; **budowa ciała** physique; *fiz.* **~ stałe** solid; *astr.* **~ niebieskie** celestial body

**ciarki** *pl* creeps; **przechodzą mnie ~** my flesh creeps, it makes my flesh creep

**ciasno** *adv* tightly, closely; **~ nam w tym pokoju** we are cramped in this room

**ciasnota** *f* narrowness, tightness; **~ mieszkaniowa** housing shortage; *przen.* **~ umysłowa** narrow-mindedness

**ciasny** *adj* narrow, tight; (*o mieszkaniu*) cramped; (*o butach*) tight; (*o umyśle*) narrow

**ciastko** *n* cake, (*owocowe, z kremem*) tart, tarlet

**ciast|o** *n* dough, paste; *pl* **~a** pastry

**ciąć** *vt* cut (**na kawałki** into pieces), (*posiekać, porozcinać*) cut up

**ciąg** *m* draught, (*pociągnięcie*) draw; (*bieg*) course; (*wędrówka ptaków*) flight (of birds); *mat.* sequence; **~ dalszy** continuation; **~ dalszy** (*poprzedniego tekstu*) continued; **~ dalszy nastąpi** to be continued; **jednym ~iem** at a stretch; **w ~u roku** in (the) course of the year; **w dalszym ~u coś robić** continue to do sth

**ciągle** *adv* continually

**ciągłość** *f* continuity

**ciągły** *adj* continuous, continued

**ciągnąć** *vt* draw; pull; (*wlec*) drag, haul; (*pociągać, nęcić*) attract; (*korzyści*) derive; **~ dalej** continue, carry ⟨go⟩ on; **tu ciągnie** there is a draught here; **~ się** *vr* (*rozciągać się*) extend, stretch; (*w czasie*) continue, last, drag on

**ciągnienie** *n* (*loterii*) drawing
**ciągnik** *m* tractor
**ciąż|a** *f* pregnancy; **być w ~y** be pregnant
**ciążenie** *n* inclination; *fiz.* gravitation
**ciąż|yć** *vi* weigh, lie heavy, press heavily; (*skłaniać się*) incline, lean (**do czegoś** to sth); *fiz.* gravitate; **na domu ~ą długi** the house is encumbered with debts; **~y na mnie obowiązek** it is incumbent on me; **~y na nim zarzut ...** he is charged with ...
**cichaczem** *adv* furtively, stealthily
**cichnąć** *vi* calm down, become still
**cicho** *adv* in a low voice, softly; **bądź ~!** silence!; *pot.* hush!; **~ mówić** speak in a low voice; **~ siedzieć** ⟨**stać**⟩ sit ⟨stand⟩ still
**cich|y** *adj* still, silent, quiet; **~a zgoda** tacit consent; *przysł.* **~a woda brzegi rwie** still waters run deep
**ciec** *vi* flow, stream; (*kapać*) drip; (*przeciekać*) leak
**ciecz** *f* liquid, fluid
**ciekawość** *f* curiosity; **przez ~** out of curiosity
**ciekawy** *adj* curious, inquisitive; (*interesujący*) interesting, curious; **jestem ~** I wonder
**ciekły** *adj* liquid, fluid
**cieknąć** *zob.* ciec
**cielec** *m*, *przen.* **złoty ~** golden calf
**cielesny** *adj* carnal, bodily, corporeal; (*o karze*) corporal
**cielę** *n* calf; *pot.* (*głuptas*) fool, simpleton
**cielęcina** *f* veal
**cielęc|y** *adj* calf, calf's; **pieczeń ~a** roast veal; **skóra ~a** calf skin
**cielisty** *adj* flesh-coloured
**ciemię** *n* crown (of the head), *anat.* top, vertex; *przen.* **on jest nie w ~ bity** he is nobody's fool, he is no fool
**ciemięga** *m* gawk, lout
**ciemięzca** *m* oppressor
**ciemiężyć** *vt* oppress
**ciemnia** *f* dark chamber
**ciemnica** *f* dark cell
**ciemnieć** *vi* darken, grow dark
**ciemno** *adv* darkly; **jest ~** it is dark; **robi się ~** it's getting dark
**ciemnobłękitny** *adj* dark-blue
**ciemnoskóry** *adj* dark-skinned, swarthy
**ciemność** *f* darkness, dark
**ciemnota** *f* obscurity; ignorance
**ciemnowłosy** *adj* dark-haired
**ciemny** *adj* dark; obscure; (*o chlebie*) brown; *przen.* **~ typ** shady person
**cieniować** *vt* shade off, gradate
**cienisty** *adj* shady, shadowy
**cienki** *adj* thin, slender, (*o tkaninie*) fine
**cienkość** *f* thinness, fineness
**cie|ń** *m* shade; (*odbicie człowieka, drzewa itp.*) shadow; **chodzić za kimś jak ~ń** to shadow sb; **pozostawać w ~niu** keep in the background
**cieplarnia** *f* hothouse
**ciepleć** *vi* grow warm
**ciepln|y** *adj* thermic, thermal; **energia ~a** thermal ⟨heat⟩ energy
**ciepło** *n* warmth, heat; *fiz.* **~ utajone** latent heat; **trzymać w cieple** keep warm; *adv* warmly; **jest ~** it is warm; **jest mi ~** I am warm; **ubierać się ~** dress warmly
**ciepłota** *f* temperature
**ciepły** *adj* warm
**ciernisty** *adj* thorny
**cierń** *m* thorn
**cierpi|eć** *vt vi* suffer (**coś** sth, **na coś, z powodu czegoś** from sth); (*znosić*) bear; **~eć głód** starve; **~eć na ból zębów** have a toothache; **nie ~ę tego** I cannot bear it
**cierpienie** *n* suffering, pain; (*dolegliwość*) ailment
**cierpki** *adj* tart, acrid, harsh; **~e słowa** harsh words

**cierpkość** *f* tartness, acridness; harshness

**cierpliwość** *f* patience; **straciłem ~** I'm out of patience (**do niego** with him)

**cierpliwy** *adj* patient

**cierpnąć** *vi* grow numb, become torpid

**ciesielstwo** *n* carpentry

**cieszyć** *vt* gladden, delight, give pleasure; **~ się** *vr* be glad (**czymś** of sth), rejoice (**czymś** at sth); **~ się dobrym zdrowiem** enjoy good health

**cieśla** *m* carpenter

**cieśnina** *f* strait (*zw. pl* straits)

**cietrzew** *m* *zool.* black-cock

**cięcie** *n* cut, cutting; *med.* **cesarskie ~** caesarean section

**cięciwa** *f* (*łuku*) string; *mat.* chord

**cięgi** *pl* sound cudgelling, licking; **dostać ~** get a licking

**cięt|y** *pp* cut; *adj* (*ostry, bystry*) smart, quick-witted; (*zgryźliwy*) pungent, caustic; **~y dowcip** ready wit; **~e pióro** ready pen

**ciężar** *m* burden, load, weight; **~ właściwy ⟨gatunkowy⟩** specific gravity; **~ własny** dead load; *lotn.* **~ całkowity** all-up weight; **być ~em** encumber (**dla kogoś** sb), be a burden (**dla kogoś** to sb)

**ciężar|ek** *m* weight; *pl* **~ki gimnastyczne** dumb-bells

**ciężarna** *adj f* pregnant

**ciężarowy** *adj*, **wóz ~** goods van; **samochód ~** lorry, *am.* truck

**ciężarówka** *f* lorry, *am.* truck

**ciężki** *adj* heavy, weighty; (*o pracy, sytuacji*) hard; (*o chorobie*) serious; (*o ranie*) dangerous; (*trudny*) difficult; **~e roboty** hard labour; (*o bokserze*) **~ej wagi** heavy-weight

**ciężko** *adv* heavily; hard; with difficulty; **~ pracować** work hard; **~ strawny** hard to digest, indigestible; **~ mi na sercu** I have a heavy heart; **~ mu idzie w życiu** it goes hard with him; **~ mu idzie praca** he finds it hard to work; **~ myślący** slow of wit; **~ chory** seriously ill

**ciężkoś|ć** *f* heaviness, weight; **siła ~ci** gravity; **środek ~ci** centre of gravity

**ciołek** *m* bull-calf

**cios** *m* blow, stroke; **zadać ~** strike ⟨deal⟩ a blow

**ciosać** *vt* hew

**cioteczn|y** *adj*, **brat ~y, siostra ~a** first cousin

**ciotka** *f* aunt

**cis** *m* yew

**ciskać** *vt* hurl, throw; **~ się** *vr* fret and fume

**cisnąć** *vt* press; (*o bucie*) pinch; **~ się** *vr* press, crowd; *zob.* **ciskać**

**cisz|a** *f* stillness, calm, peace; **głęboka ~a** dead silence; **proszę o ~ę!** silence, please!

**ciśnienie** *n* pressure; **~ krwi** blood pressure

**ciuciubabk|a** *f* blindman's buff; **bawić się w ~ę** play blindman's buff

**ciułać** *vt* scrape together, economize

**ciupaga** *f* hatchet; (*kij alpinistyczny*) alpenstock

**ciura** *m* lout, bumpkin

**ciżba** *f* throng, crowd

**ckliwość** *f* mawkishness, nausea

**ckliwy** *adj* mawkish, nauseating

**clić** *vt* lay duty (**coś** on, upon sth)

**cło** *n* duty, customs, custom-duty; **opłacanie cła** clearance; **wolny od cła** duty-free; **podlegający cłu** dutiable

**cmentarz** *m* cemetery, burial-ground, graveyard; (*przy kościele*) churchyard

**cmokać** *vi* smack; **~ językiem** smack one's tongue

**cnota** *f* virtue

**cnotliwość** *f* virtuousness

**cnotliwy** *adj* virtuous

**co** *pron* what; **co do** as regards; **co do mnie** as for me; **co mie-**

siąc every month; **dopiero co** just now; **co za pożytek z tego?** what's the use of it?, what use is it?; **co za widok!** what a sight!; **co z tego?** what of that?; **co mu jest?** what's the matter with him?

**codziennie** *adv* every day, daily

**codzienny** *adj* everyday, daily; (*powszedni*) commonplace

**cofać** *vt* retire, withdraw; (*odwoływać*) repeal, recall, retract; (*zegarek*) put back; **~ słowo** go back on one's word; **~ się** *vr* draw back, withdraw, retreat, retire

**cofnięcie (się)** *n* withdrawal, retraction

**cokolwiek** *pron* anything; whatever; (*nieco*) some, something; **~ bądź** no matter what; **~ on zrobi** whatever he may do; **~ się stanie** whatever may happen

**cokół** *m* socle, base

**comber** *m* saddle (of venison)

**coraz** *adv*, **~ lepiej** better and better; **~ więcej** more and more

**corocznie** *adv* every year, yearly, annually

**coroczny** *adj* yearly, annual

**coś** *pron* something, anything; **~ w tym rodzaju** something like that; **~ niecoś** a little, something, somewhat

**córka** *f* daughter

**cóż** *pron* what; **~ to?** what is it?; **no i ~?** what now?; **więc ~ z tego?** well, what of it?; **~ z tego, że** what if, what though

**cuchnąć** *vi* stink (**czymś** of sth), smell nasty

**cucić** *vt* bring back to consciousness, try to revive

**cud** *m* miracle, wonder, prodigy; **dokazywać ~ów** work wonders; **~em** by a miracle, miraculously

**cudaczny** *adj* queer, odd

**cudak** *m* odd man, crank

**cudny** *adj* wonderfully fine, wonderful

**cudo** *n* wonder, marvel, prodigy

**cudotwórca** *m* miracle worker, thaumaturge

**cudotwórstwo** *n* thaumaturgy

**cudown|y** *adj* prodigious, miraculous; (*niezwykle piękny, dobry*) wonderful, marvellous; **~y obraz** miraculous image; **~e dziecko** prodigy

**cudzołożyć** *vi* commit adultery

**cudzołóstwo** *n* adultery

**cudzoziemiec** *m* foreigner, alien

**cudzoziemski** *adj* foreign, alien

**cudzy** *adj* somebody else's; other's, another's, others'; alien; strange

**cudzysłów** *m* inverted commas *pl*, quotation marks *pl*

**cugl|e** *s pl* reins; **popuścić ~i** give reins

**cukier** *m* sugar; **~ kryształowy** crystal sugar; **~ miałki** caster sugar; **~ w kostkach** lump sugar; **głowa cukru** loaf of sugar; **kostka cukru** lump of sugar

**cukierek** *m* sweet, sweetmeat, *am.* candy

**cukiernia** *f* confectioner's (shop), confectionery

**cukiernica** *f* sugar-basin

**cukiernik** *m* confectioner

**cukrownia** *f* sugar-works

**cukrownictwo** *n* sugar industry

**cukrzyca** *f med.* diabetes

**cukrzyć** *vt* sugar

**cumować** *vt mors.* moor

**cumy** *s pl mors.* moorings

**cwał** *m* full gallop

**cwałować** *vi* ride at full gallop

**cwaniak** *m pot.* slyboots

**cybernetyka** *f* cybernetics

**cyfra** *f* cipher, digit

**Cygan** *m* gipsy; **cygan** (*oszust*) cheat, trickster

**cyganeria** *f* Bohemia

**cyganić** *vt vi pot.* cheat, trick

**cygański** *adj* gipsy; Bohemian

**cygarniczka** *f* cigarette holder

**cygaro** *n* cigar

**cyjanek** *m* cyanide

**cykl** *m* cycle

**cykliczny** *adj* cyclic

**cyklista** *m* cyclist
**cyklon** *m* cyclone
**cykoria** *f* chicory
**cykuta** *f bot.* (water) hemlock
**cylinder** *m* (*walec*) cylinder; (*kapelusz*) top hat
**cymbał** *m pot.* (*dureń*) duffer, blockhead; *muz. pl* **~y** dulcimer
**cyna** *f* tin
**cynadry** *s pl* kidneys
**cynamon** *m* cinnamon
**cynfolia** *f* tin-foil
**cyngiel** *m* trigger
**cyniczny** *adj* cynical
**cynik** *m* cynic
**cynizm** *m* cynicism
**cynk** *m* zinc
**cynkować** *vt* zinc, coat with zinc
**cynober** *m* cinnabar, Chinese red, vermillion
**cynować** *vt* tin, coat with tin
**cypel** *m* jut, point; (*przylądek*) promontory; (*wierzchołek*) peak
**cyprys** *m bot.* cypress
**cyrk** *m* circus
**cyrkiel** *m* a pair of compasses, compasses *pl*
**cyrkowiec** *m*, **cyrkówka** *f* circus performer
**cyrkulacja** *f* circulation
**cyrkulacyjny** *adj* circulatory
**cysterna** *f* cistern, tank; **statek** ⟨**samochód**⟩ **~** tanker
**cytadela** *f* citadel
**cytat** *m* quotation
**cytować** *vt* quote, cite
**cytra** *f muz.* zither
**cytryna** *f* lemon
**cywilizacja** *f* civilization
**cywilizować** *vt* civilize
**cywiln|y** *adj* civil; civilian; **stan ~y** status; **urząd stanu ~ego** registry office
**cyzelować** *vt* chase, chisel; *przen.* smooth
**czad** *m* coal smoke; *chem.* carbon oxide
**czaić się** *vr* lurk
**czajka** *f zool.* pe(e)wit
**czajnik** *m* tea-kettle; (*do zaparzania herbaty*) teapot
**czako** *n* shako
**czambuł, w ~** *adv* altogether, in the bulk, wholesale
**czapka** *f* cap
**czapla** *f zool.* heron
**czapnik** *m* capmaker
**czaprak** *m* horse-rug
**czar** *m* charm, spell; *pl* **~y** witchcraft, sorcery, magic
**czara** *f* bowl
**czarci** *adj* diabolical, devilish, devil's
**czarno** *adv* blackly; **ubierać się na ~** dress in black; **malować na ~** paint black; **~ na białym** down in black and white
**czarnobrunatny** *adj* brownish black
**czarnogiełdziarz** *m* black marketeer
**czarnoksięsk|i** *adj* magic; **różdżka ~a** sorcerer's wand
**czarnoksiężnik** *m* sorcerer
**czarnooki** *adj* black-eyed
**czarnowłosy** *adj* black-haired
**czarnoziem** *m* humus, (black) mould
**czarn|y** *adj* black; *przen.* **~y rynek** black market; **na ~ą godzinę** against a rainy day
**czarodziej** *m* sorcerer, wizard
**czarodziejka** *f* sorceress
**czarodziejski** *adj* magic(al)
**czarować** *vt* charm
**czarownica** *f* witch, hag
**czarownik** *m* sorcerer, wizard
**czarowny** *adj* charming, enchanting
**czart** *m †* devil
**czarujący** *adj* charming, fascinating
**czas** *m* time; *gram.* tense; **~ przeszły** preterite, past; **~ przyszły** future; **~ teraźniejszy** present; **~ miejscowy** ⟨**lokalny**⟩ local time; **wolny ~** leisure ⟨spare⟩ time; **~em** sometimes; **do ~u aż** till, until; **na ~** in (good) time; **na ~ie** timely, well-timed; **nie na ~ie** untimely, ill-timed; **na jakiś ~** for a time; **od ~u do ~u** from time to time; **od ~u jak...**

since...; **od jakiegoś ~u** for some time now; **od owego ~u** ever since; **po pewnym ~ie** after a while; **przez cały ten ~** all the time; **w sam ~** just in time; **z ~em** in course of time; **za ~ów** at the time; **za moich ~ów** at my time

**czasem** *adv* sometimes

**czasopismo** *n* periodical

**czasownik** *m* *gram.* verb

**czasowy** *adj* temporal; temporary

**czasza** *f* bowl

**czaszka** *f* skull

**czatować** *vi* lurk (**na kogoś** for sb), lie in wait (**na kogoś** for sb)

**czat|y** *s pl* lying in wait, look-out; **być na ~ach** be on the look-out; keep (a good) watch

**cząsteczka** *f* particle; *chem. fiz.* molecule

**cząstka** *f* particle, small part; share

**cząstkowy** *adj* partial, fractional

**czciciel** *m* adorer, worshipper

**czcić** *vt* adore, worship; (*np. rocznicę*) celebrate; (*pamięć*) commemorate

**czcigodny** *adj* venerable, honourable

**czcionk|a** *f* letter, type; *pl* **~i** letters, *zbior.* type

**czczo, na czczo** *adv* on ⟨with⟩ an empty stomach; **jestem na ~** I have not had my breakfast

**czczość** *f* emptiness of the stomach; (*daremność*) vanity, futility

**czczy** *adj* (*pusty*) empty; (*daremny*) vain, futile

**Czech** *m* Czech

**czek** *m* cheque, *am.* check; **~iem** by cheque; **honorować ~** meet a cheque

**czekać** *vi* wait (**na kogoś** for sb), expect (**na kogoś** sb)

**czekolada, czekoladka** *f* chocolate

**czekow|y** *adj*, **książka ~a** cheque-book; **rachunek ~y** cheque account, *am.* checking account; **obrót ~y** cheque system, transactions in cheques

**czeladnik** *m* journeyman

**czeladź** *f* † domestics *pl*, household

**czelność** *f* insolence, impudence

**czelny** *adj* insolent, impudent

**czeluść** *f* chasm, abyss, gulf

**czemu** *adv* why

**czep|ek** *m* bonnet, cap; *przen.* **urodzić się w ~ku** be born with a silver spoon in one's mouth

**czepiać się** *vr* cling, hang on (**czegoś** to sth), catch (**czegoś** at sth); (*szykanować, zaczepiać*) pick (**kogoś** at sb)

**czepiec** *m* hood, cap

**czerep** *m* shell, sherd; *pot.* (*czaszka*) skull

**czereśnia** *f* cherry; (*drzewo*) cherry-tree

**czernić** *vt* blacken, black; paint black

**czernidło** *n* blacking; *druk.* printing-ink

**czernić** *vt* blacken, become black

**czernina** *f* black soup

**czerń** *f* blackness, black (colour); (*motłoch*) mob, rabble

**czerpać** *vt* draw; (*wygarniać*) scoop

**czerpak** *m* scoop

**czerstwieć** *vi* (*o chlebie*) become stale; (*krzepnąć*) become ruddy, grow vigorous

**czerstwość** *f* staleness; vigour

**czerstwy** *adj* (*o chlebie*) stale; (*krzepki*) hale, ruddy; **mieć ~ wygląd** look hale

**czerwiec** *m* June

**czerwienić się** *vr* redden, become red; (*na twarzy*) blush

**czerwienieć** *vi* redden, turn red

**czerwień** *f* red (colour), redness; (*w kartach*) hearts *pl*

**czerwonka** *f* *med.* dysentery

**czerwony** *adj* red

**czesać** *vt* comb; (*len*) hackle; (*wełnę*) card; **~ się** *vr* to comb one's hair

**czesanka** *f* worsted, carded wool

**czeski** *adj* Czech

**czesne** *n* school-fees *pl*, tuition fee

**cześć** *f* honour, reverence; **oddawać ~** do honour, pay reverence; **ku czci, na ~** in honour (**kogoś** of sb)
**często** *adv* often, frequently
**częstokół** *m* palisade
**częstokroć** *adv* frequently, repeatedly
**częstokrotny** *adj* frequent, repeated
**częstotliwość** *f* frequency
**częstotliwy** *adj* frequent; reiterative; *gram.* frequentative
**częstować** *vt* treat (**kogoś czymś** sb to sth); **~ się** *vr* treat oneself (**czymś** to sth); help oneself (**czymś** to sth)
**częsty** *adj* frequent
**częściowo** *adv* partly, in part
**częściow|y** *adj* partial, part *attr*; **~y etat** part-time work; **~a spłata** part-payment
**częś|ć** *f* part, portion; (*udział*) share; **~ć składowa** component (part); **~ć zamienna** spare (part); **lwia ~ć** lion's share; **pięć ~ci świata** five continents; **po ~ci** partly; **po największej ~ci** for the most part, mostly; *gram.* **~ci mowy** parts of speech
**czkawka** *f* hiccup
**człek** *m* = **człowiek**
**człon** *m* member
**członek** *m* member; (*kończyna*) limb
**członkini** *f* woman member
**członkostwo** *n* membership
**człowieczek** *m* little fellow, homuncule
**człowieczeństwo** *n* humanity; human nature
**człowieczy** *adj* human
**człowiek** *m* (*pl* **ludzie**) man (*pl* people), human being
**czmychać** *vi* *pot.* scamper off, bolt
**czołg** *m* tank
**czołgać się** *vr* crawl, creep
**czoł|o** *n* forehead, brow; (*pochodu, oddziału wojskowego*) head; **marszczyć ~o** frown; **stawić ~o** face, brave; **wysunąć się na ~o** come to the front; **na czele** at the head; **w pocie ~a** in the sweat of the brow
**czołobitny** *m* servile
**czołowy** *adj* frontal; (*przodujący*) leading, chief
**czołówka** *f* forefront; *wojsk.* spearhead
**czop** *m* tap, plug
**czopek** *m* stopper; *techn.* spigot; *med.* suppository
**czopować** *vt* stop up, plug; tampon
**czosnek** *m* garlic
**czółenko** *n* small boat; (*tkackie*) shuttle
**czółno** *n* boat, canoe
**czterdziestka** *f* forty
**czterdziestoletni** *adj* (*o wieku*) forty years old; (*o okresie czasu*) forty years'
**czterdziesty** *num* fortieth
**czterdzieści** *num* forty
**czternasty** *num* fourteenth
**czternaście** *num* fourteen
**czterokrotny** *adj* fourfold
**czteroletni** *adj* (*o wieku*) four years old; (*o okresie czasu*) four years'
**czterowiersz** *m* quatrain
**cztery** *num* four
**czterysta** *num* four hundred
**czub** *m* tuft; (*hełmu, koguta*) crest; *przen.* **brać się za ~y** come to blows; *pot.* **mieć w ~ie** be tipsy
**czubaty** *adj* tufted, crested
**czubić się** *vr* bicker, squabble
**czuci|e** *n* feeling; **paść bez ~a** fall senseless
**czuć** *vt* feel; smell; **~ do kogoś urazę** bear sb a grudge; **~ czosnkiem** it smells of garlic; **~ się** *vr* feel; **~ się dobrze** feel well ⟨all right⟩; **~ się szczęśliwym** feel happy
**czujka** *f* *wojsk.* vedette
**czujność** *f* vigilance, watchfulness; **zmylić (czyjąś) ~** put (sb) off guard
**czujny** *adj* vigilant, watchful

**czule** *adv* tenderly, affectionately
**czułość** *f* tenderness, sensitiveness
**czuły** *adj* tender, affectionate; sensitive (**na coś** to sth)
**czupryna** *f* crop of hair
**czupurny** *adj* pugnacious
**czuwać** *vi* watch (**nad kimś, czymś** over sb, sth); keep vigilance; (*nie spać*) wake; sit up (**przy chorym** by a sick person)
**czuwanie** *n* watch, wake
**czwartek** *m* Thursday; **Wielki Czwartek** Maundy Thursday
**czwart|y** *num* fourth; **jedna ~a** one fourth; **wpół do ~ej** half past three; **o ~ej** at four
**czworak** *m*, **na ~ach** on all fours
**czworaki** *adj* fourfold
**czworo** *num* four (children etc.)
**czworobok** *m* quadrilateral
**czworokąt** *m* quadrangle
**czworonożny** *adj* quadrupedal
**czworonóg** *m* quadruped
**czwórka** *f* four
**czy** *conj w zdaniach pytających podrzędnych*: if, whether; *w zdaniach pytających głównych nie tłumaczy się*: **~ wierzysz w to?** do you believe that?; **~ ... ~** whether ... or; **~ tu ~ tam** whether here or there; **~ chcesz tego ~ nie?** do you want it or not?
**czyhać** *vi* lurk, lie in wait (**na kogoś** for sb)
**czyj** *pron* whose
**czyjś** *pron* somebody's, anybody's
**czyli** *conj* or
**czyn** *m* deed, act, action, feat; **~ bohaterski** heroic deed, exploit; **~ pierwszomajowy** First-May deed; **wprowadzić w ~** carry into effect; **człowiek ~u** man of action
**czynić** *vt* do, act
**czynieni|e** *n* doing, acting; **mieć z kimś do ~a** have to do with sb
**czynnik** *m* factor, agent; **~ miarodajny** competent authority
**czynność** *f* activity, function, action; operation
**czynn|y** *adj* active; (*pełniący obowiązki*) acting; (*o maszynie, automacie*) in operation; **sklep jest ~y** the shop is open; *gram.* **strona ~a** active voice
**czynsz** *m* rent
**czynszowy** *adj*, **dom ~** tenement-house
**czyrak** *m* furuncle
**czystka** *f* purge
**czysto** *adv* cleanly, purely, neatly; **dochód na ~** net profit; **mówić ~ po polsku** speak good Polish; **przepisać na ~** make a fair copy (**coś** of sth); **wyjść na ~** get off clear
**czystopis** *m* fair copy
**czystość** *f* purity, cleanness, tidiness; (*moralna*) chastity
**czyst|y** *adj* clean, pure, neat; (*schludny*) tidy; (*moralnie*) chaste; *handl.* net; *filat.* mint; **~a angielszczyzna** good English; **~a prawda** plain truth; **~e sumienie** clear conscience; **~y arkusz** blank sheet; **~y dochód** net profit
**czyszczenie** *n* cleaning; *med.* purgation; (*biegunka*) diarrhoea
**czyścibut** *m* shoeblack
**czyścić** *vt* clean; purify; *przen. i med.* purge; (*rafinować*) refine
**czyściec** *m* purgatory
**czytać** *vt vi* read (**coś** sth, **o czymś** of, about sth); **~ po angielsku** read English
**czytani|e** *n* reading; **książka do ~a** reading-book; **nauka ~a** instruction in reading
**czytanka** *f* piece for reading, piece of reading-matter; (*podręcznik*) reader
**czytelnia** *f* reading-room
**czytelnik** *m* reader
**czytelny** *adj* legible
**czyż** *conj* = **czy**
**czyżyk** *m zool.* siskin

# ć

**ćma** *f zool.* moth
**ćmi|ć** *vt* (*przyciemniać*) obscure, darken; *vi* (*dymić*) reek, smoke; **~ mi się w oczach** my head swims
**ćwiartka** *f* quarter, one fourth (part); (*mięsa*) joint
**ćwiartować** *vt* quarter
**ćwiczenie** *n* exercise, drill; (*na fortepianie, skrzypcach itp.*) practising; (*trening*) training; (*na wyższej uczelni*) class
**ćwiczyć** *vt vi* exercise, drill, instruct; (*na fortepianie, skrzypcach itp.*) practise; (*trenować*) train; (*bić*) flog
**ćwiek** *m* nail
**ćwierć** *f* quarter, one fourth (part)
**ćwierkać** *vi* twitter, chirp
**ćwikła** *f* beetroot salad

# d

**dach** *m* roof; **bez ~u nad głową** without shelter; **mieć ~ nad głową** have a shelter
**dachówka** *f* tile
**dać** *vt* give; **~ do zrozumienia** give to understand; **~ komuś spokój** let ⟨leave⟩ sb alone; **~ komuś w twarz** slap sb's face; **~ możność** enable (**komuś** sb); **~ wiarę** give credit; **~ za wygraną** give up; **~ znać** give information, inform; **daj mi znać o sobie** let me hear from you; **dano mi znać** word came to me; **~ żyć** let live; **~ przykład** set an example; **~ ognia** fire; **~ ognia do papierosa** give a light; **dajmy na to** suppose
**daktyl** *m bot.* date; (*miara wiersza*) dactyl
**daktyloskopia** *f* finger-printing
**dal** *f* distance, remoteness; **w ~i** far away, in the distance; **z ~a** from afar; **z ~a od** off, away from
**dalece** *adv* greatly, by far; **tak ~, że ...** so far ⟨so much⟩ that ...; to such an extent that ...
**dalej** *adv* farther, further; **i tak ~** and so on
**daleki** *adj* far, far-off, distant, remote
**daleko** *adv* far (off), a long way off; **tak ~, że** so far as; **~ idący** far-reaching
**dalekobieżny** *adj* long-distance *attr*
**dalekonośny** *adj* long-range *attr*
**dalekowidz** *m* far-sighted person; *med.* presbyope
**dalekowzroczność** *f* far-sightedness; *med.* prebyopia
**dalekowzroczny** *adj* far-sighted
**dalia** *f bot.* dahlia
**dalszy** *adj comp* farther, further; (*następny*) next, following
**daltonizm** *m* daltonism
**dama** *f* lady; dame; (*w kartach*) queen; **~ serca** lady-love
**damasceński** *adj* damask
**damski** *adj* ladies'
**dane** *s pl* data *pl*, evidence; (*możliwości, kwalifikacje*) makings, chance; **bliższe ~** description; **~ osobiste** personal details; **mieć wszelkie ~** have every chance
**danie** *n* dish, course
**danina** *f* tribute
**danser** *m*, **danserka** *f* dancer
**dansing** *m* dancing

**dantejski** *adj* Dantean
**dany** *adj i pp* given; **w ~ch warunkach** under the given conditions
**dar** *m* gift, present; **w darze** as a gift
**darcie** *n* tearing, rending; (*w kościach*) pains; (*pierza*) picking
**daremnie** *adv* in vain
**daremny** *adj* vain, futile
**darmo** *adv* gratis, gratuitously, for nothing; (*bezpłatnie*) free of charge; **na ~** in vain
**darmozjad** *m* sponger
**darnina** *f* turf; *poet.* sward, sod
**darować** *vt* give; present (**komuś coś** sb with sth); (*przebaczyć*) pardon, forgive; **~ komuś dług** remit sb's debt; **~ komuś winę ⟨grzechy⟩** absolve sb from guilt ⟨sins⟩; **~ komuś życie** spare sb's life
**darowizna** *f* donation, gift
**darwinizm** *m* Darwinism
**darzyć** *vt* present (**kogoś czymś** sb with sth); (*względami*) favour; **~ kogoś zaufaniem** put one's trust in sb
**daszek** *m* rooflet; (*osłona*) screen; (*u czapki*) peak
**dat|a** *f* date; **świeżej ~y** of recent date; *pot.* **być pod dobrą ~ą** be in one's cups, be tipsy
**datować** *vt*, **~ się** *vr* date
**datownik** *m* date-stamp, dater; *filat.* postmark
**dawać** *zob.* **dać**
**dawca** *m* giver, donor; **~ krwi** blood donor
**dawka** *f* dose
**dawkować** *vt* dose
**dawniej** *adv* formerly, in former times
**dawno** *adv* long ago, in times past; **jak ~ tu jesteś?** how long have you been here?
**dawny** *adj* old, old-time *attr*; (*poprzedni*) former; **za ~ch dni** in the old days; **od dawna** for ⟨since⟩ a long time
**dąb** *m* oak; **stawać dęba** (*o koniu*) rear; jib; *przen.* **włosy stają mu dęba** his hair stands on end
**dąć** *vi* blow; **~ w róg** blow a horn
**dąsać się** *vr* sulk (**na kogoś** with sb), be in the sulks
**dąsy** *pl* sulks
**dążenie** *n* aspiration, endeavour, pursuit
**dążność** *f* tendency
**dążyć** *vi* aspire (**do czegoś** to sth, after sth), strive (**do czegoś** after sth), aim (**do czegoś** at sth); (*podążać*) make one's way, proceed
**dbać** *vi* care (**o coś** for sth), take care (**o coś** of sth), be concerned (**o coś** about sth), look (**o coś** after sth)
**dbałość** *f* care, solicitude (**o coś** for sth)
**dbały** *adj* careful (**o coś** of sth), solicitous (**o coś** for, about sth)
**debata** *f* debate
**debatować** *vi* debate (**nad czymś** sth, on sth)
**debet** *m handl.* debit
**debit** *m* the right to sell (periodicals)
**debiut** *m* début
**debiutant** *m* débutant
**debiutantka** *f* débutante
**debiutować** *vi* make one's début
**decentralizacja** *f* decentralization
**decentralizować** *vt* decentralize
**dech** *m* breath; **bez tchu** out of breath; **co tchu** as fast as possible, in all haste; **wypić jednym tchem** drink at one gulp; **zaczerpnąć tchu** draw one's breath
**decydować** *vi* determine, decide (**o czymś** sth); **~ na korzyść kogoś, czegoś** decide in favour of sb, sth; **~ się** *vr* determine; decide (**na coś** on sth)
**decydujący** *adj* decisive; **~ moment** decisive moment
**decyzj|a** *f* decision; **powziąć ~ę** come to ⟨arrive at⟩ a decision
**dedykacja** *f* dedication
**dedykować** *vt* dedicate

**defekt** *m* defect
**defensyw|a** *f* defensive; **w ~ie** on the defensive
**deficyt** *m* deficit
**defilada** *f* march past
**defilować** *vi* march past (**przed kimś** sb)
**definicja** *f* definition
**definiować** *vt* define
**definitywny** *adj* decisive, final
**deformować** *vt* deform, disfigure
**defraudacja** *f* embezzlement
**defraudant** *m* embezzler
**degeneracja** *f* degeneration
**degenerować się** *vr* degenerate
**degradacja** *f* degradation
**degradować** *vt* degrade
**deka** *n nieodm. zob.* **dekagram**
**dekada** *f* decade
**dekadencja** *f* decadence
**dekagram** *m* decagramme
**dekatyzować** *vt* shrink
**deklamacja** *f* declamation, recitation
**deklamator** *m* reciter
**deklamować** *vt* recite, declaim
**deklaracja** *f* declaration
**deklarować** *vt* declare
**deklinacja** *f gram.* declension
**deklinować** *vt gram.* decline
**dekompletować** *vt* render incomplete
**dekoracja** *f* decoration; *teatr* scenery; (*wystawy sklepowej*) window-dressing
**dekoracyjny** *adj* decorative
**dekorator** *m* decorator; *teatr* scene-painter
**dekorować** *vt* decorate
**dekret** *m* decree
**dekretować** *vt* decree
**delegacja** *f* delegation; (*z pełnomocnictwem*) commission; *pot.* (*wyjazd służbowy*) business trip
**delegat** *m* delegate
**delegować** *vt* delegate, depute
**delektować się** *vr* relish (**czymś** sth), delight (**czymś** in sth)
**delfin** *m zool.* dolphin
**delicje** *s pl* delicacies, dainties; pleasures
**delikatesy** *s pl* dainties; (*sklep*) delicatessen
**delikatność** *f* delicacy, subtlety
**delikatny** *adj* delicate, subtle
**delikwent** *m* delinquent
**demagog** *m* demagogue
**demagogia** *f* demagogy
**demarkacyjn|y** *adj*, **linia ~a** line of demarcation
**demaskować** *vt* unmask, show up, expose
**demobilizacja** *f* demobilization
**demobilizować** *vt* demobilize
**demokracja** *f* democracy
**demokrata** *m* democrat
**demokratyczny** *adj* democratic
**demokratyzować** *vt* democratize
**demolować** *vt* demolish
**demon** *m* demon
**demoniczny** *adj* demonic
**demonstracja** *f* demonstration
**demonstracyjny** *adj* demonstrative
**demonstrować** *vt* demonstrate
**demontować** *vt* dismantle
**demoralizacja** *f* demoralization
**demoralizować** *vt* demoralize; **~ się** *vr* become demoralized
**denat** *m* defunct
**denaturat** *m* methylated spirit
**denerwować** *vt* get on sb's nerves, irritate, excite; **~ się** *vr* get excited, become flustered (**czymś** about sth)
**denko** *n* (*kapelusza*) crown
**dentysta** *m* dentist
**dentystyczny** *adj* dental, dentist's
**dentystyka** *f* dentistry
**denuncjacja** *f* denunciation, information
**denuncjant** *m*, **denuncjator** *m* informer, denouncer
**denuncjować** *vt* inform (**kogoś** against sb), denounce (**kogoś** sb)
**departament** *m* department
**depesza** *f* telegram, wire; **~ radiowa** radiogram
**depeszować** *vi* telegraph, wire
**deponować** *vt prawn.* deposit
**deportacja** *f* deportation
**deportować** *vt* deport

**depozyt** *m* deposit; **do ~u** on deposit
**deprawacja** *f* depravation
**deprawować** *vt* deprave
**deprecjacja** *f* depreciation
**deprecjonować** *vt* depreciate; **~ się** *vr* become depreciated
**depresja** *f* depression
**deprymować** *vt* depress
**deptać** *vt vi* trample, tread (**coś** sth, **po czymś** upon sth)
**deptak** *m* promenade
**deputacja** *f* deputation
**deputat** *m* (*przydział*) allowance, ration
**derka** *f* rug, blanket
**dermatolog** *m* dermatologist
**dermatologia** *f* dermatology
**desant** *m* descent; *wojsk.* landing, landing-operation
**desantowy** *adj wojsk.* landing; **oddział ~** landing party
**deseń** *m* design, pattern; (*szablon*) stencil
**deser** *m* dessert
**desk|a** *f* board, plank; *pot.* **od ~i do ~i** from cover to cover, from beginning to end; **do grobowej ~i** till death itself
**desperować** *vi* despair
**despota** *m* despot
**despotyczny** *adj* despotic
**despotyzm** *m* despotism
**destrukcja** *f* destruction
**destrukcyjny** *adj* destructive
**destylacja** *f* distillation
**destylarnia** *f* distillery
**destylować** *vt* distil
**desygnować** *vt* designate
**desygnat** *m* referent, designation
**deszcz** *m* rain; **pada ~** it rains; *przen.* **z ~u pod rynnę** out of the frying pan into the fire
**deszczówka** *f* rain-water
**deszczułka** *f* lath
**detal** *m* detail
**detalicznie** *adv handl.* by ⟨at⟩ retail; **sprzedawać ~** sell by retail
**detaliczny** *adj* retail *attr*; **handel ~** retail trade; **kupiec ~** retailer
**detektyw** *m* detective
**detektywistyczny** *adj* detective
**determinować** *vt* determine
**detonacja** *f* detonation
**detonować** *vt* abash, disconcert; *vi* (*eksplodować*) detonate; **~ się** *vr* lose countenance
**detronizacja** *f* dethronement
**detronizować** *vt* dethrone
**dewaluacja** *f* devaluation
**dewaluować** *vt* devaluate; **~ się** *vr* become devaluated
**dewiz|a** *f* device, motto; *pl* **~y** *fin.* foreign bills ⟨exchange⟩
**dewocja** *f* devotion, piety
**dewotka** *f* devotee, bigot
**dezercja** *f* desertion
**dezerter** *m* deserter
**dezerterować** *vi* desert
**dezorganizacja** *f* disorganization
**dezorganizować** *vt* disorganize
**dezorientacja** *f* disorientation, confusion
**dezorientować** *vt* disorientate, confuse; **~ się** *vr* become confused, lose one's way
**dezynfekcja** *f* disinfection
**dezynfekować** *vt* disinfect
**dębczak** *m* oakling
**dębieć** *vi* be taken aback, stand dumbfounded
**dębina** *f* oakwood
**dętka** *f* tire, tyre
**dęt|y** *adj* blown; hollow; **instrument ~y** wind-instrument; **orkiestra ~a** brass band
**diabelski** *adj* diabolical, devilish
**diabeł** *m* devil
**diabełek** *m* devilkin, imp
**diagnostyka** *f* diagnosis
**diagnoz|a** *f* diagnosis; **postawić ~ę** to diagnose, to make a diagnosis
**diagram** *m* diagram
**dialekt** *m* dialect
**dialektyczny** *adj* dialectical; **materializm ~** dialectical materialism
**dialektyk** *m* dialectician
**dialektyka** *f* dialectics
**dialog** *m* dialogue
**diament** *m* diamond
**diametralny** *adj* diametrical
**diatermia** *f* diathermy

**diecezja** *f* diocese
**diecezjalny** *adj* diocesan
**diet|a** *f* diet; (*pieniężna*) *zw. pl* **~y** expense ⟨travelling⟩ allowance
**dietetyczny** *adj* dietetic
**dla** *praep* for, in favour of, for the sake of; **uprzejmy ⟨dobry⟩ ~ kogoś** kind ⟨good⟩ to sb
**dlaczego** *adv* why, what for
**dlatego** *adv* therefore, for that reason, that's why; **~ że** *conj* because, for
**dławić** *vt* strangle, suffocate, choke; *techn.* throttle; **~ się** *vr* suffocate
**dławik** *m techn.* throttle
**dło|ń** *f* palm; **jasne jak na ~ni** as clear as daylight
**dłubać** *vt vi* dig, bore; (*w zębach*) pick
**dług** *m* debt; **wpaść w ~i** incur debts; **zaciągnąć ~** contract a debt; **spłacić ~** pay off a debt
**długi** *adj* long; **upadł jak ~** he fell down flat
**długodystansowiec** *m sport* long--distance runner
**długo** *adv* long, for a long time; **jak ~** as long as; **jak ~?** how long?
**długofalowy** *adj* long-wave *attr*; *przen.* long-range *attr*
**długoletni** *adj* long-time, of long standing
**długonogi** *adj* long-legged
**długopis** *m* ball-point pen
**długoś|ć** *f* length; *geogr.* longitude; **mieć** *x* **metrów ~ci** be *x* meters long
**długoterminowy** *adj* long-term *attr*
**długotrwały** *adj* lasting, durable
**długowieczność** *f* longevity
**długowieczny** *adj* longeval; long--lived
**dłuto** *n* chisel
**dłużnik** *m* debtor
**dłużny** *adj* owing; **jestem mu ~** I owe him
**dłużyć się** *vr* (*o czasie*) pass slowly
**dmuchać** *vi* blow, puff
**dnieć** *vi* dawn
**dniówk|a** *f* daywork, day's work; **pracować na ~ę** work by the day
**dno** *n* bottom
**do** *praep* to, into; (*o czasie*) till, until; **aż do granicy** as far as the frontier; **co do mnie** as for me; **do cna** through and through; **do piątku** till ⟨until⟩ Friday; **łyżeczka do herbaty** teaspoon; **raz do roku** once a year; **idę do apteki** I go to the chemist's; **idę do przyjaciela** I go to see my friend; **iść do domu** go home; **przybyć do Londynu** arrive at ⟨in⟩ London; **wyjechać do Londynu** leave for London; **wejść do pokoju** enter the room; **wsadzić do więzienia** put into prison
**dob|a** *f* day (and night), twenty--four hours; **całą ~ę** the clock round; **w dzisiejszej ~ie** at present, at the present time
**dobiegać** *vi* approach, be coming near
**dobierać** *vt* select, choose; assort (**coś do czegoś** sth with sth); **być dobranym** match (**do czegoś** sth); **~ się** *vr* try to get (**do czegoś** at sth); **dobrali się** they are well matched
**dobijać** *vt* deal (**kogoś** sb) a death--blow; **~ targu** strike a bargain; *vi* **~ do lądu** reach land; **~ się** *vr* try to enter; (*osiągnąć*) contend, scramble (**czegoś** for sth); **~ się do drzwi** batter the door
**dobitk|a** *f*, **na ~ę** on top of all that
**dobitny** *adj* distinct, emphatic
**doborowy** *adj* choice, select
**dobosz** *m* drummer
**dobór** *m* selection, assortment; *biol.* **~ naturalny** natural selection
**dobrać** *zob.* **dobierać**
**dobranoc** *int* good night!

**dobrnąć** *vi* wade through (**do czegoś** to sth)
**dobr|o** *n* good; **~o społeczne** public welfare; *handl.* **na moje ~o** to my credit; **dla mojego ~a** for my good; *pl* **~a** fortune, riches; (*ziemskie*) landed property; **~a ruchome** movable property, personalty
**dobrobyt** *m* well-being, prosperity
**dobroczynność** *f* beneficence, charitableness; charity
**dobroczynn|y** *adj* beneficent, charitable; **cele ~e** charities
**dobroczyńca** *m* benefactor
**dobroć** *f* goodness
**dobroduszność** *f* kind-heartedness, good nature
**dobroduszny** *adj* kind-hearted, good-natured
**dobrodziej** *m* benefactor
**dobrodziejstwo** *n* benefaction, boon; *prawn.* benefit (of the law)
**dobrotliwy** *adj* kind-hearted, good-natured
**dobrowolnie** *adv* of one's own free will, voluntarily
**dobrowoln|y** *adj* voluntary; free-will *attr*; **umowa ~a** amicable agreement
**dobr|y** *adj* good, kind; **nie wyjdzie z tego nic ~ego** no good will come of it; **to jest warte ~e 10 tysięcy** it is well worth 10 thousand; **to wyjdzie na ~e** this will come to good, this will take a good turn; **to mu nie wyjdzie na ~e** it will turn out badly for him; **w tej sprawie jedno jest ~e** there is one good part in this; **życzyć wszystkiego ~ego** to give one's best wishes; **a to ~e!** I like this!; **co ~ego?** what is the best news?; **przez ~e dwie godziny** for a good two hours
**dobrze** *adv* well, all right; **czuję się ~** I'm (feeling) well; **~ czy źle** right or wrong; **to ci ~ zrobi** this will do you good; **~ ci tak!** it has served you right
**dobudować** *vt* build an annex, build on
**dobudówka** *f* annex
**dobyć** *zob.* **dobywać**
**dobytek** *m sing* property, goods (and chattels); (*inwentarz*) cattle
**dobywać** *vt* take out, get out, produce
**doceniać** *vt* (duly) appereciate
**docent** *m* docent
**dochodowy** *adj* profitable, payable; **podatek ~** income tax
**dochodzenie** *n* investigation, research, inquiry
**dochodzi|ć** *vi* approach, get near, reach; come about; (*badać*) investigate (**czegoś** sth), inquire (**czegoś** into sth), claim; (*ścigać sądownie*) prosecute; **~ trzecia godzina** it is getting on to three o'clock; **on ~ siedemdziesiątki** he is getting on for seventy, he is close on seventy; **rachunek ~ do 100 funtów** the bill amounts to £ 100; **jak do tego doszło?** how did it come about?
**dochować** *vt* preserve; (*tajemnicy, wiary*) keep; **~ się** *vr* (*dzieci*) manage to bring up; (*inwentarza*) manage to rear (breed)
**dochód** *m* income, profit, proceeds *pl*; **~ państwowy** revenue
**dociągać** *vt vi* draw (**do czegoś** as far as sth); reach; tighten; **~ do końca** reach the end
**dociekać** *vt* investigate (**czegoś** sth), inquire (**czegoś** into sth)
**dociekanie** *n* investigation, inquiry, enquiry
**dociekliwy** *adj* inquisitive
**docierać** *vi* reach (**dokądś** a place), advance (**dokądś** to a place); get (**do czegoś** at sth); reach (**do czegoś** sth); *vt* (*silnik, samochód*) run in, *am.* break in
**docinać** *vi* taunt, sting (**komuś** sb)
**docinek** *m* taunt
**doczeka|ć się** *vr* live to see; **nie ~sz się** go no use waiting for him; **~ć się późnej starości** live

to an old age; **nie mogę się ~ć ...** I can hardly wait to ...
**doczepiać** *vt* attach, append
**doczesny** *adj* temporal, earthly
**dodać** *zob.* **dodawać**
**dodatek** *m* addition; appendix, supplement; *pl* **dodatki** accessories; (*krawieckie itp.*) materials, furnishings; **~ do pensji, wynagrodzenia** extra pay; **~ drożyźniany** cost-of-living bonus; **~ mieszkaniowy** residence allowance; **~ nadzwyczajny** (*do gazety*) extra edition; **~ rodzinny** family bonus; **na ~** in addition, besides
**dodatkowo** *adj* additionally, in addition, extra
**dodatkowy** *adj* additional, supplementary, extra
**dodatni** *adj* positive, advantageous; *fin.* (*o bilansie*) favourable, active; **strona ~a** good side
**dodawać** *vt* add; (*sumować*) add up, sum up; give in addition; **~ ducha** cheer up; **~ odwagi** encourage
**dodawanie** *n* addition
**dogadać się** *vr* come to an understanding; (*w obcym języku*) make oneself understood
**dogadza|ć** *vi* gratify, satisfy; pamper; indulge; **~ć sobie** indulge oneself, do oneself well; **to mi ~** this suits me, this is convenient to me
**doglądać** *vi* look (**kogoś, czegoś** after sb, sth), watch (**kogoś, czegoś** over sb, sth); (*pielęgnować chorego*) tend, nurse; (*pilnować trzody*) tend
**dogmat** *m* dogma
**dogmatyczny** *adj* dogmatic
**dogmatyka** *f* dogmatics
**dogmatyzm** *m* dogmatism
**dogodnie** *adv* conveniently; **jak ci będzie ~** at your convenience
**dogodność** *f* convenience
**dogodny** *adj* convenient; **na ~ch warunkach** on easy terms
**dogodzić** *zob.* **dogadzać**
**dogonić** *vt* catch up (**kogoś** sb, with sb), overtake
**dogorywać** *vi* be in death-agony, be dying away, be breathing one's last
**dogrzewa|ć** *vi* warm additionally; scorch; **słońce ~** the sun is scorching
**doić** *vt* milk
**dojadać** *zob.* **dojeść**; **nie ~** starve, not eat enough
**dojazd** *m* approach, access; (*przed domem*) drive; (*dojeżdżanie*) regular travel
**dojechać** *vi* arrive (**dokądś** at ⟨in⟩ a place), reach (**dokądś** a place), (*konno, na motorze*) come riding (**dokądś** to a place)
**dojeść** *vt* finish eating, eat up the rest; **nie ~** not to eat up one's fill
**dojeżdżać** *vi* travel regularly; *zob.* **dojechać**
**dojeżdżający** *adj i m* non-resident
**dojmujący** *adj* painful, penetrating; (*o bólu*) acute
**dojn|y** *adj*, **krowa ~a** milch cow
**dojrzałoś|ć** *f* maturity; **egzamin ~ci** secondary school-leaving examination
**dojrzały** *adj* ripe, mature
**dojrzeć** 1. *zob.* **dojrzewać**
**dojrzeć** 2. *vt* (*zobaczyć*) catch sight (**kogoś, coś** of sb, sth); *lit.* behold
**dojrzewać** *vi* ripen, grow ripe, mature; (*osiągnąć dojrzałość*) reach the age of manhood ⟨womanhood⟩
**dojście** *n* access, approach; (*do władzy*) accession
**dojść** *vi* arrive (**dokądś** at ⟨in⟩ a place), reach (**dokądś** a place); **~ do skutku** come off ⟨about⟩; **~ do sławy** win fame; **~ do władzy** arrive at a power; **~ do wniosku** arrive at ⟨to⟩ a conclusion; **~ w czymś do doskonałości** bring sth to perfection; **doszedłem do przekonania** I came to believe; **doszło do porozumienia** an un-

derstanding has been established, an agreement has been reached; **jak do tego doszło?** how did this come about?; *zob.* **dochodzić**
**dok** *m* dock
**dokarmiać** *vt* nourish additionally
**dokazać** *vt* achieve, perform; ~ **cudu** work a miracle; ~ **swego** accomplish one's design, have one's way
**dokazywać** *vi* (*swawolić*) skylark, romp; *zob.* **dokazać**
**dokąd** *adv* where; † whither; ~ **bądź** anywhere, wherever
**doker** *m* docker
**dokładać** *vt* add, throw in; ~ **do interesu** have a losing business; ~ **wszelkich starań** do one's best
**dokładnie** *adv* exactly, precisely
**dokładność** *f* exactitude, precision
**dokładn|y** *adj* exact, precise; ~**e badanie** close examination
**dokoła** *adv praep* round (about), around
**dokonać** *vt* achieve, accomplish, bring about; ~ **żywota** end one's days; ~ **się** *vr* take place ⟨effect⟩, come off ⟨about⟩
**dokonanie** *n* achievement
**dokonany** *adj* (*o fakcie*) accomplished; *gram.* perfect
**dokończenie** *n* conclusion, end(ing)
**dokończyć** *vt* finish up, conclude
**dokształca|ć** *vt* impart further instruction; ~**ć się** *vr* acquire ⟨receive⟩ further instruction; **szkoła** ~**jąca** continuation school
**doktor** *m* doctor
**doktorat** *m* doctorate; **zrobić** ~ take the doctor's degree
**doktorsk|i** *adj* doctor's, doctoral; **praca** ~**a** doctor's thesis
**doktoryzować się** *vr* take one's doctor's degree
**doktryna** *f* doctrine
**dokuczać** *vi* vex, harass, annoy
**dokuczliwy** *adj* vexing, annoying, grievous
**dokument** *m* document; record; ~ **urzędowo poświadczony** legalized deed
**dokumentalny, dokumentarny** *adj* documentary
**dokumentować** *vt* document
**dol|a** *f* lot, destiny; **w** ~**i i niedoli** through thick and thin
**dolat|ywać** *vi* come flying, reach; ~**uje zapach** the smell makes itself felt
**dolega|ć** *vi* pain, ail; **co ci** ~? what's the matter with you?, what ails you?; ~ **mi artretyzm** I am troubled with arthritis; **nic mi nie** ~ nothing is the matter with me
**dolegliwość** *f* suffering, pain, ailment
**dolewać** *vt* pour additionally; ~ **sobie herbaty** help oneself to more tea
**doliczy|ć** *vt* add; throw in, include (in a sum); *vr* ~**łem się tylko pięciu** I could count five only; **nie mogłem się** ~**ć** I could not make up the sum
**dolina** *f* valley; *lit.* dale
**dolny** *adj* lower
**dołączyć** *vt* annex, attach, enclose; ~ **się** *vr* join (**do kogoś** sb)
**dołek** *m* pit, hole; (*na twarzy*) dimple
**dołożyć** *zob.* **dokładać**
**dom** *m* house; home; **do** ~**u** home; **poza** ~**em** abroad, away from home, out of doors; **w** ~**u** at home; **czuć się jak u siebie w** ~**u** feel at home
**domagać się** *vr* demand, claim
**domator** *m* stay-at-home
**domek** *m* little house; ~ **jednorodzinny** cottage, bungalow
**domena** *f* domain
**domiar** *m* (*podatkowy*) supertax; **na** ~ **wszystkiego** to crown all
**domierzyć** *vt* fill the measure; (*podatek*) assess additionally
**domieszać** *vt* admix
**domieszka** *f* admixture
**dominium** *n sing nieodm.* dominion

**domino** *n* domino; (*gra*) dominoes *pl*
**dominować** *vi* prevail, predominate (**nad kimś, czymś** over sb, sth)
**dominujący** *adj* predominant
**domniemany** *adj* conjectural
**domokrążca** *m* pedlar, hawker
**domorosły** *adj* homeborn
**domostwo** *n* homestead
**domownik** *m* housemate
**domow|y** *adj* domestic, home ⟨house, indoor⟩ *attr*; **gospodarstwo ~e** housekeeping; **wojna ~a** civil war
**domysł** *m* conjecture, presumption
**domyślać się** *vr* conjecture, surmise; guess
**domyślny** *adj* quick to understand, quick-witted
**doniczka** *f* flower-pot
**doniesienie** *n* (*wiadomość*) report, communication; (*denuncjacja*) denunciation; *handl.* (*komunikat*) advice
**donieść** *vt* comunicate, report, announce; denounce (**na kogoś** sb), inform (**na kogoś** against sb); *handl.* advise; **donoszą nam, że ...** we are informed that ...
**doniosłość** *f* importance, weightiness
**doniosły** *adj* important, weighty
**donosiciel** *m* denunciator, denouncer, informer
**donosić** *zob.* **donieść**
**donośność** *f* (*głosu*) sonority; (*strzału*) range
**donośny** *adj* (*o głosie*) sonorous; (*o strzale*) of long range
**dookoła** = **dokoła**
**dopadać** *vi* get (**czegoś** at sth), reach (**czegoś** sth)
**dopalać** *vt* burn the rest, finish burning; **~ się** *vr* be burning out
**dopasować** *vt* fit, adapt, adjust; **~ się** *vr* adapt oneself, conform oneself
**dopasowanie** *n* adjustment, adaptation
**dopełniacz** *m* *gram.* genitive (case)
**dopełniać** *vi* complete, fill up; fulfil; **~ zobowiązań** meet one's obligations; **~ ślubu** keep one's vow
**dopełniający** *adj* complementary, supplementary
**dopełnienie** *m* completion; fulfilment; *gram.* object; **~ bliższe ⟨dalsze⟩** direct ⟨indirect⟩ object
**dopędzić** *vt* catch up (**kogoś** sb, with sb), overtake
**dopiąć** *vt* buckle up, button up; (*osiągnąć*) attain, achieve; **~ swego** gain one's end
**dopiero** *adv* only; **~ co** only just, just now; **~ wtedy** not till then; **a co ~** let alone
**dopiln|ować** *vi* see (**czegoś** to sth); **~uj, żeby to było zrobione** see that it is done
**dopingować** *vt* spur on, incite, stimulate
**dopis|ać** *vt* write in addition, add in writing; *vi* (*sprzyjać*) favour, be favourable; **pogoda ~uje** the weather is fine; **szczęście mu ~ało** he met with success; he was successful ⟨lucky⟩; **zdrowie mi ~uje** I'm well; **pamięć mi nie ~uje** my memory fails me; **szczęście mi nie ~ało** I have failed
**dopisek** *m* postscript, footnote
**dopłacać** *vt* pay in addition
**dopłata** *f* additional payment, extra charge; (*do biletu*) excess fare; *filat.* postage due
**dopłynąć** *vi* reach (swimming, sailing, floating)
**dopływ** *m* (*rzeki*) tributary, affluent; (*ludzi, pieniędzy*) influx, inflow; (*krwi*) afflux; (*towarów, prądu*) supply
**dopływać** *vi* flow in; *zob.* **dopłynąć**
**dopomagać** *vi* help, aid, assist
**dopominać się** *vr* claim (**o coś** sth, **u kogoś** from sb)
**dopóki** *conj* as long as; **dopóty ~** as long as, till
**doprawdy** *adv* really, truly
**doprowadzać** *vt* conduct, conduce,

lead, bring; ~ **do doskonałości** bring to perfection; ~ **do nędzy** reduce to misery; ~ **do końca** bring to an end; ~ **do rozpaczy** drive into despair; ~ **do skutku** carry into effect; ~ **do porządku** put in order; ~ **do szału** drive (sb) mad
**dopuszczać** *vt vi* admit; permit; ~ **się** *vr* commit (**czegoś** sth)
**dopuszczalny** *adj* admissible; permissible
**dopuszczenie** *n* admission
**dopytywać się** *vr* inquire, make inquiries (**o kogoś, coś** after ⟨for, about⟩ sb, sth)
**dorabiać** *vt vi* work in addition, make additionally; ~ **muzykę do słów** set the words to music; ~ **się** *vr* make one's way; grow more prosperous
**doradca** *m* adviser
**doradczy** *adj* advisory
**doradzać** *vi* advise (**komuś** sb)
**dorastać** *vi* grow up; rise (**do zadania, sytuacji** to the task, situation)
**doraźnie** *adv* immediately, on the spot
**doraźny** *adj* immediate; extemporary; (*o postępowaniu sądowym*) summary
**doręczać** *vt* hand, deliver
**doręczenie** *n* delivery
**dorob|ek** *m* acquisition, property; (*np. naukowy*) attainments *pl*, production; **być na ~ku** make one's way
**dorobkiewicz** *m* upstart, parvenu
**doroczny** *adj* annual, yearly
**dorodny** *adj* handsome
**dorosły** *adj i m* adult, grown-up
**dorożka** *f* cab
**dorożkarz** *m* cabman
**dorównywać** *vi* equal (**komuś** sb), be equal, come up (**komuś** to sb)
**dorsz** *m zool.* cod
**dorywczo** *adv* occasionally, irregularly, by fits and starts
**dorywcz|y** *adj* occasional, improvised; **~a praca** odd job

**dorzecze** *n* (river-)basin
**dorzucać** *vt* throw in, add
**dosadny** *adj* forcible, emphatic
**dosiadać** *vi* mount (**konia** a horse, on a horse)
**dosięgać** *vi* reach
**doskonale** *adv* perfectly, splendidly
**doskonalić** *vt* perfect; ~ **się** *vr* perfect oneself
**doskonałość** *f* perfection
**doskonały** *adj* perfect, excellent
**dosłowny** *adj* literal
**dosłużyć się** *vr* gain through service; be promoted (**stopnia pułkownika** to the rank of colonel)
**dosłyszalny** *adj* audible
**dosłyszeć** *vt* hear, catch; **nie** ~ mishear; be hard of hearing
**dostać** *vt* get, receive, obtain, attain, reach; ~ **kataru** catch cold; ~ **się** *vr* get; ~ **się do domu** get home; ~ **się do środka** get in; ~ **się do niewoli** be taken prisoner; ~ **się gdzieś** arrive at a place; ~ **się w czyjeś ręce** fall ⟨get⟩ into sb's hands; ~ **się do czegoś** get at sth
**dostarczać** *vt* supply, provide (**komuś czegoś** sb with sth)
**dostateczny** *adj* sufficient; satisfactory; (*o* **stopniu**) passable; fair; **stopień** ~ passing grade
**dostat|ek** *m* abundance; **pod ~kiem** in abundance, in plenty, enough
**dostatni** *adj* abundant; (*zamożny*) wealthy, well-to-do
**dostawa** *f* supply, delivery
**dostawca** *m* supplier, provider; purveyor
**dostawiać** *vt* supply, deliver; (*np. więźnia*) convoy, escort
**dostąpić** *vi* approach (**do kogoś** sb); ~ **łaski** find favour (**czyjejś** with sb); ~ **zaszczytów** gain ⟨obtain⟩ honours
**dostęp** *m* access, approach
**dostępny** *adj* accessible, easy of approach; (*o książce, wykładzie*) popular
**dostojeństwo** *n* dignity
**dostojnik** *m* dignitary

**dostojny** *adj* dignified, worthy
**dostosować** *vt* adapt, adjust, fit; **~ się** *vr* adapt oneself, conform
**dostosowanie** *n* adaptation, adjustment
**dostroić** *vt* tune (up), attune; **~ się** *vr* adapt oneself, conform
**dostrzec** *vt* catch sight (**coś** of sth), perceive
**dostrzegalny** *adj* perceptible
**dostrzeganie** *m* perception
**dosyć** *adv* enough, sufficiently; **~ tego** enough of it, that's enough, that will do
**dosypać** *vt* add, strew additionally
**do syta** *adv* amply; **najeść się ~** eat one's fill
**doszczętnie** *adv* completely, utterly, down to the ground
**doszczętny** *adj* through, complete
**dosztukować** *vt* piece on, eke out
**doścignąć** *vt* overtake, catch up
**dość** *zob.* **dosyć**
**dośrodkowy** *adj* centripetal
**doświadcz|ać** *vt* (*doznawać*) experience (**czegoś** sth), go (**czegoś** through sth); (*próbować, robić doświadczenie*) test, put to the test, try; **~yć nieszczęścia** undergo a misfortune; **los go ciężko ~ył** fate has severely tried him
**doświadczalny** *adj* experimental
**doświadczenie** *n* (*życiowe*) experience; (*naukowe*) experiment; **robić ~** experiment, make an experiment
**doświadczony** *adj* experienced, expert
**doświadczyć** *zob.* **doświadczać**
**dotacja** *f* donation, endowment; allowance
**dotąd** *adv* (*o miejscu*) up to here; thus far; (*o czasie*) up to now, so far
**dotkliwy** *adj* keen, acute, severe
**dotknąć** *vt* touch, feel; affect; (*urazić*) hit, hurt; **~ ważnej sprawy** touch upon an important question
**dotknięcie** *n* touch
**dotrwać** *vi* persevere, hold out
**dotrzeć** *zob.* **docierać**
**dotrzymywać** *vt* keep (**obietnicy, słowa, tajemnicy** a promise, one's word, a secret); **~ komuś kroku** keep pace with sb, keep up with sb; **~ komuś towarzystwa** keep sb company; **~ placu** hold one's ground; **~ warunków** stand by ⟨keep⟩ the terms
**dotychczas** *adv* up to now, so far
**dotychczasow|y** *adj* hitherto prevailing; **~e wiadomości** the news received up to now
**dotycz|yć** *vi* concern (**kogoś, czegoś** sb, sth), relate (**kogoś, czegoś** to sb, to sth), regard (**kogoś, czegoś** sb, sth); **co ~y** with regard to, in respect of, relative to; as far as sth is concerned; **co mnie ~y** as for me; **to mnie nie ~y** it is no concern of mine; **~ący** relative (**kogoś, czegoś** to sb, to sth), concerning
**dotyk** *m* feeling, touch
**dotykać** *zob.* **dotknąć**
**dotykalny** *adj* tangible, palpable
**douczać** *zob.* **dokształcać**
**dowcip** *m* joke, witticism; (*humor, bystrość*) wit
**dowcipkować** *vi* display one's wit
**dowcipniś** *m* wit
**dowcipny** *adj* witty
**dowiadywać się** *vr* inquire (**o kogoś, coś** after sb, sth, **od kogoś** of sb)
**do widzenia** *int* good-bye!
**dowiedzieć się** *vr* get to know, learn
**dowierzać** *vi* trust (**komuś** sb, in sb); (*polegać*) rely, trust (**komuś, czemuś** to sb, sth); **nie ~** to distrust, to mistrust (**komuś** sb)
**dowieść** *vt* (*doprowadzić*) bring, lead; (*udowodnić*) prove; *zob.* **dowodzić**
**dowlec** *vt* drag as far as; **~ się** *vr* come dragging along
**dowodowy** *adj* evidential, demonstrative, conclusive; **materiał ~** evidence

**dowodzenie** *n* demonstration; (*dowództwo*) command
**dowodzić** *vi* prove, demonstrate (**czegoś** sth), be demonstrative (**czegoś** of sth); (*argumentować*) argue; (*komenderować*) command
**dowolnie** *adv* (*samowolnie*) arbitrarily; (*według woli*) at will, at discretion
**dowolność** *f* (*samowola*) arbitrariness; (*własne uznanie*) discretion
**dowolny** *adj* (*samowolny*) arbitrary; (*do uznania*) discretional, optional; (*bezpodstawny*) unfounded; (*jakikolwiek*) any, whatever; **w ~m kolorze** of any colour you choose; **w ~m kierunku** in any direction
**dowozić** *vt* bring, supply
**dowód** *m* proof, evidence; (*pamięci, wdzięczności*) token, sign; (*dokument*) certificate; **na ~** in proof ⟨token⟩; **~ osobisty** identity card; **~ odbioru** receipt; **~ rzeczowy** legal instrument
**dowódca** *m* commander
**dowództwo** *n* command; **objąć ~** take command
**dowóz** *m* supply
**doza** *f* dose
**dozbroić** *vt* rearm
**dozbrojenie** *n* rearmament
**dozgonny** *adj* lifelong
**doznać** *vi* experience, go through; (*straty, krzywdy*) suffer; **~ rozczarowania** meet with disappointment; **~ wrażenia** get an impression
**dozorca** *m* guard, overseer; (*domowy*) housekeeper, doorkeeper, porter; (*więzienny*) gaoler, jailer
**dozorować** *vt* oversee, supervise
**dozować** *vt* doze
**dozór** *m* supervision; (*policyjny*) surveillance
**dozwalać** *vi* allow, permit
**dożycie** *n*, **ubezpieczenie na ~** life insurance
**dożyć** *vi* live till, live to see; **~ późnego wieku** live to an old age; **~ stu lat** live to be a hundred years old
**dożynki** *s pl* harvest home
**dożywiać** *vt* give supplementary alimentation
**dożywienie** *n* supplementary alimentation; extra food
**dożywocie** *n* life-estate; (*renta*) life-annuity; **na ~** for life
**dożywotni** *adj* lifelong; **kara ~ego więzienia** imprisonment for life, life sentence
**dół** *m* pit, hole; lower part; bottom; **na dole** below, down; **z dołu** from below; **na ~, w ~** downstairs; down hill; **schodzić na ~** go down ⟨downstairs, downhill⟩
**drab** *m pot.* rascal, scoundrel
**drabina** *f* ladder; **~ sznurowa** rope-ladder
**dragon** *m wojsk.* dragoon
**dramat** *m* drama
**dramaturg** *m* dramatist, playwright
**dramaturgia** *f* dramaturgy
**dramatyczny** *adj* dramatic
**dramatyzować** *vt* dramatize
**drań** *m pot.* scoundrel, rascal
**drapacz** *m* scraper; **~ chmur** skyscraper
**drapać** *vt* scrape, scratch; **~ się** *vr*, **~ się w głowę** scratch one's head; (*piąć się*) clamber, scramble
**draperia** *f* drapery; (*ścienna*) hanging(s)
**drapichrust** *m* scamp
**drapieżnik** *m* beast ⟨bird⟩ of prey
**drapieżność** *f* rapacity
**drapieżn|y** *adj* rapacious; **zwierzę ~e** beast of prey
**drapować** *vt* drape
**drasnąć** *vt* scratch, graze; *przen.* (*dotknąć*) hurt
**drastyczny** *adj* drastic; (*drażliwy*) ticklish; indecent
**dratwa** *f* (shoemaker's) thread
**drażetka** *f* dragée; *farm.* dragée, pill

**drażliwość** *f* susceptibility, ticklishness
**drażliwy** *adj* susceptible, ticklish, touchy
**drażnić** *vt* irritate, gall, tease
**drąg** *m* pole, bar
**drąż|ek** *m* bar, rod; **~ki gimnastyczne** bars
**drążyć** *vt* hollow out
**drelich** *m* drill(ing)
**dren** *m* drain
**drenować** *vt* drain
**dreptać** *vi* trip
**dreszcz** *m* shudder; *pl* **~e** fit of shivers, cold fits
**dreszczyk** *m* thrill
**drewniak** *m* (*but*) clog; (*budynek*) wooden house
**drewniany** *adj* wooden
**drewnieć** *vi* lignify
**drewno** *n* log, piece of wood; timber
**drezyna** *f* trolley
**dręczyć** *vt* torment, harass, vex; **~ się** *vr* worry, be vexed
**drętwieć** *vi* stiffen, grow stiff
**drętwy** *adj* stiff, numb, rigid
**drgać** *vi* shiver, tremble; (*o sercu, pulsie*) palpitate; (*o głosie, strunie itp.*) vibrate; (*o mięśniach, twarzy*) twitch
**drganie** *n* trembling; palpitation; vibration
**drgawka** *f* spasm, convulsion
**drobiazg** *m* trifle, detail
**drobiazgowość** *f* pedantry, punctiliousness
**drobiazgowy** *adj* pedantic, punctilious
**drobić** *vt* (*kruszyć*) crumble; (*drobno siekać*) mince; (*nogami*) trip
**drobina** *f* particle; *fiz.* molecule
**drobnica** *f* piece-goods
**drobnostka** *f* trifle
**drobnostkowy** *adj* punctilious, pedantic
**drobnoustrój** *m* microbe, microorganism
**drobn|y** *adj* tiny, minute; (*kupiec, rolnik*) small; (*pomniejszy*) petty; **~e wydatki** pocket expenses; **~a suma** petty sum; **~e** *s pl* small change
**droczyć się** *vr* tease (**z kimś** sb)
**dro|ga** *f* way, road, track, route; **~ga dla pieszych** footpath; **~ga powietrzna** airway; **~ga wodna** waterway; **krótsza ~ga** (*na przełaj*) short cut; **wolna ~ga** the way **is** clear; **rozstajne ~gi** cross-roads; **być na dobrej ~dze** be on the right path; **iść tą samą ~gą** go the same way; **wejść komuś w ~gę** get in sb's way; **wybrać się w ~gę** set out on one's way; **zejść z ~gi** (*ustąpić*) give way; **~gą lądową** by land; **~gą na** ⟨**przez**⟩ **Warszawę** by way of Warsaw; **~gą wodną** by water, by sea; **~gą służbową** through official channels; **nie po ~dze** out of the way; **po ~dze** on the way; **pół godziny ~gi** half-an-hour's walk ⟨drive, ride⟩; **w pół ~gi** half-way; **w ~dze wyjątku** by way of exception; **szczęśliwej ~gi!** good-bye!; † farewell!
**drogeria** *f* druggist's (shop), *am.* drugstore
**drogista** *m* druggist
**drogo** *adv* dear(ly), at a high price
**drogocenny** *adj* precious
**drogowskaz** *m* signpost, guidepost
**drogow|y** *adj* road *attr;* **przepisy ~e** traffic regulations; **przewodnik ~y** road-book; **znaki ~e** road signs
**dromader** *m zool.* dromedary
**drozd** *m zool.* thrush
**drożdże** *s pl* leaven, yeast
**drożeć** *vi* grow dear
**drożyć się** *vr* sell at a high price; (*robić ceremonie*) stand on ⟨upon⟩ ceremony
**drożyzna** *f* dearness, high prices, expensive cost of living
**drożyźniany** *adj*, **dodatek ~** cost-of-living bonus
**drób** *m* poultry
**dróżka** *f* path
**dróżnik** *m* lineman, railway watchman

**druczek** *m* (blank) form; (*ulotka*) leaflet; (*drobny druk*) small print
**drugi** *num* second, other; **książka z ~ej ręki** second-hand book; **kupować z ~ej ręki** buy second-hand; **co ~** every other ⟨second⟩; **co ~ dzień** every other ⟨second⟩ day; **~e tyle** twice as much; **jeden po ~m** one after another, one after each other; **po ~e** in the second place; **po ~ej stronie** on the other side; **z ~ej strony ...** on the other hand ...
**drugorzędny** *adj* second-class, second-rate, secondary
**druh** *m* friend, *pot.* crony; (*harcerz*) boy scout
**druhna** *f* bridesmaid; (*harcerka*) Girl Guide
**druk** *m* print(ing); (*przesyłka pocztowa*) printed matter; **w ~u** in the press; **drobny ~** small type; **tłusty ~** bold type; **omyłka ~u** misprint
**drukarnia** *f* printing-office
**drukarsk|i** *adj* printer's; typographical; **farba ~a** printer's ⟨printing⟩ ink; **błąd ~i** misprint; **maszyna ~a** printing machine
**drukarz** *m* printer
**drukować** *vt* print
**drut** *m* wire; *elektr.* (*sznur*) cord; **telegraf bez ~u** wireless; **~ do robienia pończoch itp.** knitting-needle; **robić na ~ach** knit
**drutować** *vt* wire; fasten with wire
**druzgotać** *vt* smash, shatter
**drużba** *m* bridesman, best man
**drużyna** *f* team, crew, troop; **~ ratownicza** relief party
**drużynowy** *m* group leader
**drwa** *s pl* wood, firewood
**drwal** *m* woodcutter
**drwić** *vi* mock (**z czegoś** at sth)
**drwiny** *s pl* mockery, raillery
**dryblas** *m pot.* tall fellow
**dryfować** *vi mors.* drift
**dryg** *m pot.* knack (**do czegoś** of sth); inclination
**dryl** *m* drill
**drylować** *vt* (*owoce*) seed, stone
**drynda** *f pot.* hackney, cab
**dryndziarz** *m pot.* cabby
**drzazga** *f* splinter
**drzeć** *vt* (*rwać*) tear; (*ubranie, buty*) wear out, use; **~ się** *vr* (*o ubraniu, butach*) wear out; (*krzyczeć*) scream
**drzemać** *vi* doze, nap
**drzemka** *f* doze, nap
**drzewce** *n* shaft
**drzewko** *n* little tree; (*choinka*) Christmas tree
**drzewny** *adj* wooden, wood-; **papier ~** wood-paper; **spirytus ~** wood-spirit; **węgiel ~** charcoal
**drzewo** *n* tree; (*ścięte*) wood, timber
**drzeworyt** *m* woodcut
**drzwi** *s pl* door; (*podnoszone*) trap; **~ wejściowe** front door
**drzwiczki** *s pl* little door; (*u pieca*) fire-door; (*u powozu, samochodu*) door
**drżeć** *vi* tremble, shiver; **~ o kogoś** tremble for sb; **~ z zimna** shiver with cold
**drżenie** *n* trembling, tremor
**dubeltówka** *f* double-barrelled gun
**dublet** *m* duplicate; double
**dublować** *vt* double
**duch** *m* ghost, spirit; **dodać ~a** cheer up, encourage; **podnosić na ~u** encourage, brisk up; **upadać na ~u** lose heart; **wyzionąć ~a** breathe one's last; expire; **nie ma żywego ~a** there is not a living soul; **zły ⟨dobry⟩ ~** evil ⟨good⟩ genius
**duchowieństwo** *n* clergy
**duchowny** *adj* spiritual; ecclesiastical; **stan ~** clerical state; *s m* clergyman
**duchowy** *adj* spiritual, mental, psychical
**dud|ek** *m zool.* hoopoe; *przen.* dupe; **wystrychnąć na ~ka** make a dupe (**kogoś** of sb), dupe
**dudnić** *vi* resound, drone; (*o wodzie*) brawl
**dudy** *s pl muz.* bagpipes

**dukat** *m* ducat
**duma** *f* pride, haughtiness
**dumka** *f lit.* elegiac ditty
**dumny** *adj* proud (z czegoś of sth)
**Duńczyk** *m* Dane
**duński** *adj* Danish
**duplikat** *m* duplicate
**dur 1.** *m med.* typhus; ~ **brzuszny** typhoid fever
**dur 2.** *m nieodm. muz.* major
**dureń** *m* fool
**durny** *adj* silly, foolish
**durszlak** *m* colander
**durzyć się** *vr pot.* be infatuated (**w kimś** with sb)
**dusiciel** *m* strangler; *zool.* **boa ~** boa constrictor
**dusić** *vt* strangle, stifle; ~ **się** *vr* stifle, suffocate; (*o potrawie*) stew
**dusz|a** *f* soul; (*do żelazka*) heater; **z całej ~y** with all my soul; **nie ma tu żywej ~y** there is not a living soul here; *pot.* **nie mam grosza przy ~y** I have not a farthing to bless myself with
**duszkiem** *adv* at a draught
**dusznica** *f med.* asthma
**dusznoś|ć** *f* sultriness; *pl* **~ci** oppression
**duszny** *adj* sultry, close
**duszpasterski** *adj* pastoral
**duszpasterstwo** *n* pastoral office
**duszpasterz** *m* pastor, clergyman
**dużo** *adv* much, many
**duży** *adj* great, big, large
**dwa** *num* two
**dwadzieścia** *num* twenty
**dwakroć** *num* twice
**dwieście** *num* two hundred
**dwoi|ć** *vt* double; **~ć się** *vr* double; ~ **mu się w oczach** he sees double
**dwoistość** *f* doubleness, duality
**dwoisty** *adj* double, dual
**dwojaczki** *s pl* twins
**dwanaście** *num* twelve
**dwoje** *num* two
**dworak** *m* courtier
**dworek** *m* country house, cottage
**dworować** *vi* make fun (**sobie z kogoś, czegoś** of sb, sth)
**dworski** *adj* courtlike, courtly, court *attr*
**dworskość** *f* courtliness, courtly manners
**dworzanin** *m* courtier
**dworzec** *m* railway station
**dwója** *f pot.* (*nota szkolna*) bad mark
**dwójka** *f* couple, pair, two; = **dwója**
**dwójnasób, w ~** *adv* doubly
**dwór** *m* court; (*wiejski, szlachecki*) manor-house, country-house; (*dziedziniec*) yard; **na dworze** out, outside, out of doors; **na ~** out
**dwudniowy** *adj* two days'
**dwudziestka** *f* twenty, score
**dwudziesty** *num* twentieth
**dwugłoska** *f gram.* diphthong
**dwugodzinny** *adj* two hours'
**dwujęzyczny** *adj* bilingual
**dwukropek** *m* colon
**dwukrotnie** *adv* twice
**dwukrotny** *adj* twofold
**dwuletni** *adj* two years'
**dwulicowość** *f* duplicity
**dwulicowy** *adj* double-faced, hypocritical
**dwumasztowiec** *m mors.* two-master
**dwumasztowy** *adj mors.* two-masted
**dwumian** *m mat.* binomial
**dwumiesięcznik** *m* bimonthly
**dwumiesięczny** *adj* bimonthly
**dwunastka** *f* twelve
**dwunastnica** *f anat.* duodenum
**dwunasty** *num* twelfth
**dwunożn|y** *adj* two-legged; **~e stworzenie** biped
**dwuosobowy** *adj* for two persons; (*o grze*) two-handed
**dwupiętrowy** *adj* three-storied
**dwupłatowiec** *m* biplane
**dwuręczny** *adj* two-handed
**dwurzędowy** *adj* double-rowed; (*o marynarce*) double-breasted
**dwustronny** *adj* two-sided; (*o umowie*) bilateral

**dwutlenek** *m chem.* dioxide
**dwutomowy** *adj* two-volume *attr*
**dwutorowy** *adj* double-track *attr*
**dwutygodnik** *m* biweekly
**dwutygodniowy** *adj* fortnightly
**dwuwiersz** *m* couplet
**dwuzgłoskowy** *adj gram.* disyllabic
**dwuznacznik** *m* quibble, equivoke
**dwuznaczność** *f* ambiguity
**dwuznaczny** *adj* equivocal, ambiguous
**dwużeństwo** *n* bigamy
**dychawica** *f med.* asthma
**dychawiczny** *adj med.* asthmatic
**dydaktyczny** *adj* didactic
**dydaktyka** *f* didactics
**dyfteryt** *m med.* diphtheria
**dyfuzja** *f fiz.* diffusion
**dyg** *m* curtsy
**dygnitarz** *m* dignitary (*zw. kościelny*); *pot.* topman
**dygotać** *vi* shiver
**dygresja** *f* digression
**dykcja** *f* diction
**dykta** *f* plywood
**dyktando** *n* dictation
**dyktator** *m* dictator
**dyktatorski** *adj* dictatorial
**dyktatura** *f* dictatorship; ~ **proletariatu** dictatorship of the proletariat
**dykteryjka** *f* anecdote
**dyktować** *vt* dictate
**dylemat** *m* dilemma
**dyletancki** *adj* dilettantish
**dyletant** *m* dilettante
**dyliżans** *m* stage-coach
**dym** *s* smoke; **puścić z ~em** send up in smoke; **pójść z ~em** go up in smoke ⟨flames⟩
**dymić** *vi* smoke, reek
**dymisj|a** *f* dismissal; resignation; **podać się do ~i** hand in one's resignation, resign
**dymisjonować** *vt* dismiss
**dymny** *adj* smoky
**dynamiczny** *adj* dynamic
**dynamika** *f* dynamics
**dynamit** *m* dynamite
**dynia** *f bot.* pumpkin
**dyplom** *m* diploma
**dyplomacja** *f* diplomacy
**dyplomata** *m* diplomat
**dyrekcja** *f* management
**dyrektor** *m* director, manager
**dyrygent** *m* conductor
**dyscyplina** *f* discipline
**dysk** *m* disc; *sport* discus
**dyskretny** *adj* discreet
**dyskryminacja** *f* discrimination
**dyskusja** *f* discussion
**dyskwalifikować** *vt* disqualify
**dyspozycj|a** *f* disposition; disposal; **być do czyjejś ~i** be at sb's disposal
**dysproporcja** *f* disproportion
**dysputa** *f* dispute, disputation
**dysputować** *vi* dispute (**o czymś** on, about sth)
**dystans** *m* distance
**dystansować** *vt* outdistance
**dystrakcja** *f* distraction, distractedness
**dystrybucja** *f* distribution
**dystyngowany** *adj* distinguished
**dystynkcja** *f* distinction
**dysydent** *m* dissident, dissenter
**dyszeć** *vi* gasp, pant
**dyszel** *m* thill
**dyszkant** *m muz.* treble
**dywan** *m* carpet, rug
**dywersja** *f* diversion
**dywidenda** *f* dividend
**dywizja** *f* division
**dywizjon** *m lotn.* wing
**dyzenteria** *f med.* dysentery
**dyżu|r** *m* duty; **mieć ~r** be on duty; **nie być na ~rze** be off duty
**dyżurny** *adj* on duty; *s m* officer ⟨clerk etc.⟩ on duty
**dzban** *m* jug, pitcher
**dzbanek** *m* jug
**dziać** *vt vi* knit
**dziać się** *vi* go on, happen, take place, occur; **co się tu dzieje?** what's up here?; **niech się dzieje, co chce** happen ⟨come⟩ what may; **co się z nim dzieje?** what's happening to him?
**dziad** *m* grandfather; old man; (*żebrak*) beggar; **zejść na ~y** go to the dogs

**dziadek** *m* grandpapa; (*żebrak*) beggar; ~ **do orzechów** nutcracker(s)
**dziadowski** *adj* (*żebraczy*) beggarly; (*tandetny*) rotten
**dział** *m* section, division, part, sphere; *geogr.* ~ **wód** watershed
**działacz** *m* man of action; ~ **społeczny** social worker; ~ **polityczny** activist; ~ **partyjny** party worker
**działać** *vi* act, be active, operate; (*o leku*) be effective; (*o wrażeniu*) affect; ~ **komuś na nerwy** get on sb's nerves; **zacząć** ~ come into operation; ~ **cuda** work wonders
**działalność** *f* activity
**działanie** *n* activity; effect; operation; *mat.* rule
**działka** *f* lot, allotment, parcel
**działo** *n* cannon, gun
**dzian|y** *adj* knitted; **wyroby** ~**e** knitted goods
**dziarski** *adj* brisk, brave
**dziąsło** *n* gum
**dzicz** *f* savages, rabble, riff-raff
**dziczeć** *vi* become savage, grow wild
**dziczyzna** *f* venison
**dzida** *f* spear
**dzieciak** *m* kid
**dzieciarnia** *f* children, *zbior.* small fry
**dziecięcy** *adj* child's, children's; *med.* **paraliż** ~ infantile paralysis
**dziecinada** *f* childishness
**dziecinnieć** *vi* become childish
**dziecinny** *adj* childish
**dzieciństwo** *n* childhood
**dziecko** *n* child; (*do 7 lat*) infant; (*niemowlę*) baby
**dziedzic** *m* heir
**dziedzictwo** *n* inheritance, heritage
**dziedziczka** *f* heiress
**dziedziczn|y** *adj* hereditary; **obciążenie** ~**e** taint
**dziedziczyć** *vt* inherit
**dziedzina** *f* domain, sphere
**dziedziniec** *m* court, yard, courtyard
**dziegieć** *m* tar
**dzieje** *s pl* history
**dziejopisarstwo** *n* historiography
**dziejopisarz** *m* historian
**dziejowy** *adj* historic(al)
**dziekan** *m* dean
**dziekanat** *m* dean's office, deanery
**dzielenie** *n* division
**dziel|ić** *vt* divide; distribute; separate; (*podzielić*) share; *mat.* ~**ć przez** divide by; ~ **się** *vr* be divided; share (**czymś z kimś** sth with sb); **15** ~ **się przez 3** 15 can be divided by 3; **ta książka** ~ **się na 3 części** this book is divided into 3 parts
**dzielna** *f mat.* dividend
**dzielnica** *f* quarter; district
**dzielnik** *m mat.* divisor
**dzielność** *f* bravery
**dzielny** *adj* brave
**dzieło** *n* work, act, deed
**dziennie** *adv* daily, a day; **2 razy** ~ twice a day
**dziennik** *m* (*gazeta*) daily; (*pamiętnik*) diary; ~ **buchalteryjny** day-book; ~ **lekcyjny** class book ⟨register⟩
**dziennikarski** *adj* journalistic
**dziennikarstwo** *n* journalism
**dziennikarz** *m* journalist
**dzienn|y** *adj* daily, day's; **praca** ~**a** (*całodzienna*) day's work, (*wykonywana w dzień*) day-work; **światło** ~**e** daylight
**dzień** *m* day; ~ **po dniu** day by day; ~ **powszedni** workday, weekday; **cały** ~ the whole day long; **co drugi** ~ every other day; **na drugi** ~ on the next day; **raz na** ~ once a day; **z dnia na** ~ from day to day; **za dnia** by day, in the day-time; **pewnego dnia** one day; **któregoś dnia** some day, the other day
**dzierżawa** *f* lease, tenancy
**dzierżawca** *m* tenant, leaseholder, lessee
**dzierżawczy** *adj gram.* possessive
**dzierżawić** *vt* lease, take on lease, hold by lease

**dzierżawn|y** *adj*, **czynsz ~y** rental, rent-charge; **umowa ~a** leasehold deed
**dzierżyć** *vt* hold, keep
**dziesiątka** *f* ten
**dziesiątkować** *vt* decimate
**dziesiąty** *num* tenth
**dziesięcina** *f* tithe
**dziesięciokrotny** *adj* tenfold
**dziesięciolecie** *n* tenth anniversary
**dziesięć** *num* ten
**dziesięciokroć** *num* ten times
**dziesiętny** *adj* decimal
**dziewczę** *n* girl, maiden
**dziewczęcy** *adj* girl's, girlish, maidenly
**dziewczyna** *f* girl
**dziewczynka** *f* girl, *pot.* (*podlotek*) flapper
**dziewiątka** *f* nine
**dziewiąty** *num* ninth
**dziewica** *f* virgin, maiden
**dziewictwo** *n* virginity, maidenhood
**dziewicz|y** *adj* virgin(al), maiden; **~a gleba** virgin soil; **las ~y** virgin forest
**dziewięć** *num* nine
**dziewięćdziesiąt** *num* ninety
**dziewięćdziesiąty** *num* ninetieth
**dziewięćset** *num* nine hundred
**dziewiętnastka** *f* nineteen
**dziewiętnasty** *num* nineteenth
**dziewiętnaście** *num* nineteen
**dziewka** *f* maid; *uj.* wench
**dzięcioł** *m* woodpecker
**dziękczynienie** *n* thanksgiving
**dziękczynny** *adj* thankful; **list ~** letter of thanks
**dzięki** *s pl* thanks; *praep* thanks to, owing to
**dziękować** *vi* thank
**dzik** *m* (wild) boar
**dziki** *adj* wild, savage; *s m* savage
**dziobać** *vt* peck
**dziobaty** *adj* (*po ospie*) pock-marked
**dziobek** *m* (*np. imbryka*) spout, nozzle
**dziób** *m* beak, bill; (*okrętu*) prow
**dzisiaj, dziś** *adv* today; **~ rano** this morning; **~ wieczór** this evening; **od ~ za tydzień** this day week
**dzisiejszy** *adj* today's, present, present-day; **w ~ch czasach** nowadays, these days
**dziura** *f* hole, opening, cavity
**dziurawić** *vt* hole, make holes
**dziurawy** *adj* leaky, full of holes
**dziurkować** *vt* perforate
**dziw** *m* marvel, wonder
**dziwactwo** *n* eccentricity, peculiarity
**dziwaczeć** *vi* become eccentric
**dziwaczny** *adj* eccentric, odd
**dziwak** *m* eccentric
**dziwić** *vt* astonish; **~ się** *vr* wonder, be astonished (**komuś, czemuś** at sb, sth); **nie ma się czemu ~** it is no wonder
**dziwn|y** *adj* strange, queer; **nic ~ego, że ...** no wonder that ...; **cóż ~ego, że ...** what wonder that
**dziwo** *n* marvel, wonder; prodigy
**dziwoląg** *m* monster, deformed creature, monstrosity, oddity
**dzwon** *m* bell; **bić w ~y** ring the bells
**dzwonek** *m* (hand-)bell; (*dzwonienie*) ring; (*telefoniczny*) call
**dzwoni|ć** *vi* ring; (*telefonować*) ring up (**do kogoś** sb); **~ć do drzwi** ring at the door; **~ mi w uszach** my ears tingle
**dzwonko** *n* (*ryby*) slice
**dzwonnica** *f* belfry
**dzwonnik** *m* bell-ringer
**dźwięczeć** *vi* sound, resound, ring
**dźwięczność** *f* sonority
**dźwięczny** *adj* sonorous
**dźwięk** *m* sound
**dźwiękowy** *adj* sound; **film ~** sound film; *pot.* talkies
**dźwig** *m* (*winda*) lift, *am.* elevator; (*żuraw*) crane
**dźwigać** *vt* (*nosić*) carry; (*podnosić*) lift, heave; **~ się** *vr* raise oneself, rise
**dźwignia** *f* lever
**dżdżownica** *f* *zool.* rainworm

**dżdżysty** *adj* rainy
**dżem** *m* jam
**dżentelmen** *m* gentleman
**dżinsy** *s pl* jeans, denims
**dżokej** *m* jockey
**dżonka** *f* junk
**dżuma** *f med.* plague
**dżungla** *f* jungle

# e

**ebonit** *m* ebonite
**echo** *n* echo; *przen.* response
**edukacja** *f* education, instruction
**edycja** *f* edition
**edykt** *m* edict
**efekt** *m* effect
**efektowny** *adj* effective, showy
**efektywny** *adj* efficient, effective
**efemeryczny** *adj* ephemeral
**efemeryda** *f* ephemera
**Egipcjanin** *m* Egyptian
**egipski** *adj* Egyptian
**egoista** *m* egoist
**egoistyczny** *adj* egoistic, selfish
**egoizm** *m* egoism
**egzaltacja** *f* exaltation
**egzaltować się** *vr* go into ecstasies (**czymś** over sth)
**egzamin** *m* examination, *pot.* exam; **zdawać ~** sit for an examination; **zdać ~** pass an examination; **nie zdać ~u** fail in an examination
**egzaminując|y** *adj* examinational; **komisja ~a** board of examiners
**egzaminator** *m* examiner
**egzaminować** *vt* examine
**egzekucja** *f* execution
**egzekucyjny** *adj* executive; **pluton ~** firing squad
**egzekutor** *m* executor
**egzekutywa** *f* executive (power)
**egzekwować** *vt* execute; (*pieniądze, należność itp.*) exact (**coś od kogoś** sth from sb)
**egzema** *f med.* eczema
**egzemplarz** *m* copy
**egzotyczność** *f* exotism
**egzotyczny** *adj* exotic
**egzystencja** *f* existence
**egzystencjalizm** *m* existentialism
**egzystować** *vi* exist
**ekierka** *f* set-square
**ekipa** *f* crew, team
**eklektyczny** *adj* eclectic
**ekonom** *m* (land) steward
**ekonomia** *f* economy; (*nauka*) economics
**ekonomiczny** *adj* economic(al)
**ekonomika** *f* economics
**ekonomista** *m* economist
**ekran** *m* screen
**ekscelencja** *f* excellency
**ekscentryczność** *f* eccentricity
**ekscentryczny** *adj* eccentric, quaint
**eksces** *m* (*zw. pl* **~y**) excesses, disturbances
**ekshumacja** *f* exhumation
**ekshumować** *vt* exhume
**ekskluzywny** *adj* exclusive
**ekskomunika** *f* excommunication
**eksmisja** *f* eviction
**eksmitować** *vt* evict
**ekspansja** *f* expansion
**ekspansywny** *adj* expansive
**ekspedient** *m* (*w sklepie*) shop-assistant, salesman
**ekspediować** *vt* dispatch, forward; sell
**ekspedycja** *f* dispatch; expedition; (*biuro*) forwarding department
**ekspedycyjny** *adj* expeditionary
**ekspedytor** *m* forwarding agent
**ekspert** *m* expert (**w czymś** at, in sth)
**ekspertyza** *f* expert's report ⟨inquiry⟩
**eksperyment** *m* experiment

**eksperymentować** *vi* experiment
**eksploatacja** *f* exploitation
**eksploatować** *vt* exploit; (*robotnika*) sweat
**eksplodować** *vi* explode
**eksplozja** *f* explosion
**eksponat** *m* exhibit
**eksponować** *vt* expose, exhibit
**eksport** *m* export, exportation
**eksporter** *m* exporter
**eksportować** *vt* export
**ekspress** *m* express (train); (*list*) express letter
**ekspresja** *f* expression
**ekstaza** *f* ecstasy
**eksterminacja** *f* extermination
**eksternista** *m* extramural student ⟨pupil⟩
**eksterytorialny** *adj* extraterritorial
**ekstrakt** *m* extract
**ekstrawagancja** *f* extravagance
**ekstrawagancki** *adj* extravagant
**ekwipować** *vt* equip, fit out
**ekwipunek** *m* equipment, outfit
**ekwiwalent** *m* equivalent
**elastyczność** *f* elasticity
**elastyczny** *adj* elastic
**elegancja** *f* elegance
**elegancki** *adj* elegant, smart
**elegant** *m* dandy
**elegia** *f* elegy
**elektroda** *f* electrode
**elektroliza** *f* electrolysis
**elektroluks** *m* vacuum-cleaner; Hoover
**elektromagnes** *m* electromagnet
**elektrometr** *m* electrometer
**elektron** *m fiz.* electron
**elektronika** *f* electronics
**elektrotechnik** *m* electrician
**elektrotechnika** *f* electrical engineering
**elektrownia** *f* power-station
**elektryczność** *f* electricity
**elektryczny** *adj* electric
**elektryfikacja** *f* electrification
**elektryfikować** *vt* electrify
**elektryk** *m* electrician
**elektryzacja** *f* electrisation
**elektryzować** *vt* electrify; *przen.* galvanize
**element** *m* element
**elementarny** *adj* elementary
**elementarz** *m* primer, ABC
**elewacja** *f* elevation
**elewator** *m* elevator, grain elevator
**eliksir** *m* elixir
**eliminacja** *f* elimination
**eliminacyjn|y** *adj* eliminating; zawody ~e trial heats
**eliminować** *vt* eliminate
**elipsa** *f mat.* ellipse; *gram.* ellipsis
**elita** *f* élite
**emalia** *f* enamel
**emaliować** *vt* enamel
**emancypacja** *f* emancipation
**emancypantka** *f* suffragette, *pot.* new woman
**emancypować** *vt* emancipate
**emblemat** *m* emblem
**embrion** *m* embryo
**emeryt** *m* pensioner, retired (officer, teacher etc.)
**emerytować** *vt* pension off
**emerytowany** *adj* retired
**emerytur|a** *f* retiring pension, retired pay; **przejść na ~ę** retire
**emfatyczny** *adj* emphatic
**emfaza** *f* emphasis
**emigracja** *f* emigration, exile
**emigracyjny** *adj* emigration *attr*; **rząd ~** government in exile
**emigrant** *m* emigrant; (*polityczny*) émigré
**emigrować** *vi* emigrate
**eminencja** *f* eminence
**emisariusz** *m* emissary
**emisja** *f* emission, issue; *radio* broadcast
**emitować** *vt* emit, issue; *radio* broadcast
**emocja** *f* emotion
**empiryczny** *adj* empirical
**empiryzm** *m* empiricism
**emulsja** *f* emulsion
**encyklika** *f* encyclical

**encyklopedia** *f* encyclopaedia
**encyklopedyczny** *adj* encyclopaedic
**energetyka** *f* energetics
**energia** *f* energy
**energiczny** *adj* energetic, active, vigorous
**entuzjastyczny** *adj* enthusiastic
**entuzjazm** *m* enthusiasm
**entuzjazmować się** *vr* be enthusiastic (**czymś** about sth)
**enuncjacja** *f* enunciation
**epiczny, epicki** *adj* epic(al)
**epidemia** *f* epidemic
**epika** *f* epic poetry
**epilepsja** *f med.* epilepsy
**epileptyk** *m* epileptic
**epilog** *m* epilogue
**episkopat** *m* episcopate
**epitet** *m* epithet
**epizod** *m* episode
**epoka** *f* epoch
**epokowy** *adj* epoch-making
**epopeja** *f* epic, epopee
**epos** *m* epos
**era** *f* era
**erotyczny** *adj* erotic
**erotyzm** *m* eroticism
**erudycja** *f* erudition
**erudyta** *m* erudite (person)
**erupcja** *f geol. med.* eruption
**esencja** *f* essence
**eskadra** *f mors. lotn.* squadron
**eskapada** *f* escapade
**eskorta** *f* escort
**eskortować** *vt* escort
**esteta** *m* aesthete
**estetyczny** *adj* aesthetic
**estetyka** *f* aesthetics
**Estończyk** *m* Estonian
**estoński** *adj* Estonian
**estrada** *f* platform
**etap** *m* stage
**eta|t** *m* permanency, permanent post; **być na ~cie** hold a regular post
**etatowy** *adj* permanent
**etatyzm** *m* State control
**etażerka** *f* what-not, shelf; (*na książki*) bookstand
**eter** *m* ether
**etniczny** *adj* ethnic
**etnograf** *m* ethnographer
**etnografia** *f* ethnography
**etnograficzny** *adj* ethnographic
**etnolog** *m* ethnologist
**etnologia** *f* ethnology
**etyczny** *adj* ethical
**etyka** *f* ethics
**etykieta** *f* etiquette; (*napis, kartka*) label, tag
**etymologia** *f* etymology
**etymologiczny** *adj* etymologic(al)
**eugenika** *f* eugenics
**eukaliptus** *m bot.* eucalyptus
**Europejczyk** *m* European
**europejski** *adj* European
**ewakuacja** *f* evacuation
**ewakuować** *vt* evacuate
**ewangelia** *f* gospel
**ewangelicki** *adj* Protestant
**ewangeliczny** *adj* evangelic(al)
**ewangelik** *m* Protestant
**ewentualnie** *adv* possibly, in case
**ewentualność** *f* contingency, eventuality
**ewentualny** *adj* contingent, possible, likely
**ewidencj|a** *f* register, registry; record; file; **biuro ~i** registry office
**ewolucja** *f* evolution; **~ drogą doboru naturalnego** the survival of the fittest
**ewolucjonizm** *m* evolutionism
**ewolucyjny** *adj* evolutionary

# f

**fabryczny** *adj* manufactured, *attr* factory; znak ~ trade mark
**fabryka** *f* factory, works, (*tekstylna, papieru*) mill, plant
**fabrykant** *m* manufacturer
**fabrykat** *m* manufacture, manufactured article
**fabrykować** *vt* manufacture, make, produce
**fabularny** *adj*: **film** ~ feature film
**fabuła** *f* contents, plot
**facet** *m pot.* fellow, guy
**fach** *m* occupation, profession
**fachowiec** *m* expert, specialist
**fachowy** *adj* professional, expert
**facjata** *f* garret, attic; *pot.* (*twarz*) phiz
**fagot** *m muz.* bassoon
**fajans** *m* common china, faience
**fajerka** *f* fire-disk, fire-pan
**fajerwerk** *m* firework (*zw. pl*)
**fajka** *f* pipe
**fajny** *adj pot.* tip-top
**fajtłapa** *m pot.* galoot
**fakt** *m* fact
**faktor** *m* agent, broker
**faktura** *f handl.* invoice
**faktycznie** *adv* in fact, actually
**faktyczny** *adj* actual, real
**fakultatywny** *adj* optional
**fakultet** *m* faculty
**fal|a** *f* wave; (*bałwan*) billow; (*duża i długa*) roller; ~**a zimna** ⟨**gorąca**⟩ cold ⟨heat⟩ wave; (*radio*) **zakres** ~ wave-band
**falanga** *f* (*szyk*) phalanx; *polit.* Falange
**falbana** *f* flounce
**falisty** *adj* wavy, undulating
**falochron** *m* breakwater
**falować** *vi* wave, undulate
**falset** *m muz.* falsetto
**falsyfikat** *m* forgery, counterfeit
**falsyfikować** *vt* falsify, forge, counterfeit
**fałda** *f* fold, pleat
**fałsz** *m* falsehood, deceit
**fałszerstwo** *n* falsification, forgery
**fałszerz** *m* falsifier, forger
**fałszować** *vt* falsify, forge, counterfeit
**fałszywy** *adj* false; (*podrobiony*) spurious, forged
**fanatyczny** *adj* fanatical
**fanatyk** *m* fanatic
**fanatyzm** *m* fanaticism
**fanfara** *f* flourish (of trumpets)
**fanfaron** *m* swaggerer
**fant** *m* pawn, pledge; **gra w** ~**y** game of forfeits
**fantasta** *m* dreamer, visionary
**fantastyczny** *adj* fantastic(al)
**fantazja** *f* fantasy, phantasy; fancy
**fara** *f* parish church
**faraon** *m* Pharaoh
**farba** *f* dye, paint, colour; ~ **drukarska** printer's ink; ~ **olejna** oil-colour; ~ **wodna** water-colour
**farbiarnia** *f* dyer's, dye-works
**farbować** *vt* dye, paint, colour; ~ **na czarno** dye black
**farmaceuta** *m* pharmacist
**farmacja** *f* pharmacy
**farmakologia** *f* pharmacology
**farmakopea** *f* pharmacopoeia
**farsa** *f* farce
**farsz** *m* stuffing
**fartuch** *m* apron
**fartuszek** *m* pinafore
**faryzeusz** *m rel.* Pharisee
**fasada** *f* façade
**fascynować** *vt* fascinate, charm
**fasola** *f* bean (*zw. pl* beans); ~ **szparagowa** French beans
**fason** *m* pattern, fashion; (*szyk*) style, chic
**fastryga** *f* tacks
**fastrygować** *vt* tack
**faszerować** *vt* stuff
**faszyna** *f* fascine

**faszysta** *m* fascist
**fatalista** *m* fatalist
**fatalizm** *m* fatalism
**fatalny** *adj* fatal
**fatyg|a** *f* fatigue, trouble; **zadać sobie ~ę** take the trouble
**fatygować** *vt* fatigue, trouble; **~ się** *vr* take trouble, trouble
**fauna** *f* fauna; **~ wodna** aquatic fauna
**faworek** *m* crisped cake
**faworyt** *m* favourite
**faworyzować** *vt* favour
**faza** *f* phase
**febra** *f* *med.* ague, fever
**federacja** *f* federation
**federacyjny** *adj* federal
**felczer** *m* assistant surgeon
**felieton** *m* feuilleton
**feminista** *m* feminist
**feniks** *m* phoenix
**fenomen** *m* phenomenon
**fenomenalny** *adj* phenomenal
**feralny** *adj* disastrous, ominous
**ferie** *s pl* holiday, vacation
**ferma** *f* farm
**ferment** *m* ferment
**fermentacja** *f* fermentation
**fermentować** *vi* ferment
**festiwal** *m* festival
**festyn** *m* festive garden-party, feast
**fetor** *m* stench
**fetysz** *m* fetish
**feudalizm** *m* feudalism
**feudalny** *adj* feudal
**fiask|o** *n* fiasco; **skończyć się ~iem** come to grief, go by the board
**figa** *f* fig
**fig|iel** *m* joke, trick; **spłatać ~la** play a trick (**komuś** on sb)
**figlarz** *m* jester, joker
**figlować** *vi* joke, play tricks; (*o dzieciach*) romp
**figow|y** *adj* fig *attr*; **drzewo ~e** fig-tree; **listek ~y** fig-leaf
**figura** *f* figure; statue; shape; **~ przydrożna** roadside image; *przen.* **wielka ~** big shot
**fikać** *vi vt* strike out (legs), gambol, kick up; **~ koziołki** turn somersaults
**fikcj|a** *f* fiction, sham; **podtrzymywać ~ę** keep up the sham
**fikcyjny** *adj* fictitious
**fiksować** *vt* *f* (*utrwalać*) fix; *vi* (*wariować*) go mad
**filantrop** *m* philanthropist
**filantropia** *f* philanthropy
**filar** *m* pillar
**filatelista** *m* stamp-collector, philatelist
**filatelistyka** *f* philately
**filc** *m* felt
**filharmonia** *f* Philharmonic Hall
**filia** *f* branch (office)
**filister** *m* Philistine
**filisterstwo** *m* Philistinism
**filiżanka** *f* cup
**film** *m* film, moving picture; movie; **~ dokumentalny** documentary; **~ długometrażowy** full-length film; **~ fabularny** feature film; **~ krótkometrażowy** short subject, short film; **~ rysunkowy** cartoon film; **nakręcać ~** shoot a film; **wyświetlanie ~u** projection, screening
**filmow|y** *adj* film *attr*; **atelier ~e** film-studio; **gwiazda ~a** film star; **kronika ~a** news-reel
**filolog** *m* philologist
**filologia** *f* philology
**filologiczny** *adj* philological
**filozof** *m* philosopher
**filozofia** *f* philosophy
**filozoficzny** *adj* philosophic(al)
**filtr** *m* filter
**filtrować** *vt* filter
**filut** *m* wag, jester
**filuterny** *adj* waggish
**Fin** *m* Finn
**finalizować** *vt* finish (up)
**finał** *m* final; *muz.* finale
**finans|e** *s pl* finances; **minister ~ów** *bryt.* Chancellor of the Exchequer, *am.* Secretary of the Treasury; **ministerstwo ~ów** *bryt.* Exchequer, *am.* Treasury
**finansista** *m* financier
**finansować** *vt* finance
**finansowy** *adj* financial
**fiński** *adj* Finnish

**fiolet** *m* violet
**fioletowy** *adj* violet
**fiołek** *m bot.* violet
**fiord** *m geogr.* fiord
**firanka** *f* curtain
**firma** *f* firm
**firmament** *m* firmament
**fisharmonia** *f muz.* harmonium
**fiszbin** *m* whalebone
**fiszka** *f* label, slip; (*żeton*) counter; (*w kartotece*) card
**fizjolog** *m* physiologist
**fizjologia** *f* physiology
**fizjologiczny** *adj* physiological
**fizjonomia** *f* physiognomy
**fizyczn|y** *adj* physical; **pracownik ~y** manual worker; **wychowanie ~e** physical training
**fizyk** *m* physicist
**fizyka** *f* physics
**flaga** *f* flag, banner
**flak** *m* (*zw. pl* **~i**) intestines, guts; (*potrawa*) tripe
**flakon** *m* bottle, phial; (*do kwiatów*) flower-glass
**Flamandczyk** *m* Fleming
**flamandzki** *adj* Flemish
**flanca** *f* seedling
**flanela** *f* flannel
**flank|a** *f wojsk.* flank; **uderzyć z ~i** flank
**flaszeczka** *f* phial; (*na ocet, oliwę*) cruet
**flaszka** *f* bottle
**flądra** *f zool.* flounder
**flegma** *f* phlegm
**flegmatyczny** *adj* phlegmatic
**flek** *m* heel-tap
**flet** *m muz.* flute
**flirciarka** *f*, **flirciarz** *m* flirt
**flirt** *m* flirt, flirtation
**flirtować** *vi* flirt
**flisak** *m* raftsman
**flora** *f* flora
**flota** *f* fleet; **~ wojenna** navy; **~ handlowa** merchant marine
**flotylla** *f* flotilla
**fluid** *m* fluid
**fluktuacja** *f* fluctuation
**fochy** *s pl pot.* sulks; **stroić ~** sulk, be in the sulks
**foka** *f zool.* seal
**foksterier** *m* fox-terrier
**fokstrot** *m* foxtrot
**folgować** *vi* indulge (**komuś w jego kaprysach** sb in his whims); slacken, relax; (*np. o deszczu, chłodzie*) abate; (*zelżeć*) ease off; **~ swym namiętnościom** indulge one's passions
**foliał** *m* folio
**folklor** *m* folklore
**folwark** *m* (manorial) farm
**fonem** *m* phoneme
**fonetyczny** *adj* phonetic(al)
**fonetyka** *f* phonetics
**fonoteka** *f* record ⟨tape⟩ library
**fontanna** *f* fountain
**foremny** *adj* well-shaped, shapely
**form|a** *f* shape; (*w odlewnictwie*) mould; **~y towarzyskie** good form, conventions; *zbior.* **być w ~ie** be in due form; **nie być w ~ie** be out of form
**formacja** *f* formation
**formalista** *m* formalist
**formalizm** *m* formalism
**formalność** *f* formality
**formaln|y** *adj* formal; **kwestia ~a** point of order
**format** *m* size
**formować** *vt* form, shape, mould; **~ się** *vr* form
**formularz** *m* form
**formuł(k)a** *f* formula
**formułować** *vt* formulate, word
**fornir** *m* veneer
**fornirować** *vt* veneer
**forsa** *f pot.* (*pieniądze*) dough
**forsować** *vt* force; **~ się** *vr* exert oneself
**forsowny** *adj* forced, intense
**fort** *m wojsk.* fort
**forteca** *f wojsk.* fortress
**fortel** *m* subterfuge
**fortepian** *m* (grand) piano
**fortuna** *f* fortune
**fortyfikacja** *f wojsk.* fortification
**fortyfikować** *vt wojsk.* fortify
**fosa** *f* ditch; *wojsk.* moat
**fosfor** *m chem.* phosphorus
**fotel** *m* arm-chair
**fotogeniczny** *adj* photogenic

**fotograf** *m* photographer
**fotografia** *f* (*technika*) photography; (*zdjęcie*) photograph, picture
**fotograficzny** *adj* photographic
**fotografować** *vt* photograph
**fotokomórka** *f* photo-cell
**fotokopia** *f* photocopy
**fotometr** *m* photometer
**fotomontaż** *m* (*technika*) photo-montage; (*obraz*) montage (photograph)
**fotoreporter** *m* camera-man
**fotos** *m* photo
**fracht** *m* freight
**fragment** *m* fragment
**fragmentaryczny** *adj* fragmentary
**frak** *m* dress-coat, tail-coat
**frakcja** *f* fraction; *polit.* faction
**francuski** *adj* French
**Francuz** *m* Frenchman
**Francuzka** *f* Frenchwoman
**frank** *m* franc
**franko** *adj adv* post-paid
**frant** *m* sly-boots; sly dog playing a fool
**frasobliwy** *adj* uneasy, sorrowful
**fraszka** *f* trifle; *lit.* limerick
**fraza** *f* phrase
**frazeologia** *f* phraseology
**frazeologiczny** *adj* phraseological
**frazes** *m* hollow phrase, cliché; *zbior.* ~y claptrap
**fregata** *f* *mors.* frigate
**frekwencja** *f* (*w szkole, na zebraniu itp.*) attendance
**fresk** *m* fresco
**frędzla** *f* fringe
**front** *m* front; *wojsk.* front, fighting line; **pójść na** ~ to go ⟨to be sent⟩ to the front; *przen.* **zmiana** ~**u** change of front
**froterować** *vt* polish
**fruwać** *vi* flitter, flutter; (*latać*) fly
**frykas** *m* delicacy, dainty (bit)
**frywolny** *adj* frivolous
**fryz** *m* *arch.* frieze
**fryzjer** *m* hairdresser, barber
**fujara** *f* pipe; *przen.* (*niedołęga*) galoot
**fujarka** *f* (rural) pipe
**fundacja** *f* foundation
**fundament** *m* foundation; (*podstawa*) groundwork
**fundamentalny** *adj* fundamental
**fundator** *m* founder
**fundować** *vt* found, establish; (*częstować*) treat (**komuś coś** sb to sth), stand (**szklankę piwa** glass of beer)
**fundusz** *m* fund
**funkcja** *f* function
**funkcjonalny** *adj* functional
**funkcjonariusz** *m* functionary
**funkcjonować** *vi* function, act
**funt** *m* pound; ~ **szterling** pound sterling
**fura** *f* cart
**furażerka** *f* forage-cap
**furgon** *m* baggage-cart
**furi|a** *f* fury, rage; **dostać** ~**i** fly into a fury
**furiat** *m* raging fellow
**furman** *m* carter
**furor|a** *f* furore; **zrobić** ~**ę** make a furore
**furta** *f* gate
**furtka** *f* wicket
**fusy** *s pl* (*np. w kawie*) grounds
**fuszer** *m* bungler, botcher
**fuszerka** *f* bungle, botch
**fuszerować** *vt vi* bungle, botch; make a bungle (**coś** of sth)
**futbol** *m* (association) football, soccer
**futbolista** *m* football player, footballer
**futerał** *m* case, cover
**futro** *n* fur
**futryna** *f* window-frame, door-frame
**fuzja** *f* fusion; (*strzelba*) rifle, gun

# g

**gabardyna** *f* gabardine
**gabinet** *m* cabinet; (*pokój do pracy*) study
**gablota** *f* glass-case, show-case
**gad** *m zool.* reptile
**gadać** *vt vi pot.* talk, prattle; ~ **od rzeczy** talk nonsense
**gadanie** *n pot.* talk, prattle
**gadatliwość** *f* talkativeness
**gadatliwy** *adj* talkative
**gaduła** *m pot.* clapper
**gadzina** *f* reptile, viper
**gafa** *f* bloomer
**gaj** *m* grove
**gajowy** *m* gamekeeper
**galaktyka** *f* galaxy
**galanteria** *f* fancy-goods; (*uprzejmość*) gallantry
**galar** *m* scow
**galaret(k)a** *f* jelly
**galera** *f hist.* galley
**galeria** *f* gallery; ~ **obrazów** picture-gallery, gallery of pictures
**galernik** *m* galley-slave
**galimatias** *m pot.* muddle, jumble
**galon** *m* (*miara*) gallon; (*ozdoba*) galloon
**galop** *m* gallop; ~**em** at a gallop
**galopować** *vi* gallop
**galowy** *adj* gala; **strój** ~ gala-suit, gala-dress, gala-uniform
**galwanizować** *vt* galvanize
**gałązka** *f* twig
**gałąź** *f* branch
**gałgan** *m* rag; *pot.* (*łajdak*) rascal, scamp
**gałganiarz** *m* rag-and-bone man
**gałka** *f* ball, globe; (*u drzwi, laski*) knob
**gama** *f muz. i przen.* gamut, scale
**gamoń** *m pot.* lout, galoot
**ganek** *m* porch, veranda(h)
**gangrena** *f* gangrene
**gangrenować** *vt* gangrene
**ganić** *vt* blame
**gap** *m* gaper
**gap|a** *m f* gull, dupe; **pasażer na** ~**ę** stowaway; **jechać na** ~**ę** stow away
**gapić się** *vr* gape (**na coś** at sth)
**garaż** *m* garage
**garb** *m* hunch, hump
**garbarnia** *f* tannery
**garbarz** *m* tanner
**garbaty** *adj* hunch-backed
**garbić się** *vr* stoop
**garbnik** *m* tannin
**garbować** *vt* tan
**garbus** *m* hunchback
**garderoba** *f* (*szafa*) wardrobe; (*szatnia*) cloakroom; (*odzież*) stock of clothes, clothing
**gardlany** *adj* throat *attr*
**gard|ło** *n* throat; *przen.* **wąskie** ~**ło** bottle-neck; **mieć ból** ~**ła** have a sore throat; **mieć nóż na** ~**le** have the knife at one's throat
**gardzić** *vi* despise, scorn (**czymś** sth)
**gardziel** *f* gullet
**garkuchnia** *f* soup-kitchen
**garnąć** *vt* gather up; ~ **do siebie** hug; ~ **się** *vr* cling (**do kogoś, czegoś** to sb, sth); strive (**do czegoś** after sth); hunger (**do nauki itd.** after learning etc.); apply oneself (**do czegoś** to sth)
**garncarnia** *f* pottery
**garncarstwo** *n* pottery, ceramics
**garncarz** *m* potter
**garnek** *m* pot
**garnirować** *vt* trim, garnish
**garnitur** *m* (*ubranie*) suit (of clothes), clothes; *zbior.* set, fittings, mountings
**garnizon** *m* garrison; **stać** ⟨**obsadzić**⟩ ~**em** garrison
**garnuszek** *m* little pot, mug
**garstka** *f* handful; small number
**garś|ć** *f* handful; *przen.* **trzymać w** ~**ci** hold under one's thumb; **wziąć się w** ~**ć** pull oneself together

**gasić** *vt* extinguish, put out; (*pragnienie*) quench; (*wapno*) slake
**gasnąć** *vi* go out; (*umierać*) die away, expire
**gastronomia** *f* gastronomy
**gastronomiczny** *adj* gastronomical, catering
**gaśnica** *f* (fire-)extinguisher
**gatunek** *m* kind, sort; *biol.* species
**gatunkowy** *adj* specific, generic; **ciężar ~** specific gravity
**gawęda** *f* chat; story, tale
**gawędziarz** *m* story-teller
**gawędzić** *vt* chat
**gawiedź** *f* rabble
**gawron** *m zool.* rook
**gaz** *m* gas; **~ świetlny** lighting gas; **~ trujący** poison-gas; **~ ziemny** natural gas; **zatruć ~em** gas; **zatruć się ~em** be gassed
**gaza** *f* gauze
**gazda** *m* highland farmer
**gazeciarz** *m* newsman, newspaper-boy
**gazela** *f zool.* gazelle
**gazeta** *f* newspaper
**gazetka** *f* news-sheet; (*tajna*) underground paper
**gazolina** *f techn.* gasolene
**gazomierz** *m* gas-meter
**gazownia** *f* gas-works
**gazow|y** *adj* gaseous, gas *attr*; **maska ~a** gas-mask; **kuchenka ~a** gas-range
**gaźnik** *m* carburettor
**gaża** *f* salary, pay
**gąbczasty** *adj* spongy
**gąbka** *f* sponge
**gąsienica** *f zool.* caterpillar
**gąsienicow|y** *adj*, **koło ~e** caterpillar-wheel
**gąsior** *m zool.* gander; (*butla*) demijohn
**gąszcz** *m* (*gęstwina*) thicket; (*gęsty osad*) sediment
**gbur** *m* rude fellow, boor
**gburowaty** *adj* rude, coarse, boorish
**gdakać** *vi* cackle
**gderać** *vi* grumble (**na kogoś, coś** at sb, sth)
**gdy** *conj* when, as
**gdyby** *conj* if; **jak ~** as if; **~ nie to** but for that
**gdyż** *conj* for, because
**gdzie** *adv conj* where; **~ indziej** elsewhere
**gdziekolwiek** *adv* anywhere
**gdzieniegdzie** *adv* here and there
**gdzieś** *adv* somewhere, someplace
**gejzer** *m* geyser
**gen** *m biol.* gene
**genealogia** *f* genealogy
**genealogiczny** *adj* genealogic(al)
**generacja** *f* generation
**generalizować** *vt vi* generalize
**generał** *m* general
**generator** *m elektr.* generator
**genetyczny** *adj* genetic
**genetyka** *f* genetics
**geneza** *f* genesis, origin
**genialn|y** *adj* full of genius; **człowiek ~y** man of genius; **myśl ~a** stroke of genius
**geniusz** *m* genius, man of genius
**geodezja** *f* geodesy
**geograf** *m* geographer
**geografia** *f* geography
**geograficzny** *adj* geographic(al)
**geolog** *m* geologist
**geologia** *f* geology
**geologiczny** *adj* geological
**geometra** *m* geometrician, (land) surveyor
**geometria** *f* geometry; **~ wykreślna** descriptive geometry
**geometryczny** *adj* geometric(al)
**georginia** *f bot.* dahlia
**germanista** *m* student of German philology; Germanist
**germanizm** *m* germanism
**germański** *adj* Germanic
**gerontologia** *f* gerontology
**gest** *m* gesture
**gestykulacja** *f* gesticulation
**gestykulować** *vi* gesticulate
**getry** *s pl* (*długie*) gaiters, (*krótkie*) spats
**getto** *n* ghetto
**gęb|a** *f pot.* mug; *wulg.* **stulić ~ę** shut up
**gęgać** *vi* gaggle
**gęsi** *adj* goose *attr*; **~e pióro**

goose quill; **iść ~ego** walk in Indian file
**gęsina** *f* roast goose
**gęstnieć** *vi* thicken
**gęstość** *f* thickness, density
**gęstwina** *f* thicket
**gęsty** *adj* thick, dense; (*np. o tkaninie*) close
**gęś** *f zool.* goose
**gęślarz** *m* rebeck player
**gęśle** *s pl* rebeck
**giąć** *vt* bend, bow; **~ się** *vr* bend, bow (down)
**gibki** *adj* flexible, pliant
**gibkość** *f* flexibility, pliability
**giełda** *f* stock exchange; **czarna ~** black market
**giełdow|y** *adj*, **ceduła ~a** list of quotations, stock-exchange list; **makler ~y** stock-broker
**giełdziarz** *m* stock-exchange operator, stock-jobber
**giemza** *f* chamois-leather
**giermek** *m hist.* shield-bearer, squire; (*w szachach*) bishop
**giez** *m* gadfly
**giętki** *adj* flexible, pliant
**giętkość** *f* flexibility, pliability
**giępt|y** *adj*, **meble ~e** bentwood furniture
**gigant** *m* giant
**gigantyczny** *adj* gigantic, giant
**gilotyna** *f* guillotine
**gimnastyczny** *adj* gymnastic
**gimnastyk** *m* gymnast
**gimnastyka** *f* gymnastics
**gimnastykować się** *vr* do gymnastics
**gimnazjalista** *m* grammar-school boy
**gimnazjum** *n sing nieodm.* grammar school
**ginąć** *vi* perish; go lost
**ginekolog** *m* gynaecologist
**ginekologia** *f* gynaecology
**gips** *m* plaster
**gipsować** *vt* plaster
**girlanda** *f* garland
**giser** *m* founder, moulder
**gisernia** *f* foundry
**gitara** *f muz.* guitar
**glansować** *vt* glaze
**glazura** *f* glaze; (*materiał*) glazing
**glazurować** *vt* glaze
**gleba** *f* soil
**ględzić** *vi pot.* twaddle
**gliceryna** *f* glycerine
**glin** *m chem.* aluminium
**glina** *f* clay
**glinianka** *f* clay-pit
**glinian|y** *adj* earthen; **naczynia ~e** earthenware *zbior.*
**gliniasty** *adj* clayey
**glinka** *f* potter's clay, argil
**glista** *f* (earth-)worm; (*ludzka*) ascarid
**glob** *m* globe
**globalnie** *adv* in the gross, in bulk
**globalny** *adj* total
**globus** *m* globe
**gloria** *f* glory; (*aureola*) halo
**gloryfikować** *vt* glorify
**glosa** *f* gloss
**glukoza** *f chem.* glucose
**gładki** *adj* smooth; plain; (*o włosach, futrze*) sleek; (*o manierach*) polished, refined; **~ materiał** (*bez wzoru*) plain fabric
**gładkość** *f* smoothness, ease; (*obejścia*) refinement
**gładzić** *vt* smoothe, polish
**głaskać** *vt* stroke
**głaz** *m* rock; (*otoczak*) boulder
**głąb** 1. *f* = **głębia**
**głąb** 2. *m* (*np. kapusty*) stump
**głębi|a** *f* depth, deep; *przen.* profundity; **w ~ lasu** in the heart of the forest; **z ~ serca** from the bottom of one's heart
**głębinowy** *adj* deep-sea *attr*
**głębok|i** *adj* deep; *przen.* profound; **w ~ą noc** in the dead of night
**głębokość** *f* depth; profundity
**głodny** *adj* hungry
**głodomór** *m* starveling
**głodować** *vi* starve, hunger
**głodow|y** *adj* hunger *attr*; **kuracja ~a** hunger-cure; **strajk ~y** hunger-strike
**głodówka** *f* (*protestacyjna*) hunger-strike; (*lecznicza*) hunger-cure

**głodzić** *vt* starve, famish; ~ **się** *vr* starve, famish; ~ **się na śmierć** starve oneself to death

**głos** *m* voice; (*w głosowaniu*) vote; (*dzwonka*) sound; **prawo ~u** right of vote; **większość ~ów** majority of votes; **czytać na ~** read aloud; **dopuścić do ~u** give permission to speak; **mieć ~** have a voice; **oddać ~ na kogoś** give sb one's vote; **prosić o ~** ask for permission to speak; **udzielić ~u** give permission to speak, give the floor; **zabrać ~** begin to speak, stand up to speak, take the floor

**głosiciel** *m* proclaimer

**głosić** *vt* proclaim, propagate

**głoska** *f gram.* sound

**głosować** *vi* vote, (*tajnie*) ballot; ~ **nad czymś** put sth to the vote; ~ **na kogoś** vote for sb

**głosowanie** *n* voting, poll, (*tajne*) ballot

**głosownia** *f gram.* phonetics

**głosowy** *adj* vocal

**głosujący** *m* voter

**głośnia** *f anat.* glottis

**głośnik** *m* megaphone, loud-speaker

**głośno** *adv* loud(ly), aloud, in loud voice

**głośny** *adj* loud; (*sławny*) famous

**głow|a** *f* head; **~a kapusty** head of cabbage; **w kapeluszu na ~ie** with one's hat on; **z obnażoną ~ą** bare-headed; *przen.* **łamać sobie ~ę** rack one's brains (**nad czymś** about sth); **mieć coś na ~ie** have sth on one's hands; **on ma przewrócone w ~ie** he has a queer head; **on ma źle w ~ie** there is sth wrong in his head; **pobić na ~ę** rout, defeat thoroughly; **przychodzi mi do ~y** it occurs to me; **zmyć komuś ~ę** take sb to task; **co ~a to rozum** so many men, so many minds; **od stóp do głów** from top to toe

**głowica** *f* head; *arch.* capital

**głowić się** *vr* rack one's brains (**nad czymś** about sth)

**głownia** *f* firebrand

**głód** *m* hunger (**czegoś** for sth); (*powszechny*) famine; **poczuć ~** become hungry; *przen.* **~ mieszkaniowy** scarcity of lodgings; **~ ziemi** land hunger

**głóg** *m bot.* hawthorn

**główka** *f* (small) head; **~ maku** poppy-head

**głównodowodzący** *m* commander-in-chief

**główn|y** *adj* main, chief, principal, cardinal; (*o stacji, zarządzie*) central; (*o poczcie*) general; **~a wygrana** first prize

**głuchnąć** *vi* grow deaf

**głuchoniemy** *adj* deaf and dumb, deaf-mute

**głuchota** *f* deafness

**głuch|y** *adj* deaf (**na lewe ucho** in the left ear); (*o dźwięku*) hollow, dull; **~a cisza** dead silence; **~a wieść** vague news; **być ~ym na prośby** turn a deaf ear to entreaties

**głupi** *adj* silly, stupid, foolish

**głupiec** *m* fool, blockhead

**głupieć** *vi* grow stupid

**głupkowaty** *adj* half-witted, dull

**głupota** *f* stupidity

**głupstw|o** *n* silly stuff, nonsense; (*drobnostka*) trifle; **pleść ~a** talk nonsense ⟨rot⟩

**głusz|a** *f* solitude, dead silence

**głuszec** *m zool.* capercaillie, wood-grouse

**głuszyć** *vt* deafen; (*przyciszać*) damp; *zob.* **zagłuszać**

**gmach** *m* edifice

**gmatwać** *vt* tangle, embroil

**gmatwanina** *f* tangle, imbroglio

**gmerać** *vi* fumble (**w czymś** at, in, with sth; **za czymś** after, for sth)

**gmina** *f* community; (*wiejska*) parish; (*miejska*) municipality, municipal corporation; **Izba Gmin** House of Commons

**gminn|y** *adj* communal; (*pospolity*) vulgar; **rada ~a** parish council

**gnać** *vt* drive; *vi* run
**gnat** *m pot.* bone
**gnębiciel** *m* oppressor
**gnębić** *vt* oppress; (*dręczyć*) worry; (*dokuczać*) harass
**gniady** *adj* bay
**gniazdko** *n* (little) nest; *elektr.* socket
**gniazdo** *n* nest; *przen.* **~ rodzinne** hearth, home
**gnici|e** *n* rotting, decay, putrefaction; **podlegający ~u** liable to decay
**gnić** *vt* rot, decay, putrefy
**gnida** *f* nit
**gnieść** *vt* press, squeeze; (*ciasto*) knead; **~ się** *vr* press, crush
**gniew** *m* anger; **wpaść w ~** get angry, burst out in anger
**gniewać** *vt* anger; **~ się** *vr* be angry (**na kogoś** with sb, **na coś** at sth)
**gniewliwy** *adj* irritable, irascible
**gniewny** *adj* angry, irritated
**gnieździć się** *vr* nest, nestle (down)
**gnoić** *vt* (*nawozić*) dung, manure; **~ się** *vr* (*jątrzyć się*) fester
**gnojówka** *f* liquid manure
**gnom** *m* gnome
**gnój** *m* dung, manure
**gnuśnieć** *vi* stagnate, be slothful
**gnuśność** *f* stagnation, sloth
**gnuśny** *adj* stagnant, slothful
**gobelin** *m* gobelin
**godło** *n* device; **~ Polski** Polish ensign
**godność** *f* dignity
**godny** *adj* worthy; (*pełen godności*) dignified; **~ podziwu** admirable; **~ polecenia** recommendable; **~ pożałowania** lamentable; **~ szacunku** respectable; **~ widzenia** worth seeing
**gody** *s pl* feast; (*weselne*) nuptials
**godzić** *vt* (*najmować*) engage, hire; (*jednać*) conciliate; *vi* hit (**w coś** sth), aim (**w coś** at sth); **~ na czyjeś życie** attempt sb's life; **~ się** *vr* agree, consent (**na coś** to sth); reconcile oneself (*np.* **z losem** to one's lot)
**godzin|a** *f* hour; **~y nadliczbowe** overtime; **~y przyjęć** reception, office-hours, consulting-hours; **~y urzędowe** office hours; **pracować poza ~ami urzędowymi** work overtime; **pół ~y** half-an-hour; **która ~?** what time is it?; **jest ~a trzecia** it is three o'clock; **co dwie ~y** every second hour; *przen.* **na czarną ~ę** for a rainy day; **całymi ~ami** by the hours
**godziwy** *adj* suitable, fair
**goić** *vt* heal, cure; **~ się** *vr* heal (up), be cured
**goleni|e** *n* shave; **maszynka do ~a** safety-razor
**goleń** *m* shin(-bone), *anat.* tibia
**golić** *vt* shave; **~ się** *vr* shave, have a shave
**golonka** *f* pig's feet, pettitoes
**gołąb** *m* pigeon; **siwy jak ~** snow-white
**gołąbek** *m* (*także przen.*) dove
**gołębi** *adj* dove-like
**gołębiarz** *m* pigeon-keeper
**gołębica** *f* dove
**gołębnik** *m* pigeon-house
**gołoledź** *f* glazed frost
**gołosłowny** *adj* unfounded, groundless
**gołowąs** *m* youngster
**goł|y** *adj* naked; (*ogołocony*) bare; (*obnażony*) nude; **~ym okiem** with the naked eye; **na ~ej ziemi** on the bare ground; **z ~ą głową** bare-headed; **pod ~ym niebem** under the open sky; **z ~ymi rękoma** empty-handed; *pot.* **~y jak święty turecki** as poor as a church mouse
**gomółka** *f* lump
**gondola** *f* gondola; *lotn.* nacelle
**gong** *m* gong
**gonić** *vt* chase, drive, pursue; *vi* run, chase, be after; **~ ostatkami** be short (**czegoś** of sth); **~ się** *vr* chase one another; race
**goniec** *m* messenger; (*w hotelu*) bell-boy; (*w szachach*) bishop
**goniometr** *m* goniometer
**gonitwa** *f* run, chase

**gont** *m* shingle
**gończy** *adj*, **list ~** warrant of arrest; **pies ~** hound
**gorąco** 1. *adv* hot(ly); **jest mi ~** I am ⟨feel⟩ hot; **~ dziękować** thank warmly; *przen.* **na ~** without a moment's delay
**gorąco** 2. *n* heat
**gorąc|y** *adj* hot; (*o strefie*) torrid; *przen.* (*płomienny*) ardent, (*żarliwy*) fervent; *przen.* **w ~ej wodzie kąpany** hot-blooded; **złapać na ~ym uczynku** catch red-handed ⟨in the very act⟩
**gorączka** *f* fever; *przen.* excitement, passion; **biała ~** delirium tremens; **~ złota** gold fever ⟨rush⟩
**gorączkować** *vi* have a fever; **~ się** *vr* be excited
**gorączkowy** *adj* feverish; **stan ~** temperature
**gorczyca** *f bot.* mustard
**gorczyczny** *adj* mustard *attr*
**gordyjski** *adj* Gordian; *przen.* **przeciąć węzeł ~** cut the Gordian knot
**gorliwiec** *m* zealot
**gorliwość** *f* zeal, fervour
**gorliwy** *adj* zealous, fervent
**gors** *m* breast; plastron
**gorset** *m* corset; stays *pl*
**gorszy** *adj comp* worse
**gorszyć** *vt* scandalize, demoralize; **~ się** *vr* be scandalized (**czymś** at sth)
**gorycz** *f* bitterness
**goryczka** *f* bitter taste; *bot.* gentian
**goryl** *m zool.* gorilla
**gorzałka** *f* vodka
**gorzeć** *vi* burn, be ablaze
**gorzej** *adv comp* worse; **tym ~** so much the worse; **~ się czuję** I am worse
**gorzelnia** *f* distillery
**gorzki** *adj* bitter
**gorzknieć** *vi* become bitter
**gospoda** *f* inn, public house, tavern
**gospodarczy** *adj* economic
**gospodarka** *f* economy; (*domowa*) housekeeping, management
**gospodarny** *adj* economical
**gospodarować** *vi* farm; manage, administer; (*w domu*) keep house
**gospodarstwo** *n* (*rolne*) farm, farming; (*domowe*) household
**gospodarz** *m* (*rolnik*) farmer; landlord; (*właściciel*) master (of the house); (*pan domu*) host; (*zarządca*) manager
**gospodyni** *f* mistress (of the house); (*pani domu*) hostess; manageress; landlady
**gosposia** *f* housekeeper
**gościć** *vt* receive, entertain; (*przyjąć na nocleg*) put up; *vi* stay (**u kogoś** with sb)
**gościec** *m med.* gout
**gościna** *f* stay, visit
**gościniec** *m* highroad; † (*podarunek*) present, gift
**gościnność** *f* hospitality
**gościnny** *adj* hospitable; **pokój ~** guest-room
**gość** *m* guest, visitor; (*klient*) customer, patron; (*w pensjonacie*) boarder
**gotować** *vt* cook, boil; (*przygotowywać*) prepare; **~ się** *vr* (*o wodzie, mleku*) boil, (*o potrawach*) be cooking; (*przygotowywać się*) prepare (**do czegoś, na coś** for sth)
**gotowość** *f* readiness
**gotow|y** *adj* ready, prepared (**na coś, do czegoś** for sth); finished; **~e ubranie** ready-made clothes
**gotówk|a** *f* cash, ready money; **płacić ~ą** pay (in) cash
**gotycki** *adj* Gothic
**gotyk** *m* Gothic (style); (*pismo*) Gothic letters
**goździk** *m bot.* carnation, pink
**gór|a** *f* mountain; (*szczyt, górna część*) top; **~a lodowa** iceberg; **do ~y nogami** upside down; **na górze** up, above, at the top, (*na piętrze*) upstairs; **z ~y** down, downwards, downstairs, from above; **u ~y stronicy** at the top of the page; **płacić z ~y** pay in

advance; **ręce do ~y!** hands up!; **traktować z ~y** look down (**kogoś** upon sb); **z ~ą** (*ponad*) over; **brać ~ę** get the upper hand (**nad kimś** of sb); **w ~ę rzeki** upstream; **zbocze ~y** hillside; **pod ~ę** uphill

**góral** *m* mountaineer, highlander

**górka** *f* hill

**górnictwo** *n* mining (industry)

**górniczy** *adj* mining

**górnik** *m* miner; **inżynier ~** mining-engineer

**górnolotny** *adj* highflown

**górn|y** *adj* upper, superior; **~a granica** upper ⟨top⟩ limit

**górować** *vi* prevail (**nad kimś** over sb), be superior (**nad kimś** to sb)

**górski** *adj* mountain *attr*; **łańcuch ~** mountain-chain

**górujący** *adj* prevalent, predominant

**górzysty** *adj* mountainous

**gra** *f* play; game; *teatr* acting; (*hazard*) gamble; **~ słów** play upon words, pun; **wchodzić w grę** come into play

**grab** *m bot.* hornbeam

**grabarz** *m* grave-digger

**grabić** *vt* (*np. siano*) rake; (*rabować*) rob, plunder

**grabie** *s pl* rake

**grabieć** *vi* grow numb

**grabież** *f* plunder

**grabieżca** *m* plunderer

**grabieżczy** *adj* rapacious

**graca** *f* hoe

**gracja** *f* grace, charm

**gracować** *vt* hoe

**gracz** *m* player; (*hazardowy*) gambler; **~ na giełdzie** stock-exchange speculator; **~ na wyścigach** betting-man; (*w tenisie*) **~ podający** server, **~ przyjmujący** striker

**grać** *vi* play; **~ na giełdzie** operate on Change; **~ na loterii** play in the lottery; **~ na skrzypcach** play (on) the violin; **~ na wyścigach** bet in horse-racing; **~ w karty ⟨w szachy⟩** play cards ⟨chess⟩

**grad** *m* hail; **~ pada** it hails

**gradacja** *f* gradation

**gradobicie** *n* hailstorm

**graficzny** *adj* graphic

**grafik** *m* graphic artist

**grafika** *f* graphic art

**grafit** *m miner.* graphite

**grafologia** *f* graphology

**grafoman** *m* scribbler

**grafomania** *f* mania for scribbling

**grajek** *m* player, fiddler

**gram** *m* gram, gramme

**gramatyczny** *adj* grammatical

**gramatyka** *f* grammar

**gramofon** *m* gramophone

**granat** *m* (*kolor*) navy-blue; (*owoc*) pomegranate; (*pocisk*) grenade, shell; (*kamień*) garnet

**granatnik** *m wojsk.* howitzer

**granatowy** *adj* navy-blue

**graniastosłup** *m* prism

**graniasty** *adj* angular

**granic|a** *f* (*kres, zakres*) limit; (*geograficzna, polityczna*) border, frontier; (*demarkacja*) boundary; **za ~ą, za ~ę** abroad; **przekroczyć ~e przyzwoitości** transgress the laws of propriety; **wszystko ma swoje ~e** there is a limit to everything

**graniczn|y** *adj* border(ing), frontier *attr*; **kamień ~y** borderstone, landmark; **kordon ~y** military cordon, patrolled border; **linia ~a** boundary(-line)

**graniczyć** *vi* border (**z czymś** on sth)

**granit** *m* granite

**granulacja** *f* granulation

**granulować** *vt* granulate; **~ się** *vr* granulate

**grań** *f* ridge

**grasica** *f anat.* thymus

**grasować** *vi* maraud, prowl; (*o chorobach*) spread, prevail

**grat** *m pot.* stick; *przen.* (*o starym człowieku*) fogey

**gratis** *adv* gratis, free of charge

**gratisowy** *adj* free of charge, gratuitous

**gratka** *f* windfall

**gratulacja** *f* congratulation
**gratulować** *vi* congratulate (**komuś czegoś** sb on sth)
**gratyfikacja** *f* gratuity, extra pay
**grawer** *m* engraver
**grawerować** *vt* engrave
**grawerstwo** *n* engraving
**grawerunek** *m* engraving
**grawitacja** *f* gravitation
**grawitować** *vi* gravitate (**ku komuś, czemuś** towards sb, sth)
**grawiura** *f* engraving
**grdyka** *f anat.* Adam's apple
**grecki** *adj* Greek
**Grek** *m* Greek
**gremialnie** *adv* in a body, in a mass
**gremialny** *adj* general
**gremium** *n sing nieodm.* staff, body
**grenadier** *m* grenadier
**grępel** *m* card
**gręplować** *vt* card
**grobla** *f* dam
**grobowiec** *m* tomb, sepulchre
**grobow|y** *adj* sepulchral; **kamień ~y** tomb-stone; *przen.* **cisza ~a** dead silence
**groch** *m* pea; (*potrawa*) peas *pl*; *pot.* **~ z kapustą** hotch-potch
**grochówka** *f* pea-soup
**grodzić** *vt* hedge, fence
**grodzki** *adj* municipal
**grom** *f* thunderbolt; **~ z jasnego nieba** bolt from the blue
**gromada** *f* crowd, throng; troop, group
**gromadny** *adj* numerous, collective
**gromadzić** *vt* accumulate, amass, heep up; **~ się** *vr* assemble, gather
**gromadzki** *adj* communal, common
**gromić** *vt* thunder, storm (**kogoś** at sb); (*rozbijać, niszczyć*) rout, smash
**gromki** *adj* resonant, thunderous
**gromnica** *f rel.* blessed wax-candle
**gromniczny** *adj*, **dzień Matki Boskiej Gromnicznej** Candlemas
**grono** *n* bunch of grapes; (*grupa*) circle, company, staff
**gronostaj** *m zool.* ermine
**gronostajow|y** *adj*, **futro ~e** ermine
**grosz** *m* grosh; *przen.* penny; **bez ~a** penniless; **co do ~a** to a penny; **~ wdowi** widow's mite
**grot** *m* pike, dart, bolt, arrow-head
**grota** *f* grotto, cave
**groteska** *f* grotesque
**groz|a** *f* horror, terror; **przejąć ~ą** strike with awe, terrify
**grozi|ć** *vi* threaten (**komuś czymś** sb with sth), menace; **~ nam burza** we are threatened with a storm; **~ epidemia** an epidemic is imminent
**groźba** *f* menace, threat
**groźny** *adj* threatening; terrible, dangerous, severe
**grożący** *adj* threatening, imminent
**grób** *m* grave; (*grobowiec*) tomb; *lit. i rel.* sepulchre
**gród** *m lit.* town; (fortified) castle
**grubas** *m* fatty
**grubianin** *m* boor
**grubiański** *adj* boorish, rude
**grubiaństwo** *n* boorishness, rudeness
**grubieć** *vi* grow stout, become thick, thicken
**gruboskórny** *adj* coarse-skinned, thick-skinned, coarse
**grubość** *f* thickness, stoutness; (*objętość*) bulk
**gruby** *adj* thick, stout, big, bulky; (*o suknie, rysach twarzy*) coarse; (*o błędzie*) gross; (*o głosie*) low, deep
**gruchać** *vi* coo
**gruchn|ąć** *vi* tumble down, bump; **wieść ~ęła** the rumour has been set afloat
**gruchot** *m* crash, rattle; (*o człowieku*) decrepit creature
**gruchotać** *vt* smash, shatter
**gruczoł** *m anat.* gland
**gruczołowy** *adj* glandular
**gruda** *f* clod (of earth)
**grudka** *f* (*np. zakrzepłej krwi*) clot; (*kulka*) globule

**grudzień** *m* December
**grun|t** *m* ground; (*rolny*) soil; (*dno*) bottom; (*istota rzeczy*) essence; **do ~tu** thoroughly, to the core; **w ~cie rzeczy** as a matter of fact, at bottom, essentially; **na mocnym ~cie** on solid ground
**gruntować** *vt* (*opierać, bazować*) ground; (*sondować*) fathom, sound; *vi* bottom, touch bottom
**gruntownie** *adv* thoroughly
**gruntowny** *adj* solid, well-grounded; through
**gruntowy** *adj*, **podatek ~** land-tax
**grupa** *f* group
**grupować** *vi* group; **~ się** *vr* group
**grusza** *f* pear-tree
**gruszk|a** *f* pear; *przen.* **~i na wierzbie** castles in the air
**gruz** *m* rubbish, rubble; *pl* **~y** debris *zbior.*, ruin; **rozpadać się w ~y** fall to ruin; **leżeć w ~ach** lie in ruin
**gruzeł** *m* clot
**Gruzin** *m* Georgian
**gruziński** *adj* Georgian
**gruźlica** *f med.* tuberculosis, consumption
**gruźliczy** *adj* tuberculous
**gruźlik** *m* consumptive
**gryczan|y** *adj*, **kasza ~a** buckwheat groats *pl*
**gryf** *m muz.* fingerboard
**gryka** *f bot.* buckwheat
**grymas** *m* grimace, caprice
**grymasić** *vi* be fastidious; (*przy jedzeniu*) be particular
**grymaśny** *adj* fastidious, capricious; (*przy jedzeniu*) particular
**grynszpan** *m chem.* verdigris
**grypa** *f med.* influenza, *pot.* flu(e), grippe
**grysik** *m* semolina
**gryzący** *adj* mordant, corrosive
**gryzipiórek** *m uj.* ink-slinger
**gryzmolić** *vt* scribble, scrawl
**gryzoń** *m zool.* rodent
**gryźć** *vt* bite, gnaw, nibble; (*np. o pieprzu*) burn; (*o sumieniu, troskach*) prick, sting; **~ się** *vr* bicker, wrangle; (*martwić się*) worry, be grieved (**czymś** about sth)
**grzać** *vt* warm, heat; **~ się** *vr* warm (oneself); (*na słońcu*) bask
**grzałka** *f* heater; **~ nurkowa** immersion heater
**grzanka** *f* toast
**grządka** *f* bed
**grząski** *adj* quaggy
**grzbiet** *m* back; (*góry, fali*) crest
**grzebać** *vt* bury, inter; rake (up); *vi* fumble (**w czymś** at sth); dig (*np.* **w kieszeni** in the pocket)
**grzebieniasty** *adj* comblike
**grzebień** *m* comb; (*górski*) crest; **~ koguci** cock's comb, crest
**grzech** *m* sin
**grzechotać** *vi* rattle
**grzechotka** *f* rattle
**grzechotnik** *m zool.* rattlesnake
**grzeczność** *f* politeness, kindness, courtesy; **wyświadczyć ~** render a (kind) service
**grzeczny** *adj* polite, kind; (*o dziecku*) good
**grzejnik** *m* heater, radiator
**grzesznik** *m* sinner
**grzeszny** *adj* sinful
**grzeszyć** *vi* sin
**grzęda** *f* bed; (*dla kur*) perch
**grzęznąć** *vi* sink, get stuck
**grzmi|eć** *vi* thunder; **~** it thunders
**grzmocić** *vt* thrash, thump
**grzmot** *m* thunder
**grzyb** *m* mushroom, fungus
**grzybnia** *f* mushroom spawn
**grzywa** *f* mane
**grzywn|a** *f* fine; **ukarać ~ą** fine
**gubernator** *m* governor
**gubernia** *f* government
**gubić** *vt* lose; (*niszczyć*) destroy; **~ się** *vr* lose oneself, lose one's way, go lost; **~ się w domysłach** be lost in conjectures
**guma** *f* gum; (*na koła itp.*) rubber; (*elastyczna*) india-rubber; (*żywiczna*) resin; (*do wycierania*)

eraser, india-rubber; ~ **arabska** gum arabic
**gumować** *vt* gum
**gusła** *s pl* sorcery, witchcraft
**gust** *m* taste; **w moim guście** to my taste
**gustować** *vi* take delight (**w czymś** in sth), relish (**w czymś** sth), like
**gustowny** *adj* in good taste, graceful, elegant
**guwernantka** *f* governess
**guwerner** *m* tutor, private instructor
**guz** *m* bump, bruise; *med.* tumour
**guzdrać się** *vr* dawdle, dillydally
**guzik** *m* button; **zapiąć na** ~ button (on)
**gwałcić** *vt* violate, rape
**gwałt** *m* violence; **~em** forcibly
**gwałtowny** *adj* violent
**gwar** *m* clatter, murmur
**gwara** *f* dialect; slang
**gwarancja** *f* guarantee, security, *prawn.* guaranty
**gwarant** *m* guarantee
**gwarantować** *vt vi* guarantee
**gwardia** *f* guard (*także pl*); ~ **przyboczna** body-guard; (*królewska*) Life Guards
**gwardzista** *m* guardsman
**gwarny** *adj* noisy
**gwarzyć** *vi* chat
**gwiazda** *f* star
**gwiazdka** *f* starlet; (*w druku*) asterisk; (*wigilia*) Christmas Eve; (*podarunek świąteczny*) Christmas gift
**gwiazdor** *m* (film) star
**gwiazdozbiór** *m* constellation
**gwiaździsty** *adj* (*oświetlony gwiazdami*) starlit; (*ozdobiony gwiazdami*) starry
**gwint** *m* screw-thread
**gwizd** *m* whistle
**gwizdać** *vi* whistle
**gwizdek** *m* whistle
**gwoździk** *m* little nail; *zob.* **goździk**
**gwóźdź** *m* nail; **przybić gwoździami** nail
**gzyms** *m* cornice

# h

**habit** *m* frock
**haczyk** *m* hook
**hafciarka** *f* embroiderer
**haft** *m* embroidery
**haftka** *f* clasp
**haftować** *vt vi* embroider
**hak** *m* hook
**hala** *f* hall; ~ **targowa** market-hall; ~ **maszyn** engine-room
**halka** *f* petticoat
**halucynacja** *f* hallucination
**hałas** *m* noise, fuss; **wiele ~u o nic** much ado about nothing
**hałasować** *vi* make a noise
**hałastra** *f* rabble
**hałaśliwy** *adj* noisy
**hałda** *f* heap, pile (of ore, coal)
**hamak** *m* hammock
**hamować** *vt* brake; (*wstrzymywać*) check, slacken; (*tłumić*) repress; ~ **się** *vr* restrain oneself
**hamulec** *m* brake; *przen.* restraint
**handel** *m* trade; commerce; ~ **winem, zbożem itd.** trade in wine, corn etc.; ~ **wymienny** barter; ~ **zagraniczny** foreign trade; **prowadzić** ~ carry on trade
**handlarz** *m* trader, dealer (**winem, zbożem itd.** in wine, corn etc.); ~ **wędrowny** pedlar

**handlować** *vt* trade, deal (**czymś** in sth)
**handlowiec** *m* tradesman, merchant
**handlowość** *f* commercial affairs
**handlow|y** *adj* commercial, mercantile; **izba ~a** chamber of commerce; **korespondencja ~a** commercial correspondence; **marynarka ~a** merchant marine; **statek ~y** merchant ship; **księga ~a** account book; **spółka ~** partnership; **towarzystwo ~e** trading company
**hangar** *m* hangar
**haniebny** *adj* shameful, disgraceful
**hańba** *f* shame, disgrace, dishonour
**hańbić** *vt* disgrace, dishonour
**haracz** *m* tribute
**harce** *s pl* (*swawola*) frolics, pranks; **wyprawiać ~** frolic, play pranks
**harcerka** *f* Girl Guide, *am.* girl scout
**harcerstwo** *n* scouting, boy scouts movement
**harcerz** *m* boy scout
**harcmistrz** *m* scoutmaster, scout leader
**harcować** *vi* (*swawolić*) frolic, romp
**hardość** *f* haughtiness
**hardy** *adj* haughty
**harfa** *f muz.* harp
**harfiarz** *m* harpist
**harmonia** *f* harmony; (*instrument*) concertina
**harmoniczny** *adj* harmonic
**harmonijka** *f* harmonica, mouth organ
**harmonijny** *adj* harmonious
**harmonizować** *vi* harmonize
**harmonogram** *m* plan of work, timetable
**harować** *vi pot.* sweat, drudge
**harówka** *f pot.* sweat, drudgery
**harpun** *m* harpoon
**hart** *m* hardness; *techn.* temper; (*charakteru*) fortitude
**hartować** *vt* harden; inure; *techn.* temper; *zob.* zahartowany; **~ się** *vr* harden, inure oneself
**hasło** *n* watchword; slogan; *wojsk.* password
**haszysz** *m* hashish
**haubica** *f wojsk.* howitzer
**haust** *m* draught; **jednym ~em** at a draught
**hazard** *m* hazard; (*w grze*) gamble
**hazardować się** *vr* gamble
**heban** *m* ebony
**hebel** *m* plane
**heblować** *vt* plane
**hebrajski** *adj* Hebrew
**heca** *f pot.* fun
**hegemonia** *f* hegemony
**hej** *int* heigh!, ho!
**hejnał** *m* trumpet-call
**hektar** *m* hectare
**helikopter** *m* helicopter
**hellenista** *m* Hellenist, Greek scholar
**hełm** *m* helmet
**hemoglobina** *f biol.* haemoglobin
**hemoroidy** *s pl med.* haemorhoids
**heraldyka** *f* heraldry, heraldic art
**herb** *m* coat-of-arms; (*na sygnecie*) crest
**herbaciarnia** *f* tea-shop
**herbata** *f* tea
**herbatnik** *m* biscuit
**heretycki** *adj* heretical
**heretyk** *m* heretic
**herezja** *f* heresy
**hermetyczny** *adj* hermetic, air--tight, water-tight
**heroiczny** *adj* heroic
**heroizm** *m* heroism
**herold** *m hist.* herald
**herszt** *m* ringleader
**hetman** *m hist.* commander-in--chief; (*w szachach*) queen
**hiacynt** *m bot.* hyacinth
**hiena** *f zool.* hyena
**hierarchia** *f* hierarchy
**hierarchiczny** *adj* hierarchic
**hieroglif** *m* hieroglyph
**higiena** *f* hygiene
**higieniczny** *adj* hygienic
**Hindus** *m* Hindu
**hinduski** *adj* Hindu

**hiobow|y** *adj*, **~a wieść** Job's ⟨dismal⟩ news
**hiperbola** *f* hyperbole; *mat.* hyperbola
**hipnotyczny** *adj* hypnotic
**hipnotyzer** *m* hypnotist
**hipnotyzować** *vt* hypnotize
**hipnoza** *f* hypnosis
**hipochondria** *f* hypochondria
**hipochondryk** *m* hypochondriac
**hipokryta** *m* hypocrite
**hipokryzja** *f* hypocrisy
**hipopotam** *m zool.* hippopotamus
**hipoteczn|y** *adj* mortgage *attr*; **bank ~y** mortgage bank; **dłużnik ~y** mortgager; **pożyczka ~a** mortgage loan
**hipoteka** *f* mortgage
**hipotetyczny** *adj* hypothetic
**hipoteza** *f* hypothesis
**histeria** *f* hysterics
**histeryczny** *adj* hysterical
**histeryk** *m* hysteric
**historia** *f* history; story
**historyczny** *adj* (*dotyczący historii*) historical; (*doniosły, epokowy*) historic
**Hiszpan** *m* Spaniard
**hiszpański** *adj* Spanish
**hodować** *vt* rear, breed, raise; (*uprawiać*) cultivate; (*o jarzynach*) grow
**hodowca** *m* (*bydła*) breeder; (*jarzyn itp.*) grower
**hodowla** *f* breeding, growth, culture
**hojność** *f* liberality, generosity, open-handedness
**hojny** *adj* liberal, generous, open-handed
**hokej** *m* hockey
**Holender** *m* Dutchman
**holenderski** *adj* Dutch
**holować** *vt* haul, tow, have in tow, tug
**holownik** *m* tugboat
**hołd** *m* homage; **składać ~** pay ⟨do⟩ homage
**hołdować** *vi* pay ⟨do⟩ homage; (*wyznawać, np. zasady*) profess (**czemuś** sth)
**hołota** *f* rabble
**hołysz** *m* † pauper, have-not
**homar** *m zool.* lobster
**honor** *m* honour, *am.* honor
**honorarium** *n sing nieodm.* fee; (*autorskie*) royalty
**honorować** *vt* honour, respect
**honorowy** *adj* honourable
**horda** *f* horde
**hormon** *m biol.* hormone
**horoskop** *m* horoscope
**horrendalny** *adj* horrible, scandalous
**horyzont** *m* horizon
**horyzontalny** *adj* horizontal
**hossa** *f* boom
**hotel** *m* hotel
**hoży** *adj* brisk, spirited
**hrabia** *m* count, (*angielski*) earl
**hrabina** *f* countess
**hrabstwo** *n* county
**hreczka** *f bot.* buckwheat
**huba** *f* touchwood
**hubka** *f* tinder
**huczeć** *vi* roar, resound; make a noise
**huczny** *adj* resonant, clamorous; (*okazały*) sumptuous, pompous
**huk** *m* roar, bang; (*trzask*) crash
**hulać** *vi* carouse; run wild
**hulajnoga** *f* scooter
**hulaka** *m* carouser
**hulanka** *f* carousal
**hulaszczy** *adj* debauched, dissolute
**hultaj** *m* rogue, scamp
**humanista** *m* humanist
**humanistyczn|y** *adj* humanistic, humane; **studia ~e** humane studies; **literatura ~a** humanistic literature
**humanistyka** *f* humanities *pl*
**humanitarny** *adj* humanitarian, humane
**humanizm** *m* humanism
**humor** *m* humour, mood; (*kaprys*) whim, fancy
**humoreska** *f* humorous story; *muz.* humoresque
**humorystyczny** *adj* humoristic, humorous
**humus** *m geol.* humus

**hura** *int* hurrah!
**huragan** *m* hurricane
**hurt** *m* wholesale; **~em** wholesale, in (the) gross
**hurtownik** *m* wholesaler
**hurtow|y** *adj*, **handel ~y** wholesale trade; **sprzedaż ~a** wholesale
**huśtać** *vt*, **~ się** *vr* rock, swing
**huśtawka** *f* swing; (*podparta w środku*) seesaw
**huta** *f* foundry, steel-works, smelting-works; **~ szkła** glass-works
**hutnictwo** *n* metallurgy
**hutniczy** *adj* metallurgic(al)
**hutnik** *m* founder
**hybryda** *f* hybrid
**hydra** *f* hydra
**hydrant** *m* hydrant; hose
**hydraulika** *f* hydraulics
**hydropatia** *f* hydropathy
**hydroplan** *m* seaplane
**hydroskop** *m* hydroscope
**hydrostatyka** *f* hydrostatics
**hydroterapia** *f* hydrotherapy
**hymn** *m* hymn; **~ narodowy** national anthem

# I

**i** *conj* and; also, too; **i tak dalej** and so on
**idea** *f* idea
**idealista** *m* idealist
**idealistyczny** *adj* idealistic
**idealizm** *m* idealism
**idealizować** *vt* idealize
**idealny** *adj* ideal
**ideał** *m* ideal
**identyczność** *f* identity
**identyczny** *adj* identical
**identyfikować** *vt* identify
**ideolog** *m* ideologist
**ideologia** *f* ideology
**ideologiczny** *adj* ideological
**ideowiec** *m* idealist
**ideowy** *adj* ideological, attached to an idea
**idiom** *m* idiom
**idiomatyczny** *adj* idiomatic(al)
**idiosynkrazja** *f* idiosyncrasy
**idiota** *m* idiot
**idiotyczny** *adj* idiotic
**idiotyzm** *m* idiotism, idiocy
**idylla** *f* idyl(l)
**iglast|y** *adj*, **drzewo ~e** coniferous tree
**iglica** *f* needle; (*u broni palnej*) pin; (*na wieży*) spire
**igł|a** *f* needle; **nawlec ~ę** thread a needle; *przen.* **prosto z ~y** brand-new
**ignorancja** *f* ignorance
**ignorant** *m* ignoramus
**ignorować** *vt* ignore, disregard
**igrać** *vt* play, sport
**igraszka** *f* frolic, play; toy, plaything
**igrzysk|o** *n* play, spectacle; *pl* **~a olimpijskie** Olympic games
**ikra** *f* *zool.* roe; *pot.* spirit
**ile** *adv* how much, how many; **tyle ... ~** as much ⟨many⟩ ... as; **~ masz lat?** how old are you?; **o ~** how far, so far as, in so far as, as long as; **o ~ wiem** for all I know
**ilekroć** *adv* how many times; *conj* whenever, as often as
**iloczas** *m* quantity (of a vowel)
**iloczyn** *m* *mat.* product
**iloraz** *m* *mat.* quotient
**ilościowy** *adj* quantitative
**ilość** *f* quantity
**iluminacja** *f* illumination
**iluminować** *vt* illuminate
**ilustracja** *f* illustration, picture
**ilustrator** *m* illustrator
**ilustrować** *vt* illustrate
**iluzja** *f* illusion

**ił** *m* loam
**im** *adv* the; **im ... tym ...** the ... the ...; **~ więcej tym lepiej** the more the better
**imać się** *vr* take up
**imadło** *n* (hand-)vice, handle
**imaginacja** *f* imagination
**imaginacyjny** *adj* imaginary
**imbir** *m* ginger
**imbryk** *m* tea-pot
**imieniny** *s pl* name-day
**imiennik** *m* namesake
**imienny** *adj* nominal
**imiesłów** *m gram.* participle
**imi|ę** *n* name, first ⟨Christian⟩ name; denomination; **z ~enia, na ~ę** by name; **w ~eniu** in the name **(kogoś** of sb); **dobre ~ę** good reputation; **jak ci na ~ę?** what's your name?
**imigracja** *f* immigration
**imigrować** *vi* immigrate
**imitacja** *f* imitation
**imitować** *vt* imitate
**immatrykulacja** *f* matriculation
**immatrykulować** *vt,* **~ się** *vr* matriculate
**impas** *m* deadlock, blind alley; (*w kartach*) finesse
**imperialista** *m* imperialist
**imperialistyczny** *adj* imperialistic
**imperializm** *m* imperialism
**imperium** *n sing nieodm.* empire
**impertynencja** *f* impertinence
**impertynencki** *adj* impertinent
**impertynent** *m* impertinent person
**impet** *m* impetus, impulse
**implikować** *vt* imply
**imponować** *vt* impress **(komuś** sb)
**imponujący** *adj* impressive, imposing
**import** *m* import, importation
**importować** *vt* import
**impregnować** *vt* impregnate
**impresjonizm** *m* impressionism
**impreza** *f* enterprise; (*widowisko*) spectacle, show
**improwizacja** *f* improvisation
**improwizować** *vt* improvise
**impuls** *m* impulse
**impulsywny** *adj* impulsive
**inaczej** *adv* otherwise, differently; **tak czy ~** one way or another; **bo ~** or else
**inauguracja** *f* inauguration
**inauguracyjny** *adj* inaugural
**inaugurować** *vt* inaugurate
**in blanko** *adv* in blank
**incydent** *m* incident
**indagacja** *f* examination
**indagować** *vt* examine, interrogate
**indeks** *m* index
**indemnizacja** *f prawn.* indemnity, indemnification
**Indianin** *m* Indian
**indiański** *adj* Indian
**Indonezyjczyk** *m* Indonesian
**indonezyjski** *adj* Indonesian
**indukcja** *f* induction
**indukcyjny** *adj* inductive
**indyczka** *f* turkey-hen
**indyjski** *adj* Indian, Hindu
**indyk** *m* turkey
**indywidualista** *m* individualist
**indywidualizm** *m* individualism
**indywidualność** *f* individuality; (*osoba*) personality
**indywidualny** *adj* individual
**indywiduum** *n sing nieodm.* individual
**inercja** *f* inertia, inertness
**infekcja** *f* infection
**inflacja** *f* inflation
**informacja** *f* information **(o czymś** on ⟨about⟩ sth)
**informacyjn|y** *adj* informative; **biuro ~e** inquiry-office, intelligence-office
**informator** *m* informant; (*publikacja*) guide-book
**informować** *vt* inform; **~ się** *vr* inquire **(u kogoś** of sb, **w sprawie czegoś** for ⟨after⟩ sth), get information **(u kogoś** from sb, **w sprawie czegoś** about sth)
**ingerencja** *f* interference
**ingerować** *vi* interfere **(w coś** with sth)
**inhalacja** *f* inhalation
**inicjał** *m* initial
**inicjator** *m* initiator
**inicjatyw|a** *f* initiative; **wystąpić z**

~ą take the initiative; z ~y on the initiative
**inicjować** *vt* initiate
**iniekcja** *f med.* injection
**inkasent** *m* collector
**inkaso** *n* encashment
**inkasować** *vt* encash
**innowacja** *f* innovation
**innowierca** *m hist.* dissenter
**inny** *adj* other, different; **kto ~** somebody else; **~m razem** another time
**inscenizacja** *f* staging, mise-en--scene
**inscenizować** *vt* stage
**inspekcja** *f* inspection
**inspektor** *m* inspector
**inspekty** *s pl* hothouse, hotbed
**inspiracja** *f* inspiration
**inspirować** *vt* inspire
**instalacja** *f* installation; (*gazowa, hydrauliczna*) plumbery
**instalować** *vt* install; put in; (*wodę, gaz, elektryczność*) lay on
**instancj|a** *f* instance, authority; (*sądowa*) court; **niższa ~a** inferior court; **wyższa ~a** superior court; **w ostatniej ~i** in the last resort
**instrukcj|a** *f* instruction; *pl* **~e** (*dyrektywy, wskazówki*) directions
**instruktor** *m* instructor
**instrument** *m* instrument; appliance
**instrumentalny** *adj* instrumental
**instynkt** *m* instinct
**instyktowny** *adj* instinctive
**instytucja** *f* institution
**instytut** *m* institute
**insygnia** *s pl* insignia
**insynuacja** *f* insinuation
**insynuować** *vt* insinuate
**integracja** *f* integration
**integralny** *adj* integral
**integrować** *vt* integrate
**intelekt** *m* intellect
**intelektualista** *m* intellectualist
**intelektualny** *adj* intellectual
**inteligencja** *f* intelligence; (*warstwa społeczna*) the intellectuals *pl*, intelligentsia
**inteligent** *m* intellectual; (*pracownik umysłowy, urzędnik*) white--collar worker
**inteligentny** *adj* intelligent
**intencja** *f* intention
**intendent** *m* superintendent, manager; *wojsk.* commissary
**intendentura** *f* board of management, supply department; *wojsk.* commissariat
**intensywność** *f* intensity
**intensywny** *adj* intensive
**interes** *m* interest, business, affair; **człowiek ~u** business man; **dobry ~** good bargain; **mieć ~ do kogoś** have business with sb; **przyjść w ~ie** come on business; **robić wielkie ~y** do a great business; **to nie twój ~** it is no business of yours; **to leży w moim ~ie** it is in my own interest
**interesant** *m* (interested) party, client
**interes|ować** *vt* interest, concern; **to mnie wcale nie ~uje** it is not of any interest to me; **~ować się** *vr* be interested (**czymś** in sth), be concerned (**czymś** about, with, in sth), take interest (**czymś** in sth)
**interesowny** *adj* self-interested, selfish
**interesujący** *adj* interesting
**internacjonalizm** *m* internationalism
**internat** *m* boarding-establishment; (*szkoła*) boarding-school
**internować** *vt* intern
**internowany** *m* internee; **obóz ~ch** internment camp
**interpelacja** *f* interpellation
**interpelować** *vt* interpellate
**interpolacja** *f* interpolation
**interpolować** *vt* interpolate
**interpretacja** *f* interpretation
**interpretować** *vt* interpret
**interpunkcja** *f* punctuation
**interwencja** *f* intervention
**interweniować** *vi* intervene
**intonacja** *f* intonation

**intonować** *vt* strike up (a tune); (*wymawiać z intonacją*) intone
**intratny** *adj* lucrative
**introligator** *m* bookbinder
**introligatornia** *f* bookbinder's (shop)
**introligatorstwo** *n* bookbinding
**introspekcja** *f* introspection
**introspekcyjny** *adj* introspective
**intruz** *m* intruder
**intryga** *f* intrigue, scheme
**intrygant** *m* intriguer, schemer
**intrygować** *vi* intrigue, scheme
**intuicja** *f* intuition, insight
**intuicyjny** *adj* intuitive
**intymny** *adj* intimate
**inwalida** *m* invalid; (*żołnierz*) disabled soldier ⟨sailor⟩
**inwazja** *f* invasion
**inwektywa** *f* invective
**inwentaryzować** *vt* take stock (**coś** of sth)
**inwentarz** *m* inventory, stock-book; **żywy ~** livestock
**inwersja** *f* inversion
**inwestować** *vt* invest
**inwestycja** *f* investment
**inwigilacja** *f* invigilation
**inwigilować** *vt* invigilate; watch (**kogoś, coś** over sb, sth)
**inżynier** *m* engineer
**inżynieria** *f* engineering
**Irlandczyk** *m* Irishman
**irlandzki** *adj* Irish
**ironia** *f* irony
**ironiczny** *adj* ironical
**ironizować** *vi* speak with irony
**irracjonalny** *adj* irrational
**irygacja** *f* irrigation
**irygator** *m med.* irrigator
**irys** *m bot.* iris
**irytacja** *f* irritation
**irytować** *vt* irritate; **~ się** *vr* become irritated (**czymś** at sth)
**ischias** *m med.* sciatica
**iskra** *f* spark
**iskrzyć się** *vr* sparkle
**Islandczyk** *m* Icelander
**islandzki** *adj* Icelandic
**istnieć** *vi* exist
**istnienie** *n* existence
**istny** *adj* real; **~ łajdak** a very rogue
**istota** *f* being, creature; (*to, co zasadnicze*) essence, substance; **~ rzeczy** heart of the matter; **w istocie rzeczy** as a matter of fact
**istotnie** *adv* in reality, really
**istotny** *adj* real, essential (**dla kogoś, czegoś** to sb, sth), substantial
**iście** *adv* really, truly
**iść** *vi* go, walk; **~ dalej** go on; **~ po coś** go and fetch ⟨get⟩ sth; **~ za kimś, czymś** follow sb, sth; **~ w czyjeś ślady** follow in sb's steps; **jak ci idzie?** how are you doing?; **o co idzie?** what's the matter?; **interes idzie dobrze** the business is a going concern; **idzie o życie** life is at stake
**iwa** *f bot.* sallow
**izba** *f* apartment, room; (*parlamentu, sala*) chamber; **~ handlowa** Chamber of Commerce; **Izba Gmin ⟨Lordów⟩** House of Commons ⟨of Lords⟩; **~ chorych** sick-room
**izolacja** *f* isolation; (*elektryczna, cieplna*) insulation
**izolacjonizm** *m* isolationism
**izolacyjny** *adj* insulating
**izolator** *m* insulator
**izolować** *vt* isolate; *fiz.* insulate
**izoterma** *f fiz.* isotherm
**izotop** *m* isotope
**Izraelita** *f* Israelite
**izraelski** *adj* Israeli
**iż** *conj* that

# j

**ja** *pron* I; **to ja** it's me, it is I; **własne ja** self
**jabłecznik** *m* cider
**jabłko** *n* apple; ~ **Adama** Adam's apple
**jabłoń** *f* apple-tree
**jacht** *m* yacht
**jachtklub** *m* yacht-club
**jad** *m* venom
**jadalnia** *f* dining-room
**jadalny** *adj* eatable, edible
**jadło** *n* food, fare
**jadłodajnia** *f* eating-house, restaurant
**jadłospis** *m* bill of fare
**jadowity** *adj* venomous
**jaglan|y** *adj*, **kasza ~a** millet-groats
**jaglica** *f med.* trachoma
**jagnię** *n* lamb
**jagoda** *f* berry; **czarna ~** bilberry
**jajecznica** *f* scrambled eggs
**jajk|o** *n* egg; **~o na miękko ⟨na twardo⟩** soft ⟨hard⟩ boiled egg; **~a sadzone** fried eggs; **~o święcone** Easter egg
**jajnik** *m anat.* ovary
**jak** *adv conj part* how, as; **~ to?** how is that?; **~ najprędzej** as soon as possible; **~ najwięcej** as much ⟨many⟩ as possible; **~ tylko** as soon as; **~ bądź** anyhow; **tak ... ~ ...** as ... as ...; **nie tak ... ~ ...** not so ... as ...; **~ gdyby** as if; **~ również** as well as; **on jest taki ~ ja** he is like me
**jakby** *adv conj* as if
**jak|i** *pron* what; **~a to książka?** what book is this?; **~i bądź** any one; **~im sposobem** in what way, how; **~im bądź sposobem** in any way; **~iś ty dobry!** how good are you!; **~i ojciec taki syn** like father like son
**jakikolwiek** *pron* any, whatever
**jakiś** *pron* some
**jakkolwiek** *conj* (al)though; *adv* anyhow, somehow, in any ⟨some⟩ way
**jako** *adv conj* as; **~ też** also, as well as; **~ tako** in a fashion, tolerably
**jakoś** *adv* somehow; **~ to będzie** things will work out
**jakościowy** *adj* qualitative
**jakość** *f* quality
**jałmużna** *f* alms
**jałowiec** *m bot.* juniper
**jałowieć** *vi* grow barren, become sterile
**jałowy** *adj* barren, sterile; *przen.* futile, vain
**jałówka** *f* heifer
**jama** *f* pit, burrow; **~ ustna** oral cavity
**jamnik** *m* badgerdog
**Jankes** *m* Yankee
**Japończyk** *m* Japanese
**japoński** *adj* Japanese
**jar** *m* ravine
**jarmark** *m* fair
**jarosz** *m* vegetarian
**jarski** *adj* vegetarian
**jar|y** *adj*, **zboże ~e** summer corn, spring crops
**jarząbek** *m zool.* hazelhen
**jarzeniówka** *f elektr.* glow-tube lamp
**jarzębiak** *m* rowan vodka
**jarzębina** *f bot.* sorb, rowan
**jarzmo** *n* yoke
**jarzyn|a** *f* vegetable, *zw. pl* **~y** greens, vegetables
**jarzynow|y** *adj*, **zupa ~a** vegetable-soup
**jasełka** *s pl* Christmas play ⟨puppet-show⟩
**jasiek** *m* small pillow
**jaskier** *m bot.* buttercup
**jaskinia** *f* cave, cavern
**jaskiniowy** *adj*, **człowiek ~** cave-man

**jaskółka** *f zool.* swallow
**jaskrawy** *adj* glaring; (*o kolorze*) garish; (*wierutny*) arrant, rank; (*rażący*) crass
**jasno** *adv* clearly, brightly; **~ mówić** speak plain; **zrobiło się ~** it downed
**jasność** *f* clearness, brightness
**jasnowidz** *m* seer
**jasny** *adj* bright, clear, light; (*o cerze, włosach*) fair
**jastrząb** *m zool.* hawk
**jasyr** *m hist.* slavery, captivity
**jaszcz** *m wojsk.* caisson
**jaszczur** *m zool.* salamander
**jaszczurka** *f zool.* lizard
**jaśmin** *m bot.* jasmine
**jaśnieć** *vi* shine
**jatka** *f* butcher's shop; *przen.* (*rzeź*) shambles
**jaw** *m*, **wyjść na ~** come to light; **wydobyć na ~** bring to light
**jaw|a** *f* waking; **sen na ~ie** daydream
**jawnie** *adv* openly, evidently
**jawność** *f* publicity, evidence, openness
**jawny** *adj* manifest, evident, open, public
**jawor** *m bot.* sycamore
**jaz** *m* weir
**jazd|a** *f* ride, drive; (*podróż*) journey; (*krótka podróż*) trip; (*statkiem*) sail, voyage; **~a konna** horsemanship; **prawo ~y** driver's ⟨driving⟩ license
**jaźń** *f* ego, self
**jądro** *n* kernel; *biol. fiz.* nucleus
**jądrowy** *adj* nuclear
**jąkać się** *vr* stammer
**jąkała** *m* stammerer
**jątrzyć** *vt* irritate, excite, chafe; (*podjudzać*) instigate; **~ się** *vr* (*o ranie*) suppurate, fester
**jechać** *vi* go (**pociągiem** by train, **statkiem** by boat); ride (**konno** on horseback, **autobusem** in a bus, **samochodem** in a motor-car, **rowerem** a bicycle, on a bicycle); drive; travel
**jed|en** *num* one, a; **ani ~en** not a single; **co do ~nego** to the last man ⟨thing⟩; **~en po drugim** one after another; **sam ~en** alone, all by himself; **wszystko ~no** all the same, no matter; **co to za ~en?** who is he?; **na ~no wychodzi** makes no difference
**jedenasty** *num* eleventh
**jedenaście** *num* eleven
**jedlina** *f* fir-wood; fir-grove
**jednać** *vt* conciliate, reconcile; (*sobie*) win; **~ się** *vr* become reconciled
**jednak** *conj adv* but yet, still; however, nevertheless, after all, for all that
**jednaki, jednakowy** *adj* the same, equal, identical
**jednakowo** *adv* equally, alike, in the same way
**jednoaktówka** *f* one-act play
**jednobarwny** *adv* one-coloured, plain
**jednoczesny** *adj* simultaneous
**jednocześnie** *adv* simultaneously, at the same time
**jednoczyć** *vt*, **~ się** *vr* unite, consolidate
**jednodniowy** *adj* one day's
**jednogłośny** *adj* unanimous
**jednokierunkowy** *adj*, **ruch ~** one-way traffic
**jednokomórkowy** *adj* unicellular
**jednokrotny** *adj* single
**jednolitość** *f* uniformity
**jednolity** *adj* uniform
**jednomyślnie** *adv* unanimously, with one consent
**jednomyślność** *f* unanimity
**jednomyślny** *adj* unanimous
**jednonogi** *adj* one-legged
**jednoosobowy** *adj* single, one-man *attr*
**jednopiętrowy** *adj* one-storied
**jednopłatowiec** *m* monoplane
**jednorazowy** *adj* single
**jednoręczny** *adj* one-handed
**jednoroczny** *adj* one-year *attr*, one year's
**jednorodny** *adj* homogeneous
**jednostajność** *f* monotony

**jednostajny** *adj* monotonous
**jednostk|a** *f* unit, individual; **kult ~i** personality cult
**jednostronność** *f* unilaterality, one-sidedness
**jednostronny** *adj* unilateral, one-sided
**jedność** *f* unity
**jednotorowy** *adj* single-track, single-line
**jednozgłoskowy** *adj* monosyllabic
**jednoznaczny** *adj* synonymous
**jedwab** *m* silk
**jedwabnik** *m zool.* silkworm
**jedynaczka** *f* only daughter
**jedynak** *m* only son
**jedynie** *adv* only, solely, merely
**jedynka** *f* one
**jedynowładca** *m* autocrat
**jedynowładztwo** *n* autocracy
**jedyny** *adj* only, sole, single; (*wyjątkowy*) unique
**jedzeni|e** *n* eating; meal, food; **po ~u** after meal(s)
**jeleń** *m* deer; (*samiec*) stag
**jelit|o** *n* intestine; *pl* **~a** intestines, bowels
**jełczeć** *vi* become rancid
**jemioła** *f bot.* mistletoe
**jeniec** *m* prisoner, captive; **~ wojenny** prisoner of war
**jesienny** *adj* autumnal, (*o modzie, porze*) autumn *attr*
**jesień** *f* autumn, *am.* fall
**jesion** *m bot.* ash(-tree)
**jesionka** *f* overcoat
**jesiotr** *m zool.* sturgeon
**jestestwo** *n* being
**jeszcze** *adv* still, yet; beside; else; more; **~ długo** for a long time to come; **~ do niedawna** until quite recently; **~ dwie mile** another two miles; **~ do dzisiaj** to this very day; **~ jedna szklanka** one more glass; **~ pięć minut** another five minutes; **~ raz** once more; **czego ~ chcesz?** what more ⟨else⟩ do you want?; **czy (chcesz) ~ trochę chleba?** a little more bread?
**jeść** *vt vi* eat; **chce mi się ~** I'm hungry; **~ śniadanie** have breakfast; **~ obiad** have dinner, dine; **~ kolację** have supper, sup
**jeśli** *conj* if; **~ nie** unless
**jezdnia** *f* road, roadway
**jezioro** *n* lake
**jezuicki** *adj* Jesuit; *przen.* (*podstępny*) Jesuitical
**jezuita** *m* Jesuit
**jeździć** *vi* travel, go; **~ po Polsce** travel about Poland; *zob.* **jechać**
**jeździec** *m* horseman, rider
**jeż** *m zool.* hedgehog
**jeżeli** *zob.* **jeśli**
**jeżyć się** *vr* bristle
**jeżyna** *f bot.* blackberry
**jęczeć** *vi* groan, moan; (*utyskiwać*) grumble (**na coś** at, about sth)
**jęczmień** *m bot.* barley; (*na oku*) stye
**jędrny** *adj* pithy, sappy; vigorous
**jędza** *f* shrew, vixen
**jęk** *m* groan, moan
**języczek** *m* little tongue; (*u wagi*) cock
**język** *m* tongue; language; **~ ojczysty** mother tongue; vernacular; **pokazać ~** put out one's tongue; *przen.* **zapomnieć ~a w gębie** lose one's tongue
**językowy** *adj* linguistic; *anat.* lingual
**językoznawstwo** *n* linguistics
**jod** *m* iodine
**jodełk|a** *f* small fir; **wzór w ~ę** herring-bone pattern
**jodła** *f bot.* fir(-tree)
**jodoform** *m* iodoform
**jodyna** *f* tincture of iodine, *pot.* iodine
**jolka** *f mors.* yawl
**jon** *m fiz.* ion
**jowialność** *f* joviality
**jowialny** *adj* jovial
**jubilat** *m* man celebrating his jubilee
**jubiler** *m* jeweller
**jubileusz** *m* jubilee
**jucht** *m* Russian leather
**juczny** *adj*, **koń ~** packhorse
**judzić** *vt* instigate, abet

**Jugosłowianin** *m* Yugoslav
**jugosłowiański** *adj* Yugoslav(ian)
**junak** *m* brave
**junior** *m* junior
**juta** *f bot.* jute
**jurysdykcja** *f* jurisdiction
**juta** *f* jute
**jutr|o** *adv* tomorrow; *n* next day, *lit.* morrow; **do ~a** till ⟨see you⟩ tomorrow
**jutrzejszy** *adj* tomorrow's
**jutrzenka** *f* morning star; (*brzask*) dawn
**już** *adv* already; **~ nie** no more; **~ niedługo** very soon; not any longer; **~ nigdy** nevermore; **~ o piątej godzinie** as early as 5 o'clock

# K

**kabał|a** *f* (*wróżenie*) fortune-telling; (*trudne położenie*) scrape; **wpaść w ~ę** get oneself into a bad fix
**kabaret** *m* cabaret
**kabel** *m* cable
**kabina** *f* cabin; (*telefoniczna*) telephone booth; (*w samolocie*) cockpit
**kabłąk** *m* bow, arch
**kabłąkowaty** *adj* arched
**kabotyn** *m* buffoon
**kabotyński** *adj* buffoonish
**kabura** *f* holster
**kabz|a** *f pot.* purse; **nabić ~ę** load the purse
**kacerz** *m rel.* heretic
**kacyk** *m* cacique; *uj.* (*samowolny dygnitarz*) princeling, petty boss
**kaczan** *m* stump
**kaczk|a** *f zool.* duck; *przen.* (*fałszywa pogłoska*) canard, hoax; **puszczać ~i na wodzie** play ducks and drakes
**kaczor** *m zool.* drake
**kadencj|a** *f* cadence, rhythm; (*czas urzędowania*) term (of office); **pełnić obowiązki przez jedną ~ę** serve one term
**kadet** *m* cadet
**kadłub** *m* trunk; (*statku*) hull; (*rozbitego statku*) hulk; (*samolotu*) fuselage
**kadra** *f* staff; *wojsk.* cadre
**kaduk** *m*, **prawem ~a** illegally, lawlessly; **do ~a!** the duce!
**kadzić** *vt* incense
**kadzidło** *n* incense
**kadź** *f* tub
**kafar** *m* rammer, pile-driver
**kafel** *m* tile
**kaftan** *m* jacket; **~ bezpieczeństwa** strait-jacket
**kaftanik** *m* bodice; (*dla dziecka*) vest
**kaganek** *m* oil-lamp
**kaganiec** *m* muzzle; (*pochodnia*) torch; **nałożyć psu ~** muzzle the dog
**kajać się** *vr* repent (**z powodu czegoś** sth, of sth), do penance
**kajak** *m* canoe, kayak; **płynąć ~iem** canoe
**kajdany** *s pl* chains, fetters; (*na ręce*) handcuffs; **zakuć w ~** put in chains ⟨handcuff⟩ (**kogoś** sb), put handcuffs (**kogoś** on sb), to handcuff; **skruszyć ~** throw off the chains
**kajuta** *f* cabin
**kakao** *n nieodm.* cocoa
**kakofonia** *f* cacophony
**kaktus** *m* cactus
**kalać** *vt* foul, pollute
**kalafior** *m* cauliflower
**kalafonia** *f* colophony
**kalambur** *m* quibble, pun
**kalarepa** *f* kohl-rabi

**kalectwo** *n* crippledom, deformity; lameness
**kaleczyć** *vt* maim, mutilate; *przen.* ~ **angielski** murder one's English
**kalejdoskop** *m* kaleidoscope
**kaleka** *m f* cripple
**kalendarz** *m* calendar; ~ **kartkowy** block calendar
**kalesony** *s pl* drawers, *pot.* pants
**kaliber** *m* calibre
**kaligrafia** *f* calligraphy
**kaligraficzny** *adj* calligraphic
**kalina** *f bot.* guelder-rose
**kalka** *f* carbon-paper; (*kopia przez kalkę*) carbon-copy
**kalkomania** *f* transfer, decalcomania
**kalkować** *vt* calk, trace over
**kalkulacja** *f* calculation, computation
**kalkul|ować** *vt* calculate, compute; **to się nie ~uje** this is a losing deal
**kaloria** *f* calorie
**kaloryczny** *adj* caloric
**kaloryfer** *m* radiator, heater
**kalosz** *m* (rubber) overshoe, galosh
**kalumni|a** *f* calumny; **rzucać ~e** calumniate (**na kogoś** sb)
**kalwin** *m* Calvinist
**kalwiński** *adj* Calvinist
**kał** *m* excrement
**kałamarz** *m* inkstand
**kałuża** *f* puddle
**kamasz** *m* gaiter; (*płytki*) spat
**kamea** *f* cameo
**kameleon** *m zool.* chameleon
**kamelia** *f bot.* camellia
**kamera** *f fot.* camera
**kameraln|y** *adj*, **muzyka ~a** chamber music
**kamerton** *m muz.* tuning-fork
**kamfora** *f* camphor
**kamieniarstwo** *n* stone-cutting
**kamieniarz** *m* stone-cutter
**kamienica** *f* tenement-house, block of flats, *am.* apartment-house
**kamieniołom** *m* quarry
**kamienisty** *adj* stony
**kamienn|y** *adj* stone; **węgiel ~y** (black) coal; **sól ~a** rock-salt; *przen.* **~e serce** heart of stone
**kamienować** *vt* stone
**kamień** *m* stone; **drogi** ~ precious stone; ~ **graniczny** landmark; ~ **młyński** millstone; ~ **węgielny** corner-stone; ~ **do zapalniczek** flint
**kamizelka** *f* waistcoat
**kampania** *f* campaign; ~ **siewna** sowing compaign; ~ **wyborcza** electioneering campaign; ~ **żniwna** harvest campaign
**kamrat** *m pot.* chum, pal
**kamyk** *m* pebble stone; (*do zapalniczki*) flint
**Kanadyjczyk** *m* Canadian
**kanadyjski** *adj* Canadian
**kanalia** *f wulg.* scoundrel, rascal
**kanalizacja** *f* (*budowa kanałów*) canalization; (*urządzenie*) sewerage, sewage works
**kanalizować** *vt* provide with a sewage system
**kanał** *m* canal; (*morski*) channel; (*miejski*) sewer; *anat.* duct
**kanapa** *f* sofa, settee
**kanapka** *f* couch; (*przekąska*) snack, sandwich
**kanarek** *m* canary
**kancelaria** *f* office
**kancelaryjn|y** *adj* office *attr*; **papier ~y** foolscap paper; **praca ~a** office duties
**kancelista** *m* clerk
**kanciarz** *m pot.* crook, swindler, trickster
**kanclerz** *m* chancellor
**kandelabr** *m* chandelier
**kandydat** *m* candidate
**kandydatura** *f* candidature
**kandydować** *vi* be a candidate (**do czegoś** for sth); (*do parlamentu*) contest a seat (in Parliament)
**kangur** *m zool.* kangaroo
**kanikuła** *f* dog-days
**kanon** *m* standard; (*także muz.*) canon
**kanonada** *f* cannonade
**kanoniczny** *adj* canonic(al)
**kanonier** *m* gunner

**kanonierka** *f wojsk.* gunboat
**kanonik** *m* canon
**kanonizacja** *f* canonization
**kanonizować** *vt* canonize
**kant** *m* edge; angle; (*u spodni*) crease; *pot.* (*oszustwo*) swindle, take-in, fraud
**kantor 1.** *m* (*kontuar, lada*) counter; (*biuro*) counting-house
**kantor 2.** *m* (*śpiewak*) chanter
**kantyna** *f* canteen
**kanwa** *f* canvas
**kańczug** *m* whip, scourge
**kapa** *f* covering, bed-cover; (*szata*) cope
**kapać** *vi* dribble, trickle
**kapce** *s pl* snowboots
**kapeć** *m* slipper
**kapela** *f* orchestra, band
**kapelan** *m* chaplain
**kapelmistrz** *m* bandmaster
**kapelusz** *m* hat; **bez ~a** with no hat on
**kapelusznik** *m* hatter
**kaperować** *vt hist.* privateer, go privateering; *vt* capture, win over
**kaperstwo** *n* privateering
**kapiszon** *m* hood; (*spłonka*) percussion cap
**kapitalista** *m* capitalist
**kapitalistyczny** *adj* capitalistic
**kapitalizm** *m* capitalism
**kapitalny** *adj* capital; **remont ~** general overhaul
**kapitał** *m* capital; **~ zakładowy** ⟨**akcyjny**⟩ capital stock; **~ obrotowy** acting ⟨circulating⟩ capital
**kapitan** *m* captain
**kapitel** *m arch.* capital
**kapitulacja** *f* capitulation, surrender
**kapitulować** *vi* capitulate, surrender
**kapituła** *f* chapter
**kaplica** *f* chapel
**kapłan** *m* priest
**kapłański** *adj* priestly, sacerdotal
**kapłaństwo** *n* priesthood
**kapłon** *m* capon
**kapota** *f* (long) coat
**kapral** *m wojsk.* corporal
**kaprys** *m* caprice, whim, fad, fancy
**kapryśny** *adj* capricious, whimsical
**kapsla** *f* (*u butelki*) cap; (*u broni*) percussion cap; (*okucie*) capping
**kapsułka** *f* capsule
**kaptować** *vt* win (**sobie kogoś** sb to oneself); (*wyborców, klientów*) canvass
**kaptur** *m* hood; (*mnisi, u komina*) cowl
**kapturek** *m* hood; **Czerwony Kapturek** Red Riding Hood
**kapusta** *f* cabbage; **~ kiszona** sauerkraut
**kapuśniak** *m* sauerkraut soup
**kar|a** *f* punishment; (*sądowa*) penalty; (*pieniężna*) fine; (*śmierci*) capital punishment, death-penalty; **podlegać karze** be punishable: **ponieść ~ę** undergo a punishment; **skazać na ~ę pieniężną** fine; **wymierzyć ~ę** inflict a penalty (**komuś** on sb); **pod ~ą** under ⟨on⟩ pain (np. **śmierci** of death)
**karabin** *m* rifle, gun; **~ maszynowy** machine-gun
**karać** *vt* punish; (*sądownie, w sporcie*) penalize; **~ grzywną** fine; **~ śmiercią** inflict the capital punishment (**kogoś** on **sb**)
**karafka** *f* water-bottle; (*na alkohol*) decanter
**karakuły** *s pl* (*futro*) astrakhan
**karalny** *adj* punishable
**karaluch** *m zool.* cockroach
**karambol** *m* collision, clash
**karaś** *m zool.* crucian
**karat** *m* carat
**karawan** *m* hearse
**karawana** *f* caravan
**karawaniarz** *m* bearer, undertaker's man
**karb** *m* notch, score; **kłaść na ~** put it down (**kogoś, czegoś** to sb, sth); **trzymać w ~ach** keep a tight hand (**kogoś** on sb)
**karbid** *m chem.* carbide

**karbol** *m chem.* carbolic acid
**karbować** *vt* notch, score; (*fałdować*) crease, fold; (*o włosach*) curl
**karburator** *m* carburettor
**karcer** *m* lock-up, detention
**karciarz** *m* gambler
**karcić** *vt* reprimand, reprove
**karczma** *f* tavern, inn
**karczmarz** *m* innkeeper
**karczoch** *m bot.* artichoke
**karczować** *vt* (*pnie, krzaki*) grub out; (*ziemię*) clear
**kardiografia** *f* cardiography
**kardynalny** *adj* cardinal, fundamental
**kardynał** *m* cardinal
**kareta** *f* carriage, coach
**karetka** *f* chaise; **~ pogotowia** ambulance
**kariera** *f* career
**karierowicz** *m* pushing person, *pot.* climber
**kark** *m* neck; **chwycić za ~** collar, seize by the neck; **mieć na ~u** have on one's hands; **pędzić na złamanie ~u** drive at a breakneck speed; **siedzieć komuś na ~u** be on sb's hand; **skręcić ~** break one's neck
**karkołomny** *adj* breakneck *attr*
**karłowaty** *adj* dwarfish
**karmazyn** *m* crimson
**karmel** *m* caramel
**karmelek** *m* caramel, bonbon
**karmić** *vt* feed, nourish; (*piersią*) suckle; **~ się** *vr* feed, live (**czymś** on sth)
**karmin** *m* carmine
**karnawał** *m* carnival
**karność** *f* discipline
**karny** *adj* disciplined, docile; (*o prawie*) penal; (*o sądzie*) criminal; (*karzący*) punitive (expedition etc.)
**kar|o** *n* (*w kartach*) *zw. pl* **~a** diamonds
**karoseria** *f* body
**karp** *m* carp
**kart|a** *f* card; (*książki*) leaf, page; (*dokument*) charter; (*do gry*) playing-card; **~a tożsamości** identity card; **~a tytułowa** title-page; **(roz)dawać ~y** deal cards; **mieć dobrą ~ę** have a good hand; *przen.* **odkrycie ~** show-down; **grać w otwarte ~y** show down; **odkryć ~y** show down; **stawiać na jedną ~ę** stake all on one card
**kartel** *m* cartel
**kartka** *f* leaf, slip (of paper); (*na bagażu, towarze*) label; **~ żywnościowa na chleb** bread coupon; **~ pocztowa** postcard
**kartofel** *m* potato
**kartografia** *f* cartography
**karton** *m* cardboard, pasteboard; (*pudło tekturowe*) carton
**kartoteka** *f* card-index
**karuzela** *f* merry-go-round
**karygodny** *adj* punishable, culpable
**karykatura** *f* caricature, cartoon
**karykaturzysta** *m* cartoonist
**karzeł** *m* dwarf
**kasa** *f* cash-desk, cashier's window; (*podręczna*) cash-box, cash-drawer; (*kolejowa*) booking-office, *am.* ticket-office; (*teatralna*) box-office; **~ oszczędności** savings-bank
**kasacja** *f* cassation
**kasacyjny** *adj*, **sąd ~** court of cassation ⟨of appeal⟩
**kasetka** *f* casket; cash-box
**kasjer** *m* cashier, (*bankowy*) teller
**kask** *m* helmet
**kaskada** *f* cascade
**kasować** *vt* cancel, annul
**kasownik** *m muz.* natural; *filat.* postmark, cancellation; (*datownik*) dater
**kasta** *f* caste
**kastowość** *f* caste system
**kastrować** *vt* castrate
**kasyno** *n* casino, club
**kasza** *f* groats
**kaszel** *m* cough
**kaszka** *f* gruel
**kaszkiet** *m* cap
**kaszleć** *vi* cough

**kasztan** *m* chestnut(-tree); (*koń*) chestnut
**kat** *m* executioner, hangman
**katafalk** *m* catafalque
**kataklizm** *m* cataclysm
**katalizator** *m* *chem.* catalyst, catalyser
**katalog** *m* catalogue
**katalogować** *vt* catalogue
**katar** *m* cold; catarrh; **nabawić się ~u** catch a cold
**katarakta** *f* cataract
**katarynka** *f* barrel-organ
**katastrofa** *f* catastrophe, calamity; (*np. kolejowa*) crash
**katastrofalny** *adj* catastrophic
**katechizm** *m* catechism
**katedra** *f* cathedral; (*na uniwersytecie*) chair
**kategoria** *f* category
**kategoryczny** *adj* categorical
**katoda** *f* *elektr.* cathode
**katolicki** *adj* Catholic
**katolicyzm** *m* Catholicism
**katolik** *m* Catholic
**katorga** *f* forced labour, penal servitude
**katować** *vt* torment, torture
**katusze** *s pl* torture
**kaucj|a** *f* security, deposit; (*sądowa*) bail; **za ~ą** on bail
**kauczuk** *m* caoutchouc
**kaukaski** *adj* Caucasian
**kaw|a** *f* coffee; **młynek do ~y** coffee-mill
**kawaler** *m* (*nieżonaty*) bachelor; (*galant*) gallant; (*orderu*) knight; *hist.* cavalier
**kawaleria** *f* cavalry
**kawalerka** *f* bachelor's flat
**kawalerski** *adj* bachelor's; **stan ~** celibacy; **pokój ~** bachelor's room
**kawalerzysta** *m* cavalry man, trooper
**kawalkada** *f* cavalcade
**kawał** *m* piece, lump; (*dowcip*) joke; **brzydki ~** foul trick; **zrobić komuś ~** play sb a trick, (*okpić*) bamboozle sb
**kawał|ek** *m* bit, morsel, piece; **~ek cukru** lump of sugar; **po ~ku** piece by piece
**kawiarnia** *f* coffee-house, café
**kawior** *m* caviar
**kawka** *f* *zool.* jackdaw
**kazać** *vi* bid, order, let
**kazanie** *n* sermon
**kazić** *vt* pollute, corrupt, contaminate; (*alkohol*) denature
**kazirodztwo** *n* incest
**kaznodzieja** *m* preacher
**kazuistyka** *f* casuistry
**kaźń** † *f* torture; (*stracenie*) execution
**każdy** *pron* every, each, everybody, everyone; **~ z dwóch** either
**kącik** *m* nook
**kądziel** *f* distaff; **po ~i** on the distaff side
**kąkol** *m* cockle
**kąpać** *vt* bathe; **~ się** *vr* bathe, (*w łazience*) have a bath, (*w rzece, morzu*) have a bathe
**kąpiel** *f* (*w łazience*) bath, (*w rzece, morzu*) bathe; **~ słoneczna** sun-bath
**kąpielisko** *n* (*miejscowość*) spa, watering place; (*zakład*) bath-house
**kąpielowy** *adj*, **strój ~** bathing costume
**kąsać** *vt* bite
**kąsek** *m* bit, morsel
**kąt** *m* corner; *mat.* angle; **~ prosty** right angle; **~ ostry** acute angle; **~ rozwarty** obtuse angle; **~ przeciwległy** alternate angle; **~ przyległy** contiguous angle; **~ załamania światła** angle of refraction; **pod ~em widzenia** from the point of view
**kątomierz** *m* protractor
**kątowy** *adj* *mat.* angular
**kciuk** *m* thumb
**kelner** *m* waiter
**kelnerka** *f* waitress
**keson** *m* *techn. wojsk.* caisson
**kędzierzawy** *adj* curly, crisp
**kędzior** *m* curl, lock
**kępa** *f* (*drzew*) clump; (*pęk*) cluster; (*wysepka*) holm

**kępka** *f* cluster, (*np. włosów*) tuft
**kęs** *m* bit, morsel
**kibic** *m* looker-on; *am. pot.* kibitzer
**kibić** *f* waist, figure
**kichać** *vi* sneeze
**kicz** *m* daub; kitsch
**kiecka** *f pot.* skirt, frock
**kiedy** *conj* when, as; *adv* ever; ~ **wrócisz?** when will you be back?; **rzadko** ~ hardly ever; ~ **indziej** some other time
**kiedykolwiek** *conj* whenever; *adv* ~ **indziej** some other time
**kiedyś** *adv* once, at one time, (*w przyszłości*) some day
**kielich** *m* goblet, cup
**kieliszek** *m* glass
**kielnia** *f* trowel
**kieł** *m* (*u człowieka*) canine tooth; (*u słonia*) tusk; (*u psa*) fang
**kiełbasa** *f* sausage
**kiełek** *m* sprout, shoot
**kiełkować** *vi* sprout, shoot (forth)
**kiełznać** *vt* bit, bridle
**kiep** *m* simpleton, blockhead
**kiepski** *adj* mean, good for nothing
**kier** *m* (*w kartach*) *zw. pl* ~**y** hearts
**kierat** *m* treadmill
**kiermasz** *m* fair; ~ **książki** book-fair
**kierować** *vi vt* lead, direct, govern (**czymś** sth); drive (**samochodem** a car); (*zarządzać*) manage; ~ **się** *vr* proceed in the direction; be guided (**czymś** by sth); act (**czymś** according to sth)
**kierowca** *m* driver
**kierownica** *f* steering-wheel; (*u roweru*) handle bar
**kierownictwo** *n* management, administration, direction
**kierowniczy** *adj* managing, directive
**kierownik** *s* manager, director, head
**kierunek** *s* direction, course; *przen.* trend, tendency
**kierunkow|y** *adj* directional; (*radio*) antena ~**a** beam antenna
**kiesa** † *f* purse
**kieszeń** *f* pocket
**kieszonka** *f* small pocket
**kieszonkowe** *n* pocket money
**kieszonkowiec** *m* pickpocket
**kij** *m* stick, cane; **dostać** ~**e** get a good beating
**kijanka** *f zool.* tadpole
**kikut** *m* stump
**kilim** *m* rug, carpet
**kilka, kilku** *num* some, a few
**kilkakrotnie** *adv* several times, repeatedly
**kilkakrotny** *adj* repeated
**kilkudniowy** *adj* several days'
**kilkuletni** *adj* several years'
**kilof** *m* pickaxe
**kilogram** *m* kilogram(me)
**kilometr** *m* kilometre
**kinematograf** † *m* cinematograph; (*kino*) cinema
**kinematografia** *f* cinematography
**kinetyka** *f* kinetics
**kino** *n* cinema, pictures *pl*, *pot.* movies *pl*
**kiosk** *m* booth, stall, kiosk; (*z gazetami*) news stall ⟨stand⟩
**kipieć** *vi* boil
**kir** *m* pall, shroud
**kisić** *vt* (*kwasić*) sour; (*marynować*) pickle
**kisiel** *m* jelly, fruit cream
**kisnąć** *vi* sour, ferment
**kiszk|a** *f* intestine, gut; (*wędlina*) pudding, sausage; *pot.* **zapalenie ślepej** ~**i** appendicitis
**kiść** *f* bunch, tuft
**kit** *m* putty
**kitel** *m* smock-frock
**kitować** *vt* putty
**kiwać** *vi* wag, shake; beckon (**na kogoś** to sb); ~ **głową** nod; ~ **ręką** wave one's hand (**na kogoś** to sb); ~ **się** *vr* wag, totter
**klacz** *f* mare
**klajster** *m* glue, paste
**klaka** *f* claque
**klakson** *m* hooter
**klamka** *f* (door-)handle, latch

**klamra** *f* clasp, buckle; (*nawias*) bracket
**klan** *m* clan
**klapa** *f* flap; *techn.* valve; (*marynarki*) lapel; *pot.* (*niepowodzenie*) flop; ~ **bezpieczeństwa** safety-valve
**klarnet** *m* *muz.* clarinet; ~ **basowy** bass-clarinet
**klarować** *vt* clear, clarify; (*wyjaśniać*) explain
**klarowny** *adj* limpid, clear
**klasa** *f* class; (*sala szkolna*) classroom; (*rocznik szkolny*) form; ~ **pracująca** working class
**klaskać** *vi* clap (**w ręce** one's hands), (*bić brawo*) applaud
**klasow|y** *adj* class; **świadomość** ~**a** class consciousness; **walka** ~**a** class struggle
**klasówka** *f* school-work
**klasycyzm** *m* classicism
**klasyczny** *adj* classic(al)
**klasyfikować** *vt* classify
**klasyk** *m* classic
**klasztor** *m* cloister, monastery
**klasztorny** *adj* monastic
**klatka** *f* cage; *anat.* ~ **piersiowa** chest; ~ **schodowa** staircase
**klauzula** *f* clause
**klawiatura** *f* keyboard
**klawisz** *m* key; ~ **biały** natural
**kląć** *vi* swear (**kogoś** at sb); (*przeklinać, złorzeczyć*) curse (**na kogoś** sb); ~ **się** *vr* swear (**na coś** by sth)
**klątwa** *f* anathema, curse
**klecić** *vt* *pot.* botch up, concoct
**kleić** *vt* stick, glue (together), paste; ~ **się** *vr* stick
**kleik** *m* gruel
**kleisty** *adj* sticky
**klej** *m* glue, gum, paste
**klejnot** *m* jewel
**klekot** *m* rattle, clatter
**klekotać** *vi* rattle, clatter
**kleks** *m* blot
**klepać** *vt* hammer, beat; (*ziemię*) stamp; (*po plecach*) slap, clap
**klepisko** *n* threshing-floor
**klepk|a** *f* stave; *przen.* *pot.* **brak mu piątej** ~**i** he is crackbrained; he has a screw loose
**klepsydra** *f* hourglass; (*ogłoszenie żałobne*) obituary notice
**kler** *m* clergy
**kleryk** *m* seminarist
**klerykalizm** *m* clericalism
**klerykalny** *adj* clerical; (*o kraju, instytucji*) priest-ridden
**klerykał** *m* clericalist
**kleszcz** *m* *zool.* tick
**kleszcze** *s pl* (*instrument*) pincers, pliers
**klęczeć** *vi* kneel, be on one's knees
**klękać** *vi* kneel down (**przed kimś** to sb)
**klęsk|a** *f* defeat, calamity, disaster; **ponieść** ~**ę** be defeated; **zadać** ~**ę** defeat
**klient** *m* client; *handl.* customer, patron
**klientela** *f* customers *pl*
**klika** *f* clique
**klimat** *m* climate
**klimatyczn|y** *adj* climatic; **miejscowość** ~**a** health-resort
**klimatyzacja** *f* air conditioning
**klimatyzować** *vt* condition
**klin** *m* wedge; **wbijać** ~**em** wedge in
**klinga** *f* (sword-)blade
**kliniczny** *adj* clinic
**klisza** *f* cliché; *fot.* plate
**kloaka** *f* sewer
**kloc** *m* log, block
**klocek** *m* block
**klomb** *m* flowerbed
**klon** *m* *bot.* maple
**klops** *m* meat-ball
**klosz** *m* glass-cover, glass-bell; (*abażur*) globe; lampshade
**kloszow|y** *adj*, ~**e spodnie** bell-bottomed trousers
**klown** *m* clown
**klozet** *m* water-closet
**klub** *m* club
**klucz** *m* key; *muz.* clef; ~ **do nakrętek** spanner; ~ **francuski** wrench; **zamknąć na** ~ lock
**kluczow|y** *adj* key, fundamental; **nuta** ~**a** keynote

**kluć się** *vr* hatch
**kluska** *f* dumpling
**kładka** *f* foot-bridge
**kłak** *m* flock, wisp; *pl* **~i** (*pakuły*) oakum, wadding
**kłam** † *m*, **zadać komuś ~** give sb the lie
**kłamać** *vi* lie (**przed kimś** to sb)
**kłamca** *m* liar
**kłamliwy** *adj* lying, deceitful, mendacious
**kłamstwo** *n* lie
**kłania|ć się** *vr* greet (**komuś** sb), bow (**komuś** to sb); **~j mu się ode mnie** present him my compliments, give him my regards
**kłaść** *vt* lay, set, put; **~ się** *vr* lie down
**kłąb** *m* clew, ball, roll; **kłęby dymu** wreaths of smoke
**kłębek** *m* ball, roll; *przen.* **~ nerwów** bundle of nerves
**kłębiasty** *adj* billowy; (*o chmurze*) cumulous
**kłębić się** *vr* swell, surge; (*o dymie*) wreathe
**kłoda** *f* log, block; clog
**kłopo|t** *m* embarassment, trouble, bother; **być w ~cie** be at a loss; **mieć ~ty pieniężne** have money troubles; **narobić sobie ~tu** get into trouble; **narobić komuś ~tu** get sb into trouble; **wprawiać w ~t** embarass, give trouble
**kłopotać** *vt* embarass, trouble; **~ się** *vr* be troubled, bother (**o coś** about sth)
**kłopotliwy** *adj* troublesome, embarassing
**kłos** *m* ear; **zbierać ~y** glean
**kłócić się** *vr* quarrel (**o coś** about sth); (*np. o kolorach, poglądach*) clash
**kłódk|a** *f* padlock; **zamknąć na ~ę** padlock
**kłótliwy** *adj* quarrelsome
**kłótnia** *f* quarrel
**kłucie** *n* (*w boku*) stitch
**kłuć** *vt vi* sting, prick; **~ w oczy** be an eyesore (**kogoś** to sb)
**kłus** *m* trot; **~em** at a trot
**kłusować** 1. *vi* (*jechać kłusem*) trot
**kłusować** 2. *vi* (*uprawiać kłusownictwo*) poach
**kłusownictwo** *n* poaching
**kłusownik** *m* poacher
**kmieć** † *m* peasant, farmer
**kmin(ek)** *m* cumin
**knajpa** *f pot.* pub, tavern
**knebel** *m* gag
**kneblować** *vt* gag (**komuś usta** sb)
**knedel** *m* dumpling
**knocić** *vt pot.* bungle, botch
**knot** *m* wick
**knuć** *vt* plot, conspire
**koalicja** *f* coalition
**kobiałka** *f* wicker-basket
**kobieciarz** *m* ladies' man
**kobiecość** *f* womanhood
**kobiec|y** *adj* womanly, womanlike; (*o płci*) female; **prawa ~e** women's rights
**kobierzec** *m* carpet
**kobieta** *f* woman
**kobra** *f zool.* cobra
**kobyła** *f* mare
**kobza** *f muz.* bagpipe
**kobziarz** *m* bagpiper
**koc** *m* blanket, rug
**kochać** *vt* love; **~ się** *vr* be in love (**w kimś** with sb)
**kochanek** *m* lover, love; paramour
**kochanka** *f* lover, love; mistress, paramour
**koci** *adj* catty, catlike; feline
**kociak** *m* kitten; (*dziewczyna*) sweet-and-twenty
**kocię** *n* kitten
**kocioł** *m* kettle, cauldron; *muz.* kettle-drum; **~ parowy** steam-boiler
**kocur** *m* tomcat
**koczować** *vi* nomadize, migrate
**koczownictwo** *n* nomadism
**koczowniczy** *adj* nomadic, migratory
**kod** *m* code
**kodeks** *m* code
**kodyfikacja** *f* codification
**kodyfikować** *vt* codify
**koedukacja** *f* co-education

**koegzystencja** *f* co-existence
**kogut** *m* cock
**koić** *vt* soothe
**koja** *f* berth
**kojarzenie** *n* association
**kojarzyć** *vt* match; (*pojęcia*) associate; **~ się** *vr* associate, be associated; pair
**kojący** *adj* soothing, alleviative
**kojec** *m* coop
**kokarda** *f* cockade
**kokieteria** *f* coquetry
**kokietka** *f* coquette
**kokietować** *vt* coquet (**kogoś** with sb)
**koklusz** *m med.* (w)hooping-cough
**kokon** *m* cocoon
**kokos** *m* coco-nut
**kokoszka** *f* (brood-)hen
**koks** *m* coke
**koksownia** *f* coking-plant
**kolaboracja** *f* collaboration
**kolaborant** *m* collaborator
**kolaborować** *vi* collaborate
**kolacj|a** *f* supper; **jeść ~ę** have supper, sup
**kolano** *n* knee; (*rury*) joint; (*rzeki*) bend, turn
**kolarstwo** *n* cycling
**kolarz** *m* cyclist
**kolący** *adj* stinging, thorny
**kolba** *f* (*strzelby*) butt-end; *chem.* flask; (*do lutowania*) soldering-iron
**kolczasty** *adj* prickly, thorny; **drut ~** barbed wire
**kolczyk** *m* ear-ring; (*u zwierząt*) ear-mark
**kolebka** *f* cradle
**kolec** *m* prick, thorn; (*u sprzączki*) tongue
**kolega** *m* comrade, mate, companion; (*z pracy*) colleague; (*szkolny*) schoolmate, classmate
**kolegialny** *adj* collegiate
**kolegium** *n sing nieodm.* college; (*grono*) staff, board, committee
**koleina** *f* rut
**kole|j** *f* railway, *am.* railroad; (*następstwo*) turn, succession; **po ~i** in turn, by turns; **~j na mnie** it is my turn
**kolejarz** *m* railwayman
**kolej|ka** *f* narrow-gauge railway; (*ludzi*) queue, line; (*dań, kieliszków*) round; turn; **stać w ~ce** queue up, line up
**kolejno** *adv* in turn, by turns, successively
**kolejnoś|ć** *f* succession, rotation; **w ~ci** by rotation
**kolejny** *adj* successive, next
**kolekcja** *f* collection
**kolekcjoner** *m* collector
**kolekcjonować** *vt* collect
**kolektura** *f* lottery office
**kolektyw** *m* collective body
**kolektywizacja** *f* collectivization
**kolektywizm** *m* collectivism
**kolektywn|y** *adj* collective; **gospodarka ~a** collective farming; **gospodarstwo ~e** collective farm
**koleżanka** *f* girl friend, colleague
**koleżeński** *adj* friendly
**koleżeństwo** *n* comradeship
**kolęda** *f* Christmas carol
**kolędni|k** *m* carol-singer, caroller; *pl* **~cy** waits
**kolędować** *vi* carol
**kolia** *f* necklace
**kolidować** *vi* collide, clash
**koligacja** *f* affinity, connection
**kolisty** *adj* circular
**kolizj|a** *f* collision; **popaść w ~ę** come into collision
**kolka** *f* colic
**kolokwium** *n sing nieodm.* colloquy, examination
**kolonia** *f* colony, settlement; (*wakacyjna*) summer camp
**kolonialny** *adj* colonial; **kupiec ~** grocer
**kolonista** *m* colonist
**kolonizacja** *f* colonization
**kolonizator** *m* colonizer
**kolońsk|i** *adj*, **woda ~a** eau de Cologne
**kolor** *m* colour; (*w kartach*) suit; **dać do ~u** follow suit
**koloratura** *f* coloratura
**kolorować** *vt* colour
**kolorowy** *adj* coloured

**koloryt** *m* colour, colouring

**koloryzować** *vt* colour

**kolos** *m* colossus; *przen.* giant

**kolosalny** *adj* colossal

**kolportaż** *m* distribution, hawking

**kolporter** *m* distributor, hawker

**kolportować** *vt* distribute, hawk

**kolumna** *f* column, pillar; *wojsk.* column

**kolumnada** *f* colonnade

**kołatać** *vi* rattle; knock (**do drzwi** at the door); *przen.* solicit (**do kogoś o coś** sb for sth ⟨sth from sb⟩)

**kołchoz** *m* kolkhoz

**kołczan** *m* quiver

**kołdra** *f* counterpane, coverlet

**kołek** *m* peg

**kołnierz** *m* collar

**koło** 1. *praep* by, near; about

**koło** 2. *n* wheel; (*obwód; stowarzyszenie*) circle; (*do tortur*) rack; **~ napędowe** driving wheel; **~ zębate** cog-wheel

**kołodziej** *m* wheelwright

**kołowacizna** *f* dizziness

**kołować** *vi* move round, circle

**kołowrotek** *m* spinning-wheel

**kołowrót** *m* windlass

**kołow|y** *adj* circular; **ruch ~y** vehicular traffic

**kołtun** *m* *med.* plica; (*człowiek zacofany*) fogey, stick-in-the-mud

**kołysać** *vt* rock, lull; **~ się** *vr* rock, sway

**kołysanka** *f* cradle-song, lullaby

**kołyska** *f* cradle

**komandor** *m* commander; *mors.* commodore

**komandos** *m* commando

**komar** *m* *zool.* mosquito

**kombajn** *m* combine(-harvester)

**kombatant** *m* combatant

**kombinacja** *f* combination

**kombinat** *m* combine

**kombinator** *m* speculator, dodger

**kombinezon** *m* overalls

**kombinować** *vt* combine; speculate

**komedia** *f* comedy

**komediant** *m* pretender

**komediopisarz** *m* comedist

**komenda** *f* command

**komendant** *m* commander, commandant

**komenderować** *vi* command

**komentarz** *m* commentary

**komentować** *vt* comment (**coś** on ⟨upon⟩ sth), annotate

**kometa** *f* comet

**komfort** *m* comfort

**komfortowy** *adj* luxurious

**komiczny** *adj* comic, funny

**komik** *m* comedian

**komin** *m* chimney; (*na dachu*) chimney-pot; (*lokomotywy, statku*) funnel

**kominek** *m* fire-place

**kominiarz** *m* chimney-sweep

**komis** *m* commission; (*sklep*) commission-house; **wziąć w ~** take on commission

**komisariat** *m* commissary's office; (*ludowy*) commissariat; **~ policji** police-station

**komisarz** *m* commissary; (*ludowy*) commissar

**komisja** *f* commission, committee, board

**komitet** *m* committee

**komityw|a** *f* intimacy, friendly terms; **w dobrej ~ie** on good terms

**komiwojażer** *m* travelling agent

**komnata** † *f* apartment

**komoda** *f* chest of drawers

**komora** *f* chamber; cabin; (*spiżarnia*) larder; **~ celna** custom-house

**komorne** *n* rent

**komórka** *f* closet; *biol. elektr.* cell

**kompan** *m* *pot.* chum, pal

**kompania** *f* company

**kompas** *m* compass

**kompendium** *n sing nieodm.* compendium, digest

**kompensata** *f* compensation

**kompensować** *vt* compensate (**coś** for sth)

**kompetencja** *f* competence

**kompetentny** *adj* competent

**kompilacja** *f* compilation
**kompilator** *m* compiler
**kompilować** *vt* compile
**kompleks** *m* complex
**komplement** *m* complement; **prawić ~y** pay compliments
**komplet** *m* full number ⟨assembly⟩; set; **~ stołowy** dinner-set; **~ do herbaty** tea-set; **~ ubrania** suit of clothes
**kompletny** *adj* complete, thorough
**kompletować** *vt* complete
**komplikacja** *f* complication
**komplikować** *vt* complicate
**komponować** *vt* compose
**kompost** *m* compost
**kompot** *m* compote, stewed fruit
**kompozycja** *f* composition
**kompozytor** *m* composer
**kompres** *m* compress
**kompresja** *f* compression
**kompresor** *m* compressor
**kompromis** *m* compromise; **iść na ~y** compromise (**w czymś** on sth)
**kompromisowy** *adj* compromising
**kompromitacja** *f* discredit
**kompromitować** *vt* discredit, compromise; **~ się** *vr* discredit oneself
**kompromitujący** *adj* compromising, disgraceful
**komuna** *f* commune; *hist.* **Komuna Paryska** Commune of Paris
**komunalny** *adj* communal
**komunał** *m* commonplace
**komunard** *m hist.* Communard
**komunia** *f* communion
**komunikacja** *f* communication; traffic
**komunikat** *m* announcement, news report
**komunikować** *vt* announce (**komuś coś** sth to sb), inform (**komuś coś** sb about sth); **~ się** *vr* communicate; have intercourse
**komunista** *m* communist
**komunistyczny** *adj* Communist(ic); **Manifest Komunistyczny** Communist Manifesto; **Komunistyczna Partia Związku Radzieckiego** Communist Party of the Soviet Union
**komunizm** *m* communism
**konać** *vi* die away
**konar** *m* bough
**koncentracja** *f* concentration
**koncentracyjny** *adj* concentrative; **obóz ~** concentration camp
**koncentrować** *vt* concentrate
**koncepcja** *f* conception
**koncept** *m* concept, idea; (*zarys*) draft
**koncern** *m* concern
**koncert** *m* concert; (*utwór*) concerto
**koncesja** *f* concession, licence
**koncesjonować** *vt* licence, grant a concession
**koncha** *f* conch, shell
**kondensator** *m techn.* condenser
**kondensować** *vt* condense
**kondolencj|a** *f* condolence; **składać ~e** condole (**komuś z powodu czegoś** with sb on ⟨upon⟩ sth
**kondor** *m zool.* condor
**kondukt** *m*, **~ pogrzebowy** funeral procession
**konduktor** *m* (*kolejowy*) guard, (*tramwajowy*) conductor
**konduktorka** *f* conductress
**kondycja** *f* condition
**kondygnacja** *f* level, tier
**koneksja** *f* connexion
**konewka** *f* watering-can
**konfederacja** *f* confederacy, confederation
**konfederat** *m* confederate
**konfekcja** *f* ready-made clothes
**konferencja** *f* conference
**konferować** *vi* confer
**konfesjonał** *m* confessional
**konfident** *m* informer, intelligencer
**konfiskata** *f* confiscation
**konfiskować** *vt* confiscate
**konfitura** *f* jam
**konflikt** *m* conflict
**konfrontacja** *f* confrontation
**konfrontować** *vt* confront
**konfuzja** *f* confusion
**kongregacja** *f* congregation
**kongres** *m* congress
**koniak** *m* cognac, brandy
**koniczyna** *f bot.* clover, trefoil

**koniec** *m* end, conclusion, close; **dobiegać końca** to draw near the end; **położyć ~** put an end; **wiązać ~ z końcem** make both ends meet; **aż do końca** up to the end; **bez końca** no end; **do samego końca** to the very end; **na ~** finally; **na końcu języka** on the tip of one's tongue; **w końcu** at ⟨in⟩ the end
**koniecznoś|ć** *f* necessity; **z ~ci** of necessity
**konieczny** *adj* necessary, indispensable
**konik** *m* pony; (*mania*) hobby; *pot.* (*spekulujący biletami*) scalper; *zool.* **~ polny** grass-hopper
**koniokrad** *m* horse-thief
**koniugacja** *f* *jęz.* conjugation
**koniunktura** *f* juncture, tide of the market; opportunity
**koniuszek** *m* tip
**konkluzja** *f* conclusion
**konkretny** *adj* concrete, real
**konkurencja** *f* competition
**konkurencyjny** *adj* competitive
**konkurent** *m* competitor, rival; (*zalotnik*) suitor
**konkurować** *vi* compete; (*zalecać się*) court (**do kogoś** sb)
**konkurs** *m* competition; **ogłaszać ~ na coś** offer sth for competition
**konkursowy** *adj* competitive
**konnica** *f* cavalry
**konno** *adv* on horseback
**konn|y** *adj* mounted; (*o zaprzęgu*) horse-drawn; **jazda ~a** horse-riding; **wyścigi ~e** horse-race
**konopie** *s pl* hemp
**konosament** *m* *handl.* bill-of-lading
**konsekwencja** *f* consequence, consistency
**konsekwentnie** *adv* in a consistent way, consistently
**konsekwentny** *adj* consistent, consequent
**konserwa** *f* preserve, tinned ⟨*am.* canned⟩ meat ⟨milk, fruit etc.⟩
**konserwacja** *f* conservation
**konserwatorium** *n sing nieodm.* conservatory, conservatoire
**konserwatysta** *m* conservative
**konserwatywny** *adj* conservative
**konserwatyzm** *m* conservatism
**konserwować** *vt* conserve; (*o żywności*) preserve
**konserwowy** *adj*, **przemysł ~** canning industry
**konsolidacja** *f* consolidation
**konsolidować** *vt* consolidate
**konspekt** *m* draft; conspectus
**konspiracja** *f* conspiracy, plot
**konspirator** *m* conspirator
**konspirować** *vi vt* conspire, plot
**konstatować** *vt* state, ascertain
**konstelacja** *f* constellation
**konsternacja** *f* consternation, dismay
**konstrukcja** *f* construction
**konstrukcyjny** *adj* constructional
**konstruktor** *m* constructor
**konstruktywny** *adj* constructive
**konstruować** *vt* construct
**konstytucja** *f* constitution
**konstytucyjny** *adj* constitutional
**konstytuować** *vt* constitute
**konsul** *m* consul
**konsularny** *adj* consular
**konsulat** *m* consulate
**konsultacja** *f* consultation
**konsultant** *m* consultant; (*o lekarzu*) consulting physician
**konsultować** *vt* consult; **~ się** *vr* consult, confer
**konsum** *m* co-operative shop
**konsument** *m* consumer
**konsumować** *vt* consume
**konsumpcja** *f* consumption
**konsumpcyjn|y** *adj* consumptive; **towary ~e** consumers' goods
**konsylium** *n sing nieodm.* consultation
**konsystorz** *m* consistory
**konszachty** *s pl* collusion; **wchodzić w ~** enter into collusion
**kontakt** *m* contact; **nawiązać ~** contact (**z kimś** sb), come into contact (**z kimś** with sb); **stracić ~** be out of contact
**kontaktować** *vt vi* bring into contact, contact; **~ się** *vr* be in contact, keep in touch

**kontekst** *m* context
**kontemplacja** *f* contemplation
**kontentować** *vt* content; ~ **się** *vr* be contented (**czymś** with sth)
**konto** *n* account; **na** ~ on account
**kontrabanda** *f* smuggling, contraband
**kontrabas** *m* double bass
**kontradmirał** *m* rear admiral
**kontrahent** *m* contracting party
**kontrakt** *m* contract (**w sprawie czegoś** for ⟨of⟩ sth); ~ **o pracę** contract for work; ~ **sprzedaży** contract of sale
**kontraktować** *vt vi* contract
**kontrapunkt** *m muz.* counterpoint
**kontrast** *m* contrast
**kontrastować** *vi* contrast
**kontratak** *m* counter-attack
**kontrofensywa** *f* counteroffensive
**kontrola** *f* control
**kontroler** *m* controller
**kontrolować** *vt* control
**kontrować** *vi* (*w kartach*) double
**kontrowersja** *f* controversy
**kontrowersyjny** *adj* controversial
**kontrrewolucja** *f* counter-revolution
**kontrrewolucjonista** *m* counter-revolutionary
**kontrrewolucyjny** *adj* counter-revolutionary
**kontrtorpedowiec** *m mors.* destroyer
**kontrwywiad** *m* counter-espionage
**kontrybucj|a** *f* contribution; **nałożyć na kraj** ~**ę** lay a country under contribution
**kontuar** *m* counter
**kontur** *m* outline, contour
**kontuzja** *f* contusion
**kontuzjować** *vt* contuse
**kontynent** *m* continent
**kontynentalny** *adj* continental
**kontyngent** *m* contingent, quota; (*żołnierzy*) levy
**kontynuować** *vt* continue
**konwalia** *f bot.* lily of the valley
**konwenans** *m* conventionality, convention
**konwencja** *f* convention
**konwencjonalny** *adj* conventional
**konwent** *m* convention, assembly; (*klasztor*) convent
**konwersacja** *f* conversation
**konwersacyjny** *adj* conversational
**konwojent** *m* escort
**konwojować** *vt* convoy, escort
**konwój** *m* convoy, escort
**konwulsja** *f* convulsion
**konwulsyjny** *adv* convulsive
**koń** *m* horse; (*w szachach*) knight; ~ **gimnastyczny** vaulting-horse; ~ **mechaniczny** metric horse-power; ~ **parowy** horse-power; ~ **pociągowy** draught-horse; ~ **wierzchowy** saddle-horse; ~ **na biegunach** rocking-horse; **jechać na koniu** go on horseback; **wsiąść na konia** get ⟨mount⟩ on horseback
**końcow|y** *adj* final, ultimate; **stacja** ~**a** terminus
**końcówka** *f* ending, end; (*np. węża gumowego*) nozzle
**kończyć** *vt* end, finish, conclude, close; ~ **się** *vr* end, come to a close
**kończyna** *f* limb
**kooperacja** *f* co-operation
**kooperacyjny** *adj* co-operative
**kooperatywa** *f* co-operative society
**kooptować** *vt* co-opt
**koordynacja** *f* co-ordination
**koordynować** *vt* co-ordinate
**kopa** *f* three-score; (*stos*) pile; ~ **siana** haycock
**kopać** *vt* dig; (*nogą*) kick
**kopalnia** *f* mine; ~ **węgla** coal-mine; ~ **soli** salt-mine
**koparka** *f* excavator
**kopcić** *vi* smoke, give off soot
**kopeć** *m* soot, black
**koper** *m* dill
**koperta** *f* envelope
**kopia 1.** *f* (*odbitka*) copy, transcript
**kopia 2.** *f* (*broń*) lance
**kopiec** *m* mound; (*mogiła*) tumulus; (*kupa, stos*) pile; **kreci** ~ mole-hill

**kopiować** *vt* copy
**kopuła** *f* cupola, dome
**kopyto** *n* hoof; (*szewskie*) last
**kor|a** *f* bark; **odzierać drzewo z ~y** bark the tree; *anat.* **~a mózgowa** cortex
**koral** *m* coral
**koralik** *m* bead
**korba** *f* crank
**korcić** *vt* tempt
**kordon** *m* cordon; **otaczać ~em** cordon off
**Koreańczyk** *m* Korean
**koreański** *adj* Korean
**korek** *m* cork; *elektr.* fuse; (*w bucie*) lift
**korekt|a** *f druk.* proof; **~a kolumnowa** page-proof; **robienie ~y** proof-reading
**korektor** *m* proof-reader
**korektura** *f* correction
**korepetycja** *f* private lesson
**korepetytor** *m* tutor, coach
**korespondencja** *f* correspondence
**korespondent** *m* correspondent
**korespondować** *vi* correspond
**korkociąg** *m* corkscrew; *lotn.* spin
**korkować** *vt* cork
**kornet** 1. *m* (*strój głowy zakonnicy*) coif, cornet
**kornet** 2. *m muz.* cornet
**korniszon** *m* gherkin
**koron|a** *f* crown; *dent.* cap; *dent.* **nałożyć ~ę** cap
**koronacja** *f* coronation
**koronka** *f* lace
**koronować** *vt* crown
**korowód** *m* procession
**korporacja** *f* corporation
**korpulentny** *adj* corpulent
**korpus** *m* trunk, body; *wojsk.* corps; **~ dyplomatyczny** diplomatic corps; **~ kadetów** corps of cadets
**korsarstwo** *n* piracy
**korsarz** *m* pirate
**kort** *m sport.* court
**korupcja** *f* corruption
**koryfeusz** *m* coryphaeus, leader
**korygować** *vt* correct
**korytarz** *m* corridor
**koryto** *n* trough; (*rzeki*) bed
**korzec** *m* bushel
**korze|ń** *m* root; **zapuszczać ~nie** take ⟨strike⟩ root
**korzyć się** *vr* humble oneself
**korzystać** *vi* profit (**z czegoś** by ⟨from⟩ sth), avail oneself (**z czegoś** of sth), use (**z czegoś** sth), have the use (**z czegoś** of sth)
**korzystny** *adj* profitable
**korzyść** *f* profit, advantage; **na ~** to the advantage (**czyjąś** of sb); **na moją ~** to my advantage
**kos** *m zool.* blackbird
**kosa** *f* scythe
**kosiarka** *f* mower
**kosiąrz** *m* mower
**kosić** *vt* mow
**kosmaty** *adj* shaggy, hairy
**kosmetyczka** *f* (*torebka*) vanity-bag; (*kobieta*) cosmetologist; *am.* beautician
**kosmetyczny** *adj* cosmetic; **gabinet ~** beauty parlour
**kosmetyk** *m* cosmetic
**kosmetyka** *f* cosmetics
**kosmiczny** *adj* cosmic
**kosmografia** *f* cosmography
**kosmonauta** *m* cosmonaut
**kosmopolita** *m* cosmopolite
**kosmopolityzm** *m* cosmopolitism
**kosmyk** *m* tuft, wisp
**kosodrzewina** *f* dwarf mountain pine
**kostium** *m* costume
**kostka** *f* small bone; (*w grze*) die; (*u ręki*) knuckle; (*u nogi*) ankle; (*sześcian*) cube; (*brukowa*) flag-stone; (*cukru*) lump
**kostnica** *f* ossuary
**kostnieć** *vi* grow stiff
**kostny** *adj* osseous
**kosz** *m* basket; **~ do śmieci** waste-paper basket, dustbin; (*na ulicy*) litter-bin
**koszary** *s pl* barracks
**koszmar** *m* nightmare
**koszt** *m* cost, expense; **~em czegoś** at the cost of sth; **~y podróży** travelling expenses
**kosztorys** *m* estimate

**koszt|ować** *vt* cost; (*próbować*) taste; **to mnie ~owało dużo pracy** this cost me a lot of work; **ile to ~uje?** how much does it cost ⟨is it⟩?
**kosztowny** *adj* expensive
**koszula** *f* shirt; (*damska*) chemise
**koszulka** *f* (*podkoszulek*) undershirt
**koszyk** *m* basket
**koszykarstwo** *n* basketry
**koszykarz** *m* basket-maker; *sport*. basketball player
**koszykówka** *f sport* basketball
**kościec** *m* skeleton; **~ moralny** backbone
**kościelny** *adj* ecclesiastical, church- (rate etc.); *m* sexton
**kościotrup** *m* skeleton
**kościół** *m* church
**kościsty** *adj* bony
**kość** *f* bone; (*do gry*) die; **~ słoniowa** ivory; *przen*. **~ niezgody** bone of contention
**koślawić** *vt* distort, deform
**koślawy** *adj* deformed; (*kulawy*) lame; (*np. o meblach*) rickety
**kot** *m zool.* cat
**kotara** *f* curtain
**kotek** *m* kitten
**koteria** *f* coterie, clique
**kotlet** *m* cutlet, chop
**kotlina** *f* dell, hollow
**kotłować się** *vr pot.* boil, whirl
**kotłownia** *f* boiler-room; (*na statku*) stakehold
**kotwic|a** *f* anchor; **podnieść ~ę** weigh anchor; **zarzucić ~ę** cast anchor
**kowadło** *n* anvil
**kowal** *m* smith
**koza** *f zool.* goat
**Kozak** *m* Cossack
**kozetka** *f* settee
**kozioł** *m* (he-)goat, buck; (*u wozu*) box; *przen*. **~ ofiarny** scapegoat
**kozioł|ek** *m* (*w zabawie i gimnastyce*) somersault; **robić ⟨fikać⟩ ~ki** turn somersaults
**Koziorożec** *m astr, geogr.* Capricorn
**kożuch** *m* sheepskin fur
**kół** *m* pale, stake
**kółko** *n* little wheel; circle; (*rolka*) truckle; (*obręcz do zabawy*) hoop; (*do kluczy itp.*) ring; (*towarzyskie*) circle
**kpiarz** *m* scoffer
**kpić** *vi* scoff, mock (**z kogoś, czegoś** at sb, sth)
**kpiny** *s pl* mockery
**kra** *f* floe, floating ice
**krab** *m zool.* crab
**krach** *m* crash, slump
**kraciasty** *adj* chequered
**kradzież** *f* theft
**kraina** *f* land, region
**kraj** *m* country, land; home; (*skraj*) verge, edge
**krajać** *vt* cut; (*o mięsie*) carve
**krajobraz** *m* landscape
**krajowiec** *m* native
**krajowy** *adj* native; home-made; home; **przemysł ⟨rynek, wyrób⟩ ~** home industry ⟨market, product⟩
**krakać** *vi* croak
**krakowiak** *m* (*taniec*) Cracovienne
**krakowianin** *m* man of Cracow
**kram** *m* (*stoisko*) booth, stand; *pot.* (*zamieszanie*) mess
**kran** *m* tap, cock; (*żuraw*) crane; **otworzyć ⟨zamknąć⟩ ~** turn on ⟨turn off⟩ the cock ⟨the tap⟩
**kraniec** *m* extremity, extreme, border
**krańcowość** *f* extremism
**krańcowy** *adj* extreme
**krasa** *f poet.* beauty
**krasić** *vt* season; *poet.* (*zdobić*) embellish, adorn, colour
**krasnoludek** *m* brownie
**krasomówca** *m* orator, rhetorician
**krasomówstwo** *n* oratory, rhetoric
**kraść** *vt* steal
**krata** *f* grate, grating, bars *pl*; (*drewniana*) lattice; (*deseń*) chequer
**krater** *m* crater
**kratk|a** *zob.* **krata; materiał w ~ę** chequered cloth
**kratkować** *vt* chequer
**kratować** *vt* grate

**krawat** *m* (neck)tie
**krawcowa** *f* dressmaker
**krawędź** *f* edge, verge, border; (*górska*) ridge
**krawężnik** *m* kerb-stone
**krawiec** *m* tailor
**krawiectwo** *n* tailoring
**krąg** *m* circle; ring; disk; **w kręgu przyjaciół** in the circle of friends
**krążek** *m* disk
**krążenie** *n* circulation
**krążownik** *m* cruiser
**krążyć** *vi* circulate, go round; (*o słońcu, planetach*) revolve; (*po morzu*) cruise; (*wędrować*) ramble
**kreacja** *f* creation, production
**kreatura** *f pog.* low creature
**kreci** *adj* mole, mole's; *przen.* **~a robota** underhand dealings *pl*
**kreda** *f* chalk
**kredens** *m* cupboard
**kredka** *f* crayon; (*szminka*) lipstick
**kredyt** *m* credit; **na ~** on credit
**kredytować** *vt* credit, give on credit
**krem** *m* cream
**krematorium** *n* crematorium
**kremowy** *adj* cream-coloured
**kreować** *vt* create; *teatr* (*rolę*) act
**krepa** *f* crape
**kres** *m* end, term, limit; **położyć ~** put an end (**czemuś** to sth)
**kreska** *f* stroke; (*myślnik*) dash
**kreskować** *vt* line
**kresy** *s pl* borderland
**kreślarz** *m* draughtsman
**kreślić** *vt* draw, sketch
**kret** *m zool.* mole
**kretowisko** *n* molehill
**krew** *f* blood; **rozlew krwi** bloodshed; **puszczać ~** bleed (**komuś** sb); **związki krwi** blood ties; **przelewać ~** bleed, shed blood; **zachować zimną ~** keep cool; **pełnej krwi** (*rasowy*) thorough-bred; **z zimną krwią** in cold blood
**krewki** *adj* sanguine, impetuous
**krewny** *m* relative, relation

**kręci|ć** *vt vi* turn, twist; (*włosy*) curl; *pot.* (*wykręcać się*) use crooked ways, quibble; **~ć głową** shake one's head; **~ć się** *vr* turn; (*wiercić się*) fidget, fuss about; **~ mi się w głowie** my head turns
**kręcony** *adj* twisted; (*o włosach*) curly; (*o schodach*) winding
**kręg** *m anat.* vertebra
**kręgle** *s pl* ninepins
**kręgosłup** *m* spine, spinal column, backbone
**kręgowiec** *m zool.* vertebrate
**krępować** *vt* (*wiązać*) tie, bind; (*utrudniać*) constrain, hamper; (*żenować*) embarrass, make uneasy; **~ się** *vr* be embarrassed, feel uneasy (**czymś** about sth)
**krępy** *adj* thickset
**krętacki** *adj* tricky
**krętactwo** *n* crooked ways *pl*, quibbling
**krętacz** *m* quibbler, shuffler
**kręty** *adj* winding, tortuous, crooked
**krnąbrny** *adj* refractory, intractable
**krochmal** *s* starch
**krochmalić** *vt* starch
**krocie** *s pl* heaps
**kroczyć** *vi* stride, pace
**kroić** *vt* cut
**krojczy** *s* cutter
**krok** *m* step, pace; **dotrzymać ~u** keep up (**komuś** with sb); **przedsięwziąć ~i** take steps; **~ za ~iem** step by step; **na każdym ~u** at every step; **równym ~iem** in step; **nierównym ~iem** out of step
**krokodyl** *m zool.* crocodile
**krokus** *m bot.* crocus
**kromka** *f* slice
**kronika** *f* chronicle
**kronikarz** *m* chronicler, annalist
**kropi|ć** *vt vi* (be)sprinkle; drip; **~ deszcz** it drizzles
**kropidło** *n* sprinkler
**kropielnica** *f* font
**kropka** *f* point, dot; (*znak przestankowy*) full stop

**kropkować** *vt* dot
**kropla** *f* drop
**krosn|o** *n, zw. pl* ~a loom
**krosta** *f* pimple
**krotochwila** *f lit.* farce, burlesque
**krowa** *f zool.* cow
**krój** *m* cut
**król** *m* king
**królestwo** *n* kingdom
**królewicz** *m* king's son, prince royal
**królewna** *f* king's daughter, princess royal
**królewski** *adj* kingly, royal
**królik** *m zool.* rabbit
**królikarnia** *f* warren
**królowa** *f* queen; ~ **piękności** beauty queen
**królować** *vi* reign (**nad kimś, czymś** over sb, sth)
**krót|ki** *adj* short; (*zwięzły, krótkotrwały*) brief
**krótko** *adv* shortly; (*zwięźle*) in brief, in short
**krótkofalowy** *adj* short-wave *attr*
**krótkofalówka** *f pot.* short-wave set
**krótkometrażówka** *f pot.* short
**krótkoterminowy** *adj* short-term *attr*
**krótkotrwały** *adj* brief, short-lived *attr*
**krótkowidz** *m* myope
**krótkowzroczność** *f* myopia, short-sightedness
**krótkowzroczny** *adj* short-sighted
**krówka** *f* small cow; **boża** ~ lady-bird
**krtań** *f* larynx
**kruchość** *f* fragility, frailty
**kruchta** *f* church-porch
**kruch|y** *adj* fragile, frail, brittle; (*chrupiący*) crisp; (*o mięsie*) tender; ~**e ciasto** shortcake, shortbread
**krucjata** *f* crusade
**krucyfiks** *m* crucifix
**kruczek** *m pot.* (*wybieg, sztuczka*) trick, shift
**krucz|y** *adj* raven's; ~**e włosy** raven hair
**kruk** *m zool.* raven
**krup|a** *f, zw. pl* ~**y** groats; ~**y jęczmienne** barley-groats
**kruszec** *m* ore; (*pieniądz metalowy*) specie
**kruszeć** *vi* become brittle; crumble; (*o mięsie*) become tender
**kruszyć** *vt* crush, crumb; ~ **się** *vr* crumble
**kruszyna** *f* crumb
**krużganek** *m* gallery
**krwawica** *f* hard-earned money
**krwawić** *vi,* ~ **się** *vr* bleed
**krwawy** *adj* sanguinary, bloodthirsty
**krwinka** *f biol.* blood corpuscle
**krwiobieg** *m biol.* circulation of the blood
**krwiodawca** *m* blood-donor
**krwionośn|y** *adj,* **naczynie** ~**e** blood vessel
**krwiożerczy** *adj* bloodthirsty
**krwisty** *adj* sanguineous, blood-red
**krwotok** *m* haemorrhage
**kry|ć** *vt* (*pokrywać*) cover; (*ukrywać*) hide, conceal; ~**ć się** *vr* hide; **za tymi słowami coś się** ~**je** there is sth behind these words
**kryjówka** *f* hiding-place
**kryminalista** *m* criminal
**kryminalny** *adj* criminal
**kryminał** *m* jail
**krynica** *f poet.* spring, fount
**krynolina** *f* crinoline
**krypta** *f* vault
**kryptonim** *m* cryptonym
**krystaliczny** *adj* crystalline
**krystalizować** *vt,* ~ **się** *vr* crystallize
**kryształ** *m* crystal
**kryterium** *n* criterion
**krytycyzm** *m* criticism
**krytyczny** *adj* critical
**krytyk** *m* critic
**krytyka** *f* criticism, critique; (*recenzja*) review
**krytykować** *vt* criticise; (*recenzować*) review
**kryza** *f* ruff, frill

**kryzys** *m* crisis
**krzaczasty** *adj* bushy
**krzak** *m* bush, shrub
**krzątać się** *vr* busy oneself, bustle (**koło czegoś** about sth)
**krzątanina** *f* bustle
**krzem** *m chem.* silicon
**krzemień** *m* flint
**krzemionka** *f* silica
**krzepić** *vt* refresh, strengthen
**krzepki** *adj* vigorous
**krzepnąć** *vi* solidify; (*np. o krwi*) coagulate; (*mężnieć*) become vigorous
**krzesać** *vt* (*ogień*) strike
**krzesiwo** *n* flint; ~ **z hubką** tinder-box
**krzesło** *n* chair
**krzew** *m* shrub
**krzewić** *vt* spread, propagate; ~ **się** *vr* spread, multiply
**krzt|a** *f*, **ani** ~**y** not a whit
**krztusić się** *vr* choke, stifle
**krzyczący** *adj* clamorous; (*o kolorze*) glaring, loud; (*o niesprawiedliwości*) burning, gross
**krzyczeć** *vi* shout (**na kogoś** at sb); cry, shriek; ~ **z bólu** shout with pain; ~ **z radości** shout for joy
**krzyk** *m* cry, scream, shriek
**krzykacz** *m* crier, bawler
**krzykliwy** *adj* noisy
**krzywd|a** *f* wrong, harm, prejudice; **wyrządzić** ~**ę** wrong, do wrong (**komuś** sb); **z moją** ~**ą** to my prejudice; **spotkała mnie** ~**a** a harm has come to me
**krzywdzący** *adj* prejudicial, harmful, injurious (**dla kogoś, czegoś** to sb, sth)
**krzywdzić** *vt* wrong, harm, do wrong ⟨harm⟩
**krzywica** *f med.* rickets, rachitis
**krzywić** *vt* crook, bend; ~ **się** *vr* make a wry face (**na kogoś, na coś** at sb, sth)
**krzywo** *adv* awry; (*pisać*) aslant, slantwise; (*patrzeć*) askance
**krzywoprzysięgać** *vt* perjure oneself
**krzywoprzysięstwo** *n* perjury
**krzywoprzysięzca** *m* perjurer
**krzyw|y** *adj* crooked; (*o minie, uśmiechu itp.*) wry; *mat.* ~**a (linia)** curve
**krzyż** *m* cross; *pl* ~**e** *anat.* loins
**krzyżacki** *adj*, **zakon** ~ Teutonic Order
**Krzyżak** *m* Teutonic Knight, Knight of the Cross
**krzyżować** *vt* (*układać na krzyż*) cross; (*rozpinać na krzyżu*) crucify; (*psuć plany*) thwart
**krzyżowiec** *m hist.* crusader
**krzyżow|y** *adj* cross, crossed, cross-shaped; *wojsk.* **ogień** ~**y** cross-fire; *hist.* **wojna** ~**a** crusade; *przen.* ~**y ogień pytań** cross-questions; **badanie w** ~**ym ogniu pytań** cross-examination
**krzyżówka** *f* crossword puzzle
**krzyżyk** *m* small cross, crosslet; *muz.* sharp
**ksiądz** *m* priest, clergyman
**książeczka** *f* booklet; ~ **oszczędnościowa** savings-bank book
**książę** *m* prince, duke
**książęcy** *adj* princely, ducal
**książka** *f* book; ~ **szkolna** school-book; ~ **do czytania** reading-book; ~ **z obrazkami** picture-book
**księga** *f* book; (*urzędowa, rejestracyjna*) register; (*główna w buchalterii*) ledger
**księgarnia** *f* bookseller's shop
**księgarz** *m* bookseller
**księgować** *vt* enter, book
**księgowość** *f* book-keeping
**księgowy** *m* book-keeper
**księgozbiór** *m* library
**księstwo** *n* duchy, principality
**księżna, księżniczka** *f* duchess, princess
**księżyc** *m* moon; **przy świetle** ~**a** by moonlight
**ksylofon** *m muz.* xylophone
**kształcący** *adj* instructive
**kształcić** *vt* educate, instruct
**kształt** *m* form, shape
**kształtny** *adj* shapely
**kształtować** *vt* form, shape
**kto** *pron* who; ~ **inny** who else;

somebody else; ~ **bądź** anybody, anyone
**ktokolwiek** *pron* = **kto bądź** *zob.* **kto**
**ktoś** *pron* somebody, someone; ~ **inny** somebody else
**którędy** *pron* which way
**który** *pron* who, which, that
**któryś** *pron* some
**ku** *praep* towards, to
**Kubańczyk** *m* Cuban
**kubański** *adj* Cuban
**kubatura** *f* cubature, cubic volume
**kubek** *m* cup
**kubeł** *m* pail, bucket
**kubizm** *m* cubism
**kucharka** *f* cook
**kucharsk|i** *adj* culinary; **książka ~a** cookery-book
**kucharz** *m* cook
**kuchenka** *f* (*urządzenie*) cooker
**kuchnia** *f* (*pomieszczenie*) kitchen; (*urządzenie do gotowania*) stove, range; (*jakość potraw*) **dobra ~** good cooking
**kucnąć** *vi* squat down
**kucyk** *m* pony
**kuć** *vt* forge, hammer; (*konia*) shoe; *pot.* (*uczyć się na pamięć*) cram
**kudłaty** *adj* shaggy
**kudły** *s pl* shaggy hair
**kufel** *m* (beer-)mug, tankard
**kufer** *m* box, trunk
**kuglarstwo** *n* jugglery
**kuglarz** *m* juggler
**kukiełka** *f* puppet
**kukiełkowy** *adj*, **teatr ~** puppet-show
**kukła** *f* puppet
**kukułka** *f* cuckoo
**kukurydza** *f* maze
**kula** *f* ball; (*rewolwerowa itp.*) bullet; (*geometryczna*) sphere; (*proteza*) crutch; (*do gry*) bowl; **~ śnieżna** snowball; **~ ziemska** globe
**kulawy** *adj* lame
**kulbaczyć** *vt* saddle
**kuleć** *vi* limp, hobble
**kulić się** *vr* cower, squat
**kulig** *m* sleighing party
**kulinarny** *adj* culinary
**kulis** *m* coolie
**kulis|y** *s pl* scenes, wings; *przen.* **za ~ami** behind the scenes
**kulisty** *adj* spherical, round
**kulka** *f* small ball, globule; (*z papieru, chleba*) pellet
**kulminacyjny** *adj*, **punkt ~** culminating point, climax
**kult** *m* cult, worship
**kultura** *f* culture, civilization; (*uprawa*) cultivation
**kulturalny** *adj* cultural, civilized; (*o umyśle, manierach*) cultured
**kultywować** *vt* cultivate
**kuluar** *m* corridor, lobby
**kułak** *m* (*pięść*) fist; (*uderzenie*) punch; **bić ~iem** punch
**kum** *m* godfather; *pot.* crony
**kuma** *f* godmother; *pot.* crony
**kumkać** *vi* croak
**kumoszka** *f* *pot.* gammer, gossip
**kumoterstwo** *n* favouritism, backing for family reasons; *przen.* log-rolling
**kumulacja** *f* cumulation
**kumulować** *vt*, **~ się** *vr* cumulate
**kuna** *f* *zool.* marten
**kundel** *m* cur
**kunktator** *m* cunctator
**kunszt** *m* art
**kunsztowny** *adj* artful, artistic
**kup|a** *f* heap, pile; **składać na ~ę** heap up; *przen.* **wziąć się do ~y** pull oneself together
**kupić** *vt* buy, purchase
**kupiec** *m* merchant, tradesman, dealer; (*drobny handlarz*) shopkeeper
**kuplet** *m* cabaret song; (*dwuwiersz*) couplet
**kupn|o** *m* purchase; **dobre ~o** bargain; **siła ~a** purchasing power
**kupny** *adj* (*kupowany*) purchased, bought; ready-made
**kupon** *m* coupon
**kupować** *vt* = **kupić**
**kura** *f* hen
**kuracja** *f* cure, treatment
**kuracjusz** *m* patient; (*np. w uzdrowisku*) visitor

**kuracyjn|y** *adj* curative; **miejscowość ~a** health-resort
**kuratela** *f* guardianship, trusteeship
**kurator** *m* trustee; administrator, curator
**kuratorium** *n* board of trustees; school-board
**kurcz** *m* cramp, spasm
**kurczę** *n* chicken
**kurczowo** *adv* spasmodically
**kurczowy** *adj* spasmodic
**kurczyć** *vt*, **~ się** *vr* shrink; *fiz.* contract
**kurek** *m* cock; (*kran*) tap; (*na wieży*) weather-cock; **odwieść ~ u karabinu** cock a gun
**kurhan** *m* tumulus, barrow
**kuria** *f* curia
**kurier** *m* courier; (*pociąg*) express-train
**kuriozum** *n* curiosity
**kuropatwa** *f zool.* partridge
**kurować** *vt* treat, cure (**na daną chorobę** for a disease)
**kurs** *m* course; **~ dewizowy** rate of exchange
**kursować** *vi* run, circulate
**kursywa** *f* italics
**kurtka** *f* jacket
**kurtuazja** *f* courtesy
**kurtuazyjny** *adj* courteous
**kurtyna** *f* curtain
**kurz** *m* dust
**kurzajka** *f* wart
**kurzawa** *f* dust-storm; (snow-)drift
**kurzyć** *vi* raise dust; *pot.* (*palić papierosa itp.*) smoke; **~ się** *vr* be ⟨get⟩ dusty; (*dymić się*) smoke, reek
**kusiciel** *m* tempter, seducer
**kusić** *vt* tempt, seduce; **~ się** *vr* seek to obtain, attempt
**kustosz** *m* custodian, keep, trustee
**kusy** *adj* short-tailed; shortish; (*nie wystarczający*) scanty
**kusza** *f* cross-bow
**kuśnierz** *m* furrier
**kuter** *m mors.* cutter
**kutwa** *m* miser, niggard
**kuty** *adj* wrought, forged; (*o koniu*) shod; (*chytry*) cunning
**kuzyn** *m* cousin
**kuźnia** *f* forge, smithy
**kwadra** *f astr.* quarter
**kwadrans** *m* quarter of an hour; **~ na szóstą** a quarter past 5; **za ~ szósta** a quarter to 6
**kwadrat** *m* square
**kwadratow|y** *adj* square; **liczba ~a** square number; **5 stóp ~ych** 5 square feet
**kwakać** *vi* quack
**kwakier** *m* Quaker
**kwalifikacja** *f* qualification
**kwalifikować** *vt* qualify; **~ się** *vr* be qualified, qualify (**do czegoś** for sth)
**kwalifikowany** *adj* (*o pracowniku*) skilled
**kwapić się** *vr* be eager (**do czegoś** for, after sth; to do sth)
**kwarantanna** *f* quarantine
**kwarc** *m miner.* quartz
**kwarta** *f* quart
**kwartalnie** *adv* quarterly
**kwartalnik** *m* quarterly
**kwartalny** *adj* quarterly
**kwartał** *m* quarter
**kwartet** *m* quartet
**kwas** *m* acid; (*zaczyn*) leaven; *pl* **~y** (*w żołądku*) acidity; *przen.* (*niezadowolenie, dąsy*) ill-humour
**kwasić** *vt* sour; ferment; (*np. ogórki*) pickle
**kwaskowaty** *adj* sourish, acidulous
**kwasota** *f* acidity
**kwaszon|y** *adj*, **kapusta ~a** sauerkraut
**kwaśnieć** *vi* sour, become sour
**kwaśn|y** *adj* sour, acid; **~a mina** wry face
**kwatera** *f* lodging; *wojsk.* billet; **~ główna** headquarters *pl*
**kwatermistrz** *m* quartermaster
**kwaterować** *vt* quarter; *wojsk.* billet; *vi* be quartered ⟨billeted⟩
**kwaterunek** *m* quartering; *wojsk.* billeting
**kwesta** *m* collection
**kwestarz** *m* collector
**kwesti|a** *f* question; **~a pieniężna**

money matter; ~a gustu matter of taste; to nie ulega ~i there is no doubt about it
**kwestionariusz** *m* inquiry-sheet, questionnaire
**kwestionować** *vt* question, call in question
**kwestor** *m* bursar
**kwestować** *vi* collect (money)
**kwestura** *f* bursary
**kwiaciarka** *f* florist; (*uliczna*) flower-girl
**kwiaciarnia** *f* florist's shop
**kwiat** *m* flower; (*drzewa owocowego*) blossom; *przen.* **w kwiecie wieku** in the prime of life
**kwiczeć** *vi* squeak
**kwiczoł** *m* *zool.* fieldfare
**kwiecień** *m* April
**kwiecisty** *adj* flowery; (*o stylu*) florid
**kwietnik** *m* flower-bed
**kwik** *m* squeak
**kwilić** *vi* whimper
**kwintesencja** *f* quintessence
**kwit** *m* receipt; **~ bagażowy** check; **~ celny** certificate of clearance; **~ zastawny** pawn-ticket
**kwitariusz** *s* receipt-book
**kwitnąć** *vi* bloom, blossom, flower; *przen.* flourish
**kwitować** *vt* receipt; **~ odbiór przesyłki** acknowledge the receipt of a parcel
**kwoka** *f* sitting hen
**kworum** *n* *nieodm.* quorum
**kwota** *f* (sum) total, amount

# l

**labirynt** *m* labyrinth, maze
**laborant** *m* laboratory assistant
**laboratorium** *n* laboratory
**laboratoryjny** *adj* laboratorial
**lać** *vt vi* (*nalewać*) pour; (*wylewać*) shed; (*odlewać np. metal*) cast; **deszcz leje** it pours; **~ się** *vr* pour; (*strumieniem*) gush, flow, stream; **krew się leje** blood is being shed; **pot leje mu się z czoła** sweat trickles from his brow
**lada** 1. *f* chest, box, (*stół sklepowy*) counter
**lada** 2. *part* any, whatever; **~ chwila** any minute; **~ dzień** any day; **~ kto** anybody; **to zawodnik nie ~** he is far from being an average competitor
**ladacznica** *f* harlot
**laguna** *f* lagoon
**laik** *m* layman
**lakier** *m* varnish
**lakierki** *s pl* patent shoes
**lakierować** *vt* varnish
**lakmus** *m* *chem.* litmus
**lakoniczny** *adj* laconic
**lakować** *vt* seal
**lalka** *f* doll
**lament** *m* lament, lamentation
**lamentować** *vi* lament (**nad kimś, czymś** for, over sb, sth)
**lamować** *vt* border
**lamówka** *f* border, (*do ubrań*) lace
**lampa** *f* lamp; (*radiowa*) valve
**lampart** *m* leopard
**lampas** *m* (trouser-)galloon
**lampion** *m* lampion, Chinese lantern
**lampa** *f* lamp; (*radiowa*) valve; **~ nocna** night-lamp; **~ wina** glass of wine
**lamus** *m* lumber-room
**lanca** *m* lance
**lancet** *m* lancet
**landrynka** *f* fruit drop
**lanie** *n* pouring; (*odlewanie*) cast-

ing; *pot.* (*bicie*) good thrashing, flogging

**lanolina** *f* lanolin

**lansować** *vt* launch

**lapidarny** *adj* pointed, concise

**lapis** *m* lunar caustic, lapis infernalis

**lapsus** *m* lapse

**larwa** *f* *zool.* larva

**las** *m* wood, forest; **dziewiczy ~** virgin forest

**laseczka** *f* wand, (small) stick

**lasecznik** *m* *biol.* bacillus

**lasek** *m* grove

**lask|a** *f* stick, cane; **~a marszałkowska** speaker's staff, *bryt.* mace; **złożyć wniosek do ~i marszałkowskiej** table a motion

**laskowy** *adj*, **orzech ~** hazel-nut

**lasować** *vt* slake

**latać** *vi* fly; (*biegać*) run about

**latarka** *f* lantern; **~ elektryczna** (electric) torch, flashlight

**latarnia** *f* lantern, lamp; **~ morska** lighthouse; **~ projekcyjna** projection lantern

**latarnik** *m* lighthouse-keeper

**latawi|ec** *m* kite; **puszczać ~ca** fly a kite

**lato** *n* summer; **babie ~** (*okres*) Indian summer; (*pajęczyna*) gossamer

**latorośl** *f* shoot, offshoot; *przen.* offspring; **winna ~** vine

**laufer** *m* (*w szachach*) bishop

**laur** *m* laurel

**laureat** *m* laureate, prize-winner; **~ nagrody Nobla** Nobel-Prize winner

**lawa** *f* lava

**lawenda** *f* *bot.* lavender

**laweta** *f* gun-carriage

**lawina** *f* avalanche

**lawirować** *vi* *mors.* tack, beat about; *przen.* veer

**lazaret** *m* † hospital

**lazur** *m* azure, sky-blue

**ląd** *m* land; **~ stały** continent; **~em** by land

**lądować** *vi* land

**lądowisko** *m* *lotn.* landing-ground

**lecieć** *vi* fly; (*pędzić*) run, hurry; (*o czasie*) pass, slip away; **~ z góry** drop, fall down

**leciwy** *adj* advanced in years

**lecz** *conj* but

**leczeni|e** *n* treatment; **~e się** cure; **poddać się ~u** try a cure, follow a course of treatment

**lecznica** *f* clinic, nursing home

**lecznictwo** *n* therapeutics; health service

**leczniczy** *adj* medicinal; **środek ~** medicine

**leczyć** *vt* treat (**kogoś na coś** sb for sth); (*kurować*) cure (**kogoś z czegoś** sb of sth); (*goić*) heal; **~ się** *vr* undergo a treatment, take a cure

**ledwie, ledwo** *adv* hardly, scarcely; **~ dyszy** he can hardly breathe; **~ nie umarł** he nearly died; *conj* no sooner... than...; **~ wyszliśmy, zaczęło padać** no sooner had we left than it started to rain

**legalizować** *vt* legalize

**legalny** *adj* legal, rightful

**legat** *n* (*zapis*) legacy, bequest; (*papieski*) nuncio, legate

**legawiec** *m* pointer; (*długowłosy*) setter

**legenda** *f* legend

**legendarny** *adj* legendary

**legia** *f* legion; **~ cudzoziemska** foreign legion

**legion** *m* legion

**legionista** *m* legionary

**legitymacja** *f* identity card, certificate

**legitymować** *vt* indentify, establish sb's identity; **~ się** *vr* prove one's identity

**legować** *vt* *prawn.* bequeath

**legowisko** *n* couch, bed; (*dzikich zwierząt*) lair

**legumina** *f* pudding, sweet

**lej** *m* funnel; (*w ziemi*) crater

**lejce** *s pl* reins

**lejek** *m* funnel

**lek** *m* medicine

**lekarski** *adj* medical; **wydział ~** faculty of medicine
**lekarstwo** *n* medicine, remedy; **zażyć ~** take a medicine
**lekarz** *m* physician, doctor; (*urzędowy*) medical officer; **~ ogólnie praktykujący** general practitioner; **~ wojskowy** army surgeon
**lekceważący** *adj* disregardful, disdainful
**lekceważenie** *n* disregard, disdain, slight(ing)
**lekceważyć** *vt* disregard, disdain, slight
**lekcj|a** *f* lesson; **pobierać ~e angielskiego** take English lessons; **udzielać ~i angielskiego** give English lessons
**lekk|i** *adj* light; *sport* **~a atletyka** (light-weight) athletics; (*w boksie*) **waga ~a** light weight
**lekkoatleta** *m* (light-weight) athlete
**lekkomyślność** *f* light-mindedness, recklessness
**lekkomyślny** *adj* light-minded, reckless
**lekkość** *f* lightness; (*łatwość*) easiness
**leksykografia** *f* lexicography
**lektor** *m* lector, reader; (*prowadzący lektorat*) teacher
**lektorium** *n* reading-room
**lektura** *f* (*czytanie*) reading; (*materiał do czytania*) reading-matter
**lemiesz** *m* ploughshare
**lemoniada** *f* lemonade
**len** *m* flax
**lenić się** *vr* laze, idle
**lenieć** *vi* moult, shed one's hair; (*o gadach*) slough
**leninizm** *m* Leninism
**leninowski** *adj* Leninist
**lenistwo** *n* idleness, laziness
**leniuch** *m* lazy bones, idler, sluggard
**leniuchować** *vi* laze, idle one's time away
**leniwiec** *m* *zool.* sloth
**leniwy** *adj* idle, lazy
**lennik** *m* *hist.* vassal
**lenno** *n* *hist.* fief
**leń** *m* lazy-bones, idler
**lep** *m* glue; **~ na muchy** fly-paper
**lepianka** *f* mud-hut
**lepić** *vt* glue, stick; **~ z gliny** loam, make of loam; **~ się** *vr* stick, be sticky
**lepiej** *adv comp* better; **tym ~** all the better, so much the better; **~ byś poszedł sobie** you had better go
**lepki** *adj* sticky; (*przylepny*) adhesive
**lepszy** *adj comp* better; **kto pierwszy, ten ~** first come first served
**lesisty** *adj* wooded, woody
**leszcz** *m* *zool.* bream
**leszczyna** *f* *bot.* hazel
**leśnictwo** *n* forestry, forest district
**leśniczówka** *f* forester's cottage
**leśniczy, leśnik** *m* forester
**leśny** *adj* forest- (law etc.); wood- (nymph etc.)
**letarg** *m* *med.* lethargy; *przen.* torpor
**letni** *adj* (*niegorący*) tepid, lukewarm; *attr* (*dotyczący lata*) summer
**letnik** *m* summer-visitor, holiday-maker
**letnisko** *n* health-resort, summer-resort
**leukocyt** *m* *biol.* leucocyte
**lew** *m* lion
**lew|a** *f* (*w kartach*) trick; **wziąć ~ę** take ⟨win⟩ a trick
**lewar** *m* lever; (*hydrauliczny*) siphon
**lewatywa** *f* *med.* enema
**lewica** *f* left hand ⟨side⟩; *polit.* the left, left wing
**lewicowiec** *m* leftist
**lewkonia** *f* *bot.* stock
**lew|y** *adj* left; **~a strona** wrong side; (*monety*) reverse; **na ~o** on the left, to the left

**leźć** *vi pot.* (*wspinać się*) climb, creep upwards; (*wlec się*) drag (oneself) along, shuffle
**leżak** *m* folding-chair, deck-chair
**leże** *n* couch, lodging, resting--place; *wojsk.* camp, quarters *pl*; **~ zimowe** winter-quarters *pl*
**leżeć** *vi* lie; (*znajdować się*) be placed, be situated; (*o ubraniu*) **dobrze ~** sit ⟨fit⟩ well; **źle ~** sit badly
**lędźwie** *s pl* loins
**lęgnąć się** *vr* come out of the shell, hatch
**lęk** *m* fear; (*groza*) awe
**lękać się** *vr* fear (**o kogoś, coś** for sb, sth), be anxious (**o kogoś, coś** about sb, sth)
**lękliwy** *adj* timid
**lgnąć** *vi* adhere, stick; *przen.* cling, be attached
**libacja** *f* libation, *pot.* booze
**liberalizm** *m* liberalism
**liberalny** *adj* liberal
**liberał** *m* liberal
**liberia** *f* livery
**libertyn** *m* libertine
**libra** *f druk.* quire
**libretto** *n* libretto
**licencja** *f* licence
**liceum** *n* secondary ⟨grammar⟩ school
**licho 1.** *adv* poorly, meanly, shabbily
**lich|o 2.** *n* evil, devil; *pot.* **co u ~a!** what the deuce!
**lichota** *f* rubbish, trash
**lichtarz** *m* candlestick
**lichwa** *m* usury
**lichwiarz** *m* usurer
**lichy** *adj* poor, mean, miserable, shabby
**lic|ować** *vi* harmonize (**z czymś** with sth), become (**z kimś, czymś** sb, sth); **to nie ~uje z tobą** it does not become you
**licytacj|a** *f* auction; (*w brydżu*) bid; **oddać na ~ę** put up to auction; **sprzedać na ~i** sell by auction
**licytator** *m* auctioneer
**licytować** *vt* sell by auction, put to auction; (*w brydżu*) bid
**liczba** *f* number; figure; *gram.* **~ pojedyncza ⟨mnoga⟩** singular ⟨plural⟩ (number); *mat.* **~ wymierna** rational number
**liczbowy** *adj* numerical
**liczebnie** *adv* numerically, in number
**liczebnik** *m gram.* numeral, number
**liczebny** *adj* numerous; numerical
**liczeni|e** *n* calculation; **maszyna do ~a** calculating machine, calculator
**licznik** *m mat.* numerator; (*automat*) counter, meter; **~ elektryczny** electrometer; **~ gazowy** gas-meter; **~ w taksówce** taximeter
**liczny** *adj* numerous
**liczy|ć** *vt* (*obliczać*) count, reckon, compute; (*wynosić*) number, count; (*podawać cenę*) charge; **~ć na kogoś** depend ⟨rely⟩ on ⟨upon⟩ sb; **klasa ~ 20 uczniów** the class numbers 20 pupils; **on ~ sobie około 60 lat** he may be some 60 years old; **~ć się** *vr* count; **to się nie ~** that does not count; **~ć się z kimś, czymś** take sb, sth into account; **on się nie ~ z pieniędzmi** he holds his money of no account
**liczydło** *n* abacus
**liga** *f* league
**lignina** *f* lignin
**likier** *m* liqueur
**likwidacja** *f* liquidation
**likwidować** *vt* liquidate, wind up
**lila** *adj nieodm.* lilac, pale violet
**lilia** *f bot.* lily
**liliowy** *adj* lily *attr*, lily-white; pale violet
**liliput** *m* Lilliputian, pygmy
**limfa** *f biol.* lymph
**limfatyczny** *adj* lymphatic
**limit** *m* limit
**limuzyna** *f* limousine
**lin** *m zool.* tench
**lina** *f* rope, line, cord
**lincz** *m* lynch law

**linczować** *vt* lynch
**lingwista** *m* linguist
**lingwistyka** *f* linguistics
**lini|a** *f* line; (*liniał*) rule, ruler; **cienkie ~e** (*na papierze*) faint lines
**linijka** *f* (*liniał*) ruler; (*wiersz*) line
**liniowa|ć** *vt* rule, line; (*o papierze*) **cienko ~ny** ruled ⟨lined⟩ faint
**liniow|y** *adj wojsk. mors.* line *attr*, of the line; **pułk ~y** line regiment; **oddziały ~e** troups of the line; **okręt ~y** (*pasażerski*) liner; (*wojskowy*) ship of the line
**linoleum** *n nieodm.* linoleum
**linoskoczek** *m* rope-dancer
**linotyp** *m druk.* linotype
**linow|y** *adj*, **kolejka ~a** funicular railway
**lipa** *f bot.* lime, linden; *pot.* humbug
**lipiec** *m* July
**lira** *f muz.* lyre
**liryczny** *adj* lyrical
**liryk** *m* lyrist
**liryka** *f* lyric poetry
**lis** *m zool.* fox
**list** *m* letter; **~ polecony** registered letter; **~ żelazny** safe-conduct; **~y uwierzytelniające** credentials
**lista** *f* list, register; **~ obecności** attendance record; **~ płacy** pay-sheet; **~ zmarłych** death-roll
**listek** *m* leaflet
**listonosz** *m* postman
**listopad** *m* November
**listownie** *adv* by letter, in writing
**listowny** *adj* by letter, in writing
**listowy** *adj*, **papier ~** letter-paper, note-paper
**listwa** *f* fillet, batten; (*mała, cienka*) slat
**liszaj** *m med.* herpes
**liszka 1.** *f* (*gąsienica*) caterpillar
**liszka 2.** *f* (*samica lisa*) vixen
**liściasty** *adj* leafy
**liść** *m* leaf
**litania** *f* litany
**litera** *f* letter
**literacki** *adj* literary
**literalny** *adj* literal
**literat** *m* man of letters
**literatura** *f* literature
**litewski** *adj* Lithuanian
**litograf** *m* lithographer
**litografia** *f* lithography
**litościwy** *adj* merciful
**litość** *f* mercy, pity
**litować się** *vr* take pity (**nad kimś** on sb)
**litr** *m* litre
**liturgia** *f* liturgy
**liturgiczny** *adj* liturgical
**lity** *adj* massive, solid; (*lany*) molten, cast
**lizać** *vt* lick; *pot.* **liznął trochę angielskiego** he has a smattering of English
**lizol** *m* lysol
**lizus** *m pot.* toady
**lnian|y** *adj* linen; **siemię ~e** linseed; **płótno ~e** linen
**loch** *m* dungeon
**lodowaty** *adj* glacial, icy
**lodowiec** *m* glacier
**lodowisko** *n* ice field; (*tor łyżwiarski*) skating-rink
**lodownia** *f* ice-chamber, ice-house
**lodow|y** *adj* ice *attr*, glacial; *geol.* **epoka ~a** Ice Age; **góra ~a** iceberg
**lodówka** *f* refrigerator, ice-box, pot. fri(d)ge
**lody** *s pl* ice-cream
**lodziarz** *m* iceman
**logarytm** *m mat.* logarithm
**logiczny** *adj* logical
**logika** *f* logic
**lojalność** *f* loyalty
**lojalny** *adj* loyal
**lok** *m* lock
**lokaj** *m* lackey
**lokal** *m* premises *pl*, place, room(s), apartment(s); **~ rozrywkowy** place of entertainment
**lokalizować** *vt* localize, locate
**lokalny** *adj* local
**lokata** *f* investment
**lokator** *m* lodger; **dziki ~** squalter

**lokaut** *m* lock-out
**lokomocja** *f* locomotion
**lokomotywa** *f* (railway-)engine, locomotive
**lokować** *vt* place, locate; (*inwestować*) invest
**lombard** *m* pawnshop
**londyńczyk** *m* Londoner
**lont** *m* fuse
**lora** *f* lorry
**lornetka** *f* (*polowa*) field-glasses *pl*; (*teatralna*) opera-glasses *pl*
**los** *m* lot, fate; (*na loterii*) lottery-ticket; (*wybrana na loterii*) prize; **ciągnąć ⟨rzucać⟩ ~y** draw ⟨cast⟩ lots; **na ~ szczęścia** at venture, at hazard; **zdać się na ~ szczęścia** chance one's luck
**losować** *vt* draw lots
**losowanie** *n* drawing of lots, lottery-drawing
**lot** *m* flight; **widok z ~u ptaka** bird's eye view
**loteri|a** *f* lottery; **wygrana na ~i** prize
**lotka** *f* *zool.* pinion; *lotn.* aileron
**lotnictwo** *n* aviation, aircraft: air force; **~ wojskowe** Air Force; (*w Anglii*) Royal Air Force
**lotnicz|y** *adj*. **baza ~a** air-base; **linia ~a** air-line, airway; **poczta ~a** air-mail
**lotnik** *m* airman, flyer, flier
**lotnisko** *n* (*cywilne*) airport, aerodrome
**lotniskowiec** *m* aircraft carrier
**lotny** *adj* quick, bright; *chem.* volatile; *wojsk.* **~ oddział** flying squad; **piasek ~** quick ⟨shifting⟩ sand
**lotos** *m* *bot.* lotus
**loża** *f* box; (*masońska*) lodge
**lód** *m* ice
**lśniący** *adj* brilliant, lustrous
**lśnić** *vi* shine, glitter
**lub** *conj* or
**lubić** *vt* like, (*bardzo*) love; **nie ~** dislike
**lubieżnik** *m* voluptuary
**lubować się** *vr* take pleasure, delight (**w czymś** in sth)
**lud** *m* people, folk
**ludność** *f* population
**ludny** *adj* populous
**ludobójca** *m* genocide
**ludobójstwo** *n* genocide
**ludow|y** *adj* people's *attr*; popular; **pieśń ~a** folksong; **stronnictwo ~e** peasant party; **Polska Ludowa** People's Poland; **republika ~a** people's republic
**ludożerca** *m* cannibal
**ludzie** *s pl* people, persons, men
**ludzki** *adj* human; **ród ~** mankind
**ludzkość** *f* mankind; (*człowieczeństwo*) humanity; human nature
**luf|a** *f* barrel; **otwór ~y** muzzle
**lufcik** *m* vent-hole
**luk** *m* *mors.* scuttle, hatch; (*okienko*) porthole
**luka** *f* gap, breach
**lukier** *m* sugar-icing
**lukratywny** *adj* lucrative
**luksus** *m* luxury
**luksusow|y** *adj* luxury *attr*, luxurious; **artykuły ~e** fancy articles, articles of luxury
**lunatyk** *m* sleep-walker
**lunąć** *vi* (*o deszczu*) come down in a torrent; *pot.* (*uderzyć*) slap, hit
**luneta** *f* telescope
**lupa** *f* magnifying glass
**lusterko** *m* pocket-glass, hand-glass; **~ wsteczne** rear-view mirror
**lustracja** *f* inspection; review
**lustro** *n* looking-glass, mirror
**lustrować** *vt* review, pass in review; inspect
**lut** *m* *techn.* solder
**luteranin** *m* Lutheran
**lutnia** *f* *muz.* lute
**lutnista** *m* lutenist
**lutować** *vt* solder
**luty** *m* February
**luz** *m* gap, breach; **~em** loosely; separately
**luzować** *vt* replace, relay; *wojsk.* relieve
**luźny** *adj* loose
**lwi** *adj* lion's, leonine; *przen.* **~a część** lion's share
**lżyć** *vi* insult (**kogoś** sb)

# Ł

**łabę|dź** *m* swan; *przen.* **~dzi śpiew** swan song
**łach** *m pot.* rag, tatter; *pl* **~y** duds
**łachman** *m* rag, tatter
**łacina** *f* Latin
**ład** *m* order
**ładny** *adj* pretty, nice; neat
**ładować** *vt* load, charge
**ładownica** *f wojsk.* pouch
**ładunek** *m* load; (*okrętowy*) cargo; (*kolejowy*) freight; (*nabój*) cartridge; (*elektryczny*) charge
**łagodnieć** *vi* become mild, soften
**łagodność** *f* mildness, softness
**łagodny** *adj* mild, soft, gentle
**łagodząc|y** *adj* soothing; alleviating; **okoliczności ~e** extenuating circumstances
**łagodzić** *vt* appease, alleviate; soothe
**łajać** *vt* scold, chide
**łajdacki** *adj* roguish, villainous
**łajdactwo** *n* villainy
**łajdak** *m* villain
**łaknąć** *vi* be hungry; (*pożądać*) be desirous (**czegoś** of sth)
**łakocie** *s pl* sweets, dainties
**łakomić się** *vr* covet (**na coś** sth)
**łakomstwo** *n* greediness, gluttony
**łakomy** *adj* greedy (**na coś** of sth)
**łamacz** *m* breaker; **~ fal** breakwater; **~ lodów** icebreaker
**łamać** *vt* break; **~ głowę** rack one's brains (**nad czymś** about sth); **~ się** *vr* break
**łamigłówka** *f* puzzle, riddle, poser
**łamistrajk** *m* strike-breaker
**łamliwy** *adj* brittle, fragile
**łan** *m* corn-field
**łania** *f* hind
**łańcuch** *m* chain; **~ gór** mountain range
**łańcuchow|y** *adj*, **most ~y** chain bridge; *chem.* **reakcja ~a** chain reaction
**łańcuszek** *m* little chain; (*u zegarka*) watch-chain
**łapa** *f* paw
**łapać** *vt* catch, seize
**łapczywość** *f* greed
**łapczywy** *adj* greedy (**na coś** for, of sth)
**łapka 1.** *f* little paw
**łapka 2.** *f* (*pułapka*) trap; **~ na myszy** mouse-trap
**łapownictwo** *n* bribery
**łapówk|a** *f* bribe; **dać ~ę** bribe
**łapserdak** *m pot.* ragamuffin
**łasica** *f zool.* weasel
**łasić się** *vr* fawn (**do kogoś** on, upon sb)
**łas|ka** *f* grace, favour; **akt ~ki** act of grace; **na ~ce** at the mercy
**łaskawość** *f* kindness
**łaskaw|y** *adj* kind (**dla kogoś** to sb); gracious; **bądź ~ to zrobić** be so kind as to do it
**łaskotać** *vt* tickle
**łaskotki** *s pl* tickling
**łasy** *adj* greedy (**na coś** for, of sth)
**łata 1.** *f* patch
**łata 2.** *f* (*deska*) lath, batten
**łatać** *vt* patch, piece together
**łatanina** *f pot.* patch-work
**łatwopalny** *adj* inflammable
**łatwość** *f* easiness, ease, facility
**łatwowierność** *f* credulity
**łatwowierny** *adj* credulous
**łatwy** *adj* easy
**ław|a** *f* bench; **~a przysięgłych** jury; **kolega z ~y szkolnej** schoolmate
**ławica** *f* bank; **~ ryb** shoal of fish
**ławka** *f* bench; (*kościelna*) pew; (*szkolna*) desk
**ławnik** *m* alderman
**łazić** *vi* crawl, tramp, loaf; **~ po drzewach** climb trees
**łazienka** *f* bathroom
**łazik** *m pot.* tramp, vagabond
**łaźnia** *f* vapour-bath
**łączący** *adj* binding, joining; *gram.* **tryb ~** subjunctive mood

**łącznica** *f techn.* (*kolejowa*) junction; (*telefoniczna*) exchange
**łącznie** *adv* together
**łącznik** *m* link; *wojsk.* liaison officer; *gram.* hyphen
**łącznoś|ć** *f* connexion, union; **służba ~ci** signal-service; *wojsk.* **oficer ~ci** signal officer
**łączn|y** *adj* joint; **~a suma** sum total
**łączyć** *vt* join, unite, connect; **~ się** *vr* unite, combine
**łąka** *f* meadow
**łeb** *m pot.* pate; **na ~, na szyję** headlong, head over heels
**łechtać** *f* tickle
**łęk** *m* saddle-bow
**łgać** *vi* lie, tell lies
**łgarstwo** *n* lie
**łkać** *vi* sob
**łobuz** *m* rogue, villain; urchin
**łobuzerstwo** *n* petty villainy; knavery
**łodyga** *f* stalk
**łojówka** *f* (*świeca*) tallow-candle
**łok|ieć** *m* elbow; (*miara*) ell; **trącać ~ciem** elbow
**łom** *m* crowbar; (*złodziejski*) jemmy, *am.* jimmy
**łomot** *m* crack, din
**łono** *n* bosom; womb; (*podołek*) lap
**łopata** *f* spade, shovel
**łopatka** *f* little shovel, spatula; *anat.* shoulder-blade
**łopotać** *vi* flap ⟨flutter⟩ (**skrzydłami, żaglami** the wings, the sails)
**łoskot** *m* crash, crack
**łosoś** *m zool.* salmon
**łoś** *m zool.* elk
**łowca** *m* hunter
**łowczy** *adj* hunting; **pies ~** hound; *m* huntsman, master of the chase
**łowić** *vt* catch; **~ ryby** fish, (*na wędkę*) angle
**łowiectwo** *n* hunting, huntsmanship
**łowy** *s pl* hunting, chase
**łoza** *f bot.* osier, wicker
**łoż|e** *n* bed; **~e małżeńskie** marriage-bed; **~e śmierci** death-bed; **dziecko z nieprawego ~a** illegitimate child
**łożyć** *vt* lay out, bestow; *vi* (*ponosić koszty*) bear expenses
**łożysko** *n* bed; *techn.* bearing; **~ kulkowe** ball-bearing; **~ rzeki** river-bed
**łódka** *f* (small) boat
**łódź** *f* boat
**łój** *m* tallow; (*barani etc.*) suet
**łów** *m* hunting, chase
**łóżeczko** *n* cot
**łóżk|o** *n* bed; (*bez materaca i pościeli*) bedstead; **leżeć w ~u** (*chorować*) keep to one's bed; **położyć się do ~a** go to bed; **słać ~o** make the bed
**łubin** *m bot.* lupine
**łucznictwo** *n* archery
**łucznik** *m* archer, bowman
**łuczywo** *n* resinous wood
**łudzący** *adj* delusive
**łudzenie się** *n* delusion
**łudzić** *vt* delude; **~ się** *vr* be deluded, deceive oneself
**ług** *m* lye
**łuk** *m* bow; *arch.* (*sklepienie*) arch; *mat. fiz. elektr.* arc
**łukow|y** *adj, elektr.* **lampa ~a** arc lamp; **światło ~e** arc-light
**łuna** *f* glow
**łup** *m* booty, spoil; **paść ~em** fall a prey (**kogoś, czegoś** to sb, sth)
**łupać** *vt* split, cleave; chip
**łupek** *m miner.* slate
**łupić** *vt* plunder, loot
**łupież** *m* dandruff
**łupieżca** *m* plunderer, looter
**łupina** *f* peel, hull, husk, shell
**łuska** *f* (*ryby*) scale; (*owocu*) husk; (*orzecha, grochu, naboju*) shell; *przen.* **~ spadła komuś z oczu** the scale fell from sb's eyes
**łuskać** *vt* (*kukurydzę*) husk, peel, (*groch, fasolę*) hull, (*migdały itp.*) scale, (*groch, orzechy*) shell
**łuszczyć się** *vr* scale off
**łydka** *f* calf
**łyk** *m* draught, gulp; **jednym ~iem** at one gulp

**łykać** *vt* swallow, gulp
**łyko** *n* bast
**łykowaty** *adj* (*o mięsie*) tough, sinewy
**łysek** *m pot.* (*człowiek łysy*) baldpate
**łysieć** *vi* become bald
**łysina** *f* bald head
**łysy** *adj* bald
**łyżeczka** *f* (little) spoon, teaspoon
**łyżka** *f* spoon; (*zawartość*) spoonful; ~ **do butów** shoe-horn; ~ **wazowa** ladle; ~ **zupy** spoonful of soup
**łyżwa** *f* skate
**łyżwiarstwo** *n* skating
**łyżwiarz** *m* skater
**łza** *f* tear; **lać gorzkie łzy** shed bitter tears; **zalewać się łzami** be all in tears
**łzawi|ć** *vi* water; **gaz ~ący** tear-gas
**łzawy** *adj* tearful; (*ckliwy*) maudlin

# m

**macać** *vt* touch, feel; ~ **po ciemku** grope
**macerować** *vt* macerate
**machać** *vi* wave (**ręką** one's hand); wag (**ogonem** the tail); brandish (**szablą** the sword); ~ **ręką na przywitanie** ⟨**pożegnanie**⟩ wave welcome ⟨farewell⟩ (**kogoś** to sb); **machnąć na coś ręką** wave sth aside
**machina** *f* machine
**machinacja** *f* machination
**machnąć** *zob.* **machać**
**macica** *f anat.* uterus; ~ **perłowa** mother-of-pearl
**macierz** † *f* mother
**macierzanka** *f bot.* thyme
**macierzyński** *adj* maternal
**macierzyństwo** *n* maternity, motherhood
**macierzysty** *adj* mother *attr*; **kraj** ~ mother country; **port** ~ port of registry; home port
**mącka** *f* tentacle, feeler
**macocha** *f* step-mother
**maczać** *vt* soak, steep, dip
**maczuga** *f* mace, club
**magazyn** *m* store, storehouse; *wojsk.* magazine; (*czasopismo*) magazine
**magazynier** *m* store-keeper
**magazynować** *vt* store up, keep in store
**magia** *f* magic, sorcery; **czarna** ~ black art
**magiczny** *adj* magic(al)
**magiel** *m* mangle
**magik** *m* magician
**magister** *m* master
**magisterium** *n* (*stopień*) master's degree
**magistracki** *adj* municipal
**magistrant** *m* candidate for the master's degree
**magistrat** *m* (*budynek*) town-hall; (*władza*) municipality
**maglować** *vt* mangle
**magnat** *m* magnate
**magnes** *m* magnet
**magnetofon** *m* tape-recorder
**magnetyzować** *vt* magnetize
**magnez** *m chem.* magnesium
**magnezja** *f chem.* magnesia
**magnificencja** *f* magnificence
**magnolia** *f bot.* magnolia
**mahometanin** *m* Mohammedan
**mahometański** *adj* Mohammedan
**mahoń** *m* mahogany
**maić** *vt* decorate with leaves
**maj** *m* May
**majaczeć** *vi* loom, appear dimly in the distance

**majaczenie** *n* hallucinations; ravings
**majaczyć** *vi* (*mówić od rzeczy*) talk deliriously, rave
**majątek** *m* property, fortune, estate
**majeranek** *m bot.* marjoram
**majestat** *m* majesty
**majestatyczny** *adj* majestic
**majętność** *f* property, estate
**majętny** *adj* wealthy, well-to-do
**majolika** *f* majolica
**majonez** *m* mayonnaise
**major** *m* major
**majówka** *f* May-party
**majster** *m* foreman, master; *sl* boss; ~ **do wszystkiego** jack of all trades
**majstersztyk** *m* masterpiece
**majstrować** *vi pot.* tamper (**koło czegoś** with sth)
**majtek** *m* sailor, mariner
**majtki** *s pl* drawers; *pot.* panties
**mak** *m* poppy; (*ziarno*) poppy-seed; **jest cicho jak ~iem zasiał** one might hear a pin drop
**makaron** *m* macaroni
**makat|a** *f* piece of tapestry; *pl* **~y** tapestry *zbior.*
**makieta** *f* model
**makler** *m handl.* broker
**makówka** *f* poppy-head
**makrela** *f* mackerel
**maksimum** *n nieodm. sing* maximum
**maksyma** *f* maxim
**maksymalny** *adj* maximum
**makuch** *m* oil-cake
**makulatura** *f* waste-paper
**malaria** *f med.* malaria
**malarstwo** *n* painting
**malarz** *m* painter
**malec** *m* small boy, *pot.* nipper
**maleć** *vi* grow small, dwindle
**maleństwo** *n* little thing
**malina** *f* raspberry
**malkontent** *m* malcontent
**malować** *vt* paint; (*na szkle*) stain; (*na porcelanie*) enamel; ~ **się** *vr* (*szminkować się*) make up
**malowidło** *n* painting, picture
**malowniczy** *adj* picturesque
**maltretować** *vt* maltreat, ill-treat
**malwa** *f bot.* mallow
**malwersacja** *f* malversation, embezzlement
**mało** *adv* little, few; ~ **kiedy** very seldom; **o** ~ nearly; **mieć** ~ **pieniędzy** be short of money
**małoduszność** *f* pusillanimity
**małoduszny** *adj* pusillanimous
**małoletni** *adj* under age, minor
**małoletniość** *f* minority
**małomówność** *f* taciturnity
**małomówny** *adj* taciturn
**małostkowość** *f* petty-mindedness
**małostkowy** *adj* petty-minded
**małowartościowy** *adj* of little worth
**małpa** *f* (*człekokształtna*) ape; (*niższego rzędu*) monkey
**małpować** *vt* ape
**mały** *adj* small, little; (*drobny*) tiny
**małż** *m zool.* crustacean
**małżeńsk|i** *adj* matrimonial, marital, conjugal; **para ~a** married couple
**małżeństwo** *n* marriage; married couple
**małżonek** *m* husband, spouse
**małżonka** *f* wife, spouse
**mama** *f* mamma, mummy, mammy
**mamić** *vt* delude, allure
**mamona** *f* mammon
**mamrotać** *vt* mumble, mutter
**mamut** *m zool.* mammoth
**manatki** *s pl pot.* goods and chattels, bag and baggage
**mandat** *m* mandate
**mandolina** *f muz.* mandolin(e)
**manekin** *m* mannequin, manikin, model
**manewr** *m* manoeuvre
**manewrować** *vi* manoeuvre
**maneż** *m* manege, riding-school
**mangan** *m chem.* manganese
**mania** *f* mania, obsession; ~ **prześladowcza** persecution mania; ~ **wielkości** megalomania
**maniak** *m* maniac
**manicure** [-kiur] *m* manicure; **robić** ~ to manicure

**maniera** *f* manner; (*zmanierowanie*) mannerism
**manierka** *f* flask; (*żołnierska*) canteen
**manifest** *m* manifesto
**manifestacja** *f* demonstration
**manifestować** *vi* demonstrate
**manipulacja** *f* manipulation
**manipulacyjn|y** *adj* manipulative; **opłaty ~e** handling charges
**manipulować** *vi* manipulate, handle
**mankiet** *m* cuff, wristband
**manko** *n* deficit, deficiency
**manna** *f* manna; **kasza ~** semolina
**manow|iec** *m, zw. pl* **~ce** wrong ways, impracticable tracts; **sprowadzić na ~ce** lead astray; **zejść na ~ce** go astray
**mansarda** *f* attic
**manufaktura** *f hist.* linen-drapery; manufacture
**manuskrypt** *m* manuscript
**mańkut** *m* left-handed person
**mapa** *f* map; (*morska*) chart
**mara** *f* spectre, phantom
**maratoński** *adj*, **bieg ~** Marathon race
**marcepan** *m* marchpane
**marchew** *f* carrot
**margaryna** *f* margarine
**margines** *m* margin
**margrabia** *m* margrave
**marionetka** *f* marionette, puppet
**marka** *f* mark; **~ fabryczna** trademark
**markiz** *m* marquis
**markiza** *f* (*żona markiza*) marchioness; (*osłona*) awning, marquee
**markotny** *adj* grumbling, discontent
**marksista** *m* Marxist
**marksistowski** *adj* Marxist, Marxian
**marksizm** *m* Marxism
**marmolada** *f* jam, (*zw. z pomarańcz*) marmalade
**marmur** *m* marble
**marnieć** *vi* languish, waste away, perish
**marność** *f* vanity
**marnotrawca** *m* spendthrift
**marnotrawić** *vt* waste, squander
**marnotrawny** *adj* prodigal
**marnotrawstwo** *n* prodigality
**marnować** *vt* waste, trifle away; **~ się** *vr* be wasted, go to waste
**marn|y** *adj* miserable, meagre, mean; **wszystko poszło na ~e** it all dissolved into thin air
**marsowy** *adj* martial
**marsz** *m* march; *int* **~!** *wojsk.* forward march!; (*wynoś się!*) clear off!, clear out!
**marszałek** *m* marshal
**marszczyć** *vt* wrinkle; **~ brwi** knit one's brows; **~ się** *vr* wrinkle, become wrinkled
**marszruta** *f* itinerary, route
**martwica** *f med.* necrosis
**martwić** *vt* vex, grieve, worry; **~ się** *vr* worry (**o kogoś, o coś** about, over sb, sth), grieve, be grieved (**o kogoś, o coś** at, for sb, sth)
**martw|y** *adj* lifeless, dead; **~a natura** still life; **~y sezon** slack season; **~y punkt** deadlock; **stanąć na ~ym punkcie** come to a deadlock
**martyrologia** *f* martyrology
**maruder** *m* marauder
**marudzić** *vt* (*guzdrać się*) loiter; (*gderać*) grumble
**mary** *s pl* bier
**marynarka** *f* marine; (*wojenna*) navy; (*część ubrania*) coat
**marynarz** *m* sailor, mariner
**marynata** *f* pickle, marinade
**marynować** *vt* pickle, marinade
**marzanna** *f bot.* madder
**marzec** *m* March
**marzenie** *n* dream, reverie
**marznąć** [-r-z-] *vi* freeze, feel ⟨be⟩ cold
**marzyciel** *m* dreamer
**marzyć** *vi* dream (**o kimś, o czymś** of sb, sth)
**masa** *f* mass; (*wielka ilość*) a lot, a great deal; *fiz.* **~ atomowa** atomic ratio ⟨weight, mass⟩; *chem.* **~ cząsteczkowa** molecular mass ⟨weight⟩; **~ drzewna** wood

pulp; ~ **papiernicza** paper-pulp; *prawn.* ~ **upadłościowa** bankrupt's estate
**masakra** *f* massacre
**masakrować** *vt* massacre
**masaż** *m* massage
**masażysta** *m* masseur
**masażystka** *f* masseuse
**maselniczka** *f* butter-box
**maska** *f* mask
**maskarada** *f* masquerade
**maskować** *vt* mask, disguise
**masło** *n* butter
**masoneria** *f* freemasonry
**masować** *vt* massage
**masowo** *adv* in a mass
**masow|y** *adj* massy, mass *attr*; **~a produkcja** mass production
**masówka** *f* mass meeting
**masyw** *m* massif
**masywny** *adj* massive, solid
**maszerować** *vi* march
**maszkara** *f* (*poczwara*) monster; (*maska*) mask
**maszt** *m* mast
**maszyn|a** *f* machine, engine; **~a do pisania** typewriter; **pisać na ~ie** typewrite; **~a do szycia** sewing-machine; **~a parowa** steam-engine
**maszynista** *m* engineer; (*kolejowy*) engine-driver
**maszynistka** *f* typist
**maszynka** *f*, ~ **do golenia** safety-razor; ~ **do mięsa** mincing-machine; ~ **do gotowania** cooker; ~ **spirytusowa** spirit lamp
**maszynopis** *m* typescript
**maść** *f* ointment; (*konia*) colour
**maślanka** *f* buttermilk
**mat** *m* (*barwa*) dull colour; (*w szachach*) mate; **dać ~a** checkmate (**komuś** sb)
**mata** *f* mat
**matactwo** *n* fraudulence, trickery, machination
**matczyny** *adj* maternal
**matematyczny** *adj* mathematical
**matematyk** *m* mathematician
**matematyka** *f* mathematics
**materac** *m* matress
**materia** *f* matter; stuff
**materialista** *m* materialist
**materialistyczny** *adj* materialistic
**materializm** *m* materialism; ~ **dialektyczny** dialectical materialism
**materialn|y** *adj* material; **środki ~e** material means, pecuniary resources
**materiał** *m* material, stuff; *przen.* makings
**matka** *f* mother; ~ **chrzestna** god-mother
**matni|a** *f* trap, snare; **złapać w ~ę** ensnare, entrap
**matowy** *adj* dull, mat
**matrona** *m lit.* matron
**matryca** *f* matrix; (*w mennicy*) die
**matrymonialny** *adj* matrimonial
**matura** *f* secondary-school leaving examination; matriculation
**maturzysta** *m* secondary-school graduate
**maurytański** *adj* Moorish; (*styl*) Moresque
**mazać** *vt* smear, daub
**mazgaj** *m pot.* sniveller, noodle
**mazur** *m* (*muz. i taniec*) mazurka
**mazurek** *m muz.* mazurka
**maź** *m* grease
**mąci|ć** *vt* trouble, disturb; ~ **mi się w głowie** my head reels
**mączka** *f* fine flour
**mądrość** *f* wisdom
**mądry** *adj* wise, sage
**mąka** *f* flour
**mątwa** *f zool.* cuttle-fish
**mąż** *m* man; husband; ~ **stanu** statesman; **wychodzić za** ~ marry, get married; **jak jeden** ~ to a man
**mdleć** *vi* faint, swoon away
**mdli|ć** *v impers* ~ **mnie** I feel sick
**mdłości** *s pl* sickness, qualm, nausea
**mdły** *adj* insipid, dull
**meb|el** *m* piece of furniture; *pl* **~le** (*umeblowanie*) *zbior.* furniture
**meblować** *vt* furnish
**mecenas** *m* Maecenas; (*adwokat*) lawyer, barrister

**mech** *m* moss
**mechaniczny** *adj* mechanical
**mechanik** *m* mechanic
**mechanika** *f* mechanics
**mechanizacja** *f* mechanization
**mechanizm** *m* mechanism
**mecz** *m sport* match; ~ **sparingowy** spar
**meczet** *m* mosque
**medal** *m* medal
**medium** *n* medium
**meduza** *f zool.* jelly-fish
**medycyna** *f* medicine
**medyczny** *adj* medical
**medyk** *m* medical student
**medykament** *m* medicine, medicament
**megafon** *m* loud-speaker
**megaloman** *m* megalomaniac
**megalomania** *f* megalomania
**Meksykanin** *m* Mexican
**meksykański** *adj* Mexican
**melancholia** *f* melancholy
**melancholijny** *adj* melancholy
**melancholik** *m* melancholiac
**melasa** *f* molasses *pl*
**meldować** *vt* report, announce; ~ **się** *vr* report oneself; *(zgłaszać urzędowo przyjazd)* register
**meldunek** *m* report, notification; *(meldowanie)* registration
**melioracja** *f* melioration
**meliorować** *vt* meliorate
**melodia** *f* melody
**melodramat** *m* melodrama
**melodyjny** *adj* melodious
**melon** *m* melon; *(kapelusz)* bowler
**memorandum** *n* memorandum
**memoriał** *m* memorial
**menażeria** *f* menagerie
**menażka** *f* mess-tin
**mennica** *f* mint
**menstruacja** *f* menstruation, menses
**mentalność** *f* mentality
**mentol** *m* menthol
**menu** [meniu] *n nieodm.* menu, bill of fare
**menuet** *m* minuet
**mer** *m* mayor
**merdać** *vi pot.* wag (**ogonem** the tail)
**mereżka** *f* hemstitch
**merynos** *m zool.* merino
**merytoryczny** *adj* essential, substantial; **rozważać sprawę pod względem** ~**m** consider a matter on its merits
**meszek** *m* fine moss; *(puszek)* down
**met|a** *f* goal, terminus; **na dalszą** ~**ę** in the long run, at long-range
**metafizyczny** *adj* metaphysical
**metafizyka** *f* metaphysics
**metal** *m* metal
**metaliczny** *adj* metallic
**metalowy** *adj* metal *attr*
**metalurgia** *f* metallurgy
**metamorfoza** *f* metamorphosis
**meteor** *m* meteor
**meteorolog** *m* meteorologist
**meteorologia** *f* meteorology
**metoda** *f* method
**metodyczny** *adj* methodical
**metr** *m* metre
**metraż** *m* surface in square metres
**metro** *n* underground (railway), *pot.* tube; *am.* subway (railway)
**metropolia** *f* metropolis
**metropolita** *m* metropolitan
**metrum** *n nieodm. lit.* metre, measure
**metryczny** *adj* *(system)* metric; *(w prozodii)* metrical
**metryka** *f* birth ⟨marriage⟩ certificate
**metyl** *m chem.* methyl
**mewa** *f* (sea-)mew, sea-gull
**mezalians** *m* misalliance
**męczarnia** *f* torment, torture
**męczennica** *f*, **męczennik** *m* martyr
**męczeński** *adj* martyr's
**męczeństwo** *n* martyrdom
**męczyć** *vt* torment, torture; *(dokuczać)* vex; *(nużyć)* tire; ~ **się** *vr* take pains, exert oneself, labour; *(umysłowo)* rack one's brains
**mędrek** *m pot.* wiseacre
**mędrzec** *m* sage

**męka** *f* pain, fatigue, toil, torment

**męski** *adj* male; masculine; (*pełen męskości, mężny*) manful; **chór ~** chorus of men; **garnitur ~** men's suit; **obuwie ~e** men's boots; *gram.* **rodzaj ~** masculine gender

**męskość** *f* manhood, manliness

**męstwo** *n* bravery, valour

**mętniactwo** *n pot.* woolliness

**mętny** *adj* dull; (*nieprzejrzysty*) troubled, turbid

**męty** *s pl* grounds, dregs; **~ społeczne** *zbior.* scum of society

**mężatka** *f* married woman

**mężczyzna** *m* man, male

**mężny** *adj* brave, valiant

**mgiełka** *f* haze

**mglisty** *adj* hazy, misty, foggy

**mgła** *f* fog, mist

**mgławica** *f* mist; *astr.* nebula

**mgnieni|e** *n* twinkling; **w ~u oka** in the twinkling of an eye

**miał** *m* dust

**miałki** *adj* fine

**miano** *n* name

**mianować** *vt* name, appoint

**mianowicie** *adv* namely; (*w piśmie*) viz.

**mianownik** *m mat.* denominator; *gram.* nominative

**miar|a** *f* measure; (*skala*) gauge; **ubranie na ~ę** suit to measure; **brać ~ę** measure (**z kogoś** sb); **w ~ę jak się zbliżał** as he was approaching; **w jakiej mierze?** to what extent?; **w ~ę możności** as far as possible, to the best of my ⟨your itd.⟩ ability; **w pewnej mierze** in some measure, to a certain extent; **żadną ~ą** by no means

**miarka** *f* gauge; (*menzura*) burette

**miarkować** *vt* moderate; (*domyślać się*) guess, infer

**miarodajny** *adj* competent, authoritative

**miarowy** *adj* measured; (*rytmiczny*) rhythmic

**miasteczko** *n* little town; **wesołe ~** amusement park

**miasto** *n* town, city

**miauczeć** *vi* mew

**miazga** *f* (*miąższ*) pulp; (*wyciśnięta masa*) squash

**miażdżyć** *vt* crush, squash

**miąć** *vt* rumple, crumple; **~ się** *vr* crumple, get crumpled

**miąższ** *m* pulp

**miech** *m* (pair of) bellows

**miecz** *m* sword

**mieć** *vt* have; **~ kogoś za coś** take sb for sth; **~ się dobrze** be (feel) well; **~ zamiar** intend, have the intention; **ma się na deszcz** it is going to rain, it looks like rain; **mam na sobie palto** I have my overcoat on; **miałem wyjechać** I was going to leave; **co miałem robić?** what was I to do?; **czy mam to zrobić?** shall I do it?; **ile masz lat?** how old are you?; **mam 30 lat** I am 30 years old; **jak się masz?** how do you do?, how are you?; **nie ma gdzie pójść** there's no place ⟨there's nowhere⟩ to go; **nie mam przy sobie pieniędzy** I have no money about me; **nie masz się czego bać** you needn't be afraid of anything; **nie ma jak Zakopane** there's nothing like Zakopane

**miednica** *f* (wash-) basin, *am.* washbowl; *anat.* pelvis

**miedza** *f* balk

**miedziak** *m* copper

**miedzioryt** *m* copper-plate

**miedź** *f* copper

**miejsc|e** *n* place; sport; (*przestrzeń*) room; (*posada*) situation, employment; **~e pobytu** residence; **~e przeznaczenia** destination; **~e siedzące ⟨stojące⟩** sitting, ⟨standing⟩ room; **~e urodzenia** birthplace; **płatne na ~u** payable on the spot; **jest dużo ~a** there is plenty of room; **zająć ~e (siedzące)** take one's seat; **zrobić ~e** make room (**dla kogoś, czegoś** for sb, sth); **nie na**

~u out of place; na ~e in place, instead (kogoś, czegoś of sb, sth)
**miejscownik** *m gram* locative (case)
**miejscowość** *f* locality
**miejscowy** *adj* local
**miejscówka** *f* reserved seat ticket
**miejsk|i** *adj* municipal, town- *attr*, city- *attr*; **rada ~a** town-council, city-council
**mieli|zna** *f* shallow water, shoal; **osiąść na ~źnie** run aground
**mielony** *adj pp* ground; *zob.* **mleć**
**mienić się** *vr* change colour, shimmer
**mienie** *n* property
**miernictwo** *n* geodesy, surveying
**mierniczy** *adj* geodetic, surveying; *s m* (land-)surveyor
**miernota** *f* mediocrity
**mierny** *adj* mediocre, mean
**mierzić** [-r-z-] *vt* disgust, sicken
**mierznąć** [-r-z-] *vi* become disgusting
**mierzwić** *vt* tousle
**mierzyć** *vt* measure; *vi* (*celować*) aim (**do kogoś, czegoś** at sb, sth)
**miesiąc** *m* month; † (*księżyc*) moon; **od dziś za ~** this day month
**miesić** *vt* knead
**miesięcznie** *adv* monthly, a month
**miesięcznik** *m* monthly
**miesięczny** *adj* monthly
**mieszać** *vt* mix; (*np. zupę*) stir; (*karty*) shuffle; (*peszyć, wprowadzać w zakłopotanie*) confuse; **~ się** *vr* mix, become mixed; (*wtrącać się*) interfere, meddle (**do czegoś** with sth)
**mieszanina** *f* mixture
**mieszanka** *f* blend, mixture
**mieszczanin** *m* townsman, burgher, bourgeois
**mieszczanka** *f* middle-class woman, bourgeoise
**mieszczański** *adj* middle-class *attr*, bourgeois; **stan ~** middle class, bourgeoisie
**mieszczaństwo** *n* middle class, bourgeoisie
**mieszek** *m* bag; hand-bellows *pl*
**mieszkać** *vi* live, stay, reside; *poet.* dwell
**mieszkalny** *adj* habitable; **dom ~** dwelling-house
**mieszkanie** *n* flat, lodgings *pl*
**mieszkaniec** *m* inhabitant, resident
**mieszkaniow|y** *adj*, **problem ~y** housing problem; **urząd ~y** housing office; **dzielnica ~a** residential district
**mieścić** *vt* comprise, contain; **~ się** *vr* be comprised; be included; (*zmieścić się*) find enough room
**mieścina** *f* little ⟨paltry⟩ town
**mięczak** *m zool.* mollusc
**międlić** *vt* crush
**między** *praep* (*o dwóch osobach, rzeczach*) between; (*o większej liczbie*) among(st), amid(st)
**międzymiastow|y** *adj*, **rozmowa ~a** trunk call
**międzynarodowy** *adj* international
**międzynarodówka** *f* (*organizacja*) International; (*hymn*) Internationale
**międzyplanetarny** *adj* interplanetary
**miękczyć** *vt* make soft, soften, mollify
**miękisz** *m* pulp, flesh
**miękki** *adj* soft; (*o mięsie*) tender
**miękko** *adv* softly; **jajka na ~** soft-boiled eggs
**miękkość** *f* softness
**mięknąć** *vi* soften, become soft
**mięsień** *m* muscle
**mięsisty** *adj* fleshy; (*muskularny*) barwny
**mięsiwo** *n* meat
**mięso** *n* flesh; (*jadalne*) meat
**mięsożerny** *adj* carnivorous
**mięta** *f* mint
**miętosić** *vt* knead, crumple
**miętówka** *f* peppermint (liqueur)
**mig** *m* twinkling; **w ~, ~iem** in a twinkling; **mówić na ~i** speak by signs
**migać** *vi* twinkle, glimmer
**migawka** *f fot.* shutter; **~ sekto-**

rowa diaphragm shutter; ~ szczelinowa focal-plane shutter
**migawkow|y** *adj, fot.* **zdjęcie ~e** snapshot
**migdał** *m* almond
**migotać** *vi* twinkle, shimmer
**migracja** *f* migration
**migrena** *f* migraine
**mijać** *vt* pass, go past; *vi (przemijać)* pass away; **~ się** *vr* pass ⟨cross⟩ each other; **~ się z prawdą** swerve from the truth
**mikrob** *m* microbe
**mikrofon** *m* microphone
**mikroskop** *m* microscope
**mikroskopijny** *adj* microscopic
**mikstura** *f* mixture
**mila** *f* mile
**milczący** *adj* silent
**milczeć** *vi* be ⟨keep⟩ silent
**milczenie** *n* silence; **pominąć ~m** pass over in silence
**milczkiem** *adv* stealthily, secretly
**miliard** *m* milliard; *am.* billion
**milicja** *m* militia
**milicjant** *m* militiaman
**miligram** *m* milligramme
**milimetr** *m* millimeter
**milion** *m* million
**milioner** *m* millionaire
**milionowy** *adj* millionth
**militarny** *adj* military
**militarysta** *m* militarist
**militaryzm** *m* militarism
**militaryzować** *vt* militarize
**milknąć** *vi* become silent; *(cichnąć)* become quiet, calm down
**milowy** *adj,* **kamień ~** milestone
**miło** *adv* agreeably; **~ mi pana spotkać** I'm glad to see you; **~ to usłyszeć** it's a pleasure to hear
**miłosierdzi|e** *n* mercy, charity; **siostra ~a** Sister of Mercy
**miłosierny** *adj* merciful, charitable
**miłosny** *adj* love *attr,* amatory, amorous; **list ~** love letter
**miłostka** *f* love affair
**miłość** *f* love; **~ własna** self-love; self-respect
**miłośnik** *m* amateur, lover
**miłować** *vt* love
**miły** *adj* pleasant, agreeable, dear, beloved
**mimiczny** *adj* mimic
**mimika** *f* mimics, mimic art
**mimo** *praep* in spite of; *(obok)* by; *adv* past, by; **~ to** nevertheless; **~ woli** involuntarily; **~ wszystko** after all
**mimochodem** *adv* by the way, in passing
**mimowolny** *adj* involuntary
**mimoza** *f bot.* sensitive plant
**min|a** 1. *f (wyraz twarzy)* air, countenance; **kwaśna ~a** wry face; **robić ~y** pull ⟨make⟩ faces
**mina** 2. *f wojsk.* mine
**minąć** *vi* pass, be past, be over; **dawno minęła 5 godzina** it is long past 5 o'clock; **burza minęła** the storm is over; **~ się** *vr* pass ⟨cross⟩ each other; **~ się z powołaniem** miss one's calling; *zob.* **mijać**
**mineralny** *adj* mineral
**mineralogia** *f* mineralogy
**minerał** *m* mineral
**minia** *f* minium
**miniatura** *f* miniature
**minimalny** *adj* minimal
**minimum** *n nieodm.* minimum
**miniony** *adj* past, bygone
**minister** *m* minister; **~ handlu** President of the Board of Trade; **~ oświaty** Minister of Education; **~ skarbu** Chancellor of the Exchequer, *am.* Secretary of the Treasury; **~ spraw wewnętrznych** Home Secretary; **~ spraw zagranicznych** Foreign Secretary, *am.* Secretary of State; **~ opieki społecznej** Minister of Social Welfare
**ministerialny** *adj* ministerial
**ministerstwo** *n* ministry
**minuta** *f* minute
**miodownik** *m* honey-cake
**miodowy** *adj* honey *attr,* honeyed; **miesiąc ~** honeymoon
**miotacz** *m* thrower; *wojsk.* **~ bomb** bomb-thrower; **~ min** mine-thrower; **~ płomieni** flame-projector
**miotać** *vt* throw, fling, launch

**miotła** *f* broom
**miód** *m* honey; (*pitny*) mead
**mirra** *f* myrrh
**mirt** *m* myrtle
**misa** *f* bowl
**misja** *f* mission
**misjonarz** *m* missionary
**miska** *f* pan, bowl
**misterium** *n nieodm.* mystery
**misterny** *adj* fine
**mistrz** *m* master
**mistrzostwo** *n* mastership, mastery
**mistrzowski** *adj* masterly; master's, master *attr*
**mistycyzm** *m* mysticism
**mistyczny** *adj* mystic(al)
**mistyfikacja** *f* mystification
**mistyfikować** *vt* mystify
**mistyk** *m* mystic
**miś** *m* bear; (*z bajki*) Bruin; (*zabawka*) Teddy bear
**mit** *m* myth
**mitologia** *f* mythology
**mitologiczny** *adj* mythologic(al)
**mitra** *f* mitre
**mitręga** *f pot.* waste of time
**mityczny** *adj* mythical
**mizantrop** *m* misanthrope
**mizantropia** *f* misanthropy
**mizdrzyć się** *vr pot.* ogle (**do kogoś** at sb)
**mizerak** *m pot.* poor devil
**mizeria** *f* cucumber salad
**mizernieć** *vi* grow meagre ⟨wan⟩
**mizerny** *adj* meagre, wan
**mknąć** *vi* flit, fleet
**mlaskać** *vi* smack (**językiem** one's tongue)
**mlecz** *m* marrow; (*rybi*) soft roe
**mleczarnia** *f* dairy
**mleczarstwo** *n* dairying
**mleczko** *n* milk
**mleczn|y** *adj* milk *attr*, milky; *chem.* lactic; *astr.* **Droga Mleczna** Milky Way; **bar ~y** milk-bar; **gospodarstwo ~e** dairy-farm; **ząb ~y** milk-tooth
**mleć** *vt* grind, mill
**mleko** *n* milk; **~ zbierane** skimmed milk
**młockarnia** *f* trashing-machine
**młocka** *f* thrashing
**młode** *adj zob.* **młody**; *s n* young ⟨little⟩ one
**młodociany** *adj* youthful; (*nieletni*) juvenile; **sąd dla ~ch** juvenile court
**młodość** *f* youth
**młod|y** *adj* young; **pan ~y** bridegroom; **panna ~a** bride; **~e drzewo** sapling
**młodzian** *m* young man, youth
**młodzieniaszek** *m* stripling
**młodzieniec** *m* young man, youth
**młodzieńczy** *adj* youthful, adolescent; **wiek ~** adolescence
**młodzież** *f* youth
**młodzieżowy** *adj* juvenile
**młodzik** *m* youngster, sapling
**młokos** *m* stripling
**młot** *m* hammer
**młotek** *m* hammer; (*drewniany*) mallet
**młócić** *vt* thrash
**młyn** *m* mill
**młynek** *m* (*ręczny*) handmill; (*do kawy*) coffee-mill
**młyński** *adj* mill *attr*; **kamień ~** millstone, grindstone
**mnemotechnika** *f* mnemotechnics
**mnich** *m* monk
**mniej** *adv* less, fewer; **~ więcej** more or less; **~sza o to** never mind
**mniejszość** *f* minority
**mniejszy** *adj* smaller, less, minor
**mniemać** *vi* think, believe
**mniemanie** *n* opinion
**mniszka** *f* nun
**mnog|i** *adj* numerous; *gram.* **liczba ~a** plural (number).
**mnogość** *f* plurality, multitude
**mnożeni|e** *n* multiplication; **tabliczka ~a** multiplication table
**mnożnik** *m mat.* factor, multiplier
**mnożyć** *vt* multiply; **~ się** *vr* multiply, increase in number
**mnóstwo** *n* multitude, a lot, lots; **całe ~ ludzi** lots of people
**mobilizacja** *f* mobilization
**mobilizować** *vt* mobilize
**moc** *f* might, power; *pot.* a lot; **~ prawna** legal force, **na ~y** in virtue of, on the strength of;

w mojej ~y in ⟨within⟩ my power
**mocarstwo** *f* (great) power
**mocarz** *m* potentate, powerful man
**mocno** *adv* fast, firmly; ~ **bić** strike hard; ~ **spać** sleep fast; ~ **stać na nogach** stand firm on one's legs; ~ **trzymać** hold tight; ~ **przekonany** firmly convinced; ~ **zobowiązany** deeply obliged
**mocny** *adj* strong, vigorous, firm
**mocować się** *vr* wrestle
**mocz** *m* urine
**moczar** *m* marsh, bog
**moczopędny** *adj* diuretic
**moczowy** *adj* urinary; (*o kwasie*) uric; **pęcherz** ~ urinary bladder
**moczyć** *vt* wet, drench
**mod|a** *f* fashion; **wchodzić w** ~ę come into fashion; **wychodzić z** ~y grow out of fashion
**model** *m* model, pattern
**modelarz** *m* modeller, pattern-maker
**modelka** *f* model
**modelować** *vt* model, shape, fashion
**modernizm** *m* modernism
**modernizować** *vt* modernize
**modlić się** *vr* pray, say one's prayers
**modlitewnik** *m* prayer-book
**modlitwa** *f* prayer
**modł|a** *f* mould, form, fashion; **na** ~ę after the fashion
**modniarka** *f* milliner, modiste
**mogiła** *f* tomb, grave; ~ **zbiorowa** common grave
**moknąć** *vi* become moist, grow wet
**mokry** *adj* moist, wet
**molekularny** *adj* *fiz.* molecular
**molekuła** *f* *fiz.* molecule
**molestować** *vt* molest, torment, annoy
**molo** *n* mole, pier, jetty
**moment** *m* moment
**momentalny** *adj* instantaneous
**monarcha** *m* monarch
**monarchia** *f* monarchy
**monarchiczny** *adj* monarchic(al)
**monarchista** *m* monarchist
**monet|a** *f* coin; ~**a zdawkowa** small ⟨token⟩ coin; *przen.* **brzęcząca** ~a hard cash; **przyjmować za dobrą** ~ę accept at face value
**monetarny** *adj* monetary
**mongolski** *adj* Mongolian
**Mongoł** *m* Mongolian
**monitor** *m* monitor
**monitować** *vt* admonish
**monizm** *m* *filoz.* monism
**monografia** *f* monograph
**monograficzny** *adj* monographic
**monogram** *m* monogram
**monokl** *m* eye-glass
**monolog** *m* monologue, soliloquy
**monologować** *vi* soliloquize
**monopol** *m* monopoly
**monopolizować** *vt* monopolize
**monoteizm** *m* *filoz.* monotheism
**monotonia** *f* monotony
**monotonny** *adj* monotonous
**monstrualność** *m* monstrosity
**monstrualny** *adj* monstrous
**monstrum** *n* monster
**montaż** *m* mounting, fitting up; (*składanie np. maszyny*) assembly
**monter** *m* mechanic, fitter; (*gazowy, wodociągowy*) plumber; (*liniowy, elektryk*) lineman
**montować** *vt* mount, fit up; (*składać, np. maszynę*) assemble
**monumentalny** *adj* monumental
**moralizator** *m* moralizer
**moralizować** *vi* moralize (**na temat czegoś** on sth)
**moralnoś|ć** *f* (*etyka*) morality; (*moralne postępowanie, obyczaje*) morals *pl*; **nauka** ~ci moral teaching ⟨science⟩; **świadectwo** ~ci certificate of conduct; **upadek** ~ci corruption of morals ⟨manners⟩
**moralny** *adj* moral
**morał** *m* moral
**mord** *m* murder, manslaughter
**morda** *f* *pot.* muzzle
**morderca** *m* murderer

**morderczy** *adj* murderous
**morderstwo** *n* murder
**mordęga** *f pot.* toil, drudge
**mordować** *vt* murder; (*dręczyć*) torment; ~ **się** *vr* toil, drudge
**morela** *f* apricot; (*drzewo*) apricot-tree
**morfina** *f* morphia, morphine
**morfologia** *f* morphology
**morganatyczny** *adj prawn.* morganatic
**morow|y** *adj* pestilential; **~e powietrze** pestilence; *pot.* **~y chłop** a brick
**mors** *m zool.* walrus
**morsk|i** *adj* maritime; sea- *attr*; **bitwa ~a** sea-fight; **brzeg ~i** sea-coast; **choroba ~a** seasickness; **podróż ~a** voyage
**morwa** *f* mulberry; (*drzewo*) mulberry-tree
**morz|e** *n* sea; **na ~u** at sea; **na pełnym ~u** on the high seas; **nad ~em** at the seaside; **za ~em** oversea
**morzyć** *vt* starve; *vr* ~ **się (głodem)** starve
**mosiądz** *m* brass
**mosiężny** *adj* brass *attr*; brazen
**moskit** *m zool.* mosquito
**most** *m* bridge
**mostek** *m* little bridge, footbridge; *anat.* sternum; (*rodzaj protezy*) bridge
**moszcz** *m* must
**motać** *vt* (*nawijać*) reel, wind
**motek** *m* reel, ball
**motel** *m* motel
**motłoch** *m* mob, rabble
**motocykl** *m* motor-cycle
**motor** *m* motor
**motorowy, motorniczy** *m* motor driver, *am.* motorman
**motorówka** *f* motor-boat
**motoryzacja** *f* motorization, mechanization
**motoryzować** *vi* motorize, mechanize
**motyka** *f* hoe
**motyl** *m zool.* butterfly
**motyw** *m* motif; (*bodziec*) motive
**motywować** *vt* motive, motivate, substantiate; give reasons (**coś** for sth)
**mow|a** *f* speech; *gram.* **~a zależna** ⟨**niezależna**⟩ indirect ⟨direct⟩ speech; **wygłosić ~ę** make a speech
**mozaika** *f* mosaic
**mozolić się** *vr* toil, drudge (**nad czymś** at sth)
**mozolny** *adj* toilsome
**mozół** *m* pains *pl*, exertion
**moździerz** *m* mortar
**może** *adv* maybe, perhaps
**możliwość** *f* possibility, chance
**możliwy** *adj* possible
**można** *impers* it is possible, it is allowed, one can; **jak ~ najlepiej** as well as possible; **czy ~ usiąść?** may I sit down?; **jeśli ~** if possible
**możność** *f* power; possibility
**możny** *adj* potent, powerful
**móc** *vi aux* can, be able; **mogę** I can; I may
**mój** *pron* my, mine
**mól** *m zool.* moth; *przen.* ~ **książkowy** bookworm
**mór** *m* pestilence
**mórg** *m* land measure
**mówca** *m* speaker, orator
**mówić** *vt* speak, say, tell, talk; **nie ma o czym ~** nothing to speak of
**mównica** *f* platform
**mózg** *m* brain
**mózgowy** *adj* cerebral
**mroczny** *adj* gloomy, dusky
**mrok** *m* gloom, dusk
**mrowić się** *vr* teem, swarm (**od czegoś** with sth)
**mrowie** *n* swarm, teeming multitude
**mrowisko** *n* ant-hill
**mrozić** *vt* freeze, congeal, refrigerate
**mroźny** *adj* frosty
**mrówka** *f* ant
**mróz** *m* frost
**mruczeć** *vi* murmur, mumble, mutter

**mrugać** *vi* wink (**na kogoś** at sb), twinkle
**mruk** *m* mumbler, grumbler
**mrukliwy** *adj* mumbling, grumbling
**mrużyć** *vt* blink
**mrzonka** *f* fancy, reverie
**msz|a** *f* mass; **odprawiać ~ę** say mass
**mszał** *m* missal
**mściciel** *m* avenger
**mścić** *vt* avenge; **~ się** *vr* revenge oneself, take revenge (**na kimś** on sb)
**mściwy** *adj* revengeful, vindictive
**mucha** *f* fly
**mufka** *f* muff
**mularstwo** *n* masonry
**Mulat** *m* mulatto
**mulisty** *adj* slimy, oozy
**muł 1.** *m* slime, ooze
**muł 2.** *m zool.* mule
**mułła** *m* mullah
**mumia** *f* mummy
**mundur** *m* uniform
**municypalny** *adj* municipal
**munsztuk** *m* mouthpiece
**mur** *m* wall; *przen.* **przyprzeć do ~u** drive into a corner
**murarz** *m* bricklayer, mason
**murawa** *f* lawn
**murowa|ć** *vt* mason, build in stone ⟨in bricks⟩; **dom ~ny** house of stone ⟨of bricks⟩
**Murzyn** *m* Negro
**mus 1.** *m* necessity, compulsion; **z ~u** of necessity, forcibly
**mus 2.** *m* (*pianka*) mousse, froth
**musieć** *v aux* be obliged; have to; **muszę** I must, I am obliged
**muskać** *vt* stroke
**muskularny** *adj* muscular, brawny; sinewy
**muskuł** *m* muscle
**musować** *vi* effervesce, froth; (*o winie*) sparkle
**muszka** *f* fly; (*na twarzy*) beauty-spot; (*na lufie*) bead
**muszkat** *m* (*gałka muszkatołowa*) nutmeg
**muszkiet** *m* musket
**muszkieter** *m* musketeer
**muszla** *f* shell, conch; **~ klozetowa** lavatory pan
**musztarda** *f* mustard
**musztra** *f* drill
**musztrować** *vt* drill
**muślin** *m* muslin
**mutacja** *f* mutation
**muza** *m* Muse
**muzealny** *adj*, **przedmiot ~** museum-piece
**muzeum** *n* museum
**muzułmanin** *m* Moslem
**muzułmański** *adj* Moslem
**muzyczny** *adj* musical
**muzyk** *m* musician
**muzyka** *f* music
**muzykalność** *f* musicality
**muzykalny** *adj* musical
**muzykant** *m* musician, bandsman
**my** *pron* we
**myć** *vt* wash; **~ się** *vr* wash; (*dokładnie*) wash oneself
**mydlarnia** *f* soap-store
**mydlarstwo** *n* soap-trade
**mydlarz** *m* soap-boiler
**mydlić** *vt* soap; (*twarz do golenia*) lather; **~ się** *vr* soap
**mydliny** *s pl* (soap-)suds
**mydło** *m* soap
**mylić** *vt* mislead, misguide; **~ się** *vr* be mistaken (**co do czegoś** about sth), make a mistake, be wrong
**mylny** *adj* erroneous, wrong
**mysz** *f* mouse
**myszkować** *vi* mouse about (**za czymś** for sth)
**myśl** *f* thought, idea; **dobra ~** bright idea; **być dobrej ~i** be of good cheer; **mieć na ~i** mean, have in mind; **przychodzi mi na ~** it occurs to me; **na samą ~** at the mere thought (**o czymś** of sth); **po mojej ~i** after my heart; **z ~ą o czymś** with a view to sth
**myślący** *adj* thinking, thoughtful, reflective

**myśl|eć** *vt vi* think; (*mniemać, zamierzać*) mean; **co o tym ~isz?** what do you think of it?; **~ę, że tak** I think so; **nie ~ę tego robić** I do not mean to do it; **o czym ~isz?** what are you thinking about?
**myśliciel** *m* thinker
**myślistwo** *n* hunting
**myśliwiec** *m lotn.* fighter
**myśliwy** *m* hunter, huntsman
**myślnik** *m gram.* dash
**myślowy** *adj* mental
**myto** *n* (*opłata*) toll
**mżawka** *f* drizzle
**mżyć** *vi* drizzle

# n

**na** *praep* on, upon; at; by; for; in; **na dole** down; **na dworze** out of doors; **na górze** up; **na końcu** at the end; **na moją prośbę** at my request; **na pamięć** by heart; **na piśmie** in writing; **na sprzedaż** for sale; **na stare lata** in ⟨for⟩ one's old age; **na wiosnę** in spring; **na zawsze** for ever; **cóż ty na to?** what do you say to it?; **raz na tydzień** once a week; **na mój koszt** at my expense; **na ulicy** in the street; **głuchy na lewe ucho** deaf in his left ear; **na całe życie** for life; **na pierwszy rzut oka** at first sight; **iść na obiad** go to dinner; **umrzeć na tyfus** die of typhus
**nabawić się** *vr* bring upon oneself, incur; **~ choroby** contract a disease; **~ kataru** catch a cold; **~ kłopotów** get into trouble
**nabiał** *m* dairy-goods, dairy-products
**nabierać** *vt* take; draw in; *pot.* (*oszukiwać*) take in; (*drażnić, żartować złośliwie*) tease
**nabijać** *vt* (*np. gwoździami*) stud; (*broń*) charge, load; *pot.* **~ sobie głowę czymś** get an idea into one's head
**nabożeństwo** *n* divine service
**nabożny** *adj* pious
**nabój** *m* (*jednostka amunicji*) cartridge; *elektr.* charge; **ślepy ~** blank cartridge
**nabrać** *zob.* **nabierać**
**nabrzmiały** *adj* swollen
**nabytek** *m* acquisition
**nabywać** *vt* acquire, obtain, purchase
**nabywca** *m* purchaser
**nabywczy** *adj* purchasing
**nachodzić** *vt* importune by coming; intrude (**kogoś** upon sb); *przen.* (*o myślach itp.*) invade, haunt
**nachylać** *vt* bend, bow, incline; **~ się** *vr* bow, incline, stoop, lean
**nachylenie** *n* inclination, slope
**naciągać** *vt* stretch, strain; (*o łuku*) bend; *pot.* (*nabierać*) tease, take in; *vi* (*o herbacie*) draw
**naciek** *m* infiltration; deposit
**nacierać** *vt* (*trzeć*) rub; *vi* (*atakować*) attack (**na kogoś** sb)
**nacięcie** *n* notch, cut
**nacinać** *vt* notch, cut
**nacisk** *m* pressure, stress; **kłaść ~** stress, lay stress; **z ~iem** emphatically
**naciskać** *vt vi* press (**na coś** sth, on sth)
**nacjonalista** *m* nationalist
**nacjonalizacja** *f* nationalization
**nacjonalizm** *m* nationalism
**nacjonalizować** *vt* nationalize
**na czele** *adv* at the head
**naczelnik** *m* head, chief, manager; **~ stacji** station-master
**naczeln|y** *adj* head-, chief; paramount; **~y dowódca** commander-

-in-chief; ~e **dowództwo** command-in-chief, supreme command; *zool.* ~e *pl* primates

**naczyni|e** *n* vessel; ~**a gliniane** *zbior.* earthenware, pottery; ~**a kuchenne** kitchen untensils; *anat.* ~**a krwionośne** blood-vessels

**nać** *f* top, leaves *pl*

**nad** *praep* over, above, on, upon, beyond; ~ **chmurami** above the clouds; ~ **miarę** beyond measure; **Londyn leży** ~ **Tamizą** London is situated on the Thames; **niebo jest** ~ **naszymi głowami** the sky is over our heads

**nadal** *adv* still; ~ **coś robić** continue to do sth ⟨doing sth⟩; **on** ~ **pracuje** he continues working

**nadaremnie** *adv* in vain

**nadaremny** *adj* vain

**nadarz|ać się** *vr* present itself, occur; ~**yła się okazja** an opportunity presented itself, an occasion arose

**nadawać** *vt* bestow, confer (**coś, komuś** sth on, upon sb); grant; (*na poczcie*) dispatch, post, send off; ~ **czemuś wygląd czegoś** make sth look like sth; ~ **się** *vr* be fit ⟨fitted⟩, be suited (**do czegoś** for sth)

**nadawca** *m* sender, consigner

**nadążać** *vi* keep pace (**za kimś** with sb)

**nadbałtycki** *adj* Baltic, situated on the Baltic

**nadbiec** *vi* come running

**nadbrzeże** *n* coast; embankment

**nadbrzeżn|y** *adj* coastal; **miasto** ~**e** river-side ⟨sea-side⟩ town

**nadbudowa** *f* superstructure

**nadbudować** *vt* raise a structure (**na czymś** above sth)

**nadchodzi|ć** *vi* approach, come round; ~ **zima** winter is drawing on; **nadszedł pociąg** the train is in

**nadciągać** *vi* draw near, approach

**nadciśnienie** *n* high blood-pressure

**nadczłowiek** *m* superman

**nadejście** *n* arrival

**nadepnąć** *vi* tread, step

**nader** *adv* excessively

**nadesłać** *vt* send (in)

**nadetatowy** *adj* supernumerary, not permanent, not on a permanent basis

**nade wszystko** *adv* above all

**nadęty** *adj* inflated, puffed up; (*zarozumiały*) bumptious

**nadgraniczny** *adj* border *attr*, frontier *attr*

**nadjechać** *vi* arrive, come driving

**nadlecieć** *vi* come flying

**nadleśniczy** *m* chief forester

**nadliczbow|y** *adj* supernumerary, overtime; **godziny** ~**e** overtime hours; **praca** ~**a** overtime work

**nadludzki** *adj* superhuman

**nadmiar** *m* excess, surplus

**nadmienić** *vt* mention

**nadmiernie** *adv* in ⟨to⟩ excess, excessively

**nadmierny** *adj* excessive

**nadmorski** *adj* maritime, coastal, sea-side

**nadobny** *adj* † handsome, pretty, fair

**nadobowiązkowy** *adj* optional, facultative

**nadpłacić** *vt* overpay, surcharge

**nadpłata** *f* overpay

**nadpłynąć** *vi* come swimming ⟨sailing⟩

**nadprodukcja** *f* overproduction

**nadprogramow|y** *adj* extra; **praca** ~**a** extra ⟨overtime⟩ work

**nadprzyrodzony** *adj* supernatural

**nadpsuty** *adj* a little spoiled

**nadrabiać** *vt* make up (**coś** for sth); *vi* work additionally; ~ **czas** make up for lost time; *przen.* ~ **miną** put on a good face to a bad business

**nadruk** *m* (*drukowany napis*) letter-head, overprint; *filat.* surcharge

**nadskakiwać** *vi* court (**komuś** sb); dance attendance (**komuś** on sb)

**nadspodziewany** *adj* unexpected, above all expectation

**nadstawiać** *vt* hold out; *przen.* ~

uszu prick up one's ears; *pot.* ~ **karku** risk one's neck
**nadto** *adv* moreover, besides; **aż** ~ too much, more than enough
**nadużycie** *vt* abuse, misuse; malversation
**nadwartość** *f* surplus value
**nadwątlić** *vt* impair
**nadwerężyć** *vt* impair
**nadwodny** *adj* situated on ⟨near⟩ the water, waterside-; (*np. o ptaku, roślinie*) aquatic, water *attr*
**nadworny** *adj* court *attr*; ~ **dostawca** court-purveyor
**nadwozie** *n* body (of a car)
**nadwyżka** *f* surplus
**nadymać** *vt* inflate, puff up; (*np. policzki*) blow out; ~ **się** *vr* swell
**nadymić** *vi* fill with smoke
**nadziej|a** *f* hope; **mieć** ~**ę** hope (**na coś** for sth), have good hope (**na coś** of sth)
**nadziemny** [d-z] *adj* above-ground
**nadziemski** [d-z] *adj* supermundane
**nadzienie** *n* stuffing
**nadziewać** *vt* (*np. na rożen*) stick; (*np. gęś*) stuff, fill
**nadzór** *m* superintendence; ~ **policyjny** police control
**nadzwyczajn|y** *adj* extraordinary; **wydanie** ~**e** extra edition; **poseł** ~**y** envoy extraordinary
**nafta** *f* oil; (*ropa*) petroleum; (*oczyszczona*) kerosene
**naftalina** *f* naphthaline
**nagabywać** *vt* importune, molest
**nagana** *f* blame, reprimand
**nagi** *adj* naked, bare
**naginać** *vt* bend
**naglący** *adj* urgent
**naglić** *vt* urge, press
**nagłość** *f* urgency, suddenness
**nagłówek** *m* heading; (*w gazecie*) headline
**nagły** *adj* urgent, sudden; **w** ~**m wypadku** in case of emergency
**nagminny** *adj* (*powszechny*) common, universal; (*epidemiczny*) epidemic
**nagniotek** *m* corn
**nagonka** *f* battue, drive
**nagrać** *vt* record
**nagranie** *n* recording
**nagradzać** *vt* reward, recompense; indemnify (**komuś stratę** sb for a loss)
**nagrobek** *m* tombstone, tomb
**nagroda** *f* reward; (*w sporcie, na konkursie itp.*) prize
**nagrodzić** *zob.* **nagradzać**
**nagromadzenie** *n* amassment, accumulation
**nagromadzić** *vt* heap up, accumulate
**nagrzewać** *vt* warm, heat
**naigrawać się** *vr* mock (**z kogoś** at sb), make fun (**z kogoś** of sb)
**naiwność** *f* naivety, simple-mindedness
**naiwny** *adj* naive, simple-minded
**najazd** *m* invasion, raid
**najbardziej** *adv* most (of all)
**najecha|ć** *vt* (*wtargnąć*) invade, overrun; *vi* (*wpaść*) dash (**na kogoś, coś** against sb, sth), run (**na kogoś, coś** into sb, sth); **wóz** ~**ł na drzewo** the car has struck against the tree
**najem** *m* hire
**najemnik** *m* hireling
**najemny** *adj* hired, mercenary
**naje|ść się** *vr* eat one's fill; ~**dzony** full
**najeźdźca** *m* invader
**najeżdżać** *zob.* **najechać**
**najgorszy** *adj* worst
**najlepiej** *adv* best
**najlepszy** *adj* best
**najmniej** *adv* least; **co** ~ at least
**najmniejszy** *adj* least, smallest
**najmować** *vt* hire, let
**najpierw** *adv* first, first of all
**najście** *n* invasion (**na coś** of sth)
**najść** *vi* invade (**na dom, kraj** a house, a country); come (**na kogoś** upon sb); *zob.* **nadchodzić**
**najwięcej** *adv* most
**najwyżej** *adv* highest; (*w najlepszym razie*) at most, at best
**najwyższy** *adj* highest; (*o sądzie,*

*mądrości*) supreme; (*o władzy*) sovereign; ~ **czas** high time; *gram.* **stopień** ~ superlative (degree)
**nakaz** *m* order, command
**nakazywać** *vt* order, command
**nakleić** *vt* stick, paste up
**nakład** *m* (*koszt*) expenditure; (*książki*) edition, issue, impression
**nakładać** *vt* lay on, put on; (*podatek, obowiązek*) impose; (*karę*) inflict
**nakłaniać** *vt* induce
**nakręcać** *vt* wind up, turn; (*film*) shoot; ~ **numer telefonu** dial
**nakrętka** *f* nut (of a screw), female screw
**nakrycie** *n* cover(ing); (*serwis*) service; ~ **głowy** head-gear
**nakrywać** *vt* cover; lay (**do stołu** the table)
**nakrywka** *f* cover, lid
**nalega|ć** *vi* insist (**na coś** on sth); press, urge (**na kogoś** sb); ~**ł na mnie, żebym to zrobił** he urged me to do this
**naleganie** *n* insistence, solicitation
**nalepiać** *vt* stick, paste up
**nalepka** *f* label
**naleśnik** *m* pancake
**nalewać** *vt* pour (out)
**należ|eć** *vi* belong; ~**y** (*wypada*) it becomes; (*trzeba*) it is necessary; ~**eć się** *vr* be due
**należnoś|ć** *f* due, amount due; **cała moja** ~**ć** the whole amount due to me; **zaległe** ~**ci** *pl* arrears; ~**ć nadal nie uregulowana** the arrears still outstanding
**należny** *adj* due
**należycie** *adv* duly, properly
**należyty** *adj* fit, proper
**nalot** *m* raid; ~ **powietrzny** air-raid; *med.* rash, eruption
**nałogowiec** *m* addict
**nałogowy** *adj* habitual, addicted (to a habit); ~ **pijak** habitual drunkard
**nałóg** *m* addiction, (bad) habit
**namaszczać** *vt* grease; (*olejami*) anoint
**namaszczenie** *n* anointment, unction
**namawiać** *vt* induce, persuade
**namazać** *vt* besmear, daub over
**namiastka** *f* substitute
**namiestnictwo** *n* regency
**namiestnik** *m* regent, governor-general
**namiętność** *f* passion
**namiętny** *adj* passionate
**namiot** *m* tent
**namoczyć** *vt* steep, soak
**namoknąć** *vi* become soaked
**namow|a** *f* persuasion; instigation; **za** ~**ą** persuaded (**czyjąś** by sb)
**namulić** *vt* slime, cover with slime
**namydlić** *vt* soap; (*twarz*) lather
**namy|sł** *m* reflexion, consideration; **bez** ~**słu** inconsiderately; **po** ~**śle** on consideration
**namyślać się** *vr* reflect (**nad czymś** on sth)
**na nowo** *adv* anew
**naocznie** *adv* with one's own eyes
**naoczny** *adj* ocular; ~ **świadek** eye-witness
**naokoło** *adv* round, all round, round about; *praep* round
**na opak** *adv* contrariwise, amiss
**na oścież** *adv*, **otwarty** ~ wide open; **otworzyć** ~ fling open
**na oślep** *adv* blindly; **strzelać** ~ shoot wild
**naówczas** *adv lit.* then, at that time
**napad** *m* attack, assault; (*o chorobie, gniewie*) fit; ~ **rabunkowy** robbery by assault
**napadać** *vt* attack, assail
**napar** *m* infusion
**naparstek** *m* thimble
**naparzyć** *vt* infuse
**napastliwość** *f* aggressiveness
**napastliwy** *adj* aggressive
**napastnik** *m* aggressor; *sport* forward
**napastować** *vt* attack; (*molestować*) importune, pester
**napaść** *f* attack, assault
**napawać** *vt* impregnate; imbue fill; ~ **się** *vr* become imbued;

(*rozkoszować się*) delight (**czymś** in sth)
**napełniać** *vt* fill (up); **~ ponownie** refill; **~ się** *vr* fill, become filled
**na pewno** *adv* certainly, to be sure
**napęd** *m* propulsion
**napędow|y** *adj* propulsive; **siła ~a** motive power
**napędzać** *vt* propel; (*wprawiać w ruch maszynę*) drive, run; (*przynaglać*) press, urge; *przen.* **~ strachu** frighten
**napić się** *vr* have a drink; **~ kawy** have a cup of coffee
**napierać** *vi* press; **~ się** *vr* insist (**czegoś** on sth)
**napięcie** *n* tension, strain; *elektr.* voltage
**napiętek** *m* heel
**napięty** *adj* tense, taut; (*o stosunkach*) strained
**napinać** *vt* strain; (*łuk*) string
**napis** *m* inscription
**napitek** *m* *pot.* drink
**napiwek** *m* tip
**napływ** *m* inflow, influx; (*np. krwi, wody*) flush
**napływać** *vi* flow in; rush; (*przybyć gromadnie*) flock
**napływowy** *adj* inflowing, immigrant
**napoczynać** *vt* (*butelkę*) open; (*beczkę*) broach; make the first cut
**napominać** *vt* admonish
**napomknąć** *vt* mention
**napomnienie** *n* admonishment
**napotykać** *vt* meet (**coś** with sth), come (**coś** across sth)
**napowietrzny** *adj* aerial, air *attr*
**napój** *m* drink; **~ bezalkoholowy** soft drink; **~ alkoholowy** strong drink, alcoholic liquor; **~ chłodzący** refreshing drink
**napór** *m* pressure
**napraw|a** *f* repair, reparation; **muszę dać zegarek do ~y** I must have my watch repaired
**naprawdę** *adv* indeed, really
**naprawiać** *vt* mend, repair, put right; make good; (*nadrabiać*) make up (**coś** for sth); **~ krzywdę** redress the wrong
**naprędce** *adv* hurriedly
**naprężenie** *n* tension, strain
**naprężony** *adj* = **napięty**
**naprężyć** *vt* **~ się** *vr* stretch, strain; tauten
**naprowadzać** *vt* lead; (*myślowo*) suggest (**kogoś na coś** sth to sb)
**naprzeciw** *adv* opposite; *praep* opposite, against
**na przekór** *adv praep* in spite (**komuś, czemuś** of sb, sth)
**na przemian** *adv* alternately
**naprzód** *adv* forward, on; (*najpierw*) first, in the first place
**na przykład** *adv* for instance, for example
**naprzykrzać się** *vr* importune (**komuś** sb)
**napuszony** *adj* inflated, puffed; (*o stylu*) bombastic; (*zarozumiały*) bumptious
**napychać** *vt* cram, stuff, pack
**narad|a** *f* consultation, conference; **odbywać ~ę** hold a conference
**naradzać się** *vr* confer; (*radzić się*) take counsel (**z kimś** with sb)
**naramiennik** *m* armlet
**narastać** *vi* grow, augment; (*o procentach, dochodach, korzyściach*) accrue
**naraz** *adv* at once, suddenly
**na razie** *adv* for the present, for the time being
**narażać** *vt* expose (**na coś** to sth); **~ na niebezpieczeństwo** endanger; **~ na niewygody** put to inconvenience; **~ się** *vr* risk (**na coś** sth), run the risk (**na coś** of sth); **~ się na kłopoty** ask for trouble, get oneself into trouble; lay oneself open (**na plotki** to gossip); expose oneself (**na coś** to sth); **~ się komuś** incur sb's displeasure
**narciarstwo** *n* skiing
**narciarz** *m* skier
**narcyz** *m* *bot.* narcissus
**nareszcie** *adv* at last
**naręcze** *n* armful
**narkotyczny** *adj* narcotic

**narkotyk** *m* narcotic
**narkotyzować** *vt* narcotize
**narkoza** *f* narcosis
**narobić** *vt* make, do; ~ **długów** get into debts; ~ **hałasu ⟨zamieszania⟩** make a noise ⟨trouble⟩, *pot.* kick up a row ⟨a fuss⟩; ~ **komuś kłopotu** get sb into trouble; ~ **sobie kłopotu** get oneself into trouble
**narodowościowy** *adj* national, concerning nationality
**narodowość** *f* nationality
**narodowy** *adj* national
**narodzenie** *n* birth; **Boże Narodzenie** Christmas
**narodzić się** *vr* be born
**narośl** *f* excrescence, overgrowth
**narowisty** *adj* (*o koniu*) restive
**narożnik** *m* corner
**narożny** *adj* corner *attr*; **dom** ~ corner-house
**naród** *m* nation
**nart|a** *f* ski; *pl* ~**y** skis; a pair of skis; **jeździć na** ~**ach** ski
**naruszać** *vt* violate; (*np. honor, uczucie*) injure; (*np. spokój*) trouble, disturb; (*np. zapasy*) broach; (*np. gotówkę*) touch; ~ **czyjeś interesy** prejudice sb's interests; ~ **czyjeś prawa** encroach on ⟨upon⟩ sb's rights; ~ **prawo ⟨regulamin itp.⟩** offend against the law ⟨the rules etc.⟩; ~ **terytorium** encroach on ⟨upon⟩ a territory
**naruszenie** *n* violation; (*zasady, umowy, obowiązków itp.*) breach; (*spokoju publicznego*) disturbance; prejudice, injury (**czegoś** to sth, **czyjejś reputacji** to sb's reputation); ~ **prawa** offence against the law
**narwany** *adj* crazy
**narybek** *m* fry
**narząd** *m* organ
**narzecze** *n* dialect
**narzeczona** *f* fiancée
**narzeczony** *m* fiancé
**narzekać** *vi* complain (**na coś** of sth)
**narzekanie** *n* complaint
**narzędnik** *m gram.* instrumental (case)
**narzędzie** *n* instrument, tool
**narzucać** *vt* throw in, cast up, put on; force, obtrude (**coś komuś** sth on sb); ~ **się** *vr* obtrude oneself (*komuś* on sb)
**narzucanie się** *n* obtrusion
**narzuta** *f* cover
**narzutka** *f* cape
**nasenny** *adj* soporific; **środek** ~ sleeping-draught
**nasiadówka** *f* hip-bath
**nasiąkać** *vi* imbibe (**czymś** sth), become imbued (**czymś** with sth)
**nasienie** *n* seed; *biol.* sperm
**nasilenie** *n* intensification, intensity
**naskórek** *m* epidermis
**nasłuch** *m* (*radiowy*) monitoring
**nasłuchiwać** *vi* listen intently (**czegoś** to sth); (*drogą radiową*) monitor
**nastać** *vi* set in, come on, ensue
**nastarczyć** *vt* supply sufficiently, satisfy; ~ **potrzebom** meet the needs
**nastawać** *vi* insist (**na coś** on sth); attempt (**na czyjeś życie** sb's life)
**nastawiać** *vt* set (right), put, put on ⟨right⟩; (*umysłowo, moralnie*) dispose; (*radio*) tune in (**na dany program** to a programme); *przen.* ~ **uszu** prick up one's ears
**nastawienie** *n* disposition; (*postawa*) attitude
**następca** *m* successor (**tronu** to the throne)
**następnie** *adv* next, subsequently, then
**następny** *adj* following, next, subsequent
**następować** *vi* follow (**po kimś, czymś** sb, sth); take place, set in
**następstwo** *n* succession; result; *gram.* ~ **czasów** sequence of tenses

**następujący** *adj* following; (*kolejny*) consecutive, subsequent
**nastraszyć** *vt* frighten; **~ się** *vr* be frightened, take fright (**czymś** at sth)
**nastręczać** *vt* procure; afford; (*sposobność*) offer; (*trudności*) present; (*wątpliwości*) cause; **~ się** *vr* occur, be present, present itself
**nastroić** *vt* tune (up); (*usposobić kogoś*) predispose
**nastroszyć** *vt* creet, bristle up; **~ się** *vr* bristle up
**nastr|ój** *m* mood, disposition, spirits; **w dobrym ~oju** in high spirits; **mieć ~ój do czegoś** be in the mood for sth; **nie mieć ~oju** be in no mood
**nasturcja** *f bot.* nasturtium
**nasuwać** *vt* shove, push; (*myśl*) suggest; (*wątpliwości*) cause; **~ się** *vr* occur, arise
**nasycać** *vt* satiate; saturate; (*głód*) satisfy
**nasycenie** *n* satiation; *chem.* saturation; *handl.* (*rynku*) glut
**nasycony** *adj* satiate, satiated; *chem.* saturated
**nasyłać** *vt* send on
**nasyp** *m* embankment
**nasypać** *vt* strew, pour (in)
**naszpikować** *vt* lard, stuff
**naszyć** *vt* sew on, trim (**czymś** with sth)
**naszyjnik** *m* necklace
**naśladować** *vt* imitate
**naśladowca** *m* imitator
**naśladownictwo** *n* imitation; (*w przyrodzie*) mimicry
**naśladowczy** *adj* imitative
**naświetlać** *vt* enlighten, light up; (*wyjaśniać*) throw light (**coś** on sth); elucidate; *med.* irradiate; *fot.* expose
**naświetlanie** *n*, **naświetlenie** *n* elucidation; *med.* irradiation; *fot.* exposure
**natarcie** *n* rubbing, friction; (*atak*) attack, charge
**natarczywość** *f* importunity
**natarczywy** *adj* importunate
**natchnąć** *vt* inspire
**natchnienie** *n* inspiration
**natężać** *vt* strain
**natężenie** *n* intensity
**natężony** *adj* strained, intense
**natknąć się** *vr* meet (**na kogoś, coś** with sb, sth), come (**na kogoś, coś** across sb, sth)
**natłoczyć** *vt* crowd, cram
**natomiast** *adv* but, on the contrary, yet
**natrafić** *vt* meet (**na kogoś, coś** with sb, sth), encounter (**na kogoś, coś** sb, sth)
**natręctwo** *n* importunity
**natręt** *m* importuner
**natrętny** *adj* importunate
**natrysk** *m* shower-bath
**natrząsać się** *vr* scoff (**z kogoś** at sb)
**natu|ra** *f* nature; **z ~ry** by nature; (*malować*) **z ~ry** from nature; **płacić w ~rze** pay in kind
**naturalizacja** *f* naturalization
**naturalizm** *m* naturalism
**naturalizować** *vt* naturalize; **~ się** *vr* naturalize, become naturalized
**naturalnie** *adv* naturally; (*oczywiście*) of course
**naturaln|y** *adj* natural; **rzecz ~a** matter of course; **portret ~ej wielkości** life-size portrait
**natychmiast** *adv* at once, instantly; immediately, straight off
**natychmiastowy** *adj* instantaneous
**nauczać** *vt* teach, instruct
**nauczanie** *n* teaching, instruction
**nauczk|a** *f* lesson; **dać ~ę** teach a lesson (**komuś** sb)
**nauczyciel** *m* teacher
**nauczyć się** *vr* learn
**nauka** *f* (*szkolna*) instruction, lessons; (*wyższa*) study; (*wiedza*) learning, science
**naukowiec** *m* scholar
**naukowość** *f* scientific character; (*wiedza*) erudition, scholarship
**naukow|y** *adj* scientific; **stopień ~y** academic degree; **praca ~a**

research work; **towarzystwo ~e** learned society
**naumyślnie** *zob.* **umyślnie**
**nauszniki** *s pl* ear-flaps
**nawa** *f arch.* nave; *przen.* **~ państwowa** ship of State
**nawadniać** *vt* irrigate
**nawalić** *vt* pile up, heap; *vi pot.* (*zawieść, nie dopisać*) conk
**nawał** *m* mass, *pot.* heaps
**nawała** *f* crowd, invasion
**nawałnica** *f* tempest, hurricane
**nawet** *adv* even
**nawias** *m* parenthesis, brackets *pl*; **~em mówiąc** by the way
**nawiasowy** *adj* parenthetical
**nawiązać** *vt* tie (up); **~ do czegoś** refer to sth; **~ korespondencję** enter into correspondence; **~ rozmowę** engage in conversation; **~ stosunki** enter into relations; **~ znajomość** strike up an acquaintance
**nawiązani|e** *n* reference; **w ~u do czegoś** with reference to sth
**nawiedzać** *vt* frequent; (*o myślach, o duchach*) haunt
**nawierzchnia** *f* toplayer, surface
**nawijać** *vt* wind up, reel
**nawlekać** *vt* (*igłę*) thread; (*np. korale*) string
**nawodnienie** *n* irrigation
**nawoływać** *vt* call; (*wzywać*) exhort; (*przynaglać*) urge (**kogoś do czegoś** sb to do sth)
**nawozić** *vt* manure
**nawóz** *m* manure
**nawracać** *vt* (*konie*) wheel; (*na inną wiarę*) convert; *vi* return; **~ się** *vr* become converted (**na coś** to sth)
**nawrócenie** *n* conversion
**nawrót** *m* relapse, return
**na wskroś** *adv* throughout, clean through
**nawyk** *m* habit
**nawykać** *vi* become accustomed
**nawykły** *adj* accustomed
**nawzajem** *adv* mutually, one another, each other
**nazajutrz** *adv* on the next day
**nazbyt** *adv* too, excessively
**naznaczyć** *vt* mark; (*ustalić*) fix; (*mianować*) appoint
**nazwa** *f* name, designation
**nazwisk|o** *n* name, surname, family name; **~iem Smith** Smith by name
**nazywa|ć** *vt* call, name; **~ć kogoś osłem** call sb an ass; **~ się** *vr* be called, be named; **~m się X. Y.** my name is X.Y.; **jak się ~sz?** what is your name?; **to się ~ szczęście!** that's really good luck!
**negacja** *f* negation
**negatyw** *m* negative
**negatywny** *adj* negative
**negliż** *m* undress
**negocjacje** *s pl* negotiations
**negować** *vt* deny, disavow
**nekrolog** *m* obituary
**nektar** *m* nectar
**neofita** *m* neophyte
**neologizm** *m* neologism
**neon** *m chem.* neon; (*reklama*) neon sign; (*lampa*) neon lamp
**ner|ka** *f* kidney; *med.* **zapalenie ~ek** nephritis
**nerw** *m* nerve
**nerwica** *f* neurosis
**nerwoból** *m* neuralgia
**nerwowość** *f* nervousness
**nerwowy** *adj* nervous
**neseser** *m* dressing-case
**netto** *adv* net
**neurastenia** *f* neurasthenia
**neurastenik** *m* neurasthenic
**neutralizować** *vt* neutralize
**neutralność** *f* neutrality
**neutralny** *adj* neutral
**neutron** *m chem. fiz.* neutron
**newralgia** *f med.* neuralgia
**newroza** *f med.* neurosis
**nęcić** *vt* allure, entice
**nędza** *f* misery
**nędzarz** *m* pauper
**nędznik** *m* villain
**nędzny** *adj* miserable, wretched
**nękać** *vt* torment, molest
**ni** *conj, adv, praef zob.* **ani**; **~ stąd ~ zowąd** without any reason
**niańczyć** *vt* nurse

**niańka** *f* nurse
**niby** *conj* as if; (*rzekomo*) apparently; *praef* (*pseudo-*) sham-, would-be; **~-doktor** sham-doctor, would-be doctor
**nic** *pron* nothing; **~ a ~** nothing whatever; **~ podobnego** nothing of the sort; **~ z tego** this amounts to nothing; **mnie ~ do tego** it's no business of mine; **~ mi nie jest** nothing is the matter with me; **~ mi po tym** I have no use for it; **~ nie szkodzi** it does not matter; **nie mam ~ więcej do powiedzenia** I have no more to say; **odejść z niczym** go away empty-handed; **skończyć się na niczym** come to nothing; **to na ~** it's no use
**nicość** *f* nothingness
**nicować** *vt* turn
**nicpoń** *m* good-for-nothing
**niczyj** *adj* nobody's, no man's
**nić** *f* thread
**nie** *part* not; (*zaprzeczenie całej wypowiedzi*) no; **jeszcze ~** not yet; **już ~** no more; **także ~** neither, not... either; **ja tego także ~ wiem** I do not know it either; **wcale ~** not at all; **~ mniej** no less; **~ więcej** no more
**nieagresj|a** *f* non-aggression; **pakt o ~i** non-aggression pact
**niebaczny** *adj* inconsiderate, imprudent
**niebawem** *adv* shortly, before long
**niebezpieczeństwo** *n* danger; **narazić na ~** endanger
**niebezpieczny** *adj* dangerous
**niebiański** *adj* celestial, heavenly
**niebieskawy** *adj* bluish
**niebieski** *adj* blue; *zob.* **niebiański**
**niebieskooki** *adj* blue-eyed
**niebiosa** *s pl rel.* Heavens
**nieb|o** *n* (*firmament*) sky; *rel.* Heaven; **na ~ie** in the sky; *rel.* in Heaven; **pod gołym ~em** under the open sky
**nieborak** *m* poor soul
**nieboszczyk** *m* deceased; **jego ojciec ~** his late father
**niebotyczny** *adj* sky-high
**niebożę** *n* poor thing
**niebyły** *adj* bygone; *prawn.* null and void
**niebywale** *adv* uncommonly
**niebywały** *adj* uncommon, unheard-of
**niecał|y** *adj* incomplete, not all; **~a godzina** a short hour; **~e 10 minut** a short ten minutes; **~e pół arkusza** not so much as half a sheet
**niech** *part* let; **~ sobie idzie** let him go
**niechcąco** *adv*, **niechcący** *adj* unintentionally
**niechęć** *f* unwillingness, reluctance (**do czegoś** to do sth); **czuć ~ do kogoś** bear sb a grudge
**niechętny** *adj* unwilling, reluctant; ill-disposed (**komuś** towards sb)
**niechlujny** *adj* dirty, slovenly
**niechybny** *adj* infallible
**nieciekawy** *adj* uninteresting
**niecierpliwić** *vt* try sb's patience; **~ się** *vr* grow impatient
**niecierpliwość** *f* impatience
**niecierpliwy** *adj* impatient
**niecka** *f* kneading trough
**niecny** *adj* infamous, vile
**nieco** *adv* a little, somewhat
**niecodzienny** *adj* uncommon
**nieczułość** *f* insensibility (**na coś** to sth)
**nieczuły** *adj* insensible (**na coś** to sth); (*nie reagujący*) unresponsive (**na coś** to sth)
**nieczynny** *adj* inactive, inoperative
**nieczystość** *f* uncleanness, impurity, unchastity
**nieczysty** *adj* unclean, impure, unchaste
**nieczytelność** *f* illegibility
**nieczytelny** *adj* illegible
**niedaleki** *adj* not far distant; **w ~ej przyszłości** in the near future
**niedaleko** *adv* not far (away)
**niedawno** *adv* recently; (*onegdaj*)

the other day; of late; ~ **temu** not long ago
**niedbalstwo** *n* negligence, carelessness
**niedbały** *adj* negligent, careless
**niedelikatność** *f* indelicacy
**niedelikatny** *adj* indelicate
**niedługi** *adj* not long
**niedługo** *adv* soon, before long; not long
**niedobitki** *s pl* wrecks; remains; survivors
**niedobór** *m* deficit
**niedobrany** *adj* ill-suited
**niedobry** *adj* not good, bad; wicked
**niedobrze** *adv* not well, badly, ill; **czuć się** ~ feel sick
**niedociągnięcie** *n* shortcoming
**niedogodność** *f* inconvenience
**niedogodny** *adj* inconvenient
**niedojadać** *vi* underfeed
**niedojrzałość** *f* immaturity
**niedojrzały** *adj* immature; (*o owocach*) unripe
**niedokładność** *f* inaccuracy
**niedokonany** *adj*, **czas** ~ *gram.* imperfect (tense)
**nie dokończony** *adj* unfinished
**niedokrwistość** *f med.* anaemia
**niedola** *f* adversity
**niedołęga** *m pot.* galoot, noodle
**niedołęstwo** *n* awkwardness, inefficiency
**niedołężny** *adj* awkward, inefficient
**niedomagać** *vi* be suffering (**na coś** from sth), be indisposed
**niedomaganie** *n* indisposition; defect, imperfection, deficiency
**niedomówienie** *n* reticence
**niedomyślny** *adj* slow-witted, slow, dull
**niedopałek** *m* cigarette-end; (*świecy*) candle-end
**niedopatrzenie** *n* oversight; **przez** ~ through oversight
**niedopełnienie** *n* non-fulfilment
**niedopuszczalność** *f* inadmissibility
**niedopuszczalny** *adj* inadmissible
**niedorostek** *m* stripling, greenhorn
**niedorozwinięty** *adj* underdeveloped; (*umysłowo*) mentally deficient
**niedorozwój** *m* underdevelopment; undergrowth; (*umysłowy*) underdevelopment
**niedorzeczność** *f* absurdity
**niedorzeczny** *adj* absurd
**niedoskonałość** *f* imperfection
**niedoskonały** *adj* imperfect
**niedosłyszalny** *adj* inaudible
**niedostateczność** *f* insufficiency
**niedostateczny** *adj* insufficient, inadequate; **stopień** ~ bad mark, *am.* failure
**niedostatek** *m* indigence, penury; (*brak*) deficiency, shortness; ~ **artykułów spożywczych** dearth of provisions
**niedostępność** *f* inaccessibility
**niedostępny** *adj* inaccessible
**niedostrzegalny** *adj* imperceptible
**niedościgły** *adj* unattainable, unsurpassable
**niedoświadczenie** *n* inexperience
**niedoświadczony** *adj* inexperienced
**niedotykalny** *adj* intangible
**niedowarzony** *adj* (*niedojrzały*) immature
**niedowiarek** *m* unbeliever
**niedowidzieć** *vi* be weak-sighted
**niedowierzanie** *n* distrust, mistrust
**niedowład** *m med.* paresis
**niedozwolony** *adj* prohibited, illicit
**niedrogi** *adj* inexpensive
**nieduży** *adj* small, little
**niedwuznaczny** *adj* unequivocal
**niedyskrecja** *f* indiscretion
**niedyskretny** *adj* indiscreet
**niedyspozycja** *f* indisposition
**niedziela** *f* Sunday
**niedźwiadek** *m* whelp (of a bear)
**niedźwiedzica** *f* she-bear; *astr.* **Wielka Niedźwiedzica** Great Bear
**niedźwiedź** *m* bear
**nieestetyczny** *adj* unaesthetic
**niefachowy** *adj* unprofessional, incompetent

**nieformalny** *adj* not formal, informal
**niefortunny** *adj* unfortunate, unsuccessful
**niefrasobliwy** *adj* carefree, unconcerned
**niegdyś** *adv* once, at one time
**niegodny** *adj* unworthy, undignified
**niegodziwość** *f* wickedness, villainy
**niegodziwy** *adj* wicked, villainous
**niegościnny** *adj* inhospitable
**niegramatyczny** *adj* ungrammatical, incorrect
**niegrzeczność** *f* (*nieuprzejmość*) unkindness, impoliteness; (*o dzieciach*) naughtiness
**niegrzeczny** *adj* (*nieuprzejmy*) unkind, impolite; (*o dzieciach*) naughty
**niegustowny** *adj* tasteless, in bad taste
**nieharmonijny** *adj* unharmonious
**niehonorowy** *adj* dishonourable, dishonest
**nieistotny** *adj* inessential
**niejaki** *adj* certain, a, some; **~ p. Smith** a certain Mr. Smith, a Mr. Smith; **od ~ego czasu** for some time past
**niejasność** *f* dimness, vagueness, obscurity
**niejasny** *adj* dim, vague, obscure
**niejed|en** *adj* many a; **~na dobra książka** many a good book
**niejednokrotny** *adj* repeated
**niekarny** *adj* undisciplined
**niekiedy** *adv* sometimes, now and then
**niekompetentny** *adj* incompetent
**niekonsekwentny** *adj* inconsistent
**niekorzystny** *adj* unprofitable, disadvantageous
**niekorzyść** *f* disadvantage, detriment; **na ~** to the detriment **(kogoś, czegoś** of sb, sth)
**niekształtny** *adj* unshapely
**niektóry** *adj* some
**niekulturalny** *adj* uncultured
**nieledwie** *adv* all but
**nielegalny** *adj* illegal
**nieletni** *adj* under age, minor
**nieliczn|y** *adj* not numerous; **~e wyjątki** a few exceptions
**nielitościwy** *adj* unmerciful
**nielogiczność** *f* illogicality
**nielogiczny** *adj* illogical
**nieludzki** *adj* inhuman
**nieludzkość** *f* inhumanity
**nieład** *m* disorder, confusion
**nieładnie** *adv* unhandsomely; **to ~** it is not nice
**niełaska** *f* disfavour
**niełaskawy** *adj* unkind, unfavourable
**niemal** *adv* almost, nearly
**niemało** *adv* not a little, not a few, pretty much ⟨many⟩
**niemały** *adj* pretty big ⟨great, large⟩
**niematerialny** *adj* immaterial
**niemądry** *adj* unwise
**Niemiec** *m* German
**niemiecki** *adj* German
**niemiłosierny** *adj* unmerciful, merciless
**niemiły** *adj* unpleasant
**niemniej** *adv*, **~ jednak** nevertheless, none the less
**niemoc** *f* impotence, infirmity
**niemodny** *adj* out of fashion, unfashionable, outmoded
**niemoralność** *f* immorality
**niemoralny** *adj* immoral
**niemota** *f* dumbness
**niemowa** *m, f* mute
**niemowlę** *n* infant, baby
**niemożliwość** *f* impossibility
**niemożliwy** *adj* impossible
**niemrawy** *adj* sluggish, tardy
**niemy** *adj* dumb; (*o filmie*) silent
**nienaganny** *adj* blameless, irreproachable
**nienaruszalny** *adj* inviolable
**nienaruszony** *adj* intact
**nienasycony** *adj* insatiable; *chem.* unsaturated
**nienaturalny** *adj* unnatural, affected
**nienawidzić** *vt* hate, detest
**nienawistny** *adj* hateful, detestable
**nienawiść** *f* hatred

**nienormalny** *adj* abnormal, anomalous
**nieobecność** *f* absence
**nieobecny** *adj* absent
**nieobliczalny** *adj* incalculable; (*niepoczytalny*) unreliable
**nieobowiązkowy** *adj* optional
**nieobyczajność** *f* immorality
**nieobyczajny** *adj* immoral
**nieoceniony** *adj* inestimable
**nieoczekiwany** *adj* unexpected
**nieodłączny** *adj* inseparable
**nieodmienny** *adj* invariable; *gram.* indeclinable
**nieodparty** *adj* irresistible; (*np. argument*) irrefutable
**nieodpowiedni** *adj* inadequate; unsuitable; unfit
**nieodpowiedzialność** *f* irresponsibility
**nieodpowiedzialny** *adj* irresponsible
**nieodstępny** *adj* inseparable
**nieodwołalny** *adj* irrevocable
**nieodwracalny** *adj* irreversible
**nieodzowny** *adj* indispensable
**nieodżałowan|y** *adj* ever memorable; **~ej pamięci** the late lamented
**nieoględność** *f* inconsideration
**nieoględny** *adj* inconsiderate
**nieograniczony** *adj* unlimited
**nieokiełznany** *adj* unmanageable, unbridled
**nieokreślony** *adj* indefinite
**nieokrzesany** *adj* uncouth, rude
**nieomal** *adv* nearly, all but
**nieomylność** *f* infallibility
**nieomylny** *adj* infallible
**nieopatrzność** *f* improvidence, inconsideration
**nieopatrzny** *adj* improvident, inconsiderate
**nieopisany** *adj* indescribable
**nieopłacalny** *adj* unprofitable
**nie opodal** *adv praep* near by
**nieoprawiony** *adj* (*o książce*) unbound
**nieorganiczny** *adj* inorganic
**nieosobowy** *adj* impersonal
**nieostrożność** *f* incaution, inadvertence
**nieostrożny** *adj* incautious, inadvertent
**nieoswojony** *adj* (*dziki*) untamed
**nieoświecony** *adj* uneducated, ignorant
**nie oznaczony** *pp i adj* indefinite, indeterminate
**niepalący** *adj* not smoking; *s m* non-smoker
**niepalny** *adj* incombustible
**niepamięć** *f* oblivion
**niepamiętny** *adj* immemorable; forgetful (**czegoś** of sth); **od ~ch czasów** from times immemorial
**nieparlamentarny** *adj* unparliamentary
**nieparzysty** *adj* odd
**niepełnoletni** *adj* under age, minor
**niepełnoletność** *f* minority
**niepełny** *adj* incomplete
**niepewność** *f* uncertainty
**niepewny** *adj* uncertain; unreliable
**niepiśmienny** *adj* illiterate; *s m* illiterate
**niepłatny** *adj* unpaid, gratuitous
**niepłodność** *f* sterility
**niepłodny** *adj* sterile, barren
**niepłonny** *adj* infallible, certain
**niepochlebny** *adj* unflattering
**niepocieszony** *adj* inconsolable
**niepoczytalność** *f* irresponsibility
**niepoczytalny** *adj* irresponsible
**niepodejrzany** *adj* unsuspected
**niepodległość** *f* independence
**niepodległy** *adj* independent
**niepodobieństwo** *n* unlikelihood; improbability, impossibility
**niepodobn|y** *adj* unlike (**do kogoś, czegoś** sb, sth); **oni są do siebie ~i** they are dissimilar; they are unlike each other
**niepodzielny** *adj* indivisible
**niepogoda** *f* bad weather
**niepohamowany** *adj* unrestrained, irrepressible
**niepojętny** *adj* dull, unintelligent
**niepojęty** *adj* unintelligible, inconceivable
**niepokalany** *adj* unspotted, immaculate
**niepokaźny** *adj* inconspicuous

**niepokoić** *vt* disturb, disquiet; **~ się** *vr* be alarmed, feel uneasy (**czymś** about sth)
**niepokonany** *adj* unconquerable, invincible
**niepokój** *m* anxiety, uneasiness (**o kogoś, coś** about sb, sth); trouble, disorder
**niepolityczny** *adj* impolitic
**niepomierny** *adj* incommensurable
**niepomny** *adj* oblivious, forgetful (**na coś** of sth)
**niepomyślność** *f* adversity
**niepomyślny** *adj* adverse, unfavourable, unsuccessful
**niepopłatny** *adj* unprofitable
**niepoprawność** *f* incorrigibility; incorrectness
**niepoprawny** *adj* incorrigible; incorrect
**niepopularność** *f* unpopularity
**niepopularny** *adj* unpopular
**nieporadny** *adj* awkward, unpractical
**nieporęczny** *adj* unhandy, inconvenient
**nieporozumienie** *n* misunderstanding
**nieporównany** *adj* incomparable
**nieporuszony** *adj* immovable
**nieporządek** *m* disorder
**nieporządny** *adj* disorderly, untidy
**nieposłuszeństwo** *n* disobedience
**nieposłuszny** *adj* disobedient
**niepospolity** *adj* uncommon
**nieposzlakowany** *adj* unblemished, unspotted
**niepotrzebny** *adj* unnecessary
**niepowetowany** *adj* irreparable, irretrievable
**niepowodzenie** *n* adversity, failure
**niepowołany** *adj* incompetent
**niepowstrzymany** *adj* unrestrainable, uncontrollable
**niepowszedni** *adj* uncommon
**niepowściągliwość** *f* incontinence
**niepowściągliwy** *adj* incontinent
**niepozorny** *adj* inconspicuous
**niepożądany** *adj* undesirable
**niepożyteczny** *adj* useless
**niepraktyczny** *adj* unpractical
**nieprawda** *f* untruth, falsehood; **to ~** this is not true
**nieprawdopodobny** *adj* improbable
**nieprawdziwy** *adj* untrue
**nieprawidłowość** *f* irregularity, anomaly
**nieprawidłowy** *adj* irregular, abnormal
**nieprawny** *adj* illegal
**nieprawomyślność** *f* unorthodoxy
**nieprawomyślny** *adj* unorthodox
**nieprawość** *f* iniquity
**nieprawy** *adj* iniquitous
**nieproporcjonalny** *adj* disproportionate
**nieproszony** *adj* unbidden, uncalled-for
**nieprzebaczalny** *adj* unpardonable
**nieprzebłagany** *adj* implacable
**nieprzebrany** *adj* inexhaustible
**nieprzebyty** *adj* impassable
**nieprzechodni** *adj* *gram.* intransitive
**nieprzejednany** *adj* irreconcilable
**nieprzejrzysty** *adj* untransparent
**nieprzekupny** *adj* incorruptible
**nieprzemakalny** *adj* impermeable, waterproof, rainproof; **płaszcz ~** raincoat
**nieprzenikniony** *adj* impenetrable
**nieprzepuszczalny** *adj* impermeable, impervious
**nieprzerwany** *adj* uninterrupted, continuous; (*o locie, jeździe*) *attr* non-stop
**nieprześcigniony** *adj* unsurpassable
**nieprzewidziany** *adj* unforeseen
**nieprzezorność** *f* improvidence
**nieprzezorny** *adj* improvident
**nieprzezroczysty** *adj* untransparent
**nieprzezwyciężony** *adj* invincible, insuperable
**nieprzychylność** *f* disfavour
**nieprzychylny** *adj* unfavourable, unfriendly
**nieprzydatność** *f* uselessness
**nieprzydatny** *adj* useless
**nieprzyjaciel** *m* enemy, *lit.* foe
**nieprzyjacielski** *adj* inimical; *attr* enemy; **siły ~e** enemy forces; **działanie ~e** hostilities

**nieprzyjazny** *adj* unfavourable, unfriendly
**nieprzyjaźń** *f* enmity
**nieprzyjemność** *f* disagreeableness
**nieprzyjemny** *adj* disagreeable, unpleasant
**nieprzymuszony** *adj* unconstrained
**nieprzystępność** *f* inaccessibility
**nieprzystępny** *adj* inaccessible; (*o cenach*) prohibitive
**nieprzytomność** *f* unconsciousness; (*roztargnienie*) absent-mindedness
**nieprzytomny** *adj* unconscious; (*roztargniony*) absent-minded
**nieprzyzwoitość** *f* indecency
**nieprzyzwoity** *adj* indecent
**niepunktualność** *f* unpunctuality
**niepunktualny** *adj* unpunctual
**nierad** *adj* reluctant, disinclined; **rad ~** willy-nilly
**nieraz** *adv* many a time
**nierdzewny** *adj* rustless, rustproof; (*o stali*) stainless
**nierealność** *f* unreality
**nierealny** *adj* unreal
**nieregularność** *f* irregularity
**nieregularny** *adj* irregular
**niereligijny** *adj* irreligious
**nierogacizna** *f zbior.* swine
**nierozdzielny** *adj* inseparable
**nierozerwalny** *adj* indissoluble
**nierozgarnięty** *adj* dull
**nierozłączny** *adj* inseparable
**nierozmyślny** *adj* unpremeditated
**nierozpuszczalność** *f* indissolubility
**nierozpuszczalny** *adj* indissoluble
**nierozsądny** *adj* unreasonable, imprudent
**nierozwaga** *f* inconsideration, imprudence
**nierozważny** *adj* inconsiderate, imprudent
**nierozwiązalny** *adj* insoluble; (*o zagadnieniu*) irresolvable
**nierozwinięty** *adj* undeveloped; (*opóźniony w rozwoju*) backward
**nierówność** *f* inequality
**nierówny** *adj* unequal, uneven
**nieruchliwy** *adj* slow, impassive
**nieruchomoś|ć** *f* immobility; (*o majątku*) real estate; *pl* **~ci** *prawn.* immovables
**nieruchomy** *adj* immovable, motionless; **majątek ~** real estate
**nierzadko** *adv* often, not infrequently
**nierząd** *m* prostitution
**nierzeczywisty** *adj* unreal
**nierzetelność** *f* dishonesty
**nierzetelny** *adj* dishonest, unreliable
**niesamowity** *adj* uncanny
**niesforność** *f* unruliness, indocility
**niesforny** *adj* unruly, indocile
**nieskalany** *adj* immaculate, stainless
**nieskazitelność** *f* spotlessness; integrity
**nieskazitelny** *adj* unblemished, stainless
**nieskładny** *adj* awkward
**nieskończenie** *adv* infinitely; **~ mały** infinitesimal
**nieskończoność** *f* infinity
**nieskończony** *adj* infinite
**nieskromny** *adj* immodest
**nieskuteczność** *f* inefficacy
**nieskuteczny** *adj* ineffective, inefficacious
**niesława** *f* disrepute, dishonour
**niesławny** *adj* disreputable
**niesłowny** *adj* false to one's word, unreliable
**niesłuszność** *f* injustice, unfairness
**niesłuszny** *adj* unjust, unfair
**niesłychany** *adj* unheard-of
**niesmaczny** *adj* tasteless
**niesmak** *m* distaste (**do czegoś** for sth), disgust (**do czegoś** at, for sth)
**niesnaski** *s pl* dissension
**niespełna** *adv* nearly; **~ rozumu** crack-brained
**niespodzianka** *f* surprise
**niespodziewany** *adj* unexpected
**niespokojny** *adj* unquiet
**nie sposób** *adv* it's impossible
**niespożyty** *adj* (*niestrudzony*) indefatigable; (*trwały*) everlasting
**niesprawiedliwość** *f* injustice
**niesprawiedliwy** *adj* unjust
**nie sprzyjający** *adj* unfavourable, adverse

**niestałość** *f* inconstancy, instability
**niestały** *adj* inconstant, unstable
**niestawiennictwo** *n* non-appearance
**niestety** *adv* unfortunately, *lit.* alas; ~ **on nie wróci** I'm afraid he will not come back; ~ **nie mogę tego zrobić** I'm sorry I can't do it
**niestosowny** *adj* unsuitable, improper
**niestrawność** *f* indigestion
**niestrawny** *adj* indigestible
**niestrudzony** *adj* indefatigable
**niestworzon|y** *adj, pot.* **opowiadać ~e rzeczy** tell tall stories
**niesumienność** *f* dishonesty, unscrupulousness
**niesumienny** *adj* dishonest, unscrupulous
**nieswojo** *adj* not at ease; **czuć się ~** feel uneasy
**nieswój** *adj* strange; uneasy, ill at ease
**niesymetryczny** *adj* asymmetrical
**niesympatyczny** *adj* uncongenial
**nieszczególny** *adj* not peculiar, mediocre, tolerable, moderate
**nieszczelny** *adj* leaky, not tight
**nieszczerość** *f* insincerity
**nieszczery** *adj* insincere
**nieszczęsny** *adj* ill-fated, unfortunate; disastrous
**nieszczęście** *n* misfortune; disaster; bad luck; **na ~** unfortunately; **na moje ~** to my misfortune
**nieszczęśliwy** *adj* unfortunate, unhappy, unlucky
**nieszkodliwy** *adj* harmless
**nieszpory** *s pl* vespers
**nieścisłość** *f* inexactitude, inaccuracy
**nieścisły** *adj* inexact, inaccurate
**nieść** *vt* carry, bear, bring; (*o kurze*) lay
**nieślubny** *adj* illegitimate
**nieśmiałość** *f* timidity, shyness
**nieśmiały** *adj* timid, shy
**nieśmiertelność** *f* immortality
**nieśmiertelny** *adj* immortal
**nieświadomość** *f* unconsciousness, ignorance
**nieświadomy** *adj* unconscious, ignorant
**nietakt** *m* tactlessness
**nietaktowny** *adj* tactless
**nietknięty** *adj* intact, untouched
**nietolerancja** *f* intolerance
**nietolerancyjny** *adj* intolerant
**nietoperz** *m* bat
**nietrafny** *adj* improper, wrong; (*strzał*) missing the mark
**nietrzeźwy** *adj* inebriate; *pot.* tipsy, tight; **w stanie ~m** under the influence of drink
**nietykalność** *f* inviolability; (*posłów*) privilege; *prawn.* immunity
**nietykalny** *adj* inviolable; *prawn.* enjoying immunity
**nie tyle** *adv* not so much
**nie tylko** *adv* not only
**nieubłagany** *adj* implacable
**nieuchronny** *adj* unavoidable, inevitable
**nieuchwytny** *adj* unseizable
**nieuctwo** *n* ignorance
**nieuczciwość** *f* dishonesty
**nieuczciwy** *adj* unfair, dishonest
**nieuczynny** *adj* disobliging
**nieudany** *adj* unsuccessful, abortive
**nieudolność** *f* inability, incompetence, clumsiness
**nieudolny** *adj* incapable, incompetent, clumsy
**nieufnoś|ć** *f* mistrust; **wotum ~ci** vote of censure
**nieufny** *adj* distrustful
**nieugaszony** *adj* unquenchable, inextinguishable
**nieugięty** *adj* inflexible
**nieuk** *m* ignoramus
**nieukojony** *adj* unappeasable, unappeased, inconsolable
**nieuleczalny** *adj* incurable
**nieumiarkowany** *adj* immoderate, intemperate
**nieumiejętność** *f* inability, unskilfulness
**nieumiejętny** *adj* incapable, unskilful
**nieumyślny** *adj* unintentional
**nieunikniony** *adj* unavoidable

**nieuprzedzony** *adj* unprejudiced
**nieuprzejmość** *adj* unkind, impolite
**nieurodzaj** *adj* sterile, infertile, barren
**nieusprawiedliwiony** *adj* unjustified; inexcusable
**nieustanny** *adj* incessant, unceasing
**nieustraszony** *adj* fearless
**nieusuwalność** *f* irremovability
**nieusuwalny** *adj* irremovable
**nieutulony** *adj* inconsolable
**nieuwag|a** *f* inattention, inadvertence; **przez ~ę** through inadvertence, by oversight
**nieuważny** *adj* inattentive, inadvertent
**nieuzasadniony** *adj* unfounded
**nieuzbrojony** *adj* unarmed
**nieużyteczny** *adj* useless
**nieużyty** *adj* disobliging
**niewart** *adj* unworthy
**nieważki** *adj* imponderable
**nieważność** *f* invalidity
**nieważny** *adj* unimportant, trivial; (*np. dokument*) invalid
**niewątpliwie** *adv* undoubtedly, no doubt
**niewątpliwy** *adv* indubitable, undoubted
**niewczesny** *adj* inopportune, improper; unseasonable, untimely
**niewdzięczność** *f* ingratitude
**niewdzięczny** *adj* ungrateful
**niewesoły** *adj* joyless; unpleasant
**niewiadom|y** *adj* unknown; **~a** *s f* *mat.* unknown quantity
**niewiara** *f* disbelief, unbelief
**niewiarygodny** *adj* incredible
**niewiasta** *f* woman
**niewidomy** *adj* blind; *s m* blind man
**niewidzialn|y** *adj* invisible, unseen; *fiz.* **promienie ~e** obscure rays
**niewiedza** *f* ignorance
**niewiele** *adv* little, few
**niewielki** *adj* small, little
**niewierność** *f* unfaithfulness, faithlessness, disloyalty
**niewierny** *adj* faithless, unfaithful, disloyal
**niewiniątko** *n* innocent
**niewinność** *f* innocence
**niewinny** *adj* innocent
**niewłaściwość** *f* impropriety
**niewłaściwy** *adj* improper
**niewol|a** *f* slavery, captivity; **wziąć kogoś do ~i** take sb prisoner
**niewolić** *vt* force, constrain
**niewolniczy** *adj* slavish
**niewolnik** *m* slave
**niewód** *m* drag-net
**niewprawny** *adj* unskilled, inexpert
**niewspółmierność** *f* incommensurability
**niewspółmierny** *adj* incommensurable
**niewyczerpany** *adj* inexhaustible
**niewygoda** *f* inconvenience, discomfort
**niewygodny** *adj* inconvenient, uncomfortable
**niewykonalny** *f* impracticable, unfeasible
**niewymierny** *adj mat.* irrational
**niewymowny** *adj* ineffable, unspeakable; ineloquent
**niewymuszony** *adj* unaffected, unconstrained, free and easy
**niewypał** *m* blind shell, live shell; *pot.* dud
**niewypłacalność** *f* insolvency
**niewypłacalny** *adj* insolvent
**niewypowiedziany** *adj* unspeakable, unutterable
**niewyraźny** *adj* indistinct
**niewyrobiony** *adj* unwrought; (*niewprawny*) unskilled, inexperienced
**niewyrozumiały** *adj* intolerant, not indulgent, ruthless
**niewysłowiony** *adj* ineffable, unspeakable
**niewystarczający** *adj* insufficient
**niewytłumaczony** *adj* inexplicable
**niewytrwały** *adj* unenduring, not persistent
**niewytrzymały** *adj* = **niewytrwały**
**niewzruszony** *adj* unmoved, imperturbable

**niezachwiany** *adj* unshaken
**niezadowalający** *adj* unsatisfactory
**niezadowolenie** *n* discontent, dissatisfaction (**z czegoś** with sth)
**niezadowolony** *adj* discontented, dissatisfied (**z czegoś** with sth)
**niezależność** *f* independence (**od czegoś, kogoś** of sth, sb)
**niezależny** *adj* independent (**od kogoś, czegoś** of sb, sth)
**niezamężna** *adj* unmarried, single
**niezamożny** *adj* not well-to-do, indigent, of limited means
**niezapominajka** *f* forget-me-not
**niezapomniany** *adj* unforgotten
**niezaprzeczalny** *adj* incontestable, undeniable
**niezaradny** *adj* helpless, unpractical
**niezasłużony** *adj* ineffaceable
**niezawisłość** *f* independence (**od kogoś, czegoś** of sb, sth)
**niezawisły** *adj* independent (**od kogoś, czegoś** of sb, sth)
**niezawodnie** *adv* without fail, unfailingly
**niezawodny** *adj* unfailing, infallible
**nieząbkowany** *adj filat.* imperforate
**niezbadany** *adj* inexplorable, inscrutable
**niezbędność** *f* indispensability
**niezbędny** *adj* indispensable
**niezbity** *adj* irrefutable
**niezbyt** *adv* not all too
**niezdarny** *adj* awkward, clumsy
**niezdatny** *adj* unfit
**niezdecydowany** *adj* undecided
**niezdolność** *f* inability, incapability; **~ do pracy** incapacity for work
**niezdolny** *adj* incapable, unable; **~ do służby wojskowej** unfit for military service; **~ do pracy** incapable of work
**niezdrowy** *adj* unhealthy, unwell; (*szkodliwy dla zdrowia*) unwholesome
**niezdyscyplinowany** *adj* undisciplined
**niezgłębiony** *adj* unfathomable, inscrutable
**niezgoda** *f* disagreement, discord, dissent
**niezgodność** *f* discordance; inconformity; (*charakterów*) incompatibility
**niezgodny** *adj* disagreeing, discordant; incompatible, inconsistent
**niezgrabność** *f* clumsiness, awkwardness
**niezgrabny** *adj* clumsy, awkward
**nieziszczalny** *adj* unrealizable, unattainable
**niezliczony** *adj* unnumerable, countless
**niezłomny** *adj* inflexible, unshaken
**niezmącony** *adj* untroubled, unruffled
**niezmienność** *f* immutability
**niezmienny** *adj* immutable, unchanging, invariable
**niezmierność** *f* immensity
**niezmierny** *adj* immense
**niezmordowany** *adj* indefatigable, tireless
**nieznaczny** *adj* insignificant, trivial, slight
**nieznajomość** *f* ignorance (**czegoś** of sth), unacquaintance (**czegoś** with sth)
**nieznajomy** *adj* unknown; *s m* unknown person, stranger
**nieznany** *adj* unknown, unfamiliar
**nieznośny** *adj* unsupportable, unbearable, intolerable
**niezręczność** *f* awkwardness
**niezręczny** *adj* awkward
**niezrozumiałość** *f* unintelligibility
**niezrozumiały** *adj* unintelligible, incomprehensible
**niezrównany** *adj* incomparable, matchless, unrivalled; **człowiek ⟨przedmiot⟩ ~** nonsuch
**niezrównoważony** *adj* unbalanced
**niezupełny** *adj* incomplete
**niezwłocznie** *adv* immediately, without delay
**niezwłoczny** *adj* immediate, instant
**niezwyciężony** *adj* invincible

**niezwykły** *adj* uncommon, unusual
**nieżonaty** *adj* unmarried, single
**nieżyczliwość** *adj* unfriendliness; unkindness
**nieżyczliwy** *adj* unfriendly, ill-disposed (**dla kogoś** towards sb)
**nieżyt** *m med.* catarrh, inflammation
**nieżywotny** *adj* inanimate
**nieżywy** *adj* lifeless, dead
**nigdy** *adv* never, not ... ever
**nigdzie** *adv* nowhere, not ... anywhere
**nijak** *adv* nowise
**nijaki** *adj* indeterminate; no ... whatever; *gram.* **rodzaj ~** neuter
**nijako** *adv* indeterminately; **czuć się ~** feel queer
**nikczemnik** *m* villain
**nikczemność** *f* villainy, meanness
**nikczemny** *adj* villainous, mean; vile
**nikiel** *m* nickel
**niklować** *vt* nickel
**nikły** *adj* exiguous, scanty
**niknąć** *vi* vanish, disappear; (*marnieć*) waste away
**nikotyna** *f* nicotine
**nikt** *pron* none, no one, nobody, not anybody
**nim** *conj* = **zanim**
**nimfa** *f* nymph
**niniejszy** *adj* present; **~m zaświadczam** I hereby testify
**niski** *adj* low; (*o wzroście*) short
**nisko** *adv* low; **~ mierzyć** aim low; **~ kłaniać się** bow low
**nisza** *f* niche
**niszczący** *adj* destructive
**niszczeć** *vi* waste away, decay
**niszczyć** *vt* destroy, spoil, ruin; (*ubranie, obuwie*) wear; **~ się** *vr* spoil, deteriorate; (*o ubraniu, obuwiu*) wear
**nit** *m techn.* rivet
**nitka** *f* thread
**niwa** *f poet.* corn-field
**niweczyć** *vt* destroy, frustrate
**niwelacja** *f* levelling
**niwelować** *vt* level
**nizać** *vt* thread, string
**nizina** *f* lowland
**niż 1.** *conj* than
**niż 2.** *m* lowland; (*barometryczny*) depression
**niżej** *adv* lower; down, below; **~ podpisany** the undersigned
**niższość** *f* inferiority
**niższy** *adj* lower; (*gatunkowo, służbowo*) inferior
**no** *part* well, now, (well) then
**noc** *f* night; **~ą** by night, at night; **przez ~** overnight; **dziś w ~y** to-night; **całą ~** all night long
**nocleg** *m* night's rest; (*miejsce*) place to sleep in
**nocnik** *m* chamber-pot
**nocn|y** *adj* night(ly); **koszula ~a** night-shirt; **służba ~a** night-duty; **spoczynek ~y** night's rest
**nocować** *vi* stay overnight, stay for the night
**nog|a** *f* leg; (*stopa*) foot; **być na ~ach** be up; **do góry ~ami** upside down; **podstawić komuś ~ę** trip sb up
**nogawica** *f* leg
**nokturn** *m muz.* nocturne
**nomenklatura** *f* nomenclature
**nominacja** *f* appointment
**nominalny** *adj* nominal
**nonsens** *m* nonsense
**nora** *f* burrow, hole
**norka** *f zool.* mink
**norma** *f* standard, norm
**normalizacja** *f* normalization
**normalizować** *vt* normalize, standardize
**normalny** *adj* normal
**normować** *vt* regulate
**Norweg** *m* Norwegian
**norweski** *adj* Norwegian
**nos** *m* nose; **wycierać ~** blow one's nose; **zadzierać ~a** put up one's nose high; *pot.* **mieć ~a** have a sharp nose; **wodzić za ~** lead by the nose
**nosacizna** *f med.* glanders
**nosić** *vt* (*dźwigać*) carry, bear; (*mieć na sobie*) wear; (*brodę, wąsy*) grow; **~ się** *vr* (*o ubraniu*)

wear; ~ **się z myślą** entertain an idea
**nosorożec** *m zool.* rhinoceros
**nostalgia** *f* nostalgia, homesickness
**nosze** *s pl* stretcher
**nota** *f* note
**notarialny** *adj* notarial
**notariusz** *m* notary public
**notatka** *f* note
**notatnik** *m*, **notes** *m* notebook
**notoryczny** *adj* notorious
**notować** *vt* take notes (**coś** of sth), put down; (*rejestrować na giełdzie*) quote
**notowanie** *n* record; (*kurs na giełdzie*) quotation
**nowator** *m* innovator
**nowela** *f* short-story; *prawn.* novel; (*dodatkowa ustawa*) amendment
**nowelista** *m* short-story writer
**nowicjat** *m* novitiate, probation time
**nowicjusz** *m* novice, probationer
**nowina** *f* news
**nowoczesny** *adj* modern, up-to-date
**nowo narodzony** *adj* new-born
**noworoczny** *adj* New Year's
**nowość** *f* novelty
**nowotwór** *m med.* tumour; *gram.* neologism
**nowo wstępujący** *adj i s m* (*do uczelni, zawodu itp.*) entrant
**nowożytny** *adj* modern
**nowy** *adj* new
**nozdrze** *n* nostril
**nożownik** *m* (*bandyta*) cutthroat; † (*rzemieślnik*) cutler
**nożyce** *s pl* shears, clippers
**nożyczki** *s pl* scissors
**nożyk** *m* knife, pocket-knife; (*do golenia*) blade
**nów** *m* new moon
**nóż** *m* knife
**nucić** *vt vi* hum; (*o ptakach*) warble
**nuda** *f* boredom
**nudności** *s pl* nausea, qualm
**nudny** *adj* tedious, wearisome, dull, boring; nauseating
**nudziarz** *m* bore
**nudzi|ć** *vt* bore; *imp* **mnie to** ~ I am tired of this; ~ **się** *vr* feel bored
**numer** *m* number
**numeracja** *f* numeration
**numerować** *vt* number
**numerek** *m* (*np. w szatni*) check
**numizmatyka** *f* numismatics
**nuncjusz** *m* nuncio
**nurek** *m* diver
**nurkować** *vi* dive; *lotn.* nose-dive
**nurkowanie** *n* diving; *lotn.* nose-dive
**nurkowiec** *m lotn.* dive-bomber
**nurkowy** *adj*, *lotn.* **lot** ~ nose-dive
**nurt** *m* current
**nurt|ować** *vt* penetrate, pervade; **to mnie ~uje** I feel uneasy about it
**nurzać** *vt* plunge, immerse; ~ **się** *vr* plunge, welter
**nut|a** *f* note; melody, tune; *pl* **~y** music *zbior.*
**nuż** *part* there now; **a** ~ and if; **a** ~ **przyjdzie** suppose he comes; **a** ~ **wygram** what if I win?; **a** ~ **mi się uda** what if I succeed?
**nużący** *adj* tiring
**nużyć** *vt* tire (out), weary; ~ **się** *vr* grow weary, get tired
**nylon** *m* nylon

# O

**o** *praep* of, for, at, by, about, with; **boję się o twoje bezpieczeństwo** I fear for your safety; **chodzić o lasce** walk with a stick; **powiększyć o połowę** increase by one-half; **prosić o coś** ask for sth; **o co chodzi?** what's the matter?; **o czym mówisz?** what are you speaking of ⟨about⟩?; **o 5 godzinie** at 5 o'clock

**oaza** *f* oasis

**oba, obaj, obie, oboje** *num* both

**obalenie** *n* overthrow; (*zniesienie*) abolition; *prawn.* (*wyroku*) reversal

**obalić** *vt* overthrow, upset; (*znieść*) abolish

**obarcz|yć** *vt* burden, charge; **~ony smutkiem** laden with sorrow; **~ony troską** care-laden

**obaw|a** *f* fear, anxiety; **z ~y** for fear (**przed czymś** of sth, **o coś** of sth); **żywić ~ę** be anxious (**o coś** about sth)

**obawiać się** *vr* fear (**czegoś** sth, **o coś** for sth), be afraid (**czegoś** of sth), be anxious (**o coś** about sth)

**obcas** *m* heel

**obcesowo** *adv* outright

**obcęgi** *s pl* tongs

**obchodzenie się** *n* dealing (**z kimś, czymś** with sb, sth), treatment (**z kimś, czymś** of sb, sth)

**obchodzi|ć** *vt* walk ⟨go⟩ round; (*prawo*) evade; (*święto, urodziny*) celebrate, observe; **to ciebie nic nie ~** it is no concern of yours; **to mnie szczególnie ~** it is of great concern to me; **to mnie nic nie ~** it is no concern of mine; **~ć się** *vr* do (**bez czegoś** without sth), dispense (**bez czegoś** with sth), spare (**bez czegoś** sth); deal (**z kimś** with sb), treat (**z kimś** sb); **źle się ~ć** ill-treat (**z kimś** sb)

**obchód** *m* (*okrążenie*) round; (*obchodzenie święta*) observation; (*rocznicy*) celebration

**obciągać** *vt* pull down, make tight; (*np. fotel*) cover; *techn.* (*ostrzyć*) whet

**obciąża|ć** *vt* burden, charge; (*rachunek*) debit; **okoliczności ~jące** aggravating circumstances

**obciążenie** *n* charge, burden, ballast; (*rachunku*) debit

**obcierać** *vt* wipe (away, off); (*np. skórę do krwi*) rub (off)

**obcinać** *vt* cut; (*pensję, wydatki*) cut down; (*gałęzie*) lop; (*nożyczkami*) clip; (*paznokcie*) pare

**obcisły** *adj* tight, close-fitting

**obcokrajowiec** *m* foreigner, alien

**obcokrajowy** *adj* foreign, alien

**obcować** *vi* keep up intercourse, associate

**obcowanie** *n* intercourse

**obcy** *adj* strange, foreign; *s m* stranger

**obczyzna** *f* foreign country

**obdarowywać** *vt* present (**kogoś czymś** sb with sth)

**obdartus** *m pot.* ragamuffin

**obdarty** *adj* ragged

**obdarzyć** *vt* present (**kogoś czymś** sb with sth); (*nadać*) bestow (**czymś kogoś** sth upon sb); **~ łaską** favour (**kogoś** sb), bestow favour (**kogoś** upon sb)

**obdukcja** *f* post-mortem examination

**obdzielić** *vt* give everybody his share; distribute

**obdzierać** *vt* take ⟨pull⟩ off; rob (**z czegoś** of sth); **~ ze skóry** skin; **~ z kory** bark

**obecnie** *adv* at present

**obecnoś|ć** *f* presence; **lista ~ci** attendance record, roll; **odczytać listę ~ci** call the roll; **odczytanie listy ~ci** roll-call

**obecny** *adj* present; być **~m na zebraniu** attend a meeting
**obejmować** *vt* embrace; (*zawierać*) comprise, contain; (*przejmować, brać na siebie*) take over; **~ obowiązki** enter on ⟨upon⟩ one's duties; **~ coś w posiadanie** take possession of sth
**obejrzeć** *vt* have a glance (**coś** at sth), inspect
**obejście** *n* premises *pl*, homestead; (*sposób bycia*) manners *pl*, behaviour
**obelga** *f* insult, outrage
**obelżywy** *adj* insulting, outrageous
**oberża** † *f* tavern, inn
**obezwładnić** *vt* render unable, disable
**obfitoś|ć** *f* abundance, profusion, plenty; **róg ~ci** horn of plenty
**obfitować** *vi* abound (**w coś** with, in sth)
**obfity** *adj* abundant, plentiful, profuse
**obiad** *m* dinner; **jeść ~** dine, have dinner
**obicie** *n* (*tapeta*) wallpaper, tapestry; (*pokrycie mebli itp.*) covering
**obiecywać** *vt* promise
**obieg** *m* circulation; **puścić w ~** circulate; **wycofać z ~u** withdraw from circulation
**obiegać** *vi* circulate; run round
**obiegowy** *adj* circulating; **pieniądz ~** currency; **środek ~** circulating medium
**obiekcja** *f* objection
**obiekt** *m* object
**obiektyw** *m* objective; *fot.* lens
**obiektywizm** *m* objectivism
**obiektywny** *adj* objective
**obierać** *vt* (*wybierać*) elect, choose; (*zawód*) embrace; (*ziemniaki*) peel; (*owoce*) pare
**obieralny** *adj* elective, eligible
**obietnic|a** *f* promise; **dotrzymać ~y** keep the promise
**obijać** *vt* beat; (*materiałem*) cover, line; **~ gwoździami** nail
**objadać się** *vr* overeat oneself
**objaśniać** *vt* explain, (*ilustrować*) illustrate
**objaśniający** *adj* explanatory
**objaśnienie** *n* explanation
**objaw** *m* symptom
**objawiać** *vt* show, reveal
**objawienie** *n* revelation
**objazd** *m* circuit, round
**objazdow|y** *adj*, **droga ~a** by-pass; **sądowa sesja ~a** circuit
**objeżdżać** *vt* go ⟨ride⟩ round; tour; (*omijać*) by-pass
**objęcie** *n* (*ramionami*) embrace; (*zajęcie, przejęcie*) taking over; (*w posiadanie*) taking possession; **~ obowiązków** entering ⟨entrance⟩ on ⟨upon⟩ one's duties
**objętość** *f* volume, circumference, bulk
**oblegać** *vt* besiege, beleaguer
**oblekać** *vt* water, sprinkle, pour on; **~ się** *vr* put on; **~ się potem** be bathed in sweat; **~ się rumieńcem** flush, blush
**oblężenie** *n* siege
**obliczać** *vt* count, calculate
**oblicze** *n* face
**obliczenie** *n* calculation, computation
**obligacja** *f* (*zobowiązanie*) obligation; (*papier wartościowy*) bond
**oblizywać** *vt* lick
**oblubienica** *f* bride, betrothed
**oblubieniec** *m* bridegroom, betrothed
**obładow|ywać** *vt* charge, (over)-load, (over)burden; **ciężko ~any** heavy-laden
**obława** *f* chase, raid, round-up; (*myśliwska*) battue
**obłąkanie** *n* = **obłęd**
**obłąkan|y** *adj* insane, mad, *pot.* loony; *s m* madman; *s f* **~a** madwoman; **szpital dla ~ych** lunatic asylum, madhouse
**obłęd** *m* insanity, madness
**obłędny** *adj* insane, mad
**obłok** *m* cloud
**obłowić się** *vr* make one's pile, enrich oneself

**obłożnie** *adv*, **~ chorować** be bedridden
**obłoż|yć** *vr* cover, overlay; (*warstwą czegoś*) layer; **~ony język** coated tongue
**obłuda** *f* hypocrisy
**obłudnik** *m* hypocrite
**obłudny** *adj* hypocritical
**obły** *adj* oval
**obmacać** *vt* feel about, finger; *pot.* paw
**obmawiać** *vt* gossip (**kogoś** about sb), backbite, slander
**obmierzły** [-r-z-] *adj* disgusting, detestable
**obmierz|nąć** [-r-z-] *vi* become disgusting; **to mi ~ło** I am disgusted with it
**obmowa** *f* backbiting, slander
**obmurować** *vt* surround with a wall, wall in
**obmyślać** *vt* reflect (**coś** on, upon sth), turn over in one's mind; (*planować, knuć*) contrive, devise
**obnażać** *vt* bare, lay bare, uncover, strip; **~ się** *vr* strip
**obnażony** *adj* bare, naked, nude
**obniżać** *vt* lower, abate; (*cenę*) reduce; (*zarobki*) cut down; (*wartość*) depreciate; **~ się** *vr* sink, go down, decrease
**obniżenie** *n* lowering, abatement, reduction
**obniżka** *f* abatement, decrease; (*cen*) reduction, (*wartości*) depreciation; (*potrącenie*) deduction
**obojczyk** *m anat.* collar-bone
**obojętnieć** *vi* grow indifferent
**obojętność** *f* indifference
**obojętn|y** *adj* indifferent, impassive; (*nieważny*) unimportant; **to mi jest ~e** I don't care for it
**obok** *adv praep* near, by, near by
**obopóln|y** *adj* reciprocal, common; **za ~ą zgodą** by common consent
**obora** *f* cow-shed
**obosieczny** *adj* two-edged
**obowiąz|ek** *m* duty, (*zobowiązanie*) obligation; **spełnić swój ~ek do** one's duty; **pełniący ~ki** acting (np. **kierownika** manager); **mieć ~ki (moralne) w stosunku do kogoś** be under an obligation to sb
**obowiązkowość** *f* dutifulness
**obowiązkowy** *adj* (*wierny obowiązkom*) dutiful; (*urzędowo obowiązujący*) obligatory, compulsory
**obowiązując|y** *adj* obliging, obligatory; **mieć moc ~ą** be in force; **nabrać mocy ~ej** come into force
**obowiązywać** *vt vi* oblige, bind in duty; be in force
**obozować** *vi* encamp, be encamped; (*nocować w namiotach*) camp out
**obozowisko** *n* encampment
**obozowy** *adj* camp *attr*; **sprzęt ~** camping outfit
**obój** *m muz.* oboe
**obóz** *m* camp; **stanąć obozem** encamp; **rozbić ~** pitch a camp; **zwinąć ~** decamp; break up a camp
**obrabiać** *vt* work; *pot.* **~ sprawę ⟨interes⟩** settle an affair ⟨a business⟩
**obracać** *vt* turn (over); **~ się** *vr* turn; (*na osi*) revolve; (*przebywać*) move; **gdzie on się teraz obraca?** where may he be now?
**obrachować** *vt* calculate, sum up
**obrachunek** *m* calculation, settlement
**obradować** *vi* deliberate (**nad czymś** upon sth), confer; be in session
**obramować** *vt* frame, border; (*oblamować*) hem
**obrastać** *vi* overgrow
**obraz** *m* picture, painting; (*wizerunek, podobizna*) image
**obraza** *f* offence; **~ majestatu** lese-majesty
**obraz|ek** *m* picture; illustration; **książka z ~kami** picture-book

**obrazić** *vt* offend, give offence; **nie chciałem ~** I meant no offence; **~ się** *vr* take offence (**o coś** at sth)
**obrazowy** *adj* pictorial, picturesque; (*o stylu*) figurative
**obraźliwy** *adj* offensive; susceptible, touchy
**obrażeni|e** *n* offence; (*uszkodzenie ciała*) injury; **~a cielesne** bodily injuries
**obrąbek** *m* hem
**obrączka** *f* ring; **~ ślubna** wedding ring
**obręb** *m* compass; **w ~ie miasta** within the town
**obrębiać** *vt* hem
**obręcz** *f* hoop; (*u koła*) tyre
**obrok** *m* fodder
**obrona** *f* defence; *sport zbior.* backs *pl*
**obronność** *f* defensive power
**obronny** *adj* defensive
**obrońca** *m* defender; (*sądowy*) lawyer, counsel for the defence; *sport* back
**obrośnięty** *adj* overgrown; hairy
**obrotność** *f* activity, adroitness
**obrotny** *adj* active, adroit
**obrotowy** *adj* rotative; **podatek ~** turnover tax
**obroża** *f* (dog-)collar
**obróbka** *f* treatment, working
**obrócić** *zob.* **obracać**
**obrót** *m* rotation, turn; *handl.* turnover, return; **~ czekowy** business in cheques; **~ gotówkowy** cash transactions; **przybrać pomyślny ~** take a favourable turn; *przen.* **na pełnych obrotach** in full swing
**obrus** *m* table-cloth
**obrywać** *vt* pluck, tear off
**obrządek** *m* rite, ritual
**obrzęd** *m* ceremony; rite
**obrzędowy** *adj* ceremonial, ritual
**obrzęk** *m* swell(ing), tumour
**obrzękły** *adj* swollen
**obrzucać** *vt* throw (**kogoś czymś** sth on sb), cover (**czymś** with sth), pelt (**obelgami, kamieniami** with abuse, with stones)
**obrzydliwość** *f* abomination
**obrzydliwy** *adj* abominable, disgusting
**obrzyd|nąć** *vi* become abominable; **to mi ~ło** I'm disgusted with it
**obrzydzenie** *n* aversion, abomination
**obrzydzić** *vt* make disgusting
**obsada** *f* stock, fitting; (*uchwyt*) handle; (*oprawka*) holder; (*załoga*) crew; (*personel*) staff; *teatr* cast
**obsadka** *f* penholder
**obsadzać** *vt* (*ogród*) plant; (*miejsce*) fill, occupy; (*personelem*) staff, man; **~ kimś urząd** nominate sb for an office; *wojsk.* **~ załogą** garrison
**obserwacja** *f* observation
**obserwator** *m* observer
**obserwatorium** *n* observatory
**obserwować** *vt* watch, observe
**obsługa** *f* service, attendance
**obsług|iwać** *vt* wait (**kogoś** on, upon sb), serve (**kogoś** sb), attend (**kogoś** to sb); (*w sklepie*) **czy pana ktoś ~uje?** are you being attended to?
**obstalować** *vt* order
**obstalunek** *m* order
**obstawać** *vi* insist (**przy czymś** on sth)
**obstrukcja** *f* obstruction; *med.* constipation
**obsypywać** *vt* strew (**czymś kogoś** sth upon sb); **~ pudrem** powder
**obszar** *m* space, area
**obszarnik** *m* landowner
**obszerny** *adj* extensive, ample, spacious
**obszycie** *n* border, trimming
**obszywać** *vt* border, trim, sew round
**obudzić** *zob.* **budzić**
**obumarły** *adj* half-dead
**obumierać** *vi* die away, mortify
**oburzać** *vt* fill with indignation; revolt; **~ się** *vr* become indignant (**na kogoś** with sb, **na coś** at sth)
**oburzenie** *n* indignation

**oburzony** *adj* indignant (**na kogoś** with sb, **na coś** at sth)
**obustronn|y** *adj* two-sided, bilateral; **~a korzyść** mutual advantage
**obuwie** *n* footwear, shoes *pl*
**obwieszczać** *vt* proclaim, make known, announce
**obwieszczenie** *n* proclamation, announcement
**obwiniać** *vt* accuse (**kogoś o coś** sb of sth), charge (**kogoś o coś** sb with sth)
**obwisać** *vi* hang down, droop
**obwoluta** *f* wrapper; (*książki*) book-jacket
**obwołać** *vt* proclaim
**obwód** *m* circumference; *mat.* perimeter; (*okręg*) district
**obwódka** *f* border
**oby** *part*, **~ on wyzdrowiał** may he recover; **~ tak było** may it be so
**obycie** *n* good manners *pl*
**obyczaj** *m* custom, manner, way
**obyczajny** † *adj* moral, decent
**obydwaj** *num* both
**obyty** *adj* experienced, familiar
**obywać się** *zob.* **obchodzić się; bez tego nie mogło się obyć** this could not be spared
**obywatel** *m* citizen; (*członek danego państwa*) national; † **~ ziemski** squire, landowner
**obywatelsk|i** *adj* civic, civil; **komitet ~i** civic committee; **prawa ~ie** civil rights; **straż ~a** civic guard
**obywatelstwo** *n* citizenship; nationality; **nadać ~** nationalize, naturalize; **przyjąć ~** naturalize
**obżarstwo** *n* gluttony
**ocaleć** *vi* remain safe, survive, be rescued
**ocalenie** *n* salvation, rescue
**ocalić** *vt* save, rescue
**ocean** *m* ocean
**oceaniczny** *adj* oceanic
**ocena** *f* estimate, estimation; opinion; (*recenzja*) review
**oceniać** *vt* estimate, appreciate, value (**na pewną sumę** at a certain sum)
**ocet** *m* vinegar
**ochładzać** *vt*, **~ się** *vr* cool (down)
**ochłonąć** *vi* calm down, compose oneself, recover
**ochoczy** *adj* willing, eager, ready
**ochot|a** *f* desire, willingness; **mam ~ę** I would like, I have a mind (**coś zrobić** to do sth)
**ochotniczy** *adj* voluntary
**ochotnik** *m* volunteer
**ochraniać** *vt* protect, shelter, preserve (**przed czymś** from sth)
**ochrona** *f* protection, shelter; **~ przyrody** conservancy
**ochronny** *adj* protective, preventive
**ochrypły** *adj* hoarse
**ochrypnąć** *vi* become hoarse
**ociągać się** *vr* tarry, linger; **~ z robieniem czegoś** do sth reluctantly
**ociekać** *vi* drip (**czymś** with sth)
**ociemnia|ły** *adj* blind; *s m* blind man; *pl* **~li** the blind
**ocieniać** *vt* shade
**ocieplać** *vt* warm, make warm; **~ się** *vr* grow warm
**ocierać** *vt* wipe (off); (*ścierać naskórek*) gall
**ociężałość** *f* heaviness, dullness
**ociężały** *adj* heavy, dull
**ocknąć się** *vr* awake
**oclenі|e** *n* clearance; **podlegający ~u** dutiable; **dać do ~a** declare; **mieć coś do ~a** have sth to declare
**ocl|ić** *vt* impose duty (**coś** on sth); **~ony** duty-paid
**octowy** *adj* acetic
**ocukrzyć** *vt* sugar
**oczarować** *vt* charm, enchant
**oczekiwać** *vi* wait (**kogoś, czegoś** for sb, sth), look forward (**czegoś** to sth), await, expect (**kogoś, czegoś** sb, sth)
**oczekiwani|e** *n* expectation; **wbrew ~om** contrary to expectations
**oczerniać** *vt* slander, defame
**oczko** *n* eyelet; (*igły, rośliny*) eye;

(**sieci**) mesh; **spuszczone ~** (*w pończosze*) ladder, *am.* runner
**oczyszczać** *vt* clean, cleanse, clear; (*np. wodę, powietrze*) purify; **~ z kurzu** dust; **~ z zarzutów** clear of blame
**oczytany** *adj* well-read
**oczywistość** *f* evidence, obviousness
**oczywisty** *adj* evident, obvious
**oczywiście** *adv* evidently, obviously, of course; **~!** absolutely!, most certainly!
**od** *praep* from; off; of; for; (*począwszy od*) since; **na wschód od Warszawy** to the East of Warsaw; **od czasu do czasu** from time to time; **już od dawna go nie widziałem** I have not seen him for a long time now; **od dwóch miesięcy** for the last two months; **od niedzieli** since Sunday; **od owego dnia** from that day on; **odpaść od ściany** fall off the wall; **od ręki** directly, extempore, on the spot; **od stóp do głów** from top to toe; **starszy od brata** older than his brother
**oda** *f* ode
**odbarwić się** *vr* discolour
**odbici|e** *n* beating back; (*odzwierciedlenie*) picture, image; (*np. w wodzie*) shadow; (*światła*) reflexion; (*uwolnienie*) relief, rescue; **kąt ~a** angle of reflexion; **~e się** (*piłki*) bounce; (*kuli*) ricochet
**odbić** *zob.* **odbijać**
**odbiegać** *vi* run away; (*zbaczać*) deviate, stray (**od czegoś** from sth)
**odbierać** *zob.* **odebrać**
**odbijać** *vt* beat away ⟨back⟩; (*o druku*) print; (*o świetle*) reflect; (*o statku*) put off; (*o samolocie*) take off; (*uwolnić*) relieve, rescue; **~ się** *vr* rebound; (*o głosie*) resound; (*kontrastować*) contrast (**od czegoś** with sth); (*w lustrze*) be reflected
**odbiorca** *m* receiver; (*nabywca*) buyer, purchaser
**odbiorczy** *adj* receiving; **aparat ~** receiver
**odbiornik** *m* receiver; (*radio*) receiving ⟨wireless⟩ set, (radio) receiver
**odbiór** *m* receipt; **~ radiowy** reception; **potwierdzić ~** acknowledge the receipt
**odbitka** *f* copy, reprint
**odblask** *m* reflex
**odbudowa** *f* rebuilding, reconstruction
**odbudować** *vt* rebuild, reconstruct
**odbywać** *vt* execute, perform, do, make; **~ zebranie** hold a meeting; **~ studia** follow one's studies; **~ podróż** make a journey; **~ wykład** deliver a lecture; **~ się** *vr* take place, go on, come off, proceed, be held
**odchodzi|ć** *vi* go away, leave, withdraw; **~ć od zmysłów** be out of one's senses; **pociąg ~ o godz. 10** the train leaves at 10
**odchudzać się** *vr* reduce weight, slim
**odchylać** *vt* draw aside, remove; **~ się** *vr* deviate
**odchylenie** *n* deviation
**odciągać** *vt* draw away
**odciążać** *vt* relieve, alleviate
**odcień** *m* shade, hue
**odcięcie** *n* cutting off; *med.* amputation
**odcinać** *vt* cut off; *med.* amputate; (*oddzielać*) detach; **~ się** *vr* (*ostro odpowiadać*) retort; (*kontrastować*) contrast (**od czegoś** with sth)
**odcinek** *m* sector; (*kupon*) coupon; (*koła*) segment; **~ kontrolny** counterfoil
**odcisk** *m* impression; (*nagniotek*) corn; **~ palca** finger-print
**odciskać** *vt* impress, imprint
**odcyfrować** *vt* decipher
**odczepić** *vt* detach, untie; **~ się** *vr* become detached; *pot.* get rid (**od kogoś** of sb)
**odczucie** *n* feeling
**odczuć** *zob.* **odczuwać; to daje się ~** it makes itself felt

**odczuwać** *vt* feel; notice; (*boleśnie*) suffer
**odczyn** *m chem.* reaction
**odczynnik** *m chem.* reagent
**odczyt** *m* lecture; **mieć ~** lecture, give a lecture
**odczytać** *vt* read over;. (*dorozumieć się*) make out
**oddać** *vt* give back, render; (*dług*) pay back; (*np. list*) deliver; *hist.* **~ hołd** pay homage; **~ przysługę** do ⟨render⟩ service; **~ sprawiedliwość** do justice; **~ wizytę** pay a visit; **~ życie** give life; **~ się** *vr* (*poświęcić się*) devote oneself; **~ się rozpaczy** abandon oneself to despair
**oddalać** *vt* remove; (*zwolnić*) dismiss; **~ się** *vr* retire, withdraw
**oddaleni|e** *n* (*odległość*) distance; (*wydalenie*) dismissal; (*odsunięcie*) removal; **w ~u** in the distance, a long way off; **w pewnym ~u** at a distance; **z ~a** from afar
**oddalony** *adj* distant, remote
**oddany** *adj* devoted; given
**oddawać** *zob.* **oddać**
**oddech** *m* breath, respiration
**oddychać** *vi* breathe, respire
**oddychanie** *n* breathing, respiration
**oddział** *m* section; (*dział instytucji*) department; *wojsk.* detachment; (*filia*) branch (office)
**oddziaływać** *vi* affect (**na kogoś, coś** sb, sth), influence (**na kogoś, coś** sb, sth), act (**na kogoś, coś** on, upon sb, sth)
**oddziaływanie** *n* influence, action
**oddzielać** *vt* separate; **~ się** *vr* separate, become separated
**oddzielny** *adj* separate
**oddźwięk** *m* echo; (*odzew*) response
**odebrać** *vt* take away ⟨back⟩, withdraw; (*otrzymać*) receive; **~ sobie życie** take one's own life
**odechci|eć się** *vr*, **~ało mi się** I have lost the liking (**robić to** to do this), I no longer care (**tego** for it)
**odegrać się** *vr* win back, recover (one's money); (*zemścić się, zrewanżować się*) to get one's own back
**odejmować** *vt* take away; deduct; *mat.* subtract
**odejmowanie** *n* deduction; *mat.* subtraction
**odejście** *n* departure
**odejść** *zob.* **odchodzić**
**odemknąć** *vt* open; (*zamek*) unlock
**odepchnąć** *vt* push away ⟨back⟩, beat off; *zob.* **odpychać**
**odeprzeć** *zob.* **odpierać**
**oderwać** *zob.* **odrywać**
**oderwani|e** *n* tearing away; **w ~u od czegoś** apart from sth
**odesłać** *zob.* **odsyłać**
**odetchnąć** *vi* take breath; *przen.* **~ z ulgą** heave a sigh of relief
**odezwa** *f* proclamation, address
**odezwać się** *zob.* **odzywać się**
**odgadywać** *vt* guess, unriddle, make out
**odgałęzienie** *n* branch
**odganiać** *vt* drive away
**odgarniać** *vt* shove away
**odginać** *vt* unbend
**odgłos** *m* echo, report; **~ strzału** report; **~y dzwonów** chime, ringing
**odgrażać się** *vr* threaten (**komuś** sb), utter threats
**odgrodzić** *vt* separate; (*np. parkanem*) fence off; (*ścianką*) partition off
**odgrywać** *vt* play, (*w teatrze*) act, perform
**odgryzać** *vt* bite off
**odgrzebywać** *vt* dig up
**odgrzewać** *vt* warm up again, warm over
**odjazd** *m* departure
**odjeżdżać** *vi* leave (**do Warszawy** for Warsaw), depart
**odkażać** *vt* disinfect
**odkażający** *adj*, **środek ~** disinfectant
**odkażanie** *n* disinfection

**odkąd** *conj* since; *adv* since when, since what time
**odkleić** *vt* unglue, unstick; **~ się** *vr* come unstuck
**odkładać** *vt* set aside, put away; (*pieniądze*) lay by ⟨up⟩; (*odraczać*) delay, put off, defer, postpone
**odkłonić się** *vr* return the bow
**odkopać** *vt* dig up, unearth
**odkorkować** *vt* uncork
**odkręcić** *vt* unwind; (*śrubę*) unscrew; (*kurek*) turn on
**odkroić** *vt* cut off
**odkrycie** *n* discovery; (*odsłonięcie*) uncovering
**odkrywać** *vt* discover, find out, detect; (*odsłonić*) uncover; (*karty*) show down
**odkupiciel** *m* redeemer
**odkupić** *vt* repurchase; *rel.* redeem
**odkupienie** *n* repurchase; *rel.* redemption
**odkurzacz** *m* vacuum-cleaner, Hoover
**odlatywać** *vi* fly away
**odległoś|ć** *f* distance; **na ~ć, w pewnej ~ci** at a distance
**odległy** *adj* distant, remote
**odlepiać** *vt* unstick, unglue
**odlew** *m* cast
**odlewać** *vt* (*płyn*) pour off; *techn.* (*metal*) cast; mould
**odlewnia** *f* foundry
**odliczać** *vt* deduct, discount; (*przeliczyć*) count off
**odliczenie** *n* deduction, discount
**odlot** *m* flight, departure
**odludek** *m* recluse
**odludny** *adj* solitary
**odłam** *m* fraction, fragment
**odłamać** *m* break away ⟨off⟩
**odłazić** *vi* come off
**odłączyć** *vt* separate, set apart, disconnect; **~ dziecko od piersi** to wean the baby; **~ się** *vr* separate, sever oneself, go apart; (*wystąpić*) secede
**odłożyć** *zob.* **odkładać**
**odł|óg** *m* (*zw. pl* **~ogi**) fallow; **leżeć ~ogiem** lie fallow
**odłupać** *vt*, **~ się** *vr* split off
**odma** *f med.* pneumothorax
**odmarznąć** [-r-z] *vi* thaw, melt off, unfreeze
**odmawiać** *vt* refuse, deny; (*modlitwę*) say
**odmęt** *m* whirlpool, eddy; *przen.* trouble, confusion
**odmiana** *f* change; variety; *gram.* declension, (*czasowników*) conjugation
**odmieniać** *vt* change, alter; *gram.* decline, (*czasowniki*) conjugate
**odmienność** *f* dissimilarity, difference; mutability
**odmienny** *adj* dissimilar (**od kogoś, czegoś** to sb, sth), different (**od kogoś, czegoś** from sb, sth); mutable
**odmierzać** *vt* measure off
**odmłodzić** *vt* make younger, rejuvenate; **~ się** *vr* grow younger, rejuvenate, become rejuvenated
**odmowa** *f* refusal
**odmowny** *adj* negative
**odmówić** *zob.* **odmawiać**
**odmrozi|ć** *vt* thaw; **~łem sobie palec** my finger has been frost-bitten, I have a frozen finger; (*spowodować odmarznięcie*) defrost
**odmrożenie** *n* frost-bite; (*np. mięsa zamrożonego*) defrosting
**odmrożony** *adj* frost-bitten
**odmykać** *zob.* **odemknąć**
**odnająć** *vt* let; hire
**odnawiać** *vt* renew, renovate
**od niechcenia** *adv* carelessly, negligently
**odniesieni|e** *n* carrying back; (*aluzja, zwrócenie się*) reference; **w ~u** with reference ⟨regard⟩ (**do czegoś** to sth)
**odnieść** *vt* bring back, carry; **~ korzyść** derive profit (**z czegoś** from sth); **~ wrażenie** get the impression; **~ zwycięstwo** win a victory, *zob.* **odnosić**
**odnoga** *f* branch; (*kolejowa*) branch-line
**odnosić** *vt zob.* **odnieść; ~ się** *vr* (*traktować*) treat (**do kogoś** sb),

behave (**dobrze do kogoś** well towards sb, **źle do kogoś** badly, shamefully towards sb); *tylko 3 pers* (*dotyczyć*) refer, apply (**do kogoś, czegoś** to sb, sth)
**odnośnie** *adv praep* respecting, with reference (**do czegoś** to sth)
**odnośnik** *m* mark of reference; (*przypisek*) footnote
**odnośny** *adj* relative, respective
**odnowa** *f* renewal, restoration
**odosobnić** *vt* isolate
**odosobnienie** *n* isolation
**odór** *m* smell
**odpadać** *vi* fall off; (*zerwać, odstąpić*) break away
**odpadki** *s pl* waste, refuse, offal *zbior.*
**odparcie** *n* (*ataku*) repulse; (*zarzutu, argumentu*) refutation
**odparować** *vt* repel, parry; *chem.* evaporate
**odparzenie** *n* scalding, gall
**odparzyć** *vt* scald, gall
**odpędzać** *vt* drive away
**odpiąć** *vt* unbutton, undo
**odpieczętować** *vt* unseal
**odpierać** *vt* (*atak*) repel; (*zarzut, argument*) refute; (*atak słowny, oskarżenie*) retort
**odpis** *n* copy, duplicate
**odpisać** *vt* (*przepisać*) copy; (*odpowiedzieć pisemnie*) answer (in writing), write back
**odpłacić** *vt vi* repay, recompense; **~ niewdzięcznością** repay with ingratitude; **~ pięknym za nadobne** give tit for tat
**odpłynąć** *vi* (*o cieczy*) flow away; (*odjechać okrętem*) sail away; (*oddalić się wpław*) swim away; *przen.* (*ubywać*) drop away
**odpływ** *m* outflow; (*morza*) ebb
**odpoczynek** *m* rest, repose
**odpoczywać** *vi* rest, take a rest
**odpokutować** *vt* atone (**coś** for sth), expiate; *przen.* pay dearly
**odporność** *f* resistance (**na coś** to sth); (*o chorobie*) immunity (np. **na ospę** from smallpox)
**odporny** *adj* resistant (**na coś** to sth); (*o chorobie*) immune (np. **na ospę** from smallpox); (*o przymierzu*) defensive
**odpowiada|ć** *vi* answer (**na coś** sth), reply (**na coś** to sth); (*być odpowiednim*) suit; **~ć celowi** to answer the purpose; **to mi nie ~** this does not suit me
**odpowiedni** *adj* adequate; suitable (**do kogoś, czegoś** to ⟨for⟩ sb, sth); **w ~m czasie** in due time
**odpowiedzialnoś|ć** *f* responsibility, liability; **pociągnąć do ~ci** call to account; **pociągnąć do ~ci sądowej** arraign; **ponosić ~ć** bear the responsibility
**odpowiedzialny** *adj* responsible (**przed kimś** to sb, **za coś** for sth)
**odpowiedź** *f* answer, reply (**na coś** to sth)
**odpór** *m* resistance
**odprasować** *vt* iron
**odprawa** *f* dispatch; (*np. pracownika*) discharge, dismissal; (*zapłata*) separation pay; (*udzielenie instrukcji*) briefing; (*ostra odpowiedź*) retort, rebuff
**odprawiać** *vt* dispatch; (*zwalniać*) discharge, dismiss; (*np. nabożeństwo*) celebrate
**odprężać** *vt* relax
**odprężenie** *n* relaxation
**odprowadzać** *vt* (*towarzystwo*) accompany, escort, see off; (*np. wodę*) drain off; **~ kogoś do domu** see sb home; **~ kogoś do drzwi** see sb to the door
**odpruć** *vt* unsew, rip; **~ się** *vr* come unsewn
**odsprzedać** *vt* resell
**odsprzedaż** *f* resale
**odpust** *m* indulgence; (*uroczystość kościelna*) kermess
**odpuszczenie** *n* remission, forgiveness
**odpuścić** *vt* remit, forgive, pardon
**odpychać** *vt* repulse; (*odtrącić*) repel; *zob.* **odepchnąć**
**odpychający** *adj* repulsive, repellent

**odpychanie** *n* repulsion
**odra** *f med.* measles *pl*
**odrabiać** *vt* do, perform; (*np. zaległości*) work off; ~ **stracony czas** make up for lost time; ~ **lekcje** do one's lessons ⟨homework⟩
**odraczać** *vt* put off, postpone, adjourn
**odradzać** *vt* dissuade (**komuś coś** sb from sth)
**odrastać** *vi* grow anew
**odraza** *f* repugnance (**do czegoś** to sth), disgust (**do czegoś** at, for sth)
**od razu** *adv* on the spot, at once
**odrażający** *adj* repulsive
**odrąbać** *vt* chop off
**odrębność** *f* separateness, peculiarity
**odrębny** *adj* separate, peculiar
**odręczny** *adj* autographic; (*natychmiastowy, od ręki*) off-hand *attr*; (*o rysunku*) free-hand *attr*
**odrętwiały** *adj* torpid, benumbed
**odrętwienie** *n* torpor
**odrobin|a** *f* bit; **ani** ~**y** not a bit
**odroczenie** *n* postponement; adjournment
**odrodzenie** *n* revival, regeneration; (*okres*) Renaissance
**odrodzić się** *vr* regenerate
**odróżniać** *vt* distinguish; ~ **się** *vr* differ
**odróżnieni|e** *n* distinction; **w** ~**u** in contradistinction (**od czegoś** to sth)
**odruch** *m* reflex, instinctive reaction
**odruchowy** *adj* instinctive
**odrywać** *vt* tear off; (*uwagę, od nauki itp.*) divert, distract; (*siłą*) rend; ~ **wzrok** turn one's sight away (**od czegoś** from sth); ~ **się** *vr* tear oneself away (**od kogoś** from sb); (*o guziku itp.*) come off
**odrzec** *vi* reply
**odrzucać** *vt* reject; throw away; drive back; (*nie przyjmować*) decline
**odrzutowiec** *m* jet-plane, *pot.* jet
**odrzutowy** *adj* jet-propelled; **napęd** ~ jet propulsion
**odrzwia** *s pl arch.* door-frame
**odrzynać** *vt* cut off
**odsetek** *m* percentage
**odsetki** *s pl* interest; ~ **składane** compound interest
**odsiadywać** *vt* sit out; ~ **karę w więzieniu** serve a sentence
**odsiecz** *f* relief, rescue; **przybyć na** ~ come to the rescue (**miastu** of the town), relieve (**miastu** the town)
**odsiew** *m* throw-out
**odskocznia** *f* spring-board, jumping-off ground
**odskoczyć** *vi* jump off, bounce
**odskok** *m* bounce
**odsłona** *f teatr* scene
**odsłonić** *vt* put aside, set apart
**odstąpić** *vi* step ⟨draw⟩ off; desist (**od czegoś** from sth); depart (**od zasady** from a rule); (*odpaść*) secede; *vt* (*kogoś*) leave, (*coś*) cede; ~ **komuś miejsca** resign one's place to sb
**odstęp** *m* interval, margin, distance; (*w druku*) space; **w pewnych** ~**ach** at intervals; **w krótkich** ~**ach** at short intervals
**odstępca** *m* apostate
**odstępne** *n* compensation
**odstępstwo** *n* apostasy; (*odstąpienie, odchylenie*) departure
**odstraszyć** *vt* deter (**od czegoś** from sth), frighten away
**odstręczyć** *vt* estrange, alienate; (*odwieść, odradzić*) dissuade
**odsunąć** *vt* shove ⟨put⟩ away, draw aside
**odsyłacz** *m* mark of reference
**odsyłać** *vt* send (back), convey
**odsypać** *vt* pour off
**odszkodowani|e** *n* indemnity, compensation, damages *pl*; ~**a wojenne** reparations; **dać** ~**e** indemnify (**komuś za coś** sb for sth)
**odszukać** *vt* find out
**odśrodkowy** *adj* centrifugal

**odświeżyć** *vt* refresh, renew; ~ **się** *vr* refresh oneself
**odświętny** *adj zob.* **świąteczny; w ~m stroju** in one's Sunday best
**odtąd** *adv* from now on, from then on, ever since
**odtrącać** *vt* knock off, push away; (*odstręczać*) repel; (*nie przyjmować*) repudiate
**odtrutka** *f* antidote, counterpoison
**odtwarzać** *vt* reproduce, reconstruct, perform
**odtwórca** *m* reproducer, performer, (*zw. muzyczny*) executant
**oduczać** *vt* unteach; (*odzwyczajać*) disaccustom (**kogoś od czegoś** sb to do sth); ~ **się** *vr* unlearn; (*odzwyczajać się*) get out of the habit (**od czegoś** of sth)
**odurzać** *vt* dizzy, stupefy, intoxicate
**odurzenie** *n* stupor, stupefaction, intoxication
**odwach** *m* guardhouse
**odwadniać** *vt* drain; *chem. med.* dehydrate
**odwag|a** *f* courage; **dodać ~i** encourage (**komuś** sb); **nabrać ~i** pluck up heart
**odwalić** *vt* roll away, remove; *pot.* (*pozbyć się*) get over (**coś** with sth)
**odwar** *m* decoction
**odważnik** *m* weight
**odważny** *adj* courageous, brave
**odważyć** *vt* (*odmierzyć*) weigh out; ~ **się** *vr* (*ośmielić się*) dare, venture
**odwdzięczyć się** *vr* repay (np. **za przysługę** the service), show oneself grateful
**odwet** *m* retaliation, reprisal, revenge; **w ~ za coś** in revenge ⟨reprisal⟩ for sth
**odwetowy** *adj* retaliatory
**odwiązać** *vt* untie, unbind, detach; ~ **się** *vr* come loose, get detached
**odwieczny** *adj* eternal
**odwiedzać** *vt* call (**kogoś** on sb), visit, come to see; (*uczęszczać*) frequent (**jakieś miejsce** a place)
**odwiedziny** *s pl* call, visit; **przyjść w ~** make a call (**do kogoś** on sb)
**odwijać** *vt* unroll, unwrap, unwind
**odwilż** *f* thaw; **jest ~** it thaws
**odwlekać** *vt* put off, delay
**odwodnić** *zob.* **odwadniać**
**odwodnienie** *n* drainage; *chem. med.* dehydration
**odwodzić** *vt* divert, draw off; (*odradzać*) dissuade (**od czegoś** from sth); ~ **kurek u karabinu** cock the gun
**odwołać** *vt* recall, repeal; (*cofnąć*) withdraw, retract; (*zamówienie*) countermand; ~ **się** *vr* appeal
**odwołani|e** *n* repeal, recall; withdrawal; retractation; ~ **się** appeal; **aż do ~a** until further notice
**odwód** *m wojsk.* reserve
**odwracać** *vt* turn back, reserve; (*niebezpieczeństwo*) avert; (*uwagę*) divert; ~ **się** *vr* turn round
**odwracalny** *adj* reversible
**odwrotność** *f* reverse; *mat.* reciprocal
**odwrotn|y** *adj* inverse, inverted, contrary, reverse; **~a strona** back, reverse
**odwrót** *m* retreat; (*odwrotna strona*) back, reverse; **na ~** on the contrary, inversely
**odwykać** *zob.* **odzwyczajać się**
**odwzajemniać się** *vr* requite, repay (**komuś za usługę** sb's service), reciprocate (**komuś przyjaźnią** sb's friendship)
**odyniec** *m* boar
**odzew** *m* echo; *przen.* (*reakcja*) response; *wojsk.* countersign
**odziedziczyć** *vt* inherit
**odzienie** *n* clothing, clothes *pl*
**odzież** *f* clothes *pl*, dress, garments *pl*
**odzieżowy** *adj* clothing *attr*; **przemysł ~** clothing trade
**odznaczenie** *n* distinction; (*o egzaminie*) **z ~m** with honours
**odznaczyć** *vt* distinguish; (*orde-*

*rem*) decorate; ~ **się** *vr* distinguish oneself
**odznaka** *f* badge
**odzwierciedlać** *vt* reflect, mirror
**odzwierciedlenie** *n* reflex, mirror, image
**odzwyczajać** *vt* disaccustom (**kogoś czegoś** sb to sth); ~ **się** *vr* get out of the habit (**od czegoś** of sth, of doing sth)
**odzyskać** *vt* regain, recover, retrieve; ~ **przytomność** recover one's senses
**odzywać się** *vr* make oneself heard, reply; (*przemówić*) address (**do kogoś** sb); **nie odezwałem się ani słowem** I did not so much as utter one word
**odźwierny** *m* porter, doorkeeper
**odżałować** *vt* put up (**coś** with the loss of sth)
**odżyć** *vi* revive, come to life again
**odżywczy** *adj* nutritive, nutritious
**odżywiać** *vt* nourish, feed; ~ **się** *vr* nourish oneself, feed
**odżywianie** *n* nutrition
**ofensyw|a** *f* offensive; **w ~ie** on the offensive
**ofensywny** *adj* offensive
**oferować** *vt* offer
**oferta** *f* offer, tender
**ofiar|a** *f* offering; (*datek*) contribution, charity; (*osoba ulegająca przemocy*) victim; (*poświęcenie*) sacrifice; **paść ~ą** fall a victim (**czegoś** to sth)
**ofiarność** *f* generosity, liberality; (*poświęcenie*) self-sacrifice
**ofiarny** *adj* sacrificial; (*gotowy do ofiar*) generous, liberal; (*pełen poświęcenia*) self-sacrificing
**ofiarodawca** *m* donor
**ofiarować** *vt* offer; ~ **usługi** render services
**oficer** *m* officer
**oficjalny** *adj* official
**oficyna** *f* back-premises *pl*, outhouse
**ofuknąć** *vt pot.* snub, rebuke
**ogar** *m* hound
**ogarek** *m* candle-end
**ogarniać** *vt* embrace; (*przeniknąć*) pervade; (*o strachu*) seize
**ogień** *m* fire; (*płomień*) flame; (*światło, płonący przedmiot*) light; **sztuczne ognie** fire-works; **dać ognia** (*do papierosa*) give a light; **otworzyć** ~ open fire; **podłożyć** ~ set fire (**pod coś** to sth); **zaprzestać ognia** cease fire
**ogier** *m* stallion
**oglądać** *vt* look (**kogoś, coś** at sb, sth), see; inspect; ~ **się** *vr* look back ⟨round⟩
**oględność** *f* circumspection
**oględny** *adj* cautious, circumspect
**oględziny** *s pl* examination, inspection; ~ **zwłok** post-mortem examination
**ogłada** *f* good manners *pl*, polish
**ogładzać** *vt* polish, refine
**ogłaszać** *vt* publish, make known; announce; (*w gazecie*) advertise
**ogłoszenie** *n* announcement; (*w gazecie*) advertisement
**ogłuchnąć** *vi* become deaf
**ogłupiały** *adj* stupefied
**ogłupieć** *vi* become stupid
**ogłuszyć** *vt* deafen, stun
**ognik** *m*, **błędny** ~ will-o'-the-wisp
**ogniotrwał|y** *adj* fireproof; **kasa ~a** safe
**ogniow|y** *adj* fire *attr*; **straż ~a** fire-brigade; *przen.* **próba ~a** ordeal
**ognisko** *n* fire, hearth; (*impreza pod gołym niebem*) bonfire; (*punkt centralny*) centre, focus; *fiz.* focus; ~ **domowe** hearth, home; ~ **kowalskie** forge; ~ **obozowe** camp-fire
**ogniskować** *vt* focus; ~ **się** *vr* centre, be focused
**ognisty** *adj* fiery, ardent
**ogniwo** *n* link; *elektr.* element
**ogolić** *vt* shave; ~ **się** *vr* shave, have a shave
**ogołocić** *vt* lay bare, denude (**z czegoś** of sth); (*pozbawić*) deprive (**z czegoś of sth**)
**ogon** *m* tail; (*u sukni*) train
**ogon|ek** *m* tail; (*kolejka*) queue; **stać w ~ku** queue up

**ogorzały** *adj* sunburnt
**ogólnik** *m* generality
**ogólnikowy** *adj* general, vague
**ogólny** *adj* general, universal
**ogół** *m* generality, totality, the whole; **~em, na ~** on the whole, in general; **w ogóle** generally, in general
**ogórek** *m* cucumber
**ogórkowy** *adj* cucumber *attr*; *przen.* **sezon ~** silly season
**ograbić** *vt* rob (**kogoś z czegoś** sb of sth)
**ograniczenie** *n* restraint, limitation, restriction
**ograniczony** *adj* limited, restricted; **~ umysłowo** narrow-minded
**ograniczyć** *vt* limit, confine, restrain, restrict
**ogrodnictwo** *n* gardening
**ogrodnik** *m* gardener
**ogrodzenie** *n* fence, enclosure
**ogrodzić** *vt* fence in, enclose
**ogrom** *m* immensity
**ogromny** *adj* immense, huge
**ogród** *m* garden; **~ warzywny** kitchen-garden
**ogródek** *m* little garden; **~ dziecięcy** kindergarten
**ogryzać** *vt* gnaw away
**ogryzek** *m* fag-end, (*owocu*) core
**ogrzewacz** *m* heater
**ogrzewać** *vt* heat, warm
**ogrzewanie** *n* heating; **centralne ~** central heating
**ohyda** *f* abomination
**ohydny** *adj* abominable
**o ile** *conj* as far as
**ojciec** *m* father; **~ chrzestny** godfather
**ojcostwo** *n* fatherhood, paternity
**ojcowizna** *f* patrimony
**ojcowski** *adj* fatherly, paternal, father's
**ojczym** *m* step-father
**ojczysty** *adj* paternal; (*np. kraj, miasto*) native; **język ~** mother tongue
**okalać** *vt* surround, encircle
**okaleczenie** *n* mutilation
**okaleczyć** *vt* mutilate, maim
**okamgnieni|e** *n*, **w ~u** in the twinkling of an eye
**okap** *m* eaves *pl*
**okaz** *m* specimen
**okazały** *adj* showy, magnificent, stately
**okazanie** *n* showing, demonstration; **za ~m** on presentation; *handl.* **płatny za ~m** payable at sight
**okaziciel** *m* holder; *handl.* (*czeku*) bearer
**okazj|a** *f* occasion; (*sposobność*) opportunity; (*okazyjne kupno*) bargain; **z ~i czegoś** on the occasion of sth; **przy tej ~i** on that occasion
**okazowy** *adj* model, specimen *attr*
**okazyjnie** *adv* occasionally, on occasion
**okazyjn|y** *adj* occasional; **~e kupno** bargain
**okazywać** *vt* show; **~ się** *vr* appear; turn out, prove; **on okazał się oszustem** he turned out ⟨proved⟩ to be an impostor
**okiełznać** *vt* bridle
**okienko** *n* window; (*przerwa między zajęciami*) break; (*biletowe*) booking-office window
**okiennica** *f* shutter
**oklaski** *s pl* applause
**oklaskiwać** *vt* applaud
**okleić** *vt* paste over
**oklepany** *adj* well-worn, trite
**okład** *m* cover, coating; (*leczniczy*) compress; z **~em** and more than that; **50 lat z ~em 50** odd years
**okładać** *vt* cover, overlay; (*bić*) thrash
**okładka** *f* cover
**okłamywać** *vt* lie (**kogoś** to sb)
**okno** *n* window; **~ wystawowe** show-window
**oko** *n* eye; (*w sieci*) mesh; (*gra w karty*) pontoon, twenty-one; **mieć na oku** have in view; **mieć otwarte oczy** be alive (**na coś** to sth); **patrzeć komuś w oczy** look sb in the face; **stracić z oczu** lose sight (**kogoś, coś** of

sb, sth); **zejdź mi z oczu** get out of my sight; **na czyichś oczach** in the eyes of sb; **na pierwszy rzut oka** at first sight; **w cztery oczy** face to face
**okolica** *f* environs *pl*, neighbourhood
**okolicznik** *m gram.* adverbial
**okolicznościowy** *adj* occasional
**okolicznoś|ć** *f* circumstance; **zbieg ~ci** coincidence; **w tych ~ciach** under such circumstances
**okoliczny** *adj* adjacent, neighbouring
**około** *praep* about, near
**okop** *m* trench, entrenchment
**okopać** *vt* dig up; entrench; (*jarzyny*) hoe; **~ się** *vr* entrench oneself
**okopcić** *vt* smoke, blacken with soot
**okostna** *f anat.* periosteum
**okowy** *s pl* fetters; chains
**okólnik** *m* circular
**okólny** *adj* circular, circuitous
**okpić** *vt* cheat, *pot.* bamboozle
**okradać** *vt* steal (**kogoś z czegoś** sth from sb), rob (**kogoś z czegoś** sb of sth)
**okrakiem** *adv* astraddle
**okrasa** *f* fat, grease; (*ozdoba*) ornament
**okrasić** *vt* season with grease; (*ozdobić*) adorn
**okratować** *vt* rail ⟨wire⟩ in, grate
**okratowanie** *n* grating
**okrąg** *m* circuit, circumference, circle; (*obszar*) district
**okrągły** *adj* round
**okrążać** *vt* surround, encircle
**okrążenie** *n* encirclement
**okres** *m* period; (*szkolny, kadencja*) term; *mat.* (*ułamka*) recurring decimals *pl*
**okresowy** *adj* periodical
**określać** *vt* define, determine
**określenie** *n* definition, designation
**określony** *adj* definite
**okręcać** *vt* wind round
**okręg** *zob.* **okrąg**
**okręgowy** *adj* district *attr*
**okręt** *m* ship, vessel, boat; **~ bojowy** ⟨**liniowy**⟩ battleship; **~ handlowy** merchantman; **~ parowy** steamship; **~ wojenny** warship, man-of-war; **wsiąść na ~** go on board, embark; **wziąć towar na ~** take goods on board, embark goods; **~em** by ship; *zob.* **statek**
**okrętow|y** *adj* naval, **ship** *attr*, ship's *attr*; **agent ~y** shipping agent; **budownictwo ~e** naval constructions; **dziennik ~y** log-book; **lekarz ~y** naval surgeon, ship's doctor; **papiery ~e** ship's papers; **warsztaty ~e** dockyard; **załoga ~a** crew
**okrężn|y** *adj* circular; roundabout *attr*; **iść drogą ~ą** go a roundabout way
**okroić** *vt* cut around; (*płacę, wydatki*) cut down
**okropność** *f* horror
**okropny** *adj* horrible, terrible, awful
**okruch** *m* crumb, fragment, bit
**okrucieństwo** *n* cruelty
**okruszyna** *f* crumb
**okrutnik** *m* cruel man
**okrutny** *adj* cruel
**okrycie** *n* covering; (*wierzchnie ubranie*) overcoat
**okrywać** *vt* cover
**okrzepnąć** *vi* recover, become vigorous
**okrzesać** *vt* (*ociosać*) rough-hew; (*ogładzić*) polish
**okrzyczany** *adj* famous; notorious, (ill-)reputed
**okrzyk** *m* outcry, shout; **~i uznania** applause; **~ wojenny** battle-cry
**okrzyknąć** *vt* acclaim (**wodzem** leader)
**oktawa** *f muz. lit.* octave
**okucie** *n* ironwork, metal fitting; (*konia*) shoeing
**okuć** *vt* cover with metal; (*konia*) shoe; **~ w kajdany** fetter, chain, put in chains
**okular** *m* eyeglass, eye-piece; *pl* **~y** spectacles, eyeglasses

**okularnik** *m zool.* cobra, spectacle snake
**okulista** *m* oculist
**okulistyka** *f* ophtalmology
**okultyzm** *m* occultism
**okup** *m* ransom
**okupacja** *f* occupation
**okupant** *m* occupant
**okupić** *vt* ransom; ~ **się** *vr* buy oneself off
**okupować** *vt* occupy
**olbrzym** *m* giant
**olbrzymi** *adj* gigantic, giant *attr*; **~a siła** giant strength
**olcha** *f bot.* alder(-tree)
**oleander** *m bot.* oleander
**oleisty** *adj* oily, oleaginous
**olej** *m* oil; ~ **lniany** linseed oil; ~ **lotniczy** aeroplane oil; ~ **skalny** rock oil
**oligarcha** *m* oligarch
**oligarchia** *f* oligarchy
**olimpijski** *adj* Olympic, Olympian
**oliwa** *f* olive-oil
**oliwić** *vt* oil
**oliwka** *f* olive(-tree)
**oliwn|y** *adj* olive *attr*; **gałązka ~a** olive-branch
**olszyna** *f* alder-forest
**olśniewać** *vt* dazzle
**ołów** *m* lead
**ołówek** *m* (lead-) pencil
**ołtarz** *m* altar
**omack|iem** *adv* gropingly; **iść po ~u** grope one's way
**omal** *adv* nearly
**omamić** *vt* delude, deceive
**omamienie** *n* delusion
**omasta** *f* grease
**omaścić** *vt* grease
**omawiać** *vt* discuss
**omdlały** *adj* faint(ed)
**omdlenie** *n* faint, swoon
**omen** *m* omen; **zły** ~ ill omen
**omieszka|ć** *vi* (*zw.* **nie ~ć**) fail; **nie ~m zawiadomić cię o tym** I shall not fail to let you know about it
**omijać** *vt* pass (**coś** by sth), evade, omit
**omlet** *m* omelette
**omłot** *m* thrashing; thrashed corn
**omłócić** *vt* thrash out
**omnibus** *m* omnibus, bus; (*specjalista od wszystkiego*) Jack of all trades
**omotać** *vt* entangle
**omówić** *zob.* omawiać
**omówienie** *n* discussion
**omylić** *vt* mislead; ~ **się** *vr* make a mistake, be mistaken (**co do czegoś** about sth)
**omylność** *f* fallibility
**omylny** *adj* fallible
**omyłk|a** *f* error, mistake; **~a drukarska** misprint; **przez ~ę** by mistake
**omyłkowy** *adj* erroneous
**on, ona, ono** *pron* he, she, it; *pl* **oni, one** they
**ondulacja** *f* (*włosów*) wave; **trwała** ~ permanent wave
**one** *zob.* **on**
**onegdaj** *adv* the other day
**ongiś** *adv* once, at one time
**oni** *zob.* **on**
**oniemiały** *adj* dumb, stupefied
**onieśmielać** *vt* intimidate, make feel uneasy
**ono** *zob.* **on**
**onuca** *f* foot-clout
**opactwo** *n* abbey; (*godność opata*) abbacy
**opaczny** *adj* wrong, perverse
**opad** *m* fall; **~y deszczowe** rainfall; **~y śnieżne** snowfall; *med.* ~ **krwi** blood sedimentation
**opadać** *vi* fall, sink, drop; (*o wodzie*) subside; ~ **z sił** break down
**opak, na** ~ *adv* contrariwise, awry
**opakować** *vt* pack up
**opakowanie** *n* packing; container
**opal** *m miner.* opal
**opalać** *vt* scorch; (*ogrzewać*) heat; ~ **się** *vr* (*na słońcu*) sunburn, become sunburnt
**opalanie** *n* (*ogrzewanie*) heating; ~ **się** sun-bathing, sun-burning
**opalenizna** *f* sunburn
**opalony** *pp i adj* scorched; (*na słońcu*) sunburnt

**opał** *m* fuel
**opamiętać się** *vr* come to one's senses, collect oneself
**opancerzyć** *vt* armour
**opanować** *vt* master, subdue, control
**opanowanie** *n* mastery, control; (*np. języka*) command; **~ się** self-control
**opanowany** *adj* (*panujący nad sobą*) self-possessed
**opar** *m* vapour; *pl* **~y** fumes
**oparci|e** *n* support; **punkt ~a** footing, hold; (*u dźwigni*) fulcrum
**oparzelina** *f* scald
**oparzyć** *vt* burn, scorch
**opasać** *vt* gird; encircle
**opaska** *f* band
**opasły** *adj* obese
**opatentować** *vt* take out a patent (**coś** for sth), patent
**opatrunek** *m* dressing
**opatrunkowy** *adj* dressing *attr*; **punkt ~** dressing-station
**opatrywać** *vt* provide (**w coś** with sth); (*ranę*) dress
**opatrznościowy** *adj* providential
**opatrzność** *f* providence
**opera** *f* opera
**operacj|a** *f* operation; **poddać się ~i** undergo an operation
**operator** *m* operator; (*chirurg*) operating surgeon; **~ filmowy** film camera man, projectionist
**operatywny** *adj* operative
**operetka** *f* operetta
**operować** *vt* operate (**kogoś** on, upon sb)
**opędzać** *vt* drive away ⟨back⟩; **~ potrzeby** supply one's needs; **~ wydatki** defray the expenses; **~ się** *vr* try to get rid (**przed kimś, czymś** of sb, sth)
**opęta|ć** *vt* ensnare; possess; **co cię ~ło?** what possesses you?; **być ~nym myślą** be possessed with an idea; **być ~nym przez diabła** be possessed by the devil
**opętanie** *n* possession
**opieka** *f* protection, custody; (*kuratela*) tutelage, guardianship; **~ społeczna** social welfare
**opiekować się** *vr* protect, guard (**kimś** sb; have the custody (**kimś** of sb); take care (**kimś, czymś** of sb); **~ się chorym** nurse a patient
**opiekun** *m* guardian, protector
**opiekuńczy** *adj* tutelary
**opierać** *vt* lean, rest; (*uzasadniać*) found, base; **~ się** *vr* lean (**o coś** on ⟨upon, against⟩ sth); (*polegać*) rely, depend (**na kimś, czymś** on ⟨upon⟩ sb, sth); (*przeciwstawiać się*) resist (**komuś** sb); **ten zarzut na niczym nie jest oparty** this accusation is unfounded
**opieszałość** *f* sloth, sluggishness
**opieszały** *adj* sluggish
**opiewa|ć** *vt* praise (in song), chant; *vi* (*brzmieć, orzekać*) run, be worded, read; **rachunek ~ na 10 funtów** the bill amounts to £ 10; **umowa ~ na 2 lata** the contract runs for 2 years; **ustawa ~ następująco** the law reads as follows
**opięty** *adj* close-fitting
**opilstwo** *n* (habitual) drunkenness
**opiłki** *s pl* file-dust; (*trociny*) saw-dust
**opinia** *f* opinion
**opiniować** *vt vi* pronounce one's opinion (**coś, o czymś, o kimś** on sth, sb)
**opis** *m* description
**opisać** *vt* describe; *mat.* circumscribe
**opisowy** *adj* descriptive
**opium** *n nieodm.* opium
**oplatać** *vt* wreathe, entwine; (*np. butelkę*) cover with basket-work
**oplątać** *vt* entangle
**opluć** *vt* bespit
**opłacać** *vt* pay (**coś** for sth); **~ z góry** prepay; **~ się** *vr* pay
**opłacony** *pp i adj* (*o liście, przesyłce*) post-paid; **z góry ~** prepaid

**opłakany** *adj* deplorable, lamentable
**opłakiwać** *vt* deplore, lament
**opłata** *f* charge; (*urzędowa*) duty; (*składka członkowska itp.*) fee; (*za przejazd*) fare; **jaka jest ~ za przejazd?** what is the fare?
**opłatek** *f* wafer
**opłotek** *m* (wicket-)fence, hurdle
**opłucna** *f anat.* pleura
**opływać** *vt* swim ⟨sail⟩ round, flow round; *vi* (*mieć pod dostatkiem*) abound (**w coś** in ⟨with⟩ sth)
**opływow|y** *adj*, **linia ~a** streamline
**opodal** *adv* at some distance, near by
**opodatkować** *vt* tax, (*w samorządzie*) rate
**opodatkowanie** *n* taxation, (*lokalne*) rating
**opoka** *f* rock
**opon|a** *f* (*u koła*) tyre; *anat.* **~y mózgowe** meninges
**oponent** *m* opponent
**oponować** *vi* oppose (**przeciwko czemuś** sth), object (**przeciwko czemuś** to sth)
**opornie** *adv* with difficulty
**oporny** *adj* refractory
**oportunista** *m* opportunist; time-server
**oportunizm** *m* opportunism
**opowiadać** *vt vi* tell, relate; **~ się** *vr* declare (**za kimś, czymś** for sb, sth)
**opowiadanie** *n* narrative, tale, story
**opowieść** *f* tale, story
**opozycja** *f* opposition
**opozycyjny** *adj* opposing
**opój** *m* drunkard
**opór** *m* resistance; **ruch oporu** resistance movement; **iść po linii najmniejszego oporu** take the line of least resistance; **stawiać ~** offer resistance, resist
**opóźnia|ć** *vt* retard, delay; **~ć się** *vr* be late, be slow; lag behind
**opóźnienie** *n* delay, retardation
**opóźniony** *pp i adj* retarded; **~ w rozwoju** backward; (*gospodarczo*) under-developed
**opracować** *vt* work out, elaborate
**opracowanie** *n* elaboration; (*szkolne*) paper
**oprawa** *f* frame; (*okładka książki*) binding; (*oprawianie*) mount
**oprawca** *m* hangman
**oprawiać** *vt* (*książkę*) bind; (*obraz w ramy*) frame; (*dawać oprawę*) mount
**oprawka** *f* collet; **~ żarówki** lamp-socket
**opresja** *f* oppression
**oprocentować** *vt bank. fin.* pay interest
**oprocentowanie** *n bank. fin.* interest
**oprowadzać** *vt* guide ⟨show⟩ round
**oprócz** *praep* except, save; **~ tego** besides
**opróżniać** *vt* empty; (*mieszkanie*) quit, leave; (*miasto, obóz*) evacuate; (*posadę, tron*) vacate
**opryskać** *vt* splash; **~ drzewa ⟨rośliny⟩** spray trees ⟨plants⟩
**opryskliwość** *f* brusqueness, abruptness
**opryskliwy** *adj* brusque, abrupt
**opryszek** *m* brigand
**oprzeć** *zob.* **opierać**
**oprzęd** *m* cocoon
**oprzytomnieć** *vi* become conscious; recover (oneself)
**optyczny** *adj* optical
**optyk** *m* optician
**optyka** *f* optics
**optymalny** *adj* best; optimum *attr*
**optymista** *f* optimist
**optymizm** *m* optimism
**opuchlina** *f* swelling
**opuchły** *adj* swollen
**opuchnąć** *vi* swell
**opukiwać** *vt* sound; *med.* percuss
**opustoszały** *adj* deserted, desolate
**opustoszyć** *vt* desolate, lay waste
**opuszczać** *vt* (*pozostawiać*) leave; abandon; (*np. wyraz w zdaniu*) omit, leave out; (*lekcję, wykład*)

miss; (*kurtynę, głowę itp.*) lower, drop; (*cenę*) abate; ~ **się** *vr* go down, let oneself down; (*zaniedbywać się*) grow remiss, become negligent
**opuszczenie** *n* omission; (*pozostawienie*) abandonment
**oracz** *m* ploughman
**orać** *vt* plough, till
**orangutan** *m zool.* orang-outang
**oranżada** *f* orangeade
**oranżeria** *f* hothouse, orangery
**oraz** *conj* and, as well as
**orbita** *f* orbit
**order** *m* order; decoration
**ordynacja** *f* regulation; system; (*majątek*) fee-tail
**ordynans** *m* orderly
**ordynarny** *adj* vulgar
**ordynator** *m* (*lekarz*) head of a ward
**orędownik** *m* intercessor
**orędzie** *n* proclamation, message
**oręż** *m* weapon, arms
**orężny** *adj* armed
**organ** *m* organ; **~y sądowe** magistrates, magistracy; **~y władzy** administrative board, police authorities, powers
**organiczny** *adj* organic
**organista** *m* organist
**organizacja** *f* organization
**organizator** *m* organizer
**organizm** *m* organism
**organizować** *vt* organize
**organki** *pl* mouth organ, harmonica
**organy** *s pl muz.* organ
**orgia** *f* orgy
**orientacja** *f* orientation
**orientalny** *adj* oriental
**orientować** *vt* orient, orientate; ~ **się** *vr* orient oneself; find one's way
**orka** *f* tillage, ploughing; *przen.* (*ciężka praca*) drudgery
**orkiestra** *f* orchestra, band
**orlę** *n* eaglet
**orli** *adj* (*o nosie*) aquiline; (*o wzroku*) eagle *attr*, eagle's *attr*
**ornament** *m* ornament
**ornamentacja** *f* ornamentation
**orny** *adj* arable
**orszak** *m* train; (*świta*) retinue; (*pogrzebowy itp.*) procession
**ortodoksja** *f* orthodoxy
**ortodoksyjny** *adj* orthodox
**ortografia** *f* orthography, right spelling
**ortograficzny** *adj* orthographical
**ortopedia** *f* orthopaedy
**oryginalność** *f* originality
**oryginalny** *adj* original, authentic; (*dziwaczny*) eccentric
**oryginał** *m* original; (*dziwak*) eccentric
**orzech** *m* nut; ~ **kokosowy** coconut
**orzeczenie** *n* pronouncement, statement; *gram.* predicate
**orzecznik** *m gram.* predicate
**orzekać** *vt vi* pronounce, state
**orzeł** *m zool.* eagle
**orzeźwiać** *vt* refresh
**osa** *f zool.* wasp
**osaczyć** *vt* drive to bay, beset
**osad** *m* sediment
**osada** *f* settlement
**osadnictwo** *n* colonization
**osadnik** *m* settler
**osadzać** *vt* settle; set, put; (*powodować osad*) deposit; ~ **się** *vr* settle; be deposited; *chem.* precipitate
**osamotnienie** *n* isolation, estrangement
**osąd** *m* judgment
**osądzić** *vt* judge; (*skazać*) sentence, condemn (**na coś** to sth)
**oschły** *adj* arid, dry
**osełka** *f* whetstone; (*masła*) piece
**oset** *m* thistle
**osiadać** *zob.* **osiąść**
**osiadły** *adj* settled; (*zamieszkały*) resident
**osiągnąć** *vt* reach, attain, obtain, aquire, achieve
**osiągnięcie** *n* attainment, achievement
**osiąść** *vi* settle; (*opaść*) sink, subside; (*o ptakach*) alight
**osiedlać** *vt* settle; ~ **się** *vr* settle, establish oneself

**osiedle** *n* settlement; ~ **mieszkaniowe** housing estate; residential district
**osiedleniec** *m* settler
**osiem** *num* eight
**osiemdziesiąt** *num* eighty
**osiemdziesiąty** *num* eightieth
**osiemnasty** *num* eighteenth
**osiemnaście** *num* eighteen
**osiemset** *num* eight hundred
**osierocić** *vt* orphan
**osiodłać** *vt* saddle
**osioł** *m* ass, donkey
**oskarżać** *vt* accuse (**o coś** of sth), charge (**o coś** with sth)
**oskarżenie** *n* accusation, charge; **wystąpić z ~m** bring an accusation (**przeciw komuś** against sb)
**oskarżony** *m* the accused
**oskarżyciel** *m* accuser; ~ **publiczny** public prosecutor
**oskrzel|e** *n anat.* bronchus; *pl* **~a** bronchi; *med.* **zapalenie ~i** bronchitis
**oskrzydlać** *vt wojsk.* outflank
**osłabiać** *vt* weaken, enfeeble
**osłabienie** *n* weakness
**osłaniać** *vt* cover, protect, shelter
**osławiony** *adj* ill-reputed, notorious (**z powodu czegoś** for sth)
**osłoda** *f* solace, consolation
**osłodzić** *vt* sweeten
**osłona** *f* cover, shelter, protection
**osłupiały** *adj* stupefied
**osłupieć** *vi* become stupefied
**osłupienie** *n* stupor; **wprawić w ~** stupefy
**osmalić** *vt* singe
**osmarować** *vt* besmear; *przen.* (*oczernić*) libel
**osnowa** *f* (*tkacka*) warp; (*treść*) tenor, contents *pl*
**osoba** *f* person; (*osobistość*) personage
**osobistość** *f* personality, personage
**osobisty** *adj* personal; **dowód ~** identity card
**osobiście** *adv* personally, in person
**osobliwość** *f* singularity, particularity; curiosity
**osobliwy** *adj* singular, particular, strange
**osobnik** *m* individual
**osobny** *adj* separate, isolated
**osobowość** *f* personality, individuality
**osobowy** *adj* personal; **pociąg ~** passenger-train
**osowiały** *adj* depressed; **być ~m** mope
**ospa** *f med.* smallpox; ~ **wietrzna** chicken pox
**ospały** *adj* drowsy, sluggish
**ospowaty** *adj* pockmarked
**ostatecznoś|ć** *f* finality; (*krańcowość*) extremity, extreme; **w ~ci** in the end, ultimately; **wpadać w ~ć** go to extremes
**ostateczny** *adj* final, ultimate
**ostatek** *m* remainder, rest; **na ~** finally, at last
**ostatni** *adj* last; (*najświeższy, niedawno miniony*) latest, recent; **~a moda** latest fashion; **~a wola** last will; **~e wiadomości** latest news
**ostatnio** *adv* lately, recently
**ostemplować** *zob.* **stemplować**
**ostentacja** *f* ostentation
**ostoja** *f* mainstay
**ostroga** *f* spur
**ostrokrzew** *m bot.* holly
**ostrosłup** *m mat.* pyramid
**ostrożność** *f* caution, prudence
**ostrożny** *adj* cautious, careful
**ostr|y** *adj* sharp; (*o bólu, kącie itp.*) acute; (*spiczasty*) pointed; (*o zimie itp. — przenikliwy*) keen; **~e pogotowie** instant readiness; **~e strzelanie** ball-firing; *przen.* **~y język** bitter tongue
**ostryga** *f* oyster
**ostrze** *n* blade; (*ostry brzeg*) edge
**ostrzegać** *vt* warn (**kogoś przed kimś, czymś** sb against ⟨of⟩ sb, sth)
**ostrzeżenie** *n* warning (**przed kimś, czymś** of sb, sth)
**ostrzyc** *vt zob.* **strzyc; muszę dać**

**sobie ~ włosy** I must have a haircut
**ostrzyć** *vt* sharpen, whet, (*na pasku*) strop
**osunąć się** *vr* sink
**oswobodzenie** *n* liberation
**oswobodziciel** *m* liberator
**oswobodzić** *vt* liberate, free (**od kogoś, czegoś** from sb, sth)
**oswoić** *vt* tame, domesticate; (*przyzwyczajać*) accustom (**z czymś** to sth); **~ się** *vr* become domesticated; become familiar (**z czymś** with sth), become accustomed (**z czymś** to sth)
**oswojony** *adj* tame; (*przyzwyczajony*) accustomed (**z czymś** to sth), familiar (**z czymś** with sth)
**oszczep** *m* spear; *sport.* javelin
**oszczerca** *m* calumniator, slanderer
**oszczerczy** *adj* slanderous, calumnious
**oszczerstw|o** *n* calumny, slander; **rzucać ~a** slander (**na kogoś** sb)
**oszczędnościow|y** *adj* economical; **akcja ~a** economy drive
**oszczędnoś|ć** *f* thrift, parsimony, economy; *pl* **~ci** savings; **kasa ~ci** savings bank; **robić ~ci** economize, practise economy
**oszczędny** *adj* frugal, economical (**w czymś, pod względem czegoś** of sth), thrifty
**oszczędz|ać, oszczędz|ić** *vt* save, spare, economize; **~ć pieniędzy ⟨wydatków, czasu, trudu⟩** save money ⟨expenses, time, trouble⟩; **~ić komuś nieprzyjemności** spare sb an unpleasantness
**oszołomić** *vt* stun, stupefy, benumb; (*np. alkoholem*) intoxicate
**oszołomienie** *n* stupor, stupefaction; (*np. alkoholowe*) intoxication
**oszukać** *vt* cheat, swindle
**oszukańczy** *adj* fraudulent
**oszust** *m* swindler, impostor
**oszustwo** *n* swindle, fraud
**oś** *f* (*koła*) axle; *mat. astr. przen.* axis
**ościenny** *adj* adjacent
**oścież, na ~** *adv*, **otwarty na ~** wide open; **otworzyć na ~** fling open
**ość** *f* (fish-)bone
**oślep, na ~** *adv* blindly, at random
**oślepiać** *vt* blind; (*o słońcu, świetle*) dazzle
**oślepnąć** *vi* become blind
**ośmielać** *vt* embolden, encourage; **~ się** *vr* venture, dare, make bold
**ośmieszać** *vt* ridicule; **~ się** *vr* make oneself ridiculous
**ośnieżyć** *vt* snow over, cover with snow
**ośrodek** *m* centre
**oświadczać** *vt vi* declare; **~ się** *vr* declare (**za kimś** for sb); propose (**kobiecie** to a woman)
**oświadczenie** *n* declaration
**oświadczyny** *s pl* proposal, declaration of love
**oświat|a** *f* education, civilization; **minister ~y** Minister of Education
**oświatowy** *adj* educational
**oświecać** *vt* (*oświetlać*) light; (*kształcić*) enlighten
**oświecenie** *n* enlightenment; **Oświecenie** (*epoka*) Enlightenment
**oświetlenie** *n* lighting, illumination
**oświetlić** *vt* light up
**otaczać** *vt* surround; *wojsk.* (*okrążać*) envelop
**otchłań** *f* abyss
**oto** *part i int* here, there, behold!; **~ on** here he is; **~ jestem** here I am
**otoczenie** *n* surroundings *pl*, environment
**otoczyć** *zob.* **otaczać**
**otok** *m* circumference; **~ czapki** cap band
**otomana** *f* ottoman, couch
**otóż** *adv i part* now; **~ słuchaj!** now listen!

**otręby** *s pl* bran *zbior.*
**otrucie** *n* poisoning
**otruć** *vt* poison
**otrzaskać się** *vr* become at home (**z czymś** with, in sth)
**otrząsnąć** *vt* shake down; ~ **się** *vr* shake oneself free (**z czegoś** from sth)
**otrzewna** *f anat.* peritoneum
**otrzeźwić** *vi* sober down, become sober
**otrzymać** *vt* get, receive, obtain
**otuch|a** *f* courage; **dodać** ~**y** encourage, hearten up (**komuś** sb); **nabrać** ~**y** take heart
**otulić** *vt,* ~ **się** *vr* wrap up
**otwarcie** *adv* frankly, openly, outright
**otwartość** *f* openness, frankness
**otwarty** *adj* open; (*szczery*) frank, plain
**otwierać** *vt,* ~ **się** *vr* open
**otw|ór** *m* opening, aperture; (*wylot*) orifice; (*podłużny*) slot; **stać** ~**orem** lie open
**otyłość** *f* obesity
**otyły** *adj* fat, obese
**owa** *zob.* **ów**
**owacja** *f* ovation
**owad** *m* insect
**owadobójczy** *adj* insecticide
**owal** *m* oval
**owalny** *adj* oval
**owca** *f* sheep
**owczarek** *m zool.* sheep-dog
**owczarnia** *f* sheepfold
**owczarz** *m* shepherd
**owdowiały** *adj* widowed
**owdowieć** *vi* become a widow ⟨a widower⟩
**owieczka** *f* lamb
**owies** *m* oat(s)
**owijać** *vt* wrap up; (*okręcać*) wind; ~ **się** *vr* wrap up ⟨oneself⟩; (*okręcać się*) wind round
**owładnąć** *vi* take possession (**czymś** of sth)
**owo** *zob.* **ów**
**owoc** *m* fruit; ~**e konserwowe** tinned ⟨*am.* canned⟩ fruit
**owocarnia** *f* fruitshop
**owocny** *adj* fruitful
**owocować** *vi* fruit, fructify
**owrzodzenie** *n med.* ulceration
**owrzodziały** *adj med.* ulcerous
**owrzodzieć** *vi* ulcerate, become ulcerous
**owsianka** *f* (*zupa*) porridge
**owszem** *adv* quite (so), certainly
**ozdabiać** *vt* adorn, decorate
**ozdoba** *f* adornment; decoration
**ozdobny** *adj* decorative, ornamental
**oziębić** *vt* chill, cool down; ~ **się** *vr* cool down, become cool
**oziębłość** *f* frigidity, coolness
**oziębły** *adj* frigid
**ozimina** *f* winter corn
**oznaczać** *vt* mark; (*znaczyć, wyrażać*) signify, mean
**oznajmiać** *vt* announce, make known
**oznajmienie** *n* announcement
**oznaka** *f* sign, token, mark, (*numer np. bagażowego*) badge
**ozór** *m* tongue
**ożenek** *m* marriage
**ożenić się** *vr* marry (**z kimś** sb), get married (**z kimś to sb**)
**ożyć** *vi* come to life, revive
**ożywczy** *vt* vivifying
**ożywiać** *vt* vivify, enliven, animate; ~ **się** *vr* become animated, brisk up
**ożywienie** *n* animation
**ożywiony** *adj* animated, brisk; (*żyjący*) animate

# Ó

**ósemka** *f* eight
**ósmy** *num* eighth
**ów, owa, owo** *pron* that
**ówczesny** *adj* then *attr*; **~ prezydent** the then president
**ówcześnie** *adv* at that time

# P

**pach|a** *f* arm-pit; **pod ~ą** under one's arm
**pachnący** *adj* fragrant
**pachnieć** *vi* smell, smell sweet (czymś of sth)
**pachołek** *m* fellow, groom, servant
**pachwina** *f* *anat.* groin
**pacierz** *m* prayer; **odmawiać ~** say one's prayer
**pacierzowy** *adj* *anat.* spinal; **rdzeń ~** spinal column
**paciorek** *m* bead
**pacjent** *m* patient
**pacyfikacja** *f* pacification
**pacyfikować** *vt* pacify
**pacyfista** *m* pacifist
**pacyfizm** *m* pacifism
**paczka** *f* packet, parcel
**paczyć** *vt*, **~ się** *vr* warp
**padaczka** *f* *med.* epilepsy
**pada|ć** *vi* fall; **deszcz ~** it rains; **śnieg ~** it snows; **~ć trupem** drop dead; **~ć na kolana** go down on one's knees; **~ć ofiarą czegoś** fall a victim ⟨a prey⟩ to sth; **padł strzał** a shot was fired; *zob.* **paść**
**padalec** *m* *zool.* slow-worm
**padlina** *f* carrion
**paginacja** *f* pagination
**pagórek** *m* hill
**pagórkowaty** *adj* hilly
**pajac** *m* harlequin
**pająk** *m* spider
**pajęczyna** *f* cobweb
**paka** *f* pack; (*skrzynia*) case
**pakiet** *m* packet
**pakować** *vt*, **~ się** *vr* pack (up)
**pakowani|e** *n* packing; **papier do ~a** wrapping-paper
**pakowny** *adj* capacious; roomy
**pakt** *m* pact
**paktować** *vi* negotiate
**pakuły** *s pl* oakum
**pakunek** *m* package, parcel, bundle
**pal** *m* pale, stake; **wbić na ~** impale
**palacz** *m* stoker; (*palący tytoń*) smoker
**palarnia** *f* smoking-room
**palący** *p praes i adj* burning; (*tytoń*) smoking; *s m* smoker; **przedział dla ~ch** smoking compartment
**palec** *m* finger; (*u nogi*) toe; **~ środkowy** middle finger; **~ wielki** thumb; **~ wskazujący** index; **stać na palcach** stand on tiptoe
**palenie** *n* burning; combustion; (*w piecu*) stoking; (*papierosów*) smoking
**palenisko** *n* hearth
**palestra** *f* bar
**paleta** *f* palette
**palić** *vt vi* burn; (*w piecu domowym*) make fire; (*w piecu fabrycznym, lokomotywie itp.*) stoke; (*papierosy itp.*) smoke; **~ się** *vr* burn, be on fire; *pot.* **~ się do czegoś** be keen on sth
**paliwo** *n* fuel
**palma** *f* palm(-tree)

**palnąć** *vi vt pot.* fire; shoot; (*uderzyć, grzmotnąć*) discharge a shot; strike; ~ **głupstwo** put one's foot in it; ~ **sobie w łeb** blow out one's brains
**palnik** *m* burner
**paln|y** *adj* combustible; **broń ~a** fire-arms
**palto** *n* overcoat
**pałac** *m* palace
**pałać** *vi* glow, be inflamed (**czymś** with sth); ~ **zemstą** breathe nothing but vengeance; ~ **żądzą władzy** burn with lust for power
**pałąk** *m* bow, arch
**pałąkowaty** *adj* bowlike, arched
**pałeczka** *f* wand, rod
**pałk|a** *f* stick, club, cudgel; (*policyjna*) truncheon; **bić ~ą** club, cudgel
**pamflet** *m* lampoon, squib
**pamiątk|a** *f* keepsake, souvenir; **na ~ę** in token of remembrance
**pamiątkowy** *adj* memorial, commemorative
**pamięciowy** *adj* memorial, of memory
**pamię|ć** *f* memory; **na ~ć** by heart; **świętej ~ci mój ojciec** my late father
**pamiętać** *vt* remember, keep in mind
**pamiętnik** *m* diary
**pamiętny** *adj* memorable; mindful (**czegoś** of sth)
**pan** *m* gentleman; (*np. domu*) master; (*feudalny*) lord; (*forma grzecznościowa*) you; (*przed nazwiskiem*) mister (*skr. Mr*), ~ **Kowalski** Mr Kowalski; ~ **młody** bridegroom
**pancernik** *m* armoured cruiser
**pancerny** *adj* armoured
**pancerz** *m* armour
**panegiryk** *m* panegyric
**pani** *f* lady; (*np. domu*) mistress; (*forma grzecznościowa*) madam; you; ~ **Kowalska** Mrs Kowalska
**paniczny** *adj* panic, *pot.* panicky
**panienka** *f* miss, maiden
**panieński** *adj* girlish, maiden(ly)
**panieństwo** *n* maidenhood
**panika** *f* panic, scare
**panna** *f* miss, maid; ~ **młoda** bride; **stara** ~ old maid
**panoszyć się** *vr* boss
**pan|ować** *vi* rule, reign (**nad czymś** over sth); command (**nad czymś** sth); **~ować nad sobą** be master of oneself, be self-possessed; **powszechnie ~ować** prevail; **~ować nad sytuacją** have the situation well in hand; **~uje piękna pogoda** the weather is lovely; **~uje epidemia tyfusu** there is an epidemic of typhus
**panowanie** *n* rule, reign, command; ~ **nad sobą** self-control
**pantalony** *s pl* pantaloons
**panteizm** *m filoz.* pantheism
**pantera** *f zool.* panther
**pantof|el** *m* shoe; **ranne ⟨nocne⟩ ~le** slippers; *przen.* **być pod ~lem** be henpecked
**pantomima** *f teatr* pantomime
**panujący** *p praes i adj* reigning, ruling; (*przeważający*) dominant, prevalent
**pański** *adj* lord's, gentleman's; (*w zwrotach grzecznościowych*) your, yours
**państw|o** *n* (*kraj*) state; (*małżeństwo*) Mr and Mrs; **proszę ~a!** ladies and gentlemen!; **~o młodzi** bridal pair
**państwow|y** *adj* state *attr*; public; **przemysł ~y** state-owned industry; **służba ~a** civil service
**pańszczyzna** *f hist.* serfdom; statute-labour
**pańszczyźniany** *adj*, **chłop** ~ serf
**papa 1.** *f* tar-board
**papa 2.** *m* (*ojciec*) papa, dad
**papier** *m* paper; **arkusz ~u** sheet of paper; ~ **kancelaryjny** foolscap; ~ **listowy** note-paper
**papierek** *m* slip
**papieros** *m* cigarette
**papierośnica** *f* cigarette-case
**papiestwo** *n* papacy

**papież** *m* pope
**papilot** *m* curl-paper
**papirus** *m* papyrus
**papka** *f* pulp, mash
**paplać** *vi* prattle
**paproć** *f bot.* fern
**papryka** *f* paprika, red pepper
**papuga** *f zool.* parrot
**par|a** 1. *f* pair, couple; **~a małżeńska** married couple; **do ~y** to match; **rękawiczka nie do ~y** odd glove; **~ę** a few; **za ~ę dni** in a few days; **~ę razy** once or twice
**para** 2. *f* (*wodna*) steam, vapour
**parabola** *f mat.* parabola
**parada** *f* parade
**paradoks** *m* paradox
**paradoksalny** *adj* paradoxical
**paradować** *vi* parade
**parafia** *f* parish
**parafialny** *m* parish *attr*, parochial
**parafianin** *m* parishioner
**parafina** *f* paraffin
**paragraf** *m* paragraph, section
**paralityczny** *adj* paralytic
**paraliż** *m med.* paralysis, palsy
**paraliżować** *vt* paralyse
**parapet** *m* parapet; (*okienny*) window-sill
**parasol** *m* umbrella
**parasolka** *f* umbrella; sunshade, parasol
**parawan** *m* screen
**parcela** *f* lot, parcel
**parcelować** *vt* parcel out
**parcie** *n* pressure, pression
**parias** *m* pariah
**park** *m* park
**parkan** *m* fence, hoarding
**parkiet** *m* parquet
**parking** *m* park, parking-place
**parkować** *vt* park
**parkowanie** *n* parking; **~ wzbronione** no parking
**parlament** *m* parliament
**parlamentarny** *adj* parliamentary
**parlamentariusz** *m* bearer of a white flag, negotiator
**parny** *adj* sultry, close
**parobek** *m* farm-hand
**parodia** *f* parody
**parodiować** *vt* parody
**parokrotny** *adj* repeated
**paroksyzm** *m* paroxysm; attack
**parować** *vi* vaporize, evaporate
**parowanie** *n* evaporation
**parowiec** *m* steamship, steamboat
**parowóz** *m* (steam-)engine, locomotive
**parowy** *adj* steam *attr; fiz.* **koń ~** horse-power; **statek ~** = **parowiec**
**parów** *m* ravine
**parówka** *f* (*kąpiel*) sweating bath; (*kiełbaska*) frankfurter
**parsk|ać** *vi* snort; **~nąć śmiechem** burst out laughing
**parszywy** *adj* scabby, mangy
**partactwo** *n* botching, bungling; botch, bungle
**partacz** *m* bungler, botcher
**partaczyć** *vt* bungle, botch
**parter** *m* ground-floor; *am.* first floor; *teatr* pit
**parti|a** *f* party; (*część*) part; (*towaru*) lot; (*rola*) role, part; (*w grze*) game; (*w brydżu*) **po ~i** vulnerable; **przed ~ą** invulnerable
**partner** *m* partner
**partyjny** *adj* party (*tylko attr*); *s m* party-man
**partykularyzm** *m* particularism
**partykuła** *f gram.* particle
**partyzant** *m* guerilla
**partyzantka** *f* guerilla war
**parweniusz** *m* upstart, parvenu
**parytet** *m fin.* parity, par; **~ złota** gold parity; **według ~u** at par
**parzyć** *vt* scald; (*np. herbatę*) draw, infuse; (*poddawać działaniu pary*) steam; **~ się** *vr* (*o herbacie*) draw
**parzysty** *adj* even
**pas** *m* belt, girdle; **popuszczać ⟨zaciskać⟩ ~a** loosen ⟨tighten⟩ one's belt; *pot.* **wziąć nogi za ~** take to one's heels
**pasat** *m* trade-wind
**pasaż** *m* passage; (*uliczka*) passage-way

**pasażer** *m* passenger
**pas|ek** *m* belt, girdle; (*do brzytwy*) strop; (*kreska, wzór*) stripe; **materiał w ~ki** striped cloth; (*nielegalny handel*) black-market, profiteering
**paser** *m* receiver ⟨concealer⟩ of stolen goods
**pasieka** *f* apiary
**pasierb** *m* stepson
**pasierbica** *f* stepdaughter
**pasj|a** *f* passion; fury; **wpaść w ~ę** fly into a fury
**paskarz** *m* black-market dealer, profiteer
**pasmo** *n* (*gór*) range; (*przędzy*) skein; strand; (*taśma*) band; *elektr. i radio* band; (*smuga*) streak; *elektr.* **~ częstotliwości** frequency band; *przen.* **~ żywota** thread of life
**pas|ować** 1. *vt vi* fit, suit; (*być do pary*) match; **krawat ~uje do ubrania** the tie matches the suit
**pasować** 2. *vt*, **~ kogoś na rycerza** dub sb a knight
**pasować** 3. *vi* (*w kartach*) pass
**pasożyt** *m* parasite
**pasożytniczy** *adj* parasitic(al)
**pasta** *f* paste; **~ do butów** boot-polish; **~ do podłogi** floor-polish; **~ do zębów** tooth-paste
**pastel** *m* crayon, pastel; **malować ~ami** crayon
**pasterka** *f* shepherdess; (*nabożeństwo*) Christmas midnight mass
**pasterski** *adj* pastoral
**pasterstwo** *n* pastoral life
**pasterz** *m* shepherd
**pastewny** *adj* pasture *attr*, fodder *attr*
**pastor** *m* pastor, minister
**pastuch** *m* herdsman
**pastw|a** *f* † prey; **paść ~ą** fall a prey (**kogoś, czegoś** to sb, sth)
**pastwić się** *vr* treat with cruelty (**nad kimś** sb)
**pastwisko** *n* pasture
**pastylka** *f* tablet
**pasywa** *s pl fin.* liabilities
**pasywny** *adj* passive
**pasza** *f* fodder
**paszcza** *f* jaw
**paszkwil** *m* lampoon, libel
**paszport** *m* passport; **biuro ~ów** passport office
**pasztet** *m* pie, pâté
**paść** 1. *vi* fall down, come down; *zob.* **padać**
**paść** 2. (*bydło*) pasture; **~ się** *vr* (*o bydle*) pasture, graze
**patelnia** *f* frying-pan
**patent** *m* patent
**patetyczny** *adj* pathetic
**patolog** *m* pathologist
**patologia** *f* pathology
**patos** *m* pathos
**patriarcha** *m* patriarch
**patriarchalny** *adj* patriarchal
**patriota** *m* patriot
**patriotyczny** *adj* patriotic
**patriotyzm** *m* patriotism
**patrol** *m* patrol
**patrolować** *vt* patrol
**patron** *m* patron (saint); (*szablon*) stencil
**patronat** *m* patronage, auspices *pl*
**patronka** *f* patroness
**patronować** *vi* patronize (**komuś, czemuś** sb, sth)
**patroszyć** *vt* eviscerate; (*kurę*) draw; (*rybę*) gut; (*zająca*) hulk
**patrycjusz** *m* patrician
**patrzeć** *vi* look (**na kogoś, coś** at sb, sth); **~ na kogoś jak na wroga** look on ⟨upon⟩ sb as a foe; **~ na kogoś z góry** look down upon sb; **~ przez okno** look out of the window; **~ przez palce** connive (**na coś** at sth); **~ spode łba** scowl (**na kogoś, coś** at sb, sth); **~ uporczywie** stare (**na kogoś, coś** at sb, sth); **jest na co ~** it is worth seeing
**patyk** *m* rod
**patyna** *f* patina
**pauza** *f* pause; (*szkolna*) break; *muz.* rest; (*myślnik*) dash
**pauzować** *vi* pause, make a pause
**paw** *m* peacock
**pawilon** *m* pavilion
**paznok|ieć** *m* nail; **obcinać ~cie** pare nails

**pazur** *m* claw, (*szpon, także techn.*) clutch
**paź** *m* page
**październik** *m* October
**październikowy** *adj* October *attr*; **Rewolucja Październikowa** October Revolution
**pączek** *m* bud; (*ciastko*) doughnut
**pączkować** *vi* bud
**pąk** *m* bud
**pchać** *vt* push, thrust; ~ **się** *vr* push one another, crush
**pchełki** *s pl* (*gra*) tiddly-winks
**pchła** *f* flea
**pchnięcie** *n* push, thrust
**pech** *m* ill-luck
**pedagog** *m* pedagogue
**pedagogia** *f* pedagogy
**pedagogika** *f* pedagogics
**pedał** *m* pedal
**pedant** *m* pedant
**pedanteria** *f* pedantry
**pedantyczny** *adj* pedantic
**pejcz** *m* horsewhip
**pejzaż** *m* landscape
**peleryna** *f* cape; (*damska*) pelerine
**pelikan** *m zool.* pelican
**pelisa** *f* pelisse
**pełni|a** *f* plenty, abundance, fullness; **~a księżyca** full moon; **w** ~ completely, fully
**pełnić** *vt* perform, fulfil, accomplish; ~ **obowiązek** do one's duty
**pełno** *adv* plenty (**czegoś** of sth); **mieć** ~ **czegoś** be full of sth
**pełnoletni** *adj* adult, of age
**pełnoletność** *f* majority, full age
**pełnometrażowy** *adj*, **film** ~ feature film
**pełnomocnictwo** *n* (*prawo*) power of attorney; (*dokument*) letter of attorney
**pełnomocnik** *m* plenipotentiary; authorized agent
**pełnomocny** *adj* plenipotentiary, authorized
**pełnowartościowy** *adj praed* of full value
**pełny** *adj* full; **na ~m morzu** on the high seas
**pełzać** *vi* (*poruszać się*) crawl, creep
**pełznąć** *vi* (*płowieć*) fade; lose colour; *zob.* **pełzać**
**penicylina** *f* penicillin
**pensja** *f* (*pobory*) salary; *f* (*szkoła*) girls' boarding-school
**pensjonat** *m* boarding-house
**perfidia** *f* perfidy
**perfidny** *adj* perfidious
**perfumeria** *f* perfumery
**perfumować** *vt* perfume, scent
**perfumy** *s pl* perfume, scent
**pergamin** *m* parchment
**period** *m* (*menstruacja*) periods, menses; *f* (*okres*) period
**periodyczny** *adj* periodical
**perkal** *m* calico
**perkusja** *f* percussion
**perkusyjny** *adj* percussive; **instrument** ~ percussion instrument
**perliczka** *f zool.* guinea-fowl
**perła** *f* pearl
**peron** *m* platform
**peronówka** *f* platform-ticket
**Pers** *m* Persian, Iranien
**perski** *adj* Persian, Iranien
**personalny** *adj* personal
**personel** *m* staff, personnel
**personifikacja** *f* personification
**perspektywa** *f* perspective, prospect, view
**perswadować** *vt* persuade, try to persuade (**komuś, żeby coś zrobił** sb into doing sth, **komuś, żeby czegoś nie zrobił** sb out of doing sth)
**perswazja** *f* persuasion
**pertraktacje** *s pl* negotiations
**pertraktować** *vi* negotiate (**w sprawie czegoś** sth)
**peruka** *f* wig
**perwersja** *f* perversion
**perwersyjny** *adj* perverse
**peryferi|e** *s pl* periphery; **na ~ach** on the outskirts
**peryskop** *m* periscope
**pestka** *f* stone, kernel, (*w jabłku, pomarańczy*) pip
**pesymista** *m* pessimist
**pesymistyczny** *adj* pessimistic

**pesymizm** *m* pessimism
**petarda** *f* petard
**petent** *m* petitioner
**petycja** *f* petition
**pewien** *adj* (*niejaki*) a, one, a certain; **po pewnym czasie** after some time; **przez ~ czas** for some time; *zob.* **pewny**
**pewnik** *m* axiom
**pewno, na ~** *adv* certainly, for sure, assuredly; **on na ~ przyjdzie** he is sure to come
**pewnoś|ć** *f* certitude, certainty; (*bezpieczeństwo*) security; **~ć siebie** self-assurance; **z ~cią** certainly
**pewny** *adj* sure, certain; (*bezpieczny*) safe, secure; **~ siebie** self-assured, self-confident; **czuć się ~m** ⟨**bezpiecznym**⟩ feel sure ⟨safe⟩
**pęcak** *m* peeled barley
**pęcherz** *m anat.* bladder
**pęcherzyk** *m anat.* vesicle; (*bąbel*) blister; (*bańka*) bubble
**pęczek** *m* bunch, tuft
**pęcznieć** *vi* swell
**pęd** *m* (*szybki bieg*) rush, career; (*napęd, impuls*) impulse; (*rozpęd*) impetus; *fiz.* momentum; (*dążenie, zamiłowanie*) aspiration (**do czegoś** after ⟨for⟩ sth); *bot.* shoot, sprout; **puszczać ~y** shoot forth, sprout; **całym ~em** at full speed
**pędzel** *m* brush
**pędzić** *vt* drive; (*życie*) lead; (*czas*) spend; (*wódkę*) distil; *vi* run (**za kimś** after sb), race, hurry, scurry
**pędzlować** *vt* brush
**pęk** *m* (*kwiatów, kluczy*) bunch; (*papierów*) file; (*wiązka*) bundle
**pęka|ć** *vi* burst; (*rozłupać się*) crack; **~ć z zazdrości** burst with envy; **serce mi ~** my heart breaks; **głowa mi ~** my head is splitting
**pękaty** *adj* bulging, bulged; (*przysadkowaty*) dumpy, podgy
**pępek** *m* navel
**pęta** *s pl* fetters, chains; (*końskie*) hobble; **zerwać ~** break the bonds
**pętać** *vt* fetter; (*konia*) hobble
**pętelka, pęt|la** *f* loop, noose; (*o samolocie*) **robić ~lę** loop, (*całą*) loop the loop
**piać** *vi* crow
**piana** *f* froth, foam; **~ mydlana** lather
**pianino** *n* cottage ⟨upright⟩ piano
**pianista** *m* pianist
**pianow|y** *adj* foam *attr*; **gaśnica ~a** foam extinguisher
**piasek** *m* sand
**piaskowiec** *m* sandstone
**piaskownica** *f* sand-pit
**piaskowy** *adj* sandy, sand *attr*
**piasta** *f* nave
**piastować** *vt* (*dzieci*) nurse; (*urząd*) hold
**piastun** *m* guardian, foster-father; (*godności, urzędu*) holder
**piastunka** *f* nurse, foster-mother
**piaszczysty** *adj* sandy, sand-
**piąć się** *vr* climb (**na drzewo** a tree, **po drabinie** a ladder); (*o roślinach*) creep
**piątek** *m* Friday; **Wielki Piątek** Good Friday
**piąty** *num* fifth
**pici|e** *n* drinking; **woda do ~a** drinking water
**pić** *vt vi* drink; **~ mi się chce** I'm thirsty
**piec** 1. *m* stove, fire-place; (*piekarski*) oven; *techn.* furnace; **wielki ~** blast-furnace
**piec** 2. *vt* bake; (*zw. o mięsie*) roast; (*palić*) burn, scorch; **~ się** *vr* bake, roast
**piechota** *f* infantry
**piechotą** *adv* on foot
**piecyk** *m* (little) stove; (*do ogrzewania*) heater; *pot.* (*piekarnik*) oven
**piecz|a** *f* care, charge (**nad kimś, czymś** of sb, sth); **mieć ~ę** take care (**nad kimś, czymś** of sb, sth); **powierzyć coś czyjejś ~y** trust sb with sth; **pod ~ą** in charge

**pieczara** *f* cavern
**pieczarka** *f bot.* champignon
**pieczątka** *f* seal, stamp
**pieczeniarz** *m* sponger
**pieczeń** *f* roast-meat; ~ **cielęca** roast veal; ~ **wołowa** roast beef
**pieczęć** *f* seal, stamp
**pieczętować** *vt* seal, stamp
**pieczołowitość** *f* solicitude
**pieczołowity** *adj* solicitous
**pieczyste** *n* roast-meat, roast
**pieczywo** *n* baker's goods; (*słodkie*) pastry
**pieg** *m* freckle
**piegowaty** *adj* freckled
**piekarnia** *f* bakery, baker's (shop)
**piekarz** *m* baker
**piekieln|y** *adj* hellish, devilish, infernal; **maszyna** ~**a** infernal machine; *przen.* **ogień** ~**y** hellfire
**piekło** *n* hell
**pielęgniarka** *f* nurse
**pielęgniarz** *m* (male) nurse
**pielęgnować** *vt* (*chorych*) nurse; (*rośliny*) cultivate; (*umiejętność*) foster, cultivate; (*ręce, fryzurę*) take care
**pielgrzym** *m* pilgrim
**pielgrzymka** *f* pilgrimage
**pielucha** *f* swaddling-cloth, napkin; *am.* diaper
**pieniacz** *m* litigious person
**pieniądz** *m* coin, piece of money; *pl* ~**e** money; **drobne** ~**e** (small) change
**pienić się** *vr* foam; (*o winie*) sparkle; ~ **ze złości** foam with rage
**pienięzn|y** *adj* pecuniary, money *attr*; **kara** ~**a** fine
**pień** *m* (*trzon, łodyga*) trunk; stem; (*pniak*) stump; **zboże na pniu** standing corn
**pieprz** *m* pepper
**pieprzny** *adj* peppery; (*nieprzyzwoity*) spicy
**piernik** *m* ginger-bread
**pierś** *f* breast; (*klatka piersiowa*) chest
**pierścieniowy** *adj* annular
**pierścień** *m* ring; (*włosów*) ringlet; (*tłoka*) piston-ring
**pierścionek** *m* ring
**pierwej** *adv lit.* (at) first, before
**pierwiastek** *m* element; *chem.* element; *mat.* (*wartość*) root; *mat.* (*znak*) radical; ~ **kwadratowy** ⟨**sześcienny**⟩ square ⟨cube⟩ root; ~ **piątego stopnia** fifth root
**pierwiastkowy** *adj* original, primary; *mat.* radical
**pierwiosnek** *m bot.* primrose
**pierworodny** *adj* first-born; (*o grzechu*) original
**pierwotniak** *m zool.* protozoan
**pierwotność** *f* primordiality; (*prymitywizm*) primitiveness
**pierwotny** *adj* primordial; (*prymitywny*) primitive; (*pierwszy*) primary
**pierwowzór** *m* prototype
**pierwszeństwo** *n* priority
**pierwszorzędny** *adj* first-rate
**pierwsz|y** *num* first; **na** ~**ego stycznia** on the first of January; ~**a pomoc** first aid; ~**y lepszy** just any, at random; ~**a godzina** one o'clock; **po** ~**e** firstly, in the first place
**pierzchać** *vi* flee, take flight
**pierze** *n* feathers *pl*
**pierzyna** *f* eiderdown
**pies** *m* dog; *pot.* **zejść na psy** go to the dogs
**pieszczota** *f* caress
**pieszczotliw|y** *adj* caressing, cuddlesome; ~**e imię** pet name; ~**e słowo** word of endearment
**pieszo** *adv* on foot
**pieścić** *vt* caress, pet, fondle
**pieśń** *f* song
**pietruszka** *f bot.* parsley
**pietyzm** *m* pietism
**pięciobój** *m sport* pentathlon
**pięciokrotny** *adj* fivefold
**pięcioletni** *adj* five-year *attr*; (*o wieku*) five-year old
**pięcioraczki** *s pl* quintuplets
**pięcioraki** *adj* fivefold
**pięć** *num* five
**pięćdziesiąt** *num* fifty
**pięćdziesiąty** *adj* fiftieth

**pięćset** *num* five hundred
**piędź** *f* span
**pięknie** *adv* beautifully, finely; **jest ~** it is fine weather; **wyglądać ~** look fine
**pięknieć** *vi* grow beautiful
**piękno** *n* beauty, the beautiful
**piękność** *f* beauty
**piękn|y** *adj* beautiful, handsome, lovely, fair; **literatura ~a** belles-lettres; **~a pogoda** fine weather; **sztuki ~e** fine arts
**pięściarz** *m* boxer
**pięść** *f* fist
**pięta** *f* heel
**piętnastoletni** *adj* fifteen-year *attr*; (*o wieku*) fifteen-year old
**piętnasty** *num* fifteenth
**piętnaście** *num* fifteen
**piętno** *n* stigma, stamp; **wycisnąć ~** impress a stamp
**piętnować** *vt* stigmatize, stamp
**piętro** *n* stor(e)y, floor
**piętrzyć** *vt* pile up; **~ się** *vr* be piled up; (*wznosić się*) tower
**pigułka** *f* pill
**pijak** *m* drunkard
**pijany** *adj praed* drunk; drunken *attr*
**pijaństwo** *n* drunkenness
**pijatyka** *f* drinking-bout
**pijawka** *f zool.* leech
**pik** *m* spade
**pika 1.** *f* pike
**pika 2.** *f* (*tkanina*) piqué
**pikantny** *adj* piquant; (*nieprzyzwoity*) spicy
**pikling** *m* kipper
**piknik** *m* picnic
**pikować** *vt* (*tkaninę*) quilt; *vi lotn.* dive
**pilnik** *m* file
**pilność** *f* diligence
**pilnować** *vt* look after, watch; **~ swego interesu** mind one's business; **~ się** *vr* be on one's guard
**pilny** *adj* diligent, assidous; (*naglący*) urgent
**pilot** *m* pilot
**pilotować** *vt* pilot
**pilśń** *f* felt
**piła** *f* saw; *przen. pot.* (*nudziarz*) bore
**piłka 1.** *f* (*narzędzie*) hand-saw
**piłka 2.** *f* (*do gry*) ball; *sport* **~ nożna** football, association football, soccer
**piłkarz** *m* football player, footballer
**piłować** *vt* (*piłą*) saw; (*pilnikiem*) file; *pot.* (*nudzić, dręczyć*) bore
**pingwin** *m zool.* penguin
**piołun** *m bot.* wormwood
**piołunówka** *f* absinth
**pion** *m* perpendicular; (*narzędzie*) plummet; *przen.* line
**pionek** *m* pawn
**pionier** *m* pioneer
**pionowy** *adj* vertical
**piorun** *m* lightning; **trzask ~u** thunderclap; **rażony ~em** thunderstruck
**piorunochron** *m* lightning-conductor
**piosenka** *f* ditty
**piórko** *n* feather; (*stalówka*) pen
**piórnik** *m* pencase
**pióro** *m* feather; (*do pisania*) pen; **~ wiosła** blade; **gęsie ~** quill; **wieczne ~** fountain pen
**pióropusz** *m* plume
**pipeta** *f* pipette
**piracki** *adj* piratical
**piractwo** *n* piracy
**piramida** *f* pyramid
**pirat** *m* pirate
**pirotechnik** *m* pyrotechnist
**pirotechnika** *f* pyrotechnics
**pisać** *vt vi* write (**ołówkiem, atramentem** in pencil, in ink); **~ na maszynie** typewrite; **jak się ten wyraz pisze?** how do you spell this word?; **~ się** *vr* be written, be spelt; (*zgadzać się*) subscribe (**na coś** to sth)
**pisarz** *m* (*autor*) writer; † (*niższy urzędnik*) clerk, copyist
**pisemnie** *adv* in writing
**pisemny** *adj* written, in writing; **egzamin ~** written examination
**pisk** *m* squeal, squeak

**pisklę** *n* nestling; (*kurczątko*) chickling
**piskorz** *m* *zool.* loach
**pismo** *n* writing, letter; (*czasopismo*) newspaper; periodical; (*charakter pisma*) handwriting; **na piśmie** in writing; **Pismo Święte** Holy Scripture
**pisnąć** *vi vt zob.* **piszczeć; nie ~ ani słówka** not breathe a word
**pisownia** *f* spelling
**pistolet** *m* pistol
**piszczałka** *f* pipe, fife
**piszczeć** *vi* squeak, squeal
**piszczel** *m* *anat.* shinbone, tibia
**piśmidło** *n* *pog.* scrawl
**piśmiennictwo** *n* letters *pl*, literature
**piśmiennie** *adv* in writing
**piśmienn|y** *adj* literate; (*pisemny*) written; **artykuły ~e** writing-materials, stationery
**piwiarnia** *f* beer-house
**piwnica** *f* cellar
**piwny** *adj* beer *attr*; (*kolor*) brown
**piwo** *n* beer; **~ z beczki** beer on draught; **dać na ~** give a tip
**piwonia** *f* *bot.* peony
**piwowar** *m* brewer
**piżama** *f* pyjamas *pl*
**piżmo** *n* musk
**piżmowiec** *m* *zool.* musk-rat
**plac** *m* ground; (*parcela*) lot, parcel; (*okrągły, u zbiegu ulic*) circus, (*kwadratowy*) square; **~ boju** battlefield; **~ budowy** building-ground
**placek** *m* cake
**placówka** *f* outpost
**plaga** *f* plague
**plagiat** *m* plagiarism; **popełnić ~** plagiarize
**plakat** *m* poster, bill
**plakieta** *f* plaque
**plama** *f* spot, stain
**plamić** *vt* spot, stain; **~ się** *vr* spot
**plan** *m* plan, scheme; **pierwszy ~** foreground; **dalszy ~** background
**planeta** *f* planet
**planetarny** *adj* planetary
**planować** *vt* plan; *vi lotn.* plane
**planowanie** *n* planning
**planowo** *adv* according to plan
**planowy** *adj* planned
**plantacja** *f* plantation
**plantator** *m* planter
**plastelina** *f* plasticine
**plaster** *m* plaster; **~ miodu** honeycomb
**plasterek** *m* (*np. szynki*) slice
**plastik** *m* = **plastyk** 2.
**plastycznie** *adv* plastically
**plastyczność** *f* plasticity
**plastyczn|y** *adj* plastic; **sztuki ~e** fine arts
**plastyk** 1. *m* (*artysta*) artist
**plastyk** 2. *m* (*masa plastyczna*) plastic
**platerować** *vt* plate
**platery** *s pl zbior.* plate
**platforma** *f* platform; (*wóz ciężarowy*) lorry
**platoniczny** *adj* Platonic
**platyna** *f* *chem.* platinum
**plazma** *f* plasm
**plaża** *f* beach
**plądrować** *vt vi* plunder
**pląsać** *vi* hop, toe and heel it
**pląsy** *s pl* dance, dancing
**plątać** *vt* entangle; **~ się** *vr* tangle, become entangled; *pot.* (*łazić*) slouch about
**plątanina** *f* tangle
**plebiscyt** *m* plebiscite
**plecak** *m* knapsack, rucksack
**plecionka** *f* plait; (*wyrób koszykarski*) wickerwork
**plec|y** *s pl* back; **za ~ami** behind one's back; **obrócić się ~ami** turn one's back (**do kogoś on sb**)
**pleć** *zob.* **plewić**
**pled** *m* plaid
**plejada** *f* pleiad
**plemienny** *adj* tribal, racial
**plemię** *n* tribe, race
**plenarny** *adj* plenary; **full**
**plenić się** *vr* multiply
**plenum** *n* *nieodm.* plenary session
**pleść** *vt* twist, plait; (*gadać*) babble

**pleśnieć** *vi* mould
**pleśń** *f* mould
**plewa** *f* chaff
**plewić** *vt* weed
**plik** *m* bundle
**plisa** *f* pleat
**plisować** *vt* pleat
**plomba** *f* lead, leaden seal; (*w zębie*) filling, stopping
**plombować** *vt* seal up, lead; (*ząb*) fill, stop
**plon** *m* crop, yield
**plotka** *f* gossip
**plotkarka** *f*, **plotkarz** *m* gossip(er)
**plotkować** *vi* gossip
**pluć** *vi* spit
**plugawić** *vt* (be)foul
**plugawy** *adj* foul, filthy
**plus** *m* (*znak*) plus sign; (*zaleta*) plus, advantage; *adv* (*ponadto*) plus
**pluskać** *vi* splash; **~ się** *vr* splash
**pluskiewka** *f* tack, drawing-pin
**plusz** *m* plush
**plutokracja** *f* plutocracy
**pluton** *m* *wojsk.* platoon
**plutonowy** *adj* *wojsk.* lance sergeant
**plwocina** *f* spittle
**płac|a** *f* pay, salary, wages *pl*; **lista ~** pay-sheet, pay-roll
**płachta** *f* sheet
**płacić** *vt* pay; **~ gotówką** pay in cash; **~ z góry** pay in advance, prepay
**płacz** *m* cry; crying, weeping; **wybuchnąć ~em** burst into tears
**płakać** *vi* cry, weep
**płaski** *adj* flat
**płasko** *adv* flatways, flatwise
**płaskorzeźba** *f* bas-relief
**płaskowzgórze** *n* tableland
**płaszcz** *m* overcoat, cloak; **~ nieprzemakalny ⟨deszczowy⟩** raincoat
**płaszczyć** *vi* flatten; **~ się** *vr* become flat; *przen.* fawn (**przed kimś** on, upon sb)
**płaszczyk** *m* cape, mantle; *przen.* **pod ~iem** under the cloak
**płaszczyzna** *f* plain, level; *mat.* plane
**płat** *m* (*kawał, szmat*) slice; (*mięsa*) collop; *anat.* lobe
**płatać** *vi* cut; **~ figle** play tricks (**komuś** on sb)
**płat|ek** *m* shred, piece; (*plasterek*) slice; (*kwiatu*) petal; (*śniegu*) flake; **~ki owsiane** oat flakes
**płatniczy** *adj*, *fin.* **bilans ~** balance of ⟨accounts⟩ payments; **środek ~** legal tender
**płatnik** *m* payer
**płatnoś|ć** *f* maturity; **~ć natychmiastowa** money down; **dzień ~ci** pay-day; *handl.* (*o wekslu*) date ⟨time⟩ of maturity
**płatny** *adj* payable, due; *handl.* (*o wekslu*) mature; (*płacony*) paid
**płaz 1.** *m* *zool.* amphibian
**płaz 2.** *m* the flat of a sabre; *przen.* **puścić coś ~em** pass sth over, connive at sth
**płciow|y** *adj* sexual, sex *attr*; **życie ~e** sexual life; **popęd ~y** sex instinct ⟨urge⟩
**płeć** *f* sex; (*cera*) complexion; **~ piękna** fair sex
**płetwa** *f* fin
**płetwonurek** *m* frogman
**płochliwy** *adj* shy
**płochy** *adj* frivolous
**płodność** *f* fertility
**płodny** *adj* fertile
**płodozmian** *m* rotation of crops
**płodzenie** *n* procreation
**płodzić** *vt* procreate; **~ się** *vr* multiply
**płomienny** *adj* flaming, fiery; (*żarliwy*) ardent
**płomień** *m* flame
**płonąć** *vi* burn, be on fire; *przen.* **~ ze wstydu** burn with shame
**płonica** *f* *med.* scarlet-fever
**płonić się** *vr* blush
**płonny** *adj* vain
**płoszyć** *vt* scare (away); **~ się** *vr* be scared (**czymś** by sth)
**płot** *m* fence, ledge
**płot|ek** *m* *sport* hurdle; **bieg przez ~ki** hurdle-race
**płowieć** *vi* fade (away)

**płow|y** *adj* fallow; **zwierzyna ~a** fallow deer
**płód** *m* fruit, product; *anat.* phoetus
**płótno** *n* linen; (*malarskie, żaglowe*) canvas
**płuc|o** *n* lung; **zapalenie ~** pneumonia
**płucny** *adj* pulmonary
**pług** *m* plough; **~ śnieżny** snow-plough
**płukać** *vt* rinse, wash; **~ gardło** gargle
**płyn** *m* liquid; (*do włosów, apteczny itp.*) lotion
**płynąć** *vi* flow; (*pływać*) swim; (*o statkach*) sail; (*o podróży morskiej*) go by water, sail; **~ łódką** boat
**płynny** *adj* liquid; (*o mowie*) fluent
**płyta** *f* plate, slab; **~ gramofonowa** record; **~ kamienna** (*do brukowania*) flag-stone
**płytki** *adj* shallow; (*np. o talerzu*) flat
**pływać** *vi* swim; (*np. o korku*) float
**pływak** *m* swimmer; (*w zbiorniku, u wędki itp.*) float
**pneumatyczny** *adj* pneumatic
**pniak** *m* stump
**po** *praep* after; to, up to; for; past; **zaraz po** on, upon; **po wykładach** after the lectures; **po dzień dzisiejszy** up to the present day; **po uszy** up to the ears; **posłać po taksówkę** send for a taxi; **kwadrans po piątej** a quarter past five; **zaraz po jego powrocie** on his return; **po co?** what for?; **po czemu?** how much?; **po kolei** by turns; **każdemu po szylingu** one shilling each; **po szylingu za sztukę** one shilling apiece; **po raz pierwszy** for the first time; **po pierwsze** firstly, in the first place; **mówić po angielsku** speak English
**pobić** *vt* beat, defeat; **~ rekord** break ⟨beat⟩ the record; **~ się** *vr* come to blows
**pobielać** *vt* (*metal*) tin; (*ścianę*) whitewash
**pobierać** *vt* (*np. pensję*) receive; (*np. podatek*) collect; (*lekcje*) take; **~ się** *vr* get married
**pobieżny** *adj* superficial
**pobliski** *adj* near
**pobliż|e** *n*, **w ~u** near by
**pobłażać** *vi* be indulgent (**komuś** to sb); connive (**czemuś** at sth); **~ sobie** indulge oneself
**pobłażliwość** *f* indulgence
**pobłażliwy** *adj* indulgent
**poboczny** *adj* lateral; (*o przedmiocie*) secondary
**pobojowisko** *n* battlefield
**poborca** *m* (tax-)collector
**poborowy** *adj* conscript; *s m* conscript
**pobory** *s pl* salary
**pobożn|y** *adj* pious; *pot.* **~e życzenie** wishful thinking
**pobór** *m* (*do wojska*) conscription, levy; (*podatku*) collection, levy
**pobranie** *n*, **za ~m** to be paid on delivery, cash on delivery
**pobrzeże** *n* shoreland, seashore
**pobudka** *f* impulse, stimulus; *wojsk.* reveille
**pobudliwość** *f* excitability
**pobudliwy** *adj* excitable
**pobudzić** *vt* excite, impel; (*zbudzić*) wake up
**pobyt** *m* sojourn, stay; **miejsce stałego ~u** residence; **wiza ~owa** visitor's visa
**pocałunek** *m* kiss
**pochlebca** *m* flatterer
**pochlebiać** *vi* flatter (**komuś** sb)
**pochlebn|y** *adj* flattering; **~a opinia** high opinion
**pochlebstwo** *n* flattery
**pochłania|ć** *vt* absorb, swallow; **~go nauka** he is absorbed in study
**pochmurny** *adj* cloudy; *przen.* (*ponury*) gloomy
**pochodnia** *f* torch
**pochodny** *adj* derivative, secondary
**pochodzenie** *n* origin, descent, extraction
**pochodzić** *vi* descend, be descended (**od kogoś** from sb), derive, b

derived (**od kogoś, czegoś** from sb, sth); (*wynikać*) result (**z czegoś** from sth), proceed (**z czegoś** from sth)
**pochopność** *f* eagerness, hastiness
**pochopny** *adj* eager, hasty
**pochować** *vt* (*pogrzebać*) bury; *zob.* **chować**
**pochód** *m* procession; march
**pochwa** *f* sheath
**pochwalać** *vt* praise; (*uznawać*) approve (**coś** of sth)
**pochwaln|y** *adj* laudatory; **mowa ~a** eulogy
**pochwała** *f* praise
**pochylenie** *n* inclination
**pochylić** *vt* bend, bow; **~ się** *vr* bow down
**pochyłość** *f* slope, slant
**pochyły** *adj* sloping, inclined
**pociąg** *m* train; (*skłonność*) attraction, inclination; (*upodobanie*) liking, fondness; **~ osobowy ⟨towarowy⟩** passenger ⟨goods⟩ train; **~ pospieszny** fast ⟨express⟩ train
**pociągać** *vt vi* pull (**coś** sth, **za coś** at sth), draw; (*nęcić*) attract; **~ do odpowiedzialności** call to account
**pociągający** *adj* attractive
**pociągły** *adj* oblong
**pociągnięcie** *n* draught, pull; (*np. w grze*) move
**pociągowy** *adj*, **koń ~** draught ⟨draft⟩ horse
**po cichu** *adv* in a low voice; (*w tajemnicy*) tacitly; secretly
**pocić się** *vr* perspire, sweat
**pociecha** *f* consolation, comfort; **niewielka ~** no great shakes
**po ciemku** *adv* in the dark
**pocierać** *vt* rub
**pocieszać** *vt* console, comfort, cheer up; **~ się** *vr* console oneself
**pocieszenie** *n* consolation, comfort
**pocieszny** *adj* funny, droll
**ocieszyciel** *m* comforter
**isk** *m* missile, projectile; **~ atni** shell; **~ zapalający** fire-
**począć** *vt* begin, commence; (*zajść w ciążę*) conceive; **co mam ~?** what am I to do?
**począt|ek** *m* beginning; origin; **na ~ek** to start with; **na ~ku** at the beginning, at the outset
**początkowo** *adv* at first, initially
**początkowy** *adj* initial, primary
**początkujący** *m* beginner
**poczciwiec** *m* good fellow
**poczciwy** *adj* good, good-hearted
**poczekalnia** *f* waiting-room
**poczekani|e** *n*, **na ~u** on the spot; off-hand; there and then
**poczernić** *vt* black(en)
**poczernieć** *vi* blacken, become black
**poczerwienić** *vt* redden, make red
**poczerwienieć** *vi* redden, become red; (*zarumienić się*) blush
**poczesny** *adj* honorable, respectable
**poczęcie** *n* beginning; *biol.* conception
**poczęstunek** *m* treat
**poczt|a** *f* post, mail; (*budynek*) post-office; **~a lotnicza** air mail; **~ą** by post; **odwrotną ~ą** by return of post
**pocztow|y** *adj* postal, post *attr*; **kartka ~a** post-card, *am.* postal card; **opłata ~a** postage; **stempel ~y** postmark; **unia ~a** postal union; **urząd ~y** post-office; **znaczek ~y** (postage-)stamp
**pocztówka** *f* post-card
**poczucie** *n* feeling; sense; **~ obowiązku ⟨humoru⟩** sense of duty ⟨humour⟩
**poczuwać się** *vr*, **~ się do obowiązku** feel it one's duty; **~ się do winy** admit one's guilt, feel guilty
**poczwarka** *f* chrysalis
**poczwórny** *adj* fourfold
**poczynać** *vt vi* begin, originate; **~ sobie** behave
**poczytać** *vt* read (a little); *zob.* **poczytywać**
**poczytalny** *adj* accountable
**poczytność** *f* popularity

**poczytny** *adj* widely read, popular
**poczytywać** *vt* regard (**kogoś, coś** sb, sth; **za kogoś, coś** as sb, sth); ~ **się za bardzo ważnego** consider oneself very important; ~ **sobie za wielki zaszczyt** look upon something ⟨esteem sth⟩ as a great honour; ~ **coś komuś za przestępstwo** impute sth to sb as an offence
**pod** *praep* under, beneath, below; ~ **drzwiami** at the door; ~ **karą śmierci** on the penalty of death; ~ **nazwiskiem X.Y.** by the name of X.Y.; ~ **ręką** at hand; ~ **tym względem** in this regard; ~ **Warszawą** near Warsaw; **bitwa** ~ **Warszawą** battle of Warsaw; ~ **warunkiem** on condition; ~ **wieczór** towards the evening
**podać** *zob.* **podawać**
**podagra** *f med.* gout
**podający** *m* (*w tenisie*) server
**podanie** *n* (*prośba*) petition, application; (*legenda*) legend; *sport* service, pass; **wnieść** ~ file an application
**podarek** *m* gift, present
**podarty** *adj* torn, worn
**podatek** *m* (*państwowy*) tax; (*samorządowy*) rate
**podatnik** *m* (*państwowy*) tax-payer; (*samorządowy*) rate-payer
**podatny** *adj* susceptible (**na coś** to sth); subject (**na choroby** to diseases); *przen.* ~ **grunt** favourable conditions
**podawać** *vt* give, hand, pass; ~ **rękę** shake hands (**komuś** with sb); ~ **na stół** serve; ~ **do wiadomości** make known; ~ **w wątpliwość** call into question
**podaż** *f* supply, offer
**podążać** *vi* go, hurry along; ~ **za kimś** follow sb
**podbicie** *n* (*kraju*) conquest; (*podszycie*) lining; (*u stopy*) instep
**podbiegać** *vi* come running
**podbiegunowy** *adj* polar
**podbijać** *vt* run up; (*zawojować*) conquer, subdue
**podbój** *m* conquest
**podbródek** *m* chin
**podburzać** *vt* incite, stir (up)
**podchodzić** *vi* come near, approach
**podchwycić** *vt* catch up
**podciągać** *vt* draw up; (*pod kategorię*) subsume
**podcinać** *vt* undercut; (*np. skrzydła*) clip
**podcyfrować** *vt* initial, sign
**podczas** *praep* during; ~ **gdy** *conj* while; whereas
**podczerwon|y** *adj fiz.* infra-red; **promienie** ~**e** infra-red radiation
**poddać** *vt* subject; (*np. twierdzę*) surrender; (*podsunąć myśl*) suggest; ~ **próbie** put to trial; ~ **się** *vr* surrender; (*operacji, egzaminowi*) undergo (an operation, examination); (*ulec*) submit
**poddanie się** *n* submission
**poddany** *m* subject; *hist.* serf
**poddaństwo** *n hist.* serfdom
**poddasze** *n* attic, garret
**podejmować** *vt* take up, undertake; (*np. gości*) entertain, receive; ~ **kroki** take steps; ~ **pieniądze** raise money; ~ **się** *vr* undertake (**czegoś** sth)
**podejrzany** *adj* suspect(ed); (*budzący podejrzenie*) suspicious
**podejrzenie** *n* suspicion
**podejrzewać** *vt* suspect (**kogoś o coś** sb of sth)
**podejrzliwie** *adv* suspiciously; **patrzeć** ~ look askance
**podejrzliwość** *f* suspiciousness
**podejrzliwy** *adj* suspicious
**podejście** *n* approach
**podejść** *vt* (*podstępnie*) circumvent, deceive; *vi zob.* **podchodzić**
**podeptać** *vt* trample under foot
**poderżnąć** *zob.* **podrzynać**
**podeszły** *adj*, ~ **wiekiem** aged, advanced in years
**podeszwa** *f* sole
**podjazd** *m* approach; (*droga do budynku*) drive(way)
**podjazdow|y** *adj*, **walka** ~**a** guerilla warfare

**podjąć** *vt* pick up; *zob.* **podejmować**
**podjechać** *vi* drive up, come riding
**podjudzać** *vt* abet, stir up
**podkleić** *vt* stick under
**podkład** *m* base, foundation; *kolej.* sleeper
**podkładać** *vt* put ⟨lay⟩ under
**podkładka** *f* pad, bolster
**podkop** *m* sap, subway
**podkopywać** *vt* undermine, sap
**podkowa** *f* (*końska*) horseshoe
**podkradać się** *vr* steal secretly
**podkreślać** *vt* underline; (*uwydatniać*) stress, lay stress
**podkręcać** *vt* twist up, screw up
**podkuwać** *vt* (*konia*) shoe; (*but*) tap
**podlatywać** *vi* fly up
**podlegać** *vi* be subject (**komuś, czemuś** to sb, sth); (*karze, podatkowi itp.*) be liable
**podległy** *adj* subject
**podlewać** *vt* water
**podlizywać się** *vr* fawn (**komuś** on, upon sb)
**podlotek** *m* young girl, *pot.* flapper, teen-ager
**podłoga** *f* floor
**podłość** *f* vileness
**podłoże** *n* substratum; (*podstawa*) base, background
**podłożyć** *zob.* **podkładać**
**podług** *praep* according to, after
**podłużny** *adj* oblong
**podły** *adj* vile, mean
**podmalować** *vt* ground, paint the background
**podmiejski** *adj* suburban
**podminować** *vt* undermine
**podmiot** *m* subject
**podmiotowy** *adj* subjective
**podmuch** *m* blast, puff
**podmywać** *vt* wash away, underwash; (*o rzece, morzu*) sap
**podniebienie** *n* palate
**podniecać** *vt* excite, incite, stir up (**do czegoś** to sth)
**podniecenie** *n* excitement; (*podnieta*) incitement
**podniesienie** *n* lifting, hoisting, elevation
**podnieść** *zob.* **podnosić**
**podnieta** *f* incitement, stimulus, incentive
**podniosłość** *f* sublimity
**podniosły** *adj* sublime, lofty
**podnosić** *vt* raise, lift, take up; (*z ziemi*) pick up; (*ręce*) hold up; (*kotwicę*) weigh; (*pieniądze, ceny, podatki itp.*) raise; (*w banku, zasiłek itp.*) draw; ~ **bunt** raise a revolt; ~ **na duchu** encourage, *pot.* buoy up; ~ **zarzuty** level charges; *mat.* ~ **do kwadratu** square, raise to the square; ~ **się** *vr* rise, get up
**podnóż|e** *n* (*góry*) foot; **u ~a** at the foot
**podnóżek** *m* footstool
**podoba|ć się** *vr* please; **~ mi się tutaj** I like this place; **on mi się ~** I like him; **jak ci się to ~?** how do you like this?; **rób, jak ci się ~** do as you please; **weź, ile ci się ~** take as much ⟨many⟩ you please
**podobieństwo** *n* resemblance, likeness
**podobizna** *n* photo, image; likeness
**podobnie** *adv* likewise, alike; ~ **jak** like
**podobno** *adv* I suppose that, I understand that; **on ~ wraca jutro** he is supposed to come back tomorrow
**podobny** *adj* similar (**do kogoś** to sb), like (**do kogoś** sb); **być ~m** resemble (**do kogoś** sb)
**podoficer** *m wojsk.* non-commissioned officer
**podołać** *vi* be up (**czemuś** to sth), manage (**czemuś** sth)
**podówczas** *adv* at that time
**podpadać** *vi* fall (**czemuś, pod coś** under sth)
**podpalacz** *m* incendiary
**podpalać** *vt* set fire (**coś** to **sth**), set on fire (**coś** sth)
**podpalenie** *n* arson
**podpałka** *f* kindling-wood

**podpatrywać** *vt* watch furtively, spy
**podpierać** *vt* support, prop
**podpinać** *vt* fasten, buckle up
**podpis** *m* signature; **złożyć ~** put one's signature (**na czymś** to sth)
**podpisa|ć** *vt* sign; subscribe (**pożyczkę** to a loan); **niżej ~ny** the undersigned
**podpora** *f* support, prop; *przen.* (*ostoja*) mainstay
**podporucznik** *m wojsk.* second lieutenant
**podporządkować** *vt* subordinate (**komuś, czemuś** to sb, sth); **~ się** *vr* conform, submit
**podpowiadać** *vt* prompt (**komuś** sb)
**podpórka** *f* support, prop
**podpułkownik** *m wojsk.* lieutenant-colonel
**podrabiać** *vt* forge
**podrastać** *vi* grow up
**podrażnić** *vt* excite, irritate
**podrażnienie** *n* excitement, irritation
**podręcznik** *m* handbook
**podręczn|y** *adj* (*znajdujący się pod ręką*) handy, at hand; **książka ~a** reference book
**podróbki** *s pl* pluck *zbior.*
**podróż** *f* travel, journey; (*krótka*) trip; (*morska*) voyage; **odbywać ~** make a journey
**podróżnik** *m* traveller
**podróżny** *m* traveller, passenger; *adj* travelling
**podróżować** *vi* travel
**podrygi** *s pl* gambols
**podrygiwać** *vi* gambol, skip
**podrywać** *vt* pull down; jerk; *przen.* sap; *pot.* (*np. dziewczynę*) pick up
**podrzeć** *vt* tear up
**podrzędny** *adj gram.* subordinate; (*drugorzędny*) second-rate
**podrzucać** *vt* throw up, toss; (*np. ulotkę, dokument*) foist; (*niemowlę*) expose
**podrzutek** *m* foundling
**podrzynać** *vt* undercut; **~ sobie gardło** cut one's throat
**podsądny** *m* accused, defendant
**podsekretarz** *m* undersecretary
**podskakiwać** *vi* jump, leap up, bounce; (*o cenach*) rise, shoot up; **~ z radości** leap for joy
**podskok** *m* jump, leap
**podskórn|y** *adj* subcutaneous, (*o zastrzyku*) hypodermic; **woda ~a** subsoil water
**podsłuch** *m* eavesdropping; (*telefoniczny*) wire-tapping; (*radiowy*) monitoring
**podsłuchiwać** *vt* overhear, eavesdrop; (*w radiu*) monitor
**podstarzały** *adj* aged, elderly
**podstaw|a** *f* base, basis; **na tej ~ie** on this ground; **na ~ie czegoś** on the ground of sth
**podstawić** *vt* put under; substitute (**coś na miejsce czegoś** sth for sth)
**podstawow|y** *adj* fundamental, essential; **szkoła ~a** elementary school
**podstęp** *m* trick
**podstępny** *adj* tricky, trickish
**podsumować** *vt* sum up
**podsunąć** *vt* shove, slip; (*wsunąć ukradkiem*) foist; (*myśl*) suggest
**podsycać** *vt* foment, excite; (*ogień*) feed, blow
**podszeptywać** *vt* whisper furtively; (*podsunąć*) prompt (**komuś pomysł** sb with an idea), suggest
**podszewka** *f* lining
**podszycie** *n* (*lasu*) undergrowth
**podszyć** *vt* (*ubranie*) line; **~ się** *vr* pretend to be (**pod kogoś** sb), assume the character (**pod kogoś** of sb)
**podścielić** *vt* underlay, litter
**podściółka** *f* underlay, litter
**podświadomość** *f* subconsciousness
**podświadomy** *adj* subconscious
**podtrzymywać** *vt* support; (*stosunki, poglądy itp.*) maintain; (*życie, nastrój*) sustain; *przen.* (*bronić kogoś, czyjejś sprawy*) advocate
**podupad|ać** *vi* decline, go down;

~ać na siłach break up; ~ł na zdrowiu his health broke down
**poduszczeni|e** *n* abetment, instigation; z czyjegoś ~a at sb's instigation
**poduszka** *f* (*pościelowa*) pillow; (*ozdobna*) cushion; ~ **do stempli** ink-pad
**podwalina** *f* foundation
**podważyć** *vt* lever; (*łomem*) lift up; *przen.* (*osłabić*) weaken, sap, shake
**podwiązać** *vt* tie up, bind up
**podwiązka** *f* garter, suspender
**podwieczorek** *m* afternoon tea
**podwieźć** *vt* (*dostarczyć*) supply; ~ **kogoś (samochodem, autem)** give sb a lift
**podwinąć** *vt* turn up, tuck up
**podwładny** *adj i sm* subordinate
**podwodn|y** *adj* underwater *attr*, submarine; *mors.* **łódź** ~a submarine
**podwoić** *vt* double
**podwozie** *n* chassis
**podwójnie** *adv* doubly, twofold
**podwójn|y** *adj* double, twofold; ~a **gra** double-dealing
**podwórze** *n* (court-)yard
**podwyżka** *f* augmentation; (*cen*) rise; (*płacy*) increase
**podwyższać** *vt* raise, heighten; lift; (*powiększać*) increase
**podwyższenie** *n* elevation
**podzelować** *vt* sole
**podzia|ć** *vt* put somewhere, misplace, lose; ~ć **się** *vr* be misplaced, go lost; **gdzie się to** ~ło? what's become of it?
**podział** *m* division, partition; ~ **godzin** timetable
**podziałka** *f* scale
**podzielać** *vt* share
**podzielić** *vt* divide; ~ **się** *vr* share; ~ **się z kimś wiadomościami** impart news to sb
**podzielny** *adj* divisible
**podziemie** *n* underground
**podziemny** *adj* underground, subterranean
**podziękować** *zob.* **dziękować**
**podziękowanie** *n* thanks *pl*
**podziw** *m* admiration
**podziwiać** *vt* admire
**podzwrotnikowy** [-d-z-] *adj* tropical
**podżegacz** *m* abetter; ~ **wojenny** war-monger
**podżegać** *vt* abet, instigate
**poemat** *m* poem
**poeta** *m* poet
**poetka** *f* poet, poetess
**poetycki** *adj* poetic(al)
**poezja** *f* poetry
**pogadać** *vi pot.* (*także* ~ **sobie**) have a chat
**pogadanka** *f* chat; (*popularny wykład*) talk
**poganiacz** *m* driver
**poganiać** *vt* drive; urge, push on
**poganin** *m* heathen, pagan
**pogański** *m* heathen, pagan
**pogaństwo** *n* paganism
**pogard|a** *f* contempt, disdain; **godny** ~y contemptible
**pogardliwy** *adj* contemptuous, disdainful
**pogardzać** *vt* despise, disdain
**pogarszać** *zob.* **pogorszyć**
**pogawędka** *f* chat, talk
**pogawędzić** *vi* (*także* ~ **sobie**) have a chat
**pogląd** *m* view, opinion
**poglądow|y** *adj*, **lekcja** ~a object-lesson
**pogłaskać** *vt* stroke, caress
**pogłębiać** *vt* deepen
**pogłosk|a** *f* rumour; **chodzą** ~i it is rumoured
**pogoda** *f* weather; *przen.* (*ducha*) serenity
**pogodny** *adj* fair; (*na duchu*) serene, cheerful
**pogodzenie (się)** *n* conciliation, reconciliation
**pogodzić** *vt* reconcile; ~ **się** *vr* reconcile oneself (**z kimś** with sb, **z czymś** to sth), become reconciled
**pogoń** *f* chase (**za kimś** after sb), pursuit (**za kimś** of sb)
**pogorszenie** *n* change for worse, deterioration

**pogorszyć** *vt* make worse, worsen, deteriorate; **~ się** *vr* become worse, deteriorate
**pogorzelec** *m* victim of a fire
**pogotowi|e** *n* readiness; (*instytucja*) emergency service; **karetka ~a** ambulance; **~e milicyjne** emergency police squad; **~e ratunkowe** medical emergency service; **być w ~u** be on the alert
**pogranicze** *n* borderland
**pograniczn|y** *adj* border-, frontier-, bordering; **miasto ~e** frontier-town; **teren ~y** border-territory
**pogrążyć** *vt* sink, plunge; **~ się** *vr* sink, plunge; *przen.* become absorbed; **~ się w żalu** be overwhelmed by sorrow
**pogrobowiec** *m* posthumous child
**pogrom** *m* pogrom; (*rozbicie wojsk*) rout
**pogromca** *m* conqueror; (*zwierząt*) tamer
**pogróżka** *f* threat
**pogrzeb** *m* funeral, interment, burial
**pogrzebacz** *m* poker
**pogrzebać** *zob.* **grzebać**
**pogrzebowy** *adj* funeral; **orszak ~** funeral procession
**pogwałcenie** *n* violation
**pogwałcić** *vt* violate
**poić** *vt* drink; (*konie*) water
**pojawić się** *vr* appear, turn up, make one's appearance
**pojazd** *m* vehicle, conveyance
**pojąć** *vt* comprehend, grasp; **~ za męża** ⟨**za żonę**⟩ take as a husband ⟨as a wife⟩; take in marriage
**pojechać** *vi* go (**dokądś** to a place), leave (**dokądś** for a place)
**pojednać** *vt* reconcile; **~ się** *vr* reconcile oneself, become reconciled
**pojednanie** *n* reconciliation
**pojednawczy** *adj* conciliatory
**pojedynczo** *adv* singly, one by one
**pojedynczy** *adj* single; *gram.* singular
**pojedynek** *m* duel; **wyzwać na ~** challenge to a duel
**pojedynkować się** *vr* duel, fight a duel
**pojemnik** *m* container
**pojemność** *f* capacity
**pojemny** *adj* capacious
**pojęcie** *n* idea, notion; **to przechodzi moje ~** it passes my comprehension
**pojętność** *f* comprehension, apprehension
**pojętny** *adj* quick of apprehension, clever
**pojmać** *vt* seize, catch
**pojmować** *vt* comprehend, apprehend, grasp
**pojmowanie** *n* comprehension, apprehension
**pojutrze** *adv* the day after tomorrow
**pokarm** *m* food, nourishment
**pokarmowy** *adj* alimentary; **przewód ~** alimentary canal
**pokaz** *m* show; display; **~ lotniczy** air display; **na ~** for show
**pokazywać** *vt* show, display, demonstrate; (*wskazywać*) point (**na kogoś** at sb); **~ się** *vr* appear, come into sight
**pokaźny** *adj* considerable; showy, stately
**pokątny** *adj* clandestine; (*nielegalny*) unlicensed, illegal
**poker** *m* (*gra*) poker
**poklask** *m* applause
**pokła|d** *m* layer; *mors.* deck; **na ~d, na ~dzie** on board, aboard
**pokładać** *vt* lay, place; *przen.* **~ nadzieję** set hopes (**w kimś, czymś** on sb, sth)
**pokłon** *m* bow, homage
**pokło|nić się** *vr* bow; **~ń mu się ode mnie** present him my compliments, give him my regards
**pokłosie** *n* gleaning; *przen.* (*plon*) aftermath
**pokłócić** *vt* set at variance; **~ się** *vr* fall out (**z kimś** with sb), *pot.* fall to ⟨at⟩ loggerheads
**pokochać** *vt* fall in love (**kogoś** with sb), become fond (**kogoś, coś** of sb, of sth)

**pokojowy** *adj* peace *attr*, peaceful; (*znajdujący się w pokoju*) indoor; **okres ~** peace-time; **układ ~** peace treaty; **piesek ~** lap dog
**pokojówka** *f* chamber-maid
**pokolenie** *n* generation
**pokonać** *vt* (*pobić*) defeat; (*przemóc*) overcome, (*trudności*) surmount; **~ odległość** cover a distance
**pokora** *f* humility
**pokorny** *adj* humble
**pokost** *m* varnish
**pokostować** *vt* varnish
**pokój** *f* peace; (*pomieszczenie*) room; **~ stołowy** dining-room; **~ sypialny** bedroom; **pokoje do wynajęcia** rooms to let; **Światowa Rada Pokoju** World Peace Council; **światowy ruch pokoju** world peace movement; **zawierać ~** make peace
**pokrewieństwo** *n* relationship, affinity
**pokrewny** *adj* related (**komuś** to sb), (*duchowo*) congenial (**komuś** sb, with sb)
**pokrowiec** *m* cover, dust-cloth
**pokr|ój** *m*; **innego ~oju** of another cast; **tego ~oju** of this stamp
**pokrótce** *adv* in short, briefly
**pokrycie** *n* (*także fin.*) cover, covering; **~ w złocie** gold backing
**pokryć** *vt* cover; (*koszty*) defray
**po kryjomu** *adv* stealthily, secretly
**pokrywa** *f* cover, lid
**pokrywać** *vt* *zob.* **pokryć**; **~ się** *vr* be covered; *przen.* (*zbiegać się*) coincide
**pokrzepiać** *vt* invigorate, strengthen; refresh; **~ na duchu** fill with high spirits, cheer; **~ się** *vr* refresh oneself
**pokrzepienie** *n* refreshment; invigoration; (*duchowe*) encouragement
**pokrzywa** *f bot.* nettle
**pokrzywka** *f med.* nettle-rash
**pokupny** *adj* saleable, in great demand
**pokusa** *f* temptation; **~ mnie bierze** I fell tempted
**pokusić się** *vr* attempt, venture (**o coś** sth)
**pokut|a** *f* penance, penitance; **odprawiać ~ę** do penance
**pokutować** *vi* do penance; *przen.* (*trwać nadal*) linger on
**pokwitować** *vt* receipt
**pokwitowanie** *n* receipt
**Polak** *m* Pole
**polana** *f* glade, clearing
**polano** *n* billet
**polarn|y** *adj* polar; **gwiazda ~a** pole-star
**polaryzacja** *f* polarization
**pole** *n* field; **~ bitwy** battlefield; **~ widzenia** field of vision; *przen.* **wywieść w ~** jockey, hoax
**polec** *vi* fall, be killed
**polec|ać** *vt* recommend; (*powierzać*) commend; *handl.* (*zlecać*) command; **list ~ający** letter of introduction; **list ~ony** registered letter
**polecenie** *n* recommendation; *handl.* (*zlecenie*) command; **~ wypłaty** order of payment
**polega|ć** *vi* consist (**na czymś** in sth); rely, depend (**na kimś, czymś** on sb, sth); **na nim można ~ć** he can be relied upon; **nasze zadanie ~ na wspólnym wysiłku** our task consists in a common effort; **rzecz ~ na czymś innym** the matter consists in sth else, the point of the matter is different
**polemiczny** *adj* polemic(al)
**polemika** *f* polemics
**polepsz|ać** *vt* improve, make better; **~ać się** *vr* improve, grow better; (*o zdrowiu*) **~yło mu się** he is better
**polerować** *vt* polish
**polewa** *f* glaze, enamel
**polewaczka** *f* watering-can
**polewać** *vt* (*wodą*) water; (*pokrywać glazurą*) glaze

**polędwica** *f* loin
**policja** *f* police
**policjant** *m* policeman
**policzek** *m* cheek, face; (*uderzenie w twarz*) slap; **wymierzyć komuś ~** slap sb's face
**polisa** *f* insurance policy
**politechniczny** *adj* polytechnic(al)
**politechnika** *f* polytechnical school, engineering college
**politowanie** *n* pity, mercy
**politura** *f* polish
**politurować** *vt* polish
**polityczny** *adj* political
**polityk** *m* politician
**polityka** *f* (*taktyka*) politics; (*kierunek postępowania, dyplomacja*) policy
**polka** *f* (*taniec*) polka; **Polka** Pole, Polish woman
**polon** *m* *chem.* polonium
**polonez** *m* (*taniec*) polonaise
**polor** *m* lustre, gloss; (*ogłada*) refinement
**polot** *m* imaginativeness, enthusiasm
**polować** *vi* hunt, chase (**na zwierzynę** the deer); shoot; *pot.* (*poszukiwać*) hunt (**na kogoś, coś** sb, sth)
**polowanie** *n* chase, hunting; **iść na ~** go hunting
**polski** *adj* Polish
**polszczyzn|a** *f* Polish (language); **mówić i pisać dobrą ~ą** speak and write good Polish
**polubić** *vt* take a liking (**kogoś, coś** for ⟨to⟩ sb, sth)
**polubowny** *adj* arbitral; **sąd ~** arbitration
**poła** *f* skirt
**połać** *f* stretch of land, expanse
**poławiacz** *m* fisherman, diver; **~ pereł** pearl-diver; **~ min** mine-sweeper
**połączeni|e** *n* connexion (*także kolejowe*); union; fusion; **w ~u z czymś** in connexion with sth
**połączyć** *vt* connect; unite; (*telefonicznie*) put through (**z kimś** to sb); **~ się** *vr* unite; become connected; (*telefonicznie*) get through (**z kimś** to sb)
**połow|a** *f* half; (*środek*) middle; **~a roku** half a year; **w ~ie marca** in the middle of March; **na ~ę** by half; **za ~ę ceny** at half price
**połowica** *f*, *pot.* **moja ~** my better half
**połowiczny** *adj* half; partial
**położeni|e** *n* situation; (*zw. trudne*) plight; **w ciężkim ~u** in sad ⟨sorry⟩ plight
**położna** *f* midwife
**położyć** *vt* lay (down), place, put; *przen.* **~ koniec** put an end (**czemuś** to sth); **~ trupem** kill; **~ życie** sacrifice one's life; **~ się** *vr* lie down, go to bed; *zob.* **kłaść**
**połóg** *m* delivery, childbirth
**połów** *m* catch (**ryb** of fish), fishing; (*wynik połowu, ryby w sieci*) haul; **~ pereł** pearl-fishing; *przen.* **obfity ~** large booty
**południe** *n* midday, noon; **w ~** at noon; (*strona świata*) south; **na ~ od ...** to the south of ...; **przed ~m** in the morning, in the forenoon
**południk** *m* meridian
**południowo-wschodni** *adj* south-eastern
**południowo-zachodni** *adj* south-western
**południow|y** *adj* southern, south; **~a pora** noontide
**połykać** *vt* swallow
**połysk** *m* lustre, glitter, gloss, polish
**połyskiwać** *vi* glitter
**pomadka** *f* chocolate cream; **~ do ust** lipstick
**pomagać** *vi* help, aid, assist; be good, be of use (**na coś** for sth); **co to pomoże?** what's the use of it?; **płacz nic nie pomoże** it's no use crying
**pomału** *adv* slowly, little by little
**pomarańcza** *f* orange

**pomarszczony** *adj* wrinkled
**pomawiać** *vt* impute (**kogoś o coś** sth to sb), charge (**kogoś o coś** sb of sth)
**pomazać** *vt* smear over, besmear
**pomiar** *m* measurement; (*geodezyjny*) survey
**pomiarkować się** *vr* become aware (**co do czegoś** of sth)
**pomiatać** *vi* disdain, spurn (**kimś** sb)
**pomidor** *m* tomato
**pomieszać** *vt* mix up, stir up; (*wprowadzić zamęt*) confuse; **~ komuś szyki** thwart sb's designs; *zob.* **mieszać**
**pomieszani|e** *n* confusion; **~e zmysłów** insanity; **dostać ~a zmysłów** go mad
**pomieszczenie** *n* place, lodging, accomodation
**pomieścić** *vt* put, place; (*mieścić w sobie*) contain; (*dać mieszkanie, nocleg*) lodge, accomodate
**pomiędzy** *zob.* **między**
**pomija|ć** *vt* pass over, omit, overlook; **~ć milczeniem** pass over in silence; **~jąc ...** apart from ...
**pomimo** *praep* in spite of
**pomniejszać** *vt* diminish, belittle
**pomniejszy** *adj* minor, petty
**pomnik** *m* monument
**pomny** *adj* mindful (**czegoś** of sth)
**pomoc** *f* help, aid, assistance; *sport* half-back; **~ domowa** maid-servant; **~e naukowe** instructional aids; **udzielenie pierwszej ~y** first-aid treatment; **przyjść komuś z ~ą** come to sb's help; **wzywać kogoś na ~,** call on sb for help; **przy ~y ⟨za ~ą⟩ czegoś** with the aid ⟨by means, through the medium⟩ of sth; **przy ~y kogoś** with aid ⟨help⟩ of sb
**pomocnica** *f* (female) assistant
**pomocniczy** *adj* auxiliary
**pomocnik** *m* assistant
**pomocny** *adj* helpful
**pomorski** *adj* Pomeranian
**pomost** *m* platform; (*ze statku*) gangway
**pomóc** *zob.* **pomagać**
**pomór** *m* pestilence; (*u bydła*) murrain
**pompa 1.** *f techn.* pump; **~ ssąca** suction pump
**pomp|a 2.** *f* (*wystawność*) pomp; **z wielką ~ą** in great state
**pompatyczny** *adj* pompous
**pompować** *vt* pump
**pomsta** *f* revenge
**pomstować** *vi* swear (**na coś** at sth)
**pomyje** *spl* slops
**pomylić się** *vr* make a mistake, commit an error, be mistaken (**co do kogoś, czegoś** about sb, sth)
**pomyłk|a** *f* mistake, error; **przez ~ę** by mistake
**pomysł** *m* idea
**pomysłowość** *f* ingenuity
**pomysłowy** *adj* ingenious
**pomyślność** *f* prosperity, success
**pomyślny** *adj* successful, favourable; (*o wietrze*) fair; **~ skutek** good effect
**pomywaczka** *f* scullery-maid
**ponad** *praep* above; **~ miarę** beyond measure; **~ moje siły** beyond my power
**ponadto** *adv* moreover; besides; in addition
**ponaglać** *vt* urge, press
**ponaglenie** *n* urgency; (*pismo*) reminder
**poncz** *m* punch
**ponętny** *adj* alluring, enticing, attractive
**poniechać** *vt* give up, abandon
**poniedziałek** *m* Monday
**poniekąd** *adv* to some degree
**ponieść** *zob.* **ponosić**
**ponieważ** *conj* because, as, since
**poniewczasie** *adv* too late
**poniewierać** *vt* disregard; maltreat
**poniewierka** *f* miserable life; neglect
**poniżać** *zob.* **poniżyć**
**poniżej** *praep* under, below; *adv* underneath, below
**poniżenie** *n* humiliation, abasement
**poniższy** *adj* undernamed, undermentioned

**poniżyć** *vt* bring down, lower; degrade; abase, humble; **~ się** *vr* degrade oneself, humble oneself
**ponosić** *vt* carry (away); (*o uczuciach, namiętnościach*) transport; **~ koszty ⟨odpowiedzialność⟩** bear the expenses ⟨the responsibility⟩; **~ karę śmierci ⟨śmierć, stratę⟩** suffer the death penalty ⟨death, a loss⟩; **~ klęskę** sustain ⟨suffer⟩ a defeat
**ponowić** *vt* renew; (*powtarzać*) repeat
**ponownie** *adv* anew, again
**ponowny** *adj* repeated, new, another
**ponton** *m* pontoon
**ponury** *adj* gloomy
**pończoch|a** *f* stocking; **~y bez szwu** seamless stockings
**pończosznictwo** *n* hosiery
**poobiedni** *adj* after-dinner *attr*
**po omacku** *adv* gropingly; **iść ~** grope one's way; **szukać ~** grope (**czegoś** for sth)
**poparcie** *n* support; **na ~** in support (**czegoś** of sth)
**popas** *m* bait
**popaść** *vi* fall; **~ w kłopoty ⟨długi⟩** get into trouble ⟨debts⟩; **~ w nieszczęście** fall into misfortune
**popelina** *f* poplin
**popełnić** *vt* commit
**popęd** *m* impulse; inclination; **~ płciowy** sex instinct; **z własnego ~u** of one's own free will
**popędliwość** *f* impetuosity
**popędliwy** *adj* impetuous
**popędzać** *vt* drive on, urge
**popielaty** *adj* ashen, grey
**popielec** *m* Ash-Wednesday
**popielniczka** *f* ash-tray
**popierać** *vt* support, back
**popiersie** *n* bust
**popijać** *vt vi* (*małymi łykami*) sip; (*nałogowo*) tipple
**popiół** *m* ashes *pl*, cinders *pl*
**popis** *m* display, show
**popisowy** *adj* exemplary, show *attr*, model *attr*
**popisywać się** *vr* display (**czymś** sth), show off (**czymś** sth)
**poplecznik** *m* supporter, adherent
**popłaca|ć** *vi* pay; **to nie ~** it does not pay, there is no money in it
**popłatny** *adj* profitable, paying
**popłoch** *m* panic
**popołudni|e** *n* afternoon; **po ~u** in the afternoon
**poprawa** *f* improvement
**poprawczy** *adj* corrective; **dom ~** penitentiary, reformatory
**poprawiać** *vt* correct, improve; (*ustawę, tekst*) amend; **~ się** *vr* improve; (*moralnie*) mend one's ways; (*na zdrowiu*) get better, improve
**poprawka** *f* correction; *prawn.* amendment; (*egzamin*) repeated examination
**poprawność** *f* correctness
**poprawny** *adj* correct
**po prostu** *adv* simply; plainly; **mówiąc ~** to be plain
**poprzeczka** *f sport* cross-bar
**poprzecznie** *adv* crosswise
**poprzeczny** *adj* transversal
**poprzedni** *adj* previous, preceding; **~ego dnia** the day before
**poprzednik** *m* predecessor
**poprzednio** *adv* previously, formerly
**poprzedzać** *vt* precede, go before; **~ przedmową** preface
**poprzek, w ~** *adv* crosswise, athwart, across
**poprzestać** *vi* be satisfied (**na czymś** with sth); **na tym nie można ~** the matters cannot rest there
**poprzez** *praep* across, through
**popularność** *f* popularity
**popularny** *adj* popular
**popularyzować** *vt* popularize
**popuszczać** *vt* slacken, loosen, let loose; relax; (*folgować*) indulge (**komuś w zachciankach** sb in his whims); **~ wodze swej fantazji** give reins ⟨give full rein⟩ to one's imagination; **~ pasa** loosen one's belt
**popychać** *vt* push; **~ się** *vr* push on, jostle
**popychadło** *n* drudge

**popyt** *m* demand (na coś for sth); **~ i podaż** demand and supply
**por** 1. *m anat.* pore
**por** 2. *m bot.* leek
**por|a** *f* season, time; **~a obiadowa** dinner time; **4 ~y roku 4 seasons of the year; do tej ~y till now, up to this time; o każdej porze** at any time; **w ~ę** in good time
**porabia|ć** *vi*, **co ~sz?** what are you doing?
**porachunek** *m* reckoning, settling of accounts
**porad|a** *f* advice, counsel; **udzielić ~y** give advice; **zasięgnąć czyjejś ~y** take sb's advice; **za czyjąś ~ą** on sb's advice
**poradnia** *f* (*lekarska*) clinic for outpatients, dispensary
**poradnik** *m* guide-book, vade-mecum
**poranek** *m* morning
**poranny** *adj* morning *attr*
**porastać** *vi* get overgrown, become grown over; *przen.* **~ w pierze** feather one's nest
**porazić** *vt* strike; paralyze; defeat
**porażenie** *n* stroke, paralysis; **~ słoneczne** sunstroke
**porażka** *f* defeat
**porcelana** *f* china
**porcja** *f* portion, share
**poręcz** *f* banister, handrail; (*u krzesła*) arm; *pl* **~e** *sport* parallel bars
**poręczenie** *n* surety, guarantee
**poręczny** *adj* handy
**poręczyciel** *m* guarantee, guarantor; *prawn.* guaranty
**poręczyć** *zob.* **ręczyć**
**poręka** *zob.* **poręczenie**
**pornografia** *f* pornography
**poronienie** *n med.* abortion, miscarriage
**poroniony** *adj* abortive
**porost** *m* growth
**porowaty** *adj* porous
**porozbiorowy** *adj* post-partition *attr*
**porozumieć się** *vr* come to an understanding (**z kimś** with sb); make oneself understood (**z kimś** by sb); combine (**żeby coś zrobić** to do sth); (*kontaktować* **się**) communicate (**z kimś** with sb)
**porozumieni|e** *n* understanding, agreement; **dojść do ~a** come to an agreement
**poród** *m* childbirth, delivery
**porównać, porównywać** *vt* compare
**porównanie** *n* comparison
**porównawczy** *adj* comparative
**poróżnić** *vt* set at variance; **~ się** *vr* fall out (**z kimś** with sb)
**port** *m* port, harbour; **~ lotniczy** airport; **komendant ~u** harbour-master
**porter** *m* porter, stout
**portfel** *m* wallet; *handl.* (*wekslowy*) portfolio
**portier** *m* porter, door-keeper
**portiernia** *f* porter's quarters
**portmonetka** *f* purse
**porto** *n* (*opłata*) postage
**portret** *m* portrait
**portretować** *vr* portray
**Portugalczyk** *m* Portuguese
**portugalski** *adj* Portuguese
**portyk** *m* portico
**poruczać** *f vt* charge (**komuś coś** sb with sth); entrust (**komuś coś** sb with sth, sth to sb); **~ czyjejś opiece** commit to sb's care
**poruczenie** *n* commission, charge
**porucznik** *m* lieutenant
**poruszać** *vt* move; stir; touch (**kwestię** upon a question); **~ się** *vr* move, stir
**poruszenie** *n* movement, stir
**poryw** *m* impulse; (*zapał*) enthusiasm, rapture; **~ wiatru** gust
**porywać** *vt* seize; snatch; carry off; (*kobietę*) ravish, rape; (*zw. dziecko*) kidnap; (*zachwycać*) enrapture; **~ się** *vr* (*z miejsca*) start up; attempt (**na coś** sth)
**porywający** *adj* ravishing
**porywczy** *adj* rash
**porząd|ek** *m* order; **w ~ku** in (good) order; **nie w ~ku** out of order; **coś nie jest w ~ku** something is wrong with it; **przywo-**

**łać do ~ku** call to order; **zrobić ~ek** put in order
**porządkować** *vt* order, put in order
**porządkowy** *adj* ordinal
**porządny** *adj* well-ordered, neat; (*uczciwy*) honest, decent
**porzeczka** *f* currant
**porzucać** *vt* abandon, give up, leave
**posada** *f* situation, employment, post; (*podstawa*) foundation
**posadzić** *vt* set, seat; (*roślinę*) plant
**posadzka** *f* (parquet) floor
**posąg** *m* dowry
**posądzać** *vt* suspect (**kogoś o coś** sb of sth)
**posądzenie** *n* suspicion (**o coś** of sth)
**posąg** *m* statue
**posążek** *m* statuette
**poselstwo** *n* legation; mission
**poseł** *m* (*pełnomocny*) envoy; (*członek deputacji*) deputy; (*posłaniec*) messenger; **~ do parlamentu** *bryt.* member of Parliament; *am.* representative
**posesja** *f* property, real estate
**posępny** *adj* gloomy
**posiadacz** *m* owner, man of property
**posiada|ć** *vt* possess, own; **nie ~ć się z radości ⟨z wściekłości⟩** be beside oneself with joy ⟨fury⟩
**posiadłość** *f* property, possession
**posiąść** *vt* come into possession (**coś** of sth), get possession (**coś** of sth)
**posiedzenie** *n* sitting; **odbywać ~** hold a sitting
**posiew** *m* sowing; grain sown; *przen.* seeds *pl*
**posilać się** *vr* refresh oneself, get refreshed
**posił|ek** *m* meal, refreshment; (*pomoc*) *pl* **~ki** reinforcements
**posiłkować się** *vr* make use (**czymś** of sth)
**posiłkowy** *adj* auxiliary (*także gram.*)
**poskramiać** *vt* tame; (*konia*) break; (*wroga, namiętności*) subdue
**poskromiciel** *m* tamer
**posłać 1.** *vt* send, convey, dispatch
**posłać 2.** *vt*, **~ łóżko** make bed
**posłanie** *m* message, mission; (*pościel*) bed clothes, bedding
**posłaniec** *m* messenger
**posłuch** *m* obedience; **dać ~** give ear (**czemuś** to sth)
**posłuchać** *vi* (*usłuchać*) obey; (*przysłuchiwać się*) listen (**czegoś** to sth); (*o audycji*) listen in (**czegoś** to sth)
**posłuchanie** *n* audience; **otrzymać ~** be received in audience
**posługa** *f* service; (*domowa*) housework
**posługacz** *m* servant
**posługiwać się** *vr* make use (**czymś** of sth), use
**posłuszeństwo** *n* obedience
**posłuszny** *adj* obedient; **być ~m** obey
**posmak** *f* aftertaste
**pospolity** *adj* vulgar, common
**pospólstwo** *n* populace, mob
**posrebrzać** *vt* silver
**post** *m* fast; **Wielki Post** Lent
**posta|ć** *f* form, shape; figure; (*osoba*) person; (*kreacja*) character; **przybrać ~ć** take the form ⟨shape⟩; **w ~ci** in the shape (**czegoś** of sth)
**postanawiać** *vt vi* resolve, determine (**coś** on sth), make up one's mind
**postanowienie** *n* decision, resolution
**postawa** *f* (*pozycja, prezencja*) stature; (*ustosunkowanie się*) attitude
**postawić** *vt* set (up); (*budynek*) erect; (*np. warunek*) impose; (*pytanie*) put; **~ na swoim** carry one's point; **~ sobie zadanie** set oneself the task
**posterunek** *m* post, outpost; *wojsk.* sentry
**postęp** *m* progress, advance
**postępek** *m* act, action

**postępować** *vi* proceed, go on; (*zachowywać się*) behave (**w stosunku do kogoś** towards sb); deal (**z kimś** with sb); act (**zgodnie z czymś** up to sth)
**postępowanie** *n* advance; (*zachowanie się*) behaviour (**z kimś** towards sb), action; **~ sądowe** legal proceedings
**postępowy** *adj* progressive
**postny** *adj* fasten, fast, meatless
**postój** *m* stay, stop, halting-place; **~ taksówek** taxi-stand
**postrach** *m* terror, scare
**postradać** *vt* lose
**postronek** *m* rope; (*stryczek*) halter
**postronny** *adj* side *attr*, outside *attr*; alien, strange
**postrzał** *m* shot, gunshot-wound; (*ból*) crick
**postrzelić** *vt* wound by a shot
**postrzelony** *adj* wounded by a shot; (*szalony*) crazy
**postscriptum** *n nieodm.* postscript
**postulat** *m* postulate, demand
**postument** *m* pedestal
**posucha** *f* drought
**posunięcie** *n* move
**posuwać** *vt* move (forward), push on; *przen.* advance; **~ się** *vr* move (forward), go along; *przen.* advance, make progress
**posyłać** *zob.* **posłać**
**posyłk|a** *f* parcel, packet; (*sprawunek*) errand; **chodzić na ~i** run errands; **chłopiec na ~i** errand-boy
**posypywać** *vt* strew over, powder
**poszanowanie** *n* respect, esteem
**poszarpany** *adj* rugged, (*strzępiasty*) jagged; *zob.* **szarpać**
**poszczególnie** *adv* individually, one by one
**poszczególny** *adj* individual; respective; separate; particular; **każdy ~ wypadek** each particular case
**poszczerbiony** *adj* jagged; *zob.* **szczerbić**
**poszerzać** *vt* widen
**poszewka** *f* pillow-case
**poszkodowany** *adj* injured, damaged; **zostać ~m** incur damage
**poszlaka** *f* trace, indication
**poszlakowy** *adj*, **materiał ~** circumstantial evidence
**poszukiwacz** *m* searcher, researcher; prospector; **~ złota** gold-digger, gold-prospector
**poszukiwa|ć** *vt* search (**czegoś** for sth); seek (**czegoś** after sth), be in search (**czegoś** of sth); (*badać*) inquire (**czegoś** into sth); *prawn.* **~ć na kimś szkody** sue sb for damages; **~ny** sought after; wanted; (*o towarze*) in demand
**poszukiwanie** *n* search; (*naukowe*) research; **udać się na ~** go in search
**poszycie** *n* cover(ing); (*dachu*) thatch
**pościć** *vi* fast
**pościel** *f* bed-clothes
**pościg** *m* chase, pursuit
**pośladek** *m* buttock
**pośledni** *adj* inferior, mean
**poślizg** *m* slip, skid; **wpaść w ~** skid
**poślizgnąć się** *vr* slip
**poślubić** *vt* marry
**pośmiertny** *adj* posthumous
**pośmiewisk|o** *n* derision; **przedmiot ~a** laughing-stock
**pośpiech** *m* haste, hurry, speed
**pośpieszyć (się)** *vi vr* hasten, hurry
**pośpiesznie** *adv* hurriedly
**pośpieszny** *adj* hasty; **pociąg ~** fast ⟨express⟩ train
**pośredni** *adj* indirect, mediate, middle
**pośrednictw|o** *n* mediation; **za ~em** through the medium
**pośredniczyć** *vi* mediate
**pośrednik** *m* mediator, intermediary; *handl.* middleman
**pośrodku** *adv* in the middle
**pośród** *praep* among(st), amid(st)
**poświadczać** *vt* attest, testify
**poświadczenie** *n* attestation, certificate
**poświęcać** *vt* devote; dedicate; (*czynić ofiary*) sacrifice; (*świę‑

*cić, wyświęcać*) consecrate; **~ się** *vr* sacrifice oneself; devote oneself
**poświęcenie** *n* devotion; (*ofiara*) sacrifice
**pot** *m* sweat, perspiration; **lekarstwo na ~y** sudorific; **w pocie czoła** by the sweat of one's brow
**potajemny** *adj* secret, clandestine
**potakiwać** *vi* say yes
**potas** *m chem.* potassium
**potaż** *m chem. techn.* potash
**potąd** *adv* (*o czasie*) till now; (*o miejscu*) down to here
**potem** *adv* afterwards
**potencjalny** *adj* potential
**potencjał** *m* potential
**potentat** *m* potentate
**potęga** *f* power, might; *mat.* power; **druga ~** second power, square
**potęgować** *vt* augment, heighten, raise; **~ się** *vr* increase, intensify
**potępiać** *vt* condemn; (*skazać na potępienie*) damn
**potępienie** *n* condemnation; damnation
**potężny** *adj* powerful, mighty
**potknąć się** *vr* stumble; *przen.* (*postąpić niewłaściwie*) make a slip
**potknięcie się** *n* stumbling; *przen.* (*niewłaściwy krok*) slip, lapse
**potoczny** *adj* current, common, familiar; **język ~** colloquial speech
**potoczysty** *adj* flowing, fluent
**potok** *m* stream; *przen.* **~ słów ⟨łez⟩** flood of words ⟨tears⟩
**potomek** *m* descendant
**potomność** *f* posterity
**potomstwo** *n* progeny, issue
**potop** *m* flood, deluge
**potrafić** *vi* know how to do, manage
**potraw|a** *f* dish, fare; **spis ~** bill of fare
**potrawka** *f* fricasseé
**potrącać** *vt* push, jostle; (*pieniądze*) knock off, deduct
**potrącenie** *n* push; (*sumy pieniężnej*) deduction
**po trochu** *adv* little by little
**potroić** *vt*, **~ się** *vr* treble
**potrójnie** *adv* threefold
**potrójny** *adj* threefold
**potrzask** *m* trap; **wpaść w ~** to be caught in a trap
**potrząsać** *vt* shake
**potrzeb|a** 1. *f* need, want; (*konieczność*) necessity; **nagła ~a** emergency; **~y życiowe** necessaries of life; **nie ma ~y** there is no need; **w razie ~y** in case of need
**potrzeba** 2. *v imper* it is needed, it is necessary; **tego mi ~** I need it; **nie ~ mówić** it is needless to say; **~ będzie dużo czasu, aby to skończyć** it will take long to finish it
**potrzebny** *adj* needed, wanted, necessary
**potrzeb|ować** *vt* need, want, be in need of; **będę ~ował dwóch godzin, aby to skończyć** it will take me two hours to finish it; **pociąg ~uje dwóch godzin, aby tam dojechać** the train needs two hours to get there
**po trzecie** *adv* in the third place
**potulność** *f* submissiveness, docility
**potulny** *adj* submissive, docile
**poturbować** *vt* drub
**potwarca** *m* slanderer
**potwarz** *f* slander, calumny
**potwierdzać** *vt* confirm, corroborate; (*odbiór czegoś*) acknowledge
**potwierdzenie** *n* confirmation, corroboration; **~ odbioru** receipt, acknowledgement of the receipt
**potworność** *f* monstrosity
**potworny** *adj* monstrous
**potwór** *m* monster
**potyczka** *f* skirmish
**potykać się** *vr* (*walczyć*) skirmish; *zob.* **potknąć się**
**potylica** *f anat.* occiput
**pouczać** *vt* instruct
**pouczający** *adj* instructive
**pouczenie** *n* instruction

**poufałość** *f* intimacy, familiarity
**poufały** *adj* intimate, familiar
**poufny** *adj* confidential
**powabny** *adj* attractive, charming
**powaga** *f* gravity, seriousness; (*autorytet*) authority
**powalać** *vt* soil, dirty, make dirty; **~ się** *vr* dirty oneself, become dirty; soil (one's hands, face)
**powalić** *vt* knock down, overthrow, bring to the ground; **~ się** *vr* collapse
**powała** *f* ceiling
**poważać** *vt* respect, esteem
**poważanie** *m* respect, esteem; (*w liście*) **z ~m** yours truly, yours sincerely ⟨faithfully⟩; **z głębokim ~m** yours respectfully
**poważny** *adj* grave, serious, earnest; (*znaczny*) considerable; (*autorytatywny*) authoritative; (*o wieku*) advanced; **~ człowiek** (*wpływowy*) man of consequence; (*o kobiecie*) **w ~m stanie** in the family way
**powątpiewać** *vt* doubt (**o czymś** sth, about sth), be in doubt (**o czymś** about sth)
**powetować** *vt* make up (**sobie coś** for sth), compensate; **~ sobie stracony czas** make up for lost time
**powiadamiać** *vt* inform, let know
**powiadomienie** *n* information
**powiastka** *f* tale, story
**powiat** *m* district
**powić** *vt* *lit.* be delivered (**dziecko** of a child)
**powidła** *s pl* (plum) jam
**powiedzenie** *n* saying
**powie|dzieć** *vt* say; **że tak ~m, ~dzmy** so to say, say
**powieka** *f* eye-lid
**powielacz** *m* *techn.* mimeograph, duplicator; *elektr.* multiplier
**powielać** *vt* mimeograph, duplicate
**powiernica** *f* confidante
**powiernik** *m* confidant; *prawn.* trustee
**powierzać** *vt* confide, entrust
**powierzchnia** *f* surface; (*teren*) area
**powierzchowność** *f* superficiality; (*prezencja*) outward appearance
**powierzchowny** *adj* superficial; *przen.* shallow
**powiesić** *vt* hang (up); **~ się** *vr* hang oneself
**powieściopisarz** *m* novelist
**powieść 1.** *f* novel
**powieść 2.** *vt zob.* **wieść 2.**; **~ się** *vr*, **jemu się powiodło** he has been successful
**powietrz|e** *n* air; **na wolnym ~u** in the open air
**powietrzn|y** *adj* aerial; air; **droga ~a** airway; **linia ~a** airline; **drogą ~ą** by air
**powiew** *m* breath of wind, breeze; (*silny*) blast
**powiewać** *vi* blow; (*na wietrze*) stream; (*pomachać*) wave
**powiększać** *vt* enlarge, augment, increase, magnify; **~ się** *vr* increase; (*zw. o dochodach, majątku*) accrue
**powiększenie** *n* enlargement, increase
**powijaki** *s pl* swaddling-clothes
**powikłać** *vt* entangle, complicate
**powikłanie** *n* entanglement, complication
**powinien** *praed* **on ~** he should, he ought to; **ja ~em** I should, I ought to
**powinność** *f* duty
**powinowactwo** *n* affinity
**powinowaty** *adj* related; *s m* relation
**powinszowanie** *n* congratulation; **z ~m Nowego Roku** a happy New Year; **z ~m imienin ⟨urodzin⟩** many happy returns of this day
**powitanie** *n* welcome, salutation
**powlekać** *vt* cover
**powłoczka** *f* pillow-case
**powłoka** *f* cover; (*warstwa*) coat(ing)
**powodować** *vt* cause, bring about, effect; (*wywoływać*) provoke
**powodzenie** *n* success, prosperity
**powodzi|ć się** *vr* get on, prosper;

dobrze mi się ~ I am prospering, I am getting on well; **nie ~ mu się** he is not prospering, he is not doing well; **źle mu się ~** he is doing badly; **jak ci się ~?** how are you doing?; how are you getting on?
**powojenny** *adj* post-war *attr*
**powolny** *adj* slow; (*uległy*) submissive, compliant
**powołanie** *n* call; (*pobór*) conscription; vocation (np. **do stanu duchownego** for the ministry)
**powoływać** *vt* call; (*na stanowisko*) appoint; (*do wojska*) call up; **~ się** *vr* refer (**na kogoś, coś** to sb, sth)
**powonienie** *n* (sense of) smell
**powozić** *vt* drive
**powód** *m* cause, reason (**czegoś** of sth, **do czegoś** for sth); (*w sądzie*) plaintiff; **z powodu** by reason of, on account of, because of; **bez żadnego powodu** for no reason whatever
**powództwo** *n* complaint
**powódź** *f* flood
**powój** *m bot.* bindweed
**powóz** *m* carriage
**powracać** *vi* return, come back; **~ do zdrowia** recover
**powrotny** *adj* recurrent; **bilet ~** return ticket
**powroźnik** *m* rope-maker
**powr|ót** *m* return; **~ót do zdrowia** recovery; **na ~ót, z ~otem** back, again; **tam i z ~otem** to and fro
**powróz** *m* rope, cord
**powstanie** *n* coming into existence, formation, origin; (*zbrojne*) rising, insurrection; *biol.* **~ gatunków** origin of species
**powstaniec** *m* insurgent
**powstawać** *vi* stand up, rise; (*zacząć istnieć*) come into existence, arise; **~ zbrojne** rise up in arms; **~ przeciw komuś** (*z inwektywą*) inveigh against sb
**powstawanie** *n* formation
**powstrzymanie** *m* repression, suppression, check
**powstrzymywać** *vt* restrain, keep back, check; **~ kogoś od czegoś** keep sb from (doing) sth; **~ się** *vr* refrain (**od czegoś** from sth, from doing sth)
**powszechny** *adj* universal, general; (*o szkole*) primary
**powszedni** *adj* every-day, daily, common; **chleb ~** daily bread, **dzień ~** workday
**powściągliwość** *f* restraint, temperance
**powściągliwy** *adj* restrained, temperate, self-controlled
**powtarzać** *vt* repeat
**po wtóre** *adv* secondly, in the second place
**powtórka** *f* repetition
**powtórnie** *adv* anew, again
**powtórny** *adj* repeated, second
**powtórzenie** *n* repetition
**powyżej** *adv* above
**powyższ|y** *adj* above, above-mentioned; **~a klauzula** the above clause
**powziąć** *vt* take, take up; form, frame, conceive; **~ myśl** form ⟨conceive⟩ an idea; **~ postanowienie** arrive at a decision; **~ uchwałę** pass a resolution
**poza** 1. *f* pose, attitude
**poza** 2. *praep* beyond, behind; (*oprócz*) except, apart from; **~ szkołą** away from school; **~ tym** *adv* besides; **nikt ~ tym** nobody else
**pozagrobow|y** *adj*, **życie ~e** after-life, life hereafter
**pozbawiać** *vt* deprive (**kogoś czegoś** sb of sth); **~ majątku** dispossess
**pozbywać się** *vr* get rid (**czegoś** of sth); (*strachu*) banish; (*nałogu*) abandon
**pozdr|awiać** *vt* greet, hail, salute; **~ów go ode mnie** give him my kind regards ⟨my love⟩
**pozdrowieni|e** *n* greeting, salutation; **serdeczne ~a** love
**pozew** *m* summons, writ
**poziom** *m* level
**poziomka** *f* (wild) strawberry

**poziomy** *adj* horizontal; *przen.* (*pospolity*) low, common
**pozłacać** *vt* gild
**pozłota** *f* gilding
**pozna|ć** *vt* become acquainted (**kogoś, coś** with sb, sth); (*rozpoznać*) recognize; **~ć się** *vr* (**z kimś**) make sb's acquaintance, become acquainted with sb; **~łem się z nim** I made his acquaintance; **~łem się na nim** I saw him through
**poznajomić** *vt* acquaint (**kogoś z kimś** sb with sb); **~ się** *vr* become acquainted
**poznani|e** *n* recognition, perception, knowledge; **zdolność ~a** perceptive faculty; **nie do ~a** out of all recognition
**poznawać** *zob.* **poznać**
**pozorny** *adj* apparent, seeming
**pozostać** *zob.* **pozostawać**
**pozostały** *adj* remaining, left; *chem.* residual; **~ przy życiu** surviving
**pozosta|wać** *vi* remain; stay behind; be left; **~wać przy swoim zdaniu** persist in one's opinion; **~wać w domu** stay at home; **~wać w łóżku** keep to one's bed; **nie ~je mi nic innego jak tylko...** there is nothing left for me but...; **niewiele mi ~je** I have not much left
**pozostawiać** *vt* leave; **~ za sobą** leave behind
**pozować** *vi* pose (**na kogoś** as sb), set oneself up (**na kogoś** as sb); **~ malarzowi do portretu** sit to a painter for one's portrait
**poz|ór** *m* appearance, pretence, pretext; **zachowywać ~ory** keep up appearances; **na ~ór** seemingly; **pod ~orem** under the pretence; **pod żadnym ~orem** under no account; **według wszelkich ~orów** to all appearances
**pozwać** *vt* summon
**pozwalać** *vt* allow, permit, let; **~ sobie** allow oneself; (*folgować sobie*) indulge (**na coś** in sth); **~ sobie na poufałość** take liberties (**z kimś** with sb); **mogę sobie na to pozwolić** I can afford it
**pozwany** *m prawn.* defendant
**pozwolenie** *n* permission
**pozycja** *f* position; (*zapis*) item, entry
**pozyskać** *vt* gain, win
**pozytyw** *m fot.* positive
**pozytywizm** *m* positivism
**pozytywny** *adj* positive
**pożałować** *vt* (*zlitować się*) take pity (**kogoś** on sb); (*odczuć żal*) regret, repent; (*poskąpić*) begrudge (**komuś czegoś** sb sth)
**pożar** *m* fire
**pożarn|y** *adj*, **straż ~a** fire-brigade
**pożądać** *vt* desire, covet
**pożądanie** *n* desire; (*żądza*) lust
**pożądany** *adj* desirable
**pożegnać** *vt* take leave (**kogoś** of sb); **~ się** *vr* say goodbye (**z kimś** to sb)
**pożegnalny** *adj* farewell *attr*, parting
**pożegnanie** *n* leave-taking, leave, farewell
**pożerać** *vt* devour
**pożoga** *f* fire, conflagration
**pożreć** *zob.* **pożerać**
**pożyci|e** *n* life; **~e małżeńskie** married life; **~e z ludźmi** social life; **trudny w ~u** hard to live with
**pożyczać** *vt* (*komuś*) lend; (*od kogoś*) borrow
**pożyczk|a** *f* loan; **udzielać ~i** grant a loan
**pożyteczność** *f* utility, usefulness
**pożyteczny** *adj* useful
**pożyt|ek** *m* use, utility, profit; **odnosić ~ek** derive an advantage (**z czegoś** from sth); **jaki z tego ~ek?** what's the use of it?
**pożywić** *vt* nourish, feed; **~ się** *vr* refresh oneself
**pożywienie** *n* nourishment, refreshment food
**pożywka** *f* nutrient, nourishing substance

**pożywny** *adj* nutritious, nourishing
**pójść** *zob.* **iść**
**póki** *zob.* **dopóki**
**pół** *num* half; demi-, semi-; **~ ceny** half-price; **~ do drugiej** half past one; **~ na ~** half-and-half; **~ roku** half a year; **~żywy** half-alive; **dzielić się na ~** go halves
**półbucik** *m* low shoe
**półfabrykat** *m* half-finished product, semifacture
**półfinał** *m sport* semifinal
**półgłosem** *adv* half aloud
**półgłówek** *m* half-wit
**półinteligent** *m* half-educated man
**półka** *f* shelf; (*na bagaż, narzędzia*) rack; **~ na książki** book-shelf
**półkole** *n* semi-circle
**półksiężyc** *m* half-moon; *poet.* crescent; (*godło islamu*) crescent
**półkula** *f* hemisphere
**półmisek** *m* dish
**półmrok** *m* twilight
**północ** *f geogr.* north; (*pora doby*) midnight; **na ~** to the north (**od Warszawy** of Warsaw); **na ~y** in the north; **o ~y** at midnight
**północno-wschodni** *adj* north-eastern
**północno-zachodni** *adj* north-western
**północny** *adj* north, northern; midnight
**półroczny** *adj* half-yearly
**półświatek** *m* demi-monde
**półtora** *num* one and a half
**półurzędowy** *adj* semi-official
**półwysep** *m* peninsula
**póty** *zob.* **dopóki**
**później** *adv* later (on), afterwards; **prędzej czy ~** sooner or later
**późno** *adv* late
**późny** *adj* late
**prababka** *f* great grandmother
**prac|a** *f* work; (*zatrudnienie*) job; (*trud*) labour; **~a akordowa** piece-work; **~a dniówkowa** time-work; **partia ~y** Labour Party; **świat ~y** labour; **warunki ~y** working conditions; **bez ~y** out of work; *przen.* **syzyfowa ~a** Sisyphean labours
**pracodawca** *m* employer
**pracować** *vi* work
**pracowitość** *f* industry
**pracowity** *adj* industrious, laborious
**pracownia** *f* workshop; laboratory
**pracownik** *m* worker; **~ fizyczny ⟨umysłowy⟩** manual ⟨intellectual⟩ worker
**praczka** *f* washerwoman
**prać** *vt* wash
**pradziad** *m* great grandfather; (*przodek*) ancestor
**pragnący** *adj* desirous (**czegoś** of sth); (*spragniony*) thirsty
**pragnąć** *vt vi* desire; be desirous (**czegoś** of sth); † (*być spragnionym*) be thirsty
**pragnienie** *n* desire; thirst; **mieć ~** be thirsty
**praktyczny** *adj* practical
**praktyk** *m* practitioner
**praktyk|a** *f* practice; training, apprenticeship; **odbywać ~ę** serve one's apprenticeship, undergo training
**praktykant** *m* apprentice; (*kandydat przyjęty na próbę*) probationer
**praktykować** *vt vi* (*uprawiać praktykę*) practise; (*odbywać praktykę*) get practical training, be bound apprentice
**pralinka** *f* praline
**pralka** *f* washing-machine
**pralnia** *f* wash-house; (*pomieszczenie*) laundry; **~ chemiczna** dry-cleaning shop, dry-cleaner's
**prałat** *m* prelate
**pranie** *n* washing
**praojciec** *m* ancestor
**prasa** *f* press; (*drukarnia*) printing-machine
**prasować** *vt* press; (*bieliznę, ubranie*) iron, press

**prasow|y** *adj*, **kampania ~a** press campaign

**prawda** *f* truth; **to ~** that's true

**prawdomówność** *f* truthfulness, veracity

**prawdomówny** *adj* truthful, veracious

**prawdopodobieństw|o** *n* probability; **według wszelkiego ~a** in all probability

**prawdopodobnie** *adv* probably; **on ~ powróci** he is likely to come back

**prawdopodobny** *adj* probable, likely

**prawdziwie** *adv* indeed, truly

**prawdziwość** *f* genuineness, authenticity, reality, truth

**prawdziwy** *adj* true, genuine, real, authentic

**prawica** *f* right hand; *polit.* the Right

**prawić** *vt vi* discourse, talk; **~ kazanie** sermonize, lecture (**komuś** sb); **~ komplementy** pay compliments

**prawidło** *n* rule; (*do butów*) boot-tree

**prawidłowość** *f* regularity

**prawidłowy** *adj* regular, correct

**prawie** *adv* almost, nearly; **praca jest ~ skończona** the work is as well as done; **~ nigdy** hardly ever; **~ tej samej wielkości** about the same size

**prawniczy** *adj* juridical; **wydział ~** Faculty of Law

**prawnie** *adv* (*na mocy prawa*) by right; by law; rightfully, lawfully

**prawnik** *m* lawyer

**prawnuczka** *f* great granddaughter

**prawnuk** *m* great grandson

**prawny** *adj* legal, lawful; (*prawnie należny*) rightful

**prawo** 1. **na ~** *adv* on the right, to the right

**prawo** 2. *n* right; (*przedmiotowe, ustawa*) law; **~ autorskie** copyright; **~ głosowania** voting right; **~ jazdy** driving-licence; **~ własności** right of possession; **~ zwyczajowe** common law; **mieć ~** have the right; **odwołać się do prawa** go to law; **studiować ~** read law; **wyjąć spod prawa** outlaw

**prawodawczy** *adj* legislative

**prawodawstwo** *n* legislation

**prawomocność** *f* validity, legal force

**prawomocny** *adj* valid

**prawomyślny** *adj* orthodox

**praworządny** *adj* law-abiding

**prawosławny** *adj* orthodox

**prawość** *f* righteousness, honesty

**prawować się** *vr* litigate (**o coś** about sth)

**prawowierność** *f* orthodoxy

**prawowierny** *adj* orthodox

**prawowity** *adj* legitimate

**prawoznawstwo** *n* jurisprudence

**praw|y** *adj* right; (*uczciwy*) honest, righteous; **po ~ej stronie** on the right hand ⟨side⟩

**prawzór** *m* prototype

**prażyć** *vt* grill, burn

**prąd** *m* current; (*strumień*) stream; (*kierunek, dążność*) tendency, trend; *elektr.* **~ stały ⟨zmienny⟩** direct ⟨alternating⟩ current; **pod ~** against the stream, upstream; **z ~em** with the stream, downstream

**prątek** *m med.* bacillus

**prąż|ek** *m* stripe; **w ~ki** striped

**prążkowany** *adj* striped

**precedens** *m* precedent

**precyzja** *f* precision

**precyzyjny** *adj* precision *attr*; **instrument ~** precision instrument

**precyzować** *vt* define precisely

**precz** *adv* away; *int* begone!, out of my sight!; **~ z wojną!** down with war!

**predestynacja** *f* predestination

**prefabrykat** *m* prefabricated article

**prefabrykować** *vt* prefabricate

**prefekt** *m* prefect

**prefiks** *m gram.* prefix

**prehistoryczny** *adj* prehistoric

**prelegent** *m* lecturer

**prelekcja** *f* lecture
**preliminaria** *s pl polit.* preliminaries
**preliminarz** *m* preliminary estimate; ~ **budżetowy** budget estimates *pl*
**preludium** *n muz. i przen.* prelude
**premedytacja** *f* premeditation
**premia** *f* premium; (*nagroda*) prize; (*dodatek do płacy*) bonus
**premier** *m* prime minister, premier
**premiera** *f* first night, première
**premiować** *vt* pay a premium; pay a bonus; award a prize
**prenumerata** *f* subscription
**prenumerator** *m* subscriber
**prenumerować** *vt* subscribe (**coś** to sth)
**preparat** *m* preparation; *med.* microscopic section
**prerogatywa** *f* prerogative, privilege
**presj|a** *f* pressure; **wywierać** ~**ę na kogoś** to bring pressure, to bear on sb; **pod** ~**ą** under pressure
**pretekst** *m* pretext; **pod** ~**em** on the pretext
**pretendent** *m* claimant; (*do tronu, tytułu itp.*) pretender
**pretendować** *vi* claim (**do czegoś** sth); pretend (**do czegoś** to sth)
**pretensj|a** *f* pretense, pretension; (*roszczenie*) claim; **występować z** ~**ami** lay claims; **mieć** ~**ę** have a grudge (**do kogoś** against sb)
**pretensjonalność** *f* pretentiousness
**pretensjonalny** *adj* pretentious
**prewencja** *f prawn.* prevention (**przed czymś** of sth)
**prewencyjny** *adj* preventive
**prezencja** *f* presence
**prezent** *m* present, gift
**prezentować** *vt* present; (*przedstawiać*) introduce; **dobrze się** ~ have a good presence
**prezes** *m* chairman, president
**prezydent** *m* president
**prezydium** *n* presidium, board
**prezydować** *vi* preside (**czemuś** over sth)
**prędki** *adj* quick, swift, fast
**prędko** *adv* quickly, fast
**prędkość** *f* quickness, fastness; *fiz.* velocity, speed; ~ **dźwięku** speed of sound; ~ **jazdy** travelling speed; rate of travel
**prędzej** *adv* quicker, more quickly; (*wcześniej*) sooner, rather; **czym** ~ as soon as possible; ~ **czy później** sooner or later
**pręg|a** *f* stripe; **w** ~**i** striped
**pręgierz** † *m* pillory; *przen.* **być pod** ~**em** be pilloried; **stawiać pod** ~**em** pillory
**pręgowany** *adj* striped
**pręt** *m* rod, stick
**prężność** *f* elasticity; *przen.* expansiveness; *techn.* tension
**prężny** *adj* elastic; *przen.* (*dynamiczny*) expansive
**probierczy** *adj* test *attr*, testing; *techn.* **kamień** ~ touchstone
**problem** *m* problem
**problematyczny** *adj* problematic
**probostwo** *n* parsonage
**proboszcz** *m* parson
**probówka** *f* test-tube
**proca** *f* sling
**proceder** *m* proceeding; † (*interes*) business, trade
**procedura** *f* procedure
**procent** *m* percentage; (*odsetki*) interest; **na 5** ~ at 5 per cent; **na wysoki** ~ at a high rate of interest; **przynosić** ~ bear interest
**proces** *m* process; (*sądowy*) lawsuit, action; **wytoczyć** ~ bring an action (**komuś** against sb)
**procesja** *f* procession
**procesować się** *vr* be at law, litigate
**proch** *m* powder; (*pył*) dust; ~ **strzelniczy** gunpowder
**prochownia** *f* powder magazine
**producent** *m* producer
**produkcj|a** *f* production, output; ~**a sceniczna** performance; **środki** ~**i** means of production
**produkcyjność** *f* productivity
**produkcyjny** *adj* productive
**produkować** *vt* produce; ~ **się** *vr*

perform (czymś sth), display (czymś sth)
**produkt** *m* product; *pl* ~y products, *zbior.* produce; ~ **uboczny** by-product; ~**y spożywcze** provisions, victuals
**produktywny** *adj* productive
**profanacja** *f* profanation
**profanować** *vt* profane
**profesor** *m* professor
**profesorski** *adj* professorial, professor's
**profesura** *f* professorship
**profil** *m* profile
**profilaktyczny** *adj* prophylactic, preventive
**prognoza** *f* prognosis; ~ **pogody** weather-forecast
**program** *m* programme, program; ~ **studiów** curriculum
**programowy** *adj* programmatic, according to programme
**progresja** *f* progression
**progresywny** *adj* progressive; (*o podatku*) graduated
**prohibicja** *f* prohibition
**projekcja** *f* projection
**projekcyjn|y** *adj*, **aparat** ~**y** projector; **kabina** ~**a** projection room
**projekt** *m* project; plan; design; (*zarys, szkic*) draft; (*ustawy*) bill
**projektować** *vt* project, design, plan
**proklamacja** *f* proclamation
**proklamować** *vt* proclaim
**prokurator** *m* public prosecutor
**prokuratura** *f* public prosecutor's office
**proletariacki** *f* proletarian
**proletariat** *m* proletariat
**proletariusz** *m* proletarian
**prolog** *m* prologue
**prolongata** *f* prolongation, extension of the term
**prolongować** *vt* prolong, extend the term
**prom** *m* ferry, ferry-boat
**promienieć** *vi* beam, radiate
**promieniotwórczość** *f* radioactivity
**promieniotwórczy** *adj* radioactive
**promieniować** *vi* radiate, beam forth
**promieniowanie** *n* radiation; ~ **kosmiczne** cosmic rays; ~ **słoneczne** solar radiation
**promienny** *adj* radiant, beaming
**promie|ń** *m* beam, ray; *mat.* radius; ~**ń słoneczny** sunbeam; ~**nie Roentgena** x-rays *pl*
**promocja** *f* promotion, advancement
**promować** *vt* promote, advance
**propaganda** *f* propaganda
**propagować** *vt* propagate
**propeller** *m* *techn.* propeller
**proponować** *vt* offer, propose
**proporcja** *f* proportion
**proporcjonalność** *f* proportionality
**proporcjonaln|y** *adj* proportional; *mat.* **odwrotnie** ⟨**wprost**⟩ ~**y** inversely ⟨directly⟩ proportional; **średnia** ~**a** mean proportional
**proporzec** *m* banner
**propozycja** *f* proposal, suggestion
**prorektor** *m* prorector
**proroctwo** *n* prophecy
**prorok** *m* prophet
**prorokować** *vt* prophesy
**prosić** *vt vi* ask, beg (**kogoś o coś** sb for sth); request (**o łaskę, odpowiedź** a favour, a reply); ~ **kogoś, ażeby coś zrobił** ask sb to do sth; ~ **na obiad** invite for dinner; ~ **o pozwolenie zrobienia czegoś** request permission to do sth; **proszę przyjść!** come please!; **proszę wejść!** please come in!
**prosię** *n* young pig
**proso** *n* millet
**prospekt** *n* (*publikacja*) prospectus; *f* (*widok*) prospect
**prosperować** *vi* prosper
**prostacki** *adj* boorish, rude
**prostactwo** *n* boorishness, rudeness
**prostaczek** *m* simpleton
**prostak** *m* boor
**prost|o** *adv* directly, straight; **po** ~**u** simply
**prostoduszność** *f* uprightness, candidness

**prostoduszny** *adj* upright, candid
**prostokąt** *m mat.* rectangle
**prostokątny** *adj mat.* rectangular
**prostolinijny** *adj* rectilinear; (*prostoduszny*) simple-minded, candid
**prostopadła** *f mat.* perpendicular
**prostopadłościan** *m mat.* parallelepiped
**prostopadły** *adj mat.* perpendicular
**prostota** *f* simplicity
**prostować** *vt* straighten, make straight; (*błąd*) rectify, correct
**prostownica** *f techn.* straightener
**prostownik** *m elektr.* rectifier
**prost|y** *adj* direct, straight, right; simple, plain; **linia ~a** straight ⟨right⟩ line
**proszek** *m* powder; **~ do zębów** tooth-powder; **~ do prania** washing-powder
**prośb|a** *f* request, demand; (*pisemna*) petition; **wnosić ~ę** apply (**o coś** for sth); **zwracać się z ~ą** address a request (**do kogoś** to sb); **na jego ~ę** at his request
**protegowa|ć** *vt* patronize; **~ny** protégé; **~na** protégée
**protekcja** *f* patronage, protection
**protekcjonizm** *m* protectionism
**protekcyjny** *adj* protective
**protektor** *m* protector, patron
**protektorat** *m* protectorate
**protest** *m* protest; **założyć ~** lodge a protest
**protestancki** *adj* Protestant
**protestant** *m* Protestant
**protestantyzm** *m* Protestantism
**protestować** *vi vt* protest
**proteza** *f* (*kończyny*) artificial limb; (*dentystyczna*) denture
**protokół** *m* record, report; (*dyplomatyczny*) protocol; (*z posiedzenia*) minutes; **prowadzić ~** draft the report; **pisać ~** (*z posiedzenia*) draw up the minutes; (*policyjny*) take down the evidence
**prototyp** *m* prototype
**prowadzenie** *n* (*przedsiębiorstwa*) management; **~ się** behaviour, conduct; **złe ~ się** misbehaviour, misconduct
**prowadzić** *vt* lead, guide, conduct; (*przedsiębiorstwo, gospodarstwo itp.*) manage, keep, run; (*rozmowę itp.*) carry on, hold; **~ handel** carry on trade; *handl.* **~ książki** keep books; **~ wojnę** wage war; **~ wóz** drive a car; **~ się** *vr* behave; **źle się ~** misbehave
**prowiant** *m* provisions *pl*
**prowiantować** *vt* provision
**prowincja** *f* province; (*w przeciwieństwie do stolicy*) provinces *pl*, country
**prowincjonalny** *adj* provincial, *attr* country
**prowizja** *f* commission, percentage; *handl.* brokerage
**prowizoryczny** *adj* provisional
**prowodyr** *m* ringleader
**prowokacja** *f* provocation
**prowokacyjny** *adj* provocative
**prowokator** *m* provocateur
**prowokować** *vt* provoke, incite
**proz|a** *f* prose; **~ą** in prose
**prozaiczny** *adj* prosaic
**prozaik** *m* prosaist
**prozodia** *f* prosody
**prób|a** *f* trial, test, proof; (*kandydata do zawodu*) probation; *teatr* rehearsal; (*usiłowanie*) attempt; **ciężka ~a** ordeal; *teatr* **~a generalna** dress rehearsal; **~a ogniowa** trial by fire; **~a złota** assay of gold; **na ~ę** by way of trial; *handl.* on approval; *teatr* **odbywać ~ę** rehearse (**czegoś** sth); **wystawić na ~ę** put to trial, put to the test; **wytrzymać ~ę** stand the test
**próbka** *f* sample, pattern
**próbny** *adj* tentative; (*o okresie próby*) probationary
**próbować** *vt* try, test; (*usiłować*) attempt; (*kosztować*) taste; **~ szczęścia** try one's luck
**próchnica** *f med.* (*zębów*) caries
**próchnieć** *vi* moulder, decay, rot
**próchno** *n* rotten wood, rot
**prócz** *praep* save, except

**próg** *m* threshold, doorsill
**prószyć** *vi* powder; (*o śniegu*) flake; (*o deszczu*) drizzle
**próżnia** *f* void; *fiz.* vacuum
**próżniactwo** *n* idleness, laziness
**próżniaczy** *adj* idle, lazy
**próżniak** *m* idler
**próżno** *adj* vainly; **na ~** in vain
**próżność** *f* vanity
**próżnować** *vi* idle away one's time
**próżny** *adj* empty, void; (*zarozumiały, daremny*) vain
**pruć** *vt* unsew, unstitch; **~ się** *vr* get ⟨come⟩ unsewn
**pruski** *adj* Prussian; *chem.* **kwas ~** prussic acid
**prycza** *f* plank-bed
**prym** *m*, **wieść ~** have the lead
**prymas** *m* primate
**prymitywny** *adj* primitive
**prymus** *m* (*uczeń*) top-boy; (*maszynka*) primus (stove)
**pryskać** *vi* splash, sputter; (*łamać się*) burst
**pryszcz** *m* pimple
**prysznic** *m* shower-bath
**prywatka** *f* private dancing-party, party
**prywatny** *adj* private
**pryzmat** *m* prism
**przaśny** *adj* unleavened
**prządka** *f* spinner
**prząść** *vt* spin
**przebaczać** *vt* pardon, forgive
**przebaczenie** *n* pardon; **prosić kogoś o ~** beg sb's pardon
**przebicie** *n* piercing, perforation; (*np. opony*) puncture
**przebieg** *m* course, run
**przebiegać** *vt vi* run across, cross; (*np. o czasie*) pass; (*o sprawie*) take a course
**przebiegłość** *f* cunning, slyness
**przebiegły** *adj* cunning, sly
**przebiera|ć** *vt vi* (*starannie wybierać*) pick and choose, sort; (*zmieniać komuś ubranie*) dress anew, change sb's clothes; **~ miarę** exceed all bounds, overdo sth; **nie ~ w środkach** not to be particular about one's means; **~ się** *vr* change one's clothes; disguise oneself
**przebijać** *vt* pierce, cut through; (*w kartach*) take; **~ atutem** trump; **~ się** *vr* force one's way through, break through
**przebitka** *f* copy, duplicate
**przebitkowy** *adj*, **papier ~** onion-skin
**przebłysk** *m* glimmer, flash; **~ nadziei** flash of hope
**przebój** *m* (*sukces, szlagier*) hit; best-seller; **iść przebojem** fight one's way through
**przebrać** *zob.* **przebierać**
**przebranie** *n* disguise
**przebrnąć** *vi* muddle through
**przebrzmiał|y** *adj* extinct; **rzecz ~a** a has been
**przebrzmieć** *vi* die away, expire, blow over
**przebudowa** *f* reconstruction
**przebudować** *vt* reconstruct, rebuild
**przebudzenie** *n* awakening
**przebudzić** *vt* wake up, rouse; **~ się** *vr* wake, wake up
**przebyć** *vt* cross, pass; (*przestrzeń*) cover; (*doświadczyć*) experience; **~ chorobę** pass through an illness; **~ próbę** go through a trial
**przebywać** *vi* stay, live; *zob.* **przebyć**
**przecedzać** *vt* strain, filter
**przeceniać** *vt* overestimate; (*zmieniać cenę*) lower the price
**przechadzać się** *vr* walk, take a walk, stroll
**przechadzk|a** *f* walk; **pójść na ~ę** go for a walk
**przechodni** *adj* transitional; *gram.* transitive; **pokój ~** connecting room
**przechodzić** *vt vi* pass (by), cross, go over; (*mijać*) pass away ⟨by⟩; (*doświadczyć*) experience, undergo; **~ć przez ulicę** cross the street; **to ~ moje oczekiwania** it surpasses my expectations
**przechodzień** *m* passer-by

**przechowanie** *n* preservation, keeping; **na ~** for safe keeping
**przechowywać** *vt* preserve, keep
**przechwalać** *vt* overpraise; **~ się** *vr* boast, brag (**czymś** of, about sth)
**przechwycić** *vt* intercept
**przechylić** *vt* incline; *przen.* **~ szalę** turn the balance; **~ się** *vr* incline
**przeciąg** *m* draught, current of air; (*okres trwania*) space of time; **na ~ tygodnia** for a week; **w ~u tygodnia** within a week, in the course of a week
**przeciągać** *vt vi* draw; move, march along; (*przedłużać*) prolong, delay, protract; **~ na swoją stronę** win over; **~ się** *vr* drag on, be protracted; stretch oneself
**przeciążać** *vt* overburden, overcharge
**przeciążenie** *n* overcharge; (*pracą*) overwork
**przeciekać** *vi* leak, percolate
**przecierać** *vt* rub, wipe clear; **~ się** *vr* (*przejaśniać się*) clear up; (*o materiale*) become threadbare
**przecierpieć** *vt* endure
**przecież** *adv* yet, still, after all; **~ to mówiłeś** you did say it
**przecięcie** *n* cut, cutting; section, intersection
**przeciętnie** *adv* on an average
**przeciętność** *f* average; mediocrity
**przeciętn|y** *adj* average; (*średni*) mediocre; **~a** *s f* average; **powyżej ~ej** above the average
**przecinać** *vt* cut through; intersect; (*np. rozmowę*) cut short; **~ się** *vr* intersect
**przecinek** *m* comma
**przeciw** *praep* against; **nie mam nic ~ temu** I have no objections to it; I don't mind it; *praef* anti-, counter-
**przeciwdziałać** *vi* counteract (**czemuś** sth)
**przeciwdziałanie** *n* counteraction
**przeciwieństw|o** *n* opposition, contrast, contradistinction; **być ~em** be opposed (**do czegoś** to sth); **w ~ie do czegoś** in contradistinction to sth
**przeciwko** *zob.* **przeciw**
**przeciwległy** *adj* opposite (**czemuś** to sth)
**przeciwlotnicz|y** *adj* anti-aircraft *attr*; **działo ~e** anti-aircraft gun; **obrona ~a** air defence
**przeciwnie** *adv* on the contrary, just the opposite
**przeciwnik** *m* adversary, opponent
**przeciwność** *f* adversity
**przeciwny** *adj* contrary, opposite; (*przeciwstawny*) adverse; opposed; **jestem temu ~** I am against it, I object to it; **w ~m razie** otherwise
**przeciwprostokątna** *f mat.* hypotenuse
**przeciwstawiać** *vt* oppose, set against; **~ się** *vr* set one's face (**czemuś** against sth), oppose (**czemuś** sth)
**przeciwstawienie** *n* opposition, antithesis
**przeciwwaga** *f* counterpoise, counterweight
**przecząco** *adv* negatively, in the negative
**przeczący** *adj* negative
**przeczenie** *n* negation
**przecznica** *f* cross-street
**przeczucie** *n* foreboding, presentiment, misgiving
**przeczulenie** *n* oversensitiveness, hyperaesthesia
**przeczulony** *adj* oversensitive
**przeczuwać** *vt* forebode, have a presentiment
**przeczyć** *vi* deny (**czemuś** sth)
**przeczyszczać** *vt* cleanse; *med.* purge
**przeczyszczający** *adj med.* purgative
**przeć** *vt vi* press (on), push
**przed** *praep* before, in front of; **~ tygodniem** a week ago
**przedawnienie** *n prawn.* negative prescription

**przedawniony** *adj prawn.* prescribed, lost by prescription
**przeddzień** *m* eve; **w ~** on the eye
**przede wszystkim** *adv* first of all, above all
**przedhistoryczny** *adj* prehistoric
**przedimek** *m gram.* article
**przedkładać** *vt* submit, present; (*woleć*) prefer (**coś nad coś** sth to sth)
**przedłużać** *vt* lengthen, extend, prolong
**przedłużenie** *n* prolongation, extension
**przedmieście** *n* suburb
**przedmiot** *m* object; (*temat, zagadnienie*) subject, subject-matter
**przedmiotowość** *f* objectivity
**przedmiotowy** *adj* objective
**przedmowa** *f* preface
**przedmówca** *m* last ⟨previous⟩ speaker
**przedni** *adj* frontal, *attr* front, fore; (*lepszy gatunkowo*) fine, choice; **~a noga** foreleg; **plan ~** foreground; **straż ~a** vanguard
**przednówek** *m* time before the harvest
**przedostać się** *vr* penetrate (**do czegoś** into sth), get through, come through
**przedobiedni** *adj attr* before-dinner
**przedostatni** *adj* last but one; penultimate; **~ej nocy** the night before last
**przedpłata** *f* subscription, payment in advance
**przedpokój** *m* antechamber, waiting-room
**przedpole** *n* foreground
**przedpołudnie** *n* forenoon; morning
**przedpotopowy** *adj* antediluvian
**przedramię** *n* forearm
**przedrostek** *m. gram.* prefix
**przedrozbiorow|y** *adj*, **Polska ~a** Poland before the partitions
**przedruk** *m* reprint
**przedrzeźniać** *vt* mock, mimic
**przedsiębiorca** *m* contractor
**przedsiębiorczość** *f* (spirit of) enterprise
**przedsiębiorczy** *adj* enterprising
**przedsiębiorstwo** *n* undertaking, business
**przedsiębrać** *vt* undertake
**przedsięwzięcie** *n* undertaking, enterprise
**przedsionek** *m* vestibule
**przedsmak** *m* foretaste
**przedstawia|ć** *vt* present, represent; (*wystawiać na scenie*) stage; (*przedkładać*) submit; (*np. sprawę*) describe; (*osobę*) introduce; **~ć sobie** imagine; **~ć się** *vr* present oneself, (*nieznanej osobie*) introduce oneself; **jak ~ się sprawa?** how does the matter stand?; **to się ~ inaczej** the matter is different
**przedstawiciel** *m* representative
**przedstawicielstwo** *n* agency; representation
**przedstawienie** *n* presentation; (*teatralne*) performance; (*osoby*) introduction
**przedszkole** *n* infant school, kindergarten
**przedświt** *m* dawn
**przedtem** *adv* before, formerly
**przedterminowo** *adv handl.* in anticipation; **zapłacić ~** anticipate a payment
**przedterminow|y** *adj handl.* anticipated, anticipatory, anticipating; premature; **~e dokonanie zapłaty** anticipation of payment
**przedwczesny** *adj* premature; (*zbyt wczesny*) precocious
**przedwcześnie** *adv* prematurely, before time; **~ dojrzały** precocious
**przedwczoraj** *adv* the day before yesterday
**przedwojenny** *adj* pre-war *attr*
**przedział** *m* partition, division; (*we włosach*) parting; (*w pociągu*) compartment; **~ dla palących, dla niepalących** smoker, non-smoker
**przedzielić** *vt* divide, part

**przedzierać** *vt* tear up, rend; ~ **się** *vr* force one's way through, break through
**przedziurawić** *vt* make a hole (**coś** in sth), pierce, perforate; (*bilet*) punch; (*oponę*) puncture
**przeforsować** *vt* force through
**przegapić** *vt* overlook, miss, let slip
**przeginać** *vt* bend
**przegląd** *m* review; (*sprawdzenie*) revision; inspection, survey
**przeglądać** *vt* review; (*sprawdzać*) revise; (*np. gazetę*) skim through; ~ **się** *vr* see oneself
**przegłosować** *vt* carry by vote; (*pokonać większością głosów*) outvote
**przegrać** *vt* loss at play, gamble away; (*bitwę, sprawę sądową*) lose; *muz.* play over
**przegradzać** *vt* separate, partition
**przegrana** *f* lost battle; (*strata*) loss
**przegroda** *f* partition
**przegrupować** *vt* regroup
**przegryzać** *vt* bite through; (*przekąsić*) have a snack
**przegub** *m anat.* wrist, joint
**przeholować** *vi* overshoot oneself
**przeistoczyć** *vt* transform
**przejaśnić się** *vr* clear up
**przejaw** *s* symptom, sign
**przejawiać** *vt* manifest; ~ **się** *vr* manifest oneself, show
**przejazd** *m* passage, thoroughfare; (*kolejowy*) crossing; **w przejeździe, ~em** on one's way
**przejażdżka** *f* drive, ride; (*wycieczka*) trip
**przejecha|ć** *vi vt* pass, ride, travel (np. **przez Warszawę** through Warsaw); (*rozjechać*) run over; **~ć cały kraj** travel all over the country; **~ł go samochód** he was run over by a car
**przejezdny** *m* passer-by; *adj* non--resident, transient
**przejęcie** *n* taking over; (*przechwycenie*) interception; ~ **się** high emotion, exaltation
**przejęzyczenie (się)** *n* slip of the tongue
**przejmować** *vt* take over; (*przechwycić*) intercept; ~ **podziwem** fill with admiration; ~ **strachem** seize with fear; ~ **się** *vr* be impressed, be moved (**czymś** by sth)
**przejmujący** *adj* impressive; (*o mrozie*) piercing; (*o bólu itp.*) keen
**przejrzeć** *vt vi* (*przeniknąć*) see through; (*odzyskać wzrok*) regain one's sight; *zob.* **przeglądać**
**przejrzystość** *f* transparency; (*wyrazistość*) clarity
**przejrzysty** *adj* transparent; clear
**przejście** *n* passage; (*przez jezdnię*) crossing; (*stadium przejściowe*) transition; (*doświadczenie*) experience, trial
**przejść** *vt vi zob.* **przechodzić**; ~ **się** *vr* take a walk
**przekaz** *m* transfer; (*historyczny*) record; (*bankowy*) draft; (*pocztowy*) order
**przekazywać** *vt* transfer, pass on, send, hand down, transmit
**przekąs** *m*, **z ~em** ironically, sneeringly
**przekąska** *f* snack, refreshment
**przekąsić** *vt* have a snack
**przekątna** *f mat.* diagonal
**przekleństwo** *n* curse
**przeklęty** *adj* cursed, damned
**przeklinać** *vt* curse (**kogoś** sb) swear (**kogoś** at sb)
**przekład** *m* translation
**przekładać** *vt* displace, transpose; (*przesuwać*) shift; (*układać na zmianę*) interlay; (*tłumaczyć*) translate; (*woleć*) prefer (**coś nad coś** sth to sth)
**przekładnia** *f techn.* gear
**przekłuć** *vt* pierce
**przekomarzać się** *vr* tease each other
**przekonanie** *n* conviction; **mam ~** I am convinced
**przekon|ywać** *vt* convince, persuade (**kogoś o czymś** sb of sth);

jestem ~any I am convinced; mocno ~any confident (o czymś of sth); ~ywać się vr convince oneself
**przekonywający** *adj* convincing, persuasive, weighty, potent
**przekop** *m* trench, ditch
**przekor|a** *f* contradictoriness; przez ~ę from ⟨out of⟩ spite
**przekorny** *adj* contradictory, contradictious
**przekraczać** *vt* cross; (*miarę, uprawnienia*) exceed; (*prawo*) infringe, violate
**przekradać się** *vr* steal through
**przekreślać** *vt* cross (out); (*skasować*) cancel, annul
**przekręcać** *vt* twist; (*przeinaczać*) distort
**przekręcenie** *n* twist; (*słów, faktów*) distortion
**przekroczenie** *n* crossing; (*prawa*) offence, trespass; *handl.* (*rachunku*) overdraft
**przekroić** *vt* cut (into two pieces)
**przekrój** *m* section; ~ **podłużny** longitudinal section; ~ **poprzeczny** cross-section
**przekrwienie** *n med.* congestion
**przekształcać** *vt* transform
**przekształcenie** *n* transformation
**przekupić** *vt* bribe
**przekupień** *m* huckster
**przekupka** *f* huckstress
**przekupny** *adj* venal, corruptible
**przekupstwo** *n* bribery, corruption
**przekwitać** *vi* cease blooming, fade
**przekwitanie** *n* fading; *med.* climacteric
**przelać** *zob.* przelewać
**przelatywać** *vi* fly by, flit by, pass
**przelew** *m* transfusion; *bank.* transfer; ~ **krwi** bloodshed
**przelewać** *vt* pour over; pour into another vessel; transfuse; *bank.* transfer; (*krew, łzy*) shed; (*przekazywać władzę*) devolve
**przelękły** *adj* frightened
**przelęknąć się** *vr* take fright (czegoś at sth)
**przeliczyć** *vt* count over again; ~ **się** *vr* miscalculate
**przelot** *m* flight, passage
**przelotn|y** *adj* fleeting, passing, fugitive; *zool.* ptaki ~e birds of passage
**przelotowość** *f* (*ulic*) traffic capacity
**przeludnienie** *n* overpopulation
**przeludniony** *adj* overpopulated
**przeładować** *vt* (*przeciążyć*) overload; (*przenieść ładunek*) tranship
**przeładowanie** *n* (*przeciążenie*) overloading; *zob.* **przeładunek**
**przeładunek** *m* transhipment, transfer
**przełaj** *m*, na ~ athwart, across; droga na ~ short cut; iść na ~ take a short cut
**przełamać** *vt* break through; (*opór*) surmount
**przełączyć** *vt* switch over
**przełęcz** *f* pass
**przełknąć** *vt* swallow
**przełom** *m* crisis, (*punkt zwrotny*) turning-point; (*wyłom, przerwa*) break-through; (*wyrwa*) breach
**przełomowy** *adj* critical, crucial
**przełożona** *f* schoolmistress, lady-superior
**przełożony** *m* principal, superior
**przełożyć** *zob.* **przekładać**
**przełyk** *m anat.* gullet, oesophagus
**przemakać** *zob.* **przemoknąć**
**przemarsz** *m* march past, march through, passage
**przemarznąć** [-r-z-] *vi* be penetrated with cold
**przemawiać** *vi vt* address; (*publicznie*) harangue (do kogoś sb); speak; advocate (za czymś sth)
**przemądrzały** *adj* sophisticated
**przemęczać** *vt* overstrain; ~ **się** *vr* overwork
**przemęczenie** *n* overwork, overstrain
**przemian** *m*, na ~ alternately, by turns, taking it in turn
**przemiana** *f* transformation; *biol.* ~ **materii** metabolism
**przemianować** *vt* rename

**przemienić** *vt* transform, turn (**coś w coś** into sth)
**przemieszczać** *vt* displace
**przemieszczenie** *n* displacement
**przemijać** *vi* pass away, be over
**przemijający** *adj* passing, fleeting, transitory
**przemilczeć** *vt* pass over in silence, suppress, conceal
**przemoc** *f* superior force, violence; **ulec ~y** yield to a superior force
**przemoczyć** *vt* soak, drench; **~ sobie nogi** get one's feet wet
**przemoknąć** *vi* be soaked, get wet; **~ do nitki** get a nice soaking
**przemowa** *f* address, (*publiczna*) harangue
**przemożny** *adj* predominant, overpowering
**przem|óc** *vt* overpower, overwhelm; (*przezwyciężyć*) surmount, overcome; *vi* (*odnieść przewagę*) prevail; **~óc się** *vr* control oneself
**przemówić** *zob.* **przemawiać**
**przemówienie** *n* speech, address, (*publiczne*) harangue
**przemycać** *vt* smuggle
**przemysł** *m* industry; **drobny ~** small industry; **wielki ~** large-scale industry; **~ chałupniczy** domestic industry; **~ kluczowy** basic ⟨key⟩ industry; **~ lekki ⟨ciężki⟩** light ⟨heavy⟩ industry; **odbudowa ~u** industrial rehabilitation; *przen.* **żyć własnym ~em** live by one's wits
**przemysłowiec** *m* industrialist, industrial producer
**przemysłow|y** *adj* industrial; **akcje ~e** industrials; **wyroby ⟨towary⟩ ~e** industrial goods
**przemyśleć** *vt* think over
**przemyślny** *adj* ingenious
**przemyt** *m* smuggling, contraband
**przemytnik** *m* smuggler
**przenicować** *vt* turn
**przeniesienie** *n* transfer; transmission
**przenieść** *vt* transfer; transport; remove; (*w księgowości*) carry over ⟨forward⟩; **~ się** *vr* move (**do innego mieszkania** to another flat)
**przenigdy** *adv* nevermore
**przenikać** *vt vr* penetrate; pervade; pierce
**przenikliwość** *f* penetrability; (*bystrość*) sagacity, perspicacity
**przenikliwy** *adj* penetrating; pervasive, pervading; (*bystry*) perspicacious, acute; (*o głosie*) shrill; (*o mrozie*) biting, bitter
**przenocować** *vt* put up for the night; *vi* stay overnight
**przenosić** *vt* (*światło, ciepło, dźwięk*) transmit; (*udzielać*) convey; (*woleć*) prefer (**coś nad coś** sth to sth); **~ się** *vr* shift (**z miejsca na miejsce** from place to place); *zob.* **przenieść**
**przenośnia** *f* metaphor
**przenośny** *adj* portable; (*obrazowy*) metaphorical
**przeobrażać** *vt* transform (**w coś** into sth); **~ się** *vr* be transformed, change
**przeobrażenie** *n* transformation, change
**przeoczenie** *n* oversight
**przeoczyć** *vt* overlook, omit
**przeor** *m* prior
**przeorysza** *f* prioress
**przepadać** *vi* be lost, go lost; (*przy egzaminie*) fail; *przen.* **~ za kimś, czymś** be crazy about sb, sth
**przepalić** *vt* burn through
**przepasać** *vt* girdle
**przepaska** *f* band
**przepaścisty** *adj* precipitous
**przepaść** *f* precipice, abyss
**przepełniać** *vt* overfill, cram; (*ludźmi*) overcrowd
**przepełnienie** *n* overfilling; overcrowding
**przepędzać** *vt* drive away; (*spędzać czas*) spend
**przepierzenie** *n* partition-wall
**przepiękny** *adj* most beautiful
**przepijać** *vt* spend on drink
**przepiłować** *vt* saw through; (*pilnikiem*) file through

**przepiórka** *f zool.* quail
**przepis** *m* prescription, regulation; (*kucharski*) recipe; **~y drogowe** traffic regulations
**przepisać** *vt* (*lekarstwo*) prescribe; (*tekst*) rewrite, copy, write over again; **~ na czysto** make a fair copy (**coś** of sth)
**przepisowo** *adv* according to regulations
**przepisowy** *adj* regular; *attr* regulation; **strój ~** regulation dress; **~ rozmiar** regulation size
**przeplatać** *vt* interlace
**przepłacać** *vt* overpay
**przepływać** *vt vi* (*o wodzie*) flow over ⟨across, through⟩; (*o człowieku*) swim over ⟨across⟩; (*o statku*) cross (**przez morze** the sea)
**przepona** *f anat.* diaphragm
**przepowiadać** *vt* prophesy, predict, foretell
**przepowiednia** *f* prophecy, prediction
**przepracować się** *vr* overwork oneself
**przepracowanie** *n* overwork
**przeprasza|ć** *vt* beg (sb's) pardon, apologize (**kogoś za coś** to sb for sth); **~m!** excuse me!, I beg your pardon!, (I'm) sorry!
**przeprawa** *f* passage; (*np. przez rzekę, morze*) crossing; *przen.* (*przykre zajście*) hard business, misadventure
**przeprawiać** *vt* carry over; **~ się** *vr* cross (np. **przez rzekę** a river); **~ się na drugi brzeg** cross over to the other side
**przeproszenie** *n* apology, excuse; **za ~m** by your leave
**przeprowadzać** *vt* carry over, convey, lead across; (*wykonywać*) carry out, carry into effect; **~ się** *vr* move, remove
**przeprowadzka** *f* removal
**przepuklina** *f med.* hernia
**przepustka** *f* pass, permit
**przepuszczać** *vt* let through; allow to pass; (*marnować np. okazję*) let out, miss
**przepuszczalny** *adj* permeable
**przepych** *m* luxury, pomp
**przepychać** *vt* push through; **~ się** *vr* push through, force one's way
**przerabiać** *vt* do over again, refashion; (*opracować powtórnie*) revise; **~ lekcje** do one's lessons; **~ sztukę na film** adapt a play to the screen; **~ temat egzaminacyjny** prepare a subject for the examination
**przerachować** *zob.* **przeliczyć**
**przeradzać się** *vr* undergo a change, be transformed
**przerastać** *vt* outgrow, grow over; rise above
**przeraźliwy** *adj* terrifying; (*o głosie*) shrill
**przerażać** *vt* appal, horrify; **~ się** *vr* be appalled (**czymś** at sth)
**przerażenie** *n* terror
**przeróbka** *f* recast, revision, adaptation
**przerw|a** *f* break, pause, interruption, intermission; **bez ~y** without intermission
**przerywać** *vt* interrupt, break off; rend, tear asunder
**przerzedzić** *vt* thin, make thin; **~ się** *vr* thin, become thinner
**przerzucać** *vt* throw over; shift; (*przeglądać*) look over
**przerżnąć** [r-ż] *vt* saw, cut in two
**przesada** *f* exaggeration
**przesadzać** *vt* exaggerate; (*roślinę*) transplant
**przesączać** *vt*, **~ się** *vr* filter
**przesąd** *m* prejudice, superstition
**przesądny** *adj* superstitious
**przesądzać** *vt* prejudge, foreclose
**przesiada|ć się** *vr* (*z pociągu na pociąg*) change (trains); **gdzie się ~my?** where do we change?
**przesiąkać** *vi* be soaked, soak through, be imbued
**przesiedlać** *vt* remove, displace; **~ się** *vr* migrate, move
**przesiedlenie** *n* displacement; **~ się** migration

**przesiedleniec** *m* emigrant
**przesieka** *f* glade, clearing
**przesiewać** *vt* sift, sieve
**przesilać się** *vr* pass through a crisis
**przesilenie** *n* crisis; *pot.* ~ **dnia z nocą** solstice
**przeskoczyć** *vi vt* jump over; (*podpierając się rękami*) vault (**przez coś** over sth, sth)
**przeskok** *m* jump
**przesłaniać** *vt* screen (off)
**przesłanka** *f* premise
**przesłona** *f* screen; *fot.* shutter
**przesłuchanie** *n* examination, interrogation
**przesłuchiwać** *vt* examine, interrogate
**przesmyk** *m* (*przełęcz*) pass, defile; *geogr.* isthmus
**przestać** *vi* cease, stop, discontinue
**przestankowanie** *n* punctuation
**przestarzały** *adj* out of date, out of fashion, obsolete
**przestawać** *vi* associate (**z kimś** with sb); be satisfied (**na czymś** with sth); *zob.* **przestać**
**przestawiać** *vt* displace, transpose
**przestawienie** *n* displacement, transposition
**przestąpić** *vt* cross, step over
**przestępca** *m* criminal
**przestępczość** *f* criminality, delinquency; ~ **wśród młodocianych** juvenile delinquency
**przestępczy** *adj* criminal
**przestępny** *adj* criminal; *astr.* **rok ~** leap-year
**przestępstwo** *n* offence; ~ **dewizowe** foreign currency offence; ~ **walutowe** currency offence
**przestrach** *m* fright
**przestraszyć** *vt* frighten; ~ **się** *vr* be frightened, take fright (**czegoś** at sth)
**przestroga** *f* warning, caution
**przestronny** *adj* spacious, roomy
**przestrzegać** *vt* (*ostrzegać*) warn (**przed czymś** of sth), caution (**przed czymś** against sth); (*zachowywać np. prawa, tradycję*) observe; (*stosować np. zasady, przepisy*) keep
**przestrzenny** *adj* spatial
**przestrzeń** *f* space, room; ~ **kosmiczna** cosmic space
**przestworze** *n* infinite expanse
**przesunięcie** *n* shift, displacement
**przesuwać** *vt* shift, shove, move; (*wagony*) shunt; ~ **się** *vr* move, shift
**przesycać** *vt* surfeit, glut; *techn.* impregnate
**przesyłać** *vt* send, forward
**przesyłka** *f* parcel; (*wysyłanie*) dispatch; (*towarowa*) consignment; (*pieniężna*) remittance
**przesyt** *m* surfeit
**przeszczep** *m* *med.* transplantation
**przeszczepiać** *vt* transplant
**przeszeregować** *vt* regroup
**przeszkadzać** *vi* hinder, disturb, trouble (**komuś** sb); (*zawadzać*) obstruct (**komuś, czemuś** sb, sth); ~ **komuś pisać** prevent sb from writing; ~ **komuś w odpoczynku** disturb sb's rest
**przeszko|da** *f* hindrance, obstacle, impediment; *sport* **bieg z ~dami** obstacle race; **wyścigi z ~dami** steeplechase; **stać na ~dzie** stand in the way
**przeszkolenie** *n* schooling, training; re-education
**przeszkolić** *vt* school, train; re-educate
**przeszło** *adv* more than, beyond
**przeszłość** *f* past
**przeszły** *adj* past; *gram.* **czas ~** past tense, preterite
**przeszukać** *vt* search
**przeszyć** *vt* sew through, stitch; (*przekłuć*) pierce, transfix
**prześcieradło** *n* sheet
**prześcignąć** *vt* outrun; *przen.* (*przewyższyć*) outdo; *dosł.* i *przen.* get ahead (**kogoś** of sb)
**prześladować** *vt* persecute; *przen.* (*nie dawać spokoju*) haunt, obsess
**prześladowanie** *n* persecution

**prześladowcz|y** *adj* persecutive; **mania** ~a persecution mania
**prześliczny** *adj* most beautiful
**prześliznąć się** *vr* glide through, slip through
**przeświadczenie** *n* conviction
**przeświadczony** *adj* convinced
**przeświecać** *vi* shine through
**prześwietl|ać** *vt* *fot.* overexpose; *med.* x-ray; ~**ono mi płuca** I had my lungs x-rayed
**prześwietlenie** *n* *med.* x-ray examination
**przetaczać** *vt* roll over; *kolej.* shunt; *med.* ~ **krew** transfuse
**przetapiać** *vt* recast, melt
**przetarg** *m* auction
**przetarty** *pp adj* (*o tkaninie*) threadbare
**przeterminowany** *adj* overdue
**przeto** *adv* therefore
**przetoka** *f* *med.* fistula
**przetrawić** *vt* digest
**przetrwać** *vt* outlast, survive
**przetrząsnąć** *vt* shake up; (*przeszukać*) search; (*teren*) comb out
**przetrzymać** *vt* keep (waiting); (*przetrwać*) outlast; (*ból, ciężkie położenie itp.*) endure
**przetwarzać** *vt* transform; turn into; manufacture
**przetwór** *m* manufacture, produce; *pl* **przetwory** preserves
**przetwórczy** *adj* manufacturing
**przetwórnia** *f* factory
**przetykać** *vt* (*przepychać, przewlekać*) pierce, pass through; (*o tkaninie*) interweave
**przewag|a** *f* superiority, preponderance; (*górowanie*) advantage; **mieć** ~ę have an advantage (**nad kimś** over sb); **zyskać** ~ę gain an advantage (**nad kimś** over sb)
**przeważać** *vt* outweigh, outbalance; *vt* prevail (**nad kimś** over sb); ~ **szalę** turn the scale
**przeważający** *adj* prevailing, prevalent
**przeważnie** *adv* for the most part, mostly
**przeważny** *adj* predominant, prevalent
**przewiązać** *vt* bind up; (*ranę*) dress
**przewidywać** *vt* foresee, anticipate
**przewidywanie** *n* foresight, anticipation
**przewiercić** *vt* bore through, pierce
**przewiesić** *vt* hang over, sling
**przewietrzyć** *vt* ventilate, air
**przewiew** *m* draught
**przewiewny** *adj* airy
**przewieźć** *zob.* **przewozić**
**przewijać** *vt* swathe, wrap up; (*ranę*) dress
**przewinienie** *n* offence, guilt
**przewlekać** *vt* (*opóźnić*) protract, delay; ~ **nitkę przez igłę** thread the needle; ~ **pościel** change the bedlinen; ~ **się** *vr* drag on
**przewlekły** *adj* protracted; *med.* chronic
**przewodni** *adj* leading
**przewodnictwo** *n* leadership; (*posiedzenia*) chairmanship; *fiz.* conductivity
**przewodniczący** *m* chairman
**przewodniczyć** *vi* preside (**zebraniu** over the meeting)
**przewodnik** *m* guide, leader; (*książka*) guide-book; *fiz.* (*ciepła*) conductor
**przewodzić** *vi* lead, command (**czemuś** sth), be at the head
**przewozić** *vt* bring over, transport, convey
**przewozow|y** *adj* transport *attr*, freight; **list** ~y bill of consignment, (**okrętowy**) bill of lading; **środki** ~e means of conveyance
**przewoźnik** *m* carrier; (*na promie, łodzi*) ferryman, boatman
**przewód** *m* channel, conduit; (*kominowy*) flue; (*gazowy*) pipe; *elektr.* wire; *prawn.* procedure; *anat.* ~ **pokarmowy** alimentary canal
**przewóz** *m* conveyance, carriage, transport
**przewracać** *vt* overturn, turn over, upset; ~ **kartki książki** thumb the book; ~ **się** *vr* overturn, tumble down

**przewrotność** *f* perversity
**przewrotny** *adj* perverse
**przewrotowy** *adj* subversive
**przewrót** *m* subversion, upheaval, revolution
**przewyższać** *vt* surpass, exceed
**przez** *praep* through, by, across, over; (*o czasie*) during, for, within, in; **~ cały dzień** all the day long; **~ cały rok** all the year round; **~ dwa miesiące** for two months; **~ drogę** across the road; **~ telefon** on the telephone; **~ wdzięczność** out of gratitude
**przeziębić się** *vr* catch cold
**przeziębienie** *n* cold
**przeziębiony** *adj*, **jestem ~** I have a cold
**przeznacz|ać** *vt* destine (**na coś, do czegoś** for ⟨to⟩ sth); devote (**coś na coś** sth to sth); intend (**coś na coś** sth for sth, **kogoś na coś** sb to be sth, **coś dla kogoś** sth for sb); **te książki ~one są do biblioteki** these books are intended for the library
**przeznaczenie** *n* destination; (*los*) destiny, fate
**przezorność** *f* prudence, caution, providence
**przezorny** *adj* prudent, cautious, provident
**przeźrocze** *n fot.* slide
**przeźroczystość** *f* transparency
**przeźroczysty** *adj* transparent
**przezwisko** *n* nickname
**przezwyciężać** *vt* surmount, overcome
**przezywać** *vt* **(kogoś)** call sb names
**przeżegnać** *vt* cross; **~ się** *vr* cross oneself, make the sign of the cross
**przeżuwać** *vt* chew
**przeżycie** *n* (*przetrwanie*) survival; (*doświadczenie*) experience
**przeży|ć** *vt* (*przetrwać*) survive, outlive; (*doświadczyć*) experience; (*spędzić okres czasu*) live through; **on tego nie ~je** this will be the death of him; **~łem okres biedy** I lived through a period of poverty; **~ł niejedną ciężką chwilę** he experienced many a hardship; **~ł swego starszego brata** he survived his elder brother
**przeżytek** *m* survival, relic (of the past)
**przędza** *f* yarn
**przędzalnia** *f* spinning-mill
**przęsło** *n* bay, span
**przodek** *m* ancestor; (*część przednia*) forepart, front
**przodować** *vt* lead, be ahead
**przodownictwo** *n* leadership, primacy
**przodownik** *m* leader; foreman; **~ pracy** front-rank worker
**przód** *m* forepart, front; **na przedzie** at the head, in the front; **z przodu** in front; **iść przodem** go before
**przy** *praep* (near) by, at; with; on; about; **~ filiżance kawy** over a cup of coffee; **~ pracy** at work; **~ świetle księżyca** by moonlight; **~ tej sposobności** on that occasion; **~ twej pomocy** with your help; **~ tym** besides, too; **~ wszystkich swoich wadach** with all his faults; **nie mam ~ sobie pieniędzy** I have no money about ⟨on⟩ me; **usiądź ~ mnie** sit by me
**przybić** *vt* fasten; (*gwoździami*) nail; *vi* **~ do brzegu** land
**przybiec** *vi* come running
**przybierać** *vt* (*zdobić*) adorn; (*przyjmować*) assume; **~ wygląd ⟨imię⟩** assume a look ⟨a name⟩; *vi* (*o wodzie*) rise; **~ na wadze** put on weight
**przybliżać** *vt* bring near(er); **~ się** *vr* come near, approach (**do kogoś** sb)
**przybliżeni|e** *n* approximation, approach; **w ~u** approximately
**przyboczn|y** *adj*, **straż ~a** bodyguard
**przyb|ór** *m* (*wody*) rise; *pl* **~ory** (*komplet użytkowy*) outfit, equipment, fittings *pl*; **~ory do**

pisania writing-materials, stationary *zbior.*

**przybrać** *vt zob.* **przybierać**

**przybrzeżn|y** *adj* coast *attr*, riverside *attr*; **straż ~a** coast guard

**przybudówka** *f* annex, penthouse

**przybycie** *n* arrival

**przybysz** *m* newcomer, arrival

**przybytek** *m* (*przyrost*) accruement, increase; (*budynek, miejsce*) haunt, abode; (*święty*) sanctuary

**przyby|wać** *vi* arrive (**do Warszawy** at ⟨in⟩ Warsaw), come (**do Warszawy** to Warsaw); (*powiększać się, narastać*) be added, increase; (*o wodzie w rzece*) rise; **~wa dnia** the days are longer and longer; **~ło dużo pracy** there is much additional work

**przychodnia** *f* clinic for outpatients, dispensary

**przychodzi|ć** *vi* come (**dokądś** to a place), arrive (**dokądś** at ⟨in⟩ a place); **~ć do kogoś** (**w odwiedziny**) come to see sb; **~ć do siebie** come to, recover; **~ mi do głowy** ⟨**na myśl**⟩ it occurs to me; **~ mi ochota** I feel the desire (**na coś** of sth, **zrobić coś** to do sth), I feel like (**zrobić coś** doing sth); **~ mi z trudnością** I find it difficult

**przychód** *m* income

**przychylać** *vt* incline; **~ się** *vr* incline, feel inclined (**do czegoś** to sth); (*skłaniać się*) comply (**do czyjejś prośby** with sb's request)

**przychylność** *f* favourable disposition, goodwill, favour

**przychylny** *adj* favourable, friendly, favourably disposed (**dla kogoś** towards sb)

**przyciągać** *vt* draw; (*pociągać*) attract; *vi* draw ⟨come⟩ near

**przyciąganie** *n* attraction; *astr. fiz.* **~ ziemskie** gravitation

**przyciemniać** *vt* darken, dim

**przycinać** *vt* cut, clip; *vi* taunt (**komuś** sb)

**przycisk** *m* (*akcent*) stress, accent; (*dzwonka*) button; (*do papierów*) weight

**przyciskać** *vt* press

**przycupnąć** *vt* squat down

**przyczaić się** *vr* lie in ambush (**na kogoś** for sb)

**przyczepić** *vt* affix, attach; **~ się** *vr* cling, stick (**do kogoś, czegoś** to sb, sth)

**przyczepka** *f* trailer; (*motocyklista*) side-car

**przyczółek** *m* abutment; *arch.* pediment; *wojsk.* **~ mostowy** bridgehead

**przyczyn|a** *f* cause, reason; **z tej ~y** for that reason

**przyczynek** *m* contribution

**przyczynić się** *vr* contribute (**do czegoś** to sth)

**przyczynowość** *f* causality

**przyczynowy** *adj* causal

**przyćmiewać** *vt* dim, darken

**przyda|ć** *vt* add; **~ć się** *vr* be of some use; **na co się to ~?** what's the use of it?

**przydatność** *f* usefulness, utility

**przydatny** *adj* useful, to the purpose

**przydawka** *f gram.* attribute

**przydech** *m* aspiration

**przydeptać** *vt* tread under foot

**przydługi** *adj* lengthy

**przydomek** *m* assumed name, by-name

**przydrożny** *adj* wayside *attr*

**przydusić** *vt* stifle, smother

**przydymiony** *adj* smoky

**przydział** *m* allotment; assignment, (*np. chleba*) allowance

**przydzielić** *vt* allot, assign

**przyganiać** *vt* blame (**komuś** sb), find fault (**komuś** with sb)

**przygarnąć** *vt* (*przytulić*) cuddle, snuggle; *przen.* (*dać schronienie*) shelter

**przygasać** *vi* go out; *przen.* become stifled, subside, abate

**przyglądać się** *vr* look (**komuś, czemuś** at sb, sth), observe

**przygłuszać** *vt* (*przytłumiać*) stifle, muffle

**przygnębiać** *vt* depress, deject
**przygnębienie** *n* depression, low spirits *pl*, dejection
**przygnębiony** *adj* depressed, downcast, *praed* in low spirits
**przygniatać** *vt* press down; oppress; (*ciążyć*) weigh heavy (**coś** on, upon sth)
**przygoda** *f* adventure, accident
**przygodny** *adj* accidental, casual
**przygotowanie** *n* preparation, arrangement
**przygotowawczy** *adj* preparatory
**przygotowywać** *vt* prepare, make ⟨get⟩ ready; ~ **do egzaminu** coach for the examination; ~ **się** *vr* make ready, prepare (oneself); ~ **się do egzaminu** prepare ⟨read⟩ for the examination; ~ **się na najgorsze** ⟨**na niespodziankę**⟩ prepare oneself for the worst ⟨for a surprise⟩
**przygrywać** *vi* play the accompaniment (**komuś** to sb); accompany (**komuś** sb)
**przygrywka** *f* prelude, accompaniment; (*gra*) play
**przyimek** *m gram.* preposition
**przyjaciel** *m* friend
**przyjacielski** *adj* friendly
**przyjaciółka** *f* friend, girl-friend, lady-friend
**przyjazd** *m* arrival
**przyjazny** *adj* friendly
**przyjaźnić się** *vr* be on friendly terms
**przyjaźń** *f* friendship
**przyjechać** *zob.* **przyjeżdżać**
**przyjemnie** *adv* agreeably; **jest mi** ~ I am pleased; ~ **mi Pana poznać** I am glad ⟨pleased⟩ to make your acquaintance ⟨to meet you⟩; **tu jest** ~ it is nice here
**przyjemność** *f* pleasure; **znajdować** ~ take pleasure (**w czymś** in sth); **zrób mi** ~ do me the pleasure
**przyjemny** *adj* pleasant, agreeable
**przyjezdny** *adj* strange; *s m* stranger, arrival
**przyjeżdżać** *vi* come (**do pewnego miejsca** to some place), arrive (**do pewnego miejsca** at ⟨in⟩ some place)
**przyję|cie** *n* reception; (*zebranie towarzyskie*) party; (*np. do szkoły*) admission; (*do pracy*) engagement; (*daru, weksla*) acceptation; (*wniosku*) carrying; **godziny** ~**ć** reception-hours; office-hours; (*u lekarza*) consulting hours; **możliwy do** ~**cia** acceptable
**przyjęty** *adj* (*zwyczajem uznany*) received, customary
**przyjmować** *vt* receive; (*np. dar, weksel*) accept; (*np. do szkoły, towarzystwa*) admit; (*do pracy*) engage; ~ **wniosek** carry a motion; ~ **się** *vr* take root; be successful, prove a success; (*o roślinie, szczepionce*) take; (*o zwyczaju, modzie*) catch on
**przyjście** *n* arrival (**do pewnego miejsca** at ⟨in⟩ some place)
**przyjść** *vi zob.* **przychodzić**; ~ **na umówione spotkanie** keep an appointment
**przykazać** *vt* order, command
**przykazanie** *n rel.* commandment
**przyklaskiwać** *vi* applaud (**komuś** sb)
**przykleić** *vt* stick, glue
**przyklęknąć** *vi* kneel down
**przykład** *m* example, instance; **na** ~ for instance ⟨example⟩; **brać** ~ **z kogoś** take example by sb; **dawać** ~ set an example; **ilustrować** ~**em** exemplify; **iść za** ~**em** follow an example
**przykładać** *vt* apply, put on; ~ **się** *vr* apply oneself
**przykładny** *adj* exemplary
**przykręcać** *vt* screw on
**przykro** *adv*, ~ **mi** I'm sorry, it pains me; ~ **mi to mówić** I regret to say this
**przykrość** *f* annoyance, pain, trouble; (*ciężka*) tribulation; **zrobić komuś** ~ cause sb pain
**przykry** *adj* annoying, painful, disagreeable
**przykrycie** *n* cover
**przykrywać** *vt* cover
**przykrywka** *f* cover, lid

**przykrzy|ć się** *vr*, **~ mi się** I am bored
**przykucnąć** *vi* squat down
**przykuwać** *vt* chain, nail; *(np. uwagę)* fix, arrest; **~ czyjąś uwagę** fix ⟨draw, absorb⟩ one's attention
**przylądek** *m* cape, promontory
**przylecieć** *vi* come flying; *pot. (przybiec)* come running
**przylegać** *vi* lie close; fit close; adhere; *(o pokoju, domu)* be contiguous
**przyleganie** *n fiz.* adhesion
**przyległość** *f* contiguity; *(majątku, terytorium)* dependency
**przyległy** *adj* contiguous, adjacent (**do czegoś** to sth)
**przylepić** *vt* stick, glue; **~ się** *vr* stick
**przylepiec** *m (plaster)* adhesive tape
**przylgnąć** *vi* stick, cling
**przylot** *m* arrival
**przylutować** *vt* solder
**przyłączenie** *n* annexation
**przyłączyć** *vt* annex, attach; **~ się** *vr* join (**do kogoś, do towarzystwa** sb, a company)
**przyłbica** *f hist.* visor
**przymawiać** *vi* taunt (**komuś** sb); **~ się** *vr* allude (**o coś** to sth)
**przymiarka** *f (u krawca)* fitting
**przymierać** *vi (głodem)* starve
**przymierzać** *vt (ubranie)* try on
**przymierze** *n* alliance
**przymiot** *m* quality
**przymiotnik** *m gram.* adjective
**przymocować** *vt* fasten, fix
**przymówka** *f* allusion, hint
**przymrozek** *m* light frost
**przymrużon|y** *pp i adj*, **~e oczy** half-closed eyes
**przymus** *m* compulsion, constraint; **pod ~em** on ⟨under⟩ compulsion; **~ szkolny** compulsory education
**przymusow|y** *adj* compulsory; *lotn.* **~e lądowanie** forced landing
**przynaglać** *vt* urge, press
**przynajmniej** *adv* at least
**przynależeć** *vi* belong
**przynależnoś|ć** *f* appurtenance; *(partyjna)* membership; *(państwowa)* nationality; *pl* **~ci** belongings; *(o majątku ziemskim)* appendages
**przynależny** *adj* belonging, appurtenant
**przynęta** *f* bait; *przen.* lure, enticement
**przynosić** *vt* bring; *(dochód)* bring in; *(plon)* yield; *(stratę, szkodę)* cause
**przyobiecać** *vt* promise
**przypadać** *vi* fall, come; *(o terminie płatności)* be due; **~ do gustu** suit one's taste
**przypadek** *m* event, accident, case; *gram.* case
**przypadkiem** *adv* by chance, accidentally; **spotkałem go ~** I happened to meet him
**przypadkowo** *adv* accidentally, by accident; **czy masz ~ tę książkę?** do you happen to have this book?; **natknąć się ~** chance (**na kogoś, coś** on ⟨upon⟩ sb, sth)
**przypadkowy** *adj* accidental, casual
**przypadłość** *f* ailment, indisposition
**przypalić** *vt* singe; **~ się** *vr* singe, become singed
**przypasać** *vi* gird on
**przypatrywać się** *vr* look (**czemuś** at sth), observe
**przypędzić** *vt* drive in; *vi* come hurrying
**przypieczętować** *vt* seal up
**przypinać** *vt* pin, fasten
**przypisek** *m* footnote; note, annotation
**przypisywać** *vt* assign, attribute, ascribe
**przypłynąć** *vi* come swimming ⟨sailing, flowing⟩; **~ do brzegu** come to shore
**przypływ** *m* flow; **~ i odpływ** flow and ebb, tide
**przypodobać się** *vr* endear oneself
**przypominać** *vt* remind (**komuś coś**

sb of sth); ~ sobie recall, recollect

**przypomnienie** *n* (*zwrócenie uwagi*) admonition; (*monit*) reminder; ~ **sobie** recollection

**przypowieść** *f* parable

**przyprawa** *f* condiment, spice

**przyprawiać** *vt* (*nadawać smak*) season; (*przymocować*) attach, fix; ~ **o utratę** cause a loss

**przyprowadzać** *vt* bring; ~ **do porządku** put in order

**przypuszczać** *vt* suppose, admit; ~ **szturm** assault (**do fortecy** a fortress)

**przypuszczalnie** *adv* supposedly, presumably

**przypuszczalny** *adj* supposed, presumable

**przypuszczenie** *n* supposition, admission

**przyroda** *f* nature

**przyrodni** *adj*, **brat** ~ step-brother; **siostra ~a** step-sister

**przyrodniczy** *adj* natural

**przyrodnik** *m* naturalist

**przyrodoznawstwo** *n* natural science

**przyrodzony** *adj* natural, innate

**przyrost** *m* increment; ~ **naturalny** birthrate

**przyrostek** *m gram.* suffix

**przyrząd** *m* apparatus, instrument

**przyrządzać** *vt* prepare, make ready; (*potrawę*) season, dress

**przyrzeczenie** *n* promise

**przyrzekać** *vt* promise

**przysadka** *f*, *med.* ~ **mózgowa** pituitary gland

**przysiad** *m sport* crouch, squat

**przysiadać** *vt* sit down, crouch; ~ **się** *vr* sit down close (**do kogoś** to sb), join (**do kogoś** sb)

**przysięg|a** *f* oath; **złożyć ~ę** take an oath; **pod ~ą** upon oath

**przysięgać** *vi* swear

**przysięgły** *adj* sworn; *s m* juryman; **sąd ~ch** jury

**przysłaniać** *vt* veil, shade

**przysłowie** *n* proverb

**przysłowiowy** *adj* proverbial

**przysłówek** *m gram.* adverb

**przysłuchiwać się** *vr* listen (**czemuś** to sth)

**przysług|a** *f* service; **wyświadczyć ~ę** do ⟨render⟩ a service

**przysług|iwać** *vi* have right, be entitled; **~uje mi prawo** I have a right, I am entitled

**przysłużyć się** *vr* render a good service

**przysmak** *m* dainty, delicacy

**przysmażać** *vr* fry

**przysparza|ć** *vt* augment, add to, increase; cause; **to mi ~ kłopotu** this adds to my trouble

**przyspieszać** *vt* accelerate, hasten, speed up

**przyspieszenie** *n astr. fiz.* acceleration

**przysporzyć** *zob.* **przysparzać**

**przysposabiać** *vt* prepare, make fit ⟨ready⟩; adapt; *prawn.* adopt

**przysposobienie** *n* preparation; adaptation; *prawn.* adoption; ~ **wojskowe** military training, cadet corps

**przyst|ać** *vi* join (**do kogoś, do partii** sb, the party); **~ać na służbę** enter into service; **to nie ~oi** it is unbecoming; **~ać na coś** comply with sth; **~ać na warunki** accept conditions

**przystanąć** *vi* stop short, halt

**przystanek** *m* stop, halt

**przystań** *f* harbour

**przystawać** *vi* adhere

**przystawiać** *vt* put close, place near

**przystępność** *f* accessibility

**przystępny** *adj* accessible, easy of approach; (*o cenie*) moderate

**przystępować** *vi* join (**do kogoś** sb); come near; accede (**do organizacji** to organization)

**przystojny** *f* good-looking, handsome, well-shaped

**przystrajać** *vt* adorn

**przysuwać** *vt* move ⟨shove, push⟩ nearer; ~ **się** *vr* draw ⟨move⟩ nearer

**przyswajać** *vt* assimilate; (*wiedzę,*

*języki*) acquire; (*poglądy, metody*) adopt; (*przywłaszczać sobie*) appropriate
**przysyłać** *vt* send (in); *vi* send (**po kogoś, coś** for sb, sth)
**przysypywać** *vt* (*np. ziemią*) cover; (*cukrem*) powder
**przyszłoś|ć** *f* future; **w ~ci** in future; **na ~ć** for the future
**przyszły** *adj* future; **~ tydzień itp.** next week etc.
**przyszywać** *vt* sew on
**przyśnić się** *vr* appear in a dream
**przyśpieszać** *zob.* **przyspieszać**
**przyśrubować** *vt* screw on
**przytaczać** *vt* (*cytować*) quote, cite; (*toczyć*) roll
**przytakiwać** *vi* say yes (**komuś** to sb); assent (**czemuś** to sth)
**przytępić** *vt* blunt, dull
**przytknąć** *vt* set, apply (**coś do czegoś** sth to sth)
**przytłaczać** *vt* press down, overwhelm
**przytłumiać** *vt* damp, suppress
**przytoczyć** *zob.* **przytaczać**
**przytomnie** *adv* with presence of mind, consciously
**przytomność** *f* consciousness; **~ umysłu** presence of mind; **stracić ~** lose consciousness; **odzyskać ~** recover
**przytomny** *adj* conscious
**przytrafić się** *vr* happen
**przytrzymać** *vt* detain, hold up; hold down; (*zatrzymywać*) keep back
**przytulić** *vt* snuggle, cuddle, hug (**do piersi** to one's breast); **~ się** *vr* cuddle, cling close; **~ się do siebie** cuddle together
**przytułek** *m* shelter, asylum; **~ ~ dla ubogich** almshouse; **dawać ~** shelter (**komuś** sb)
**przytwierdzić** *vt* fasten, fix
**przytyk** *m* allusion
**przytykać** *vi* adjoin (**do czegoś** sth); (*graniczyć*) border (**do czegoś** on sth); *zob.* **przytknąć**
**przywara** *f* fault
**przywiązanie** *n* attachment
**przywiązywać** *vt* bind, tie (up), fasten; **~ się** *vr* attach oneself, become attached (**do kogoś, czegoś** to sb, sth)
**przywidzenie** *n* illusion, fancy
**przywieźć** *zob.* **przywozić**
**przywilej** *m* privilege
**przywitać** *vt* welcome, greet
**przywitanie** *n* welcome, greeting
**przywłaszczać** *vt* (*sobie*) appropriate; (*władzę, tytuł itp.*) usurp
**przywłaszczenie** *n* appropriation
**przywoływać** *vt* call
**przywozić** *vt* bring; convey; import
**przywódca** *m* leader
**przywóz** *m* import, importation; (*dostawa*) delivery
**przywracać** *vt* restore
**przywrócenie** *n* restoration
**przywyknąć** *vi* get accustomed ⟨used⟩ (**do kogoś, czegoś** to sb, sth)
**przyznać** *vt* (*np. nagrodę*) award; (*uznać rację*) admit; (*wyznaczyć*) assign; **muszę ~, że ...** I have to admit that ...; **~ się** *vr* confess, avow (**do czegoś** sth); *prawn.* **~ się do winy** plead guilty
**przyzwalać** *vi* consent (**na coś** to sth), concede (**na coś** sth)
**przyzwoitość** *f* decency
**przyzwoity** *adj* decent
**przyzwolenie** *n* consent (**na coś** to sth)
**przyzwyczajać** *vt* accustom (**do czegoś** to sth); **~ się** *vr* become accustomed, get used (**do czegoś** to sth)
**przyzwyczajeni|e** *n* habit; **nabrać złego ~a** fall into a bad habit; **nabrać dobrego ~a** form a good habit
**przyzwyczajony** *pp i adj* accustomed, used (**do czegoś** to sth)
**przyzywać** *vt* call
**psalm** *m* psalm
**psałterz** *m* psalter
**pseudonim** *m* pseudonym
**psi** *adj* dog's, dog; *attr* **~e życie** dog's life

**psiakrew** *int* damn it!, dash it!
**psiarnia** *f* kennel; (*sfora*) pack of hounds
**psikus** *m* trick; **spłatać ~a** play a trick (**komuś** on sb)
**psocić** *vi* play tricks
**psota** *f* trick
**psotnik** *m* wag
**pstrąg** *m zool.* trout
**pstry** *adj* motley; (*o koniu*) piebald
**psuć** *vt* spoil; (*pogarszać*) make worse, worsen; (*uszkadzać*) damage; **~ się** *vr* spoil, get spoilt
**psychiatra** *m* psychiatrist
**psychiatria** *f* psychiatry
**psychiczny** *adj* psychical
**psychika** *f* psyche
**psycholog** *m* psychologist
**psychologia** *f* psychology
**psychologiczny** *adj* psychological
**pszczelarz** *m* bee-keeper
**pszczelarstwo** *n* bee-keeping
**pszczoła** *f zool.* bee
**pszenica** *f* wheat
**ptactwo** *n* birds *pl*; (*wodne, dzikie*) fowl; (*domowe*) poultry
**ptak** *m* bird; *pot.* **niebieski ~** spiv
**ptasi** *adj* bird, bird's *attr*; **~e gniazdo** bird's nest; *przen.* **brak mu ~ego mleka** he lives in clover
**publicysta** *m* journalist
**publicystyka** *f* journalism
**publicznie** *adv* in public
**publiczność** *f* public; (*na sali*) audience
**publiczny** *adj* public
**publikacja** *f* publication
**publikować** *vt* publish
**puch** *m* (*ptasi*) down; (*meszek*) fluff
**puchacz** *m zool.* eagle-owl
**puchar** *m* beaker, bowl; *sport* **~ przechodni** challenge cup
**puchlina** *f* swelling; (*wodna*) dropsy
**puchnąć** *vi* swell
**pucołowaty** *adj* chubby
**pucybut** *m* bootblack
**pucz** *m* putsch
**pudełko** *m* box
**puder** *m* powder
**puderniczka** *f* compact, powder-box
**pudło** *n* box
**pudrować** *vt* powder
**pugilares** *m* wallet
**pukać** *vi* knock, rap (**do drzwi** at the door)
**pukanie** *n* knock
**pukiel** *m* curl, lock
**pula** *f* pool
**pularda** *f* fattened pullet
**pulchny** *adj* plump; (*o cieście*) crumby; (*o glebie*) friable
**pulower** *m* pull-over
**pulpit** *m* desk, writing-desk; (*do nut*) music-stand, music-desk
**puls** *m* pulse; **mierzyć ~** feel the pulse
**pulsować** *vi* pulsate
**pułap** *m* ceiling
**pułapka** *f* trap; **~ na myszy** mouse-trap
**pułk** *m wojsk.* regiment
**pułkownik** *m* colonel
**pumeks** *m* pumice-stone
**punkt** *m* point; (*inwentarza, programu itp.*) entry, item; **~ ciężkości** centre of gravity; **~ oparcia** point of support; **~ widzenia** point of view; **~ wyjścia** starting point; **~ zborny** rallying point
**punktualność** *f* punctuality
**punktualny** *adj* punctual
**pupil** *m* favourite
**purchawka** *f* puff-ball
**purpura** *f* purple
**purytanin** *m* Puritan
**pustelnia** *f* hermitage
**pustelnik** *m* hermit
**pustk|a** *f* solitude, desert; vacancy; **były ~i w teatrze** the house was empty, there was a thin audience in the theatre; **mieć ~ę w głowie** be empty-headed; **stać ~ami** be abandoned ⟨empty⟩
**pustkowie** *n* desert
**pustoszyć** *vt* devastate, lay waste

**pusty** *adj* empty
**pustynia** *f* desert
**pustynny** *adj* desert; waste
**puszcza** *f* wilderness; primeval forest
**puszczać** *vt* let; let fall, let go; (*o pogłosce*) set afloat; *vi* (*o farbie*) come off; (*o szwach*) come apart; (*o mrozie*) break; **~ coś płazem** pass sth over; *med.* **~ krew** bleed; **~ latawca** fly a kite; **~ pieniądze** make ducks and drakes of one's money; **~ pąki** bud; **~ w obieg** circulate, put into circulation; **~ w ruch** set going, set in motion; **~ wolno** set free
**puszek** *m* down; (*do pudru*) powder-puff; (*meszek*) fluff
**puszka** *f* box; (*blaszana*) tin, *am.* can; **~ na pieniądze** money-box
**puszysty** *adj* downy, fluffy
**puścić** *zob.* **puszczać**
**puzon** *m muz.* trombone
**pycha** *f* pride, haughtiness
**pykać** *vt vi* puff
**pylić** *vi* raise ⟨make⟩ dust
**pył** *m* dust
**pyłek** *m* mote; *bot.* pollen
**pysk** *m* muzzle, snout
**pyskować** *vt pot.* bark
**pyszałek** *m* conceited fellow
**pyszałkowaty** *adj* conceited, bloated
**pysznić się** *vr* pride oneself (**czymś** on sth)
**pyszny** *adj* proud; (*wyborny*) excellent
**pyta|ć** *vt* ask (**o drogę** one's way; **o kogoś, coś** about sb, sth; **kogoś o zdrowie** after sb's health); inquire (**o kogoś, coś** after ⟨for⟩ sb, sth); (*wypytywać*) interrogate; (*egzaminować*) examine; **kto ~ł się o mnie?** who has asked for me?
**pytajnik** *m* mark of interrogation; question-mark, question-stop
**pytanie** *n* question; inquiry (**o kogoś** after sb); (*stawianie pytań, badanie*) interrogation; **trudne ⟨podchwytliwe⟩ ~** poser; **zadać komuś ~** ask sb a question, put a question to sb
**pytel** *m* bolter
**pyzaty** *adj* chubby

# r

**rabarbar** *m bot.* rhubarb
**rabat** *m* discount
**rabin** *m* rabbi
**rabować** *vt* rob (**komuś coś** sb of sth), plunder
**rabunek** *m* robbery, plunder
**rabunkowy** *adj* predatory; **napad ~** hold-up
**rabuś** *m* robber, plunderer
**rachityczny** *adj* rickety
**rachmistrz** *m* accountant, calculator
**rachować** *vt* count, reckon, calculate
**rachuba** *f* calculation; (*rachunkowość*) accountancy, book-keeping
**rachun|ek** *m* reckoning; account; (*w sklepie, restauracji*) bill; **~ek bieżący** current account; **~ek bankowy** banking account; *mat.* **~ek różniczkowy** differential calculus; *pl* **~ki** (*lekcja*) arithmetic; (*gospodarskie*) house-keeping accounts
**rachunkowość** *f* accountancy, book-keeping
**racj|a** *f* reason; (*żywnościowa*) ration; **mieć ~ę** be right; **nie mieć ~i** be wrong

**racjonalista** *m* rationalist
**racjonalizacja** *f* rationalization
**racjonalizm** *m* rationalism
**racjonalizować** *vt* rationalize
**racjonalność** *f* rationality, reasonableness
**racjonalny** *adj* rational, reasonable
**raczej** *adv* rather, sooner
**raczek** *m* (small) crab, crayfish
**raczkować** *vi* crawl on all fours
**raczyć** *vi* deign, condescend; **~ usiąść** be pleased to sit down; *vt* (*częstować*) treat (**kogoś czymś** sb to sth); **~ się** *vr* treat oneself
**rad** 1. *adj* glad (**z czegoś** of sth); pleased (**z czegoś** with sth); **~ bym wiedzieć** I should like to know; **~ nie rad** *pot.* willy-nilly
**rad** 2. *m chem.* radium
**rad|a** *f* (*porada*) advice, counsel; (*zespół*) council, board; **~a miejska** city council; **~a zakładowa** factory ⟨institution⟩ council; **dać sobie ~ę** manage (**z czymś** sth); **nie ma na to ~y** there's no help for it; **pójść za czyjąś ~ą** follow ⟨take⟩ sb's advice; **zasięgać czyjejś ~y** ask sb's advice, consult sb; **jaka na to ~a?** what can be done about it?
**radar** *m* radar
**radca** *m* counsellor; (*prawny*) counsel
**radio** *n* radio; (*aparat*) wireless set; **przez ~** on the air, by wireless; **nadawać przez ~** broadcast
**radioaktywny** *adj* radioactive
**radiofonia** *f* broadcasting
**radionadawca** *m* broadcaster
**radioodbiornik** *m* radio(-set), radio receiver
**radioskopia** *f* radioscopy
**radiosłuchacz** *m* listener, listener-in
**radiostacja** *f* broadcasting station
**radiotelegrafista** *m* wireless operator
**radioterapia** *f* radiotherapy
**radiowy** *adj attr* radio; **aparat ~** wireless set; **program ~** radio programme
**radny** *m* city ⟨town⟩ councillor, alderman
**radosny** *adj* joyous, joyful, cheerful
**radoś|ć** *f* joy; **nie posiadać się z ~ci** be transported with joy; **sprawić komuś ~ć** make sb glad
**radować** *vt* gladden; **~ się** *vr* rejoice (**czymś** at ⟨in⟩ sth)
**radykalizm** *m* radicalism
**radykalny** *adj* radical
**radykał** *m* radical
**radzić** *vt vi* advise (**komuś** sb); (*obradować*) deliberate (**nad czymś** on sth); **~ się** *vr* consult (**kogoś** sb)
**radziecki** *adj* Soviet; **Związek Radziecki** the Soviet Union
**rafa** *f* reef
**rafineria** *f* refinery
**raj** *m* paradise
**rajd** *m* raid
**rak** *m zool.* crab, crayfish; *med.* cancer
**rakieta** 1. *f* rocket; **~ międzyplanetarna** interplanetary rocket
**rakieta** 2. *f sport* racket
**ram|a** *f* frame; **~a okienna** sash, window-frame; **oprawić w ~ę** frame; *przen.* **w ~ach czegoś** within the limits of sth
**rami|ę** *n* arm; (*bark*) shoulder; **wzruszać ~onami** shrug one's shoulders
**rampa** *f* ramp; (*towarowa*) platform; *teatr* footlights *pl*
**rana** *f* wound
**randka** *f* rendezvous, *pot.* date
**ranga** *f* rank
**ranić** *vt* wound, hurt
**ranny** 1. *adj* wounded
**ranny** 2. (*poranny*) *attr* morning
**rano** *adv* in the morning; **dziś ~** this morning; **wczoraj ⟨jutro⟩ ~** yesterday ⟨tomorrow⟩ morning; **z rana** in the morning
**raport** *m* report; account; **stanąć do ~u** appear to account; **wezwać do ~u** call to account
**raportować** *vt* report

**rapsodia** *f* rhapsody
**raptem** *adv* all of a sudden, abruptly
**raptowny** *adj* abrupt
**rasa** *f* race; *zool.* breed
**rasizm** *m* racialism
**rasow|y** *adj* racial; (*o zwierzętach czystej rasy*) thorough-bred; **dyskryminacja ~a** colour bar
**raszpla** *f* rasp
**rat|a** *f* instalment, part payment; **na ~y** by instalments, in part payments; **sprzedaż ⟨kupno⟩ na ~y** hire-purchase
**ratować** *vt* save, rescue; **~ się** *vr* save oneself; **~ się ucieczką** take to flight
**ratownictwo** *n* life-saving
**ratownik** *m* rescuer, *am.* life-guard
**ratun|ek** *m* rescue, salvation; **wołać o ~ek** cry for help; **~ku!** help!
**ratunkow|y** *adj* saving, life-saving; **łódź ~a** life-boat; **pas ~y** life-belt
**ratusz** *m* town hall
**ratyfikacja** *f* ratification
**ratyfikować** *vt* ratify
**raut** *n* evening party
**raz** *s* (*cios*) blow; (*kroć*) time; **jeden ~** once; **dwa ~y** twice; **trzy ~y** three times; **innym ~em** some other time; **jeszcze ~** once more; **na ~ie** for the time being; **od ~u** at once; **pewnego ~u** once upon a time; **po ~ pierwszy** for the first time; **~ na zawsze** once for all; **~ po ~** repeatedly, again and again; **tym ~em** this time; **w każdym ~ie** at any rate, in any case; **w najgorszym ~ie** if the worst comes to the worst, at worst; **w najlepszym ~ie** at best; **w przeciwnym ~ie** or else, otherwise; **w ~ie jego śmierci** in the event of his death; **w ~ie potrzeby** in case of need; **w takim ~ie** in such a case, so; **za każdym ~em** every time; *adv* once, at one time
**razem** *adv* together
**razić** *vt* strike; offend; shock; **~ oczy** dazzle; **~ strzałami** pelt with arrows; **rażony piorunem** thunderstruck; **rażony paraliżem** stricken with paralysis
**razowy** *adj* **chleb ~** brown bread
**raźny** *adj* brisk
**rażący** *adj* striking, shocking; (*o świetle*) dazzling; (*o błędzie, postępku*) gross
**rąbać** *vt* hew; (*drzewo*) chop; (*rozłupywać*) split
**rąbek** *m* hem, border
**rączka** *f* little hand; (*uchwyt*) handle; (*steru*) tiller; (*obsadka do pióra*) penholder
**rączy** *adj* nimble, brisk
**rdza** *f* rust
**rdzawy** *adj* rusty
**rdzenny** *adj* original, true-borne, native
**rdzeń** *m* pith, marrow; core; **~ wyrazu** root; *anat.* **~ pacierzowy** spinal marrow
**rdzewieć** *vi* grow rusty
**reagować** *vi* react (**na coś** to sth)
**reakcja** *f* reaction
**reakcjonista** *m* reactionary
**reakcyjny** *adj* reactionary
**reaktor** *m* *fiz.* reactor
**realia** *s pl* realities *pl*
**realista** *m* realist
**realistyczny** *adj* realistic
**realizm** *m* realism
**realizować** *vt* realize, make real; (*czek, rachunek*) cash
**realność** *f* (*rzeczywistość*) reality; (*majątek nieruchomy*) real estate
**realny** *adj* real
**reasekuracja** *f* reinsurance
**reasumować** *vt* recapitulate
**rebus** *m* rebus
**recenzent** *m* reviewer
**recenzja** *f* review, critique
**recenzować** *vt* review
**recepcja** *f* reception; (*np. w hotelu*) reception desk ⟨office⟩
**recepcyjny** *adj* receptive; **pokój ~** reception-room
**recepta** *f* prescription
**rechot** *m* croaking

**recital** [-czi-, -c-i-] *m muz.* recital

**recydywa** *f* relapse

**recydywista** *m* recidivist

**recytować** *vt* recite

**redagować** *vt* (*szkicować*) draw up; (*opracowywać*) redact; (*gazetę, czasopismo*) edit

**redakcja** *f* (*czynność*) redaction, composition; (*szkic*) draft; (*biuro*) editor's office

**redakcyjny** *adj* editorial

**redaktor** *m* redactor; (*gazety, czasopisma*) editor; **~ naczelny** editor in chief

**redukcja** *f* reduction; (*zwolnienie z pracy*) discharge; **~ zarobków** wage-cut

**redukować** *vt* reduce; (*zwolnić z pracy*) discharge; dismiss; (*wydatki, ceny itp.*) cut (down)

**reduta** *f wojsk.* redoubt

**refektarz** *m* refectory

**referat** *m* report

**referencja** *f* reference

**referent** *m* reporter; clerk

**referować** *vt* report

**refleks** *m* reflex

**refleksja** *f* reflection

**refleksyjny** *adj* reflexive, reflective

**reflektant** *m* (*np. na posadę*) applicant; (*na kupno*) prospective buyer

**reflektor** *m* reflector

**reflektować** *vi* have in view (na coś sth); intend; **~ się** *vr* come to one's senses, sober down

**reforma** *f* reform

**reformacja** *f* Reformation

**reformować** *vt* reform

**refren** *m* refrain

**regał** *m* book-shelf

**regaty** *s pl sport* regatta, boat-race

**regencja** *f* regency

**regeneracja** *f* regeneration

**regenerować** *vt* regenerate; **~ się** *vr* regenerate, become regenerated

**regent** *m* regent

**regionalny** *adj* regional

**regulacja** *f* regulation

**regulamin** *m* regulations *pl*

**regularność** *f* regularity

**regularny** *adj* regular

**regulator** *m* regulator

**regulować** *vt* regulate; (*zegarek*) put right; (*ruch uliczny*) control; (*rachunek*) settle

**reguł|a** *f* rule; **z ~y** as a rule

**rehabilitacja** *f* rehabilitation

**rehabilitować** *vt* rehabilitate

**reja** *f mors.* yard

**rejent** *m* notary (public)

**rejestr** *m* register, record

**rejestracja** *f* registration

**rejestrować** *vt* register, record; *wojsk.* enroll; **~ się** *vr* register

**rejon** *n* region

**rejs** *m* cruise

**rekapitulować** *vt* recapitulate, sum up

**rekin** *m zool.* shark

**reklama** *f* publicity, advertising

**reklamacja** *f* claim

**reklamować** *vt* claim; (*ogłaszać*) advertise

**rekolekcje** *s pl* retreat

**rekomendacja** *f* recommendation

**rekomendować** *vt* recommend; (*o liście*) register

**rekompensata** *f* compensation

**rekontrować** *vt* (*w brydżu*) redouble

**rekonwalescencja** *f* recovery, convalescence

**rekonwalescent** *m* convalescent

**rekord** *m* record; **pobić ⟨ustanowić⟩ ~** break a record

**rekordzista** *m* record-holder

**rekreacja** *f* recreation, pastime

**rekrut** *m* recruit; **pobór ~ów** conscription

**rekrutacja** *f* recruitment

**rekrutować** *vt* recruit

**rektor** *m* rector; chancellor, president

**rektyfikacja** *f* rectification

**rektyfikować** *vt* rectify

**rekwirować** *vt* requisition

**rekwizycja** *f* requisition

**rekwizyt** *m* requisite; *teatr pl* **~y** property *zbior.*, props

**relacja** *f* report, relation
**relaks** *m* relax
**relatywizm** *m* relativism, relativity
**relegować** *vt* *(z uniwersytetu)* rusticate
**relief** *m* relief
**religia** *f* religion
**religijność** *f* religiosity
**religijny** *adj* religious
**relikwia** *f* relic
**remanent** *m* remainder, remaining stock; **sporządzanie ~u** stock-taking; **sporządzać ~** take stock
**reminiscencja** *f* reminiscence
**remis** *m* *sport* tie; draw
**remisow|y** *adj*, **gra ~a** tie game
**remiza** *f* shed, *am.* barn
**remont** *m* renovation, repair
**remontować** *vt* renovate, repair
**ren** *m* *zool.* reindeer
**renegat** *m* renegade
**renesans** *m* Renaissance
**renifer** *m* = **ren**
**renkloda** *f* *bot.* greengage
**renoma** *f* renown
**renomowany** *adj* renowned
**renons** *m* *(w kartach)* renounce
**renta** *f* income, annuity; *(starcza)* old-age pension; *(inwalidzka)* disability payment
**rentgen** *m* x-ray apparatus; *pot.* *(prześwietlenie)* radiograph
**rentgenolog** *m* Roentgenologist, radiologist
**rentgenologia** *f* Roentgenology, radiology
**rentować się** *vr* pay one's way, yield an income
**rentowny** *adj* paying, profitable
**reorganizacja** *f* reorganization
**reperacj|a** *f* reparation; repair; **muszę dać buty do ~i** I must have my shoes repaired
**reperować** *vt* repair, mend
**repertuar** *m* repertoire, repertory
**repetent** *m* repeater
**repetować** *vt* repeat
**repetycja** *f* repetition
**replika** *f* rejoinder, repartee; *(obrazu, rzeźby)* replica
**replikować** *vi* retort, rejoin
**reportaż** *m* reportage
**reporter** *m* reporter
**represja** *f* reprisal
**reprezentacja** *f* representation
**reprezentacyjny** *adj* representative
**reprezentant** *m* representative
**reprezentować** *vt* represent
**reprodukcja** *f* reproduction
**reprodukować** *vt* reproduce
**republika** *f* republic
**republikanin** *m* republican
**republikański** *adj* republican
**reputacja** *f* reputation, repute
**resor** *m* spring
**resort** *m* department, province; **to nie należy do mojego ~u** this is beyond my province
**respekt** *m* respect
**respektować** *vt* respect
**restauracja** *f* *(jądłodajnia)* restaurant; *(odnowienie, przywrócenie)* restoration
**restaurator** *m* restaurant-keeper; *(konserwator)* restorer
**restaurować** *vt* restore, renovate, repair
**restrykcja** *f* restriction
**restytucja** *f* restitution
**reszt|a** *f* rest, remainder; *(pieniędzy)* change; *(osad)* residue; **do ~y** utterly, to the last
**reszt|ka** *f* remnant; *pl* **~ki** relics, remains
**retorta** *f* retort
**retoryczny** *adj* rhetorical
**retoryka** *f* rhetoric
**retusz** *m* retouch
**retuszować** *vt* retouch
**reumatyczny** *adj* rheumatic
**reumatyzm** *m* rheumatism
**rewanż** *m* *(odwet)* revenge; *(odwzajemnienie)* reciprocation, requital; *sport* **return match**, revenge; **dać komuś możność ~u** give sb his revenge
**rewanżować się** *vt* requite, reciprocate
**rewelacja** *f* revelation, sensation
**rewelacyjny** *adj* revelational, sensational

**rewers** *m* receipt; (*biblioteczny*) lending form
**rewia** *f wojsk.* review; *teatr* revue
**rewident** *m* controller
**rewidować** *vt* revise; (*obszukiwać*) search
**rewizja** *f* revision; (*obszukiwanie*) search
**rewizjonista** *m* revisionist
**rewizjonizm** *m* revisionism
**rewizor** *m* controller
**rewizyta** *f* return ⟨reciprocated⟩ visit
**rewizytować** *vt* return ⟨repay⟩ a visit
**rewolucja** *f* revolution
**rewolucyjny** *adj* revolutionary
**rewolwer** *m* revolver
**rezeda** *f bot.* reseda
**rezerwa** *f* reserve
**rezerwat** *m* reserve; (*łowiecki, rybny*) preserve; (*dla Indian itp.*) reservation
**rezerwista** *m* reservist
**rezerwować** *vt* reserve; (*miejsce w pociągu, teatrze itp.*) book
**rezerwow|y** *adj* reserve *attr*; (*zapasowy*) spare *attr*; **części ~e** spare parts
**rezerwuar** *m* reservoir
**rezolucja** *f* resolution
**rezolutny** *adj* resolute, determined
**rezonans** *m* resonance
**rezultat** *m* result
**rezurekcja** *f* resurection
**rezydencja** *f* residence
**rezydent** *m* resident
**rezydować** *vi* reside
**rezygnacja** *f* resignation
**rezygnować** *vi* resign (**z czegoś** sth, **na rzecz kogoś** to sb)
**reżim** *m* régime
**reżyser** *m* stage-manager; (*filmowy*) director
**reżyseria** *f* stage-management; (*filmowa*) direction
**reżyserować** *vt* stage-manage; (*film*) direct
**ręcznie** *adv* by hand; **~ robiony** handmade
**ręcznik** *m* towel
**ręczn|y** *adj* hand *attr*, manual; **bagaż ~y** portable luggage; **robota ~a** handiwork; **wózek ~y** hand-barrow
**ręczyć** *vt* guarantee, warrant
**ręk|a** *f* hand; **dać komuś wolną ~ę** allow sb free play; **iść komuś na ~ę** play into sb's hands; **to jest mi na ~ę** this suits me; **trzymać za ~ę** hold by the hand; **na swoją ~ę** on one's own account; **od ~i** on the spot, offhand; **pod ~ą** at hand; **pod ~ę** arm in arm; **~a w ~ę** hand in hand
**rękaw** *m* sleeve
**rękawica** *f* glove; (*bokserska*) boxing-glove; *hist.* (*rycerska*) gauntlet
**rękawiczka** *f* glove; (*z jednym palcem*) mitten
**rękodzielnik** *m* handicraftsman
**rękodzieło** *n* handicraft
**rękojeść** *f* handle; (*u szabli*) hilt
**rękojmia** *f* guaranty
**rękopis** *m* manuscript
**robactwo** *n* vermin
**robaczywy** *adj* worm-eaten
**robak** *m* worm
**rober** *m* (*w kartach*) rubber
**robi|ć** *vt* make, do; **~ć swoje** do one's duty; **~ć na drutach** knit; **mało sobie z tego ~ę** I make little of it; **to mi dobrze ~** it does me good; **~ć się** *vr tylko impers*: **~ się ciepło ⟨zimno, późno itp.⟩** it is getting warm ⟨cold, late etc.⟩
**robocizna** *f* working power, labour; (*zapłata*) wages *pl*; (*pańszczyźniana*) statute labour
**robocz|y** *adj* work, working *attr*; **dzień ~y** working day; **siła ~a** manpower; **ubranie ~e** working clothes; **wół ~y** draught-ox
**robot** *m* robot
**robot|a** *f* work, labour, job; **~y polne** field-labour; **~y przymusowe** forced labour; **~y ziemne** earth works; **ciężkie ~y** (*karne*) hard labour, penal servitude; **nie**

**mieć nic do ~y** have nothing to do
**robotniczy** *adj* workman's, workman *attr*
**robotnik** *m* (*pracownik*) worker; (*pracownik fizyczny*) workman; (*wyrobnik*) labourer
**robótki** *s pl* needle-work, fancy-work
**rocznica** *f* anniversary
**rocznie** *adv* yearly, annually
**rocznik** *m* year-book; *wojsk.* class; *pl* **~i** (*naukowe, literackie*) annals
**roczny** *adj* yearly, annual
**rodaczka** *f* (fellow-)countrywoman
**rodak** *m* (fellow-)countryman
**rodowity** *adj* true-born, native; **~ Anglik** Englishman by birth
**rodowód** *m* pedigree
**rodow|y** *adj* (*dziedziczny*) ancestral; clan *attr*; clannish; (*plemienny*) tribal; **majątek ~y** patrimony; **szlachta ~a** hereditary nobility
**rodzaj** *m* kind, species, sort; *biol.* genus; *gram.* gender; **~ ludzki** mankind; **coś w tym ~u** something of the kind; **najgorszego ~u** of the worst description; **wszelkiego ~u** of every description
**rodzajnik** *m gram.* article
**rodzajowy** *adj* generic
**rodzeństwo** *n* brothers and sisters
**rodzice** *s pl* parents
**rodzicielski** *adj* parental; parents' *attr*
**rodzić** *vt* bear, generate, produce
**rodzimy** *adj* native
**rodzina** *f* family
**rodzinn|y** *adj* family *attr*; natal, native; **majątek ~y** family estate; **miasto ~e** native town; **dodatek ~y** family allowance
**rodzony** *adj* full born, german; **~ brat** brother german
**rodzynek** *m* raisin
**rogacz** *m* stag; *przen. pot.* (*zdradzony mąż*) cuckold
**rogatka** *f* turnpike; toll-bar
**rogaty** *adj* horned
**rogatywka** *f* four-cornered cap
**rogowacieć** *vi* become horny
**rogowaty** *adj* horny, corneous
**rogowy** *adj* horn *attr*, horny
**rogoża** *f* (*mata*) (door-)mat
**rogówka** *f anat.* cornea
**roi|ć** *vi* dream; **~ć sobie** imagine, fancy; **~ć się** *vr* swarm, team; **coś mu się ~** he fancies sth, sth runs through his head
**rojalista** *m* royalist
**rojny** *adj* swarming, teaming
**rok** *s* (*pl* **lata**) year; **~ przestępny** leap-year; **~ szkolny** school-year; **co drugi ~** every second year; **w przyszłym ⟨w zeszłym⟩ ~u** next ⟨last⟩ year; **przed laty** many years ago; **mam 18 lat** I am 18 years old
**rokosz** *m* mutiny
**rokować** *vi* (*pertraktować*) negotiate (**w sprawie traktatu, pożyczki** a treaty, a loan); (*zapowiadać*) augur; **~ nadzieje** bid fair, give fair promise; **można ~ nadzieje, że on będzie miał powodzenie** he bids fair to succeed
**rokowani|e** *n* prognosis; *pl* **~a** (*pertraktacje*) negotiations
**rola 1.** *f* (*pole*) arable land, field, soil
**rol|a 2.** *f* (*teatr i przen.*) part, role; **odgrywać ~ę** play a part
**roleta** *f* window-blind
**rolka** *f* (*szpulka*) reel; (*zwój*) roll; (*wałek*) roller
**rolnictwo** *n* agriculture
**rolniczy** *adj* agricultural
**rolnik** *m* farmer; agriculturist
**roln|y** *adj* agrarian; agricultural; land *attr*; **reforma ~a** agrarian reform; **bank ~y** land bank
**romans** *m* (*powieść*) romance, novel; (*miłostka*) love-affair
**romansować** *vi* flirt, carry a love-affair
**romantyczność** *f* romanticism
**romantyczny** *adj* romantic
**romantyk** *m* romantic; (*przedstawiciel romantyzmu*) romanticist

**romantyzm** *m* romanticism
**romański** *adj* (*język*) Romance; (*styl*) Romanesque
**romb** *m mat.* rhomb
**rondel** *m* stew-pan
**rondo 1.** *n* (*u kapelusza*) brim; *muz.* rondo
**rondo 2.** *m* (*plac*) circus
**ronić** *vt* (*np. łzy*) shed; *med.* miscarry
**ropa** *f med.* pus; ~ **naftowa** rock-oil, petroleum
**ropieć** *vi* fester, suppurate
**ropień** *m med.* abscess
**ropucha** *f zool.* toad
**rosa** *f* dew
**Rosjanin** *m* Russian
**rosły** *adj* tall
**rosnąć** *vi* grow
**rosochaty** *adj* forked
**rosół** *m* buillon, beef-soup
**rostbef** *m* roast beef
**rosyjski** *adj* Russian
**roszad|a** *f* (*w szachach*) castling; **robić ~ę** to castle
**roszczenie** *n* claim (**o coś** to sth, **pod czyimś adresem** on sb)
**rościć** *vt* (*np. prawo, pretensje*) claim (**do czegoś** sth), lay claim (**do czegoś** to sth)
**roślina** *f* plant; ~ **pnąca** creeper
**roślinność** *f* flora, vegetation
**roślinny** *adj* vegetable, vegetal
**rotmistrz** *m wojsk.* cavalry-captain
**rowek** *m* (small) channel; *techn.* groove
**rower** *m* (bi)cycle
**rowerzysta** *m* cyclist
**rozbestwić** *vt* make furious, enrage; ~ **się** *vr* become furious
**rozbicie** *n* disruption; (*wrogich sił*) defeat; ~ **okrętu** shipwreck
**rozbić** *vt* crush, smash, disrupt; (*wroga*) defeat; ~ **się** *vr* be crushed ⟨smashed⟩; (*o statku*) be shipwrecked; (*o planie*) be frustrated ⟨thwarted⟩
**rozbierać** *vt* undress: (*rozkładać*) decompose; (*dom*) pull down; (*kraj*) partition; (*rozczłonkowywać*) dismember; (*np. maszynę*) dismantle, dismount; (*np. zegarek*) take apart; ~ **się** *vr* undress, strip; (*zdejmować wierzchnie odzienie*) take off (one's overcoat, hat etc.)
**rozbieżność** *f* divergence
**rozbieżny** *adj* divergent
**rozbijać** *zob.* **rozbić**
**rozbiór** *m* dismemberment; (*tekstu*) analysis; (*kraju*) partition
**rozbiórka** *f* (*domu, maszyny itp.*) demolition
**rozbitek** *m* castaway; *przen.* (*życiowy*) wreck
**rozbój** *m* robbery, piracy
**rozbójnik** *m* robber, highwayman; (*morski*) pirate
**rozbrajać** *vt*, ~ **się** *vr* disarm
**rozbrat** *m* rupture, disunion; **wziąć** ~ break, fall out (**z kimś** with sb), become divorced (**z rozumem** from one's senses)
**rozbrojenie** *n* disarmament
**rozbrzmiewać** *vi* resound
**rozbudowa** *f* extension, enlargement
**rozbudowywać** *vt* extend, enlarge; (*np. praktykę, stosunki*) build up; ~ **się** *vr* extend
**rozbudzić** *vt* awaken, arouse
**rozchmurzyć** *vt* clear up; *przen.* (*rozweselić*) cheer one's thoughts
**rozchodzić się** *vr* (*o towarzystwie*) break up, part; (*o zgromadzeniu, grupie uczniów itp.*) disperse; *wojsk.* break ranks; (*rozłączyć się*) separate, come apart; (*o wiadomościach itp.*) spread abroad; (*o towarze*) sell well
**rozchód** *m* expense, expenditure
**rozchwiać** *vt* shake, make loose; ~ **się** *vr* be shaken, become loose
**rozchwytać** *vt* snatch up; (*rozkupić*) buy up
**rozchylać** *vt*, ~ **się** *vr* open, draw apart; ~ **usta** part one's mouth
**rozciągać** *vt*, ~ **się** *vr* extend, stretch, expand
**rozciągłoś|ć** *f* expansion, extent; **w całej ~ci** at full length; to the full extent
**rozciągły** *adj* extensive

**rozcieńczyć** *vt* dilute

**rozcierać** *vt* grind (**na proch** to powder); (*np. ciało*) rub

**rozcinać** *vt* cut up

**rozczarować** *vt* disillusion, disappoint; ~ **się** *vr* become disappointed

**rozczarowanie** *n* disillusionment, disappointment

**rozczesać** *vt* comb off

**rozczłonkować** *vt* dismember

**rozczłonkowanie** *n* dismemberment

**rozczulać** *vt* move (to pity), touch, affect; ~ **się** *vr* be moved, be touched; (*bawić się w sentymenty*) sentimentalize (**nad kimś, czymś** over sb, sth)

**rozczyn** *m* solution

**rozdarcie** *n* rent, tear; *przen.* (*wewnętrzne skłócenie*) disruption

**rozdawać** *vt* distribute; (*karty*) deal

**rozdmuchiwać** *vt* (*nadymać*) blow up, inflate; (*podsycać płomień*) fan

**rozdrabniać** *vt* fritter

**rozdrapywać** *vt* scratch; (*rozranić*) lacerate

**rozdrażniać** *vt* irritate

**rozdrażnienie** *n* irritation

**rozdroże** *n* crossroad(s)

**rozdwoić** *vt* divide, split, disunite

**rozdwojenie** *n* division, disunion, split

**rozdymać** *vt* blow up, inflate

**rozdział** *m* (*oddzielenie*) separation; (*podział*) division; (*rozdzielenie*) distribution; (*w książce*) chapter; (*we włosach*) parting

**rozdzielać** *vt* (*oddzielać*) separate, sever; (*podzielić*) divide; (*rozdawać*) distribute; (*wydzielać*) deal ⟨share⟩ out; (*nagrody*) give away ⟨out⟩

**rozdzielcz|y** *adj* distributive; **punkt ~y** distributing point; **tablica ~a** *elektr.* switchboard, (*w samochodzie*) dash-board

**rozdziera|ć** *vt* rend, tear up, split; (*otwierać np. list*) tear open; **~jący serce** heart-rending

**rozdźwięk** *m* dissonance, discord

**rozebrać** *zob.* **rozbierać**

**rozedma** *f med.* *także* ~ **płuc** emphysema

**rozejm** *m* armistice, truce

**rozejść się** *zob.* **rozchodzić się**

**rozerwać się** *vr* (*zabawić się*) divert oneself; (*pęknąć*) become ⟨get⟩ torn up

**roześmiać się** *vr* burst into laughter

**rozeta** *f* rosette

**rozeznać** *vt* discern; distinguish

**rozgałęziacz** *m elektr.* branch-joint, cluster

**rozgałęziać się** *vr* branch out, ramify

**rozgałęzienie** *n* ramification

**rozgarniać** *vt* pull apart, unroll, rake aside; (*ogień*) stir

**rozgarnięty** *adj* intelligent, clever

**rozglądać się** *vr* look round (**za kimś, czymś** for sb, sth)

**rozgłaszać** *vt* blaze, divulge, spread abroad

**rozgłos** *m* publicity, renown; resonance; **nabrać ~u** become renowned

**rozgłośnia** *f* broadcasting station

**rozgłośny** *adj* resounding; renowned

**rozgnieść** *vt* crush

**rozgniewać** *vt* anger, make angry; ~ **się** *vr* become angry (**na kogoś** with sb, **na coś** at ⟨about sth⟩)

**rozgoryczenie** *n* embitterment

**rozgoryczyć** *vt* embitter

**rozgraniczenie** *n* delimitation, demarcation

**rozgraniczyć** *vt* delimit, demarcate

**rozgromić** *vt* rout, defeat

**rozgryźć** *vt* bite through; *pot.* (*odgadnąć*) unriddle

**rozgrzebywać** *vt* dig up, rake up

**rozgrzeszenie** *n* absolution

**rozgrzeszyć** *vt* absolve

**rozgrzewać** *vt* warm up; ~ **się** *vr* warm oneself, get warm, warm up

**rozhukany** *adj* unbridled, unruly
**rozhuśtać** *vt* set swinging, set in motion
**roziskrzony** *adj* sparkling
**roziskrzyć się** *vi* begin to sparkle
**rozjaśnić** *vt*, **~ się** *vr* clear up, brighten
**rozjątrzyć** *vt* irritate, exacerbate; chafe, rankle; ~ się *vr* become irritated, get exacerbated; rankle; *med.* suppurate
**rozjechać się** *vr* (*o towarzystwie, zgromadzeniu itp.*) break up, part
**rozjemca** *m* arbiter; *sport* umpire
**rozjuszyć** *vt* enrage, infuriate
**rozkaprysić** *vt* make capricious; ~ się *vr* become capricious
**rozkapryszony** *adj* capricious, whimsical
**rozkaz** *m* order, command; **na ~** by order
**rozkazujący** *adj* imperious, imperative; *gram.* **tryb ~** imperative
**rozkazywać** *vi* order, command
**rozkiełznać** *vt* unbridle
**rozkleić** *vt* unglue; (*rozlepić, np. afisze*) post up; ~ się *vr* unglue, come unglued; *pot.* (*stać się nieodpornym*) weaken, be moved
**rozkład** *m* disposition; (*psucie się*) decay, disintegration; (*jazdy, godzin*) time-table
**rozkładać** *vt* (*rozstawiać*) dispose, place apart; (*np. mapę*) spread open ⟨out⟩; (*rozwijać*) unfold; (*np. na wystawie*) display, lay out; (*rozbierać na części*) decompose, take to pieces; ~ się *vr* (*wyciągać się*) stretch out, spread; (*psuć się*) decay, decompose; (*rozpadać się*) disintegrate
**rozkochać** *vt* inspire with love; ~ się *vr* fall in love (**w kimś** with sb)
**rozkołysać** *vt* set swinging
**rozkopać** *vt* dig up
**rozkosz** *f* delight
**rozkoszny** *adj* delightful
**rozkręcać** *vt* unwind, unscrew
**rozkruszać** *vt* crumble, crush
**rozkrzewić** *vt* propagate, multiply
**rozkuć** *vt* unchain, unbind
**rozkulbaczyć** *vt* unsaddle
**rozkupić** *vt* buy up
**rozkwit** *m* flowering, efflorescence, bloom; **w pełni ~u** in full bloom
**rozkwitać** *vi* blossom, flourish
**rozkwitły** *adj* full-blown
**rozlegać się** *vr* spread, extend; (*o głosie*) resound, ring
**rozległy** *adj* extensive, vast
**rozleniwiać** *vt* make lazy; ~ się *vr* become lazy
**rozlepiać** *vt* (*np. afisze*) post up
**rozlew** *m* (*powódź*) flood; **~ krwi** bloodshed
**rozlewać** *vt* (*np. mleko na podłogę*) spill; (*wlewać do naczyń*) pour out; (*krew, łzy*) shed; ~ się *vr* (*o rzece*) overflow; (*o płynie*) spill
**rozliczać się** *vr* settle accounts
**rozliczenie** *n* settling (of accounts), settlement; *handl.* clearing
**rozliczny** *adj* diverse, various
**rozlokować** *vt* accommodate, quarter; ~ się *vr* put up (**w hotelu** at a hotel), find accommodation
**rozlosować** *vt* dispose by lots (**coś** of sth)
**rozluźnić** *vt* loosen, relax; ~ się *vr* loosen, come loose
**rozluźnienie** *n* loosening, relaxation; (*obyczajów*) laxity
**rozładować** *vt* discharge, unload
**rozłam** *m* split, disruption
**rozłamać** *vt* break asunder, disrupt, split; ~ się *vr* be broken, go asunder
**rozłazić się** *vr* straggle, disperse; (*rozpadać się*) fall to pieces
**rozłączać** *vt* disjoin, disconnect; (*także techn.*) separate; (*np. telefon*) switch off; ~ się *vr* become disconnected; separate; (*telefonicznie*) switch off
**rozłączenie** *n* separation; (*także techn.*) disconnection

**rozłożyć** *zob.* **rozkładać; ~ się obozem** encamp
**rozłupać** *vt* split, cleave; (*orzech*) crack
**rozmach** *m* impetus, swing
**rozmaitoś|ć** *f* variety; *pl* **~ci** miscellany *zbior.*
**rozmaity** *adj* various, diverse
**rozmaryn** *m bot.* rosemary
**rozmawiać** *vi* talk, chat, converse
**rozmia|r** *m* (*wymiar*) size; (*zakres*) dimension, extent; **w wielkim ~rze** to a great extent, in a large measure
**rozmienić** *vt* (*pieniądze*) change
**rozmieszczać** *vt* dispose, arrange; locate; (*rozlokować*) quarter, accommodate
**rozmieszczenie** *n* disposition, arrangement; location; (*zakwaterowanie*) quartering, accommodation
**rozmiękczać** *vt* soften, make soft, mollify
**rozmiękczenie** *n* softening, emollescence; *med.* **~ mózgu** encephalomalacia
**rozmięknąć** *vi* soften, become soft
**rozminąć się** *vr* miss (**z kimś, czymś** sb, sth) cross one another; **~ się z celem** go wide ⟨fall short⟩ of the mark; **~ się z powołaniem** miss one's calling; **~ z prawdą** deviate from the truth
**rozminować** *vt* clear of mines
**rozmnażać** *vt*, **~ się** *vr* multiply, breed
**rozmnażanie się** *n* multiplication
**rozmoczyć** *vt* wet, soak
**rozmoknąć** *vi* become wet, soak
**rozmow|a** *f* conversation; **prowadzić ~ę** carry on a conversation
**rozmowny** *adj* conversational
**rozmówca** *m* interlocutor
**rozmówić się** *vr* have a talk
**rozmównica** *f* (*także* **~ telefoniczna**) telephone booth ⟨box⟩
**rozmysł** *m*, **z ~em** deliberately
**rozmyślać** *vi* meditate, reflect (**nad czymś** on ⟨upon⟩ sth)
**rozmyślanie** *n* meditation
**rozmyślić się** *vr* change one's mind
**rozmyślnie** *adj* deliberately
**rozmyślny** *adj* deliberate, premeditated
**roznamiętnić** *vt* impassion; **~ się** *vr* become impassioned
**rozniecić** *vt* (*rozpalić*) kindle; *przen.* (*wywołać żywe uczucie*) stir up, inflame
**roznosiciel** *m* carrier; **~ gazet** newspaper boy
**roznosić** *vt* carry; (*rozpowszechniać*) spread, distribute
**rozochocić** *vt* make merry; **~ się** *vr* become merry, cheer up
**rozognić** *vt* inflame
**rozpacz** *f* despair; **doprowadzić do ~y** drive to despair
**rozpaczać** *vi* despair
**rozpaczliwy** *adj* desperate
**rozpad** *m* decay, decomposition
**rozpadać się** *vr* fall to pieces, collapse, break down
**rozpadlina** *f* crevice, cleft
**rozpakować** *vt*, **~ się** *vr* unpack
**rozpalać** *vt* (*ogień*) make fire; **~ piec** fire a stove; *przen.* (*wzmagać*) inflame; (*wyobraźnię*) fire
**rozpamiętywać** *vt* meditate (**coś** on sth)
**rozpaplać** *vt pot.* blab out
**rozparcelować** *vt* parcel out, break up
**rozpasanie** *n* profligacy
**rozpasany** *adj* dissolute, profligate
**rozpatrywać** *vt* consider, examine
**rozpęd** *m* impetus, start
**rozpędzić** *vt* disperse; (*tłum*) break up; (*rozruszać*) start, set in motion; **~ się** *vr* break into a run
**rozpętać** *vt* unchain, unfetter; *pot.* (*np. wojnę*) unleash
**rozpiąć** *zob.* **rozpinać**
**rozpieczętować** *vt* unseal
**rozpierać** *vt* distend, extend; **~ się** *vr* spread oneself
**rozpierzchnąć się** *vr* disperse
**rozpieszczać** *vt* pamper
**rozpiętość** *f* spread; (*mostu, łuku*) span; *przen.* (*zakres*) extent
**rozpinać** *vt* (*ubranie*) unbutton,

undo; (*rozciągać*) stretch out; (*żagiel*) spread
**rozplatać** *vt* untwist, untwine
**rozplątać** *vt* disentangle
**rozplenić** *vt*, ~ **się** *vr* multiply
**rozpłakać się** *vr* burst into tears
**rozpłaszczyć** *vt* flatten
**rozpłatać** *vt* split, cleave
**rozpłomienić** *vt* inflame
**rozpływać się** *vr* melt away, vanish; (*o pieniądzach*) melt; *przen.* descant (**nad czymś** on ⟨upon⟩ sth)
**rozpoczynać** *zob.* **zaczynać**
**rozpogodzić się** *vr* clear up
**rozporek** *m* fly
**rozporządzać** *vi* dispose (**czymś** of sth); (*dawać rozporządzenie*) order, decree
**rozporządzeni|e** *n* disposal (**czymś** of sth); (*dekret*) order, decree; **do twego ~a** at your disposal
**rozpościerać** *vt*, ~ **się** *vr* spread (out)
**rozpowiadać** *vt* talk abroad, divulge
**rozpowszechniać** *vt* spread, diffuse, propagate; ~ **się** *vr* spread
**rozpowszechnienie** *n* spread
**rozpowszechniony** *adj* wide-spread
**rozpoznanie** *n* discernment; *med.* diagnosis; *wojsk.* (*terenu*) reconnaissance
**rozpoznawać** *vt* recognize; discern; *med.* diagnose
**rozpraszać** *vt*, ~ **się** *vr* disperse
**rozprawa** *f* dissension, debate; (*np. naukowa*) treatise, dissertation; *prawn.* (*sądowa*) case; (*załatwienie sporu*) settlement
**rozprawia|ć** *vi* debate, discuss (**o czymś** sth); **~ć się** *vr* settle matters; **szybko ~ć się** make short work (**z czymś** of sth)
**rozprężać** *vt* distend
**rozprężenie** *n* distension; (*odprężenie*) relaxation
**rozpromienić** *vt*, ~ **się** *vr* brighten up
**rozprostować się** *vr* straighten
**rozproszenie** *n* dispersion, dispersal
**rozproszyć** *zob.* **rozpraszać**
**rozprowadzać** *vt* lead; (*smar, farbę*) lay on; (*rozcieńczać*) dilute; (*towar, bilety itp.*) distribute
**rozpruwać** *vt* unsew, unstitch; (*rozrywać*) rip open
**rozprzedawać** *vt* sell
**rozprzedaż** *f* selling out, sale
**rozprzestrzeniać** *vt* spread, extend
**rozprzestrzenianie** *n* spread
**rozprzęgać** *vt* unharness; *przen.* (*rozluźniać*) dissolve, relax
**rozprzężenie** *n* dissoluteness, relaxation; ~ **obyczajów** laxity of morals
**rozpusta** *f* debauchery
**rozpustnik** *m*, **rozpustnica** *f* debauchee
**rozpustny** *adj* debauched
**rozpuszczać** *vt* (*płyn*) dissolve; (*odprawiać, zwalniać*) dismiss; (*wojsko*) disband, dismiss; (*puszczać wolno*) let go, dismiss; (*pogłoski*) spread; ~ **się** *vr* dissolve, (*topnieć*) melt
**rozpuszczalnik** *m chem.* solvent
**rozpuszczalny** *adj* soluble
**rozpychać się** *vr* jostle
**rozpylacz** *m* pulverizer
**rozpylać** *vt* pulverize
**rozpytywać się** *vr* inquire (**o kogoś, coś** after ⟨for⟩ sb, sth)
**rozrabiacz** *m pot.* troublemaker, stirrer
**rozrabiać** *vt* (*farbę, pastę itp.*) mix, dilute; (*rozbełtywać*) stir up; *vi pot.* make trouble, intrigue
**rozrachunek** *zob.* **rozliczenie**; *handl.* clearance
**rozradzać się** *vr* multiply, breed
**rozrastać się** *vr* grow larger, develop
**rozrąbać** *vt* cut asunder, split
**rozrodczy** *adj* genital, generative, procreative
**rozróżniać** *vt* distinguish; (*wyodrębniać*) discern
**rozruch** *m* start, setting in motion; *pl* **~y** (*zamieszki*) uproar, riot
**rozruszać** *vt* set in motion, start; (*ożywić*) stir up; ~ **się** *vr* be roused, begin to stir

rozrywać *vt* tear; rend; (*np. związek*) disrupt; (*list itp.*) tear open
**rozrywka** *f* amusement, pastime
**rozrzedzać** *vt* rarefy; (*rozcieńczać*) dilute
rozrzewnić *vt* move, affect; ~ **się** *vr* be moved, become affected
**rozrzewnienie** *n* emotion, touch of tenderness
**rozrzucać** *vt* scatter; (*pieniądze*) squander
**rozrzutność** *f* extravagance
**rozrzutny** *adj* extravagant
**rozsada** *f* seedlings *pl*
**rozsadnik** *m* seed-plot
**rozsadzać** *vt* plant apart; (*rozstawiać*) space; (*rozdzielać*) separate; seat separately; (*prochem*) blow up
**rozsądek** *m* sense; **zdrowy** ~ common sense
**rozsądny** *adj* sensible, reasonable
**rozsiewać** *vt* sow; *przen.* (*rozpraszać*) disseminate
**rozsławiać** *vt* render famous
**rozstaj** *m*, **na** ~**u** at the parting of the ways
**rozstajn|y** *adj*, ~**e drogi** crossroads
**rozstanie** *n* parting, separation
rozstawać **się** *vr* part (**z kimś** from <with> sb, **z czymś** with sth)
**rozstawiać** *vt* place apart, space; (*np. nogi*) spread
**rozstąpić** się *vr* step asunder, get apart; part; (*o ziemi*) burst, open up
rozstęp *m* spread, space, gap
**rozstroić** *vt* put out of order, derange; (*nerwy*) shatter; (*instrument*) put out of tune
**rozstrój** *m* disharmony, discord; disorganization; (*umysłowy*) mental derangement; *med.* ~ **nerwowy** nervous breakdown; ~ **żołądka** dyspepsia, upset stomach
**rozstrzelać** *vt* shoot dead, execute
**rozstrzel|ić** *vt* (*druk.*) space out; ~**one głosy** scattered votes
**rozstrzygać** *vt* decide (**coś** sth), determine (**o czymś** sth); ~ **kwestię** decide the question; ~ **o wyniku** determine the result
**rozstrzygający** *p praes adj* decisive
**rozstrzygnięcie** *n* decision
**rozsuwać** *vt* draw aside; (*zasłonę*) draw; (*stół*) pull out
**rozsyłać** *vt* send out, distribute
**rozsyłka** *f* distribution
**rozsypać** *vt* scatter; ~ **się** *vr* be scattered, disperse; (*rozpadać się*) crumble
**rozszarpać** *vt* tear to pieces
**rozszczepiać** *vr* split, cleave
**rozszczepienie** *n* split
**rozszerzać** *vt* widen, broaden; enlarge; (*szerzyć*) diffuse, spread; ~ **się** *vr* widen, broaden; extend
**rozszerzenie** *n* extension, enlargement
**rozsznurować** *vt* unlace
**rozszyfrować** *vt* decode
**rozścielać** *vt*, ~ **się** *vr* spread
**rozśmieszać** *vt* make laugh
**rozświecać** *vt* light up
**roztaczać** *vt*, ~ **się** *vr* spread, extend; ~ **opiekę** keep guard (**nad kimś, czymś** over sb, sth)
**roztajać** *vi* thaw, melt away
**roztapiać** *vt* melt; (*metal*) smelt
**roztargnienie** *n* distractedness
**roztargniony** *adj* distracted
**rozstawać się** *vr* part company (**z kimś** with sb)
**rozterka** *f* distraction; discord; uneasiness
**roztkliwiać** *vt* move to pity; ~ **się** *vr* be moved to pity, sentimentalize (**nad kimś, czymś** over sb, sth)
**roztłuc** *vt* smash
**roztoczyć** *zob.* **roztaczać**; ~ **opiekę nad kimś, czymś** take sb, sth under one's protection
**roztopić** *zob.* **roztapiać**
**roztopy** *s pl* thawing snow
**roztratować** *vt* trample under foot
**roztrąbić** *vt* blaze abroad, divulge
**roztrącić** *vt* push asunder; (*rozbić*) smash
**roztropność** *f* prudence

**roztropny** *adj* prudent
**roztrwonić** *vt* squander away
**roztrzaskać** *vt* smash
**roztrzepanie** *n* distractedness
**roztrzepany** *adj* distracted, scatter--brained
**roztwarzać** *vt* dissolve; (*rozcieńczać*) dilute
**roztwór** *m* solution; (*nalewka*) tincture
**roztyć się** *vr* grow fat
**rozum** *m* (*zdolność pojmowania*) understanding; (*władze umysłowe*) reason; (*umysł*) intellect; (*rozsądek, spryt*) wit; **chłopski ~** common sense; **to przechodzi ludzki ~** this is beyond human understanding; **on ma ~ w głowie** he has his wits about him
**rozumie|ć** *vt* understand; (*pojmować*) comprehend; **~ się** *vr* understand (**nawzajem** each other); (*znać się*) understand thoroughly, know thoroughly (**na czymś** sth); **co przez to ~sz?** what do you mean by it?; **ma się ~ć** of course; **to ~ się samo przez się** it stands to reason
**rozumny** *adj* reasonable, sensible
**rozumować** *vi* reason
**rozumowanie** *n* reasoning
**rozumowy** *adj* rational
**rozwadniać** *vt* dilute
**rozwag|a** *f* prudence; (*rozważanie*) consideration; **wziąć pod ~ę** take into consideration
**rozwarty** *adj* open; *mat.* (*o kącie*) obtuse
**rozważać** *vt* (*rozpatrywać*) consider; (*zastanawiać się*) reflect (**coś** on ⟨upon⟩ sth); (*ważyć częściami*) weigh out
**rozważny** *adj* prudent
**rozweselać** *vt* gladden, cheer up, exhilarate; **~ się** *vr* cheer up, become exhilarated
**rozwiać** *zob.* **rozwiewać**
**rozwiązalny** *adj* (*o zagadce, zagadnieniu*) solvable; (*o umowie, stowarzyszeniu itp.*) dissoluble
**rozwiązanie** *n* (*zagadki*) solution; (*zebrania, małżeństwa, umowy itp.*) dissolution; (*przedsiębiorstwa*) winding up; *med.* (*poród*) delivery
**rozwiązły** *adj* dissolute
**rozwiązywać** *vt* untie, undo; (*zagadki, problemy*) solve; (*stowarzyszenie, małżeństwo, umowę*) dissolve; (*zgromadzenie*) dismiss, dissolve; (*przedsiębiorstwo*) wind up
**rozwidniać się** *vr* dawn
**rozwiedziony** *adj* divorced
**rozwierać** *vt* open
**rozwieszać** *vt* hang about
**rozwiewać** *vt* blow away, scatter; *przen.* (*obawy, wątpliwości*) dispel; **~ się** *vr* be blown away; *przen.* vanish; (*przemijać*) blow over
**rozwijać** *vt* (*np. paczkę*) unwrap; (*np. gazetę*) unfold; (*np. zwój sukna, papieru*) unroll; (*skrzydła, żagiel*) spread; (*np. umysł, nowy gatunek rośliny*) develop; (*np. działalność*) display; **~ się** *vr* develop; unroll; (*o pączkach, krajobrazie*) unfold
**rozwikłać** *vt* disentangle
**rozwlekły** *adj* prolix, diffuse
**rozwodnić** *zob.* **rozwadniać**
**rozwodnik** *m* divorcee
**rozwodzić** *vt* divorce; **~ się** *vr* divorce (**z kimś** sb); enlarge, dilate (**nad czymś** on sth)
**rozwojowy** *adj* evolutionary
**rozwolnienie** *n pot.* diarrhoea
**rozwozić** *vt* convey, distribute
**rozwód** *m* divorce; **wziąć ~** divorce (**z kimś** sb)
**rozwój** *m* development, evolution
**rozwydrzony** *adj* unbridled, wild
**rozzłościć** *vt* make angry, irritate; **~ się** *vr* become angry
**rozżalenie** *n* resentment
**rozżalony** *adj* resentful
**rozżarzyć** *vt* make red-hot; **~ się** *vr* become red-hot
**rożen** *m* spit
**ród** *m* (*pochodzenie*) origin, stock; (*rasa*) race; (*szczep*) tribe, (*w Szkocji*) clan; **~ ludzki** mankind; **rodem z Warszawy** a native of

Warsaw; **rodem z Polski** Pole ⟨Polish⟩ by birth
**róg** *m* horn; (*myśliwski*) bugle; (*zbieg ulic, kąt*) corner; **rogi jelenie** antlers; **~ obfitości** horn of plenty; **na rogu** at the corner; **za rogiem** round the corner; *przen.* **przytrzeć komuś rogów** take sb down a peg or two
**rój** *m* swarm
**róść** *zob.* **rosnąć**
**rów** *m* ditch; *wojsk.* **~ łączący** communication-trench; **~ strzelecki** entrenchment, trench
**rówieśnik** *m* coeval; **on jest moim ~iem** he is of my age
**równać** *vt* (*wyrównywać*) even, make even; level; (*porównywać*) compare; *vi wojsk.* dress; **~ się** *vr* be equal (**komuś, czemuś** to sb, sth)
**równanie** *n mat.* equation; **~ pierwszego ⟨drugiego⟩ stopnia** linear ⟨quadratic⟩ equation; (*zrównanie*) equalization
**równi|a** *f* plane, level surface; **~a pochyła** inclined plane; **na ~ z kimś, czymś** on a level with sb, sth; on the same level as sb, sth
**równie** *adv* equally
**również** *adv* also, too, as well; **jak ~** as well as
**równik** *m geogr.* equator
**równina** *f* plain
**równo** *adv* even
**równoboczny** *adj* equilateral
**równoczesny** *adj* simultaneous; (*współczesny*) contemporary
**równoległobok** *m mat.* parallelogram
**równoległy** *adj* parallel
**równoleżnik** *m geogr.* parallel
**równomierny** *adj* equal, uniform
**równoramienny** *adj mat.* isosceles
**równorzędny** *adj* of equal rank, equivalent
**równość** *f* equality; (*gładkość*) evenness
**równouprawnienie** *n* equality of rights
**równouprawniony** *adj* having the same rights
**równowag|a** *f* equilibrium, balance; **odzyskać ~ę** recover one's balance; **stracić ~ę** lose one's balance, be off one's balance; **utrzymać ~ę** be in equilibrium, keep one's balance; **wyprowadzić z ~i** throw out of balance, unbalance
**równowartościowy** *adj* equivalent
**równowartość** *f* equivalence; (*rzecz konkretna*) equivalent
**równoważnik** *m* equipoise, equivalent
**równoważny** *adj* equiponderant
**równoważyć** *vt* balance
**równoznaczny** *adj* synonymous
**równ|y** *adj* (*gładki, płaski, prosty*) even, flat, level; (*taki sam, jednakowy*) equal; *gram.* **stopień ~y** positive degree; **~y krok** steady pace; **nie mający ~ego sobie** unparalleled; **żyć jak ~y z ~ym** live as equals; **przestawać z ~ymi sobie** mix with one's equals
**rózga** *f* rod
**róż** *m* rouge
**róża** *f* rose; (*polna*) sweet briar; *med.* erysipelas
**różaniec** *m* rosary
**różdżka** *f* wand; **~ czarodziejska** magician's wand
**różnica** *f* difference; **~ zdań** diversity of opinions
**różnicować** *vt* differentiate
**różniczka** *f mat.* differential
**różniczkować** *vt mat.* differentiate
**różni|ć się** *vr* differ (**od kogoś, czegoś** from sb, sth; **pod względem czegoś** in sth)
**różnobarwny** *adj* many-coloured
**różnojęzyczny** *adj* many-tongued
**różnolity** *adj* various, multiform
**różnoraki** *adj* manifold, diverse
**różnorodność** *f* heterogeneity; variety
**różnorodny** *adj* heterogeneous; various

**różnoznaczny** *adj* ambiguous, having a different meaning
**różn|y** *adj* (*odmienny*) different (**od czegoś** from sth); (*różniący się, przeciwstawny*) distinct (**od czegoś** from sth); (*rozmaity*) various; sundry; **~e drobiazgi** sundries
**różować** *vt* put on rouge
**różowy** *adj* pink, rosy
**rtęć** *f chem.* mercury, quicksilver
**rubaszność** *f* coarseness
**rubaszny** *adj* coarse
**rubin** *m* ruby
**rubryka** *f* (*szpalta*) column; (*wolne miejsce w formularzu*) blank
**ruch** *m* movement; (*posunięcie, np. w szachach*) move; (*chód, np. maszyny*) motion; **~ jednokierunkowy** one-way road; **~ oporu** resistance movement; **~ pasażerski** passenger-traffic; **~ towarowy** goods-traffic; **puszczać w ~** put in motion; **wprawić w ~** put in motion, start; **w ~u** on the move
**ruchliwość** *f* mobility
**ruchliw|y** *adj* mobile, active; **~a ulica** busy street; **~e życie** busy life
**ruchomości** *s pl* movables, personalty, personal property
**ruchom|y** *adj* movable; **~e schody** escalator
**ruczaj** *m poet.* brook
**ruda** *f* ore
**rudera** *f* hovel, dilapidated house
**rudy** *adj* brownish-red, rusty; (*rudowłosy*) red-haired
**rufa** *f mors.* stern
**rugować** *vt* (*ze służby*) dismiss; (*z miejsca*) eject
**ruina** *f* ruin
**ruleta** *f* roulette
**rulon** *m* roll
**rum** *m* rum
**rumak** *m lit.* steed
**rumianek** *m* camomile
**rumiany** *adj* ruddy, rosy
**rumienić się** *vr* become ruddy; (*na twarzy*) blush
**rumieniec** *m* blush, high colour
**rumor** *m* noise
**rumowisko** *n* debris
**Rumun** *m* Rumanian
**rumuński** *adj* Rumanian
**runąć** *vi* collapse, tumble down
**runiczny** *adj* runic
**runo** *n* fleece
**rupiecie** *s pl* lumber *zbior.* trash *zbior.*
**ruptura** *f med.* hernia
**rura** *f* pipe, tube
**rurka** *f* tube, tubule
**rurociąg** *m* pipe-line
**rusałka** *f* naiad
**ruszać** *vt vi* move, stir; (*dotykać*) touch; (*w drogę*) start (**dokądś** for a place); **~ się** *vr* move, stir; (*być czynnym*) be busy, *pot.* be up and doing
**ruszenie** *n*, **pospolite ~** *hist.* general levy
**ruszt** *m* (fire-)grate
**rusztowanie** *n* scaffolding
**rutyna** *f* routine
**rutynowany** *adj* practised
**rwać** *vt* tear; (*owoce, kwiaty*) pluck, pick; (*zęby*) draw; *vi* (*o bólu*) shoot; **~ się** *vr* (*np. o ubraniu*) tear; (*mocno chcieć*) be eager (**do czegoś** for ⟨after⟩ sth, to do sth), *pot.* be keen (**do czegoś** on sth)
**rwący** *adj* (*o rzece*) rapid; (*o bólu*) stabbing, shooting
**rwetes** *m* bustle
**ryb|a** *f* fish; **łowić ~y** fish, catch fish, (*na wędkę*) angle; **iść na ~y** go fishing; *przen.* **gruba ~a** big shot
**rybak** *m* fisher, fisherman, (*wędkarz*) angler
**rybołówstwo** *n* fishing, fishery
**rycerski** *adj* chivalrous
**rycerskość** *f* chivalry
**rycerstwo** *n* chivalry, knighthood
**rycerz** *m* knight; **błędny ~** knight-errant
**rychło** *adv* soon
**rychły** *adj* early, speedy
**rycina** *f* illustration, picture; (*sztych*) print

**rycyna** *f (olej)* castor-oil
**ryczałt** *m* lump sum; **~em in the** lump
**ryczeć** *vi* roar; *(o krowie)* low; *(o ośle)* bray
**ryć** *vt vi (kopać)* dig; *(rylcem)* engrave; *(w drzewie)* carve
**rydel** *m* spade
**rydwan** *m poet.* chariot
**rydz** *m bot.* orange-agaric
**rygiel** *m* bolt
**ryglować** *vt* bolt
**rygor** *m* rigour
**rygorystyczny** *adj* rigorous
**ryj** *m* snout
**ryk** *m* roar; *(krowy)* low; *(osła)* bray
**rylec** *m* chisel
**rym** *m* rime, rhyme
**rymarz** *m* saddler
**rymować** *vt* rime, rhyme; **~ się** *vr* rime
**rynek** *m* market, market-place
**rynna** *f* gutter-pipe, rain-pipe
**rynsztok** *m* gutter, sewer
**rynsztunek** *m* equipment, armour
**ryps** *m* rep(s)
**rys** *m (twarzy)* feature; *(charakteru)* trait
**rysa** *f* flaw, crack
**rysopis** *m* description
**rysować** *vt* draw; *(szkicować)* sketch; *(planować)* design; **~ się** *vr (na tle)* be outlined, appear; *(pękać, np. o ścianie)* crack
**rysownica** *f* drawing-board
**rysownik** *m* draughtsman; *(kreślarz)* sketcher, designer
**rysun|ek** *m* drawing, *(szkic)* sketch; *(plan)* design; **lekcja ~ków** drawing-lesson; **nauczyciel ~ków** drawing-master
**rysunkowy** *adj*, **film ~** cartoon-film; **papier ~** drawing-paper
**ryś** *m zool.* lynx
**rytm** *m* rhytm
**rytmiczny** *adj* rhythmic
**rytownictwo** *n* engraving
**rytownik** *m* engraver
**rytuał** *m* ritual
**rywal** *m* rival
**rywalizacja** *f* rivalry
**rywalizować** *vt* rival **(z kimś sb)**, compete **(z kimś** with sb)
**ryza** *f (papieru)* ream; **trzymać kogoś w ~ch** keep a tight hand on sb
**ryzyko** *n* risk; **narażać się na ~** run the risk
**ryzykować** *vt* risk, hazard
**ryzykowny** *adj* risky
**ryż** *m* rice
**ryży** *adj* red, red-haired
**rzadki** *adj* rare; *(nieliczny)* scarce; *(o włosach)* thin; *(o zupie)* clear; *(o tkaninie)* loose
**rzadko** *adv* seldom, rarely
**rzadkość** *f* rarity; *(niewystarczalna ilość)* scarcity
**rząd 1.** *m* row, rank, file; *biol.* order; **drugi z rzędu** next, successive; **8 godzin z rzędu** 8 hours at a stretch; **rzędem** in a row ⟨line⟩; **ustawić się rzędem** line up; **w pierwszym rzędzie** in the first place, first of all
**rząd 2.** *m* government, *am.* administration; management; *(panowanie)* rule; *pl* **~y** government, management; **~ ludowy** People's Government
**rządca** *m* governor, manager
**rządowy** *adj* government *attr*, state *attr*; governmental
**rządzić** *vi* govern; manage **(czymś** sth); rule **(czymś** over sth)
**rzecz** *f* thing; *(sprawa)* matter; **do ~y** to the point; **przystąpić do ~y** come to the point; **na jego ~** on his behalf; **to nie twoja ~** it is no business of yours; **twoją ~ą jest to zrobić** it is up to you to do it; **w samej ~y** in point of fact; **jasna ~** of course; **mówić od ~y** talk nonsense; **to jest nie do ~y** it is beside the question, it is off the point
**rzecznik** *m* representative; *(orędownik)* advocate, spokesman
**rzeczownik** *m gram.* substantive, noun
**rzeczowo** *adv* to the point, positively
**rzeczowy** *adj* real, positive, essen-

tial; **człowiek ~** matter-of-fact man; **dowód ~** material proof; **materiał ~** evidence
**rzeczoznawca** *m* expert
**rzeczpospolita** *f* republic
**rzeczułka** *f* rivulet
**rzeczywistość** *f* reality
**rzeczywisty** *adj* real, actual
**rzednąć** *vt* become rare; (*o włosach, mgle*) thin *vi*, become thin
**rzeka** *f* river
**rzekomo** *adv* allegedly; **on ~ ma talent** he is supposed to have a talent
**rzekomy** *adj* supposed, pretended, sham; (*niedoszły*) would-be; **~ bohater** would be hero; **~ lekarz** sham doctor
**rzemień** *m* strap
**rzemieślnik** *m* artisan, craftsman
**rzemiosło** *n* craft, trade
**rzemyk** *m* strap
**rzepa** *f* turnip
**rzepak** *m* rape
**rzesza** *f* crowd; *hist.* **Rzesza Niemiecka** German Reich
**rzeszoto** *n* sieve
**rześki** *adj* brisk, lively
**rzetelność** *f* honesty, integrity
**rzetelny** *adj* honest, fair
**rzewny** *adj* plaintive
**rzezimieszek** *m* pick-pocket
**rzeź** *f* slaughter, massacre
**rzeźba** *f* (*sztuka*) sculpture; (*dzieło*) piece of sculpture
**rzeźbiarstwo** *n* sculpture
**rzeźbiarz** *m* sculptor
**rzeźbić** *vt* carve, sculpture
**rzeźnia** *f* slaughter-house
**rzeźnik** *m* butcher
**rzeźwy** *adj* hale, brisk
**rzępolić** *vi pot.* fiddle
**rzęsa** *f* eye-lash
**rzęsist|y** *adj* abundant, copious, profuse; **~e łzy** flood of tears; **~e oklaski** thunder of applause; **~y deszcz** heavy rain
**rzęzić** *vi* rattle
**rznąć** *zob.* **rżnąć**
**rzodkiew** *f bot.* radish
**rzodkiewka** *f bot.* radish
**rzucać** *vt* throw, cast; (*opuszczać*) leave; (*poniechać*) give up; **~ okiem** have a glance (**na coś** at sth); **~ rękawicę** challenge (**komuś** sb); **~ myśl** make a suggestion; **~ się** *vr* rush (**na kogoś, coś** at sb, sth); fling oneself; (*nerwowo*) toss; (*w wodę*) plunge
**rzut** *m* throw, cast; (*plan*) projection; **na pierwszy ~ oka** at first glance
**rzutki** *adj* brisk, lively, enterprising
**rzutkość** *f* briskness, activity
**rzutować** *vt vi* project
**Rzymianin** *m* Roman
**rzymski** *adj* Roman
**rżnąć** *vt* cut, carve; (*zabijać*) slaughter
**rżeć** *vi* neigh
**rżenie** *n* neigh
**rżysko** *n* stubble-field

# S

**sabotaż** *m* sabotage
**sabotażysta** *m* saboteur
**sabotować** *vt* sabotage
**sacharyna** *f* saccharine
**sad** *m* orchard
**sadło** *n* grease, fat
**sadowić** *vt* seat, place; **~ się** *vr* seat oneself, take a seat
**sadownictwo** *n* pomicultura
**sadyba** *f* abode, habitation
**sadysta** *m* sadist
**sadyzm** *m* sadism

**sadza** *f* soot
**sadzać** *vt* seat, place
**sadzawka** *f* pool
**sadzić** *vt* plant, set
**sadzonka** *f* seedling
**safanduła** *m* galoot
**safian** *m* morocco
**sagan** *m* kettle
**sak** *m* sack; (*sieć*) drag-net
**sakrament** *m* sacrament
**sakwa** *f* bag
**sala** *f* hall; (*w szpitalu*) ward
**salaterka** *f* salad-plate
**saldo** *n* balance
**saletra** *f* saltpetre
**salina** *f górn.* salt-mine
**salmiak** *m chem.* ammonium chloride
**salon** *m* drawing-room
**salonka** *f, bryt.* saloon-carriage, *am.* parlour-car
**salutować** *vt* salute
**salwa** *f* volley
**sałata** *f* (*roślina*) lettuce; (*surówka*) salad
**sam** *adj* alone; -self (myself, yourself itd.); same; very; **~ jeden** all alone; **~ na ~** all alone, all by oneself; **na ~ym końcu** at the very end; **już na ~ą myśl** at the very thought; **rozumie się ~o przez się** it is a matter of course; **tak ~o** likewise, as well; **ten ~** the same; **w ~ą porę** (just) in time; **on ~ to powiedział** he said it himself
**samica** *f* female
**samiec** *m* male
**samobójca** *m* suicide
**samobójczy** *adj* suicidal
**samobójstwo** *n* suicide; **popełnić ~** commit suicide
**samochód** *m* car, motor-car; **~ ciężarowy** motor-lorry, truck; **~ turystyczny** touring-car
**samochwalstwo** *n* boastfulness
**samochwał** *m* braggart
**samodział** *m* homespun
**samodzielność** *f* independence, self-reliance
**samodzielny** *adj* independent, self-reliant
**samogłoska** *f* wovel
**samogon** *m* home-brew
**samoistny** *adj* self-existent, independent
**samokrytyka** *f* self-criticism
**samokształcenie** *n* self-instruction, self-education
**samolot** *m* (aero)plane, *am.* airplane
**samolub** *m* egoist
**samolubny** *adj* egoistic
**samoobsługowy** *adj* (*o barze, o sklepie, o stacji benzynowej*) *attr* self-service
**samolubstwo** *n* egoism
**samoobrona** *f* self-defence
**samopas** *adv* all by oneself, loosely, at large
**samopoczucie** *n* feeling; **dobre ~** (feeling of) comfort; **złe ~** (feeling of) discomfort
**samopomoc** *f* self-help
**samorodek** *m* (*złota*) nugget
**samorodny** *adj* autogenous; original, spontaneous
**samorząd** *m* autonomy, self-government; **~ gminny ⟨miejski itp.⟩** local government
**samostanowienie** *n polit.* self-determination
**samotnik** *m* recluse, solitary
**samotność** *f* solitude
**samotny** *adj* solitary
**samouctwo** *n* self-education, self-instruction
**samouczek** *m* handbook for self-instruction; **~ języka angielskiego** English self-taught
**samouk** *m* self-taught person
**samowładca** *m* autocrat
**samowładztwo** *n* autocracy
**samowola** *f* arbitrariness
**samowolny** *adj* arbitrary
**samowystarczalność** *f* self-sufficiency
**samowystarczalny** *adj* self-sufficient
**samozachowawczy** *adj*, **instynkt ~** instinct of self-preservation
**samozapalanie się** *n* spontaneous combustion

**samozwaniec** *m* usurper, false pretender
**samozwańczy** *adj* self-styled, false
**sanatorium** *n* sanatorium
**sandał** *m* sandal
**sanie** *s pl* sleigh, sledge
**sanitariusz** *m* nurse, hospital attendant ⟨orderly⟩
**sanitariuszka** *f* nurse
**sanitarny** *adj* sanitary; **wóz ~** ambulance
**sankcja** *f* sanction
**sankcjonować** *vt* sanction
**sanki** *s pl* sledge, sled, toboggan
**sanna** *f* (*droga*) sleigh-road; (*jazda*) drive in a sleigh.
**sanskryt** *m* Sanskrit
**sapać** *vt* pant, gasp
**saper** *m wojsk.* sapper
**sardynka** *f* sardine
**sarkać** *vi* grumble (**na coś** at sth)
**sarkastyczny** *adj* sarcastic
**sarkazm** *m* sarcasm
**sarkofag** *m* sarcophagus
**sarna** *f* roe, deer; (*samiec*) buck; (*samica*) doe
**sarni** *adj*, **~a pieczeń** roast venison; **~a skóra** buckskin, doeskin
**Sas** *m* Saxon
**saski** *adj* Saxon
**satelita** *m* satellite
**satrapa** *m przen.* tyrant
**satyna** *f* satin
**satyra** *f* satire
**satyryczny** *adj* satirical
**satyryk** *m* satirist
**satysfakcja** *f* satisfaction
**sączek** *m chem.* filter
**sączyć** *vt*, **~ się** *vr* trickle, drip
**sąd** *m* judgement; (*ocena*) opinion; (*instytucja*) court, law-court; **~ przysięgłych** jury; **~ wojenny** court-martial; **~ ostateczny** Last Judgement
**sądownictwo** *n* judicature
**sądow|y** *adj* judicial; **koszty ~e** court fees; **postępowanie ~e** legal procedure; **sprawa ~a** lawsuit; **wytoczyć sprawę ~ą** bring a suit (**komuś** against sb); **wyrok ~y** sentence of the court
**sądzić** *vt* judge; **~ sprawę** try a case; *vi* (*mniemać*) think
**sąsiad** *m* neighbour
**sąsiadować** *vi* neighbour
**sąsiedni** *adj* neighbouring; (*przyległy*) adjacent
**sąsiedztwo** *n* neighbourhood
**scalić** *vt* integrate
**scena** *f* scene; *teatr* stage
**scenariusz** *m* scenario; script
**sceneria** *f* scenery
**sceniczny** *adj* scenic
**sceptycyzm** *m* scepticism
**sceptyczny** *adj* sceptical
**sceptyk** *m* sceptic
**schab** *m* pork-chop
**schadzka** *f* rendezvous, *am. pot.* date
**scheda** *f* inheritance
**schemat** *m* scheme, plan
**schematyczny** *adj* schematic
**schizma** *f* schism
**schlebiać** *vi* flatter
**schludny** *adj* cleanly, neat
**schnąć** *vi* dry, become dry; (*usychać*) wither; (*marnieć*) wane, waste
**schodek** *m* step
**schodow|y** *adj*, **klatka ~a** staircase
**schody** *s pl* stairs; **ruchome ~** escalator
**schodzić** *vi* go ⟨come⟩ down; (*z chodnika, ze sceny itp.*) get off; (*o czasie*) pass; **~ się** *vr* come together, meet
**scholastyczny** *adj* scholastic
**scholastyk** *m* scholastic
**scholastyka** *f* scholasticism
**schorowany** *adj* sickly, poorly
**schować** *zob.* **chować**
**schowek** *m* hiding-place; (*bankowy*) safe
**schron** *m* shelter; (*betonowy*) pill-box
**schronić** *vt* shelter; **~ się** *vr* shelter (oneself); take shelter
**schronisko** *n* shelter; (*w górach*) refuge; (*azyl*) asylum
**schwytać** *vt* seize, catch
**schylać** *vt*, **~ się** *vr* bend, bow, incline

**schyłek** *m* decline
**scyzoryk** *m* penknife
**seans** *m* (*w kinie*) picture-show; (*spirytystyczny*) séance
**secesja** *f* secession
**sedno** *n* core, gist; **trafić w ~** hit the mark
**sejf** *m* safe
**sejm** *m* Seym, Sejm
**sekciarski** *adj* sectarian
**sekciarz** *m* sectarian
**sekcja** *f* section; *med.* dissection; **~ pośmiertna** post-mortem examination
**sekcyjny** *adj* sectional
**sekre|t** *m* secret; **zachować coś w ~cie** keep sth secret; **pod ~tem** in secret
**sekretariat** *m* secretariat
**sekretarz** *m* secretary; **~ stanu ⟨partii⟩** secretary of state ⟨party⟩
**seksualny** *adj* sexual
**sekta** *f* sect
**sektor** *m* sector
**sekunda** *f* second
**sekundant** *m* second
**sekundować** *vi* second (**komuś** sb)
**sekutnica** *f* shrew
**sekwestr** *m prawn.* sequestration
**seledynowy** *adj* sea-green
**selekcja** *f* selection
**seler** *m bot.* celery
**semafor** *m* semaphore
**semantyka** *f* semantics
**semestr** *m* semester, term
**semicki** *adj* Semitic
**seminarium** *n* (*duchowne*) seminary; (*uniwersyteckie*) seminar; (*nauczycielskie*) training-college
**Semita** *m* Semite
**sen** *m* sleep; (*marzenie senne*) dream
**senat** *m* senate
**senator** *m* senator
**senior** *m* senior
**senność** *f* sleepiness
**senn|y** *adj* sleepy; **marzenie ~e** dream
**sens** *m* sense, meaning; **mieć ~** make sense; **nie było ~u tego robić** there was no sense in doing that
**sensacja** *f* sensation
**sensacyjn|y** *adj* sensational; **film ~y, powieść ~a** thriller
**sentencja** *f* maxim
**sentyment** *m* sentiment
**sentymentalność** *f* sentimentalism
**sentymentalny** *adj* sentimental
**separacja** *f* separation
**separować się** *vr* separate
**seplenić** *vi* lisp
**ser** *m* cheese
**serc|e** *n* heart; **przyjaciel od ~a** bosom friend; **~e dzwonu** clapper; **brać do ~a** take to heart; **ciężko mi na ~u** I have a broken heart; **mieć na ~u** have at heart; **bez ~a** heartless; **~em i duszą** heart and soul; **z całego ~a** with all one's heart; **ze złamanym ~em** broken-hearted
**sercow|y** *adj med.* cardiac; **choroba ~a** heart disease; **sprawa ~a** love affair
**serdak** *m* (sleeveless) jacket
**serdeczność** *f* cordiality
**serdeczny** *adj* cordial, hearty, heart-felt
**serdelek** *m* sausage
**serduszko** *n* little heart; (*pieszczotliwie*) sweet one, darling
**serenada** *f* serenade
**seria** *f* series; *filat.* issue, set
**serio, na ~** *adv* in (good) earnest, seriously
**serwantka** *f* glass-case
**serwatka** *f* whey
**serweta** *f* table-cloth
**serwetka** *f* napkin; (*papierowa*) serviette
**serwilizm** *m* servilism
**serwis 1.** *m* (dinner, tea etc.) service, set
**serwis 2.** *m* (*w tenisie*) service
**serwować** *vt vi sport* serve
**seryjny** *adj* serial
**sesja** *f* session
**setka** *f* a hundred
**setny** *num* hundredth
**sezon** *m* season
**sędzia** *m* judge; (*polubowny*) arbit-

er; *sport* umpire, referee; ~ **śledczy** investigating magistrate
**sędziwy** *adj* aged, old
**sęk** *m* knag, knot
**sękaty** *adj* knaggy
**sęp** *m* vulture
**sfera** *f* sphere; (*np. towarzyska, społeczna*) circle
**sferyczny** *adj* spherical
**sfinks** *m* sphinx
**sfora** *f* pack
**siać** *vt* sow
**siadać** *vi* sit down, take a seat; ~ **na konia** mount a horse
**siano** *n* hay
**sianokosy** *s pl* hay-making
**siarczan** *m chem.* sulphate
**siarczysty** *adj,* **mróz** ~ bitter frost
**siarka** *f* brimstone, *chem.* sulphur
**siarkowy** *adj chem.* sulphuric
**siatka** *f* net; (*radio*) screen; *elektr.* grid
**siatkówka** *f anat.* retina; *sport* volley-ball
**siąść** *zob.* **siadać**
**sidł|o** *n* (*zw. pl.* ~a) snare, trap; **zastawiać** ~a lay a trap
**siebie, sobie** *pron* myself, yourself itd.; **mieszkają daleko od siebie** they live far from each other; **blisko siebie** close to each other
**siec** *vt* cut; (*chłostać*) lash; *zob.* **siekać**
**sieczka** *f* chaff
**sieczna** *f mat.* secant
**sieć** *f* net, network; (*pajęcza*) web; *elektr.* grid; ~ **kolejowa** railway-system; ~ **wodociągowa** water piping
**siedem** *num* seven
**siedemdziesiąt** *num* seventy
**siedemdziesiąty** *num* seventieth
**siedemnasty** *num* seventeenth
**siedemnaście** *num* seventeen
**siedemset** *num* seven hundred
**siedlisko** *n* seat; abode
**siedmioletni** *adj* seven years old; lasting seven years; **plan** ~ seven-year plan
**siedzenie** *n* seat
**siedziba** *f* seat
**siedzieć** *vi* sit; ~ **cicho** keep quiet; ~ **w domu** stay at home; ~ **w więzieniu** be in prison
**siejba** *f* sowing
**siekacz** *m* (*ząb*) incisor; (*narzędzie*) chopper
**sieka|ć** *vt* chop; (*mięso*) hash; **mięso** ~**ne** hash; minced meat
**siekanina** *f* hash
**siekiera** *f* axe
**sielanka** *f* idyll
**sielski** *adj* rural
**siemię** *n* seed
**siennik** *m* strawbed
**sień** *f* entrance-hall, *am.* hall-way
**sierociniec** *m* orphanage, orphan-asylum
**sieroctwo** *n* orphanhood, orphanage
**sierota** *m* orphan
**sierp** *m* sickle
**sierpień** *m* August
**sierść** *f* hair, bristle
**sierżant** *m* sergeant
**siew** *m* sowing
**siewca** *m* sower
**siewnik** *m* sowing-machine
**się** *pron* oneself; *nieosobowo*: one, people, you, they; **musi** ~ **przestrzegać reguł** one must observe the rules; **jeśli** ~ **chce coś zrobić natychmiast, najlepiej** ~ **to zrobi samemu** if one wants a thing done immediately, one had best do it oneself; **nic** ~ **o tym nie wie** there is no knowing; **mówi** ~, **że** ... people ⟨you, they⟩ say that ...; **mówi** ~, **że zanosi się na bardzo mroźną zimę** people ⟨they⟩ say it's going to be a very frosty winter; **mówi** ~, **że on jest chory** ⟨**zachorował**⟩ he is said to be ill ⟨to have been taken ill⟩
**sięga|ć** *vi* reach (**po coś** for sth); **łąka** ~ **aż do rzeki** the meadow reaches as far as the river
**sikawka** *f* quirt; (*strażacka*) fire-hose; (*pompa strażacka*) fire-engine
**silić się** *vr* make efforts, exert oneself

**silnik** *m* motor
**silny** *adj* strong
**silos** *m* silo
**sił|a** *f* strength; *także elektr.* power; force; **~a dośrodkowa ⟨odśrodkowa⟩** centripetal ⟨centrifugal⟩ force; **~a kupna** purchasing power; **~a robocza** man-power; **~a woli** will power; **~y zbrojne** armed forces; **ponad moje ~y** beyond my power; **~ą** by force; **w sile wieku** in the prime of life; **zabrakło mi ~** my strength failed me
**siłacz** *m* athlete, strong man
**siłownia** *f elektr.* power-station
**siniak** *m* bruise
**sinus** *m mat.* sine
**siny** *adj* livid; blue
**siodlarstwo** *n* saddlery
**siodłać** *vt* saddle
**siodło** *n* saddle
**sioło** *n lit.* hamlet
**siostra** *f* sister
**siostrzenica** *f* niece
**siostrzeniec** *m* nephew
**siódemka** *f* seven
**siódmy** *num* seventh
**sito** *n* sieve
**siwek** *m* grey horse
**siwieć** *vi* grow grey
**siwowłosy** *adj* grey-haired
**siwy** *adj* grey
**skafander** *m* diving-dress; *lotn.* pressure suit
**skakać** *vi* jump, leap, (*podskakiwać*) skip
**skakanka** *f* skipping-rope
**skala** *f* scale
**skaleczenie** *n* wound, injury, hurt
**skaleczyć** *vt* wound, injure, hurt
**skal|isty, ~ny** *adj* rocky
**skalp** *m* scalp
**skała** *f* rock
**skamielina** *f geol.* fossil
**skamienieć** *vi* petrify; *przen.* become petrified
**skandal** *m* scandal
**skandaliczny** *adj* scandalous
**skarb** *m* treasure; (*państwowy*) *bryt.* Exchequer, *am.* Treasury
**skarbiec** *m* treasury
**skarbnik** *m* treasurer
**skarbonka** *f* money-box
**skarg|a** *f* complaint (**na kogoś** against sb, **z powodu czegoś** about sth); (*sądowa*) charge; **wnieść ~ę** bring a charge (**na kogoś** against sb)
**skarłowaciały** *adj* dwarfish
**skarpa** *f* scarp
**skarpetka** *f* sock
**skarżyć** *vt* accuse (**kogoś o coś** sb of sth); (*do sądu*) sue (**kogoś o coś** sb for sth), bring a suit (**kogoś** against sb, **o coś** for sth); *vi* (*w szkole*) denounce (**na kogoś** sb); **~ się** *vr* complain (**na coś** of sth)
**skaza** *f* blemish, flaw
**skazać** *vt* condemn, sentence (**na coś** to sth); **~ na karę pieniężną** fine
**skazaniec** *m* convict
**skazić** *vt* corrupt, contaminate; (*żywność, napój*) denaturate
**skąd** *adv* from where, where ... from
**skądinąd** *adv* from elsewhere; on the other hand; otherwise
**skąpić** *vi* stint (**komuś czegoś** sb of sth); begrudge (**komuś czegoś** sb sth)
**skąpiec** *m* miser, niggard
**skąpstwo** *n* avarice, miserliness, stinginess
**skąpy** *adj* avaricious, miserly, stingy; (*o posiłku*) meagre; (*niewystarczający*) scanty; **~ w słowach** scanty of words
**skiba** *f* ridge
**skinąć** *vi* nod, beckon (**na kogoś** to sb)
**skinienie** *n* nod; **na czyjeś ~** at sb's beck and call
**sklejka** *f* ply-wood
**sklep** *m* shop, *am.* store
**sklepienie** *n* vault; **~ niebieskie** firmament
**sklepikarz** *m* shopkeeper
**sklepiony** *adj* vaulted
**skleroza** *f med.* sclerosis

**skład** *m* composition; (*magazyn*) store, warehouse; **~ apteczny** chemist's shop, *am.* drugstore; **~ główny** staple storehouse; **~ osobowy** personnel

**składać** *vt* put together; (*np. list, gazetę*) fold; (*przedstawiać np. dokumenty, dowody*) submit; (*broń*) lay down; (*pieniądze*) lay by, save; (*pieniądze do banku*) deposit; (*jaja*) lay; (*czcionki*) compose; (*wizytę*) pay; (*egzamin*) undergo; **~ narzędzia** (*po pracy*) down tools; **~ ofiarę** (*poświęcać się*) make a sacrifice; **~ ofiarę pieniężną** offer a money-gift; **~ oświadczenie** make a statement; **~ przysięgę** take an oath (**na coś** upon sth); **~ sprawozdanie** render an account (**z czegoś** of sth); **~ uszanowanie** pay one's respects; **~ się** *vr* be composed; consist (**z czegoś** of sth); compose (**na coś** sth), go into the making (**na coś** of sth)

**składany** *adj* (*o odsetkach*) compound; (*o krześle, łóżku*) folding; **nóż ~** clasp knife

**skład|ka** *f* contribution; (*zbiórka*) collection; **lista ~ek** collecting list

**składnia** *f gram.* syntax

**składnica** *f* store

**składnik** *m* component; (*potrawy, lekarstwa*) ingredient

**składniowy** *adj gram.* syntactical

**skłaniać** *vt* incline; (*głowę*) bow; induce (**kogoś do czegoś** sb to do sth); **~ się** *vr* be ⟨feel⟩ inclined (**do czegoś** to do sth)

**skłon** *m* bend; bow; (*terenu*) slope

**skłonność** *f* inclination, disposition (**do czegoś** to sth, to do sth)

**skłonny** *adj* inclined, disposed

**skłócić** *vt* (*zmącić*) trouble, stir up; (*poróżnić*) set at variance

**sknera** *m* miser, niggard

**sknerstwo** *n* avarice, stinginess

**skobel** *m* hasp

**skoczek** *m* jumper, leaper; (*w szachach*) knight

**skoczny** *adj* brisk, lively

**skoczyć** *vi* make a dash; *zob.* **skakać**

**skok** *m* leap, jump; **~ do wody** dive; *sport* **~ w dal** long jump; **~ o tyczce** pole-jump; **~ wzwyż** high jump; *techn.* **~ tłoka** stroke of a piston

**skołatany** *adj* shattered

**skomleć** *vi* whine

**skomplikowany** *adj* complicated, intricate

**skonać** *vi* die, expire

**skonfederować** *vt* confederate

**skończony** *adj* (*wytrawny, doskonały*) accomplished, consummate; *zob.* **skończyć**

**skończy|ć** *vt* finish; get through (np. **pracę** with work); **~ć się** *vr* be finished, come to an end; be over; **lekcje się ~ły** the lessons are over; **~ć się na niczym** come to nothing

**skoro** *adv* soon; *conj* (*w zdaniu czasowym*) as soon as; (*w zdaniu przyczynowym*) as, now that

**skorowidz** *m* index

**skorpion** *m* scorpion

**skorup|a** *f* crust; (*np. jajka, żółwia, orzecha*) shell; (*naczynia glinianego*) shard; *pl* **~y** broken glass

**skory** *adj* quick, speedy

**skośny** *adj* oblique, slanting

**skowronek** *m* lark

**skowyczeć** *vi* whine

**skowyt** *m* whine

**skóra** *f* (*żywa na ciele*) skin; (*zwierzęca surowa*) hide; (*garbowana*) leather

**skórka** *f* skin; (*szynki, sera, owocu, kiełbasy*) rind; (*owocu, ziemniaka*) peel; (*chleba*) crust; (*na futro*) pelt; (*na buty, rękawiczki*) leather

**skórn|y** *adj*, **choroba ~a** skin disease

**skórzany** *adj* leather *attr*

**skracać** *vt* shorten, cut short; (*mowę, tekst*) abbreviate; (*książkę*) abridge

**skradać się** *vr* steal

**skraj** *m* (*przepaści, ruiny itp.*)

verge, brink; (*granica, kres*) border; (*miasta*) outskirts *pl*
**skrajność** *f* extremism
**skrajny** *adj* extreme
**skrapiać** *vt* besprinkle, water
**skraplać** *vt* liquefy; (*gaz, parę*) condense; ~ **się** *vr* liquefy; condense
**skrawek** *m* cutting; (*ziemi*) strip; (*papieru*) slip, scrap
**skreślić** *vt* (*skasować*) cancel, cross out, erase; ~ **z listy** strike off the list
**skręcać** *vt* twist, turn; (*kark*) break; *vi* turn (**na prawo** to the right)
**skrępować** *vt* pinion, tie up
**skrępowany** *adj* restricted; (*zażenowany*) embarrassed
**skręt** *m* twirl, torsion; (*zakręt*) turning; *med.* (*kiszek*) twisting
**skrobaczka** *f* scraper
**skrobać** *vt* scrape, rub, erase; (*ryby*) scale
**skromność** *f* modesty
**skromny** *adj* modest
**skroń** *f* temple
**skropić** *zob.* **skrapiać**
**skrócić** *zob.* **skracać**
**skrót** *m* abbreviation; shortening
**skrucha** *f* contrition
**skrupi|ć się** *vr*, **to się ~ na mnie** I shall smart for it
**skrupulatność** *f* scrupulosity
**skrupulatny** *adj* scrupulous
**skrupuł** *m* scruple
**skruszony** *pp* (*pokruszony*) crumbled; *adj* contrite
**skruszyć** *vt* crumble; ~ **się** *vr* crumble; (*poczuć skruchę*) become contrite
**skrypt** *m* script; (*szkolny*) mimeographed text
**skrytka** *f* hiding-place; ~ **pocztowa** post-office box
**skrytobójca** *m* assassin
**skryty** *adj* (*tajny*) secretive, clandestine; (*powściągliwy w mowie*) reticent
**skrzeczeć** *vi* scream, screech; (*o żabie, wronie*) croak
**skrzep** *m* clot; *med.* blood clot
**skrzętność** *f* industry
**skrzętny** *adj* industrious
**skrzydlaty** *adj* winged
**skrzydło** *n* wing; (*np. stołu*) leaf; (*wiatraka*) sail
**skrzynia** *f* chest, coffer
**skrzynka** *f* box, case
**skrzypaczka** *f* violinist, fiddler
**skrzypce** *s pl* violin, fiddle
**skrzypek** *m* violinist, fiddler
**skrzypieć** *vi* creak
**skrzyżowanie** *m* (*dróg*) cross-roads *pl*; *zool. bot.* crossbreeding
**skubać** *vt* pick, plume, pull; *pot.* (*kogoś z pieniędzy*) fleece, drain; ~ **ptaka** pluck a bird; ~ **trawę** crop grass
**skuć** *vt* fetter, chain
**skulić się** *vr* cower, squat
**skup** *m* purchase
**skupiać** *vt* assemble, bring together; (*uwagę*) concentrate; (*wojsko*) mass; ~ **się** *vr* assemble, come together; become concentrated; (*duchowo*) collect oneself
**skupienie** *n* concentration
**skupiony** *adj* collected, concentrated
**skupować** *vt* buy up, purchase
**skurcz** *m med.* cramp, convulsion
**skurczyć** *vt*, ~ **się** *vr* shrink
**skuteczność** *f* efficacy
**skuteczny** *adj* efficacious
**skut|ek** *m* result, effect; **bez ~ku** to no purpose, of no effect; **na ~ek tego** as a result of it; **dojść do ~ku** take effect; **doprowadzić do ~ku** bring about, bring into effect; **nie odnosić żadnego ~ku** have no effect
**skuter** *m* (motor-)scooter
**skutkować** *vi* have effect
**skwapliwy** *adj* eager
**skwar** *m* oppresive heat
**skwaśniały** *adj* sour
**skwer** *m* square; (*ogród publiczny*) green
**slawistyka** *f* Slavic studies
**słabnąć** *vi* become weak, weaken; (*o kursach walut*) decline, go down
**słabostka** *f* foible

**słabość** *f* (*niedomaganie*) illness; (*skłonność*) weakness (**do czegoś** for sth)
**słabowity** *adj* sickly
**słaby** *adj* weak, feeble
**słać** *vt* (*wysyłać*) send; (*rozpościerać*) spread; ~ **łóżko** make a bed
**słaniać się** *vr* totter, faint away
**sława** *f* glory, fame, repute; **dobra** ⟨**zła**⟩ ~ good ⟨bad⟩ name
**sławić** *vt* glorify
**sławny** *adj* famous, renowned
**słodkawy** *adj* sweetish
**słodk|i** *adj* sweet; **~a woda** fresh water
**słodycz** *f* sweetness; *pl* **~e** sweets *pl*, confectionery *zbior.*; *am.* candies *pl*
**słodzić** *vt* sweeten, sugar
**słoik** *m* jar
**słoma** *f* straw
**słomianka** *f* straw-mat
**słomian|y** *adj* straw *attr*, grass *attr*; **~a wdowa** grass-widow; **~y wdowiec** grass-widower
**słomka** *f* straw; (*łodyga, źdźbło*) halm
**słomkowy** *adj*, **kapelusz ~** straw-hat
**słonecznik** *m* sunflower
**słoneczny** *adj* sunny, sun *attr*; **zegar ~** sun-dial; **promień ~** sunbeam
**słonina** *f* lard
**słoniow|y** *adj* elephantine; **kość ~a** ivory
**słoność** *f* saltness; salinity
**słony** *adj* salt(y)
**słoń** *m* elephant
**słońc|e** *n* sun; **leżeć na ~u** lie in the sun
**słota** *f* foul weather
**słotny** *adj* rainy
**słowacki** *adj* Slovakian
**Słowak** *m* Slovak
**Słoweniec** *m* Slovene
**słoweński** *adj* Slovenian
**Słowianin** *m* Slav
**słowiański** *adj* Slav, Slavonic
**słowik** *m* nightingale
**słownictwo** *n* vocabulary
**słownie** *adv fin.* say
**słownik** *m* dictionary
**słowny** *adj* verbal; (*dotrzymujący słowa*) reliable; dependable
**słow|o** *n* word; **cierpkie** ⟨**gorzkie**⟩ **~a** bitter words; **gra słów** pun, play upon words; **piękne ~a** fair words; **~o wstępne** foreword; **wielkie ~a** big words; **innymi ~y** in other words; **na te ~a** at these words; **~em** in short, in a word; **~o w ~o** word for word; (*o narzeczeństwie*) **być po ~ie** be engaged; **cofnąć dane ~o** come back upon one's word; **dać ~o** pledge one's word; **daję ~o!** upon my word!; **dotrzymać ~a** keep one's word; **łapać za ~o** take sb at his word; **mieć ostatnie ~o** get the last word; **napisz mi parę słów** drop me a line or two; *pot.* **nie pisnąć ani ~a** not to breathe a word; **on nie mówi ani ~a po angielsku** he can't speak a word of English; **popamiętasz moje ~a!** mark my words!; **wyjął mi te ~a z ust** he took these words out of my mouth; **zamienić z kimś parę słów** have a word with sb; **złamać dane ~o** break one's word
**słowotwórstwo** *n gram.* word-formation
**słód** *m* malt
**słój** *m* jar; (*drzewa*) vein, stratum
**słówko** *n* word
**słuch** *m* hearing; *pl* **~y** (*pogłoski*) reports, rumours *pl*; **chodzą ~y** it is rumoured
**słuchacz** *m* hearer, listener (*także radiowy*); (*student*) student; **liczni ~e** a numerous audience
**słuchać** *vt* hear (**kogoś, czegoś** sb, sth), listen (**kogoś, czegoś** to sb, sth); (*być posłusznym*) obey (**kogoś** sb); **~ czyjejś rady** take ⟨follow⟩ sb's advice; **~ radia** listen to the radio; **~ wykładu** attend a lecture
**słuchawka** *f* headphone; ear-

phone; (*telefoniczna*) receiver; (*lekarska*) stethoscope

**sługa** *m* servant; *f* maid-servant

**słup** *m* pillar, column, post, pole; ~ **graniczny** landmark; boundary-post; ~ **telegraficzny** telegraph-pole

**słupek** *m bot.* pistil; (*np. rtęci, wody*) column

**słusznie** *adv* rightly, with reason; (*racja*) that's right

**słusznoś|ć** *f* reasonableness, legitimacy; **mieć ~ć** be right; **masz ~ć** right you are; **nie mieć ~ci** be wrong

**słuszny** *adj* right, fair, reasonable, rightful

**służalczość** *f* servility

**służalczy** *adj* servile

**służąca** *f* maid-servant

**służący** *m* servant

**służb|a** *f* service; *zbior.* (*personel*) servants *pl*; **na ~ie** on duty; **po ~ie, poza ~ą** off duty; **w czynnej ~ie** on active duty; **odbywać ~ę wojskową** serve one's time in the army; **pełnić ~ę** be on duty

**służbistość** *f* officiousness

**służbow|y** *adj* service *attr*, official; **droga ~a** official channels *pl*; **podróż ~a** trip of duty, (*dłuższa*) tour of duty

**służy|ć** *vi* serve (**komuś** sb), be in the service (**komuś, u kogoś** of sb); (*być pożytecznym*) be of use ⟨service⟩ (**komuś** to sb); agree; **tutejszy klimat mi nie ~** the climate here does not agree with me

**słychać** *vi* it is rumoured, they say; **co ~?** what's the news?

**słynąć** *vi* be renowned ⟨famous⟩ (**jako** as, **z powodu czegoś** for sth)

**słynny** *adj* renowned, famous

**słyszalny** *adj* audible

**słyszeć** *vt* hear

**smaczn|y** *adj* savoury, tasty; **~ego!** I hope you'll enjoy your lunch ⟨dinner, tea⟩

**smagać** *vt* lash

**smagły** *adj* swarthy

**smak** *m* taste, flavour; **bez ~u** tasteless, insipid

**smakołyk** *m* dainty

**smak|ować** *vi* taste; **jak ci to ~uje?** how do you like it?

**smalec** *m* lard, fat

**smar** *m* grease

**smarkacz** *m pot.* whipper-snapper

**smarkaty** *adj pot.* snotty

**smarować** *vt* smear; (*masłem*) butter

**smażyć** *vt*, **~ się** *vr* fry

**smecz** *m sport* smash

**smętny** *adj* melancholic

**smoczek** *m* dummy

**smok** *m* dragon

**smoking** *m* dinner-jacket, *am.* tuxedo

**smolny** *adj* pitchy

**smoła** *f* pitch

**smrodliwy** *adj* stinking, smelly

**smród** *m* stench

**smucić** *vt* make sad, sadden; **~ się** *vr* be sad; sorrow (**z powodu czegoś** at ⟨over⟩ sth)

**smukły** *adj* slim, slender

**smutek** *m* sorrow, sadness

**smutny** *adj* sad, sorrowful

**smycz** *f* leash, lead

**smyczek** *m* bow

**smyczkow|y** *adj*, **instrument ~y** stringed instrument; **orkiestra ~a** string-orchestra

**snop** *m* sheaf; **~ światła** shaft of light

**snuć** *vt* spin; **~ domysły** conjecture; **~ marzenia** spin dreams

**snycerstwo** *n* sculpture

**snycerz** *m* sculptor, carver

**sobek** *m pot.* egoist

**sobie** *zob.* **siebie**

**sobota** *f* Saturday

**sobowtór** *m* double

**soból** *m zool.* sable

**sobór** *m* synod

**sobótka** *f* St. John's eve

**socjalista** *m* socialist

**socjalistyczny** *adj* socialist

**socjalizacja** *f* socialization

**socjalizm** *m* socialism

**socjalizować** *vt* socialize
**socjolog** *m* sociologist
**socjologia** *f* sociology
**socjologiczny** *adj* sociological
**soczewica** *f bot.* lentil
**soczewka** *f* lens
**soczysty** *adj* juicy
**soda** *f* soda
**sodow|y** *adj*, **woda ~a** soda-water
**sofa** *f* sofa, couch
**soja** *f bot.* soy-bean
**sojusz** *m* alliance
**sojuszniczy** *adj* allied
**sojusznik** *m* ally
**sok** *m* juice; (*drzewa, rośliny*) sap
**sokół** *m zool.* falcon
**solanka** *f* (*pieczywo*) salt roll; (*źródło*) salt-spring
**solenny** *adj* solemn
**solić** *vt* salt
**solidarność** *f* solidarity
**solidarny** *adj* solidary, unanimous
**solidny** *adj* solid, reliable
**solista** *m* soloist
**soliter** *m* tape-worm
**solniczka** *f* salt-cellar
**solny** *adj*, **kwas ~** hydrochloric acid
**solo** *adv* solo
**sołtys** *m* village administrator
**sonata** *f* sonata
**sonda** *f* plummet, sound
**sondować** *vt* sound
**sonet** *m* sonnet
**sopel** *m* icicle
**sopran** *m* soprano
**sortować** *vt* sort
**sos** *m* sauce; (*od pieczeni*) gravy
**sosna** *f bot.* pine
**sośnina** *f* pine-wood
**sowa** *f zool.* owl
**sowity** *adj* copious, lavish
**sód** *m chem.* sodium
**sól** *f* salt; **~ kamienna** rock salt
**spacer** *m* walk
**spacerować** *vi* take a walk
**spacja** *f druk.* space
**spacjować** *vt druk.* space out
**spaczenie** *n* distortion; (*drzewa*) warping; *przen.* perversion
**spać** *vi* sleep; **chce mi się ~** I am sleepy; **iść ~** go to bed; **dobrze ⟨źle⟩ spałem** I had a good ⟨a bad⟩ night's rest
**spad** *m* fall; (*pochyłość*) slope
**spadać** *vi* fall (down), drop
**spad|ek** *m* fall, drop (**cen, temperatury** in prices, in temperature); (*pochyłość*) slope; (*scheda*) inheritance, legacy; **zostawić w ~ku** bequeath
**spadkobierca** *m* heir
**spadkobierczyni** *f* heiress
**spadochron** *m* parachute
**spadochroniarz** *m* parachutist
**spadochronow|y** *adj*, **wojska ~e** paratroops
**spadzisty** *adj* steep
**spajać** *vt* weld; (*lutować*) solder
**spalać** *vt* burn (out, up); (*zwłoki*) cremate; **~ się** *vr* burn (away, out); *elektr.* (*o żarówce*) burn out; (*o korkach*) blow
**spalanie** *n* combustion
**spalinow|y** *adj*, **gazy ~e** combustion gases; **silnik ~y** internal combustion engine
**spalony** *adj sport* off-side
**sparzyć** *vt* scald, burn; (*pokrzywą*) sting; **~ sobie palce** burn one's fingers; **~ się** *vr* burn oneself
**spawacz** *m* welder, solderer
**spawać** *vt* weld, solder
**spawanie** *n* welding
**spazm** *m* spasm
**spazmatyczny** *adj* spasmodic
**specjalista** *m* specialist
**specjalizować się** *vr* specialize
**specjalność** *f* speciality
**specjalny** *adj* special
**specyficzny** *adj* specific
**spekulacja** *f* speculation
**spekulant** *m* speculator, *pot.* spiv
**spekulatywny** *adj* speculative
**spekulować** *vi* speculate
**spelunka** *f* den
**spełniać** *vt* (*obowiązek*) fulfil, do; (*wymagania, życzenia, prośby*) satisfy
**spełznąć** *vi zob.* **pełznąć**; **~ na niczym** come to nothing

**spędzać** *vt* drive (up, down); (*czas*) spend; *med.* **~ płód** procure abortion
**spichlerz** *m* granary
**spiczasty** *adj* pointed
**spiec** *vt* parch, scorch; *przen.* **~ raka** blush
**spieniężyć** *vt* sell; (*czek, weksel itp.*) realize
**spieniony** *adj* foaming
**spierać się** *vr* contend (**z kimś o coś** with sb about sth)
**spieszny** *adj* hasty, speedy; (*naglący*) urgent
**spieszy|ć się** *vr* hurry, be in a hurry; *pot.* bustle up; **zegarek ~ się** the watch is fast
**spięcie** *n*, *elektr.* **krótkie ~** short-circuit
**spiętrzyć** *vt* pile up; **~ się** *vr* pile up, be piled up
**spiker** *m* (*radiowy*) announcer; *polit.* (*w Anglii*) speaker
**spinacz** *m* (paper-)fastener
**spinać** *vt* buckle, clasp, fasten
**spinka** *f* (*do mankietów*) stud; (*do włosów*) clasp
**spirala** *f* spiral; *techn.* coil
**spiralny** *adj* spiral
**spirytus** *m* spirit; **~ skażony** methylated spirit
**spis** *m* list, catalogue, register; **~ inwentarza** inventory; **~ ludności** census; (*w książce*) **~ rzeczy** (table of) contents; **~ potraw** bill of fare
**spisać** *vt* list, catalogue, register; write down; **~ się** *vr* (*odznaczyć się*) make one's mark, distinguish oneself
**spisek** *m* conspiracy, plot
**spiskować** *vi* conspire, plot
**spiskowiec** *m* conspirator
**spiż** *m* bronze
**spiżarnia** *f* pantry
**splatać** *vt* intertwine, interlace; (*włosy*) plait, braid; (*np. linę*) splice
**spleśniały** *adj* mouldy, musty
**splot** *m* (*włosów*) braid, plait; (*liny*) splice; (*okoliczności*) coincidence; *anat.* plexus; (*węża*) coil
**splunąć** *vi* spit
**spluwaczka** *f* spittoon
**spłacać** *vt* pay off, repay
**spłaszczać** *vt* flatten
**spłata** *f* repayment
**spłatać** *vt*, **~ figla** play a trick (**komuś** on sb)
**spław** *m* floating, (*tratwą*) rafting
**spławiać** *vt* float, (*tratwą*) raft
**spławny** *adj* navigable
**spłodzić** *zob.* **płodzić**
**spłonąć** *vi* go up in flames
**spłonka** *f* *techn.* percussion cap
**spłowiały** *adj* faded
**spłowieć** *vi* fade
**spłukiwać** *vt* rinse, (*silnym strumieniem*) flush
**spływać** *vi* flow down
**spocić się** *vr* be all of a sweat
**spocząć** *vi* take a rest, repose oneself
**spoczyn|ek** *m* rest; **w stanie ~ku** (*na rencie*) retired
**spoczywać** *vi* rest, repose
**spod** *praep* from under
**spodek** *m* saucer
**spodlenie** *n* debasement
**spodlić** *vt* debase
**spodnie** *s pl* trousers; (*bryczesy*) breeches; (*krótkie sportowe*) plus-fours; (*pumpy*) knickerbockers
**spodoba|ć się** *vr* take sb's fancy; **to mi się ~ło** I liked ⟨enjoyed⟩ it
**spodziewać się** *vr* hope (**czegoś** for sth), expect (**czegoś** sth)
**spoglądać** *vi* look (**na kogoś, coś** at sb, sth), regard (**na kogoś, coś** sb, sth)
**spoić** *vt* (*np. alkoholem*) make drunk; *zob.* **spajać**
**spoistość** *f* compactness, coherence
**spoisty** *adj* compact, coherent
**spojówka** *f* *anat.* conjunctiva
**spojrzeć** *vi* have a glance (**na kogoś, coś** at sb, sth)
**spojrzenie** *n* glance; **jednym ~m** at a glance
**spokojny** *adj* quiet, calm, peaceful;

**bądź o to ~!** make your mind easy about that!

**spokój** *m* peace, calm; **~ umysłu** peace of mind, composure; **daj mi ~!** let ⟨leave⟩ me alone!

**spokrewnić się** *vr* become related (**z kimś** to sb)

**spoliczkować** *vt* slap (**kogoś** sb's face)

**społeczeństwo** *n* society

**społeczność** *f* community

**społeczn|y** *adj* social; **opieka ~a** social welfare

**społem** *adv* in common

**spomiędzy** *praep* from among

**sponad** *praep* from above

**spontaniczny** *adj* spontaneous

**sporadyczny** *adj* sporadic

**sporny** *adj* controversial, disputable

**sporo** *adv* pretty much ⟨many⟩

**sport** *m* sport(s); **~ wodny** aquatic sport, aquatics; **~y zimowe** winter sports

**sportow|y** *adj* sporting, sports *attr*; (*lekkoatletyczny*) athletic; **plac ~y** sports field; **przybory ~e** sports kit; **marynarka ~a** sports jacket; **~e zachowanie się** (*godne sportowca*) sporting conduct; **klub ~y** athletic club

**sportsmen** *m* sportsman

**sportsmenka** *f* sportswoman

**spory** *adj* pretty large, considerable

**sporządzać** *vt* make, prepare; (*bilans, dokument*) draw up; (*lekarstwo*) make up

**sposobić** *vt*, **~ się** *vr* prepare (**do czegoś** for sth)

**sposobnoś|ć** *f* (*sprzyjająca okoliczność*) opportunity; (*okazja, powód*) occasion; **mam mało ~ci mówienia po angielsku** I have little opportunity of speaking English; **przy tej ~ci** on this occasion

**sposobny** *adj* fit, convenient

**spos|ób** *m* means, way; **~ób myślenia** way of thinking; **tym ~obem** by this means, in this way; **w taki czy inny ~ób** somehow or other; **w żaden ~ób** by no means

**spostrzegać** *vt* perceive, notice; catch sight (**coś** of sth)

**spostrzegawczość** *f* perceptiveness

**spostrzegawczy** *adj* perceptive, quick to perceive

**spostrzeżenie** *n* perception; (*uwaga*) observation, remark

**spośród** *praep* from among(st)

**spotkanie** *n* meeting; **umówione ~** appointment; **przyjść na ~** keep an appointment

**spotwarzać** *vt* calumniate

**spot|ykać** *vt* meet (**kogoś** sb); **~ykać się** *vr* meet (**z kimś** sb); (*napotykać*) meet (**z czymś** with sth); **~kać się z trudnościami** meet with difficulties

**spowiadać** *vt* confess; **~ się** *vr* confess (**z czegoś** sth, **przed kimś** to sb)

**spowiedź** *f* confession

**spowinowacić się** *vr* become related (**z kimś** to sb)

**spowodować** *vt* cause, bring about

**spowszednieć** *vi* become common

**spoza** *praep* from behind

**spożycie** *n* consumption

**spożywać** *vt* consume

**spożywca** *m* consumer

**spożywcz|y** *adj* consumable; **artykuły ~e** consumer ⟨consumers'⟩ goods, articles of consumption

**spód** *m* bottom; **u spodu** at the bottom

**spódnica** *f* skirt

**spójnia** *f* union

**spójnik** *m gram.* conjunction

**spółdzielca** *m* co-operator

**spółdzielczość** *f* co-operation, co-operative movement

**spółdzielczy** *adj* co-operative

**spółdzielnia** *f* co-operative society

**spółgłoska** *f gram.* consonant

**spółk|a** *f* partnership, company; **do ~i** in common

**spór** *m* dispute, contention

**spóźniać się** *vr* be late; (*o zegarze*) be slow

**spóźnienie** *n* delay

**spóźniony** *adj* late, belated
**spracowany** *adj* overworked
**spragniony** *adj* thirsty; *przen.* eager (czegoś for sth, to do sth)
**spraw|a** *f* affair, matter; (*sądowa*) lawsuit, case, action; **~a honorowa** affair of honour; **~a pieniężna** money matter; **ministerstwo ~ wewnętrznych** Home Office; **ministerstwo ~ zagranicznych** Foreign Office; **w ~ie czegoś** in the matter of sth, about sth; **to nie twoja ~a** it is no business of yours; **wytoczyć ~ę** bring an action (**komuś** against sb); **załatwić ~ę** settle the matter; **zdawać ~ę** report (**komuś z czegoś** to sb about sth), give an account (**komuś z czegoś** sb of sth); **zdawać sobie ~ę** be aware (**z czegoś** of sth); realize (**z czegoś** sth)
**sprawca** *m* author
**sprawdzać** *vt* verify, test, check; **~ się** *vr* come ⟨prove⟩ true
**sprawdzian** *m* test, criterion
**sprawiać** *vt* effect, bring about; (*ulgę, przyjemność*) afford; (*przykrość, ból*) cause; (*wrażenie*) make; **~ sobie** procure, buy; **~ się** *vr* behave
**sprawiedliwość** *f* justice; **oddać ~** do justice; **wymierzać ~** administer justice
**sprawiedliwy** *adj* just, righteous
**sprawka** *f* doing
**sprawność** *f* skill, dexterity, efficiency
**sprawny** *adj* skilful, dexterous, efficient
**sprawować** *vt* do, perform; (*władzę*) exercise; (*urząd*) hold, fill; (*obowiązek*) discharge, perform; **~ się** *vr* behave
**sprawowanie** *n* (*obowiązku*) discharge, exercise; (*władzy, urzędu*) exercise; (*zachowanie*) conduct, behaviour
**sprawozdanie** *n* report, account; **~ radiowe** running commentary; **składać ~** report (**z czegoś** sth), render an account (**z czegoś** of sth)
**sprawozdawca** *m* reporter; (*radiowy*) commentator
**sprawun|ek** *m* purchase; *pl* **~ki** shopping; **iść ⟨pójść⟩ po ~ki, załatwiać ~ki w sklepach** go shopping
**sprężać** *vt* compress
**sprężenie** *n* compression
**sprężyna** *f* spring
**sprężysty** *adj* elastic
**sprostać** *vi* be equal, be up (**czemuś** to sth)
**sprostować** *vt* rectify, correct
**sprostowanie** *n* rectification
**sproszkować** *vt* pulverize
**sprośność** *f* obscenity
**sprośny** *adj* obscene
**sprowadzać** *vt* bring (in); lead down; (*towar*) procure, convey; (*z zagranicy*) import; (*np. nieszczęście*) bring about, cause; (*np. do absurdu*) reduce; **~ się** *vr* (*do mieszkania*) take up one's quarters, move in
**spróchniały** *adj* rotten, (*np. o zębie*) decayed
**spróchnieć** *vi* become rotten
**spryskać** *vt* splash
**spryt** *m* cleverness, shrewdness; **mieć ~** *pot.* have a knack (**do czegoś** for sth)
**sprytny** *adj* clever, shrewd
**sprzączka** *f* buckle, clasp
**sprzątaczka** *f* charwoman
**sprzątać** *vt* (*usuwać*) remove, carry off; (*gruzy*) cart away; (*porządkować*) put ⟨set⟩ in order; (*pokój*) do up, tidy up; **~ ze stołu** clear the table
**sprzątanie** *n* tidying up, clearing
**sprzeciw** *m* objection
**sprzeciwiać się** *vr* object (**czemuś** to sth), oppose (**czemuś** sth)
**sprzeczać się** *vr* contend (**o coś** about sth), squabble
**sprzeczka** *f* contention, squabble
**sprzecznoś|ć** *f* contradiction; **być w ~ci** contradict each other
**sprzeczny** *adj* contradictory

**sprzed** *praep* from before
**sprzedać** *vt zob.* **sprzedawać**
**sprzedajność** *f* venality
**sprzedajny** *adj* venal
**sprzedawać** *vt* sell
**sprzedawca** *m* seller, (*ekspedient*) shop-assistant
**sprzedaż** *f* sale; **na ~** for sale; **w ~y** on sale
**sprzeniewierzenie** *n* embezzlement
**sprzeniewierzyć** *vt* embezzle; **~ się** *vr* become faithless
**sprzęgać** *vt* couple, join
**sprzęgło** *n techn.* coupling, clutch; **włączyć ~** put in the clutch; **wyłączyć ~** declutch
**sprzęt** *m* piece of furniture; implement; (*żęcie zboża*) harvest; **~ kuchenny** kitchen utensils *pl*; **~ wojenny** war material
**sprzyjać** *vi* favour (**komuś, czemuś** sb, sth), be favourable (**komuś, czemuś** to sb, sth)
**sprzyjający** *adj* favourable
**sprzykrzy|ć** *vt*, **~ć sobie coś** become fed up with sth, be sick of sth; **~ć się** *vr*, **to mi się ~ło** I am fed up with it ⟨sick of it⟩
**sprzymierzeniec** *m* ally
**sprzymierzon|y** *adj* allied; **państwa ~e** Allied Powers
**sprzymierzyć się** *vr* enter into an alliance
**sprzysięgać się** *vr* conspire
**sprzysiężenie** *n* conspiracy, plot
**spuchnąć** *vi* swell up
**spuchnięty** *adj* swollen
**spust** *m techn.* slip; (*u strzelby*) trigger
**spustoszenie** *n* devastation
**spustoszyć** *zob.* **pustoszyć**
**spuszczać** *vt* let down, lower, drop; (*wodę*) let off; (*oczy*) cast down; (*głowę*) droop; (*psa ze smyczy*) unleash; **~ się** *vr* go down, descend; (*polegać*) rely (**na kimś** on sb)
**spuścizna** *f* inheritance
**spychacz** *m* bulldozer
**spychać** *vt* push down, shift back
**srebrnik** † *m* piece of silver, silver coin
**srebro** *n* silver; **~ stołowe** plate; *pot.* **żywe ~** quicksilver, mercury
**srebrzyć** *vt* silver, plate with silver
**srebrzysty** *adj* silvery
**srogi** *adj* cruel, severe, fierce
**srogość** *f* severity, fierceness
**sroka** *f zool.* (mag)pie
**srokaty** *adj* piebald
**sromotny** *adj* shameful, disgraceful
**srożyć się** *vr* rage
**ssać** *vt* suck
**ssak** *m* mammal
**ssanie** *n* suction
**ssąc|y** *p praes i adj* sucking; suction *attr*; **pompa ~a** suction pump
**stabilizacja** *f* stabilization
**stacja** *f* station
**staczać** *vt* roll down; **~ bój** fight a battle; **~ się** *vr* tumble ⟨roll⟩ down; *przen.* get low
**sta|ć** *vi* stand; **~ć mnie na to** I can afford it; **~ć na czele** be at the head; **~ć na kotwicy** lie ⟨ride⟩ on the anchor; **~ć na warcie** stand sentry; **~ć się** *vr* happen, occur; become; **co się ~ło?** what happened?, what's up here?; **co się z nim ~ło?** what has become of him?; **on ~ł się sławny** he became famous; **gdyby mu się coś ~ło** should anything happen to him
**stadion** *m* stadium; sports ground
**stadium** *n* stage
**stadło** *n* couple
**stado** *n* herd, flock
**stagnacja** *f* stagnation
**stajnia** *f* stable
**stal** *f* steel
**stale** *adv* constantly, always
**stalownia** *f* **steel-works**
**stalówka** *f* nib
**stałość** *f* constancy, stability
**stały** *adj* constant, stable; (*o cenie*) fixed; (*o pogodzie*) settled; *fiz.* solid; **ląd ~** continent; **~ mieszkaniec** resident

**stamtąd** *praep* from there
**stan** *m* state, condition; (*kibić*) waist; (*część państwa*) state; **~ cywilny** legal status; **urząd ~u cywilnego** registry-office; **~ kawalerski, panieński** single state; **~ małżeński** married state; **~ liczebny** strength; **~ oblężenia** state of siege; **~ prawny** status; **~ wojenny** state of war; *fin.* **~ bierny** liabilities *pl*; **~ czynny** assets *pl*; **mąż ~u** statesman; **zamach ~u** coup d'état; **zdrada ~u** high treason; **ludzie wszystkich ~ów** persons in every state of life; **być w ~ie** be able (**coś zrobić** to do sth); **w dobrym ~ie** in good condition
**stan|ąć** *vi* (*powstać*) stand up; (*zatrzymać się*) stop, halt, come to a standstill; **praca ~ęła** work has stopped; **~ąć komuś na przeszkodzie** get in sb's way; **na tym ~ęło** there the matter was dropped
**stancja** *f* lodging
**standard** *m* standard
**standaryzować** *vt* standardize
**stanik** *m* bodice; (*biustonosz*) brassière, *pot.* bra
**staniol** *m* tinfoil
**stanowczo** *adv* decidedly; absolutely, definitely
**stanowczość** *f* firmness, peremptoriness
**stanowczy** *adj* firm, decided, peremptory
**stanowi|ć** *vt vi* (*ustanawiać*) establish, institute; (*wyjątek, prawa, różnice itp.*) make; (*decydować*) decide, determine (**o czymś** sth); **to ~ 5 funtów** this amounts to 5 pounds
**stanowisk|o** *n* post, position; (*społeczne*) standing; (*pogląd*) standpoint, opinion; (*postawa*) attitude; **człowiek na wysokim ~u** man of high standing; **zająć przyjazne ~o** take a friendly attitude (**w stosunku do kogoś, czegoś** towards sb, sth); **zajmować ~o nauczyciela** fill the position ⟨post⟩ of teacher
**starać się** *vr* endeavour, make efforts, take pains, try; (*troszczyć się*) take care (**o kogoś, coś** of sb, sth); (*zabiegać*) solicit (**o coś** sth); **~ się o posadę** apply for a job; **~ się o rękę** court a woman
**starani|e** *n* (*troska*) care; (*zabiegi*) solicitation, endeavour; **robić ~a** make efforts; apply (np. **o posadę** for a job)
**staranność** *f* carefulness; accuracy
**staranny** *adj* careful, solicitous; accurate
**starcie** *n* rubbing, friction; (*skóry*) abrasion; (*walka*) collision, conflict; *wojsk.* engagement
**starczy** *adj* senile
**starczy|ć** *vi* suffice; **jeśli mi tylko sił ~** to the best of my power; **to ~** that will do
**starodawny** *adj* ancient, antique; old-time *attr*
**staromodny** *adj* old-fashioned; out-of-date *attr*
**starosta** *m* prefect (of a district); (*kierownik grupy*) senior
**starość** *f* old age
**staroświecki** *adj* old-fashioned; old-world *attr*
**starożytność** *f* antiquity
**starożytn|y** *adj* ancient, antique; *s pl* **~i** the ancients
**starszeństwo** *n* seniority
**star|szy** *adj* older, elder; senior; *s* senior, superior; *pl* **~si** (*starszyzna*) the elders
**starszyzna** *f* the elders
**start** *m* start; *lotn. sport* take off
**starter** *m* starter, self-starter
**startować** *vi* start; *lotn., sport* take off
**staruszek, starzec** *m* old man
**stary** *adj* old, aged
**starzeć się** *vr* grow old
**stateczność** *f* steadiness; gravity
**stateczny** *adj* steady; (*zrównoważony*) staid; (*poważny*) grave
**stat|ek** *m* vessel, ship; **~ek handlowy** merchantman; **~ek parowy** steamship, steamer; **~ek**

rybacki fishing boat ⟨vessel⟩; **~ek wojenny** man-of-war; **~ek pocztowy** mail boat ⟨ship⟩; **~kiem** by ship; **podróżować ~kiem** sail, go by ship; **wysyłać ~kiem** ship, send by ship; **wsiadać na ~ek** take ship, go on board (a ship); **na ~ek, na ~ku** on shipboard, on board ship

**statua** *f* statue

**statuetka** *f* statuette

**statut** *m* charter; (*regulamin, przepisy*) statute; *handl.* articles of association

**statyczny** *adj* static

**statyka** *f* statics

**statysta** *m teatr* mute, supernumerary

**statystyczny** *adj* statistic(al)

**statystyk** *m* statistician

**statystyka** *f* statistics

**statyw** *m* tripod, stand

**staw** *m* pond; *anat.* joint

**stawać** *zob.* **stanąć**

**stawiać** *vt* set, put (up); (*np. butelkę, szklankę, drabinę*) stand; (*budować*) build, erect; (*pomnik*) raise; **~ czoło** make a stand (**komuś, czemuś** against sb, sth), brave (**komuś, czemuś** sb, sth); **~ opór** offer resistance (**komuś, czemuś** to sb, sth); **~ (wszystko) na jedną kartę** stake everything on one card; **~ na konia** back a horse; **~ 10 funtów na konia** bet £ 10 on a horse; **~ się** *vr* defy (**komuś** sb), show fight (**komuś** to sb); (*np. w sądzie*) appear, turn up

**stawiennictwo** *n* appearance

**stawka** *f* (*w grze*) stake; (*taryfa*) rate

**staż** *m* probation

**stażysta** *m* probationer

**stąd** *praep* (*z tego miejsca*) from here; (*dlatego*) hence

**stąpać** *vi* stride, step, tread

**stchórzyć** *vi* prove a coward, *pot.* show the white feather

**stearyna** *f* stearin

**stempel** *m* stamp; (*sztanca*) die; (*podpora*) prop; (*pocztowy*) postmark

**stemplować** *vt* stamp, cancel; (*datownikiem pocztowym*) postmark; *filat.* obliterate; (*podpierać*) prop (up)

**stenograf** *m* stenographer, shorthand-writer

**stenografia** *f* shorthand, shorthand-writing

**stenografować** *vt* write in shorthand

**stenotypist|a** *m*, **~ka** *f* stenotypist, shorthand-typist

**step** *m* steppe

**ster** *m* rudder; (*koło sterowe*) helm; **u ~u** at the helm

**sterczeć** *vi* stand ⟨stick⟩ out, (*ku górze*) stick up

**stereoskop** *m* stereoscope

**stereotypowy** *adj* stereotyped

**sterling** *zob.* **funt**

**sternik** *m* pilot, steersman

**sterować** *vi* steer (**okrętem** the ship)

**sterowanie** *n* control

**sterta** *f* stack; (*stos*) pile, heap

**sterylizować** *vt* sterilize

**stębnować** *vi* stitch

**stęchlizna** *f* fustiness

**stęchły** *adj* fusty

**stękać** *vi* moan, groan

**stępić** *vt* blunt; **~ się** *vr* become blunt

**stęskniony** *pp i adj* pining, yearning (**za kimś, czymś** for sb, sth); **~ za ojczyzną** homesick

**stężać** *vt chem.* concentrate

**stężenie** *n* hardening; *chem.* concentration

**stłoczyć** *vt* compress, cram

**stłuc** *vt* smash, break; (*np. kolano*) bruise

**sto** *num* one hundred

**stocznia** *f* shipyard

**stodoła** *f* barn

**stoicyzm** *m* stoicism

**stoik** *m* stoic

**stoisko** *n* stand

**stojak** *m* stand

**stok** *m* slope, hillside

**stokrotka** *f* daisy
**stokrotny** *adj* hundredfold
**stolarz** *m* carpenter, joiner
**stolec** *m med.* stool; **oddawać ~** move one's bowels
**stolica** *f* capital; *rel.* **Stolica Apostolska** Holy See
**stolnica** *f* moulding-board
**stołeczny** *adj* metropolitan
**stołek** *m* stool
**stołować** *vt* board; **~ się** *vr* board (**u kogoś** with sb)
**stołownik** *m* boarder
**stołówka** *f* canteen
**stomatologia** *f* stomatology
**stonoga** *f zool.* centipede
**stop** *m* (*metalowy*) alloy
**stop|a** *f* foot; **~a procentowa** rate of interest; **~a życiowa** standard of life; **na ~ie wojennej** on war footing; **na przyjacielskiej ~ie** on a friendly footing; **od stóp do głów** from top to toe; **u stóp góry** at the foot of the hill
**stopić** *vt* melt
**stop|ień** *m* degree, grade; (*np. schodów*) step; **mający ~ień akademicki** graduate; **uzyskać ~ień (akademicki)** graduate; **w wysokim ~niu** to a high degree
**stopniały** *adj* (*o metalu*) molten; (*np. o śniegu*) melted
**stopnieć** *vi* melt down
**stopniować** *vt* gradate, graduate
**stopniowanie** *n* gradation
**stopniowo** *adv* gradually, by degrees
**stopniowy** *adj* gradual
**stora** *f* (window-)blind
**storczyk** *m bot.* orchid
**stos** *m* pile, heap; (*całopalny*) stake; *fiz.* **~ atomowy** atomic pile; **ułożyć w ~** heap (up), pile (up)
**stosowa|ć** *vt* apply, adapt; **~ć się** *vr* comply (np. **do prośby** with a request), conform (np. **do przepisów, zwyczajów** to rules, to usages); (*odnosić się*) refer (**do czegoś** to sth); **sztuki ~ne** applied arts
**stosownie** *adv* accordingly; **~ do czegoś** according to sth
**stosowny** *adj* suitable, appropriate (**do kogoś, czegoś** to sb, sth)
**stosun|ek** *m* relation; proportion; (*związek*) connexion; (*postawa*) attitude; (*obcowanie*) intercourse; *pl* **~ki** (*majątkowe itp.*) means, circumstances; (*polityczne, towarzyskie*) relations
**stosunkowy** *adj* relative; proportional; comparative
**stowarzyszenie** *n* association
**stożek** *m* cone
**stożkowaty** *adj* conical
**stóg** *m* stack, rick
**stół** *m* table; (*wikt, utrzymanie*) board; **nakrywać do stołu** lay the table; **przy stole** at table
**stracenie** *n* execution
**straceniec** *m* desperado
**strach** *m* fear, fright; **napędzać ~u** alarm, terrify (**komuś** sb); **ze ~u** for fear (**przed czymś** of sth, **o coś** for sth)
**stracić** *vt* (*ponieść stratę*) lose; (*pozbawić życia*) execute
**stragan** *m* (huckster's) stand
**straganiarka** *f* huckstress
**straganiarz** *m* huckster
**strajk** *m* strike; **~ powszechny** general strike
**strajkować** *vi* strike, go on strike
**strajkujący** *m* striker
**strapienie** *n* affliction, grief
**strapiony** *adj* afflicted, heartsick
**straszak** *m* toy pistol; (*straszydło*) bugbear
**straszliwy** *adj* horrible
**straszny** *adj* terrible, awful
**straszy|ć** *vt* frighten; (*o duchach*) haunt; **w tym domu ~** this house is haunted
**straszydło** *n także i przen.* scarecrow
**strat|a** *f* loss; **ponieść ~ę** suffer a loss; **ze ~ą** at a loss
**strategia** *f* strategy
**strategiczny** *adj* strategic
**stratny** *adj*, **być ~m** be a loser
**stratosfera** *f* stratosphere
**strawa** *f* food, fare
**strawny** *adj* digestible

**straż** *f* guard, watch; **być na ~y** be on guard, keep guard; **pod ~ą** under guard
**strażak** *m* fireman
**strażnica** *f* watch-tower
**strażnik** *m* guard, (*nocny*) watchman
**strącić** *vt* throw ⟨hurl⟩ down; precipitate (*także chem.*), deduct; (*o samolocie*) bring down; **~ z tronu** dethrone
**strączek, strąk** *m* pod
**strefa** *f* zone; **~ podzwrotnikowa** torrid zone; **~ umiarkowana** temperate zone; **~ zimna** frigid zone
**streszczać** *vt* make a summary (**coś** of sth), summarize; **~ się** *vr* be brief
**streszczenie** *n* summary, précis
**stręczyciel** *m* (*pośrednik*) jobber; (*do nierządu*) procurer
**stręczyć** *vt* procure
**strofa** *f* stanza
**strofować** *vt* reprimand
**stroić** *vt* (*ubierać*) attire, deck; (*fortepian*) tune; **~ żarty** make fun (**z kogoś, czegoś** of sb, sth); **~ się** *vr* dress oneself, deck oneself out
**strojny** *adj* smart, dressy
**stromy** *adj* steep, abrupt
**stron|a** *f* side; (*stronica*) page; *gram.* voice; (*okolica*) region, part; **~a zawierająca umowę** contracting party; **~y świata** quarters of the globe, cardinal points; **stanąć po czyjejś ~ie** take sides with sb; **w tych ~ach** in these parts; **z jednej ~y... z drugiej ~y** on the one hand... on the other hand; **z mojej ~y** for ⟨on⟩ my part; **z prawej ~y** on the right hand; **z tej ~y** on this side; **ze wszystkich ~** on all sides
**stronnictwo** *n* party
**stronniczość** *f* partiality
**stronniczy** *adj* partial, biassed
**stronnik** *m* partisan
**strop** *m* ceiling
**stropić** *vt* put out of countenance; **~ się** *vr* be put out of countenance
**stroskany** *adj* afflicted, careworn
**strój** *m* attire, dress; *muz.* pitch
**stróż** *m* guard, guardian; (*strażnik*) watchman; (*dozorca*) door-keeper: (*portier*) porter; **anioł ~** guardian angel
**strudzony** *adj* wearied
**strug** *m* plane
**struga** *f* rill, stream
**strugać** *vt* whittle
**struktura** *f* structure
**strumień** *m* stream
**struna** *f* string, chord; **~ głosowa** vocal cord
**strup** *m* crust
**struś** *m* *zool.* ostrich
**strych** *m* attic
**strychnina** *f* strychnin(e)
**stryczek** *m* halter, rope
**stryj** *m* uncle
**stryjeczn|y** *adj*, **brat ~y, siostra ~a** cousin
**strzał** *m* shot
**strzała** *f* arrow
**strzaskać** *vt* smash
**strząsać** *vt* shake off
**strzec** *vt* guard, protect (**przed kimś, czymś** from ⟨against⟩ sb, sth); **~ się** *vr* be on one's guard (**kogoś, czegoś** against sb, sth)
**strzecha** *f* thatch
**strzelać** *vi* shoot, fire (**do kogoś, czegoś** at sb, sth)
**strzelanina** *f* firing
**strzelba** *f* rifle, gun
**strzelec** *m* shot, rifleman
**strzelnica** *f* shooting-galery; *wojsk.* shooting-range
**strzelniczy** *adj*, **proch ~** gunpowder
**strzemienne** *n* parting drink
**strzemię** *n* stirrup
**strzęp** *m* tatter, shred
**strzępić** *vt* shred, fray; **~ się** *vr* fray, become frayed
**strzyc** *vt* shear, clip, (*włosy*) cut, crop; **~ sobie włosy** have a haircut; **~ włosy krótko** crop the

hair close; ~ uszami prick up one's ears
**strzykać** *vt vi* squirt; (*boleć*) twinge
**strzykanie** *n* twinge
**strzykawka** *f* syringe
**strzyżenie** *n* shearing; ~ **włosów** haircut
**student** *m* student
**studiować** *vt* study
**studium** *n* study
**studnia** *f* well
**studzić** *vt* cool (down)
**stuk** *m* knocking, noise
**stulecie** *n* century; (*setna rocznica*) centenary
**stuletni** *adj* (*człowiek*) hundred years old; **wojna ~a** Hundred Years' War
**stulić** *vt* press close ⟨together⟩
**stwardniałość** *f* hardening, callosity
**stwardniały** *adj* hardened, callous
**stwarzać** *vt* create; make; (*np. sytuację, warunki*) bring about
**stwierdzać** *vt* confirm, corroborate; state
**stwierdzenie** *n* corroboration; statement
**stworzenie** *n* (*czyn*) creation; (*istota*) creature; **jak nieboskie ~** like a wretched creature
**stworzyciel, stwórca** *m* creator
**stworzyć** *zob.* **stwarzać, tworzyć**
**styczeń** *m* January
**styczna** *f mat.* tangent
**styczność** *f* contact, contiguity; **utrzymywać ~** keep in touch (**z kimś** with sb)
**stygmat** *m* stigma
**stygnąć** *vi* cool down
**stykać się** *vr* contact (**z kimś** sb), meet (**z kimś** sb), be in touch (**z kimś** with sb)
**styl** *m* style; ~ **pływacki** stroke; ~ **życia** way of life
**stylista** *m* stylist
**stylistyczny** *adj* stylistic
**stylistyka** *f* stylistics
**stylowy** *adj* stylish
**stypa** *f* wake
**stypendium** *n* sholarship
**stypendysta** *f* scholarship-holder
**subiekcja** *f* trouble, inconvenience
**subiektywizm** *m* subjectivism
**subiektywny** *adj* subjective
**sublimat** *m chem.* sublimate
**sublokator** *m* lodger
**subordynacja** *f* subordination
**subskrybent** *m* subscriber
**subskrybować** *vt* subscribe (**coś** to sth)
**subskrypcja** *f* subscription (**czegoś** to sth)
**substancja** *f* substance
**subsydiować** *vt* subsidize
**subsydium** *n* subsidy
**subtelność** *f* subtlety
**subtelny** *adj* subtle
**subwencja** *f* subvention, subsidy
**subwencjonować** *vt* subsidize
**suchar** *m* biscuit, *am.* cracker
**sucharek** *m* rusk
**suchotniczy** *adj* consumptive
**suchotnik** *m* consumptive
**suchoty** *s pl* consumption
**suchy** *adj* dry
**sufiks** *m gram.* suffix
**sufit** *m* ceiling
**sufler** *m* prompter
**sugerować** *vt* suggest
**sugestia** *f* suggestion
**sugestywny** *adj* suggestive
**suka** *f* bitch
**sukces** *m* success
**sukcesja** *f* succession; (*dziedzictwo*) inheritance
**sukcesor** *m* successor; inheritor
**sukienka** *f* frock
**sukiennice** *s pl* drapers' hall
**sukiennictwo** *n* cloth-manufacture
**sukiennik** *m* draper
**suknia** *f* frock, gown
**sukno** *n* cloth
**sułtan** *m* sultan
**sułtanka** *f* sultana
**sum** *m* sheat-fish
**suma** *f* sum, total; (*msza*) High Mass
**sumaryczny** *adj* summary
**sumienie** *n* conscience; **czyste ~** good ⟨clear⟩ conscience; **nieczyste ~** bad ⟨guilty⟩ conscience
**sumienność** *f* conscientiousness

**sumienny** *adj* conscientious
**sumować** *vt* sum up
**sunąć** *vi* glide; *vt zob.* **suwać**
**supeł** *m* knot
**supremacja** *f* supremacy
**surdut** *m* frock-coat
**surogat** *m* surrogate, substitute
**surowica** *f* serum
**surowiec** *m* raw material
**surowość** *f* severity, crudeness
**surowy** *adj* raw; *przen.* severe, stern
**surówka** *f* raw stuff; *techn.* pig--iron; (*potrawa*) salad
**susza** *f* drought
**suszarnia** *f* drying-shed
**suszka** *f* blotter
**suszyć** *vt* dry; *przen.* **~ komuś głowę** pester sb; *vi* (*pościć*) fast
**sutanna** *f* cassock
**suterena** *f* basement
**sutka** *f* nipple, teat
**suwać** *vt* shove, shuffle, slide
**suwak** *m* slide; *mat.* **~ logarytmiczny** slide-rule; **~ rachunkowy** calculating rule
**swada** *f* eloquence
**swar** *m* squabble, quarrel
**swat** *m* match-maker; (*zawodowy*) matrimonial agent
**swatać** *vt* make a match
**swaty** *s pl* match-making
**swawola** *f* licence, wantonness
**swawolić** *vi* wanton
**swawolny** *adj* wanton
**swąd** *m* reek
**sweter** *m* sweater, jersey; (*zapinany*) cardigan
**swędzenie** *n* itch
**swędzić** *vi* itch
**swoboda** *f* liberty, freedom; (*wygoda*) ease; (*lekkość ruchów, obejścia*) easiness
**swobodny** *adj* free; (*wygodny, lekki w obejściu*) easy, (*niewymuszony, powolny*) leisurely
**swoisty** *adj* specific, peculiar
**swojski** *adj* homely, familiar, congenial
**sworzeń** *m* bolt
**swój** *pron* his, her, my, our, your, their; **postawić na swoim** have one's will; **po swojemu** in one's own way; **swego czasu** at one time
**sybaryta** *m* sybarite
**sybarytyzm** *m* sybaritism
**syberyjski** *adj* Siberian
**sycić** *vt* satiate
**syczeć** *vi* hiss
**syfon** *m* siphon
**sygnalizacja** *f* signalling
**sygnalizacyjny** *adj* signal *attr*; **system ~** code of signals
**sygnalizować** *vt vi* signal
**sygnał** *m* signal; **~ świetlny** signal-light
**sygnatura** *f* signature
**sygnet** *m* signet
**syk** *m* hiss
**sylaba** *f* syllable
**sylogizm** *m* syllogism
**sylwet(k)a** *f* silhouette
**symbioza** *f* symbiosis
**symbol** *m* symbol
**symboliczny** *adj* symbolic
**symbolika** *f* symbolism
**symbolizować** *vt* symbolize
**symetria** *f* symmetry
**symetryczny** *adj* symmetrical
**symfonia** *f* symphony
**symfoniczny** *adj* symphonic
**sympati|a** *f* sympathy; *pot.* (*o dziewczynie*) flame; **czuć ~ę** have a liking (**do kogoś** for sb)
**sympatyczny** *adj* lovable, likable; (*ujmujący*) winning; (*swojski*) congenial
**sympatyk** *m* sympathizer
**sympatyzować** *vi* sympathize
**symptom** *m* symptom
**symptomatyczny** *adj* symptomatic
**symulacja** *f* simulation, malingering
**symulant** *m* simulator; (*symulujący chorobę*) malingerer
**symulować** *vi* simulate; (*udawać chorego*) malinger
**syn** *m* son
**synagoga** *f* synagogue
**synchronizacja** *f* synchronization
**synchronizm** *m* synchronism
**synchronizować** *vt vi* synchronize
**syndyk** *m* syndic

**syndykat** *m* syndicate
**synekura** *f* sinecure
**synod** *m* synod
**synonim** *m* synonym
**synowa** *f* daughter-in-law
**syntaktyczny** *adj gram.* syntactic
**syntetyczny** *adj* synthetic
**synteza** *f* synthesis
**sypać** *vt* strew, pour, scatter; (*np. kopiec, okopy*) throw up; **~ się** *vr* pour
**sypialnia** *f* bedroom
**sypialny** *adj* sleeping *attr*; **wagon ~** sleeping-car, sleeper
**sypki** *adj* loose; **ciała ~e** dry goods
**syrena** *f* (*mitologiczna*) siren, mermaid; (*alarmowa, fabryczna*) hooter; (*okrętowa, mgłowa*) fog-horn; (*okrętowa*) ship's siren
**syrop** *m* syrup
**Syryjczyk** *m* Syrian
**syryjski** *adj* Syrian
**system** *m* system
**systematyczny** *adj* systematic
**sytny** *adj* substantial, nutritious
**sytość** *f* satiety
**sytuacja** *f* situation
**sytuować** *vt* situate
**syt|y** *adj* satiated, satiate; **do ~a** to satiety
**szabla** *f* sabre, sword
**szablon** *m* model, pattern; (*malarski*) stencil
**szach** *m* (*panujący*) Shah; (*w szachach*) check; **~ i mat** checkmate
**szachista** *m* chessplayer
**szachować** *vt* check; *przen.* hold at bay
**szachownica** *f* chess-board
**szachraj** *m* cheat, swindler
**szachrajstwo** *m* cheat, swindle
**szachrować** *vi* cheat, swindle
**szachy** *s pl* chess
**szacować** *vt* estimate, rate (**na 5 funtów** at £ 5), appraise
**szacunek** *m* (*ocena*) estimate, appraisal; (*uszanowanie*) esteem, respect
**szafa** *f* (*na ubranie*) wardrobe; (*na książki*) bookcase; (*biurowa, lekarska*) cabinet
**szafir** *m* sapphire
**szafka** *f* (*oszklona*) case; (*na papiery itp.*) cabinet; (*nocna*) night--table
**szafot** *m* scaffold
**szafować** *vi* lavish
**szafran** *m* saffron
**szajka** *f* gang
**szakal** *m zool.* jackal
**szal** *m* shawl
**szal|a** *f* scale; **przeważyć ~ę** turn the scale
**szalbierstwo** *n* fraudulence, swindle
**szalbierz** *m* swindler
**szaleć** *vi* rage; be crazy (**za kimś, czymś** about sb, sth)
**szaleniec** *m* madman
**szaleństwo** *n* madness, folly
**szalet** *m* earth closet, latrine
**szalik** *m* scarf, (*wełniany*) comforter
**szalka** *f* scale; bowl
**szalony** *adj* mad
**szalować** *vt* board
**szalupa** *f* shallop
**szał** *m* fury, frenzy; **wpaść w ~** fly into a fury; **doprowadzić kogoś do ~u** drive sb mad
**szałas** *m* shed, shanty
**szambelan** *m* chamberlain
**szamotać się** *vr* scuffle
**szampan** *m* champagne
**szaniec** *m* rampart
**szanować** *vt* esteem, respect; (*zdrowie, książki itp.*) be careful (**coś** of sth)
**szanowny** *adj* respectable, honourable
**szansa** *f* chance
**szantaż** *m* blackmail
**szantażować** *vt* blackmail
**szantażysta** *m* blackmailer
**szarada** *f* charade
**szarańcza** *f* locust
**szarfa** *f* sash, scarf
**szargać** *vt* foul, soil
**szarlatan** *m* quack, charlatan
**szarotka** *f bot.* edelweiss
**szarpać** *vt* tear, pull (**coś** sth, **za coś** at sth)

**szaruga** *f* foul weather
**szary** *adj* grey; *przen.* ~ **człowiek** man in the street; ~ **koniec** lower end, lowest place
**szarzeć** *vi* become grey; (*zmierzchać się*) grow dusky
**szarża** *f* charge; (*ranga*) rank
**szarżować** *vt* (*atakować*) charge
**szastać** *vi* squander
**szata** *f* garment, dress
**szatan** *m* satan
**szatański** *adj* satanic(al), fiendish
**szatkować** *vt* slice
**szatnia** *f* cloak-room
**szczapa** *f* splint, chip
**szczaw** *m* sorrel
**szczątek** *m* remnant, rest
**szczebel** *m* (*drabiny*) rung; (*stopień*) degree, level
**szczebiot** *m* chirrup
**szczebiotać** *vi* chirrup
**szczecina** *f* bristle
**szczególnoś|ć** *f* peculiarity; **w** ~**ci** in particular
**szczególny** *adj* peculiar, particular
**szczegół** *m* detail
**szczegółowo** *adv* in detail
**szczegółowy** *adj* detailed, particular
**szczekać** *vi* bark
**szczelina** *f* cleft, crevice, chink
**szczelny** *adj* close, tight
**szczeniak** *m* whelp, cub
**szczep** *m* (*ogrodniczy*) graft, shoot; (*plemię*) tribe
**szczepić** *vt* (*drzewko*) graft; *med.* vaccinate; *med. i przen.* inoculate
**szczepienie** *n* (*drzewka*) graft, grafting; *med.* vaccination; *med. i przen.* inoculation
**szczepionka** *f med.* vaccine
**szczerba** *f* jag, notch
**szczerbaty** *adj* jagged; (*wyszczerbiony*) indented, notched; (*o zębach*) gap-toothed
**szczerbić** *vt* jag; (*nacinać*) indent
**szczerość** *f* sincerity
**szczery** *adj* sincere, plain; (*np. o złocie*) genuine
**szczędzić** *vt vi* spare
**szczęk** *m* jingle, clang
**szczęka** *f anat.* jaw; **sztuczna** ~ denture
**szczękać** *vi* clink, clang, jingle
**szczęści|ć się** *vr*, **jemu się** ~ he has good luck, he is successful ⟨prosperous⟩
**szczęści|e** *n* (*zdarzenie*) good luck; (*stan*) happiness; **na** ~**e** fortunately; **mieć** ~**e** be lucky, have good luck; **próbować** ~**a** try a chance
**szczęśliwy** *adj* happy; fortunate, lucky
**szczodrość** *f* liberality, generosity
**szczodry** *adj* liberal, generous
**szczoteczka** *f* (*do zębów*) tooth-brush
**szczotka** *f* brush
**szczotkować** *vt* brush
**szczuć** *vt* bait; *przen.* (*judzić*) abet
**szczudło** *n* stilt
**szczupak** *m zool.* pike
**szczupleć** *vi* become slim, reduce
**szczupły** *adj* slim; (*niedostateczny*) scarce, scanty
**szczur** *m* **rat**
**szczycić się** *vr* boast (**czymś** of sth)), glory (**czymś** in sth)
**szczypać** *vt* pinch
**szczypce** *s pl* (*obcęgi*) tongs, (*kleszcze*) pincers, (*płaskie*) pliers
**szczypta** *f* pinch
**szczyt** *m* top, summit, peak; (*np. ambicji, sławy*) height; **godziny** ~**u** rush hours
**szczytny** *adj* sublime
**szef** *m* principal, chief, *pot.* boss
**szeląg** *m hist.* farthing
**szelest** *m* rustle
**szeleścić** *vi* rustle, (*np. o jedwabiu*) swish
**szelki** *s pl* braces, *am.* suspenders
**szelma** *m pot.* rogue
**szelmowski** *adj pot.* roguish
**szemrać** *vi* murmur; (*narzekać*) grumble (**na coś** at sth)
**szeplenić** *zob.* **seplenić**
**szept** *m* whisper
**szeptać** *vt vi* whisper
**szereg** *m* row, file, series; (*np. nie-*

*szczęść*) succession; (*ilość*) number; **w ~u wypadków** in a number of cases
**szeregować** *vt* rank
**szeregowiec** *m* private (soldier)
**szeregow|y** *adj*, *techn*. **połączenie ~e** connexion in series; *s* **~y** *wojsk*. private; *pl* **~i** ranks and file
**szermierka** *f* fencing
**szermierz** *m* fencer; *przen*. champion
**szeroki** *adj* wide, broad
**szerokość** *f* width, breadth; *geogr*. latitude; (*toru*) gauge
**szerokotorow|y** *adj*, **kolej ~a** broad-gauge railway
**szerszeń** *m* *zool*. hornet
**szerzyć** *vt*, **~ się** *vr* spread
**szesnastka** *f* sixteen
**szesnasty** *num* sixteenth
**szesnaście** *num* sixteen
**sześcian** *m* cube; *mat*. **podnosić do ~u** cube
**sześcienny** *adj* cubic
**sześć** *num* six
**sześćdziesiąt** *num* sixty
**sześćdziesiąty** *num* sixtieth
**sześćset** *num* six hundred
**szew** *m* seam; *med*. suture
**szewc** *m* shoemaker
**szewiot** *m* cheviot
**szkalować** *vt* slander
**szkapa** *f* jade
**szkaradny** *adj* hideous
**szkarlatyna** *f* *med*. scarlet-fever
**szkarłat** *m* scarlet
**szkatuła** *f* casket
**szkic** *m* sketch, outline
**szkicować** *vt* sketch, outline
**szkicownik** *m* sketch-book
**szkielet** *m* skeleton, frame, framework; (*statku, budowli*) carcass
**szkiełko** *n* glass; (*mikroskopowe*) slide
**szklanka** *f* glass
**szklarz** *m* glazier
**szklisty** *adj* glassy
**szkliwo** *n* glaze
**szkło** *n* glass
**szkocki** *adj* Scotch, Scots, Scottish
**szkod|a** *f* damage, detriment, harm; **~a, że ...** it's a pity that ...; **~a o tym mówić** it's no use talking about it; **wyrządzić ~ę** do harm (**komuś** sb, to sb); **na czyjąś ~ę** to the detriment of sb; **jaka ~a!** what a pity!
**szkodliwość** *f* harmfulness
**szkodliwy** *adj* injurious, harmful, detrimental
**szkodnik** *m* wrong-doer, mischief-maker; *pl* **~i** *zool*. vermin *zbior*.
**szkodzi|ć** *vi* do harm, injure; **nie ~!** never mind!; it doesn't matter
**szkolić** *vt* school, train
**szkolnictwo** *n* school-system, education
**szkoln|y** *adj* school *attr*; **kolega ~y** schoolmate; **książka ~a** school-book; **sala ~a** school-room; **wiek ~y** school age
**szko|ła** *f* school; **~ła morska** school of navigation; nautical school; **~ła podstawowa** ⟨**powszechna**⟩ elementary school; **~ła średnia** secondary school; **~ła wyższa** high school; **~ła zawodowa** school of engineering; **chodzić do ~y** go to school; **w ~le** at school
**szkopuł** *m* obstacle
**szkorbut** *m* *med*. scurvy
**Szkot** *m* Scotchman, Scotsman
**Szkotka** *f* Scotchwoman, Scotswoman
**szkółka** *f* (*drzew*) nursery
**szkwał** *m* *mors*. squall
**szlaban** *m* turnpike
**szlachcic** *m* (country) gentleman, one of the gentry
**szlachetny** *adj* noble, gentle
**szlachta** *f* gentry
**szlafrok** *m* dressing-gown
**szlak** *m* border; (*droga*) track, trail
**szlakowy** *m* *sport* stroke
**szlam** *m* slime
**szlem** *m* (*w kartach*) (grand) slam
**szlemik** *m* (*w kartach*) (little) slam
**szlifierz** *m* grinder, polisher

**szlifować** *vt* grind, polish
**szlochać** *vi* sob
**szmaragd** *m* emerald
**szmat** *m*, **~ czasu** a very long time; **~ drogi** long way
**szmata** *f* clout, rag
**szmelc** *m* scrap, scrap-iron; **nadający się na ~** fit for scrap
**szmer** *m* murmur, rustle
**szminka** *f* paint, (*kredka*) lipstick
**szmugiel** *m* smuggle
**szmuglować** *vt* smuggle
**sznur** *m* rope, cord; string; **~ pereł** ⟨**korali itp.**⟩ string of pearls ⟨beads etc.⟩
**sznurek** *m* string
**sznurowadło** *n* shoe-lace
**szofer** *m* chauffeur, driver
**szopa** *f* shed
**szopka** *f* puppet theatre; (*gwiazdkowa*) crib
**szorować** *vt* scour, scrub
**szorstki** *adj* rough, coarse
**szorty** *s pl* shorts
**szosa** *f* high road, highway
**szowinista** *m* jingoist
**szowinizm** *m* jingoism
**szóstka** *f* six
**szósty** *num* sixth
**szpada** *f* sword
**szpagat** *m* string; (*w tańcu, akrobacji*) splits *pl*
**szpaler** *m* lane, double row
**szpalta** *f* column
**szpara** *f* slit, (*w automacie*) slot; (*szczelina*) chink
**szparag** *m bot.* asparagus
**szpecić** *vt* uglify, disfigure
**szpetny** *adj* ugly
**szpic** *m* point; (*sztyft, kolec*) spike
**szpicel** *m pog.* sleuth, *pot.* tee
**szpieg** *m* spy
**szpiegować** *vt* spy (**kogoś** on sb)
**szpik** *m* marrow
**szpikować** *vt* lard
**szpilka** *f* pin; **siedzieć jak na ~ch** be on pins and needles
**szpinak** *m* spinach
**szpital** *m* hospital
**szpon** *m* claw, talon; (*także techn.*) clutch
**szprot** *m*, *pot.* **szprotka** *f* sprat
**szpryca** *f* syringe
**szprycha** *f* spoke
**szprycować** *vt* sprinkle
**szpulka** *f* spool, bobbin
**szpunt** *m* plug, stopper, (*w beczce*) bung
**szrama** *f* scar
**szranki** *s pl hist.* lists
**szron** *m* hoar-frost
**sztab** *m* staff
**sztaba** *f* bar; (*złota*) ingot
**sztachety** *s pl* fence, railing
**sztafeta** *f* courier; *sport* relay
**sztaluga** *f* easel
**sztanca** *f* die
**sztandar** *m* banner
**szterling** *m* = **sterling** *zob.* **funt**
**sztokfisz** *m* stockfish
**sztolnia** *f górn.* adit
**sztucer** *m* (*strzelba*) rifle
**sztuczka** *f* small piece; (*fortel*) trick
**sztuczny** *adj* artificial; (*nienaturalny*) affected
**sztućce** *s pl* cutlery *zbior.*; table-requisites
**sztuk|a** *f* art; (*kawałek, jednostka*) piece; (*bydła*) head; (*teatralna*) play; (*fortel*) artifice, trick; **~a mięsa** boiled beef; **~i piękne** fine arts
**sztukateria** *f* stucco
**sztukować** *vt* piece out, patch
**szturchać** *vt* jostle, prod
**szturm** *m* storm, attack; **przypuścić ~ do twierdzy** storm a fortress
**szturmować** *vt* storm, attack
**sztych** *m* (*uderzenie*) stab, thrust; (*rycina*) engraving
**sztyft** *m* pin, spike
**sztygar** *m górn.* foreman
**sztylet** *m* dagger
**sztywnieć** *vi* stiffen
**sztywny** *adj* stiff; (*np. o zapasach, postępowaniu*) rigid; (*o cenach*) fixed
**szubienica** *f* gallows
**szubrawiec** *m* scoundrel, rascal
**szufla** *f* shovel
**szuflada** *f* drawer

**szuja** *m pot.* scoundrel
**szukać** *vt* look (**kogoś, czegoś** sb, sth; for ⟨after⟩ sb, sth); (*w słowniku itp.*) look up (**czegoś** sth)
**szuler** *m* gambler
**szum** *m* roar, noise
**szumieć** *vi* roar
**szumny** *adj* roaring, boisterous
**szumowiny** *s pl* scum *zbior.*
**szuter** *m* gravel
**szuwary** *s pl* bulrush
**szwaczka** *f f* seamstress
**szwadron** *m wojsk.* squadron
**szwagier** *m* brother-in-law
**szwagierka** *f* sister-in-law
**Szwajcar** *m*, **~ka** *f* Swiss
**szwajcarski** *adj* Swiss
**Szwed** *m*, **~ka** *f* Swede
**szwedzki** *adj* Swedish
**szyb** *m* shaft
**szyba** *f* pane; (*w samochodzie*) wind-screen
**szybki** *adj* quick, swift, speedy, fast
**szybko** *adv* quick(ly), fast
**szybkoś|ć** *f* speed, velocity; **z ~cią 60 mil na godzinę** at the rate of 60 miles per hour
**szybować** *vi* soar; *lotn.* glide
**szybowiec** *m lotn.* glider
**szychta** *f* shift, relay
**szyci|e** *n* sewing; **maszyna do ~a** sewing-machine
**szyć** *vt* sew
**szydełko** *n* crochet-needle
**szydełkow|y** *adj*, **robota ~a** crochet
**szyderca** *m* scoffer
**szyderczy** *adj* scoffing
**szyderstwo** *n* scoff
**szydło** *n* awl
**szydzić** *vi* scoff (**z kogoś, czegoś** at sb, sth)
**szyfr** *m* code, cipher
**szyfrować** *vt* code, cipher
**szyj|a** *f* neck; **pędzić na łeb na ~ę** rush headlong; **rzucać się komuś na ~ę** fall upon somebody's neck
**szyk** 1. *m* (*porządek*) order; *wojsk.* **~ bojowy** battle-array; *gram.* **~ wyrazów** word order
**szyk** 2. *m* (*wytworność*) elegance, chic
**szykanować** *vt* annoy, vex
**szykany** *s pl* annoyances
**szykowny** *adj* elegant, smart
**szyld** *m* signboard
**szyling** *m* shilling
**szylkret** *m* tortoise-shell
**szympans** *m zool.* chimpanzee
**szyna** *f* rail; *med.* splint
**szynk** *m* pub
**szynka** *f* ham
**szynkarz** *m* publican
**szyper** *m mors.* skipper
**szyszak** *m hist.* helmet
**szyszka** *f* cone

# Ś

**ściana** *f* wall
**ścianka** *f* (*przepierzenie*) partition
**ściągaczka** *f pot.* crib
**ściągać** *vt* draw down; pull down; (*zaciskać*) draw together, tighten; (*brwi, mięśnie*) contract; (*ludzi*) assemble; (*zdejmować buty*) pull off; (*ubranie*) take off; (*podatek*) raise, levy; (*pieniądze*) collect (**od kogoś** from sb); (*wartę*) withdraw; *pot.* (*odpisywać*) crib; **~ się** *vr* contract, (*kurczyć się*) shrink
**ścieg** *m* stitch
**ściek** *m* sewer, drain
**ściekać** *vi* flow down ⟨off⟩, drip off
**ściemniać się** *vr* darken, grow dark

**ścienny** *adj* wall *attr*; mural
**ścierać** *vt* wipe ⟨rub⟩ off; ~ **kurz** dust
**ścierka** *f* clout, duster
**ściernisko** *n* stubble-field
**ścierpły** *adj* benumbed, numb
**ścierpnąć** *vi* get numb
**ścieśniać** *vt* tighten; ~ **się** *vr* tighten; stand ⟨sit⟩ closer
**ścieżka** *f* path, footpath
**ścięcie** *n* cutting off; ~ **głowy** beheading, execution
**ścięgno** *n anat.* sinew, tendon
**ścigać** *vt* pursue, chase; ~ **się** *vr* race, run a race
**ścinać** *vt* cut off ⟨down⟩; (*drzewo*) fell; (*głowę*) behead; *sport* smash; *pot.* (*przy egzaminie*) plough; ~ **się** *vr* congeal, coagulate
**ścisk** *m* press, crush
**ściskać** *vt* compress, press, squeeze, tighten; (*obejmować*) embrace; ~ **komuś rękę** clasp sb's hand; ~ **się** *vr* press, embrace
**ścisłość** *f* (*dokładność*) exactness, preciseness; (*zwartość*) compactness
**ścisły** *adj* (*dokładny*) exact, precise, strict; (*zwarty*) compact, close
**ściśle** *adv* closely; (*ciasno*) tightly; (*dokładnie*) exactly, precisely, strictly; ~ **mówiąc** strictly speaking
**ślad** *m* trace, track, vestige; ~ **stopy** footmark, footprint; **iść ~em czegoś** trace sth; **iść w czyjeś ~y** walk ⟨follow⟩ in sb's steps; **nie ma ani ~u ...** not the least trace ... is left; **trafić na ~ czegoś** get a clue to sth
**ślamazara** *m f* sluggard
**ślamazarny** *adj* sluggish
**śląski** *adj* Silesian
**Ślązak** *m*, **Ślązaczka** *f* Silesian
**śledczy** *adj* inquiry *attr*; inquiring, examining; **sąd ~** court of inquiry
**śledzić** *vt* (*obserwować*) watch; (*tropić*) trace; investigate
**śledziona** *f anat.* milt, spleen
**śledztwo** *n* inquiry, investigation
**śledź** *m zool.* herring
**ślepiec** *m* blind man
**ślepnąć** *vi* grow blind
**ślepo** *adv* blindly; **na ~** blindly, at random
**ślepota** *f* blindness
**ślep|y** *adj* blind; **~y nabój** blank cartridge; **~y zaułek** blind alley; *med.* **zapalenie ~ej kiszki** appendicitis
**ślęczeć** *vi* pore (**nad czymś** over sth)
**śliczny** *adj* lovely, most beautiful
**ślimacznica** *f techn.* worm-wheel; spiral
**ślimak** *m zool.* snail; *techn.* worm-gear
**ślimakowaty** *adj* spiral
**ślina** *f* spittle, saliva
**ślinić** *vt*, ~ **się** *vr* slaver
**ślinka** *f* spittle; ~ **mi idzie do ust** my mouth waters (**na widok czegoś** at sth)
**śliski** *adj* slippery
**śliwa** *f* plum-tree
**śliwka** *f* plum; (*drzewo*) plum-tree
**śliwowica** *f* plum-brandy
**ślizgacz** *m* scooter, gliding-boat
**ślizgać się** *vr* slide, glide; (*na łyżwach*) skate
**ślizgawica** *f* glazed frost
**ślizgawka** *f* (*tor*) skating-rink
**ślub** *m* wedding, marriage-ceremony; (*ślubowanie*) vow; **brać ~** get married; **czynić ~** make a vow, take a pledge
**ślubny** *adj* wedding *attr*, nuptial
**ślubować** *vt vi* vow, make a vow
**ślusarz** *m* locksmith
**śluz** *m* slime
**śluza** *f* sluice
**śmiać się** *vr* laugh (**z czegoś** at sth), make fun (**z czegoś** of sth); **chce mi się z tego ~** that makes me laugh; *pot.* ~ **się do rozpuku** split one's sides with laughing; *pot.* ~ **się w kułak** laugh in one's sleeve
**śmiałek** *m* daredevil

**śmiałość** *f* boldness
**śmiały** *adj* bold
**śmiech** *m* laughter; **wybuchnąć ~em** burst out laughing
**śmiecić** *vi* litter, clutter
**śmiecie** *s pl* litter, sweepings *pl*
**śmieć** *vi* dare, venture
**śmier|ć** *f* death; **wyrok ~ci** death sentence; **patrzeć ~ci w oczy** look death in the face; **skazać na ~ć** sentence to death; *przysł.* **raz kozie ~ć** man can die but once
**śmierdzieć** *vi* stink, smell (**czymś** of sth)
**śmiertelnik** *m* mortal
**śmiertelność** *f* mortality
**śmiertelny** *adj* (*o człowieku*) mortal; (*o grzechu, truciźnie itp.*) deadly
**śmieszność** *f* ridiculousness, the ridiculous
**śmieszny** *adj* ridiculous, funny
**śmieszyć** *vt* make laugh
**śmietana** *f* sour-cream
**śmietank|a** *f* cream; **zbierać ~ę** skim milk
**śmietnik** *m* dump, dust-heap
**śmiga** *f* (*wiatraka*) sail
**śmigło** *n* propeller, airscrew
**śmigłowiec** *m* helicopter
**śmigły** *adj* swift, speedy
**śniadanie** *n* breakfast; **jeść ~** breakfast, have breakfast
**śniady** *adj* swarthy
**śni|ć** *vi* dream; **~ło mi się** I dreamt
**śnieg** *m* snow; **pada ~** it snows
**śniegowce** *s pl* snow-boots
**śnieżka** *f* snow-ball
**śnieżny** *adj* snowy
**śnieżyca** *f* snow-storm
**śpiączka** *f* sleepiness; *med.* **~ (afrykańska)** sleeping-sickness
**śpieszny** *zob.* **spieszny**
**śpieszyć** *zob.* **spieszyć**
**śpiew** *m* song, singing; **~ kościelny** chant; **nauczyciel ~u** singing-master
**śpiewać** *vt vi* sing; (*intonować*) chant
**śpiewak** *f* singer
**śpiewnik** *m* song-book
**śpiewny** *adj* melodious
**śpioch** *m* sleepyhead
**śpiwór** *m* sleeping-bag
**średni** *adj* middle, average, middling, medium; **~a szkoła** secondary school; **~ wzrost** medium height, middle size; *radio* **~e fale** medium waves; **wieki ~e** Middle Ages
**średnica** *f* diameter
**średnik** *m* semicolon
**średnio** *adv* on the average; tolerably, *pot.* middling
**średniowiecze** *n* Middle Ages *pl*
**średniowieczny** *adj* medi(a)eval
**średniówka** *f lit.* caesura
**środa** *f* Wednesday
**środ|ek** *m* middle, centre; (*sposób*) means; *fiz.* **~ek ciężkości** centre of gravity; **~ek drogi** midway; **~ek leczniczy** remedy; *handl. fin.* **~ek płatniczy** legal tender, circulating medium; **~ki do życia** means; **~ki ostrożności** measures of precaution; **złoty ~ek** golden mean
**środkowy** *adj* central, middle
**środowisko** *n* environment
**śródmieście** *n* centre (of a town)
**śródziemny** *adj* mediterranean
**śrub|a** *f* screw; **przykręcić ~ę** put on the screw; **zwolnić ~ę** loosen the screw
**śrubokręt** *m* screwdriver
**śrubować** *vt* screw (up)
**śrut** *m* shot
**świadczeni|e** *n* service; **~a społeczne** social services; **~a lekarskie** medical benefits; **~a w pieniądzach i naturze** disbursements in money and in kind
**świadczyć** *vi* attest, testify; bear witness (**o czymś** to sth); (*składać zeznania*) depose; **~ usługi** render services
**świadectwo** *n* testimonial, certificate; testimony; (*szkolne*) report; **~ pochodzenia** certificate of origin; **~ dojrzałości** secondary-school certificate

**świad|ek** *m* witness; **~ek naoczny** eye-witness; **być ~kiem** witness (**czegoś** sth)
**świadomość** *f* consciousness
**świadomy** *adj* conscious
**świat** *m* world; **tamten ⟨drugi⟩ ~** next world; **przyjść na ~** come into the world; **na świecie** in the world; **po całym świecie** all over the world
**światło** *n* light; **~ drogowe** traffic light; **~ dzienne** daylight; **~ księżyca** moonlight; **~ słoneczne** sunlight; **przy świetle księżyca** by moonlight
**światłość** *f* brightness
**światły** *adj* bright; (*o umyśle*) enlightened
**światopogląd** *m* world outlook, philosophy of life
**światowiec** *m* man of the world
**świąteczny** *adj* festive, festival; (*np. o ubraniu*) holiday *attr*
**Świątki** *s pl*, **Zielone ~** Whitsuntide
**świątynia** *f* temple
**świder** *m* drill
**świdrować** *vt* drill, bore
**świeca** *f* candle; *techn.* **~ zapłonowa** sparking-plug
**świecić** *vi* shine; *vt* (*zapalać*) light; **~ się** *vr* shine, glitter
**świecidełko** *n* tinsel
**świecki** *adj* lay, secular
**świeczka** *f* candle
**świecznik** *m* candlestick
**świergot** *m* chirp
**świergotać** *vi* chirp
**świerk** *m bot.* spruce
**świerszcz** *m zool.* cricket
**świerzb** *m* itch, *med.* scabies
**świerzbieć** *vi* itch
**świetlany** *adj* luminous
**świetlica** *f* club
**świetlik** *m zool.* glow-worm
**świetlny** *adj* light *attr*, lighting; **gaz ~** lighting-gas; **rok ~** light-year
**świetność** *f* splendour
**świetny** *adj* splendid, glorious
**świeżość** *f* freshness
**świeży** *adj* fresh; recent, new
**święcić** *vt* consecrate; (*obchodzić*) celebrate
**święcone** *n* Easter repast
**święto** *n* holiday, festivity
**świętojański** *adj* St. John's; *zool.* **robaczek ~** glow-worm
**świętokradztwo** *n* sacrilege
**świętoszek** *m* hypocritical bigot
**świętość** *f* sanctity, holiness
**świętować** *vi* have a holiday
**święt|y** *adj* holy, sacred; (*przed imieniem*) saint; **~y** *s m*, **~a** *s f* saint
**świnia** *f* swine
**świnka** *f* pig; *med.* mumps; *zool.* **~ morska** guinea-pig
**świński** *adj* swine *attr*; swinish
**świństwo** *n* dirty trick
**świsnąć** *vi zob.* **świstać**; (*porwać*) *pot.* pinch
**świst** *m* whistle, whizz
**świstać** *vt vi* whistle
**świstak** *m zool.* marmot; *am.* groundhog
**świstawka** *f* whistle
**świstek** *m* scrap of paper
**świ|t** *m* daybreak, dawn; **o ~cie** at daybreak
**świtać** *vi* dawn

# t

**tabaka** *f* snuff
**tabakierka** *f* snuff-box
**tabela** *f* schedule, table, list
**tabletka** *f* tablet
**tablica** *f* board; (*szkolna*) blackboard; (*tabela*) table; *techn.* **~ rozdzielcza** switch-board
**tabliczka** *f* tablet; (*np. czekolady*) cake; **~ mnożenia** multiplication table
**tabor** *m wojsk.* retrenched camp; army service columns *pl*; train; **~ kolejowy** rolling-stock
**taboret** *m* tabouret
**taca** *f* tray, salver
**taczać się** *vr* wallow, roll; (*zataczać się*) stagger, reel
**taczki** *s pl* wheel-barrow
**tafla** *f* sheet, plate
**taić** *vt* hide, conceal (**przed kimś** from sb)
**tajać** *vi* thaw
**tajemnic|a** *f* secret, mystery; **w ~y** in secret, secretly
**tajemniczość** *f* mysteriousness
**tajemniczy** *adj* mysterious
**tajemny** *adj* secret, clandestine
**tajność** *f* secrecy
**tajny** *adj* secret
**tak** *part* yes; *adv* thus, so, as; **~ ..., jak** as ... as, **nie ~ ..., jak** not so ... as; **~ sobie** so-so; **~ czy owak** anyhow; **i ~ dalej** and so on; **czy ~?** is that so?; **bądź ~ dobry i poinformuj mnie** be so kind as to inform me
**taki** *adj* such; **co ~ego?** what's the matter?; **nic ~ego** nothing of the sort; **~ biedny, ~ mądry** so poor, so wise; **~ sam** just the same; **on jest ~ jak ty** he is like you
**takielunek** *m mors.* rigging
**taksa** *f* rate, tariff, fee; **~ za przejazd** fare
**taksować** *vt* estimate, rate (**na sumę ...** at the sum ...)
**taksówk|a** *f* taxi; **jechać ~ą** travel ⟨go⟩ by taxi, taxi
**takt** *m* tact; (*w muzyce*) time; (*odstęp w pięciolinii*) bar, measure; **trzymać ~** keep time; **wybijać ~** beat time
**taktowny** *adj* tactful
**taktyczny** *adj* tactical
**taktyka** *f* tactics
**także** *adv* also, too, as well; **~ nie** neither, not ... either
**talent** *m* talent
**talerz** *m* plate
**talia** *f* waist; (*kart*) pack
**talizman** *m* talisman
**talk** *m* talcum
**talon** *m* coupon
**tam** *adv* there; (*wskazując*) over there; **co mi ~** I don't care; **kto ~?** who's there?; **~ i z powrotem** to and fro
**tam|a** *f* dam; *przen.* check, stop; **położyć ~ę** put a stop (**czemuś** to sth)
**tamować** *vt* dam; (*np. ruch*) obstruct; *przen.* check; (*krew*) staunch
**tampon** *m* tampon
**tamtejszy** *adj* from there, of that place
**tamten** *pron* that
**tamtędy** *adv* that way
**tance|rz** *m*, **~rka** *f* dancer
**tancmistrz** *m* dancing-master
**tandem** *m* tandem
**tandeta** *f* rubbish, trash
**tandetny** *adj* shoddy, trashy
**tangens** *m mat.* tangent
**tani** *adj* cheap
**taniec** *m* dance
**tanieć** *vi* become cheap
**tantiema** *f* bonus
**tańczyć** *vi* dance, *pot.* hop
**tapczan** *m* couch, sofa-bed
**tapeta** *f* wall-paper
**tapetować** *vt* cover with wall-paper, paper
**tapicer** *m* upholsterer
**tapicerka** *f* upholstery

**tara** *f handl.* tare
**taran** *m hist.* battering-ram
**taras** *m* terrace
**tarasować** *vt* block, barricade
**tarcie** *n* friction
**tarcza** *f* target; (*osłona*) shield; (*np. słońca*) disk; (*np. zegarka*) dial
**tarczyca** *f med.* thyroid gland
**targ** *m* market
**targać** *vt* tear, pull
**targnąć się** *vr* attempt (**na czyjeś życie** sb's life)
**targować** *vt* sell, fetch by sale; ~ **się** *vr* bargain, haggle (**o coś** about sth)
**tarka** *f* grater, rasp
**tarnina** *f* blackthorn
**tartak** *m* sawmill
**taryfa** *f* tariff
**tarzać się** *vr* wallow, roll
**tasak** *m* chopper
**tasiemiec** *m zool.* tapeworm
**tasiemka** *f* tape
**tasować** *vt* shuffle
**taśma** *f* band; *techn.* tape; ~ **filmowa** band, film-band; ~ **izolacyjna** insulating tape; ~ **karabinu maszynowego** cartridge belt; ~ **miernicza** measuring tape
**Tatar** *m* Tartar
**taternictwo** *n* mountain-climbing
**taternik** *m* mountain-climber
**tatuować** *vt* tattoo
**tatuś** *m zdrob.* dad
**tchawica** *f anat.* trachea
**tchnąć** *vt vi* breathe, inspire
**tchnienie** *n* breath
**tchórz** *m zool.* polecat; (*człowiek*) coward
**tchórzliwy** *adj* cowardly
**teatr** *m* theatre
**teatraln|y** *adj* theatrical; **sztuka** ~**a** play
**techniczny** *adj* technical
**technik** *m* technician
**technika** *f* technics
**technologia** *f* technology
**teczka** *f* brief-case, (*na dokumenty*) folder
**tegoroczny** *adj* this year's
**teka** *f* brief-case; (*ministerialna, bankowa itp.*) portfolio
**tekst** *m* text
**tekstylny** *adj* textile
**tektura** *f* cardboard
**telefon** *m* telephone; **przez** ~ on the telephone
**telefonicznie** *adv* telephonically; (*rozmawiać*) by telephone
**telefoniczn|y** *adj* telephonic, telephone; **rozmowa** ~**a** telephone call; **międzymiastowa rozmowa** ~**a** trunk-call; **rozmównica** ⟨**budka**⟩ ~**a** telephone booth ⟨box⟩
**telefonistka** *f* telephonist
**telefonować** *vt vi* telephone; *pot.* ring up (**do kogoś** sb)
**telefoto** *n* telephoto
**telegraf** *m* telegraph
**telegraficznie** *adv* telegraphically; *pot.* by wire
**telegraficzn|y** *adj* telegraphical; *pot.* wire *attr*; ~**a wiadomość** telegraphical message; **słup** ~**y** telegraph-pole
**telegrafista** *m* telegraphist, telegrapher
**telegrafować** *vt vi* telegraph, *pot.* wire
**telegram** *m* telegram, *pot.* wire
**telepatia** *f* telepathy
**teleskop** *m* telescope
**teleskopowy** *adj* telescopic
**telewizja** *f* television, TV, *pot.* telly
**telewizor** *m* television ⟨TV⟩ set
**temat** *m* theme, subject, subject-matter
**temblak** *m* sling
**temperament** *m* temperament
**temperatur|a** *f* temperature; ~**a topnienia** melting-point; ~**a wrzenia** boiling-point; ~**a zamarzania** freezing-point; **mierzyć** ~**ę** take the temperature
**temperować** *vt* temper; (*ołówek*) sharpen
**temp|o** *n* time, measure, rate, tempo; **w szybkim** ~**ie** at a fast rate
**temu** *adv*, **rok** ~ one year ago; **dawno** ~ long ago
**ten, ta, to** *pron* this; *pl* **ci, te** these

**tendencja** *f* tendency; (*kierunek*) trend; **~ zniżkowa** downward tendency
**tendencyjny** *adj* biased
**tender** *m techn.* tender
**tenis** *m* tennis
**tenor** *m* tenor
**tenże** *pron* the (very) same
**teolog** *m* theologian
**teologia** *f* theology
**teoretyczny** *adj* theoretical
**teoretyk** *m* theorist
**teoria** *f* theory
**terakota** *f* terracotta
**terapia** *f* therapeutics
**terasa** *f* terrace, bank
**teraz** *adv* now
**teraźniejszość** *f* present time, the present
**teraźniejszy** *adj* present (day); *gram.* **czas ~** present tense
**tercet** *m* tercet; *muz.* trio
**teren** *m* area, space, territory, ground, country
**terenowy** *adj* local; country-, (*np. o samochodzie*) crosscountry *attr*
**terenoznawstwo** *n* local knowledge, topography
**terkotać** *vi* rattle
**termin** *m* term; (*rzemieślniczy*) apprenticeship
**terminator** *m* apprentice
**terminologia** *f* terminology
**terminowo** *adv* in time; at a fixed time, at fixed intervals
**terminow|y** *adj* term *attr*; fixed; (*np. egzamin*) terminal; **kalendarz ~y** memorandum; **~a dostawa** delivery on term; **~a zapłata** term payment
**termit** *m zool.* white ant
**termometr** *m* thermometer
**termos** *m* thermos flask
**terpentyna** *f* turpentine
**terror** *m* terror, terrorism
**terrorysta** *m* terrorist
**terrorystyczny** *adj* terrorist
**terroryzować** *vt* terrorize
**terytorialny** *adj* territorial
**terytorium** *n* territory
**testamen|t** *m* testament, will; **zapisać w ~cie** bequeath, leave as a legacy
**testator** *m* testator
**teściowa** *f* mother-in-law
**teść** *m* father-in-law
**teza** *f* thesis
**też** *adv* also, too; **~ nie** neither, not ... either
**tęcza** *f* rainbow
**tęczówka** *f anat.* iris
**tędy** *adv* this way
**tęgi** *adj* stout; solid; (*mocny*) robust; able
**tępić** *vt* blunt, dull; (*niszczyć*) exterminate
**tępota** *f* dullness, bluntness
**tępy** *adj* dull, blunt
**tęsknić** *vi* long, yearn (**za kimś** for ⟨after⟩ sb); **~ za krajem** be homesick
**tęsknota** *f* longing, yearning; **~ za krajem** homesickness
**tęskny** *adj* longing, melancholy
**tętent** *m* tramp (of horses), hoof--beat
**tętnica** *f* artery
**tętnić** *vi* tramp, resound; (*o pulsie*) pulsate
**tętno** *n* pulse, pulsation
**tężec** *m med.* tetanus
**tężeć** *vi* stiffen; (*twardnieć*) solidify
**tężyzna** *f* vigour
**tkacki** *adj* textile
**tkactwo** *n* weaving, textile industry
**tkacz** *m* weaver
**tkać** *vt* weave
**tkanina** *f* tissue, texture, fabric
**tkanka** *f anat. biol.* tissue
**tkliwość** *f* tenderness, affectionateness
**tkliwy** *adj* tender, affectionate
**tknąć** *vt* touch
**tkwić** *vi* stick
**tleć** *vi* smoulder, burn faintly
**tlen** *m chem.* oxygen
**tlenek** *m chem.* oxide
**tlić się** *vr* burn faintly, smoulder
**tło** *n* background
**tłocznia** *f* press
**tłoczyć** *vt* press, crush; (*druko-*

*wać*) impress; ~ **się** *vr* crowd, crush
**tłok** *m* (*ścisk*) crowd, crush; *techn.* piston
**tłuc** *vt* pound, grind; (*rozbijać*) break, smash; (*np. orzechy*) crack; ~ **się** *vr* be smashed, be broken; *pot.* (*np. po świecie*) knock about
**tłuczek** *m* pestle
**tłum** *m* crowd, throng
**tłumacz** *m* translator; (*ustny*) interpreter; ~ **przysięgły** sworn translator
**tłumaczenie** *n* translation; interpretation; (*wyjaśnienie*) explanation
**tłumaczyć** *vt* translate (**z polskiego na angielski** from Polish into English); (*ustnie*) interpret; (*wyjaśniać*) explain; ~ **się** *vr* excuse oneself
**tłumić** *vt* stifle, muffle; (*np. bunt, uczucie*) suppress
**tłumik** *m muz.* sordine; *techn.* silencer
**tłumnie** *adv* in crowds
**tłumny** *adj* multitudinous, numerous
**tłumok** *m* bundle
**tłustość** *f* fatness
**tłusty** *adj* fat; (*o plamie, smarze*) greasy; (*gruby*) obese, stout; ~ **druk** fat-faced type, bold letters *pl*
**tłuszcz** *m* fat, grease
**tłuszcza** *f* mob, rabble
**tłuścić** *vt* grease
**to** *pron zob.* **ten; to moja książka** it is my book; **to twoja wina** it's your own fault
**toalet|a** *f* toilet; (*mebel*) toilet-table; (*ubikacja*) lavatory; **robić ~ę** make one's toilet
**toaletow|y** *adj* toilet *attr*; **mydło ~e** toilet soap; **papier ~y** toilet paper; **przybory ~e** articles of toilet
**toast** *m* toast; **wznosić czyjś ~** propose sb's health
**tobół** *m* bundle, baggage
**toczy|ć** *vt* roll; (*nóż*) whet; (*obrabiać w tokarni*) turn; (*płyn z beczki*) draw; (*o robactwie*) gnaw, nibble, eat; (*niszczyć*) wear away; (*sprawę sądową*) carry on; (*wojnę*) wage; **~ć się** *vr* roll; (*o sprawie, akcji itp.*) be in progress; (*o wojnie*) be waged; (*o płynie*) flow, run, gush; **rozmowa ~ła się o pogodzie** conversation was carried on about the weather; **~ły się rokowania** negotiations were held ⟨were proceeding⟩
**toga** *f* gown, robe
**tok** *m* course, progress; **w ~u** in course
**tokarka** *f* turning-lathe
**tokarz** *m* turner
**tolerancja** *f* tolerance
**tolerancyjny** *adj* tolerant
**tolerować** *vt* tolerate
**tom** *m* volume
**ton** *m* tone, sound
**tona** *f* ton
**tonacja** *f muz.* key, mode
**tonaż** *m* tonnage
**tonąć** *vi* drown, be drowned; (*o okręcie*) sink
**toniczny** *adj* tonic
**toń** *f* depth, *poet.* deep
**topaz** *m* topaz
**topić** *vt* drown, sink; (*roztapiać*) melt, fuse; ~ **się** *vr* drown, be drowned, sink; (*roztapiać się*) melt (away)
**topiel** *f* whirlpool, abyss (of water), gulf
**topielec** *m* drowned man
**topliwy** *adj* fusible
**topnieć** *vi* melt
**topografia** *f* topography
**topola** *f bot.* poplar
**toporek** *m* hatchet
**topór** *m* axe
**tor** *m* track; *wojsk.* (*pocisku*) trajectory; ~ **boczny** side-track; ~ **główny** main-track; ~ **kolejowy** railway-track; ~ **wyścigowy** race-track
**torba** *f* bag
**torebka** *f* (hand-)bag

**torf** *m* peat
**torfowisko** *n* peat-bog
**tornister** *m* knapsack; (*szkolny*) satchel
**torować** *vt* clear; *przen.* ~ **komuś drogę** pave the way for sb
**torpeda** *f* torpedo
**torpedować** *vt* torpedo
**torpedowiec** *m* (*statek*) torpedo-boat; (*samolot*) torpedo-plane
**tors** *m* torso
**tort** *m* fancy-cake; (*przekładany*) layer-cake
**tortur|a** *f* torture; **brać na ~y** put to torture
**torturować** *vt* torture
**totalizator** *m* totalisator; ~ **sportowy** pool
**totalitarny** *adj* totalitarian
**totalny** *adj* total
**towar** *m* article, commodity; **~y** *pl* goods; **~y codziennego użytku** consumers' ⟨consumer⟩ goods; *pot.* **~y chodliwe** marketable goods
**towarowy** *adj*, **dom** ~ department store; **pociąg** ~ goods-train, *am.* freight train
**towaroznawstwo** *n* knowledge of mercantile wares
**towarzyski** *adj* social
**towarzystwo** *n* society, company
**towarzysz** *m* comrade, companion
**towarzyszyć** *vi* accompany (**komuś** sb)
**tożsamoś|ć** *f* identity; **dowód ~ci** identity card
**tracić** *vt* lose; (*zadawać śmierć*) execute
**tracz** *m* sawyer
**tradycja** *f* tradition
**tradycjonalizm** *m* traditionalism
**tradycyjny** *adj* traditional
**traf** *m* chance, accident; **~em** by chance, accidentally
**trafiać** *vi* hit (**w coś** sth; **na coś, kogoś** on ⟨upon⟩ sth, sb); **nie** ~ miss, fail; ~ **do przekonania** convince; **na chybił trafił** at a guess, at random; ~ **się** *vr* happen
**trafność** *f* aptness, pertinence, accuracy
**trafny** *adj* (*o strzale*) well-hit; (*odpowiedni*) just, exact; (*o odpowiedzi*) suitable; (*o sądzie, uwadze itp.*) pertinent, to the point
**tragarz** *m* porter
**tragedia** *f* tragedy
**tragiczny** *adj* tragic
**tragikomedia** *f* tragicomedy
**tragizm** *m* tragedy, the tragic
**trakcja** *f* traction
**trak|t** *m* highroad; tract; (*przebieg*) course; **w ~cie działania** in course of action
**traktat** *m* (*układ*) treaty; (*rozprawa*) treatise, tract; ~ **pokojowy** peace treaty
**traktor** *m* tractor; ~ **gąsienicowy** caterpillar-tractor
**traktorzysta** *m* tractor-driver
**traktować** *vt* handle, treat (**kogoś, coś** sb, sth)
**tramwaj** *m* tram, tramway, *am.* street car; **jechać ~em** go by tram
**tran** *m* cod-liver oil; ~ **wielorybi** whale-oil
**trans** *m* trance
**transakcja** *f* transaction
**transatlantycki** *adj* transatlantic
**transformator** *m* transformer
**transfuzja** *f* transfusion
**transkrybować** *vt* transcribe
**transmisja** *f* transmission
**transmitować** *vt* transmit
**transparent** *m* banner, streamer; (*przezrocze*) transparency
**transport** *m* transport; (*środek przewozowy*) conveyance
**transportować** *vt* transport, convey
**tranzyt** *m* transit
**trapez** *m* *mat.* trapezium; *sport* trapeze
**trapić** *vt* vex, molest, pester; ~ **się** *vr* worry, grieve (**czymś** about sth)
**trasa** *f* route, track; ~ **podróży** itinerary
**trasant** *m* *handl.* drawer
**trasat** *m* *handl.* drawee
**trasować** 1. *vt* trace
**trasować** 2. *vt* *handl.* draw

**trata** *f handl.* draft
**tratować** *vt* trample
**tratwa** *f* raft
**trawa** *f* grass
**trawić** *vt* digest; (*spędzać czas*) waste, expend; *techn.* etch; (*zżerać*) consume, fret
**trawienie** *n* digestion; (*zżeranie*) etching; consumption
**trawnik** *m* lawn, grassplot
**trąba** *f* trumpet; (*słonia*) trunk; (*powietrzna*) whirlwind
**trąbić** *vi* trumpet
**trąbka** *f muz.* trumpet; (*zwój*) roll
**trącać** *vt* push, jostle; (*łokciem*) elbow; ~ **się** *vr* knock, jostle; *kieliszkiem*) clink
**trącić** *zob.* **trącać**; *vi* (*pachnieć*) smell (**czymś** of sth)
**trąd** *m med.* leprosy
**trefl** *m* (*karty*) club(s)
**trema** *f* fear, *pot.* jitters *pl*
**tren** 1. *m lit.* elegy, threnody
**tren** 2. *m* (*u sukni*) trail; train
**trener** *m* trainer, coach
**trening** *m* training, coaching
**trenować** *vt* train, coach; *vi* train, practise
**trepanacja** *f med.* trepanation
**trepy** *s pl* sandals
**tresować** *vt* train, drill; (*konia*) break in
**tresura** *f* training
**treściwy** *adj* concise, compendious
**treść** *f* content; (*zawartość książki*) contents *pl*
**trębacz** *m* trumpeter
**trędowaty** *adj* leprous; *s m* leper
**triumf** *m* triumph
**triumfować** *vi* triumph
**trochę** *adv* a little, a few; **ani ~** not a little, not a bit
**trociny** *s pl* sawdust
**trofe|um** *n* trophy, *zw. pl* **~a** trophies
**trojaczki** *s pl* triplets
**trojaki** *adj* triple
**troje** *num* three
**trok** *m* strap, *zw. pl* **~i** straps
**trolejbus** *m* trolley-bus
**tron** *m* throne; **wstąpić na ~** come to the throne; **złożyć z ~u** dethrone
**trop** *m* track, trace
**tropić** *vt* trace; (*śledzić*) shadow
**tropikalny** *adj* tropical
**troska** *f* care, anxiety
**troskliwy** *adj* careful (**o kogoś, coś** of sb, sth); attentive (**o kogoś, coś** to sb, sth)
**troszczyć się** *vr* trouble, be anxious (**o kogoś, coś** about sb, sth)
**trotuar** *m* pavement, *am.* side-walk
**trójbarwny** *adj* three-coloured
**trójca** *f* trinity
**trójka** *f* three
**trójkąt** *m* triangle
**trójkątny** *adj* triangular
**truchleć** *vi* tremble for fear, be chilled with dread
**truciciel** *m* poisoner
**trucizna** *f* poison
**truć** *vt* poison
**trud** *m* pains *pl*, toil; **zadawać sobie ~** take pains
**trudnić się** *vr* be engaged (**czymś** in sth), occupy oneself (**czymś** with sth), work (**czymś** at sth)
**trudno** *adv* with difficulty, hard; (*ledwie*) hardly; **~ mi powiedzieć** I can hardly say; **~ to zrozumieć** it is hard to understand
**trudność** *f* difficulty
**trudny** *adj* difficult, hard
**trudzić** *vt* fatigue, trouble; **~ się** *vr* take pains, toil
**trujący** *adj* poisonous
**trumna** *f* coffin
**trunek** *m* drink
**trup** *m* corpse, dead body; **paść ~em** drop dead
**trupa** *f teatr* company, troupe
**trupi** *adj* cadaverous; **~a główka** death's head
**truskawka** *f* strawberry
**trust** *m* trust
**truteń** *m zool.* drone
**trutka** *f* poisonous bait
**trwać** *vi* last, persist
**trwale** *adv* fast, firmly

**trwałość** *f* durability, fastness
**trwały** *adj* durable, lasting, permanent, fast
**trwoga** *f* fright, awe
**trwonić** *vt* waste, squander
**trwożliwy** *adj* timid
**trwożyć** *vt* alarm; ~ **się** *vr* feel alarmed (**czymś** at sth); be in fear (**czymś** of sth); (*niepokoić się*) be anxious (**o coś** about sth)
**tryb** *m* mode, manner, course; *gram.* mood; *techn.* cog, gear *zbior.*; ~ **życia** mode of life
**trybun** *m* tribune
**trybuna** *f* platform; (*np. na wyścigach*) stand
**trybunał** *m* tribunal
**trychina** *f zool.* trichina
**trychinoza** *f med.* trichinosis
**trygonometria** *f* trigonometry
**trykot** *m* tricot, undershirt
**trykotaże** *s pl* hosiery
**trykotowy** *adj* knitted, tricot *attr*
**trylion** *num bryt.* trillion; *am.* quintillion
**tryskać** *vi* spurt, spout; (*o krwi, łzach*) gush; (*dowcipem*) sparkle
**trywialność** *f* triviality
**trywialny** *adj* trivial
**trzask** *m* crack, crash
**trzaskać** *vi* crack (**z bicza** the whip); crash, bang (**drzwiami** the door)
**trząść** *vt vi* shake; ~ **się** *vr* shake; tremble; (*z zimna*) shiver
**trzcina** *f* reed, cane; ~ **cukrowa** sugar-cane
**trzeba** *v imp* it is necessary; ~ **ci wiedzieć** you ought to know; ~ **to było zrobić** I ought to have done it; ~ **na to dużo pieniędzy** this requires much money; ~ **mi czasu ⟨pieniędzy⟩** I need time ⟨money⟩
**trzebić** *vt* clear
**trzeci** *num* third
**trzeć** *vt* rub
**trzepaczka** *f* dusting-brush; (*do dywanów*) carpet-beater
**trzepać** *vt* dust; (*dywan*) beat; shake
**trzepotać** *vi* flap (**skrzydłami** the wings); ~ **się** *vr* flutter
**trzeszczeć** *vi* crackle
**trzewia** *s pl* bowels
**trzewik** *m* shoe
**trzeźwić** *vt* sober, make sober, refresh
**trzeźwieć** *vi* sober, become sober
**trzeźwość** *f* sobriety
**trzeźwy** *adj* sober
**trzęsawisko** *n* quagmire
**trzęsienie** *n* trembling, shaking; ~ **ziemi** earthquake
**trzmiel** *m zool.* bumble-bee
**trzoda** *f* herd, flock; ~ **chlewna** swine *zbior.*
**trzon** *m* (*podstawowa część*) substance; (*rękojeść*) handle, hilt; *techn.* shaft, stem
**trzonowy** *adj* molar; **ząb** ~ molar
**trzustka** *f anat.* pancreas
**trzy** *num* three
**trzydziesty** *num* thirtieth
**trzydzieści** *num* thirty
**trzykrotny** *adj* threefold
**trzyletni** *adj* three years old, three-years'
**trzymać** *vt* hold, keep; ~ **język za zębami** hold one's tongue; ~ **kogoś za słowo** keep sb to his word; ~ **za rękę** keep by the hand; ~ **z kimś** side with sb; ~ **w szachu** checkmate; ~ **się** *vr* keep (oneself); hold out; ~ **się czegoś** keep to sth, hold to sth, *przen.* abide by sth; ~ **się dobrze** keep well; ~ **się razem** hold together, *pot.* stick together; ~ **się w pobliżu** keep close (**czegoś** to sth); ~ **się z dala** keep away, keep aloof (**od kogoś** from sb)
**trzynasty** *num* thirteenth
**trzynaście** *num* thirteen
**trzysta** *num* three hundred
**tu** *adv* here
**tuba** *f* tube; speaking-trumpet
**tubka** *f* tube
**tubylczy** *adj* indigenous, native
**tuczny** *adj* fat, fattened
**tuczyć** *vt* fatten; ~ **się** *vr* fatten, grow fat

**tulejka** *f* bushing; (*pochewka, gniazdko*) socket
**tulić** *vt* hug, fondle; ~ **się** *vr* hug, cuddle together
**tulipan** *m bot.* tulip
**tułacz** *m* wanderer
**tułaczka** *f* wandering
**tułać się** *vr* wander
**tułów** *m* trunk (of the body)
**tuman** *m* dust-cloud; *pot.* (*głupiec*) blockhead
**tunel** *m* tunnel
**tunika** *f* tunic
**tupać** *vi* stamp (**nogami** one's feet)
**tupet** *m* self-assurance
**turban** *m* turban
**turbina** *f* turbine
**Turczynka** *f* Turkish woman
**turecki** *adj* Turkish
**Turek** *m* Turk
**turkot** *m* rattle
**turkus** *m* turquoise
**turniej** *m* tournament
**turnus** *m* turn
**turysta** *m* tourist
**turystyczn|y** *adj* tourist; **samochód** ~**y** touring car; **biuro** ~**e** tourist agency
**tusz** *m* Indian ink; (*prysznic*) shower-bath
**tusz|a** *f* corpulence; stoutness
**tutaj** *adv* here
**tuzin** *m* dozen
**tuż** *adv* near by
**twardnieć** *vi* harden
**twardo** *adv* hard; **jajko na** ~ hard-boiled egg
**twardość** *f* hardness
**twardy** *adj* hard; (*np. o mięsie*) tough
**twaróg** *m* (cheese-)curds *pl*
**twarz** *f* face; **rysy** ~**y** features; **dostać w** ~ be slapped on the face; **jej jest z tym do** ~**y** this suits her; **uderzyć kogoś w** ~ slap sb's face; **zmieniać się na** ~**y** change one's countenance; ~**ą w** ~ face to face
**twierdza** *f* stronghold
**twierdząco** *adv* affirmatively, in the affirmative
**twierdzący** *adj* affirmative
**twierdzenie** *n* affirmation, assertion; *mat.* theorem
**twierdzić** *vi vt* affirm, assert, maintain
**tworzenie** *n* creation; ~ **się** formation, origin
**tworzyć** *vt* create; form; ~ **się** *vr* form, be formed, arise, rise
**tworzywo** *n* material; (*sztuczne*) plastic
**twój** *pron* your, yours
**twór** *m* creation, creature, piece of work, product
**twórca** *m* creator, author, maker
**twórczość** *f* creation, creative power, production
**twórczy** *adj* creative
**ty** *pron* you
**tyczka** *f* pole, perch
**tyczy|ć się** *vr* concern, regard; **co się** ~ as for, concerning
**tyć** *vi* grow fat, put on weight
**tydzień** *m* week; **dwa tygodnie** fortnight; **za** ~ in a week's time; **od dziś za** ~ this day week
**tyfus** *m med.* typhus; ~ **brzuszny** enteric fever
**tygiel** *m* melting-pot, crucible
**tygodnik** *m* weekly
**tygodniowo** *adv* weekly
**tygodniowy** *adj* weekly
**tygrys** *m zool.* tiger
**tyka** *f* perch, pole
**tykać** *vi* (*o zegarze*) tick
**tykwa** *f bot.* gourd
**tyle** as much ⟨many⟩, so much ⟨many⟩
**tylekroć** *adv* so ⟨as⟩ many
**tylko** *adv* only, solely; ~ **co** just now; **skoro** ~ as soon as
**tyln|y** *adj* back, hind, posterior; ~**a straż** rearguard; ~**e światło** rear-light
**tył** *m* back, rear; **obrócić** ~**em** turn back; **obrócić się** ~**em** turn one's back (**do kogoś** on sb); **do** ~**u** back, backward(s); **z** ~**u** (from) behind
**tym** *w zwrotach:* ~ **więcej** all the more; **im... tym...** the... the...; **im**

**więcej, ~ lepiej** the more the better
**tymczasem** *adv* meanwhile, in the meantime
**tymczasowość** *f* temporariness, provisional state
**tymczasowy** *adj* temporary, provisional
**tymianek** *m bot.* thyme
**tynk** *m* plaster
**tynkować** *vt* plaster
**typ** *m* type; character
**typować** *vt* mark out, destine; *sport* rate
**typowy** *adj* typical
**tyrada** *f* tirade
**tyran** *m* tyrant
**tyrania** *f* tyranny
**tyrański** *adj* tyrannical
**tysiąc** *num* thousand
**tysiąclecie** *n* millenary, millennium
**tysięczny** *num* thousandth
**tytan** *m* titan; *chem.* titanium
**tytoń** *m* tobacco
**tytularny** *adj* titular(y)
**tytuł** *m* title; **z jakiego ~u?** on what ground?
**tytuł|ować** *vt* entitle; address; **~ują go doktorem** he is spoken to as doctor
**tytułow|y** *adj* title *attr*; **strona ~a** title-page

# U

**u** *praep* at, by, beside, with; **u jego boku** by his side; **u krawca** at the tailor's; **u nas w kraju** in this ⟨our⟩ country; **u Szekspira** in Shakespeare; **tu u dołu** down here; **tu u góry** up here; **mam u niego pieniądze** he owes me money; **mieszkam u niego** I stay with him; **zostań u nas** stay ⟨live⟩ with us
**ubawić** *vt* amuse; **~ się** *vr* amuse oneself, have much amusement
**ubezpieczać** *vt* insure **(od ognia** against fire), assure, secure; **~ się** *vr* insure oneself; **~ się na życie** insure one's life
**ubezpieczalnia** *f* (*instytucja*) National Insurance Centre; (*system*) National Health Insurance; (*przychodnia*) dispensary
**ubezpieczenie** *n* insurance, assurance; **~ na życie** life insurance; **~ od ognia** fire insurance; **~ społeczne** National Insurance Scheme; **~ na wypadek choroby** insurance against health risks
**ubezpieczeniow|y** *adj*, **polisa ~a** insurance-policy; **agent ~y** insurance agent
**ubić** *vt* batter ⟨ram⟩ down; kill; (*jajka, śmietanę*) beat; **~ interes** *pot.* strike a bargain
**ubiec** *vt vi* escape, run; (*o czasie*) pass; elapse; (*wyprzedzić*) get the start **(kogoś** of sb); (*uprzedzić*) forestall, anticipate
**ubiegać** *zob.* **ubiec; ~ się** *vr* contend **(o coś** for sth), solicit **(o coś** sth), compete **(o coś** for sth)
**ubiegły** *adj* past, last
**ubierać** *vt* dress, clothe; **~ się** *vr* dress, be clothed
**ubijać** *zob.* **ubić**
**ubikacja** *f* water-closet, W.C., lavatory
**ubiór** *m* dress, attire
**ubliżać** *vi* offend, disparage **(komuś** sb)
**ubliżający** *adj* offensive
**uboczn|e** *n*, **na ~u** out of the way
**ubocznie** *adv* incidentally
**uboczny** *adj* incidental, accessory; (*boczny*) lateral; **produkt ~** by-product

**ubogi** *adj* poor
**ubolewać** *vi* be sorry; feel sympathy (**nad kimś** for sb); deplore (**nad kimś, czymś** sb, sth)
**ubolewani|e** *n* sympathy, condolence; **godny ~a** deplorable
**ubożeć** *vi* get poor
**ubożyć** *vt* impoverish, pauperize
**ubój** *m* slaughter
**ubóstwiać** *vt* idolize, adore
**ubóstwianie** *n* idolatry, adoration
**ubóstwo** *n* poverty
**ubóść** *vt* gore; *przen.* (*urazić*) hurt
**ubrać** *zob.* **ubierać**
**ubranie** *n* clothes *pl*, dress; (*dekoracja*) decoration
**ubytek** *m* decrease
**ubywać** *vi* decrease, diminish
**uch|o** *n* ear; (*uchwyt*) handle; (*igły*) eye; *przen.* **nadstawiać ~a** prick up one's ears; **słyszeć na własne uszy** hear with one's own ears; **puszczać mimo uszu** turn a deaf ear; **zakochać się po uszy** be in love head over heels; **po uszy w długach** over head and ears in debts
**uchodzi|ć** *vi* go away, escape, flee; pass (**za kogoś** for sth); **to nie ~** it is not becoming
**uchodźca** *m* refugee, emigrant
**uchodźstwo** *n* emigration, exile
**uchować** *vt* preserve, save
**uchronić** *vt* safeguard, protect; **~ się** *vr* protect oneself
**uchwalać** *vt* decree, (*ustawę*) enact; (*powziąć*) carry; **~ przez aklamację** carry by acclamation
**uchwała** *f* decision, resolution
**uchwyt** *m* handle
**uchybiać** *vi* fail (np. **obowiązkom** to do one's duty); offend (np. **czyjejś czci** sb's honour); transgress (**prawu** the law)
**uchybienie** *n* fault; offence
**uchylać** *vt* put aside, remove; (*kapelusza*) raise, lift; (*uchwałę itp.*) abolish, repeal; **~ się** *vr* avoid (**od czegoś, kogoś** sth, sb); (*stronić*) shun (**od czegoś, kogoś** sth, sb); shirk (**od obowiązku, odpowiedzialności** responsibility, duty)
**uciążliwość** *f* difficulty, charge, importunity
**uciążliwy** *adj* burdensome, difficult, onerous
**uciecha** *f* pleasure, delight, joy
**ucieczk|a** *f* flight, escape; **ratować się ~ą** flee for life; **zmusić do ~i** put to flight
**uciekać** *vi* flee, fly, escape; **~ się** *vr* resort, have recourse
**uciekinier** *m* fugitive; deserter
**ucieleśniać** *vt* embody
**ucieleśnienie** *n* embodiment
**ucierać** *vt* rub; (*ścierać*) wipe off; (*rozcierać*) grind
**ucieszny** *adj* funny
**ucieszy|ć** *vt* delight, gladden, make glad; **~ć się** *vr* be ⟨become⟩ glad (**czymś** of ⟨at⟩ sth), find pleasure (**czymś** in sth); **~łem się na jego widok** I was glad to see him
**ucinać** *vt* cut (off)
**ucisk** *m* pressure, oppression
**uciskać** *vt* press, oppress; (*np. o bucie*) pinch
**uciszyć** *vt* appease, calm; silence; **~ się** *vr* calm down; become silent
**uciśniony** *adj* oppressed
**uczciwość** *f* honesty
**uczciwy** *adj* honest
**uczelnia** *f* school, university
**uczennica** *f* school-girl, pupil
**uczeń** *m* school-boy, pupil
**uczepić** *vt* hang on, append, fasten; **~ się** *vr* hang on, become attached (**czegoś** to sth)
**uczesanie** *n* hair-do, hairdressing
**uczestnictwo** *n* participation
**uczestniczyć** *vi* participate, take part
**uczestnik** *m* participant, partner; (*przestępstwa*) accomplice
**uczęszczać** *vi* frequent; attend (np. **na wykłady** lectures); **~ do szkoły** go to school
**uczoność** *f* erudition, learning
**uczony** *adj* erudite, learned; *s m* scholar, erudite
**uczta** *f* feast

**ucztować** *vi* feast
**uczucie** *n* feeling, sentiment; (*doznanie*) sensation; (*przywiązanie*) affection
**uczuciowość** *f* sensibility
**uczuciowy** *adj* sensitive, emotional
**uczulać** *vt* make sensitive; *med. fot.* sensitize
**uczy|ć** *vt vi* teach (**kogoś** sb, **czegoś** sth), instruct (**kogoś** sb, **czegoś** in sth); **~ć się** *vr* learn (np. **angielskiego** English); **jak dawno ~sz się angielskiego?** how long have you been learning English?
**uczyn|ek** *m* deed, act; **złapać na gorącym ~ku** catch red-handed
**uczynność** *f* kindness, obligingness
**uczynny** *adj* obliging, kind
**uda|ć** *zob.* **udawać**; **robota mu się nie ~ła** his work was not a success; **~ł mu się jego plan** he succeeded in his plan; **~ło mi się to zrobić** I have succeeded ⟨I have been successful⟩ in doing it; **jego plany nie ~ły się** all his plans have failed; **~ło mi się zdać egzamin** I was successful in passing the examination
**udar** *m* stroke; *med.* apoplexy; **~ słoneczny** sunstroke
**udaremnić** *vt* frustrate, baffle
**udatny** *adj* felicitous, well-turned, fine
**udawać** *vt* feign, pretend, assume, sham; **~ chorobę** sham ⟨pretend⟩ sickness; **~ się** *vr* (*iść*) go, proceed, resort, make one's way; (*zwrócić się*) apply (**do kogoś** to sb, **w sprawie czegoś** for sth); (*poszczęścić się*) be successful, succeed, be a success
**uderzać** *vt* strike, hit; attack; **~ pięścią w stół** strike one's fist on the table
**uderzenie** *n* blow, strike; (*np. wiosłem, rakietą*) stroke; attack; **za jednym ~m** at one stroke
**udo** *m* thigh
**udogodnić** *vt* make convenient, facilitate
**udogodnienie** *n* convenience, facilitation
**udoskonalić** *vt* bring to perfection
**udostępnić** *vt* make accessible
**udowodnić** *vt* prove; (*wykazać*) show
**udręczenie** *n* vexation, distress
**uduchowienie** *n* spiritualization; inspiration
**udusić** *vt* strangle, suffocate; (*potrawę*) stew; **~ się** *vr* be choked, become suffocated
**uduszenie** *n* suffocation, strangulation
**udział** *m* share; part; (*w przestępstwie*) complicity; (*los, dola*) lot; **brać ~** take part
**udziałowiec** *m* partner, share-holder
**udzielać** *vt* give, impart, communicate; (*użyczać*) grant; **~ nagany** reprimand; **~ się** *vr* be imparted; spread; (*obcować*) communicate; (*o chorobie*) be contagious
**udzielenie** *n* communication, imparting, giving; (*pozwolenia, pożyczki itp.*) grant
**udzielny** *adj* independent, sovereign
**ufać** *vi* trust (**komuś** sb, in ⟨to⟩ sb), confide (**komuś** in sb)
**ufność** *f* confidence
**ufny** *adj* confident, (*pewny siebie*) self-confident
**uganiać się** *vr* run (**za czymś** after sth)
**uginać** *vt* bend, bow; **~ się** *vr* bow down; (*np. o podłodze*) give in; *przen.* (*pod ciężarem*) strain
**ugłaskać** *vt* wheedle, coax
**ugniatać** *vt* knead; press; (*ziemniaki*) mash
**ugoda** *f* agreement
**ugodowy** *adj* conciliatory
**ugodzić** *vt* hit; *zob.* **godzić**
**ugór** *m* fallow; **leżeć ugorem** lie fallow
**ugruntować** *vt* consolidate
**ugryźć** *vt* bite
**ugrząźć** *vi* stick
**uiścić** *vt* (*dług*) acquit, pay
**ujadać** *vi* bay

**ujarzmić** *vt* subjugate, subdue
**ujawnić** *vt* reveal, disclose
**ująć** *vt* (*objąć*) seize, grasp; (*myślą*) conceive; (*sformułować*) formulate; (*zjednać*) win, captivate; (*odjąć*) deduct, take away; **~ się** *vr* intercede (**za kimś** in sb's cause), take (**za kimś** sb's part)
**ujednostajnić** *vt* make uniform, standardize
**ujemny** *adj* negative, unfavourable; (*bilans*) adverse, unfavourable
**ujeżdżać** *vt* (*konia*) break in
**ujęcie** *n* seizure, grasp; (*sformułowanie*) expression
**ujma** *f* disparagement, discredit
**ujmować** *vt zob.* **ująć**; *przen.* (*przynosić ujmę*) disparage
**ujmujący** *adj* winning, prepossessing
**ujrzeć** *vt* see, perceive
**ujście** *n* escape; (*rzeki*) mouth; *przen.* **znaleźć ~** find a vent ⟨an outlet⟩
**ujść** *zob.* **uchodzić; ~ czyjejś uwagi** escape sb's notice
**ukamienować** *vt* stone to death
**ukartować** *vt* concert; (*podstępnie*) plot, conspire
**ukartowan\|y** *adj* concerted; **~a sprawa** put-up affair
**ukazywać** *vt* show; **~ się** *vr* appear, show
**ukąsić** *vt* bite
**ukąszenie** *n* bite; (*rana*) bite
**układ** *m* disposition; (*ułożenie*) arrangement; (*umowa*) agreement; (*plan*) scheme; (*system*) system; (*rozmieszczenie geogr., terenowe itp.*) configuration, layout; **~y** *pl* (*pertraktacje*) negotiations; **wchodzić w ~y** enter into negotiations (**z kimś w sprawie czegoś** with sb for sth)
**układać** *vt* arrange, dispose; (*np. posadzkę*) lay; (*drzewo, siano itp.*) stack; (*porządkować*) put in order; (*pertraktować w sprawie warunków*) negotiate the terms; (*np. tekst, opowiadanie*) compose, set down; (*planować, ustalać*) make; **~ się** *vr* settle down; come all right; (*zgadzać się*) agree, come to an arrangement ⟨agreement⟩
**układny** *adj* well-mannered, polite
**ukłon** *m* bow; **~y** *pl* (*pozdrowienia*) regards, respects, *zob.* **pokłon**
**ukłonić się** *vr* bow (**komuś** to sb)
**ukłucie** *n* prick, puncture, sting
**ukłuć** *vt* prick, sting
**ukochać** *vt* take a liking (**kogoś, coś** for sb, sth), become fond (**kogoś, coś** of sb, sth)
**ukochany** *adj* beloved, dear, favourite
**ukoić** *vt* soothe, relieve
**ukojenie** *n* relief, alleviation
**ukończenie** *n* completion; (*wyższych studiów ze stopniem*) graduation
**ukończyć** *vt* complete, finish; (*studia wyższe*) graduate
**ukos** *m* slant, obliquity; **na ~** aslant; **patrzeć z ~a** look askance
**ukośny** *adj* oblique
**ukradkiem** *adv* furtively, stealthily
**Ukrainiec** *m* Ukrainian
**ukraiński** *adj* Ukrainian
**ukraść** *vt* steal, (*porwać*) snatch
**ukręcić** *vt* twist, wring
**ukrop** *m* boiling water
**ukrócić** *vt* repress, check
**ukrycie** *n* concealment, hiding-place
**ukryty** *adj* hidden; disguised; secret; obscure
**ukrywać** *vt* conceal, hide (**przed kimś, czymś** from sb, sth); cover; disguise; suppress; **~ się** *vr* hide (oneself), conceal oneself; cover oneself
**ukształtować** *vt* shape, form
**ukwiecić** *vt* adorn, embellish with flowers
**ul** *m* beehive

**ula|ć** *vt* pour out; *techn.* cast, mould; *pot.* **pasuje jak ~ł ⟨~ny⟩** fits to a miracle

**ulatniać się** *vr* evaporate, volatilize

**ulatywać** *vi* fly up, soar up

**uleczalny** *adj* curable

**uleczyć** *vt* cure, heal (**z czegoś** of sth)

**ulega|ć** *vi* give way, yield, succumb (**komuś** to sb); (*podporządkować*) submit; undergo (**czemuś** sth); **nie ~ wątpliwości** this is beyond all doubts; **~ć czyimś wpływom** be influenced by sb, undergo sb's influence; **~ć pokusie** yield to temptation; **~ć zepsuciu** be subject to deterioration; **~ć zmianie** undergo a change; **~ć zwłoce** be delayed

**uległość** *f* submission, submissiveness

**uległy** *adj* submissive

**ulepszać** *vt* better, improve

**ulepszenie** *n* betterment, improvement

**ulewa** *f* downpour

**ulewny** *adj* pouring; **~ deszcz** downpour

**ulg|a** *f* relief, ease; (*ułatwienie, zniżka*) facility; **doznać ~i** be relieved, feel relief; **sprawić ~ę** relieve, alleviate

**ulgowy** *adj* reduced

**ulic|a** *f* street; **iść ~ą** go down ⟨up⟩ the street; **boczna ~a** by-street

**uliczka** *f* lane; **boczna ~** by-lane

**ulicznica** *f* streetwalker

**ulicznik** *m* street-boy

**ulotka** *f* leaflet, (*uliczna*) handbill

**ulotnić się** *zob.* **ulatniać się**

**ulotny** *adj* (*zmienny*) volatile; (*przemijający*) passing, transitory

**ultimatum** *n* ultimatum; **postawić ~** deliver an ultimatum

**ultrafioletowy** *adj* ultraviolet

**ultramaryna** *f* ultramarine

**ulubieniec** *m* favourite; darling

**ulubiony** *adj* favourite, beloved

**ulży|ć** *vi* relieve (**komuś** sb); (*złagodzić np. ból*) alleviate; **~ć sumieniu** ease sb's conscience; *pot.* **~ło mi** I'm feeling relieved, I felt relieved

**ułamać** *vt* break off

**ułamek** *m* fragment; *mat.* fraction

**ułamkowy** *adj* fragmentary; *mat.* fractional

**ułan** *m hist.* uhlan

**ułaskawić** *vt* pardon

**ułaskawienie** *n* pardon

**ułatwić** *vt* facilitate, make easier

**ułatwienie** *n* facilitation

**ułomność** *f* infirmity, disability

**ułożenie** *n* arrangement, composition; (*dobre wychowanie*) good manners *pl*

**ułożony** *pp* composed; *adj* well-mannered

**ułożyć** *vt* arrange, put in order; *zob.* **układać**

**ułuda** *f* illusion, delusion

**ułudny** *adj* illusive, delusive

**umacniać** *vt* fortify, confirm; (*utrwalać*) strenghten; **~ się** *vr* consolidate; **~ się w przekonaniu** be confirmed

**umarły** *adj i sm* deceased, dead

**umartwiać** *vt* mortify

**umartwienie** *n* mortification

**umawiać się** *vr* make an arrangement ⟨an appointment⟩; agree (**co do czegoś** on ⟨upon⟩ sth); **~ z kimś** arrange with sb (**co do czegoś** about sth); **~ co do dnia** fix the day; **~ co do spotkania** make a date; **~ o cenę** settle the price

**umeblowanie** *n* furniture

**umiar** *m* moderation

**umiarkowanie** *n* moderation; (*wstrzemięźliwość*) temperance

**umiarkowany** *adj* moderate; (*wstrzemięźliwy*) temperate; (*o cenach*) reasonable

**umie|ć** *vt vi* know, be able, **~m czytać i pisać** I know how to read and write; **czy ~sz czytać?** can you read?; **czy ~sz po angielsku?** do you speak English?;

czy **~sz to na pamięć?** do you know it by heart?
**umiejętność** *f* science; *(zdolność, wprawa)* skill
**umiejscowić** *vt* locate, localize
**umiejscowienie** *n* localization
**umierać** *vi* die (**z choroby, głodu** of an illness, of starvation; **od rany** of a wound); **~ śmiercią naturalną** die a natural death; *przen.* **~ ze strachu ⟨ciekawości⟩** die of fear ⟨curiosity⟩
**umieszczać** *vt* place, locate, put; *(np. ogłoszenie)* put up, set up; *(w gazecie)* insert
**umilać** *vt* render agreeable, make pleasant
**umiłować** *vt* become fond (**coś** of sth)
**umiłowany** *adj* beloved, favourite
**umizgać się** *vr (zalecać się)* court, woo (**do kogoś** sb); *(przymilać się)* blandish, wheedle (**do kogoś** sb)
**umizgi** *s pl (zaloty)* courtship, wooing; *(przymilanie się)* blandishment(s)
**umknąć** *vi* escape
**umniejszać** *vt* diminish, lessen
**umocnić** *vt zob.* umacniać
**umocnieni|e** *n* fixing, consolidation; *pl* **~a** *wojsk.* fortifications, fieldworks
**umocować** *vt* fasten, fix
**umoralnić** *vt* render moral, moralize
**umorzenie** *n* sinking, amortization
**umorzyć** *vt* sink, amortize
**umowa** *f* agreement, contract; convention
**umowny** *adj* conventional
**umożliwiać** *vt* enable; make possible
**umówić się** *zob.* umawiać się
**umundurować** *vt* put in uniform
**umundurowanie** *n* supply of uniforms; dressing in uniforms; uniforms *pl* (of soldiers etc.)
**umycie** *n* washing
**umyć** *vt* wash; **~ się** *vr* wash, *(dokładnie)* wash oneself
**umykać** *vi* escape; fly away, flit (away)
**umy|sł** *m* mind; **przytomność ~słu** presence of mind; **zdrowy na ~śle** of sound mind
**umysłowość** *f* mentality
**umysłowy** *adj* mental, intellectual; **pracownik ~** intellectual worker
**umyślnie** *adv* on purpose, intentionally
**umyślny** *adj* intentional; *(specjalny)* special, express
**umywalka** *f*, **umywalnia** *f* wash-basin, *am.* wash-bowl
**unaocznić** *vt* demonstrate, make evident
**unarodowić** *vt* nationalize
**unarodowienie** *n* nationalization
**uncja** *f* ounce
**unia** *f* union
**unicestwić** *vt* annihilate
**uniemożliwić** *vt* make impossible
**unieruchomić** *vt* immobilize
**uniesienie** *n (gniew)* burst of passion, fit of anger; *(zachwyt)* enchantment, ecstasy
**unieszczęśliwić** *vt* make unhappy
**unieszkodliwić** *vt* render harmless
**unieść** *vt* lift, carry up ⟨away⟩; **~ się** *vr* (*w górę*) soar up; *(zachwycić się)* become enraptured; **~ się gniewem** fly into a passion
**unieważnić** *vt* annul, nullify, invalidate
**unieważnienie** *n* annulment, nullification, invalidation
**uniewinnić** *vt* acquit (**kogoś od czegoś** sb of sth), *(uwolnić)* exonerate (**kogoś od czegoś** sb from sth)
**uniezależnić** *vt* make independent; **~ się** *vr* become independent (**od kogoś, czegoś** of sb, sth)
**unifikacja** *f* unification
**uniform** *m* uniform
**unikać** *vi* avoid (**kogoś, czegoś** sb, sth); *(stronić)* steer clear (**kogoś, czegoś** of sb, sth), shun
**unikat** *m* unique thing

**uniwersalny** *adj* universal
**uniwersytet** *m* university
**uniżoność** *f* humbleness
**uniżony** *adj* humble
**uniżyć** *vt*, **~ się** *vr* humble, humiliate
**unosić** *vt zob.* **unieść**; **~ się** *vr* (*o ciężarze*) heave; (*np. na falach*) float; (*wisieć w powietrzu*) hover
**uodpornić** *vt* make proof, immunize
**uogólnić** *vt* generalize
**uosabiać** *vt* impersonate, personify
**uosobienie** *n* impersonation, personification
**upadać** *vi* fall down, drop; **~ na duchu** be disheartened; **~ na kolana** drop on one's knees
**upadek** *m* fall
**upadłość** *f* bankruptcy
**upadł|y** *adj* fallen; *handl.* bankrupt; **do ~ego** to the utmost, *pot.* right to the bitter end; **pracować do ~ego** work oneself to death
**upajać** *zob.* **upoić**
**upalny** *adj* burning, torrid
**upał** *m* heat
**upamiętnić** *vt* render memorable
**upaństwowić** *vt* nationalize
**uparty** *adj* obstinate, stubborn
**upaść** *zob.* **upadać**
**upatrywać** *vt* watch for, track (**kogoś, coś** sb, sth); be on the look-out (**czegoś, coś** for sth); **~ sposobności** watch for one's opportunity; **~ sobie następcę** single out a successor
**upełnomocnić** *vt* empower, authorize
**upełnomocnienie** *n* power of attorney
**upewnić** *vt* assure, make sure (**o czymś** of sth); **~ się** *vr* make sure (**o czymś** of sth)
**upić się** *vr* get drunk
**upierać się** *vr* persist (**przy czymś** in sth)
**upiększenie** *n* embellishment, decoration
**upiększyć** *vt* embellish
**upiorny** *adj* ghostly, ghostlike
**upiór** *m* ghost
**upływ** *m* flow, discharge, flux; **~ czasu** lapse of time; **~ krwi** loss of blood
**upływać** *vi* flow away; (*o czasie*) pass, elapse; (*o terminie*) expire, elapse
**upodobanie** *n* liking (**do czegoś** for sth)
**upodobnić** *vt*, **~ się** *vr* assimilate, conform
**upoić** *vt* make drunk; intoxicate; inebriate; **~ się** *vr przen.* (*zachwycić się*) enravish, enrapture
**upojenie** *n* intoxication; *przen.* (*zachwyt*) ravishment, rapture
**upokorzenie** *n* humiliation
**upokorzyć** *vt* humiliate, humble; **~ się** *vr* humiliate oneself
**upominać** *vt* admonish, reprimand, scold; **~ się** *vr* claim (**o coś** sth)
**upominek** *m* souvenir, keepsake
**upomnienie** *n* admonition, warning
**uporać się** *vr* get through (**z czymś** with sth)
**uporczywość** *f* obstinacy
**uporczywy** *adj* obstinate, stubborn
**uporządkować** *vt* order, put in order, adjust; (*np. ubranie, pokój*) tidy up
**uposażenie** *n* endowment; (*pobory*) salary, pay
**uposażyć** *vt* endow
**upośledzenie** *n* (*fizyczne*) debility; (*umysłowe*) feeble-mindedness, mental handicap, debility
**upośledzić** *vt* wrong (by nature), debilitate
**upośledzony** *adj* debilitated; (*umysłowo*) mentally handicapped
**upoważnić** *vt* authorize, empower
**upoważnienie** *n* authorization
**upowszechniać** *vt* diffuse, generalize, bring into general use
**upowszechnienie** *n* diffusion
**upór** *m* obstinacy
**upragniony** *adj* desired

**upraszać** *vt* request
**upraszczać** *vt* simplify
**uprawa** *f* (*np. roli, zbóż itp.*) cultivation; (*pszczół, jedwabników, bakterii*) culture
**uprawiać** *vt* cultivate; grow; (*gimnastykę, sporty itp.*) practise, exercise; (*praktykę lekarską itp.*) profess
**uprawniać** *vt* legalize; entitle, authorize
**uprawnienie** *n* right, title; authorization
**uprawniony** *pp i adj* entitled, authoritative
**uprawny** *adj* cultivable
**uprawomocnić** *vt* legalize; ~ **się** *vr* come into force, *prawn.* become valid
**uprosić** *vt* obtain by entreaty; (*kogoś*) move by entreaty; *zob.* **upraszać**
**uprościć** *vt* simplify
**uprowadzenie** *n* ravishment, abduction
**uprowadzić** *vt* carry off; (*porwać*) ravish, abduct; (*dziecko*) kidnap
**uprzątać** *vt* remove; (*pokój*) tidy up
**uprząż** *f* harness
**uprzedni** *adj* previous
**uprzedzający** *adj* (*ujmujący*) prepossessing; (*uprzedzająco grzeczny*) obliging, complaisant
**uprzedzenie** *n* (*np. faktu, pytania*) anticipation; (*niechęć*) prejudice; (*ostrzeżenie*) warning
**uprzedzić** *vt* (*poprzedzić*) precede, come before; (*np. fakt, pytanie*) anticipate; (*zapobiec*) avert, prevent; (*ostrzec*) warn; (*ujemnie zainspirować*) prejudice; (*życzliwie usposobić*) prepossess; ~ **się** *vr* become predisposed, become prejudiced
**uprzejmość** *f* kindness; **przez** ~ by courtesy; **prosić o** ~ ask a favour (**kogoś** of sb)
**uprzejmy** *adj* kind, obliging; **bądź tak** ~ **i pomóż mi** be so kind as to help me
**uprzemysłowić** *vt* industrialize
**uprzemysłowienie** *n* industrialization
**uprzykrzyć** *vt* make unpleasant, render annoying; ~ **komuś życie** make life unbearable for sb; ~ **się** *vr* be fed up
**uprzystępnić** *vt* render accessible; facilitate
**uprzytomnić** *vt* bring home (**komuś coś** sth to sb); ~ **sobie** realize (**coś** sth)
**uprzywilejować** *vt* privilege
**upust** *m* letting off, outlet; vent; (*krwi*) bloodletting; (*wody*) drain, drainage, floodgate; **dać** ~ give vent (**czemuś** to sth)
**upuścić** *vt* drop, let fall
**upychać** *vt* stuff, pack
**urabiać** *vt* form, fashion; (*np. glinę, ciasto*) knead, work
**uraczyć** *vt* treat (**czymś** to sth)
**uradować** *vt* make glad, gladden; ~ **się** *vr* become glad (**czymś** at ⟨of⟩ sth)
**uradowany** *adj* glad, delighted
**uradzić** *vt* agree, decide
**uran** *m chem.* uranium
**uratować** *vt* save, rescue
**uraz** *m* (*fizyczny*) hurt, injury; (*moralny*) shock; *med.* complex
**uraza** *f* resentment, grudge
**urazić** *vt* hurt, injure, offend
**urągać** *vi* deride (**komuś** sb), scorn (**komuś** sb)
**urągowisko** *n* derision, scorn
**urlop** *m* leave (of absence); ~ **macierzyński** maternity leave; ~ **zdrowotny** sick leave; **ubiegać się o** ~ apply for leave; **na** ~**ie** on leave
**urna** *f* urn
**uroczy** *adj* charming
**uroczystość** *f* solemnity, festivity
**uroczysty** *adj* solemn, festive
**uroda** *f* beauty, good looks *pl*
**urodzaj** *m* abundance (of crops), good harvest
**urodzajność** *f* fertility
**urodzajny** *adj* fertile

**urodzeni|e** *n* birth; **z ~a** by birth
**urodzi|ć** *vt* beget, bear; **~ć się** *vr* be born; **~łem się w r. 1925** I was born in 1925
**urodziny** *s pl* birthday
**uroić** *vt*, **~ coś sobie** imagine, take sth into one's head
**urojenie** *n* fancy
**urojon|y** *adj* imaginary; *mat.* **liczba ~a** abstract number
**urok** *m* charm, fascination
**uronić** *vt* shed, drop, let fall
**urozmaiceni|e** *n* variety, diversity; **dla ~a** for variety's sake
**urozmaicić** *vt* vary, diversify
**urozmaicony** *adj* varied, variegated
**uruchomić** *vt* put in motion, set going, start
**urwa|ć** *vt* tear off, pluck, pull off; (*np. rozmowę*) break (off), *pot.* snap; **~ć się** *vr* tear away, rush off; (*np. rozmowę*) break (away); **~ł się guzik** the button has come off
**urwis** *m* urchin
**urwisko** *n* precipice
**urwisty** *adj* precipitous, abrupt
**urywek** *m* fragment
**urywkowy** *adj* fragmentary
**urząd** *m* office, charge, function; **piastować ~** hold office; **objąć ~** come into office; **z urzędu** ex officio
**urządzać** *vt* arrange; organize; install; set up; **~ się** *vr* make one's arrangements; set oneself up
**urządzenie** *n* arrangement; organization; installation; appliance, establishment; (*umeblowanie*) furniture
**urzec** *vt* bewitch, enchant
**urzeczenie** *n* bewitchment, enchantment
**urzeczywistnić** *vt* realize, make real; **~ się** *vr* (*o śnie*) come true
**urzędnik** *m* official, (*niższy*) clerk, (*państwowy*) civil servant
**urzędować** *vi* be on duty, work
**urzędowani|e** *n* office work; **godziny ~a** office hours; **koniec ~a** closing time
**urzędowy** *adj* official
**usadowić** *vt* place, settle; **~ się** *vr* (*np. w fotelu*) make oneself comfortable; (*osiąść*) settle down, establish oneself
**usamodzielnić** *vt* render independent; **~ się** *vr* become independent
**uschły** *adj* dry, dried, withered
**uschnąć** *vi* dry, wither
**usiąść** *vi* sit down, take a seat; (*o ptaku*) perch
**usidlać** *vt* ensnare
**usilny** *adj* strenuous, intense
**usiłować** *vi vt* make efforts, endeavour, attempt
**usiłowanie** *n* endeavour, attempt
**uskrzydlić** *vt* wing
**uskutecznić** *vt* effect, bring about
**usłuchać** *vt* obey; **~ czyjejś rady** follow sb's advice
**usług|a** *f* service, favour; **oddać ~ę** do a service; **do twoich ~** at your service
**usługiwać** *vi* serve; wait (**komuś** on sb, **przy stole** at table)
**usłużność** *f* complaisance
**usłużny** *adj* complaisant
**usłużyć** *vi* do a service; *zob.* usługiwać
**usnąć** *vi* fall asleep, get to sleep
**uspokoić** *vt* quiet, quiten, appease, calm; **~ się** *vr* become quiet; calm down, ease oneself
**uspokojenie** *n* tranquillization, appeasement (*zw. polit.*)
**uspołecznić** *vt* socialize
**uspołecznienie** *n* socialization
**usposobić** *vt* dispose
**usposobienie** *n* temper, disposition
**usprawiedliwić** *vt* justify; give reasons (**coś** for sth), excuse; **~ się** *vr* excuse oneself; apologize (**z powodu czegoś** for sth, **przed kimś** to sb)
**usprawiedliwienie** *n* justification; excuse (**za coś** for sth); apology
**usprawnić** *vt* render more efficient, rationalize

**usprawnienie** *n* rendering more efficient, rationalization
**usta** *s pl* mouth
**ustalać** *zob.* **ustalić**
**ustalenie** *n* settlement, consolidation, stabilization
**ustalić** *vt* settle; (*ustanowić*) establish, consolidate; stabilize; (*utwierdzić, naznaczyć np. termin*) fix; (*np. zasadę*) lay down
**ustanawiać** *vt* constitute; enact; fix, establish; ~ **rekord** set up a record
**ustanowienie** *n* constitution; enaction, establishment
**ustatkować się** *vr* settle down
**ustawa** *f* law
**ustawać** *vi* cease, stop; (*być zmęczonym*) weary
**ustawiać** *vt* set, arrange, place, dispose; ~ **się** *vr* range ⟨place⟩ oneself
**ustawiczny** *adj* incessant, unceasing
**ustawodawca** *m* legislator
**ustawodawcz|y** *adj* legislative; **ciało ~e** legislature
**ustawodawstwo** *n* legislation
**ustawowy** *adj* legal
**usterka** *f* fault, blemish, defect
**ustęp** *m* (*w książce*) paragraph, section; (*klozet*) lavatory
**ustępliwy** *adj* yielding
**ustępować** *vi* cede, give way, yield; (*obniżyć cenę*) lower
**ustępstwo** *n* concession
**ustnie** *adv* by word of mouth, orally
**ustnik** *m* mouthpiece
**ustny** *adj* oral, verbal
**ustosunkować się** *vr* take an attitude (**do kogoś, czegoś** towards sb, sth)
**ustosunkowany** *adj* having relations, well-connected
**ustronie** *n* recess, solitude
**ustronny** *adj* secluded, retired
**ustrój** *m* structure, constitution; organization; (*system rządzenia*) policy
**ustrzec** *vt* preserve, guard (**od czegoś** from sth); ~ **się** *vr* guard (**przed czymś** against sth), avoid (**przed czymś** sth)
**usunięcie** *n* removal; (*dymisja*) dismissal
**usuwać** *vt* remove; dismiss; ~ **się** *vr* withdraw
**usychać** *vi* wither, dry, become dry
**usypać** *vt* pour out; (*wznieść*) raise, heap up
**usypiać** *vi* fall asleep; *vt* lull to sleep; *zob.* **uśpić**
**usypiający** *adj* soporific
**uszanować** *vt* respect
**uszanowani|e** *n* respect; **składać ~e** pay one's respects; **przesyłać wyrazy ~a** send one's respects; **proszę złożyć mu ode mnie wyrazy ~a** please give him my respects
**uszczelka** *f* packing; (*np. w kranie*) washer
**uszczerb|ek** *m* detriment; **z ~kiem dla kogoś** to the detriment of sb
**uszczęśliwić** *vt* make happy
**uszczknąć** *vt* pluck; pick (up)
**uszczuplić** *vt* curtail, cut short
**uszczypliwość** *f* mordacity, causticity
**uszczypliwy** *adj* mordacious
**uszko** *n* ear; (*igły*) eye
**uszkodzenie** *n* damage, impairment
**uszkodzić** *vt* damage, impair
**uszlachetnić** *vt* ennoble; refine
**uścisk** *m* embrace; grasp; ~ **dłoni** handshake
**uścisnąć** *vt* embrace; grasp; ~ **ręce** shake hands (**komuś** with sb)
**uśmiać się** *vr* have a good many laughs (**z czegoś** over sth)
**uśmiech** *m* smile; **radosny** ~ beam; **szyderczy** ~ sneer
**uśmiech|ać się** *vr* smile (**do kogoś** on ⟨at⟩ sb); **szczęście ~nęło się do mnie** fortune has smiled on me
**uśmiercić** *vt* kill, put to death

**uśmierzyć** *vt* appease, alleviate; calm; (*bunt*) suppress

**uśpić** *vt* lull to sleep; make drowsy; (*sztucznie*) narcotize, put to sleep

**uświadomić** *vt* enlighten, instruct, initiate; bring home (**kogoś** to sb); **~ sobie niebezpieczeństwo** realize the danger

**uświadomienie** *n* enlightening, instruction, initiation; **~ klasowe** class consciousness; **~ sobie czegoś** realization ⟨awareness⟩ of sth

**uświetnić** *vt* illuminate, give splendour

**uświęca|ć** *vt* hallow, sanctify; (*przysłowie*) **cel ~ środki** the end justifies the means

**utajon|y** *adj* latent, secret; *fiz.* **ciepło ~e** latent heat

**utalentowany** *adj* talented, gifted

**utarczka** *f* skirmish, (*słowna*) squabble

**utargować** *vt* gain; make, realize

**utarty** *adj* common, well-worn; *zob.* **ucierać**

**utensylia** *s pl* utensils

**utknąć** *vi* stick, become fixed; (*o rozmowie*) break down; *przen.* **~ na martwym punkcie** come to a standstill

**utlenić** *vt* oxidize

**utlenienie** *n* oxidation

**utonąć** *vi* be drowned; (*np. o statku*) sink

**utonięcie** *n* drowning; sinking

**utopia** *f* Utopia

**utopić** *vt* drown, sink; **~ się** *vr* be drowned

**utopijny** *adj* Utopian

**utożsamiać** *vt* identify

**utożsamienie** *n* identification

**utracjusz** *m* spendthrift

**utrapienie** *n* worry, affliction

**utrata** *f* loss

**utrudnić** *vt* make difficult, impede

**utrudnienie** *n* difficulty, impediment

**utrwalić** *vt* consolidate, fix, stabilize; *techn. fot.* fix; **~ się** *vr* become fixed ⟨consolidated⟩

**utrzeć** *zob.* **ucierać**; *pot.* **~ nosa** snub (**komuś** sb)

**utrzymani|e** *n* maintenance, livelihood, living; **mieszkanie i ~e** room and board; **środki ~a** cost of living; **zarabiać na ~e** earn one's living

**utrzymywać** *vt vi* keep; (*stosunki*) maintain; hold; (*np. korespondencję*) keep up, entertain; (*twierdzić, podtrzymywać*) maintain; **~ na wodzy** restrain; **~ się** *vr* maintain oneself; (*trzymać się mocno*) keep steady, hold one's own; **~ się z pracy umysłowej** live by intellectual work

**utulić** *vt* hug, (*uspokoić*) appease

**utwierdzić** *vt* confirm, consolidate, fix

**utwór** *m* work, composition; *muz.* tune

**utyć** *vi* put on (weight)

**utykać** *vi* limp; *vt* fill

**utylitarny** *adj* utilitarian

**utylitaryzm** *m* utilitarianism

**utyskiwać** *vi* complain (**na coś** of sth)

**uwag|a** *f* attention; observation; remark; **brać pod ~ę** take into consideration; **zwracać ~ę** pay attention (**na coś** to sth), mind (**na coś** sth); **nie zwracać ~i** take no notice (**na coś** of sth); **z ~i na coś** considering sth; **~a winda!** mind the lift!

**uważa|ć** *vt vi* pay attention (**na coś** to sth), be attentive; regard, count (**za coś** as sth); mind (**na coś** sth); take care (**na coś** of sth); see; think; reckon; **~m za właściwe** I think it proper; **~m to za dobry film** I think it is a good film; **~ go się za najlepszego ucznia** he is reckoned to be the best pupil

**uważny** *adj* attentive

**uwiąd** *m biol.* marasmus, decrepitude

**uwiązać** *vt* bind, attach

**uwidocznić** *vt* make evident, make clear, render conspicuous, exhibit, manifest
**uwiecznić** *vt* immortalize
**uwiedzenie** *n* seduction
**uwielbiać** *vt* adore, worship
**uwielbienie** *n* adoration, worship
**uwieńczyć** *vt* crown
**uwierać** *vt* (*o bucie*) pinch
**uwierzyć** *vt* believe
**uwierzytelniając|y** *adj*, **list ~y** letter of credence; **listy ~e** credentials *pl*
**uwierzytelnić** *vt* legalize
**uwiesić** *vt*, **~ się** *vr* hang on
**uwijać się** *vr* busy oneself, bustle (**dookoła czegoś** about sth)
**uwikłać** *vi* involve
**uwłaczać** *vi* defame (**komuś** sb); derogate (**czemuś** from sth)
**uwłaszczać** *vt* enfranchise; bestow property (**kogoś** on ⟨upon⟩ sb)
**uwłaszczenie** *n* enfranchisement
**uwodziciel** *m* seducer
**uwodzić** *vt* seduce
**uwolnić** *vt* set free (**kogoś** sb, **od czegoś** from ⟨of⟩ sth), set at liberty; deliver (**kogoś** sb, **od czegoś** from sth), release
**uwolnienie** *n* liberation, deliverance, release; *prawn.* acquittal
**uwydatnić** *vt* bring into prominence; enhance, set off
**uwypuklić** *vt* bring into relief, set off
**uwzględnić** *vt* take into consideration
**uwziąć się** *vr* set one's mind (**na coś** on ⟨upon⟩ sth), *pot.* become crazy (**na coś** about sth)
**uzależnić** *vt* make dependent (**od kogoś, czegoś** on ⟨upon⟩ sb, sth)
**uzasadnić** *vt* substantiate, justify; give reasons (**coś** for sth)
**uzasadnienie** *n* substantiation, justification; **na ~** in support (**czegoś** of sth)
**uzbrajać** *vt*, **~ się** *vr* arm
**uzbrojenie** *n* armament, arming, arms *pl*
**uzda** *f* bridle
**uzdolnić** *vt* enable
**uzdolnienie** *n* gift, talent, ability, capability
**uzdolniony** *adj* gifted, talented, able, capable
**uzdrawiać** *vt* heal, cure, restore to health; *przen.* (*np. finanse*) put on a healthy basis
**uzdrowienie** *n* cure, restoration (to health)
**uzdrowisko** *n* health-resort; spa
**uzębienie** *n anat.* dentition; *techn.* toothing
**uzgadniać** *vt* square, agree; (*zharmonizować*) adjust
**uziemiać** *vt elektr.* ground, earth
**uziemienie** *n elektr.* ground, earth
**uzmysłowić** *vt* demonstrate, make clear, objectify; **~ sobie** realize
**uznani|e** *n* acknowledgement, regard, appreciation, recognition; **do twego ~a** at your discretion; **możesz postąpić według własnego ~a** you may use your own discretion; **zasługujący na ~e** worthy of acknowledgment, praiseworthy; **z ~em** appreciatively
**uznawać** *vt* acknowledge, recognize, appreciate; (*potwierdzać*) admit; (*uważać za*) find
**uzupełniający** *adj* supplementary
**uzupełnić** *vt* supplement, complete
**uzupełnienie** *n* supplement, completion
**uzurpator** *m* usurper
**uzurpować** *vt* usurp
**uzwojenie** *n techn.* winding
**uzyskać** *vt* gain, win, obtain
**użądlić** *vt* sting
**użerać się** *vr pot.* bicker (**o coś** about sth)
**użyci|e** *n* use; (*np. życia*) enjoyment; **przepis ~a** directions for use; **wyjść z ~a** go out of use, fall into disuse; **w codziennym ~u** in daily use
**użyczać** *vt* grant, lend
**użyć** *vt* use; **~ sobie** enjoy (**czegoś** sth), indulge (**czegoś** in sth)
**użyteczność** *f* utility
**użyteczny** *adj* useful
**użytek** *m* use

**użytkować** *vt* use, utilize
**używać** *vt* use; (*np. życia*) enjoy; (*np. siły*) exert
**używalność** *f* utilization, use
**używalny** *adj* utilizable
**używany** *adj* used; (*nie nowy*) second-hand
**użyźniać** *vt* fertilize

# W

**w, we** *praep* in, into, at, by, for, on; **w Anglii** in England; **w ogrodzie** in the garden; **w domu** at home; **w Krakowie** in Cracow; **w dzień** by day; **w środę** on Wednesday; **grać w karty, w szachy, w piłkę nożną itd.** play cards, chess, football etc.; **wpaść w długi** get into debts
**wabić** *vt* decoy, allure, lure
**wabik** *m* decoy, allurement
**wachlarz** *m* fan; *przen.* (*np. spraw, zagadnień*) gamut
**wachlować** *vt* fan; ~ **się** *vr* fan (oneself)
**wachmistrz** *m wojsk.* sergeant-major (of cavalry)
**wada** *f* fault
**wadliwy** *adj* faulty
**wafel** *m* wafer
**wag|a** *f* weight; *przen.* importance; (*przyrząd*) balance, pair of scales; **na ~ę** by weight; *sport* **~a musza** fly weight; **~a koguta** bantam-weight; **~a piórkowa** feather-weight; **~a lekka** light-weight; **~a lekkopółśrednia** half-welter-weight; **~a lekkośrednia** half-middle-weight; **~a średnia** middle-weight; **~a półciężka** half-heavy-weight; **~a ciężka** heavy-weight; *przen.* **przykładać ~ę** set store (**do czegoś** by sth)
**wagary** *s pl pot.* truancy; **iść na ~** play hookey
**wagon** *m* (*kolejowy*) carriage, *am.* car; wagon, coach; (*towarowy*) truck
**wahać się** *vr* hesitate, waver; *pot.* hang back; (*chwiać się*) shake, totter; (*o cenach, kursach*) fluctuate; *fiz.* oscillate
**wahadło** *n* pendulum
**wahanie** *n* hesitation; (*cen, kursów*) fluctuation
**wakacje** *s pl* holiday(s), vacation
**walać** *vt* soil; ~ **się** *vr* soil; (*tarzać się*) roll, wallow
**walc** *m* waltz
**walcować** *vi* waltz; *vt* roll, (*metal*) flatten
**walcownia** *f* rolling-mill; ~ **blach** plating shop
**walczący** *adj* combatant
**walczyć** *vi* fight, struggle (**o coś** for sth)
**walec** *m* cylinder; (*drogowy*) roller
**waleczność** *f* valour
**waleczny** *adj* valiant, brave
**walet** *m* (*w kartach*) knave, jack
**walić** *vt* (*burzyć*) demolish, pull down, break down; (*uderzać*) strike; pound; ~ **się** *vr* tumble down; (*rozpadać się*) decay, crash down
**Walijczyk** *m* Welshman
**walijski** *adj* Welsh
**walizka** *f* case, suitcase
**walka** *f* struggle, fight
**walny** *adj* general, plenary, complete
**walor** *m* value
**walut|a** *f* currency; **~a złota** gold-standard; **przepisy ~owe** currency regulations
**wał** *m* embankment, rampart; *techn.* shaft
**wałek** *m* roller; *techn.* shaft; ~ **do ciasta** rolling-pin

**wałęsać się** *vr* roam, vagabondize
**wampir** *m* vampire; *zool.* vampire-bat
**wandal** *m* vandal
**wandalizm** *m* vandalism
**wanienka** *f* bathing-tub
**wanna** *f* bathtub
**wapień** *m* limestone
**wapno** *n* lime; ~ **lasowane** slaked lime; ~ **niegaszone** quick lime; ~ **do bielenia** whiting
**wapń** *m chem.* calcium
**warcaby** *pl* draughts
**warchoł** *m* troubler, troublemaker
**warczeć** *vi* growl
**warga** *f* lip; ~ **dolna** ⟨**górna**⟩ lower ⟨upper⟩ lip
**wargowy** *adj* labial
**wariacja** *f* variation; (*szaleństwo*) madness
**wariacki** *adj* mad, crazy, insane
**wariant** *m* variant
**wariat** *m* lunatic; **szpital dla ~ów** lunatic asylum
**wariować** *vi* be ⟨go⟩ mad
**warkocz** *m* braid, tress
**warownia** *f* fortress
**warowny** *adj* fortified
**warstwa** *f* layer, stratum
**warszawianin** *m* Varsovian
**warsztat** *m* workshop, (*tkacki*) loom
**wart** *adj* worth; **nie ~e zachodu** it is not worth the trouble
**war|ta** *f* guard; **stać na ~cie** stand guard; **stanąć na ~cie, zaciągnąć ~tę** mount guard
**wartki** *adj* rapid
**warto** *v impers* it is worth; **nie ~ tego czytać** it's not worth reading
**wartościow|y** *adj* valuable; **papiery ~e** securities; **człowiek ~y** man of great worth
**wartość** *f* valuc, worth; ~ **dodatkowa** surplus value; ~ **ujemna** negative value; **to ma małą ~** it's of little value
**warun|ek** *m* condition, term; **pod ~kiem** on condition
**warunkowy** *adj* conditional
**warzelnia** *f* (*soli*) salt-works
**warzywa** *s pl* greens, vegetables
**warzywny** *adj*, **ogród ~** kitchen-garden
**wasal** *m* vassal
**wasz** *pron* your, yours
**waśń** *f* quarrel, strife
**wata** *f* cotton-wool
**watować** *vt* wad
**wawrzyn** *m* laurel
**waza** *f* vase
**wazelina** *f* vaseline
**wazon** *m* flower-pot
**ważka** *f zool.* dragon-fly
**ważki** *adj* weighty
**ważność** *f* importance; *prawn.* validity
**ważny** *adj* important; *prawn.* valid; (*ważki*) weighty
**ważyć** *vt vi* (*odważać*) weigh; (*śmieć*) dare; ~ **się** *vr* dare
**wąchać** *vt* smell, sniff
**wąs** *m* (*zw. pl* ~y) moustache
**wąski** *adj* narrow
**wąskotorow|y** *adj* narrow-gauged; **kolej ~a** narrow-gauge railway
**wątek** *m techn.* woof; *przen.* matter, motif
**wątły** *adj* frail
**wątpić** *vi* doubt (**w coś** sth, about ⟨of⟩ sth)
**wątpliwość** *f* doubt
**wątpliwy** *adj* doubtful
**wątroba** *f anat.* liver
**wąwóz** *m* ravine, gorge
**wąż** *m* snake; (*gumowy*) hose, (*pożarniczy*) firehose
**wbiec** *vi* run in ⟨into⟩
**wbijać** *vt* drive in
**wbrew** *praep* in spite of
**w bród** *adv* in abundance; *zob.* **bród**
**wcale** *adv* quite, fairly; ~ **nie** not at all
**wchłaniać** *vt* absorb
**wchodzić** *vi* go ⟨come⟩ in, enter; ~ **na górę** go up; *przen.* ~ **komuś w drogę** cross sb's way; ~ **w czyjeś położenie** realize sb's position; ~ **w grę** come into

play; ~ w posiadanie czegoś gain possession of sth
**wciągać** *vt* draw in
**wciąż** *adv* continually
**wcielać** *vt* incarnate, embody; (*włączać*) incorporate; (*do szeregów*) enlist
**wcielenie** *n* incarnation; (*włączenie*) incorporation; *wojsk.* enlistment
**wcielony** *adj* incarnate; *pp* (*włączony*) incorporated; *wojsk.* enlisted; **diabeł ~** devil incarnate
**wcierać** *vt* rub in ⟨into⟩; *med.* embrocate
**wcieranie** *n* rubbing in; *med.* embrocation
**wcięcie** *n* incision, notch
**wcinać** *vt* incise
**wciskać** *vt* press in; notch
**wczasowicz** *m* holiday-maker
**wczasy** *s pl* holiday
**wczesny** *adj* early
**wcześnie** *adv* early
**wczoraj** *adv* yesterday; **~ wieczorem** last night
**wdawać się** *vr* meddle (w coś with sth), interfere
**wdowa** *f* widow
**wdowiec** *m* widower
**wdrapać się** *vr* climb up (**na coś** sth); (*z trudem*) clamber up
**wdrażać** *vt* inculcate (jakieś pojęcie komuś an idea on sb); implant; *prawn.* start; **~ kroki (sądowe)** take steps; **~ się** *vr* get implanted
**wdychać** *vt* inhale
**wdzierać się** *vr* break into; (*na górę*) clamber up
**wdziewać** *vt* put in
**wdzięczność** *f* gratitude; (*uznanie*) appreciation
**wdzięczny** *adj* grateful; (*powabny*) graceful; **być ~m** feel grateful (za coś for sth), appreciate (za coś sth)
**wdzięk** *m* grace
**według** *praep* after, by, according to
**wegetacja** *f* vegetation; *przen.* hand-to-mouth existence
**wegetować** *vi* vegetate; *przen.* keep body and soul together
**wejrzeć** *vi* glance in; *przen.* investigate
**wejrzenie** *n* glance; **na pierwsze ~** at first sight
**wejście** *n* entrance
**wejść** *vi* enter, go ⟨come⟩ in; **~ w modę ⟨w użycie⟩** come into fashion ⟨into use⟩; (*o ustawie*) **~ w życie** come into force
**weksel** *m fin.* bill (of exchange)
**welon** *m* veil
**wełna** *f* wool
**wełniany** *adj* woolly
**wentyl** *m* air-regulator; vent; (*w instrumencie*) valve
**wentylacja** *f* ventilation
**wentylator** *m* ventilator
**wentylować** *vt* ventilate
**weranda** *f* porch, verandah
**werbel** *m* drum, drum-call
**werbować** *vt*, **~ się** *vr* enrol, enlist
**werbunek** *m* enrollment
**werniks** *m* varnish
**werniksować** *vt* varnish
**wersja** *f* version
**wertować** *vt* (*książkę*) thumb
**werwa** *f* verve
**weryfikacja** *f* verification
**weryfikować** *vt* verify
**wesele** *n* wedding
**weselić się** *vr* make merry
**wesołek** *m* jester, wag
**wesołość** *f* merriment, gaiety
**wesoły** *adj* merry, gay
**westchnąć** *vi* sigh; **ciężko ~** heave a sigh
**westchnienie** *n* sigh
**wesz** *f* louse
**wet** *m w zwrocie*: **~ za ~** tit for tat
**weteran** *m* veteran
**weterynarz** *m* veterinary surgeon
**wetknąć** *vt* stick, thrust; (*do ręki*) slip
**weto** *n* veto; **założyć ~** veto (**przeciwko czemuś** sth)

**wewnątrz** *praep i adv* in, inside, within
**wewnętrzn|y** *adj* inside, internal, inward, inner; **sprawy ~e** home affairs
**wezbrać** *zob.* **wzbierać**
**wezwać** *zob.* **wzywać**
**wezwanie** *n* call; (*sądowe*) summons
**węch** *m* smell, smelling
**wędk|a** *f* fishing-rod; **łowić na ~ę** angle (**na coś** for sth); fish
**wędkarz** *m* angler
**wędlin|a** *f* (*zw. pl* **~y**) pork-meat article(s)
**wędliniarnia** *f* pork-butcher's shop, ham and sausage shop
**wędrować** *vi* wander, stroll
**wędrowiec** *m* wanderer
**wędrowny** *adj* wandering; (*o ptakach*) migratory
**wędrówka** *f* wandering, migration
**wędzić** *vt* smoke; cure
**wędzidło** *n* bit
**wędzonka** *f* cured bacon
**węgiel** *m* coal; *chem.* carbon; **~ kamienny** hard coal
**węgielny** *adj*, **kamień ~** corner-stone
**węgieł** *m* corner
**Węgier** *m* Hungarian
**węgierski** *adj* Hungarian
**węglan** *m chem.* carbonate
**węglarz** *m* coalman, coal-dealer
**węglowodan** *m chem.* carbohydrate
**węglowodór** *m chem.* hydrocarbon
**węglow|y** *adj* coal *attr*, *chem.* carbon *attr*; **pole ~e** coal-field; **zagłębie ~e** coal basin
**węgorz** *m zool.* eel
**węszyć** *vt* scent
**węzeł** *m* knot, tie; *mors.* knot; (*kolejowy*) junction
**węzłow|y** *adj*, **punkt ~y** point of junction; **stacja ~a** junction
**wgląd** *m* inspection, insight
**wglądać** *vi* look into, inspect
**wgryzać się** *vr* eat into; *przen.* penetrate (**w coś** through <into> sth)
**wiać** *vi* blow; (*ziarna*) winnow
**wiadomo** *v impers* it is known; **nic nie ~** there is no knowing; **o ile mi ~** for all I know
**wiadomoś|ć** *f* news, a piece of information; *pl* **~ci** information *zbior.*; **dobra ~ć** a piece of good news
**wiadomy** *adj* known
**wiadro** *n* pail, bucket
**wiadukt** *m* viaduct
**wianek** *m* wreath
**wiara** *f* faith, creed, belief
**wiarogodność** *f* credibility; authenticity
**wiarogodny** *adj* credible; authentic
**wiarołomność** *f* faithlessness, perfidy
**wiarołomny** *adj* faithless, perfidious
**wiatr** *m* wind; **~em podszyty** thinly lined; **rzucać słowa na ~** speak idly; *pot.* **szukać ~u w polu** run a wild-goose chase
**wiatrak** *m* windmill
**wiąz** *m bot.* elm
**wiązać** *vt* bind, tie; *chem.* combine; **~ ręce** pinion
**wiązadł|o** *n* band, link; *anat.* ligament; **~a głosowe** vocal chords
**wiązanie** *n* bond, (*domu*) framing
**wiązanka** *f* burch, nosegay
**wiązka** *f* bundle
**wibracja** *f* vibration
**wibrować** *vi* vibrate
**wice** *praef* vice-, deputy-
**wiceadmirał** *m* vice-admiral
**wiceburmistrz** *m* deputy-mayor
**wiceprezydent** *m* vice-president
**wicher** *m* wind-storm
**wichrzyciel** *m* troubler, trouble-maker
**wichrzyć** *vi* trouble, foment trouble
**wić** *vt* wreathe, twine, writhe
**widelec** *m* fork
**widły** *s pl* pitchfork
**widmo** *n* spectre; *fiz.* spectrum
**widmowy** *adj* spectral
**widnieć** *vi* appear, loom, become visible

**widno** *adv*, **jest ~ it is light**
**widnokrąg** *m* horizon
**widny** *adj* visible, clear
**widocznie** *adv* apparently
**widoczność** *f* visibility
**widoczny** *adj* visible
**widok** *m* view, sight, prospect; **mieć na ~u** have in view
**widokówka** *f* (picture-)postcard
**widowisko** *n* spectacle
**widownia** *f* the house; (*publiczność*) audience; (*teren*) scene
**widywać** *vt* see (frequently etc.)
**widz** *m* spectator, onlooker
**widzeni|e** *n* sight, view; vision; **do ~a** good-bye; **punkt ~a** point of view
**widziadło** *n* apparition, spectre
**widzialność** *f* visibility
**widzialny** *adj* visible
**widzieć** *vt* see; **~ się** *vr* see (**z kimś** sb)
**wiec** *m* meeting
**wiecha** *f* wisp, bunch of straw
**wiecheć** *m* rag, wisp of straw
**wieczerza** *f* supper
**wieczność** *f* eternity
**wieczny** *adj* eternal
**wieczorek** *m* evening-party
**wiecz|ór** *m* evening; **~orem** in the evening
**wieczysty** *adj* perpetual, eternal
**wiedza** *f* knowledge, learning
**wiedzieć** *vt vi* know; **chciałbym ~** I should like to know; **o ile wiem** as far as I know
**wiedźma** *f* witch
**wiejski** *adj* country *attr*, rural
**wiek** *m* age; (*stulecie*) century; **~ dziecięcy** infancy; **~ męski** manhood; **~ młodzieńczy** youth, adolescence; **~ starczy** old age
**wieko** *n* lid, cover
**wiekopomny** *adj* memorable, immortal
**wiekowy** *adj* aged
**wiekuisty** *adj* eternal
**wielbiciel** *m* adorer, admirer
**wielbić** *vt* adore, admire
**wielbłąd** *m* camel
**wielce** *adv* much, greatly, highly
**wiele** *adv* much, many
**wielebny** *adj* reverend
**Wielkanoc** *f* Easter
**wielki** *adj* great, large, big; (*okazały, doniosły*) grand; **~ czas** high time
**wielkoduszność** *f* magnanimity, generosity
**wielkoduszny** *adj* magnanimous
**wielkolud** *m* giant
**wielkość** *f* largeness, greatness; magnitude
**wielmożny** *adj* mighty; (*w tytule*) honourable
**wieloboczny** *adj* multilateral
**wielokąt** *m* polygon
**wielokrotn|y** *adj* manifold; **~a** *s f mat.* multiple
**wieloryb** *m zool.* whale
**wieniec** *m* wreath, crown
**wieńczyć** *vt* crown
**wieprz** *m* hog
**wieprzowina** *f* pork
**wiercić** *vt* drill, bore; **~ się** *vr* fidget
**wierność** *f* fidelity, faithfulness
**wierny** *adj* faithful
**wiersz** *f* (*linijka*) line; (*poemat*) verse
**wierszokleta** *m pot.* poetaster
**wierzba** *f* willow
**wierzch** *m* top, surface; **jechać ~em** ride on horseback
**wierzchni** *adj* upper
**wierzchołek** *m* top, summit; *mat.* vertex
**wierzchowiec** *m* saddle-horse
**wierzgać** *vi* kick up
**wierzyciel** *m* creditor
**wierzyć** *vi* believe (**komuś** sb, **czemuś, w coś** sth)
**wierzytelność** *f* (outstanding) debt
**wieszać** *vt*, **~ się** *vr* hang
**wieszadło** *n* rack, (*kołek*) peg
**wieszak** *m* hanger, rack
**wieszcz** *m* seer, bard
**wieś** *f* village; (*w przeciwieństwie do miasta*) country; **na wsi** in the country; **mieszkaniec wsi** countryman

**wieść 1.** *f* news, a piece of news, information; report; ~ **hiobowa** alarming news
**wieść 2.** *vt* (*prowadzić*) lead, conduct
**wieśniaczka** *f* countrywoman
**wieśniak** *m* countryman
**wietrzeć** *vi* decay, moulder; become vapid, lose smell; (*o skałach*) weather, be weathered; *przen.* (*z głowy*) evaporate
**wietrzyć** *vt* ventilate, aerate; (*np. zwierzynę*) scent, smell
**wiewiórka** *f* squirrel
**wieźć** *vt* carry, convey
**wieża** *f* tower; (*w szachach*) rook
**wieżyczka** *f* turret
**więc** *conj adv* now, well, therefore
**więcej** *adv* more; **mniej lub** ~ more or less; **mniej** ~ some, about, approximately
**więdnąć** *vi* wither, fade
**większość** *f* majority
**większ|y** *adj* greater, bigger, larger; **po ~ej części** for the most part
**więzić** *vt* detain, imprison
**więzienie** *n* prison
**więzień** *m* prisoner
**wigili|a** *f* eve; Christmas Eve; (*posiłek*) Christmas Supper; **w ~ę** on the eve
**wikariusz, wikary** *m* vicar
**wiklina** *f* osier, wicker
**wikłać** *vt* entangle, complicate
**wikt** *m* board
**wiktuały** *s pl* provisions, victuals
**wilgoć** *f* moisture, humidity
**wilgotny** *adj* moist, humid
**wilia** *zob.* **wigilia**
**wilk** *m zool.* wolf
**willa** *f* villa
**win|a** *f* guilt, fault; **poczuwać się do ~y** feel guilty; *prawn.* **przyznać się do ~y** plead guilty
**winda** *f bryt.* lift, *am.* elevator
**windykować** *vt* vindicate
**windziarka** *f*, **windziarz** *m bryt.* lift-attendant, lift-boy
**winiarnia** *f* wine-shop
**winić** *vt* blame (**kogoś** sb, **o coś** for sth), inculpate
**winien** *adj* guilty; (*dłużny*) owing, indebted; **jestem mu ~ pieniądze** I owe him money; ~ **śmierci** worthy of death
**winieta** *f* vigniette
**winnica** *f* vineyard
**winny 1.** *praed* (*winien*) guilty (**czegoś** of sth); (*o należności, szacunku, płatności itp.*) due (**komuś** to sb)
**winn|y 2.** *adj* wine *attr*; **~a latorośl** vine
**wino** *n* wine
**winobranie** *n* vintage
**winogrono** *n* grape
**winowajca** *m* culprit, offender
**winszować** *vi* congratulate (**komuś czegoś** sb on sth)
**wiolonczela** *f muz.* (violon)cello
**wiosenny** *adj* spring *attr*
**wioska** *f* hamlet
**wiosło** *n* oar
**wiosłować** *vi* row
**wiosn|a** *f* spring; **na ~ę** in (the) spring
**wioślarski** *adj* rowing; **wyścigi ~e** boat-race
**wioślarstwo** *n* rowing
**wioślarz** *m* oarsman, rower
**wiotki** *adj* flimsy, frail
**wiór** *m* shaving
**wir** *m* whirl; (*wodny*) whirlpool, eddy
**wiraż** *m* turn(ing), bend
**wirować** *vi* whirl, rotate
**wirówka** *f* centrifugal machine, centrifuge
**wirtuoz** *m* virtuoso
**wirus** *m biol.* virus
**wisieć** *vi* hang
**wisielec** *m* hanged man
**wisiorek** *m* pendant
**wisus** *m pot.* urchin
**wiśnia** *f* cherry; (*drzewo*) cherry-tree
**wiśniak** *m* cherry-brandy
**witać** *vt* greet, welcome
**witamina** *f* vitamin
**witraż** *m* stained glass

**witriol** *m* vitriol
**witryna** *f* shopwindow, glass case
**wiwat** *m* cheer; **~!** long live!
**wiwatować** *vi* cheer
**wiwisekcja** *f* vivisection
**wiz|a** *f* visa, *am.* visé; **otrzymać ~ę** get one's visa ⟨passport visaed⟩; **udzielać ~y** visa
**wizerunek** *m* effigy, portrait, likeness
**wizja** *f* vision
**wizyt|a** *f* call, visit; **złożyć ~ę** pay a visit
**wizytacja** *f* inspection, visitation
**wizytator** *m* inspector, visitor
**wizytować** *vt* inspect, visit; call (**kogoś** on sb)
**wizytowy** *adj*, **bilet ~** visiting card
**wjazd** *m* entrance, gateway, doorway
**wjeżdżać** *vi* drive in, enter
**wkleić** *vt* stick into
**wklęsłość** *f* concavity
**wklęsły** *adj* concave
**wkład** *m* (*inwestycja*) investment; (*depozyt*) deposit; (*przyczynek*) contribution; (*np. do notesu*) filler; *techn.* input
**wkładać** *vt* put ⟨lay⟩ in, inset; (*buty, ubranie itp.*) put on; (*kapitał*) invest; (*deponować*) deposit
**wkładka** *f* insertion; (*pieniężna*) payment; (*dodatek do książki itp.*) inset; *techn.* insert
**w koło** *adv* round about
**wkoło** *praep* round (about)
**wkradać się** *vr* steal in
**wkręcać** *vt* screw in; **~ się** *vr pot.* (*wciskać się*) sneak ⟨steal⟩ in, insinuate oneself
**wkroczyć** *vi* enter
**wkrótce** *adv* soon
**wkupić się** *vr* pay for admission
**wlać** *vt* pour in
**wlec** *vt* drag; **~ się** *vr* drag, trail along
**wlepić** *vt* stick in; *przen.* **~ oczy** fix eyes
**wlewać** *vt* (*wszczepić*) infuse, inspire; *zob.* **wlać; ~ się** *vr* pour ⟨flow⟩ in
**wleźć** *vi* creep in; (*na drzewo*) climb up
**wliczyć** *vt* include (into an account)
**w lot** *adv* quickly, in a flash
**wlot** *m* inlet
**władać** *vi* be master (**czymś** of sth), have mastery (**czymś** over sth); (*panować*) rule (*czymś* over sth); **~ biegle językiem angielskim** have a good command of English
**władca** *m* ruler, master
**władza** *f* power; (*urząd*) authority; (*fizyczna, umysłowa*) faculty
**włama|ć się** *vr* break (np. **do sklepu** into the shop); **~no się do sklepu** the shop was broken into
**włamanie** *n* burglary
**włamywacz** *m* housebreaker, burglar
**własnoręcznie** *adv* with one's own hand
**własnoręczny** *adj* authentic, written with one's own hand
**własność** *f* property
**własn|y** *adj* own; **miłość ~a** self-love; **na ~ą rękę** on one's own authority; **oddać do rąk ~ych** deliver personally
**właściciel** *m* proprietor, owner
**właściwość** *f* propriety, peculiarity
**właściwy** *adj* proper, peculiar, right, specific
**właśnie** *adj* just, exactly
**włączać** *vt* include; *elektr.* connect, switch on; **~ wtyczkę** plug in
**włącznie** *adv* inclusively; **~ z...** inclusive of...
**Włoch** *m* Italian
**włochaty** *adj* hairy
**włos** *m* hair; **~y** *pl* hair *zbior.*: **jasne ~y** fair hair; **farba do ~ów** hair-dye; **wypadanie ~ów** fall of the hair; **chcę sobie ostrzyc ~y** I want to have my hair cut; *przen.* **nie ustąpić ani na ~** not to yield an inch; **~y od tego stają mi na głowie** it makes my

hair stand on end; o ~ within a hair's breath, narrowly
**włoski** *adj* Italian
**włoskowatość** *f* capillarity
**włoskowaty** *adj* capillary
**włoszczyzna** *f* soup-greens *pl*
**włościanin** *m* farmer, peasant
**włośnica** *f bot.* trichinosis
**włożyć** *vt* put (in); (*buty, ubranie, kapelusz*) put on
**włóczęga** *m* (*wędrówka*) ramble; (*osoba*) tramp, vagabond
**włóczka** *f* woollen yarn
**włócznia** *f* spear
**włóczyć** *vt* drag, shuffle; ~ **się** *vr* vagabondize, roam, stroll
**włókiennictwo** *n* textile industry
**włókienniczy** *adj* textile
**włókniarz** *m* textile worker, weaver
**włóknisty** *adj* fibrous
**włókno** *n* fibre
**wmawiać** *vt* make sb believe sth, suggest (**coś w kogoś** sth to sb)
**wmieszać się** *vr* interfere (**w coś** with sth), involve (**w coś** in sth)
**wnet** *adv* soon
**wnęka** *f* niche
**wnętrze** *n* interior
**wnętrzności** *s pl* bowles, intestines; *anat.* viscera *pl*
**wnieść** *vt* bring in; enter
**wnikać** *vi* penetrate, enter, get in
**wnios|ek** *m* conclusion; (*na posiedzeniu*) motion; petition; **dojść do ~ku** come to ⟨drive at⟩ a conclusion; **przyjąć** ⟨**odrzucić**⟩ **~ek** carry ⟨reject⟩ a motion; **wyciągnąć ~ek** draw a conclusion; **stawiać ~ek, ażeby odroczyć zebranie** move that the meeting be adjourned
**wnioskować** *vt vi* conclude, infer
**wnioskowanie** *n* inference, conclusion
**wniwecz** *adv*, **obrócić ~** annihilate, bring to nothing
**wnosić** *vt zob.* **wnieść**; (*prośbę*) put up; conclude, infer; *vi* (*stawiać wniosek*) move, propose
**wnuczka** *f* granddaughter
**wnuk** *m* grandson
**woal** *m* veil
**wobec** *praep* in the face of, in the presence of, before; **~ tego, że...** considering that...
**woda** *f* water; **~ podskórna** ground water; **~ słodka** fresh water; (*przysłowie*) **cicha ~ brzegi rwie** still waters run deep
**wodewil** *m* vaudeville
**wodnisty** *adj* watery
**wodnopłatowiec** *m lotn.* hydroplane
**wodny** *adj* water *attr*; (*o roztworze*) aqueous; (*o sportach*) aquatic; **znak ~** watermark
**wodociąg** *m* water-pipe; *pl* **~i** (*sieć wodociągowa*) water-supply
**wodolecznictwo** *n* hydrotherapy
**wodorost** *m* water plant; (*morski*) seaweed
**wodorow|y** *adj* hydrogen *attr*, hydrogenous; **bomba ~a** hydrogen bomb, H-bomb
**wodospad** *m* waterfall
**wodoszczelny** *adj* watertight, waterproof
**wodotrysk** *m* fountain
**wodować** *vi lotn.* alight (on water); *mors.* launch (a ship)
**wodowstręt** *m* hydrophobia
**wodór** *m chem.* hydrogen
**wodz|a** *f* rein, bridle; *przen.* **trzymać na ~y** keep a tight rein (**kogoś** on sb); **puścić ~e** give way
**wodzić** *vt* lead, conduct; **~ rej** have the lead
**w ogóle** *adv zob.* **ogół**
**wojak** *m pot.* warrior
**wojenny** *adj* war, military; **sąd ~** court martial; **stan ~** state of war
**województwo** *n* province, voivodeship
**wojłok** *m* felt
**wojn|a** *f* war; **~a domowa** civil war; **prowadzić ~ę** wage war; **wypowiedzieć ~ę** declare war
**wojować** *vi* war
**wojowniczy** *adj* warlike, belligerent

**wojownik** *m* warrior
**wojsk|o** *n* troops *pl*, army; **zaciągnąć się do ~a** enlist
**wojskowość** *f* military system, military questions ⟨affairs⟩ *pl*
**wojskowy** *adj* military; *s m* military man, soldier; **były ~** ex-serviceman
**wokalny** *adj* vocal
**wokoło** *adv praep* round about
**wol|a** *f* will; **siła ~i** will power; **do ~i** at will, freely; **z własnej ~i** of one's own free will
**wol|eć** *vt* prefer (**kogoś, coś** sb, sth; **niż kogoś, niż coś** to sb, to sth), like better; **~ę tańczyć, niż czytać** I'd rather dance than read
**wolno** *adv* slowly; freely; *praed* it is allowed; **każdemu tu ~ wejść** everyone is allowed to come in
**wolnomyśliciel** *m* free-thinker
**wolnomyślność** *f* free-thinking
**wolnomyślny** *adj* free-thinking
**wolnoś|ć** *f* liberty, freedom; **na ~ci** at liberty; **wypuścić na ~ć** set free ⟨at liberty⟩
**wolny** *adj* free; (*o miejscu*) vacant; (*od podatku, obowiązku itp.*) exempt (**od czegoś** from sth); (*powolny*) slow; **dzień ~ od pracy** day off, day off duty; **~ czas** leisure, extra ⟨spare⟩ time; **~ stan** celibacy, single life; **~ od opłaty pocztowej** post-free
**wolt** *m elektr.* volt
**woltametr** *m elektr.* voltameter
**woltomierz** *m elektr.* voltmeter
**wołacz** *m gram.* vocative
**wołać** *vt* call
**wołanie** *n* call
**wołowina** *f* beef
**wonny** *adj* aromatic
**woń** *f* aroma, fragrance
**worek** *m* bag
**wosk** *m* wax
**woskować** *vt* wax
**votum** *n* vote; *rel.* ex voto; *prawn.* **~ zaufania** vote of confidence; **~ nieufności** vote of non-confidence ⟨censure⟩
**wozić** *vt* carry, convey
**woźnica** *m* driver
**wódka** *f* vodka
**wódz** *m* leader, commander; **~ naczelny** commander-in-chief
**wójt** *m* (village-)mayor
**wół** *m* ox
**wór** *m* bag, sack
**wówczas** *adv* at the time, then
**wóz** *m* (*fura*) cart, carriage; (*auto*) car; (*ciężarowy*) truck; (*ciężarowy kryty*) van; *pot.* (*kolejowy*) *bryt.* carriage, *am.* car; **~ meblowy** furniture van; *astr.* **Wielki ⟨Mały⟩ Wóz** Great ⟨Little⟩ Bear
**wózek** *m* hand-cart, (*kolejowy, ręczny*) truck; **~ dziecięcy** perambulator, *pot.* pram
**wpad|ać** *vi* fall in; (*nagle wbiegać*) rush in; (*napotkać*) run (**na kogoś** across sb); (*w oczy*) strike; (*w czyjeś ręce*) get (into sb's hands); (*w długi*) get (into debts), incur (debts); (*w gniew*) fly (into a rage); **~ło mi na myśl** it occurred to me
**wpajać** *vt* inculcate (**coś komuś** sth on sb)
**wpaść** *zob.* **wpadać**; **~ do kogoś** drop in on sb
**wpatrywać się** *vr* stare (**w coś** at sth)
**wpędzać** *vt* drive in
**wpierw** *adv* first
**wpis** *m* registration, inscription
**wpisać** *vt* register, write down; **~ się** *vr* register, enter one's name
**wpisowe** *n* entrance fee, registration (fee)
**wplątać** *vt* entangle; **~ się** *vr* get entangled
**wpłacać** *vt* pay in
**wpłata** *f* payment
**wpław** *adv*, **przebyć rzekę ~** swim across
**wpływ** *m* influence; (*pieniędzy*) income, accruement; **wywierać ~** exert an influence
**wpływać** *vi* flow in; (*do portu*) enter; (*o pieniądzach, listach itp.*) come in; (*wywierać wpływ*) influence (**na kogoś** sb)

**wpływowy** *adj* influential
**w poprzek** *adv* across; crosswise
**wpół** *adv* half, by half; (*w środku*) in the middle; **na** ~ half; ~ **do trzeciej** half past two
**wprawa** *f* skill, practice
**wprawdzie** *adv* it is true, to be sure
**wprawić** *vt* put in, set in; (*wyćwiczyć*) train; ~ **się** *vr* become skilled
**wprawny** *adj* skilled, skillful
**wprost** *adv* straight, directly
**wprowadzać** *vt* introduce, lead in, bring in; ~ **się** *vr* (*do mieszkania*) move in
**wprzęgać** *vt* put (**konie do wozu** horses to the cart), yoke, harness
**wprzód** † *adv* first, before
**wpust** *m* entrance, inlet; (*wąski otwór*) slot
**wpuszczać** *vt* let ⟨put⟩ in
**wpychać** *vt* push ⟨stuff⟩ in
**wracać** *vi* return, come back; ~ **do zdrowia** recover
**wrastać** *vi* grow (**w coś** into sth)
**wraz** *praep* together with, alongside with
**wrażać** *vt* thrust in; impress (**w pamięć** on sb's memory)
**wrażenie** *n* impression; **robić** ~ impress (**na kimś** sb)
**wrażliwość** *f* sensibility
**wrażliwy** *adj* sensitive (**na coś** to sth)
**wreszcie** *adv* at last
**wręcz** *adv* plainly; **walka** ~ hand-to-hand fight, close encounter
**wręczać** *vt* hand in, deliver
**wręczenie** *n* delivery
**wrodzony** *adj* innate, inborn
**wrogi** *adj* hostile
**wrogość** *f* hostility
**wrona** *f* crow
**wrota** *s pl* gate, gateway
**wrotki** *s pl* roller skates
**wróbel** *m* sparrow
**wrócić** *zob.* **wracać**
**wróg** *m* foe
**wróżba** *f* omen, augury
**wróżbiarstwo** *n* fortune-telling
**wróżbiarz** *m*, **wróżbiarka** *f* fortune-teller
**wróżyć** *vt vi* augur, tell fortunes
**wryć** *vt* engrave (np. **w pamięć** on memory); sink; ~ **się** *vr* sink; become impressed
**wrzask** *m* shriek, scream, uproar
**wrzawa** *f* noise, uproar
**wrzący** *adj* boiling
**wrzątek** *m* boiling water
**wrzeciono** *n* spindle
**wrzeć** *vi* boil
**wrzeni|e** *n* boiling, ebullition; **punkt** ~**a** boiling point
**wrzesień** *m* September
**wrzeszczeć** *vi* scream, bawl, shriek
**wrzos** *m bot.* heather
**wrzosowisko** *n* heath, moor
**wrzód** *m* abscess, ulcer
**wrzucać** *vt* throw in
**wsadzać** *vt* put in, place; (*np. kapelusz, buty*) put on
**wschodni** *adj* eastern, east
**wschodzić** *vi* rise, come forth
**wschód** *m* east; **na** ~ **od...** (to the) east of...; ~ **słońca** sunrise
**wsiadać** *vi* get (**do pociągu** in ⟨into⟩ the train); mount (**na konia** ⟨**rower**⟩ on a horse ⟨a bicycle⟩); ~ **na okręt** go on board
**wsiąkać** *vi* infiltrate, permeate (**w coś** sth, through sth)
**wskakiwać** *vi* leap in ⟨on⟩
**wskazówk|a** *f* index, indication; (*u zegara*) hand; (*rada*) suggestion, hint; *pl* ~**i** (*pouczenia*) instructions, directions
**wskazujący** *adj*, **palec** ~ forefinger; *gram.* **zaimek** ~ demonstrative pronoun
**wskazywać** *vt vi* point (**na coś** at ⟨to⟩ sth), indicate, show
**wskaźnik** *m* index
**w skos** *adv* askew, aslant
**wskroś** *praep*, **na** ~ throughout, through and through
**wskrzesić** *vt* revive, resuscitate
**wskrzeszenie** *n* revival, resuscitation
**wskutek** *praep* on account of, in consequence of

**wsławić** *vt* make famous; ~ **się** *vr* become famous
**wspak** *adv*, **na** ~ contrariwise
**wspaniałomyślność** *f* magnanimity
**wspaniałomyślny** *adj* magnanimous
**wspaniałość** *f* magnificence, splendour
**wspaniały** *adj* magnificent, splendid
**wsparcie** *n* support, assistance
**wspierać** *vt* support, assist
**wspinaczka** *f* climbing
**wspinać się** *vr* climb up (**na górę, na drzewo** a hill, a tree)
**wspomagać** *vt* aid, help, assist
**wspominać** *vt* remember; (*robić wzmiankę*) mention
**wspomnienie** *n* remembrance, reminiscence
**wspólnie** *adv* in common, jointly
**wspólnik** *m* partner, co-partner; (*współpracownik*) associate; (*zbrodni, złego uczynku*) accomplice
**wspólnota** *f* community, partnership
**wspólny** *adj* common
**współczesność** *f* contemporaneity, contemporaneousness
**współczesny** *adj* contemporary, contemporaneous
**współcześnie** *adv* at the same time
**współczucie** *n* sympathy, compassion
**współczuć** *vi* have compassion
**współczynnik** *m* (*także gram.*) coefficient
**współdziałać** *vi* co-operate
**współdziałanie** *n* co-operation
**współistnieć** *vi* co-exist
**współistnienie** *n* co-existence
**współmierny** *adj* commensurable
**współobywatel** *m* fellow-citizen
**współpraca** *f* collaboration
**współpracować** *vi* collaborate
**współpracownik** *m* collaborator, (*prasowy, literacki*) contributor
**współrzędność** *f* co-ordination
**współrzędny** *adj* (*także gram.*) co-ordinate
**współuczestnictwo** *n* participation
**współuczestniczyć** *vi* participate
**współudział** *m* participation, co-operation
**współwłaściciel** *m* joint proprietor
**współzawodnictwo** *n* competition, contest
**współzawodniczyć** *vi* compete, contest (**o coś** for sth)
**współzawodnik** *m* competitor
**współżycie** *n* companionship, living together
**współżyć** *vi* live together
**wstawać** *vi* get up, rise
**wstawiać** *vt* put in, set in; insert; ~ **się** *vr* (*orędować*) intercede (**u kogoś za kimś, za czymś** with sb for sb, sth); (*błagać*) plead (**u kogoś o coś** with sb for sth); *pot.* (*upijać się*) get tipsy
**wstawiennictwo** *n* intercession
**wstawka** *f* insertion; (*np. w tekście*) interpolation
**wstąpić** *vi* enter, go in, come in; (*odwiedzić*) call (**do kogoś** on sb); *pot.* drop in (**do kogoś** at sb's place)
**wstąpienie** *n* entrance; (*na tron*) accession (to the throne)
**wstążka** *f* ribbon
**wstecz** *adv* backwards
**wstecznictwo** *n* reaction
**wsteczność** *f* backwardness
**wsteczn|y** *adj* reactionary, backward, retrograde; *techn.* **bieg** ~**y** back ⟨reverse⟩ gear; **lusterko** ~**e** rearview mirror
**wstęga** *f* ribbon
**wstęp** *m* entrance, admission; (*przedmowa*) preface, introduction; ~ **wolny** admission free
**wstepny** *adj* preliminary, introductory; **egzamin** ~ entrance examination
**wstępować** *zob.* **wstąpić**
**wstręt** *m* abomination, aversion
**wstrętny** *adj* abominable
**wstrząs** *m* shock
**wstrząsający** *adj* shocking, stirring
**wstrząsnąć** *vt* shock, stir, shake
**wstrzemięźliwość** *f* temperance, moderation

**wstrzemięźliwy** *adj* temperate, moderate
**wstrzykiwać** *vt* inject
**wstrzymywać** *vt* stop, hold up, keep back, suspend; ~ **się** *vr* abstain (**od czegoś** from sth); put off, delay (**z czymś** sth)
**wstyd** *m* shame; disgrace; ~ **mi** I am ashamed; **jak ci tego nie** ~? aren't you ashamed of it?; **przynosić** ~ bring shame (**komuś** on sb)
**wstydliwość** *f* bashfulness, shyness
**wstydliwy** *adj* bashful, shy
**wstydzić się** *vr* be ashamed (**kogoś, czegoś** of sb, sth)
**wsunąć** *vt* put in, slip
**wsypać** *vt* pour in; *pot.* (*zdekonspirować*) slip, peach (**kogoś** on sb)
**wszakże** *conj adv* however, yet, but
**wszcząć** *vt* begin, start up
**wszczepiać** *vt* (*szczepić*) inoculate; (*np. zasady*) inculcate (**komuś** on sb)
**wszczynać** *zob.* **wszcząć**
**wszechmoc** *f* omnipotence
**wszechmocny** *adj* omnipotent, almighty
**wszechnica** *f* university
**wszechstronność** *f* universality, many-sidedness
**wszechstronny** *adj* universal, many--sided
**wszechświat** *m* universe
**wszechświatowy** *adj* universal, cosmic
**wszechwiedzący** *adj* omniscient
**wszechwładny** *adj* omnipotent, all--powerful
**wszelaki** *adj* diverse, of all kinds
**wszelako** *adv lit.* however, yet, but
**wszelaki** *adj* every, all
**wszerz** *adv* broadwise
**wszędzie** *adv* everywhere
**wszystek** *adj* all, whole
**wścibiać** *vt*, ~ **nos** meddle (**w coś** with sth)
**wścibski** *adj* meddling, interfering; *s m* meddler, busybody
**wściekać się** *vr* rage (**na kogoś** at ⟨against⟩ sb), become furious (**na kogoś** with sb)
**wścieklizna** *f med.* rabies
**wściekłość** *f* fury
**wściekły** *adj* furious; (*o psie*) mad, rabid
**wśliznąć się** *vr* sneak in
**wśród** *praep* among, amid
**wtajemniczać** *vt* initiate (**w coś** into sth)
**wtajemniczenie** *n* initiation
**wtargnąć** *vi* invade, make an inroad
**wtedy** *adv* then
**wtoczyć** *vt* roll in
**wtorek** *m* Tuesday
**wtórować** *vi* accompany (**komuś** sb)
**wtrącać** *vt* put in, insert; ~ **się** *vr* meddle (**do czegoś** with sth)
**wtyczk|a** *f* (*także elektr.*) plug; **włączyć** ~**ę** plug in
**wtykać** *vt* put in, insert; *zob.* **wetknąć**
**w tył** *adv* back, backwards
**wuj** *m* uncle
**wujenka** *f* aunt
**wulgarny** *adj* vulgar
**wulkan** *m* volcano
**wulkaniczny** *adj* volcanic
**wulkanizować** *vt* vulcanize
**wwozić** *vt* import
**wy** *pron* you
**wybaczać** *vt* pardon, excuse, forgive
**wybaczalny** *adj* pardonable
**wybaczenie** *n* pardon
**wybaczyć** *zob.* **wybaczać**; **proszę** ~ I beg your pardon, excuse me
**wybawca** *m* redeemer, saviour
**wybawić** *vt* redeem, save; deliver (**od czegoś** from sth)
**wybawienie** *n* deliverance, salvation
**wybi|ć** *vt* knock, beat out, strike out; (*np. szybę*) break; (*wytłoczyć*) stamp; (*wychłostać*) thrash; (*wyścielić np. suknem*) line, cover; (*godzinę*) strike; (*ząb, oko*)

knock out; **~ć komuś coś z głowy** put sth out of sb's head; **~ła piąta** it has struck five; **~ć się** *vr* (*dojść do znaczenia*) come to the top, make one's way, distinguish oneself, excel

**wybiec** *vi* run out

**wybieg** *m* evasion, shift, subterfuge

**wybielać** *vt* whiten, bleach

**wybierać** *vt* choose, select; elect; (*np. owoce*) pick out; (*pocztę*) pick up; (*wyjmować*) take out; **~ się** *vr* set out (**w drogę** on one's way); **~ się do kogoś** be going to call on sb, prepare to go on a visit

**wybieralny** *adj* eligible

**wybijać** *zob.* **wybić; ~ takt** beat time

**wybitny** *adj* prominent, remarkable, outstanding

**wybladły** *adj* pale, wan

**wyblakły** *adj* faded, discoloured

**wyblaknąć** *vi* fade, discolour

**wyboisty** *adj* full of holes

**wyborca** *m* elector; (*do parlamentu*) constituent

**wyborcz|y** *adj* electoral; **okręg ~y** constituency; **ordynacja ~a** electoral system

**wyborny** *adj* excellent

**wyborowy** *adj* choice

**wybory** *s pl* election

**wybój** *m* hole

**wybór** *m* choice, selection; election

**wybrakowa|ć** *vt* discard, sort out; **towary ~ne** cast-off goods, refuse *zbior.*

**wybraniec** *m* elect

**wybredny** *adj* fastidious, particular

**wybrnąć** *vi* get out, find a way out

**wybryk** *m* sally; excess

**wybrzeże** *n* seaside, strand, (*plaża*) beach

**wybuch** *m* explosion; outbreak; (*np. wulkanu, epidemii*) eruption

**wybuchnąć** *vi* explode; *przen.* (*o wojnie*) break out; (*o uczuciach*) burst out; **~ płaczem** burst into tears; **~ radością** burst with joy; **~ śmiechem** burst out laughing

**wybuchowy** *adj* explosive; **materiał ~** explosive

**wybujać** *vi* shoot up

**wychodzi|ć** *vi* go out, come out; (*o oknach*) open (**na coś** on sth); **~ć komuś na dobre** turn to sb's account; **~ć na spacer** go out for a walk; **~ć za mąż** marry (**za kogoś** sb); **~ć z mody** go out of fashion; **to na jedno ~** it amounts to the same; **~ć z domu** leave home

**wychodźca** *m* emigrant

**wychodźstwo** *n* emigration

**wychować** *zob.* **wychowywać**

**wychowanek** *m* foster-son; (*uczeń*) pupil

**wychowanie** *n* education, upbringing

**wychowawca** *m* educator, tutor

**wychowawczy** *adj* educational

**wychowawczyni** *f* woman tutor, tutoress

**wychowywać** *vt* bring up, educate; **~ się** *vr* be brought up, be educated

**wychwalać** *vt* praise

**wychylać** *vt* put out; (*wypijać*) empty, drain off; **~ się** *vr* lean out (np. **z okna** of a window) lean forward

**wyciąg** *m* extract; *techn.* hoist, lift; *am.* elevator

**wyciągać** *vt* draw out, stretch out; take out; (*korzyści*) derive (**z czegoś** from sth); (*pieniądze*) extort; (*wniosek*) draw; (*np. ząb, pierwiastek*) extract; (*szufladę*) pull open; (*np. żagiel, flagę*) hoist; **~ naukę moralną** draw a moral; **~ się** *vr* stretch oneself out

**wycie** *n* howl(ing)

**wycieczk|a** *f* excursion, trip; **pójść na ~ę** go on an excursion, take a trip

**wyciek** *m* leak
**wyciekać** *vi* leak, flow out
**wycieńczać** *vt* extenuate, exhaust
**wycieńczenie** *n* extenuation, exhaustion
**wycieraczka** *f* (*do butów*) (door-)mat, shoe-scraper; (*w samochodzie*) wiper
**wycierać** *vt* wipe (off), wipe out; scrape; (*np. buty*) sweep
**wycięcie** *n* cutting out
**wycinać** *vt* cut out; (*żłobić*) carve out; (*las*) clear
**wycinek** *m* cutting; *mat.* ~ **koła** sector; ~ **prasowy** press-cutting, press-clipping
**wyciskać** *vt* squeeze, extort; (*wytłaczać*) impress, imprint
**wycofać** *vt* withdraw, retire; ~ **się** *vr* withdraw; (*z czynnej służby itp.*) retire
**wyczekiwać** *vt* expect
**wyczerp|ać** *vt* exhaust, draw out, wear out; ~**ać się** *vr* wear out; (*np. o zapasie*) run short; **moje zapasy** ~**ują się** my supplies are running short; ~**ała się moja gotówka** I've run short of cash
**wyczuwać** *vt* sense, feel
**wyczyn** *m* stunt, performance, achievement
**wyć** *vi* howl
**wyćwiczony** *adj* trained, skilled
**wyćwiczyć** *vt* train; ~ **się** *vr* get training, acquire skill
**wydać** *zob.* **wydawać**
**wydajność** *f* productivity, yield, efficiency, output
**wydajny** *adj* productive, efficient
**wydalać** *vt* remove; (*np. z posady*) dismiss, *pot.* sack, fire
**wydanie** *n* edition, issue
**wydalenie** *n* removal; (*z posady*) dismissal
**wydarzenie** *n* event, occurrence
**wydarzyć się** *vr* happen, occur
**wydatek** *m* expense
**wydatkować** *vt* expend, lay out
**wydatny** *adj* prominent
**wydawać** *vt* (*pieniądze*) spend; (*płody*) bring forth, produce, yield; (*książki*) publish, issue; (*lekarstwo*) dispense; (*światło, ciepło itp.*) emit; (*np. obiad, przyjęcie*) give; deliver; (*w ręce sprawiedliwości*) deliver; (*zapach*) give out; ~ **resztę** give the change; ~ **za mąż** marry, get married; ~ **się** *vr* seem, appear
**wydawca** *f* publisher
**wydawnictwo** *n* publishing house; (*publikacja*) publication
**wydąć** *vt* (*nadmuchać*) inflate, swell; (*rozszerzyć*) expand; (*usta*) blow out, puff up
**wydech** *m* exhalation, breathing out
**wydeptać** *vt* tread (out)
**wydłużać** *vt* lenghten, prolong
**wydma** *f* dune
**wydmuchać** *vt* blow ⟨puff⟩ out
**wydobrzeć** *vi* recover
**wydobycie** *n górn.* output
**wydobywać** *vt* bring ⟨draw⟩ out, extract, get out; ~ **się** *vr* extricate oneself; get out
**wydostać** *vt* bring out, take out, get out; ~ **się** *vr* get out; extract oneself
**wydra** *f zool.* otter
**wydrapać** *vt* scratch out
**wydrążać** *vt* hollow out; excavate
**wydrążenie** *n* hollow; cavity
**wydrwigrosz** *m pot.* extortioner
**wydusić** *vt pot.* (*wymusić*) squeeze out, extort
**wydychać** *vt vi* breathe out, expire
**wydymać** *vt* swell (out), puff up, inflate, blow out; ~ **się** *vr* swell (out), become inflated
**wydział** *m* department; section; (*uniwersytecki*) faculty
**wydziedziczać** *vt* disinherit
**wydziedziczenie** *n* disinheritance
**wydzielać** *vt* set apart, detach; (*o zapachu, substancji*) secrete; (*przydzielać*) allot; (*rozdzielać*) distribute; ~ **się** *vr* be secreted

**wydzielina** *f* secretion
**wydzierać** *vt* tear out, wrench out
**wyga** *m* cunning fellow, old hand
**wygadać** *vt pot.* blab out; **~ się** *vr* blab out (a secret)
**wygarniać** *vt* rake out; *pot.* speak out one's mind
**wygasać** *vi* go out; (*o terminie*) expire; be extinct
**wygasić** *vt* put out, extinguish
**wygięcie** *n* bend
**wyginać** *vt* bend
**wygląd** *m* appearance
**wyglądа|ć** *vi* look out; (*mieć wygląd*) look, appear; **~ć na coś** look like sth; **~ na deszcz** it looks like rain; **~ć wspaniale** look splendid; **jak on ~?** how does he look?
**wygłodzić** *vt* starve
**wygłosić** *vt* pronounce, express; (*odczyt, mowę*) deliver
**wygnać** *vt* drive out, expel
**wygnanie** *n* exile
**wygnaniec** *m* exile
**wygniatać** *vt* press out; (*ciasto*) knead
**wygod|a** *f* comfort; *pl* **~y** (*urządzenia*) conveniences
**wygodny** *adj* comfortable, convenient
**wygolony** *adj* clean-shaven
**wygon** *m* pasture, common
**wygospodarować** *vt* economize
**wygórowany** *adj* excessive
**wygrać** *vt* win
**wygran|a** *f* win; (*np. na loterii*) prize, (*zwycięstwo*) victory; *przen.* **dać za ~ą** throw up the game
**wygryzać** *vt* bite out; *pot.* (*wyrugować*) oust
**wygrzebywać** *vt* dig out
**wygrzewać się** *vr* warm oneself; (*na słońcu*) bask
**wygwizdać** *vt* hiss off (the stage)
**wyjałowić** *vt* make sterile, sterilize
**wyjałowienie** *n* sterilization
**wyjaśniać** *vt* explain; **~ się** *vr* clear up
**wyjaśnienie** *n* explanation
**wyjawiać** *vt* reveal, disclose
**wyjazd** *m* departure
**wyjąt|ek** *m* exception; **z ~kiem** except, save, but for (**kogoś, czegoś** sb, sth)
**wyjątkowy** *adj* exceptional
**wyjąwszy** *praep* except
**wyjechać** *vi* go out, go away, drive out; leave (np. **do Warszawy** for Warsaw); **~ w podróż** go on a journey
**wyjednać** *vt* obtain
**wyjezdn|e** *n*, **być na ~ym** be on the point of leaving
**wyjmować** *vt* take out
**wyjści|e** *n* (*czynność*) going out, exodus; (*miejsce*) way out, exit; *przen.* issue; (*w kartach*) lead; **punkt ~a** starting-point; **nie mieć ~a** have no way out, *pot.* be in a fix; **przed ~em z domu** before leaving home
**wyjść** *zob.* **wychodzić**
**wykałaczka** *f* tooth-pick
**wykarmić** *vt* breed, feed; (*wychować*) bring up
**wykaz** *m* list, register
**wykazywać** *vt* show, demonstrate; (*udowodnić*) prove, indicate
**wykipieć** *vi* boil over
**wyklarować** *vt* clarify, clear up
**wykląć** *vt* excommunicate; curse
**wykleić** *vt* line
**wyklęcie** *n* excommunication
**wyklinać** *zob.* **wykląć**
**wykluczać** *vt* exclude
**wykluczenie** *n* exclusion
**wykład** *m* lecture; **chodzić na ~y** attend lectures; **prowadzić ~y** give lectures
**wykładać** *vt* (*pieniądze*) lay out, advance; (*np. towar*) display; (*pokrywać*) lay, line; (*nauczać*) lecture (**coś** on sth); (*tłumaczyć*) explain
**wykładnik** *m mat.* exponent; index
**wykładowca** *m* lecturer

**wykładowy** *adj*, **język ~** language of instruction
**wykoleić** *vt* derail; **~ się** *vr* run off the rails, derail; *przen.* swerve from the right path, go on the wrong track
**wykolejenie** *n* derailment
**wykonać** *zob.* **wykonywać**
**wykonalność** *f* practicability, feasibility
**wykonalny** *adj* practicable, feasible
**wykonanie** *n* execution
**wykonawca** *m* performer; *(testamentu)* executor
**wykonawczy** *adj* executive
**wykonywać** *vt* execute, perform, accomplish; *(zawód itp.)* exercise
**wykończenie** *n* finish
**wykończyć** *vt* finish (off)
**wykopać** *vt* dig out
**wykorzenić** *vt* root out
**wykorzystać** *vt* make the most (**coś** of sth), utilize
**wykpić** *vt* deride
**wykraczać** *vi* step over, go over; *(naruszać np. prawo, ustawę)* infringe (**przeciw czemuś** sth, upon sth), offend (**przeciw czemuś** against sth); **~ przeciw prawu** infringe the law
**wykradać** *vt* steal; *(dzieci, ludzi)* kidnap; **~ się** *vr* steal out
**wykres** *m* graph, diagram
**wykreślić** *vt* *(nakreślić)* trace, delineate; *(usunąć)* strike out, cross out, cancel
**wykręcić** *vt* turn round; *(np. śrubę)* unscrew; *(skręcać)* twist; distort; **~ się** *vr* turn round; *pot.* *(wyłgiwać się)* extricate oneself; **~ się tyłem** turn one's back (**do kogoś** on sb)
**wykręt** *m* shift
**wykrętny** *adj* shifty
**wykroczenie** *n* infringement, offence
**wykroić** *vt* cut out
**wykruszyć** *vt* crumble out
**wykrycie** *n* detection, discovery
**wykryć** *vt* reveal, detect
**wykrzesać** *vt* *(ogień)* strike
**wykrzyczeć** *vt* shout out
**wykrzykiwać** *vi* vociferate
**wykrzyknąć** *vi* cry out
**wykrzyknik** *m* *gram.* (mark of) exclamation
**wykrzywiać** *vt* twist, curve; **~ twarz** make a wry face
**wykształcenie** *n* education
**wykształcić** *vt* educate
**wykształcony** *adj* educated, well-read
**wykup** *m* ransom
**wykusz** *m* bay window
**wykupić** *vt* ransom; *(towar)* buy up; *(zastaw, dług itp.)* redeem
**wykuwać** *vt* forge, beat out; *pot.* *(lekcje)* learn by rote
**wykwintny** *adj* elegant, refined
**wykwit** *m* efflorescence
**wylatywać** *vi* *(wyfrunąć)* fly out ⟨away⟩; *(w powietrze)* blow up; *pot.* *(wybiegać)* run out; *(spadać)* fall out; *pot.* *(być wyrzuconym z pracy)* be fired
**wyląg** *m* brood
**wylecieć** *zob.* **wylatywać**
**wyleczyć** *vt* cure, heal (**z czegoś** of sth); **~ się** *vr* be cured, recover
**wylew** *m* flood, inundation; *(np. krwi)* effusion
**wylewać** *vt* pour out ⟨forth⟩; *vi* *(o rzece)* overflow (its bank)
**wylęgać** *vt*, **~ się** *vr* brood, hatch
**wylękły** *adj* frightened
**wyliczać** *vt* enumerate; *sport* count out
**wylosować** *vt* draw out by lot
**wylot** *n* *(odlot)* flight, departure; *(otwór)* orifice, nozzle; *(np. komina)* vent; outlet; **na ~** throughout, through and through
**wyludniać** *vt* depopulate; **~ się** *vr* become depopulated
**wyludnienie** *n* depopulation
**wyładować** *vt* unload, discharge
**wyłamać** *vt* break open ⟨down⟩
**wyłaniać** *vt* evolve, call into ex-

istence; ~ się *vr* emerge, appear
**wyłączać** *vt* exclude; *elektr.* switch off, disconnect
**wyłączenie** *n* exclusion; *elektr.* disconnection
**wyłącznik** *m elektr.* switch
**wyłączność** *f* exclusiveness
**wyłączny** *adj* exclusive
**wyłogi** *s pl* facings
**wyłom** *m* breach, break
**wyłożyć** *zob.* **wykładać**
**wyłudzić** *vt* trick (**coś od kogoś** sb out of sth)
**wyłuskać** *vt* husk, shell
**wyłuszczyć** *vt zob.* **wyłuskać**; (*przedstawić coś*) explain
**wymagać** *vt* require, exact
**wymaganie** *n* requirement
**wymarcie** *n* extinction
**wymarły** *adj* extinct
**wymarsz** *m* departure
**wymaszerować** *vi* march off
**wymawiać** *vt* pronounce; (*zarzucać*) reproach (**komuś coś** sb with sth); (*służbę, mieszkanie itp.*) give notice; ~ **się** *vr* decline (**od czegoś** sth)
**wymazać** *vt* efface, blot out
**wymeldować** *vt* announce departure; ~ **się** *vr* announce one's departure; *am.* (*w hotelu*) check out
**wymiana** *f* exchange
**wymiar** *m* dimension; measure; (*podatku*) assessment; (*sprawiedliwości*) administration
**wymiatać** *vt* sweep out
**wymieni|ać** *vt* change (**coś na coś** sth for sth), exchange (**coś z kimś** sth with sb); (*przytaczać*) mention; **wyżej ~ony** above-mentioned
**wymienny** *adj* exchangeable, exchange- (copy etc.); **handel ~** barter
**wymierać** *vi* die out, become extinct
**wymierny** *adj* measurable; *mat.* rational
**wymierzać** *vt* measure out; apportion; (*podatek*) assess; (*sprawiedliwość*) administer
**wymię** *n* udder
**wymijać** *vt* pass (**kogoś** by sb), cross; (*uchylać się*) elude, evade
**wymijający** *adj* evasive
**wymiotować** *vt* vomit
**wymłócić** *vt* tresh out
**wymoczki** *s pl zool.* infusoria
**wymowa** *f* (*sposób wymawiania*) pronunciation; (*krasomówstwo*) eloquence
**wymowny** *adj* eloquent; (*wiele znaczący*) expressive, significant
**wymóc** *vt* exort
**wymówka** *f* (*zarzut*) reproach; (*pretekst*) pretext, excuse
**wymuszać** *vt* extort
**wymuszenie** *n* extortion
**wymuszony** *adj* extorted; (*nienaturalny*) affected, constrained
**wymykać się** *vr* escape, elude (**komuś, czemuś** sb, sth)
**wymysł** *m* invention, fiction
**wymyślać** *vt* think out, invent; *vi* (*lżyć*) abuse, revile, (*łajać*) scold (**komuś** sb)
**wymyślić** *vt* think out, find out; (*np. fabułę*) frame
**wymyślny** *adj* (*pomysłowy*) inventive, ingenious; (*wyszukany*) refined, sophisticated
**wynagradzać** *vt* reward
**wynagrodzenie** *n* reward; (*zapłata*) payment, (*pensja*) salary
**wynajdywać** *vt* find out
**wynajmować** *vt* (*coś komuś*) let; (*od kogoś*) hire, rent
**wynalazca** *m* inventor
**wynalazek** *m* invention
**wynaleźć** *zob.* **wynajdywać**; (*wymyślić*) invent; discover
**wynarodowić** *vt* denationalize
**wynarodowienie** *n* denationalization
**wynędzniały** *adj* emaciated
**wynędznieć** *vi* become emaciated
**wynieść** *zob.* **wynosić**
**wynik** *m* result, issue; outcome;

*sport* score; **w ~u czegoś** as a result of sth
**wynikać** *vi* result, follow; arise
**wyniosłość** *f* elevation, height, eminence; (*zarozumiałość*) haughtiness
**wyniosły** *adj* lofty, high, eminent; (*zarozumiały*) haughty
**wyniszczać** *vt* destroy, exterminate, waste
**wyniszczenie** *n* destruction, extermination, waste
**wynos|ić** *vt* carry out; (*podnosić*) elevate; raise; † (*wychwalać*) extol; (*o kosztach*) amount; **koszty wynoszą 1000 funtów** the expenses amount to £1,000; **~ić pod niebiosa** extol to the skies; **~ić się** *vr* (*wyjechać*) depart, *pot.* clear out; (*pysznić się*) elevate oneself
**wynurzać** *vt* bring to the surface; utter; reveal; **~ się** *vr* emerge, come forth; (*zwierzać się*) unbosom oneself (**przed kimś** to sb, **z czymś** with regard to sth); disclose (**z czymś** sth; **przed kimś** to sb)
**wynurzenie** *n* emergence; (*myśli, uczuć*) effusion
**wyobcować** *vt* exclude
**wyobraźnia** *f* imagination
**wyobrażać** *vt* represent, figure; **~ sobie** imagine, *pot.* figure out
**wyobrażalny** *adj* imaginable
**wyobrażenie** *n* idea, notion
**wyodrębniać** *vt* (*oddzielać*) separate; (*wydzielać, wyróżniać*) single out
**wyodrębnienie** *n* (*oddzielenie*) separation; (*wydzielenie, wyróżnienie*) singling out, distinction
**wyolbrzymić** *vt* magnify
**wypaczyć** *vt*, **~ się** *vr* warp
**wypad** *m wojsk.* sally
**wypad|ać** *vi* fall out; (*nagle wybiegać*) rush out; turn out; *impers* **~a** (*zdarza się*) it happens, it so falls out; (*godzi się*) it becomes; **ile na mnie ~a?** how much is due to me?; **na jedno ~a** it comes to the same; **to ci nie ~a** this does not become you; **to dobrze ~ło** it turned out well; **to szczęśliwie ~ło** it has turned out fortunately; **to za drogo ~a** it costs too much
**wypad|ek** *m* case, event; (*nieszczęśliwy*) accident; **w każdym ~ku** in any event; **w żadnym ~ku** in no case
**wypadkowa** *f fiz. mat.* resultant
**wypalać** *vt* burn; *med.* cauterize; **~ się** *vr* burn out ⟨down⟩
**wypaplać** *vt pot.* babble out
**wypaść** *zob.* **wypadać**
**wypatrywać** *vt* watch (**kogoś, czegoś** for sb, sth), look out (**kogoś, czegoś** for sb, sth)
**wypełniać** *vt* fill up; (*polecenie, rozkaz*) fill in; (*spełniać*) fulfil
**wypełnienie** *n* filling up; (*spełnienie*) fulfilment
**wypędzać** *vt* drive out, expel, turn out
**wypić** *vt* drink (off)
**wypiek** *m* baking; (*na twarzy*) flush
**wypierać** *vt* oust, push out; **~ się** *vr* deny (**czegoś** sth)
**wypis** *m* extract
**wypisywać** *vt* write out, extract
**wyplatać** *vt* intertwine, interweave
**wyplątać** *vt* extricate; **~ się** *vr* extricate oneself, become disentangled
**wyplenić** *vt* weed out
**wypluć** *vt* spit out
**wypłacać** *vt* pay out; (*gotówką*) pay down; (*np. robotnikom*) pay off
**wypłacalność** *f* solvency
**wypłacalny** *adj* solvent
**wypłat|a** *f* payment; (*np. robotnikom*) paying off; **dzień ~y** pay-day
**wypłoszyć** *vt* scare away
**wypłowieć** *vi* fade, discolour

**wypłukać** *vt* rinse, wash out
**wypływ** *m* outflow, issue
**wypływać** *vi* flow out; (*wypłynąć*) swim out; (*o statku*) sail out; (*na powierzchnię*) emerge; (*wynikać*) result, ensue
**wypoczynek** *m* rest
**wypoczywać** *vi* rest, take a rest
**wypogadzać się** *vr* clear up
**wypominać** *vi vt* reproach (**komuś coś** sb with sth)
**wyporność** *f mors.* displacement
**wyposażenie** *n* endowment; equipment
**wyposażyć** *vt* endow; equip
**wypowiadać** *vt* (*wygłaszać*) pronounce; (*pracę, mieszkanie*) give notice; (*wojnę*) declare; utter; speak; **wypowiedziano mu (pracę, mieszkanie) na miesiąc z góry** he was given a month's notice to quit
**wypowiedzenie** *n* pronouncement; (*wojny*) declaration; (*np. pracy, mieszkania*) notice; **dać ⟨otrzymać⟩ miesięczne ~** give ⟨get⟩ a month's notice
**wypożyczać** *vt* lend out
**wypożyczalnia** *f* lending shop; **~ książek** lending-library
**wypracować** *vt* elaborate, work out
**wypracowanie** *n* elaboration; (*szkolne*) composition
**wyprać** *vt* wash (off); launder
**wypraszać** *vt* obtain by entreaties; **~ za drzwi** show the door
**wyprawa** *f* expedition; outfit, equipment; (*ślubna*) trousseau; (*skóry*) tanning
**wyprawiać** *vt* dispatch, send; (*skórę*) tan; **~ się** *vr* (*wyruszać*) set out
**wyprężać** *vt* stretch out
**wyprostować** *vt* straighten
**wyprowadza|ć** *vt* lead out; (*wywodzić*) trace back (**od czegoś** to sth); **~ć wniosek** draw a conclusion; **~ć w pole** deceive; **~ć z błędu** undeceive; **niejeden Amerykanin ~ swoje pochodzenie od polskich przodków** many an American traces his genealogy back to Polish ancestors; **~ć się** *vr* move (into new quarters)
**wypróbować** *vt* test, try (out)
**wypróbowany** *adj* well-tried
**wypróżniać** *vt* empty
**wyprysk** *m* eczema
**wyprzedawać** *vt* sell out
**wyprzedaż** *f* clearance-sale, sale
**wyprzedzać** *vt* precede, come before; (*np. ubiegać wypadki*) forestall; get ahead (**kogoś** of sb)
**wyprzęgać** *vt* unharness; **~ konie z wozu** take the horses from the cart
**wypukłość** *f* convexity
**wypukły** *adj* convex
**wypuścić** *vt* let out ⟨off⟩, let go; **~ na wolność** set free, set at liberty
**wypychać** *vt* oust, push out; (*wypełniać*) stuff
**wypytywać** *vt* question, examine
**wyrabiać** *vt* manufacture, make; form; (*uzyskiwać*) procure; **~ się** *vr* improve, acquire skill, develop
**wyrachowany** *adj* scheming, calculating, cold-hearted
**wyraz** *m* word; expression
**wyrazisty** *adj* expressive
**wyraźny** *adj* distinct, marked, explicit
**wyrażać** *vt* express; **~ się** *vr* express oneself
**wyrażenie** *n* expression
**wyrąb** *m* cutting; (*lasu*) clearing
**wyrąbać** *vt* cut out; (*las*) clear
**wyręczać** *vt* (*zastąpić*) replace; (*dopomóc*) succour, relieve, help out; **~ się** *vr*, **on się zawsze kimś wyręcza** he always has sb do his work for him
**wyrobnica** *f* charwoman, day-labourer
**wyrobnik** *m* day-labourer
**wyrocznia** *f* oracle
**wyrodny** *adj* degenerate
**wyrodzić się** *vr* degenerate

**wyrok** *m* sentence, verdict; **wydać ~** pass a sentence
**wyrostek** *m* outgrowth; (*starszy chłopak*) stripling; *anat.* **~ robaczkowy** appendix
**wyrozumiałość** *f* indulgence
**wyrozumiały** *adj* indulgent
**wyrozumować** *vt* reason out
**wyr|ób** *m* manufacture, make, article; **~oby krajowe** home-made articles; **~oby żelazne** hardware
**wyrównać** *vt* equalize, level, make even; (*rachunek*) settle, pay; *handl.* balance
**wyrównanie** *n* equalization, levelling; (*rachunku*) settlement, payment; *handl.* balance
**wyróżniać** *vt* distinguish, mark out
**wyrugować** *vt* remove, dislodge
**wyruszyć** *vi* start, set out (**w drogę** on a journey)
**wyrwa** *f* breach, gap
**wyrwać** *vi* pull out, tear out, extract
**wyrządzać** *vt* do, make, administer; **~ krzywdę** do wrong
**wyrzec się** *vr* renounce
**wyrzeczenie** *n* renouncement, renunciation
**wyrzucać** *vt* throw out, expel; (*zarzucać*) reproach (**komuś coś** sb with sth)
**wyrzut** *m* (*zarzut*) reproach; *med.* eruption; **~y sumienia** pangs of conscience; **robić** ⟨**czynić**⟩ **~y** reproach (**komuś z powodu czegoś** sb with sth)
**wyrzutek** *m* outcast
**wyrzynać** *vt* cut out, carve; (*mordować*) slaughter
**wysadzić** *vt* set out; (*podróżnych*) drop, set down; (*na ląd*) land, strand; (*w powietrze*) blow up
**wyschnąć** *vi* dry up, become dry; (*wychudnąć*) become lean
**wysepka** *f* islet
**wysiadać** *vi* get out ⟨off⟩
**wysiedlać** *vt* expel, remove
**wysiedlenie** *n* expulsion, removal
**wysilać** *vt* exert; **~ się** *vr* exert oneself, make efforts
**wysiłek** *m* effort
**wyskakiwać, wyskoczyć** *vi* spring out, jump out
**wyskok** *m* jump; (*wypad*) sally
**wyskrobać** *vt* scratch out, erase
**wyskubać** *vt* pluck out, pull out
**wysłać** *vt* send, dispatch; *zob.* **wysyłać**
**wysłaniec** *m* messenger, envoy
**wysławiać** 1. *vt* (*wychwalać*) extol, glorify
**wysławiać** 2. *vt* express; **~ się** *vr* express oneself
**wysłowienie** *n* expression; elocution
**wysłuchać** *vt* give ear, hear
**wysługiwać się** *vr* lackey (**komuś** sb)
**wysłużyć** *vt* serve; render services
**wysmażony** *adj* fried, well-done
**wysmukły** *adj* slender
**wysnuwać** *vt* spin out, unravel; (*wnioski*) draw, deduce
**wysoki** *adj* high; (*o wzroście*) tall
**wysokogórski** *adj* high-mountain *attr*
**wysokoś|ć** *f* highness, height, altitude; (*sumy*) amount; (*zapłata*) **w ~ci ...** (payment) to the amount of ...; **stanąć na ~ci zadania** rise to the occasion
**wyspa** *f* island
**wyspać się** *vr* get enough sleep
**wyspiarski** *adj* insular
**wyspiarz** *m* islander
**wyssać** *vt* suck out
**wystarać się** *vr* procure (**o coś** sth)
**wystarczający** *adj* sufficient
**wystarczyć** *vi* suffice, be enough
**wystawa** *f* exhibition; (*pokaz*) display, show; (*sklepowa*) shop-window
**wystawać** *vi* stand out, jut
**wystawca** *m* exhibitor; (*np. czeku*) drawer
**wystawiać** *vt* put out; (*pokazać*) exhibit; (*w oknie sklepowym*) display; (*narażać*) expose; (*sztukę*) stage; (*czek*) draw; (*budować*) erect

**wystawność** *f* splendour, pomp
**wystawny** *adj* pompous, ostentatious, showy
**wystawow|y** *adj*, **okno ~e** show-window
**wystąpić** *vi* step ‹come› forward, step out; (*ukazać się*) appear; (*w sądzie*) bring an action ‹accusation›; (*np. z organizacji*) withdraw, retire; **~ w teatrze** appear on the stage
**występ** *m* (*coś wystającego*) projection; (*publiczne wystąpienie*) appearance; **gościnny ~** guest performance
**występek** *m* transgression; vice, depravity
**występny** *adj* transgressional; vicious, depraved
**wystosować** *vt* (*np. pismo*) address
**wystraszyć** *vt* frighten; **~ się** *vr* take fright (**czegoś** at sth)
**wystroić** *vt* attire, dress up; **~ się** *vr* dress oneself up
**wystrzał** *m* shot
**wystrzegać się** *vr* guard (**czegoś** against sth), avoid
**wystrzelić** *vt vi* fire, shoot
**wysuszyć** *vt* dry up
**wysuwać** *vt* move forward, push out; (*np. szufladę*) pull open; **~ się** *vr* draw ahead, put oneself forward
**wyswobodzenie** *n* liberation, deliverance
**wyswobodzić** *zob.* **oswobodzić**
**wysyłać** *vt* forward; *fiz.* emit; *zob.* **wysłać**
**wysypać** *vt* pour out
**wysypka** *f med.* rash
**wyszczególnienie** *n* specification
**wyszczerbić** *vt* jag
**wyszukać** *vt* find out; search out; (*np. w słowniku*) look up
**wyszukany** *adj* (*wykwintny*) choice, exquisite; (*wymyślny*) elaborate, sophisticated
**wyszydzać** *vt* deride
**wyszynk** *m* retail of alcoholic drinks; (*miejsce*) *pot.* pub, *am.* saloon
**wyszywać** *vt* embroider
**wyścielać** *vt* line, bolster up; (*np. ściółkę*) litter
**wyścig** *m* race; (*ubieganie się o pierwszeństwo*) competition, contest; **~i konne** horse races ‹racing›; **~ zbrojeń** armament-race; *przen.* **robić na ~i** try to outdo (**z kimś** each other)
**wyśledzić** *vt* trace out, find out, discover
**wyśliznąć się** *vr* slip out
**wyśmiać** *vt* deride
**wyśmienity** *adj* excellent, exquisite
**wyświadczyć** *vt* do, render
**wyświetlać** *vt* (*np. sprawę*) clear up; (*film*) project, screen
**wytarty** *adj* threadbare, worn-out
**wytchnąć** *vi* take breath ‹rest›
**wytchnienie** *n* rest, repose
**wytępić** *vt* exterminate
**wytępienie** *n* extermination
**wytężać** *vt* strain
**wytężenie** *n* strain, exertion
**wytężony** *adj* intense, strained
**wytknąć** *vt* put out; (*błąd*) expose, point out
**wytłaczać** *vt* (*wyciskać*) squeeze out, extract; (*drukować*) imprint, impress; (*nadawać kształt*) emboss
**wytłumaczyć** *vt* explain; **~ się** *vr* excuse oneself
**wytoczyć** *vt* roll out; (*sprawę sądową*) bring a law-suit (**komuś** against sb), sue; (*płyn z beczki*) tap off
**wytrawny** *adj* experienced, consummate; (*o winie*) dry
**wytrącić** *vt* push out, knock out; **~ kogoś z równowagi** throw sb out of balance
**wytropić** *vt* track, trace, search out
**wytrwać** *vi* hold out
**wytrwałość** *f* perseverance, endurance
**wytrwały** *adj* enduring, persevering

**wytrysk** *m* spout, jet; ejaculation
**wytryskać** *vt vi* spout, jet
**wytrząść** *vt* shake out
**wytrzebić** *vt* exterminate; *(las)* clear
**wytrzeszczyć** *vi*, **~ oczy** goggle
**wytrzeźwić** *vt* make sober, sober down
**wytrzeźwieć** *vi* become sober, sober down
**wytrzyma|ć** *vt* *(znieść)* stand, endure; *vi* *(przetrzymać)* hold out, last (out); **to nie ~ przez zimę** this will not last out the winter
**wytrzymałość** *f* endurance
**wytrzymały** *adj* resistant; durable; *(zahartowany)* enduring; *(o rzeczach)* fast, lasting
**wytrzymani|e** *n*, **nie do ~a** unbearable, past all bearing
**wytwarzać** *vt* produce, manufacture; *(tworzyć)* form
**wytworność** *f* distinction, exquisiteness
**wytworny** *adj* distinguished, exquisite
**wytwór** *m* product; piece of work
**wytwórczość** *f* productivity, production
**wytwórczy** *adj* productive
**wytwórnia** *f* factory, plant, mill
**wytyczać** *vt* *(granicę)* delimit, delimitate; *(linię)* draw, trace
**wytyczna** *f* directive line
**wytyczny** *adj* directive
**wytykać** *zob.* **wytknąć**
**wyuzdany** *adj* unbridled, licentious
**wywabiać** *vt* lure out, coax away; *(plamy)* take out
**wywalczyć** *vi* fight out, obtain by fighting
**wywalić** *vt* *pot.* *(np. drzwi)* break open; *(wyrzucić)* shove out
**wywar** *m* decoction
**wyważyć** *vt* weigh; *(np. drzwi)* force, unhinge
**wywdzięczyć się** *vr* express thanks, return
**wywiad** *m* interview; *polit.* i *wojsk.* intelligence; *wojsk.* *(zwiad)* reconnaissance
**wywiadywać się** *vr* inquire **(o kogoś, coś** after sb, about sth)
**wywiązać się** *vr* acquit oneself **(z czegoś** of sth); *(o chorobie, rozmowie)* set in, develop
**wywierać** *vt* *(np. wpływ)* exert; *(np. zemstę, złość)* wreak
**wywieść** *zob.* **wywodzić; ~ w pole** deceive
**wywietrzeć** *vi* evaporate, volatilize
**wywietrzyć** *vt* air, ventilate
**wywijać** *vi* wave, flourish, brandish; **~ się** *vr* elude
**wywlekać** *vt* drag out, draw out
**wywłaszczać** *vt* expropriate
**wywłaszczenie** *n* expropriation
**wywnętrzać się** *vr* unbosom oneself **(przed kimś** to sb, **z czymś** regarding sth)
**wywnioskować** *vt* infer, conclude
**wywodzić** *vt* *(wyprowadzać)* lead out; *(np. pochodzenie)* derive; *(wywnioskować)* infer, deduce; *(dowodzić)* argue; **~ się** *vr* be derived, originate
**wywołać** *zob.* **wywoływać**
**wywoływać** *vt* call out ‹forth›; *(powodować)* evoke, cause, bring about; *fot.* develop
**wywozić** *vt* carry out; export
**wywód** *m* deduction, inference
**wywóz** *m* removal, carrying out; export
**wywracać** *vt* overturn, upset; **~ się** *vr* overturn; *(o łodzi)* capsize
**wywyższać** *vt* elevate, raise; extol
**wywyższenie** *n* elevation
**wyzbyć się** *vr* get rid **(czegoś** of sth); deprive oneself **(czegoś** of sth)
**wyzdrowieć** *vi* recover
**wyzdrowienie** *n* recovery
**wyziew** *m* exhalation
**wyznaczać** *vt* *(mianować)* appoint; *(zaznaczać)* mark out; *(przydzielać)* allot
**wyznacznik** *m* *mat.* determinant
**wyznać** *zob.* **wyznawać**
**wyznanie** *n* *(przyznanie)* avowal;

(*religijne*) denomination; (*wiary*) confession; (*miłości*) declaration
**wyznawać** *vt* (*przyznawać*) avow, confess; (*np. religię*) profess; (*miłość*) declare
**wyznawca** *m* confessor, believer
**wyzuć** *vt* deprive, bereave (**kogoś z czegoś sb of sth**)
**wyzwać** *vt* challenge, provoke, defy
**wyzwalać** *vt* liberate, free; emancipate
**wyzwanie** *n* challenge, defiance; **rzucić ~** throw down the gauntlet
**wyzwolenie** *n* liberation, deliverance
**wyzwolić** *vt* liberate, free; **~ się** *vr* free oneself; **~ się na czeladnika** qualify as a journeyman
**wyzysk** *m* exploitation
**wyzyskiwacz** *m* exploiter
**wyzyskiwać** *vt* exploit
**wyzywać** *zob.* **wyzwać**; (*przezywać*) call names (**kogoś** sb), abuse
**wyzywający** *adj* provocative
**wyżebrać** *vt* obtain by begging
**wyżej** *adv* higher; above
**wyżeł** *m* pointer
**wyżłobić** *vt* hollow out, groove
**wyższość** *f* superiority
**wyższy** *adj* higher; (*rangą itp.*) superior
**wyżyć** *vi* manage to live; **~ się** *vr* live a full life
**wyżymaczka** *f* wringer
**wyżymać** *vt* wring
**wyżyna** *f* upland
**wyżywić** *vt* feed, nourish; **~ się** *vr* make a living
**wyżywienie** *n* living, maintęnace
**wzajemność** *f* mutuality, reciprocity
**wzajemny** *adj* mutual, reciprocal
**w zamian** *adv* in exchange, in return (**za coś** for sth)
**wzbić się** *vr* rise, soar up
**wzbierać** *vi* swell; rise
**wzbogacać** *vt* enrich; **~ się** *vr* become rich
**wzbogacenie** *n* enrichment
**wzbraniać** *vt* forbid; **~ się** *vr* refuse, decline (**przed czymś** sth)
**wzbudzać** *vt* excite, cause, inspire
**wzbudzenie** *n* excitement, inspiration; *fiz.* excitation
**wzburzenie** *n* stir, excitement
**wzburzony** *adj* stirred, troubled; (*o morzu*) rough
**wzburzyć** *vt* stir up, agitate, trouble
**wzdąć** *zob.* **wzdymać**
**wzdłuż** *praep* along; *adv* alongside, lengthwise
**wzdrygać się** *vr* shrink (**przed czymś** from sth)
**wzdychać** *vi* sigh (**za kimś, czymś** for sb, sth)
**wzdymać** *vt* inflate, puff up
**wzgarda** *f* contempt (**dla kogoś, czegoś** for sb, sth)
**wzgardliwy** *adj* contemptuous, scornful
**wzgardzić** *vt* despise, spurn
**wzgl|ąd** *m* regard, respect; consideration; **pod ~ędem** with regard (**czegoś** to sth); **przez ~ąd** in regard (**na coś** of sth); **ze ~ędu** with regard (**na kogoś, na coś** to ⟨for⟩ sb, to ⟨for⟩ sth)
**względność** *f* relativity
**względny** *adj* relative; (*stosunkowy*) considerate, indulgent
**wzgórek** *m* hillock
**wzgórze** *n* hill
**wziąć** *vt* take; *zob.* **brać**; **~ do niewoli** take prisoner; **~ górę** get the upper hand; **~ za złe** take amiss; **~ się** *vr*, **~ się do pracy** set to work
**wziewanie** *n* inhalation
**wziętość** *f* popularity
**wzięty** *adj* popular, fashionable
**wzlot** *m* flight, ascent
**wzmacniać** *vt* strengthen, reinforce; intensify; *radio* amplify; **~ się** *vr* gather strength
**wzmagać** *vt* increase, intensify; **~ się** *vr* increase, grow more intense
**wzmianka** *f* mention (**o czymś** of sth)

**wzmożenie** *n* increase
**wzmożony** *adj* increased
**wznak, na ~** *adv* on the back
**wzniecić** *vt* stir up, excite
**wzniesienie** *n* elevation
**wznieść** *zob.* **wznosić**
**wzniosłość** *f* sublimity; loftiness; (*wzniesienie*) elevation
**wzniosły** *adj* sublime; elevated, lofty
**wznosić** *vt* raise, lift, elevate, erect; **~ toast** propose a toast; **~ się** *vr* rise, ascend; *lotn.* climb
**wznowić** *vt* revive, renew; resume; (*np. książkę*) reprint
**wznowienie** *n* revival; resumption; (*np. książki*) reprint
**wzorować** *vt* pattern; (*modelować*) model; **~ się** *vr* model oneself (**na kimś, czymś** on sb, sth); pattern (**według czegoś** after sth); follow the example
**wzorow|y** *adj* exemplary; model *attr*; **~a szkoła** model school
**wzorzec** *m* pattern, standard
**wzorzysty** *adj* figured; **~ materiał** fancy cloth
**wzór** *m* pattern, model; design; *mat.* formula
**wzrastać** *vi* grow up
**wzrok** *m* sight; (*spojrzenie*) look
**wzrokowy** *adj* optical; visual
**wzrost** *m* growth, development; (*cen, kosztów*) rise, increase; (*człowieka*) stature, height; **człowiek średniego ~u** man of medium height
**wzruszać** *vt* move, affect, touch; **~ się** *vr* be moved, be affected
**wzruszający** *adj* moving, touching
**wzruszenie** *n* emotion, affection
**wzwyż** *adv* up, upwards
**wzywać** *vt* bid, order, call; (*np. lekarza do domu*) call in; (*urzędowo, np. do sądu*) summon; **~ pomocy** call for help

# Z

**z, ze** *praep* with; from, off, out of; through, by; of; **razem z kimś** together with sb; **jeden z wielu** one out of many; **jedno z dzieci** one of the children; **zrobiony z drzewa** made of wood; **pić ze szklanki** drink out of a glass; **przychodzę ze szkoły** I am coming from school; **wyjść z domu** leave home; **zdjąć obraz ze ściany** take the picture off the wall; **zejść ⟨zboczyć⟩ z drogi** go out of one's way; **żyć z hazardu** live by gambling; **ze strachu** for fear; **z nieświadomości** through ignorance; **to uprzejmie z twojej strony** it is kind of you; *adv* (*około*) about
**za** *praep* for; behind; after; by; in; on; **biegać za kimś** run after sb; **mieć kogoś za nic** have no regard for sb; **trzymać za rękę** hold by the hand; **wyjść za mąż** get married; **dzień za dniem** day by day; **za czasów** at ⟨in⟩ the time; **za dnia** by day; **za godzinę** in an hour; **za gotówkę** for cash; **za każdym krokiem** at each step; **za miastem** outside the town; **za pokwitowaniem** on receipt; **za ścianą** behind the wall; **za zapłatą** on payment; **co to za człowiek?** what (kind of) man is he?; **co to za książki?** what (kind of) books are these?
**zabarwienie** *n* hue, stain, dye
**zabawa** *f* amusement, entertainment, play; fun; **~ taneczna** dance
**zabawiać** *vt* amuse; **~ się** *vr* amuse oneself, have some fun
**zabawka** *f* toy, plaything

**zabawny** *adj* amusing, funny
**zabezpieczenie** *n* guarantee, security, protection; providing (**kogoś** for sb); placing in safety (**czegoś** sth)
**zabezpiecz|yć** *vt* safeguard, secure, place in safety; guarantee; **~yć rodzinę** provide for one's family; **~yć się** *vr* assure oneself, secure oneself, take measures of precaution; **być ~onym** be provided for; be placed in safety
**zabić** *zob.* **zabijać**
**zabieg** *m* measure, resource, endeavour; (*lekarski*) intervention; **czynić ~i** take measures; take pains
**zabiegać** *vi* strive (**o coś** for sth); make great endeavours (**o coś** towards sth); **~ komuś drogę** cross sb's path
**zabierać** *vt* take, take off ⟨away⟩; **~ dużo czasu** take much time; **~ głos** begin to speak; **~ się** *vr* get off, clear out; set (**do czegoś** about sth); **~ się do roboty** set to work
**zabijać** *vt* kill; (*np. beczkę*) bung; (*gwoździami*) fix, provide with nails
**zabliźnić się** *vr* cicatrize, close up
**zabłądzić** *vi* go astray, lose one's way
**zabłocić** *vt* splash ⟨cover⟩ with mud; soil, make dirty
**zabobon** *m* superstition
**zabobonny** *adj* superstitious
**zabol|eć** *vi* begin to ache; *przen.* **to mnie ~ało** this has hurt me
**zaborca** *m* conqueror, invader
**zaborczy** *adj* rapacious; predatory; grasping; invasive
**zabójca** *m* killer, homicide, murderer
**zabójczy** *adj* murderous, killing, homicidal; destructive
**zabójstwo** *n* manslaughter, murder
**zabór** *m* conquest, occupation, annexation; annexed territory
**zabrak|nąć** *vi* fall short, run short (**czegoś** of sth); **~ło nam benzyny** we ran short of petrol
**zabrania|ć** *vt* forbid, prohibit, interdict; **~ się pod karą...** it is forbidden on ⟨under⟩ penalty ⟨on pain⟩ of...
**zabudowa|ć** *vt* cover with buildings, build upon; close a passage with brick and mortar; **plac został ~ny** the plot has been built upon
**zabudowani|e** *n* building; *pl* **~a** premises
**zaburzenie** *n* disorder, trouble
**zabytek** *m* monument, relic
**zachcianka** *f* fancy, caprice
**zachęcać** *vt* encourage
**zachęta** *f* encouragement
**zachłanność** *f* greed
**zachłanny** *adj* greedy
**zachłysnąć się** *vr* be choked
**zachmurz|yć** *vt* cloud; **~yć się** *vr* cloud, be covered with clouds; become gloomy; **~one czoło** frown
**zachodni** *adj* western, west
**zachodzić** *vi* arrive; (*o wypadku*) happen, occur; (*o słońcu*) set; (*o kwestii*) arise; **~ do kogoś** call on sb; **~ komuś drogę** cross sb's path
**zachorować** *vi* fall ill, be taken ill (**na coś** of, with sth)
**zachowanie (się)** *n* behaviour, conduct
**zachowawczy** *adj* conservative
**zachowywać** *vt* preserve, keep; **~ ciszę** keep silent; **~ ostrożność** be on one's guard, be cautious; **~ pozory** keep up appearances; **~ obyczaje** observe customs; **~ się** *vr* behave, deport oneself, bear oneself
**zachód** *m* west; (*trud*) pains *pl*, endeavour; **~ słońca** sunset; **na ~** west of
**zachrypnąć** *vi* get ⟨grow⟩ hoarse
**zachrypnięty** *adj* hoarse
**zachwalać** *vt* praise
**zachwiać** *vt* shake, cause to tremble; **~ się** *vr* shake, be shaken, reel
**zachwycać** *vt* charm, enchant, fascinate; **~ się** *vr* be charmed, be

enraptured (**czymś** with sth), rave (**czymś** about sth)
**zachwyt** *m* enchantment, rapture
**zaciąg** *m* *wojsk.* enrollment, recruitment
**zaciąg|ać** *vt* (*do wojska*) enroll, recruit; (*ciągnąć*) draw, drag; **~ać dług** contract ⟨incur⟩ a debt; **~nąć się** *vr* enlist, join up; **~ać się papierosem** inhale the smoke
**zaciekawić** *vt* intrigue, puzzle, arouse curiosity, pique
**zaciekły** *adj* embittered; rapid; (*o wrogu*) sworn
**zaciemnić** *vt* obscure, eclipse; (*np. okna*) black out
**zaciemnienie** *n* obscurity; (*przeciwlotnicze*) black-out
**zacierać** *vt* efface, obliterate
**zacieśnić** *vt* tighten up
**zacięty** *adj* obstinate, stubborn
**zacinać** *vt* notch, slit, cut; **~ się** *vr* (*w mowie*) hesitate, falter; (*o zamku, maszynie itp.*) jam, get jammed
**zaciskać** *vt* press together, compress, tighten up; **~ pięść** clench one's fist; *przen.* **~ pasa** tighten one's belt
**zacisze** *n* retreat, solitude
**zacny** *adj* honest, good
**zacofanie** *n* backwardness
**zacofany** *adj* backward, reactionary, rusty; **~ gospodarczo** underdeveloped
**zaczadzenie** *n* asphyxia, suffocation
**zaczadzieć** *vi* become asphyxiated
**zaczaić się** *vr* lie in ambush; **~ na kogoś** lay an ambush for sb
**zaczarować** *vt* enchant, bewitch
**zacząć** *zob.* **zaczynać**
**zaczepiać** *vt* hook on; (*podejść do kogoś*) accost; (*napaść*) attack
**zaczepk|a** *f* attack; **szukać ~i** pick a quarrel
**zaczepn|y** *adj* aggressive; **przymierze ~o-odporne** offensive and defensive alliance
**zaczerwienić** *vt* redden, make red; **~ się** *vr* redden, (*zarumienić się*) blush
**zaczyn** *m* ferment
**zaczynać** *vt vi* begin, start, commence; **~ się** *vr* begin, start, commence
**zaćmić** *vt* obscure, eclipse
**zaćmienie** *n* eclipse
**zada|ć** *vt* give, put; (*o zadaniu do opracowania*) set a task; **~ć cios** deal a blow; **~ć pytanie** put a question; **~ć sobie trud** take the trouble; **~ne lekcje** home lessons; **mamy dużo ~ne** we have many home lessons to do
**zadanie** *n* task; **dać ~** set a task
**zadatek** *m* earnest, advance payment
**zadatkować** *vt* pay in earnest
**zadawać** *zob.* **zadać**; **~ się** *vr* associate (**z kimś** with sb)
**zadłużony** *adj* (deeply) in debt; indebted
**zadłużyć się** *vr* get into debt
**zadośćuczynić** *vt* give satisfaction, do justice; **~ prośbie** comply with the request
**zadowalający** *adj* satisfactory
**zadowolenie** *n* satisfaction, contentment; **~ z samego siebie** self-complacency
**zadowolić** *vt* satisfy, gratify; **~ się** *vr* content oneself
**zadowolony** *adj* satisfied, content(ed)
**zadrapać** *vt* scratch open, make sore with scratching
**zadrasnąć** *vt* scratch open; *przen.* hurt
**zadrażnienie** *n* irritation
**zadrzewiać** *vt* afforest
**zadrzewienie** *n* afforestation
**zaduch** *m* stifling air
**zaduma** *f* meditation, day-dream
**zadusić** *vt* stifle, choke, smother
**Zaduszki** *s pl* All Souls' Day
**zadymka** *f* snow-drift
**zadyszany** *adj* breathless
**zadzierać** *vt vi* lift ⟨pull⟩ up; tear open, rend; *pot.* **~ nosa** give oneself great airs; **~ z kimś** seek a quarrel with sb
**zadziwiać** *vt* astonish, amaze

**zadzwonić** *vi* ring; ~ **do kogoś** ring sb up
**zagadka** *f* riddle, puzzle
**zagadkowy** *adj* puzzling, enigmatic
**zagadnąć** *vt* address
**zagadnienie** *n* question, problem
**zagaić** *vt* (*np. posiedzenie*) open
**zagajnik** *m* grove
**zagarniać** *vt* take, capture
**zagęszczać** *vt* condense, compress
**zagiąć** *vt* bend, turn down
**zaginąć** *vi* go ⟨be⟩ lost
**zaginiony** *adj* lost
**zaglądać** *vi* peep; look up (**do książki** the book); call (**do kogoś** on sb)
**zagłada** *f* extinction, extermination
**zagłębić** *vt* plunge, sink; ~ **się** *vr* plunge, dive, sink; ~ **się w studiach** be engaged in study
**zagłębie** *n* basin; ~ **naftowe** oil-field; ~ **węglowe** coal-basin, coal-field
**zagłębienie** *n* hollow, cavity
**zagłodzić** *vt* famish
**zagłuszać** *vt* deafen, stun; (*audycję*) jam
**zagmatwać** *vt* entangle
**zagmatwanie** *n* entanglement
**zagniewany** *adj* angry (**na kogoś** with sb)
**zagnieździć się** *vr* nestle; *przen.* get a footing
**zagorzały** *adj* zealous, hot-headed
**zagotować** *vt* boil up; ~ **się** *vr* boil up
**zagrabić** *vt* seize, appropriate by force
**zagranica** *f* countries abroad, foreign countries
**zagraniczny** *adj* foreign
**zagrażać** *vt* threaten, menace
**zagroda** *f* farm-house, cottage
**zagrodzić** *vt* enclose
**zagrożeni|e** *n* menace, threat; **stan ~a** state of emergency
**zagrożony** *adj* menaced
**zagrzebać** *vt* hide in the ground; bury; ~ **się** *vr* (*o zwierzętach, np. o krecie*) burrow; *przen.* ~ **się w książkach** be buried in the books
**zagrzewać** *vt* warm up; *przen.* (*np. do boju*) rouse, inflame
**zagwoździć** *vt* nail up, peg, spike
**zahamowanie** *n* check, stoppage
**zahartowany** *adj* inured (**na coś** to sth)
**zaimek** *m gram.* pronoun
**zainteresowanie** *n* interest
**zaintonować** *vt* strike up (a tune)
**zaiste** *adv* truly, forsooth
**zajadły** *adj* fanatical, furious
**zajaśnieć** *vi* begin to shine
**zajazd** *m* inn; (*najazd*) foray
**zając** *m* hare
**zająć** *zob.* **zajmować**; ~ **się czymś** set about doing sth; ~ **się od ognia** catch fire
**zajechać** *vi* put up (**do gospody** at an inn); drive up
**zajęcie** *n* occupation, business, activities; (*np. mienia*) seizure, arrest
**zajmować** *vt* occupy, take possession (**coś** of sth); (*stanowisko*) fill; ~ **się** *vr* occupy oneself (**czymś** with sth), be engaged (**czymś** in sth)
**zajście** *n* incident
**zajść** *zob.* **zachodzić**; ~ **w ciążę** become pregnant
**zakamieniały** *adj* obdurate
**zakatarzony** *adj* having a cold
**zakaz** *m* prohibition
**zakazić** *vt* infect
**zakazywać** *vt* forbid, prohibit (**czegoś** sth)
**zakaźny** *adj* infectious, contagious
**zakażenie** *n* infection
**zakąsić** *vt vi* have a snack
**zakąska** *f* snack
**zakątek** *m* corner, nook
**zaklęcie** *n* spell; conjuration
**zaklinać** *vt* conjure, charm; (*błagać*) conjure
**zakład** *m* (*instytucja*) establishment, institute, institution; (*założenie się*) bet; ~ **drukarski** printing office; ~ **krawiecki** tailor's

shop; ~ **przemysłowy** industrial plant; ~ **ubezpieczeń** insurance company; **iść o** ~ make a bet
**zakłada|ć** *vt* establish, found, institute; (*np. okulary*) put on; (*ręce*) cross; (*fundament*) lay; *vi* (*logicznie*) presume, assume; **~ć się** *vr* bet, make a bet, stake; **~m się z tobą o 5 funtów** I bet you 5 pounds
**zakładka** *f* tuck, fold, (*w książce*) bookmark
**zakładnik** *m* hostage
**zakłopotanie** *n* embarrassment, uneasiness
**zakłócać** *vt* trouble, disturb
**zakłócenie** *n* trouble, disturbance; ~ **porządku** disorder
**zakochać się** *vr* fall in love (**w kimś** with sb)
**zakochany** *adj* in love, enamoured
**zakomunikować** *vt* communicate
**zakon** *m* order
**zakonnica** *f* nun
**zakonnik** *m* monk
**zakontraktować** *vt* contract (**coś** for sth), arrange by contract; *mors.* (*statek*) charter
**zakończenie** *n* conclusion, end(ing); **na** ~ to end with, at the end
**zakopać** *vt* bury
**zakorkować** *vt* cork up
**zakorzenić się** *vr* strike root; *przen.* become deeply rooted
**zakorzeniony** *adj* deep-rooted, inveterate
**zakradać się** *vr* steel, creep
**zakres** *m* range, sphere, domain, scope
**zakreślić** *vt* (*koło*) circumscribe, (*np. plan*) outline; (*zaznaczyć ołówkiem*) mark
**zakręci|ć** *vt* turn, twist, screw up; ~ **się** *vr* turn round, wheel about; **~ło mi się w głowie** I'm feeling dizzy
**zakręt** *m* turning, bend
**zakryć** *vt* cover
**zakrwawić** *vt* stain with blood
**zakrzątnąć się** *vr* bestir oneself, bustle about; *pot.* buckle (**koło czegoś** to sth)
**zakrzyczeć** *vt* shout down; ~ **kogoś** storm at sb
**zakrzywić** *vt* crook, curve, bend
**zakuć** *vt*, ~ **w kajdany** (en)chain, put in chains
**zakup** *m* purchase
**zakuty** *adj* (*w kajdany*) enchained; *pot.* (*o łbie*) thick-skulled, dull-witted
**zakwitnąć** *vi* (begin to) blossom
**zalążek** *m* germ, embryo
**zalecać** *vt* recommend, commend; ~ **się** *vr* court (**do kogoś** sb), woo (**do kogoś** sb); make love (**do kogoś** to sb)
**zalecenie** *n* recommendation
**zaledwie** *adv* scarcely, hardly, merely
**zalegać** *vi* be behind, be in arrears (**z czymś** with sth); (*o pieniądzach*) remain unpaid
**zaległość** *f* arrears *pl*
**zaległy** *adj* outstanding
**zalepić** *vt* glue over
**zalesienie** *n* afforestation
**zaleta** *f* virtue, advantage
**zalew** *m* inundation, flood; (*zatoka*) fresh-water bay
**zalewać** *vt* pour over; (*o powodzi*) inundate, flood
**zależ|eć** *vi* depend (**od kogoś** on sb); **~y mi na tym** I am anxious about it; **nie ~y mi na tym** it does not matter to me; I don't care for it; **to ~y** it depends; **to ~y od ciebie** it depends on you; it's up to you
**zależność** *f* dependence
**zależny** *adj* dependent (**od czegoś** on sth)
**zaliczać** *vt* reckon, advance, pay in advance; (*szeregować*) classify, class; (*np. semestr*) attest; (*wliczać*) include
**zaliczenie** *n* inclusion; attestation; *handl.* **za ~m** cash on delivery
**zaliczk|a** *f* earnest; **tytułem ~i** in earnest
**zalotnik** *m* wooer, suitor
**zaloty** *s pl* courtship, wooing
**zaludniać** *vt* populate

**zaludnienie** *n* population
**załadować** *vt* load, charge
**załagodzenie** *n* mitigation, softening, appeasement
**załagodzić** *vt* allay, mitigate, compose, appease
**załamać** *vt* break down; (*ręce*) wring; ~ **się** *vr* break down
**załamanie** *n* break-down, collapse; *fiz.* refraction
**załatwiać** *vt* settle, arrange; (*interesy*) transact; ~ **sprawunki** shop; go ⟨do⟩ shopping; ~ **się** *vr* manage (**z czymś** sth); ~ **się szybko** make short work (**z czymś** of sth)
**załatwienie** *n* settlement, arrangement; (*interesów*) transaction
**załącz|ać** *vt* enclose (**do czegoś** with sth); (*dołączać*) annex (**do czegoś** to sth); **w** ~**eniu do...** enclosed with...
**załącznik** *m* enclosure; (*dodatek*) annex
**załoga** *f* crew, *wojsk.* garrison
**założenie** *n* foundation; (*przesłanka*) presumption, premise; assumption, principle
**założyciel** *m* founder
**założyć** *zob.* **zakładać**
**zamach** *m* stroke; attempt (**na życie** on life); ~ **stanu** coup d'etat; **za jednym** ~**em** at one stroke
**zamachowiec** *m* assassin
**zamarły** *adj* dead
**zamarzły** [-r-z-] *adj* frozen
**zamarznąć** [-r-z-] *vi* freeze up, get frozen up
**zamaskować** *vt* mask, camouflage
**zamaszysty** *adj* vigorous, brisk
**zamawiać** *vt* (*np. towar*) order; (*rezerwować*) reserve (**sobie** for oneself)
**zamazać** *vt* efface, smear over
**zamącić** *vt* disturb, trouble
**zamążpójście** *n* marriage
**zamek** *m* (*budowla*) castle; (*u drzwi*) lock; ~ **błyskawiczny** zip-fastener, zipper
**zameldować** *vt* report, register; ~ **się** *vr* report oneself, register, *am.* (*w hotelu*) check in
**zamęt** *m* confusion, disturbance
**zamężna** *adj* married
**zamglony** *adj* hazy, foggy, misty; (*szkło, oczy*) cloudy
**zamiana** *f* exchange, change (**na coś** for sth)
**zamiar** *m* purpose, aim, design, intention; **mieć** ~ intend, mean
**zamiast** *praep* instead of
**zamiatać** *vt* sweep
**zamieć** *f* (*śnieżna*) snow-drift
**zamienić** *vt* change, exchange (**coś na coś** sth for sth)
**zamienny** *adj* exchangeable; (*zapasowy*) reserve, spare
**zamierać** *vi* die off, expire
**zamierzać** *vt* intend, mean, be going; ~ **się** *vr* raise one's hand to strike
**zamierzchły** *adj* remote, old, immemorial
**zamieszać** *vt* stir ⟨mix⟩ up
**zamieszanie** *n* confusion
**zamieszczać** *vt* place, put; (*w prasie*) insert, have printed
**zamieszkać** *vi* take lodgings; put up; reside
**zamieszkały** *adj* resident, living, domiciled
**zamieszkani|e** *n*, **miejsce** ~**a** dwelling-place, abode, domicile
**zamieszkiwać** *vi* live; *vt* inhabit
**zamilknąć** *vi* become silent
**zamiłowanie** *n* predilection, love, liking (**do czegoś** for sth)
**zamiłowany** *adj* passionately fond (**w czymś** of sth)
**zamknąć** *vt* close, shut, (*na klucz*) lock; (*w czterech ścianach*) shut in, lock in, lock up
**zamknięcie** *n* closing device; lock; fastener, (*pomieszczenie*) seclusion, (*zakończenie*) close, closing; (*ulicy*) blocking
**zamoczyć** *vt* wet, soak
**zamorski** *adj* oversea
**zamożność** *f* prosperity, wealth
**zamożny** *adj* well-to-do, wealthy
**zamówić** *zob.* **zamawiać**
**zamówienie** *n* order
**zamrażać** *vt* freeze, refrigerate

**zamroczenie** *n* stupefaction, numbness
**zamroczyć** *vt* benumb, stupefy
**zamsz** *m* chamois-leather
**zamulić** *vt* fill with mud
**zamurować** *vt* wall up
**zamydlić** *vt* soap; *przen.* ~ **komuś oczy** throw dust in sb's eyes
**zamykać** *zob.* **zamknąć**
**zamysł** *m* design
**zamyślenie** *n* meditation
**zamyślić** *vt* design; ~ **się** *vr* be lost in thoughts
**zamyślony** *adj* lost in thoughts
**zanadto** *adv* too, too much, too many
**zaniechać** *vt* give up
**zanieczyszczenie** *n* soiling, pollution, impurity
**zanieczyścić** *vt* soil, foul, pollute
**zaniedbanie** *n* neglect, negligence
**zaniedbywać** *vt* neglect; (*np. okazję*) miss
**zaniemóc** *vi* become ill
**zaniemówić** *vi* become dumb
**zaniepokoić** *vt* alarm, make uneasy
**zaniepokojenie** *n* alarm, anxiety, uneasiness
**zanieść** *vt* carry; (*prośbę*) address
**zanik** *m* disappearance, loss, decay, atrophy
**zanikać** *vi* disappear, decline, dwindle
**zanikły** *adj* lost, decayed, atrophic
**zanim** *conj* before, by the time
**zanocować** *vi* stay for the night
**zanosi|ć** *zob.* **zanieść**; ~ **się na deszcz** it is going to rain
**zanotować** *vt vi* make a note (**coś** of sth), note, put down
**zanurzyć** *vt* plunge, (*np. pióro*) dip; ~ **się** *vr* plunge
**zaoczn|y** *adj*, **studia ~e** extramural <non-resident> studies; **wyrok ~y** judgement by default
**zaognić** *vt* inflame
**zaokrąglić** *vt* round off
**zaopatrywać** *vt* provide, supply (**w coś** with sth), store; protect (**okna na zimę** the windows for the winter); (*na przyszłość*) provide (**kogoś** for sb)
**zaopatrzenie** *n* (*wyposażenie*) equipment; (*aprowizacja*) provision, maintenance; ~ **w środki żywności** victualling
**zaopatrzony** *adj* provided for
**zaorać** *vt* plough over
**zaostrzyć** *vt* sharpen, whet; (*sytuację*) aggravate
**zaoszczędzić** *vt* economize, save
**zapach** *m* smell, odour
**zapadać** *vi* sink, fall in; (*o nocy*) set in; (*o wyroku*) be pronounced, be passed; ~ **na zdrowiu** fall ill; ~ **się** *vr* fall in, sink, decay
**zapadł|y** *adj* sunken; **~a wieś** out-of-the-way village
**zapakować** *vt* pack up
**zapalczywość** *f* impetuosity, vehemence
**zapalczywy** *adj* impetuous, vehement
**zapalenie** *n* ignition; (*światła*) lighting; *med.* inflammation; *med.* ~ **otrzewnej** peritonitis; ~ **płuc** pneumonia
**zapaleniec** *m* fanatic, enthusiast
**zapalić** *vt* (*światło*) light; (*podpalić*) set on fire; ~ **ogień** make fire; ~ **się** *vr* catch fire; *przen.* become enthusiastic (**do czegoś** about sth)
**zapalniczka** *f* (cigarette-)lighter
**zapalny** *adj* inflammable
**zapał** *m* ardour, enthusiasm
**zapałka** *f* match
**zapamiętać** *vt* retain in memory, note, memorize
**zapamiętałość** *f* frenzy, fury
**zapamiętały** *adj* frantic, furious
**zapanowa|ć** *vi* become prevalent; (*pokonać*) overmaster; (*nastać*) set in; **~ć nad sobą** master oneself; **~ła piękna pogoda** a fine weather has set in
**zaparzenie** *n* infusion
**zaparzyć** *vt* infuse
**zapas** *m* stock, store, reserve; ~ **do ołówka** refill; *pl* **~y** supplies

**zapasowy** *adj* reserve, spare
**zapasy** *s pl sport* contest, wrestling-match
**zapaśnik** *m* wrestler, prize-fighter
**zapatrywać się** *vr* fix one's eyes (**w coś** on sth); be of opinion (**na coś** about sth)
**zapatrywanie** *n* view, opinion
**zapełnić** *vt* fill up
**zapewne** *adv* surely, certainly
**zapewnić** *vt* assure; (*zabezpieczyć*) secure
**zapewnienie** *n* assurance
**zapiąć** *zob.* **zapinać**
**zapieczętować** *vt* seal up
**zapierać się** *vr* deny (**czegoś** sth)
**zapinać** *vt* button up, buckle
**zapis** *m* (*wpis*) registration; (*testament*) legacy, bequest; (*np. w grze*) note, mark
**zapisać** *vt* write down, note; (*lekarstwo*) prescribe; ~ **w testamencie** bequeath; *vr* ~ **się na uniwersytet** matriculate at a university, enter a university; ~ **się na wykłady** subscribe to a course of lectures
**zapity** *adj* sottish
**zaplątać** *vt* entangle
**zapłacić** *vt* pay
**zapłakany** *adj* in tears
**zapłata** *f* payment
**zapłodnić** *vt* fructify, (*kobietę*) impregnate
**zapłodnienie** *n* fructification, impregnation
**zapłon** *m* ignition
**zapłonąć** *vi* flare up
**zapobiegać** *vi* guard (**czemuś** against sth), prevent, obviate (**czemuś** sth)
**zapobieganie** *n* prevention
**zapobiegawczy** *adj* preventive
**zapobiegliwy** *adj* industrious; provident
**zapoczątkować** *vt* inaugurate, start
**zapodziać** *vt* misplace, lose
**zapominać** *vt* forget; ~ **się** *vr* forget oneself
**zapomnienie** *n* oblivion
**zapomoga** *f* aid, subsidy
**zapora** *f* (*przeszkoda*) obstacle; (*zagrodzenie*) bar; ~ **wodna** barrage; (water) dam
**zaporowy** *adj* barrage; *wojsk.* **ogień** ~ barrage, curtain-fire
**zapotrzebować** *vt* demand, require
**zapotrzebowanie** *n* demand, requirement
**zapowiadać** *vt* announce
**zapowiedź** *f* announcement; (*przedślubna*) banns *pl*
**zapoznać** *vt* acquaint; ~ **się** *vr* get acquainted
**zapoznanie** *n* acquaintance
**zapożyczyć się** *vr* contract a debt, get into debt
**zapracować** *vt* earn
**zapracowany** *adj* earned; (*przemęczony*) overworked
**zapragnąć** *vt* become desirous (**czegoś** of sth)
**zapraszać** *vt* invite
**zaprawa** *f* (*np. potrawy*) seasoning; (*murarska*) mortar; (*sportowa*) training
**zaprawiać się** *vr* train (**do czegoś** for sth)
**zaprawić** *vt* season
**zaprosić** *zob.* **zapraszać**
**zaproszenie** *n* invitation
**zaprowadzić** *vt* lead, conduct; ~ **nową modę** start a new fashion; ~ **nowe porządki** establish a new order of things; ~ **zwyczaj** introduce a custom
**zaprowiantowanie** *n* provisioning; *zbior.* provisions *pl*
**zaprzeczać** *vi* deny (**czemuś** sth)
**zaprzeczenie** *n* denial
**zaprzeć się** *zob.* **zapierać się**
**zaprzepaścić** *vt* lose, dissipate, waste
**zaprzestać** *vi* desist (**czegoś** from sth), discontinue, stop
**zaprzęg** *m* team, harness
**zaprzęgać** *vt* put (**do wozu** to the cart)
**zaprzyjaźnić się** *vr* make friends
**zaprzyjaźniony** *adj* friendly, intimate
**zaprzysiąc** *vt* swear, confirm by oath

**zaprzysiężenie** *n* (*kogoś*) swearing-in; (*czegoś*) confirmation by oath
**zapusty** *s pl* carnival
**zapuszczać** *vt* let in, throw in; (*brodę*) grow; (*zaniedbywać*) neglect; ~ **się** *vr* plunge, penetrate
**zapychać** *vt* stuff, cram
**zapyt|ać, zapyt|ywać** *vt* ask; **~ać, ~ywać się** *vr* question
**zapytani|e** *n* question; **znak ~a** question-mark
**zarabiać** *vt* earn, gain; ~ **na życie** earn one's bread ⟨one's living⟩
**zaradczy** *adj* preventive; **środek ~** preventive (means)
**zaradny** *adj* resourceful
**zaraz** *adv* at once, directly
**zaraza** *f* infection, pestilence
**zarazek** *m* bacillus, virus
**zarazem** *adv* at the same time, at once
**zarazić** *vt* infect; ~ **się** *vr* become infected
**zaraźliwy** *adj* infectious, contagious
**zarażać** *zob.* **zarazić**
**zarażenie** *n* infection
**zardzewieć** *vi* rust
**zaręczyć się** *vr* become engaged (to be married)
**zaręczyny** *s pl* betrothal
**zarobek** *m* gain, earning
**zarobkować** *vi* earn by working
**zarodek** *m* germ, embryo
**zaroić się** *vr* begin to swarm
**zarosły** *adj* overgrown
**zarosnąć** *vi* overgrow
**zarost** *m* hair, beard
**zarośla** *s pl* thicket
**zarozumialec** *m* presumptuous fellow
**zarozumiałość** *f* self-conceitedness
**zarozumiały** *adj* presumptuous, self-conceited, bumptious
**zarówno** *adv,* ~ **jak** as well as
**zarumienić się** *vr* redden, become red; (*np. ze wstydu*) blush
**zarys** *m* outline, sketch, draft
**zarysować się** *vr* become delineated; (*pojawiać się*) become visible

**zarząd** *m* administration, management; ~ **główny** board, council
**zarządca** *m* administrator, manager
**zarządzać** *vt* administer, manage (**czymś** sth)
**zarządzenie** *n* disposition, order
**zarządzić** *vt* order
**zarzewie** *n* embers *pl*; (*głownia*) firebrand
**zarzucać** *vt* (*zaniechać*) give up; (*coś na siebie*) put on; reproach (**coś komuś** sb with sth); (*zasypywać*) pelt; (*pytaniami*) molest; (*towarem*) flood; *vi* (*o aucie*) skid
**zarzut** *m* reproach, objection; **bez ~u** faultless; **czynić ~y** raise objections (**komuś** to sb)
**zasad|a** *f* principle, maxim; *chem.* alkali, base; **z ~y** as a rule
**zasadniczy** *adj* fundamental, cardinal
**zasadzka** *f* ambush
**zasądzić** *vt* (*skazać*) sentence; (*sądownie przyznać*) adjudge
**zasępić** *vt* depress; ~ **się** *vr* become gloomy
**zasępiony** *adj* gloomy, mournful
**zasiadać** *vi* sit down, take a seat, sit; ~ **do roboty** set to work
**zasiew** *m* sowing; seed-corn
**zasięg** *m* (*np. ramienia*) reach; (*zakres*) domain, scope, sphere; *wojsk.* (*np. ognia*) range
**zasięgać** *vt* (*czyjejś rady*) consult sb; ~ **informacji** inquire
**zasilać** *vt* reinforce; (*np. pieniędzmi*) support
**zasiłek** *m* subsidy; ~ **chorobowy** sick benefit
**zaskarbić** *vt* (*sobie*) gain
**zaskarżyć** *vt* accuse, bring an action
**zasklepić** *vt* vault; ~ **się** *vr med.* cicatrize; *przen.* shut oneself in
**zaskoczenie** *n* surprise
**zaskoczyć** *vt* surprise
**zaskórny** *adj* (*o wodzie*) subterranean
**zasłabnąć** *vi* become ill
**zasłaniać** *zob.* **zasłonić**

**zasłona** *f* cover, veil, screen, blind, shelter
**zasłonić** *vt* (*zakryć*) cover, veil, cloak, (*osłonić*) screen, shelter
**zasług|a** *f* merit; **położyć ~i** deserve well (**dla kraju** of the country)
**zasługiwać** *vi* deserve, merit (**na coś** sth)
**zasłużon|y** *adj* well-deserved; **~a kara** well-deserved punishment; **~y człowiek** man of merit
**zasłużyć** *vi* deserve, merit (**na coś** sth); **~ się** *vr* render service, make a contribution
**zasłynąć** *vi* become famous
**zasmucić** *vt* make sad, sadden; **~ się** *vr* become sad, sadden
**zasnąć** *vi* fall asleep
**zasobny** *adj* wealthy, well-to-do; well stocked
**zas|ób** *m* store, stock; supply; **~oby pieniężne** pecuniary resources; **~oby żywnościowe** provisions; **~ób wyrazów** vocabulary; stock of words ⟨vocabulary⟩
**zaspa** *f* (*piasku*) dune, (*śnieżna*) snow-drift
**zaspać** *vi* oversleep
**zaspokoić** *vt* satisfy; (*głód, ciekawość*) appease; (*pragnienie*) quench
**zaspokojenie** *n* satisfaction
**zastać** *vt* find
**zastanawiać** *vt* make think; **~ się** *vr* reflect (**nad czymś** on sth)
**zastanowienie** *n* reflection
**zastarzały** *adj* inveterate
**zastaw** *m* pawn, pledge; **dać w ~** put in pawn
**zastawa** *f* (*zapora*) barrage; (*stołowa*) table-service
**zastawić** *vt* bar, block; (*stół*) serve; (*w lombardzie*) pawn, pledge
**zastąpić** *vt* replace; (*drogę*) bar
**zastęp** *m* host
**zastępca** *m* substitute, representative, proxy, deputy
**zastępczo** *adv* in sb's place, temporarily
**zastępczy** *adj* substitutional
**zastępować** *zob.* **zastąpić**
**zastępstwo** *n* replacement, substitution, (*np. handlowe*) representation
**zastosować** *vt* apply, adapt; **~ się** *vr* comply (**do czegoś** with sth), conform (**do czegoś** to sth)
**zastosowanie** *n* adaptation, application
**zastój** *m* stagnation
**zastraszyć** *vt* intimidate, frighten
**zastrzegać** *vt* reserve; **~ się** *vr* stipulate (**, że** that)
**zastrzelić** *vt* shoot dead
**zastrzeżenie** *n* reservation, provision, restriction
**zastrzyk** *m* injection; **~ domięśniowy** ⟨**dożylny, podskórny**⟩ intramuscular ⟨intravenous, hypodermic⟩ injection
**zastrzyknąć** *vt* inject
**zastygnąć** *vi* (*zakrzepnąć*) congeal
**zasunąć** *vt* shove, push
**zasuszyć** *vt* dry up
**zasuwa** *f* bar, bolt
**zasypać** *vt* cover, fill up; (*obsypać*) strew; *przen.* (*towarami*) flood
**zasypiać** *vi* drop off, fall asleep; *zob.* zaspać
**zaszczepiać** *vt* graft; *med.* inoculate
**zaszczycać** *vt* honour
**zaszczyt** *m* honour; **przynosić ~** do credit (**komuś** sb)
**zaszczytny** *adj* honourable
**zaszkodzić** *vi* injure, prejudice, do harm
**zasznurować** *vt* lace, tie
**zasztyletować** *vt* stab
**zaszyć** *vt* sew up; **~ się** *vr* hide oneself, shut oneself in
**zaś** *conj* but
**zaślepienie** *n* blindness, *przen.* infatuation
**zaślubić** *vt* marry
**zaśmiecić** *vt* make dirty, muck
**zaświadczenie** *n* certificate, attestation
**zaświadczyć** *vt* certify, attest

**zaświecić** *vt* light, make light; *vi* begin to shine
**zaświta|ć** *vi* dawn; **~ła mu myśl** the idea dawned upon ⟨on⟩ him
**zataczać** *vt* roll; (*koło*) trace, describe; **~ się** *vr* reel, tumble, stagger
**zataić** *vt* conceal
**zatamować** *vt* stop
**zatarasować** *vt* block, barricade
**zatarg** *m* conflict; **popaść w ~** to get into conflict
**zatem** *conj* then, therefore, and, accordingly
**zatęchły** *adj* musty
**zatęsknić** *vi* (begin to) pine ⟨long⟩ (**za kimś** for sb)
**zatkać** *vt* stop; (*szpary*) calk
**zatłuścić** *vt* grease
**zatoka** *f* bay, creek
**zatonąć** *vi* sink
**zatopić** *vt* sink, drown
**zatracenie** *n* ruin, perdition
**zatracić** *vt* lose, waste; **~ się** *vr* be lost
**zatroskać się** *vr* become anxious (**o coś** about sth)
**zatrucie** *n* poisoning
**zatruć** *vt* poison
**zatrudniać** *vt* employ; (*zajmować pracą*) keep busy
**zatrudnienie** *n* employment; (*zajęcie*) occupation
**zatrwożyć** *vt* alarm, frighten; **~ się** *vr* become alarmed
**zatrzask** *m* thumb-lock; (*do drzwi*) safety-lock; (*do ubrania*) (snap)-fastener
**zatrzasnąć** *vt* slam
**zatrzymać** *vt* stop; (*nie oddać*) retain, keep; (*przetrzymać, aresztować*) detain; **~ się** *vr* stop, remain
**zatwardzenie** *n med.* constipation
**zatwierdzenie** *n* confirmation; ratification
**zatwierdzić** *vt* confirm, sanction; ratify
**zatyczka** *f* plug
**zatykać** *zob.* **zatkać**
**zaufać** *vi* confide (**komuś** in sb)
**zaufani|e** *n* confidence, credence; **godny ~a** trustworthy; **darzyć ~em** put trust (**kogoś** in sb); **cieszyć się wielkim ~em** be in a position of great trust; **w ~u** confidentially; **wotum ~a** *zob.* **wotum**
**zaufany** *adj* reliable; (*poufały*) intimate
**zaułek** *m* backstreet; *przen.* **ślepy ~** blind alley
**zausznik** *m* sycophant
**zauważyć** *vt* notice; (*napomknąć*) remark; **dający się ~** perceptible
**zawada** *f* hindrance, obstacle
**zawadiaka** *m* brawler, bully
**zawadzać** *vi* (*przeszkadzać*) hinder, impede
**zawalić** *vt* stop, obstruct; **~ się** *vr* collapse, break down
**zawał** *m med.* heart failure
**zawartość** *f* capacity, contents *pl*
**zawarty** *pp i adj* contained, closed
**zaważyć** *vi* weigh
**zawczasu** *adv* in good time
**zawdzięczać** *vt* be indebted
**zawezwać** *vt* call, summon
**zawiadamiać** *vt* inform, let know; (*urzędowo*) advise
**zawiadomienie** *n* information, advice, announcement
**zawiadowca** *m*, **~ stacji** station-master
**zawiasa** *f* hinge
**zawiązać** *vt* tie(up), bind; *zob.* **nawiązać**
**zawiązek** *m* germ, bud
**zawieja** *f* turmoil, storm, (*śnieżna*) snowdrift
**zawierać, zawrzeć** *vt* (*mieścić w sobie*) contain, include; (*znajomość*) make; (*małżeństwo*) contract; (*pokój*) conclude
**zawierucha** *zob.* **zawieja**
**zawiesić** *vt* hang up; (*w obowiązkach*) suspend; (*wypłatę*) stop; (*odroczyć*) adjourn
**zawieszenie** *n* suspension; **~ broni** armistice

**zawieść** *zob.* zawodzić
**zawieźć** *zob.* zawozić
**zawijać** *vt vi* wrap up; ~ **do portu** enter a harbour
**zawikłać** *vt* entangle, complicate
**zawikłanie** *n* entanglement, complication
**zawiły** *adj* intricate
**zawiniątko** *n* bundle
**zawini|ć** *vi* be guilty (**w czymś** of sth); **on w tym nie ~ł** this is no fault of his; **w czym on ~ł?** what wrong has he done?
**zawisły** *adj* dependent (**od czegoś** on sth)
**zawistny** *adj* invidious, envious
**zawiść** *f* envy, invidiousness
**zawitać** *vi* call (**do kogoś** on sb)
**zawlec** *vt* drag
**zawładnąć** *vi* come into possession, take possession (**czymś** of sth)
**zawodnik** *m* competitor
**zawodny** *adj* deceptive, delusive; untrustworthy, unreliable
**zawodowiec** *m* professional
**zawodowy** *adj* professional
**zawody** *s pl* competition, contest; games *pl*
**zawodzić** *vt vi* (*prowadzić*) conduct, lead; (*rozczarować*) disillusion, disappoint, deceive; (*nie udać się*) fail; (*rzewnie śpiewać*) sing plaintively, harp; ~ **się** *vr* be deceived <disillusioned>
**zawojować** *vt* conquer
**zawołać** *vt* call
**zawołanie** *n* call, appeal; (*hasło*) watch-word; **na ~** at call, at any time
**zawozić** *vt* carry, convey
**zawód** *m* occupation, profession; (*rozczarowanie*) disappointment, disillusion, deception; **zrobić ~** disappoint, disillusion
**zawracać** *vi* turn back; *vt* ~ **komuś głowę** bother sb
**zawrócić** *zob.* zawracać
**zawrót** *m* (*głowy*) dizziness
**zawrzeć** *zob.* zawierać
**zawstydzić** *vt* put to shame, make feel ashamed; ~ **się** *vr* feel ashamed
**zawsze** *adv* always, ever; **na ~** for ever; **raz na ~** once for all
**zawziąć się** *vr* become hot, be bent (**na coś** upon sth), persist (**na coś** in sth)
**zawziętość** *f* persistence
**zawzięty** *adj* persistent; ~ **na coś** keen on sth, crazy about sth
**zazdrosny** *adj* jealous (**o kogoś, o coś** of sb, sth)
**zazdrościć** *vi* envy (**komuś czegoś** sb sth)
**zazdrość** *f* jealousy, envy
**zazębiać się** *vr* overlap (**o coś** sth)
**zazębienie** *n* overlapping
**zaziębić się** *vr* catch cold
**zaziębienie** *n* cold
**zaznaczyć** *vt* mark; (*podkreślić, wspomnieć*) remark
**zaznać** *vt* experience
**zaznajomi|ć** *vt* make acquainted; **~ć się** *vr* become acquainted (**z kimś** with sb); make the acquaintance (**z kimś** of sb); **~łem się z nim** I have made his acquaintance
**zazwyczaj** *adv* usually
**zażalenie** *n* complaint; **wnieść ~** lodge a complaint
**zażarty** *adj* furious
**zażądać** *vt* demand, require
**zażegnać** *vt* ward off, prevent
**zażyłość** *f* intimacy
**zażyły** *adj* intimate
**zażywać** *vt* enjoy; (*lekarstwo*) take
**ząb** *m* tooth; ~ **mądrości** wisdom-tooth; ~ **mleczny** milk-tooth; ~ **trzonowy** molar; **ból zębów** tooth-ache
**ząbkować** *vi* teethe
**ząbkomierz** *m filat.* perforation-gauge
**ząbkowany** *adj* notched; *filat.* perforate
**zbaczać** *vi* deviate
**zbankrutować** *vi* become a bankrupt
**zbankrutowany** *adj* bankrupt
**zbawca, zbawiciel** *m* saviour
**zbawiać** *vt* save, redeem

**zbawienie** *n* salvation
**zbawienny** *adj* salutary
**zbędność** *f* superfluity
**zbędny** *adj* superfluous
**zbić** *vt* beat up ⟨down⟩; compact; nail together; (*stłuc*) break; (*np. twierdzenie*) refute
**zbiec** *vi* run away ⟨down⟩
**zbieg** *m* fugitive, escaped prisoner, escapee; (*zbieżność*) coincidence, concurrence, confluence; **~ okoliczności** coincidence
**zbiegać** *vi* run away, run down; **~ się** *vr* come hurriedly together; (*kurczyć się*) shrink; (*o liniach*) converge; (*o wypadkach*) coincide, concur
**zbiegły** *adj* run-away, fugitive
**zbiegowisko** *n* concourse, throng
**zbieracz** *m* collector
**zbierać** *vt* collect, gather, hoard; (*np. owoce*) pick; (*np. płyn gąbką*) sop; **~ się** *vr* gather, assemble
**zbieżność** *f* convergence
**zbieżny** *adj* convergent
**zbijać** *vt* nail together; compact; (*np. argument*) refute; **~ pieniądze** hoard money
**zbiornik** *m* reservoir, receptacle
**zbiorowisko** *m* gathering, crowd
**zbiorowy** *adj* collective
**zbiór** *m* collection; (*zboża*) harvest, crop
**zbiórk|a** *f* rally, assembly; (*pieniężna*) collection; **miejsce ~i** rallying-point
**zbir** *m* ruffian
**zbity** *adj* beaten; (*zwarty*) compact
**zblednąć** *vi* turn pale; (*o barwie*) fade away
**z bliska** *adv* from near, closely
**zbliżać** *vt* bring near; **~ się** *vr* approach (**do kogoś** sb), come ⟨draw⟩ near, near
**zbliżenie** *n* approach; (*w filmie*) close-up
**zbliżony** *adj* approximate; related; (*podobny*) similar
**zbłądzić** *vi* err; (*zabłąkać się*) lose one's way
**zbłąkany** *adj* erring, stray
**zbocze** *n* slope
**zboczenie** *n* deviation; (*psychiczne*) aberration
**zbolały** *adj* aching
**zborny** *adj*, **punkt ~** rallying-point
**zboże** *n* corn, grain
**zbój** *m* highwayman, brigand
**zbór** *m* Protestant church
**zbroczony** *pp i adj*, **~ krwią** blood-stained
**zbrodnia** *f* crime; **~ stanu** high treason
**zbrodniarz** *m* criminal
**zbrodniczy** *adj* criminal
**zbroić** *vt* arm; **~ się** *vr* arm
**zbroja** *f* armour
**zbroje|nie** *n* (*zw. pl* **~nia**) armament; **wyścig ~ń** armaments race
**zbrojn|y** *adj* armed; **siły ~e** armed forces
**zbrojony** *adj* (*np. beton*) armoured
**zbrojownia** *f* arsenal, armoury
**zbryzgać** *vt* besprinkle
**zbrzyd|nąć** *vi* become ugly; (*stać się wstrętnym*) become repulsive; **to mi ~ło** I am disgusted with it
**zbudzić** *vt* wake (up), awaken, rouse; **~ się** *vr* wake (up), awaken
**zburzenie** *n* destruction, demolition
**zburzyć** *vt* destroy, demolish; (*o budynku, rozebrać*) pull down
**zbutwiały** *adj* mouldy
**zbutwieć** *vi* moulder
**zbyć** *vt zob.* **zbywać**; **~ pięknymi słówkami** put off with fair words
**zbyt** *adv* too, too much; **~ wiele** too much; *sm* sale
**zbyteczny** *adj* superfluous
**zbytek** *m* luxury
**zbytkowny** *adj* luxurious
**zbytnio** *adv* excessively
**zbywa|ć** *vt* sell, dispose (**coś of** sth); (*brakować*) lack; **na niczym mi nie ~** i don't lack anything
**z dala** *adv* from afar
**zdalnie** *adv* from afar; **~ kiero-**

**wany** telecommanded; (*o pocisku*) guided
**zdanie** *n* opinion, view; *gram.* sentence; ~ **główne** ⟨**podrzędne**⟩ main ⟨subordinate⟩ sentence; **moim** ~**m** in my opinion
**zdarzać się** *vr* happen, occur
**zdarzenie** *n* occurence, event, incident, happening
**zdatny** *adj* fit, suitable, apt
**zdawać** *vt* render, give over; (*egzamin*) pass; ~ **się** *vr* (*wydawać się*) appear, seem; surrender (np. na los to the fate); rely (**na kogoś** upon sb)
**zdawkowy** *adj* commonplace; ~ **pieniądz** small coin, silver and copper
**zdążyć** *vt* come in time; ~ **coś zrobić** succeed in making sth in time
**zdechły** *adj* dead
**zdecydować** *vt vi* decide; ~ **się** *vr* decide
**zdejmować** *vt* take off, remove; *fot.* take a picture (**kogoś, coś** of sb, sth); **strach go zdjął** he was seized by fear; **zdjęty podziwem** struck with amazement
**zdenerwowany** *adj* nervous, excited, flurried
**zderzak** *m* buffer; (*u samochodu*) bumper
**zderzenie** *n* crash, collision
**zderzyć się** *vr* crash, collide
**zdesperowany** *adj* desperate
**zdjąć** *zob.* **zdejmować**
**zdjęcie** *n* taking away ⟨off⟩; *fot.* photograph, (*migawkowe*) snap; *med.* ~ **rentgenowskie** radiograph
**zdmuchnąć** *vt* blow off
**zdobić** *vt* decorate, adorn
**zdobniczy** *adj* decorative
**zdobycz** *f* booty
**zdobywać** *vt* conquer
**zdobywca** *m* conqueror
**zdolność** *f* ability, capacity
**zdolny** *adj* able, capable, clever
**zdołać** *vi* be able
**zdrada** *f* treason, treachery, infidelity
**zdradliwy** *adj* treacherous
**zdradzać** *vt* betray
**zdradziecki** *adj* treacherous, perfidious
**zdrajca** *m* traitor
**zdrapywać** *vt* scratch off
**zdrętwiał|y** *adj* rigid, numb, torpid; (*z zimna*) numb with cold; ~**a ręka** numb hand
**zdrętwieć** *vi* stiffen, become torpid
**zdrętwienie** *n* torpor, numbness
**zdrobniały** *adj* diminutive
**zdrojowisko** *n* watering-place, spa
**zdrowie** *n* health; **wznieść czyjeś** ~ drink sb's health
**zdrowotny** *adj* salubrious, sanitary
**zdrowy** *adj* healthy, sound; (*służący zdrowiu*) wholesome; ~ **rozum** common sense
**zdrożny** *adj* perverse, vicious
**zdrój** *m* spring, well
**zdrów** *adj* healthy; **bądź** ~**!** good--bye!; **cały i** ~ safe and sound
**zdruzgotać** *vt* smash, shatter
**zdrzemnąć się** *vr* have a nap
**zdumienie** *n* astonishment
**zdumiewać się** *vr* be astonished (**czymś** at sth)
**zdumiony** *adj* amazed, astonished (**czymś** at sth)
**zdun** *m* stove-maker
**zdusić** *zob.* **zadusić**
**zdwoić** *vt* double
**zdychać** *vi* die
**zdyszany** *adj* breathless
**zdyszeć się** *vr* pant for breath
**zdziałać** *vt* perform, accomplish
**zdziczeć** *vi* become savage
**zdziecinniały** *adj* dotardly; ~ **człowiek** dotard
**zdziecinnienie** *n* dotage
**zdzierać** *vt* tear away; (*skórę*) skin; (*np. odzież*) tear, wear out; *przen.* overcharge, extort
**zdzierstwo** *n pot.* overcharge
**zdziwić** *vt* astonish; ~ **się** *vr* be astonished (**czymś** at sth)
**zdziwienie** *n* astonishment

**ze** *praep zob.* z
**zebra** *f* zebra
**zebrać** *zob.* **zbierać**
**zebranie** *n* meeting, assembly
**zecer** *m druk.* compositor
**zechc|ieć** *vi* become willing; **czy ~iałbyś to zrobić?** would you like to do this?
**zegar** *m* clock; **~ słoneczny** sun-dial
**zegarek** *m* watch
**zegarmistrz** *m* watch-maker
**zejście** *n* descent; (*ze świata*) decease
**zejść** *vi* descend, go down; (*ze świata*) decease; **~ się** *vr* meet
**zelować** *vt* sole
**zelówka** *f* sole
**zelżeć** *vi* slacken, relent
**zemdleć** *vi* faint away, swoon, pass out
**zemdlenie** *n* fainting, swoon
**zemdlony** *adj* faint, unconscious
**zemst|a** *f* revenge; **przez ~ę** out of revenge
**zepchnąć** *vt* push down
**zepsucie** *n* damage; corruption; depravation
**zepsuć** *vt* spoil, corrupt; deprave; **~ się** *vr* spoil, be spoiled; be corrupted, be depraved
**zepsuty** *adj* (*uszkodzony*) damaged; (*zgniły*) rotten; *przen.* depraved, corrupted
**zerkać** *vi* look askance, cast furtive glances, gaze with twinkling eyes (**na kogoś** at sb)
**zero** *n* zero, nought
**zerwać** *zob.* **zrywać**
**zerwanie** *n* rupture
**zeskoczyć** *vi* leap down
**zeskrobać** *vt* scrape off
**zesłać** *vt* send down; (*wygnać*) deport
**zesłanie** *n* deportation
**zespolenie** *n* amalgamation, union
**zespolić** *vt*, **~ się** *vr* amalgamate, unite
**zespołow|y** *adj* team-, collective; **praca ~a** team-work
**zespół** *m* group, body, team
**zestarzeć się** *vr* grow old
**zestawiać** *vt* compare, confront, put together, combine; (*np. bilans*) draw up
**zestawienie** *n* comparison, combination; computation
**zestrzelić** *vt* shoot down
**zeszłoroczny** *adj* last year's
**zeszpecenie** *n* disfiguration, deformation
**zeszpecić** *vt* disfigure, deform
**zeszyt** *m* copy-book
**ześlizgnąć się** *vr* glide down
**zetknąć** *zob.* **stykać**
**zetknięcie** *n* contact
**zetrzeć** *vt zob.* **ścierać**; **~ kurz** dust; **~ na miazgę** crush; **~ na proch** grind to dust
**zew** *m* call
**zewnątrz** *adv praep* outside, outward; **z ~** from outside; **na ~** outside
**zewnętrzny** *adj* outside, outward, exterior
**zewsząd** *adv* from everywhere, on every side
**zez** *m* squint
**zeznanie** *n* deposition, declaration
**zeznawać** *vt* depose, declare, give evidence
**zezować** *vi* squint
**zezwalać** *vi* allow, permit
**zezwolenie** *n* permission, consent
**zębat|y** *adj* indented, toothed; **kolej ~a** cog-wheel railway; **koło ~e** cog-wheel
**zębowy** *adj* dental
**zgadywać** *vt* guess
**zgadzać się** *vr* consent, agree (**na coś** to sth); harmonize
**zgaga** *f* heartburn
**zgarnąć** *vt* rake together
**zgęszczać** *vt*, **~ się** *vr* thicken, condense
**zgęszczenie** *n* condensation
**zgiełk** *m* bustle, tumult
**zgięcie** *n* bend, turn
**zginać** *vt* bend, turn, bow; **~ się** *vr* bend, bow
**zginąć** *vi* be killed; (*przepaść*) be lost; perish; (*zapodziać się*) get lost

**zgliszcza** *s pl* cinders
**zgładzić** *vt* kill, exterminate
**zgłaszać** *vt* announce, declare, report; offer, present; ~ **się** *vr* come forward, present oneself
**zgłębiać** *vt* sound, probe, fathom
**zgłodniały** *adj* starving
**zgłosić** *zob.* **zgłaszać**
**zgłoska** *f* syllable
**zgłoszenie** *n* announcement, declaration, report, presentation; ~ **się** *vr* appearance
**zgłupieć** *vi* become silly
**zgnić** *vi* rot, decay
**zgnieść** *vt* crush, squash
**zgnilizna** *f* putrefaction, corruption, decay; (*moralna*) depravity, moral debasement
**zgniły** *adj* rotten, putrid; (*moralnie*) depraved
**zgo|da** *f* consent (**na coś** to sth); (*zgodność*) harmony, concord; **w ~dzie** in agreement; **za ~dą** with the consent; **~da!** agreed!
**zgodnie** *adv* according (np. **z planem** to the plan), in conformity, in compliance (np. **z rozkazem** with the order); (*jednomyślnie*) unanimously
**zgodność** *f* conformity, compliance, (*jednomyślność*) unanimity
**zgodny** *adj* (*skłonny do zgody*) compliant; conformable (np. **z tekstem** to the text); (*jednomyślny*) unanimous
**zgon** *m* decease
**zgorszenie** *n* offence, scandal
**zgorszyć** *vt* offend, scandalize, give offence
**zgorzel** *f med.* gangrene
**zgorzkniały** *adj* sour, rancid; *przen.* embittered, sullen
**zgotować** *vt* (*przygotować*) prepare
**z góry** *adv* beforehand, in advance
**zgrabność** *f* dexterity, skill
**zgrabny** *adj* dexterous, skillful; (*dorodny*) well-shaped
**zgraja** *f* gang
**zgromadzenie** *n* gathering, assembly
**zgromadzić** *vt* gather, assemble; ~ **się** *vr* gather, assemble
**zgroza** *f* horror
**z grubsza** *adv* roughly, in the rough
**zgruchotać** *vt* smash
**zgryziony** *adj* grieved
**zgryzota** *f* grief
**zgryźć** *vt* gnaw through; (*moralnie*) grieve, worry
**zgryźliwy** *adj* sarcastic
**zgrzać się** *vr* grow warm, get heated
**zgrzebło** *n* horse-comb
**zgrzybiały** *adj* decrepit
**zgrzyt** *m* creak
**zgrzytać** *vi* creak, grate; (**zębami**) gnash
**zgub|a** *f* loss; (**klęska**) perdition; **doprowadzić do ~y** bring to ruin
**zgubić** *vt* lose; ruin; ~ **się** *vr* go ⟨get⟩ lost
**zgubny** *adj* pernicious, ruinous
**ziać** *vi* exhale
**ziarnisty** *adj* granular
**ziarnko** *n* grain, granule
**ziarno** *n* grain, corn; (*np. w owocu*) kernel
**ziele** *n* herb, weed
**zielenić się** *vr* grow green
**zieleniec** *m* grass-plot
**zieleń** *f* greenness, green colour, (*np. drzew*) verdure
**zielnik** *m* herbarium
**zielony** *adj* green
**ziemia** *f* (*kula ziemska*) earth; (*gleba*) soil; (*ląd*) land, ground
**ziemianin** *m* country gentleman
**ziemianka** *f* dug-out; (**kobieta**) lady of the manor
**ziemiaństwo** *n* landed gentry
**ziemiopłody** *s pl* agricultural products
**ziemniak** *m* potato
**ziemsk|i** *adj* earthy, terrestrial; **kula ~a** terrestial globe; **skorupa ~a** the crust of the earth; **właściciel ~i** landowner
**ziewać** *vi* yawn
**zięba** *f zool.* finch
**ziębić** *vt* make cold, refrigerate
**ziębnąć** *vt* become cold

**zięć** *m* son-in-law
**zima** *f* winter
**zimno** *adv* coldly; **jest ~** it is cold; **jest mi ~** I am cold; *s n* cold
**zimn|y** *adj* cold, frigid; **z ~ą krwią** in cold blood
**zimorodek** *m zool.* kingfisher
**zimować** *vi* pass the winter
**zioło** *n* herb
**ziomek** *m* fellow-countryman
**ziścić** *vt* fulfill
**zjadać** *vt* eat; *przen.* (*niszczyć*) ruin
**zjadliwy** *adj* sarcastic; *med.* virulent
**zjawa** *f* phantom, apparition
**zjawić się** *vr* appear
**zjawisko** *n* phenomenon, vision
**zjazd** *m* (*zebranie*) congress, meeting, (*zlot, zbiórka*) rally; (*w dół*) descent
**zjechać** *vi* go down, descend; **~ z drogi** make way; **~ się** *vr* come together, assemble, meet
**zjednać** *vt* gain; **~ sobie** win the favour (**kogoś** of sb)
**zjednoczenie** *n* unification, union
**zjednoczony** *adj* unified, joint, amalgamated; **Organizacja Narodów Zjednoczonych** United Nations Organization
**zjednoczyć** *vt* unify, unite
**zjełczały** *adj* rancid
**zjeść** *vt* eat up
**zjeżdżać** *zob.* **zjechać**
**zlatywać** *vi* fly down, rush down, come down; **~ się** *vr* fly together, assemble
**zlecać** *vt* commission, charge (**komuś coś** sb with sth)
**zlecenie** *n* commission, order; *handl.* **~ wypłaty** order of payment
**z lekka** *adv* lightly, softly
**zlepek** *m* conglomerate
**zlepiać** *vt*, **~ się** *vr* stick together
**zlew** *m* sink
**zlewać** *vt* pour off; mix; **~ się** *vr* flow together, join
**zlewisko** *n geogr.* watershed
**zlewka** *f chem.* beaker
**zlewki** *s pl* slops
**zliczyć** *vt* count, add up, compute
**zlodowaciały** *adj* glaciated
**zlodowacieć** *vi* turn into ice
**zlot** *m* rally; (*np. harcerski*) jamboree
**złagodnieć** *vi* soften, become mild
**złagodzenie** *n* softening, mitigation
**złamać** *vt* break; **~ się** *vr* break, be broken; *zob.* **łamać**
**złamanie** *n* (*kości*) fracture; (*zobowiązania*) breach
**złazić** *vi* come ⟨climb⟩ down
**złącze** *n techn.* joint, connector
**złączenie** *n* junction, unification
**złączyć** *vt* join, unite, connect; **~ się** *vr* join (**z kimś** sb); unite
**złe** *n* evil; **brać za ~** take amiss; **nic ~go** no harm
**zło** *n* evil
**złocić** *vt* gild
**złoczyńca** *m* malefactor, evil-doer
**złodziej** *m* thief, (*kieszonkowy*) pick-pocket
**złodziejstwo** *n* larceny, theft
**złom** *m* scrap-iron, waste stuff
**złorzeczenie** *n* malediction, curse
**złorzeczyć** *vi* curse (**komuś** sb)
**złościć** *vt* irritate, make angry; **~ się** *vr* be angry (**na kogoś** with sb, **na coś** at sth), be irritated ⟨vexed⟩ (**na kogoś, coś** at ⟨with⟩ sb, sth)
**złość** *f* spite, anger; **na ~** just to spite (**komuś** sb)
**złośliwość** *f* malice
**złośliw|y** *adj* malicious, spiteful; *med.* **~a anemia** pernicious anaemia; **nowotwór ~y** malignant tumour
**złośnik** *m* irritable person
**złotnik** *m* goldsmith
**złoto** *n* gold
**złoty 1.** *adj* gold, *przen.* golden; **~ wiek** golden age
**złoty 2.** *m* (*jednostka monetarna*) zloty
**złowieszczy** *adj* ominous, sinister
**złowrogi** *adj* ill-omened
**złoże** *n* stratum; *geol.* bed
**złożenie** *n* deposition; (*przysięgi*) taking

**złożony** *adj* folded; (*skomplikowany*) complicated, complex, compound; ~ **chorobą** bedridden
**złożyć** *vt* fold; (*np. pieniądze*) deposit; (*przysięgę*) take; (*z urzędu*) dismiss; (*urząd*) resign; (*wizytę*) pay; *zob.* **składać**
**złuda** *f* illusion
**złudny** *adj* illusory, deceptive
**złudzenie** *n* illusion
**zły** *adj* evil, bad, ill, wicked; (*zagniewany*) angry (**na kogoś** with sb); **złe czasy** hard times
**zmagać się** *vr* struggle
**zmaganie** *n* struggle
**zmaleć** *vi* grow smaller, diminish, decrease
**zmanierowany** *adj* mannered, affected
**zmarły** *adj i sm* deceased
**zmarnować** *vt* waste; ~ **się** *vr* get wasted
**zmarszczka** *f* wrinkle, crease
**zmarszczyć** *vt*, ~ **się** *vr* wrinkle (up), crease
**zmartwić** *vt* worry, grieve, afflict; ~ **się** *vr* become grieved (**czymś** at sth)
**zmartwienie** *n* worry, grief, affliction
**zmartwychwstać** *vi* rise from the dead
**zmartwychwstanie** *n* Resurrection
**zmarznąć** [-r-z-] *vi* be frozen
**zmawiać się** *vr* collude, conspire
**zmaza** *f* blemish, stain
**zmazać** *vt* efface
**zmądrzeć** *vi* become wise
**zmęczenie** *n* weariness, fatigue
**zmęczony** *adj* tired, weary
**zmęczyć** *vt* tire, fatigue; ~ **się** *vr* be ⟨get⟩ tired
**zmian|a** *f* change, alteration; (*kolejność pracy*) shift, turn; **na** ~**ę** in turn, alternately, for a change
**zmiatać** *vt* sweep
**zmiażdżyć** *vt* crush
**zmieniać** *vt* change, alter; ~ **się** *vr* change
**zmienna** *f mat.* variable; ~ **niezależna** ⟨**zależna**⟩ independent ⟨dependent⟩ variable
**zmienność** *f* mutability, changeability
**zmienny** *adj* mutable, changeable, variable
**zmierzać** *vi* aim, drive (**do czegoś** at sth)
**zmierzyć** *vt* measure
**zmierzch** *m* dusk, twilight
**zmierzchać się** *vr* grow dusky
**zmieszać** *vt* mix up; (*skonfundować*) confound, perplex, disconcert; ~ **się** *vr* become mixed up; (*speszyć się*) become confused, be disconcerted, be put out of countenance
**zmieszanie** *n* mixing up; (*speszenie*) confusion
**zmieścić** *vt* put, accomodate, place; ~ **się** *vr* find room enough
**zmiękczyć** *vt* soften, mollify
**zmięknąć** *vi* soften, become soft
**zmiłować się** *vr* have mercy, take pity (**nad kimś** on sb)
**zmniejszenie** *n* diminution, decrease, reduction
**zmniejszyć** *vt* diminish, reduce; ~ **się** *vr* diminish, decrease, dwindle
**zmoczyć** *vt* moisten, wet, soak
**zmoknąć** *vi* get wet, be soaked, *pot.* get a soaking
**zmora** *f* nightmare
**zmordować** *vt* tire out; ~ **się** *vr* become tired out
**zmorzy|ć** *vt*, **sen mnie** ~**ł** I was overcome with sleep
**zmotoryzowany** *adj* motorized
**zmowa** *f* collusion, conspiracy
**zmóc** *vt* overcome, overpower
**zmówić** *vt* (*modlitwę*) say; ~ **się** *vr zob.* **zmawiać się**
**zmrok** *m* dusk, twilight
**zmurszały** *adj* mouldy
**zmurszeć** *vi* moulder
**zmuszać** *vt* force, compel
**zmykać** *vi* bolt, scamper off
**zmylić** *vt* mislead, hoodwink
**zmysł** *m* sense; **być przy zdrowych** ~**ach** be in one's right senses
**zmysłowość** *f* sensuality

**zmysłowy** *adj* sensual
**zmyślać** *vt* invent
**zmyślenie** *n* invention, fiction
**zmyślony** *adj* fictitious, invented
**znachor** *m* medicine-man
**znaczący** *adj* significant
**znaczek** *m* sign, mark; (*pocztowy*) (postage-)stamp
**znaczenie** *n* significance, meaning, importance
**znacznie** *adv* considerably, far
**znaczny** *adj* considerable, notable
**znaczony** *adj* labelled, marked
**znaczyć** *vt vi* mark; mean, signify; be of importance
**znać** *vt* know; ~ **kogoś z nazwiska ⟨z widzenia⟩** know sb by name ⟨by sight⟩; **dać komuś** ~ let sb know; **nie chcę go** ~ I want to have nothing to do with him; **nie dać o sobie** ~ send no news; ~ **się** *vr* be acquainted (**z kimś** with sb); be familiar (**na czymś** with sth), *pot.* be well up (**na czymś** in sth); **nie** ~ **się** be ignorant (**na czymś** of sth)
**znajd|ować** *vt* find; **~ować się** *vr* be (found); **gdzie on się ~uje?** where is he?; where can he be found?
**znajomość** *f* acquaintance; **zawrzeć** ~ make acquaintance
**znajomy** *m* acquaintance; *adj* known
**znak** *m* sign, mark, token; signal; ~ **fabryczny** trade mark; **~i drogowe** road signs; ~ **tożsamości** earmark; ~ **wodny** watermark; ~ **zapytania** interrogation ⟨question⟩ mark, query; **zły** ~ ill omen; **na** ~ in token (**czegoś** of sth)
**znakomitość** *f* excellence, celebrity
**znakomity** *adj* excellent, exquisite
**znalazca** *m* finder
**znalezienie** *n* finding, discovery
**znaleźć** *vt* find, (*odkryć*) discover; ~ **się** *vr* be found, find oneself; know how to behave
**znaleźne** *n* finder's reward
**znamienny** *adj* characteristic
**znamię** *n* sign, stigma; *przen.* (*piętno*) impress
**znamionować** *vt* characterize
**znany** *adj* known; celebrated
**znarowić** *vt* spoil; (*konia*) make restive
**znarowiony** *adj* spoilt, (*o koniu*) restive
**znawca** *m* expert (**czegoś** in sth)
**znawstwo** *n* thorough knowledge
**znęcać się** *vr* torment, harass (**nad kimś** sb)
**znękany** *adj* depressed, worn out
**zniechęcać** *vt* discourage; ~ **się** *vr* be discouraged
**zniechęcenie** *n* discouragement
**zniecierpliwić** *vt* put out of patience; ~ **się** *vr* lose patience; grow impatient
**zniecierpliwienie** *n* impatience
**znieczulający** *adj*, **środek** ~ anaesthetic
**znieczulenie** *n* insensibility, *med.* anaesthesia
**znieczulić** *vt* make insensible, *med.* anaesthetize
**zniedołężnieć** *vi* become decrepit
**zniekształcić** *vt* disfigure, deform
**znienacka** *adv* all of a sudden
**znienawidzić** *vt* come to hate
**znienawidzony** *adj* hated, odious
**znieprawić** *vt* deprave, pervert
**zniesieni|e** *n* (*usunięcie*) abolition; (*unieważnienie*) annulment; **nie do ~a** intolerable, unbearable
**zniesławić** *vt* defame
**zniesławienie** *n* defamation
**znieść** *vt zob.* **znosić**
**zniewaga** *f* insult
**znieważać** *vt* insult
**zniewieściałość** *f* effeminacy
**zniewieściały** *adj* effeminate, womanish
**zniewolenie** *n* constraint; violation; (*kobiety*) rape
**zniewolić** *vt* constrain; violate
**znikać** *vi* vanish, disappear
**znikąd** *adv* from nowhere
**znikomy** *adj* transient; (*nieznaczny*) inconspicuous

**zniszczeć** *vi* decay, be ruined
**zniszczenie** *n* destruction, ruin
**zniszczyć** *vt* destroy, ruin
**zniweczyć** *vt* annihilate, destroy, thwart
**zniżać** *vt* lower, (*cenę*) reduce; **~ się** *vr* go down, lower, be lowered
**zniżka** *f* reduction; (*giełdowa*) slump
**zniżony** *adj*, **po ~ch cenach** at reduced prices
**znojony** *adj* toilsome
**znosić** *vt* carry down; bring together, (*usuwać*) abolish; (*odzież, buty*) wear; (*unieważniać*) annul, abolish; (*ścierpieć*) suffer, endure, stand; (*jaja*) lay; **~ się** *vr* (*o ubraniu, obuwiu*) wear; be worn out; (*utrzymywać stosunki*) have intercourse ⟨contacts⟩
**znośny** *adj* tolerable
**znowu** *adv* again
**znój** *m* toil
**znudzenie** *n* boredom
**znudzi|ć** *vt* bore, weary; **~ć się** *vr* become bored, be fed up (**czymś** with sth); **to mi się ~ło** I am fed up with it
**znużenie** *n* weariness
**znużyć** *vt* fatigue, weary; **~ się** *vr* grow weary, become tired
**zobaczeni|e** *n* seeing; **do ~a!** good-bye!
**zobaczyć** *vt* catch sight (**coś** of sth), see; **~ się** *vr* see (**z kimś** sb)
**zobojętnić** *vt* neutralize
**zobojętnieć** *vi* become indifferent
**zobowiązanie** *n* obligation, pledge; **podjąć ~** enter into an obligation; **wziąć na siebie ~** undertake an obligation
**zobowiązywać** *vt* oblige, bind; **~ się** *vr* bind ⟨pledge⟩ oneself
**zodiak** *m*, **znaki ~u** zodiac signs
**zoolog** *m* zoologist
**zoologia** *f* zoology
**zoologiczny** *adj* zoological
**zorza** *f* aurora, morning-dawn, morning star; **~ północna** ⟨**polarna**⟩ aurora borealis
z **osobna** *adv* separately; **wszyscy razem i każdy ~** jointly and severally
**zosta|ć** *vi* remain; (*stać się*) become; **dom ~ł zburzony** the house was destroyed
**zostawiać** *vt* leave
**zrastać się** *vr* grow together, coalesce
**zrazić** *vt zob.* **zrażać**
**zrazu** *adv* at first
**zrażać** *vt* discourage; **~ się** *vr* become discouraged; become prejudiced (**do kogoś** against sb)
**zrąb** *m* frame
**zresztą** *adv* besides, else, moreover, after all
**zręczność** *f* dexterity, skill
**zręczny** *adj* dexterous, skilful
**zrobi|ć** *vt* make, do, perform; **~ć się** *vr* become, grow, get; **~ło mi się niedobrze** I felt sick; **~ło się zimno** it grew cold; **~ła się wiosna** spring came
**zrosnąć się** *vr zob.* **zrastać się**
**zrozpaczony** *adj* desperate
**zrozumiały** *adj* comprehensible, intelligible
**zrozumieć** *vt* understand, comprehend
**zrozumienie** *n* understanding, comprehension
**zrównać** *vt* even, level, equalize
**zrównanie** *n* levelling, equalization
**zrównoważyć** *vt* balance
**zrywać** *vt* tear off; (*np. kwiaty*) pick, pluck; (*stosunki*) break off; *vi* break (**z kimś** with sb); **~ się** *vr* start up; (*ze snu*) get up with a start; (*o wietrze*) rise
**zrządzi|ć** *vt* cause, ordain; **los ~ł** the fate has ordained
**zrzeczenie się** *n* renunciation, resignation
**zrzekać się** *vr* renounce, resign (**czegoś** sth)
**zrzeszać** *vt*, **~ się** *vr* associate, combine
**zrzeszenie** *n* association, combination
**zrzęda** *m, f pot.* grumbler

**zrzędzić** *vi* grumble (na **coś** at sth)
**zrzucać** *vt* throw off ⟨down⟩, drop
**zrzut** *m* drop(ping)
**zsiadać** *vi* dismount, descend; ~ **się** *vr* (*o mleku*) curdle
**zsiadły** *adj* (*o mleku*) curdled
**zstępować** *vi* descend
**zszyć** *vt* sew together
**zszywka** *f* (*do papieru*) (paper-) fastener
**zubożały** *adj* impoverished
**zubożeć** *vi* become poor
**zuch** *m* brave fellow, *pot.* dare--devil; (*w harcerstwie*) wolf-cub
**zuchwalstwo** *n* arrogance; (*śmiałość*) audacity
**zuchwały** *adj* arrogant, overbearing
**zupa** *f* soup
**zupełny** *adj* complete, entire
**zużycie** *n* (*spożycie*) consumption; (*zniszczenie*) waste, wear
**zużyć** *vt* consume; use (up); ~ **się** *vr* be used up, be worn out
**zużytkować** *vt* utilize
**zużyty** *adj* used up, worn out, (*o maszynie*) broken-down
**zwa|ć** *vt* call; **~ć się** *vr* be called; **tak ~ny** so-called
**zwada** *f* squabble
**zwalczyć** *vt* combat, overpower, overcome
**zwalić** *vt* throw down; (*np. dom*) pull down; ~ **winę na kogoś** put all the blame on sb; ~ **się** *vr* tumble down, collapse
**zwalniać** *zob.* **zwolnić**
**zwapnienie** *n* calcification
**zwariować** *vi* go mad
**zwariowany** *adj* mad, crazy (**na punkcie czegoś** about sth)
**zwarty** *adj* close, compact
**zwarzyć** *vt* boil; damage, nip (by frost); (*o mleku*) curdle, turn; ~ **się** *vr* (*o mleku*) curdle, turn
**zważać** *vi* mind (**na coś** sth), (*uwzględniać*) pay attention (**na coś** to sth)
**zważyć** *vt* weigh; *przen.* (*rozważyć*) consider
**zwątpić** *vi* doubt, feel a doubt (**w coś** about sth)
**zwątpienie** *n* doubt, uncertainty
**zwędzić** *vt pot.* (*ukraść*) snaffle, pinch
**zwęglić** *vt* char; *chem.* carbonize; ~ **się** *vr* char, become carbonized
**zwęzić** *vt* narrow
**zwiać** *vr zob.* **zwiewać**
**zwiady** *s pl* reconnaissance
**zwiastować** *vt* announce
**zwiastun** *m* harbinger
**związać** *zob.* **zawiązać**
**związ|ek** *m* union, bond, alliance, conjunction, connection; *chem.* compound; **~ek zawodowy** trade union; **w ~ku z...** in connection with...
**związkow|y** *adj* allied; Union *attr*; **republika ~a** Union republic
**zwichnąć** *vt* sprain, dislocate
**zwichnięcie** *n* sprain, dislocation
**zwiedzać** *vt* see, visit, frequent
**zwierciadło** *n* looking-glass, mirror
**zwierzać się** *vr* open one's heart (**komuś** to sb)
**zwierzchni** *adj* upper, superior
**zwierzchnictwo** *n* superiority, supremacy
**zwierzchnik** *m* superior, principal, *pot.* boss
**zwierzenie** *n* confidence
**zwierzę** *n* animal, (*dzikie*) beast; (*domowe*) domestic animal
**zwierzęcy** *adj* animal; brutal; **świat ~** animal kingdom
**zwierzyna** *f zbior.* game
**zwierzyniec** *m* zoo
**zwietrzały** *adj* decomposed, (*o skałach*) weathered
**zwietrzeć** *vi* decompose, evaporate, (*o skałach*) weather
**zwiewać** *vi pot.* (*uciekać*) cut and run
**zwiędły** *adj* faded
**zwiędnąć** *vi* fade away
**zwiększyć** *vt* magnify, increase; ~ **się** *vr* increase, augment
**zwięzłość** *f* conciseness
**zwięzły** *adj* concise
**zwijać** *vt* roll, wind, (*żagle*) furl; (*interes*) wind up; ~ **się** *vr* roll

⟨curl up⟩ oneself; *(krzątać się)* bustle **(koło czegoś** about sth)
**zwilżyć** *vt* moisten
**zwinąć** *vt zob.* **zwijać**
**zwinny** *adj* nimble, quick
**zwitek** *m* scroll, roll
**zwlekać** *vt vi* delay, protract; *(odkładać)* put off
**zwłaszcza** *adv* particularly; ~ **że...** all the more since..., more particularly as...
**zwłok|a** *f* delay; *(odroczenie terminu)* respite; **uzyskać ~ę** obtain a respite; **bez ~i** without delay
**zwłoki** *s pl* corpse, mortal remains *pl*
**zwodniczy** *adj* seductive, delusive
**zwodz|ić** *vt* delude, deceive; **most ~ony** drawbridge
**zwolennik** *m* follower, adherent
**z wolna** *adv* slowly
**zwolnić** *vt vi (uwolnić)* free, set free, give leave; *(tempo)* slacken; *(odprężyć)* relax; *(pracownika)* dismiss
**zwolnienie** *n (uwolnienie)* release, *(o tempie)* slackening; *(odprężenie)* relaxation; *(z pracy)* dismissal; *(lekarskie)* medical officer's certificate
**zwoływać** *vt* call together
**zwozić** *vt* carry, bring in ⟨together⟩, get in
**zwój** *m* roll, scroll
**zwracać** *vt* give back, return; ~ **uwagę** pay attention **(na coś** to sth); call attention **(komuś na coś** sb's to sth); **on zwrócił mi na to uwagę** he called my attention to it; ~ **się** *vr* apply **(do kogoś o coś** to sb for sth), address **(do kogoś** sb)
**zwrot** *m* return; *(obrót)* turn; *(wyrażenie)* phrase
**zwrotka** *f* stanza
**zwrotnica** *f* switch
**zwrotnik** *m* tropic'
**zwrotnikowy** *adj* tropical
**zwrotn|y** *adj* returnable; *(o pieniądzach)* repayable; *gram.* reflexive; **cło ~e** drawback; **punkt ~y** turning-point
**zwrócić** *zob.* **zwracać**
**zwycięski** *adj* victorious; *(w zawodach itp.)* champion *attr*
**zwycięstwo** *n* victory
**zwycięzca** *m* victor, coqueror; *(w zawodach)* winner, champion
**zwyciężać** *vt vi* conquer, be victorious
**zwyczaj** *m* custom, habit; **mieć ~** have the habit **(czegoś** of sth); be wont; **wejść w ~** grow into the habit, become a custom, become customary; **starym ~em** according to the old custom
**zwyczajny** *adj* usual, common; ordinary
**zwyczajow|y** *adj* customary; **prawo ~e** common law
**zwykle** *adv usually;* **jak ~** as usual
**zwykły** *adj* common
**zwyrodniały** *adj* degenerate
**zwyrodnienie** *n* degeneration
**zwyżka** *f* rise, augmentation
**zwyżkować** *vi* rise
**zwyżkow|y** *adj,* **tendencja ~a** upward tendency
**zygzak** *m* zigzag
**zysk** *m* gain, profit; **czysty ~** net profit
**zyskać** *vt* profit **(na czymś** by sth), gain
**zyskowny** *adj* profitable
**zza** *praep* from behind, from beyond
**zziajać się** *vr* be out of breath
**zziębnąć** *vi* become chilled
**zziębnięty** *adj* chilled
**zżyć się** *vr* become familiar
**zżymać się** *vr* fret and fume; *pot.* be cross **(na kogoś** with sb)

# Ź

**źdźbło** *n* stalk, halm, (*trawy*) blade
**źle** *adv* badly, ill
**źrebak, źrebię** *n* foal
**źrenic|a** *f* pupil, *przen.* apple of the eye; **strzec jak ~y oka** cherish like the apple of one's eye
**źródlany** *adj* spring (water)
**źródł|o** *n* source, spring, well; *przen.* source; authority; **gorące ~a** hot springs, thermae; *przen.* **~o zła** origin ⟨root⟩ of an evil; **mieć swoje ~o w czymś** to rise ⟨to spring⟩ from sth; **~o dochodu** source of income
**źródłosłów** *m gram.* etymology
**źródłowy** *adj* spring (water); (*oparty na źródłach*) first-hand, original

# Ż

**żaba** *f* frog
**żaden** *pron* no, none; **~ z dwóch** neither
**żag|iel** *m* sail; **rozwinąć ⟨zwinąć⟩ ~le** unfurl ⟨furl⟩ the sails
**żagiew** *f* firebrand, torch
**żaglowiec** *m* sailing-boat
**żaglow|y** *adj*, **płótno ~e** canvas, sail-cloth
**żak** *m hist.* school-boy
**żakiet** *m* jacket
**żal** *m* regret, grief, pity; **~ mi** (*przykro mi*) I am sorry; (*żałuję*) I regret; **~ mi go** I pity him; **czuję ⟨mam⟩ do niego ~** I bear him a grudge
**żalić się** *vr* complain (**na coś** of sth)
**żaluzja** *f* blind
**żałoba** *f* mourning; (*odzież*) mourning-dress; (*żałobny strój kobiecy*) weeds *pl*
**żałobny** *adj* mourning, mournful; (*orszak, marsz*) funeral *attr*
**żałosny** *adj* lamentable, deplorable
**żałować** *vt* regret; grudge (**komuś czegoś** sb sth)
**żandarm** *m* gendarme
**żar** *m* glow, red-heat; (*zapał*) ardour
**żarliwość** *f* ardour
**żarliwy** *adj* ardent
**żarłoczność** *f* gluttony
**żarłoczny** *adj* greedy, gluttonous
**żarłok** *m* glutton
**żarna** *s pl* handmill
**żarówka** *f* bulb
**żart** *n* joke, jest; **~em** in jest
**żartobliwy** *adj* facetious, jocose
**żartować** *vi* jest, joke
**żartowniś** *m* joker
**żarzyć się** *vr* glow
**żąć** *vt* mow, cut
**żądać** *vt* demand, require
**żądanie** *n* demand, request; **na ~** at request
**żądło** *n* sting
**żądny** *adj* desirous (**czegoś** of sth), eager (**czegoś** for sth); **~ sławy** anxious for fame
**żądza** *f* eagerness, desire
**że** *conj* that; *part* then; **przyjdźże!** come then!; do come!
**żebrać** *vi* ask alms, beg
**żebrak** *m* beggar
**żebro** *n* rib
**żeby** *conj* that, in order that ⟨to⟩

**żeglarski** *adj* nautical
**żeglarstwo** *n* sailing (profession), navigation
**żeglarz** *m* seaman, sailor, navigator
**żeglować** *vi* sail, navigate
**żegluga** *f* navigation; ~ **powietrzna** aviation
**żegna|ć** *vt* bid farewell; **~j!** farewell!; **~ć się** *vr* take leave (**z kimś** of sb); *rel.* cross oneself; *zob.* **pożegnać**
**żelatyna** *f* gelatine, jelly
**żelazisty** *adj* ferruginous
**żelaziwo** *n* ironware; (*złom*) scrap-iron
**żelazko** *n* (flat-)iron
**żelazn|y** *adj* iron; **kolej ~a** railway, *am.* railroad; **list ~y** safe-conduct
**żelazo** *n* iron; ~ **kute** wrought-iron; ~ **lane** cast-iron; ~ **surowe** pig-iron
**żelazobeton, żelbeton** *m* ferro-concrete, reinforced concrete
**żeliwo** *n* cast-iron
**żeniaczka** *f pot.* marriage
**żenić** *vt* marry (**z kimś** to sb), give in marriage; ~ **się** *vr* marry (**z kimś** sb), take a wife
**żenować się** *vr* feel embarrassed (**czymś** at sth)
**żeński** *adj* female, woman's, women's; feminine
**żer** *m* pasture, feed
**żerdź** *f* pole, rod; (*dla kur*) roost
**żeton** *m* counter, fish
**żgać** *vt* stab
**żłobek** *m* crib; (*dla dzieci*) crèche; *techn.* groove
**żłobić** *vt* groove
**żłopać** *vt pot.* gulp
**żłób** *m* crib, manger
**żmija** *f* adder, viper
**żniwiarka** *f* (*maszyna*) reaping machine; (*kobieta*) reaper
**żniwiarz** *m* reaper
**żniwo** *n* harvest
**żołądek** *m* stomach
**żołądkowy** *adj* stomach, gastric
**żołądź** *f* acorn; (*w kartach*) club (*zw. pl* clubs)
**żoł|d** *m* (soldier's) pay; **na ~dzie** in the pay
**żołdak** *m pog.* mercenary, hireling
**żołnierski** *adj* soldier's, military
**żołnierz** *m* soldier
**żona** *f* wife
**żonaty** *adj* married (**z kimś** to sb)
**żółcić** *vt* dye ⟨make⟩ yellow
**żółciowy** *adj* biliary, bilious; *med.* **kamień** ~ gall-stone
**żółć** *f* bile
**żółknąć** *vi* turn yellow
**żółtaczka** *f med.* jaundice
**żółtawy** *adj* yellowish
**żółtko** *n* yolk
**żółtodziób** *m pog.* greenhorn
**żółty** *adj* yellow
**żółw** *m* tortoise, (*morski*) turtle
**żółwi** *adj*, **~m krokiem** at a snail's pace
**żrący** *adj* corrosive, caustic
**żreć** *vt pot.* eat greedily; *chem.* corrode
**żubr** *m zool.* aurochs
**żuchwa** *f* jaw-bone
**żuć** *vt* chew
**żuk** *m* scarab, beetle
**żuławy** *s pl* marsh-lands *pl*
**żupa** *f* salt-works *pl*
**żur** *m* sour soup
**żuraw** *m* crane; (*studzienny*) draw-well
**żurnal** *m* fashion-journal, ladies' magazine
**żużel** *m* slag; ~ **wielkopiecowy** furnace slag
**żwawy** *adj* brisk, quick
**żwir** *m* gravel
**życie** *n* life; (*utrzymanie*) livelihood, living, subsistence; **zarabiać na** ~ earn one's livelihood ⟨one's living⟩
**życiorys** *m* life, biography
**życiow|y** *adj* vital; **mądrość ~a** worldly wisdom, sagacity
**życzenie** *n* wish, desire
**życzliwość** *f* benevolence, goodwill
**życzliwy** *adj* well-wishing, favourable, friendly, favourably disposed (**dla kogoś** towards sb)

**życzyć** *vt* wish; **~ sobie** wish, desire
**żyć** *vi* live, be alive
**Żyd** *m* Jew
**żydowski** *adj* Jewish
**Żydówka** *f* Jewess
**żyjątko** *n* little creature, animalcule
**żylak** *m* varix
**żylasty** *adj* varicose, veinous, (*o mięsie*) tough
**żyletka** *f* safety-razor; (*ostrze*) razor-blade
**żyła** *f* vein; (*minerału*) seam
**żyrafa** *f* giraffe
**żyrandol** *m* chandelier
**żyrant** *m handl.* endorser
**żyro** *n handl.* endorsement
**żyrować** *vt handl.* endorse
**żyto** *n* rye
**żywcem** *adv* alive
**żywica** *f* resin
**żywiciel** *m* bread-winner
**żywiczny** *adj* resinous
**żywić** *vt* nourish, feed; (*np. rodzinę*) maintain; (*nadzieję*) entertain; **~ się** *vr* feed, live (**czymś** on sth)
**żywienie** *n* feeding
**żywioł** *m* element
**żywiołowy** *adj* elemental
**żywnościow|y** *adj* alimentary; **artykuły ~e** victuals, provisions, articles of food
**żywo** *adv* quickly, briskly; † **jako ~** forsooth, in truth
**żywopłot** *m* hedge
**żywot** *m* life; (*życiorys*) biography
**żywotność** *f* vitality
**żywotny** *adj* vital
**żyw|y** *adj* living, alive; (*ruchliwy*) lively, brisk, quick, *pot.* snappy; **~e srebro** quick-silver, mercury; **kłamać w ~e oczy** lie with impudence; **nie widzę ~ej duszy** I see no living creature; **do ~ego** to the quick; **ledwie ~y** half-dead
**żyzność** *f* fertility
**żyzny** *adj* fertile

# APPENDIX
# DODATEK

## GEOGRAPHICAL NAMES*

## NAZWY GEOGRAFICZNE

**Adriatyk, Morze Adriatyckie** Adriatic, Adriatic Sea
**Afganistan** Afghanistan
**Afryka** Africa
**Alabama** Alabama
**Alaska** Alaska
**Albania** Albania; **Ludowa Socjalistyczna Republika Albanii** People's Socialist Republic of Albania
**Alberta** Alberta
**Aleksandria** Alexandria
**Algier** Algiers
**Algieria** Algeria
**Alpy** Alps
**Amazonka** Amazon
**Ameryka** America; ~ **Północna** ⟨**Południowa**⟩ North ⟨South⟩ America
**Amsterdam** Amsterdam
**Andora** Andorra
**Andy** Andes
**Anglia** England
**Ankara** Ankara
**Antarktyda** Antarctic; Antarctic Continent
**Antyle** Antilles
**Apeniny** Appenines
**Arabia Saudyjska** Saudi Arabia
**Argentyna** Argentina
**Arizona** Arizona
**Arkansas** Arkansas
**Arktyka** Arctic
**Ateny** Athens
**Atlantyk, Ocean Atlantycki** Atlantic, Atlantic Ocean
**Atlas** Atlas Mts
**Auckland** Auckland
**Australia** Australia; **Związek Australijski** Commonwealth of Australia
**Austria** Austria
**Azja** Asia; ~ **Mniejsza** Asia Minor
**Azory** Azores
**Bagdad** Bag(h)dad
**Bahama** the Bahamas
**Bajkał** Baikal
**Bałkany** Balkans; **Półwysep Bałkański** Balkan Peninsula
**Bałtyk, Morze Bałtyckie** Baltic, Baltic Sea
**Bangladesz** Bangladesh
**Bejrut** Beirut, Beyrouth
**Belfast** Belfast
**Belgia** Belgium
**Belgrad** Belgrade
**Berlin** Berlin; ~ **Zachodni** West Berlin
**Bermudy** the Bermudas
**Berno** Bern(e)
**Beskidy** Beskid Mts
**Białoruś** Byelorussia; **Białoruska SRR** Byelorussian SSR
**Birma** Burma
**Birmingham** Birmingham
**Boliwia** Bolivia
**Bonn** Bonn
**Boston** Boston
**Brasilia** Brasilia (*stolica*)
**Brazylia** Brazil (*państwo*)
**Bruksela** Brussels
**Brytania** Britain; **Wielka** ~ Great Britain
**Budapeszt** Budapest

* *Skróty*: Ils i Mts *odpowiadają wyrazom* Islands *i* Mountains

**Buenos Aires** Buenos Aires
**Bukareszt** Bucharest
**Bułgaria** Bulgaria; **Ludowa Republika Bułgarii** People's Republic of Bulgaria
**Cambridge** Cambridge
**Canberra** Canberra
**Cejlon** Ceylon, *zob.* **Sri Lanka**
**Chicago** Chicago
**Chile** Chile
**Chiny** China; **Chińska Republika Ludowa** Chinese People's Republic
**Cieśnina Beringa** Bering Strait
**Cieśnina Kaletańska** Strait of Dover
**Cieśnina Magellana** Strait of Magellan
**Connecticut** Connecticut
**Cypr** Cyprus
**Czechosłowacja** Czechoslovakia; **Czechosłowacka Republika Socjalistyczna** Socialist Republic of Czechoslovakia
**Dakota Południowa** South Dakota
**Dakota Północna** North Dakota
**Damaszek** Damascus
**Dania** Denmark
**Dardanele** Dardanelles
**Delaware** Delaware
**Delhi** Delhi
**Detroit** Detroit
**Djakarta** Djakarta
**Dover** Dover
**Dublin** Dublin
**Dunaj** Danube
**Edynburg** Edinburgh
**Egipt** Egypt
**Ekwador** Ecuador
**Etiopia** Ethiopia
**Europa** Europe
**Filadelfia** Philadelphia
**Filipiny** Philippines, Philippine Ils
**Finlandia** Finland
**Floryda** Florida
**Francja** France
**Gdańsk** Gdansk
**Gdynia** Gdynia
**Genewa** Geneva
**Georgia** Georgia
**Ghana** Ghana
**Gibraltar** Gibraltar
**Glasgow** Glasgow
**Góry Skaliste** Rockies, Rocky Mts
**Grecja** Greece
**Greenwich** Greenwich
**Grenlandia** Greenland
**Gwatemala** Guatemala
**Gwinea** Guinea
**Haga** the Hague
**Haiti** Haiti
**Hawaje, Wyspy Hawajskie** Hawaii, Hawaiian Ils
**Hawana** Havana
**Hebrydy** Hebrides
**Hel** Hel Peninsula
**Helsinki** Helsinki
**Himalaje** Himalaya
**Hiszpania** Spain
**Holandia** Holland, the Netherlands
**Idaho** Idaho
**Illinois** Illinois
**Indiana** Indiana
**Indie** India
**Indonezja** Indonesia
**Indus** Indus
**Iowa** Iowa
**Irak** Irak, Iraq
**Iran** Iran
**Irlandia** Ireland, (*Republika Irlandzka*) Eire
**Islandia** Iceland
**Izrael** Israel
**Jamajka** Jamaica
**Jangcy-Ciang, Jangcy** Yangtse-Kiang
**Japonia** Japan
**Jawa** Java
**Jemen** Yemen
**Jerozolima** Jerusalem
**Jordania** Jordan
**Jugosławia** Yugoslavia, Jugoslavia; **Socjalistyczna Federacyjna Republika Jugosławii** Socialist Federative Republic of Yugoslavia
**Kair** Cairo
**Kalifornia** California
**Kambodża** Cambodia
**Kanada** Canada
**Kanał La Manche** English Channel
**Kanał Panamski** Panama Canal

**Kanał Sueski** Suez Canal
**Kansas** Kansas
**Karolina Południowa** South Carolina
**Karolina Północna** North Carolina
**Karpaty** Carpathians, Carpathian Mts
**Katowice** Katowice
**Kaukaz** Caucasus
**Kenia** Kenya
**Kentucky** Kentucky
**Kolorado** Colorado
**Kolumbia** Columbia; (*państwo*) Colombia
**Kolumbii Dystrykt** District of Columbia
**Kongo** Congo
**Kopenhaga** Copenhagen
**Kordyliery** Cordilleras
**Korea** Korea; **Koreańska Republika Ludowo-Demokratyczna** Democratic People's Republic of Korea; ~ **Południowa** South Korea
**Kornwalia** Cornwall
**Korsyka** Corsica
**Kostaryka** Costa Rica
**Kraków** Cracow
**Kreta** Crete
**Krym** Crimea
**Kuba** Cuba; **Socjalistyczna Republika Kuby** Socialist Republic of Cuba
**Kuwejt** Kuwait, Kuweit
**Labrador** Labrador
**La Manche** = **Kanał La Manche**
**Laos** Laos
**Leningrad** Leningrad
**Liban** Lebanon
**Liberia** Liberia
**Libia** Lybia, Libia
**Lichtenstein** Lichtenstein
**Liverpool** Liverpool
**Lizbona** Lisbon
**Londyn** London
**Los Angeles** Los Angeles
**Luizjana** Louisiana
**Luksemburg** Luxemburg
**Łódź** Lodz
**Madagaskar** Madagascar
**Madryt** Madrid
**Maine** Maine
**Malaje** Malaya
**Malajski Archipelag** Malay Archipelago
**Malajski Półwysep** Malay Peninsula
**Malezja** Malaysia
**Malta** Malta
**Manchester** Manchester
**Manitoba** Manitoba
**Maroko** Morocco
**Martynika** Martinique
**Maryland** Maryland
**Meksyk** Mexico
**Melanezja** Melanesia
**Melbourne** Melbourne
**Massachusetts** Massachusetts
**Michigan** Michigan
**Minnesota** Minnesota
**Missisipi** Mississippi
**Missouri** Missouri
**Monachium** Munich
**Monako** Monaco
**Mongolia** Mongolia; **Mongolska Republika Ludowa** Mongolian People's Republic
**Montana** Montana
**Montreal** Montreal
**Morze Arabskie** Arabian Sea
**Morze Bałtyckie** Baltic Sea
**Morze Czarne** Black Sea
**Morze Czerwone** Red Sea
**Morze Egejskie** Aegean Sea
**Morze Jońskie** Ionian Sea
**Morze Karaibskie** Caribbean Sea
**Morze Kaspijskie** Caspian Sea
**Morze Marmara** Marmara, Sea of Marmara
**Morze Martwe** Dead Sea
**Morze Północne** North Sea
**Morze Śródziemne** Mediterranean Sea
**Morze Tyrreńskie** Tyrrhenian Sea
**Morze Żółte** Yellow Sea
**Moskwa** Moscow
**Nebraska** Nebraska
**Nepal** Nepal
**Nevada** Nevada
**New Hampshire** New Hampshire
**New Jersey** New Jersey
**Niagara, Wodospad Niagara** Niagara Falls

**Niemiecka Republika Demokratyczna** German Democratic Republic
**Niger** Niger
**Nigeria** Nigeria
**Nil** Nile
**Norwegia** Norway
**Nowa Fundlandia** Newfoundland
**Nowa Gwinea** New Guinea
**Nowa Południowa Walia** New South Wales
**Nowa Szkocja** Nova Scotia
**Nowa Zelandia** New Zealand
**Nowe Delhi** New Delhi
**Nowy Jork** New York
**Nowy Meksyk** New Mexico
**Nowy Orlean** New Orleans
**Nysa** Nysa
**Ocean Atlantycki = Atlantyk**
**Ocean Indyjski** Indian Ocean
**Ocean Lodowaty Północny** Arctic Ocean
**Ocean Spokojny = Pacyfik**
**Odra** Odra
**Ohio** Ohio
**Oklahoma** Oklahoma
**Oksford, Oxford** Oxford
**Ontario** Ontario
**Oregon** Oregon
**Oslo** Oslo
**Ottawa** Ottawa
**Pacyfik, Ocean Spokojny** Pacific Ocean
**Pakistan** Pakistan
**Panama** Panama
**Paragwaj** Paraguay
**Paryż** Paris
**Pekin** Peking
**Pensylwania** Pennsylvania
**Peru** Peru
**Phenian** Pyongyang
**Pireneje** Pyrenees
**Polinezja** Polynesia
**Polska** Poland; **Polska Rzeczpospolita Ludowa** Polish People's Republic
**Portugalia** Portugal
**Poznań** Poznan
**Praga** Prague
**Quebec** Quebec
**Queensland** Queensland
**Ren** Rhine
**Republika Federalna Niemiec** Federal Republic of Germany
**Republika Południowej Afryki** Republic of South Africa
**Reykjawik** Reykjavik
**Rhode Island** Rhode Island
**Rodezja** Rhodesia
**Rosja** Russia; **Rosyjska Federacyjna Socjalistyczna Republika Radziecka** Russian Soviet Federative Socialist Republic
**Rumunia** R(o)umania; **Socjalistyczna Republika Rumunii** Rumanian Socialist Republic
**Rzym** Rome
**Sahara** Sahara
**San Francisco** San Francisco
**San Marino** San Marino
**Sardynia** Sardinia
**Sekwana** Seine
**Senegal** Senegal
**Singapur** Singapore
**Skandynawia** Scandinavia
**Sofia** Sofia
**Somalia** Somalia
**Sri Lanka** Sri Lanka
**Stany Zjednoczone Ameryki** United States of America
**Sudan** Sudan
**Suez** Suez
**Sumatra** Sumatra
**Sycylia** Sicily
**Sydney** Sydney
**Syjam** *hist.* Thailand; *zob.* **Tajlandia**
**Syria** Syria
**Szczecin** Szczecin
**Szkocja** Scotland
**Sztokholm** Stockholm
**Szwajcaria** Switzerland
**Szwecja** Sweden
**Śląsk** Silesia
**Taiwan** Taiwan
**Tajlandia** Thailand
**Tamiza** Thames
**Tasmania** Tasmania
**Tatry** Tatra Mts
**Teheran** Teheran
**Tel Awiw** Tel Aviv
**Tirana** Tirana
**Teksas** Texas
**Tennessee** Tennessee

**Terytoria Północno-Zachodnie** North-West Territories
**Terytorium Północne** Northern Territory
**Tokio** Tokyo
**Toronto** Toronto
**Tunezja** Tunisia
**Tunis** Tunis
**Turcja** Turkey
**Tybet** Tibet
**Uganda** Uganda
**Ulster** Ulster
**Ułan Bator** Ulhan Bator
**Ural** Ural
**Urugwaj** Uruguay
**Utah** Utah
**Vermont** Vermont
**Walia** Wales
**Warszawa** Warsaw
**Waszyngton** Washington
**Watykan** Vatican City
**Wellington** Wellington
**Wenecja** Venice
**Wenezuela** Venezuela
**Węgry** Hungary; **Węgierska Republika Ludowa** Hungarian People's Republic
**Wiedeń** Vienna
**Wielka Brytania** Great Britain
**Wietnam** Vietnam; **Socjalistyczna Republika Wietnamu** Socialist Republic of Vietnam
**Wiktoria** Victoria
**Wirginia** Virginia; ~ **Zachodnia** West Virginia
**Wisconsin** Wisconsin
**Wisła** Vistula
**Włochy** Italy
**Wołga** Volga
**Wrocław** Wroclaw
**Wyoming** Wyoming
**Wyspy Brytyjskie** British Ils
**Wyspy Kanaryjskie** Canary Ils
**Wyspy Normandzkie** Channel Ils
**Zair** Zaire
**Zambia** Zambia
**Zatoka Adeńska** Gulf of Aden
**Zatoka Baskijska** Biscay, Bay of Biscay
**Zatoka Botnicka** Bothnia, Gulf of Bothnia
**Zatoka Gdańska** Gulf of Gdansk
**Zatoka Gwinejska** Gulf of Guinea
**Zatoka Meksykańska** Gulf of Mexico
**Zatoka Perska** Persian Gulf
**Zatoka Św. Wawrzyńca** Gulf of St Lawrence
**Zjednoczona Republika Arabska** *hist.* United Arab Republic
**Zjednoczone Królestwo Wielkiej Brytanii i Północnej Irlandii** United Kingdom of Great Britain and Northern Ireland
**Związek Australijski** Commonwealth of Australia
**Związek Radziecki** Soviet Union; **Związek Socjalistycznych Republik Radzieckich** Union of Soviet Socialist Republics

## A LIST OF PROPER NAMES
## SPIS IMION WŁASNYCH

**Adam** Adam
**Agnieszka** Agnes
**Albert** Albert
**Aleksander** Alexander
**Alicja** Alice
**Ambroży** Ambrose
**Amelia** Amelia
**Andrzej** Andrew, *zdrob.* Andy
**Anna** Ann, Anna, *zdrob.* Nan, Nancy
**Antoni** Anthony, *zdrob.* Tony
**Antonina** Antonia
**Artur** Arthur
**August** Augustus
**Barbara** Barbara
**Bartłomiej** Bartholomew
**Benedykt** Benedict
**Bernard** Bernard
**Błażej** Blase
**Cecylia** Cecilia, Cecily
**Cyryl** Cyril
**Daniel** Daniel
**Diana** Diana
**Dionizy** Dionysius
**Dominik** Dominic
**Dorota** Dorothy
**Edmund** Edmund
**Edward** Edward, *zdrob.* Ted
**Edyta** Edith
**Eleonora** Eleanor, *zdrob.* Nell, Nelly
**Elżbieta** Elisabeth, Elizabeth, *zdrob.* Bess, Betsy
**Emilia** Emily
**Ernest** Ernest
**Eugeniusz** Eugene, Gene
**Ewa** Eve, Eva
**Feliks** Felix
**Filip** Philip
**Franciszek** Francis
**Franciszka** Frances
**Fryderyk** Frederic(k)
**Gabriel** Gabriel
**Grzegorz** Gregory
**Gustaw** Gustavus
**Helena** Helen, Helena, *zdrob.* Nell, Nelly
**Henryk** Henry, Harry
**Henryka** Harriet, Harriot
**Horacy** Horace, Horatio
**Hugo** Hugh
**Ignacy** Ignatius
**Irena** Irene
**Izabela** Isabel
**Jakub** Jacob, James, *zdrob.* Jim
**Jan** John, *zdrob.* Jack
**Janina** Jane, Jean
**Jerzy** George
**Joanna** Joan, Joanna
**Józef** Joseph
**Józefa** Josephine
**Judyta** Judith
**Julia** Julia, Juliet
**Julian** Julian
**Juliusz** Julius
**Justyna** Justine
**Karol** Charles
**Katarzyna** Catherine, Katherine, *zdrob.* Kathleen, Kitty, Kate
**Klara** Clara, Clare
**Klaudiusz** Claudius
**Konstancja** Constance
**Konstanty** Constantine
**Krystyn** Christian
**Krystyna** Christina
**Krzysztof** Christopher, *zdrob.* Kit
**Ksawery** Xavier
**Leon** Leo
**Leonard** Leonard
**Leopold** Leopold

**Ludwik** Lewis, Louis
**Łucja** Lucy
**Łukasz** Lucas, Luke
**Magdalena** Magdalene, *zdrob.* Maud
**Małgorzata** Margaret, *zdrob.* Marjory, Peggy
**Marcin** Martin
**Maria** Mary, *zdrob.* Molly
**Mateusz** Matthew
**Michał** Michael, *zdrob.* Micky, Mike
**Mikołaj** Nicholas, *zdrob.* Nick
**Oskar** Oscar
**Patrycy** Patrick, *zdrob.* Pat
**Paweł** Paul
**Piotr** Peter
**Rajmund** Raymond
**Robert** Robert, *zdrob.* Rob, Bob
**Róża** Rose
**Ryszard** Richard, *zdrob.* Dick
**Stanisław** Stanisla(u)s
**Stefan** Stephen
**Sylwester** Silvester
**Szymon** Simon
**Tadeusz** Thadd(a)eus
**Teodor** Theodore, *zdrob.* Theo
**Teresa** Theresa
**Tobiasz** Tobias, *zdrob.* Toby
**Tomasz** Thomas, *zdrob.* Tom, Tommy
**Urszula** Ursula
**Walenty** Valentine
**Wawrzyniec** Laurence, Lawrence
**Wiktor** Victor
**Wiktoria** Victoria, *zdrob.* Vic
**Wincenty** Vincent
**Wojciech** Adalbert
**Zenon** Zeno
**Zofia** Sophie, Sophia
**Zuzanna** Susan
**Zygmunt** Sigismund

## A LIST OF ABBREVIATIONS IN COMMON USE

## SPIS NAJCZĘŚCIEJ UŻYWANYCH SKRÓTÓW

| | |
|---|---|
| **a.** | albo or |
| **adm.** | admirał admiral |
| **adw.** | adwokat lawyer, barrister |
| **afr., afryk.** | afrykański African |
| **ag.** | agencja agency |
| **AK** | Armia Krajowa *hist.* Home Army |
| **AL** | Armia Ludowa *hist.* People's Army |
| **am.** | amerykański American |
| **AM** | Akademia Medyczna Medical Academy |
| **Am. Płd., Amer. Płd.** | Ameryka Południowa South America |
| **Am. Płn., Amer. Płn.** | Ameryka Północna North America |
| **ang.** | angielski English |
| **AR** | Agencja Robotnicza Workers' Press Agency |
| **art.** | artykuł article; artysta artist; ~ mal. (= artysta malarz) painter; ~ rzeźb. (= artysta rzeźbiarz) sculptor |
| **ASP** | Akademia Sztuk Pięknych Academy of Fine Arts |
| **asyst.** | asystent assistant |
| **austral.** | australijski Australian |
| **AWF** | Akademia Wychowania Fizycznego Academy of Physical Education |
| **AZS** | Akademicki Związek Sportowy University Sports Association (of Poland) |
| **BCh** | Bataliony Chłopskie *hist.* Peasants' Battalions |
| **bhp, BHP** | bezpieczeństwo i higiena pracy safety and hygiene of work |
| **bm.** | bieżącego miesiąca the current month |
| **BN** | Biblioteka Narodowa National Library |
| **BOT** | Biuro Obsługi Turystycznej Tourist Service Agency |
| **bp** | biskup bishop |
| **BPK** | Bułgarska Partia Komunistyczna Bulgarian Communist Party |
| **br.** | bieżącego roku this year, the current year |
| **bryt.** | brytyjski British |
| **BTZ** | Biuro Turystyki Zagranicznej Foreign Tourist Service Office |
| **BU** | Biblioteka Uniwersytecka University Library |
| **BWKZ** | Biuro Współpracy Kulturalnej z Zagranicą Office for Cultural Relations with Foreign Countries |

C, C° — stopień Celsjusza degree centigrade
CAF — Centralna Agencja Fotograficzna Central Press Photo Agency
cd. — ciąg dalszy continued
cdn. — ciąg dalszy nastąpi to be continued
CDT — Centralny Dom Towarowy Central Department Store
Cepelia — *zob.* CPLiA
CH — Centrala Handlowa Commercial Centre
ChRL — Chińska Republika Ludowa Chinese People's Republic
CHZ — Centrala Handlu Zagranicznego Commercial Centre for Foreign Trade
CK — Centralny Komitet Central Committee
cm — centymetr centimetre
$cm^2$ — centymetr kwadratowy square centimetre
$cm^3$ — centymetr sześcienny cubic centimetre
CO, C.O., c.o. — centralne ogrzewanie central heating
CPLiA — Centrala Przemysłu Ludowego i Artystycznego Union of Co-operative Folk and Artistic Industry
CPN — Centrala Produktów Naftowych Commercial Centre for Oil Industry
CRZZ — Centralna Rada Związków Zawodowych Central Council of the Trade Unions
CSH — Centralna Składnica Harcerska Scouts' Central Stores
CSRS — Czechosłowacka Republika Socjalistyczna Socialist Republic of Czechoslovakia
CWF — Centrala Wynajmu Filmów Film Distribution Office
cz. — część part
CZ — Centralny Zarząd Headquarters
czł. — członek member

dag — dekagram decagram
dca, d-ca — dowódca commander
Desa — Dzieła Sztuki i Antyki Works of Art and Antiques
dkg — (*do 1965 r.* dekagram) *zob.* dag
dł. — długość length
dn. — dnia this ... day of ...
doc. — docent docent
dol. — dolar dollar
dosł. — dosłownie literally
dot. — dotyczy refers; dotyczący concerning
dr — doktor doctor
ds., d/s — do spraw for ... affairs ⟨matters⟩
DS — Dom Studencki Students' Home ⟨Hostel⟩
DW — Dom Wypoczynkowy rest-home
dyr. — dyrektor director

EKG, ekg — elektrokardiogram electrocardiogram
etc. — *łac.* et cetera = i tak dalej et cetera
ew. — ewentualnie possibly; otherwise
EWG — Europejska Wspólnota Gospodarcza European Economic Community

**Fiat** — **Włoska Fabryka Samochodów w Turynie Italian Automobile Factory Turin**
**FJN** — **Front Jedności Narodu National Unity Front**
**FN** — **Filharmonia Narodowa National Philharmonic Society**
**fot.** — **fotografował photographed by; fotograf photographer**
**FP** — **Film Polski Polish Cinema ⟨Film⟩**
**FPK** — **Francuska Partia Komunistyczna French Communist Party**
**FSO** — **Fabryka Samochodów Osobowych Motor-Car Factory**
**FSZMP** — **Federacja Socjalistycznych Związków Młodzieży Polskiej Federation of Socialist Unions of Polish Youth**
**f.szt.** — **funt szterling pound sterling**
**FWP** — **Fundusz Wczasów Pracowniczych Workers' Holiday Fund**

**g** — **gram gram(me)**
**g.** — **godzina hour**
**gat.** — **gatunek sort**
**gen.** — **generał General**
**GKKFiT** — **Główny Komitet Kultury Fizycznej i Turystyki Central Committee of Physical Culture and Tourism**
**GL** — **Gwardia Ludowa** *hist.* **People's Guard**
**gm.** — **gmina commune**
**GOPR** — **Górskie Ochotnicze Pogotowie Ratunkowe Volunteer Mountain Rescue Service**
**gosp.** — **gospodarka economy; gospodarczy economic**
**górn.** — **górnictwo; górniczy mining**
**gr** — **grosz grosh**
**GS** — **Gminna Spółdzielnia Village Co-operative**
**GUS** — **Główny Urząd Statystyczny Chief Statistical Office**

**ha** — **hektar hectare**
**h.c.** — **honoris causa** *łac.* **(= dla zaszczytu) honoris causa**

**ib., ibid.** — **ibidem** *łac.* **(= ten sam) ibidem, there, in the same place**
**i.e.** — **id est** *łac.* **(= to jest) i.e., that is**
**il.** — **ilustracja figure, illustration; ilustrował illustrated by**
**im.** — **imienia memorial**
**in.** — **inny other; inaczej or, otherwise**
**inż.** — **inżynier engineer**
**it** — **informacja turystyczna tourist information**
**itd.** — **i tak dalej and so on**
**itp.** — **i tym podobne and the like**

**jedn.** — **jednostka unit**
**jęz.** — **język language**
**jw.** — **jak wyżej as above**

**k.** — **koło near**
**KC** — **Komitet Centralny Central Committee**

| | |
|---|---|
| **KC PZPR** | **Komitet Centralny Polskiej Zjednoczonej Partii Robotniczej** Central Committee of the Polish United Workers' Party |
| **kg** | **kilogram** kilogram |
| **kier., Kier.** | **kierownik** head, manager |
| **k.k., kk** | **kodeks karny** Penal Code |
| **kl.** | **klasa** class |
| **km** | **kilometr** kilometre; **karabin maszynowy** machine gun |
| **km²** | **kilometr kwadratowy** square kilometre |
| **KM** | **koń mechaniczny** horse-power (h.p.) |
| **km/g** | **kilometry na godzinę** kilometres per hour |
| **KP** | **Komunistyczna Partia** Communist Party |
| **KPA** | **Komunistyczna Partia Australii** Communist Party of Australia |
| **KPCh** | **Komunistyczna Partia Chin** Chinese Communist Party |
| **KPCz** | **Komunistyczna Partia Czechosłowacji** Communist Party of Czechoslovakia |
| **KPK** | **Komunistyczna Partia Kanady** Communist Party of Canada |
| **KPNZ** | **Komunistyczna Partia Nowej Zelandii** Communist Party of New Zealand |
| **KPP** | **Komunistyczna Partia Polski** *hist.* Communist Party of Poland |
| **KPSZ** | **Komunistyczna Partia Stanów Zjednoczonych** Communist Party of the United States |
| **kpt.** | **kapitan** captain |
| **KPWB** | **Komunistyczna Partia Wielkiej Brytanii** Communist Party of Great Britain |
| **KPZR** | **Komunistyczna Partia Związku Radzieckiego** Communist Party of the Soviet Union |
| **KRL-D** | **Koreańska Republika Ludowo-Demokratyczna** The Democratic People's Republic of Korea |
| **KRN** | **Krajowa Rada Narodowa** *hist.* National People's Council |
| **ks.** | **ksiądz** Reverend; **książę** Duke |
| **kw.** | **kwadratowy** square; **kwartał** three months |

| | |
|---|---|
| **l** | **litr** litre |
| **la, LA** | **lekka atletyka** athletics |
| **lek.** | **lekarz** physician |
| **LK** | **Liga Kobiet** Women's League |
| **LOK** | **Liga Obrony Kraju** National Defence League |
| **Lot** | *zob.* **PLL „Lot"** |
| **LPA** | **Liga Państw Arabskich** League of Arab States |
| **LRB** | **Ludowa Republika Bułgarii** People's Republic of Bulgaria |
| **LSRA** | **Ludowa Socjalistyczna Republika Albanii** Socialist People's Republic of Albania |
| **LWP** | **Ludowe Wojsko Polskie** Polish People's Army |

| | |
|---|---|
| **łac.** | **łaciński** Latin |

| | |
|---|---|
| **m** | **metr** metre |
| **m.** | **miasto** town, city; **miesiąc** month |
| **MCK** | **Międzynarodowy Czerwony Krzyż** International Red Cross |
| **MFBRO** | **Międzynarodowa Federacja Bojowników Ruchu Oporu** International Federation of the Fighters of the Resistance Movement |
| **MFSM** | **Międzynarodowa Federacja Schronisk Młodzieżowych** International Youth Hostels Federation |
| **mgr** | **magister** Master of Arts (M.A.) |
| **MHD** | **Miejski Handel Detaliczny** Municipal Retail Trade |
| **MHW** | **Ministerstwo Handlu Wewnętrznego** Ministry of Internal Trade |
| **MHZ** | **Ministerstwo Handlu Zagranicznego** Ministry of Foreign Trade |
| **mies.** | **miesiąc** month; **miesięcznie** monthly |
| **mieszk.** | **mieszkaniec, mieszkańców** inhabitant(s) |
| **Min.** | **Ministerstwo** Ministry |
| **min** | **minuta** minute |
| **min.** | **minister** Minister |
| **m.in.** | **między innymi** among others |
| **mjr** | **major** major |
| **MKiS** | **Ministerstwo Kultury i Sztuki** Ministry of Culture and Art |
| **MKNiK** | **Międzynarodowa Komisja Nadzoru i Kontroli** International Commission of Supervision and Control |
| **MKOl** | **Międzynarodowy Komitet Olimpijski** International Olympic Committee |
| **m kw.** | **metr kwadratowy** square metre |
| **mld** | **miliard** milliard, *am.* billion |
| **mln** | **milion** million |
| **mm** | **milimetr** millimetre |
| **mm²** | **milimetr kwadratowy** square millimetre |
| **MO** | **Milicja Obywatelska** Civic Militia |
| **MOP** | **Międzynarodowa Organizacja Pracy** International Labour Organization |
| **MOŚ** | **Ministerstwo Ochrony Środowiska** Ministry of the Environment |
| **MPiK** | **Klub Międzynarodowej Prasy i Książki** International Press and Book Club |
| **MPK** | **Miejskie Przedsiębiorstwo Komunikacyjne** Municipal Transport Enterprise |
| **MPR-L** | **Mongolska Partia Ludowo-Rewolucyjna** Mongolian People's Revolutionary Party |
| **MRL** | **Mongolska Republika Ludowa** Mongolian People's Republic |
| **m/s, M/s** | **statek motorowy** motorship |
| **m.st.** | **miasto stołeczne** capital city |
| **MSW** | **Ministerstwo Spraw Wewnętrznych** Ministry of Internal Affairs, *am.* Ministry of the Interior |
| **MSZ** | **Ministerstwo Spraw Zagranicznych** Ministry of Foreign Affairs |

| | |
|---|---|
| **MTK** | **Międzynarodowe Targi Książki** International Book Fair |
| **MTP** | **Międzynarodowe Targi Poznańskie** Poznan International Fair |
| **MZS** | **Międzynarodowy Związek Studentów** International Union of Students |
| | |
| **n.** | **nad** on |
| **nad.** | **nadawca** sender |
| **NASA** | **Narodowa Agencja do Spraw Aeronautyki i Przestrzeni Kosmicznej** *am.* National Aeronautics and Space Administration |
| **NATO** | **Organizacja Paktu Północnego Atlantyku** North Atlantic Treaty Organization |
| **nb.** | **nota bene** *łac.* nota bene |
| **NBP** | **Narodowy Bank Polski** National Bank of Poland |
| **n.e.** | **naszej (nowej) ery** Anno Domini (A.D.) |
| **NK** | **Naczelny Komitet** Chief Committee |
| **NOT** | **Naczelna Organizacja Techniczna** Chief Technical Organization |
| **np.** | **na przykład** for instance |
| **nr** | **numer** number |
| **NRD** | **Niemiecka Republika Demokratyczna** German Democratic Republic |
| **NSPJ** | **Niemiecka Socjalistyczna Partia Jedności (SED)** Socialist Unity Party of Germany |
| **NZ** | **Narody Zjednoczone** United Nations |
| | |
| **ob., Ob.** | **obywatel, obywatelka** citizen |
| **OHP** | **Ochotniczy Hufiec Pracy** Voluntary Labour Corps |
| **OIT** | **Ośrodek Informacji Turystycznej** Tourist Information Centre |
| **OJA** | **Organizacja Jedności Afrykańskiej** Organization of African Unity |
| **OKP** | **Ogólnopolski Komitet Pokoju** All-Poland Peace Committee |
| **ONZ** | **Organizacja Narodów Zjednoczonych** United Nations Organization, UNO |
| **OPA** | **Organizacja Państw Amerykańskich** Organization of American States |
| **ORMO** | **Ochotnicza Rezerwa Milicji Obywatelskiej** Volunteer Reserve of the Civic Militia |
| **ORP** | **Okręt Rzeczypospolitej Polskiej** Polish Navy Ship |
| **ORT** | **Obsługa Ruchu Turystycznego** Tourist Traffic Service |
| | |
| **p., P.** | **pan, pani, panna** Mr, Mrs, Miss |
| **p.** | **patrz** see; **piętro** floor |
| **PAGART, Pagart** | **Polska Agencja Artystyczna** Polish Artistic Agency |
| **PAN** | **Polska Akademia Nauk** Polish Academy of Sciences |
| **PAP** | **Polska Agencja Prasowa** Polish Press Agency |
| **par.** | **paragraf** paragraph |

**PBP „Orbis"** **Polskie Biuro Podróży „Orbis"** Polish Travel Office 'Orbis'
**PCK** **Polski Czerwony Krzyż** Polish Red Cross
**PCW** **polichlorek winylu** (*tworzywo sztuczne*) polyvinyl
**PDT** **Powszechny Dom Towarowy** Universal Department Store
**PGR** **Państwowe Gospodarstwo Rolne** State Farm
**PHZ** **Przedsiębiorstwo Handlu Zagranicznego** Foreign Trade Enterprise
**PISM** **Polski Instytut Spraw Międzynarodowych** Polish Institute of International Affairs
**PKF** **Polska Kronika Filmowa** Polish News-Reel
**PKiN** **Pałac Kultury i Nauki** Palace of Culture and Science
**PKO** **Powszechna Kasa Oszczędności** National Savings Bank
**PKO, Pekao** **Polska Kasa Opieki** Polish Guardian Bank, Ltd
**PKOl** **Polski Komitet Olimpijski** Polish Committee for Olympic Games
**PKOP** **Polski Komitet Obrońców Pokoju** Polish Committee of Partisans of Peace
**PKP** **Polskie Koleje Państwowe** Polish State Railways
**PKS, Pekaes** **Państwowa Komunikacja Samochodowa** Polish Motor Communications
**pkt** **punkt** point; station
**PKWN** **Polski Komitet Wyzwolenia Narodowego** *hist.* Polish Committee of National Liberation
**PLL „Lot"** **Polskie Linie Lotnicze „Lot"** Polish Airlines 'Lot'
**PLO** **Polskie Linie Oceaniczne** Polish Ocean Lines
**płd.** **południe** south; **południowy** South; southern
**płd.-wsch.** **południowo-wschodni** south-east
**płd.-zach.** **południowo-zachodni** south-west
**płk** **pułkownik** colonel
**płn.** **północ** north; **północny** North; northern
**płn.-wsch.** **północno-wschodni** north-east
**płn.-zach.** **północno-zachodni** north-west
**PMH** **Polska Marynarka Handlowa** Polish Merchant Marine
**PMW** **Polska Marynarka Wojenna** Polish Navy
**p.n.e.** **przed naszą ⟨nową⟩ erą** before Christ (B.C.)
**POP** **Podstawowa Organizacja Partyjna (PZPR)** Basic Party Organization (of the Polish United Workers' Party)
**por.** **porównaj** compare; **porucznik** lieutenant
**poz.** **pozycja** item
**pp., PP.** **panowie, panie, państwo** Messrs, Mesdames, Mr and Mrs
**ppłk** **podpułkownik** lieutenant-colonel
**ppor.** **podporucznik** second lieutenant
**PPR** **Polska Partia Robotnicza** *hist.* Polish Workers' Party
**PPS** **Polska Partia Socjalistyczna** *hist.* Polish Socialist Party
**PR** **Polskie Radio** Polish Radio
**PRiTV** **Polskie Radio i Telewizja** Polish Radio and Television
**PRL** **Polska Rzeczpospolita Ludowa** Polish People's Republic
**proc.** **procent** per cent

| | |
|---|---|
| **prof.** | **profesor** professor |
| **PS** | **postscriptum** postscript |
| **P.T.** | **pleno titulo** *łac.* (= **pełnym tytułem**) full-titled |
| **pt.** | **pod tytułem** under the title |
| **p-ta** | **poczta** post office |
| **PTTK** | **Polskie Towarzystwo Turystyczno-Krajoznawcze** Polish Tourist Country-Lovers' Society |
| **PW** | **Państwowe Wydawnictwo** State Publishing House |
| **PZLA** | **Polski Związek Lekkiej Atletyki** Polish Athletic Union |
| **PZMot, PZM** | **Polski Związek Motorowy** Polish Automobile and Motor-Cycle Federation |
| **PZPN** | **Polski Związek Piłki Nożnej** Polish Football Union |
| **PZPR** | **Polska Zjednoczona Partia Robotnicza** Polish United Workers' Party |
| **PZU** | **Państwowy Zakład Ubezpieczeń** Polish National Insurance |
| **PŻM** | **Polska Żegluga Morska** Polish Steamship Co. |
| **r.** | **rok(u)** year |
| **red.** | **redaktor** editor |
| **RFN** | **Republika Federalna Niemiec** Federal Republic of Germany |
| **RM** | **Rada Ministrów** The Cabinet |
| **RN** | **Rada Narodowa** People's Council |
| **RP** | **Rada Państwa** State Council; **Rzeczpospolita Polska** Polish Republic |
| **RPK** | **Rumuńska Partia Komunistyczna** Rumanian Communist Party |
| **RWPG** | **Rada Wzajemnej Pomocy Gospodarczej** Council for Mutual Economic Aid |
| **RZ** | **Rada Zakładowa** Works Committee |
| **s.** | **strona** page |
| **SA, S.A.** | **spółka akcyjna** Joint Stock Company, *am.* Incorporated Company |
| **SAM, sam** | **sklep samoobsługowy** self-service shop |
| **SD** | **Stronnictwo Demokratyczne** Democratic Party |
| **sek.** | **sekunda** second |
| **SFRJ** | **Socjalistyczna Federacyjna Republika Jugosławii** Socialist Federative Republic of Yugoslavia |
| **sierż.** | **sierżant** sergeant |
| **SPATiF** | **Stowarzyszenie Polskich Artystów Teatru i Filmu** Association of Polish Theatre and Film Artists |
| **SRR** | **Socjalistyczna Republika Rumunii** Socialist Republic of Rumania |
| **SRW** | **Socjalistyczna Republika Wietnamu** Socialist Republic of Vietnam |
| **st.** | **starszy** older; senior; **stopień, stopnie** degree(s) |
| **str.** | **strona** page |
| **St. Zjedn.** | **Stany Zjednoczone** United States |
| **szkoc.** | **szkocki** Scotch; Scottish |
| **SZMW** | **Socjalistyczny Związek Młodzieży Wojskowej** Socialist Union of Military Youth |

| | |
|---|---|
| **SZSP** | **Socjalistyczny Związek Studentów Polskich** Socialist Union of Polish Students |
| **ŚFMD** | **Światowa Federacja Młodzieży Demokratycznej** World Federation of Democratic Youth |
| **ŚFZZ** | **Światowa Federacja Związków Zawodowych** World Federation of Trade Unions |
| **ŚKOP** | **Światowy Komitet Obrońców Pokoju** World Committee of Partisans of Peace |
| **ŚOZ** | **Światowa Organizacja Zdrowia** World Health Organization |
| **śp.** | **świętej pamięci** the late |
| **ŚRP** | **Światowa Rada Pokoju** World Council of Peace |
| **św.** | **święty** Saint; **świadek** witness |
| **t** | **tona** ton |
| **t.** | **tom** volume |
| **tab.** | **tabela** table |
| **tabl.** | **tablica** figure |
| **tel.** | **telefon** telephone |
| **Telex** | **Telegraph Exchange** *bryt.* **dalekopis** |
| **tj.** | **to jest** that is (i.e.) |
| **TKKF** | **Towarzystwo Krzewienia Kultury Fizycznej** Society for the Propagation of Physical Culture |
| **TKKŚ** | **Towarzystwo Krzewienia Kultury Świeckiej** Society for the Propagation of Lay Culture |
| **TOS** | **Techniczna Obsługa Samochodów** Automobile Technical Service |
| **tow.** | **towarzysz(ka)** comrade; **towarzystwo** society |
| **TOZ** | **Towarzystwo Opieki nad Zwierzętami** Society for the Protection of Animals |
| **TPD** | **Towarzystwo Przyjaciół Dzieci** Society of the Friends of Children |
| **TV** | **telewizja** television |
| **tys.** | **tysiąc** thousand |
| **tzn.** | **to znaczy** that is to say, namely |
| **tzw.** | **tak zwany** the so-called |
| **ub.** | **ubiegły** last (month, year etc.) |
| **UJ** | **Uniwersytet Jagielloński** Jagiellonian University |
| **UKF** | **fale ultrakrótkie (o dużych częstościach drgań)** ultra-short waves |
| **ul.** | **ulica** street |
| **UNESCO** | **Organizacja Narodów Zjednoczonych do spraw Oświaty, Nauki i Kultury** United Nations Educational, Scientific and Cultural Organization |
| **UNICEF** | **Fundusz Narodów Zjednoczonych Pomocy Dzieciom** United Nations Children's Fund |
| **UP-T** | **Urząd Pocztowo-Telekomunikacyjny** Post and Telecommunication Office |
| **ur.** | **urodzony** born |
| **URM** | **Urząd Rady Ministrów** Bureau of the Cabinet |
| **USC** | **Urząd Stanu Cywilnego** Registry |
| **UW** | **Uniwersytet Warszawski** University of Warsaw; **Układ Warszawski** Warsaw Treaty |

| | |
|---|---|
| **w.** | **wiek** century |
| **W. Bryt.** | **Wielka Brytania** Great Britain |
| **wg** | **według** according to |
| **WłPK** | **Włoska Partia Komunistyczna** Communist Party of Italy |
| **w m.** | **w miejscu** local |
| **WP** | **Wojsko Polskie** Polish Army |
| **WRL** | **Węgierska Republika Ludowa** Hungarian People's Republic |
| **wsch.** | **wschód** east; **wschodni** East; eastern |
| **WSPR** | **Węgierska Socjalistyczna Partia Robotnicza** Hungarian Socialist Workers' Party |
| **ww.** | **wyżej wymieniony** above mentioned |
| **W-Z** | **(trasa) Wschód-Zachód** East-West (thoroughfare) |
| **zach.** | **zachód** west; **zachodni** West; western |
| **ZAIKS** | **Stowarzyszenie Autorów ZAIKS** Authors' Association ZAIKS |
| **zał.** | **załącznik** enclosure; **założony; założył** founded |
| **ZBoWiD** | **Związek Bojowników o Wolność i Demokrację** Association of Fighters for Liberty and Democracy |
| **zca, z-ca** | **zastępca** deputy |
| **z d.** | **z domu** maiden name |
| **ZG** | **Zarząd Główny** Board (of Administration, of Directors), headquarters, governing body |
| **ZHP** | **Związek Harcerstwa Polskiego** Polish Scouting Union |
| **ZKJ** | **Związek Komunistów Jugosławii** League of Communists of Yugoslavia |
| **ZKPI** | **Zjednoczona Komunistyczna Partia Irlandii** United Communist Party of Ireland |
| **ZLP** | **Związek Literatów Polskich** Union of Polish Writers |
| **zł** | **złoty** zloty |
| **zm.** | **zmarł(a)** died |
| **ZMS** | **Związek Młodzieży Socjalistycznej** Socialist Youth Union |
| **ZNP** | **Związek Nauczycielstwa Polskiego** Polish Teachers' Association |
| **zob.** | **zobacz** see |
| **ZSL** | **Zjednoczone Stronnictwo Ludowe** United Peasants' Party |
| **ZSMP** | **Związek Socjalistycznej Młodzieży Polskiej** Union of Polish Socialist Youth |
| **ZSRR** | **Związek Socjalistycznych Republik Radzieckich** Union of Soviet Socialist Republics |
| **ZURiT, ZURT** | **Zakład Usług Radiotechnicznych i Telewizyjnych** Radio and Television Engineering Service Station |
| **ZUS** | **Zakład Ubezpieczeń Społecznych** Social Insurance Institution |
| **zw.** | **związek** union, association |
| **Zw. Radz.** | **Związek Radziecki** Soviet Union |
| **Zw. Zaw., ZZ** | **Związki Zawodowe** Trade Unions |
| **ŻP** | **Żegluga Polska** Polish Shipping |

# A LIST OF IRREGULAR VERBS

# CZASOWNIKI Z ODMIANĄ TZW. NIEREGULARNĄ

**bać się:** boję, boisz, boi ... boją się; bój się; bojąc się; bał(a, -o, -y), *pl m* bali się; bano się

**boleć** *v imp*: boli, bolą; bolący; bolał(a, -o, -y); bolenie

**bóść:** bodę, bodziesz, bodzie ... bodą; bódź; bodąc(y); bódł, bodła, -ło,-ły, *pl m* -li; bodzony, *pl m* -dzeni; bodzenie

**brać:** biorę, bierzesz, bierze ... biorą; bierz; biorąc; brał(a, -o, -y), *pl m* -li; po-, za/-brawszy; po-, za/brany; brano; branie

**być** *praes*: jestem, jesteś, jest(eśmy, -eście), są; *fut* będę, będziesz, będzie ... będą; bądź; będąc(y); byłem, był(a, -o, -y), *pl m* -li; bycie

**chcieć:** chcę, chcesz, chce ... chcą; chciej; chcąc(y); chciał(a, -o, -y), *pl m* chcieli; zachciawszy; chciano

**ciąć:** tnę, tniesz, tnie ... tną; tnij; tnąc(y); ciął, cięła, -ło, -ły, *pl m* -li; pociąwszy; cięty, *pl m* cięci; cięto; cięcie

**ciec:** ciekę, cieczesz, ciecze ... cieką; cieknij, cieknąc; cieknął, ciekněła, -ło, -ły, *pl m* -li; cieknięty, *pl m* -nięci; cieknięcie

**czcić:** czczę, czcisz, czci .. czczą; czcij; czcząc(y); czcił(a, -o, -y), *pl m* -li; uczciwszy; czczony, *pl m* czczeni; czczono; uczczenie

**czyścić:** czyszczę, czyścisz, czyści ... czyszczą; czyść; czyszcząc(y); czyścił(a, -o, -y), *pl m* -li; czyściwszy; oczyszczony; czyszczono; czyszczenie

**dostać:** dostanę, dostaniesz, dostanie ... dostaną; dostań; dostając; dostał(a, -o, -y), *pl m* -li; dostawszy; dostano; dostanie

**drzeć:** drę, drzesz, drze ... drą; drzyj; drąc(y); darł(a, -o, -y), *pl m* -li; zdarłszy; zdarty, *pl m* zdarci; darto; darcie

**gnieść:** gniotę, gnieciesz, gniecie ... gniotą; gnieć; gniotąc(y); gniótł, gniotła, -ło, -ły, *pl m* gnietli; przygniótłszy; gnieciony, *pl m* gnieceni; gnieciono; gniecenie

**gryźć:** gryzę, gryziesz, gryzie ... gryzą; gryź; gryząc(y); gryzł(a, -o, -y), *pl m* -li; ugryzłszy; ugryziony, *pl m* -zieni; gryziono; gryzienie

**grząźć:** grzęznę, grzęźniesz, grzęźnie ... grzęzną; grzęźnij; grzęznąc(y); grzązł(a, -o, -y), *pl m* grzęźli/grzęznął, -nęła, -neło, -nęły, *pl m* -nęli; ugrzęzłszy/-znąwszy; ugrzęźnięty, *pl m* -nięci; grzęźnięto; ugrzęźnięcie

**iść:** idę, idziesz, idzie ... idą; idź; idąc(y); szedł, szła, szło, szły, *pl m* szli; szedłszy

**jechać:** jadę, jedziesz, jedzie ... jadą; jedź; jadąc(y); jechał(a, -o, -y), *pl m* -li; jechawszy; przejechany; jechano; jechanie

**jeść:** jem, jesz, je ... jedzą; jedz; jedząc(y); jadł(a, -o, -y), *pl m* jedli; jadłszy; zjedzony, *pl m* -dzeni; jedzono; jedzenie

**-jść:** pójdę, pójdziesz, pójdzie ... pójdą; pójdź; *p see* iść: poszedł *etc.*

**kłaść:** kładę, kładziesz, kładzie ... kładą; kładź; kładąc; kładł(a, -o, -y), *pl m* -li; kładłszy; kładziony, *pl m* -dzeni; kładziono; kładzenie

**kraść:** kradnę, kradniesz, kradnie ... kradną; kradnij; kradnąc(y); kradł(a, -o, -y), *pl m* -li; ukradłszy; skradziony, *pl m* -dzeni; kradziono; kradzenie/kradnięcie

**lec, legnąć:** legnę, legniesz, legnie ... legną; legnij; legł(a, -o, -y), *pl m* -li; ległszy; legnięcie

**leźć:** lezę, leziesz, lezie ... lezą; leź; leząc(y); lazł(a, -o, -y), *pl m* leźli; leziono; lezienie

**łgać:** łżę, łżesz, łże ... łżą; łżyj; łżąc(y); łgał(a, -o, -y), *pl m* -li; wyłgany; łgano; łganie

**mieć:** mam, masz, ma ... mają; miej; mając(y); miał(a, -o, -y), *pl m* mieli; miany; miano

**mieść:** miotę, mieciesz, miecie ... miotą; mieć; miotąc(y); miótł, miotła, -ło, -ły, *pl m* mietli; wymiótłszy; mieciony, *pl m* -ceni; mieciono; miecenie

**mleć:** mielę, mielesz, miele ... mielą; miel; meląc(y); mełł(a, -o, -y), *pl m* mełli; mielony; mielono; mielenie

**móc:** mogę, możesz, może ... mogą; wzmóż; mogąc(y); mógł, mogła, -ło, -ły, *pl m* mogli; (w)zmożony, *pl m* zmożeni; wzmożono; wzmożenie

**mrzeć:** mrę, mrzesz, mrze ... mrą; mrzyj; mrąc(y); marł(a, -o, -y), *pl m* -li; zmarły, *pl m* -li; marcie

**mścić:** mszczę, mścisz, mści ... mszczą; mścij; mszcząc(y); mścił(a, -o, -y), *pl m* -li; pomściwszy; pomszczony, *pl m* -szczeni; mszczono; mszczenie

**-naleźć:** znaleźć, znajdę, znajdziesz, znajdzie ... znajdą; znajdź; znalazł(a, -o, -y), *pl m* -leźli; znalazłszy; znaleziony, *pl m* -zieni; znaleziono; znalezienie

**nieść:** niosę, niesiesz, niesie ... niosą; nieś; niosąc(y); niósł, niosła, -ło, -ły, *pl m* nieśli; niósłszy; niesiony, *pl m* -sieni; niesiono; niesienie

**oblec:** oblokę, obleczesz, oblecze ... obleką; oblecz; oblókł, oblokła, -ło, -ły, *pl m* oblekli; oblókłszy; obleczony/obłóczony, *pl m* obleczeni; obleczono; obleczenie

**orać:** orzę, orzesz, orze ... orzą; orz; orząc(y); orał(a, -o, -y), *pl m* -li; zaorawszy; orany; orano; oranie

**paść**[1] (*fall down*): padnę, padniesz, padnie ... padną; padnij; padł(a, -o, -y), *pl m* padli; padłszy; padły, *pl m* -li; padnięcie

**paść**[2] (*pasture*): pasę, pasiesz, pasie ... pasą; paś; pasąc(y); pasł(a, -o, -y), *pl m* paśli; pasiony, *pl m* -sieni; pasiono; pasienie

**piec:** piekę, pieczesz, piecze ... pieką; piecz; piekąc(y); piekł(a, -o, -y), *pl m* -li; pieczony, *pl m* -czeni; pieczono; pieczenie

**pleć:** pielę, pielesz, piele ... pielą; piel *etc. see* mleć

**pleść:** plotę, pleciesz, plecie ... plotą; pleć; plotąc(y); plótł, plotła, -ło, -ły, *pl m* pletli; plótłszy; pleciony, *pl m* -ceni; pleciono; plecenie

**prać:** *see* brać

**-prząc:** zaprzęgę, zaprzężesz, zaprzęże ... zaprzęgą; zaprząż/zaprzęż; zaprzągł, zaprzęgła, -ło, -ły, *pl m* -li; zaprzągłszy; zaprzężony, *pl m* -żeni; zaprzężono; zaprzężenie

**prząść:** przędę, przędziesz, przędzie ... przędą; przędź/prządź; przędąc(y); prządł, przędła, -ło, -ły, *pl m* -li; uprządłszy; przędziony; przędziono; przędzenie

**przeć:** *see* drzeć

**rosnąć, róść:** rosnę, rośniesz, rośnie ... rosną; rośnij; rosnąc(y); rósł, rosła, -ło, -ły, *pl m* rośli; wyrósłszy; rośnięcie

**rozpostrzeć:** *see* drzeć

**rozumieć:** rozumiem, rozumiesz, rozumie ... rozumieją; rozum(iej); rozumiejąc(y); rozumiał(a, -o, -y), *pl m* rozumieli; zrozumiawszy; zrozumiany, *pl m* -mieni; rozumienie

**rwać:** rwę, rwiesz, rwie ... rwą; rwij; rwąc(y); rwał(a, -o, -y), *pl m* rwali; wyrwawszy; rwany; rwano; rwanie

**rzec:** rzeknę, rzekniesz, rzeknie († rzecze) ... rzekną; rzeknij; rzekł(a, -o, -y), *pl m* -li; rzekłszy; rzeczony; rzeczono; wyrzeczenie

**-siąc:** przysięgnę, przysięgniesz, przysięgnie ... przysięgną; przysięgnij; przysięgając(y); przysiągł, -sięgła, -ło, -ły, *pl m* -li; przysiągłszy; przysięgły, *pl m* -li; przysięgnięcie

**siąść:** siądę, siądziesz, siądzie ... siądą; siądź; siadł(a, -o, -y), *pl m* siedli; siadłszy; osiadły, *pl m* osiedli

**siec:** *see* piec

**słać**[1]: ślę, ślesz, śle ... ślą; ślij; śląc(y); słał(a, -o, -y), *pl m* słali; posławszy; posłany; słano; słanie

**słać**[2]: ścielę, ścielesz, ściele ... ścielą; ściel; ścieląc(y); *see* słać[1]

**spać:** śpię, śpisz, śpi ... śpią; śpij; śpiąc(y); spał(a, -o, -y), *pl m* -li; wyspawszy się; wyspany; spano; spanie

**spiąć:** *praes* zepnę, zepniesz, zepnie ... zepną; zepnij; spiął, spięła, spięły, *pl m* -li

**ssać:** ssę, ssiesz, ssie ... ssą; ssij; ssąc(y); ssał(a, -o, -y), *pl m* -li; ssawszy; wyssany; ssano; ssanie
**stać¹:** stoję, stoisz, stoi ... stoją; stój; stojąc(y); stał(a, -o, -y), *pl m* stali; stawszy; wystany; stano; stanie
**stać²:** staje, stało
**stać³ się:** stanę, staniesz, stanie ... staną się; stań się; stał(a, -o, -y), *pl m* -li się; stawszy się; stanie się
**strzec:** strzegę, strzeżesz, strzeże ... strzegą; strzeż; strzegąc(y); strzegł(a, -o, -y), *pl m* -li; dostrzegłszy; strzeżony, *pl m* -żeni; strzeżono; strzeżenie
**strzyc:** *see* strzec
**śmieć:** *see* umieć
**tłuc:** tłukę, tłuczesz, tłucze ... tłuką; tłucz; tłucząc(y); tłukł(a, -o, -y), *pl m* -li; stłukłszy; tłuczony, *pl m* -czeni; tłuczono; tłuczenie
**trząść:** trzęsę, trzęsiesz, trzęsie ... trzęsą; trząś; trzęsąc(y); trząsł, trzęsła, -ło, -ły, *pl m* -li; zatrząsłszy; trzęsiony, *pl m* -sieni; trzęsiono; trzęsienie
**trzeć:** *see* drzeć
**umieć:** umiem, umiesz, umie ... umieją; umiej; umiejąc(y); umiał(a, -o, -y), *pl m* umieli; umiawszy; umiany; umiano; umienie
**wiedzieć:** wiem, wiesz, wie ... wiedzą; wiedz; wiedząc(y); wiedział(a, -o, -y), *pl m* wiedzieli; dowiedziawszy się; wiedziany; wiedziano; dowiedzenie się
**wieść:** wiodę, wiedziesz, wiedzie ... wiodą; wiedź; wiodąc(y); wiódł, wiodła, -ło, -ły, *pl m* wiedli; wiódłszy; wiedziony, *pl m* -dzeni; wiedziono
**wieźć:** wiozę, wieziesz, wiezie ... wiozą; wieź; wiozące(y); wiózł, wiozła, -ło, -ły, *pl m* wieźli; wiózłszy; wieziony, *pl m* -zieni; wieziono; wiezienie
**wlec:** wlokę, wleczesz, wlecze ... wloką; wlecz; wlokąc(y); wlókł, wlokła, -ło, -ły, *pl m* wlekli; wlókłszy; wleczony, *pl m* -czeni; wleczono; wleczenie
**wrzeć:** wrę, wresz/(wy-, za-, ze)wrzesz, wre/(wy-, za-, ze)wrze, wrzemy, wrzecie, wrzą/(wy-, za-, ze)wrą; wrzyj; wrąc/wrząc(y); wrzał(a, -o, -y), *pl m* -li, *but*: wy-, za-, z/-warł(a, -o, -y), *pl m* -li; wy-, za-, z/warłszy; wy-, za-, z/warty, *pl m* -rci; zawarto; wrzenie (wy-, za-, z/warcie)
**wściec się:** *see* rzec; wściekły, *pl m* -kli; wściekano się; wścieknięcie
**wyląc:** wylęg(n)ę, wylęgniesz/wylężesz, wylęgnie/wylęże ... wylęgną; wylęgnij; wylągł, wylęgła, -ło, -ły, *pl m* -li; wylęgłszy; wylęgły, *pl m* -li; wylęgniecie się
**wziąć:** wezmę, weźmiesz, weźmie ... wezmą; weź; wziął, wzięła, -ło, -ły, *pl m* -li; wziąwszy; wzięty, *pl m* wzięci; wzięto; wzięcie
**zawrzeć, zewrzeć:** *see* wrzeć
**zląc się, zlęknąć się:** zlęknę, zlękniesz, zlęknie ... zlękną się; zlęknij się; zląkł, zlękła, -ło, -ły, *pl m* -li się; zląkłszy się; zlęknięty, *pl m* -ęci; zlęknięcie się
**zwać:** *see* rwać; *a.* zowię, zowiesz, zowie, zowią
**żreć:** *see* drzeć

*Note*: With verbs marked *pf.*, which are inflected by means of prefixes, the insertion of -e- is necessary in case of two or more consonants.

rozebrać (*but*: rozbiorę), odeprzeć (*but*: odparł), podejść, podeszła (*but*: podszedł), rozciąć (*but*: rozetnę) *etc.*

# NOTES

# NOTES

# NOTES

# NOTES

# NOTES

# NOTES

# NOTES

# NOTES